LES LIEUX DE MÉMOIRE

LES LIEUX DE MÉMOIRE

1 • *sous la direction de Pierre Nora*

QUARTO
GALLIMARD

AVEC LA COLLABORATION DE

CHARLES-ROBERT AGERON, MAURICE AGULHON, CHRISTIAN AMALVI,
BRONISLAW BACZKO, COLETTE BEAUNE, AVNER BEN-AMOS, FRANÇOISE BERCÉ,
FRANÇOISE CACHIN, JEAN CARBONNIER, ANDRÉ CHASTEL, GEORGES DUBY,
ANDRÉ FERMIGIER, BRUNO FOUCART, MARCEL GAUCHET, RAOUL GIRARDET,
JEAN-MARIE GOULEMOT, BERNARD GUENÉE, JEAN-YVES GUIOMAR,
HÉLÈNE HIMELFARB, HERVÉ LE BRAS, ANNE-MARIE LECOQ,
JACQUES LE GOFF, EMMANUEL LE ROY LADURIE, PASCALE MARIE,
JEAN-CLÉMENT MARTIN, JEAN-MARIE MAYEUR, PIERRE NORA,
DANIEL NORDMAN, PASCAL ORY, JACQUES OZOUF, MONA OZOUF,
KRZYSZTOF POMIAN, ÉDOUARD POMMIER, DOMINIQUE POULOT,
ANTOINE PROST, MADELEINE REBÉRIOUX, MARCEL RONCAYOLO,
LAURENT THEIS, CORRADO VIVANTI, MICHEL VOVELLE,
ÉRIC WALTER, EUGEN WEBER*

* Le répertoire complet des collaborateurs
se trouve à la fin du troisième volume.

Préface à l'édition « Quarto »

1997

Ce livre a une longue histoire. La première partie, *La République*, a paru en 1984. La deuxième, en trois volumes consacrés à *La Nation*, en 1986. La troisième enfin, *Les France*, en trois volumes également, mais plus épais que les précédents, en 1992 :
Un développement d'une pareille ampleur – sept volumes de la « Bibliothèque illustrée des histoires » – a dépassé de beaucoup le programme prévu et annoncé. Il ne correspond en rien à la réalisation point par point d'un plan préconçu ; il obéit à l'approfondissement et à l'élargissement d'une notion dont la fécondité s'est peu à peu révélée et la richesse, élaborée.

Il s'agissait en effet au départ de mettre en lumière la parenté secrète qu'entretenaient des mémoriaux vrais, comme les monuments aux morts ou le Panthéon, avec des objets apparemment aussi différents que des musées, commémorations, archives, devises ou emblèmes. Et au-delà, avec des phénomènes encore plus lointains : des institutions, comme l'Académie française ; des réalités, comme les frontières ; des catégories administratives, politiques ou temporelles, comme le département, la droite et la gauche, la génération. Pour aboutir, en définitive, à la mise en place générale et à l'analyse détaillée des blocs les plus massifs de nos représentations et de notre mythologie nationales.

D'étape en étape, l'entreprise est passée d'un simple éclairage des lieux porteurs d'une mémoire particulièrement significative au projet beaucoup plus ambitieux d'une histoire de France par la mémoire.

Ce parcours et ses cheminements intérieurs, il aurait été vain et même contraire à l'esprit de l'entreprise de chercher à les dissimuler. La gestation du sujet fait partie du sujet lui-même. C'est pourquoi les textes de présentation et de conclusion qui scandent la démarche et en articulent la progression sont ici respectés jusque dans l'expression de leurs flottements et leurs remords. Au lecteur qui souhaiterait comprendre l'architecture de l'édifice entier et la logique de sa croissance interne, il est conseillé de s'y reporter. Le plan qui figure en tête de chacun des trois volumes en facilitera le repérage.

De même eût-il été impossible dans cette édition en trois volumes dont le but est de mettre les sept volumes de l'édition originale des *Lieux de mémoire* à la portée du plus grand nombre sous une forme compacte, économique et continue, de procéder à la mise à jour scientifique de certaines contributions. Telles quelles, dans leur rassemblement et leur intention unanime, elles marquent un état nécessairement provisoire de la réflexion historique, de la conscience et de l'actualité nationales. Il faut les prendre ainsi. C'est le propre de la mémoire de ne s'incarner qu'un moment dans un lieu.

Pierre Nora

N.B.: Pour la clarté générale du plan, on a adopté, en tête des trois parties de *La Nation*, les sous-titres qui, à l'époque de la parution, avaient été envisagés dans la «Présentation», pour chacun des trois volumes: *L'immatériel*, *Le matériel*, *L'idéel*.
Nous n'avons conservé de l'iconographie de l'édition originale que les documents indissolublement liés à l'écriture des textes.
Le lecteur trouvera la table complète des illustrations à la fin du troisième volume.

QUARTO 1

Préface à l'édition «Quarto» *Pierre Nora*
Présentation *Pierre Nora*
ENTRE MÉMOIRE ET HISTOIRE *Pierre Nora*

LA RÉPUBLIQUE

Symboles

Les Trois Couleurs *Raoul Girardet* – Le calendrier républicain *Bronislaw Baczko* – "La Marseillaise" *Michel Vovelle*

Monuments

Le Panthéon *Mona Ozouf* – La mairie *Maurice Agulhon* – Les monuments aux morts *Antoine Prost*

Pédagogie

Le "Grand Dictionnaire" de Pierre Larousse *Pascal Ory* – Lavisse, instituteur national *Pierre Nora* – "Le Tour de la France par deux enfants" *Jacques et Mona Ozouf* – La bibliothèque des Amis de l'instruction du IIIe arrondissement *Pascale Marie* – Le "Dictionnaire de pédagogie" de Ferdinand Buisson *Pierre Nora*

Commémorations

Les centenaires de Voltaire et de Rousseau *Jean-Marie Goulemot et Éric Walter* – Le 14-Juillet *Christian Amalvi* – Les funérailles de Victor Hugo *Avner Ben-Amos* – Le Centenaire de la Révolution française *Pascal Ory* – L'Exposition coloniale de 1931 *Charles-Robert Ageron*

Contre-mémoire

La Vendée, région-mémoire *Jean-Clément Martin* – Le mur des Fédérés *Madeleine Rebérioux.*

DE LA RÉPUBLIQUE À LA NATION *Pierre Nora*

LA NATION

Présentation *Pierre Nora*

1. L'IMMATÉRIEL

Héritage

Chancelleries et monastères *Bernard Guenée* –
Le Lignage, Xe-XIIIe siècle *Georges Duby* – Les sanctuaires royaux
Colette Beaune – Reims, ville du sacre *Jacques Le Goff*

Historiographie

Les "Grandes Chroniques de France" *Bernard Guenée* –
"Les Recherches de la France" d'Étienne Pasquier *Corrado Vivanti* –
Les "Lettres sur l'histoire de France" d'Augustin Thierry *Marcel Gauchet* –
L'"Histoire de France" de Lavisse *Pierre Nora* –
L'heure des "Annales" *Krzysztof Pomian*

Paysages

Le paysage du peintre *Françoise Cachin* –Le paysage du savant
Marcel Roncayolo – Les Guides-Joanne *Daniel Nordman* – Le "Tableau
de la géographie de la France" de Vidal de la Blache *Jean-Yves Guiomar*

2. LE MATÉRIEL

Le territoire

Des limites féodales aux frontières politiques *Bernard Guenée* –
Des limites d'État aux frontières nationales *Daniel Nordman* –
Une mémoire-frontière : l'Alsace *Jean-Marie Mayeur* –
L'Hexagone *Eugen Weber* – Nord-Sud *Emmanuel Le Roy Ladurie*

L'État

La symbolique de l'État *Anne-Marie Lecoq* – Versailles, l'image du souverain
Édouard Pommier –Versailles, fonctions et légendes *Hélène Himelfarb* –
Le Code civil *Jean Carbonnier* – La Statistique générale de la France
Hervé Le Bras –Les mémoires d'État *Pierre Nora*

Le patrimoine

La notion de patrimoine *André Chastel* –
Naissance des musées de province *Édouard Pommier* –
Alexandre Lenoir et les musées des Monuments français *Dominique Poulot* –
Arcisse de Caumont et les sociétés savantes *Françoise Bercé* –
Guizot et les institutions de mémoire *Laurent Theis* –
Mérimée et l'Inspection des monuments historiques *André Fermigier* –
Viollet-le-Duc et la restauration *Bruno Foucart*

QUARTO 2

LA NATION

3. L'IDÉEL

La gloire

Mourir pour la patrie *Philippe Contamine* –Le soldat Chauvin *Gérard de Puymège* – Le retour des Cendres *Jean Tulard* – Verdun *Antoine Prost* – Le musée historique de Versailles *Thomas W. Gaehtgens* – Le Louvre *Jean-Pierre Babelon* – Les morts illustres *Jean-Claude Bonnet* – Les statues de Paris *June Hargrove* –Le nom des rues *Daniel Milo*

Les mots

La Coupole *Marc Fumaroli* – Le Collège de France *Christophe Charle* – La chaire, la tribune, le barreau *Jean Starobinski* – Le Palais-Bourbon *Jean-Pierre Rioux* – Les classiques scolaires *Daniel Milo* – La visite au grand écrivain *Olivier Nora* – La khâgne *Jean-François Sirinelli* – Les Trésors de la langue *Alain Rey*

LA NATION-MÉMOIRE *Pierre Nora*

LES FRANCE

COMMENT ÉCRIRE L'HISTOIRE DE FRANCE ? *Pierre Nora*

1. CONFLITS ET PARTAGES

Présentation *Pierre Nora*

Divisions politiques

Francs et Gaulois *Krzysztof Pomian* – L'Ancien Régime et la Révolution *François Furet* – Catholiques et laïcs *Claude Langlois* – Le peuple *Jacques Julliard* – Les rouges et les blancs *Jean-Louis Ormières* – Français et étrangers *Gérard Noiriel* – Vichy *Philippe Burrin* – Gaullistes et communistes *Pierre Nora* – La droite et la gauche *Marcel Gauchet*

QUARTO 3

LES FRANCE

2. TRADITIONS

3. De l'archive à l'emblème

Présentation *Pierre Nora*

Enregistrement

La généalogie *André Burguière* – L'étude du notaire *Jean-Paul Poisson* – Les vies ouvrières *Michelle Perrot* – L'âge industriel *Louis Bergeron* – Les archives *Krzysztof Pomian*

Hauts lieux

Lascaux *Jean-Paul Demoule* – Alésia *Olivier Buchsenschutz et Alain Schnapp* – Vézelay *Guy Lobrichon* – Notre-Dame de Paris *Alain Erlande-Brandenburg* – Les châteaux de la Loire *Jean-Pierre Babelon* – Le Sacré-Cœur de Montmartre *François Loyer* – La tour Eiffel *Henri Loyrette*

Identifications

Le coq gaulois *Michel Pastoureau* – La fille aînée de l'Église *René Rémond* – Liberté, Égalité, Fraternité *Mona Ozouf* – Charlemagne *Robert Morrissey* – Jeanne d'Arc *Michel Winock* – Descartes *François Azouvi* – Le roi *Alain Boureau* – L'État *Alain Guéry* – Paris *Maurice Agulhon* – Le génie de la langue française *Marc Fumaroli*

L'ère de la commémoration *Pierre Nora*

Présentation

Ce livre est né d'un séminaire que j'ai tenu pendant trois ans, de 1978 à 1981, à l'École des hautes études en sciences sociales. La disparition rapide de notre mémoire nationale m'avait semblé appeler un inventaire des lieux où elle s'est électivement incarnée et qui, par la volonté des hommes ou le travail des siècles, en sont restés comme les plus éclatants symboles : fêtes, emblèmes, monuments et commémorations, mais aussi éloges, dictionnaires et musées.

Pourquoi, à des généralités sur la mémoire nationale, avoir préféré une étude de cas ? Les lieux de mémoire me paraissaient trancher par leur existence même et leur poids d'évidence, les ambiguïtés que comportent à la fois la mémoire, la nation, et les rapports complexes qu'elles entretiennent. Objets, instruments ou institutions de la mémoire, c'étaient des précipités chimiques purs.

Ces lieux, il fallait les entendre à tous les sens du mot, du plus matériel et concret, comme les monuments aux morts et les Archives nationales, au plus abstrait et intellectuellement construit, comme la notion de lignage, de génération, ou même de région et d'« homme-mémoire ». Du haut lieu à sacralité institutionnelle, Reims ou le Panthéon, à l'humble manuel de nos enfances républicaines. Depuis les chroniques de Saint-Denis, au XIIIe siècle, jusqu'au *Trésor de la langue française*; en passant par le Louvre, *La Marseillaise* et l'encyclopédie Larousse.

Des lieux-carrefours donc, traversés de dimensions multiples. Dimension historiographique, toujours présente, puisque histoire de l'histoire, ils sont la matière dont se construit l'histoire, histoire de ses instruments, de sa production et de ses procédures. Mais dimension également ethnographique, puisqu'il s'agit à tout moment de nous déprendre de nos habitudes familières, vécues dans la chaleur de la tradition, de cartographier notre propre géographie mentale. Psychologique, puisqu'il nous faut postuler l'adéquation de l'individuel au collectif et transporter à tâtons dans le champ du social des notions – inconscient, symbolisation, censure, transfert – dont, au plan individuel, la définition n'est ni claire, ni sûre. Politique aussi, et, peut-être, surtout, si l'on entend par politique un jeu de forces qui transforment la réalité : la mémoire en effet est un cadre plus qu'un contenu, un enjeu toujours disponible, un ensemble de stratégies, un être-là qui vaut moins par ce qu'il est que par ce que l'on en fait. C'est dire qu'on touche ici à la dimension littéraire des lieux de mémoire, dont l'intérêt repose en définitive sur l'art de la mise en scène et l'engagement personnel de l'historien.

De cet immense domaine, il était hors de question de faire le tour du propriétaire, puisqu'il ne comprend pas seulement le culte des morts et l'ensemble toujours plus dilaté du patrimoine, mais tous les éléments qui commandent l'économie du passé dans le présent ; et puisque la mémoire, au sens où elle est ici entendue, ne s'oppose pas à l'oubli, qu'elle englobe, et ne s'identifie pas au souvenir, qu'elle suppose. Plus qu'une exhaustivité impossible à atteindre, comptent donc ici les types de sujets retenus, la qualité du regard, l'élaboration des objets, la richesse et la variété des approches, et, en définitive, l'équilibre général d'un vaste ensemble – quatre volumes* – auquel ont accepté de collaborer plus de soixante parmi les historiens les plus qualifiés. La matière de France est inépuisable.

Voici d'abord *La République*, avec ses symboles, ses monuments, sa pédagogie, ses commémorations, et les lieux exemplaires de sa contre-mémoire. Puis viendra *La Nation*, en deux volumes*, articulés autour des principaux thèmes dont est chargée sa représentation : l'héritage lointain, les grands moments de remaniements de sa mémoire historiographique, les frontières à l'intérieur desquelles elle a défini sa souveraineté et son « être-ensemble », la manière dont, en artiste ou en savant, on a pu déchiffrer ses paysages et ses espaces. Mais aussi les lieux où s'est le mieux condensée l'idée qu'elle s'est faite du rôle de l'État, de sa grandeur et de ses gloires, militaires et civiles, de son patrimoine monumental et artistique, de ses lettres enfin, et de sa langue. Au quatrième volume* apparaîtront pour terminer *Les France* : France politiques, sociales, religieuses, régionales.

La République, la Nation, les France : de l'une aux autres, le parcours s'est logiquement imposé. Du plus simple au plus compliqué, du contenu au contenant, du plus facile à dater au moins aisément repérable, du plus local au plus général, du plus récent au plus lointain, du plus politique au plus charnel, du plus unitaire au plus diversifié, du plus évident au plus problématique.

* C'est ce plan qui a été remanié en cours de route pour aboutir à sept volumes. Pour comprendre ces développements, le lecteur est prié de se reporter à la « Présentation » de *La Nation*, et au texte introductif de *Les France*, « Comment écrire l'histoire de France ? » (P.N., 1997).

Entre ces trois parties, la progression n'est cependant pas linéaire. La République opère un redoublement de mémoire, dans la mesure où, régime politique devenu notre seconde nature, elle n'est pas un simple fragment de notre mémoire nationale, mais sa redéfinition synthétique et son aboutissement. La République se confond pratiquement avec sa mémoire, elle est comme le sujet dans le sujet. C'est pourquoi il a paru légitime d'en présenter la tradition centrale et indivisible, sans s'encombrer des répliques multiples qui la composent. Légitime aussi de mettre l'accent sur la troisième des républiques, la vraie sinon la seule pour tous les Français, et particulièrement sur sa période fondatrice, qui se dote d'une véritable stratégie de la mémoire, au détriment de deux autres cibles: en amont, la période révolutionnaire, en aval, celle qui va du Front populaire à la Résistance. Légitime encore d'insister, en son cœur, sur les instruments de sa pédagogie, puisque la République tout entière est un apprentissage et que son histoire est celle d'une acculturation. Si l'école, les manuels et les instituteurs ont fait depuis vingt ans l'objet d'une étude abondante[1], ce n'est que récemment qu'on a étudié *La République au village* et la descente de la politique vers les masses, pour se lancer ensuite dans l'imagerie et l'allégorie républicaine, en particulier celle de Marianne[2]; tout récemment qu'on a souligné l'intérêt d'une étude des fêtes républicaines, analogue à ce qu'a été *La Fête révolutionnaire*[3]; plus récemment encore qu'a été tentée une histoire critique de *L'Idée républicaine*[4] et qu'a paru possible une synthèse de *La Vie politique sous la Troisième République* conçue comme une culture[5]; que l'attention enfin s'est portée sur *Les Expositions universelles* et qu'un plaidoyer global pour l'archéologie culturelle de la République a paru nécessaire[6].

Aux lieux incontestés, inévitables et désormais visités de la mémoire républicaine, on a cherché à mêler des lieux moins évidents, comme le calendrier révolutionnaire; voire inconnus comme une bibliothèque populaire du Marais ou le *Dictionnaire de pédagogie* de Ferdinand Buisson. Ce sont ces lieux sans gloire, peu fréquentés par la recherche et disparus de la circulation qui rendent le mieux compte de ce qu'est à nos yeux le lieu de mémoire et en font sentir au plus près l'originalité. Car à trop élargir la notion, on court le risque de glisser subrepticement vers celle, voisine et pourtant différente, de lieu d'identité. Si bien qu'autour des emblèmes flamboyants de la reconnaissance collective, La Marseillaise, le drapeau tricolore, on a voulu disposer ici les lieux modestes où s'est obscurément, mais d'autant plus démonstrativement, construite la mémoire de la République.

Avec la Nation, ce n'est pas seulement le cadre qui se dilate, mais le sujet qui change. Car on ne pouvait prétendre, à l'évidence, dresser l'inventaire complet du mobilier national, fût-ce en se limitant à ses pièces les plus massives: on y a d'autant plus aisément renoncé que les lieux de mémoire ne sont pas *ce* dont on se souvient, mais *là* où la mémoire travaille; non la tradition elle-même, mais son laboratoire. Et il n'était pas davantage question d'isoler les éléments constitutifs et déterminants de l'identification nationale: c'eût été retourner à la chronologie, et, dans ce pays où, selon l'éclairante formule de Bernard Guenée, «l'État a précédé la Nation», braquer le projecteur sur trois moments d'intense cristallisation, les XIVe-XVIe siècles, la période révolutionnaire et la synthèse républicaine, en renonçant ainsi à l'autonomie du premier volume.

De la nation – ce phénomène original des temps modernes qu'une longue familiarité nous empêche de considérer d'un œil neuf – il y a eu, jusqu'ici, trois manières de parler: juridique, historique et sentimentale. Toutes mettent en relief les spécificités nationales, mais sans pouvoir s'interroger sur elles. La première les élude par principe, la seconde les décline et la troisième se contente de les célébrer. À une immense littérature nous devons, sur l'histoire du sentiment national en particulier[7], d'indispensables repères et un savoir pléthorique; elle n'en laisse pas moins l'étrange impression d'une invincible tautologie: on explique la nation par la nation, un aspect du fait national à partir d'un autre aspect, sans jamais sortir du cercle et saisir la chose du dehors, dans sa nouveauté et son étrangeté. La République doit à la politique mémorielle de sa phase inauguratrice sa forte personnalité. La nation, en revanche, se présente historiquement comme un donné, aussi difficile à saisir que l'air que nous respirons et qui pourtant nous fait vivre. À l'antiquité même du fait national, dont le point de départ n'est pas directement assignable[8] et le souvenir perdu «dans la nuit des temps», nous devons sans doute de penser simultanément «nation», fait politique et «société», notion intellectuelle. La société, on en saisit l'organisation intérieure par un regard extérieur. La nation est, dans le même temps, intérieure à elle-même *et* extérieure: le spirituel mais dans le temporel, l'historique mais dans le géographique, l'idéologique mais dans le charnel, l'indéfini mais dans le délimité, l'universel mais dans le particulier, l'éternel mais dans le chronologique. Elle n'est saisissable que de l'extérieur, dans la généralité du phénomène, et de l'intérieur, dans la singularité multiple de ses manifestations.

En attendant donc l'analyse d'ordre philosophique qui, de l'extérieur du fait national, et passant derrière son décor, nous expliquerait ce mystère en pleine lumière[9], la tâche qu'assigne à l'historien notre propre moment de l'histoire nationale est, en priorité, l'analyse des objets les plus représentatifs de sa tradition, que nous reconnaissons toujours comme nôtre, mais que nous ne pouvons plus vivre comme telle. C'est ce mélange d'attachement sentimental et de détachement critique qui a guidé le choix et le plan des deux volumes consacrés à la Nation, comme il a inspiré de mettre le dernier volet sous le signe du multiple: les France.

Ce pluriel n'est pas de coquetterie. Il ne sacrifie pas seulement à l'éclatement décentralisateur, au conflit des conceptions possibles, à la diversité des composantes ; il exprime le trouble d'une identité devenue douteuse.

C'est là que l'échantillonnage se révélait le plus nécessaire, mais le plus délicat. Car le risque inhérent à l'étude des lieux de mémoire reste de privilégier par définition le marginal et le minoritaire comme des refuges naturels de mémoires menacées. S'agit-il, par exemple, des France religieuses ? Si le musée du Désert s'impose comme le lieu par excellence de la mémoire protestante, du catholicisme, en revanche, comment élire un lieu de mémoire unique ? Et que choisir du judaïsme, dont le vrai lieu de mémoire n'est autre que la mémoire elle-même ? Difficulté identique pour les mémoires sociales, en particulier celle de la bourgeoisie, dont les normes et les valeurs débordant leur terre natale, ont colonisé depuis deux siècles les représentations populaires et aristocratiques. On a donc pris le parti, pour pallier cet inconvénient, de sur-représenter, autant que la place le permettait, le nombre des lieux de mémoire majoritaires, conscients cependant de ne pouvoir faire mieux que de croiser les vues plongeantes et les regards obliques.

On a surtout cru devoir, à défaut d'une impossible saisie fine de la pluralité des milieux sociaux, et en globalisant les mémoires bourgeoise, paysanne, ouvrière, scinder l'approche en deux : d'une part des mémoires rémanentes, comme la grève, le marché, le bistrot, saisies à travers ces « sociabilités » traditionnelles que Maurice Agulhon a fait entrer dans le domaine de l'histoire ; d'autre part des mémoires ressaisies, soit à travers ces jeunes institutions de mémoire que sont les musées des Arts et Traditions populaires, soit, pour les classes moyennes, à travers les livres de raison, les albums de famille ou le minutier du notaire, ces lieux de mémoire récemment ouverts à la curiosité des historiens.

Le vrai problème de cette dernière partie n'est d'ailleurs pas dans l'ouverture indéfinie du sujet, mais dans l'élaboration supplémentaire qu'elle exige de la notion même de lieu de mémoire. Cette nécessité n'est jamais aussi pressante qu'en abordant au politique. À partir du moment où il était exclu de déployer l'éventail des différentes familles politiques – conservatrices, par exemple, libérales, progressistes et révolutionnaires –, force était de chercher des observatoires pertinents. Moins les lieux que les nœuds de mémoire où sont venus se prendre les fils éternellement flottants du souvenir et de l'oubli ; autrement dit les matrices de notre mémoire politique contemporaine, telles que la Révolution et ses projections sur l'imaginaire, Jeanne d'Arc, profil gauche et profil droit, la mémoire comme lieu du pouvoir politique depuis la Libération, de Gaulle, envisagé comme un mât-totem de nos mémoires, la génération, notion indispensable et illusoire, ou les métamorphoses contemporaines des lieux traditionnels de notre bagage politique. Lieu de mémoire s'entend ici au second degré.

L'histoire que produit l'étude polyphonique de ces lieux ne ressemble à aucune autre : modeste et pourtant ambitieuse, traditionnelle en même temps que très nouvelle. Pas tout à fait une histoire de France, mais, entre mémoire et histoire, l'exploration sélective et savante de notre héritage collectif, qui tire sa justification la plus vraie de l'émotion qu'éveille encore en chacun d'entre nous un reste d'identification vécue à ces symboles à demi effacés. Une histoire des représentations, profondément différente à la fois de l'histoire nationale positiviste du siècle dernier, dont elle retrouve pourtant les centres d'intérêt, et de l'histoire des mentalités, dont elle hérite, mais au-delà ou à côté de laquelle elle s'installe dans une vérité purement symbolique.

C'est à la fois ce retour et cette rupture qui font son originalité ; une originalité qui ne rend que plus impérative la fidélité absolue au principe de réalité, la volonté confirmée de savoir, selon la célèbre formule de Ranke, « ce qui s'est réellement passé ». Le plus nouveau réclame le plus ancien. Peu d'époques dans notre histoire ont été sans doute aussi prisonnières de leur mémoire, mais peu également ont vécu de façon aussi problématique la cohérence du passé national et sa continuité. Le représentatif, le symbolique et l'interprétatif ont, eux aussi, leurs événements, leur chronologie et leur érudition. Les objets qui s'offrent à une étude de la mémoire sont, en un sens et pour la plupart, ceux-là même que l'histoire la plus classique et retardataire aurait pu se donner. Mais ces objets, elle ne se les est, précisément, pas donnés. Non par indifférence ou par oubli, mais parce qu'ils étaient, par définition, l'envers de cette histoire, l'angle mort de son épistémologie, le soubassement de son existence, sa propre condition de possibilité.

On ne s'excusera donc pas de leur apparente trivialité. Si évidents qu'ils soient, et parce qu'évidents, ils sont largement inconnus. Pour ne prendre que ce premier volume, le drapeau tricolore ? On n'est pas peu étonné que personne, récemment, n'ait eu l'idée de l'étudier. Le drapeau rouge a son histoire, ainsi que le blanc, ainsi que le noir. Mais sur celui qui nous sert d'emblème, et dont chaque jour donne les couleurs à voir, sinon à regarder, pratiquement rien. Le seul travail sur le calendrier révolutionnaire nous vient, non publié, d'un Américain. *La Marseillaise* ? Les seules études averties, encore que partielles, sont du musicographe de la garde républicaine. Les habitants du Panthéon n'ont pas trouvé leur historien. La typologie de mairies ? En voici l'annonce et l'esquisse. Celle des monuments aux morts, présents dans chaque commune, personne ne s'était avisé de la dresser. Le centenaire de la Révolution, celui de la mort de Victor Hugo ? Il a fallu la perspective des bicentenaires pour qu'il paraisse urgent d'y regarder de près. De l'auteur du *Tour de la France*, signé Bruno, personne n'avait percé le mystère, et ses raisons. Sur le mur des Fédérés, des poèmes et des chansons, mais jusqu'à présent pas d'histoire. De chacun des articles ou presque[10], on pourrait en dire autant. Bien des lieux importants, sans doute, manquent à l'appel. Mais quels que soient les regrets qu'inspire leur absence – le maître d'œuvre en est seul responsable –, de ceux qui figurent ici, il faut reconnaître l'utilité. C'est là leur moindre mérite. Car ces essais, on aimerait qu'indépendamment de leur visée d'ensemble ils soient lus pour eux-mêmes, et qu'avant de leur demander des comptes, on prenne, à les découvrir, du plaisir et de l'intérêt. Cette lourde machinerie monographique soulève des problèmes complexes : les limites exactes du lieu de mémoire, la théorie des commémorations, les liens de la mémoire historique et de la mémoire collective, les rapports des idéologies et de la politique, de la mémoire et du pouvoir, de la République et de la Nation. Laissons-les là. Le choix des sujets, même s'il a été passablement médité, en fonction de la typologie nécessaire, de l'état scientifique de la question, de la disponibilité des compétences pour la traiter, comporte une part d'arbitraire. Acceptons-la. Cette complaisance à nos imaginaires de prédilection comporte, indéniablement, un risque de régression intellectuelle et de retour au gallocentrisme que toute l'historiographie contemporaine a fait l'heureux effort de dépasser. Il faut le savoir, il faut y prendre garde. Mais pour l'heure, oublions-le. Et à cette poignée d'essais, que d'autres bientôt vont suivre par brassées, souhaitons, pour leur fraîcheur et pour leur joyeuseté, de trouver d'abord une lecture innocente.

Pierre Nora 1984

1. Pour ne rappeler que la plus récente, *Enseigner l'histoire, des manuels à la mémoire*, textes réunis et présentés par Henri Moniot, Berne, Peter Lang, 1984.

2. Maurice Agulhon, *La République au village*, Paris, Plon, 1970; ainsi que *Marianne au Combat*, Paris, Flammarion, 1979 et *Marianne au pouvoir*, Paris, Flammarion 1989.

3. Charles Rearik, «Festivals in Modern France: The Experience of the Third Republic», *Journal of Contemporary History*, 12, 1977, pp. 435-460; Mona Ozouf, *La Fête révolutionnaire*, Paris, Gallimard, 1977.

4. Claude Nicolet, *L'Idée républicaine en France*, Paris, Gallimard, 1982.

5. Jean-Marie Mayeur, *La Vie politique sous la Troisième République, 1870-1940*, Paris, Éd. du Seuil, collection «Nouvelle Histoire de la France contemporaine», 1984.

6. Pascal Ory, *Les Expositions universelles de Paris*, Paris, Ramsay, 1982; «Hypothèses de travail en histoire culturelle: l'exemple de la France contemporaine», *Bulletin de la Société d'histoire moderne et contemporaine*, 2, 1982, à compléter par l'«État bibliographique» de la question, paru en 1981, dans le numéro 2 du *Bulletin du Centre d'histoire de la France contemporaine de Paris X*.

7. Voir en particulier, avec sa bibliographie, la forte médiation d'Alphonse Dupront, «Du sentiment national» dans *La France et les Français*, sous la direction de Michel François, Paris, Gallimard, Encyclopédie de la Pléiade, 1972, pp. 1423-1475, que l'on complétera par Pierre Chaunu, *La France, histoire de la sensibilité des Français à la France*, Paris, Robert Lafont, 1982, rééd. Paris, Hachette, collection «Pluriel».

8. Voir Ferdinand Lot, *La France des origines à la guerre de Cent ans*, Paris, Gallimard, 1948.

9. Marcel Gauchet l'a déjà entamée par un long commentaire de l'ouvrage d'Ernst Kantorowicz, *The King's Two Bodies*, Princeton, 1957: «Des deux corps du roi au pouvoir sans corps», *Le Débat*, n°s 14 et 15.

10. Une seule exception, l'étude que Rosemonde Sanson a consacrée au *14-Juillet, fête et conscience nationale, 1789-1975*, Paris, Flammarion, 1976. Du même auteur, on lira aussi avec intérêt «La fête de Jeanne d'Arc en 1894», *Revue d'histoire moderne et contemporaine*, juillet-septembre 1973.

PIERRE NORA

Entre Mémoire et Histoire

La problématique des lieux

I. La fin de l'histoire-mémoire

Accélération de l'histoire. Au-delà de la métaphore, il faut prendre la mesure de ce que l'expression signifie : un basculement de plus en plus rapide dans un passé définitivement mort, la perception globale de toute chose comme disparue – une rupture d'équilibre. L'arrachement de ce qui restait encore de vécu dans la chaleur de la tradition, dans le mutisme de la coutume, dans la répétition de l'ancestral, sous la poussée d'un sentiment historique de fond. L'accession à la conscience de soi sous le signe du révolu, l'achèvement de quelque chose depuis toujours commencé. On ne parle tant de mémoire que parce qu'il n'y en a plus.

La curiosité pour les lieux où se cristallise et se réfugie la mémoire est liée à ce moment particulier de notre histoire. Moment charnière, où la conscience de la rupture avec le passé se confond avec le sentiment d'une mémoire déchirée ; mais où le déchirement réveille encore assez de mémoire pour que puisse se poser le problème de son incarnation. Le sentiment de la continuité devient résiduel à des lieux. Il y a des lieux de mémoire parce qu'il n'y a plus de milieux de mémoire.

Qu'on songe à cette mutilation sans retour qu'a représentée la fin des paysans, cette collectivité-mémoire par excellence dont la vogue comme objet d'histoire a coïncidé avec l'apogée de la croissance industrielle. Cet effondrement central de notre mémoire n'est pourtant qu'un exemple. C'est le monde entier qui est entré dans la danse, par le phénomène bien connu de la mondialisation, de la démocratisation, de la massification, de la médiatisation. À la périphérie, l'indépendance des nouvelles nations a entraîné dans l'historicité les sociétés déjà réveillées par le viol colonial de leur sommeil ethnologique. Et par le même mouvement de décolonisation intérieure, toutes les ethnies, groupes, familles, à fort capital mémoriel et à faible capital historique. Fin des sociétés-mémoires, comme toutes celles qui assuraient la conservation et la transmission des valeurs, église ou école, famille ou État.

Fin des idéologies-mémoires, comme toutes celles qui assuraient le passage régulier du passé à l'avenir ou indiquaient, du passé, ce qu'il fallait retenir pour préparer l'avenir ; qu'il s'agisse de la réaction, du progrès ou même de la révolution. Bien plus : c'est le mode même de la perception historique qui, media aidant, s'est prodigieusement dilaté, substituant à une mémoire repliée sur l'héritage de sa propre intimité la pellicule éphémère de l'actualité.

Accélération : ce que le phénomène achève de nous révéler brutalement, c'est toute la distance entre la mémoire vraie, sociale et intouchée, celle dont les sociétés dites primitives, ou archaïques, ont représenté le modèle et emporté le secret – et l'histoire, qui est ce que font du passé nos sociétés condamnées à l'oubli, parce qu'emportées dans le changement. Entre une mémoire intégrée, dictatoriale et inconsciente d'elle-même, organisatrice et toute-puissante, spontanément actualisatrice, une mémoire sans passé qui reconduit éternellement l'héritage, renvoyant l'autrefois des ancêtres au temps indifférencié des héros, des origines et du mythe – et la nôtre, qui n'est qu'histoire, trace et tri. Distance qui n'a fait que s'approfondir au fur et à mesure que les hommes se sont reconnu, et toujours davantage depuis les temps modernes, un droit, un pouvoir et même un devoir de changement. Distance qui trouve aujourd'hui son point d'aboutissement convulsif.

Cet arrachement de mémoire sous la poussée conquérante et éradicatrice de l'histoire a comme un effet de révélation : la rupture d'un lien d'identité très ancien, la fin de ce que nous vivions comme une évidence : l'adéquation de l'histoire et de la mémoire. Le fait qu'il n'y ait qu'un mot, en français, pour désigner l'histoire vécue et l'opération intellectuelle qui la rend intelligible (ce que les Allemands distinguent par *Geschichte* et *Historie*), infirmité de langage souvent soulignée, délivre ici sa profonde vérité : le mouvement qui nous emporte est de même nature que celui qui nous le représente. Habiterions-nous encore notre mémoire, nous n'aurions pas besoin d'y consacrer des lieux. Il n'y aurait pas de lieux, parce qu'il n'y aurait pas de mémoire emportée par l'histoire. Chaque geste, jusqu'au plus quotidien, serait vécu comme la répétition religieuse de ce qui s'est fait depuis toujours, dans une identification charnelle de l'acte et du sens. Dès qu'il y a trace, distance, médiation, on n'est plus dans la mémoire vraie, mais dans l'histoire. Pensons aux Juifs, confinés dans la fidélité quotidienne au rituel de la tradition. Leur constitution en « peuple de la mémoire » excluait un souci d'histoire, jusqu'à ce que son ouverture au monde moderne lui impose le besoin d'historiens.

Mémoire, histoire : loin d'être synonymes, nous prenons conscience que tout les oppose. La mémoire est la vie, toujours portée par des groupes vivants et à ce titre, elle est en évolution permanente, ouverte à la dialectique du souvenir et de l'amnésie, inconsciente de ses déformations successives, vulnérable à toutes les utilisations et manipulations, susceptible de longues

latences et de soudaines revitalisations. L'histoire est la reconstruction toujours problématique et incomplète de ce qui n'est plus. La mémoire est un phénomène toujours actuel, un lien vécu au présent éternel; l'histoire, une représentation du passé. Parce qu'elle est affective et magique, la mémoire ne s'accommode que des détails qui la confortent; elle se nourrit de souvenirs flous, télescopants, globaux ou flottants, particuliers ou symboliques, sensible à tous les transferts, écrans, censure ou projections. L'histoire, parce que opération intellectuelle et laïcisante, appelle analyse et discours critique. La mémoire installe le souvenir dans le sacré, l'histoire l'en débusque, elle prosaïse toujours. La mémoire sourd d'un groupe qu'elle soude, ce qui revient à dire, comme Halbwachs l'a fait, qu'il y a autant de mémoires que de groupes; qu'elle est, par nature, multiple et démultipliée, collective, plurielle et individualisée. L'histoire, au contraire, appartient à tous et à personne, ce qui lui donne vocation à l'universel. La mémoire s'enracine dans le concret, dans l'espace, le geste, l'image et l'objet. L'histoire ne s'attache qu'aux continuités temporelles, aux évolutions et aux rapports des choses. La mémoire est un absolu et l'histoire ne connaît que le relatif.
Au cœur de l'histoire, travaille un criticisme destructeur de mémoire spontanée. La mémoire est toujours suspecte à l'histoire, dont la mission vraie est de la détruire et de la refouler. L'histoire est délégitimation du passé vécu. À l'horizon des sociétés d'histoire, aux limites d'un monde complètement historisé, il y aurait désacralisation ultime et définitive. Le mouvement de l'histoire, l'ambition historienne ne sont pas l'exaltation de ce qui s'est véritablement passé, mais sa néantisation. Sans doute un criticisme généralisé conserverait-il des musées, des médailles et des monuments, c'est-à-dire l'arsenal nécessaire à son propre travail, mais en les vidant de ce qui, à nos yeux, en fait des lieux de mémoire. Une société qui se vivrait intégralement sous le signe de l'histoire ne connaîtrait en fin de compte, pas plus qu'une société traditionnelle, de lieux où ancrer sa mémoire.

Un des signes les plus tangibles de cet arrachement de l'histoire à la mémoire est peut-être le début d'une histoire de l'histoire, l'éveil, en France tout récent, d'une conscience historiographique. L'histoire, et plus précisément celle du développement national, a constitué la plus forte de nos traditions collectives; par excellence, notre milieu de mémoire. Des chroniqueurs du Moyen Âge aux historiens contemporains de l'histoire «totale», toute la tradition historique s'est développée comme l'exercice réglé de la mémoire et son approfondissement spontané, la reconstitution d'un passé sans lacune et sans faille. Aucun des grands historiens, depuis Froissart, n'avait, sans doute, le sentiment de ne représenter qu'une mémoire particulière. Commynes n'avait pas conscience de ne recueillir qu'une mémoire dynastique, La

Popelinière une mémoire française, Bossuet une mémoire monarchique et chrétienne, Voltaire la mémoire des progrès du genre humain, Michelet uniquement celle du «peuple» et Lavisse la seule mémoire de la nation. Bien au contraire, ils étaient pleins du sentiment que leur tâche consistait à établir une mémoire plus positive que les précédentes, plus englobante et plus explicative. L'arsenal scientifique dont l'histoire s'est dotée au siècle dernier n'a fait que puissamment renforcer l'établissement critique d'une mémoire vraie. Tous les grands remaniements historiques ont consisté à élargir l'assiette de la mémoire collective.

Dans un pays comme la France, l'histoire de l'histoire ne peut être une opération innocente. Elle traduit la subversion intérieure d'une histoire-mémoire par une histoire-critique. Toute histoire est par nature critique, et tous les historiens ont prétendu dénoncer les mythologies mensongères de leurs prédécesseurs. Mais quelque chose de fondamental commence quand l'histoire commence à faire sa propre histoire. La naissance d'un souci historiographique, c'est l'histoire qui se met en devoir de traquer en elle ce qui n'est pas elle, se découvrant victime de la mémoire et faisant effort pour s'en délivrer. Dans un pays qui n'aurait pas donné à l'histoire un rôle recteur et formateur de la conscience nationale, l'histoire de l'histoire ne se chargerait pas de ce contenu polémique. Aux États-Unis, par exemple, pays de mémoire plurielle et d'apports multiples, la discipline est depuis toujours pratiquée. Les interprétations différentes de l'Indépendance ou de la guerre civile, si lourds qu'en soient les enjeux, ne remettent pas en cause la Tradition américaine parce que, en un sens, il n'y en a pas, ou qu'elle ne passe pas principalement par l'histoire. Au contraire, en France, l'historiographie est iconoclaste et irrévérencieuse. Elle consiste à s'emparer des objets les mieux constitués de la tradition – une bataille clé, comme Bouvines, un manuel canonique, comme le petit Lavisse – pour en démonter le mécanisme et reconstituer au plus près les conditions de leur élaboration. C'est introduire le doute au cœur, la lame critique entre l'arbre de la mémoire et l'écorce de l'histoire. Faire l'historiographie de la Révolution française, reconstituer ses mythes et ses interprétations signifie que nous ne nous identifions plus complètement avec son héritage. Interroger une tradition, si vénérable soit-elle, c'est ne plus s'en reconnaître uniment le porteur. Or ce ne sont pas seulement les objets les plus sacrés de notre tradition nationale que se propose une histoire de l'histoire; en s'interrogeant sur ses moyens matériels et conceptuels, sur les procédures de sa propre production et les relais sociaux de sa diffusion, sur sa propre constitution en tradition, c'est l'histoire tout entière qui est entrée dans son âge historiographique, consommant sa désidentification avec la mémoire. Une mémoire devenue elle-même objet d'une histoire possible.

Il y eut un temps où, à travers l'histoire et autour de la Nation, une tradition de mémoire avait paru trouver sa cristallisation dans la synthèse de la IIIe République. Des *Lettres sur l'histoire de France*, d'Augustin Thierry (1827) à l'*Histoire sincère de la nation française* de Charles Seignobos (1933), en adoptant une chronologie large. Histoire, mémoire, Nation ont entretenu alors plus qu'une circulation naturelle : une circularité complémentaire, une symbiose à tous les niveaux, scientifique et pédagogique, théorique et pratique. La définition nationale du présent appelait alors impérieusement sa justification par l'éclairage du passé. Présent fragilisé par le traumatisme révolutionnaire qui imposait une réévaluation globale du passé monarchique ; fragilisé aussi par la défaite de 1870 qui ne rendait que plus urgent, par rapport à la science allemande comme à l'instituteur allemand, le vrai vainqueur de Sadowa, le développement d'une érudition documentaire et la transmission scolaire de mémoire. Rien n'égale le ton de responsabilité nationale de l'historien, moitié prêtre, moitié soldat : il éclate par exemple dans l'éditorial du premier numéro de la *Revue historique* (1876) où Gabriel Monod pouvait légitimement voir « l'investigation scientifique désormais lente, collective et méthodique » travailler d'une « manière secrète et sûre à la grandeur de la patrie en même temps qu'au genre humain ». À la lecture d'un tel texte comme à cent autres pareils, on se demande comment a pu s'accréditer l'idée que l'histoire positiviste n'était pas cumulative. Dans la perspective finalisée d'une constitution nationale, le politique, le militaire, le biographique et le diplomatique sont au contraire les piliers de la continuité. La défaite d'Azincourt ou le poignard de Ravaillac, la journée des Dupes ou telle clause additionnelle des traités de Westphalie relèvent d'une comptabilité scrupuleuse. L'érudition la plus pointue ajoute ou retranche un détail au capital de la nation. Unité puissante de cet espace mémoriel : de notre berceau gréco-romain à l'empire colonial de la IIIe République, pas plus de césure qu'entre la haute érudition qui annexe au patrimoine de nouvelles conquêtes et le manuel scolaire qui en impose la vulgate. Histoire sainte parce que nation sainte. C'est par la nation que notre mémoire s'est maintenue sur le sacré.

Comprendre pourquoi la conjonction s'est défaite sous une nouvelle poussée désacralisante reviendrait à montrer comment, dans la crise des années trente, au couple État-Nation s'est progressivement substitué le couple État-société. Et comment, au même moment et pour des raisons identiques, l'histoire, de tradition de mémoire qu'elle était devenue, s'est faite, spectaculairement en France, savoir de la société sur elle-même. À ce titre, elle a pu multiplier, sans doute, les coups de projecteurs sur des mémoires particulières, se transformer même en laboratoire des mentalités du passé ; mais en se délivrant de l'identification nationale, elle a cessé d'être habitée par un sujet porteur et, du même coup, elle a perdu sa vocation pédagogique à la transmission des valeurs: la crise de l'école est là pour le montrer. La nation n'est plus le cadre unitaire qui enserrait la conscience de la collectivité. Sa définition n'est plus en cause, et la paix, la prospérité et sa réduction de puissance ont fait le reste; elle n'est plus menacée que par l'absence même de menaces. Avec l'avènement de la société en lieu et place de la Nation, la légitimation par le passé, donc par l'histoire, a cédé le pas à la légitimation par l'avenir. Le passé, on ne pouvait que le connaître et le vénérer, et la Nation, la servir; l'avenir, il faut le préparer. Les trois termes ont repris leur autonomie. La nation n'est plus un combat, mais un donné; l'histoire est devenue une science sociale; et la mémoire un phénomène purement privé. La nation-mémoire aura été la dernière incarnation de l'histoire-mémoire.

L'étude des lieux de mémoire se trouve ainsi à la croisée de deux mouvements qui lui donnent, en France et aujourd'hui, sa place et son sens: d'une part un mouvement purement historiographique, le moment d'un retour réflexif de l'histoire sur elle-même; d'autre part un mouvement proprement historique, la fin d'une tradition de mémoire. Le temps des lieux, c'est ce moment précis où un immense capital que nous vivions dans l'intimité d'une mémoire disparaît pour ne plus vivre que sous le regard d'une histoire reconstituée. Approfondissement décisif du travail de l'histoire, d'un côté, avènement d'un héritage consolidé, de l'autre. Dynamique interne du principe critique, épuisement de notre cadre historique politique et mental, assez puissant encore pour que nous n'y soyons pas indifférent, assez évanescent pour ne plus s'imposer que par un retour sur les plus éclatants de ses symboles. Les deux mouvements se combinent pour nous renvoyer à la fois, et du même élan, aux instruments de base du travail historique et aux objets les plus symboliques de notre mémoire: les Archives au même titre que les Trois Couleurs, les bibliothèques, les dictionnaires et les musées au même titre que les commémorations, les fêtes, le Panthéon ou l'Arc de Triomphe; le dictionnaire Larousse et le mur des Fédérés.

Les lieux de mémoire, ce sont d'abord des restes. La forme extrême où subsiste une conscience commémorative dans une histoire qui l'appelle, parce qu'elle l'ignore. C'est la déritualisation de notre monde qui fait apparaître la notion. Ce que sécrète, dresse, établit, construit, décrète, entretient par l'artifice et par la volonté une collectivité fondamentalement entraînée dans sa transformation et son renouvellement. Valorisant par nature le neuf sur l'ancien, le jeune sur le vieux, l'avenir sur le passé. Musées, archives, cimetières et collections, fêtes, anniversaires, traités, procès-verbaux, monuments, sanctuaires, associations, ce sont les buttes témoins d'un autre âge, des illusions d'éternité. D'où l'aspect nostalgique de ces entreprises de piété, pathétiques et glaciales. Ce sont les rituels d'une société sans rituel ; des sacralités passagères dans une société qui désacralise ; des fidélités particulières dans une société qui rabote les particularismes ; des différenciations de fait dans une société qui nivelle par principe ; des signes de reconnaissance et d'appartenance de groupe dans une société qui tend à ne reconnaître que des individus égaux et identiques.

Les lieux de mémoire naissent et vivent du sentiment qu'il n'y a pas de mémoire spontanée, qu'il faut créer des archives, qu'il faut maintenir des anniversaires, organiser des célébrations, prononcer des éloges funèbres, notarier des actes, parce que ces opérations ne sont pas naturelles. C'est pourquoi la défense par les minorités d'une mémoire réfugiée sur des foyers privilégiés et jalousement gardés ne fait que porter à l'incandescence la vérité de tous les lieux de mémoire. Sans vigilance commémorative, l'histoire les balaierait vite. Ce sont des bastions sur lesquels on s'arc-boute. Mais si ce qu'ils défendent n'était pas menacé, on n'aurait pas non plus besoin de les construire. Si les souvenirs qu'ils enferment, on les vivait vraiment, ils seraient inutiles. Et si, en revanche, l'histoire ne s'en emparait pas non plus pour les déformer, les transformer, les pétrir et les pétrifier, ils ne deviendraient pas des lieux pour la mémoire. C'est ce va-et-vient qui les constitue : moments d'histoire arrachés au mouvement de l'histoire, mais qui lui sont rendus. Plus tout à fait la vie, pas tout à fait la mort, comme ces coquilles sur le rivage quand se retire la mer de la mémoire vivante.

La Marseillaise ou les monuments aux morts vivent ainsi de cette vie ambiguë, pétrie du sentiment mêlé d'appartenance et de détachement. En 1790, le 14 juillet était déjà et pas encore un lieu de mémoire. En 1880, son institution en fête nationale l'installe en lieu de mémoire officiel, mais l'esprit de la République en faisait encore un ressourcement vrai. Et aujourd'hui ? La perte même de notre mémoire nationale vivante nous impose sur elle un regard qui n'est plus ni naïf ni indifférent. Mémoire qui nous tenaille et qui n'est déjà plus la nôtre, entre la désacralisation rapide et la sacralité provisoirement reconduite. Attachement viscéral qui nous maintient encore débiteurs de ce qui nous a faits, mais éloignement historique qui nous oblige à considérer d'un œil froid l'héritage et à en établir l'inventaire. Lieux rescapés d'une mémoire que nous n'habitons plus, mi-officiels et institutionnels, mi-affectifs et sentimentaux ; lieux d'unanimité sans unanimisme qui n'expriment plus ni conviction militante ni participation passionnée, mais où palpite encore quelque chose d'une vie symbolique. Basculement du mémoriel à l'historique, d'un monde où l'on avait des ancêtres à un monde du rapport contingent à ce qui nous a faits, passage d'une histoire totémique à une histoire critique ; c'est le moment des lieux de mémoire. On ne célèbre plus la nation, mais on étudie ses célébrations.

II. la mémoire saisie par l'histoire

Tout ce que l'on appelle aujourd'hui mémoire n'est donc pas de la mémoire, mais déjà de l'histoire. Tout ce que l'on appelle flambée de mémoire est l'achèvement de sa disparition dans le feu de l'histoire. Le besoin de mémoire est un besoin d'histoire.

Sans doute est-il impossible de se passer du mot. Acceptons-le, mais avec la conscience claire de la différence entre la mémoire vraie, aujourd'hui réfugiée dans le geste et l'habitude, dans les métiers où se transmettent les savoirs du silence, dans les savoirs du corps, les mémoires d'imprégnation et les savoirs réflexes, et la mémoire transformée par son passage en histoire, qui en est presque le contraire : volontaire et délibérée, vécue comme un devoir et non plus spontanée ; psychologique, individuelle et subjective, et non plus sociale, collective, englobante. De la première, immédiate, à la seconde, indirecte, que s'est-il passé ? On peut le saisir au point d'aboutissement de la métamorphose contemporaine.

C'est d'abord une mémoire, à la différence de l'autre, archivistique. Elle s'appuie tout entière sur le plus précis de la trace, le plus matériel du vestige, le plus concret de l'enregistrement, le plus visible de l'image. Le mouvement qui a commencé avec l'écriture s'achève dans la haute fidélité et la bande magnétique. Moins la mémoire est vécue de l'intérieur, plus elle a besoin de supports extérieurs et de repères tangibles d'une existence qui ne vit plus qu'à travers eux. D'où l'obsession de l'archive qui marque le contemporain, et qui affecte à la fois la conservation intégrale de tout le présent et la préservation intégrale de tout le passé. Le sentiment d'un évanouissement rapide et définitif se combine avec l'inquiétude de l'exacte signification du présent et l'incertitude de l'avenir pour donner au plus modeste des vestiges, au plus humble des témoignages la dignité virtuelle du mémorable. N'avons-nous pas eu assez à déplorer chez nos prédécesseurs la destruction ou la disparition de ce qui nous permettrait de savoir, pour ne pas tomber sous le coup du même reproche de la part de nos successeurs ? Le souvenir est passé tout entier dans sa reconstitution la plus minutieuse. C'est une mémoire enregistreuse, qui délègue à l'archive le soin de se souvenir pour elle et démultiplie les signes où elle se dépose, comme le serpent sa peau morte. Collectionneurs, érudits et bénédictins s'étaient autrefois consacrés à l'accumulation documentaire, en marginaux d'une société qui s'avançait sans eux et d'une histoire qui s'écrivait sans eux. Puis l'histoire-mémoire avait mis ce trésor au centre de son travail érudit pour en diffuser le résultat par les mille relais sociaux de sa pénétration. Aujourd'hui où les historiens se sont dépris du culte documentaire, la société tout entière vit dans la religion conservatrice et dans le productivisme archivistique. Ce que nous appelons mémoire est, en fait, la constitution gigantesque et vertigineuse du stock matériel de ce dont il est impossible de nous souvenir, répertoire insondable de ce que nous pourrions avoir besoin de nous rappeler. La «mémoire de papier» dont parlait Leibniz est devenue une institution autonome de musées, bibliothèques, dépôts, centres de documentation, banques de données. Pour les seules archives publiques, les spécialistes estiment que la révolution quantitative, en quelques décennies, s'est traduite par une multiplication par mille. Aucune époque n'a été aussi volontairement productrice d'archives que la nôtre, non seulement par le volume que sécrète spontanément la société moderne, non seulement par les moyens techniques de reproduction et de conservation dont elle dispose, mais par la superstition et le respect de la trace. À mesure même que disparaît la mémoire traditionnelle, nous nous sentons tenus d'accumuler religieusement vestiges, témoignages, documents, images, discours, signes visibles de ce qui fut, comme si ce dossier de plus en plus proliférant devait devenir on ne sait quelle preuve à l'on ne sait quel tribunal de l'histoire. Le sacré s'est investi dans la trace qui en est la négation. Impossible de préjuger de ce dont il faudra se souvenir. D'où l'inhibition à détruire, la constitution de tout en archives, la dilatation indifférenciée du champ du mémorable, le gonflement hypertrophique de la fonction de mémoire, liée au sentiment même de sa perte, et le renforcement corrélatif de toutes les institutions de mémoire. Un étrange renversement s'est opéré entre les professionnels, à qui l'on reprochait autrefois la manie conservatrice et les producteurs naturels d'archives. Ce sont aujourd'hui les entreprises privées et les administrations publiques qui accréditent des archivistes avec la recommandation de tout garder, quand les professionnels ont appris que l'essentiel du métier est l'art de la destruction contrôlée.

La matérialisation de la mémoire s'est ainsi, en peu d'années, prodigieusement dilatée, démultipliée, décentralisée, démocratisée. Aux temps classiques, les trois grands émetteurs d'archives se réduisaient aux grandes familles, à l'Église et à l'État. Qui ne se croit pas aujourd'hui tenu de consigner ses souvenirs, d'écrire ses Mémoires, non seulement les moindres acteurs de l'histoire, mais les témoins de ces acteurs, leur épouse et leur médecin? Moins le témoignage est extraordinaire, plus il paraît digne d'illustrer une mentalité moyenne. La liquidation de la mémoire s'est soldée par une volonté générale d'enregistrement. En une génération, le musée imaginaire de l'archive s'est prodigieusement enrichi. L'année du patrimoine, en 1980, en a fourni l'exemple éclatant, portant la notion jusqu'aux frontières de l'incertain. Dix ans plus tôt, le Larousse de 1970 limitait encore le patrimoine au «bien qui vient du père ou de la mère». Le *Petit Robert* de 1979 en fait «la propriété transmise par les ancêtres, le patrimoine culturel d'un pays». D'une conception très restrictive des monuments historiques, on est passé, très brutalement, avec la convention sur les sites de 1972, à une conception qui, théoriquement, pourrait ne rien laisser échapper.

Non seulement tout garder, tout conserver des signes indicatifs de mémoire, même si l'on ne sait pas exactement de quelle mémoire ils sont les indicateurs. Mais produire de l'archive est l'impératif de l'époque. On en a l'exemple troublant avec les archives de la Sécurité sociale - somme documentaire sans équivalent, représentant aujourd'hui trois cents kilomètres linéaires, masse de mémoire brute dont le dépouillement par ordinateur permettrait, idéalement, de lire, de la société, le tout du normal et du pathologique, depuis les régimes alimentaires jusqu'aux genres de vie, par régions ou par professions; mais, en même temps, masse dont la conservation aussi bien que l'exploitation concevable appelleraient des choix drastiques et pourtant infaisables. Archivez, archivez, il en restera toujours quelque chose! N'est-ce pas, autre exemple parlant, le résultat auquel aboutit, en fait, le très légitime souci des récentes enquêtes orales? Il y a actuellement, en France seulement, plus de trois cents équipes occupées à recueillir «ces voix qui nous viennent du passé» (Philippe Joutard). Fort bien. Mais quand on songe un instant qu'il s'agit là d'archives d'un genre très spécial, dont l'établissement exige trente-six heures pour une heure d'enregistrement et dont l'utilisation ne peut être ponctuelle, puisqu'elle tirent leur sens de l'audition intégrale, il est impossible de ne pas s'interroger sur leur exploitation possible. De quelle volonté de mémoire portent-elles, en fin de compte, témoignage, celle des enquêtés, ou celle des enquêteurs? L'archive, change de sens et de statut par son simple poids. Elle n'est plus le reliquat plus ou moins intentionnel d'une mémoire vécue, mais la sécrétion volontaire et organisée d'une mémoire perdue. Elle double le vécu, qui se déroule souvent lui-même en fonction de son propre enregistrement - les actualités sont-elles faites d'autre chose? -, d'une mémoire seconde, d'une mémoire-prothèse. La production indéfinie de l'archive est l'effet aiguisé d'une conscience nouvelle, l'expression la plus claire du terrorisme de la mémoire historisée.

C'est que cette mémoire-là nous vient de l'extérieur et que nous l'intériorisons comme une contrainte individuelle, puisqu'elle n'est plus une pratique sociale.

Le passage de la mémoire à l'histoire a fait à chaque groupe l'obligation de redéfinir son identité par la revitalisation de sa propre histoire. Le devoir de mémoire fait de chacun l'historien de soi. L'impératif d'histoire a ainsi dépassé, de beaucoup, le cercle des historiens professionnels. Ce ne sont pas seulement les anciens marginalisés de l'histoire officielle que hante le besoin de récupérer leur passé englouti. C'est tous les corps constitués, intellectuels ou non, savants ou non, qui, à l'instar des ethnies et des minorités sociales éprouvent le besoin de partir à la recherche de leur propre constitution, de retrouver leurs origines. Il n'est guère de famille dont un membre ne se soit pas lancé, récemment, dans la reconstitution aussi complète que possible des existences furtives dont la sienne est issue. L'accroissement des recherches généalogiques est un phénomène récent et massif: le rapport annuel des Archives nationales le chiffre à 43 % en 1982 (contre 38 % de fréquentations universitaires). Fait frappant: ce ne sont pas des historiens de métier à qui l'on doit les histoires les plus significatives de la biologie, de la physique, de la médecine ou de la musique, mais à des biologistes, des physiciens, des médecins et des musiciens. Ce sont les éducateurs eux-mêmes qui ont pris en main l'histoire de l'éducation, à commencer par l'éducation physique, jusqu'à l'enseignement de la philosophie. Dans l'ébranlement des savoirs constitués, chaque discipline s'est mise en devoir de vérifier ses fondements par le parcours rétrospectif de sa propre constitution. C'est la sociologie qui part à la recherche de ses pères fondateurs, c'est l'ethnologie qui, des chroniqueurs du XVIe siècle jusqu'aux administrateurs coloniaux, entreprend d'explorer son propre passé. Il n'est pas jusqu'à la critique littéraire qui ne s'emploie à reconstituer la genèse de ses catégories et de sa tradition. L'histoire toute positiviste, voire chartiste à l'heure où les historiens l'ont abandonnée, trouve dans cette urgence et cette nécessité une diffusion et une pénétration en profondeur qu'elle n'avait jamais connues. La fin de l'histoire-mémoire a multiplié les mémoires particulières qui réclament leur propre histoire.

Ordre est donné de se souvenir, mais c'est à moi de me souvenir et c'est moi qui me souviens. La métamorphose historique de la mémoire s'est payée d'une conversion définitive à la psychologie individuelle. Les deux phénomènes sont si étroitement liés qu'on ne peut s'empêcher de relever jusqu'à leur exacte coïncidence chronologique. N'est-ce pas à la fin du siècle dernier, quand se font sentir les ébranlements décisifs des équilibres traditionnels, l'effondrement du monde rural en particulier, que la mémoire fait son apparition au centre de la réflexion philosophique, avec Bergson, au centre de la personnalité psychique, avec Freud, au centre de la littérature autobiographique, avec Proust? L'effraction de ce qui a été, pour nous, l'image même de la mémoire incarnée dans la terre et l'avènement soudain de la mémoire au cœur des identités individuelles sont comme les deux faces de la même fracture, le début du processus qui explose aujourd'hui. Et n'est-ce pas à Freud et à Proust que l'on doit même les deux lieux de mémoire intimes et cependant universels que sont la scène primitive et la célèbre petite madeleine? Déplacement décisif que ce transfert de la mémoire: de l'historique au psychologique, du social à l'individuel, du transmissif au subjectif, de la répétition à la remémoration. Il inaugure un nouveau régime de mémoire, affaire désormais privée. La psychologisation intégrale de la mémoire contemporaine a entraîné une économie singulièrement nouvelle de l'identité du moi, des mécanismes de la mémoire et du rapport au passé.

Car c'est en définitive sur l'individu et l'individu seul que pèse, de manière insistante en même temps qu'indifférenciée, la contrainte de mémoire; comme sur son rapport personnel à son propre passé que repose sa revitalisation possible. L'atomisation d'une mémoire générale en mémoire privée donne à la loi du souvenir une intense puissance de coercition intérieure. Elle fait à chacun l'obligation de se souvenir et du recouvrement d'appartenance le principe et le secret de l'identité. Cette appartenance, en retour, l'engage tout entier. Quand la mémoire n'est plus partout, elle ne serait nulle part si ne décidait de la reprendre en charge, d'une décision solitaire, une conscience individuelle. Moins la mémoire est vécue collectivement, plus elle a besoin d'hommes particuliers qui se font eux-mêmes des hommes-mémoire. C'est comme une voix intérieure qui dirait aux Corses: «Tu dois être Corse», et aux Bretons: «Il faut être Breton!» Pour comprendre la force et l'appel de cette assignation, peut être faudrait-il se tourner vers la mémoire juive, qui connaît aujourd'hui, chez tant de Juifs déjudaïsés, une récente réactivation. C'est que dans cette tradition qui n'a d'autre histoire que sa propre mémoire, être juif, c'est se souvenir de l'être, mais ce souvenir irrécusable une fois intériorisé vous met, de proche en proche, en demeure tout entier. Mémoire de quoi? À la limite, mémoire de la mémoire. La psychologisation de la mémoire a donné à tout un chacun le sentiment que, de l'acquittement d'une dette impossible, dépendait finalement son salut.

Mémoire archive, mémoire-devoir, il faut un troisième trait pour compléter ce tableau des métamorphoses: mémoire-distance.

Car notre rapport au passé, tel du moins qu'il se déchiffre à travers les productions historiques les plus significatives, est tout autre que celui qu'on attend d'une mémoire. Non plus une continuité rétrospective, mais la mise en lumière de la discontinuité. Pour l'histoire-mémoire d'autrefois, la vraie perception du passé consistait à considérer qu'il n'était pas vraiment passé. Un effort de remémoration pouvait le ressusciter; le présent lui-même devenant à sa façon un passé reconduit, actualisé, conjuré en tant que présent par cette soudure et cet ancrage. Sans doute fallait-il, pour que sentiment du passé il y ait, qu'une faille intervienne entre le présent et le passé, qu'apparaissent un «avant» et un «après». Mais il s'agissait moins d'une séparation vécue sur le mode de la différence radicale qu'un intervalle vécu sur le mode de la filiation à rétablir. Les deux grands thèmes d'intelligibilité de l'histoire, au moins depuis les Temps modernes, progrès et décadence, exprimaient bien tous deux ce culte de la continuité, la certitude de savoir à qui et à quoi nous devions d'être ce que nous sommes. D'où la prégnance de l'idée d'«origines», forme déjà profane du récit mythologique, mais qui contribuait à donner à une société en voie de laïcisation nationale son sens et son besoin de sacré.

Plus les origines étaient grandes, plus elles nous grandissaient. Car c'est nous que nous vénérions à travers le passé. C'est ce rapport qui s'est cassé. De la même façon que l'avenir visible, prévisible, manipulable, balisé, projection du présent, est devenu invisible, imprévisible, immaîtrisable, nous en sommes arrivés, symétriquement, de l'idée d'un passé visible à un passé invisible, d'un passé de plain-pied à un passé que nous vivons comme une fracture; d'une histoire qui se cherchait dans le continu d'une mémoire à une mémoire qui se projette dans le discontinu d'une histoire. On ne parlera plus d'« origines », mais de « naissance ». Le passé nous est donné comme radicalement autre, il est ce monde dont nous sommes à jamais coupés. Et c'est dans la mise en évidence de toute l'étendue qui nous en sépare que notre mémoire avoue sa vérité, – comme dans l'opération qui d'un coup la supprime.

Car il ne faudrait pas croire que le sentiment de la discontinuité se satisfait du vague et du flou de la nuit. Paradoxalement, la distance exige le rapprochement qui la conjure et lui donne en même temps son vibrato. Jamais on n'a voulu de manière aussi sensuelle le poids de la terre aux bottes, la main du Diable de l'an mil, et la puanteur des villes au XVIIIe siècle. Mais l'hallucination artificielle du passé n'est concevable, précisément, que dans un régime de discontinuité. Toute la dynamique de notre rapport au passé réside dans ce jeu subtil de l'infranchissable et de l'aboli. Au sens premier du mot, il s'agit d'une représentation, radicalement différente de ce que cherchait l'ancienne résurrection. Si intégrale qu'elle se voulût, la résurrection impliquait en effet une hiérarchie du souvenir habile à ménager les ombres et la lumière pour ordonner la perspective du passé sous le regard d'un présent finalisé. La perte d'un principe explicatif unique nous a précipités dans un univers explosé, en même temps qu'elle a promu tout objet, fût-ce le plus humble, le plus improbable, le plus inaccessible, à la dignité du mystère historique. C'est que nous savions autrefois de qui nous étions les fils, et que nous sommes aujourd'hui les fils de personne et de tout le monde. Nul ne sachant de quoi le passé sera fait, une inquiète incertitude transforme tout en trace, indice possible, soupçon d'histoire dont nous contaminons l'innocence des choses. Notre perception du passé, c'est l'appropriation véhémente de ce que nous savons n'être plus à nous. Elle exige l'accommodation précise sur un objectif perdu. La représentation exclut la fresque, le fragment, le tableau d'ensemble; elle procède par éclairage ponctuel, multiplication de prélèvements sélectifs, échantillons significatifs. Mémoire intensément rétinienne et puissamment télévisuelle. Comment ne pas faire le lien, par exemple, entre le fameux «retour du récit» qu'on a pu remarquer dans les plus récentes manières d'écrire l'histoire et la toute-puissance de l'image et du cinéma dans la culture contemporaine? Récit en vérité tout différent du récit traditionnel, avec son enfermement sur lui-même et son découpage syncopé. Comment ne pas relier le scrupuleux respect du document d'archive – mettre la pièce elle-même sous les yeux –, la singulière montée de l'oralité – citer les acteurs, faire entendre leur voix – à l'authenticité du direct à laquelle nous avons par ailleurs été accoutumés ? Comment ne pas voir, dans ce goût du quotidien au passé, le seul moyen de nous restituer la lenteur des jours et la saveur des choses ? Et dans ces biographies d'anonymes, le moyen de nous faire saisir que ce n'est pas par masses que se livrent les masses ? Comment ne pas lire, dans ces bulles de passé que nous livrent tant d'études de micro-histoire, la volonté d'égaler l'histoire que nous reconstruisons à l'histoire que nous vivons ? Mémoire-miroir, dirait-on, si les miroirs ne reflétaient l'image du même, quand, au contraire, c'est la différence que nous cherchons à y découvrir ; et dans le spectacle de cette différence, l'éclat soudain d'une introuvable identité. Non plus une genèse, mais le déchiffrement de ce que nous sommes à la lumière de ce que nous ne sommes plus.

C'est cette alchimie de l'essentiel qui, bizarrement, contribue à faire de l'exercice de l'histoire, dont la brutale poussée vers l'avenir devrait tendre à nous dispenser, le dépositaire des secrets du présent. Moins l'histoire, d'ailleurs, que l'historien, par qui s'accomplit l'opération thaumaturgique. Étrange destinée que la sienne. Son rôle était autrefois simple et sa place tout inscrite dans la société : se faire la parole du passé et le passeur d'avenir. À ce titre, sa personne comptait moins que son service ; à lui de n'être qu'une transparence érudite, un véhicule de transmission, un trait d'union aussi léger que possible entre la matérialité brute de la documentation et l'inscription dans la mémoire. À la limite, une absence obsédée d'objectivité. De l'éclatement de l'histoire-mémoire émerge un personnage nouveau, prêt à avouer, à la différence de ses prédécesseurs, le lien étroit, intime et personnel qu'il entretient avec son sujet. Mieux, à le proclamer, à l'approfondir, à en faire non l'obstacle, mais le levier de sa compréhension. Car ce sujet doit tout à sa subjectivité, sa création et sa recréation. C'est lui l'instrument du métabolisme, qui donne sens et vie à ce qui, en soi et sans lui, n'aurait ni sens ni vie. Imaginons une société entièrement absorbée par le sentiment de sa propre historicité ; elle serait dans l'impossibilité de sécréter des historiens. Vivant intégralement sous le signe de l'avenir, elle se contenterait de procédés d'enregistrement automatique d'elle même et se satisferait de machines à s'auto-comptabiliser, renvoyant à un futur indéfini la tâche de se comprendre elle-même. En revanche, notre société, certes arrachée à sa mémoire par l'ampleur de ses changements, mais d'autant plus obsédée de se comprendre historiquement, est condamnée à faire de l'historien un personnage de plus en plus central, parce qu'en lui s'opère ce dont elle voudrait et ne peut se passer : l'historien est celui qui empêche l'histoire de n'être qu'histoire.

Et de la même façon que c'est à la distance panoramique que nous devons le gros plan et à l'étrangeté définitive une hyper-véracité artificielle du passé, le changement de mode de perception ramène obstinément l'historien aux objets traditionnels dont il s'était détourné, les usuels de notre mémoire nationale. Le revoilà sur le seuil de la maison natale, la vieille demeure déshabitée, méconnaissable. Avec les mêmes meubles de famille, mais sous une autre lumière. Devant le même atelier, mais pour un autre ouvrage. Dans la même pièce, mais pour un autre rôle. L'historiographie inévitablement entrée dans son âge épistémologique, définitivement close l'ère de l'identité, la mémoire inéluctablement happée par l'histoire, il n'est plus un homme-mémoire, mais en sa personne même, un lieu de mémoire.

III. Les lieux de mémoire, une autre histoire

Les lieux de mémoire appartiennent aux deux règnes, c'est ce qui fait leur intérêt, mais aussi leur complexité : simples et ambigus, naturels et artificiels, immédiatement offerts à l'expérience la plus sensible et, en même temps, relevant de l'élaboration la plus abstraite.

Ils sont lieux, en effet, dans les trois sens du mot, matériel, symbolique et fonctionnel, mais simultanément, à des degrés seulement divers. Même un lieu d'apparence purement matériel comme un dépôt d'archives, n'est lieu de mémoire que si l'imagination l'investit d'une aura symbolique. Même un lieu purement fonctionnel, comme un manuel de classe, un testament, une association d'anciens combattants, n'entre dans la catégorie que s'il est l'objet d'un rituel. Même une minute de silence, qui paraît l'exemple extrême d'une signification symbolique, est en même temps comme le découpage matériel d'une unité temporelle et sert, périodiquement, à un rappel concentré du souvenir. Les trois aspects coexistent toujours. S'agit-il d'un lieu de mémoire aussi abstrait que la notion de génération ? Elle est matérielle par son contenu démographique ; fonctionnelle par hypothèse, puisqu'elle assure à la fois la cristallisation du souvenir et sa transmission ; mais symbolique par définition, puisqu'elle caractérise par un événement ou une expérience vécus par un petit nombre une majorité qui n'y a pas participé.

Ce qui les constitue est un jeu de la mémoire et de l'histoire, une interaction des deux facteurs qui aboutit à leur surdétermination réciproque. Au départ, il faut qu'il y ait volonté de mémoire. Si l'on abandonnait le principe de cette priorité, on dériverait vite d'une définition étroite, la plus riche de potentialités, vers une définition possible, mais molle, susceptible d'admettre dans la catégorie tout objet virtuellement digne d'un souvenir. Un peu comme les bonne règles de la critique historique d'autrefois, qui distinguaient sagement les «sources directes», c'est-à-dire celles qu'une société a volontairement produites pour être reproduites comme telles – une loi, une œuvre d'art par exemple – et la masse indéfinie des «sources indirectes», c'est-à-dire tous les témoignages que l'époque a laissés sans se douter de leur utilisation future par les historiens. Que manque cette intention de mémoire, et les lieux de mémoire sont des lieux d'histoire.

En revanche, il est clair que si l'histoire, le temps, le changement n'intervenaient pas, il faudrait se contenter d'un simple historique des mémoriaux. Lieux donc, mais lieux mixtes, hybrides et mutants, intimement noués de vie et de mort, de temps et d'éternité; dans une spirale du collectif et de l'individuel, du prosaïque et du sacré, de l'immuable et du mobile. Des anneaux de Moebius enroulés sur eux-mêmes. Car s'il est vrai que la raison d'être fondamentale d'un lieu de mémoire est d'arrêter le temps, de bloquer le travail de l'oubli, de fixer un état des choses, d'immortaliser la mort, de matérialiser l'immatériel pour – l'or est la seule mémoire de l'argent – enfermer le maximum de sens dans le minimum de signes, il est clair, et c'est ce qui les rend passionnants, que les lieux de mémoire ne vivent que de leur aptitude à la métamorphose, dans l'incessant rebondissement de leurs significations et le buissonnement imprévisible de leurs ramifications.

Deux exemples, dans des registres différents. Voici le calendrier révolutionnaire: lieu de mémoire s'il en est, puisque, en tant que calendrier, il devait fournir les cadres *a priori* de toute mémoire possible, et puisque, révolutionnaire, il se proposait, par sa nomenclature et par sa symbolique, d'«ouvrir un nouveau livre à l'histoire» comme dit ambitieusement son principal organisateur, de «rendre entièrement les Français à eux-mêmes», selon un autre de ses rapporteurs. Et, dans ce but, d'arrêter l'histoire à l'heure de la Révolution en indexant l'avenir des mois, des jours, des siècles et des ans sur l'imagerie de l'épopée révolutionnaire. Titres déjà suffisants! Ce qui pourtant le constitue davantage en lieu de mémoire, à nos yeux, c'est son échec à devenir celui qu'avaient voulu ses fondateurs. Vivrions-nous en effet aujourd'hui encore à son rythme, il nous serait devenu si familier, comme le calendrier grégorien, qu'il en aurait perdu sa vertu de lieu de mémoire. Il se serait fondu dans notre paysage mémoriel et ne servirait plus qu'à comptabiliser tous les autres lieux de mémoire imaginables. Mais voilà que son échec n'est pas total: il en émerge des dates clés, des événements à lui pour toujours attachés, Vendémiaire, Thermidor, Brumaire. Et les motifs du lieu de mémoire se retournent sur eux-mêmes, se dupliquent en miroirs déformants qui sont sa vérité. Aucun lieu de mémoire n'échappe à ces arabesques fondatrices.

Prenons cette fois le cas du célèbre *Tour de la France par deux enfants*: lieu de mémoire également indiscutable, puisque, au même titre que le «Petit Lavisse», il a formé la mémoire de millions de jeunes Français, au temps où un ministre de l'Instruction publique pouvait sortir sa montre de son gousset pour déclarer le matin à huit heures cinq: «Tous nos enfants passent les Alpes.» Lieu de mémoire, aussi, puisque inventaire de ce qu'il faut savoir de la France, récit identificatoire et voyage initiatique. Mais voici que les choses se compliquent: une lecture attentive montre aussitôt que, dès son apparition, en 1877, *Le Tour* cliche une France qui n'est déjà plus et qu'en cette année du 16 mai qui voit l'affermissement de la République, il tire sa séduction d'un subtil enchantement du passé. Livre pour enfants dont c'est, comme souvent, la mémoire des adultes qui fait en partie le succès. Voilà pour l'amont de la mémoire, et pour l'aval? Trente-cinq ans après sa publication, quand l'ouvrage règne encore à la veille de la guerre, il est certainement lu comme rappel, tradition déjà nostalgique: à preuve, en dépit de son remaniement et de sa mise à jour, l'ancienne édition paraît se vendre mieux que la nouvelle. Puis le livre se raréfie, on ne l'utilise plus que dans les milieux résiduels, au fond de lointaines campagnes; on l'oublie. *Le Tour de la France* devient peu à peu rareté, trésor de grenier ou document pour les historiens. Il quitte la mémoire collective pour entrer dans la mémoire historique, puis la mémoire pédagogique. Pour son centenaire, en 1977, au moment où *Le Cheval d'orgueil* touche au million d'exemplaires et où la France giscardienne et industrielle, mais déjà atteinte par la crise économique, découvre sa mémoire orale et ses enracinements paysans, voici qu'on le réimprime, et *Le Tour* rentre à nouveau dans la mémoire collective, pas la même, en attendant de nouveaux oublis et de nouvelles réincarnations. Qu'est-ce qui donne son brevet à cette vedette des lieux de mémoire, son intention initiale ou le retour sans fin des cycles de sa mémoire? Bien évidemment les deux: tous les lieux de mémoire sont des objets en abîme.

C'est même ce principe de double appartenance qui permet d'opérer, dans la multiplicité indéfinie des lieux, une hiérarchie, une délimitation de leur champ, un répertoire de leurs gammes.

Si l'on voit bien en effet les grandes catégories d'objets qui relèvent du genre – tout ce qui ressortit au culte des morts, tout ce qui relève du patrimoine, tout ce qui administre la présence du passé dans le présent –, il est cependant clair que certains, qui n'entrent pas dans la stricte définition, peuvent y prétendre et qu'inversement, beaucoup, et même la plupart de ceux qui en font partie par principe doivent, en fait, en être exclus. Ce qui constitue certains sites préhistoriques, géographiques ou archéologiques en lieux, et même en hauts lieux, est souvent ce qui, précisément, devrait le leur interdire, l'absence absolue de volonté de mémoire, compensée par le poids écrasant dont les ont chargés le temps, la science, le rêve et la mémoire des hommes. En revanche, n'importe quelle borne frontière n'a pas les mêmes titres que le Rhin, ou le «Finistère», cette « fin des terres », auquel les pages célèbres de Michelet, par exemple, ont donné ses titres de noblesse. Toute constitution, tout traité diplomatique sont des lieux de mémoire, mais la constitution de 1793 pas au même titre que celle de 1791, avec la Déclaration des droits de l'homme, lieu de mémoire fondateur ; et la paix de Nimègue pas au même titre qu'aux deux bouts de l'histoire de l'Europe, le partage de Verdun et la conférence de Yalta.

Dans le mélange, c'est la mémoire qui dicte et l'histoire qui écrit. C'est pourquoi deux domaines méritent qu'on s'y arrête, les événements et les livres d'histoire, parce que, étant non des mixtes de mémoire et d'histoire, mais les instruments par excellence de la mémoire en histoire, ils permettent de délimiter nettement le domaine. Toute grande œuvre historique et le genre historique lui-même ne sont-ils pas une forme de lieu de mémoire ? Tout grand événement et la notion d'événement elle-même ne sont-ils pas, par définition, des lieux de mémoire ? Les deux questions exigent une réponse précise. Seuls d'entre les livres d'histoire sont lieux de mémoire ceux qui se fondent sur un remaniement même de la mémoire ou en constituent les bréviaires pédagogiques. Les grands moments de fixation d'une nouvelle mémoire historique ne sont, en France, pas si nombreux. C'est, au XIIIe siècle, les *Grandes Chroniques de France* qui condensent la mémoire dynastique et établissent le modèle de plusieurs siècles de travail historiographique. C'est, au XVIe siècle, pendant les guerres de religion, l'école dite de l'« histoire parfaite » qui détruit la légende des origines troyennes de la monarchie et rétablit l'antiquité gauloise : *Les Recherches de la France*, d'Étienne Pasquier (1599), en constituent, dans la modernité même du titre, une illustration emblématique. C'est l'historiographie de la fin de la Restauration, qui introduit brutalement la conception moderne de l'histoire : les *Lettres sur l'histoire de France*, d'Augustin Thierry (1820) en constituant le coup d'envoi, et leur publication définitive en volume en 1827 coïncidant, à quelques mois près, avec le vrai premier livre d'un illustre débutant, le *Précis d'histoire moderne* de Michelet, et les débuts du cours de Guizot sur « l'histoire de la civilisation de l'Europe et de la France ». C'est, enfin, l'histoire nationale positiviste dont la *Revue historique* représente le manifeste (1876) et dont l'*Histoire de France* de Lavisse, en vingt-sept volumes, constitue le monument. Même chose des Mémoires, qui, par leur nom même, pourraient paraître des lieux de mémoire ; même chose des autobiographies ou des journaux intimes. Les *Mémoires d'outre-tombe*, la *Vie de Henry Brulard* ou le *Journal d'Amiel* sont des lieux de mémoire, non parce qu'ils sont meilleurs ou plus grands, mais parce qu'ils compliquent le simple exercice de la mémoire d'un jeu d'interrogation sur la mémoire elle-même. On peut en dire autant des Mémoires d'hommes d'État. De Sully à de Gaulle, du *Testament* de Richelieu au *Mémorial de Sainte-Hélène* et au *Journal* de Poincaré, indépendamment de la valeur inégale des textes, le genre a ses constantes et ses spécificités : il implique un savoir des autres Mémoires, un dédoublement de l'homme de plume et de l'homme d'action, l'identification d'un discours individuel à un discours collectif et l'insertion d'une raison particulière dans une raison d'État : autant de motifs qui obligent, dans un panorama de la mémoire nationale, à les considérer comme des lieux.

Et les « grands événements » ? Seuls deux types d'entre eux en relèvent, qui ne dépendent en rien de leur grandeur. D'une part les événements parfois infimes, à peine remarqués sur le moment, mais auxquels, par contraste, l'avenir a rétrospectivement conféré la grandeur des origines, la solennité des ruptures inaugurales. Et d'autre part les événements où, à la limite, il ne se passe rien, mais immédiatement chargés d'un sens lourdement symbolique et qui sont à eux-mêmes, à l'instant de leur déroulement, comme leur commémoration anticipée ; l'histoire contemporaine, par media interposés, en multipliant tous les jours des tentatives mort-nées. D'un côté, par exemple, l'élection d'Hugues Capet, incident sans éclat mais auquel une postérité de dix siècles achevée sur l'échafaud donne un poids qu'il n'avait pas à l'origine. De l'autre, le wagon de Rethondes, la poignée de main de Montoire ou la descente des Champs-Élysées à la Libération. L'événement fondateur ou l'événement spectacle. Mais en aucun cas l'événement lui-même ; l'admettre dans la notion reviendrait à en nier la spécificité. C'est au contraire son exclusion qui la délimite : la mémoire s'accroche à des lieux comme l'histoire à des événements.

Rien n'empêche, en revanche, à l'intérieur du champ, d'imaginer toutes les distributions possibles et tous les classements qui s'imposent. Depuis les lieux les plus naturels, offerts par l'expérience concrète, comme les cimetières, les musées et les anniversaires, aux lieux les plus intellectuellement élaborés, dont on ne se privera pas ; non seulement la notion de génération, déjà évoquée, de lignage, de « région-mémoire », mais celle de « partages », sur lesquels sont fondées toutes les perceptions de l'espace français, ou celle de « paysage comme peinture », immédiatement intelligible si l'on songe, notamment, à Corot ou à la *Sainte-Victoire* de Cézanne. Mettra-t-on l'accent sur l'aspect matériel des lieux, ils se disposent d'eux-mêmes selon un vaste dégradé. Voici d'abord les portatifs, non les moins importants puisque le peuple de la mémoire en donne un exemple majeur avec les Tables de la loi ; voici les topographiques, qui doivent tout à leur localisation précise et leur enracinement au sol : ainsi de tous les lieux touristiques, ainsi de la Bibliothèque nationale, aussi liée à l'hôtel Mazarin que les Archives nationales à l'hôtel Soubise. Voici les lieux monumentaux, qu'on ne saurait confondre avec les lieux architecturaux. Les premiers, statues ou monuments aux morts, tiennent leur signification de leur existence intrinsèque ; même si leur localisation est loin d'être indifférente, une autre trouverait sa justification sans altérer la leur. Il n'en va pas de même des ensembles construits par le temps, et qui tirent leur signification des rapports complexes entre leurs éléments : miroirs du monde ou d'une époque, comme la cathédrale de Chartres ou le palais de Versailles. S'attachera-t-on au contraire à la dominante fonctionnelle ? L'éventail se déploiera des lieux nettement voués au maintien d'une expérience intransmissible et qui disparaissent avec ceux qui l'ont vécue, telles les associations d'anciens combattants, à ceux dont la raison d'être, elle aussi passagère, est d'ordre pédagogique, comme les manuels, les dictionnaires, les testaments ou les « livres de raison » qu'à l'époque classique les chefs de famille rédigeaient à l'usage de leurs descendants. Sera-t-on enfin plus sensible à la composante symbolique ? On opposera, par exemple, les lieux dominants et les lieux dominés. Les premiers, spectaculaires et triomphants, imposants et généralement imposés, qu'ils le soient par une autorité nationale ou un corps constitué, mais toujours d'en haut, ont souvent la froideur ou la solennité des cérémonies officielles. On s'y rend plus qu'on y va. Les seconds sont les lieux refuges, le sanctuaire des fidélités spontanées et des pèlerinages du silence. C'est le cœur vivant de la mémoire. D'un côté, le Sacré-Cœur, de l'autre, le pèlerinage populaire de Lourdes ; d'un côté, les funérailles nationales de Paul Valéry, de l'autre, l'enterrement de Jean-Paul Sartre ; d'un côté, la cérémonie funèbre de De Gaulle à Notre-Dame, de l'autre, le cimetière de Colombey.

On pourrait raffiner à l'infini les classifications. Opposer les lieux publics aux lieux privés, les lieux de mémoire purs, qu'épuise tout entiers leur fonction commémorative – comme les éloges funèbres, Douaumont ou le mur des Fédérés –, et ceux dont la dimension de mémoire n'est qu'une parmi le faisceau de leurs significations symboliques, drapeau national, circuit de fête, pèlerinages, etc. L'intérêt de cette ébauche de typologie n'est pas dans sa rigueur ou dans son exhaustivité. Ni même dans sa richesse évocatrice. Mais dans le fait qu'elle soit possible. Elle montre qu'un fil invisible relie des objets sans rapport évident, et que la réunion sous le même chef du Père-Lachaise et de la Statistique générale de la France n'est pas la rencontre surréaliste du parapluie et du fer à repasser. Il y a un réseau articulé de ces identités différentes, une organisation inconsciente de la mémoire collective qu'il nous appartient de rendre consciente d'elle-même. Les lieux sont notre moment de l'histoire nationale.

Un trait simple, mais décisif, les met radicalement à part de tous les types d'histoire dont nous avons l'habitude, anciens ou nouveaux. Toutes les approches historiques et scientifiques de la mémoire, qu'elles se soient adressées à celle de la nation ou à celle des mentalités sociales, avaient affaire à des *realia*, aux choses mêmes, dont elles s'efforçaient de saisir la réalité au plus vif. À la différence de tous les objets de l'histoire, les lieux de mémoire n'ont pas de référents dans la réalité. Ou plutôt ils sont à eux-mêmes leur propre référent, signes qui ne renvoient qu'à soi, signes à l'état pur. Non qu'ils soient sans contenu, sans présence physique et sans histoire ; bien au contraire. Mais ce qui en fait des lieux de mémoire est ce par quoi, précisément, ils échappent à l'histoire. *Templum*: découpage dans l'indéterminé du profane – espace ou temps, espace et temps – d'un cercle à l'intérieur duquel tout compte, tout symbolise, tout signifie. En ce sens, le lieu de mémoire est un lieu double ; un lieu d'excès clos sur lui-même, fermé sur son identité et ramassé sur son nom, mais constamment ouvert sur l'étendue de ses significations.

C'est ce qui fait leur histoire la plus banale et la moins ordinaire. Des sujets évidents, le matériel le plus classique, des sources à portée de main, les méthodes les moins sophistiquées. On se croirait revenus à l'histoire d'avant-hier. Mais il y va de tout autre chose. Ces objets ne sont saisissables que dans leur empiricité la plus immédiate, mais l'enjeu est ailleurs, inapte à s'exprimer dans les catégories de l'histoire traditionnelle. Critique historique devenue tout entière histoire critique, et pas seulement de ses propres instruments de travail. Réveillée d'elle-même pour se vivre au second degré. Histoire purement transférantielle, qui, comme la guerre, est un art tout d'exécution, fait du bonheur fragile du rapport à l'objet rafraîchi et de l'engagement inégal de l'historien dans son sujet. Une histoire qui ne repose, en fin de compte, que sur ce qu'elle mobilise, un lien ténu, impalpable, à peine dicible, ce qui demeure en nous d'indéracinable attachement charnel à ces symboles pourtant fanés. Reviviscence d'une histoire à la Michelet, qui fait invinciblement penser à ce réveil du deuil de l'amour dont Proust a si bien parlé, ce moment où l'emprise obsessionnelle de la passion se lève enfin, mais où la vraie tristesse est de ne plus souffrir de ce dont on a tant souffert et que l'on ne comprend désormais qu'avec les raisons de la tête et plus l'irraison du cœur.

Référence bien littéraire. Faut-il la regretter ou lui donner au contraire sa pleine justification ? Elle la tient une fois encore de l'époque. La mémoire, en effet, n'a jamais connu que deux formes de légitimité : historique ou littéraire. Elles se sont d'ailleurs exercées parallèlement, mais jusqu'à nos jours, séparément. La frontière aujourd'hui s'estompe, et sur la mort quasi simultanée de l'histoire-mémoire et de la mémoire-fiction, naît un type d'histoire qui doit à son rapport nouveau avec le passé, un autre passé, son prestige et sa légitimité. L'histoire est notre imaginaire de remplacement. Renaissance du roman historique, vogue du document personnalisé, revitalisation littéraire du drame historique, succès du récit d'histoire orale, comment s'expliqueraient-ils sinon comme le relais de la fiction défaillante ? L'intérêt pour les lieux où s'ancre, se condense et s'exprime le capital épuisé de notre mémoire collective relève de cette sensibilité-là. Histoire, profondeur d'une époque arrachée à sa profondeur, roman vrai d'une époque sans vrai roman. Mémoire, promue au centre de l'histoire : c'est le deuil éclatant de la littérature.

1984

LA RÉPUBLIQUE

LA RÉPUBLIQUE

Symboles

RAOUL GIRARDET

Les Trois Couleurs

Ni blanc, ni rouge

Deux images que cent trente ans séparent, mais qui relèvent d'un même style populaire et du même didactisme dans leur inspiration. La symétrie de leur ordonnance, le parallélisme de leur composition, la présence chez l'une et chez l'autre d'une même figure symbolique – celle de la France – imposent en tout cas leur rapprochement.

La première, exposée au musée Carnavalet, sert de frontispice au texte calligraphié de la Déclaration des droits de l'homme dont elle est de toute évidence contemporaine. Au centre l'œil et le triangle témoignent de l'immanence de l'Être suprême. À leur gauche un génie ailé brandit un flambeau, symbole de l'Esprit des Lumières. À leur droite la France qui, de ses mains, a brisé les chaînes de la servitude et de la tyrannie. Elle porte une couronne royale et laisse flotter un long manteau bleu marqué des fleurs de lis d'or. De couleur bleue est également la jupe qui l'enveloppe jusqu'aux pieds. Mais rouge est son corsage qu'ornent des parements blancs... Compte tenu de la date et de la nature du document, il est difficile de croire que la juxtaposition des trois couleurs puisse être accidentelle. Et comment ne pas remarquer que leur présence coïncide ici avec l'annonce d'une ère nouvelle ? Rompant avec le vieil ordre des siècles, une alliance jamais encore conclue vient désormais unir la Nation, la Loi et le Roi. C'est vêtue de tricolore que la France s'avance vers l'avenir. Ces fers brisés, ce flambeau qui est celui de la Raison, ce texte sacré qu'ils illustrent, autant de signes et de sa régénération et des promesses d'un nouveau destin.

À Triancourt-en-Argonne, sur l'un des vitraux de l'église Saint-Nicolas – et qui date très précisément de 1919 –, c'est le Christ cette fois qui occupe le centre de la composition. Debout, il montre du doigt son Cœur sacré, le désignant à deux femmes placées à ses pieds : l'une est Jeanne d'Arc, l'autre est la France. Jeanne porte un étendard blanc, mais sa robe est rouge et sur sa cuirasse s'enroule une écharpe bleue. Quant à la France, si elle apparaît tou-

jours couronnée et toujours enveloppée d'un manteau bleu bordé d'hermine (où manquent cependant les fleurs de lis), elle tient assez curieusement à la main un drapeau tricolore dont la hampe repose sur son épaule. Au surplus un large bandeau également tricolore barre sa poitrine, assez semblable en vérité à l'attribut familier des officiers municipaux dans l'exercice de leurs fonctions... France irradiée donc de tricolore, surgissant d'une composition elle-même presque exclusivement dominée par l'éclat contrasté du bleu, du blanc et du rouge. Mais France associée maintenant à l'image d'une héroïne guerrière, replacée d'autre part dans le cadre traditionnel de l'antique piété populaire. Dans son aspect extérieur, la figure allégorique est restée à peu près identique; mais le légendaire dans lequel elle s'insère a changé de signification. La jeune déesse d'une Liberté nouvellement conquise est redevenue fille aînée de l'Église. Aux signes surtout du renouvellement, de la régénération des temps, de l'avènement d'un nouveau Règne, se sont substitués ceux de la continuité, de la durée, de l'enracinement dans l'histoire.
Il va de soi qu'au lendemain immédiat de la Première Guerre mondiale, lorsque fut reconstruite l'église de Triancourt, le Sacré-Cœur ne s'était pas assuré du monopole des trois couleurs. Les fils des Droits de l'homme, les héritiers de la grande espérance révolutionnaire ne s'en étaient en aucune façon dessaisis. Mais le fait remarquable est qu'elles puissent en l'occurrence se trouver simultanément intégrées dans un autre système de valeurs, amalgamées à un autre type de complexe idéologique. Leur flamboiement aux fenêtres d'une église de campagne ne leur interdit nullement de flotter au-dessus des rassemblements du laïcisme militant. Il reste seulement à s'interroger sur la signification de cet élargissement. À s'interroger en d'autres termes sur le cheminement d'un symbole, le dynamisme conquérant d'une image, d'un signe d'identité et de ralliement, à travers un siècle de ferveurs collectives et de passions contradictoires.

De la cocarde de Juillet au drapeau de Jemmapes

L'histoire d'un symbole s'ouvre toujours sur une même énigme: le mystère de ses origines[1]. La version la plus communément admise, acceptée par les manuels, diffusée par la légende fait naître l'emblème tricolore à la date très précise du 17 juillet 1789: arrivé à Paris trois jours après la chute de la Bastille, le roi Louis XVI est reçu à l'Hôtel de ville par le maire Bailly en présence de La Fayette; à la demande de Bailly, il accepte, en un geste de réconciliation, de placer à son chapeau, aux côtés de la cocarde blanche qui est supposée y avoir été fixée, un ruban bleu et rouge, les couleurs de la ville...

En fait, il semble bien que l'emblème aux trois couleurs existait déjà depuis quelques jours, né tout simplement du souci de La Fayette, commandant de la garde nationale nouvellement créée, de fournir un signe commun de reconnaissance aux troupes dont il venait de prendre la tête : ainsi unit-il le blanc de l'uniforme des gardes françaises, ralliées au mouvement insurrectionnel, au bleu et au rouge de la milice parisienne. Sur un tableau de Charles Thévenin, conservé lui aussi au musée Carnavalet, représentant l'arrestation de Launay, le gouverneur de la Bastille, et assez peu postérieur aux événements, le drapeau blanc que brandit l'un des insurgés est orné, au sommet de sa hampe, d'une touffe de rubans tricolores, tandis que la cocarde bleu, blanc, rouge figure sur la coiffure de plusieurs de ses compagnons de combat.

Quoi qu'il en soit, deux certitudes subsistent, et dont l'intérêt dépasse très largement celui de l'anecdote. La première conduit à penser qu'en acceptant les trois couleurs le malheureux Louis XVI n'eut guère à surmonter de douloureux déchirements de conscience. Dans cet été de l'année 1789 la légende n'était pas encore née qui, dans quelques mois, allait associer la couleur blanche à la cause de la vieille royauté. La monarchie capétienne ne se reconnaissait que dans les seules armes de sa maison : les trois fleurs de lis d'or sur fond d'azur. Les plus lointains prédécesseurs du souverain régnant selon les traditions historiques alors en usage, en l'occurrence les rois mérovingiens, avaient combattu sous la protection de la « chape » de saint Martin, apôtre des Gaules, laquelle était de couleur bleue. Bleue encore la bannière, offerte et bénie par le pape, qui flottait au couronnement de Charlemagne. Hugues Capet et ses descendants directs avaient pour leur part adopté la bannière rouge de saint Denis, reconnu protecteur du royaume : mêlée aux étendards fleurdelisés, c'est elle que l'on vit à Bouvines et jusqu'aux premiers combats de la guerre de Cent Ans.

Quant au blanc, son accaparement momentané par les hommes du parti huguenot au temps des guerres de religion put donner lieu, trois siècles plus tard, à d'étranges débats. (D'où les divergences d'interprétation de la phrase fameuse d'Henri IV exhortant ses troupes à suivre son « panache blanc »[2]). En fait, au milieu de l'étonnante diversité de formes, de couleurs et de dessins qui dominait la floraison des drapeaux, étendards, enseignes, guidons et cornettes des armées de l'ancienne France, il semble n'avoir jamais eu d'autre signification que de constituer, à partir de la fin du XVIe siècle, la marque distinctive du commandement militaire. Attribut de tous ceux qui commandaient en son nom aux armées, la « cornette blanche » apparaissait ainsi comme une sorte de délégation de la toute-puissance souveraine lorsque le roi ne se trouvait pas en personne sur le champ de bataille... Un surprenant paradoxe veut au surplus que les « gens de service » de la maison royale, officiers et domestiques, aient été, selon un usage établi par les Valois, habituellement vêtus d'une livrée aux trois couleurs, bleu, blanc et rouge.

Bien plus qu'un emblème de guerre civile, la nouvelle cocarde pouvait dans ces conditions – et c'est la seconde constatation – légitimement apparaître comme le témoignage d'une unité retrouvée, un symbole d'alliance et de concorde. Dans la réunion des trois couleurs il était même permis à certains exégètes de célébrer la réconciliation des trois ordres, le bleu étant censé représenter le tiers, le rouge la noblesse et le blanc le clergé[3]. On ne saurait oublier d'autre part cette longue année où, avant d'apparaître effectivement, selon les paroles de Bailly, comme «le signe distinctif des Français», le tricolore demeura essentiellement l'emblème spécifique d'une institution, celle-là même qui avait fourni l'occasion de son avènement: la garde nationale. Dès le 30 juillet 1789, La Fayette avait fait adopter par l'ensemble de l'«armée civique», placée sous ses ordres et organisée désormais sur toute l'étendue du royaume, l'uniforme et les insignes de la milice parisienne. À la tête des bataillons de garde nationale, la cocarde qui ornait la coiffure des hommes de troupe devint tout naturellement drapeau... Mais un drapeau dont, comme pour l'institution tout entière, la fête de la Fédération vint consacrer l'apothéose. Gravures et tableaux, c'est toute l'imagerie du moment qui montre, sous le ciel bas et pluvieux de ce 14 juillet 1790, le Champ-de-Mars éclatant de tricolore. C'est sous un dais tricolore que la famille royale assiste à la cérémonie. C'est sur un tertre ceinturé d'une haie de porte-drapeaux tricolores que La Fayette vient prêter serment sur l'autel de la patrie.

Ici encore la signification symbolique l'emporte sans conteste sur la signification politique, telle du moins que celle-ci a pu être perçue dans l'immédiateté du contexte contemporain. Bien des nuances sans doute doivent être apportées à la légende. On le sait: cette journée même, dont le déroulement vit pour la première fois la célébration publique des trois couleurs, n'échappe ni dans sa genèse ni dans son cérémonial aux ambiguïtés du jeu des partis, des luttes de tendances, de la rivalité des ambitions[4]. Sa portée morale, le contenu de son message historique sont cependant d'une tout autre dimension. De même la signification du nouvel emblème dépasse-t-elle déjà (ou va-t-elle très rapidement dépasser) la personne – et le destin – de celui, La Fayette en l'occurrence, qui en fut vraisemblablement l'inventeur et certainement le promoteur. Comme elle dépasse aussi le destin de tous ceux qui, avec lui et en même temps que lui, en avaient fait le signe concret de leurs espérances et de leurs aspirations. Comme elle dépasse encore les formes institutionnelles du système politique dont ils avaient préparé l'avènement et dont ils entendaient assurer la défense. Pour le drapeau aux trois couleurs, rien, certes, n'est encore définitivement assuré. Malgré un décret de l'Assemblée nationale du 18 juin 1790, confirmant une décision royale du 28 mai précédent et déclarant que «toute cocarde autre que la cocarde nationale demeure réformée aux termes de la proclamation du Roi», bien d'autres emblèmes lui font toujours concurrence aussi bien dans la rue qu'aux armées. Son image même apparaît incertaine: la disposition des bandes qui la composent peut être soit horizontale, soit verticale, le rouge et non le bleu se trouvant dans ce cas rattaché à la hampe. L'important reste toutefois l'affirmation – et la diffusion de plus en plus large – de la notion de cocarde *nationale*, de pavillon *national*, d'emblème *national*. Tout se passe en somme comme si, dans ce moment décisif de l'histoire de l'idée de nation, celle-ci exigeait une représentation visuelle, un signe tangible d'identité et de reconnaissance. Consciemment ou inconsciemment, lié aux vicissitudes de l'événement mais les transcendant, un nouveau culte communautaire se développe, réclamant comme tous les cultes son rituel et ses images.

C'est par là sans doute, par le caractère *national* qui lui était reconnu et par la puissance de mobilisation affective dont le terme semble déjà investi, que l'emblème aux trois couleurs se trouva échapper à l'effondrement du régime de la monarchie constitutionnelle auquel il avait été implicitement associé, en même temps qu'au naufrage politique du parti dont il avait d'abord incarné les volontés, les espoirs et les intérêts. Malgré les évidentes réticences de certains de ses membres, résolus à souligner la coupure avec la première phase de l'histoire révolutionnaire, ce fut la Convention montagnarde qui vint lui donner une ultime consécration officielle. S'inspirant d'un dessin de David, un décret du 15 février 1794 précisa que «le pavillon national sera formé des trois couleurs nationales, disposées en trois bandes égales, posées verticalement de manière que le bleu soit attaché à la gauche du pavillon, le blanc au milieu et le rouge flottant dans les airs».

La disposition était conforme à l'esthétique du temps, à son souci de rigueur et de dépouillement: le système des raies – ou des bandes – consacré par David dans le dessin du drapeau était, on ne saurait le négliger, particulièrement en vogue dans les dernières années du règne de Louis XVI. On le retrouve, et souvent dans un coloris bleu, blanc, rouge, aussi bien dans les papiers peints, les tissus d'ameublement que dans le vêtement féminin. Le modèle, que devaient imiter au siècle suivant la plupart des nations nouvellement apparues sur la scène du monde, n'en contraste pas moins avec le style précédent des étendards qui tendaient à s'inspirer du symbolisme de l'héraldisme traditionnel. Il fut conservé sans scrupules apparents par les hommes de Thermidor et du Directoire. Désireux sans doute de se démarquer plus nettement des gouvernements précédents, Napoléon, empereur, semble pour sa part avoir songé un moment à le rejeter[5]. Du moins s'attacha-

t-il à le modifier: si l'étrange projet d'un nouvel étendard de couleur verte marqué d'inscriptions en lettres d'or fut vite abandonné, de multiples dispositions réglementaires vinrent en revanche perturber à plusieurs reprises l'ordonnance des couleurs. Peut-être faut-il voir là une simple consécration, à nouveau, du changement du goût et de la mode, le premier Empire marquant un retour vers plus de pompe et de surcharge. Mais surtout l'aigle de cuivre qui vint remplacer le fer de lance au sommet de la hampe tendit à apparaître, de par la volonté impériale, comme l'élément essentiel et permanent de l'emblème, le terme même d'«aigle» se trouvant substitué à ceux d'étendard et de drapeau. Il reste cependant caractéristique que dans ce domaine, une sorte d'interdit moral se soit toujours opposé à de trop brutaux ou trop profonds changements. Au sein de la Grande Armée, du moins au sein de ses contingents français, une fidélité instinctive semble n'avoir jamais cessé de protéger les trois couleurs des caprices du pouvoir impérial. Une limite se trouvait tacitement tracée que celui-ci ne se résolut jamais à franchir. Élément essentiel de permanence en contraste absolu avec la multiplicité des bouleversements politiques: à quelques détails près concernant la disposition de ses couleurs, le drapeau d'Austerlitz et de Waterloo était resté identique à celui de Fleurus et de Jemmapes.
En fait, en un court espace de temps, un quart de siècle environ, l'emblème aux trois couleurs semble s'être chargé d'un poids de plus en plus lourd de souvenirs, de références et de fidélités. D'abord simple signe de ralliement du mouvement parisien de juillet 1789, il avait tenu un an plus tard une place privilégiée dans la grande liturgie de la fête de la Fédération: c'est, sinon sous ses plis, du moins dans le foisonnement de leur présence que s'était trouvée affirmée, de par la volonté des Français, l'unité de la nation. Le grand épisode guerrier commencé en avril 1792 lui avait ouvert une autre vocation: il se situait maintenant au centre même de l'étonnante épopée militaire qui allait, durant tant d'années, hanter l'imagination française. Présent dans la mémoire, dans les récits, infiniment répétés au cours des veillées villageoises ou dans les cabarets des faubourgs, de centaines de milliers d'anciens soldats, rescapés des champs de bataille de la Révolution et de l'Empire. Inséparable de ce prodigieux légendaire, source inépuisable d'émotion et de rêve, qu'allaient entretenir, sous des formes multiples et durant plusieurs générations, l'iconographie, l'histoire, la chanson, la poésie et le roman. De Béranger à Hugo, de Stendhal à Barrès, de Michelet à Péguy, de Raffet à Detaille, tant de voix, tant d'images pour le transmettre jusqu'à nous... En confrontant les trois couleurs à deux autres emblèmes, en les opposant à deux autres symboles, les vicissitudes de nos luttes civiles allaient toutefois venir assurer plus fortement encore leur légitimité – venir plus exactement en préciser définitivement et le contenu et la signification.

Ni blanc, ni rouge

Il faut lire dans les *Mémoires* de la comtesse de Boigne le passage où celle-ci raconte 1814, la première abdication de l'empereur, l'entrée des troupes alliées à Paris[6]. « J'ai le rouge au front, écrit Mme de Boigne, de devoir raconter comme française ce qui suit. » Ce qui suit, c'est le tableau des premiers contingents russes traversant la capitale, acclamés sur les Champs-Élysées et suivis avec allégresse par une troupe de jeunes gens bien nés, « agitant leurs mouchoirs », arborant la cocarde blanche et la distribuant autour d'eux. C'est aussi cette soirée de l'Opéra où apparaissent, salués par les ovations de la salle, l'empereur Alexandre et le roi de Prusse. Dans les loges où se pressent les jolies femmes « enguirlandées de lys », la même cocarde blanche, dans leur chevelure ou sur leur corsage, témoigne de leur attachement retrouvé à la cause de la « légitimité ». « Plus il pouvait y entrer d'officiers étrangers, poursuit Mme de Boigne, plus nous étions foulées, plus nous étions contentes. » « Je ne puis dire, précise-t-elle toutefois, que ce fut en sûreté de conscience ; je sentais quelque chose qui me blessait, sans trop pouvoir le définir. » « C'est bien à regret que je l'avoue, conclut-elle rétrospectivement, mais le parti royaliste est celui qui a le moins l'amour de la patrie pour elle-même [...]. »

Le récit est à rapprocher de l'épisode que rapporte le général Thiébault, dans ses souvenirs – épisode qui se déroule à peu près au même moment, mais sur les retranchements de Hambourg, alors assiégé par les alliés et toujours tenu par les troupes françaises de Davout[7]. « Nous avions tout osé prévoir, raconte Thiébault, tout hors la domination des Bourbons [...], lorsque le 9 mai, au jour naissant, la ligne des ennemis, sur le front de Hambourg, nous apparut pavoisée de drapeaux blancs. » La réaction de Davout fut brutale : il ordonna aussitôt de faire feu sur les emblèmes inattendus, lesquels, nous dit Thiébault, « en moins d'un quart d'heure furent abattus à coups de canon [...] ». Et sans doute la garnison capitula-t-elle peu après, ses chefs, Davout et Thiébault en tête, se ralliant sans hésitation trop prolongée au régime des Bourbons restaurés. Il reste cependant que, pour les assiégés de Hambourg, l'apparition du drapeau blanc fut comprise autant, ou sinon plus, comme une invitation à la reddition que comme un symbole d'ordre politique. Ils devaient livrer leurs armes en même temps qu'ils étaient invités à accepter une autre légitimité. La substitution du blanc au tricolore ne pouvait manquer d'être ressentie par eux comme le signe même de la défaite, la marque de leur humiliation.

Les deux récits demeurent d'autant plus caractéristiques que ni l'un ni l'autre de leurs auteurs ne peuvent être suspectés d'un excès de sympathie pour l'épisode révolutionnaire et impérial. Mme de Boigne a passé les années de sa jeunesse dans les tristesses et les drames de l'émigration. Quant à Thiébault, s'il a servi loyalement les armées de la République, ses souvenirs familiaux, son peu de goût pour la dictature jacobine, ses amitiés mêmes à l'intérieur du milieu militaire l'éloignaient de toute hostilité de principe à l'égard de la vieille dynastie… En fait leur témoignage illustre assez bien le malencontreux destin de ce drapeau blanc, dont l'histoire s'inscrit durant toute cette période parallèlement à celle du drapeau tricolore, mais en exact négatif par rapport à celle-ci, symbole même d'un système de valeurs et de représentations rigoureusement inverse de celui que les trois couleurs tendaient de plus en plus à incarner.

La couleur blanche, il faut le répéter, n'avait jamais été historiquement liée au destin de la dynastie capétienne[8]. Mais, depuis cette fameuse soirée du 1er octobre 1789 où, à Versailles, après un banquet un peu trop tumultueux, la cocarde tricolore de La Fayette, de Bailly et des insurgés parisiens avait été piétinée par un groupe de gardes du corps de Louis XVI, la contre-révolution, à ses extrêmes débuts, se cherchait un signe de ralliement susceptible d'être opposé à celui des vainqueurs de juillet. La défense faite par Louis XVI, quelques mois plus tard, «à tous ses fidèles sujets et dans toute l'étendue du royaume de faire usage d'aucune autre cocarde que la cocarde nationale» devint apparemment sans objet après la journée du 10 août 1792 et l'arrestation du souverain. Couleur du commandement aux armées du roi ou de ceux qui exerçaient en son nom leur autorité, le drapeau blanc trouva naturellement sa place à la tête de l'insurrection vendéenne et des volontaires de l'armée des Princes. «La noblesse est une, proclamait le prince de Condé, c'est la cause de tous les princes, de tous les gentilshommes que je défends; ils se réuniront sous l'étendard que je déploierai à leur tête […].» Mais le drapeau blanc devenait en même temps, au-delà des dévouements souvent admirables qu'il pouvait susciter, des sacrifices innombrables acceptés en son nom, symbole de guerre civile et d'invasion étrangère. Il signifiait à la fois le retour à l'Ancien Régime et la défaite militaire, le renoncement aux principes de 1789 et la mutilation de la Grande Nation. Il heurtait simultanément l'attachement de la très grande majorité des Français aux conquêtes de la première Révolution et les réactions les plus élémentaires de la fierté nationale. Par le seul fait de se dresser devant lui et contre lui, il apportait à l'emblème tricolore un surcroît d'autorité et de prestige, une puissance supplémentaire de rayonnement et d'enracinement.

Mme de Boigne, qui parle de «faction anti-nationale» à propos de ses jeunes amis à la cocarde blanche acclamant dans leur capitale l'entrée de l'«étranger» victorieux, le dit excellemment: en acceptant le drapeau blanc de la part des plus intransigeants de leurs fidèles, en l'officialisant (et non en le rétablissant), les Bourbons restaurés allaient «affronter les sentiments honorables du pays et blesser cruellement ceux de l'armée». Il demeure certes difficile de mesurer l'ampleur d'un traumatisme que la lecture de toute une littérature romanesque héritière de la légende napoléonienne a peut-être eu, par la suite, tendance à exagérer. Il n'est pas moins certain que le triomphe occasionnel de l'étendard de la chouannerie et de l'émigration contribua sensiblement à accroître les rancunes à l'égard du régime de 1815, à maintenir vis-à-vis de celui-ci une double suspicion : celle d'une menace toujours présente pesant sur les « conquêtes » de la Révolution (et les intérêts liés à ces conquêtes), celle de l'acceptation docile d'une situation d'abaissement et de soumission aux puissances extérieures... En recevant à l'Hôtel de ville, le 29 juillet 1830, des mains du vieux La Fayette resurgi de la légende, l'emblème aux trois couleurs, Louis-Philippe d'Orléans va donner à la chute de Charles X son caractère aussitôt reconnu de véritable révolution *nationale.* La Fayette, l'Hôtel de ville, l'émeute victorieuse, les mots mêmes prononcés le lendemain par le nouveau roi (« La nation reprend ses couleurs. Il ne sera plus porté d'autre cocarde que la cocarde tricolore »), c'est tout un passé qui ressuscite, presque identique aux images qu'en avait fixées la puissance magnifiante du souvenir. Le fil se trouve renoué avec le grand espoir de 1789, les spectres de la contre-révolution semblent définitivement exorcisés. « Nous avons pris les armes, va écrire *Le Globe*, contre le principe odieux de droit divin, contre l'abandon des dogmes de 1789, contre le drapeau blanc enfin, symbole des intérêts anciens jetés sans droit dans la société. » Eugène Pottier, le futur auteur de *L'Internationale*, chante de son côté la résurrection du « drapeau de la Liberté ».

Je vois déjà le drapeau tricolore
De mon pays emblème protecteur
Sur nos remparts qu'avec gloire il décore
Il est pour nous le signal du bonheur.

Le drapeau blanc va se trouver désormais irrévocablement condamné à ne plus apparaître que comme une relique, un objet de piété. Piété vivace encore dans un certain milieu pour qui, né avec la Restauration, tout un romantisme politico-religieux n'a pas encore dissipé sa puissance de rêve : images d'ex-voto des princes martyrs, sacralisation des vertus de fidélité, d'honneur et de chevalerie, souvenirs des guerres chouannes, nostalgie d'un Ancien Régime de légende avec ses preux, ses châtelaines, ses chapelles et ses chaumières, foi dans la Providence disposant miraculeusement des peuples et des trônes, affirmation toujours répétée du mystère divin de la légitimité. Piété appelée cependant à se réfugier de plus en plus dans le secret des consciences, à se dissocier de plus en plus des réalités lourdement contraignantes d'une histoire en mouvement. Lorsqu'en 1873 le comte de Chambord mit le rétablissement du drapeau blanc comme condition de la restauration de la monarchie, les plus zélés de ses partisans, jusqu'à l'extrême droite de la majorité royaliste de l'Assemblée nationale, jugèrent l'exigence politiquement et idéologiquement insoutenable. Le prince avait été élevé dans l'ombre intransigeante et toujours douloureuse de sa tante, la duchesse d'Angoulême, l'ancienne prisonnière du Temple. Lui-même se souvenait d'avoir vu enfant, en 1830, le drapeau tricolore flotter sur le port de Cherbourg au moment où il quittait la France. « Je ne puis revenir, affirmait-il, qu'avec mon principe et mon drapeau. » « Les chassepots partiront tout seuls », répliquait le maréchal de Mac-Mahon, monarchiste convaincu, mais qui n'avait jamais combattu que sous le drapeau tricolore. Comme l'avaient fait d'ailleurs, en toute loyauté, durant la guerre de 1870, dans les rangs ou à la tête des bataillons de mobiles, bon nombre de ces pieux gentilshommes qui, dans les rangs de l'Assemblée, attendaient le plus ardemment le retour d'Henri V.

La IIIe République est née de l'agonie du drapeau blanc et de ses ultimes soubresauts. Mais elle est née aussi d'une victoire plus dure et plus sanglante remportée sur un autre emblème : le drapeau rouge de la Commune[9]. Signal traditionnellement brandi face à l'émeute par les forces de l'ordre, l'emblème, par un paradoxal renversement des symboles, était apparu comme l'appel à une seconde révolution, sur les barricades parisiennes, lors de la grande poussée insurrectionnelle de juin 1832. Victor Hugo le montre dans *Les Misérables*, flottant au-dessus de la barricade de la rue de la Chanvrerie, éclairé par une « énorme lanterne rouge », ajoutant à « l'écarlate du drapeau je ne sais quelle pourpre sinistre ». « La révolte, avait expliqué le gouvernement dès la première journée de l'émeute, s'est montrée sous un emblème digne d'elle, sous un drapeau rouge opposé à notre glorieux drapeau tricolore. Le drapeau tricolore qui a vaincu, il y a peu de jours encore dans la Vendée, le drapeau de la contre-révolution triomphera encore plus facilement de celui de l'anarchie [...]. » L'image d'une « République rouge », se réclamant à la fois du passé jacobin et du rêve d'un nouvel ordre social, se trouve désormais opposée non seulement au régime de la Monarchie de Juillet, mais aussi à celle d'une « République tricolore », modérée, conciliatrice, apaisante. Paul Verlaine dira plus tard, en un assez beau poème, cette volonté d'absolu révolutionnaire :

Ils voulaient le devoir et le droit absolu,
Le soleil sans couchant, l'océan sans reflux
La République, ils la voulaient terrible et belle,
Rouge et non tricolore [...]

La République tricolore l'emporta en 1848 sur la République rouge mais non sans peine et non sans péril. Il faut se souvenir de cette journée parisienne du 25 février où le drapeau rouge flotte au-dessus de la grande porte de l'Hôtel de ville et sur tous les toits environnants. Dans la salle où siège le gouvernement provisoire et qu'envahit une foule en armes, un insurgé de la veille prend la parole: «Nous ne voulons pas que la Révolution soit escamotée encore une fois. Il nous faut la preuve que vous êtes avec nous. Cette preuve vous la donnerez en décrétant le drapeau rouge, symbole de nos misères et de la rupture avec le passé [...].» Il faut se souvenir aussi du texte du discours de Lamartine – du moins tel que celui-ci le rapporte, – retournant l'opinion, sauvant l'emblème aux trois couleurs:

> [...] Vous pouvez faire violence au Gouvernement, vous pouvez lui commander de changer le drapeau de la nation et le nom de la France, si vous êtes mal inspirés et assez obstinés dans votre erreur pour lui imposer une République de parti et un pavillon de terreur [...] Quant à moi jamais ma main ne signera ce décret.
> Je repousserai jusqu'à la mort ce drapeau de sang, et vous devez le répudier plus que moi, car le drapeau rouge que vous rapportez n'a jamais fait que le tour du Champ-de-Mars, traîné dans le sang du peuple, en 91 et 93; et le drapeau tricolore a fait le tour du monde, avec le nom, la gloire et la liberté de la patrie.
> [...] Si vous m'enlevez le drapeau tricolore, sachez-le bien, vous enlevez la moitié de la force extérieure de la France, car l'Europe ne connaît que le drapeau de ses défaites et de nos victoires dans le drapeau de la République et de l'Empire. En voyant le drapeau rouge, elle ne croira voir que le drapeau d'un parti; c'est le drapeau de la France, c'est le drapeau de nos armées victorieuses, c'est le drapeau de nos triomphes qu'il faut relever devant l'Europe. La France et le drapeau tricolore, c'est une même pensée, un même prestige, une même terreur au besoin pour nos ennemis.»

Aucun Lamartine ne se leva cependant vingt-trois ans plus tard, le 18 mars 1871, pour dissuader l'insurrection victorieuse d'arborer le drapeau rouge au fronton du même Hôtel de ville. Quelques jours auparavant *Le Père Duchêne* l'avait déjà réclamé:

> «Nous n'en voulons plus du drapeau menteur de vos honteuses Républiques – soi-disant honnêtes et modérées – de ce drapeau sous lequel bavardaient et buvotaient les ventrus de Louis-Philippe, sous lequel ont ripaillé et massacré les soldats de Décembre. Nous ne voulons plus de toi, drapeau de Transnonain, drapeau de Mentana, drapeau de Sedan! Quand l'étendard d'une nation a traîné dans de telles

> hontes, il faut en renouveler l'étoffe et changer les couleurs. Il faut que le drapeau rouge, qui n'est rouge que du sang du peuple versé par la réaction, remplace le drapeau où le sang de Hoche a disparu sous les éclats de cervelle des mineurs du Creusot et tous les crachats de Failly, de Frossard et de Bazaine.»

«La France du peuple date du 18 mars, proclame de son côté, avec beaucoup d'autres, Félix Pyat aux lendemains immédiats de l'instauration de la Commune. La France de la noblesse est morte en 1789 avec le drapeau blanc. La France bourgeoise est morte en 1871 avec le drapeau tricolore.» Le *Times* britannique n'avait probablement pas tort lorsqu'il décrivait la lutte entre Paris insurgé et l'Assemblée de Versailles comme celle «du drapeau rouge et du drapeau tricolore». Mais, en la circonstance, ce fut la France du drapeau tricolore qui l'emporta: les régiments de M. Thiers revenus dans leurs cantonnements de Versailles et de Satory ramenèrent en trophée, après la semaine sanglante, des monceaux d'emblèmes écarlates récupérés sur les ruines des barricades. Et sans doute, pour la postérité des vaincus, la fidélité au drapeau rouge allait-elle pendant longtemps encore se nourrir du souvenir de leurs souffrances en même temps que l'exécration obstinée des couleurs sous lesquelles avaient combattu leurs vainqueurs. Au regard de la grande masse du pays cependant le légendaire tricolore s'était enrichi d'un nouvel apport: celui du symbole de l'Ordre menacé et sauvé. Quant à la IIIe République, enfin affermie dans sa survie quelques années après sa proclamation, le drapeau aux trois couleurs qu'elle avait recueilli en héritage constituait en sa faveur le témoignage d'une double assurance: assurance contre la réaction d'une part, assurance contre une nouvelle révolution d'autre part, fidélité aux «libertés» conquises en 1789 face aux ultimes tentatives des tenants du droit divin, fidélité aussi aux principes de stabilité, d'équilibre et de continuité face aux menaces toujours présentes des hommes de la subversion.

Légitimité nationale et légitimité républicaine

Histoire complexe cependant, et qui se poursuit en même temps sur un autre plan qu'il convient de ne pas oublier. Il s'agit en l'occurrence de cet évident surcroît de légitimité «nationale» – au sens le plus rigoureux du terme –, acquis tout au long de la période par le drapeau aux trois couleurs du seul fait que le mémorial militaire français et l'éthique qu'il sous-entend lui accordent une place de plus en plus large. Ce n'est pas en vain, en effet, si, dans son discours de l'Hôtel de ville, à titre d'ultime argument, Lamartine invoque les exigences de «la force extérieure de la France», les gloires passées de «nos armées victorieuses». Ce n'est pas en vain non plus si, dans les récits légendifiés de nos campagnes militaires, l'Algérie, la Crimée, la guerre prussienne, on retrouve de plus en plus fréquemment, au centre de l'action, la présence du drapeau: le drapeau que l'on plante sur la position arrachée à l'ennemi, que l'on défend, que l'on sauve, que l'on serre dans ses bras, au pied duquel on meurt[10]. L'iconographie de la guerre de 1870 est sur ce point exemplaire. Ces drapeaux que l'on brûle, dans la nuit d'octobre, sous les murs de Metz, il n'est guère de scène qui soit venue plus souvent illustrer, et de façon plus poignante, l'humiliation de la défaite. Et combien de rappels, dans une littérature à prétention épique d'une étonnante abondance, à ce qu'il est convenu d'appeler «la religion du drapeau»: «C'est que dans le drapeau, il y a plus qu'un lambeau de soie noirci par la poudre et troué par les balles: il y a la patrie. C'est elle qui vit dans cet emblème [...] Quand passe le drapeau, saluons: c'est la France qui passe[11]»...

Autour du même drapeau, dans la célébration d'un même culte, se trouvent ainsi rétablies entre la Monarchie de Juillet, les deux Empires, les trois Républiques l'unité et la continuité historiques. L'emblème aux trois couleurs tend à apparaître comme le symbole de la seule Patrie, une Patrie indifférente – pourvu que le symbole soit respecté et le culte célébré – aux mutations successives du pouvoir qui la gouverne et des institutions qui la gèrent. Comme l'incarnation même d'une légitimité suprême, extérieure et supérieure – pourvu que celles-ci ne se réclament ni du blanc du droit divin, ni du rouge de la révolution sociale – à toutes les autres formes d'allégeance politique...

Légitimité nationale et légitimité républicaine? Dans ce contexte, et à partir du moment où, vers 1875, la IIIe République se trouve enfin assurée des conditions de sa durée et de sa stabilité, le problème de leurs rapports réciproques ne peut donc manquer de se poser. Il n'est en revanche nullement évident qu'il puisse lui être répondu en toute assurance et en toute limpidité.

Un long poème de Paul Déroulède, publié en 1876 dans les *Nouveaux Chants du soldat*, ne constitue pas à cet égard un mauvais point de départ. Il faut rappeler que Déroulède fait alors figure de républicain authentique, émule et admirateur de Gambetta dans le sillage duquel il se situe. C'est à sa réputation de poète «national», chantre du soldat et de l'épopée tragique de la dernière guerre, qu'il doit pourtant sa jeune et déjà très large renommée. Sous le titre de *Colloque*, l'écrivain met ici en scène, la paix revenue, un jeune paysan, recrue du service universel nouvellement établi, et un officier, commandant la compagnie où ce dernier vient d'être incorporé. Aux longues plaintes du soldat concernant la dureté de la condition militaire, l'arrachement brutal au village et au foyer, le capitaine répond en lui montrant le drapeau:

Et ce vieux drapeau que tu vois,
C'est la robe de ta payse.

L'armée n'est autre que «la grande école du Drapeau» et dont le but, précise le capitaine, est de «former et d'instruire». Elle apparaît ainsi comme un instrument de promotion et d'émancipation, d'initiation à la liberté et d'accession à la dignité citoyenne. L'image de l'institution militaire se confond avec celle de l'idéal républicain d'une pédagogie d'affranchissement et de progrès. Le discours du capitaine l'exprime sans équivoque:

Sais-tu ce que tu regrettes?
C'est le temps où tu n'étais rien,
Où ni soldat, ni citoyen,
Au festin n'ayant que les miettes,
Sans devoir, sans droit, sans soutien,
Le servage courbait vos têtes.

Dans une perspective infiniment plus ample, c'est cependant le même syncrétisme, la même volonté de fusion, dans la religion du drapeau, du culte de l'armée et de la ferveur républicaine, qui donna toute sa signification à la célébration, en 1880, de la première fête nationale du 14 Juillet. La journée peut légitimement apparaître comme une réplique de la fête de la Fédération – et sans doute plus spontanée, plus unanime, plus authentiquement populaire – mais où le symbolisme militaire aurait été substitué à celui de l'autel de la Patrie[12]. Le grand moment en effet fut celui où, sur l'hippodrome de Longchamp, précédant une interminable revue, leurs nouveaux drapeaux furent remis aux régiments reconstitués. «C'est dans ces sentiments, proclama le président Grévy, que le Gouvernement de la République va vous remettre ces drapeaux: recevez-les comme un gage de sa profonde sympathie pour l'armée. Recevez-les comme les témoins de votre bravoure, de votre fidélité au devoir, de votre dévouement à la France qui vous confie avec ces nobles insignes, la défense de son honneur, de son territoire et de ses lois.» Cette consécration de la renaissance militaire de la France explique sans doute l'adhésion apparemment générale de l'opinion – Paris, dont un tableau de Claude Monet nous conserve le souvenir, pavoisé comme il ne l'avait sans doute jamais été et ne le sera jamais plus, submergé de tricolore dans toutes ses rues, dans tous ses quartiers. On ne peut cependant oublier que ces drapeaux neufs distribués aux troupes portent le sigle de la République française, que l'image de Marianne se vend à tous les carrefours, que d'immenses portants de carton et de toile dressent son effigie sur les places, mêlée parfois à celle des grands hommes de la Cause victorieuse. Heureuse ambiguïté des

trois couleurs ! C'est grâce à elle que les institutions récemment mises en place apparaissent comme moralement et idéologiquement bénéficiaires du renouveau patriotique des lendemains de la défaite, que la légitimité républicaine se trouve en mesure de récupérer la légitimité nationale, qu'elle tend même à l'absorber et à se confondre avec elle.
Témoignage, parmi d'innombrables autres, de ce long travail d'amalgame et de synthèse : un album illustré, comme il en parut tant à la fin du siècle précédent destiné à un public d'adolescents, dessiné par Job, rédigé par Georges Montorgueil et très précisément intitulé *Les Trois Couleurs*. Il s'agit en fait du dernier volume d'une série de trois ouvrages : *La France, son histoire* est le titre du premier, *La Vivandière* celui du second, le tout constituant une sorte de récit mythologique de l'histoire de la France de ses origines jusqu'aux lendemains de la guerre de 1870. « Jolie petite gauloise », l'enfant France a été trouvée par les druides dans le feuillage d'un chêne. Elle grandit, au long des temps, « fillette sous Charlemagne », « blanche communiante sous Saint Louis », « poudrée, exquise et frivole sous Louis XV ». Entraînée dans la grande aventure guerrière de la Révolution, elle devient vivandière et suit jusque dans ses dernières campagnes ce Bonaparte qui « lui coupe au fil de son épée la plus belle gerbe de lauriers qui ait encore ombragé son front ». Immuable à travers les révolutions du XIXe siècle, elle apparaît à la fin au troisième volume, vêtue de deuil, « grave et triste dans l'adversité », écrasée par le souvenir des provinces perdues. La dernière image offerte – en double page – aux jeunes lecteurs de Job et de Montorgueil laisse pourtant une impression plus sereine : du haut d'un tertre, la France assiste au défilé de Longchamp ; en rangs serrés les drapeaux des nouveaux régiments passent et s'inclinent devant elle. « Soldats, leur dit-elle, voici vos drapeaux neufs. Ils sont taillés dans votre ancienne gloire. Je vous les ai tissés avec les nobles haillons de ceux sous les plis desquels depuis des siècles vous avez su vous battre et mourir. Tenez-les ferme, tenez-les haut, tenez-les droit. Soldats, que leurs couleurs sont belles »...
Mais aussitôt une question se pose : cette jeune femme majestueuse, au regard assuré, cuirassée, couronnée de lauriers, enveloppée de tricolore, devant qui défile l'armée « grave, superbe et muette », est-ce toujours la France, ou plutôt est-ce seulement la France ? La similitude avec l'image de la République[13], telle que la statuaire et l'iconographie la reproduisent alors à des dizaines de milliers d'exemplaires, est trop exacte, trop frappante pour ne pas être volontaire. En conclusion d'une aventure longue de plus de vingt siècles, le personnage France semble en fait avoir perdu son autonomie. Son visage a abandonné les traits spécifiques qui le distinguaient de ceux de ses maîtres, de ses souverains ou de ses représentants. La figure allégorique de la France et celle de la République se voient identifiées l'une à l'autre, confondues l'une dans l'autre, indiscernables l'une par rapport à l'autre.

La République présentée comme l'achèvement inéluctable, la conclusion logique et définitive de l'histoire de la France : la constatation paraîtra banale à tout historien de l'idée nationale française. Il convient cependant de prendre garde au fait que, réalisée à l'ombre du drapeau aux trois couleurs, la symbiose de la France et de la République n'est concevable et ne peut être considérée comme durable que dans la mesure où elle implique, tacitement ou explicitement, une certaine conception unitaire et conciliatrice du destin national. Devant la ferveur avec laquelle se trouve évoquée, à la dernière page de l'album de Job, cette armée nouvelle où défilent coude à coude « l'ouvrier, le noble, le bourgeois », on songe à ces gravures des premiers mois de la Révolution où, toujours sous le signe du tricolore, les représentants des trois ordres se trouvent enfin fraternellement réunis. Le légendaire républicain, afin d'assurer sa cohérence et sa pérennité, se voit ainsi conduit à un assez étonnant téléscopage chronologique : 1792 se trouve déplacé vers 1789 ; les ruptures essentielles de l'histoire révolutionnaire tendent à s'effacer ; c'est dans la période qui fut, dans l'exactitude des faits, celle de la monarchie constitutionnelle que la République est censée enfoncer les plus profondes de ses racines.

Mais, à travers ce que l'on peut aussi bien appeler un dérèglement de la mémoire qu'un mythe de fondation, serait-il en fin de compte absurdement téméraire de croire apercevoir une fidélité tenace aux espoirs et aux principes qui furent en effet ceux des hommes de la première génération révolutionnaire ? La volonté peut être aussi d'effacer les souffrances de certaines déchirures, la nostalgie d'une certaine forme d'équilibre aussitôt perdu qu'entrevu. L'image privilégiée d'un destin français plus rêvé que vécu, où les valeurs de permanence et de cohésion se trouvent d'autant plus fortement exprimées qu'elles viennent contredire la réalité et d'un passé de luttes civiles et de bouleversements institutionnels ? Après tout c'est bien le nom de La Fayette qui figure en tête d'un sondage récent 14 – été 1983 – où les Français étaient invités à désigner celui des personnages de la Révolution qui leur était « le plus sympathique » : 43 % de suffrages de sympathie (contre 6 % de témoignages d'antipathie) pour le « héros des deux mondes », alors que Bonaparte n'en recueillait que 39 % (contre 21 % de témoignages d'antipathie) et que Robespierre s'obstinait à occuper la dernière place dans l'enfer de la mémoire historique (21 % de témoignages d'antipathie contre 8 % de sympathie). Ce plébiscite rétrospectif en faveur de celui qui en juillet 1789 imposa l'insigne tricolore, qui l'associa en juillet 1790 à la première consécration de l'unité française et qui en fut, en juillet 1830, le restaurateur officiel, il est peut-être difficile d'en préciser la signification. Nul doute pourtant que, comme le génie ailé des Droits de l'homme, comme la France au Sacré-Cœur du vitrail de Triancourt, il n'ait sa place dans une histoire déjà longue de près de deux siècles et dont il ne marque pas l'achèvement.

1. Si étonnant que soit le fait, il n'existe pas d'étude récente et de caractère véritablement historique sur le drapeau tricolore. La littérature, relativement abondante, publiée sur ce sujet autour de l'année 1900 relève presque essentiellement d'un souci de pédagogie ou d'exaltation patriotique. Deux ouvrages, de caractère plus informatif, peuvent être cependant consultés avec profit: ceux de Georges Virenque, *Nos couleurs nationales*, Tours, Mame, 1902, et de Jules Henriet, *Les Origines et les transformations des couleurs nationales de la France*, Comptes rendus de l'Association française pour l'avancement des sciences, «Congrès de Grenoble», 1904, pièce, 20 p.
Voir d'autre part la communication de Maurice Agulhon, «La place des symboles dans l'histoire d'après l'exemple de la République française», *Bulletin de la Société d'histoire moderne et contemporaine*, 16e série, n° 7, 1980. Pour une bibliographie d'ensemble on consultera Louis Baron, chef de bataillon, *La symbolique militaire en France. Bibliographie*, Service historique de l'armée, 1969, multigraphié.

2. Les débats de ce genre ne sont pas rares lors de la tentative de restauration monarchique du comte de Chambord et de sa référence au «drapeau d'Henri IV». Le duc de Broglie évoquera à ce propos «le plumet de chef des huguenots». (*Cf.* Jean-Paul Garnier, *Le Drapeau blanc*, Paris, Perrin, 1971.)

3. Animés par le même souci de réconcilier la cause du drapeau tricolore avec celle du conservatisme catholique, certains auteurs de la fin du XIXe siècle iront jusqu'à lui prêter La signification d'un symbole religieux: le bleu étant censé représenter le Père, le blanc le Fils et le rouge l'Esprit-Saint. *Cf.* Romegal, *L'Étendard national considéré au triple point de vue révolutionnaire, historique et chrétien*, 1895, pièce. «Ô France, quelle est donc ta mission parmi les peuples pour que le Dieu trois fois saint [...] ait remis entre tes mains la garde de son propre drapeau. Quelles grandes choses Dieu ne te réserve-t-il pas puisqu'il fait de toi son porte-bannière» (pp. 25 *sq.*).

4. *Cf.* Mona Ozouf, *La Fête révolutionnaire*, Paris, Gallimard, 1976. Concernant la fête de la Fédération, il convient d'autre part de tenir compte de l'abondante iconographie conservée au musée Carnavalet, où le tricolore est particulièrement mis en évidence. Voir notamment le portrait de La Fayette présentant l'emblème tricolore aux côtés de ce qui semble être l'autel de la Patrie.

5. *Cf.* général Jean Regnault, *Les Aigles impériales et le drapeau tricolore. 1804-1815*, Paris, J. Peyronnet, 1967.

6. Comtesse de Boigne, *Mémoires*, Paris, Mercure de France, 1982, vol. I, pp. 22 *sq.*

7. Général baron Thiébault, *Mémoires*, Paris, Plon, 1895, vol. V, pp. 188 *sq.*

8. Voir J.-P. Garnier, *Le Drapeau blanc, op. cit.*

9. *Cf.* Maurice Dommanget, *Histoire du drapeau rouge. Des origines à la guerre de 1939*, Paris, Éditions de l'Étoile, 1967. C'est cet ouvrage capital que nous avons suivi pour toutes les indications concernant le drapeau rouge. Les citations qui suivent lui sont empruntées.

10. Voir par exemple ce passage de *La Débâcle* d'Émile Zola concernant l'un des épisodes de la bataille de Sedan: «Tout d'un coup comme on atteignait la lisière du bois, un cri d'appel retentit. "À moi". C'était le sous-lieutenant, porteur du drapeau, qui venait de recevoir une balle dans le poumon gauche [...] Et voyant que personne ne s'arrêtait, il eut la force de se reprendre et de crier: "Au drapeau".
D'un bond Rochas, revenu sur ses pas, prit le drapeau dont la hampe s'était brisée, tandis que le sous-lieutenant murmurait, les mots empâtés d'une écume sanglante: "Moi, j'ai mon compte, je m'en fous!... Sauvez le drapeau."»
La période du second Empire semble constituer une étape importante dans l'élargissement de plus en plus considérable de la place accordée au drapeau dans le légendaire militaire. Voir notamment, dans les récits de la guerre de Crimée, plusieurs morts héroïques du type de celle que relate Zola.

11. *Cf.* Firmin de Croze, *Le Drapeau tricolore*, Paris, 1899, *Cf.* également le poème de Paul Déroulède, *in Marches et sonneries*, Paris, 1881, « Au porte-drapeau du 14 juillet 1881 ».

Porte-drapeau, mon camarade,
Tu tiens la France dans ta main.

12. *Cf.* Rosemonde Sanson, *Le 14 Juillet, fête et conscience nationale, 1789-1975*, Paris, Flammarion, 1976.

13. *Cf.* Maurice Agulhon, *Marianne au combat. L'imagerie et la symbolique républicaines de 1789 à 1880*, Paris, Flammarion, 1979.

14. Voir « Les Français jugent leur histoire », *L'Express*, 19-25 août 1983.

BRONISLAW BACZKO

Le calendrier républicain

Décréter l'éternité

« L'ère fut historique et astronomique à la fois. Historique. Non plus l'ère chrétienne, rappelée par la fête variable de Pâques - mais l'ère française, fixée à un jour précis, à un événement daté et certain: *la fondation de la République française*, premier fondement jeté de la république du monde. Traduisons ces mots: *l'ère de justice, de vérité, de raison.* Et encore: l'époque sacrée où l'homme devient majeur, *l'ère de la majorité humaine* [...] Le temps a pris la face invariable de l'Éternité [...] Les noms des mois, tirés ou du climat ou des récoltes, sont si heureux, si expressifs, d'un tel charme mélodique, qu'ils entrèrent à l'instant au cœur de tous, et n'en sont point sortis. Ils composent aujourd'hui une partie de notre héritage, une de ces créations toujours vivantes, où la Révolution subsiste et durera toujours. Quels cœurs ne vibrent à ces noms[1] ? »

Témoignage émouvant que ces paroles de Michelet. En 1852, pour lui, le calendrier révolutionnaire était encore un lieu investi par la mémoire. Davantage qu'un souvenir vivant de ce temps où on « avait soif et faim du vrai »: un lien qui le réunissait avec cette époque. Il se peut qu'en visitant le Champ-de-Mars, « le seul monument qu'a laissé la Révolution », cette « plaine aride avec son herbe sèche[2] », Michelet se souvînt qu'il était lui-même, en quelque sorte, un survivant du calendrier révolutionnaire. Selon l'état civil, n'était-il pas né en l'an VI de l'ère républicaine ?

Ces paroles exaltantes ne cherchaient-elles pas, pourtant, à exorciser l'oubli, à faire revivre ce qui devenait, de plus en plus, un souvenir mort, un lieu vide de la mémoire, ou, si l'on veut, le *lieu d'une mémoire manquée*? Tel est, sans aucun doute, le statut actuel du calendrier révolutionnaire: il est devenu l'objet archéologique d'un savoir historique. Quels cœurs vibrent encore à l'évocation des noms de fructidor et de nivôse ? Quels que soient les mythes et les fantasmes dont risque d'être investie la commémoration du bicentenaire de la Révolution française, celui-ci sera célébré bel et bien en 1989 et non pas en l'an CXCVII de l'ère républicaine. La révolution française légua, certes, la représentation puissante de la rupture radicale dans le temps, de ce moment zéro où l'Histoire prendrait un nouveau départ. Dans l'héritage symbolique de la Révolution c'est, peut-être, la représentation la plus dynamique et mobilisatrice; au cours des XIXe et XXe siècles, elle sera reprise et amplifiée par les mythologies révolutionnaires successives. Cependant au cours de son histoire cette représentation, en quelque sorte matricielle, s'est détachée du souvenir de l'institution qui devait à la fois l'incarner et la symboliser. Le calendrier révolutionnaire présente ainsi un cas doublement remarquable. Histoire extraordinaire, voire unique, du projet de construire une nouvelle mémoire collective, et cela par la gestion du temps collectif. Mais également histoire de l'échec de cette entreprise d'imposer au temps une conception issue de l'utopie révolutionnaire, et, du coup, histoire d'un oubli collectif.

Révolutionner le temps

La réforme du calendrier est particulièrement révélatrice des attitudes révolutionnaires devant le temps de l'histoire, attitudes solidaires de l'élan utopique[5]. En effet, dans le projet de calendrier révolutionnaire, deux discours - celui sur la Cité nouvelle et celui sur l'Histoire - se rejoignent jusqu'à se confondre. On dirait que l'utopie révolutionnaire s'y lance à la conquête du temps.

Rappelons d'abord, ne serait-ce que très sommairement, les grandes étapes de la réforme. D'abord sa préhistoire. Dès le lendemain du 14 juillet, l'expérience vécue et exaltante d'une rupture historique se traduit par le sentiment et l'espoir d'assister non pas seulement à un événement mais aussi, sinon surtout, à l'*avènement* d'une ère nouvelle, celle de la Liberté. Dans les journaux, dans les pamphlets, mais aussi dans la correspondance privée, s'installe ainsi l'usage d'appeler l'année 1789 l'an I de la Liberté, de même que de désigner les années postérieures comme, respectivement, l'an II et III de la Liberté (en n'abandonnant pas, pourtant, la supputation traditionnelle). Ce n'est qu'en 1792, à l'occasion d'un problème pratique, à savoir celui d'inscriptions à mettre sur les monnaies et les assignats, que cet usage, plus ou moins répandu (la presse contre-révolutionnaire le tourne d'ailleurs en ridicule), s'impose à l'Assemblée législative comme un problème juridique épineux. Il ne fait aucun doute qu'il faut mettre sur les monnaies l'inscription marquant l'an de la Liberté; mais cette datation, il faut la compter à partir *de quel jour*? Le 14 juillet ou le 1er janvier 1789? L'Assemblée hésite, discute les inconvénients que présenterait le changement d'un calendrier «adopté dans toute l'Europe» et décide finalement, dans la séance du 2 janvier 1792, que «tous les actes publics, civils, judiciaires et diplomatiques porteront l'inscription de l'ère de la Liberté» et que l'an IV de la Liberté a commencé le 1er janvier 1792. Cependant, après le 10 août 1792, un nouveau changement se laisse sentir; ainsi, le 21 août, *Le Moniteur* porte la mention caractéristique: «L'an IV de la Liberté et le 1er de l'Égalité». Ce n'est que lors de la proclamation de la République, le 22 septembre 1792, que l'étape décisive est franchie: un décret de la Convention statue que dorénavant tous les actes publics seront datés de «l'an 1er de la République Française». Un autre décret, du 2 janvier 1793, stipule que l'an II de la République daterait du 1er janvier 1793. Entre-temps on a chargé le comité d'Instruction publique de préparer la refonte radicale du calendrier et de «présenter, dans les plus brefs délais, un projet sur les avantages que doit procurer à la France l'accord de son ère républicaine avec l'ère vulgaire». Dès la fin de 1792 un groupe de travail, composé de Romme, Dupuis, Guyton et Ferry et en collaboration avec Lagrange et Monge, est chargé de préparer ce projet. Gilbert Romme le présente au comité d'Instruction publique le 14 septembre 1793; le 20 septembre c'est encore lui qui en fait rapport, au nom de ce comité, à la Convention. Le vote n'intervient que le 5 octobre et dès le lendemain le nouveau calendrier entre en vigueur. Cependant la Convention n'a adopté que les principes; elle n'a pas statué sur l'appellation des jours et des mois et a renvoyé cette question audit comité. Une commission composée de J.-M. Chenier, David, Fabre d'Églantine et Romme discute divers projets et finalement, trois semaines plus tard, Fabre d'Églantine présente à la Convention la proposition qui cette fois est adoptée séance tenante. Le calendrier, installé ainsi pendant la Terreur, survivra pourtant au 9-Thermidor et sera confirmé par la Constitution de l'an III. En l'an VI, après le sursaut néo-jacobin du 18 fructidor, le Directoire prend de nouvelles mesures pour assurer au calendrier une plus grande emprise, en décrétant notamment le chômage obligatoire du décadi. Le calendrier survivra également au 18-Brumaire mais son déclin s'accentue de plus en plus. Néanmoins, Bonaparte ne s'en sépare que très progressivement, de sorte que le sacre de l'empereur est daté encore... d'après le calendrier républicain, le 11 frimaire an XIII. Supprimé définitivement à partir du 1er janvier 1806, le calendrier républicain resta en vigueur douze ans, deux mois et vingt-sept jours. Pendant toute cette période son implantation ne cessa de buter sur de fortes résistances dont l'histoire demanderait une étude spéciale et que nous n'évoquerons qu'occasionnellement. Nous aimerions mettre en valeur le discours normatif sur le calendrier et les représentations qu'il véhicule, et, tout particulièrement, le discours idéologique et politique qui, par déphasages successifs, évolue d'un enthousiasme militant à la consommation de la ruine du calendrier.

À ses débuts, la réforme est chargée d'énormes espoirs et traduit la volonté de «révolutionner le temps». Michelet, Aulard, et tout récemment Cobb ont insisté sur la hardiesse de l'entreprise. Elle «faisait vraiment œuvre de révolutionnaires car rien n'est plus révolutionnaire que de vouloir changer les mœurs et les habitudes». Dans ce sens le nouveau calendrier était «l'innovation la plus sensationnelle de toute la période révolutionnaire» puisqu'elle prétendait notamment «changer profondément la vie personnelle de tous les Français et de toutes les Françaises[4]». On sait que la réforme s'inscrit dans des contextes politiques et idéologiques aussi divers que complexes: la montée jacobine et la Terreur (le nouveau calendrier est adopté trois semaines après la promulgation de la «loi des suspects»); le mouvement de la déchristianisation (ou plutôt *des* déchristianisations, pour reprendre la formule de Cobb et Plongeron); la réforme des poids et des mesures issue de la conjonction des besoins socio-économiques et de la volonté d'imprégner l'ensemble de la vie sociale d'une rationalité qui la ferait transparente à elle-même; les projets les plus hardis de nouveau système d'éducation publique, etc. Nous aurons à revenir sur certains de ces points. Remarquons d'ores et déjà que la réforme ainsi que le débat qu'elle a provoqué sont devenus le lieu de conjonction et de cristallisation d'idées et d'attitudes diffuses.

Quelles que soient les origines intellectuelles de la Révolution, quels que soient les matériaux que retravaillent les idéologies révolutionnaires, l'accélération de la production idéologique et symbolique est un phénomène particulièrement frappant, surtout au début de cette période. La Révolution est en effet un mode de changement politique et social inséparable de la production particulièrement intense de son propre imaginaire, de ses mythes et symboles. Au centre de cet imaginaire est logée la représentation de *la cassure du temps*, de sa coupure en temps ancien et temps nouveau. Cette représentation est relayée par tout un système de symboles – Temps nouveau, Peuple régénéré, Cité nouvelle – qui, agissant en chaîne, se renforcent et convergent dans la promesse d'un avenir autre, promesse indéfinie d'une Vie nouvelle, heureuse et vertueuse, libérée de tous les maux du passé. En vertu même de son caractère indéfini, la grande promesse de l'avenir est condamnée à se radicaliser de plus en plus. L'extrémisme est le moteur de son dynamisme (mais également la raison de son usure par suite de l'écart de plus en plus grand qui se creuse entre l'avenir promis et les pesantes réalités, entre les symboles unificateurs et les intérêts discordants). La grande promesse de l'avenir est mobilisatrice et dynamique également par son envers: la représentation de la cassure dans le temps appelle sa matérialisation par la destruction de l'ancien, du ci-devant. Dire et imaginer la Révolution comme rupture, c'est opposer le passé auquel elle met fin à l'avenir qu'elle ouvre. L'action destructrice va au-delà des exigences imposées par l'installation d'un nouvel espace politique. Elle se présente sous la forme d'un acte purificateur éliminant toute souillure du nouveau par l'ancien, jusqu'au souvenir de celui-ci. Du coup, la Révolution est pensée et vécue par ses minorités militantes, les plus imprégnées des mythes et symboles, comme acte fondateur, point zéro d'histoire. Le calendrier révolutionnaire *institutionnalise* le sentiment d'être entré dans une époque exceptionnelle et traduit la détermination de rendre le tournant irréversible.

La volonté de s'emparer du temps recoupe celle de transformer radicalement les façons collectives de le vivre. Quotidiennement et en permanence le temps ne doit révéler que sa *vraie signification*, à savoir celle du temps de la Cité nouvelle. Ainsi, au-delà des projets divers, voire divergents, de réformer le calendrier, on retrouve une convergence fondamentale – le temps est pensé et imaginé en fonction des valeurs morales et sociales que la Cité révolutionnaire veut installer pour toujours dans l'histoire. Certes, ces images et représentations utopiques sont souvent imprécises; la référence aux mêmes valeurs et idées-forces dissimule souvent des divergences entre les orientations politiques et idéologiques. Néanmoins, sur un point, l'accord se fait. Si la réforme du calendrier s'impose comme impératif historique, c'est précisément parce que la Cité fondée sur les valeurs révolutionnaires est déjà et deviendra de plus en plus *autre* que toutes celles qui ont existé dans l'histoire. Avec l'homme nouveau que forme la Révolution, une ère nouvelle s'instaure.

Dans le débat sur le calendrier, aussi bien l'histoire que l'utopie ne sont que des objets indirects d'un discours – on n'en parle qu'à l'occasion d'autre chose. Mais ce genre de témoignage n'est-il pas particulièrement précieux pour l'étude des mentalités, et, notamment, des attitudes devant l'Histoire?

Gilbert Romme, le principal artisan du calendrier, a trouvé, en s'appuyant sur la rhétorique révolutionnaire, la formule la plus vigoureuse pour exprimer l'esprit de la réforme: «La Révolution a retrempé les âmes des Français; elle les forme chaque jour aux vertus républicaines. *Le temps ouvre un nouveau livre à l'histoire; et dans sa marche nouvelle, majestueuse et simple comme l'égalité, il doit graver d'un burin neuf les annales de la France régénérée*[5].» Mais quel est ce «livre nouveau» de l'histoire? Et le «temps», que va-t-il y inscrire?

Le mot «neuf», réitéré avec force et insistance, traduit la préoccupation majeure et l'idée maîtresse de la réforme. Celle-ci doit marquer une *rupture* avec l'histoire telle qu'elle s'était faite jusqu'alors et affirmer solennellement l'*irréversibilité* de cette rupture. L'ancien calendrier et sa nomenclature ne sont que l'expression de l'histoire telle qu'elle était vécue, ou plutôt subie, avant la Révolution. «L'ère vulgaire prit naissance chez un peuple ignorant et crédule, et au milieu des troubles précurseurs de la chute prochaine de l'empire romain. Pendant dix-huit siècles elle servit à fixer, dans la durée, les progrès du fanatisme, l'avilissement des nations, le triomphe scandaleux de l'orgueil, du vice et de la sottise, les persécutions et les dégoûts qu'essuyèrent la vertu, le talent et la philosophie sous des despotes cruels, ou qui souffraient qu'on le fût en leur nom [...] L'ère vulgaire fut l'ère de la cruauté, du men-

songe, de la perfidie et de l'esclavage; elle a fini avec la royauté, source de tous nos maux [...] La nomenclature [ancienne] est un monument de servitude et d'ignorance auquel les peuples ont successivement ajouté une empreinte de leur avilissement[6].»
Ainsi faut-il opposer à ce «monument de servitude» un système qui exprimerait la justice et surtout l'égalité. À l'ancien calendrier, aussi irrationnel et imprégné des préjugés que le temps de l'histoire dont il fixait la marche, doit s'opposer un système nouveau, rationnel aussi bien dans ses principes que dans ses symboles. La rationalité et la transparence recherchées, tout en témoignant de l'avènement d'une Histoire nouvelle, celle des peuples libres, devaient nécessairement rejoindre la Nature même – le temps des corps célestes et la succession des saisons. N'est-ce pas un symbole de réconciliation entre la Nature et l'Histoire que le jour même de l'abolition de la Royauté et de l'établissement de la République soit aussi celui de l'équinoxe d'automne? Heureuse coïncidence, certes; comment pourtant ne pas s'étonner de cet «accord trop frappant et peut-être unique dans les fastes du monde, entre les mouvements célestes, les saisons, les traditions anciennes et le cours des événements qu'offre la Révolution»? L'affectivité et le langage révolutionnaires étaient trop sensibles aux symboles, aux «images parlantes», pour que les imaginations ne fussent pas frappées de ce double recommencement par lequel la Nature, dans sa marche, rejoint le cours de l'Histoire (certes, l'équinoxe de printemps se prêterait encore mieux à l'exploitation symbolique, mais il faut bien se contenter de ce qu'on a...). Ainsi ce thème est largement exploité. Quand Romme en parle, la rhétorique en quête d'un «langage des signes» qui toucherait directement les «cœurs» semble l'orienter et l'emporter vers une double mystique, de la Nature et de l'Histoire en même temps. «Le 21 septembre 1792, le dernier jour de la monarchie et qui doit être le dernier de l'ère vulgaire, les représentants du peuple français, réunis en Convention nationale, ont ouvert leur session et ont prononcé l'abolition de la royauté. Le 22 septembre, ce décret fut proclamé dans Paris; et le même jour, à 9 heures 18 minutes 30 secondes du matin, le soleil est arrivé à l'équinoxe vrai, en entrant dans le signe de la Balance. Ainsi l'égalité des jours aux nuits était marquée dans le ciel au moment même où l'égalité civile et morale était proclamée par les représentants du peuple français comme le fondement sacré de son nouveau gouvernement. Ainsi le soleil a éclairé à la fois les deux pôles et successivement le globe entier le même jour où, pour la première fois, a brillé dans toute sa pureté, sur la nation française, le flambeau de la liberté qui doit un jour éclairer tout le genre humain. Ainsi le soleil a passé d'un hémisphère à l'autre le même jour où le peuple, triomphant de l'oppression des rois, a passé du gouvernement monarchique au gouvernement républicain. Les Français ont été rendus entièrement à eux-

mêmes dans cette saison heureuse où la terre, fécondée par les influences du ciel et par le travail, prodigue ses dons et paye avec magnificence à l'homme laborieux ses soins, ses fatigues et son industrie [...] Ce concours de tant de circonstances imprime un *caractère sacré à cette époque*, une des plus distinguées dans nos fastes révolutionnaires et qui sera sans doute une des plus célébrées dans les fêtes des générations futures[7].»

Du coup, semblaient également être résolus les problèmes techniques que posait la fabrication d'un nouveau calendrier. Mythologie de la Nature et de l'Histoire réconciliées, mais également culte de la Science, précise et exacte. Aux arrangements conventionnels fixant le début de l'année se substituerait un ordre déterminé par la nature elle-même, «un point fixe dans les mouvements célestes bien connus aujourd'hui». C'est aux astronomes observant le mouvement régulier des astres qu'il revenait désormais d'indiquer comment gérer le temps. «Depuis 1654, par ordre d'un roi fanatique et cruel, Charles IX, l'année commençait au premier janvier, onze jours après le solstice d'hiver; elle commencera à l'avenir à minuit, avec le jour de l'équinoxe vrai d'automne pour l'observatoire de Paris[8].»

La volonté de rompre avec le passé et le sentiment profond que cette rupture n'est possible que grâce aux «âmes retrempées» par la Révolution se conjuguent avec le désir d'affirmer le présent et son élan vers l'avenir. La réforme veut être complète - il ne suffit pas de faire compter le temps à partir de l'an premier et du jour premier de la République. Certes, il est évident qu'on ne peut plus «compter les années où les rois nous opprimaient comme un temps où nous avons vécu[9]». Il faut pourtant aller plus loin, et installer tout un système nouveau qui serait l'expression de l'esprit même de la Cité nouvelle. Or, cette Cité se veut éducative et elle cherche à émettre en permanence un discours moral et civique. Le calendrier est considéré comme le relais privilégié, quasi unique, de transmission efficace de ce discours. Lui seul peut le faire parvenir à tous les citoyens et chaque jour, on dirait même à chaque instant. Dans l'élaboration du calendrier intervient toute une tradition anthropologique héritée des Lumières et, notamment, toute une théorie de l'imagination et de ses fonctions qui s'inspire surtout des réflexions de Rousseau sur le rôle que l'imaginaire et le «langage énergique des signes» ont à jouer dans la Cité[10]. Ce n'est pas la raison qui fait agir l'homme, «être sensible», mais ses passions et c'est à l'imagination, et, du coup, à un langage qui lui est approprié, qu'il revient de canaliser et de guider les passions. Mirabeau fut un des premiers à adapter cet héritage aux fins politico-éducatives de la Révolution en frappant de surcroît, avec son talent habituel, un slogan qui esquisse toute une théorie de la propagande et anticipe sur ses pratiques. «Ce n'est pas assez de lui [à l'homme] montrer la vérité; le point capital est de le passionner pour elle. C'est peu de le servir dans les objets de nécessité première, *si l'on ne s'empare pas encore de son imagination*[11].» Fabre d'Églantine prend le relais de ce slogan en insistant dans son rapport sur «l'empire des images sur l'intelligence humaine». «Nous ne concevons rien que par des images; dans l'analyse la plus abstraite, dans la combinaison la plus métaphysique, notre entendement ne se rend compte que par des images, notre mémoire ne s'appuie et ne se repose que sur des images.» Même sans entrer «dans les analyses métaphysiques [...] la doctrine et l'expérience des prêtres» présentent des faits saisissants de cette «emprise des images». «Une longue habitude du calendrier grégorien a rempli la mémoire du peuple du nombre considérable des images qu'il a longtemps révérées et qui sont encore aujourd'hui la source de ses erreurs religieuses.» Aussi faut-il en tirer les leçons. Si l'on veut que «la méthode et l'ensemble du nouveau calendrier pénètrent avec facilité dans l'entendement du peuple et se gravent avec rapidité dans son souvenir», il faut *«se saisir de l'imagination des hommes et la gouverner»*. En plus de ces arguments «anthropologiques», Fabre en utilise un autre, plus sociologique: pour le peuple, l'almanach ne demeure-t-il pas le livre le plus lu et le plus usuel[12]?

Ainsi, avec le nouveau calendrier, le temps sera *laïcisé*, du moins en ce sens qu'on le débarrassera de ces «objets fantastiques» que sont les saints et les patrons. «Gouverner l'imagination», c'est la réorienter, la tourner vers d'autres objets. Cela doit se faire tous les jours mais aussi et surtout les jours de fêtes, ces moments forts de l'affectivité et de la sensibilité collectives. Le débat sur le calendrier interfère nécessairement avec celui qui porte sur les fêtes républicaines puisque c'est le calendrier nouveau qui devait définir le cadre pour le «système de fêtes». Tout d'abord en éliminant les fêtes anciennes et, notamment, le *dimanche*. Cette préoccupation idéologique, solidaire de la volonté déchristianisatrice, se double d'une autre, plus terre à terre: diminuer le nombre des jours chômés et augmenter celui des journées consacrées au travail, pour assurer le bien-être à la fois des citoyens et de la patrie[13]. Déchristianiser le temps, objectif dont la réalisation butera sur des obstacles insurmontables et qui pèsera lourdement sur le destin du calendrier, semblait pourtant une tâche relativement facile. Elle ne représentait qu'un élément de la partie négative et destructrice de l'entreprise: éliminer les vestiges et les souvenirs d'un passé néfaste, marqué par la tyrannie et les préjugés, que la Révolution a d'ores et déjà définitivement condamné dans les faits. L'œuvre essentielle et primordiale à laquelle le calendrier devait apporter sa contribution décisive était définie positivement: installer un *temps nouveau* qui serait nécessairement un *temps parlant*, chargé d'images et de symboles qui s'enchaînent dans un discours civique. Ce temps-là devrait, du coup, construire et inculquer une *nouvelle mémoire*, propre à un peuple lui-même nouveau, voire régénéré.

Pour les artisans de la réforme, cela s'harmonisait parfaitement avec un autre objectif que nous avons déjà évoqué : promouvoir un temps, pour ainsi dire, « neutre », de telle sorte que la mesure de sa durée soit la plus « naturelle » et, partant, la plus rationnelle et scientifique. Les deux directions de la réforme – rendre le temps « neutre » et le charger d'un symbolisme nouveau – s'avéraient même complémentaires. En effet, par son caractère « neutre » et « scientifique », le temps ne prenait-il pas en charge tout un ensemble de valeurs ? Libéré des « préjugés », le temps ne devenait-il pas transparent à la raison, à la rationalité et à la simplicité de la Nature ? Le temps « ancien » (on aimerait dire le « ci-devant ») contribuait à la diffusion et à la domination du fanatisme et de la tyrannie. Le temps nouveau ne devrait-il pas faire rayonner les principes universels de la raison, cette rationalité dont s'imprégnaient dorénavant et pour toujours toutes les dimensions de la vie ? Et cette rationalité n'était-elle pas nécessairement solidaire des principes d'égalité et de liberté ?
La réforme du calendrier s'inscrivait, en effet, dans les cadres d'une vaste entreprise de rationalisation qui devait toucher l'ensemble de la vie sociale. Elle était conçue, notamment, comme prolongement et achèvement de la réforme des poids et mesures et s'inspirait des mêmes principes que celle-ci. « Vous avez entrepris, disait Romme aux conventionnels, une des opérations les plus importantes aux progrès des arts et des esprits humains et qui ne pouvait réussir que dans un temps de révolution : c'est de faire disparaître la diversité, l'incohérence et l'inexactitude des poids et des mesures qui entravaient sans cesse l'industrie et le commerce, et de prendre, dans la mesure même de la terre, le type unique et invariable de toutes les mesures nouvelles. Les arts et l'histoire, pour qui le temps est un élément ou un instrument nécessaire, vous demandent aussi de nouvelles mesures de la durée qui soient pareillement dégagées des erreurs que la crédulité et une routine superstitieuse ont transmises des siècles d'ignorance jusqu'à nous[14]. » Ainsi dans les justifications idéologiques de ces deux réformes se retrouvent des préoccupations analogues : simplicité et universalisme (celui-ci s'alliait fort bien avec un nationalisme teinté de jacobinisme), l'idée de conformité à la nature et, partant, à la science, etc. Pour certains, tel Condorcet ou encore Lequinio et Cloots (en 1792, ce dernier datait ainsi une de ses proclamations : « au chef-lieu du Globe, l'an III du monde régénéré »...), les deux réformes en annoncent déjà, par leur logique et leur esprit, une troisième, encore plus importante, celle qui fera disparaître la différence des langues. Une langue universelle, débarrassée des irrationalités des langues particulières, ne s'imposait-elle pas comme prolongement et conséquence « naturelle » des réformes qui changeaient les manières séculaires de mesurer et, partant, de vivre l'espace et le temps ? D'ailleurs,

en combattant les patois (accusés d'être des «instruments de la contre-révolution et du fédéralisme»), la République ne faisait-elle pas la même œuvre que celle qu'elle réalisait en supprimant les mesures seigneuriales et les fêtes patronales ?

La parenté idéologique des deux réformes était vivement ressentie à l'époque (le décret de la Convention du 18 germinal an III donne d'ailleurs au système métrique le nom de «système de mesures *républicaines*», par analogie avec le calendrier). Toutes deux sont animées par des espoirs semblables quant à leurs effets sociaux et pédagogiques. On s'attendait qu'elles aillent initier le peuple aux sciences et à la morale, transformer les âmes et les esprits – et tout cela très rapidement[15]. Le poids de l'idéologie est d'ailleurs beaucoup plus grand et la composante utopique beaucoup plus forte dans la réforme du calendrier que dans celle des poids et mesures. En effet, contrairement à celle-ci, sollicitée par de nombreux cahiers des doléances du tiers état, le calendrier républicain ne s'appuyait pratiquement ni sur des raisons économiques ni sur des revendications collectives. Comme nous l'avons vu, Romme, tout en rapprochant les deux réformes, était parfaitement conscient de cette différence. Les poids et mesures, insistait-il, «entravaient l'industrie et le commerce» ; ce ne sont que «les arts et l'histoire» qui demandent le nouveau calendrier...

La rationalité du nouveau calendrier reposait sur deux principes. D'une part, «faire accorder l'année républicaine avec les mouvements célestes», d'autre part, «mesurer le temps par des calculs plus exacts et plus symétriques», et cela en appliquant le plus largement le système décimal[16]. Ainsi, puisque «la raison veut que nous suivions la nature plutôt que de nous traîner servilement sur les traces erronées de nos prédécesseurs», l'année «commencera à l'avenir à minuit, le jour de l'équinoxe vrai d'automne pour l'observatoire de Paris[17]» ; nous avons déjà évoqué la valeur symbolique de cette date. L'année est composée de 12 mois de 30 jours chacun au lieu d'être partagée «en mois inégaux de 28, 30, 31 jours». Les cinq derniers jours de l'année forment un «corpus» spécial et nous aurons à revenir sur leur utilisation. Tous les quatre ans on ajoutera un jour à la fin de l'année, à partir de la troisième de la République, «autant que cela sera nécessaire pour que l'année républicaine s'accorde avec les mouvements célestes[18]». Les mois sont divisés en trois parties égales, de 10 jours chacune, au lieu des semaines qui «ne divisaient exactement ni le mois ni l'année ni les lunaisons». L'implantation du système décimal est d'ailleurs poussée encore plus loin. L'ancienne division en heures et en minutes était irrationnelle et «rendait les calculs difficiles». Désormais le jour sera divisé en 10 heures, chaque heure en *dixièmes*, chaque *dixième* en *centièmes*.

Ainsi l'année sera composée de 12 mois et 5 jours
ou de 36 décades et demie
ou 365 jours
ou 3 650 heures
ou 36 500 dixièmes d'heure
ou 365 000 centièmes d'heure[19].

Le tableau met en évidence l'harmonie, la clarté, la symétrie du nouveau système ainsi que le principe d'égalité qui y préside. L'*Instruction sur le calendrier* insiste sur sa simplicité autant que sur sa valeur, pour ainsi dire, opératoire. Ainsi, peut-on «aisément connaître le jour de la lune, quand on le connaît pour le premier de l'an». Rien de plus simple. Chaque lunaison est d'environ 29 jours et demi, c'est-à-dire, un demi-jour de moins que le mois républicain. Or au commencement de la troisième année la lune avait 27 jours. Ainsi suffit-il «d'ajouter à ce nombre autant de demi-jours qu'il s'est écoulé de mois, et ensuite le quantième du mois; de cette somme retranchez 29 jours et demi et vous aurez le jour de la lune[20]»... Les correspondances entre les nouvelles heures et les anciennes sont un peu plus compliquées, mais encore point trop difficiles à retenir. Chaque heure de la nouvelle division vaut 2 heures 24 minutes de l'ancienne; 2 dixièmes valent 57 minutes 36 secondes, ou 1 heure ancienne, moins 2 minutes et 24 secondes; 25 dixièmes font juste 6 heures anciennes, etc. Un brave et enthousiaste citoyen genevois a d'ailleurs présenté au comité d'Instruction publique une montre très ingénieuse, avec deux cadrans, qui permettait de faire très rapidement le passage d'un système à l'autre (invention d'autant plus opportune qu'en raison de la guerre l'horlogerie genevoise traversait une crise grave...) [21]. Une pendule décimale a d'ailleurs été placée dans la salle de la Convention elle-même afin de mettre les représentants du peuple à la nouvelle heure républicaine. Puisque cette pendule était construite «de manière à recevoir un buste», l'Assemblée a longuement discuté à qui reviendrait, par l'ordre de mérite, l'honneur d'occuper cette place. Contre l'avis de Romme qui proposait d'y installer le buste de Rousseau, c'est Marat qui, finalement, l'emportera[22]...
Les artisans de la réforme étaient pourtant conscients de ce que la substitution aux heures et aux minutes d'un système décimal était la plus difficile à réaliser en raison «des changements qu'elle demande dans l'horlogerie et qui [ne] peuvent se faire que successivement». Mais ils n'avaient pas trouvé que ces difficultés, c'est-à-dire la production de nouvelles montres et horloges et l'élimination des anciennes et cela *dans le pays tout entier*, soient excessives. En effet, on n'a repoussé le caractère obligatoire de ce point de la réforme que d'une seule année... Il sera toutefois rapidement abandonné et la «montre décimale» restera une curiosité technique[23].

Tel était ce temps dont chaque fraction, les décades, les heures, les dixièmes, les centièmes, témoignait du triomphe de la raison et mesurait la durée à l'horloge de la République. Mais ce temps ne devait-il pas annoncer et faire vivre encore autrement l'Histoire à laquelle sa marche ouvrait « un livre nouveau » ?

Les principes adoptés ne déterminaient pas la nomenclature digne de ce calendrier « français et républicain ». Romme exprimait l'avis commun en constatant que la nomenclature nouvelle ne pouvait être « ni céleste ni mystérieuse ». Ce n'était pourtant qu'un principe négatif et avec la recherche d'une formule positive un vaste champ s'ouvrait à l'imagination.

Nous ne connaissons pas en détail les discussions du comité d'Instruction publique concernant la nomenclature. Cependant on a retrouvé dans les papiers de Romme une table réunissant sept projets différents qui ont certainement fait l'objet de débats préliminaires. Le document est aussi curieux que révélateur ; il apporte un témoignage précieux sur les chemins suivis par l'imagination sociale de l'époque[24]. On peut schématiquement dégager trois principes de base dans les « systèmes » proposés (certains projets les combinent d'ailleurs) :

a) le système de simple énumération ; par exemple les jours : jour premier, second, etc ; ou bien : primile, bisile, trisile, etc. Retenons le projet qui conserve les anciens noms de jours tout en supprimant le dimanche et qui, après samedi, propose, pour la fin de la décade, terredi, herscheldi[25], cieldi et soldi.

b) Le système de noms « moraux ». Ainsi un des projets propose pour les jours les noms suivants : les Vertus, les Époux, les Mères, les Enfants, la Charrue, le Commerce, etc. Pour les noms de mois un projet fait appel aux signes du zodiaque.

c) Le système qui fait appel à l'histoire. La nomenclature, pour reprendre les paroles de Romme, « est toute puisée dans notre Révolution dont elle présente ou les principaux événements, ou les buts ou les moyens[26] ». Romme lui-même en était l'auteur et il le présenta, au nom du Comité d'Instruction publique, dans son rapport à la Convention. Aussi bien ce projet que son mode de présentation méritent qu'on s'y arrête plus longuement. En effet les attitudes devant l'histoire qu'il révèle se distinguent par leur extrémisme : l'utopie y rejoint le mythe dans la volonté de construire une nouvelle mémoire collective, voire même de la décréter.

Ordre des mois de la République	Les Français, fatigués de quatorze siècles d'oppression, et alarmés de progrès effrayants de la corruption dont une cour, depuis longtemps criminelle, donnait et provoquait l'exemple, sentent le besoin d'une

7e du 21 mars au 19 avril	RÉGÉNÉRATION
	Les ressources de la cour étaient épuisées, elle convoque les Français mais leur
8e du 20 avril au 19 mai	RÉUNION
	fait leur salut. Ils se nomment des représentants dont le courage irrite le tyran. Ils sont menacés; mais rassemblés au
9e du 20 mai au 18 juin	JEU DE PAUME
	et sous la sauvegarde du peuple, ils prononcent le serment d'arracher le peuple à la tyrannie ou de périr. Ce serment retentit dans la France, partout on s'arme, partout on veut être libre.
10e du 19 juin au 18 juillet	LA BASTILLE
	tombe sous le coup d'un
11e du 19 juillet au 17 août	PEUPLE
	souverain et courroucé. Les malveillants se multiplient, des trahisons éclatent, la cour forme des complots, des représentants parjures sacrifient les intérêts de la nation à des vues sordides, mais
12e du 18 août au 16 septembre	LA MONTAGNE
	toujours fidèle, devient l'Olympe de la France; entourée de la Nation et en son nom, la Convention nationale proclame les droits du peuple, la constitution et
1er du 22 septembre au 21 octobre	LA RÉPUBLIQUE
2e du 22 octobre au 20 novembre	L'UNITÉ

3e du 21 novembre au 20 décembre	La Fraternité
	sont la force des Français et
4e du 21 décembre au 19 janvier	La Liberté
	par un acte souverain de
5e du 20 janvier au 18 février	La Justice
	nationale, qui fait tomber la tête du tyran, est à jamais unie à la sainte
6e du 19 février au 20 mars	Égalité

À la nomenclature des mois faisait pendant celle des jours qui s'inspirait des «attributs de l'industrie et de la liberté»; ceux-ci devaient entourer journellement «tout citoyen, tout ami de la patrie et des arts qui la font fleurir».
1. Le jour du *Niveau*, symbole de l'Égalité.
2. Le jour du *Bonnet*, symbole de la Liberté.
3. Le jour de la *Cocarde*, symbole des couleurs nationales.
4. Le jour de la *Pique*, arme de l'homme libre.
5. Le jour de la *Charrue*, l'instrument de nos richesses terriennes.
6. Le jour du *Compas*, l'instrument de nos richesses industrielles.
7. Le jour du *Faisceau*, symbole de la force qui naît de l'union.
8. Le jour du *Canon*, l'instrument de nos victoires.
9. Le jour du *Chêne*, l'emblème de la génération et le symbole des vertus sociales.
10. Le jour du *Repos*[27].

Ainsi le calendrier mettrait en place un temps-récit. Les cycles annuels reprennent et réaffirment une histoire, toujours la même, refermée sur elle-même, et, du coup, la gravent pour toujours dans la mémoire. Les mêmes événements fondateurs sont commémorés, voire revécus, au long de chaque année ainsi que d'une année à l'autre. Ce temps, récit du passé, ouvre pourtant l'ère nouvelle, et définit son cadre. Les années qui vont se succéder dans l'Histoire ne peuvent que confirmer les valeurs et les principes incarnés dans les événements mémorables de la Révolution; ceux-ci, avec leurs héros, se voient donc transformés en symboles. Aussi bien l'Histoire, celle des années et des siècles à venir, que la Cité nouvelle émanent des actes qui ont été accomplis dans ce temps fondateur. Ainsi le temps de l'Histoire est conçu et imaginé comme celui de l'utopie en marche – libre des hasards et des entraves, il ne peut être que le temps rationnel d'une histoire voulue et désirée, celle de la Cité nouvelle qui ne s'écartera jamais du droit chemin, de la voie qu'elle s'est tracée à elle-même. Mais, du coup, les événements et leur enchaînement dont il est parlé dans le temps-récit se voient élevés au-dessus de toute temporalité historique. Dans et par les retours des cycles annuels ils sont installés dans le domaine qui n'est autre que celui du mythe et du sacré, de la «*sainte* Liberté» et de la *«sainte Montagne»*. Temps «déchristianisateur», certes; mais l'intention déchristianisatrice voile et révèle à la fois une trajectoire du sacré. Car c'est aussi, sinon surtout, un temps *sacralisant*, en ce sens qu'il opère un déplacement du sacré dans le domaine de l'histoire et de la politique[28].

Temps-récit, mais aussi temps taxinomique, classificateur. La suite des événements reprise dans le cycle annuel compose en même temps une table des valeurs et un code moral et civique. «Cette nomenclature, disait Sergent pendant le débat de la Convention, a seule le rare avantage de classer clairement les idées révolutionnaires que doivent chérir tous les hommes.» Ainsi la «nomenclature éloquente», pour reprendre la formule de Romme, faisait parler le temps ou encore le transformait en un temps parlant. Les deux discours – le discours moral et civique et le discours sur l'Histoire – coïncidaient jusqu'à se confondre. Certes, le discours historique ne portait que sur les événements de la Révolution. Mais n'était-ce pas la seule histoire dans laquelle la Cité nouvelle se reconnût pleinement, la seule qu'elle acceptât comme sienne? «Il faut, disait Romme, que chaque jour rappelle aux citoyens la Révolution qui les a rendus libres et que leurs sentiments civiques se raniment en lisant cette nomenclature éloquente[29].»

Le projet de Romme a pourtant suscité de nombreux doutes et cela pour des raisons aussi bien pratiques qu'idéologiques. Les dénominations «révolutionnaires et morales» ne frôlaient-elles pas tout simplement le ridicule? L'Assemblée «rit et applaudit» quand un de ses membres observe que «tous les jours sont les jours des époux» et non pas seulement le deuxième jour de la décade ainsi que le stipulait la nomenclature d'un des projets. On avançait aussi des arguments plus sérieux. Les dénominations nouvelles ne «surchargent-elles [pas] le calendrier d'emblèmes» qui peuvent à leur tour devenir «l'objet d'un culte superstitieux»?

Ne va-t-on pas «*religionner* notre Révolution»? En effet le peuple «est toujours porté vers une superstition quelconque; il cherche toujours à réaliser les idées métaphysiques qu'on lui présente». Les signes et les symboles, associés aux jours mémorables, ne risquent-ils pas de se voir transformer en autant d'«objets sacrés» dont abuseraient de nouveaux imposteurs? Ne faut-il donc pas se contenter de la dénomination ordinale? En effet celle-ci réunit deux avantages – celui d'être la plus simple à celui d'être «naturelle» puisque «l'ordre numérique est celui de la nature». Romme, en défendant son projet, se réfère à l'avenir, à ce «livre nouveau» qu'ouvre le temps. En se contentant de l'ordre numérique, réplique-t-il, «vous n'imprimerez pas à votre calendrier le cachet moral et révolutionnaire qui le fera passer au siècle à venir». Mais cette référence à la postérité soulève encore des doutes et des objections[30]. Cet avenir, comment le penser et l'imaginer? Dans la perspective de la «nation française» ou dans celle d'une «République universelle»? Avec la dénomination ordinale, dit Duhem, «votre calendrier, qui n'eût été que celui de la nation française, deviendra celui de tous les peuples [...] Calendrier philosophique, il pourra devenir la base de la République Universelle». On se demande encore si l'avenir, la marche du temps, ne surpasseront pas les valeurs et les événements consacrés aujourd'hui. Certes, une histoire qui puisse s'écarter du chemin tracé par la Révolution est impensable. Mais cette Révolution est-elle achevée, est-elle arrivée au terme de sa grandeur? Plus *on avance* dans la Révolution, plus la question, combien troublante, *comment la terminer?*, travaille les esprits[31]. Sur ce point le calendrier, en fixant pour toujours le point zéro de l'Histoire, apporte lui-même une réponse en quelque sorte rassurante: symboliquement il proclame la Révolution sinon achevée, du moins irréversible; le temps ne peut que confirmer et déployer l'œuvre d'ores et déjà accomplie. Cela dit, la Révolution qui forme l'«homme nouveau» s'ouvre nécessairement sur un avenir que l'on pense et imagine de plus en plus souvent en termes de Progrès (on dirait, en paraphrasant Saint-Just, qu'à l'instar du bonheur, c'est «une idée neuve en Europe»...). La Révolution n'engendre-t-elle pas un progrès dont le terme est imprévisible et le nouveau calendrier ne doit-il pas tenir compte de ce fait? «La Révolution n'a point touché au terme marqué par la philosophie, et déjà cependant, elle a présenté des époques mémorables qu'il serait doux aux législateurs de consacrer; mais qui peut leur répondre que ceux qu'ils inscriront seront ce qu'elle a produit de plus grand? [...] Le tableau [moral] serait-il jugé tel par notre postérité dont les idées seront plus saines et les mœurs seront plus pures que celles de la génération présente[32]?»

La Convention hésite, revient même sur sa première décision et finalement fait sienne l'idée lancée par Fabre, à savoir «donner à chaque jour le nom des plantes que produit alors la nature, et des animaux utiles». D'où le projet mis au point par Fabre en collaboration avec J.-M. Chenier et David et qui fut finalement adopté. Ce n'était qu'un compromis entre plusieurs principes. La nomenclature visait à réunir le civisme à l'utilitaire tout en se référant à une vague idéologie «agricole et rurale». «L'idée qui nous a servi de base est de consacrer, par le calendrier, le système agricole et d'y ramener la nation, en marquant les époques et les fractions des années par des signes intelligibles ou visibles pris dans l'agriculture et l'économie rurale [...] Nous avons cru que rien de ce qui est précieux à l'économie rurale ne devrait échapper aux hommes et aux méditations de tout homme qui veut être utile à la patrie[33].» Ainsi pour nommer les mois on a inventé des néologismes, procédé très à la mode à l'époque. En revanche, pour les noms des jours, on a retenu le principe de la dénomination ordinale tout en fabriquant encore des néologismes «poétiques» et plus faciles à manier (primidi, duodi, etc.). Aux saints et aux patrons, le calendrier substituait des plantes, des animaux, des outils, par exemple la chèvre, la charrue. L'almanach basé sur le nouveau calendrier présentait ainsi une sorte de petite encyclopédie, tout à la fois civique et agricole, à l'usage du peuple[34].

On n'a pourtant pas évacué totalement l'histoire révolutionnaire du calendrier et de sa nomenclature. Elle réapparaît à l'occasion des cinq derniers jours de l'année que le calendrier ne plaçait dans aucun mois et qui étaient réservés aux fêtes. Dans les projets précédents on avait du mal à leur trouver une dénomination – on les avait appelés *épagomènes* ou bien jours *complémentaires.* Fabre trouve que «ce mot n'était que didactique, par conséquent sec, muet à l'imagination». Ainsi propose-t-il, en fabriquant un autre néologisme, une dénomination «qui portât un caractère national capable d'exprimer la joie et l'esprit du peuple français, dans les cinq jours de fête qu'il célébrera au terme de chaque année. Il nous a paru possible, et surtout juste, de consacrer par un mot nouveau l'expression de *sans-culotte* qui en serait l'étymologie [...] Nous appellerons donc les cinq jours collectivement pris les *sansculottides*». Le cycle de quatre ans que Romme proposait d'appeler l'*Olympiade* est nommé *Franciade* et le jour ajouté à la fin de chaque quatrième année, la sixième sansculottide, «sera consacré à célébrer la Révolution française qui, après quatre ans d'efforts et de combats contre la tyrannie, a conduit le peuple français au règne de l'égalité[35]».

La référence à l'histoire est encore présente, et dans un tout autre contexte, dans l'argumentation idéologique de Fabre d'Églantine. Le néologisme *sansculottide* consacre, certes, la force majeure de la Révolution et du peuple français régénéré. Mais est-ce vraiment un néologisme et le mot ne consacre-t-il pas le retour du peuple à ses vraies origines? «Une recherche, aussi intéressante que curieuse, nous apprend que les aristocrates, en prétendant nous avilir par l'expression *sans-culotte*, n'ont pas eu le mérite de l'invention. Dès la plus haute antiquité, les Gaulois, nos aïeux, s'étaient fait honneur de cette dénomination. L'histoire nous apprend que la Gaule, dite ensuite *Lyonnaise* (la patrie des Lyonnais) était appelée la *Gaule culottée, Gallia bracata*; par conséquent le reste des Gaules jusqu'au bord du Rhin était la Gaule non-culottée; *nos pères dès lors étaient donc des sans-culottes*[36].»

Ainsi la boucle est bouclée. Les braves sans-culottes renouent avec leurs ancêtres, les libres Gaulois. Au-delà des siècles avilis par la tyrannie et les

préjugés le calendrier républicain réunit le temps mythique des origines de la nation à celui qu'ouvre la Révolution pour y fonder définitivement et pour toujours, la Cité nouvelle.
À ce débat passionné sur le calendrier, ajoutons encore deux voix qui ne viennent pas de la Convention. La première est celle des citoyens Blain et Bouchard, instituteurs de Franciade (ci-devant Saint-Denis). Leur initiative est d'autant plus remarquable qu'elle s'inspire d'une certaine idée de l'histoire progrès. Certes, pour eux aussi la Cité nouvelle se définit surtout par sa rupture avec le passé. Mais le calendrier ne doit-il pas témoigner également que l'ère nouvelle ouverte par la Révolution veut être l'aboutissement de l'histoire qui l'a précédée ? Blain et Bouchard reprennent donc l'ancienne idée de Sylvain Maréchal de peupler le calendrier de grands hommes, bienfaiteurs de l'humanité, en substituant leurs noms aux patrons et aux saints. Ils y ajoutent, bien entendu, les martyrs de la liberté et dans leur almanach Confucius voisine avec Marat, Washington avec Le Peletier, Gutenberg avec Chaulieu, et en se partageant ainsi les jours dont ils deviennent autant des patrons laïques[37]. Ainsi la Révolution et la République se révèlent les seuls héritiers légitimes de l'histoire de l'humanité. Le calendrier fait de l'idée de l'histoire-progrès un instrument d'assimilation du passé. Sans doute cette assimilation ne peut-elle être que sélective sinon répressive. Il faut que la mémoire collective soit épurée des souvenirs néfastes des tyrans et des imposteurs. Mais ceux-ci étaient-ils autre chose qu'une anomalie de l'histoire ? Sa *vraie* marche et sa *vraie* signification sont mises en images et symboles dans la succession de grandes figures, de Socrate à Chaulieu, que le calendrier ordonne à l'usage du « vertueux républicain ». L'autre voix vient de la Vendée où en 1794 paraît un almanach qui oppose au calendrier républicain une contre-mémoire : saint Louis de Bourbon était le patron du 21 janvier ; Marie-Antoinette martyre était patronne du 16 octobre ; septembre s'appelait le *mois des crimes* ; le 2 septembre, devait être célébrée la fête des martyrs de Paris[38].

« Le calendrier des tyrans »

« C'est aux Français de la nouvelle ère qu'il appartient de faire servir le calendrier, de propager le vrai, le juste, l'utile, en faisant aimer la patrie et tout ce qui peut assurer sa prospérité. » La fermeté de ces paroles de Romme concluant son rapport sur l'ère républicaine n'évite guère les ambiguïtés, voire les contradictions, qui pèsent sur l'idée même de la cassure révolutionnaire du temps que le nouveau calendrier transformait en institution. Ces « Français de la nouvelle ère » sont-ils déjà là, en l'an II de l'ère républicaine, ou bien vont-ils seulement grandir dans le temps ouvert par la Révolution, et qui sera désormais rythmé par le calendrier nouveau ? Comme nous l'avons dit, celui-ci est conçu comme une pièce essentielle d'un vaste dispositif éducatif, rêvé et voulu, qui devrait assurer la formation de l'homme régénéré, digne de la Cité nouvelle. Comme tout le discours révolutionnaire sur l'éducation, celui sur le calendrier est chargé d'exprimer à la fois la rupture et la continuité, ou plutôt d'affirmer la rupture *malgré et contre* la continuité. La rupture tient, évidemment, à la discontinuité voulue et proclamée du temps révolutionnaire qui fait repartir l'histoire de son point zéro, et qui – permettons-nous l'anachronisme de citer un chant célèbre – ferait « du passé table rase ». Cependant, ce nouveau départ devait être pris non pas avec l'*homme nouveau rêvé* mais avec *des hommes déjà faits*, façonnés, sinon souillés, par les temps anciens. Le pouvoir révolutionnaire n'a pourtant pas à gérer cet héritage néfaste. Il lui incombe de l'éliminer et de régénérer le peuple. Le discours sur le temps nouveau rejoint ainsi l'ambiguïté fondamentale qui travaille l'idée même d'homme nouveau ou régénéré. La Révolution est, à coup sûr, l'œuvre de la Nation elle-même ; mais le pouvoir révolutionnaire éclairé accomplit également toute une œuvre qu'il *offre* à la Nation afin de parachever sa régénération. La rupture voulue ne peut l'emporter sur la continuité des générations, des habitudes et des mœurs que par l'action éducatrice qui, du coup, est conçue comme purificatrice. Le nouveau calendrier marque solennellement le fait que les Français sont déjà entrés dans la « nouvelle ère », mais il est également conçu comme instrument de la transformation qui les affranchirait de leurs préjugés et, du coup, en ferait autant de véritables « Français de la nouvelle ère ». La finalité ambiguë de l'acte du pouvoir accompli à la fois *au nom du peuple* et pour *former ce même peuple*, l'éduquer et l'éclairer, implique une distribution tranchée des rôles sociaux entre ceux qui instituent le peuple nouveau et le peuple à instituer, entre les éducateurs et ceux à éduquer, entre les législateurs éclairés et le peuple à éclairer. Autrement dit, la nouvelle organisation du temps prenait en charge le puissant souffle utopique propre à la Révolution, fille des Lumières : il est possible de régénérer le peuple, d'installer dans l'histoire, voire dans la vie collective et à tous les niveaux de celle-ci, la grande coupure à la fois régénératrice et rationalisatrice. Cette prise en charge se traduisait pourtant par une réforme administrative, par l'appropriation du temps par le pouvoir révolutionnaire, qui devait bouleverser toute la vie quotidienne en l'imprégnant de symboles omniprésents, modèles formateurs de fidèles et vaillants citoyens de la République. Cette œuvre salutaire, produit à la fois de la Science et de la Révolution, pouvait-elle ne pas être accueillie avec enthousiasme par ceux à qui elle était offerte, voire imposée ? Les réticences pouvaient-elles venir d'ailleurs que de la force de l'inertie des préjugés ou encore des complots des ennemis acharnés de la République ?

Une fois installé par loi, le calendrier révolutionnaire va connaître une double existence. D'une part, il bute sur de formidables résistances ; d'autre part, les pouvoirs successifs ne se séparent que lentement et difficilement de cette institution pourtant de plus en plus moribonde. Par toute une série de glissements et de déphasages idéologiques, la promesse utopique, qui légitimait l'établissement du calendrier, est de plus en plus abandonnée ; l'institution elle-même est pourtant maintenue en vie. Cette survie est révélatrice de la persistance d'un projet, on dirait d'une tentation : demander à l'État-Nation issu de la Révolution de gérer le temps, et, partant, la mémoire collective. Ce dernier aspect de l'histoire du calendrier va nous retenir dans la suite. Contentons-nous, faute de place, de quelques observations, rapides et sommaires, sur les résistances opposées au calendrier.

Celles-ci étaient, en effet, aussi fortes que généralisées. Plus ou moins sourdes pendant la Terreur, elles se manifestent ouvertement et gagnent en ampleur après Thermidor et le retour, plus ou moins hésitant, à la liberté des cultes. Le calendrier n'a jamais eu prise sur le « pays réel » et, notamment, sur les campagnes. Il bouleversait un temps collectif reproduit par la tradition et la mémoire séculaires, chargé d'un symbolisme puissant, solidaire de tout un cadre de vie. Cela tenait, certes, à la question religieuse qui ne cessera pas de traverser l'histoire du calendrier, à la fameuse guerre entre le dimanche et le décadi. Ce n'était pourtant que la partie la plus visible, pour les contemporains, et, par la suite, pour maints historiens, d'un iceberg, à savoir des structures du temps collectif enfouies dans les mentalités. Mona Ozouf a récemment analysé les rapports des administrations départementales (notamment après fructidor an V) dans lesquels il est question, entre autres, des résistances opposées au calendrier républicain. À travers ces documents on retrouve deux types d'organisations du temps qui commandent la vie collective dans les campagnes et qui, tous les deux, résistent au temps imposé par le pouvoir. C'est, tout d'abord, le temps religieux, chrétien, cadencé par les grandes fêtes – Pâques, Noël – et le dimanche. Mais c'est aussi le temps des traditions populaires : de la Saint-Jean, de la fête des morts, des mais, des marchés locaux, des fêtes patronales, etc. (ces deux organisations du temps s'articulant, bien entendu, l'une sur l'autre). Chose remarquable : les administrateurs « éclairés » du Directoire comprennent mieux, en fin de compte, le refus du nouveau calendrier qui vient de l'attachement à la religion. Il s'expliquerait par l'action sournoise des prêtres, leur complot antirépublicain permanent. Mais cet autre temps que les fonctionnaires républicains découvrent en apprentis ethnographes, ils le trouvent franchement déconcertant. La République, messagère des Lumières, n'aurait-elle guère réussi à émanciper le peuple de ses « préjugés » ? Malgré tous les efforts déployés celui-ci resterait-il toujours aussi « barbare » et « ignorant[39] » ?

Ces résistances étaient, sans doute, d'autant plus tenaces que la rationalité dont se réclamait le nouveau calendrier ne les contrebalançait point, en ce sens que ce n'était qu'une rationalité abstraite, ne répondant à aucun besoin collectif. Certes, le nouveau calendrier était plus rationnel que le calendrier grégorien, mais du seul point de vue d'une rationalité scientifico-idéologique. À cet égard, il est intéressant de comparer les deux réformes révolutionnaires : celle des poids et des mesures et celle du calendrier. Le système révolutionnaire de poids et de mesures, c'est-à-dire le système métrique, fut également imposé par le pouvoir (en Flandre, en Suisse, en Italie, il fut même exporté au bout des baïonnettes, de même que le nouveau calendrier). Il répondait cependant à un besoin réel, vivement ressenti au long du XVIIIe siècle, à savoir celui *d'unifier* les poids et les mesures. Les diversités métrologiques locales présentaient des inconvénients, ne serait-ce que pour les échanges dans le cadre d'une économie nationale de marché. Et malgré ce besoin collectif auquel répondait la rationalité du système métrique, celui-ci prit beaucoup de temps avant de s'implanter. Dans les pays conquis, nombreux étaient les cas de retour aux systèmes métrologiques traditionnels dès que l'armée française se retirait[40]. Or, le calendrier révolutionnaire ne supprimait guère la diversité des mesures du temps – il ne faisait qu'imposer, par force, une unité autre à celle déjà existante[41].

Vu ces résistances et l'échec patent du calendrier républicain, on pouvait s'attendre à sa disparition assez rapide. Or, il a survécu, comme nous l'avons observé, au 9-Thermidor, au 18-Brumaire et même (peu de temps, il est vrai) au sacre de Napoléon. Longévité relative, somme toute, mais longévité quand même, d'autant plus surprenante, de surcroît, qu'à première vue la mythologie révolutionnaire militante dont le nouveau calendrier a été chargé au moment de sa naissance, n'avait rien de captivant, c'est le moins que l'on puisse dire, pour les pouvoirs post-thermidoriens. Les choses étaient pourtant plus complexes, comme le montre l'histoire de la survie du calendrier.

Après le 9-Thermidor, les conditions semblaient être réunies pour l'abolition, pure et simple, du calendrier révolutionnaire. En effet, dans les mois qui succèdent à la « chute du tyran », la Convention, en amorçant la sortie de la Terreur, procède non seulement à la liquidation des structures politiques solidaires à la fois de la dictature jacobine et du militantisme sans-culotte, mais s'attaque également à tout un héritage symbolique de l'an II. Entamé dans les premiers mois après Thermidor, le mouvement s'accélère après les « journées » de la révolte confuse de prairial an III. Les piques, symbole clé du sans-culottisme, le tutoiement obligatoire, le « populisme » vestimentaire, bonnet rouge et carmagnole débraillée, les prénoms révolutionnaires, les montagnes et autres monuments élevés en an II, tout cela fut aboli comme autant de signes du « vandalisme » et de la Terreur. Le calendrier échappa pourtant à cette vague, de même que quelques autres éléments du répertoire symbolique révolutionnaire, et notamment les fêtes civiques. On assiste même à un phénomène paradoxal : d'une part, dans la vie quotidienne, le calendrier républicain est de moins en moins respecté ; d'autre part, dans cette période tourmentée, quand la Convention se déchire en recherchant dans son propre sein des « coupables » sur lesquels retombera toute la responsabilité de la Terreur, elle se livre à toute une œuvre de consolidation du calendrier, comme si celui-ci devait durer pour l'éternité.

Retenons d'abord un épisode curieux. Comme nous l'avons déjà mentionné, très rapidement après le décret du 4 frimaire an II organisant définitivement l'ère républicaine, on s'est aperçu que fixer le début de chaque année à minuit, le jour où tombait l'équinoxe vrai d'automne pour l'Observatoire de Paris, posait des problèmes inextricables. Tout d'abord, si l'intervalle entre les années sextiles devait être habituellement de quatre, il se présenterait trois fois dans un siècle des cas où cet intervalle serait de cinq ans, et cela de façon irrégulière. En outre, certaines années, l'équinoxe s'approchait dangereusement, à quelques secondes près, au-delà ou en deçà, de minuit (la chose aurait dû se produire la première fois en l'an CXLIV), ce qui risquait d'entraîner une différence d'un jour pour l'année en question. Ces complications bouleversaient complètement la belle harmonie de la succession des cycles quadriennaux, avec le jour complémentaire, appelé Franciade, s'ajoutant à la fin de chaque cycle[42]. On s'était donc trompé en décrétant l'accord parfait entre le début de l'année républicaine et la marche des astres célestes… Quand l'astronome Delambre porta ces erreurs à la connaissance de Romme, celui-ci, avec son sérieux habituel, présenta l'épineuse question des « sextiles républicains » au comité d'Instruction publique qui le chargea, à la tête d'une commission de spécialistes, d'élaborer le projet de « perfectionnement » du calendrier (on n'osait pas parler de rectification des erreurs). Les conclusions, réunies dans un rapport de Romme et dans un projet de décret, aboutissaient à la suppression de l'accord entre « le moment de l'équinoxe vrai » et le début de l'année républicaine ; on admet, par convention, et non pas par « ordre naturel », les années égales entre elles et recevant un jour intercalaire d'après une règle fixe, avec pourtant des corrections, « l'une tous les quatre ans ; la seconde tous les quatre cents ans ; la troisième tous les trente-six siècles, ou, pour plus de convenance, tous les quatre mille ans »… Grégoire raconte dans ses *Mémoires* que quand Romme présenta son projet au comité d'Instruction publique, un des membres, perdu dans tous ces savants calculs et sans enthousiasme excessif pour le calendrier républicain, lui répliqua : « Tu veux donc nous faire décréter l'éternité. » Grégoire dit avoir proposé l'ajournement de la question à trois mille six cents ans et sa proposition aurait été acceptée[43]…

L'anecdote est bien trouvée quoiqu'elle ne soit pas vraie. Le comité adopta bel et bien le projet. Romme fut décrété d'arrestation pour avoir appuyé certaines revendications de la foule qui avait envahi la Convention le 1er prairial an III, le jour même où son rapport sur les «sextiles» du calendrier républicain, réglant leur succession «de quatre en quatre siècles, jusqu'au quarantième», fut distribué, pour préparer le débat, aux conventionnels. On dirait que le temps qui «ouvrait un livre nouveau à l'Histoire» s'amusait là à jouer un symbolisme aussi macabre que facile. Comme on sait, quatre semaines plus tard, condamné à mort par une commission militaire, Romme se suicida, pour échapper à la guillotine.

La Convention ne reprit jamais le débat sur le rapport de Romme; elle semble s'être peu souciée de l'exactitude des calculs portant sur les siècles à venir. En revanche, elle ne lâcha pas le calendrier comme institution. Même si contre elle les attaques se multipliaient. Ainsi en nivôse-pluviôse an III, pendant les débats sur les fêtes décadaires qui ont donné l'occasion à une avalanche de projets où les législateurs donnaient libre cours à leur imagination, rêvant de fêtes de plus en plus unanimes et pédagogiquement de plus en plus efficaces, une voix s'élève qui remet en question la base même de ces fêtes, le calendrier révolutionnaire, et, du coup, le décadi. Ces fêtes n'ont jamais connu que «l'improbation générale: il ne s'y est trouvé jamais que ceux qui y étaient dominés par la terreur; et les nouvelles que vous voulez établir n'auront pas un meilleur sort». Le calendrier avait-il un autre objectif que de détruire la religion et, du coup, saper les bases mêmes de la morale? Ne faut-il pas l'assimiler à ces autres lois qui ont «détruit la sainteté du mariage», légitimé «les bâtards, même adultères», facilité, d'une manière inouïe, le divorce? Avant donc de débattre sur les fêtes décadaires, il faudrait consulter le peuple, mais un peuple «librement assemblé et non pas ce même peuple assemblé par le terrorisme», sur l'utilité même du «calendrier prétendu républicain». Faire autrement, c'est abuser du pouvoir. «Sommes-nous les représentants du peuple souverain, ou sommes-nous les représentants souverains du peuple[44]?» Ces accusations seront suivies d'autres. Un vrai tollé salua le projet de nouvelle constitution qui proposait d'introduire un article spécial consacrant le calendrier républicain. Lanjuinais, qui faisait pourtant partie de la commission des onze chargée d'élaborer la nouvelle constitution, s'opposa violemment à un tel article constitutionnel, en situant le problème sur le plan politique. Le calendrier dit républicain n'est, en réalité, que le *«calendrier des tyrans»*, le *«calendrier des assassins de la France»*, et c'est pourquoi il ne doit, en aucun cas, devenir «constitutionnellement le calendrier du peuple français». Conserver le calendrier, c'est perpétuer la mémoire de la Terreur et alimenter la méfiance à l'égard de la République qui «n'a été jusqu'à présent qu'un vain mot, rendu odieux à plusieurs par les forfaits de nos tyrans». La nouvelle supputation du temps visait-elle autre chose que de «contrarier les opinions religieuses des Français? [...] Le dessein de nos oppresseurs qui changèrent les temps et les jours, était de détruire le culte qu'ils persécutaient avec tant de fureur. Pourquoi la plus solennelle des fêtes religieuses est-elle dans le calendrier de Romme et de Fabre d'Églantine le jour du *chien*?». Pourquoi avoir appelé les jours complémentaires «d'un nom sale et odieux, celui des sans-culottides?». De surcroît, c'est un calendrier qui s'oppose aux intérêts économiques du pays en l'isolant du reste de l'Europe. Il se vante d'être rigoureux et pourtant «nous en sommes réduits à disputer ridiculement entre le 22 et le 23 septembre (vieux style) pour savoir quel jour commence l'année» (on retrouve l'écho de la fâcheuse affaire des «sextiles républicains»). Conserver le calendrier que la «majorité des citoyens rejette et méprise», c'est introduire dans le pays une «lutte affligeante» au moment même où il a besoin de concorde. «Verrons-nous, comme au temps de Robespierre et de Chaumette, prononcer des amendes, des confiscations, des peines afflictives et infamantes contre les indévots du saint décadi? Il ne faut pas, ce semble, que la représentation de la volonté du peuple combatte sa volonté réelle et connue. Croyez-vous qu'on force ainsi les esprits à ployer malgré eux sous le joug d'une loi arbitraire et nuisible? En avez-vous le pouvoir? En avez-vous le droit[45]?»

L'Assemblée vote l'impression de ce discours enflammé, mais passe outre. Elle résistera également aux autres assauts. Le 10 thermidor un pétitionnaire se présente à la barre en demandant la suppression du nouveau calendrier que «personne dans les campagnes ne veut employer et qui jette de l'embarras dans les affaires et entrave toutes les relations commerciales». Il reçoit l'appui de Boissieu, ennemi acharné du calendrier qu'il avait flétri comme «héritage de Robespierre, de Saint-Just, d'Hébert et d'autres philosophes de la même volée»: «Enfin, tôt ou tard il faudra finir par jeter au feu un calendrier dont personne ne veut.» Murmures dans la salle, on vote l'ordre du jour. Le 25 thermidor, c'est le tour de la section de Bonne-Nouvelle. Les revendications qu'elle présente sont hétéroclites: mesures pour la répression de l'agiotage; «la suppression des dénominations inintelligibles de *myriamètres*, de *myriagrammes*, etc., données aux nouveaux poids et mesures»; le rétablissement de la contrainte par corps contre les débiteurs et, finalement, «le rétablissement de l'ancien calendrier». La séance prend alors un tour orageux. Plusieurs voix interrompent la pétition: *«Et encore le rétablissement de la monarchie!»* Quand l'orateur affirme que le nouveau calendrier n'est en vigueur «qu'à Paris et dans les administrations» et que «dans les campagnes le peuple ne connaît point le décadi, il fait l'ancienne division du calendrier», il est de nouveau interrompu par des cris: «Cela n'est pas vrai!», «royalistes, aristocrates!». C'est finalement La Révellière-Lépeaux qui met fin au scandale par une réplique qui emporte l'approbation des conventionnels: «Plus on examinera le nouveau calendrier, plus on en sentira les avantages. Certes, je ne suis pas payé pour aimer ceux qui l'ont fait, mais il s'agit de la chose et non des hommes et il n'y a que des ignorants ou des aristocrates qui puissent déclamer contre cette institution qui, toute nouvelle qu'elle est, et faite par des hommes peu estimables, n'en est pas moins de la plus grande utilité[46].»

La Convention thermidorienne tout entière, pour paraphraser les paroles de La Révellière, «n'était pas payée» pour aimer les circonstances dans lesquelles avait été conçu le calendrier révolutionnaire, le discours qui le justifiait, les «hommes qui l'ont fait». Nombreux étaient, sans doute, les conventionnels qui voyaient en lui, selon l'expression de Lanjuinais, sinon «l'œuvre des tyrans», du moins un souvenir de la «tyrannie». Néanmoins l'Assemblée vote l'article constitutionnel statuant que «l'ère française commence au 22 septembre 1792, jour de la proclamation de la République[47]»; de surcroît la proclamation solennelle de la nouvelle constitution a lieu le 1er vendémiaire an IV, «le jour du nouvel an républicain», consacrant ainsi le calendrier par une nouvelle charge symbolique. Pourquoi donc ces conventionnels thermidoriens s'obstinent-ils à défendre ce calendrier, en dépit de son refus incontestable par le «pays profond»? En quoi consistait pour eux son «utilité», assez énigmatiquement évoquée par La Révellière-Lépeaux, futur membre du Directoire?

La réponse ne peut être que nuancée et les raisons semblent multiples. Dans les attaques contre le calendrier ainsi que dans la décision de le maintenir malgré tout se retrouvent les contradictions politiques et idéologiques qui marquent la phase finale de la Convention, le jeu complexe, voire confus, de continuité et de rupture dans lequel elle s'installe. Rupture, symbolisée par la coupure du 9-Thermidor, avec tout un héritage de l'an II; continuité d'un pouvoir républicain, dans une République transformée en celle des notables et des nantis, mais une République quand même. C'est, finalement, à la même Assemblée qui a voté en 1793 l'introduction du calendrier qu'il revient, en l'an III, de décider de son sort. (La même, mais les guillotinés et les exilés en moins; la même, mais transformée par l'expérience de la Terreur dans laquelle presque tous les conventionnels ont, plus ou moins, trempé; la même, mais marquée par les souvenirs de la peur, déchirée par des conflits politiques qui se conjuguent avec des haines personnelles acérées.) Certes, la Convention, sans beaucoup de scrupules ni d'hésitations, est revenue sur maintes décisions qu'elle avait adoptées en l'an II, en liquidant ainsi l'héritage néfaste des «tyrans» et des «buveurs de sang». Néanmoins, sur plusieurs points, la continuité l'emporte sur la coupure politique du 9-Thermidor. Tel est, notamment, le cas de projets, voire de rêves, éducatifs[48]. Plus le pouvoir manque d'appuis dans la société réelle, plus il transfère ses espoirs sur le

peuple nouveau à former. Le pouvoir thermidorien, tout en se privant des instruments de pression étatique qu'il jugeait solidaires de la Terreur, se faisait de sa vocation pédagogique à l'égard du peuple une idée encore plus élevée, peut-être, qu'en avait d'elle-même la dictature jacobine. Après Thermidor, malgré le déphasage idéologique et symbolique dont il est difficile de surestimer l'importance, un projet pédagogique est reproduit avec une continuité remarquable, à savoir celui d'un pouvoir éducatif qui prendrait en charge la formation d'un peuple libre de ses préjugés et de son ignorance, et qui le porterait à la hauteur du modèle civique républicain qui lui est offert, sinon imposé, par ce même pouvoir. Or, la fête civique, et notamment le système des fêtes décadaires, représentait, dans l'esprit des conventionnels, un élément essentiel du dispositif pédagogique de l'État-éducateur. Comme nous l'avons mentionné, durant l'hiver et au printemps de l'an III on assiste à une avalanche de discours et projets sur les fêtes décadaires. Leurs effets conjugués exorciseraient les souvenirs de la Terreur et du « vandalisme » en même temps qu'ils légitimeraient le pouvoir qui *fait apprendre* au peuple la liberté, les mœurs républicaines, qui lui *enseigne* son propre avenir. Le calendrier républicain était la base même de tout cet édifice de fêtes civiques et l'utopie rationaliste, celle d'installer un temps libre des préjugés, conforme à la raison, à la science et à la Nature, n'a pas cessé d'exercer sa séduction. Celle-ci se combine chez de nombreux conventionnels avec l'esprit sinon franchement déchristianisateur, du moins certainement anticlérical, hérité des Lumières et renforcé par les expériences révolutionnaires.
À tous ces éléments s'ajoute l'enjeu politique et symbolique que représentait le calendrier et qui emporta la décision de le maintenir. Enjeu parfaitement traduit par la clameur que suscita dans la Convention la pétition demandant le rétablissement de l'ancien calendrier : *« Et encore le rétablissement de la monarchie ! »* Une fois installé dans le système de représentations, le nouveau calendrier a gagné en inertie spécifique aux symboles ; son importance était d'autant plus grande qu'il était précisément la cible des attaques des « aristocrates », des adversaires de la République. Abolir ce calendrier, c'était donc ouvrir une brèche dans tout le système de représentations sur lequel reposait la légitimité du pouvoir que la Convention thermidorienne était bel et bien décidée à reconduire ; c'était admettre, sur le plan symbolique, qu'un *retour* à l'époque d'avant l'an I, c'est-à-dire à la monarchie, *était possible.* Convention thermidorienne, soit ; mais également, ne l'oublions pas, Convention *régicide.* Le coup sec de la guillotine, le 21 janvier 1793, mort physique de Louis XVI et la mort symbolique de la monarchie, le calendrier proclamant l'ère de la République, se rejoignaient dans le même symbolisme, celui du *non-retour* au passé monarchique. Pour la Convention, le maintien du calendrier se présente donc comme un garant symbolique de la

stabilité du pouvoir et ce qu'elle craignait surtout, dans ces moments troubles de sa fin, c'était précisément la déstabilisation de celui-ci. Du coup, les clivages et les conflits que le maintien du calendrier risquait de provoquer dans la société civile se présentent, dans une certaine logique du pouvoir, comme un moindre mal. Certes, la réaffirmation du non-retour du temps à l'ère d'avant la République, de l'irréversibilité du temps républicain, ne signifiait guère la prise en charge du symbolisme révolutionnaire radical que le calendrier véhiculait au moment de sa naissance. Le déphasage idéologique et symbolique est manifeste. En l'an II, le discours montagnard sur le calendrier s'organise autour de la promesse révolutionnaire, de la *Révolution* en marche qui «ouvre un livre nouveau à l'Histoire» et qui ne s'arrêtera pas à mi-chemin, malgré les complots de ses ennemis. En revanche, dans le discours thermidorien, l'accent est mis sur la *République* qu'il faut consolider par des prolongements éducatifs et l'essor des Lumières auxquelles il revient d'achever, enfin! la révolution qu'elles avaient engendrée. La proclamation de la nouvelle Constitution, le 1er vendémiaire an IV, traduit bien, sur le plan symbolique, ce déphasage et, du coup, les ambiguïtés qui pèsent sur le calendrier reconduit. Le jour choisi, «le Nouvel An républicain», affirme bien la continuité du temps républicain et, du même coup, de la République elle-même. Mais c'est également un acte de purification; il marque, pour ainsi dire, la seconde naissance de la République et, donc, détache son calendrier des hommes et des circonstances qui ont marqué sa naissance. Continuité de la République, mais aussi continuité du *personnel politique*. Le maintien du calendrier apporte, en ce sens, une légitimation symbolique au fameux décret sur les «deux tiers» garantissant la reconduction des deux tiers des membres de la Convention dans le nouveau corps législatif. Autrement dit, le nouveau calendrier, confirmé par la constitution, n'appelle pas l'avenir mais traduit symboliquement la volonté de non-retour définitif à un double passé: *ni la monarchie, ni la dictature de l'an II.* Ou encore, pour le formuler autrement, le calendrier reconduit est censé consolider le *présent*, celui même dans lequel s'installe la République directoriale.

Temps républicain, temps conservateur

Les mesures les plus «énergiques», les plus coercitives, pour assurer, voire imposer, le respect du calendrier républicain ne furent pas prises pendant la Terreur, «sous le règne des tyrans», mais pendant le Directoire, notamment après le coup d'État du 18 fructidor an V. Paradoxalement, c'est à cette période de sursaut néo-jacobin que ressort le plus nettement, peut-être, le déphasage idéologique et symbolique du message véhiculé par le calendrier.

La rhétorique exaltant l'ordre établi prend le pas sur les paroles incantatoires sur l'avenir promis par le bouleversement radical.

La constitution de l'an III, en consacrant solennellement le calendrier républicain, n'a pas beaucoup changé son utilisation pratique. Le temps officiel est, certes, cadencé par les années qui commencent le 1er vendémiaire, par les décadis, les fêtes républicaines, etc., conformément aux tables éditées par le Bureau des longitudes. Le calendrier sombre pourtant dans la grisaille bureaucratique : respecté dans les actes officiels ; observé, tout au plus et assez mollement, par les fonctionnaires peuplant l'administration. Parallèlement à ce temps en persiste un autre, l'ancien. Les almanachs indiquent les deux calendriers, le républicain et le grégorien, avec une table de concordance ; les journaux, les annonces dans *Les Petites Affiches* utilisent les deux datations. Dans la vie quotidienne de la société civile, le décadi n'a guère éliminé le dimanche ; les fêtes républicaines coexistent, tant bien que mal, avec les fêtes religieuses ; les marchés se tiennent dans les jours traditionnels de la semaine, fêtes patronales comprises.

Après le coup d'État des Directeurs contre les Conseils du 18 fructidor an V, la situation semble changer du tout au tout. Revigorer le calendrier et, partant, les fêtes décadaires devient un objectif prioritaire. Sans attendre une décision des Conseils, le Directoire prend un arrêté où il constate qu'on « ne saurait trop s'occuper des moyens de faire cesser la résistance que le calendrier républicain éprouve de la part des ennemis de la liberté et de tous les hommes liés par la force de l'habitude aux anciens préjugés ». Le texte ne se réfère pas seulement aux lois « terroristes » de l'an II sur le respect du calendrier mais va beaucoup plus loin. Toutes les administrations sont tenues de régler leurs séances « sur la décade », de même les juges de paix ; les administrations fixeront à des jours déterminés de chaque décade les marchés de leurs arrondissements respectifs « sans qu'en aucun cas l'ordre qu'elles auront établi puisse être inverti sous prétexte que les marchés tomberaient à des jours ci-devant fériés » et en s'appliquant tout particulièrement « à rompre tous rapports des marchés aux poissons avec les jours d'abstinence désignés par l'ancien calendrier » ; les départs et les retours des messageries et voitures publiques ne peuvent être réglés que sur la décade ; dans les ateliers et les chantiers « faits et entretenus au compte de la République », les payements se feront par décade, le décadi sera chômé et tout ouvrier qui prendra congé les jours de dimanche et fêtes de l'ancien calendrier sera congédié ; dans les actes notariaux, baux de maisons et biens ruraux, il est interdit de faire usage d'autres termes que ceux du calendrier républicain ; tout ouvrage, périodique, etc., qui utilisera l'ère ancienne, « qui n'existe plus pour les citoyens français », même en l'accolant à l'ère nouvelle, sera prohibé. Après des débats prolongés aux Conseils suivent, quelques mois plus tard, des lois qui à toutes ces mesures en ajoutent de nouvelles. Le chômage du décadi qui jusqu'alors (même en l'an II!) n'était obligatoire que pour l'administration s'étend désormais à «tous les boutiques, ateliers et magasins» de même que sont interdits, durant les mêmes jours, tous les travaux «dans les lieux et voies publiques» (avec exception pourtant pour les «travaux urgents» ainsi que pour le temps des semailles et des récoltes dans les campagnes). La célébration des mariages n'aura lieu que le décadi. Défense de fermer les boutiques, les marchés et les étalages à des jours autres que fixés selon l'«almanach de la République». L'administration, à tous ses échelons, est chargée impérativement d'appliquer cette législation d'abord à elle-même et, ensuite, de la faire respecter dans le pays tout entier, sous peine d'amendes et même d'emprisonnement (ne dépassant quand même pas trois jours). Il sera, en outre, publié et envoyé à chaque administration municipale «un bulletin décadaire des affaires générales de la République» qui leur servira à organiser les fêtes décadaires[49]. Simultanément sont prises d'autres mesures: obligation de porter, de nouveau, la cocarde nationale et d'employer le vocable de «citoyen» oublié depuis l'an II et supplanté par «monsieur»; obligation de faire replanter les arbres de la liberté, arrachés ou desséchés, mais, cette fois-ci, «avec racines, car la Liberté et la République viennent d'être assurées d'une manière stable et durable»...

Il nous a semblé utile de citer cette longue liste des dispositions, prescriptions et interdictions (et encore avons-nous omis plusieurs articles et paragraphes) qui réglaient, avec une minutie bureaucratique parfaite et jusqu'au moindre détail, la stricte application du calendrier républicain. On se croirait de retour à l'an II. Comme nous l'avons dit, jamais dans son histoire l'«annuaire de la République» n'était soutenu par un tel dispositif juridico-répressif, jamais on ne lui accordait une telle emprise sur la vie quotidienne dans son ensemble. Mais, d'autre part, tout ce discours juridique, centré sur la réglementation et la surveillance bureaucratiques, met en évidence à quel point le «temps nouveau» est devenu le lieu du *discours du pouvoir sur lui-même*, voire un prétexte à un discours par lequel ce pouvoir cherche à se convaincre qu'il dispose d'une emprise réelle sur la société civile. L'enjeu politique et symbolique n'est plus celui de l'an II: le calendrier symbolise la volonté de *conserver* et non pas de *changer*, la *continuité* et non pas la *rupture*, la *stabilisation* et non pas le *bouleversement*. Discours combien d'ailleurs révélateur des contradictions qui travaillent ce néo-jacobinisme de l'an V qui n'ose même pas dire son nom: retrouver l'«énergie» et l'État fort de l'an II, mais en les endiguant d'avance dans les limites tracées par Thermidor; revigorer l'élan révolutionnaire, mais en le mettant au service du respect de l'ordre établi; sauver la constitution républicaine, mais en utilisant des moyens anticonstitutionnels; donner à un coup d'État, exécuté par l'armée et réussi grâce à son soutien, l'air d'une «journée révolutionnaire»; conjurer les faiblesses et les déchirements d'un pouvoir hésitant par la fermeté du serment incantatoire «contre la royauté et l'anarchie» ainsi que par la multiplication de décrets.

Ainsi le discours officiel qui accompagne et justifie les nouvelles mesures en faveur du calendrier républicain prolonge l'argumentation idéologique qui, après Thermidor, a tranché sur les hésitations quant au maintien de l'«ère républicaine», mais il le fait avec une toute nouvelle vigueur. L'État républicain se doit de déployer toute son énergie pour *conserver* et *consolider* ses institutions et le calendrier républicain en est une, d'une portée fondamentale, à la fois symbolique et éducative. De surcroît, c'est un enjeu essentiel dans la lutte ouverte contre «le complot de royalistes, organisé de longue main, tissu avec adresse, suivi avec constance» que la partie saine et républicaine du Directoire vient de déjouer. La proclamation solennelle qui justifie le coup d'État du 18 Fructidor constate avec horreur que ce complot était d'autant plus perfide que les «amis des rois et les ennemis de la France» ont tendu un véritable piège aux Français. «Pour vous remettre sous le joug que vous avez brisé, pour *vous y ramener en quelque sorte par vous-mêmes* [...] ils n'avaient rien omis pour ramener la France aux formes monarchiques, et replier au despotisme les institutions, les fêtes, les mœurs, les usages. Ils savaient bien que l'homme dépend de ses habitudes et qu'en changeant ses habitudes on le change lui-même [...] Il était important pour eux de repétrir royalement la masse de la nation.» Ainsi l'abandon dans lequel est tombé le calendrier républicain et qui était, bel et bien, toléré par le pouvoir lui-même apparaît, tout d'un coup, comme un maillon essentiel du plan des «conjurés». Pour empêcher donc les Français d'être «ramenés par eux-mêmes» sous le joug monarchique, le pouvoir met l'accent, d'une part, sur l'assainissement de l'administration corrompue et, d'autre part, sur les «formes républicaines» (point d'autant plus important qu'il n'est pas question de toucher en rien au *contenu* social de la République des nantis). «La République a triomphé, et les formes républicaines doivent manifester et consolider son triomphe; ce *doit être le signe comme le fruit de la victoire.*» D'où l'appel au peuple de «reprendre avec empressement les usages républicains», et, notamment, cet appel pressant: «*Peuple français, abjure tes abus serviles; sers-toi de ton calendrier,* division du temps si claire, si commode et qui, par un trait admirable des destinées républicaines, te rappelle que le soleil commence l'année au jour où commença la République [...] Pour les jours de repos, préfère constamment ceux qu'indique la loi [...] Que les rendez-vous de commerce, les marchés soient d'accord désormais avec l'ère républicaine. Toutes les affaires civiles ne doivent se régler que par des lois civiles. Toute usurpation sur le domaine de la loi doit cesser dans la République[50].»

Ne pas respecter «la division républicaine de l'année», c'est un défi lancé à l'ordre républicain par tous ceux «pour qui la haine de la République et le mépris des formes républicaines sont un besoin». L'usage de l'ancien calendrier alimente la nostalgie d'après «tout ce qui leur rappelle des temps qu'ils regrettent». Ce n'est pas seulement le souvenir d'un vestige du passé qui est ainsi conservé; cette mémoire nourrit, du coup, l'illusion et l'espoir que le temps de la République est réversible. «C'est en affectant leur éloignement pour notre manière de compter les jours, qu'ils se bercent de l'espérance de voir renaître ceux de la monarchie.» Ainsi s'explique l'acharnement «du fanatisme et des partisans du roi» contre le calendrier républicain[51]. Les mesures administratives en sa faveur s'inscrivent, en effet, dans le contexte d'une nouvelle campagne anticléricale. Les «formes républicaines» auraient déjà triomphé si «le clergé ambitieux, quoique détrôné, quoique détesté des peuples, quoiqu'avili par ses crimes réitérés», ne portait pas entrave aux institutions républicaines et ne les sapait pas par ses activités sournoises. Celles-ci n'ont-elles pas empoisonné même l'éducation des enfants, notamment dans les écoles particulières, où les instituteurs se dérobent au contrôle administratif, refusent les fêtes républicaines, n'enseignent guère le catéchisme républicain mais le catéchisme tout court, ne respectent ni le nouveau calendrier ni le nouveau système de poids et mesures?

Hors du catéchisme vulgaire
À les entendre tout est mal;
Leur barème est toujours en guerre
Contre le calcul décimal
Et sans leur cabale notoire
Le calendrier du bon sens
Eût effacé depuis quatre ans
L'almanach du pape Grégoire[52].

Le retard pris dans l'implantation du calendrier républicain doit donc être «énergiquement» rattrapé. Il est d'ailleurs frappant, comme constat d'échec, que dans le discours officiel se manifeste une vive inquiétude. Il faut agir *«tandis qu'il est temps encore»*, répondre à ce cri d'alarme «tout à la fois sublime et patriotique: Donnez-nous d'autres mœurs ou nous allons retomber dans les anciennes habitudes». Sinon, on verra «la France libre *retourner comme d'elle-même* à ses rites royaux par lesquels elle fut rangée pendant tant de siècles au nombre des nations esclaves». En ne respectant pas les «formes républicaines», le peuple fait dire aux autres et semble dire lui-même «qu'il n'est pas républicain». (La proclamation du Directoire prend, en quelque sorte, un tour dramatique quand elle supplie le peuple: «*Aime ta*

Constitution, ton gouvernement, ta patrie et tu seras républicain et rien n'égalera ta gloire et ton bonheur»...) Il faut donc protéger ce peuple, pour ainsi dire, contre lui-même briser «les erreurs populaires» exploitées par les «machinations contre-révolutionnaires». Ce n'est donc pas revenir à la Terreur, «conduire d'une manière despotique le même peuple qui détrôna non seulement un tyran mais aussi la tyrannie», que de lui «désigner des jours de repos et de l'y assujettir sous peine de quelque amende». Fortifier ainsi le «système décadaire», c'est un «bien réel pour la société et pour notre gouvernement qui ne peut se consolider que par des institutions nouvelles plus adaptées à sa nature[53]».

Ni les «mesures énergiques», notamment la promulgation du décadi chômé, ni la rhétorique républicaine et anticléricale n'ont apporté les effets souhaités dans la guerre entre le décadi et le dimanche. Il est en effet frappant qu'un peu partout dans les départements s'organise une résistance aux nouvelles mesures qui exploite les failles dans la législation. Ainsi on continue de travailler le décadi en déclarant qu'il s'agit de «travaux urgents» donc autorisés par la loi, ou bien on travaille à l'*intérieur* des boutiques et ateliers et non pas «sur la voie publique[54]». Le coup d'État du 18 brumaire, qui intervient quinze mois après les mesures prises par le Directoire, est tout de suite perçu par l'opinion publique comme l'annonce de la suppression à la fois du calendrier républicain et du système métrique. Les rumeurs prennent une telle ampleur que Laplace, nommé ministre de l'Intérieur, trouve nécessaire de les démentir dans une circulaire du 29 brumaire dans laquelle il dénonce les «individus malveillants» qui s'attendent au démantèlement de toutes les institutions républicaines. Or, les consuls ont la ferme volonté de sauvegarder ces institutions, notamment le calendrier républicain, les fêtes décadaires ainsi que le nouveau système de poids et mesures[55].

Malgré ce démenti, l'histoire du calendrier républicain entre le 18 brumaire an VIII et la date de son abolition définitive, le 11 nivôse an XIV, est incontestablement celle de son déclin. Néanmoins, c'est une histoire ambiguë qui se prête à une double lecture. Traditionnellement, l'historiographie «républicaine» met l'accent sur la volonté du pouvoir bonapartiste de démanteler ce calendrier qui le dérange doublement: il constitue un obstacle aux projets de normaliser les rapports avec l'Église; il perpétue le souvenir que l'on aimerait effacer, celui de la République. Ne faudrait-il pas, pourtant, souligner également à quel point cette volonté est hésitante et qu'elle prend six ans, la moitié de la durée de l'existence légale du calendrier républicain, pour s'affirmer définitivement? La séparation du pouvoir avec ce calendrier mal aimé et dérangeant et qui, de surcroît, ne jouit d'aucun soutien dans la société civile est singulièrement longue. Le calendrier républicain est, certes, progressivement vidé de son contenu mais on dirait que le Premier consul et même l'empereur a de la peine à s'en séparer. Le pouvoir ne saisit pas plusieurs occasions qui se prêtaient à son abolition. On pourrait même se demander s'il ne songe pas, pendant un moment, à s'installer dans un double régime de gestion du temps, en maintenant à la fois les deux calendriers, le grégorien et le républicain (par un imperceptible glissement ce dernier est d'ailleurs rebaptisé «calendrier *français*»...), à l'instar du compromis établi par Napoléon entre l'ancien et le nouveau système des poids et mesures[56]. Cette ambiguïté marque, en effet, la dernière étape de l'existence légale du calendrier, de plus en plus désuet; on dirait un vestige d'une autre époque, mais qui perdure quand même. N'en rappelons que quelques épisodes. Le 3 nivôse an VIII sont abolies toutes les fêtes que le calendrier devait évoquer en gardant ainsi le souvenir des «journées mémorables» de la Révolution. Le calendrier lui-même est pourtant maintenu, de même que les fêtes décadaires, et les fêtes du 14 Juillet et du 1er Vendémiaire. Le 7 thermidor an VIII sont abolies les mesures contraignantes prises après le 18 fructidor an V: les citoyens sont désormais libres de choisir le jour de leur repos «conformément à leurs désirs et besoins» et les mariages peuvent être célébrés aux autres jours que le décadi. Néanmoins, l'obligation d'observer le décadi chômé est maintenue pour les «fonctionnaires et les salariés du Gouvernement». Les articles organiques du Concordat, signé le 26 messidor an IX et proclamé solennellement le 28 germinal an X, jour de Pâques, fixent le repos des fonctionnaires au dimanche. Il ne restait, semble-t-il, plus rien de l'«annuaire de la République» et cela aurait été l'occasion idéale de l'abolir définitivement. Pourtant les mêmes articles fixent un régime aussi ambigu que complexe de deux calendriers, à respecter même par l'Église. «Dans tous les actes ecclésiastiques et religieux, on sera obligé de se servir du calendrier d'équinoxe établi par les lois de la République; on désignera les jours par les noms qu'ils avaient dans le calendrier de solstice[57].» Le changement de constitution, en l'an X, présentait une autre occasion de se débarrasser du calendrier «établi par les lois de la République». Bonaparte ne la saisit pourtant pas, ce qui a comme conséquence la situation paradoxale que nous avons déjà évoquée: le calendrier républicain a survécu à la République elle-même. C'est le 28 floréal an XII de l'*ère républicaine* que le sénatus-consulte proclame Bonaparte empereur et le sacre de Napoléon Ier, nous l'avons dit, a lieu également selon l'ère républicaine, voire «française», le 11 frimaire an XIII. Pendant toute la première année de l'Empire, le temps officiel compte les années à partir du 1er vendémiaire an I... Ce n'est que le 13 fructidor an XIII que sonne le glas du «calendrier français». Le gouvernement charge Regnaud (de Saint-Jean-d'Angély) et Mounier de présenter au Sénat le rapport sur le rétablissement du calendrier grégorien, à partir du «11 nivôse prochain, 1er janvier 1806», le 22 fructidor, sur le rapport de Laplace, la loi est

adoptée. Les raisons évoquées en faveur de l'abrogation sont multiples : on emploie, en fait, deux calendriers et une double datation : le calendrier « français » qui n'est utilisé que dans les actes du gouvernement et le « calendrier romain qui est en usage dans les relations sociales » de même qu'il est suivi dans « l'ordre religieux » ; le calendrier « français » isole l'Empire du reste de l'Europe ; il éternise « le souvenir d'un changement qui a inquiété toute l'Europe » et qui « a signalé nos discordes civiles » ; ce calendrier qui se voulait parfait souffre du fait de n'avoir pas placé les sextiles à des intervalles fixes, etc. Il est pourtant remarquable que ces adieux au calendrier « français » ne se font pas sans une certaine nostalgie et que l'utopie d'un temps rationnel n'a pas tout à fait perdu son charme séducteur. Regnaud exalte la supériorité du calendrier qui va être abrogé sur celui qui sera rétabli. Il se laisse même emporter par le rêve de ce jour à venir où « l'Europe calmée, rendue à la paix et à ses conceptions utiles, sentira le besoin de perfectionner ses institutions sociales » et, alors, pour « rapprocher les peuples », elle voudra « marquer une ère mémorable par une manière générale et plus parfaite de mesurer le temps ». On composera dès lors un nouveau calendrier « pour l'univers politique et commercial » en réutilisant « les débris perfectionnés du calendrier auquel la France renonce à ce moment ». Si le calendrier « français » ne souffrait pas de défauts, « s'il avait la perfection qui lui manque », Sa Majesté Impériale et Royale ne se serait pas décidée à en proposer l'abrogation. Elle eût attendu du temps « qui fait triompher la raison des préjugés, l'utilité de la routine », l'occasion de faire adopter « par toute l'Europe, par tous les peuples civilisés, un meilleur système de mesure des années[58] ».
La dernière brimade administrative provoquée par le non-respect du calendrier républicain, alias français, est d'ailleurs venue de Sa Majesté Impériale et Royale elle-même. Dans une lettre à Talleyrand du 6 fructidor an XIII, écrite donc au moment où la décision de rétablir le calendrier grégorien était déjà prise, Napoléon manifeste sa mauvaise humeur : « Témoignez mon mécontentement à M. Lezay de ce qu'il date sa lettre du 12 août, et de ce qu'il ne se sert pas du calendrier français ; tant qu'une loi existe, elle doit être exécutée, et c'est à mes ministres à donner l'exemple du respect pour les lois. Bientôt, il m'écrirait en allemand[59]. » Ce sursaut de mauvaise humeur serait-il seulement révélateur de l'esprit pointilleux de l'empereur ? Ou bien témoignerait-il également de ses sentiments ambigus à l'égard de ce calendrier, bien français et rationnel, qui est devenu, de plus en plus, le symbole de l'ordre, d'un temps fondé sur la loi et géré par l'État, mais qui était pourtant compromis par sa tare originelle, celle « d'éterniser le souvenir d'un changement qui a inquiété l'Europe »...
Le calendrier révolutionnaire n'a survécu à son abrogation que comme objet d'une curiosité historique. Assez rapidement il a sombré dans l'indifférence,

en manquant son rendez-vous non seulement avec l'éternité mais également avec la mémoire collective. Déjà, au XIXe siècle, les représentations de la rupture révolutionnaire du temps, de la promesse d'un temps nouveau ouvert à l'Histoire n'évoquent plus le souvenir du calendrier qui devait pourtant incarner et symboliser cette rupture et cette promesse[60]. Si le calendrier républicain a sombré dans l'oubli, si son souvenir n'a focalisé sur lui ni haine ni enthousiasme, c'est, peut-être, parce qu'il a duré à la fois trop et pas assez. S'il avait été supprimé tout de suite après Thermidor, il serait peut-être entré dans la mythologie de la Révolution non achevée et à refaire ; s'il avait été maintenu par Napoléon, il aurait, peut-être, gagné suffisamment en inertie pour marquer durablement les souvenirs. On ne fait pourtant pas l'histoire avec des « si ». Remarquons toutefois que son oubli, le calendrier républicain le partage avec la période où il a connu son apogée comme institution bureaucratique, celle de la République directoriale. Or, quel que soit le bilan de cette période (et les opinions des historiens divergent là-dessus), elle est devenue le lieu de non-identification collective ou, si l'on veut, le lieu de l'identification collective impossible. Pour la mémoire collective les événements comptent souvent moins que les représentations imaginaires qu'ils font naître et qui les encadrent. Comme l'a judicieusement analysé François Furet, l'imaginaire politique français connaît une polarisation symbolisée par l'alternative : 1789 ou 1793[61]. Toute la période qui a cherché, et de surcroît d'une manière hésitante, à se soustraire à cette alternative, qui ne s'est définie, politiquement et symboliquement, que comme un non-retour à 1789 ou à 1793, a été, du coup, condamnée à être effacée de cet imaginaire. On ne trouve pas dans les villes françaises de rues portant le nom du 1er-Vendémiaire, du 18-Fructidor, de l'an-III ou du 20-Prairial… Certes, ces dates se retrouvent dans les livres savants sur la Révolution française. Autant de débris d'un temps submergé par l'histoire et que les « spécialistes » reconstituent laborieusement en se penchant sur les tables de concordance entre le calendrier républicain et cet autre calendrier qui aurait dû disparaître en tant que « monument de tyrannie et de préjugés ».

À l'exception de ces dates et de ces tables je n'ai trouvé qu'un seul monument qui commémore, quoique bien involontairement, le souvenir du calendrier républicain. En Corrèze, dans un petit village, Le Feyt, se trouve une ferme paysanne, solidement bâtie en pierre et toujours habitée, avec deux linteaux, au-dessus de ses portes, sur lesquels sont gravées les dates du début et de l'achèvement de sa construction : 1788-an III. Monument émouvant, au symbolisme ambigu. N'évoque-t-il pas à la fois la cassure du temps et le temps résistant à la cassure ?

1. Michelet, *Histoire de la Révolution française*, Paris, Bibl. de la Pléiade, 1979, vol. II, pp. 623-624.

2. Michelet, *ibid.*, vol. I, pp. 31-32.

3. Je reprends dans la suite quelques développements que j'ai consacrés au calendrier républicain dans mon livre *Lumières de l'utopie*, Paris, Payot, 1981.

4. Richard Cobb, *Les Armées révolutionnaires, instrument de la Terreur dans les départements*, Paris, Clavreuil, 1963, pp. 634-635.

5. Gilbert Romme, *Rapport sur l'ère de la République fait à la Convention nationale dans la séance du 20 septembre de l'an II de la République* (ce texte est repris *in* Bronislaw Baczko, *Une éducation pour la démocratie. Textes et projets de l'époque révolutionnaire*, Paris, Garnier, 1982, pp. 400-412). Sur Romme et son rôle éminent dans les activités du comité d'Instruction publique, cf. la remarquable monographie de A. Galante-Garrone, *G. Romme, Histoire d'un révolutionnaire*, Paris, 1971.

6. G. Romme, *op. cit.*

7. Id., *ibid.*

8. *Annuaire du cultivateur pour la troisième année de la République présenté à la Convention nationale le 30 pluviôse de l'an II*, par G. Romme. À Paris, an III de la République. Cette quête de la précision ainsi que le culte de la Science tendaient pourtant un piège sur lequel nous aurons à revenir.

9. Fabre d'Églantine, *Rapport sur le nouveau calendrier fait à la Convention nationale dans la séance du 3 du second mois de l'an II de la République*, Paris, à sa date.

10. Sur Rousseau et le «langage des signes», *cf.* B. Baczko, *La Cité et ses langages*, *in* R. A. Leigh, éd., *Rousseau after Two Hundred Years*, Cambridge, 1982.

11. Mirabeau, *Travail sur l'éducation publique*, *in* B. Baczko, *Une éducation pour la démocratie*, *op. cit.*, p. 97. Sur cette représentation du pouvoir-éducateur, *cf.* les analyses pertinentes de Marcel Gauchet et Gladys Swain, *La Pratique de l'esprit humain. L'institution asiliaire et la révolution démocratique*, Paris, Gallimard, 1980, pp. 103 *sq.*

12. Fabre d'Églantine, *op. cit.*

13. C'était un lieu commun de la critique «philosophique» des fêtes religieuses; d'ailleurs, à la fin du XVIIIe siècle, l'Église elle-même tend à réduire le nombre de fêtes et, partant, de jours chômés.

14. Romme, *op. cit.*

15. Sur les justifications idéologiques de la réforme des poids et des mesures ainsi que sur son caractère militant, *cf.* les analyses magistrales de W. Kula, *Miary i ludzie*, Varsovie, 1970, pp. 511-571, trad. franç., *Les Mesures et les hommes*, Paris, Éd. de la Maison des sciences de l'homme, 1984.

16. *Instruction sur l'annuaire républicain*, in *Annuaire du cultivateur…*, *op. cit.*

17. *Instruction…*, *op. cit.*; Romme, *Rapport sur le calendrier*, *op. cit.*

18. *Instruction…*, *op. cit.*

19. *Ibid.*

20. *Ibid.*

21. *Cf.* le dessin et le commentaire *in* James Guillaume, *Procès-verbaux du Comité d'Instruction publique de la Convention nationale*, Paris, Comité des Travaux historiques, 1984, vol. II, p. 427.

22. *Archives parlementaires*, t. 78, pp. 377-378, séance du 15 brumaire, an II.

23. *Cf.* Romme, *Rapport…*, *op. cit.* On trouve quelques beaux exemplaires de montre décimale (parfois avec un double cadran permettant d'établir la concordance entre l'«heure

vulgaire» et l'«heure républicaine») au musée Carnavalet ainsi qu'au musée de l'Horlogerie, à Genève.

24. *Cf.* M. de Vissac, *Romme le Montagnard*, Clermont-Ferrand, 1888; J. Guillaume, *Procès-verbaux..., op. cit.*, vol. II, pp. 580-581.

25. Herschel était alors le nom de la planète nouvellement découverte (1781), appelée depuis Uranus. La même proposition fut avancée dans le *Calendrier du peuple franc, pour servir à l'Instruction publique, rédigé par une société de philanthropes, pour l'an II de la République*, Paris, 1793. Ce calendrier, publié avant les décisions de la Convention, proposait d'ailleurs de «porter le scalpel de la réforme» sur tous les jours de la semaine, en leur donnant des noms de planètes. Les noms de mois, qui devaient «étendre autant qu'il est possible la langue des signes», combinaient deux principes: appellation selon les saisons (par exemple mois des frimats pour janvier) et appellation évoquant les grands événements révolutionnaires (le mois de l'Égalité pour août, afin de commémorer le 10 août; ou le mois du Procès pour décembre, afin de commémorer le procès du roi). *Cf.* G. Villain, «Étude sur le calendrier français», *La Révolution française*, 1885, t. VIII, pp. 627 *sq.*

26. Romme, *op. cit.*

27. *Ibid. Cf.* J. Guillaume, *Procès-verbaux..., op. cit.*, vol. II, pp. 582 *sq.*

28. Les problèmes complexes posés par le phénomène du transfert du sacré pendant a Révolution, particulièrement manifeste dans les fêtes révolutionnaires, ont fait l'objet d'un stimulant débat à la fin du colloque de Clermont-Ferrand sur les fêtes révolutionnaires (*cf. Les fêtes de la Révolution française, colloque de Clermont-Ferrand [juin 1974].* Actes recueillis et présentés par Jean Ehrard et Paul Viallaneix, Paris, 1977). Mona Ozouf apporte des analyses pertinentes sur ce sujet dans son ouvrage remarquable *La Fête révolutionnaire, 1789-1799*, Paris, Gallimard, 1976.

29. *Journal des décrets et des débats*, n° 384, intervention de Romme.

30. *Cf.* J. Guillaume, *Procès-verbaux..., op. cit.*, vol. II, p. 586.

31. Les *réponses* à cette question divergent, évidemment, en fonction des étapes de la Révolution, des orientations politiques et idéologiques, etc. Il serait pourtant fort intéressant de faire l'histoire politique de la Révolution, et cela dès le lendemain du 14 Juillet jusqu'au 18 brumaire, en prenant comme fil conducteur les réponses divergentes à cette seule et même question que se posent les acteurs politiques: comment terminer la Révolution? On découvrirait alors, non sans surprise, combien de fois on a proclamé que cette fois-ci elle est vraiment achevée (ou qu'il ne reste, tout au plus, qu'un petit pas à faire pour l'amener, finalement, à bon port).

32. J. Guillaume, *Procès-verbaux..., op. cit.*, pp. 586-587.

33. Fabre d'Églantine, *op. cit.*

34. Ainsi l'*Annuaire du cultivateur* est composé de petites dissertations sur les animaux, les plantes, etc. On est d'ailleurs frappé par le caractère abstrait et livresque de ces textes. Par exemple, sous la date de quintidi, 5 nivôse, qui est «consacré» au chien, le citoyen-cultivateur apprend: «Chien, quadrupède de forme, de grandeur, de couleur, de caractère différents. Ses variétés sont oreilles droites ou pendantes, tête ronde ou allongée, lèvres pendantes, dos relevé, jambes torses, poil ras, long, frisé, sans poil. Le chien a l'odorat fin, boit en lapant, mange avidement, quelquefois par jalousie»... Ce style de l'*Annuaire* s'inscrit dans l'évolution que connaissent les almanachs à la fin du XVIIIe siècle. Pour parler le langage à la mode, on dirait qu'ils connaissent alors une mutation épistémologique. Ainsi dans un almanach polonais de 1720, l'article sur le cheval s'ouvre par la phrase: «Ce qu'est un cheval chacun le sait» et résume ensuite les «signes» par lesquels on reconnaît un «bon» cheval. En 1784, l'article sur le cheval n'est qu'un résumé d'une page de Buffon et commence par une taxinomie: «Cheval, quadrupède, de forme, de grandeur différentes», etc. Cela dit, l'article sur le chien dans l'*Annuaire du cultivateur* n'est pas simplement une innocente disserta-

tion «philosophique» de vulgarisation. Comme par hasard, le 5 nivôse an III correspondait, selon l'«ère vulgaire», au... 25 décembre 1794, premier jour de Noël. Après le 9 thermidor, les critiques du calendrier républicain n'oublieront pas cette «coïncidence» et iront crier au blasphème. En effet, à l'occasion de cette date, Romme aurait pu aussi bien disserter sur un autre animal, par exemple sur l'agneau...

35. Fabre d'Églantine, *op. cit., Instruction sur le Calendrier, op. cit.* Les sansculottides devaient être célébrées chaque année comme, respectivement, fête de la Vertu, du Génie, du Travail, de l'Opinion, des Récompenses. Robespierre a amendé le projet de Fabre en demandant de placer la fête de la Vertu avant celle du Génie. «César, remarqua-t-il, fut un homme de génie; Caton fut un homme vertueux et certes le héros d'Utique vaut mieux que le boucher de Pharsale» (*L'Antifédéraliste*, n° 311). L'idée qui préside à la fête de l'Opinion mérite d'être retenue. Elle tranche avec l'esprit institutionnel et bureaucratique qui imprègne les projets de «système de fêtes». Fabre proposait qu'elle fût une sorte de «fête des fous» à la républicaine. Pendant cette sansculottide les citoyens devraient juger les fonctionnaires par «un tribunal tout à la fois gai et terrible... Dans le jour unique et solennel de la fête de l'Opinion, la loi ouvre la bouche à tous les citoyens sur le moral, le personnel et les actions des fonctionnaires publics; la loi donne carrière à l'imagination plaisante et gaie des Français. Permis à l'opinion dans ce jour de se manifester sur ce chapitre de toutes les manières: les chansons, les allusions, les caricatures, les pasquinades, le sel de l'ironie, les sarcasmes de la folie, seront dans ce jour le salaire de celui des élus du peuple qui l'aura trompé ou qui s'en sera fait mésestimer ou haïr. C'est ainsi que par son caractère même, par sa gaîté naturelle, le peuple français conservera ses droits et sa souveraineté. On corrompt les tribunaux, on ne corrompt pas l'opinion... La plus terrible et la plus profonde des armes françaises contre le Français c'est le ridicule» (Fabre d'Églantine, *ibid.*).

36. Nous n'avons pas réussi à identifier la «recherche récente» à laquelle Fabre faisait allusion. Cependant un auteur, pas tellement récent et qui ne se doutait pas d'avoir découvert les ancêtres des sans-culottes, utilise l'expression de *Gallia bracata.* On la trouve, en effet, dans l'*Histoire naturelle* de Pline.

37. *Almanach d'Aristide ou du vertueux républicain dédié à tous les amis de la République*, par H. Blanc et X. Bouchard, Paris, an III.

38. Almanach signalé par Mercier dans *Néologie*, Paris, an IX. H. Welschinger signale un autre almanach vendéen où les mois sont consacrés à Louis XVI martyr, à La Rochejaquelein martyr, etc. On y trouve aussi des chants guerriers, dont un sur l'air du chant de guerre de l'armée du Rhin:

Aux armes compagnons, le Ciel combat pour nous.
Frappez, un Dieu vengeur, un Dieu conduit vos coups.

Cf. H. Welschinger, *Les Almanachs de la Révolution*, Paris, 1894, pp. 98 *sq.*

39. Conférence non publiée, présentée en mars 1981 dans le séminaire de François Furet à l'École des hautes études en sciences sociales. La responsabilité de ce résumé, certainement trop sommaire, n'incombe qu'à moi-même.

40. Sur les résistances au système métrique, *cf.* W. Kula, *op. cit.*

41. Laplace a vu juste en avançant cet argument dans son rapport qui constitue, en quelque sorte, l'acte de décès du calendrier républicain. Le calendrier républicain a, certes, «plusieurs défauts considérables; la longueur de ses mois est inégale et bizarre; l'origine de l'année ne correspond à celle d'aucune saison». Néanmoins «il a fallu deux siècles, et toute l'influence de la religion, pour faire adopter le calendrier grégorien. *C'est dans cette universalité si désirable, si difficile à obtenir et qu'il importe à conserver quand elle est acquise, que consiste son plus grand avantage». Rapport fait au Sénat, dans sa séance du 22 fructidor an XIII, par Monsieur le Sénateur Laplace...*, Paris, an XIII.

42. Nous avons simplifié les problèmes de calcul; J. Guillaume les examine en détail dans son article «Les sextiles de l'ère républicaine», *La Révolution française*, 1903, t. XLIV.

43. *Cf.* abbé Henri Grégoire, *Mémoires*, Paris, 1839, vol. I., p. 341 ; J. Guillaume, *op. cit.*, pp. 206-207.

44. P.J. D. G. Faure, député de la Seine-Inférieure, *Sur les fêtes décadaires*, pluviôse, an III.

45. *Opinion de Lanjuinais sur l'introduction du calendrier des tyrans dans la Constitution républicaine*, imprimée par l'ordre de la Convention nationale, thermidor, an III. Il est pourtant remarquable que dans le même rapport Lanjuinais esquisse une sorte de compromis, assez flou, voire obscur. On pourrait « conserver ce qu'il peut y avoir utile dans le calendrier [républicain], c'est-à-dire le calcul décimal des mois et les jours complémentaires » ; de même, « on compterait les années par celle de l'ère de la République ». On supprimerait, en revanche, les décades et, du coup, le décadi ; on conserverait comme une sorte d'« ère parallèle » celle du calendrier grégorien, les anciens noms de mois, les dimanches, etc.

46. *Cf. Le Moniteur* (réimpression), vol. XXV, p. 360 ; *Journal de Paris*, 25 thermidor an III. Les pétitionnaires de la section de Bonne-Nouvelle furent néanmoins admis aux honneurs de la séance.

47. *Cf.* Maurice Duverger, *Constitutions et documents politiques*, Paris, PUF, coll. Thémis, p. 69. Il s'agit de l'article 372 de la Constitution de l'an III ; l'article précédent constate : « Il y a dans la République uniformité de poids et de mesures. »

48. Je discute plus longuement ces ruptures et continuités dans l'introduction à *Une éducation pour la démocratie, op. cit.*, pp. 10-22.

49. *Cf.* les lois du 17 thermidor an VI, du 13 fructidor an VI et du 23 fructidor an VI ; *cf.* J.-B. Duvergier, *Collection complète des lois...*, Paris, 1835, vol. X, pp. 321-322, 335-336, 349-350.

50. *Production du Directoire exécutif aux Français*, du 22 fructidor an V, *Le Moniteur*, vol. XXVIII, pp. 816-817.

51. Motion d'ordre de Poulain-Grandprey, député par le département des Vosges, *Sur l'abolition absolue de l'ancien calendrier et l'obligation à tous les citoyens français de se conformer à l'ère républicaine*, présentée au Conseil des Cinq-Cents, dans la séance du 2 vendémiaire an VI.

52. A. Duhot, *Rapport sur les fêtes décadaires*, Conseil des Cinq-Cents, séance du 4 germinal an VI ; « Adresse à Thémis contre les instituteurs fanatiques », *Le Patriote français*, le 18 pluviôse an VI, cité par A. Aulard, « La politique scolaire du Directoire », *La Revue bleue*, 1900, pp. 586-587.

53. Rapport fait par A. Duhot, au nom de la commission d'Instruction publique, *Sur la célébration civile des décadis*, Conseil des Cinq-Cents, 14 frimaire an VI.

54. James Friguglietti dans sa thèse *The Social and Religious Consequences of the French Revolutionary Calendar*, Harvard University, mars 1966 (thèse non publiée) apporte plusieurs rapports des administrations locales évoquant cette résistance.

55. *Recueil des lettres, circulaires, arrêtés, et discours émanant des citoyens Quenette, Laplace, L. Bonaparte, Ministres de l'Intérieur*, Paris, an X, vol. III, p. 103.

56. Sur ce « compromis napoléonien », *cf.* W. Kula, *op. cit.*

57. J.-B. Duvergier, *op. cit.*, vol. XIII, p. 99.

58. Les rapports de Regnaud et de Laplace ont été publiés dans la *Connaissance des temps* et dans l'*Annuaire du Bureau des Longitudes* pour 1808. Sur la fin du calendrier républicain, *cf.* J. Guillaume, *Les Sextiles...*, op. cit. et G. Villain, *op. cit.*

59. *Correspondance de Napoléon 1er*, Paris, 1862, t. XI, p. 153. Sur cet épisode, *cf.* J. Friguglietti, *op. cit.* Jusqu'au 10 nivôse an XIV (31 décembre 1805), Napoléon respecte scrupuleusement le « calendrier français », en utilisant souvent entre parenthèses la datation selon le calendrier grégorien. En revanche, dans sa correspondance avec le pape, il n'utilise que le calendrier grégorien. A. Lezay-Marnésia était à l'époque ministre à Salzbourg.

60. Cela dit, il faudrait consacrer une étude spéciale aux essais, marginaux s'il en fut, de faire revivre le calendrier révolutionnaire en 1848 et même encore pendant la Commune. Au début de ce texte nous avons cité l'évocation combien nostalgique de Michelet. À titre d'autre point de repère, citons J. Guillaume qui raconte qu'en 1889 un professeur de l'Université (dont il ne cite pas le nom) avait eu la curiosité de se renseigner auprès de lui sur les origines du calendrier révolutionnaire. Après avoir lu les rapports de Romme et de Fabre d'Églantine, il lui écrivit que cette lecture l'avait «énormément amusé». Un signe parmi d'autres, constate Guillaume, que l'on regarde «le calendrier républicain comme chose morte, qui n'a plus que la valeur d'un souvenir historique» (J. Guillaume, *Les Sextiles…, op. cit.*).

61. François Furet, «La Révolution dans l'imaginaire politique français», *Le Débat*, n° 26, septembre 1983.

MICHEL VOVELLE

La Marseillaise

La guerre ou la paix

L'aventure de *La Marseillaise* interroge. Elle pose non seulement la question, somme toute banale, de savoir comment naît un hymne national, mais par quels cheminements le *Chant de guerre pour l'armée du Rhin*, composé à Strasbourg en avril 1792, en est venu à prendre la stature qu'il a revêtue : le premier des hymnes nationaux modernes, à la différence de ces chants autour desquels se reconnaissait l'Europe monarchique à l'âge de l'absolutisme, l'expression volontaire d'une conscience nationale.

Puis *La Marseillaise* revêt un double visage : chant révolutionnaire, exaltant, à travers la liberté, les valeurs d'un monde nouveau, chant de guerre exprimant avec une âpreté que l'on a parfois jugée « sanguinaire » le patriotisme d'une nation en lutte.

Elle eût pu être, de ce fait, confinée à l'usage interne, signe de reconnaissance entre les Français : le *God Save the King* après tout ne s'exporte pas – hors du Commonwealth s'entend : or, elle a été adoptée, reconnue pourrait-on dire, à travers le monde, au point de devenir au XIXe siècle le support de tous les mouvements révolutionnaires, libéraux et nationaux. La fortune de *La Marseillaise* en fait, on l'a souvent dit, un de ces chants qui appartiennent à l'humanité : et il faudra attendre près d'un siècle – avec la naissance de *L'Internationale* – pour trouver exemple de diffusion comparable.

On se retourne vers l'auteur et vers l'œuvre. On est surpris de la modestie du premier – un officier du génie, compositeur amateur, l'homme d'un seul morceau, du moins d'un seul qui ait survécu. Puis, en reprenant ces couplets, on est surpris de leur simplicité : *La Marseillaise* n'est pas d'un grand souffle littéraire, du moins au regard des canons académiques. Et les musiciens patentés, de Gossec à Berlioz, se sont attachés à rectifier les maladresses d'une ligne mélodique qui n'en est pas exempte.

Ne tombons pas dans l'excès inverse ; *La Marseillaise* n'est pas un monument d'art brut, Rouget de Lisle n'est pas le scribe inconscient qui aurait prêté sa plume au génie de la France. À défaut de chercher un mystère, on peut chercher des explications : aux origines, en s'interrogeant sur le pourquoi de *La Marseillaise*, en ce temps et en ce lieu, puis en aval, en suivant les étapes de cette étonnante aventure, qui n'est point achevée.

L'hymne des Marseillais, hymne de la Révolution française

On n'ose plus aujourd'hui enfermer dans le déterminisme de circonstances contraignantes la naissance d'un chef-d'œuvre. D'évidence, on ne saurait cependant comprendre *La Marseillaise* sans référence au moment même où elle s'impose.

La guerre a été déclarée par la France révolutionnaire au « Roi de Bohême et de Hongrie » le 20 avril 1792 : le *Chant de guerre pour l'armée du Rhin* (on ne discute plus désormais de sa date) a été composé à Strasbourg dans la nuit du 25 au 26 avril, par Joseph Rouget de Lisle, capitaine du génie, soit au lendemain ou presque de l'annonce de cette décision dans la ville de garnison : réponse sans équivoque d'un patriotisme ombrageux et militaire à la sollicitation du moment.

Mais au-delà de cette explication simple, c'est tout le contexte, national et local, qui se trouve mis en cause. Du printemps à l'été 1792, de la déclaration de guerre à la chute de la royauté au 10 août, s'inscrit l'une des phases les plus denses de la mobilisation non seulement nationale, mais révolutionnaire. Dans les limites, et parfois les étroitesses, d'un personnage que nous apprendrons à connaître, Rouget de Lisle, écho sonore, comme on l'a répété sur tous les tons, traduit à sa manière un engagement collectif : ne disons pas de tout un peuple, à l'heure où l'unanimité se brise définitivement devant l'exigence d'un engagement non mesuré, mais de ceux qui vivent la Révolution.

Celle-ci, en moins de deux ans d'existence, n'était point sans avoir trouvé déjà des timbres et des refrains pour soutenir les énergies populaires : chants adaptés de contredanses populaires, auxquels des paroles flexibles et simples s'étaient ajoutées, comme dans le *Ça ira*, apparu avant juillet 1790, diffusé largement dans l'atmosphère d'allégresse militante de la fête de la Fédération au 14 juillet, cri de violence et d'espoir simple et direct propre désormais à accompagner les journées révolutionnaires, alors même que les illusions de l'unanimité commençaient à s'effacer. Puis un autre air de contredanse va s'imposer progressivement, pour devenir le chant de ralliement des sans-culottes du 10-Août : *La Carmagnole*, apte à refléter, dans ses versions et couplets successifs, les engagements du moment, pour trouver au lendemain de la chute des Tuileries son expression combative et triomphante : « Madame

Veto avait promis/De faire égorger tout Paris...» Associés, les rythmes simples du *Ça ira* et de *La Carmagnole* vont être, sur les champs de bataille intérieurs et extérieurs, l'expression du peuple révolutionnaire en armes. Nombre des commentateurs, musicologues ou non, ont, avec une condescendance un peu lourde, opposé à *La Marseillaise* ces couplets à moitié improvisés, inaptes pour eux à devenir véritablement un chant national, et trop «canailles» sans doute pour forcer le respect. Tel dossier mériterait d'être reconsidéré: car *La Carmagnole* et le *Ça ira*, outre le rôle qu'ils ont tenu sous la Révolution même, se retrouveront bien, inoubliés, aux rendez-vous de l'histoire, en 1830 et en 1848, et plus tard encore dans le mouvement ouvrier.

Reste que dans le registre noble, cette Révolution est encore en recherche de ses rythmes, et des hymnes qui puissent célébrer sa nouvelle légitimité: dans ce grand va-et-vient des créateurs – musiciens et paroliers – que le choc révolutionnaire a déterminé, en ce secteur comme dans tout le domaine de la création, certains se taisent, d'autres cherchent leur voie, d'autres, autodidactes ou semi-autodidactes, vont se révéler, et Rouget de Lisle sera de ceux-là. C'est par étapes que les musiciens se sont détachés de l'expression religieuse traditionnelle qui scandait les événements officiels: et Gossec a composé en 1790 le *Te Deum* de la fête de la Fédération au 14 juillet, comme Catel, un des autres maîtres de la période, sera l'auteur en 1792 du *De profundis* en l'honneur du général Gouvion. Si l'on cherche à fixer, avec tout l'arbitraire que cela comporte, une date origine à partir de laquelle une musique officielle adaptée aux nécessités du moment émerge du foisonnement des airs arrangés, nés de la spontanéité populaire, on peut se référer sans doute à cet admirable *Peuple éveille-toi* composé par Gossec sur des vers de Voltaire, à l'occasion de la translation des cendres du patriarche de Ferney au Panthéon, le 11 juillet 1791. Une des premières occasions où se déploie, dans une crise marquante – entre l'épisode de la fuite à Varennes et le massacre du champ de Mars –, une musique «analogue aux circonstances», par l'envol, et le recours aux larges masses chorales qui va marquer l'âge d'or de la musique révolutionnaire, en 1793 et 1794. Gossec avait déjà, en 1790, fait entendre dans sa *Marche lugubre*, composée en hommage «aux mânes des citoyens morts dans l'affaire de Nancy», exécutée, en fait, seulement à l'occasion de la mort de Mirabeau, des accents qui ont alors surpris par leur nouveauté: en 1791, l'introduction des chœurs annonce ce qui va être le nouveau cours des harmonies révolutionnaires.

Par rapport à ces deux références – la veine populaire d'une part, l'art officiel de l'autre – *La Marseillaise* assume son originalité: ce n'est pas une production anonyme, ou quasi, plaquée sur un air préexistant, mais ce n'est pas l'œuvre d'un compositeur patenté et entraîné. À la croisée des genres, elle n'en exprime que mieux les besoins d'une époque en quête de musiques, de musiques en quête d'auteurs, même si elles sont destinées à leur échapper très vite.

Les conditions de sa naissance matérialisent cette rencontre d'un homme et d'un cadre, ou d'un moment. L'auteur, Joseph Rouget de Lisle, né le 10 mai 1760 à Lons-le-Saulnier, est un capitaine du génie, pour lors en garnison à Strasbourg. Fils de petits notables comtois, bien que sa famille paternelle soit de fixation récente, au gré des étapes que les vicissitudes d'une origine réformée lui ont imposées, du Poitou au Languedoc, c'est par une complaisance qu'il a pu adjoindre à son nom la particule et la rallonge de Lisle ou de L'Isle, qui lui ont permis, au sortir du collège, de fréquenter l'École militaire, puis l'école du génie de Mézières, comme d'autres, Carnot ou Prieur. Officier en garnison entre 1784 et 1789, de Mont-Dauphin au fort de Joux, il a exercé son métier de soldat, mais profité de la vie de garnison pour exercer en Embrun ou ailleurs ses talents d'amateur à rimer et à composer, mais d'instinct et sans formation d'harmonie. Un amateur donc, mais éclairé, que la Révolution attire à Paris à la fois par curiosité des choses importantes qui s'y passent, et désir de se faire connaître comme auteur et compositeur. Pour un succès modeste même si, seul parmi d'autres projets d'opéras « troubadour », son *Bayard dans Brescia* fut brièvement porté sur la scène, et s'il s'est associé à Grétry pour proposer *Cécile et Ermance, ou les deux couvents* sur le thème de « l'hypocrisie et des fureurs monacales », qui fut représenté au début de 1792. Patriote, ennemi des préjugés, il a écrit aussi un *Hymne à la liberté*, et a vécu l'enthousiasme de la fête de la Fédération au 14 juillet 1790.
Lorsqu'il reprend du service à Strasbourg au 1er avril 1791, c'est donc tout disposé à s'intégrer, à la fois comme auteur et dilettante mais aussi comme officier patriote, dans un milieu fait pour l'accueillir. Ville musicale où Ignace Pleyel dirige l'un des orchestres, ville de mondanité où la bourgeoisie d'un patriotisme affirmé, mais modéré, fraie avec la garnison, encore dominée par les officiers nobles libéraux – de Broglie, d'Aiguillon, du Châtelet, mais aussi Caffarelli, Desaix, Kléber ou Malet. La rencontre s'opère autour du maire, Dietrich, riche industriel, métallurgiste, mais aussi homme des Lumières, académicien, éclairé et patriote comme on peut l'être en 1791, jusqu'à une certaine date, sinon incontesté, du moins populaire, tenant table ouverte et salon de musique et de patriotisme.
Le contexte précis dans lequel le choc de la guerre fera naître *La Marseillaise* se ressent des conditions locales : un patriotisme de ville frontière, précocement mûri par le souvenir encore frais des événements de Nancy, en 1790, puis du choc de la fuite à Varennes ; où les émigrés et les « complices de Bouillé » sont tenus à l'œil ; où la contre-révolution organise de son côté des « dîners patriotiques » bien suspects par leurs couplets âprement séditieux, en allemand ou en français. Tant et si bien, écrit Tiersot en 1915, qu'il « était vraiment besoin qu'un bon Français vînt là pour apporter un autre élément de lyrisme ». Mais ce patriotisme exprimé par Dietrich comme par de Broglie ou d'Aiguillon reste

de bon ton, alors même qu'il s'exprime assez pompeusement dans la fête strasbourgeoise du 25 septembre 1791 pour l'acceptation de la Constitution qui donne à Rouget de Lisle l'occasion de composer un *Hymne à la liberté*, dont la musique est due à Pleyel. Riches bourgeois ou nobles libéraux, ces patriotes modérés ne sont plus incontestés au printemps 1792 : « venus d'on ne sait où, sûrement d'Allemagne » écrit encore Tiersot, qui n'a raison qu'à demi, les nouveaux jacobins sont déjà là, Euloge Schneider et Laveaux, qui attaquent Dietrich, et contre lesquels Rouget de Lisle bataille dans la presse locale.
La Marseillaise surgit d'un consensus plus que fragile : on a, ce jour, parcouru la ville en cortège officiel au son du *Ça ira* et de *La Carmagnole*, mais le maire et ses amis se désolent de la vulgarité de ces couplets populaires, et c'est sur un ton plus noble que la Société des amis de la Constitution de Strasbourg s'adresse à ses concitoyens : « Aux armes, citoyens ! L'étendard de la guerre est déployé... Il faut combattre vaincre ou mourir... qu'ils tremblent donc ces despotes couronnés... Courez à la victoire... Marchons ! Soyons libres jusqu'au dernier soupir... », cependant que défilent les bataillons des « Enfants de la Patrie ».
À Strasbourg, en ce 25 avril, les thèmes de *La Marseillaise* sont déjà sur toutes les lèvres. Cela ne saurait diminuer le mérite de Rouget de Lisle, ni nous dispenser totalement de sacrifier à l'imagerie attendue : soixante ans plus tard, le peintre Pils, au Salon de 1849, immortalisera, sans grand souci de vraisemblance, la scène devenue historique où Rouget de Lisle chante *La Marseillaise* dans le salon du maire Dietrich. Nous savons (mais est-ce bien important ?) qu'il en fut autrement, et qu'au cours d'un repas réunissant chez le maire l'élite municipale, et de la garnison, on demanda à Rouget de composer un chant qui pût répondre aux circonstances. L'exaltation et le champagne aidant, l'œuvre d'une nuit d'enthousiasme fut présentée le lendemain même au soir, interprétée non point par l'auteur, mais par Dietrich lui-même, qui se piquait de chant : *Le Chant de guerre pour l'armée du Rhin* qui va devenir *La Marseillaise*, commence sa carrière.
Car c'est bien avant tout un chant de guerre que déploient ces six couplets scandés par le refrain :

Aux armes citoyens !
Formez vos bataillons !
Marchez, marchez,
Qu'un sang impur
Abreuve nos sillons.

Il dénonce avant tout l'ennemi étranger, cette « horde d'esclaves, de traîtres, de rois conjurés », ces « cohortes étrangères » qui riment avec « phalanges mercenaires » : et c'est au peuple en armes – soldats, héros, guerriers, tour à tour «fiers» et «magnanimes» – qu'il s'adresse, pour l'inviter à se regrouper sous les drapeaux de la patrie, afin de défendre fils et compagnes ; avec force et simplicité, *La Marseillaise* fixe pour longtemps les clichés de la patrie en armes. Sanguinaire appel aux armes ? On l'a dit, et souvent déploré, et le sang coule dans cet hymne «impur», tachant l'étendard de l'adversaire, mais destiné à abreuver les sillons de ceux qui défendent leur sol. Toutefois, ce carnage n'a rien d'aveugle ni de haineux, qui sait distinguer les coupables :

Français, en guerriers magnanimes,
Portez ou retenez vos coups,
Épargnez ces tristes victimes
À regret s'armant contre nous...

C'est que, autant et plus qu'un sursaut de conscience nationale, *La Marseillaise* est un chant révolutionnaire : c'est la tyrannie, les traîtres, les «complices de Bouillé», ces «tigres qui sans pitié déchirent le sein de leur mère» qui sont visés, au moins autant que les cohortes étrangères et l'enjeu est clairement indiqué :

Grand Dieu !... Par des mains enchaînées
Nos fronts sous le joug ploieraient ?
De vils despotes deviendraient
Les maîtres de nos destinées ?

Et c'est sur l'invocation à la Liberté, caution et justification de l'amour sacré d'une patrie qui en est l'asile privilégié, que s'achève en point d'orgue ce chant qui se trouve ainsi apte à devenir sous peu aussi bien celui de la République que de la Patrie.

Par ce mélange de ferveur et d'enthousiasme, scandé en formules simples et générales (malgré l'unique allusion aux «complices de Bouillé») mais aussi par son rythme, sans apprêts, ample et martial, ce chant représente une rencontre exceptionnelle entre expression d'élite et ferveur populaire, à l'image de cette rencontre fragile qui s'opère au printemps 1792 entre élites – bourgeoises ou non –, patriotes et mouvement de masses. Et c'est en ce sens que la position même de Rouget de Lisle, cultivé et se piquant d'écriture, mais malgré tout moitié-autodidacte, auteur peu fécond, extérieur à la république des lettres, l'avantage paradoxalement par rapport aux professionnels : la raison, peut-être (en simplifiant beaucoup, car l'antériorité a joué son rôle), pour laquelle *La Marseillaise*, et non le *Chant du départ*, dû à la collaboration de Méhul et de Marie-Joseph Chénier, sera l'hymne national. Cet avantage n'est pas sans revers : Rouget de Lisle n'a pas de connaissances d'harmonie et la mise au point puis l'harmonisation de ce chant, amorcées par l'épouse de Dietrich, seront poursuivies par Gossec, de même que l'œuvre sera retravaillée, bien plus tard, par Berlioz. Mais nous pouvons du moins pour n'y plus revenir, régler dès lors deux points d'érudition musicologique, d'ailleurs liés : celui de l'originalité de *La Marseillaise*, comme celui de la paternité de Rouget de Lisle. Non que nous en sous-estimions l'importance : mais ils ont été si amplement et si décisivement traités qu'il serait assez vain d'y revenir plus qu'il ne faut. La question a été soulevée surtout dans la seconde moitié du XIXe siècle, la science positiviste des années 1900, dans un contexte tout chargé de sous-entendus politiques ou nationaux, a dépensé des trésors d'érudition pour la tirer au clair, et pour les musicologues actuels (Fr. Robert) le problème ne se pose plus. Disons d'un mot que les conditions de la diffusion du *Chant de guerre pour l'armée du Rhin*, et son succès même, presque immédiatement, ont favorisé le flou dès l'époque : Grétry n'écrit-il pas à son ami Rouget pour lui demander de qui est la musique, alors que la *Chronique de Paris* attribuera l'air à un dénommé Allemand, annonçant ce qui deviendra plus tard une redoutable querelle... d'Allemands ? Mais sous la Révolution, on le constatera par la suite, la paternité de l'officier du génie n'a jamais été sérieusement contestée. Quant à l'originalité même du motif, s'il est aisé de retrouver, de tel concerto pour piano de Mozart (le vingt-cinquième en *ut*) à toute une série de références, les unes populaires et les autres savantes, la progression somme toute commune de la mesure initiale *(sol-do-ré-mi)*, on ne saurait en inférer quelque plagiat que ce soit : c'est un tout que *La Marseillaise*, dont le mouvement et le rythme général font un ensemble qui ne rappelle rien d'autre ; et les plagiats invoqués – telle pièce d'orgue d'un organiste d'Amiens, Grisons, voire un morceau composé en Rhénanie par Forster et Reichardt – se sont retournés contre leurs partisans, en se révélant des adaptations de l'air de Rouget de Lisle.

C'est d'une autre façon que la composition chantée à Strasbourg en avril 1792 va, en un certain sens, échapper à son auteur : appropriée, et répercutée en écho, jusqu'à devenir *La Marseillaise*, patrimoine commun. On sait avec une précision relativement grande par quelles voies le *Chant de guerre de l'armée du Rhin* chemine à travers la France dans les semaines suivantes, changeant d'ailleurs constamment d'intitulé. Dans son foyer alsacien initial, la musique, avec une dédicace au maréchal Lückner, a été diffusée par copies, vers Bâle ou Sélestat, puis par une édition due à Dannbach, imprimeur de la feuille de Strasbourg, en même temps qu'une exécution officielle en était donnée à Strasbourg dès le 29 avril. Paris en connaît le texte le 23 juillet par un écho de Huningue donné par *La Trompette du père Duchesne*, et on l'a joué dans un bal sur les ruines de la Bastille : mais il ne l'accueillera vraiment qu'à la fin du mois avec l'arrivée des fédérés marseillais.

Le second avatar de *La Marseillaise*, au sortir de son lieu de naissance strasbourgeois, nous conduit en effet en Provence: on se dispensera pour l'évoquer des périphrases auxquelles un musicologue aussi avisé que Tiersot eut la faiblesse de recourir, comme d'autres, en parlant de «Tartarin interprète de Tyrtée», et des bienfaits du soleil méridional. Plus sérieusement, c'est d'une véritable réappropriation qu'il s'agit: du chant patriotique né dans un milieu d'officiers et de bourgeois patriotes modérés, dans un contexte bien différent – celui du mouvement révolutionnaire méridional (de Marseille à Montpellier) hautement politisé, pour lequel le front intérieur de la victoire sur la Contre-Révolution, en passant par la mise à bas de la monarchie, va devenir très vite essentiel. L'une des facettes de *La Marseillaise* – sa dimension proprement révolutionnaire – va s'en trouver accentuée.
De l'Alsace au Midi, la trajectoire de *La Marseillaise* est à la fois imprécise et sans grand mystère dans le flux des échanges entrecroisés qui caractérisent la période: qui l'a apportée... un «journal constitutionnel», ou simplement des voyageurs de commerce? Le fait est que les fédérés de Montpellier qui ont demandé à cheminer avec leurs frères marseillais dans leur montée vers le camp fédératif sous Paris, convoqué fin juillet en dépit de l'opposition royale, apportent avec eux le chant de Rouget de Lisle, qu'un des leurs, E.-F. Mireur, chante dans la capitale phocéenne lors de la réception de bienvenue qui leur est donnée. Le *Journal des départements méridionaux* de Ricard et Micoulin reproduit ce qui est devenu le *Chant de guerre aux armées des frontières*, et les fédérés marseillais partant pour la capitale en reçoivent chacun un exemplaire. Ils l'interprètent à toutes les étapes de leur parcours, laissant un souvenir durable, et associant ainsi l'image de marque de leur troupe guerrière au chant dont ils assurent la diffusion.
C'est à Paris que l'identification entre l'air et ceux qui le chantent est la plus poussée: les Marseillais ont interprété ces strophes à leur arrivée le 30 juillet, puis le 4 août et les jours suivants; la *Chronique de Paris* évoque leurs prestations: «souvent ils le chantent au Palais-Royal, quelquefois dans les spectacles entre les deux pièces», et d'autres journaux attestent le fait. Surtout, on a entendu ce qu'on peut désormais légitimement appeler l'«hymne des Marseillais», lors de l'assaut des Tuileries au 10 août, qui associe ainsi indissolublement ce chant national à la chute de la royauté, et à une nouvelle étape de la Révolution.
La création de Rouget de Lisle échappe désormais à son auteur, comme au groupe initial qui lui avait donné naissance: de Broglie, d'Aiguillon, puis Dietrich seront de ceux qui refuseront de reconnaître la «seconde révolution» du 10-Août et que la mort ou l'émigration disperseront dans les semaines à venir. Rouget de Lisle lui-même, refusant d'admettre le nouveau cours des choses malgré l'insistance de Carnot et de Prieur comme lui officiers du génie,

va être suspendu et quitter l'armée pendant un certain temps, avant de reprendre, mais très momentanément, du service à l'armée du Nord. Quittant l'armée pour tenter à Paris une hypothétique carrière de théâtre, on le retrouvera détenu comme suspect à Saint-Germain-en-Laye en septembre 1793, point trop menacé dans son existence, rimant en prison un *Hymne à la raison* dont Méhul fera la mélodie, et comme protégé par l'œuvre qu'il se refuse à appeler *La Marseillaise*, et dont la destinée désormais suit son cours.
C'est, peut-on dire, une double légitimation que va connaître ce que le ministre de la Guerre le 28 septembre intitule pour sa part l'«hymne des Marseillais» de la fin de 1792 à l'an II: extérieure – le baptême du feu, qui en fait le chant de la République combattante, attaquée et triomphante –, intérieure qui l'impose comme le chant de la Révolution contre ses ennemis.
La Marseillaise aux armées, support et aliment de l'enthousiasme national: le thème, flatteur pour l'orgueil national, est sans doute le mieux connu, et commenté. Grétry avait écrit à Rouget: «Votre *Marseillaise* c'est de la musique à coups de canon», et de fait, les batailles qui sauvent une première fois le territoire national à l'automne 1792 se déroulent sur fond de *Marseillaise*; on l'a chantée à Valmy concurremment avec *La Carmagnole* et le *Ça ira*, et le 29 septembre le ministre de la Guerre Servan écrit à Dumouriez: «L'hymne national connu sous le nom de *Marseillaise* est le *Te Deum* de la République: celui-là est le plus digne de frapper les oreilles du Français libre.» Sur sa proposition, l'Assemblée décide qu'au lieu de *Te Deum* on interprétera *La Marseillaise*: c'est ce qui sera réalisé le 14 octobre pour célébrer à Paris l'entrée des Français en Savoie par une fête civique au pied de la statue de la Liberté. Mais sur place même, l'accueil populaire très favorable fait aux troupes de Montesquiou au royaume du roi des marmottes s'accompagne de variations sur l'hymne des Marseillais, par ajout de couplets tel que «Savoisien peuple paisible» qui orchestre le mot d'ordre «Guerre aux châteaux, paix aux chaumières».
Si ces premières variations sur les six strophes de *La Marseillaise* restent occasionnelles, c'est à ce moment cependant, où va commencer la première expansion révolutionnaire, qu'un ajout durable s'opère par l'introduction de la septième strophe, dite «Des enfants»:

Nous entrerons dans la carrière
Quand nos aînés n'y seront plus...

On a discuté de son auteur: est-ce un abbé Pessonneaux, pédagogue patriote de Vienne, qui l'aurait fait chanter à ses élèves, ou un Normand, Du Bois, qui l'a revendiquée à partir d'arguments que Tiersot trouve plus convaincants? En tous les cas, la greffe réussit d'autant plus facilement que les enfants, cette relève de la patrie en armes, tiennent dans la fête civique une place croissante.

Les étapes de *La Marseillaise* à la fin de 1792 sont celles de la victoire: en octobre, quand Brunswick évacue Verdun, en novembre, lors de la conquête de la Belgique: «Au matin de Jemmapes, écrira Michelet, *La Marseillaise* tient lieu d'eau de vie.» Deux parents de Rouget de Lisle, dont l'un trouve une mort glorieuse et l'autre se conduit avec honneur, matérialisent, si l'on peut dire, cette présence. De Mons à Bruxelles ou à Liège, *La Marseillaise* accompagne la conquête: le 2 décembre, on l'interprète pour la plantation de l'arbre de la Liberté dans cette dernière ville. Et c'est alors qu'un groupe d'artistes et de musiciens – Laïs de l'Opéra, Chéron, Renaud, Gossec –, reçoit mission de conduire de Bruxelles à Anvers ou à Gand une tournée patriotique pour faire connaître «l'air sacré de la liberté».

Compagne des bons jours, *La Marseillaise* l'est aussi des mauvais: on la retrouve, lors des revers du printemps 1793, à Neerwinden, le 18 mars, mais elle accompagnera le redressement qui s'amorce à partir de l'automne, à Hondschoote, où Jourdan la chante pour galvaniser les troupes, puis à Wattignies en octobre. Mais, en fait, énumérer les mentions de *La Marseillaise* aux armées reviendrait désormais à égrener les victoires des soldats de l'an II: à Wissembourg, à Spire, à Worms, au Geisberg, et enfin à Fleurus. Les contemporains ont eu le vif sentiment de l'intime association de *La Marseillaise* à leur lutte victorieuse: ils l'ont exprimé en termes redondants, parfois naïfs – «envoyez-moi mille hommes ou une édition de *La Marseillaise*» écrit un général, et un autre: «J'ai gagné la bataille, *La Marseillaise* commandait avec moi»... Carnot élargit la perspective en disant: «*La Marseillaise* a donné cent mille défenseurs à la Patrie.» Mais cette vision n'est point étroitement française – des observateurs étrangers en ont été frappés –, et justement célèbre: parmi les récits croisés qui ont évoqué la sortie de la garnison française de Mayence au 25 juillet 1793, avec les honneurs de la guerre sur fond de *Marseillaise*, est restée la description de Goethe, témoin privilégié (depuis Valmy) de ce spectacle «saisissant et terrible». Mais nombre de témoignages attestent la faveur dont le nouvel hymne français jouit étonnamment – curiosité ou goût de jouer avec la nouveauté – auprès des états-majors ennemis: et l'on cite tel qui la fait interpréter à satiété, pour taquiner les corps d'émigrés français qui servent sous ses ordres.

Ne multiplions point les exemples, qui nous entraîneraient sur mer, fût-ce pour évoquer l'événement, à la rencontre de la réalité et du mythe, de l'héroïque sacrifice du *Vengeur du Peuple*, au large de Brest le 13 prairial an II, et tentons de nous interroger. Les auteurs qui nous livrent ces références, érudits tels que J. Fiaux ou Tiersot, écrivant durant la Première Guerre mondiale, ont parfois forcé le trait significativement: pour Fiaux, *La Marseillaise* devient l'hymne aux frontières naturelles, conforme, par ailleurs, au tempérament guerrier des Français. Mais, avec plus de pénétration, il associe l'importance de cet hymne à ce nouvel art de la guerre qui s'improvise alors dans le feu des combats : *La Marseillaise*, c'est le chant de la charge en masses profondes de soldats pour lesquels l'enthousiasme supplée à l'inexpérience. C'est aussi, d'une certaine façon, le complément de l'amalgame, de la fusion des anciennes unités avec les nouveaux bataillons de volontaires : concédons-lui la parole, même si le style date : « Elle a fondu en un seul corps toutes les provinces dans son moule d'airain. »

On nous pardonnera l'artifice pédagogique d'avoir distingué, comme l'écrit encore un de nos auteurs, une « *Marseillaise* des frontières » et une « *Marseillaise* des carrefours ». Mais la diffusion, à Paris comme en province, de l'hymne des Marseillais est une aventure en soi. On revient à Grétry, quand il écrit dès le 4 novembre 1794 à Rouget de Lisle : « Vos couplets des Marseillais "Allons enfants de la Patrie" sont chantés dans tous les spectacles et dans tous les coins de Paris, l'air est très bien saisi par tout le monde parce qu'on l'entend tous les jours chanté par de bons chanteurs. » Voilà qui situe *La Marseillaise* comme une pièce de cette « révolution culturelle » dont on a pu parler, au cœur du processus révolutionnaire, et en précise les modalités. *Marseillaise* des carrefours ? Débarrassée de sa nuance péjorative, l'expression n'est pas fausse : on entend *La Marseillaise* en plein air, et l'on sait qu'on la chante, très tôt, aux Tuileries devant la statue de la Liberté, comme on la chantera, une référence que plus d'un n'aime point trop rappeler, au 21 janvier 1793 au pied de l'échafaud de Louis XVI, quand s'improvise une danse populaire après l'exécution. C'est pourtant bien *La Marseillaise* du 10-Août qui prolonge là ses échos. Popularisé, l'air de *La Marseillaise* fournit le timbre sur lequel s'exprime toute une partie de la créativité révolutionnaire : et le musicologue Constant Pierre relève que sur trois mille chansons que répertorie son catalogue, deux cents se chantent sur l'air de *La Marseillaise*. L'air national s'adjoint des couplets – jusqu'à douze – souvent éphémères. Il a peu suscité de parodies, et cela mérite d'être relevé, même si la bachique *Marseillaise de la Courtille* apparaît précocement, en novembre 1792. Mais des éditions répétées (Bignon, puis Goujon en 1793) en fixent pour tous la lecture quasi définitive, dans les sept couplets que nous connaissons, en même temps que le titre lapidaire actuellement fixé de *Marseillaise* triomphe progressivement.

Reste que les théâtres fournissent un cadre privilégié, que nous avons plus de peine à imaginer : ce théâtre patriotique qui s'installe alors sur toutes les scènes s'entremêle, en des représentations où le public intervient activement, d'intermèdes ou de chants, à l'entracte entre les deux pièces. Et l'on signale en l'an II *La Marseillaise*, citée en même temps que *Veillons au salut de l'empire* et le *Chant du départ*, chantée en intermède de ces actes qui s'appellent *Les Salpêtriers républicains, La Parfaite Égalité, La Liberté des nègres, Toulon*

soumis... ou *Les Capucins aux frontières.* Avec plus ou moins de spontanéité, suivant qui les dirige, les théâtres parisiens Montansier, Feydeau, Palais-Molière ou Théâtre-Italien, accompagnent leurs spectacles du chant de *La Marseillaise.* Des incitations officielles contribuent au mouvement, ainsi, en août 1793, lorsqu'un décret de l'Assemblée programme une série de représentations gratuites dans les salles parisiennes.
On ne s'étonne pas, dans ce contexte, que *La Marseillaise* se soit faite spectacle complet, dès le 30 septembre 1792, lorsque l'Opéra présente une scène lyrique, due à la collaboration du citoyen Gardel et de Gossec pour la musique. En fait, Gossec utilise dans ce «montage», à la fois *Veillons au salut de l'empire*, et *La Marseillaise* dans le cadre d'une scénographie construite. Ouverture rousseauiste : un peuple en fête célèbre sa liberté, mais celle-ci est menacée par l'ennemi : «Citoyens, suspendez vos jeux», annonce un soliste qui décrit le péril menaçant. Autour du *Veillons au salut de l'empire* s'organisent des pantomimes guerrières, au pied de la statue de la Liberté, cette «seule divinité que le Français révère». La pièce culmine sur l'acte de *La Marseillaise*, chantée par le soliste Laïs, ses quatre premiers couplets du moins, interrompus par l'arrivée d'enfants en tuniques blanches, qui préfigurent le «Couplet des enfants», en chantant :

S'ils tombent nos jeunes héros
La terre en produit de nouveaux...

L'action, ou plutôt la liturgie, se poursuit par une séquence à caractère proprement religieux, où l'«Amour sacré de la patrie» est interprété par un chœur de femmes agenouillées devant la statue de la Liberté. Mais le silence qui prolonge cet acte d'adoration est rompu par un fracas guerrier : tambours, trompettes et évocation du canon annoncent l'arrivée de la troupe des volontaires en armes : c'est sur le refrain repris en chœur par la salle qui se mêle à la scène d'enthousiasme collectif que s'achève cette *Offrande à la Liberté*, dont on mesure l'originalité : c'est la fête qui investit, qui envahit la scène théâtrale, réalisant, non dans l'euphorie d'une rencontre pacifique, mais dans la thérapie d'un mimodrame collectif où se résume la Révolution tout entière, l'idéal rousseauiste de l'abolition des frontières entre acteurs et spectateurs.
Doit-on s'étonner, dans ces conditions, que plus encore que l'«Offrande à la Liberté», qui reste renfermée dans les murailles d'un lieu clos, ce soit la fête révolutionnaire elle-même qui ait fourni le cadre par excellence d'une apothéose de *La Marseillaise*? On peut au moins noter qu'à une exception près (Tiersot) les historiens de *La Marseillaise* n'ont pas tenu à en faire grand cas : et pourtant, l'air de *La Marseillaise*, sur des paroles de Marie-Joseph Chénier,

a tenu une place essentielle dans la fête de l'Être suprême du 20 prairial an II. Mais peut-être plus d'un ne tenait-il pas à exhumer cette référence. Le point culminant de cette liturgie, autour de la montagne, élevée au Champ-de-Mars, fut atteint quand les trompettes placées au sommet de la colonne donnèrent le signal de ce chœur :

Avant de déposer nos glaives triomphants
Jurons d'anéantir le crime et les tyrans,

cependant que trois cent mille voix, soutenues du son de deux cents tambours et de décharges d'artillerie reprenaient en chœur le refrain de l'hymne national.
C'est donc bien la période de la Révolution jacobine, ou montagnarde, qui a achevé d'inscrire, entre Fleurus et la fête de l'Être suprême, cette double légitimation de *La Marseillaise* comme hymne national : et, dès le 4 frimaire an II (24 novembre 1793), la Convention avait ordonné que « l'hymne de la Liberté [serait] chanté dans tous les spectacles de la République tous les décadis et chaque fois que le peuple le demandera ».
Ce n'est point cependant à cette date origine que l'on se réfère le plus souvent pour consacrer *La Marseillaise* comme hymne officiel de la République, mais bien à la séance du 26 messidor an III d'une Convention thermidorienne (plus respectable sans doute aux yeux des historiens de l'époque 1900), qui redécouvre, au lendemain de la paix de Bâle, mais au sortir aussi de la phase de réaction violente, les mérites d'un chant national momentanément tombé en disgrâce : une exécution devant l'Assemblée de l'hymne des Marseillais soulève l'enthousiasme pour « ces sons inattendus qu'on avait oubliés depuis quelque temps ». Et Jean Debry, porte-parole respecté, d'exprimer le sentiment collectif en déclarant : « Je demande que nous rendions à l'esprit national cette énergie, cette chaleur qu'il avait aux beaux jours de la Révolution, cette énergie qui, il y a six ans, à pareil jour, le 14 juillet, porta le premier coup à la tyrannie et qui le 10 août préluda par le chant civique que nous venons d'entendre à son renversement. »
Le décret rendu en suite de cette intervention portait que *La Marseillaise* serait interprétée chaque jour par la garde montante au Palais-National, et exécutée par les corps de musique des gardes nationales et troupes de ligne. Et ce qui peut apparaître comme une première réhabilitation de *La Marseillaise*, après quelques mois de disgrâce, s'accompagne peu après d'une mention honorable de Rouget de Lisle, à qui l'Assemblée vote le don de deux violons pour « payer les services rendus à la patrie en monnaie républicaine de l'opinion nationale ». Un Rouget de Lisle, au demeurant, réconcilié avec le cours d'une Révolution conservatrice, qui l'a libéré de prison et qu'il célèbre

par un *Hymne dithyrambique sur la conspiration de Robespierre et la Révolution du 9 thermidor.* Il n'a point pour autant opté pour la Contre-Révolution royaliste, puisqu'on le retrouvera, à nouveau dans l'arme du génie, au siège de Quiberon, dont il laissera une relation écrite.

Le décret du 26 messidor an III, intronisant *La Marseillaise* comme chant national, va par ses conséquences sceller l'alliance de l'hymne patriotique et de la République. C'est en effet dans le contexte de réaction contre-révolutionnaire de l'époque thermidorienne, puis du Directoire, que *La Marseillaise* prend pour la première fois son caractère de signe de ralliement et de défense, alors même que les adversaires du régime se regroupent autour d'un refrain rival, *Le Réveil du peuple*, dont la vocation très vite affirmée est de se poser en contre-*Marseillaise.* Un procédé de lutte par chants interposés, dont nous verrons tout l'avenir, en d'autres épisodes.

Il ne nous revient pas de porter des appréciations tranchées sur la valeur esthétique, et encore moins morale, de ces productions, au risque de dévoiler quelque préférence... Force est de convenir que les couplets rimés par Souriguières, vaudevilliste du théâtre Feydeau, et mis en musique par Gaveau, restent au niveau d'un furieux appel à la vengeance contre-révolutionnaire :

Hâte-toi, peuple souverain,
De rendre aux monstres du Ténare
Tous ces buveurs de sang humain...
Oui nous jurons sur notre tombe
Par notre pays malheureux
De ne faire qu'une hécatombe
De ces cannibales affreux...

Appel au massacre, au demeurant efficace dans les mois de cette première terreur blanche de l'an III, de Lyon à Marseille en passant par Aix ou Tarascon, quand opèrent les égorgeurs royalistes des compagnies « de Jéhu » ou « du Soleil ». Et c'est à un futur monarchiste de 1814, Charles Nodier, tout jeune encore, que l'on peut laisser le soin d'évoquer les chants affrontés de *La Marseillaise* et du *Réveil du peuple*, dans les scènes de massacre des anciens « terroristes » dont le Midi fut alors le lieu :

> Tout cela ressemblait étrangement aux exécutions des cannibales et comme chez eux l'affreux sacrifice se passait au bruit des chants. Dans la bouche des tueurs, c'était *Le Réveil du peuple* qui allait toujours augmentant d'éclat et de sauvage expression à mesure que les fumées du sang leur montaient au cerveau, c'était le refrain de *La Marseillaise* qui expirait de mort en mort dans la bouche des mourants...

On conçoit, dans ce contexte, que le décret du 26 messidor, réflexe de défense de thermidoriens soucieux d'éviter d'être débordés par la réaction, suscite dans les milieux de la jeunesse dorée que Tallien ou Rovère entraînent alors dans leurs expéditions punitives antijacobines une violente réaction.

Il y eut une bataille ouverte du *Réveil du peuple* contre *La Marseillaise*, dont les cafés, les rues, mais surtout les théâtres furent le lieu. Aux acteurs, et aux chanteurs patriotes, Talma, Laïs, Dugazon, s'opposaient les royalistes Molé, Lainez ou Gavaudan : et les « commandos » royalistes en venaient aux mains avec les jacobins, ou simplement les patriotes sur la défensive. Les remous soulevés par le décret montèrent jusqu'à la Convention alors même que la garde de l'Assemblée se trouvait assaillie par les bandes royalistes, et mise en demeure de jouer *Le Réveil du peuple*. Devant cette pression, les thermidoriens ont hésité : à Lanjuinais qui demande le rappel du texte législatif, Jean Debry répond en faisant l'apologie de « l'air vraiment national que chantent nos héros triomphateurs », et quelques jours plus tard Boissy d'Anglas osera dénoncer *Le Réveil du peuple*, un chant qui en même temps qu'il célèbre le 9-Thermidor a été à Lyon et dans le Midi « le signal des égorgements ». Les conventionnels ont tenté, sans succès, de clore le débat en proscrivant les chants des représentations théâtrales : vains efforts ; les rixes dans les théâtres, les rassemblements dans la rue qui souvent s'en prennent aux militaires républicains ont culminé dans la crise qui s'est dénouée au 13 vendémiaire an III par la défaite des royalistes parisiens.

Mais la répression antiroyaliste n'a pas mis fin aux troubles et l'on a continué, sous le Directoire, à se battre, autour du *Réveil du peuple* et de *La Marseillaise* : l'autorisation, à nouveau accordée, de chanter au théâtre n'a fait que durcir les positions entre les théâtres patriotes (l'Opéra avec Laïs) et contre-révolutionnaires (le théâtre Feydeau). En nivôse an IV, le Directoire a souhaité clore définitivement le débat en arrêtant la liste des quatre airs « chéris des républicains » dont l'exécution était seule licite, et même obligatoire (au choix) dans les spectacles : *La Marseillaise*, le *Ça ira*, le *Chant du départ* et *Veillons au salut de l'empire*, cependant que *Le Réveil du peuple* était interdit. La tâche est loin d'être aisée pour faire respecter ces prescriptions, et les Mémoires de Barras évoquent le général chargé de faire respecter l'ordre à Paris – il s'appelle Bonaparte – soucieux de faire lui-même, le soir, le service des théâtres : « Allons, citoyens, allons faire chanter *La Marseillaise* et corriger les chouans. »

Si Paris et la province sont ainsi restés un temps un champ de bataille pour *La Marseillaise*, la fin de la période directoriale voit cependant *Le Réveil du peuple* perdre de son agressivité, et progressivement rentrer dans l'oubli, alors même que toute la pédagogie déployée dans les fêtes profite à *La Marseillaise*. On la met à toutes les sauces, on multiplie les paroles civiques sur ce timbre banalisé; et le ministre de l'Intérieur, François de Neufchâteau, commet à l'usage de la fête de l'Agriculture une version adaptée de l'hymne des Marseillais:

> *Aux armes, laboureurs, poussez vos aiguillons,*
> *Marchez, marchez, qu'un bœuf docile ouvre un large sillon.*

Cette petite monnaie du chant national, dont certains se plaignent, n'en contribue pas moins à un apprivoisement, et d'une certaine façon à une diffusion en profondeur. En forçant un peu le trait, on pourrait dire que c'est alors que les Français ont commencé à apprendre *La Marseillaise* et à la retenir: ils ne l'oublieront plus.

D'autant moins, peut-être, que l'hymne national garde aux armées sa valeur mobilisatrice, et reste associé à la gloire militaire. On a chanté *La Marseillaise* dans la première campagne d'Italie, on l'interprète aux funérailles de Hoche en vendémiaire an II, comme à celles du général Joubert, tué lors de la bataille de Novi en l'an VII. Les ambassadeurs s'habituent à entendre l'hymne français: il garde son pouvoir auprès des jacobins de toute l'Europe, de la République batave à la Suisse, où le pays de Vaud se soulève contre les Bernois en 1798 au son de *La Marseillaise*, comme ce sera plus tard le cas à Gênes. À Florence, à Rome et dans toute la péninsule italienne, les jacobins y voient leur air de ralliement.

Mais c'est aussi au chant de *La Marseillaise* qu'au soir du 18 brumaire an VIII les derniers opiniâtres du Conseil des Cinq-Cents ont tenté en vain de se regrouper, alors même que le coup d'État de Bonaparte mettait fin à la République...

Flux et reflux : les aventures d'un chant (trop) révolutionnaire

Pendant près d'un siècle, disons pendant quatre-vingts ans, la destinée de *La Marseillaise* dans l'histoire de la France va être scandée d'avancées et de reculs, de longs silences rompus d'émergences ou de redécouvertes. Cette respiration répond à la nature même d'un chant qui n'a rien perdu de son contenu révolutionnaire ni de son pouvoir mobilisateur proprement populaire: et c'est à la fois sa chance et sa malchance. Malchance, dans la mesure où cette identification poussée entre *La Marseillaise* et l'idée-force ou le souvenir de la Révolution française la fait proscrire par tous les gouvernements autoritaires, défiants de l'idée démocratique: de l'Empire à la monarchie censitaire, quoique en termes différents de la Restauration à la monarchie de

Juillet, enfin au second Empire puis au régime de l'Ordre moral. Mais elle poursuit, et c'est là sa chance, sa vie souterraine dans une mémoire collective qui loin d'oublier, s'enrichit.
D'où, sans doute, l'ambiguïté de ces retrouvailles renouvelées, en des termes qui se ressemblent un peu, d'une époque à l'autre. En haut lieu, on sait aussi le pouvoir mobilisateur d'un refrain que l'on est tenté d'exhumer dans les temps de détresse, ou simplement de crise : qu'il s'agisse des défaites impériales en 1814, ou des Cent-Jours, de la séquence 1830-1833, puis de la crise internationale des années quarante, pour finir en 1870 à l'approche de la guerre franco-prussienne. À ces tentatives de réembauchage, ou de manipulation, parfois couronnées de succès, mais qui parfois aussi font long feu, ne se limite pas l'aventure de *La Marseillaise.* Elle reste plus que jamais le support ou le signe accompagnateur des flambées révolutionnaires parties du peuple : en 1830, en 1848, en 1870 et 1871 enfin sous le gouvernement provisoire et la Commune.
Ainsi s'entrelacent les phrases d'une histoire apparemment discontinue en France, à laquelle on a été tenté d'opposer la fortune suivie et non démentie de l'hymne français hors de France, point de ralliement des mouvements d'émancipation à l'âge des révolutions. Ce qui ne va pas sans une part d'illusion : car il s'inscrit bien, au fil du siècle, un tournant, quelque part dans les années quarante, quand l'internationalisme des bourgeoisies libérales fera place aux nationalismes ombrageux, sans pourtant priver *La Marseillaise* de son pouvoir subversif comme signe de reconnaissance pour les mouvements révolutionnaires en Europe et au-delà.
Au lendemain de Brumaire, Bonaparte a souhaité se défaire de l'importun héritage des airs de la Révolution : et si l'on a joué *La Marseillaise* au passage du Mont-Cenis, en marche vers la plaine de Marengo, c'est bien, pour longtemps, la dernière mention qui en soit faite. Le retour à l'ordre consulaire, puis impérial, ne saurait s'accommoder de ce qui rappelle les feux de la subversion : le *Vive l'Empereur* ou l'*Air des grenadiers français,* dans les revues ou cérémonies officielles, sont de pâles substituts dont les timbres ne se graveront pas dans la mémoire collective, même s'il naît par ailleurs une musique proprement militaire, plus que civique, apte à scander les étapes de l'aventure conquérante : de la *Marche de la garde consulaire à la bataille de Marengo,* à la *Marche d'Austerlitz.* Et ces musiques différentes ne sont point sans rappeler par certains traits les marches révolutionnaires, au même titre que l'art de la guerre napoléonien n'oublie pas l'acquis des campagnes révolutionnaires. Mais, dans le domaine politique, les choses ne sont pas si simples : et c'est une sorte de subterfuge qui permet au régime impérial de réemployer le chant composé dès 1791 par A. Boy, un chirurgien-chef de l'armée du Rhin, sur une mélodie de Dalayrac (« Vous qui d'amoureuse aven-

ture…») sous le titre *Veillons au salut de l'empire*. Gossec avait déjà repris ces couplets en les associant à *La Marseillaise* dans l'*Offrande à la Liberté*: le régime napoléonien en substituant à l'«empire», pris au sens général de l'État, ou de la patrie, l'«Empire» avec une majuscule, opère à peu de frais la réappropriation d'un patrimoine révolutionnaire. Ce qui est une ruse comme une autre pour reconnaître un héritage qui devient bien ambigu, sinon dérisoire, celui de la liberté chantée au refrain:

Liberté, liberté que tout mortel te rende hommage,
Tyrans tremblez, vous allez expier vos forfaits…

Pouvait-on faire autrement? Le Premier consul a bien commandé, dans les tout premiers temps, à Rouget de Lisle un *Chant des combats* que celui-ci a composé en janvier 1800: médiocre pièce, peu apte à supplanter l'hymne des Marseillais. Mais dès cette date, l'auteur de *La Marseillaise* est virtuellement entré dans l'opposition à l'Empire, et cette évolution personnelle sort suffisamment du domaine de l'anecdote pour être significative. L'officier du génie, après avoir participé à certaines opérations, sous le Directoire – ainsi l'affaire de Quiberon –, a végété dans le reste de la période, employé un temps dans les bureaux militaires, persuadé, à tort ou à raison, d'être victime de l'inimitié de Carnot, aigri aussi de ne point être reconnu dans la république des lettres. Puis il a tenté une percée dans la carrière diplomatique, en se faisant accréditer à la fin du Directoire dans un poste en double emploi auprès de la République batave.

Mais c'est en homme libre qu'il écrit le 6 nivôse an 8 (15 décembre 1799) à Bonaparte, qu'il avait plusieurs fois rencontré, avec la franchise du républicain: «Êtes-vous content, Consul? Je ne saurais le croire…» Et de dénoncer les tares, qu'il devine déjà, du régime qui se met en place. Rouget de Lisle votera non au référendum sur le consulat à vie, il reviendra à la charge par lettre en 1804, en termes plus solennels encore: «Bonaparte vous vous perdez, et ce qu'il y a de pire, vous perdez la France avec vous… Qu'avez-vous fait de la Liberté, qu'avez-vous fait de la République?…» C'est en situation de suspect que Rouget de Lisle vit l'époque impériale, partageant une vie besogneuse entre Paris et une maison familiale en Franche-Comté, filé par la police qui le soupçonne d'intelligences avec les conspirateurs républicains, tels que le général Malet, par ailleurs un peu son cousin. L'aventure de Rouget de Lisle sous l'Empire illustre, mais sans originalité, celle des petits groupes républicains réduits au silence sans abdiquer leurs convictions.

La chronique des années impériales fait réapparaître *La Marseillaise* dans un épisode à la fois tragique et grinçant, en 1812, au passage de la Bérésina. Dans la meurtrière cohue, c'est l'empereur lui-même, rapporte-t-on, qui, pour galvaniser la troupe, lance les premières phrases d'« Allons enfants... » : initiative partiellement suivie, mais qui tourne court. Deux corps de troupe – ce sont, dit-on, les 9e et 10e chasseurs – répondent en écho par un refrain goguenard et désespéré, ce *Malbrough s'en va-t-en guerre* vieux d'un siècle, presque oublié, mais que Marie-Antoinette avait remis à la mode à la veille de la Révolution. Sanglante leçon de la troupe à son chef. Et, cependant, *La Marseillaise*, avec toute l'âpreté des temps de révolution, resurgit à l'époque des Cent-Jours, quand les Bourbons fuient la capitale, lors du vol de l'Aigle : un mot de Rouget de Lisle, qui ne passe pas pour humoriste, en témoigne. Revenu de sa province à Paris, à l'affût des événements, le provincial prévient ses amis : « Ça va mal... Ils chantent *La Marseillaise* ! »

Sur le mode sérieux, pour sa part, Chateaubriand, dans un de ses rapports au roi en fuite, confirme la notation en forçant le trait : « Le peuple chante *La Marseillaise*, on voit reparaître les bonnets rouges, on en coiffe les bustes de Napoléon... La Révolution ressuscite. » Au-delà du réflexe de peur, témoignage du lien ressenti entre *La Marseillaise* et l'image de la Révolution, avec laquelle on la confond.

C'est pour cela sans doute que Napoléon, qui doit la subir dans les manifestations spontanées qui l'accueillent lors des Cent-Jours, continue à s'en défier : au lendemain du Champ-de-Mai, il l'a rayée du programme des musiques officielles. Elle n'en reste pas moins présente dans la campagne de Belgique, lors des semaines suivantes : le jeune Alexandre Dumas rapporte l'avoir entendu chanter par les troupiers... Puis on la signale à la bataille de Ligny : et à Waterloo la vieille garde l'entonnera en se formant en carré. Les derniers épisodes de l'aventure napoléonienne, quand la défense de l'idéal révolutionnaire se retrouve derrière les dernières fictions impériales, la font réapparaître : les troupes de Grouchy qui se forment en bataille aux barrières de Paris après Waterloo chantent *La Marseillaise*, comme les soldats de Brune sous Toulon.

La Restauration a proscrit le chant de *La Marseillaise*, cherchant à en faire oublier jusqu'au titre : on cite tel ouvrage d'histoire militaire des années 1820 qui, évoquant Jemmapes, signale avec prudence qu'on y chanta « l'hymne militaire d'alors ». Les tribulations de Rouget de Lisle, héros emblématique, illustrent la force de la haine accumulée contre elle. Certains lui ont reproché d'avoir, comme plus d'un des opposants à l'Empire, pu espérer un bref moment que la monarchie restaurée pût être libérale : mais il a été vite détrompé et cet homme pauvre qui s'installe définitivement à Paris en 1817, après avoir perdu le petit patrimoine familial, refuse toute compromission, dont les occasions ne sont point foule : interdit de Bibliothèque nationale, interdit des scènes parisiennes ; on n'ose même le secourir dans sa détresse financière et Nodier qui a pour lui de l'amitié, sur fond d'une ancienne complicité d'opposants à l'Empire, voire même le duc d'Orléans ne se risquent pas à un geste de générosité compromettant. Tant et si bien que Rouget de Lisle, en 1826, se retrouve en prison pour dettes à soixante-six ans. Il en sort, grâce au geste tardif de générosité de ses amis, mais diminué par une attaque d'apoplexie, désespéré au point de tenter de se suicider. Le dévouement de quelques-uns qui ne l'ont pas abandonné – l'abbé Grégoire, Laffitte, Béranger, Blein qui l'héberge – lui permet de survivre. Mais n'est-ce point aussi que le vent tourne ? En ces dernières années de la Restauration, les libéraux s'enhardissent : et l'histoire de Rouget de Lisle retrouve celle de *La Marseillaise* qui réapparaît en public, dans l'édition sur souscription de ses *Cinquante Chants français.*

À mi-chemin du geste philanthropique et d'une propagande bien comprise, David d'Angers sculpte du musicien révolutionnaire un buste et un médaillon de grand format, objets eux aussi d'une souscription, mis en vente en juin 1830. Rouget de Lisle redevient personnage public au moment même où *La Marseillaise* va de nouveau s'imposer, lors des Trois Glorieuses en juillet 1830, chantée sur les barricades qui ont fait vaciller le pouvoir de Charles X. C'est Barbier, le poète romantique, auteur des *Iambes*, qui a évoqué dans *La Curée* la lourde chaleur de juillet, sur fond de *Marseillaise* :

[Quand] dans Paris entier, comme la mer qui monte,
Le peuple soulevé grondait,
Et qu'au lugubre accent des vieux canons de fonte,
La Marseillaise *répondait...*

Une évocation dont le tableau de Delacroix, dans son programme explicite, *La Liberté chantant* La Marseillaise *sur les barricades et entraînant le peuple à la bataille de Juillet*, va donner sous peu l'expression graphique.

Restons au niveau du constat : on ne l'avait donc pas oubliée... Trente ans après Brumaire, le chant révolutionnaire restait connu des masses parisiennes. Certes, on peut évoquer le réveil des années précédentes, mais il semble évident que pour beaucoup le souvenir de *La Marseillaise* n'avait jamais été perdu. Pas plus d'ailleurs en Belgique, où les libéraux bruxellois chantaient en groupe sous la fenêtre des exilés français (régicides proscrits par le régime de la Restauration) les strophes de leur chant national. Dans la révolution bruxelloise, presque autant peut-être que les strophes de *La Muette de Portici* qui enflammèrent les foules, *La Marseillaise* a joué son rôle et tenu sa partie. Mais sur l'autre rive de l'Atlantique, à New York, lorsqu'on veut saluer la nouvelle des Trois Glorieuses, vite connue, c'est encore *La Marseillaise* qui s'impose d'elle-même. La flamblée libérale, en plus d'un lieu révolutionnaire de 1830, permet de mesurer, de New York à la Pologne et à l'Italie, l'audience devenue universelle, et encore sans arrière-pensée, d'un chant où s'exprime, à l'exemple de la France, l'aspiration à la Liberté des peuples.

Pour en revenir à la France, on s'étonne moins que le pouvoir de Louis-Philippe, né des barricades, comme on le lui reprochera, mais en quête d'une légitimité moins populaire, tisse avec *La Marseillaise* un rapport ambigu. Il ne saurait la récuser : et d'ailleurs on la chante partout. Puis Louis-Philippe – en ces temps du moins – ne va-t-il pas répétant : « J'étais à Valmy, j'étais à Jemmapes… », soucieux de renouer la chaîne des temps avec une certaine image de la Révolution : celle qu'incarne La Fayette drapé dans les plis du drapeau tricolore. Cette image d'une Révolution bourgeoise, arrêtée à 1792, peut très bien se clore sans trop de fausses notes sur les accents de *La Marseillaise*. Voire : cette musique sent la poudre, et évoque les feux de la subversion. Le régime lui préfère les accents de *La Parisienne*, née en 1830 sur des strophes de Casimir Delavigne, et sera tenté, suivant une pratique que nous avons vue naître sous le premier Empire avec *Veillons au salut de l'Empire*, et qui se retrouvera par la suite, de la lui opposer comme un contre-feu inoffensif.

Pour un temps, toutefois, il n'est pas question d'aller contre le courant : au lendemain même, ou presque, des journées de Juillet, le chanteur Nourrit interprète *La Marseillaise* à l'Opéra, renouant avec la tradition révolutionnaire : le public reprend en chœur, et dans le mouvement d'émotion qui suit on évoque Rouget de Lisle que l'on croit mort, jusqu'à ce qu'un spectateur mieux informé révèle qu'il est vivant et misérable. Et le psychodrame improvisé s'achève par une quête pour l'auteur oublié, dont on lui porte le produit à son domicile de Choisy-le-Roi : est-il besoin de préciser, pour compléter les traits de ce tableau en image d'Épinal, que pauvre mais digne, le vieil homme verse la somme dans la caisse des Combattants de Juillet, à l'intention des veuves et des blessés ? Un bonheur n'arrive jamais seul : le duc d'Orléans sous la Restauration n'avait pas osé se compromettre en faveur de l'auteur de *La Marseillaise*, mais Louis-Philippe écrivant qu'il « n'a pas oublié qu'il fut son ancien camarade d'armes », accorde à Rouget une pension annuelle de mille cinq cents francs. Secours modeste – mais le roi bourgeois ne passait point pour prodigue –, que les instances et démarches discrètes de Béranger, protecteur généreux, feront doubler dans les années à venir : « Enfin vous allez avoir une bonne redingote d'hiver », pourra écrire le chansonnier populaire à son vieil ami. Depuis la période révolutionnaire, l'histoire indissociable de Rouget de Lisle et de *La Marseillaise*, de l'auteur et de son œuvre, nous a habitués à l'entrelacs du grandiose et du mesquin, voire du sordide : de la poitrine dénudée généreusement offerte de la Liberté des barricades à la redingote du petit vieux de Choisy-le-Roi. Plus pour longtemps : Rouget de Lisle meurt à soixante-seize ans le 26 juin 1836. Il est trop tôt pour prendre congé de lui : on verra ses destinées posthumes à nouveau associées à *La Marseillaise*, jusqu'au XXe siècle, car la gestion des héros morts est plus commode que celle des (sur-) vivants. Peut-être peut-on, malgré tout, le situer tel qu'il nous apparaît désormais : ni le démiurge gigantesque, Tyrtée de la République, comme on sera tenté de le statufier, ni le personnage falot, politiquement inconsistant, petit génie d'occasion dépassé par son œuvre, et comme surpris lui-même par l'enfant qu'il avait fait naître. Derrière l'image ultime du poète malheureux et oublié, conforme à sa manière à la sensibilité de l'époque, un personnage au vrai se révèle, qui continue à composer poésies et nouvelles, correspond avec Meyerbeer, s'intéresse au saint-simonisme : et qu'importe qu'il ne soit pas entré dans le cercle des grands auteurs, reconnus du monde académique, laissant à Hugo et à d'autres la tentation de refaire ses strophes : c'est peut-être mieux comme cela.

Pour l'instant, si nous nous reportons dans le Paris des lendemains de juillet 1830, *La Marseillaise* se chante partout, et cette vogue durera jusqu'en 1832-1833. On la chante aux Tuileries, sous le balcon de Louis-Philippe qui s'y montre, entouré de ses enfants et de ses familiers, et qui reprend au refrain. Gage officiel d'adhésion à l'héritage de 89, démonstration de familiarité bonhomme : il faudra attendre, bien plus tard, ces impitoyables Mémoires de l'entourage des grands pour savoir que le rusé compère faisait semblant... mais ne chantait pas. Libre au lecteur de décider si l'anecdote est futile ou révélatrice.

Les rencontres des Tuileries, à l'été 1830, ont leur écho en d'autres lieux : on chante partout *La Marseillaise* dans les théâtres en 1831 et en 1832 encore, dans la continuité de la pratique que nous avons relevée sous la Révolution : mais le divorce éclate, en 1833, au lendemain de la célébration de l'anniversaire des journées de Juillet : cérémonie solennelle, place Vendôme, le 28 juillet, pour fêter la remise en place de la statue de Napoléon sur sa colonne... Mais le lendemain, le 29, c'est une *Marseillaise* non point de communion ou de complicité patriotique, mais toute chargée d'une fureur proprement révolutionnaire qui est chantée aux Tuileries, sous les fenêtres royales, comme une déclaration de guerre.

Dans les prisons de Louis-Philippe, que les procès de 1834 remplissent de détenus politiques, *La Marseillaise* redevenue séditieuse, ou presque, associée au drapeau tricolore devient la pièce centrale d'une démonstration collective organisée, on dirait d'une liturgie inventée : puisque les Mémoires qui ont évoqué les chroniques carcérales, celles de Raspail notamment, l'intitulent *La prière du soir*. Dans le préau de la prison, les détenus s'assemblent le soir autour de l'emblème tricolore et chantent *La Marseillaise* : moment de ferveur, et de communion forcée, puisque gardiens et inspecteurs ne peuvent faire autrement que de mettre le genou à terre, suivant le rituel devenu quasi officiel depuis la Révolution quand s'élève la strophe « Amour sacré de la

Patrie»... quitte à appointer quelques «moutons» provocateurs pour faire suivre le chant patriotique qui force le respect, des couplets de *La Carmagnole* et du *Ça ira* afin d'être mieux à même de dénoncer les intentions subversives. Les détenus républicains évitent le piège, en consignant dans leurs cellules les faux frères dépistés. Mais là encore, l'anecdote est chargée de sens: au-delà de la duplicité du pouvoir et de sa police, qui, n'osant pas attaquer de front *La Marseillaise*, s'efforcent de la compromettre, elle révèle la place désormais assumée par cet hymne dans la nébuleuse des chants patriotiques hérités de la Révolution. C'est *La Carmagnole* et le *Ça ira*, vivants encore, qui demeurent subversifs et proprement révolutionnaires, tandis que *La Marseillaise*, incontournable comme expression patriotique de «l'amour sacré de la patrie» est prête à devenir le chant national.
Point sans hésitations cependant, car si les chroniqueurs nous disent qu'à partir de 1835 l'hymne des Marseillais est redevenu chant séditieux, c'est en 1836 que Rude achève, à l'arc de triomphe de l'Étoile, le groupe célèbre du *Départ* – sous sa nudité héroïque à l'antique, celui des volontaires de 92, que la Victoire entraîne par son cri, ou plutôt de son chant. La liberté de Delacroix fait certes place à la victoire, sous le même bonnet phrygien, que surmonte désormais le coq gaulois; aux redingotes et aux blouses sont préférés les oripeaux de Romains... ou de Gaulois. Mais il importe de remarquer (ce qui n'est pas évident) que ce groupe du *Départ* renvoie à *La Marseillaise*, et non au *Chant du départ* de Marie-Joseph Chénier.
L'ambiguïté se retrouve s'agissant de l'attitude du pouvoir envers la mémoire de Rouget de Lisle: en cette période qui prélude à la «statuomanie» des places publiques, on rejette en 1838 le projet d'élever au compositeur un monument à Paris... mais Rouget de Lisle figure, malgré tout, sur une des frises de l'Arc de Triomphe, héros presque anonyme et peu reconnaissable perdu dans un groupe.
1840 voit le retour de *La Marseillaise*; dans le contexte intérieur du ministère Thiers (février-octobre 1840) mais plus précisément aussi dans le contexte international de la crise provoquée par la question d'Orient. Ce n'est pas ici le lieu de rappeler les tenants et aboutissants du conflit qui oppose le pacha d'Égypte, Méhémet Ali, soutenu par la France, et le sultan ottoman appuyé par l'Angleterre, mais aussi par les grandes puissances conservatrices du continent, Russie, Prusse, Autriche, et qui se durcit alors aux dimensions d'un affrontement non seulement méditerranéen, mais européen. La politique agressive du ministre anglais Palmerston y a tenu sa part, mais aussi les imprudences brouillonnes de Thiers, soucieux de jouer un rôle important comme de compenser auprès de l'opinion son refus obstiné d'une réforme électorale libérale, par une mobilisation flatteuse pour l'amour propre national. On va donc jouer avec l'idée de la guerre, renforcer l'armée et fortifier

Paris, et, comme on a revivifié le souvenir napoléonien lors du retour des cendres de Napoléon, Thiers, qui va jusqu'à se dire «le plus humble des enfants de la Révolution», n'hésite pas à évoquer les grandes ombres de 1792, face à une Europe coalisée contre cette France belliqueuse et apparemment sûre d'elle. *La Marseillaise* refait surface, à la fois comme expression spontanée d'une opinion mobilisée autour de mots d'ordre chauvins et comme manipulation souhaitée par le gouvernement: devenant ce que Bugeaud, à qui on ne peut dénier une forme d'humour militaire, définira comme «l'hymne de derrière les fagots». Voici qu'on encourage son interprétation publique à Paris, à l'Opéra et dans les théâtres suivant la tradition, mais aussi en province à Rouen, à Pau, à Arras ou au Mans... L'hymne national connaît une édition populaire qu'illustre Charlet, spécialiste des scènes patriotiques et des troupiers impériaux, tandis que Félix Pyat en rédige la notice.

Cette flambée beaucoup plus nationale que démocratique ou révolutionnaire – même si l'on joue sur l'équivoque – est à la fois sans lendemain, et de grande importance pour la suite. Sans lendemain, car le ministère Thiers reste une parenthèse: le roi veille et ne souhaite pas revoir 1792, dont il n'a «pas gardé bon souvenir» (S. Charléty), il saura casser les reins en octobre à son imprudent ministre, et négocier avec l'Angleterre: dès 1841-1842, *La Marseillaise* en subira le contrecoup et sera de nouveau mal vue. Mais par un choc en retour, qui surprit les contemporains, c'est d'Europe continentale, et singulièrement d'Allemagne, que s'élèvent de nouveaux chants, en réponse à *La Marseillaise* française: Nikolaus Becker, petit bureaucrate de Cologne et poète à ses heures (mais point n'est besoin de l'écraser pour cela d'un mépris de fer – Rouget de Lisle aussi était un amateur, et, somme toute, l'homme d'une seule œuvre) compose son *Rheinlied*, le *Chant du Rhin* sur le thème «Ils ne l'auront pas le libre Rhin allemand» *(«Sie sollen ihn nicht haben, den freien deutschen Rhein»)*, qui reçoit dans tout le monde germanique, de la Prusse à la Bavière, un accueil spectaculaire et significatif. Il n'est point seul et Schneckenburger dans sa *Garde du Rhin (Die Wacht am Rhein)* lance l'appel: «Au Rhin, au Rhin, qui veut être le gardien du fleuve?» Face à ces proclamations belliqueuses qui ont de *La Marseillaise* l'agressivité sinon la flamme, l'opinion libérale, ou démocratique, française se trouble et répond par deux discours. Lamartine éprouve le besoin de réviser *La Marseillaise*, en la purgeant de sa dimension «sanguinaire» pour y substituer sa *Marseillaise de la paix*, et des bons sentiments (mai 1841):

Roule libre et superbe entre tes larges rives,
Rhin, Nil de l'Occident, coupe des nations,
Et des peuples assis qui boivent tes eaux vives
Emporte les défis et les ambitions...

Discours pacifiste, qui représente, certes, l'une des stratégies possibles des bourgeoisies occidentales ; mais il n'est pas besoin de dire que les historiens de *La Marseillaise*, ceux qui écrivaient entre 1914 et 1918 comme Jules Fiaux, n'apprécient guère ce lyrisme : ils préfèrent, comme plus conforme au caractère français, la réponse désinvolte et cavalière d'Alfred de Musset, à un mois de distance :

Nous l'avons eu votre Rhin allemand,
Il a tenu dans notre verre.
Un couplet qu'on s'en va chantant
Efface-t-il la trace altière
Du pied de nos chevaux marqué dans votre sang ?

Chanson de cabaret, murmurera Lamartine, moins irénique qu'on ne le présente. Mais derrière ces duels oratoires, sur fond de chopes de bière ou de chansons à boire, se profile toute une postérité, qui n'a rien de futile. *La Marseillaise* de 1792, forme flexible et résistante, s'en trouvera entraînée dans une nouvelle aventure, à l'âge des nationalismes.

Mais pour *La Marseillaise* fraternelle, dans une lecture plus proche de celle de Lamartine que de celle de Musset, il est encore de beaux jours, et des moments de grâce : la IIe République est de ceux-là. Chant révolutionnaire européen, *La Marseillaise* s'entendra en 1848 dans toutes les capitales en révolution : elle en accompagne les moments triomphaux, comme elle en colore d'une touche héroïque les échecs ou les défaites : en 1851 c'est en chantant *La Marseillaise* que les démocrates phocéens accueilleront l'escale du paquebot *Mississipi* qui emmène Kossuth en exil vers les États-Unis.

En France, au printemps 1848, *La Marseillaise* retrouvée et rendue à sa vocation populaire devient l'accompagnement obligé des rassemblements et des fêtes : c'est au son de *La Marseillaise* que l'on plante les arbres de la Liberté, redécouvrant à cette occasion un couplet complémentaire oublié depuis plus d'un demi-siècle, qui en retrouve une tonalité presque quarante-huitarde, porteuse d'illusions et d'espoirs :

Arbre chéri deviens le gage
De notre espoir et de nos vœux
Puisses-tu fleurir d'âge en âge...

Le souvenir de Rouget de Lisle redevient à la mode : en mai 1848 le journal *Le Siècle* publie des éléments biographiques sur sa vie et sa carrière. Effort estimable et par certains aspects patriotique : c'est en cette même année que la *Gazette musicale de Leipzig* attribue au jacobin rhénan Forster, sur une

musique de Reichardt, la composition de l'hymne français, dont peu après la *Gazette de Cologne* fait l'œuvre d'un organiste du nom de Hamman : début d'une série de tribulations poursuivies jusqu'à la fin du siècle, au fil d'une cascade d'attributions qui ne rapatrieront définitivement l'œuvre de Rouget de Lisle à son auteur que sous la plume de l'irréfutable Julien Tiersot. Cette querelle posthume sur une paternité originellement indiscutée reflétant à sa manière l'enjeu qu'est devenue *La Marseillaise.*
Mais, dans la France de 1848, personne ne doute de Rouget de Lisle, dont le souvenir est entretenu à Strasbourg qui rebaptise alors «rue de *La Marseillaise*» la «rue de la Mésange» où avait habité l'officier du génie. L'imagerie du chant national s'enrichit en 1849 d'un tableau qui fera date : la composition de Pils, exposée au salon, évoque *Rouget de Lisle chantant pour la première fois* La Marseillaise *chez le maire de Strasbourg, Dietrich.* Dans le style du tableau d'histoire, tel qu'on le pratiquait alors, composition équilibrée et expressive, où la silhouette de l'officier se détache sur l'arrière-plan d'un paravent, focalisant les regards de la famille et des amis de son hôte, mélange d'intimisme et de théâtralité. Le héros – de place publique déjà, dirait-on – pose pour la postérité à laquelle il délivre son message. Les biographes fin de siècle ont contesté la véracité du tableau : le peintre ne pouvait-il s'inspirer des portraits connus des principaux héros et laisser, comme dans l'histoire, à Dietrich le soin d'interpréter les couplets de son ami ? Maigres reproches pour nous, qui voyons se fixer ici un des clichés majeurs de l'imagerie républicaine.
La IIe République, s'inscrivant dans la tradition établie depuis la Grande Révolution, fait de *La Marseillaise* un spectacle, qu'elle interprète sur la scène de ses théâtres. Sans lui donner toutefois une place exclusive car elle l'intègre dans une grappe de chants, sinon révolutionnaires, du moins inspirés de la Révolution : ainsi le *Chant des Montagnards*, ou le *Chœur des Girondins.* Reflet dans le domaine musical de cette curiosité passionnée qui a multiplié dans la décennie précédente les histoires de la Révolution, on fabrique du faux révolutionnaire, comme on fabriquera plus tard du faux chouan sous la plume de Paul Féval ou d'autres. On songe à Marx évoquant les quarante-huitards se drapant dans les défroques de la Grande Révolution, comme les Jacobins eux-mêmes avaient accompli leur œuvre «en oripeaux de Romains», lorsqu'on retrouve ces pastiches, dans lesquels l'époque cherche à se reconnaître.
Les Girondins, au sortir de leur procès avaient chanté *La Marseillaise*: Alexandre Dumas, dans *Le Chevalier de Maison-Rouge* représenté en août 1847, six mois avant les journées de Février, avait placé dans leur bouche ce chœur dans lequel ceux qui avaient lu Lamartine et bien d'autres, se reconnurent :

Mourir pour la Patrie
C'est le sort le plus beau, le plus digne d'envie...

Mais dans ce trait, c'est aussi un écho de Rouget de Lisle qui nous parvient, puisque Dumas a emprunté les deux vers à l'auteur de *La Marseillaise* qui les avait placés dans son *Roland à Roncevaux* et réemployés par la suite.
Le *Chœur des Girondins* n'a pas supplanté *La Marseillaise*; celle-ci garde tout son prestige: au lendemain même des journées de Février, Rachel, à vingt-huit ans, à l'apogée de sa carrière, a «représenté» *La Marseillaise* à la Comédie-Française, comme les déesses vivantes de l'an II avaient représenté la Raison. Elle ne l'a pas chantée, mais dite, dans une mise en scène à la fois dépouillée et grandiose, où elle apparaissait drapée dans une tunique blanche à l'antique, portant le drapeau tricolore. Préludant lentement, puis crescendo, s'abandonnant ensuite aux fureurs d'un délire patriotique, la tragédienne retrouvait le calme d'une invocation sacrée, en s'agenouillant, prise dans les plis de l'emblème tricolore pour dire «Amour sacré de la Patrie». Comment s'étonner que cette liturgie ait été commentée en termes religieux? «Rachel excite un saint enthousiasme», écrit Caussidière; d'autres avec moins d'à-propos, me semble-t-il, forcent le trait en voyant en elle «la Jeanne d'Arc de la scène française». Applaudie à Paris, Rachel reçoit un triomphe à Marseille: par elle, *La Marseillaise* franchit une étape dans l'imaginaire national. Que l'on compare cette scénographie à celle de l'*Offrande à la Liberté* telle que nous l'avons évoquée sous la Révolution française; en faisant la part de ce qui tient à l'interprète et à son génie propre. La dynamique du tableau vivant révolutionnaire cède le pas devant cette ardente prière à la patrie divinisée à laquelle s'identifie sa prêtresse.
Au matin du 2 décembre, c'est en chantant *La Marseillaise* que se sont attroupés les manifestants hostiles au coup d'État de Louis Napoléon Bonaparte: et les bateaux qui déportaient les proscrits, ce refrain aux lèvres, à Cayenne l'ont emmenée pour plus de quinze ans.
Le second Empire range à nouveau l'hymne des Marseillais au rang des couplets subversifs: de même qu'on avait promu sous Napoléon le Grand *Veillons au salut de l'Empire*, sous Louis-Philippe, un temps *La Parisienne*, Napoléon le Petit tente d'imposer les couplets troubadour de *Partant pour la Syrie, le jeune et beau Dunois...*: louable geste de la piété filiale, puisque ce qu'on appelle plus brièvement la *Chanson de la reine Hortense* a été composé autrefois par sa mère. Mais faute sinon de goût, du moins de discernement (ce n'est point la seule du régime): cet héroïsme de pacotille pouvait-il vraiment s'imposer?
Puis – l'histoire, on le sait, bégaie ou se répète, mais en caricature –, comme en 1840, la fin du second Empire va réinventer *La Marseillaise.* Certes, on la

sentait revenir d'elle-même, dans les interstices de tolérance de l'Empire libéral, surtout à partir de 1868 : et si l'on déférait encore en jugement les coupables de chant subversif, un avocat aussi astucieux que Crémieux pouvait dans sa péroraison imposer aux juges l'audition intégrale du morceau, en guise de pièce à conviction. Petites ruses d'un temps de contrainte : mais dans les premiers mois de 1870, les indices se multiplient. C'est sous le titre *La Marseillaise* qu'Henri Rochefort ressuscite son défunt journal, *La Lanterne*, victime de la censure. Des directeurs de cafés-concerts, reflets de l'air du temps, sollicitent – mais encore en vain – l'autorisation de faire interpréter *La Marseillaise*... La déclaration de guerre, le 18 juillet 1870, change les conditions du problème : dès le lendemain, le ministre de la Guerre, M. Richard, donne l'ordre au directeur de l'Opéra de faire chanter *La Marseillaise* entre deux actes de *La Muette*. En écho à la boutade de Bugeaud en 1840 sur « l'hymne de derrière les fagots », vient le trait d'Émile de Girardin « Tout le monde debout pour *La Marseillaise* » !

On fait bien les choses : on chante partout à l'Opéra, à l'Opéra-Comique (par la voix de Gallie Marié qui créera *Carmen*), comme à la Comédie-Française, où la comédienne Agar plagiant Rachel « dit » *La Marseillaise*, mais aussi au Vaudeville, à la Gaieté. Et dans les caf'conc' du quartier Saint-Martin et Saint-Denis, c'est Bordas qui donne la version populaire du refrain du jour. Il a pris de la bouteille, « ce n'est pas le mouvement de 92 » dit le vieil Auber, qui avait dix ans lors de la création. Mais c'est ainsi qu'on l'aime au palais de Saint-Cloud, où on l'interprète à la fin de juillet 1870.

Cette *Marseillaise* impériale aura sur le champ de bataille ses moments sinon de triomphe, du moins d'héroïsme à Mars-la-Tour, à Vionville, à Rezonville. Mais on évoquera aussi – c'est Déroulède, avec la fureur que l'on devine – les fifres prussiens jouant une *Marseillaise* dérisoire cependant que défile la garnison de Sedan, vaincue et humiliée.

C'est le gouvernement provisoire qui redonne à l'hymne révolutionnaire sa stature, et sa signification première : *La Marseillaise* a été chantée le 18 mars 1871 devant l'Hôtel de Ville de Paris. Durant le siège, les bataillons parisiens l'ont entonnée pour la sortie du 2 avril. Lors de la Commune de Paris, elle demeure plus que jamais le chant du peuple en armes : et la comédienne Agar l'interprète aux Tuileries au profit des fédérés blessés, peu avant l'irruption des Versaillais.

Sans être officiellement proscrite, *La Marseillaise* va redevenir après la défaite un chant de ralliement des républicains : on la retrouve au lendemain du 16 mai 1877, pour célébrer l'échec de Mac-Mahon. Malmenés par la police, les spectateurs et participants des obsèques de Thiers la chantaient en septembre de la même année, à ce qui fut, à sa manière, une manifestation d'unité républicaine.

Un triomphe et son revers (1879-1918)

La séquence qui s'ouvre en 1879 et s'achève à la fin de la Première Guerre mondiale s'avère essentielle dans l'histoire de ce chant révolutionnaire, devenu hymne national, par là même à la fois triomphant et exposé à tous les risques de dénaturation comme – à l'inverse – de rejet par ceux qui ne se reconnaîtront plus en lui. À l'ère des affrontements nationalistes, au lendemain de la défaite de 1870, il était inévitable peut-être que ce glissement se produisît, plaçant l'emphase sur la dimension étroitement patriotique, voire (quoiqu'on s'en défende) agressive de l'appel aux armes de 1792, en mettant en sourdine son contenu révolutionnaire et démocratique. D'où un malaise profond, derrière l'unanimité de façade qui se fait autour de *La Marseillaise* comme autour du drapeau, et dont l'union sacrée de 1914-1918 sera le sanglant point d'orgue, alors même que tout un peuple – celui des travailleurs – peine à se reconnaître dans l'hymne de la bourgeoisie triomphante. C'est en plusieurs étapes, dans l'histoire de la IIIe République jusqu'en 1918, que s'opère ce glissement, et que ce que l'on a dès lors perçu comme la «crise» de *La Marseillaise* s'inscrit sur fond d'harmonies officielles.

Car c'est bien encore une bataille pour la République qui se déroule autour d'elle entre 1878 et février 1879 au lendemain du départ de Mac-Mahon. *La Marseillaise* que l'on chante alors dans les cortèges et dans les théâtres témoigne d'un engagement sans équivoque: et lorsqu'un incident éclate, c'est significativement à Nantes, à l'occasion d'une représentation de *Marceau ou les enfants de la République* qui, dans cette ville aux portes de la Vendée, suscite les protestations d'officiers contre-révolutionnaires. À la demande du député de Nantes, lui-même officier mais républicain, le capitaine Laisant, soutenu par son groupe, la Chambre des députés a délibéré le 25 janvier 1878 sur la proposition de faire de *La Marseillaise* l'hymne national: elle l'a rejetée mais ce n'est que partie remise, comme le démontre l'ampleur de ce qu'il faut bien appeler la pression populaire. Pour l'ouverture de l'Exposition universelle de 1878, le président Mac-Mahon, conscient du besoin d'un hymne national pour la France, a cru s'entourer de valeurs sûres en demandant à la collaboration de Déroulède (pour les paroles) et de Gounod (pour la musique) une production sur le thème de *Vive la France*. L'inauguration de l'Exposition sera, semble-t-il, la seule occasion d'exécution de ce chef-d'œuvre de commande mort-né: alors même qu'y triomphe *La Marseillaise*.

Le départ de Mac-Mahon à la fin de janvier 1879 hâte les choses: une séance historique, le 14 février 1879, sous la présidence de Gambetta, va donner enfin à *La Marseillaise* son statut de chant national. N'attendons point une intronisation triomphale: comme la République elle-même s'est imposée à la dérobée, à la faveur de l'amendement Wallon, *La Marseillaise* va être officialisée en termes modestes, ou voilés; puisque le ministre de la Guerre, le général Gresley, invoque le décret du 26 messidor an III, qui en faisait l'hymne national, et qui n'avait jamais été abrogé, pour lui rendre ses prérogatives. Même sous cette forme, le nouveau chant officiel ne triomphe pas sans mal : parlant au nom de l'opposition monarchiste, le député Le Provost de Launay stigmatise le chant de la Commune, autant que de la Révolution, en se gaussant : « Vous inviterez à Paris les souverains à venir entendre *La Marseillaise* ! » C'est bien en fait ce qui se passe, dès les années suivantes : *La Marseillaise* devient l'accompagnement obligé des fêtes et revues du 14-juillet, à Paris où dès 1880 le président du conseil municipal, Cernesson, la salue en termes bien de l'époque comme « la lionne du jour », mais aussi en province, le mois suivant, quand Jules Grévy et Gambetta, visitant la flotte à Cherbourg, sont accueillis au son de *La Marseillaise* par des théories de jeunes filles en robes blanches rehaussées d'une écharpe tricolore : scénographie dans le goût des fêtes de la Révolution, pour célébrer le triomphe de la République. Dans cet esprit, le président du Conseil, Charles de Freycinet, inaugure en 1882, au lendemain du 14-juillet, la statue érigée à Rouget de Lisle à Choisy-le-Roi, par un discours qui résume (... c'est en fait nous qui résumons ces flots d'éloquence officielle) la signification de *La Marseillaise* pour une IIIe République soucieuse d'affirmer sa légitimité : « *La Marseillaise* est l'hymne de la patrie... », elle est un héritage qui rappelle « l'héroïsme de nos pères », mais plus encore, elle s'intègre dans un projet global, tout à la fois national et pédagogique, puisqu'elle est « une force, un honneur et un enseignement ». Développant son propos, l'homme d'État en fait l'expression par excellence d'une voie française du patriotisme ; rejetant tout expansionnisme guerrier, pour proposer aux peuples son idéal de liberté :

> Les peuples étrangers eux-mêmes apprécient le sentiment qui nous inspire quand nous entretenons la sainte flamme du patriotisme. Ils savent que *La Marseillaise* n'est pas un chant de guerre et que la République est un gouvernement de concorde et de tolérance. L'étendard que tient la France d'aujourd'hui n'est pas un étendard sanglant. C'est un drapeau de progrès, de civilisation, de liberté...

Discours programme, dirait-on, à l'usage des occasions à venir, et elles sont nombreuses pour l'hymne national : fond sonore pour la célébration du Centenaire de la Révolution en 1889, comme pour l'Exposition universelle, en 1900, non sans que s'infléchisse au fil des années l'esprit de proclamation pacifique, pour retrouver la tonalité d'un chant de guerre, ou d'avertissement, ainsi chez Raymond Poincaré sollicité, plus de vingt ans après le discours de Freycinet, de donner sa lecture personnelle de *La Marseillaise*.

> Quelque passion qu'on ait pour la paix, je ne trouve pas mauvais qu'à toute heure on entretienne chez nous l'amour sacré de la patrie, cette pensée que nous pouvons être forcés tôt ou tard, pour repousser les agresseurs, d'aller aux armes, et de former nos bataillons.

Chant de paix ou chant de guerre? La République qui s'abrite derrière les couplets de *La Marseillaise* ne tient pas à creuser le débat, préférant valoriser tour à tour l'un des aspects de ces couplets historiques. C'est ce qui explique peut-être, en ces années, que les musicologues combattent pied à pied (et avec un succès certain) pour établir définitivement le caractère français du chant national et la paternité de Rouget de Lisle: un dossier qui pourra être considéré comme clos dans les années 1900 par les apports de l'érudition positiviste d'un Constant Pierre *(Les Hymnes et chansons de la Révolution française)* et de Julien Tiersot, à la fois historien de *La Marseillaise* et de Rouget de Lisle.
Au-delà de ce débat de doctes, plein d'arrière-pensées, *La Marseillaise*, expression privilégiée du génie national, devient un monument sacré, qui impose le respect. L'insistance que l'on prête à Victor Hugo, dans l'esprit qui avait été celui de Lamartine, à vouloir refaire les paroles de l'hymne national, pour l'expurger de sa dimension sanguinaire, n'est pas trop appréciée. Lorsque en août 1906, le journaliste Maxime Formont lance une enquête sur le thème «Faut-il réécrire *La Marseillaise?*», il s'attire parmi d'autres, la réponse de Paul Doumer: «*La Marseillaise* est le chant national de la France, elle est intangible.» Moins laconiquement, Louis Fiaux, biographe en 1918 de l'hymne national, commentera dans son œuvre: «*La Marseillaise* devait rester l'épée de chevet de la France. Bas les mains de ceux qui voulaient y toucher au risque de l'ébrécher.»
Ce précieux capital, on s'efforce de le faire fructifier, et semble-t-il, avec un succès réel. C'est dans la période qui court entre 1880 et la Première Guerre mondiale que prend place toute une pédagogie de *La Marseillaise*, assurant sa diffusion populaire à un degré jusque-là inconnu: le ministère de la Guerre en a fait faire l'orchestration d'ordonnance à l'usage des musiques militaires, le ministre de l'Instruction publique en prescrit l'enseignement dans les écoles; les conquêtes scolaires de la IIIe République s'opèrent sur fond de *Marseillaise* dans les distributions de prix. Dans la tradition orale qui a été transmise à notre génération, les grands-pères chantent les sept couplets, et s'inclinent avec révérence, pour évoquer l'«amour sacré de la Patrie», même si les enfants se contentent d'une version un peu allégée, réduite au premier couplet, puis au sixième et au septième. La sélection est significative, qui met l'accent à l'heure où l'on rêve de la revanche sur «l'amour sacré de la patrie», comme sur les espoirs que l'on place dans la

relève de la génération montante («Nous entrerons dans la carrière») par qui s'opérera cette réparation.

Ne sous-estimons pas, au vu des réticences sur lesquelles nous nous pencherons sous peu, le succès populaire de cette pédagogie. Dans un système simple d'associations d'idées, *La Marseillaise* rappelle l'Alsace-Lorraine, en un temps où l'on chante le ménétrier fidèle de là-bas:

Ils ont brisé mon violon
Parce que j'avais l'âme française
Et que sans peur aux échos du vallon
J'avais joué La Marseillaise...

L'apothéose de *La Marseillaise*, qui, des festivités villageoises ou de chef-lieu de canton aux grandes cérémonies nationales, voire aux rencontres internationales, pénètre tout le corps social, n'est pas sans avoir, en retour, quelques effets pervers. Certes, on se réjouira d'avoir vu le tsar Nicolas II, la casquette à la main, écouter l'hymne de la Révolution française, proscrit dans ses États pour son caractère subversif. Mais si les fanfares françaises ne vont pas comme la musique de la garde impériale du tsar, jusqu'à donner aux accents de *La Marseillaise* un rythme élégiaque, voire «bucolique» selon l'ambassadeur de France, il n'en reste pas moins que la «*Marseillaise* pour souverains» telle que la définit Ludovic Halévy, se pare d'une majestueuse lenteur, soucieuse peut-être d'y gagner quelque respectabilité: et notre auteur relève qu'à l'horizon 1900 on «ralentissait de plus en plus le mouvement».

Marseillaise pour souverains, *Marseillaise* oratorio, disent d'autres: le regard critique qui se fait jour après 1900 reflète, dans les élites mêmes du régime, ce que certains n'hésitent pas à appeler une «crise»: et l'enquête de Maxime Formont en 1906 en est, d'une certaine façon, le reflet, même si ceux qui lui ont répondu, pour réaffirmer le caractère sacré de l'hymne national, n'ont pas souhaité, visiblement, approfondir le dossier.

Il nous est loisible, à nous, d'aller plus loin. La force de *La Marseillaise*, jusqu'en 1879, avait été d'être le point de ralliement de toutes les subversions, de toutes les révoltes. Il est facile, sans doute un peu superficiel, mais somme toute légitime, de conclure que l'officialisation de l'hymne, et son accaparement par la bourgeoise de la IIIe République, sa banalisation enfin comme chant officiel utilisable à toutes fins, l'ont privée de son âpre saveur aux yeux des masses populaires. Hymne révolutionnaire, devenu chant d'orgueil national à l'ère des impérialismes triomphants: l'épreuve est rude.

À l'heure où une classe ouvrière de type moderne se structure, et s'organise dans les luttes, elle va se détacher d'un chant dans lequel, jusqu'à la Commune, et au-delà, les groupes populaires s'étaient reconnus. La grande étude de Michelle Perrot sur les grèves des ouvriers français entre 1870 et 1890 permet de prendre ce tournant sur le fait, avec la fiabilité que donne une série de centaines de manifestations ouvrières, suivies au long de la période sous le regard du pouvoir ou de sa police. Que chantent les ouvriers en grève ? On est tenté à première vue de dire : *La Marseillaise*, puisque c'est elle qui est attestée dans près de 40 % des cas. Mais non sans surprise, on la voit suivie de *La Carmagnole*, présente dans plus de 20 % : ainsi la révolte ouvrière se coule encore six fois sur dix dans le chansonnier de la Grande Révolution, plus encore, si l'on considère que 8 % du reste entre sous la rubrique des « chants patriotiques ou révolutionnaires » où le *Chant du départ* côtoie des airs contemporains : *Vive la Sociale*, la *Chanson des mineurs de Carmaux*, celle des *Huit Heures*, ou du *Drapeau rouge*. Tel bilan global sur vingt ans interroge déjà : c'est à l'ombre de la Révolution française que mûrit la révolte prolétarienne, avant de trouver ses formes d'expression propres, mais *La Carmagnole* plus populaire, et plus directement revendicative, garde aux côtés de *La Marseillaise* une place qui surprend ; les chroniques officielles des grandes pages révolutionnaires du siècle ne nous avaient pas laissé percevoir cette survie souterraine. Puis, à l'intérieur de cette série de témoignages, il est loisible d'établir une périodisation plus fine, et l'on s'aperçoit que dans les dernières années de la séquence, *La Marseillaise* recule devant *La Carmagnole*, qui la dépasse : vingt-trois *Carmagnole* pour vingt et une *Marseillaise* entre 1887 et 1890. Peut-on conclure à partir d'une base statistique qui reste limitée ? Oui, sans doute, dans la mesure où des observateurs confirment le fait, et le commentent : ainsi M. Leyret qui écrit en 1895 d'une de ces révoltes : « C'était à qui dirait les chants les plus insolents, scandés par moments du refrain de *La Carmagnole*... Cela dura de 10 heures du soir à 6 heures du matin : pas une seule fois *La Marseillaise* ne fut demandée, et personne ne songea à la chanter. »

Ainsi, *La Marseillaise*, encore préférée dans les grands défilés des années 1880, qui n'oubliaient pas son caractère subversif sous l'Ordre moral, a-t-elle été concurrencée par la suite (à partir de 1884, où on la signale à Saint-Quentin) par *La Carmagnole* où les ouvriers se reconnaissent mieux. On la chante certes encore, mais associée à d'autres refrains plus proprement ouvriers ; et de même que les mots d'ordre de « Vive la Révolution » puis « Vive la Sociale » relaient « Vive la République » après 1885, *La Marseillaise* perd son pouvoir privilégié de chant de ralliement ouvrier. Entre *Marseillaise* et *Carmagnole*, la rivalité sera arbitrée à partir de 1888 par la naissance de *L'Internationale* d'Eugène Pottier et Pierre Degeyter, qu'interprète alors la chorale lilloise « La lyre des travailleurs ». *L'Internationale* chemine dans le mouvement ouvrier jusqu'à la fin du siècle, sans se poser de prime abord en rivale : et l'on note qu'en 1899 les deux chants voisinent lors de l'inauguration sur la place de la Nation du monument dû à Dalou (ancien communard), comme en 1903 au Congrès des amicales d'instituteurs, tenu à Marseille. Mais *L'Internationale*, un temps répandue surtout dans le Nord, dans les milieux guesdistes, s'est imposée en décembre 1899 au Congrès unitaire qui réunissait à Paris toutes les tendances socialistes. On l'a chantée ensuite au Congrès international de Paris en 1900, et c'est surtout le Congrès de Copenhague en 1910 qui consacre sa position de chant de la classe ouvrière dans ses organisations révolutionnaires. Mais Jaurès n'a jamais répudié *La Marseillaise* et s'en est expliqué en 1903 par un article de *La Petite République* sous le titre «*Marseillaise* et *Internationale*», dans lequel il voit dans la dernière la «suite prolétarienne de *La Marseillaise*».

Sans nous laisser enfermer dans la schématisation facile d'un duel entre *Marseillaise* et *Internationale*, il convient plutôt de relever la richesse du vivier de la chanson révolutionnaire fin de siècle, entretenu par tout un réseau d'associations et de publications dont *La Muse rouge* est un des exemples les plus connus: et c'est pour y retrouver la trace de *La Marseillaise*, non point officielle mais dans ses versions populaires et non conformistes. Qu'on reprenne ou non le timbre de *La Marseillaise*, c'est par rapport à cette matrice que se définissent ces chants de révolte: tantôt pour en transposer l'appel mobilisateur aux nouvelles luttes ouvrières, tantôt, plus fréquemment, pour en prendre le contrepied, en termes d'appels pacifistes. Qu'il suffise d'évoquer dans la première rubrique *La Marseillaise fourmisienne* inspirée par la fusillade de Fourmies le 1er mai 1891:

Allons forçats des filatures
Le Premier Mai vient de sonner.
Las enfin de tant de tortures
Levons-nous pour manifester...

La seconde veine laisse apparaître une évolution sensible, depuis cette *Marseillaise des travailleurs* qu'avait écrite dès 1873 le chansonnier Villemer appelant de ses vœux le jour où les peuples de tous les pays «n'auront plus qu'une *Marseillaise*», ou même *La Marseillaise de la paix* qu'un enseignant, Paul Robin, reprit en 1893, en s'inspirant des vers d'un pasteur nîmois, jusqu'à l'incisive *Marseillaise des requins* que Gaston Couté lança en 1911, lors de la campagne du Maroc:

Allez petits soldats de France
Le jour des poir's est arrivé.
Pour servir la Haute Finance
Allez-vous-en là-bas crever...

Et le même Couté, dans les strophes de *La Paysanne* récuse les «*Marseillaise* fratricides» pour inviter à la fraternité: «Jetons nos vieux sabots/Marchons, marchons/En des sillons/Plus larges et plus beaux.»
On sait la fin: et que cette utopie pacifiste s'efface devant l'Union sacrée, à la veille de la grande hécatombe de 1914-1918. La Première Guerre mondiale, il faut le reconnaître, est l'un des grands moments dans l'histoire de *La Marseillaise.* Ce n'est pas un hasard si deux des ouvrages de référence sur l'hymne national ont été publiés entre 1917 et 1918: celui du monarchiste patriote Louis de Joantho, *Le Triomphe de «La Marseillaise»*, en 1917, celui du républicain, assez conservateur et non moins patriote Louis Fiaux en 1918. En lisant de tels ouvrages, et surtout le dernier, synthèse érudite en même temps qu'apologie, on peut percevoir la place que l'hymne national a tenue dans la mobilisation collective. Les heures de 1792 semblent revenues: on chante *La Marseillaise* sur la Marne comme on la chantait à Valmy, les héros enfants – ou presque – retrouvent leur place comme en 93, ces engagés volontaires à seize ou dix-sept ans qui meurent en chantant l'hymne national. L'auteur évoque le sacrifice de tel corps de musique du 46e de ligne, quinze musiciens qui, à Vauquois, le 28 février 1915, se font tuer l'un après l'autre, en un héroïque jeu de massacre, sous la conduite d'un chef de musique en gants blancs, pour la gloire de *La Marseillaise.* Les pages sublimes, à l'ombre de *La Marseillaise*, se répondent sur terre et sur mer: dans l'Adriatique, où le naufrage du croiseur *Léon-Gambetta*, comme celui du sous-marin *Monge* évoquent le sacrifice du *Vengeur*... Chez les Alliés, le chant de guerre français retentit, des Balkans à la Grande-Bretagne, et, en février 1917, Boselli, président du Conseil des ministres italien ouvrant à Rome le Parlement interallié pourra dire: «Votre chant national n'est ni républicain ni monarchique, mais l'hymne de la civilisation en armes...» Cette consécration à la fois nationale et internationale, en forme de nouveau baptême du sang, ne tolère pas, au début du moins, de fausse note: Montehus, le chansonnier populaire, l'a exprimé avec innocence dans un de ses couplets:

Qu'il sach' que dans la fournaise
Nous chantons La Marseillaise
Car dans ces terribles jours
On laiss' L'Internationale
Pour la victoire finale
On la chant'ra au retour.

On interprète à nouveau l'hymne des Marseillais dans les théâtres, dans les spectacles et cafés-concerts: la nouvelle Rachel, c'est Marthe Chenal, qui chante, elle, toujours drapée dans les plis de l'emblème tricolore... Toutefois,

sur une tunique qui reste dans la mode antique, elle porte un lourd baudrier, et un glaive de théâtre ; et, surtout, une coiffe d'Alsacienne complète cette tenue pour le moins composite. L'Opéra de Paris présente une nouvelle mise en scène de l'*Offrande à la Liberté* de Gossec, les poètes se mobilisent ; et en janvier 1917, c'est aussi à l'Opéra qu'Edmond Rostand viendra déclamer son poème *Le Vol de La Marseillaise.* Chansonniers et compositeurs brodent sur l'hymne national, qu'ils en reprennent le timbre ou composent à leur guise : et l'union sacrée provoque de surprenants ralliements, ainsi celui de Théodore Botrel, l'auteur des *Chansons de la Fleur de Lys*, jusqu'alors spécialisé dans l'élaboration d'un folklore vendéen de fantaisie. Dans toute l'abondante production des musiques patriotiques suscitées par le conflit, des œuvres de musiciens patentés, comme Saint-Saëns, au tout-venant des couplets « antiboches », *La Marseillaise* revient en appel ou en leitmotiv, comme référence obligée. Maurice Fombeure, évoquant avec recul en 1936 ce flux impressionnant, qualifie sévèrement ces pièces : « Elles relevaient davantage – dit-il – de la clinique que de la littérature. » Ce qui est peut-être apprécier un peu courtement le rôle que cette littérature a pu jouer sur le moment, dans l'exaltation patriotique, assortie de toutes ses excroissances chauvines.
Le point culminant de cette mobilisation guerrière autour de *La Marseillaise* a été atteint fort tôt, dans la première année du conflit, lorsque fut décidé le transfert des cendres de Rouget de Lisle aux Invalides à l'occasion du 14 juillet 1915. À distance, la décision peut surprendre, de cette cohabitation improvisée entre l'auteur de *La Marseillaise* et Napoléon, quand on se réfère aux rapports qui avaient existé entre les deux hommes. Il est à cela une explication de circonstance : le projet de Poincaré était bien de placer Rouget de Lisle au Panthéon, mais élaboré trop tard il s'est heurté, en dehors d'une session de la Chambre, à la nécessité d'un texte législatif pour ratifier un tel honneur. Cet acte manqué, dans ses résultats mêmes, reste révélateur : à l'ombre des canons des Invalides, c'est bien l'auteur d'un hymne guerrier, qui galvanise les énergies et fait marcher les hommes, que l'on a voulu honorer.
Dans le faste d'un cortège qui va de l'Arc de Triomphe aux Invalides, le discours du président Poincaré fixe l'objectif de la célébration définissant *La Marseillaise* comme le « cri de vengeance et d'indignation d'un peuple qui, non plus qu'il y a cent vingt-cinq ans ne pliera le genou devant l'étranger », émané d'une « nation souveraine qui a la passion de l'indépendance et dont tous les fils préfèrent délibérément la mort à la servitude... ». « Affirmation volontaire de l'unité française », *La Marseillaise* devient prétexte à un discours politique, refusant toute paix précaire qui n'assurerait pas la reconstitution de la France intégrale.
Le conflit durant, cette saturation de *Marseillaise* conduit à des réactions de rejet d'un peu partout : le chansonnier J. Deyrmon évoque « une soirée au

beuglant ou le sabotage de *La Marseillaise*», un journaliste, R. Ginoux, titre *Rouget de Lisle proteste*, tandis que C. Le Senne ironise sur *La Marseillaise des tutus*. Ce ne serait encore que mouvements d'humeur isolés: mais à mesure que s'avance le conflit au front comme à l'arrière, *La Marseillaise* lasse. Fr. Robert relève justement que dans les cérémonies de fraternisation entre corps français et britanniques, le *Tipperary* d'une part, *La Madelon* de l'autre, passent mieux, comme on dit, que les hymnes nationaux, chez les troupiers fatigués de l'héroïsme de commande. Victorieuses de *La Marseillaise*, les strophes de *La Madelon*, avec leur gentillesse de chanson de corps de garde édulcorée? Ne nous indignons pas, et relevons le témoignage pour ce qu'il apporte sur la sensibilité d'un moment.

C'est contre *La Marseillaise* à la fin, et plus encore au lendemain du conflit, dans les flonflons de la victoire que s'expriment les réactions les plus violentes: le réveil du mouvement socialiste, tel qu'il se manifeste par étapes, conduit à des prises de position sans nuances. Pierre Brizon, qui fut l'un des délégués français à la conférence de Kienthal, l'écrira en 1919: «Nous ne chantons pas leur *Marseillaise*! Ils en ont fait un chant de sauvages. D'ailleurs les crapauds du roi à pustules malignes l'ont adoptée et coassée et ça nous en a dégoûtés. Nous chantons *L'Internationale*.»

Derrière les apparences du triomphe, c'est en piteux état que *La Marseillaise* sort du premier conflit mondial.

Un sursaut de La Marseillaise ? (1918 à nos jours)

Étonnant paradoxe que celui de l'hymne national entre 1918 et le tournant qui s'inscrit entre 1934 et 1936.

Dans le cadre même qui l'a vu naître, *La Marseillaise*, plus que jamais hymne officiel, auréolé de tous les prestiges de la victoire, voit accourir à ses mâles accents des défenseurs qui eussent bien étonné les communards de 1871 ou les républicains de 1879, voire même l'honnête Jules Fiaux qui concluait en 1918 son essai historique en y voyant le symbole, hier, de «la patrie contre l'ancien régime uni aux gouvernements du fanatisme et de l'absolutisme européen», aujourd'hui, d'une «indissoluble union nationale et d'une universelle humanité». Derrière les anciens combattants qui se rallient autour d'elle, comme sous les plis du drapeau tricolore, se profilent les ligues d'extrême droite dont le projet est bien de venir à bout de la «gueuse». Et l'un des avatars, qu'on ne saurait passer sous silence, des couplets de Rouget de Lisle est bien d'avoir été, aussi, chantés le 6 février par les manifestants parisiens partis à l'assaut du Palais-Bourbon. Parmi les organisateurs, Le Provost de Launay, fils du député monarchiste qui en 1879 avait lutté le plus âprement

contre l'adoption du nouvel hymne national. Dénaturée, symbole de nationalisme aveugle, à l'assaut de la République, *La Marseillaise* connaîtrait-elle une fin ignominieuse ?
Et cependant, pour d'autres, hors de France, elle reste bien l'accompagnement obligé des soulèvements révolutionnaires. Sans remonter trop loin en arrière, on peut évoquer *La Marseillaise* qui, associée à *L'Internationale*, accueille Lénine le 15 avril 1917 à son retour en Russie, et plus encore peut-être les obsèques des victimes de la révolution de février 1917 à Saint-Pétersbourg, telles que l'ambassadeur français de Chambrun les a retracées :

> Soldats, ouvriers, étudiants, femmes et filles du peuple défilèrent alignés et recueillis, chantant une *Marseillaise* lugubre qui alternait avec la *Marche funèbre* de Chopin. C'était le premier enterrement civil célébré en Russie. Jugez de l'émoi des gens bien pensants...

La Russie soviétique ne répudiera pas la référence à l'héritage de la Révolution française dont elle se réclame, et, en 1932, pour célébrer le quinzième anniversaire de la révolution d'octobre, un ballet de Boris Assafiev prend pour thème « Flamme de Paris », une évocation du 10 août 1792, sur fond de *Marseillaise*. Mais plus largement, dans la flambée européenne de 1917 à 1920, de l'Allemagne à la Hongrie, *La Marseillaise* est constamment associée aux journées révolutionnaires. On remarque qu'au 15 avril 1931, lors des cérémonies qui marquent l'avènement de la République espagnole, *La Marseillaise* est exécutée avant même l'*Hymne de Riego*...
Les souvenirs de la danseuse Isadora Duncan apportent peut-être le témoignage le plus vibrant de l'illusion lyrique qui associe en 1917 les espoirs, placés dans la proche victoire des Alliés, à ceux que suscite la révolution russe, lorsqu'elle évoque sa tournée en Amérique, pour y danser une *Marseillaise* sous le signe de « l'espérance de la liberté, de la régénération et de la civilisation du monde entier ». Il est vrai que les réactions du public sont partagées lorsqu'elle associe en contrepoint antithétique la danse sur fond de *Marseillaise*, à la *Marche slave* de Tchaïkovski, chargée d'exprimer par la référence à l'hymne tsariste l'humiliation du peuple russe opprimé, au temps du servage. Pareillement, le public français fera un accueil mitigé à Paris en 1921 à son improvisation sur *La Marseillaise*. Isadora Duncan, porteuse d'un idéal tout inspiré des espoirs du XIXe siècle, serait-elle en porte-à-faux au cœur des révolutions du XXe ?
On peut le croire à suivre les prises de position des révolutionnaires français des années trente : en septembre 1932, les obsèques de Pierre Degeyter, auteur de la musique de *L'Internationale*, donnent à Marcel Cachin l'occasion de déclarer, à propos du chant des travailleurs : « Nulle *Marseillaise*, nulle

musique religieuse, nulle liturgie ne réalisa jamais pareil miracle. » En 1934, au lendemain des émeutes d'extrême droite, Aragon insère dans *Hourra l'Oural* une pièce sous le titre *Réponse aux jacobins* qui est sans doute la charge la plus féroce, la plus talentueuse et peut-être la mieux ajustée que l'on ait jamais pu adresser à...

> La Marseillaise
> La Marseillaise *avec les soldats de Fourmies...*
> La Marseillaise *aux colonies*
> La Marseillaise *du Comité des forges*
> La Marseillaise *de la social-démocratie*
> ....
> *Quatre ans de* Marseillaise *avec*
> *Les pieds dans la merde et la gueule en sang*
> Marseillaise *de Charleroi*
> Marseillaise *des Dardanelles*
> Marseillaise *de Verdun...*

Cette *Marseillaise* aux abois, dont il salue l'agonie :

> *Je salue ici*
> L'Internationale *contre* La Marseillaise
> *Cède le pas, ô* Marseillaise
> *À* L'Internationale *car voici*
> *L'automne de tes jours, voici*
> *L'Octobre où tombent tes derniers accents...*

pour conclure sur un appel où les échos les plus révolutionnaires de *La Marseillaise* se fondent et s'abolissent dans ceux de *L'Internationale* :

> *Qu'un sang impur*
> *Abreuve nos sillons*
> *On va bien voir lequel est le plus rouge*
> *Du sang du bourgeois ou du sang de l'ouvrier*
> *Debout*
> *Peuple travailleur*
> *Debout*
> *Les damnés de la terre.*

Dans le contexte de février 1934, dont on ne saurait la séparer, comme dans celui de l'histoire du mouvement communiste français, la *Réponse aux jaco-*

bins illustre bien un de ces paroxysmes, dont l'histoire de *La Marseillaise* a déjà livré plus d'un exemple, tant il semble que son rapport avec les révolutionnaires français ait toujours été vécu de façon passionnelle. Il est à la fois de bonne guerre, pour ceux que choque ce langage, et assez injuste si l'on se place dans une visée historique, de reprocher (comme on l'a fait complaisamment) au poète une volte-face ultérieure qui ne fut point une palinodie, car Aragon n'a jamais retranché ces vers de ses œuvres complètes.
Car, moins de deux ans plus tard, les choses ont changé. Scellant une alliance de classes historique, le Front populaire amène le parti communiste à réviser sa position sur *La Marseillaise*, qui devient avec le drapeau tricolore le gage et le symbole de ce nouveau cours. Il n'est plus question désormais d'abandonner à l'ennemi de classe le privilège de ces valeurs du patriotisme ou de cet héritage historique, désormais réappropriés, partie intégrante d'un patrimoine de luttes, au même titre que *L'Internationale* ou le drapeau rouge. C'est ce qu'explique Jacques Duclos dans la cérémonie qui marqua, le 14 juillet 1935 au stade Buffalo, la prestation de serment du Front populaire ; dans une argumentation somme toute très jauressienne, il associe le passé et l'avenir, le drapeau tricolore et le drapeau rouge, rappelant que « *La Marseillaise* est un chant révolutionnaire, un chant de liberté ». Peu de jours après, intervenant dans un débat qui était loin d'avoir fait l'unanimité, Maurice Thorez précisait au congrès de l'Internationale communiste à quelle stratégie d'alliance correspondaient ces reconquêtes du drapeau et de l'hymne national :

> La bourgeoisie réactionnaire comprend très bien que c'est le signe de l'alliance entre la petite bourgeoisie et la classe ouvrière... Nous ne voulons pas laisser au fascisme le drapeau de la Grande Révolution, ni même *La Marseillaise* des soldats de la Convention.

Ce langage a-t-il été compris ? Il le fut en tout cas par Léon Blum qui, le 14 juillet 1936, consacrait pour le premier anniversaire du pacte d'unité d'action son éditorial du *Populaire* au thème « Le 14-Juillet et *La Marseillaise* ». Belle page dans laquelle il convenait : « Pendant des années nous avons désappris *La Marseillaise* comme le 14-Juillet et le chant officiel comme la fête officielle... » Mais à *La Marseillaise* vulgarisée des quais de gare, il opposait celle du 10-Août, des révolutions du XIXe siècle dans l'Europe entière, *La Marseillaise* de Hugo « ailée et volant dans les balles ».
La Marseillaise sera l'hymne retrouvé du front populaire : une cérémonie organisée le 17 juin 1936 à Choisy-le-Roi pour le centenaire de la mort de Rouget de Lisle, en parallèle de la cérémonie officielle aux Invalides, donne l'occasion à Maurice Thorez de célébrer l'événement en un discours devenu pièce d'anthologie qui célèbre « l'œuvre de réconciliation nationale contre les

deux cents familles» pour conclure «aux accents mêlés de *La Marseillaise* et de *L'Internationale*, sous les plis réconciliés du drapeau tricolore et du drapeau rouge, nous ferons une France libre, forte et heureuse». Le défilé du 14 juillet 1936 devait associer au pied de la colonne de Juillet les portraits de Rouget de Lisle et de Pottier et Degeyter.
Ce nouveau souffle de *La Marseillaise* est loin d'emporter une adhésion unanime: on le comprend sans peine de la part de la droite, de *L'Action française* qui titre «À leur *Internationale*, une seule réponse: *La Royale*» ou du *Temps* qui voit derrière ces déclarations «nationalistes» se profiler la menace du marxisme destructeur; comme on peut aussi le comprendre de certains milieux de gauche, anarchistes, libertaires ou trotskistes, qui ont détecté, dans cette stratégie, la marque de l'opportunisme ou une trahison à l'«esprit d'internationalisme» pacifique. L'historien Maurice Dommanget veut s'inscrire dans le droit-fil d'un héritage authentiquement révolutionnaire en dénonçant à travers le personnage de Rouget de Lisle «officier contre-révolutionnaire», l'auteur de l'hymne à la «bourgeoisie dirigeante et digérante» et en dénonçant le «patriotisme radicalo-communiste». Mais la dynamique même du Front populaire amènera plus d'un réticent à l'origine à revenir sur sa prévention initiale: et le quotidien *Nouvel Âge*, initialement fort critique, révise au lendemain du cortège du 14 juillet 1936 son jugement premier: «Contrairement à ce que nous pensions ici, ce qui l'emportait manifestement... ce n'est pas le caractère national de *La Marseillaise*, c'est son caractère révolutionnaire.»
La traduction en images et en spectacles de cette période faste d'engagement populaire s'inscrit, comme au siècle précédent, dans les œuvres qu'inspire *La Marseillaise* à l'époque du Front populaire: le film que tourne Jean Renoir, comme la partition que compose Arthur Honegger en 1937 en accompagnement du court métrage *Visages de la France* et qui associe «les accents mêlés» des deux hymnes révolutionnaires, *La Marseillaise* et *L'Internationale*.
Sans discontinuité avec la séquence du Front populaire, la Seconde Guerre mondiale scelle, à l'épreuve des luttes antifascistes de la Résistance, les proclamations dont celui-ci avait été porteur, en confirmant au chant révolutionnaire toute son épaisseur d'hymne patriotique. Le régime de Vichy ne s'y est pas trompé, qui a repris la tactique séculairement éprouvée d'un contre-feu, en l'occurrence les couplets indigents de *Maréchal, nous voilà*. Mais c'est dans les manifestations interdites, les prisons, les maquis, au pied du peloton d'exécution que s'entend *La Marseillaise*; Aragon l'évoque dans sa *Ballade de celui qui chanta dans les supplices*:

... Il chantait lui sous les balles
Les mots sanglant est levé
D'une seconde rafale

Il a fallu l'achever.
Une autre chanson française
À ses lèvres est montée
Finissant La Marseillaise
Pour toute l'humanité.

Chant de lutte éprouvé par le temps, *La Marseillaise* n'a jamais été supplantée ni même concurrencée par les airs de la Résistance fût-ce le *Chant des partisans* qui est resté l'expression d'un moment.
Le général de Gaulle, chantant *La Marseillaise* lors de la libération de Paris, comme à la cathédrale de Chartres, ou à toutes les étapes de la France libérée, couvre de son autorité cette *Marseillaise* reconquise à laquelle il s'identifie. *La Marseillaise* était sortie exsangue du conflit de 1914-1918 : elle sort de celui de 1939-1945 régénérée, légitimée.
On pourrait croire que l'épreuve sanglante de la Résistance réalisant dans la lutte cette réconciliation autour de *La Marseillaise* qu'avait prônée le Front populaire, avant que le gaullisme n'en recueille les fruits, a mis fin définitivement au débat : ce serait sans doute tomber dans l'illusion commune qui empêche souvent de bien lire l'histoire immédiate, surtout quand on bénéficie, comme nous en avons eu le privilège, de quarante ans de paix, au moins européenne.
Les années de la guerre froide n'en ont pas moins poursuivi la querelle inaugurée en 1936, et que la Résistance n'avait pas vidée : alors qu'Aragon, répudiant définitivement la *Réponse aux Jacobins*, faisait en 1953 dans *Les Communistes* un mérite à Maurice Thorez d'avoir « rendu au peuple français *La Marseillaise* et le drapeau tricolore », ajoutant « Sous les plis de ce drapeau, dans la musique de ce chant, c'est vraiment toute la France du passé qu'il a rendue à la France de l'avenir », Maurice Dommanget (1971) persévérait de son côté dans la dénonciation de « l'accouplement monstrueux de *La Marseillaise* et de *L'Internationale* » dont il rendait responsable les communistes agissant sur ordre, et se rencontrait assez paradoxalement avec Louise Weiss qui, dès 1954, dans une série romanesque sous le titre *La Marseillaise* avait repris le thème de la docilité communiste à des injonctions étrangères : « Le parti communiste anti-hitlérien donc belliciste ne devait pas s'opposer aux manifestations civiques des démocrates. »
Avouons-le : il reste bien aujourd'hui encore plusieurs *Marseillaise.* Pas plus que le consensus opéré autour de la bourgeoisie nationale dans le cadre de l'Union sacrée en 1914-1918, l'apparent consensus patriotique réalisé au lendemain de la Libération autour du modèle proposé par le Front populaire ne pouvait véritablement survivre à l'événement. Chacun a repris sa *Marseillaise* : la droite a la sienne, qu'elle inscrit dans une référence gaullienne, « au-dessus des partis », mais qui sait descendre dans la rue au 13 mai 1958, comme au 6

février 1934. Au vrai, y a-t-il une *Marseillaise* de droite, ou plusieurs ? Sous le commun dénominateur de l'idée nationale, l'extrême droite des comploteurs de 1958 au Front national actuel brandit une *Marseillaise* musclée, celle des commandos parachutistes qui chahutèrent en 1977 *La Marseillaise* « reggae » de Serge Gainsbourg, provocation dérisoire sinon totalement insignifiante ; la droite libérale applique des stratégies plus nuancées : Valéry Giscard d'Estaing, en faisant, en 1974, retoucher le rythme d'exécution de l'hymne national pour le rendre plus lent, s'inscrivait tout naturellement dans la continuité des conservateurs du siècle dernier et des *Marseillaise* « oratorio ». Mais en parallèle, on a pu noter également un retour au *Chant du départ*, comme point de ralliement de la République « libérale ».

La gauche n'a pas remis en cause sa lecture du chant national : le mouvement de Mai 1968, si d'évidence plus d'une de ses composantes n'était pas enthousiaste pour entonner l'hymne national, n'a pas entraîné de grand débat d'idées, ni de mouvement de sensibilité collective autour de *La Marseillaise*, comparable à ce qui s'était passé entre 1934 et 1936. Gainsbourg n'est pas Aragon, ni les Beatles...

Ce constat naïf pourrait conduire à une interrogation plus radicale : que reste-t-il aujourd'hui de *La Marseillaise* ? Et tout d'abord qui la connaît encore, qui serait aujourd'hui capable de chanter, non point les trois strophes qui formaient hier le bagage scolaire de référence, mais au moins la première ? Théoriquement enseignée à l'école primaire, *La Marseillaise* a disparu des airs obligatoires de l'enseignement secondaire. L'ignorance croissante de la Révolution française, elle aussi évanescente dans les programmes scolaires au cours des dernières décennies, prive *La Marseillaise* de la référence la plus élémentaire aux événements qui lui ont donné naissance.

Serait-ce la revanche des complices de Bouillé, assurés par une prescription presque bicentenaire d'une impunité définitive ? *La Marseillaise*, comme la Révolution, aux dires de certains, serait-elle devenue un « objet froid » ? Triplement désuète, parce qu'on ne connaît plus la Révolution française, parce qu'on se réfère moins à la Révolution – celle qui s'avance – dont 89 a été la répétition générale, parce qu'on ne brûle plus de voler à la frontière pour y défendre, en un combat douteux, la nation en péril ?

Il est inévitable que les formes héritées vieillissent et se fatiguent. Il serait aussi vain de conclure sur une invocation incantatoire que de s'enfermer dans le pessimisme des constats précédents, avec la part de nostalgie et d'idées reçues qu'ils charrient. L'histoire de *La Marseillaise*, fertile en rebondissements, nous a confrontés à trop de redécouvertes et de réappropriations (Ô palingénésie merveilleuse ! aurait écrit Gide, à un tout autre propos) pour qu'il ne soit pas imprudent de pronostiquer sa mort. On saura la retrouver à l'occasion : comme en 1936, c'est affaire de volonté.

INDICATIONS BIBLIOGRAPHIQUES SUR LA MARSEILLAISE

La Marseillaise a suscité une littérature démesurée : il ne saurait être question ici que d'en donner un aperçu, à partir des ouvrages de référence essentiels. Après l'indispensable renvoi aux grands usuels d'histoire de la musique que l'on rappellera en premier, on tient à rendre d'entrée aux travaux de Frédéric Robert, le musicologue le plus compétent et averti sur le sujet, le tribut de reconnaissance qui leur est dû. La présente synthèse est amplement redevable à ses précieuses mises au point.

1. *Ouvrages généraux, dictionnaires et recueils d'œuvres*

Jean Massin (sous la direction de)
Histoire de la musique, Paris, Livre-Club Diderot, 1981, 2 vol.
Larousse de la Musique, t. II, pp. 977-978 et 1358-1359, « *La Marseillaise* » (par Frédéric Robert).

France Vermillat et Jacques Charpentreau
Dictionnaire de la chanson française, Paris, Larousse, 1968.

Constant Pierre
Les Hymnes et chansons de la Révolution française, Aperçu général et catalogue avec notices historiques, analytiques et bibliographiques. Paris, Imprimerie nationale, 1904 (ouvrage de référence qui reste fondamental, chef-d'œuvre d'érudition de l'époque positiviste).

Pierre Barbier et France Vermillat
Histoire de France par les chansons, Paris, Gallimard, 1961, tome VIII, *La Révolution française*.

Robert Brécy
Florilège de la chanson révolutionnaire, Paris, Éditions Hier et Demain, 1978.

2. *Approches historiques.*

De la fin du XIXe siècle à la guerre de 1914, qui a vu une floraison d'histoires de *La Marseillaise*, ont été publiées plusieurs synthèses qui restent des références obligées, notamment les deux premiers titres.

Louis Fiaux
La Marseillaise, *son histoire dans l'histoire des Français depuis 1792*, Paris, Fasquelle, 1918.

Julien Tiersot
Rouget de Lisle, son œuvre, sa vie, Paris, Delagrave, 1892. Mise à jour résumée in *Histoire de* La Marseillaise, Paris, Delagrave, 1916.

Louis de Joantho
Le triomphe de La Marseillaise, Paris, Plon, 1917 (pour la curiosité, le ralliement à *La Marseillaise* d'un conservateur monarchiste, dans le contexte de la guerre).

De 1918 à hier, une série de titres sélectionnés :

Herman Wendel
Die Marseillaise, *biographie einer Hymne*, Zurich, Europa Verlag, 1936 (par un antifasciste allemand, là encore dans un contexte précis).

Daniel Fryklund
La Marseillaise *en Allemagne* ; La Marseillaise *dans les pays scandinaves* ; Éditions anglaises de *La Marseillaise*, Helsingborg, Schmidts Bocktryckeri, 1936 (sur la fortune internationale de l'hymne français, trois plaquettes par un amoureux de *La Marseillaise*).

Maurice Dommanget
De La Marseillaise *de Rouget de Lisle* à L'Internationale *d'Eugène Pottier; Les leçons de l'histoire*, Paris, Librairie du Parti socialiste, 1938.

Valérie Delfolie
La Marseillaise *paroles et musique de Rouget de Lisle, Essai de reconstitution historique et de critique littéraire*, Montmorillon, Éditions Rossignol, 1965.

Philippe Parès
Qui est l'auteur de La Marseillaise*?* Paris, Éditions Musicales Minerva, 1974 (Compte rendu de Jacques Chailley, *Revue de musicologie*, t. LXII, n° 2, 1976).

Marie Mauron
La Marseillaise, Paris, Librairie académique Perrin, 1968.

Œuvres de Frédéric Robert

Frédéric Robert
– *Des Œuvres musicales inspirées par le thème de* La Marseillaise *de 1792 à 1919*, thèse de doctorat de troisième cycle soutenue à l'Université de Paris IV, 1977, inédit (fondamental. Les articles cités ci-dessous permettent de pallier partiellement l'absence d'édition de cet ouvrage).

–*Lettres à propos de* La Marseillaise, Centre de recherches d'études et d'éditions de correspondances du XIXe siècle (Université de Paris IV), Paris, P.U.F., 1980.

– «Genèse et destin de *La Marseillaise*», *La Pensée*, numéro spécial «Mass media-Idéologie-Voie française», juillet 1981.

– «Maurice Thorez et *La Marseillaise*», *Cahiers de l'Institut Maurice-Thorez*, janvier-février 1972.

– «Zola face à *La Marseillaise*», Colloque Zola, Limoges, juin 1979, actes in *Cahiers naturalistes*, octobre 1980.

Et dans la presse quotidienne:

Frédéric Robert
«Rouge et tricolore», *L'Humanité*, 5 octobre 1982.

«*Marseillaise* et *Internationale*, Heurt et réconciliation de deux hymnes français», *L'Humanité*, 3 février 1984.

3. La Marseillaise *sous le regard des historiens actuels.*

À part les musicologues et biographes, force est de reconnaître qu'une étude de *La Marseillaise* et de sa fortune dans l'optique actuelle de l'histoire sociale et des mentalités reste, pour bonne part, à faire. On est d'autant plus attentif aux précieuses indications fournies par:

Michelle Perrot
Ouvriers français en grève (1880-1890), thèse de doctorat d'État, Paris-La Haye, Mouton, 1974 (sur le rôle de *La Marseillaise* dans le mouvement ouvrier français à la fin du XIXe siècle).

4. *Autour de* La Marseillaise

C'est à titre de simple suggestion, car les références ponctuelles seraient trop nombreuses, qu'on indique deux pistes essentielles :

– les discours et articles des hommes politiques qui ont eu à prendre position sur *La Marseillaise*, ainsi :

Jean Jaurès
« *Marseillaise* et *Internationale* », *La Petite République socialiste*, 30 août 1903 mais aussi Léon Blum, Maurice Thorez, Jacques Duclos (voir *Œuvres complètes* et *Mémoires*).

– Les romans, poèmes et œuvres de fiction ; ainsi, pour la période contemporaine, dans un style, on s'en doute, très différent :

Louise Weiss
La Marseillaise, t. I, *Allons enfants de la patrie*, Paris, Gallimard, 1945 ; t. II, *Le Jour de gloire est arrivé*, *ibid.*, 1947 ; t. III, *L'Étendard sanglant est levé*, *ibid.*, 1947.

Aragon
Œuvres poétiques complètes, Paris, Livre club Diderot, t. VI, p. 138 : *Réponse aux Jacobins*, dans le recueil *Hourra l'Oural*. Mais aussi : *L'homme communiste*, Paris, Gallimard, 1953, t. II, p. 378
(deux étapes de la sensibilité d'Aragon, reflétant deux moments historiques).

LA RÉPUBLIQUE

Monuments

MONA OZOUF

Le Panthéon

L'École normale des morts

L'éclat des roses et la froideur des pierres; la foule dehors et la crypte vide; la marche d'un homme seul dans la demeure des grands hommes: la mise en scène du 21 mai 1981, François Mitterrand l'avait conçue comme une cérémonie de la mémoire, un réenracinement dans l'histoire de France, un rassemblement de la communauté nationale autour de ses grands hommes. En choisissant le Panthéon, il a pourtant élu un espace litigieux et relancé un très ancien débat: sur la capacité du Panthéon à être un lieu vivant de la mémoire nationale; sur la capacité des Français à se réunir autour de leurs grands hommes.

Le désert revêche du Panthéon, la lumière terne et l'espace désaffecté où frissonnent trois touristes de l'Illinois, nul mieux que Julien Gracq[1] ne les a décrits. La place, «enclave urbaine de Chirico», le monument, «morceau d'une Rome bâtarde, à la fois antique et jésuite, échoué à l'écart sur sa colline, d'où la vie a coulé de toutes parts vers les pentes basses», c'est bien ainsi que nous les voyons. Il y a là un premier paradoxe: d'une part le monument avait été idéalement conçu comme le centre du territoire, le cœur de la nation[2], d'autre part nous savons que ce lieu mort de l'imaginaire national, contourné et ignoré en mai 1968 par l'émeute juvénile qui pourtant lui battait aux portes, n'a pas connu deux cents ans de solitude; tous les vingt, vingt-cinq ou trente ans, des liturgies – translations de cendres, anniversaires républicains ou révolutionnaires – l'ont périodiquement ranimé et certaines – songeons seulement à l'enterrement de Victor Hugo – ont laissé des images si denses et inspiré, comme à Péguy[3], des pages si charnelles, qu'on se demande comment cette sédimentation de souvenirs n'a pas fondé une mémoire plus éveillée et plus sûre. Qui donc est au Panthéon? L'hésitation du Français cultivé à avancer avec certitude plus de cinq ou six noms est déjà signe que l'histoire a glissé sur cette acropole: le Panthéon est le temple du vide, lieu d'une sacralisation de l'anonyme à laquelle le discours de Malraux en 1964 a donné sa forme la

plus éclatante, en faisant de Jean Moulin le «roi supplicié des ombres», l'homme «dont les enfants de France ne savent pas le nom».
Mais la parole inspirée de Malraux avait aussi choisi d'associer au nom de Jean Moulin ceux des trois panthéonisés qui lui semblaient en consonance avec celui du résistant inconnu: Carnot – qui représente et résume les soldats de l'an II –, Hugo – le peuple des *Misérables* –, Jaurès – les combats de la Justice; autant d'incarnations du collectif. En ajoutant aux noms de Jaurès et de Moulin celui de Schœlcher – la foule des esclaves –, François Mitterrand a puisé dans le même répertoire: celui de la tradition révolutionnaire, des élans obscurs et des luttes anonymes. Mais est-ce là tout le champ de la sensibilité nationale? Il suffisait, pour se convaincre que non, d'écouter Jacques Chirac recevant à l'Hôtel de ville le nouveau président: sous le patronage de sainte Geneviève, de sainte Jeanne d'Arc, d'Henri IV et du général de Gaulle, dont aucun n'est au Panthéon. D'un côté les grands hommes, de l'autre les saints et les héros; d'un côté la République, de l'autre les monarques (monarques républicains compris): les deux mémoires de la France ne se sont jamais fondues dans le monument qu'elle a consacré à ses gloires. Et c'est un second paradoxe, puisque le Panthéon avait été imaginé pour un culte qui appelle la sereine coexistence des grandes figures du passé.
Cette inlassable division, spécialité de l'histoire française, qui ne parvient pas à terminer ses révolutions, à fixer sa chronologie et à réconcilier ses enfants, peut-être peut-on mieux la comprendre au Panthéon: en saisissant à ses origines même le type de mémoire et de sensibilité que paraît appeler le culte des grands hommes; en rappelant pourquoi et comment la Révolution française s'en empare et l'inscrit en un lieu; et au prix de quelles contradictions, qui ont traversé deux siècles.

«Aux grands hommes la patrie reconnaissante»: quand le marquis de Pastoret propose de graver au fronton de l'église Sainte-Geneviève l'inscription qui consacre sa transformation en Panthéon, il ne fait qu'exprimer un lieu commun[4]. Une des obsessions du siècle a été d'inventer, par la célébration des grands hommes, une nouvelle mémoire collective. Si on souhaite mesurer la réussite ou l'échec de cette création volontaire, il faut en garder à l'esprit les composantes: mémoire plurielle, à la fois par la définition ouverte du grand homme et la riche typologie de ses possibles incarnations; mémoire exemplariste, et non historique, en tout cas non conflictuelle; mémoire offerte au concours de toutes les expressions esthétiques; mémoire inscrite en mille lieux imaginables; mémoire largement déployée, du politique au domestique et du public au privé. Avant que la Révolution ne s'empare de la mémoire des grands hommes pour en faire une pédagogie spécifique et contraignante, le XVIIIe siècle en avait fort librement rêvé.

Mémoire plurielle, car les grands hommes composent naturellement une «assemblée». Si dans la vie du grand homme il y a – et même si pour les lois du genre il *doit* y avoir – des épisodes de solitude disgraciée, où on voit les contemporains lui chipoter ce que la postérité lui prodiguera, reste qu'en droit il est toujours reconnu par ses pairs, accueilli dans leur cercle. Figurer dans une république de talents et de vertus, tenir sa partie dans le concert des esprits éclairés est essentiel à la définition du grand homme: passés «les sombres bords», même Voltaire et Jean-Jacques tombent dans les bras l'un de l'autre. Dans cette mémoire harmonique on peut pourtant sentir sourdement mûrir un argument polémique: le culte des grands hommes est un contrepoids au pouvoir despotique, une parade à l'arbitraire.

De cette valeur presque militante, cachée dans la célébration œcuménique des grands hommes, témoigne une cascade d'exclusions: le grand homme ce n'est ni le roi ni le héros ni même l'homme illustre. C'est en opposition à toutes les images éclatantes et solitaires que se construit l'idée que le XVIIIe siècle se fait de la grandeur.

La figure du grand homme rejette d'abord celle du roi, car aucun roi n'est de soi un grand homme. L'éloge du grand homme – genre mis au concours en 1758 par l'Académie française – a beau s'épanouir au sein d'un milieu académique qui est en consonance avec l'absolutisme éclairé et l'éloge du roi a beau, selon des conventions immuables, être enchâssé dans l'éloge académique[5], le titre de grand homme reste, pour un roi, à conquérir durement. Sur ce thème, les textes marquent, au long du siècle, une lente, mais sûre dérive. Il s'est d'abord agi de faire place aux grands hommes dans l'assemblée des rois. La publicité que fait en 1744 *Le Mercure* pour une *Histoire des hommes illustres par les Médailles*, croit utile de préciser qu'on n'y trouvera pas seulement des rois: leur cercle s'élargira à quelques autres grands hommes. Puis on se préoccupe davantage d'entourer les rois de grands hommes, comme s'il fallait désormais aux rois une autre couronne que la leur: c'est ce que pense Diderot quand il refait en imagination le monument que Moitte a élevé à Louis XV à Reims, ou l'Académie royale d'architecture, quand, entre tous les projets de cénotaphe à Henri IV, elle retient celui qui entoure la tombe vide de vastes galeries pour les hommes illustres[6]. On est insensiblement passé au sentiment que ce sont les grands hommes qui reçoivent en leur sein, et consacrent, le roi qui par mérite exceptionnel aurait été aussi un grand homme. Et comme la fonction royale dispose mal à cette excellence, le droit théorique d'un roi à être, de surcroît, un grand homme, est rarement sanctionné par les faits. L'exclusion réciproque du grand homme et du roi devient un thème à la mode, orchestré par Thomas, le fabricateur attitré d'éloges. D'une part le grand homme est souvent la victime des rois[7]; mais surtout, à la différence du roi, le grand homme n'est jamais un héritier. Il est à lui-même sa propre origine. En cela la leçon des grands hommes est naturellement démocratique et on comprend que la Révolution française s'en soit saisie. Contre les privilèges de la naissance, leur triomphe annonce la carrière ouverte aux mérites et aux talents.

Mérites, talents, mais pas héroïsme. Car le siècle met aussi beaucoup d'application à distinguer le grand homme du héros, pétri il est vrai, comme le roi, d'extraordinaire. Le parallèle du grand homme et du héros, topos du siècle, court de La Bruyère[8] à l'*Encyclopédie*[9] en passant par Voltaire. Le grand homme ne doit rien au surnaturel alors que le héros réussit une action qui tient du miracle. Le héros est l'homme de l'instant salvateur, alors que le grand homme est celui du temps cumulatif, où s'empilent les résultats d'une longue patience et d'une énergie quotidienne. Surtout, le héros est l'homme de l'exploit spécialisé, notamment guerrier, et le grand homme n'a pas un rôle, mais une vie cousue d'une même étoffe. «Un roi-soldat est appelé un héros. Un monarque-législateur, fondateur et guerrier est le véritable grand homme; et le grand homme est au-dessus du héros[10].» Cette opposition, dont Voltaire est content, sert encore à l'abbé de Saint-Pierre dans le discours un peu laborieux qu'il consacre aux «différences des grands hommes et des hommes illustres[11]». C'est l'excellence locale, selon lui, qui empêche un grand sculpteur d'être de soi un grand homme et c'est en revanche la poursuite de l'utilité commune, toute mêlée à la vertu existentielle, qui fait le grand homme.

Dans l'effort des Lumières pour rendre au grand homme son dû, il y a donc peu de rêveries sur la personnalité élue, unique et solitaire. Dès qu'on envisage la célébration du grand homme, les voici, en cohorte, qui se lèvent. L'Hospital, Descartes, Sully, Fénelon quand le salon de 1777, sur la suggestion de D'Angiviller, se propose de faire connaître les «images des Français célèbres». Turenne, Colbert, Lamoignon et Corneille lorsque Ansquer de Londres projette de remplacer avantageusement les statues enchaînées de la place des Victoires[12]. Et une vraie foule, quand Bernardin de Saint-Pierre cherche à meubler convenablement son Élysée[13].

Mémoire densément peuplée, mais c'est aussi que la figure du grand homme se prête à une multiplicité d'incarnations. Dans le répertoire que Mopinot[14] en dresse, il fait figurer les athlètes, les prêtres-législateurs, les défenseurs de la patrie, les amphictyons et les orateurs. Dans les premiers jours de la Révolution encore, parmi les six types humains retenus par le journal de Marat comme susceptibles de composer l'assemblée des grands hommes, un seul est un guerrier qui expose sa vie[15]. Les cinq autres? «Le philosophe qui éclaire la nation, le législateur qui lui donne de bonnes lois, le magistrat qui les fait exécuter avec intégrité, l'orateur qui épouse avec zèle la défense des opprimés, le négociant généreux qui ramène l'abondance dans les temps de disette.» Comme à cette galerie la sensibilité du XVIIIe siècle ajoute souvent le père de famille, cette domestication étend encore davantage le répertoire immense des images offertes à une célébration indéfinie.

Car, de plus en plus à mesure que s'avance le siècle, le domestique devient la pierre de touche du politique et le père de famille la figure centrale du culte des grands hommes, ce que nul mieux que Jean-Claude Bonnet[16] n'a mis en lumière. Dans l'Élysée de Bernardin, initiatiquement installé au point de franchissement des eaux et arrangé en cercles concentriques, le visiteur – mieux vaudrait dire le catéchumène –, après avoir passé le cercle des naturalistes, puis des inventeurs, puis des gloires (littéraires et militaires, dans un amalgame inattendu) et juste avant de se recueillir sous le péristyle à colonnes du temple rond dédié au genre humain, s'arrête au cercle des hommes vertueux: manière visuelle d'indiquer que la vertu privée est, au fond, la plus sainte. Il y a là une dérive dans la définition de la grandeur. Déjà, nous l'avons vue s'étendre de l'extraordinaire à l'ordinaire, de l'exploit à l'être et désormais de l'admiration à l'attendrissement. Diderot, si central dans ce qui est à la fois une propagation et une propagande, critique le tableau que Roslin a fait de la famille La Rochefoucauld. Son vice? L'absence de «grandeur». Mais voici comment il l'eût peinte: en montrant «au château du bon seigneur, les paysans, pères et mères, sœurs, enfants, pénétrés de la reconnaissance de secours qu'ils en avaient obtenu dans la disette de 1757[17]». Grandeur faite d'une tout autre étoffe que la grandeur héroïque et la majesté royale, tissée d'attendrissement, docile à la généralisation, propre à peupler très densément les panthéons et dont l'incarnation idéale est le patriote législateur saisi dans son rôle de père de famille. Thomas en donne une bonne image dans le portrait de D'Aguesseau: «Quel spectacle de voir un père savant et vertueux revêtu de la pourpre, assis sur le trône de la justice, entouré de ses jeunes enfants, former des âmes encore tendres[18].»

Car de la grandeur publique à la grandeur privée le siècle n'imagine pas de rupture. C'est pourtant ce que suggère Philippe Ariès[19], en décrivant l'évolution de l'arrangement des cimetières et de l'architecture funéraire: il distingue un grand style public de cimetières voués aux grands hommes, jardins d'immortalité hautement différenciés et un style beaucoup plus frileux de cimetières privés, parfois même domestiques, ramenés près de la maison et des champs paternels et triomphant très vite du premier. Il s'agit pourtant moins de rupture que de dérive. Car d'une part le grand homme continue à avoir sa place dans des cimetières combles de sépultures familiales et d'épitaphes généalogiques, comme, dans le cimetière de Mulot[20], la colonne de Joubert, la pyramide pour Hoche. D'autre part, surtout, la tombe privée peut être le lieu même de l'éducation civique, si précisément on admet que le père de famille est pour un enfant à la fois l'exemple le plus proche du grand homme et le prêtre du culte des grands hommes. Il arrive à la solidarité du culte familial et du culte civique d'être matériellement mise en évidence : un extravagant architecte des prisons[21], inventeur d'une « substance indestructible » sortie d'un chaudron d'ossements, propose d'en fabriquer « des bustes qui renfermeraient l'inappréciable avantage d'être le portrait de la substance identique d'un père, d'une mère, d'une épouse ». La philosophie de cette trouvaille, c'est d'avoir deux bustes, l'un pour les galeries honorifiques du cimetière, l'autre, portatif, pour la maison. Le culte familial amorce une instruction collective, initie au culte civique et prépare à la communion républicaine.

La mémoire des grands hommes ne souffre donc pas de clôture et cela se vérifie à ce trait, encore, qu'elle n'est pas naturellement une mémoire nationale. Une nation peut bien avoir ses propres grands hommes, elle a aussi ceux de la nation voisine. Si les grands hommes sont, comme le dira Mme de Staël, « tous compatriotes », c'est que les critères de l'élection – le bien commun – sont non conflictuels et traversent les frontières. « Démontrer des vérités très importantes pour tous les hommes », tel est pour l'abbé de Saint-Pierre le signe même du grand homme, et de convoquer pêle-mêle Scipion, Caton, Épaminondas, Descartes, toute la mémoire de l'humanité cultivée. Si la connotation antiquisante est toujours très forte dans cette définition – Plutarque, estime La Font de Saint Yenne[22], suffirait à nourrir l'inspiration de « tous les pinceaux de l'Europe » –, la demande ira croissant au cours du siècle pour les tableaux indigènes. On va voir naître des « Plutarque français », Voltaire, en travaillant à *Adélaïde du Guesclin*, fait valoir qu'il a conçu un sujet « tout français », Louis XVI acquiesce au vœu de D'Angiviller de faire exécuter « les images des Français célèbres en tous genres ». Malgré cette volonté de constituer un répertoire national, la mémoire des grands hommes se fait mal à l'étroitesse du repli sur un territoire particulier. Car il s'agit d'une mémoire exemplaire qui signale une vertu plus qu'elle ne signe une appartenance ; d'une mémoire morcelée, insoucieuse de la sédimentation historique. Dans le livre d'or des grands hommes, Jeanne d'Arc et Saint Louis peuvent côtoyer Périclès et Alcibiade : car ce n'est pas l'histoire qu'on raconte, mais leurs histoires, à la fois fragmentaires et compatibles. La mémoire du grand homme témoigne dans l'histoire d'un au-delà de l'histoire, dont le grand homme n'est jamais le pur produit. Bien plus qu'une histoire nationale, cette mémoire est une législation morale.

Pour une commémoration sans frontières, on comprend que le XVIIIe siècle ait dû imaginer une multitude de lieux. Qu'il faille à la mémoire collective une inscription topographique, sans laquelle elle s'exténue, c'est alors une évidence. Mais il importe assez peu que le support de cette mémoire soit authentique, trace effective laissée dans le paysage par le grand homme (« une écluse du canal qui joint les deux mers», comme dira Voltaire), ou artificiel. Le lieu de la commémoration des grands hommes est de toute manière d'institution humaine et n'importe quel lieu fera l'affaire, par conséquent. Le foyer domestique, où une simple urne achetée au Pont-Neuf, logée dans l'angle d'un cabinet et ornée d'une inscription touchante, mariera dans le souvenir Rousseau à Fénelon[23]. La place publique, organisée autour de sa statue. La ville tout entière, comme dans l'Athènes imaginaire des hommes de ce temps. Et bien entendu le cimetière, de moins en moins conçu au cours du siècle comme une terre d'inhumation et de plus en plus comme une terre d'émulation. Entre le lieu privé et le lieu public, le lieu architectural et le lieu monumental, le lieu matériel et le lieu topographique, le siècle n'a pas choisi. L'Élysée de Bernardin de Saint-Pierre frappe ainsi par sa surdétermination, car il est à la fois un atelier national, destiné à donner du travail aux misérables ; un musée, qui fixera à Paris les étrangers ; un cimetière, où « les tombeaux sont des monuments placés à la frontière de deux mondes » ; un tribunal pour rendre les jugements publics ; et bien entendu un centre d'éducation permanente : « Là un militaire, à la vue de Catinat, apprend à supporter la calomnie... »

Le même éclectisme préside à l'arrangement du lieu de la mémoire des grands hommes. L'Élysée de Bernardin accueille avec libéralité les monuments de toute espèce (seule l'ostentation déclamatoire du baroque est frappée d'interdit) et recourt sans principes à la colonne, à l'obélisque, à la pyramide, à la statue, aux inscriptions bien pensées, à l'arbre aussi et à la fleur, « monuments » les mieux adaptés, il est vrai, à l'inventeur du lilas, au champion de la capucine. Cette convergence esthétique est celle du siècle tout entier, pour lequel tous les genres collaborent à la commémoration des grands hommes. Car ceux-ci sont les précepteurs du genre humain et les arts aussi prétendent à l'être. Il y a donc là une rencontre péremptoire entre l'objet et le moyen de la commémoration, sur laquelle brodent le grand genre littéraire des éloges, la peinture d'histoire, le drame patriotique, l'architecture de la ville aérée avec ses grandes places autour des statues colossales. L'invention et l'entretien de la mémoire des grands hommes paraissent être le moyen même d'arracher l'art au rabougrissement des sujets et des formes, aux usages mesquins d'une société déchirée, aux mensonges de l'illusion et à ces deux muses recrues que ridiculise l'*Encyclopédie* : le libertinage et la superstition, entendons le sujet mythologique et le sujet religieux[24].

Malgré sa libéralité à convoquer autour des grands hommes toutes les formes d'art à la fois, le siècle n'en a pas moins mené un grand débat sur l'efficacité pédagogique relative des différentes formes d'expression. À quoi doit-on la mémoire la mieux entretenue ? Les discours et les livres ont eu leurs partisans, comme Fréron[25], car à la différence de la statue ou du tableau, contraints dans la vie du grand homme de choisir l'épisode exemplaire, eux peuvent restituer les entours de l'exploit, le tissu des existences. L'éloge, par exemple, met en lumière des vies unifiées par un même projet, une même énergie (à la différence de l'oraison funèbre, où une vie corrompue, retournée *in extremis*, peut devenir exemplaire par la main de Dieu et la seule grâce d'une bonne mort, il faut à l'éloge une bonne vie). Mais il y a eu plus encore de partisans de l'expressivité visuelle (comme Diderot, sûr que les images sont l'alphabétisation du pauvre) et singulièrement de la statue. Une foule de raisons concourt au lien privilégié du grand homme et de la statue : sa connotation antiquisante, car c'est alors un lieu commun de croire que c'est à l'emploi des statues que la Grèce a dû sa suite brillante de grands hommes ; sa stylisation, car le choix nécessaire du geste expressif contribue à l'efficacité pédagogique ; sa solidité, où il y a comme un son d'éternité, une promesse d'immortalité, fortement soulignée par Falconet dans l'article « Sculpture » de l'*Encyclopédie*[26] ; la facilité qu'elle offre, bien mieux que le tableau, autour duquel on ne peut tourner, à être le centre d'une mise en scène. Bref, entre tous les genres convoqués à la gloire du grand homme, la sculpture occupe une place de choix : au salon de 1771, un tableau allégorique signé Lépicié montre la sculpture « occupée avec attendrissement de son véritable objet, qui est de conserver à la postérité la mémoire du grand homme ». Il y a là aussi – car toute cette réflexion baigne dans une atmosphère intellectuelle qui tient l'art pour une éducation civique et le culte des grands hommes pour une fabrique de grands hommes – une cohérence sensualiste : comme si l'impression de l'homme grand, procurée par la statue colossale, menait invinciblement à l'idée du grand homme.

Mais cette préférence pour la statue est sans exclusive. Ce qui, encore une fois, frappe dans cette élaboration d'une religion laïque, c'est sa prodigieuse extension. Le champ de la célébration s'est au cours du siècle considérablement ouvert : il peut désormais suffire à un homme d'avoir exercé des vertus faciles, paisibles et douces pour être grand. En troquant l'exploit visible pour l'être invisible, l'action éclatante pour la prosaïque utilité, le siècle a abandonné les signes de la majesté et les figures de l'héroïsme. En Henri IV, Thomas voit moins le roi et le héros que « le particulier aimable ». On sait que cela donne à Rousseau de quoi flétrir son époque : en ces temps mesquins, s'ils reparaissaient, les héros de Plutarque paraîtraient monstrueux, des exagérations de l'histoire. De fait, entre les composantes de proximité et d'éloignement que charrie la mémoire du grand homme – proche puisqu'il s'agit d'un homme et éloigné puisqu'il est grand –, le siècle a choisi la rêverie de la proximité.

Ce qui a profondément changé, c'est l'attitude à l'égard de ce qu'on appelle alors les « mérites personnels ». Le siècle précédent n'y a guère cru. Soit que, comme pour Bossuet, aucune vertu ne saurait monter ni de la nature ni de la société. Soit que, comme pour Hobbes, l'égalité rigoureuse chez tous de la vanité et de la peur interdise à aucun individu de prévaloir sur un autre. Le grand homme du XVIIe siècle est donc improbable et ne peut être tel que si se pose sur lui la main de Dieu. C'est avec cela que rompent les Lumières : il y a désormais des vertus personnelles en foule, vertus cachées qui n'ont pas besoin de s'annoncer par des signes et reçoivent l'assentiment nécessaire des hommes éclairés. Si bien qu'à la question de savoir qui est l'électeur, qui est le gardien de la mémoire des grands hommes, le siècle répondrait que c'est la Renommée, parfois un peu dure d'oreille sans doute, paresseuse à venger les mépris, mais qui finit toujours, réparatrice par consacrer la grandeur. Nul ne songe alors que cette instance légitimante puisse être divisée et conflictuelle. C'est la Révolution française qui fait peser sur elle un doute mortel ; c'est elle qui brutalise une mémoire irénique en imposant pour les grands hommes un lieu, une liste, une cérémonie.

Que la Révolution française, habitée par le besoin de sacralité, ait cherché à incarner le rêve collectif du siècle et se soit emparée du culte des grands hommes, porteur de toute une imagination démocratique, rien de surprenant. L'idée de spécialiser un lieu pour les grands hommes, présente chez Charles Villette[27] dès les lendemains du 14 Juillet, et de toute manière chère aux voltairiens, se matérialise lorsque meurt, le 2 avril 1791, le premier grand homme de la Révolution : pour célébrer Mirabeau, le choix de la Constituante se fixe sur un lieu – Sainte-Geneviève – et sur un maître d'œuvres – Quatremère de Quincy[28] – chargé de transformer en « Élysée visible » pour les grands hommes l'église bâtie à la suite du vœu fait pour le rétablissement d'un monarque. Chez Quatremère vit une conscience très vive de ce que doit être idéalement le lieu de la mémoire collective : non le lieu du récit des grandes actions, mais celui de leur production[29].
Le fait de devoir user pour cela d'une église déjà construite comporte évidemment ses contraintes : il faudra renoncer à l'adéquation de la construction au « caractère », à cette intelligibilité immédiate du monument dont les architectes du XVIIIe siècle, de Boffrand à Laugier, ont fait un impératif. Il n'y aura donc pas d'architecture des grands hommes, mais un réemploi, un bricolage : inconvénient sur lequel Quatremère de Quincy a évidemment tendance à renchérir, pour mieux mettre en valeur ses idées et sa performance. En réalité l'édifice, d'allure peu ecclésiale, avait été conçu comme un espace du triomphe et non du recueillement. Dans l'œuvre de Soufflot, Cochin avait déjà célébré la lisibilité – ici pas de ces piliers carrés ni de ces arcades qui font de Saint-Sulpice ou de Saint-Roch des lieux fragmentés, obscurs, indéchiffrables. Les *Voyages de Paris* de Dezallier d'Argenville félicitaient eux

aussi Soufflot pour ce tour de force: avoir fait oublier la châsse et le baldaquin de Sainte-Geneviève. L'abbé de Sainte-Geneviève lui-même, en recevant en 1781 le corps de Soufflot, pariait que sa leçon d'architecture ne serait pas perdue pour «les bons Français, les citoyens». Bref il était loisible de voir dans Sainte-Geneviève, comme Soufflot le publiait lui-même, un temple à la gloire de la religion catholique, «mais à la façon des grands hommes».

En 1791, alors que c'est désormais leur mémoire qui seule doit régner dans le bâtiment, quels choix architecturaux impose-t-elle? Les grands hommes étant immortels, la conséquence immédiate est de traiter le lieu de mémoire différemment du lieu de mort, à l'inverse du «labyrinthe arbitraire des tombeaux de Saint-Denis», ce modèle devenu répulsif, à l'inverse aussi de tant de projets du siècle qui mêlaient temples, statues, mausolées, cénotaphes. Certains faiseurs de plans pour le Panthéon, tel Gisors, continuent d'imaginer cet assemblage sans principes. Mais Quatremère, plus cohérent, exclut les mausolées – l'image qu'ils appellent est celle de la mort, antinomique de «l'assemblée toujours vivante des bienfaiteurs de la patrie» – et les cénotaphes, dont l'usage pourrait être générateur d'encombrement[30]. Du reste, quand bien même on eût souhaité les retenir, les monuments funéraires n'auraient pu s'accorder au style corinthien qui, pour toute l'architecture néo-classique, est étranger au sentiment funèbre. La chance de Quatremère, c'est l'existence de la crypte, lieu invisible où ranger des tombeaux qui ne sont, ni en fait en droit, des monuments de gloire. Le souterrain permet de briser cette alliance des temples et des sépultures que Quatremère juge «monstrueuse» et de chasser de la partie émergée du bâtiment toute représentation de la mort. Il faut mourir, sans doute, pour recevoir les honneurs du Panthéon, mais ce sera pour ne pas mourir: telle est la vertu de «l'apothéose et de la consécration philosophique».

Pour obtenir cette consécration austère, toute baignée dans le sublime antique, Quatremère ne peut beaucoup inventer, puisque le bâtiment est déjà là. Mais il peut supprimer. La chirurgie qu'il pratique, il se croit à peine tenu de la justifier, tant l'édifice nouveau la réclame: broderies superflues de la joliesse, bouquets, palmes, losanges, têtes de chérubins, consoles, médailles, guirlandes ou, plus encore, ornements religieux désormais inconvenants. Ainsi sont condamnées la gloire du fronton, la foule de patriarches et de pères de l'Église qui encombrent les quatre nefs, la lanterne elle-même, que devrait en bonne logique remplacer la statue de la Renommée, mais que sauvera en définitive la médiocrité de la statue imaginée par Dejoux.

Tours abattues, fronton déposé, afféteries supprimées, restera à Quatremère à user des deux langages qui lui semblent convenir au culte des grands hommes: celui de la lumière, celui de la statuaire. Comment imaginer les grands hommes dans l'éclairage que donnent à Sainte-Geneviève ses trente-neuf fenêtres, hommage réactionnaire de Soufflot aux cathédrales? Cette lumière latérale est mesquine, domestique et il faut, là-dessus la réussite sera totale, ôter au Panthéon tout air de pouvoir être habité par des hommes ordinaires. Elle est changeante, de surcroît, et la méditation de l'immortalité réclame la constance. La lumière indirecte est alors réputée – c'est la leçon de Boullée devenue lieu commun – indispensable au sublime. La fixité et le mystère de l'éclairage zénithal, obtenus en murant les fenêtres et en adoptant pour la coupole le verre dépoli, sont toujours aujourd'hui la marque principale de Quatremère sur son ouvrage.

Il lui reste encore la ressource de la statuaire, car il partage les convictions de son siècle sur l'adéquation de la statue au commerce affectif avec les grands hommes, qui appelle un partenaire anthropomorphe, protégé de la déchéance par l'incorruptibilité, mais constitué en modèle par la dimension. Il y aura donc au Panthéon, seul vrai chantier du temps, où travaille une foule de sculpteurs, un peuple de colosses.

Ni cimetière par conséquent, ou alors profondément enfoui, ni église, ni musée (car Quatremère a déjà dit à quel point lui répugnait[31] l'idée que des grands hommes pussent figurer entre des vases et des bronzes), ni jardin – mais à cela on reviendra – ni archives (cette autre éventualité évoquée par Montesquieu pour le culte de mémoire), la demeure des grands hommes est devenue un espace replié sur lui-même, clos, sévère et grandiose, dont toute l'animation est confiée à la statue. Ce choix est un aveu de sensibilité collective: l'idole révolutionnaire, c'est la statue, et non le tableau (le programme de peintures exécuté au Panthéon contredit plus qu'il ne l'exprime l'héritage révolutionnaire[32]). Et ce n'est pas non plus le tombeau. Car le fond émotif de la panthéonisation est là, autour de la statue, et non, comme on pourrait pourtant l'imaginer, autour de la translation des cendres. Dans le déroulement des cortèges, le clou n'est pas le sarcophage, mais la statue. C'est elle qu'on couronne, à chaque pause de la marche, en répétant les mêmes gestes sans lassitude apparente. C'est d'elle que le peuple est invité à s'approcher. Pour Lakanal[33], qui rapporte sur la panthéonisation de Rousseau, arracher Jean-Jacques à «sa tombe solitaire» et lui dresser une statue ne font qu'une seule et même opération. Pour *Le Rôdeur réuni*[34], la panthéonisation de Voltaire est le moment même où une grande nation, «entièrement régénérée, élève une *statue* au génie qui, le premier, a osé ébranler le despotisme». Un texte plus significatif encore[35], car lourd de réserves sur cette même cérémonie, se déclare malgré tout prêt à en admettre l'efficacité pédagogique si, autour du sarcophage qui renferme les cendres, on porte tous les bustes des grands hommes. La charge légitimante appartient ici aux bustes, non aux cendres. Du reste, si le Panthéon devait se limiter à les recueillir, une lettre du directoire du département, juste après la translation de Mirabeau et de

Coustou, vers 1789.
– Croix entourée de rayons et d'anges adorateurs.
– Frise et inscription latine : « D.O.M. SUB IN. S. GENOVEFAE. LUD. XV ».
– Une croix surmonte le dôme.

Moitte, vers 1791.
– La Patrie couronne la Vertu tandis que la Liberté saisit par leur crinière deux lions tirant un char qui écrase le Despotisme et qu'un génie terrasse la Superstition.
– L'inscription « Aux grands hommes, la Patrie reconnaissante » remplace la frise.
– Une statue gigantesque de la Renommée (neuf mètres de haut) embouchant une énorme trompette remplace la croix du dôme.

Baltard, vers 1822.
– Une belle croix de pierre au milieu de rayons fulgurants.
– Une dédicace latine : « D.O.M. SUB INVOCAT. S. GENOVEFAE. L. XV DICAVIT. LUD. XVIII RESTITUIT », remplace l'inscription : « Aux grands hommes…
– Une croix en bronze doré remplace la statue de la Renommée.

David d'Angers, 1831-1837.
– La Patrie distribue aux grands hommes, civils et militaires, des couronnes que lui tend la Liberté, tandis que l'Histoire prend note.
– On remet l'inscription : « Aux grands hommes… »
– On remplace la croix par un drapeau.

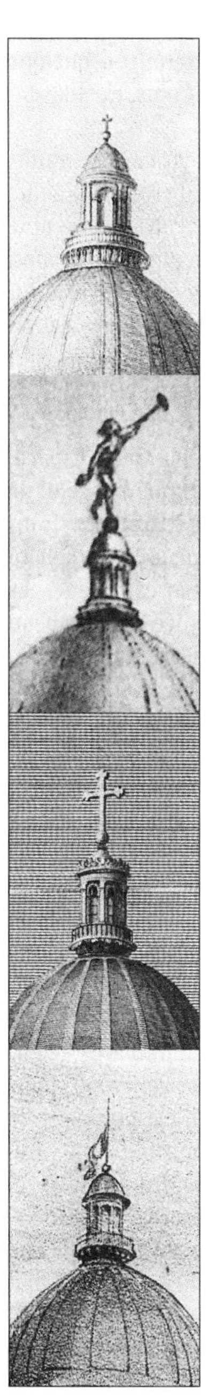

Le fronton ne changera plus, l'inscription sera enlevée (1851), puis remise (1885), lors de la réouverture du Panthéon pour les funérailles de Victor Hugo ; le drapeau sera remplacé par une croix de bois (1852) dont les petites branches seront sciées et qui sera surmontée du drapeau rouge (1871), puis par une croix de pierre de quatre mètres de haut, pesant cinq cents kilos (1873), qui y est toujours.

À droite :
Le Panthéon de Coustou, vers 1789.

Voltaire, affirme qu'alors la destination du monument «serait en quelque sorte passive[36]». À l'évidence, la vertu que les cendres n'ont plus, c'est la statue qui la confère.

Dans les projets de statues de Quatremère, pourtant, peu de trace des grands hommes. La Philosophie, la Loi, la Force, la Patrie, la Liberté et l'Égalité occupent fermement le péristyle. Au fond du temple, la Patrie rassemble autour d'elle les Sciences, les Arts, les Vertus patriotiques: géantes anonymes, seulement identifiables par leurs attributs emblématiques et leurs inscriptions. Où sont les grands hommes? Quels devraient-ils être? La forte actualité révolutionnaire met ici Quatremère nez à nez avec le deuxième impératif qui arrache les Lumières à leur rêve: la constitution d'une liste acceptable de grands hommes.

De cette liste idéale, la mémoire de l'Antiquité n'a pas absolument disparu, comme elle vit du reste dans le choix du nom de Panthéon, préféré à celui de «Portique des Grands Hommes», «Basilique nationale» et «Panthéon français», successivement avancés. Mais même en imaginant une présentation «à l'antique» des héros français - dans le compromis de Charles Villette, les Muses soutiennent Voltaire, Descartes se dresse «en Prométhée» et Mirabeau «en Démosthène» -, force en tout cas est d'exclure les héros antiques. La Révolution restreint la mémoire collective œcuménique, la galerie d'exemples théoriquement ouverte à toute excellence - certains projets pourtant, comme celui de Chaisneau[37], continuent à souhaiter que la Nation française appelle au Panthéon les héros de tous les siècles -, à une mémoire exclusivement nationale. Quatremère en est certain: «Les effigies des Grecs et des Romains doivent cesser de figurer là où commencent à briller des Français libres.» La tâche de peupler le Panthéon n'en est pas facilitée. Car les grands Français de l'Ancien Régime inspirent eux aussi des sentiments réservés: lorsque Pastoret a fait voter le décret qui crée le Panthéon, il a souhaité voir extirper trois noms seulement - Descartes, Rousseau, Voltaire - des limbes prérévolutionnaires. Restent alors, pour toute célébration, les héros de la Révolution elle-même.

Mais même sur le droit théorique des grandes figures révolutionnaires à figurer sous les voûtes, Quatremère se montre circonspect. Le Panthéon, pour commencer, est-ce bien le monument *de* la Révolution? Il est fascinant de voir, dès 1793, l'arrangeur du Panthéon poser une question qui franchira, intacte, deux siècles. Il n'est pas moins fascinant de l'entendre fournir une réponse négative et exclure du monument la commémoration révolutionnaire au sens strict. Car le Panthéon est le lieu d'une Révolution installée, éternisée, triomphante, qui a oublié, ou voulu oublier, son histoire: «Il fallait ici chanter les effets plutôt que les actions et célébrer son règne plus que sa conquête.» Formule étonnante, dont la conséquence, pour Quatremère, est de renoncer à établir une liste de héros révolutionnaires et de confier la statuaire à l'écriture emblématique de l'allégorie[38], soustraite à toute contestation – à toute compréhension aussi, diront les mauvaises langues : pour figurer le sacrifice à la Patrie, le bonheur de mourir pour elle, on n'aura donc pas recours à des guerriers recrus, pathétiques et connus, mais à des enfants ailés, joyeux et anonymes.

Voici donc installé tout entier hors histoire le lieu de la mémoire collective. Voici la demeure des grands hommes vidée de tous les grands hommes du passé, qu'ils appartiennent à l'Antiquité, à l'Ancien Régime ou à la Révolution. Ce qu'il pourrait y avoir alors de plus éloquent au Panthéon serait – mais Quatremère ne va pas jusqu'à cette conséquence – le piédestal sans buste que Chaisneau suggère d'y placer en 1792. Tout à la fois sacralisation du vide, pari sur l'avenir, invite à tout citoyen vertueux (pourquoi pas toi ?) mais aussi aveu d'une mémoire impossible.

À tous ces embarras s'ajoute celui d'inventer pour le Panthéon une cérémonie particulière. Ce qui frappe dans les relations que les journaux du temps ont laissées des panthéonisations, c'est le luxe des détails dans la description des cortèges et le silence sur ce qu'on fait au Panthéon, comme si le temple était une image dynamique beaucoup plus qu'un lieu sacral. Les colonnes en cortège vers le Panthéon, souvent à la nuit tombante et à la lueur des flambeaux, la raideur de la rue Saint-Jacques, que le marquis de Villette propose de nommer rue des Grands-Hommes, la longueur de la montée et la fatigue des célébrants, toutes ces visions attestent que l'important est de gravir la montagne Sainte-Geneviève, non d'utiliser l'édifice. La Révolution, du reste, a mieux réussi ses traversées que ses arrivées. Une fois les portes ouvertes, nul ne sait plus bien ce que le cortège, ou la fraction du cortège, fait au Panthéon. Comment, et où, exactement, s'est passée la déposition du sarcophage de Voltaire, après la fastueuse mise en scène de la procession ? Où donc la maigre délégation de mères et d'enfants autorisée à franchir les portes doit-elle déposer les urnes de Bara et de Viala ? David a minutieusement réglé les mouvements des danseuses sur la place du Panthéon[39], mais n'a rien indiqué pour cela, qui restera un rangement clandestin. L'imaginaire collectif s'arrête net aux marches du Panthéon. Il aura fallu la télévision pour que les Français puissent s'y promener. Encore le président de la République n'arpentait-il pas le temple, mais la crypte, comme si, entre la rue Soufflot comble de vivants et le souterrain des morts, il n'y avait précisément pas de place pour le bâtiment revu, corrigé et peut-être manqué par Quatremère de Quincy pour les grands hommes.

L'édifice que le XVIIIe siècle rêvait de consacrer au genre humain est ainsi devenu le lieu d'une célébration recluse, restrictive et restreinte. C'est qu'il a été tout entier, comme l'écrivait à l'empereur Joachim Le Breton en 1808, «saisi par la Révolution[40]». Appropriation d'autant moins propice au culte de mémoire que les soubresauts de la Révolution vécue font très vite peser un doute sur l'idée même d'immortaliser en France des grands hommes reconnus par le collectif tout entier. Ce soupçon touche à la fois la désignation des grands hommes, l'instance de légitimation, la possibilité de l'unanimité nationale et finit par gagner le monument lui-même.

La Révolution, donc, panthéonise. Mais les péripéties révolutionnaires jettent quelque chose de louche sur la vocation du monument et les apothéoses. Elles inspirent très vite des dispositions précautionneuses (on ne pourra décerner les honneurs du Panthéon que dix ans après la mort du candidat, car, souligne la Convention, «il faut que la vie d'un citoyen soit éclairée avant d'honorer sa mémoire»). Elles imposent une dramaturgie de l'élection et de l'exclusion, illustrée par une scène choc: la dépanthéonisation de Mirabeau, qui sort du temple par la porte latérale à la seconde même où Marat franchit la porte d'honneur, simultanéité pédagogique soulignée par le discours de David: «Que le vice, que l'imposture fuient du Panthéon. Le peuple y appelle celui qui ne se trompa jamais.» Il est plus frappant encore de constater que *chacune* des propositions faites, après décembre 1792, pour la translation des cendres d'un grand homme est assortie d'une proposition d'exclusion. Veut-on, en nivôse an II, accueillir les cendres de Châlier? C'est pour souhaiter l'annulation des honneurs accordés au général Dampierre, soupçonné d'intelligence avec Custine. Parle-t-on, en floréal an II, d'inscrire sur une colonne de marbre noir les noms d'Haxo et de Moulin? À cette proposition de Lakanal, Tallien répond en exigeant qu'on dépende de la voûte l'écharpe de Simonneau: «Au moment où nous décernons les honneurs de l'apothéose à deux hommes qui ont fait leur devoir, nous ne devons pas souffrir que leurs noms se trouvent placés à côté de ceux qui n'ont rien fait pour mériter cet honneur.» Ce sur quoi vient ici buter la Révolution, c'est sur la capacité de ses grands hommes à constituer une assemblée.

De cette liaison invincible entre la commémoration et la purge, les conséquences ont été bien aperçues par un écrit anonyme, à l'occasion de la translation au Panthéon des cendres de Rousseau[41]: «S'il arrivait qu'on plaçât au séjour des demi-dieux un mortel que l'opinion n'aurait pas jugé digne d'y être admis, ou que le temps fît découvrir un perfide parmi ceux qu'elle y aurait appelés et le forçât de l'en exclure, tout serait perdu. Un pas rétrograde en morale est une perte qui ne se réparera point.» Marche arrière pourtant constamment illustrée en moins d'une décennie puisque lorsque la Révolution s'achève, Mirabeau a été exclu du Panthéon, l'écharpe de Simonneau détachée, les cendres de Marat mises à Saint-Étienne-du-Mont et Le Peletier récupéré par sa famille. La conséquence de cette débandade est que le lieu de la mémoire nationale se détache toujours sur un fond ténébreux et qu'il est, plus encore que d'une élection, le produit d'une exclusion active. Il y a là, outre la signature jacobine sur le Panthéon, la marque d'une contradiction mortelle à la désignation du grand homme, qui appellerait un grand style d'acceptation, d'adhésion et d'évidence. Et peut-être peut-on y voir aussi le signe que, paradoxalement, les périodes d'actualité forte ne sont pas les plus propices à la fixation des souvenirs collectifs.

Ce qui est mis en cause, en tout cas, c'est l'instance de légitimation. Ici se creuse un abîme entre le rapport de panthéonisation et l'éloge, dont il est pourtant l'héritier. Construit souvent comme un éloge, avec les mêmes ellipses pudiques sur le négatif d'une vie – quand Lakanal plaide la panthéonisation de Rousseau, il glisse sur l'épisode regrettable du *Discours sur les sciences et les arts*, que le monde cultivé n'a pas vraiment pu accepter –, le rapport de panthéonisation s'en distingue par deux traits au moins. D'une part, alors que l'éloge est sans obligation ni sanction et peut développer, autour de l'idée de la grandeur, une interminable rêverie, le rapport de panthéonisation est un examen funèbre, qui doit admettre ou recaler. Ce qui le hante, c'est l'obligation, dans un temps qui s'y prête mal, de prononcer le mot de la fin. Et comme ce jugement définitif porte une signature personnelle – autre difficulté d'une époque orageuse –, comme il est redoutable de conférer par sa propre parole l'immortalité, l'auteur du rapport – ce n'était pas le cas pour les auteurs d'éloges – a tendance à effacer ses propres traces, à camoufler sa subjectivité, à user de la troisième personne. C'est évidemment reconnaître implicitement que la gloire ne peut être conférée que par la Renommée, rumeur immémoriale, impersonnelle et contraignante, mais non par une élection. Nul ne l'a mieux exprimé que Louis-Sébastien Mercier[42] dans son contre-rapport sur la panthéonisation de Descartes : « Il faut le tribunal ou l'assemblage de plusieurs siècles pour juger à cet égard l'homme de génie. » L'existence même d'un contre-rapport montre assez qu'il arrive à la Renommée de se taire et qu'alors on ne saurait sauver de l'arbitraire le donateur de gloire. Homme mortel, subjectif, qui doit bâtir tout seul le « Palais de la Renommée » au beau milieu d'une histoire contradictoire, comment pourrait-il désigner le grand homme qui, par définition, s'accroît au-delà de l'humain ? La conclusion pratique, désabusée et sceptique de Louis-Sébastien Mercier, qui n'a pas oublié les dépanthéonisations fébriles, est de ne point « précipiter les apothéoses », si on ne veut pas transformer le Panthéon en « pagode » et le grand homme en « idole ». À ce doute sur la capacité des assemblées humaines à fabriquer autre chose que des faux dieux, Marat avait, dès le décret qui créait le Panthéon et en protestant à l'avance contre sa propre panthéonisation, donné la forme la plus sarcastique : « Je ne m'arrête pas ici au ridicule qu'offre une assemblée d'hommes bas-rampans, vils et ineptes, se constituant juges d'immortalité. Comment ont-ils la bêtise de croire que la génération présente et les races futures souscriront à leurs arrêts[43] ? »

Ainsi, dès les débuts de l'utilisation du Panthéon éclate l'impossibilité de le reconnaître comme un lieu d'unanimité où pourraient coexister pacifiquement tous les grands hommes de la nation. Il est déjà remarquable d'en avoir effectivement exclu, à l'exception de Voltaire et de Rousseau, les grandes figures prérévolutionnaires. Ni Fénelon ni Descartes ni Buffon ni Mably, les uns et les autres proposés aux honneurs du Panthéon, ne franchissent la barre du redoutable concours. Il est encore plus remarquable de n'avoir réussi à y installer durablement aucune gloire révolutionnaire. Dans la marée des propositions venues des départements pour les généraux fusillés ou les patriotes assassinés par des brigands et pourtant appuyées par la claque des députations locales, aucune n'a finalement été retenue. Le recours constant de la Convention est de renvoyer au comité d'Instruction publique ; les aller et retour inféconds des motions entre les deux instances traduisent la résistance à la panthéonisation.

Or, celle-ci survivra à la Révolution. Il ne s'agit pas ici de raconter l'histoire orageuse du monument, dans un XIXe siècle qui n'en finit pas de gratter et de regratter au fronton la superbe inscription de Pastoret. On a successivement redonné le Panthéon au culte catholique tout en lui gardant son rôle de nécropole honorifique – temple et église donc, choix de Napoléon ; puis on en a refait une église sans temple – choix des Bourbons ; puis on l'a restitué à « sa destination primitive et légale » de temple sans église – choix de Louis-Philippe ; puis on a étendu son affectation à l'Humanité entière – choix des républicains de 1848 ; puis on l'a de nouveau rendu à sa vocation religieuse – choix de Napoléon III et de l'ordre moral. Pour finir, à la mort de Hugo, par le désaffecter et le vouer exclusivement aux liturgies républicaines. Tous ces avatars ont rendu plus improbable encore la compatibilité des tombes mises au Panthéon. La famille de Hoche décline en 1889 la proposition de porter au Panthéon les cendres de son grand homme, car il ne saurait y reposer en paix aux côtés de Carnot. En 1908, ce sont les héritiers de Lannes, révulsés par la panthéonisation de Zola, qui souhaitent voir leur aïeul transféré au cimetière Montmartre pour échapper au répugnant voisinage. À la Libération encore[44], lorsque le Comité national des écrivains se met en tête de panthéoniser Romain Rolland, et malgré les habiletés pacifiantes de l'argumentation d'Aragon (cette fois, à l'inverse de ce qui s'est passé pour Jaurès ou Zola, les deux France, selon lui, n'auraient qu'un cœur pour panthéoniser celui qui fut le compagnon et de Péguy et de Barbusse), il suscite presque immédiatement, venue de la droite et soutenue par *Le Figaro*, une contre-proposition pour la panthéonisation de Péguy. Faut-il célébrer la Patrie comme chair (avec Péguy) ou la Patrie comme idée (avec Romain Rolland) ? Grand débat, que la presse orchestre et qui déchire surtout les catholiques de gauche : car s'il y a deux France, il y a aussi deux Péguy et le leur est le Péguy dreyfusard. Si bien qu'à cet embarras *L'Aube* trouve une parade : faire, en la personne de Bergson, un troisième panthéonisé. L'important ici n'est pas le destin, du reste malheureux, de ces propositions ; mais que les grands hommes de la nation soient si constamment le petit prétexte des factions. Comme si les Français n'arrivaient pas à créer un lieu qui soit, à l'exemple de Westminster qui leur servit pourtant de modèle, à la fois Notre-Dame, Saint-Denis et le Panthéon.

C'est qu'à la difficile coexistence des gloires nationales s'ajoute la disgrâce du lieu, qui a fait frissonner plus d'un grand homme à la perspective d'y être un jour emmuré. Dès l'origine, les contemporains avaient multiplié les contre-projets, proposé pour les grands hommes la rotonde de Ledoux à La Villette, les Champs-Élysées aménagés en voie de l'honneur, ou le Champ-de-Mars transformé en Campo Santo et, par-dessus tout, souligné les insuffisances d'un lieu clos et reclus, en opposition au seul lieu que la Révolution reconnaît comme sacré, la voûte du ciel. « C'est une idée bien étroite que celle de concentrer dans un édifice et au sein d'une cité la gloire nationale, la renommée des meilleurs et des bons citoyens[45]. » La Révellière-Lépeaux, qui a bien lu Bernardin, préférerait les bois de Meudon et l'éparpillement aléatoire, « romantique », des tombeaux. Il arrive aux inconvénients du monument d'être particulièrement voyants : comment, par exemple, imaginer l'amoureux d'Ermenonville sous des voûtes froides et « insensibles » ? Daubermesnil[46] rappelle tristement la sécheresse de la translation des cendres de Jean-Jacques. Lakanal lui-même, pourtant auteur du rapport qui conclut à la panthéonisation, pas très sûr qu'un souterrain soit un lieu adéquat pour l'ami de la nature, est partisan d'une installation provisoire : quand les peupliers frémiront sur la place du Panthéon – car le projet d'un jardin pour les grands hommes n'a, malgré le choix de Quatremère, jamais été tout à fait abandonné – alors il faudra arracher Rousseau à la crypte et le confier à leur vivant abri. Qui du reste a jamais fait le vœu d'être au Panthéon ? Jaurès avait d'avance exprimé le mouvement de recul que lui inspirait l'haleine glaciale du lieu et dit sa tendresse pour les petits cimetières soleilleux de son Midi.

Cette expressivité supérieure de la tombe, quand elle s'inscrit dans le lieu naturel, beaucoup l'ont affirmée dès les origines du monument. *La Décade philosophique* n'a cessé de plaider pour que les bourgades françaises se parent des statues de leurs gloires locales. Alors la France sortirait de son « veuvage monumentaire » et il serait tellement plus éloquent de voir « à Rouen le sublime Corneille, à Château-Thierry le bon La Fontaine[47] ». Le regret de Rœderer est que le monument de Turenne soit à Saint-Denis et non sur le champ de bataille : « La place des morts est surtout à proximité des lieux où ils ont vécu ;

des lieux témoins de leurs actions, où tout en parle avec une éloquence que ne suppléera jamais celle des monuments[48].» L'idée que le commerce avec les morts exige un support matériel authentique, assez peu présente dans la demande collective du culte des grands hommes au XVIIIe siècle, trop volontariste pour prêter beaucoup attention à la remontée involontaire et contraignante des souvenirs topographiquement inscrits, n'a pourtant cessé de concurrencer sourdement l'arrangement d'un panthéon. Contre le lieu institutionnel, on réclame alors la puissance de création et d'invention du lieu lui-même. Sur les lieux de mémoire, la mémoire des lieux prend sa revanche.

À l'une des questions posées d'entrée de jeu – si le Panthéon est un lieu d'unanimité –, l'histoire a donc amplement répondu. Alors que le culte des grands hommes, si conformisant, est antinomique de toute rupture, le Panthéon, conçu pour la mise en scène quasi religieuse du rassemblement national, est le lieu même de la rupture entre les Français : sur lui ne parvient pas à s'effacer la marque originelle de la Révolution française. La mémoire du Panthéon n'est pas la mémoire nationale, mais une des mémoires politiques offertes aux Français : le choix de François Mitterrand, parfaitement cohérent, n'aura évidemment fait que creuser un peu plus la fracture. Car les généraux de l'Empire ont beau coexister au Panthéon avec la science républicaine, l'imaginaire national les a oubliés et met la gloire militaire tout entière aux Invalides. Au Panthéon on ne voit plus, avec le souvenir de la Révolution, que les écrivains et les savants, un musée IIIe République, une docte réunion de prix d'excellence : bref, le voisinage de la rue d'Ulm aidant, ce qu'André Billy appelait drôlement «l'École normale des morts».

Mais, sans doute, l'échec du Panthéon ne tient-il pas seulement dans la retombée invincible, si évidente ici, de l'histoire nationale en histoire politique, mais aussi dans la désaffection de l'image des grands hommes pour lesquels il a été aménagé. Nous savons toujours désigner des héros, nous sommes devenus plus incertains de ce que peuvent être de grands hommes porteurs de grandes leçons : en ce sens la désuétude du Panthéon, malgré sa réanimation récente, c'est l'effacement des conditions intellectuelles et morales dans lesquelles il a été érigé. De deux manières au moins.

La première est que nous sommes devenus tout à fait insensibles à l'alliance de la grandeur et de la bienfaisance, de l'extraordinaire et de l'ordinaire qui faisait le grand homme du XVIIIe siècle et qui enthousiasmait encore Péguy dans la panthéonisation de Hugo : «Un homme qui portait un haut de forme comme tout le monde, quand il fallait, et un parapluie quand il pleuvait[49].» Le soupçon a atteint les figures majeures que le XVIIIe siècle proposait à une admiration toute mêlée d'attendrissement : nous ne sommes plus sûrs que l'abondance des lois fasse le bonheur des peuples et nous redouterions plu-

tôt le «bon législateur». Nous savons que les «bons pères» sont une espèce improbable. Quant au «bon pédagogue», c'est encore à lui que les dernières décennies ont été les plus cruelles. Surtout, nous ne concevons plus que la grandeur puisse être taillée dans une étoffe commune.
La seconde raison tient au doute qui ronge désormais la croyance dans un art propagandiste et éducateur. Trop de réalismes socialistes ont discrédité la capacité de l'art à accomplir l'instruction et la réconciliation civique. Nous savons qu'on peut vivre au milieu de statues colossales et de peintures édifiantes sans les voir, et même en leur tournant le dos. C'est en cela peut-être que le Panthéon a le plus vieilli. Ce qui soutient le culte des grands hommes, au moment où il s'élabore, c'est la foi dans la solidarité spontanée de l'esthétique et de la morale, dans la nécessaire docilité du public à la leçon des sens et dans l'efficacité d'un art-pédagogue. Nul ne peut croire aujourd'hui que la représentation visuelle soit le lieu même de la formation morale et de la manipulation idéologique et c'est cela, aussi, l'échec du Panthéon.

1. Julien Gracq, *Lettrines 2*, Paris, Corti, 1974.

2. Le rapport qui, en 1792, conclut à la panthéonisation de Beaurepaire (Beaurepaire est ce général contraint d'abandonner la place aux Prussiens et qui se brûle la cervelle) décrit le territoire français, du Panthéon à Sainte-Menehould, couvert de bataillons, et imagine l'effet moral qu'aurait, se frayant un chemin à travers ses bataillons, le retour du char funèbre de Sainte-Menehould au cœur de la nation.

3. Charles Péguy, *Victor-Marie, comte Hugo*, 1er *Cahier* de la douzième série, 23 octobre 1910.

4. L'idée d'affecter le monument à la sépulture des grands hommes est en effet bien antérieure à la Révolution. Piganiol de La Force, par exemple, avait déjà proposé d'y réunir les tombeaux de tous les grands hommes.

5. Là-dessus, voir La Bruyère, justifiant son discours à l'Académie française, qui avait été assez mal reçu: «L'usage a prévalu qu'un nouvel académicien, compose le discours qu'il doit prononcer, le jour de sa réception, de l'éloge du Roi, de ceux du cardinal de Richelieu, du chancelier Séguier, de la personne à qui il succède et de l'Académie Française.» Sur le genre des éloges en général, et sur la place que tient la louange royale à l'intérieur de l'éloge académique, il faut consulter le livre de Daniel Roche (*Le Siècle des Lumières en province*, Paris, Mouton, 1978). Daniel Roche a compté les pages consacrées à l'éloge du roi dans les discours des académiciens et n'a pas trouvé au cours du XVIIIe siècle de variation très significative. Mais plus sans doute que la place matérielle qui lui est faite compte la manière dont l'éloge est mené et celle-ci brode de plus en plus narcissiquement autour du motif de *«primus inter pares»*.

6. Sur tous ces problèmes, la meilleure étude est celle de Richard Etlin, *The Cemetery and the City, Paris 1744-1804*, University Microfilms, Ann Arbor, Mich.

7. Le Descartes de Thomas, par exemple, est un Descartes ignoré et calomnié par la cour. Significativement, le rapport de Marie-Joseph Chénier à la Convention sur la panthéonisation de Descartes transformera cette constatation en injonction: «Il faut venger du mépris des rois la cendre de René Descartes.»

8. Dans le chapitre des *Caractères* qu'il consacre au « mérite personnel », La Bruyère affirme que « le héros est d'un seul métier, celui de la guerre », alors que le grand homme est « de tous les métiers, ou de la robe ou de l'épée, ou du cabinet ou de la cour ». Peut-être, ajoute-t-il, qu'« Alexandre n'était qu'un héros et César un grand homme ».

9. À l'article « Héros », l'*Encyclopédie* estime qu'« il s'agit d'un titre essentiellement guerrier et qu'on doit juger bien inférieur à celui de grand homme ».

10. Voltaire, *Lettre à Thiriot*, 15 juillet 1735.

11. Abbé de Saint-Pierre, *Discours sur les différences des grands hommes et des hommes illustres*, Paris, 1739.

12. Ansquer de Londres, *Variétés philosophiques et littéraires*, À Londres et se trouve à Paris, Duchesne, 1762.

13. Bernardin de Saint-Pierre, *Études de la Nature*, Paris, Didot Le jeune, 1784.

14. Chevalier de Mopinot, *Mémoires sur l'art de la sculpture*, Paris, Hardouin et Gathey, 1786.

15. *L'Ami du Peuple*, 6 avril 1791. L'essai de tri personnel de Marat dans les grandes figures du passé est du reste intéressant : Belzunce, « le digne évêque de Marseille », Sully, « le sage ministre », Catinat, Villars, Montesquieu, « qui honora l'humanité par ses vertus ».

16. Dans un article véritablement fondateur de *Poétique*, n° 33, février 1978 : « Naissance du Panthéon ».

17. Le modèle auquel se réfère ici explicitement Diderot (*Salon* de 1765) est Greuze.

18. Antoine Léonard Thomas, *Œuvres*, Paris, Moutard, 1773, vol. III.

19. Philippe Ariès, *L'Homme devant la mort*, Paris, Éd. du Seuil, 1977.

20. Voir F. V. Mulot, *Discours sur cette question : quelles sont les cérémonies à faire pour les funérailles, en réponse au concours de l'Institut de 1800*, Paris, 44, rue des Prêtres Saint-Germain-l'Auxerrois, an IX. Du reste, aux apologies de la sépulture privée, mises en évidence par Philippe Ariès, s'opposent toujours des voix indignées, celle de Louis-Sébastien Mercier par exemple, qui la juge « un attentat contre le calme de la société ». « Non, ajoute-t-il, je ne veux pas de ces cimetières domestiques, ces jardins pavés de morts, ces armoires où l'un me montrerait son aïeul et l'autre son grand-oncle... » *Opinion de L.S. Mercier sur les sépultures privées*, 18 frimaire an V.

21. P. Giraud, *Les Tombeaux, ou Essai sur les Sépultures*, Paris, Desenne, 1801.

22. La Font de Saint Yenne, *Sentiments sur quelques ouvrages du salon de 1753* (s.l.), 1754.

23. Bernardin de Saint-Pierre, *Harmonies de la Nature*, Paris, Mequignon-Marvis, 1815.

24. L'article « Luxe » de l'*Encyclopédie* énumère les usages pervers de l'art et oppose le mécène frivole et irresponsable au « bon mécène » : « Des hommes riches dont l'âme est élevée élèvent l'âme des artistes ; ils ne leur demandent pas une Galatée maniérée, de petits Daphnis, une Madeleine, un Jérôme ; mais ils leur proposent de représenter Saint-Hilaire blessé dangereusement, qui montre à son fils le grand Turenne perdu pour la patrie. » Intéressant par ce qu'il exclut – le sujet mythologique et le sujet religieux, mis sur le même pied d'inanité –, le texte l'est aussi par ce qu'il élit : le grand homme-père de famille proposant à l'admiration de son fils un autre grand homme.

25. Élie Fréron, *Lettres sur quelques écrits de ce temps*, Genève et Paris, Duchesne, 1749-1754.

26. Falconet insiste sur la liaison nécessaire sculpture-hommes illustres et souligne une des contradictions du culte de l'image des grands hommes : « Nous avons le portrait de Socrate et nous le vénérons. Qui sait si nous aurions le courage d'aimer Socrate vivant parmi nous ? »

27. Marquis de Villette, *Lettres choisies sur les principaux événements de la Révolution*, Paris, 1792.

28. Antoine Quatremère de Quincy est un personnage tout à fait intéressant et trop peu connu sur lequel il existe un livre ancien qui demeure utile (R. Schneider, *Quatremère de Quincy et son intervention dans les arts*, Paris, Hachette, 1910). Très souvent, on fait de

Quatremère un tenant réactionnaire du néo-classicisme dans le premier quart du XIXe siècle alors qu'il est un pur produit intellectuel des années prérévolutionnaires. Il reçoit une éducation de sculpteur et passe entre 1776 et 1784 le plus clair de son temps à voyager en Italie avec ses amis Canova et David. Son premier mémoire, en 1785, est consacré à l'architecture égyptienne. Après quoi il reçoit de Panckoucke commande d'un dictionnaire d'architecture dont le premier tome paraît en 1788 et dont les mots sont choisis d'après un quintuple critère – historique, métaphysique, théorique, pratique et didactique.
Les préférences de Quatremère alourdissent les rubriques métaphysiques (sur l'essence de l'architecture) et théorique (sur les principes d'architecture). La correspondance de Quatremère est conservée aux Archives nationales (séries O et F 13). Quant à ses Mémoires imprimés, il s'agit des: *Rapport sur l'édifice de Sainte Geneviève*, fait au directoire du département de Paris par M. Quatremère-Quincy, Paris, Imprimerie Royale, 1791; *Extrait* du premier rapport présenté au Directoire en mai 1791 sur les mesures propres à transformer l'église dite de Sainte Geneviève en Panthéon français, Paris, 1792; *Rapport* fait au Directoire du Département de Paris, le 13 novembre 1792, l'an I de la République française, sur l'état actuel du Panthéon français, sur les changements qui y sont opérés, sur les travaux qui restent à entreprendre, ainsi que sur l'ordre administratif établi pour leur direction et comptabilité, par Ant. Quatremère, commissaire du Département pour l'administration et la direction du Panthéon français, Paris 1792; *Rapport* fait au Directoire du Département de Paris sur les travaux entrepris, continués et achevés au Panthéon français depuis le dernier compte rendu le 17 novembre et sur l'état actuel du monument, le 2e jour du second mois de l'an II de la République française une et indivisible, par Ant. Quatremère, Paris 1792.

29. C'est la définition même que Quatremère donne de l'instruction publique: «L'instruction publique, non pas celle qui parle à la mémoire de quelques hommes par le récit de quelques faits, mais celle qui produit les grands faits en parlant à l'âme de tous les hommes.» Quatremère de Quincy, *Rapport sur l'État actuel du Panthéon français*, le deuxième jour du 2e mois de l'an II.

30. Ils pourraient en effet autoriser une prolifération insensée. Quatremère commente: «Qui sait en outre jusqu'à quel degré la reconnaissance rétroactive de la Nation voudrait étendre les obligations envers les grands hommes qui auraient précédé l'époque de la Révolution et qui ne pourraient habiter ce sanctuaire d'immortalité que sous le simulacre du marbre qui le ferait revivre?»

31. Quatremère de Quincy, *Considérations sur les arts du destin*, suivies d'une place d'Académie, Paris, 1791.

32. Le visiteur pressé du Panthéon garde, même globalement, le sentiment que la sculpture y est révolutionnaire et la peinture chrétienne. D'un côté il songe à l'énorme groupe de Sicard dans le chœur *(La Convention nationale et ses grands hommes)*, de l'autre à Puvis de Chavannes *(Sainte-Geneviève veillant sur la ville endormie)*. En réalité, l'exécution du programme pictural a suivi les fluctuations politiques. Sous la Restauration, on confia les peintures du dôme à Gros et à Gérard, qui travaillèrent sur les thèmes religieux et monarchiques qui devaient illustrer, par-delà la fracture révolutionnaire, la continuité française. En 1830, Gérard dut laïciser à la hâte les sujets religieux des pendentifs et en faire une Mort, une Patrie, une Justice et une Gloire. En 1848, l'ambitieux programme commandé à Chenavard *(Les Évolutions morales du Monde)* fut bien, sous forme de cartons, exposé au Salon de 1853, mais resta inutilisé au Panthéon, redevenu entre-temps une église. L'ordre moral devait imaginer un nouveau programme pictural, à la fois religieux et historique, voué à la gloire de sainte Geneviève, Saint Louis, saint Denis, Clovis, Charlemagne, Jeanne d'Arc: programme à peu près achevé en 1889. Entre-temps, la République est devenue républicaine et c'est à la sculpture commémorative qu'elle demandera de mettre sa marque sur le monument. Cette série d'avatars, largement tributaire de la circonstance, n'en illustre pas moins, par une ironie du hasard, ce que la pensée révolutionnaire attribuait comme fonctions respectives à la peinture et à la sculpture.

33. Joseph Lakanal, *Rapport sur Jean-Jacques Rousseau*, Paris, Imprimerie Nationale, an III.

34. *Le Rôdeur réuni, anciennement le Rôdeur français*, bihebdomadaire, n° 37, 1789-1790.

35. Villemure, *Sur l'apothéose de Voltaire et celle des grands hommes de la France, proposée le même jour, en faisant porter leur buste à côté de ses cendres*, Paris, impr. de P. Provost, 1790. Tout le texte est une critique de l'apothéose d'un homme seul.

36. Archives nationales, F 13 1935.

37. Chaisneau, *Le Panthéon Français, ou Discours sur les honneurs publics décernés par la Nation à la mémoire des Grands Hommes*, Dijon, 1792.

38. Tout, du reste, conduit Quatremère au choix de l'allégorie : l'amour du style sévère et du beau idéal ; mais d'autre part les surfaces dont il dispose pour la décoration, espaces triangulaires prévus par Soufflot – auxquels il ne peut rien changer – imposent une ou deux figures seulement : laconisme accordé à l'allégorie.

39. La scénographie des danses sur la place du Panthéon est très efficacement décrite, avec la mise en scène du passage du deuil national à l'allégresse collective. Après quoi, dit laconiquement le programme, une « députation » de mères et d'enfants va porter Bara et Viala à l'intérieur du temple. Où ce petit groupe dépose-t-il les urnes ? Et selon quel rituel ? On n'en sait rien.

40. Joachim Le Breton, *Rapport à l'Empereur et Roi sur les Beaux-Arts*, depuis les vingt dernières années, 1808. Il serait donc surprenant, selon l'auteur, que le monument « ait gagné à tous ces mouvements hasardeux ».

41. *Voyage à Ermenonville, ou Lettre sur la translation de J.-J. Rousseau au Panthéon.*

42. Louis-Sébastien Mercier, *Rapport sur la panthéonisation de Descartes*, 18 floréal an IV.

43. *L'Ami du peuple*, 5 avril 1791. Le lendemain Marat renchérit : « Si jamais quelque législature se souvenant de ce que j'ai fait pour la patrie était tentée de me décerner une place dans Sainte-Geneviève, je proteste ici hautement contre ce sanglant affront. »

44. J'emprunte ces exemples au livre de Gérard Namer, *Bataille pour la mémoire*, Paris, Papyrus, 1983.

45. Louis Marie de La Révellière-Lépeaux, *Du Panthéon et d'un théâtre national*, Paris, impr. de H. H. Jansen, an VI.

46. Daubermesnil, *Notion d'ordre sur les moyens de vivifier l'esprit public*, Imprimerie Nationale, an IV. L'auteur s'interroge sur le charme d'Ermenonville : « Est-ce l'homme, est-ce le lieu qui parlait à mon âme ? Ah ! Si mes vœux étaient écoutés, à l'abri du danger d'être enseveli sous les décombres de ce frêle édifice, la dépouille de cet homme immortel, rendue à sa volonté dernière, animerait encore le lac et le vallon d'Ermenonville... »

47. *La Décade Philosophique*, 6e année, 1er trimestre.

48. Pierre Louis, comte de Rœderer, *Des Institutions Funéraires convenables à une République qui permet tous les cultes et n'en adopte aucun*, Paris, B. Mathey, an IV.

49. Charles Péguy, *op. cit.*

MAURICE AGULHON

La mairie

Liberté, Égalité, Fraternité

Nous sommes à la fin du XIXe siècle. Par familles entières, des juifs chassés d'Europe orientale par les pogroms arrivent en France. L'un d'eux raconte :

> ... et puis un jour ils franchissaient une dernière frontière. Alors le ciel s'éclairait et la cohorte découvrait une jolie plaine sous un soleil tiède, il y avait des chants d'oiseaux, des champs de blé, des arbres, et un village tout clair, aux toits rouges, avec un clocher, des vieilles à chignon sur des chaises, toutes gentilles.
> Sur la maison la plus grande, il y avait une inscription : Liberté, Égalité, Fraternité. Alors tous les fuyards posaient le baluchon ou lâchaient la charrette, et la peur quittait leurs yeux, car ils savaient qu'ils étaient arrivés.
> La France[1].

Osons le dire, ce texte émouvant est trop beau, et nous ne le méritons pas. Tous les Français ne sont pas antiracistes, toutes les « vieilles » ne sont pas « gentilles », et toutes nos mairies de village ne portent pas gravée la devise républicaine.

Elles le devraient pourtant, puisque la mairie idéale la porte ! Le mérite que nous trouvons à cette page de roman est bien d'évoquer, par cet enjolivement même, le stéréotype de la Mairie française par quoi il nous paraît juste de commencer cet article. Siège d'institution, lieu de pouvoir, la mairie est aussi un lieu symbolique. Comment ne le serait-elle pas puisqu'on organise en ses murs la vie commune des habitants et que l'on en conserve les traces ? Ce lieu symbole a d'abord été lieu de mémoire. Mais si le symbole est républicain, c'est que la mémoire est récente. Il faut donc d'abord préciser ce point, qui n'est paradoxal qu'en apparence.

La mairie au village

La mairie est républicaine par définition, puisque la France elle-même l'est depuis le 4 septembre 1870, et que les mairies sont les sièges les plus nombreux de fonctionnement de nos institutions. Elles en forment les lieux les plus proches des citoyens et les plus universellement présents.

Mais la mairie est républicaine plus essentiellement encore, puisque c'est précisément à la République que l'on doit l'universalité de sa présence.

Certes, il existe dans notre histoire nationale une mémoire propre de l'hôtel de ville ou – mieux encore – de la « commune » : on y exalte une vie locale et un pouvoir local, qui se sont affirmés depuis le Moyen Âge, et qui ont pu traverser les siècles. Mais songe-t-on assez qu'il s'agit de communes urbaines[2] ? C'est en 1789 seulement que l'Assemblée nationale a fait le formidable pari qui consistait à étendre à toutes les communautés du plat pays, à toutes les paroisses, disons, en clair, à toutes les agglomérations de paysans jusque-là guidées par les curés et (parfois aussi) dominées encore par des seigneurs, le droit d'être des communes avec un conseil et un maire. C'est en 1789 que la France est devenue le pays aux trente-huit mille municipalités !

Nous parlions de pari : pari sur la culture, sur la capacité, et sur leurs progrès à venir. Pari difficile, car dans le présent de 1789 il n'y avait pas toujours ne serait-ce qu'un paysan par village qui fût capable d'administrer. De là un siècle de tâtonnements, que nous avons évoqués ailleurs[3].

Mais, enfin, au bout de ce siècle, la République a pu cueillir le fruit de la semence révolutionnaire, en mettant en acte la démocratie locale dont 1789 avait posé le principe, et assumé le risque. En 1884, la loi fait définitivement du maire l'élu du conseil municipal (donc, indirectement, du suffrage universel) et elle peut lui imposer de travailler dans une mairie spécialement affectée à cet emploi. C'est ce qui se passe en effet.

Respectons donc les beffrois des grandes communes de Flandre, et les magistraux hôtels de ville Renaissance qui forment le cœur de nos villes. Mais qu'ils ne nous fassent pas oublier que la mairie ordinaire, majoritaire, rurale, la mairie de village, la mairie partout, n'a guère plus d'une centaine d'années d'existence.

Mais prenons les choses dans l'ordre.

Avant d'être partout abritée dans un édifice, l'institution municipale s'est longtemps incarnée dans la seule personne de son premier magistrat. La mairie, c'était le maire. Le maire cependant constituait une autorité nouvelle, par rapport aux autorités traditionnelles du prêtre et du seigneur. Dès le début du XIXe siècle, le stéréotype en était fixé. En 1840 la pléiade de jeunes littérateurs qui brossent avec humour la grande fresque des *Français peints par eux-mêmes* consacrent un article au «Maire de village[4]». La commune - y lit-on - est aujourd'hui comme l'État, chaque «classe» y a ses représentants:

> Aux deux extrémités du village, vous remarquerez deux maisons: l'une petite, riante, modeste: c'est le presbytère; l'autre, de belle apparence, visant au quatrième étage, placée d'ordinaire sur une hauteur, flanquée de deux corps de logis en forme de tourelles, ayant un faux air de féodalité: c'est la résidence de l'ex-seigneur. Celle du maire est au milieu, elle est blanche, riante, parée d'un drapeau tricolore.

Pourquoi serait-elle «au milieu» du village, sinon par une allusion ironique au «juste milieu» de la philosophie politique officielle?
L'idée est bien, en tout cas, que le pouvoir du maire, pouvoir tricolore depuis 1830, en tant que pouvoir distinct de celui du grand propriétaire et de celui du prêtre, est essentiellement, virtuellement, implicitement, démocratique contre l'un et laïque contre l'autre. Même si, dans la réalité (et nos auteurs ne l'ignorent pas), le maire, parfois, n'est autre que l'ancien seigneur en personne, ou le régisseur de ses propriétés, ou l'un de ses fermiers. Même si, autre cas possible, le maire est un quasi illettré qui, pour pouvoir comprendre les circulaires du préfet, et leur répondre, doit aller se les faire expliquer par le curé[5]. Le maire idéalement indépendant n'est pas le seul cas possible.
Encore une fois, il faudra, dans la France profonde, près d'un siècle pour que le maire devienne ce que 1789 avait souhaité qu'il fût. Mais restons à la mairie, dans le cadre de cet article.
On aura noté que, dans ce croquis des *Français peints par eux-mêmes*, il n'était pas question de la «mairie» mais de la «maison du maire», et cette notation mérite tout notre intérêt.
Tracée sur le papier par la Révolution française, l'institution municipale a reçu sa première grande charte sous le régime laborieux et libéral de Louis-Philippe, avec la grande loi du 18 juillet 1837[6]. Or, si cette loi obligeait les municipalités à entretenir leur maison commune, lorsqu'elles en avaient une, elle ne les obligeait pas à louer un local lorsqu'elles en manquaient. Aussi, dans bien des localités, c'était le domicile du maire qui tenait lieu de maison commune.
On voit les conséquences: archives rangées (?) dans le coin d'une armoire... familiale, réunion du conseil autour d'une table... familiale, quand ce n'était pas la table du cabaret voisin, etc. Cela n'a changé d'abord que lentement. La construction des mairies pourrait bien, curieusement, avoir été favorisée... par la loi Guizot de 1833 sur l'enseignement primaire: obligées de se doter d'une école de garçons, bien des communes se sont équipées d'un local municipal par la même occasion. «Jusqu'à ce jour, écrit au sous-préfet de Rambouillet le maire de Boissy-sans-Avoir, aucun instituteur ne s'est pré-

senté pour exercer, et comme ma commune n'est pas pourvue de logement nécessaire à l'instituteur, la commune n'a fait aucune demande; mais elle est dans l'intention de faire construire en 1843 *un logement d'école avec une salle de Mairie* [souligné par moi, M. A.] et ce n'est qu'au moyen de ce local qu'elle pourra avoir un instituteur[7].»

Il faut attendre la IIIe République (à nouveau un régime laborieux et moralement inspiré de 89 – ce n'est pas par hasard) pour qu'une grande loi municipale, celle du 5 avril 1884, décide que toute commune devait être nantie d'un hôtel de ville, qu'elle en soit propriétaire ou qu'elle en soit locataire, et que l'hôtel de ville ne devait jamais être le logement du maire, du secrétaire de mairie ou de l'instituteur. Ce devait être un local indépendant loué par acte spécial. Le souci de rendre l'institution anonyme, collective, donc indépendante du pouvoir social des notables, amenait la loi à mettre, comme on dit, les points sur les «i»: si le local municipal était loué, et que le propriétaire de cet immeuble fût précisément le maire, le bail devait être souscrit au nom de la commune par un adjoint.

La commune devait meubler son local du mobilier et du matériel nécessaires à l'exercice de ses fonctions administratives, et l'entretenir en bon état.

Mais là encore, l'impulsion donnée par les lois Ferry sur l'instruction publique avait pu précéder celle que provoquait la loi municipale. À Lavault-de-Fretoy (Nièvre) comme tout à l'heure à Boissy-sans-Avoir, la commune avait installé depuis 1847, dans une «maison de louage», «l'école, la mairie, le logement de l'instituteur». Un écrit de 1883 nous apprend qu'elle «est en instance pour faire construire une *maison d'école de garçons avec mairie* [souligné par moi, M. A.]... Si ce projet s'exécute la maison d'école actuelle sera donnée à l'institutrice[8]...».

Désormais partout la Mairie va entrer dans le paysage, dans la vision banale de l'espace rural et, au-delà, dans le folklore. Au début de notre siècle, un observateur avisé peut noter qu'«une maisonnette à volets verts, portant l'inscription MAIRIE» venait de faire son apparition dans le décor méridional des crèches de Noël, où l'on tendait depuis cinquante ans à remplacer le décor oriental de Bethléem par celui du village provençal[9].

Ainsi sortait du sol la dernière poussée de nos mairies de villages, peut-être la plus nombreuse[10].

La mairie symbole

Pour que le fait se mette d'accord avec la loi (ou – autre façon de dire la chose – pour que l'exigence légale soit à peu près réalisable), il fallait bien que la France rurale pût assumer cette charge.

Et il est bien vrai que la IIIe République a bénéficié d'une sorte d'optimum de la condition économique globale de la France paysanne. Certes, on y est souvent pauvre (et la dernière classe des paysans peut y être très pauvre) mais on est tout de même sorti (majoritairement, globalement) de l'extrême indigence du début du XIXe siècle, sans que l'on soit encore entré dans l'appauvrissement par exode et désertification qui sera la marque du XXe siècle. Entre la pénurie de moyens des années 1820 et la disette d'hommes des années 1920, la France rurale de 1880-1900 atteint une sorte d'équilibre, par lequel elle arrive à vivre moins mal et à équiper ses villages[11].

Plus riche d'argent, le village l'est aussi de capacité et de culture. Un autre mouvement séculaire, celui de l'alphabétisation, arrive maintenant à produire ses effets, avant même que les lois Jules Ferry l'amènent à la plénitude de ses résultats[12]. Le maire illettré incapable de gérer sans tuteur a disparu, et partout il y a des hommes qui peuvent comprendre la fonction et prendre le goût de l'assumer eux-mêmes. Passons - tant la chose est évidente - sur l'incitation à la vie publique que constituent en outre le régime et les institutions de la démocratie libérale et la stimulation que lui apporte, même assortie de quelques «effets pervers», la compétition des partis.

Enfin, dans les mêmes années quatre-vingt - nous l'avons déjà rappelé -, les communes de France reçoivent l'obligation de se doter d'une école publique laïque. Bien des communes ont fait alors d'une pierre deux coups en bâtissant un édifice municipal qui soit à la fois mairie et école, la forme banale consistant à faire la mairie dans un corps central, et l'école des filles et celle des garçons - sagement séparées - dans les ailes symétriques de l'édifice. Il y existe normalement un logement de fonction pour les maîtres; mais cela ne contredit pas l'article de la loi de 1884 qui stipule que nul ne peut habiter dans la mairie car il n'y a pas de porte de communication entre l'appartement de l'instituteur et la salle de la maison commune[13].

Chose curieuse, cette irruption de l'école laïque en nos campagnes a quelque peu éclipsé l'érection des mairies dans notre mémoire historique.

Bien peu de Français d'aujourd'hui savent qu'à la fin du siècle dernier le mot même de «mairie» était un mot récent[14]. Jusque-là on disait plutôt «hôtel de ville» en ville, et au village «maison commune»... là où il y en avait une. «Mairie» ne s'est banalisé et ne s'est imposé que lorsque la IIIe République eut valorisé la fonction de maire et l'eut obligée à se matérialiser en un édifice spécial, vite perçu comme central, inévitable, nécessaire.

Tout a été dit sur la symbolique de la maison d'école[15] mais n'était-elle pas symbolique surtout quand elle était matériellement et visuellement unie à la mairie?

Tout a été dit, et trop dit, sur la politique au village qui aurait opposé le «parti de l'instituteur» au «parti du curé». En vérité, tous les instituteurs n'étaient pas militants, et, surtout, l'instituteur, quelles que fussent ses convictions intimes, ne pouvait rien faire de politique, rien de «socioculturel», rien d'important au-delà du métier, s'il n'avait pas le maire dans son camp, ou – pour mieux dire – s'il n'était pas dans le camp du maire. Empruntons une nouvelle fois à la littérature une image stéréotypée. Quand il y a, comme à *Clochemerle*[16], un parti anticlérical de quelque consistance et de quelque efficacité, le maire, puissant personnage, en est le chef, et l'instituteur en est tout au plus le chef d'état-major, et le metteur en phrases. Le cas de figure où c'est l'instituteur qui serait le véritable chef, et le maire un mineur intellectuel et politique à qui le maître d'école dicterait son rôle, nous paraît – jusqu'à plus ample informé – moins plausible.

Au reste, des études récentes l'ont bien montré[17], la division de bien des villages de France entre un parti clérical et un parti laïque est largement antérieure aux lois scolaires des années quatre-vingt. En Isère, même sous l'Empire autoritaire, il existait des maires (plus ou moins soutenus par le préfet) qui se disputaient avec leurs curés (toujours soutenus par l'évêque) parce que ceux-ci prétendaient ordonner à leur guise la réparation d'un clocher ou le règlement du cimetière. La logique de l'institution communale, œuvre moderne et toute civile, est d'être en concurrence avec l'institution paroissiale, qui s'adosse à la coutume et à l'unanimité morale d'antan, et que vient forcément déposséder l'évolution des choses.

Un maire qui prend son rôle au sérieux est donc «laïque» par définition, et anticlérical potentiellement[18].

L'école de Jules Ferry n'a donné qu'un aliment de plus – fort substantiel il est vrai – à un contentieux déjà presque centenaire.

Ces considérations aident à comprendre les solidarités profondes qui ont lié au début de la IIIe République trois séries de réalités: l'esprit républicain, la valorisation de la fonction de maire et la symbolique de la mairie.

Les formes de l'énoncé que l'on vient de lire pourraient laisser croire à une conclusion obtenue par voie déductive. En vérité, nous y étions venus d'abord à la lecture d'un historien qui était homme d'observation autant qu'homme de réflexion, un érudit mais d'abord un témoin, Daniel Halévy, en ses *Visites aux paysans du Centre*[19]. Ygrande (Allier), 1910. La mairie est neuve, et son architecture quasi urbaine tranche sur les maisons du bourg. Notre visiteur note:

> Les anciennes mairies, pour lesquelles c'était assez d'une table et d'une armoire, ne suffisent plus. Une vie commune s'est instituée, qui veut une maison commune. Le maire d'Ygrande, M. Madet, a compris cela et, nonobstant la fureur des réactionnaires, il a fait construire une mairie que tous les Ygrandais commencent à trouver belle.

Plus loin, à Domerat (près de Montluçon, et village ultra-rouge)[20], Halévy note encore une mairie «énorme bâtiment», que «les vignerons de Domerat ont bâtie, voici dix ans, dans un moment d'orgueil et de richesse».
La «fureur des réactionnaires» devant une trop belle mairie, c'est l'exacte réplique de l'«orgueil» architectural des vignerons rouges. On peut interpréter cela en termes religieux: la «réaction» (cléricale) n'aime pas trop que l'édifice type de la République dispute à l'église le magistère symbolique du village. Et réciproquement! Mais ce n'est pas le seul aspect des choses. Les ethnologues qui ont récemment étudié l'Aubrac nous ont appris qu'en ces confins oubliés de l'Aveyron et de la Lozère il y avait quelques villages où alternaient à la mairie des «rouges» et des «blancs[21]». Or – notent-ils, apparemment sans avoir lu Halévy – les maires blancs économisent, réduisent leur gestion municipale aux dépenses strictement nécessaires, tandis que les «rouges» dépensent, n'hésitent pas à faire réparer un toit (même si c'est celui du presbytère!), ni à offrir aux pauvres femmes le luxe d'un lavoir public couvert… Car tel était bien, aussi, vers 1900, un aspect du contraste des mentalités: à droite, économie à la paysanne, attachement à la tradition, méfiance à l'égard de l'institution publique et de l'impôt; à gauche, optimisme euphorique des artisans et petits marchands, confiance dans le Progrès matériel et institutionnel. Ce contraste ne coïncide pas vraiment avec celui qui oppose Religion et Laïcité, mais on conçoit aisément qu'il ait pu, en l'occurrence, cumuler ses effets avec les siens.
On peut même tenter de compliquer encore les choses! Tout n'est pas forcément politique ou philosophique dans l'engagement (ou la faiblesse d'engagement) édilitaire. On ne saurait exclure le sentiment plus neutre de l'esprit local, la fierté du pays et l'esprit d'émulation. Étudiant la croissance rapide des villages de la banlieue parisienne, toujours vers 1880-1900, le géographe Jean Bastié note finement: «Les communes de banlieue, très jalouses de leur autonomie, et fières de prendre l'importance de villes, se dotaient de symboles de leur indépendance: ces hôtels de ville néo-Renaissance aux toits d'ardoise à forte pente, surmontés d'un campanile, qui se multiplient aux environs de 1900 autour de Paris[22].» Nous aurons en effet à retrouver ce thème. Présence de la République dans une localité, la mairie peut vouloir exprimer l'esprit de la localité, et point seulement celui du régime. Il y a bien virtuellement deux symboliques possibles.
Il nous semble pourtant qu'à la fin du siècle dernier le stimulus idéologique ait été, pour les raisons de conjoncture historique que nous avons dites, d'une grande importance. Forcerons-nous trop la note en écrivant, dans le prolongement de Daniel Halévy, qu'être républicain c'était avoir la mairie ambitieuse et proclamatrice? Et qu'être «réactionnaire» c'était avoir la mairie modeste?

La mairie proclamation

Rappelons encore une fois que les considérations qui précèdent s'appliquaient avant tout aux mairies de village, œuvre typique, quoique non exclusive, de la IIIe République.
Mais la signification symbolique de l'architecture et du décor municipal est évidemment aussi vieille que l'architecture elle-même, et nous aurons à nous en souvenir en examinant, désormais, sans trop distinguer la taille des communes, les problèmes posés par leur langage visuel.
L'examen des éléments symboliques du décor des édifices municipaux n'est qu'une faible partie de l'étude d'architecture, d'art et d'urbanisme qu'ils mériteraient. Nous avons déjà dit notre certitude que la seule information (exhaustive et comparative) sur leurs âges serait un enrichissement véritable de notre connaissance de la civilisation française.
Au-delà, il faudrait donc examiner aussi bien les mairies urbaines, généralement antérieures à 1789, que les mairies rurales, plus souvent postérieures. Distinguer les unes et les autres d'après leur style. Étudier la conception et l'ampleur de leurs aménagements intérieurs ; l'article « Mairie » de la *Grande Encyclopédie* de Berthelot en esquisse un classement suggestif : au village la mairie fait corps avec l'école primaire et la bibliothèque ; au chef-lieu de canton elle comporte en plus un « prétoire » pour le juge de paix, un cabinet pour le juge, et souvent un petit musée ; sans oublier la remise pour la pompe à incendie et le petit magasin du matériel des fêtes municipales ; mais à la ville on voit plus grand : salle du conseil, salle des mariages, salle des fêtes, salles pour commissions, bureaux pour le maire, les adjoints, et les services, archives, salle d'attente. Et d'analyser en détail l'hôtel de ville de Suresnes, et la mairie d'arrondissement de Paris IVe[23].
Il faudrait distinguer enfin les édifices conçus et bâtis pour être une mairie de ceux qui utilisent un bâtiment construit à d'autres fins, par exemple un ancien château.
Cette partie essentielle de notre architecture civile publique demanderait des volumes entiers, que nous n'avons pas l'ambition ni la capacité d'écrire. On voudrait seulement parler ici de ce qui marque les mairies anciennes ou nouvelles depuis que la République les a, à la fois, exaltées et multipliées. Il existe des signes locaux (nous y reviendrons) et des signes politiques. Ces derniers, par lesquels nous commencerons, peuvent être distingués eux-mêmes selon qu'ils sont à l'intérieur de l'édifice ou visibles de l'extérieur. À l'intérieur, le buste de la République et le portrait du chef de l'État, à l'extérieur les inscriptions et emblèmes gravés et apposés (ou non...) sur la façade.
Chaque fois qu'un régime d'inspiration « 1789 » s'est installé, il en a été ainsi. Là encore, l'élan de 1830 avait annoncé de loin celui de 1870-1880.

Dans l'inoubliable Yonville de Flaubert (de *Madame Bovary*), gros bourg normand, sans doute chef-lieu de canton, il existe une mairie, qui est récente ou du moins récemment rénovée.

> Construite *sur les dessins d'un architecte de Paris*, [c'] est une manière de temple grec qui fait l'angle à côté de la maison du pharmacien. Elle a, au rez-de-chaussée, trois colonnes ioniques et, au premier étage, une galerie à plein cintre, tandis que le tympan qui la termine est rempli par un coq gaulois, appuyé d'une patte sur la Charte et tenant de l'autre les balances de la Justice[24].

Lors du comice agricole, son fronton est enguirlandé de lierre, et les gardes nationaux viendront y prendre des rafraîchissements. Enfin, dans la salle des délibérations, au premier étage, on trouve une table ovale, des tabourets, et le « buste du monarque ».

Déjà donc, l'extérieur et l'intérieur...

Peu de citoyens savent qu'*aucun de ces signes n'est obligatoire*, pas plus d'ailleurs qu'ils ne l'étaient sous Louis-Philippe. Nos lois municipales successives sont très riches de détails sur le fonctionnement administratif et financier des institutions communales, sur la façon dont le conseil délibère, et dont son budget s'ordonnance, sur les pouvoirs matériels et les devoirs pratiques du maire, tout cela marqué au coin de la rigueur juridique, de l'économie et de l'efficacité. De propagande, point ! La loi municipale est faite pour un maire idéal et incolore. Consultés par nous à ce sujet, pour plus de certitude, les services compétents du ministère de l'Intérieur sont catégoriques : il n'existe aucun texte sur ces objets, rien... que la « tradition républicaine[25] ».

Peut-être faut-il insister quelque peu aujourd'hui, car la République n'a pas très bonne réputation ! À force d'avoir appris et entendu répéter que la République avait tracassé les congrégations, réprimé le mouvement ouvrier naissant, inculqué aux enfants (par instituteurs interposés) la morale élémentaire, le civisme et la conscience nationale, fait apprécier le travail et l'Ordre public, toutes choses que l'anarchisme diffus et banalisé d'aujourd'hui fait aisément tenir pour réactionnaires et oppressives, on en vient à oublier cette autre évidence massive : la République fut le régime le plus philosophiquement et politiquement libéral que notre histoire ait connu. On fut obligé d'obéir aux lois, on ne le fut pas d'être républicain ni même de faire semblant de respecter la République.

Au reste, dans le cas des mairies, cette attitude avait sa logique. Libérale, la loi de 1884 donnait aux conseils municipaux, issus eux-mêmes du suffrage universel, le droit d'élire les maires. C'était avoir la certitude que, dans près de la moitié des communes rurales françaises, le maire serait un adversaire du régime. Il aurait été illogique de heurter de front les braves monarchistes que l'on venait ainsi d'appeler à administrer leur village en leur imposant de le faire sous le buste de «Marianne»; cela aurait abouti à multiplier des conflits dont l'effet aurait annulé les bénéfices que le bien public allait retirer de la sagesse du pouvoir et de la bonne volonté des notables. Cette politique illogique n'a pas eu lieu.

Le buste de la République et la photographie du président sont donc arrivés dans les mairies par un mouvement politique spontané, qui s'est étendu en tache d'huile, qui a pris peu à peu le statut de coutume, s'est banalisé au fur et à mesure qu'il s'étendait, et qui a fini par acquérir la force de la tradition. Vers 1880, il aurait été intéressant de compter les mairies dont la salle du conseil s'ornait du buste emblématique du régime, car cet acte d'engagement politique était alors significatif. Aujourd'hui, il serait plutôt intéressant de dénombrer les mairies *sans* «Marianne» car c'est l'absence qui a un sens. «Marianne» ayant finalement gagné, avec l'acceptation générale de la démocratie républicaine, son emploi de meuble de mairie a pris le statut de coutume, est entré dans les mœurs, et c'est la dissidence par rapport à cet usage qui est devenue une originalité méritant une analyse. Nous n'en dirons pas plus ici sur cette histoire, à laquelle nous consacrons un ouvrage spécial[26]. Nous n'avons pas fait, en revanche, de recherche particulière sur l'habitude d'apposer le portrait du président, l'étude en reste à faire, comme bien d'autres. Nous avons seulement noté tout à l'heure en passant qu'elle était préfigurée sous la monarchie[27].

Sortons plutôt de la mairie. Après tout, le citoyen ordinaire n'y pénètre qu'épisodiquement, alors qu'il peut passer tous les jours devant sa façade. Cela ne veut certes pas dire qu'il la contemple, mais même si l'on n'a jamais arrêté un regard attentif sur un décor familier, on ne laisse pas d'être imprégné et vaguement influencé par lui. Pour notre part, nous avons souvent posé des regards attentifs à prétention scientifique sur les façades municipales, mais dans les limites de nos relations et voyages personnels, c'est-à-dire infiniment en deçà du fameux maximum des trente-huit mille communes[28]. Assez pour démontrer l'intérêt de la chose, et esquisser une typologie provisoire, pas assez pour une étude vraie: seule en effet une inspection exhaustive permettrait de reconnaître les situations majoritaires, minoritaires et exceptionnelles, et de poser en termes rationnels les problèmes de corrélation.

D'abord combien de mairies, et lesquelles, sont désignées en façade par le mot de «Mairie», combien par «Hôtel de Ville», et combien par d'autres termes, «Commune», «Maison commune», voire «Mairie-Foyer des campagnes[29]»? On entrevoit que «Mairie» est plus rustique et «Hôtel de Ville» plus citadin. L'hôtel de ville est... en ville, mais souvent aussi dans ces villages du Midi où, en vertu d'un processus culturel que nous avons beaucoup étudié autrefois, l'ambition du Progrès et de la démocratie fait volontiers reproduire les formules et schémas urbains[30].

Faut-il extrapoler en envisageant que, dans les bourgs et villages, «Hôtel de Ville» serait plutôt une option de gauche, et «Mairie» une option conservatrice ou, mieux encore, infrapolitique et neutre[31]? Ici, à coup sûr, la présomption devrait être soumise aux vérifications du dénombrement statistique et de la géographie comparée.
La même problématique pourrait s'appliquer à un autre grand caractère de la façade: écrit-on seulement «Hôtel de Ville», «Mairie»? ou bien «République française-Hôtel de Ville-Liberté, Égalité, Fraternité»? Nous avons dit, en citant tout à l'heure un sympathique romancier, que cette deuxième et complète formule était tenue pour typique. Soit. Mais en vérité est-elle seulement le cas majoritaire? Nous n'en sommes pas sûr. Et quelle est la catégorie de communes qui utilise cette formule développée (République française-Liberté, Égalité, Fraternité)? S'agit-il plutôt des communes urbaines et riches, qui *peuvent* faire les frais de cette inscription? Ou des communes sincèrement républicaines, qui ont *voulu* faire ces frais[32]? Il faudrait étudier ces corrélations d'autant plus finement que les catégories envisagées ont une certaine plage de coïncidences, puisque, vers la fin du siècle dernier, les villes et bourgs étaient, dans l'ensemble, plus à gauche que les communes rurales, et que, par conséquent, l'envie de proclamer et le moyen financier de le faire allaient de pair.
Au-delà du règlement de cette question il pourrait être curieux, voire pittoresque, de relever les variantes que certaines municipalités se sont permis d'infliger – en toute liberté – à la devise de la République.
Aux Lilas (ex-Seine, aujourd'hui Seine-Saint-Denis) on lit: «Liberté-Égalité-Fraternité-Vote».
À Villeneuve-de-Berg (Ardèche) on dit: «République française-Obéissance à la Loi».
À Valence (Drôme): «R.F. Lex Suffrage Universel».
Enfin à La Celle (Var): «Liberté Égalité Science».
Cette même mairie d'un minuscule village rouge comporte en plus sur son fronton deux allégories féminines de l'éducation laïque (l'une distribue des livres, l'autre montre l'alphabet) et l'ensemble s'accompagne d'une inscription en un latin de cuisine fortement combatif. On déchiffre: «ERROREM ERIPTE. SUA RADIATIO DA [BIT ?] SCIENTIAM DURABILEM...»
En tout cela, nous ne distinguons plus entre anciens et nouveaux édifices, et nous pouvons les soumettre au même examen car rien n'empêchait (et le cas fut fréquent) que «R.F.», «République française», ou la devise tripartite fussent rajoutés après 1870 sur des façades d'hôtels de ville remontant aux siècles d'Ancien Régime.
On ne distinguera pas davantage anciens et modernes pour examiner le troisième test de républicanisme présumé: celui qui consiste à apposer sur la

façade, donc à incorporer au décor extérieur visible de la mairie, l'effigie féminine en buste, voire en pied, de la France républicaine.

Dans le Midi méditerranéen on en trouve jusque dans les mairies de village, et, cette fois, il n'y a guère à hésiter sur l'interprétation. Ce sont les régions rurales « rouges » qui, non seulement ont mis très tôt une « Marianne » dans la salle du conseil, mais qui en ont souvent aussi empli le décor extérieur, avec une statue sur la place, un buste sur la fontaine, ou un buste en façade de mairie, et quelquefois en cumulant ces signes[33].

Cette ferveur est parfois soulignée plus clairement encore : à Bagnols-sur-Cèze (Gard), le buste de République qui orne la façade de mairie, sur une console tardivement apposée à une architecture XVIIe siècle, porte l'inscription suivante : « La République, en consacrant la suprématie du nombre ayant rendu possible la suppression de l'octroi à Bagnols, la démocratie du canton a érigé ce buste. 1883. »

À Saint-Chamas (Bouches-du-Rhône) la mairie porte à hauteur du premier étage une statue *en pied* de la République – emplacement, forme et taille insolites qui se comprennent clairement lorsqu'on voit à cent mètres de là la façade baroque de l'église paroissiale servir de cadre à une belle et imposante Sainte Vierge. Lutte par mimétisme et défi… nous reviendrons ailleurs sur ce problème.

La situation est cependant un peu moins claire dans les très grandes villes, généralement propriétaires d'un édifice municipal très ancien et très beau. La volonté de le républicaniser et celle d'en garder le cachet d'art ancien ont pu ainsi entrer en conflit et donner lieu à des solutions différentes dont la rationalité est moins probable que la contingence : pourquoi le buste de Louis XIV est-il toujours dans sa niche sur la façade de la mairie de Marseille (XVIIe siècle, œuvre de Puget), alors qu'à Aix-en-Provence on le voit remplacé par une République ? Les réponses singulières seront ici malaisément « quantifiables ». Parmi les hôtels de ville anciens, Lyon est un bel exemple de conservation d'une statue de roi (Henri IV). Troyes au contraire offre celui d'une allégorie féminine de la Patrie, « Liberté » en 1793, atténuée plus tard en France casquée[34].

Bustes de rois ou de républiques, ces œuvres sculptées nous ont menés à la mairie œuvre d'art[35]. Ils nous ont ainsi conduits à une autre série de considérations, car le décor municipal sculpté n'était pas toujours politique.

L'Ancien Régime finissant a légué en particulier une grande tradition de sculptures allégoriques représentant la ville dans ses plus notoires caractères d'histoire ou d'économie, enfant illustre ou spécialité commerciale. Le XIXe siècle monarchique puis républicain a su conserver tout cela, voire le prolonger[36]. On peut ainsi identifier le commerce et la viticulture dans plusieurs vieux hôtels de ville bourguignons (Beaune, Nuits…), des médaillons des

Limousins célèbres à la mairie de Limoges, la métallurgie et la rubannerie sur le perron de la mairie de Saint-Étienne, le vendangeur et le tonnelier à Paris XIIe (Bercy), voire, si nous lisons bien, la rosière sur l'*ancienne* mairie de Nanterre.

On peut y ajouter le thème des valeurs civiques prérépublicaines, ou non spécifiquement républicaines (la loi et la justice à Courbevoie, etc.).

Nous écrivions plus haut que la fierté qui poussait les communes à faire les frais de «belles mairies» pouvait être soit une fierté de la singularité locale, soit une fierté d'avènement républicain: esprit de clocher ou esprit civique, on peut en retrouver ici l'alternative. Tel programme de sculpture mettra davantage d'accent sur le local, tel autre sur les valeurs universelles de la démocratie (le premier sera-t-il plus souvent à droite? Et le second à gauche? Ce serait à vérifier), tel autre enfin pourra s'offrir le luxe de marier les deux proclamations. On s'attardera à cet égard dans le nouvel Hôtel de Ville de Paris, récemment restauré et étudié[37]. Une place à part pourrait être faite enfin aux pages sculptées de la modernité socialiste, quand il y en a. Elle est en effet ambiguë: à Ivry-sur-Seine (ex-Seine, aujourd'hui Val-de-Marne), la représentation des travailleurs relève aussi bien de la tradition d'illustration de la spécialité économique locale (ici l'industrie mécanique et électrique) que de la proclamation idéologique (exalter le monde du travail)[38].

Ainsi peut-on «lire» les mairies.

Encore faut-il savoir quelle mairie aller lire? Car il est beaucoup de villes où les mairies déménagent et se succèdent! Pas les plus petites, celles des villages exsangues, ni les très célèbres, celles des villes fières, depuis quatre siècles ou davantage, d'un hôtel de ville fameux. Mais, dans la grande masse des communes moyennes, l'ampleur accrue des fonctions dévolues aux municipalités a vite rendu les mairies du XIXe siècle trop petites pour contenir tous les bureaux et services; aussi, après avoir éparpillé dans des locaux divers les services nouveaux, a-t-on souvent pris le parti de bâtir au XXe siècle une mairie plus grande qui puisse les regrouper. En mainte ville de France on a ainsi, en plus de la mairie, une ou plusieurs anciennes mairies, ce qui permet de comparer un style récent d'hôtel de ville avec le style IIIe République de l'hôtel antérieur, souvent réaffecté au bureau de poste, à la bibliothèque ou à quelque foyer communal d'«anciens», de «jeunes» ou de sociétés[39].

Or, cette comparaison n'est pas sans intérêt pour notre propos. Elle montre clairement le déclin de la proclamation écrite ou sculptée. La mairie urbaine récente est normalement de lignes sobres, à grands murs lisses, l'inscription s'y raréfie et la sculpture figurative y disparaît. Selon les critères que nous avons entrevus pour 1880-1900, la mairie de notre temps paraîtrait donc plus «droitière», même quand la tendance de l'électorat communal ne s'est pas inversée. Mais ce qu'on pourrait interpréter comme un déclin de la ferveur républicaine doit plus probablement se comprendre autrement: le goût esthétique commun est devenu moins friand d'image, et davantage de sobriété; et la pédagogie républicaine de masse est jugée (à tort ou à raison) moins nécessaire qu'elle avait pu l'être il y a cent ans[40].

À cet égard, la mairie française d'hier est bien souvent un document en même temps qu'un monument historique.

La mairie mémoire

Par elle-même, par son existence et par ses fonctions, par sa masse et par son décor, la mairie est bien la mémoire de la Cité. Est-elle perçue comme telle par les habitants du pays? La réponse est moins simple à donner sur ce point. En principe, trois missions essentielles relèvent de cette catégorie, le cadastre (mémoire de la propriété du sol), les archives (mémoire de la gestion municipale), l'état civil (mémoire de la vie des gens).

Le fonctionnement effectif de chacune d'entre elles, l'usage concret et la perception affective qu'en ont les citoyens demanderaient de longs examens, qu'il faudra bien entreprendre un jour. Le beau chantier que ce serait, une phénoménologie du politique local! Nous l'entrevoyons cependant assez bien pour être convaincu qu'à chaque chapitre nous retomberions sur trois grandes distinctions déjà évoquées: entre les villes et les communes rurales, entre le passé et le présent, entre les pays républicains et... les autres.

Prenons l'exemple des archives, mémoire, au sens propre du mot, de ce cerveau qu'est une mairie. C'est en toute logique que la Révolution française avait décidé que les papiers produits par l'administration seraient conservés à trois niveaux. Archives nationales, archives départementales, archives municipales[41]. Mais quelle inégalité dans la réalisation! Les grandes villes n'avaient pas attendu le début du XIXe siècle pour avoir leurs archives; quant aux communes rurales elles mirent parfois un siècle avant d'y parvenir. Comment garder des archives en effet sans un mobilier approprié installé dans un local stable? Et comment les classer et les répertorier sans que quelqu'un sur place possède un minimum de culture et de méthode historique? Les archives municipales des plus petites communes ont donc toujours été dépendantes des moyens que pouvait leur affecter le conseil municipal (telle armoire, tel coin de bureau, voire tel fond de grenier), et des soins que pouvait leur consacrer tel homme compétent (soit – idéalement – l'archiviste départemental en tournée, soit un instituteur ou un curé ou tel autre érudit local amateur). C'est dire qu'au-dessous du niveau du bourg ou du gros village, la qualité de l'institution ne pouvait être qu'aléatoire, et elle l'est bien en effet, tous les historiens le savent. La loi même a dû prendre son parti de cet état de fait et admettre récemment (1972) que les archives municipales anciennes soient collectées pour être conservées aux archives du département. Telle est une des conséquences, peu connues du grand public, de l'exode rural qui fait tomber tant de communes au-dessous du seuil où existent les moyens d'une auto-administration effective. Un corps exsangue perd aussi... sa mémoire et pas seulement sa vigueur physique.

L'autre exemple de difficultés réelles que l'on peut évoquer pour minimiser le rôle théoriquement dévolu aux mairies nous est fourni par l'état civil. Depuis 1792, c'est là que le citoyen voit s'enregistrer les moments décisifs de sa vie personnelle, la naissance, le mariage et la mort. Cette fonction séculière a été arrachée à l'Église catholique, qui a longtemps vu une offense dans cette soustraction, et s'est attachée avec d'autant plus de soin à célébrer l'équivalent spirituel de ces opérations civiles. En cette concurrence implicite, l'Église a été suivie, il faut bien le dire, par l'immense majorité catholique (et, secondairement, protestante et israélite) de la population française. Le déséquilibre entre les deux cérémonies est considérable, et joue tout entier en faveur de celle qui se passe dans les lieux de culte. La déclaration d'une naissance ou d'un décès à la mairie, dans le bureau de quelque secrétaire qui n'est même pas tenu d'être un élu municipal, ne dure que quelques instants, mille fois moins qu'un baptême ou qu'un enterrement. Certes le mariage civil a plus de poids : la cérémonie, à laquelle doit présider le maire ou un adjoint, l'écharpe à la taille et le Code civil entre les mains, n'est pas sans consistance. Mais la moindre bénédiction religieuse a plus de durée et de solennité. La plupart des citoyens et même des magistrats municipaux s'accommodent de l'esprit de « formalité » (terme à connotation dépréciative) que revêt l'enregistrement de leur union civile, et investissent leurs sentiments dans celui qui est réputé plus sacré : l'église a pour elle en effet la Foi (quand on la possède), la tradition, et la solennité. La mairie, par définition, ne peut offrir à ses visiteurs ni Dieu ni la plus longue histoire. Peut-elle du moins leur offrir quelque solennité autour de ses propres valeurs (car ce n'est pas en principe une valeur négligeable que la pratique de la Loi) ? Ce fut, à quelques moments de notre histoire, la logique de la laïcité militante ; il y eut des tentatives de solenniser des baptêmes laïques, comme il y eut de mettre une vraie pompe autour des enterrements civils[42].

Comme nul ne l'ignore, ces velléités sont demeurées minoritaires. Ce n'est pas le lieu ici d'engager une réflexion sur les raisons de cet état de choses. Nous l'évoquions seulement pour rappeler que la mairie n'est que l'un des éléments de notre système collectif de Mémoire, et que ce système lui-même est susceptible de variations considérables suivant le temps et les lieux de notre pays théoriquement uniforme et centralisé.

Généralisons donc pour finir. De la mairie, il faudrait faire l'histoire vivante, celle des activités publiques dont elle est le lieu, l'objet et le cadre : les activités du maire, celles du conseil, les opérations de la conscription, les mariages, les consultations électorales, les fêtes nationales... Tout cela a donné lieu en France, depuis cent ans et plus, non seulement à des procédures bien réglementées mais encore à des coutumes qui peuvent, elles, être très diverses. La vie municipale a son Code, mais elle a aussi son folklore, et pour l'historien celui-ci est aussi peu négligeable que celui-là. Mais à la différence de la loi, qui est partout la même et consultable dans des manuels partout répandus, le folklore est moins connu parce qu'il est variable et multiple et qu'il ne s'observe que sur le terrain. Pour en constituer l'équivalent du recueil Dalloz, il faudrait mille Van Gennep...

Mais il faudra bien y venir car on ne connaîtra pas vraiment, sans cela, notre mémoire nationale, dans sa constance comme dans son contenu réel.

En gros, cependant, l'on peut admettre que, comme support global des sensibilités locales, la mairie subit plus d'une concurrence. L'église en est une, pas forcément la seule. La spécialité de la mairie reste d'être le support de l'*administration.*

Pour nous en convaincre, rentrons dans la mairie une dernière fois et regardons le buste de «Marianne», celui qui est à l'intérieur, celui qui est donc quasi universel et à peu près banalisé. N'est-il pas devenu le symbole même de l'activité *municipale* et des fonctions qui lui sont liées ? Les réalisateurs de nos émissions de télévision ne s'y trompent pas : quand ils font apparaître sur le «petit écran» un buste de femme à bonnet phrygien, ce n'est certes pas pour annoncer la nouvelle qu'un peuple quelque part se révolte pour la Liberté ! C'est tout bonnement pour ouvrir la séquence de la campagne électorale du moment. «Marianne» ne déclenche plus dans l'esprit du Français moyen la chanson grave de «La Liberté guide nos pas» mais la formule souriante de «Bonjour, Monsieur le Maire !». Elle est moins la déesse de l'esprit démocratique que la déesse familière de ses procédures.

La popularité profonde acquise en quelque cent ans par la démocratie locale a donc changé jusqu'au vocabulaire symbolique de la culture française. Ce simple constat légitimerait, s'il en était besoin, la place que le présent recueil sur la mémoire de la République a consacrée à la mairie, envisagée pour une fois sous la catégorie du symbole, qui en est indissociable.

1. Joseph Joffo, *Un sac de billes* (prix Goncourt 1973), Paris, J.-Cl. Lattès, 1973, p. 23. Ce texte continue ainsi : «Je ne suis jamais passé devant la mairie du XIXe sans que [mon père] serre un peu ma main dans la sienne. Son menton désignait les lettres sur la façade de l'édifice. – Tu sais ce que ça veut dire, ces mots-là ?»

2. Même si, dans le midi de la France, ce privilège qu'était le droit municipal était déjà répandu jusqu'au niveau villageois. M. Agulhon, *La Vie sociale en Provence intérieure au lendemain de la Révolution*, Paris, Clavreuil, 1971 (Ire partie).

3. Rapidement au tome III de l'*Histoire de la France rurale* (dir. par Georges Duby et Armand Vallon), Paris, Éd. du Seuil, 1976, et plus complètement avec nos coéquipiers de l'équipe C.N.R.S., *Les maires en France du Consulat à nos jours* (aux Presses de la Sorbonne, 1986).

4. *Les Français peints par eux-mêmes*, Paris, Curmer, 1841, t. IX (le Prisme), p. 453. L'article «Maire de village» est signé de Moléri (Hippolyte Jules Demolière, dit -).

5. L'article de Moléri cité ci-dessus retient trois catégories de «maires de villages» - ceux des communes de la banlieue de Paris, qui sont souvent des Parisiens, non résidents, des maires de l'été, joliment baptisés «hirondelles»; ceux des villages ordinaires, où les maires peuvent avoir quelque surface sociale et quelque autonomie (c'est à eux que s'applique le passage des trois maisons); et enfin ceux des villages de quelques régions montagneuses du Midi, où le maire est typiquement le paysan incapable dominé par le prêtre.
Ce classement est intéressant pour l'histoire du stéréotype, reflet simplifié du réel. Pour le réel lui-même (qui furent les maires en France depuis deux siècles?) l'équipe de chercheurs du C.N.R.S. citée plus haut achève en ce moment une enquête qui sera décisive.

6. Le meilleur exposé vulgarisé et accessible de ce point d'histoire est dans la *Grande Encyclopédie* Berthelot article «Hôtel de ville» et article «Mairie». Pour plus de détails, on se reportera au *Dictionnaire de l'administration française* de Maurice Block ou au *Répertoire de droit administratif de* Léon Becquet. Sur l'état actuel voir le volume *Collectivités locales* de l'*Encyclopédie Dalloz* par F.-P. Bénot, Paris, 1979, 3 vol.

7. A. D. Seine-et-Oise (ac[t] Yvelines), 2 T 12, maires de B. s. A. à sous-préfet de Rambouillet, 26 Août 1842. Document cité dans le mémoire manuscrit de Véronique Thibault, *L'Instituteur rural dans l'arrondissement de Rambouillet*, Université de Paris I, U.E.R. d'histoire, 1983, p. 59.

8. Jean Simon, *Statistique de la commune de Fretoy, écrite en 1883 par J. S. ancien instituteur et maire de cette localité*, Château-Chinon, 1886. Réimpression par la mairie de Lavault-de-Fretoy en 1983, pp. 86-88. Nous devons la connaissance de cette excellente et savoureuse monographie à notre collègue Marcel Vigreux, de l'université de Dijon.

9. Notation d'Henri d'Alméras à Villeneuve-lès-Avignon, citée par A. Bouyala d'Arnaud dans *Histoire de la Provence*, Paris, Plon, 1965, p. 283.

10. L'histoire profonde tout à la fois économique, sociale, culturelle, de la France rurale ferait un bien grand progrès le jour où nous saurions avec précision et exhaustivement de quand datent les mairies, comment leur apparition s'est peu à peu échelonnée, selon les régions et les pays, de 1789 à 1884, combien de temps la loi de 1884 a mis à être appliquée partout, et si elle l'est absolument partout, même au XXe siècle... Nous en avons il y a deux ans présenté le projet aux pouvoirs publics (ex-D.G.R.S.T. du ministère de la Recherche) mais sans résultats. Or, l'étendue de l'enquête (des mairies par dizaines de milliers!) excède les capacités de la recherche artisanale.

11. C'est la thèse que nous avons soutenue avec nos coauteurs (Étienne Julliard, Gabriel Desert et Robert Specklin) dans l'*Histoire de la France rurale* citée ci-dessus.

12. Rappelons François Furet et Jacques Ozouf, *Lire et écrire*, Paris, Éd. de Minuit, 1977, 2 vol. Les maires capables, adultes contemporains de Jules Ferry, sont plutôt les produits de la loi Guizot de 1833.

13. Nous avons nous-même passé une partie de notre enfance dans une mairie-école et bien constaté que, malgré la mitoyenneté, les entrées étaient indépendantes. De nos jours, le code municipal a fini par admettre que, pour des raisons de sécurité matérielle, il pouvait être toléré que l'on fasse habiter dans la mairie une personne, pourvu que ce soit un agent subalterne, gardien ou concierge, et non un élu (Dalloz).

14. La *Grande Encyclopédie*, article « Mairie ».

15. À titre d'exemple, en dernier lieu, l'intéressante analyse « La maison d'école et la maison-école » de J.-P. Ferrier, Y. Rinaudo et A. Torrecrossa (*Les Savoirs dans les pays méditerranéens*, Journées d'études de Bendor 1981, Nice, 1983) développe le contraste entre les architectures publique et privée sans parler de la mairie.
Plus généralement, voir Mona Ozouf, *L'École, l'église et la République*, Paris, A. Colin, 1963.

16. Gabriel Chevallier, *Clochemerle*, Paris, Rieder, 1934.

17. Pour l'Isère, étude neuve et convaincante de Roger Magraw dans le recueil dirigé par Theodor Zeldin, *Conflicts in French Society*, Londres, Allen and Unwin, 1970.

18. De même la tradition du gallicanisme d'État venue de l'Ancien Régime et reprise par les monarques du XIXe siècle a préparé la voie à la laïcité républicaine. Jules Ferry avait lu André Dupin, lequel avait lu d'Aguesseau.

19. Daniel Halévy, *Visites aux paysans du Centre*, Paris, Grasset, 1935, pp. 31 et 35 ; rééd. par nous, Livre de Poche, coll. « Pluriel », 1978, pp. 121 et 137.

20. Devant la mairie, une petite statue de Bacchus porte sur son socle « 1889 – Rien à l'oisif valide. Tout au producteur » (observation personnelle).

21. Charles Parain et collab., *L'Aubrac*, éditions du C.N.R.S., 5 vol. Pour les faits cités, voir vol. III, pp. 84-85 et pp. 116-118.

22. *In* M. Mollat (sous la dir. de), *Histoire de Paris et de l'Île-de-France*, Toulouse, Privat, 1971, p. 500.

23. Tout cela est un peu optimiste, comme on voit. On peut douter que, vers 1900, il y ait eu une bibliothèque par école primaire et un musée par canton.

24. Nous citons d'après l'édition Bardèche en collection de poche, Paris, Librairie générale française, 1972, p. 86, puis (pour les notations qui suivent) pp. 157, 167 et 179. Par son emphase moderne et libérale, ce décor serait digne de M. Homais. Le maire d'Yonville cependant est un propriétaire bien-pensant et Homais, l'homme de 1830, est seulement le leader local d'une sorte d'opposition de gauche. Mais cette situation même est banale, bien loin d'être invraisemblable : le régime de Juillet commence en 1830 dans l'euphorie proclamatrice, puis se stabilise dans les pesanteurs sociologiques qui déçoivent les gens à principe du type de M. Homais. Nous possédons bien d'autres références, d'origine archivistique ou littéraire, sur la présence des bustes du souverain, en terre cuite ou en plâtre, dans les mairies antérieures à 1870.
Ce sont les premiers éléments de la tradition que perpétueront les bustes de « Marianne ». Nous en reparlons dans *Marianne au pouvoir*, Flammarion, 1989.

25. Consultation faite par l'entremise de la Bibliothèque administrative de la Ville de Paris.

26. Sur les débuts litigieux du phénomène « buste et mairie » voir notre *Marianne au combat*, Paris, Flammarion, 1979, chap. VII. Sur la suite jusqu'à nos jours on lira *Marianne au pouvoir (l'imagerie et la symbolique républicaines de 1880 à nos jours)*, Flammarion, 1989.

27. Là encore il faudrait conjuguer l'étude politico-juridique et l'étude technico-économique. La copie d'une peinture à l'huile était chère et la lithographie n'était peut-être pas perçue comme assez noble. Pour qu'il y ait une effigie partout, il fallait que la photographie (et la photographie point trop onéreuse) fût aisée à multiplier, qu'une entreprise la fisse, etc. Comment faisait-on alors avant Daguerre ?
On a vu tout à l'heure grâce à Flaubert que la solution économique pour la diffusion de masse d'une effigie était le buste (de plâtre ou de terre cuite, pensons-nous). Cette circulation massive de bustes de Louis-Philippe au début des années trente a été aussi notée par Victor Hugo dans *Les Misérables*, Paris, Bibliothèque de la Pléiade, p. 761.

28. Nos observations sur les mairies sont une sorte de sous-produit de l'enquête sur les monuments à la République en espace public, qui constitue le noyau de *Marianne au pouvoir…, op. cit.*

29. À Pouget (Hérault).

30. Voir *La Vie sociale en Provence intérieure*, déjà cité, et *La République au village*, Paris, Plon, 1970; rééd., Paris Éd. du Seuil, 1979.

31. Dans telle région très catholique et déjà très «blanche» de notre département du Gard, dans le triangle Nîmes-Beaucaire-Remoulins, les croix de mission, statues de vierges récentes, écoles religieuses fourmillent, et partout la mairie est dite «Mairie», ou «Maison commune», sans nulle autre inscription en façade. Dans ce secteur, à Caissargues, la façade de la mairie s'orne d'une statue... de la Sainte Vierge. À Bouillargues, c'est la plus étroite venelle du village qui a été baptisée «impasse de la République» – tous les signes convergent.

32. Bons exemples, pour la banlieue Sud de Paris, de mairies proclamatrices: Issy-les-Moulineaux, ou Ivry (sur laquelle nous reviendrons). Bons exemples de mairies sobres et muettes: Meudon et Châtillon-sous-Bagneux.
Pour donner à cette rhétorique provinciale un pendant emprunté au radicalisme de la capitale, suggérons à nos lecteurs d'aller voir à Montmartre la mairie du XVIIIe arrondissement.

33. Voir *Marianne au combat, Marianne au pouvoir (op. cit.)*, et notre article «Imagerie civique et décor urbain», *Ethnologie française*, 1975, V, pp. 33 à 56.
Nombreux exemples dans le Midi méditerranéen, du Var aux Pyrénées-Orientales. Mais aussi ailleurs: Anet (Eure-et-Loir), Anse (Rhône), Bracon (Jura), Buchy (Seine-Maritime), Chauvigny (Vienne), Commentry (Allier)..., Uzerche (Corrèze) – souvent repérés au hasard, en tout cas sans ratissage exhaustif du territoire national.

34. Son histoire, comme celle de la «France» de l'hôtel de ville de Dijon, sera à approfondir.

35. Nous n'évoquons ici que pour mémoire l'étude à faire du «vocabulaire» politique sculpté qui remplace ou qui accompagne l'effigie féminine. Coqs, drapeaux, soleils, bonnets phrygiens (sans tête dedans), francisques et autres thèmes gallo-celtiques... On peut y faire de curieuses observations: la francisque, par exemple, est en bonne place sur la façade de la mairie IIIe République de Vichy. Serait-ce là que Pétain ou ses conseillers auraient pris l'idée de ce symbole? À étudier!

36. La chose se fait plus rare au XXe siècle. Voir cependant la jolie mairie de Saint-Mandé (Val-de-Marne).

37. Voir le volume *Exposition du Centenaire de la reconstruction de l'Hôtel de ville. 1882-1982*, Paris, B. A. de la Ville de Paris, 1982.
Sens (Yonne) possède de même un hôtel de ville très monumental qui combine la proclamation républicaine en inscriptions avec la glorification locale de l'ancienneté de la ville, évoquée par la statue d'un guerrier gaulois.

38. L'hôtel de ville est de 1896; préparé par les radicaux il a été achevé en même temps qu'arrivait la première municipalité socialiste. Une allégorie féminine et des inscriptions républicaines classiques s'y rencontrent, avec, en outre, six allégories masculines du travail de la matière (mise à jour, en quelque sorte, du schéma des quatre éléments). Ce sont: la terre cuite, l'électricité, la pierre, l'eau, le fer et le bois. Plus tard, le thème cher aux communistes du peuple «ouvrier et paysan» se trouvera représenté en statue de couples sur les mairies de Montreuil-sous-Bois (Seine-Saint-Denis) et Saint-Amand-Montrond (Cher). Ici deux travailleurs, là un homme (ouvrier) et une femme (jardinière).

39. Nous avons publié au vol. IV de l'*Histoire de la France urbaine*, Paris, Éd. du Seuil, 1983, les photographies des mairies successives de Boulogne-Billancourt. À Châtenay-Malabry on peut, dans une aire d'une centaine de mètres de rayon, observer trois mairies d'âge décroissant et de dimensions croissantes.

40. Sur cette régression de l'esthétique pédagogico-réaliste du XIXe siècle, voir notre article «La statuomanie et l'histoire», *Ethnologie française*, 1977, V.

41. Jean Favier, *Les Archives*, Paris, Que sais-je?, 1985.

42. Jean-Marie Mayeur *et al.*, *Libre Pensée et religion laïque en France*, Strasbourg, C.E.R.D.I.C. (Publication de l'université de Strasbourg). 1980.

ANTOINE PROST

Les monuments aux morts

Culte républicain ? Culte civique ? Culte patriotique ?

Faire des monuments aux morts des hauts lieux de la mémoire républicaine peut passer pour paradoxe. On y voit parader des hommes bardés de décorations, tandis que flottent au vent des drapeaux tricolores et que résonne *La Marseillaise*: est-il besoin d'aller chercher plus loin? Ces signes ne désignent-ils pas au contraire un rendez-vous de la droite nationaliste?

Le malentendu ne date pas d'hier. Le 11 novembre 1923, à Choisy-le-Roi, le cortège d'anciens combattants qui se rendait au cimetière précédé de ses drapeaux se heurta à une contre-manifestation organisée au chant de *L'Internationale* et au cri de: «À bas la guerre». L'U.N.C. locale protesta contre ce «malentendu désolant»: «Ces cortèges ont pour but tout au contraire d'écarter la guerre par l'évocation des victimes que l'on va pleurer et glorifier[1].» À Grenoble, le 11 novembre 1932, le maire socialiste prétendait obliger les combattants à assister à l'inauguration du monument aux morts dans la foule, et sans leurs drapeaux, «emblèmes militaristes et guerriers»; il dut céder devant l'indignation des anciens poilus[2].

Pour trancher, entre ces deux interprétations du culte dont les monuments aux morts sont l'autel, nous nous interrogerons d'abord sur leur origine, puis nous les examinerons attentivement, nous observerons avec le regard de l'anthropologue les cérémonies qui s'y déroulent, et nous écouterons les discours qui s'y tiennent[3].

L'édification des monuments aux morts

L'idée d'élever des monuments aux morts des guerres ne date pas de celle de 1914-1918, mais aucune n'en a autant suscité. Il n'y a pratiquement pas de commune en France qui n'ait son monument aux morts de 1914[4].

Sans doute cette guerre fut-elle, de toutes, la plus «grande». La nation tout entière mobilisée, huit millions d'hommes - un Français sur cinq - sous les drapeaux, un million quatre cent cinquante mille morts, presque toutes les familles endeuillées: la généralisation des monuments est à l'image du traumatisme, et toutes les communes n'en auraient sans doute pas élevé, si elles n'avaient toutes eu à y graver le nom de plusieurs de leurs enfants. On conçoit, par contraste, que la guerre de 1870-1871 ait donné lieu seulement à des monuments cantonaux ou départementaux[5]. Mais peut-être aussi l'érection de monuments dépend-elle de l'issue du conflit? La défaite de 1871 se serait moins prêtée à commémoration que la victoire de 1918, et les monuments appelleraient une lecture nationaliste? Monuments aux morts, ou monuments de la victoire?

Connaître qui a décidé - et quand? - la construction de ces trente-huit mille monuments fournit un premier élément de réponse. Les monuments aux morts de 1870-1871 résultent d'initiatives tardives et privées. Ils n'ont pas été édifiés dans l'émotion du deuil national, mais vingt ou trente ans plus tard, après l'épisode boulangiste et au début du XXe siècle, quand la République semblait détourner son regard de la ligne bleue des Vosges. Leurs promoteurs ont été des comités, qui avaient trouvé dans des souscriptions publiques les moyens nécessaires, ou une association, «Le Souvenir français», spécialement fondée pour entretenir la mémoire des morts de 1870-1871 en leur consacrant des monuments dans les cimetières ou sur les champs de bataille. Ces monuments émanaient donc de la partie de l'opinion publique qui cultivait la volonté de revanche. Ils n'engagent ni l'ensemble de la nation, ni ses représentants officiels, collectivités locales ou État.

Très différents sont les monuments de 1914-1918. Leur édification associe étroitement les citoyens, les municipalités et l'État. La loi du 25 octobre 1919 sur la «commémoration et la glorification des morts pour la France au cours de la grande guerre» pose le principe d'une subvention de l'État aux communes, «en proportion de l'effort et des sacrifices qu'elles feront en vue de glorifier les héros morts pour la patrie». Il n'y a donc pas d'obligation légale de construire un monument, mais seulement une reconnaissance officielle, assortie d'une incitation financière, d'ailleurs modeste[6]. Mais l'existence d'une subvention obligeait les municipalités à intervenir, pour en faire la demande à la préfecture: l'initiative ne pouvait être purement privée.

En fait, les municipalités associèrent en général la population à l'érection du monument. Certains conseils municipaux réglèrent seuls l'affaire, mais la plupart en chargèrent un comité, soit qu'ils aient été devancés par l'initiative privée qu'il ne leur restait plus qu'à entériner, soit qu'ils aient recherché un financement supplémentaire ou un consensus élargi en faisant appel à des personnalités extérieures au conseil, comme, par exemple, le curé de la paroisse. Ici ou là, d'ailleurs, des conflits opposèrent le comité à la municipalité, qui eut naturellement le dernier mot[7]. On n'est donc en présence ni d'une initiative purement privée, ni d'une entreprise étatique, mais de la convergence d'actions municipales. Ce n'est ni un groupe de citoyens, ni l'État qui décident de rendre hommage aux morts de la guerre, mais les communes, les citoyens dans leur groupement civique de base, le peuple en ses comices… En témoigne l'inscription le plus souvent gravée sur les monuments : « La commune de… à ses enfants, morts pour la France », qui institue une relation précise entre trois termes : la commune, qui revendique son initiative collective ; les citoyens morts, destinataires de l'hommage ; la France enfin, qui reçoit leur sacrifice et le justifie.

Au vrai, l'érection des monuments s'est effectuée très rapidement, comme si elle répondait à une nécessité contagieuse, ou à une évidence unanime. La loi qui les subventionne est antérieure aux élections qui installent la Chambre bleu horizon, et les communes n'ont pas attendu la loi pour entreprendre leurs premières démarches. La plupart des monuments de village sont inaugurés avant 1922, au milieu d'un vaste concours populaire. Dans les villes, en revanche, le consensus est moindre, l'opinion plus partagée, les monuments, plus complexes, portent des significations parfois contradictoires, et leur réalisation demande plus de temps : on en inaugure encore au début des années trente. Mais, et ce fait est capital pour la signification des monuments aux morts, le culte qui leur donne naissance précède leur érection ; il naît, ici ou là, avant même l'armistice, avec des manifestations aux morts de la guerre organisées par des mutilés et réformés : elles ont pour date le 1er ou le 2 novembre – la fête des morts – et pour lieu le cimetière, où elles continueront à se dérouler jusqu'à l'érection du monument, et parfois même au-delà[8]. Un culte né alors même que la guerre pouvait s'achever par une défaite pourrait-il être un culte de la victoire ?

On le voit, pour faire une lecture nationaliste de monuments qui ne tirent leur origine ni d'une froide décision officielle, ni d'entreprises partisanes, mais d'un mouvement populaire profond et large, antérieur à la victoire même, il faudrait admettre que la France ait été tout entière nationaliste, à l'exception d'une poignée de militants socialistes[9]. La réalité visible des monuments aux morts permet-elle de soutenir cette hypothèse ?

Typologie et sémiologie des monuments aux morts

Il est difficile de lutter contre les préjugés. L'un des plus tenaces à gauche, même chez les historiens, veut que les monuments aux morts expriment le

Page 202 :
Type : Monument de la victoire.
Sculpteur Eugène Benet, le Combattant victorieux.

Type : Monument civique patriotique. La Barre (Eure).

Page 203 :
Type : Monument funéraire pacifiste.
Sculpteur : Émile Rodez, Equeurdreuville (Manche).

Type : Monument funéraire.
Sculpteur : Desruelles, Suippes (Marne).

QUE MAUDITE SOIT LA GUERRE
AUX ENFANTS D'ÉQUEURDREVILLE
MORTS
PENDANT LA GUERRE
1914-1918

nationalisme cocardier. Pour preuve, il n'est – dit-on – que de regarder les poilus glorieux qui les surmontent généralement.
Cette affirmation demanderait pourtant à être vérifiée : sur quoi se fonde-t-on pour soutenir que les monuments aux morts sont en général des poilus triomphants ? L'enquête à laquelle nous nous sommes livré[10] apporte un démenti catégorique : les poilus sont nettement minoritaires, sur les places de nos villages. Et d'ailleurs, il ne suffit pas d'un inventaire sommaire de cette statuaire particulière pour fonder un jugement sérieux sur les monuments qui la supportent : ces monuments constituent un ensemble complexe de signes, et les lire en ne prêtant attention qu'à la statuaire revient à déchiffrer une phrase à partir d'un seul mot : le contresens est inévitable.
Les monuments aux morts tirent d'abord leur signification de leur localisation dans un espace qui n'est pas neutre. Les dresser dans la cour de l'école, sur la place de la mairie, devant l'église, dans le cimetière, ou au plus passant des carrefours n'est pas un choix innocent. Sans doute, l'espace du village – nous laissons ici de côté les villes, où les monuments sont beaucoup plus complexes et souvent polysémiques – n'est pas toujours clairement marqué : la place de l'église est souvent, aussi, celle de la mairie, en même temps que le lieu le plus fréquenté. On ne peut donc toujours donner sens à la localisation du monument ; ailleurs, il faut compter avec des déplacements provoqués par l'évolution de la voirie. Mais, dans de nombreux cas, la localisation est significative. D'autres signes la complètent.
La nature du monument, et d'abord l'absence ou la présence de statue(s) constitue un second ensemble de signes. Qu'on l'impute à leur coût inévitablement plus élevé ou à des considérations idéologiques, les monuments décorés d'une statue sont très nettement minoritaires, et si la statue la plus fréquente est celle d'un poilu, ce n'est pas la seule, il s'en faut. Dans notre échantillon, en éliminant les monuments composites, pour 91 poilus de tous genres, nous comptons 224 stèles nues, auxquelles s'ajoutent 19 stèles surmontées d'une urne ou d'une torche funéraire, et 30 stèles surmontées d'une croix de guerre. La signification du poilu, quand il existe, dépend de son caractère réaliste ou idéalisé, des allégories qui l'entourent, etc. Ailleurs, des veuves accompagnées d'orphelins, de vieux parents disent le deuil des survivants de façon plus explicite que ces statues de femmes éplorées ou radieuses dont on ne sait si ce sont des épouses, des mères, des Patries ou des Républiques.
Une troisième série d'indications est fournie par les inscriptions que comporte tout monument. Il y a peu à tirer des listes de noms, disposées tantôt suivant l'ordre alphabétique, tantôt suivant l'ordre chronologique des décès, et le cas reste exceptionnel des monuments où les morts sont rangés dans l'ordre hiérarchique des grades (4 % de notre échantillon). L'inscription fron-

tale et les commentaires qui l'accompagnent parfois livrent au contraire un message explicite, ou facile à déchiffrer, du laconique : « À nos morts », aux épigraphes héroïques : « Gloire à nos héros », sans compter toutes les sentences vibrantes, attristées ou moralisatrices.

En combinant ces trois groupes de signes, on peut établir une typologie des monuments aux morts, qui renvoie elle-même à la diversité des sensibilités locales.

Le type le plus fréquent de monument aux morts, la forme « canonique » en quelque sorte, est la stèle nue, érigée dans un espace symboliquement dominé par la mairie, avec pour toute inscription, outre les noms des morts, la formule consacrée : « La commune de... (ou seulement le nom de la commune) à ses enfants morts pour la France. » Cette inscription, de loin la plus fréquente (60 %), diffère de la variante pourtant proche : «... morts pour la Patrie. » C'est, en effet, l'une des « énonciations officielles » qui doivent figurer sur les actes de décès des militaires tués à la guerre ; elle a donc une valeur juridique et a été codifiée par des textes. L'adopter, c'est parler le langage officiel de la cité, non celui de la tradition locale ou des sentiments. C'est d'ailleurs pourquoi l'une des associations pilotes du mouvement combattant réclame que toute autre mention soit proscrite[11].

Ce type de monument se caractérise par son dépouillement. La stèle ne comporte aucun emblème allégorique, si ce n'est la croix de guerre, décoration due, effectivement, aux morts pour la France. L'extrême du dépouillement est atteint dans certains villages protestants des Cévennes, qui se contentent d'une simple plaque apposée sur le mur de la mairie[12]. Mettre l'accent sur l'origine de l'hommage, la commune, c'est-à-dire les citoyens vivants, dans leur organisation locale, et sur ses destinataires, les citoyens morts, dans leur individualité concrète, attestée par leurs noms et renforcée parfois de façon émouvante par leur photographie dans des médaillons émaillés[13], c'est en effet dire l'essentiel. C'est affirmer à la fois la soumission au devoir civique et le devoir du souvenir : libre à chacun, ensuite, de laisser libre cours à sa tristesse ou à son orgueil patriotique. Le monument ne préjuge pas des opinions des citoyens : en cela, il est républicain et laïque ; d'ailleurs, il évite également les emblèmes religieux[14]. Nous sommes en présence de monuments *civiques.*

Les monuments civiques se définissent ainsi par un double refus, et ils prennent tout leur sens par contraste avec d'autres. Il suffit, en effet, de très peu pour glisser soit vers le monument patriotique, soit vers le monument funéraire.

Comme le monument civique, le monument *patriotique* se dresse sur une place publique, à un carrefour où il est bien en vue. Il se distingue par son iconographie ou ses inscriptions. Déjà le : «... morts pour la Patrie » amorce un timide glissement du monument civique au monument patriotique. Il est définitivement sanctionné par des adjonctions empruntées au champ sémantique de l'honneur, de la gloire ou de l'héroïsme: «Gloire aux enfants de...», «À nos héros...», «Aux enfants de... morts glorieusement (ou héroïquement, ou au champ d'honneur)». On trouve même parfois des redoublements: «Gloire à nos héros.» Ailleurs, la connotation patriotique résulte d'inscriptions gravées sur les autres faces du monument, comme les vers célèbres, cités en totalité ou en partie:

Ceux qui pieusement sont morts pour la Patrie
Ont droit qu'à leur cercueil la foule vienne et prie.
Entre les plus beaux noms, leur nom est le plus beau,
Toute gloire près d'eux passe et tombe, éphémère
Et comme ferait une mère
La voix d'un peuple entier les berce en leur tombeau.
Gloire à notre France éternelle!
Gloire à ceux qui sont morts pour elle!
Aux martyrs! Aux vaillants! Aux forts!

Avec ces vers, nous ne sortons pourtant pas de la tradition républicaine; nous sommes au contraire en son cœur. Leur auteur est Victor Hugo[15], l'un des pères de la République, qui lui fit des funérailles nationales; on les apprend dans toutes les écoles publiques, on les chante même, sur une musique d'Hérold, lui aussi un grand républicain. Surtout, ces vers ne glorifient pas la victoire sur l'ennemi, mais la défaite des monarques; ils ont été composés pour le premier anniversaire de la révolution de 1830. Les morts qu'ils célèbrent ne sont pas tombés aux frontières pour défendre le sol national, mais sur les barricades par amour de la liberté.

Pour que ce patriotisme républicain fasse place à un nationalisme avéré, il faut donc quelques signes supplémentaires. Les plus fréquents sont d'ordre allégorique: le coq gaulois, par exemple, surmontant une stèle (6 % des monuments de notre échantillon). Ici interviennent les statues de poilu triomphant, brandissant une couronne de lauriers, comme celle d'Eugène Benet, sans doute la plus répandue[16], ou encore faisant flotter au vent un drapeau, à l'imitation de la République de Delacroix. Certains foulent aux pieds un casque à pointe ou un aigle impérial. D'autres vont plus loin encore, dans l'exaltation nationaliste, en représentant une Victoire, les ailes largement déployées, tenant une couronne. Ces signes peuvent d'ailleurs fort bien s'ajouter les uns aux autres, déclinant ainsi toute une gamme de superlatifs. Le monument de Brissac (Maine-et-Loire), par exemple, donne à voir un poilu surmonté d'un coq, brandissant un drapeau et faisant rouler du pied un casque à pointe. De même, il n'est pas rare qu'une Victoire ailée couronne un poilu.

Le langage de l'allégorie est cependant moins explicite que celui des inscriptions, et des équivoques sont possibles. La couronne, et même la palme, peuvent marquer le deuil, et non la victoire. Les effigies féminines sont particulièrement polysémiques. La victoire est reconnaissable à ses ailes, et, parfois, à son casque; mais une femme sans ailes peut être aussi bien une France qu'une République[17].

Il en va de même avec les statues de poilu: toutes ne sont pas patriotiques. On en rencontre dans des monuments purement civiques, comme la sentinelle qui semble monter la garde, l'arme au pied, devant le mur où Maisons-Alfort a gravé les noms de ses morts, dans le square de la mairie. Ce sont alors des statues descriptives, réalistes. Le patriotisme commence avec l'idéalisation; son premier stade est, par exemple, le poilu de C. Pourquet intitulé: *Résistance*[18]. À première vue, il paraît ressemblant; tous les détails sont exacts: les musettes, les cartouchières, le col ouvert, la capote retroussée: rien ne manque sauf les gourdes. Mais l'attitude sent la pose: le menton est trop volontaire, le regard trop fier, et cette façon de barrer la route à un adversaire imaginaire n'a rien d'un acte de guerre. Nous ne sommes pas devant une image réaliste du poilu, mais devant une illustration du célèbre: «Ils ne passeront pas.» Le monument est à la frontière du patriotisme républicain et de l'exaltation nationaliste; il suffirait d'une couronne brandie ou d'un drapeau déployé pour l'y faire passer sans équivoque.

Dans les nombreuses variantes de poilu au drapeau, il ne faut pourtant pas confondre deux familles. À côté de ces poilus triomphants, il y a des poilus «navrés», comme l'on aurait dit au XVIe siècle: frappés à mort, ils défaillent et étreignent le drapeau pour l'embrasser dans un ultime sursaut ou s'en faire un linceul[19]. Incontestablement, il s'agit là de monuments patriotiques; ils proclament la légitimité du sacrifice demandé par la France, qu'ils représentent parfois, se penchant au-dessus du mourant pour recueillir son dernier soupir. Mais ces monuments soulignent simultanément que les morts sont bien morts: en même temps que patriotiques, ils sont funéraires.

Ces monuments sont assez nombreux pour qu'on en fasse un type distinct. Ils se distinguent d'ailleurs des monuments patriotiques républicains par d'autres traits que l'iconographie. Ils échappent souvent à l'espace civique dominé par la mairie, et se dressent au cimetière, ou à proximité de l'église. Il n'est pas rare qu'ils portent une croix. En fait, ils ne glorifient pas la Patrie victorieuse, la grandeur de la France ou le triomphe du poilu, mais le sacrifice des morts. Leur leçon est celle même de la tradition conservatrice: l'homme n'est grand et ne se réalise pleinement que dans l'obéissance totale, inconditionnelle, à des réalités qui le dépassent; il ne suffit donc pas de faire son devoir, il faut en outre aimer la Patrie et se vouer à elle. Comme la religion, le patriotisme est une école d'abnégation et de sacrifice, par quoi l'homme s'accomplit et se sauve. Dans cette tradition conservatrice, la Patrie, comme Dieu, devient une réalité transcendante, et elle justifie le sacrifice qui devient à proprement parler martyre, témoignage, acte de foi. On est aux antipodes de l'esprit républicain, pour qui l'individu est la fin ultime de la société, et qui proclame un message d'émancipation individuelle et collective.

Ces monuments *funéraires-patriotiques* ou *patriotiques-conservateurs* se rencontrent de préférence dans des régions de chrétienté, et ils peuvent prendre d'autres formes que le poilu « navré ». La version la plus élémentaire en est le drapeau sur une tombe, ou drapé sur les bras d'une croix de pierre tombale. On rencontre aussi des bustes de poilus embrassant un drapeau, variantes de poilu « navré » pour communes pauvres. Ailleurs, la religion l'emporte, et le monument tend vers le calvaire, combinant une grande croix, un poilu et un drapeau. Une forme extrême de cet alliage de patriotisme et de religion est la statue de Jeanne d'Arc, qui unit en elle jusqu'au martyre les deux fidélités, symbole même du « catholique et Français toujours ».

Il suffit que la référence à la Patrie soit absente, pour que les monuments de type funéraire prennent un sens différent. Ne pas légitimer explicitement le sacrifice des morts, c'est admettre qu'il n'est peut-être pas totalement légitime. On glisse alors vers le pacifisme. C'est le cas de monuments qui représentent avec réalisme des soldats mourants ou morts, comme à Fay-de-Bretagne, au pied d'un calvaire, dans le cimetière : la foi en Dieu reste ici le seul recours. Les ressources de la statuaire funéraire classique peuvent être mobilisées, avec les gisants et les pleureuses, mais ces représentations sont un peu trop conventionnelles pour dire la douleur des survivants. Les morts doivent être pleurés par des personnes réelles. Tantôt ce peut être, mais rarement, un frère d'arme, un poilu désarmé, accablé par les horreurs de la guerre ; plus souvent, c'est une femme plongée dans la douleur, épouse ou mère, c'est-à-dire à la fois l'une et l'autre, et qui évoque parfois la *Mater dolorosa* des pietà catholiques ; il arrive qu'on donne à cette femme un costume régional, en Bretagne ou au Pays basque notamment, façon de souligner l'enracinement, et de donner un caractère concret à une figure universelle. Ailleurs encore, c'est une veuve, accompagnée par un ou deux enfants, ou encore de vieux parents, ou le grand-père et le petit-fils, recueillis devant la tombe. Dans la région de Saint-Étienne, le sculpteur local Joanny Durand a ainsi laissé plusieurs statues incarnant la douleur des survivants de façon parfois très concrète et très émouvante[20].

Les monuments *funéraires* ne comportent pas nécessairement de statue, et il peuvent recevoir leur connotation de leur simple localisation au cimetière, renforcée par une inscription frontale d'où la référence à la France ou à la Patrie est absente. On rencontre assez souvent des épigraphes telles que : « La commune de… à ses enfants morts », ou « … à ses morts », voire, même, « Aux soldats morts à la guerre», ou, plus laconiquement: «À nos morts», comme sur la stèle exemplairement sobre qu'une petite commune de Beauce, Oison, a dressée au centre de son cimetière.

Parfois, mais c'est exceptionnel, le pacifisme s'explicite, moins par l'iconographie que par les inscriptions. Il faut faire un sort à part au monument de Levallois-Perret, qui suscita toute une polémique, car on prétendait y voir un mutin de 1917 fusillé: le mutin n'est guère identifiable; en revanche, un ouvrier y brise incontestablement une épée, allégorie du prolétariat brisant la guerre. Les exemples les plus connus de monument pacifiste sont ceux de Saint-Martin-d'Estréaux (Loire), dont la face postérieure porte une très longue et très intéressante inscription moralisatrice[21], de Gy-l'Évêque (Yonne): «Guerre à la guerre», et de Gentioux (Creuse), où un enfant brandit le poing devant une inscription: «Maudite soit la guerre.»

Ces monuments *pacifistes* sont trop rares pour qu'on en fasse un type distinct; du moins incarnent-ils l'horizon vers lequel tendent les monuments purement funéraires, en l'absence de justification patriotique. Nous nous trouvons ainsi en présence de quatre types principaux de monuments aux morts: les monuments civiques, les plus fréquents, les plus laïques, qui sont pleinement républicains; les monuments patriotiques-républicains, qui sont souvent aussi des monuments à la victoire, de façon plus ou moins affirmée; les monuments funéraires-patriotiques, qui glorifient le sacrifice; et les monuments purement funéraires, qui soulignent l'ampleur du deuil sans en fournir la justification et inclinent par là même au pacifisme.

Cette diversité, qui renvoie de très près aux tempéraments politiques locaux à l'époque où les monuments furent érigés, interdit, on le voit, de faire du poilu triomphant le type même du monument aux morts. La réalité est plus complexe, plus riche, et plus profondément républicaine. À côté du patriotisme, les monuments expriment plus souvent le civisme républicain, dans son dépouillement un peu froid, dans sa laïcité un peu sèche. Au demeurant, même les plus patriotiques ne sont pas érigés à l'honneur de l'armée – pas d'officiers, dans ces monuments – et ils restent fidèles à leur fonction essentielle, qui est de conserver à jamais le nom de chacun des morts de la commune. Dans ce respect des individus, qui n'était pas le fait des monuments cantonaux aux morts de 1870-1871, on retrouve un des traits fondamentaux de l'esprit républicain, qui veut les citoyens égaux devant la loi comme devant la mort, et donc dans le souvenir des générations futures.

Mais la signification des monuments aux morts ne résulte pas seulement de leur réalité matérielle; elle provient également de ce que l'histoire en a fait. Tels que nous les voyons, et sous réserve des modifications ultérieures (inscriptions regravées, inscriptions supplémentaires pour les morts de 1939-1945 ou les guerres coloniales, changement d'emplacement, etc.), ces monuments sont datés : ils traduisent les intentions des municipalités de l'époque. Par l'usage, les citoyens ont pu leur donner un sens différent, de même que *La Marseillaise* a largement cessé d'être un chant révolutionnaire. Les cérémonies dont les monuments ont été le centre ont pu les investir de significations qu'ils n'avaient pas à l'origine.

Le sens des cérémonies aux morts de la guerre

Il est particulièrement délicat de faire l'histoire des cérémonies aux monuments aux morts. D'une part, l'observation des cérémonies actuelles ne nous renseigne que de façon incomplète et précaire sur celles qui se déroulaient entre les deux guerres ; d'autre part, la diversité des manifestations a sans doute été aussi grande que celle des monuments, et les différences ne sont pas négligeables entre les grandes villes et les villages.

Cette double incertitude affecte notamment le rôle de l'armée dans les manifestations aux monuments. Sans doute est-il inexistant, en dehors des villes de garnison, mais, même là, il n'a pas été toujours aussi grand qu'on le voit aujourd'hui. La disparition progressive des survivants de la Grande Guerre, l'éloignement du deuil font du 11-Novembre une date moins populaire, et la foule s'éclaircit autour du monument. Les pouvoirs publics prennent donc en quelque sorte le relais de la ferveur populaire, ce qui peut modifier la place de l'armée.

Pour retrouver le sens premier des cérémonies aux morts, il faut donc se placer entre les deux guerres, et nous disposons de sources intéressantes. D'une part, les premiers anniversaires du 11-Novembre ont conduit les anciens combattants à s'interroger sur leur organisation : leur presse conserve quelques articles normatifs, qui fixent leur doctrine et justifient leurs choix. D'autre part, certains journaux départementaux d'anciens combattants rendent compte, dans leur rubrique « Vie des sections », des cérémonies du 11-Novembre, notamment entre 1930 et 1934. Enfin, il n'était pas de congrès départemental ou national d'anciens combattants sans manifestation au monument aux morts local : ces manifestations sont parfois décrites, et elles nous intéressent d'autant plus qu'elles ont une valeur exemplaire et concourent à déterminer un « ordre des cérémonies ».

Le premier trait à souligner est que ces manifestations ne sont pas, à l'origine, des manifestations officielles. Elles ne sont pas organisées par les pouvoirs publics, mais par les associations d'anciens combattants[22]. C'est si vrai que le 11-Novembre faillit bien ne pas être une fête nationale. En 1919, on fêta naturellement l'anniversaire à sa date. En 1920, le 11-Novembre vit un même cortège déposer le cœur de Gambetta au Panthéon, puis la dépouille du soldat inconnu à l'Arc de triomphe; il fut donc encore chômé. Mais en 1921, la Chambre bleu horizon, plus soucieuse en l'occurrence de travail que de patrie, reporte au dimanche 13 la commémoration de l'armistice. Ce fut un tollé général chez les anciens combattants, qui boycottèrent les manifestations officielles et imposèrent la loi du 24 octobre 1922 décrétant le 11-Novembre fête nationale. Les commentaires de l'époque sont explicites: les combattants ont imposé la transformation de *leur* fête en fête *nationale.* Et c'est leur fête doublement: parce que c'est eux qui ont gagné la guerre et non les pouvoirs publics, et parce qu'ils en sont sortis vivants. C'est ce que proclament, par exemple, les Mutilés des Hautes-Pyrénées, dans une affiche placardée pour le 11-Novembre 1921: «NOTRE FÊTE, celle de l'armistice, est bien le 11 novembre! Notre dignité nous impose de rendre hommage à nos chers morts au *jour anniversaire* où l'infâme tuerie cessa!» L'année suivante, dans une autre affiche, les mêmes déclarent: «S'il est vrai que ce matin du 11 novembre 1918 fut notre seul jour de bonheur...» On a gagné et on est vivant: quelle délivrance... mais à quel prix[23]!

Second trait: ces manifestations ne sont pas des manifestations militaires. Les associations de combattants sont unanimes sur ce point. L'Union fédérale, d'inspiration radicale-socialiste, émet à ce sujet un vœu catégorique lors de son congrès de 1922: «La fête nationale du 11-Novembre ne comportera aucune manifestation militaire[24]», et ce vœu est rapporté par un médecin plutôt de droite, bientôt député, Marcel Héraud. À droite, l'Union nationale des combattants, pourtant présidée par un général à l'époque, ne pense pas autrement: dans un article d'anticipation sur la fête nationale du 11-Novembre 1922, telle qu'il la souhaite, l'un de ses responsables ne réserve aucune place à l'armée, si ce n'est, en tête du cortège, «une délégation des officiers généraux, des officiers, des sous-officiers et des hommes de troupe ayant pris part à la guerre[25]». Une «délégation» et pas le moindre détachement: c'est la négation de l'armée comme corps. Et ce n'est pas un oubli: au terme de la manifestation, le président de la République devrait passer en revue... le groupe des victimes de guerre. Non seulement l'armée n'est pas honorée, mais elle n'est pas même reconnue. S'il fallait une confirmation de cette unanimité, on la trouverait dans un article du directeur du *Journal des mutilés,* le plus important organe de la «presse combattante», le seul vendu dans les kiosques, comme son successeur actuel: «Ce qui importe enfin, c'est que la fête du 11 novembre soit dépourvue de tout apparat militaire. Ni prise d'armes, ni revue, ni défilé de troupes. C'est la fête de la paix que nous célébrons. Ce n'est pas la fête de la guerre[26].»

Ni officielles, ni militaires, ces cérémonies sont des manifestations funéraires. Les monuments sont des tombes, et les manifestations des services

funèbres. Le fait éclate sans équivoque dans les régions de tradition catholique vivace, comme en Loire ou en Vendée, où le clergé joue un rôle central dans les cérémonies. Après la messe du 11-Novembre, le prêtre garde sa chasuble, et le cortège – la procession plutôt – se forme pour se rendre au monument, avec, en tête, les enfants de chœur en surplis, portant la croix processionnelle, et des cierges allumés. Si le parcours dure assez longtemps, on chante des cantiques ; sinon, c'est le silence. Au monument, la chorale chante un cantique, ou le *De profundis*. Parfois même, le prêtre donne l'absoute au monument, tandis qu'on chante le *Libera* : le monument tient alors la place du catafalque vide dans l'office anniversaire des défunts, et le prêtre tourne autour de lui en l'aspergeant d'eau bénite. Sans doute de telles manifestations restent-elles limitées à quelques régions ; elles n'en révèlent pas moins un horizon plus général[27].
D'autres détails confirment le caractère funéraire de ces manifestations. L'un des épisodes les plus souvent attestés est l'appel des morts : avant ou après la minute de silence – forme laïcisée de la prière – il est d'usage d'énumérer tous les morts de la commune, et ils sont parfois une centaine. Après chaque nom, un enfant des écoles, ou un ancien combattant répond : « Mort pour la France » ou « Mort au champ d'honneur[28] ». Cet appel, lui aussi emprunté aux liturgies catholiques[29], assigne son sens à la cérémonie : il s'agit bien de commémorer l'anniversaire des morts de la guerre.
Il en va de même pour le dépôt de gerbes, ou encore de couronnes : le terme est plus fréquent, et ses connotations mortuaires sont intéressantes à relever. Quelques jours après la Toussaint, où toutes les familles vont fleurir leurs tombes, ce geste est parfaitement transparent : si on fleurit le monument, c'est qu'il est bien une tombe. D'ailleurs, dans certaines communes, le cortège se rend d'abord au cimetière, et l'on fleurit individuellement la tombe de chacun des soldats qui y sont inhumés. La gerbe au monument reprend, au niveau collectif, le geste de piété d'abord accompli au niveau individuel.
Mais alors, pourquoi *La Marseillaise*, dans ce contexte funéraire ? C'est ici qu'il faut prendre la peine de bien vérifier les faits, car on admet trop vite que l'hymne national soit nécessairement chanté devant le monument aux morts. Il n'a rien d'obligatoire. Certes, il éclate souvent au terme de la cérémonie, mais ce n'est ni une règle stricte, ni un usage général. Au vrai, un certain flottement subsiste longtemps sur ce qu'il convient de chanter ou de jouer, et le choix dépend souvent des ressources locales. Tous les villages n'ont pas une clique ou un orphéon : il faut alors chanter, et c'est l'affaire de la chorale paroissiale, des « aimables demoiselles[30] », ou, presque toujours, des enfants des écoles. Il se peut que des *Marseillaise* aient été chantées et que nos comptes rendus ne songent pas à le mentionner, mais nous avons des récits assez détaillés pour assurer que, dans certains villages, elle n'était pas chan-

tée, soit qu'on ait craint que trop peu de participants fussent capables de la reprendre, soit que les instituteurs aient été réticents à la faire apprendre à leurs élèves pour la circonstance, soit qu'elle ait paru trop belliqueuse et trop triomphale. En son absence, nous trouvons les psaumes et cantiques déjà cités, des marches funèbres jouées par la fanfare, l'*Hymne aux morts* de Frédéric Bataille, très souvent celui de Victor Hugo, le chœur de Maurice Bouchor: *Pour ceux que nous pleurons*, ou encore des hymnes à la paix[31].

Par contraste avec cette diversité, il est remarquable que la sonnerie *Aux morts* se soit finalement imposée, au moment central de la cérémonie, pendant la minute de silence. En effet, cette sonnerie était inconnue dans l'armée française. Dans les années vingt, la minute de silence était encadrée par deux sonneries: *Aux champs* ou *Garde à vous* au début, *Au drapeau* à son terme. C'est le chef de la musique de la garde républicaine qui a composé la sonnerie *Aux morts* que nous connaissons aujourd'hui, et elle a été officiellement adoptée en 1932. Elle s'est progressivement, mais rapidement répandue, au point de devenir, à la veille de la guerre de 1940, la sonnerie spécifique des manifestations aux monuments aux morts, celle que l'on ne sonne pas en dehors de cette circonstance, mais qu'on sonne toujours à cette occasion. Confirmation supplémentaire, s'il en était besoin, que nous sommes bien en présence d'un culte funéraire[32].

Cette caractérisation funéraire ne livre pourtant qu'une partie du sens des cérémonies aux monuments aux morts. Elles sont plus complexes, et elles mettent en présence plusieurs protagonistes, dans un espace structuré et orienté. De leurs places et de leurs gestes dépend la signification de ce culte. Après la messe, tout le monde se rend en cortège au monument, avec, parfois, un détour par le cimetière. Les enfants des écoles sont en rang, sous la conduite de leurs maîtres et maîtresses; arrivés au monument, dans de nombreux villages, ils déposent chacun une fleur ou un petit bouquet à son pied; ensuite ils se placent sur l'un des côtés, bien groupés pour chanter, comme la chorale dans le chœur de l'église. La population, qui se contente d'assister à la cérémonie, se place elle aussi sur les côtés, laissant libre un espace, plus ou moins grand, devant le monument. Le décor est planté, le culte peut commencer.

Le groupe des anciens combattants s'est constitué dès le matin du 11 novembre en se réunissant à la mairie pour se rendre en cortège à la messe avec son ou ses drapeaux. Il se place en queue du cortège, à la place d'honneur, selon l'ordre des processions religieuses[33], où l'officiant vient le dernier. Comme le clergé pénètre seul dans le chœur pour l'office, arrivés devant le monument, seuls les anciens combattants poursuivent et viennent l'entourer, se plaçant sur une ligne ou en arc de cercle derrière lui. Quand ils sont trop nombreux, leurs drapeaux les représentent et occupent cette place. En face d'eux, à une certaine distance, qui crée un espace vide devant le monument, se tiennent les autorités, le maire et le conseil municipal.

La place des anciens combattants est d'autant plus significative qu'ils ne la quittent pas de toute la cérémonie, alors que d'autres se déplacent pour fleurir le monument: les autorités, toujours, et les enfants des écoles quand ils ne l'ont pas fait en arrivant au monument. Les combattants sont du côté des monuments, comme la famille qui reçoit les condoléances au cimetière est à côté de la tombe. Leur position dans l'espace de la cérémonie affirme silencieusement la solidarité des survivants et des morts. En présidant au culte rendu à ceux-ci, ils reçoivent eux-mêmes un hommage indirect de toute la collectivité dans sa réalité concrète, et c'est pourquoi il faut que la population soit là, nombreuse, comme dans son expression officielle, et c'est pourquoi il serait inadmissible que les autorités n'accomplissent pas de geste d'hommage.

Les cérémonies du 11-Novembre apparaissent ici comme le seul culte républicain peut-être qui ait réussi en France et qui ait suscité une unanimité populaire. Les cultes de la République ont toujours buté devant la difficulté de personnifier la République. Ni la déesse Raison, ni même «Marianne», ne peuvent faire vibrer les foules: chacun sait qu'il s'agit de symboles. La fête du 14-Juillet est devenue relativement populaire, mais pour que cet événement fondateur suscite une large adhésion, il a fallu une organisation savante, où interviennent les vacances scolaires[34]. Cette fête nationale n'est la fête de personne.

L'innovation fondamentale du 11-Novembre, qui bouleverse les liturgies républicaines, c'est de célébrer non des principes mais des citoyens concrets. Les monuments, on l'a vu, respectent l'individualité de chaque mort, et ils conservent gravé chaque nom, avec même parfois les images. La manifestation comporte l'appel individuel des morts. Le culte rendu en ce jour l'est à des citoyens qui ont fait leur devoir, et les survivants, qui l'ont fait également, se trouvent aux côtés des morts.

On ne célèbre donc ni l'armée, ni même la Patrie, au monument aux morts. C'est au contraire la Patrie qui rend hommage aux citoyens, et le rôle des drapeaux l'atteste. On commet un contresens complet en n'attachant d'importance qu'à la présence des drapeaux, sans prêter attention au rôle qu'ils jouent. Un geste comme le lever des couleurs, dans la cour des casernes, les chantiers de jeunesse ou les écoles primaires de Vichy, est un geste patriotique non parce qu'il y a un drapeau, mais parce que ce drapeau est le destinataire d'un hommage: on le salue, on l'honore, et il n'y en a qu'un seul, car il n'y a qu'une Patrie. Dans les prises d'armes où intervient le drapeau du régiment, celui-ci est introduit une fois les rangs formés, et les troupes lui présentent les armes, puis elles défilent devant cet emblème unique de la Patrie. Là aussi le drapeau est le destinataire de l'hommage.

Rien de tel le 11-Novembre. Il y a d'abord souvent plusieurs drapeaux, car les drapeaux sont ici à la fois emblème national et symboles d'associations distinctes. Surtout, on ne défile pas devant ces drapeaux : ce sont eux, au contraire, qui défilent jusqu'au monument. Pendant la minute de silence, ils s'inclinent, ce qui signifie qu'ils rendent hommage aux morts, de la même façon qu'à l'église ils s'inclinent au moment de l'élévation devant le pain et le vin qui viennent d'être consacrés. S'appuyer sur leur seule présence autour du monument pour faire du culte alors célébré un culte à la Patrie est aussi absurde que de soutenir qu'une messe à laquelle ils assistent n'est plus un culte rendu à Dieu. Au monument aux morts comme à l'église, les drapeaux ne sont pas les destinataires du culte, mais ses instruments.

Les manifestations du 11-Novembre ne sont donc pas d'abord patriotiques mais républicaines. Assurément, tous les participants conviennent que le sacrifice des morts est légitime, et que les citoyens ont le devoir de mourir pour leur patrie, si celle-ci le demande pour une cause juste. Mais on ne rend pas en ce jour un culte à la Patrie ; on n'en fait ni une valeur suprême, ni une sorte de divinité existant par elle-même. C'est au contraire la Patrie qui honore les citoyens, ce en quoi elle est républicaine, car la République fait précisément des citoyens la valeur suprême et la fin ultime de la société.

Républicaines, les fêtes du 11-Novembre le sont encore par leur côté pédagogique. La République, en effet, ce n'est pas l'obéissance inconditionnelle, la soumission aux autorités naturelles, comme la famille, l'armée ou la monarchie. C'est le suffrage universel, et les citoyens qui, par l'élection, appellent certains des leurs à les diriger. Pour que la République fonctionne bien, il faut donc des citoyens éclairés et vertueux, qui intériorisent les contraintes du contrat social. C'est pourquoi la République ne se conçoit pas sans l'instruction et l'éducation. Il lui faut donner à chacun les connaissances nécessaires pour remplir son rôle actif de citoyen d'une démocratie. Il lui faut plus encore faire partager par chacun ses normes et ses valeurs. Comme régime libéral, reposant sur la loi et l'élection, la République exige des citoyens qui admettent la nécessité d'une discipline collective et le respect des autres. Par quoi se résout le problème classique de la liberté pour les ennemis de la liberté : si l'éducation républicaine réussit, il n'y a plus d'ennemis de la liberté. Dans cette perspective, l'hommage aux citoyens qui ont fait leur devoir jusqu'à la mort par une discipline qu'on dit, avec quelque exagération, « librement consentie », vise aussi à toucher et émouvoir les citoyens pour les rendre meilleurs. Le culte civique est en même temps leçon de morale.

D'où l'importance de la participation des enfants des écoles. Ils sont jeunes, donc influençables ; ils n'ont pas encore compris ce qu'est la République : il faut qu'ils adhèrent à ses principes : le respect des citoyens, celui de la loi et du devoir civique. C'est pourquoi on les fait assister aux cérémonies, on leur demande de déposer des fleurs, on les fait chanter, ou répondre à l'appel des morts, devant la population rassemblée, grave et émue. Cette manifestation doit les impressionner, pour les influencer. Pour terminer sur un bon souvenir, dans certaines communes, on les récompense de leur participation en leur partageant des brioches au moment du vin d'honneur. La République est un régime qui suscite la conformité sociale par l'adhésion personnelle des citoyens aux principes sur lesquels elle repose. C'est pourquoi elle implique un culte civique et une éducation morale qui ont trouvé leur forme accomplie dans les manifestations aux morts de la Grande Guerre.

Les discours de circonstance

La leçon de civisme et de morale ne résulte pas seulement de la dramaturgie et de la mise en scène des cérémonies du 11-Novembre. Elle est explicite, car on parle devant les monuments, et il n'est pas indifférent de savoir qui parle, et pour quoi dire.

Deux catégories de personnes peuvent prétendre parler devant le monument : les élus, parce qu'ils incarnent la collectivité tout entière ; les combattants, parce que seuls ceux qui ont fait la guerre ont le droit d'en tirer les leçons. De fait, les deux cas se rencontrent, et les compromis sont toujours possibles, soit que le maire ait fait la guerre, soit qu'on s'accommode de deux discours au lieu d'un. Mais, pour les combattants, l'idée même d'un texte personnel est ici choquante. Celui qui parle en ce jour ne doit pas le faire en son nom, mais au nom de tous les combattants, vivants et morts. C'est pourquoi, dès 1921, les Mutilés du Loiret rédigent un appel, qu'ils adressent à toutes leurs sections pour qu'elles le fassent lire au monument. Cette pratique est étendue à toutes les associations de l'Union fédérale, la plus grande des associations nationales, en 1935, et elle finit par se généraliser[35]. En effet, le culte républicain du 11-Novembre n'a pas à mettre en vedette des personnalités. La République est un régime où les citoyens doivent apprendre à servir de façon désintéressée et impersonnelle.

Cette forme du discours de 11-Novembre est son premier signifiant. Il en renforce le message. Ni l'armée victorieuse ni ses chefs ne sont ici évoqués ; pas plus que Foch ou Joffre, Pétain n'est cité : l'esprit qu'il faut faire souffler en ce lieu exclut autant le militarisme que le culte des personnalités. La revanche et l'Alsace-Lorraine sont très rarement mentionnées ; l'Allemagne vaincue n'apparaît jamais comme nation ou comme peuple : c'est l'Allemagne impériale ou militariste, et la France, soldat du droit et de la liberté, en état de légitime défense, ne cesse de répondre à l'agression du militarisme et de l'impérialisme.

La plupart des discours de 11-Novembre sont construits en diptyque. Première partie : hier, la guerre, eux, les morts ; seconde partie : aujourd'hui, la paix, nous, les vivants. La première partie comprend nécessairement un tableau, plus ou moins long et appuyé, des horreurs de la guerre : pas d'évocation de la victoire sans rappel de son coût. Ce serait, pour les combattants qui président aux cérémonies, un manquement grave, car on oublierait du fait même et la mort de leurs camarades et leurs propres peines. On répète donc que la guerre tue, qu'elle est carnage, tuerie, massacre, boucherie.
Ces tableaux sinistres suscitent quelques protestations, qui confirment leur importance et leur fréquence. Ainsi le sergent Tapin, secrétaire général de l'Office des mutilés de la Meuse :

> Lisez les programmes des fêtes du 11 novembre [...] Qu'y trouve-t-on huit fois sur dix ? Rien autre chose que des visites au cimetière, des défilés devant les monuments du souvenir, des dépôts de palmes sur les tombes...
> Non, messieurs, non ! La fête du 11 novembre, ce n'est pas cela ! [...]
> Le 11 novembre, je voudrais voir éclater *La Marseillaise* à tous nos carrefours ; je voudrais voir tous nos gosses sauter, exulter, acclamer Foch et Pétain ; je voudrais voir nos sociétés de gymnastique, de football et rugby en tenue de travail et nous montrant leurs biceps, je voudrais voir nos salles de théâtre ou de concert crouler sous les vivats en l'honneur du Poilu [...]
> On chauffe une race, messieurs, on ne lui donne pas à respirer du chrysanthème pendant quinze jours. C'est dangereux et c'est trop[36].

Mais l'auteur se laisse emporter. À d'autres moments, il donne lui-même dans d'horribles tableaux : c'est qu'il faut extirper le patriotisme imbécile de l'avant-guerre, qui appelait de ses vœux une guerre fraîche et joyeuse. La véhémence sinistre de certains discours de 11-Novembre permet de régler leur compte aux couplets fanfarons des va-t-en guerre de 1911 ou de l'arrière. Elle sert aussi à mieux faire ressortir l'optimisme des développements qui suivent.
Deux transitions permettent de passer du souvenir de la guerre, qu'on n'a pas le droit de laisser oublier, à la seconde partie des discours de 11-Novembre. La première consiste à demander d'agir aujourd'hui de telle sorte que les sacrifices d'hier n'aient pas été vains ; la seconde, très voisine, invite les vivants à être dignes des morts. La première insiste sur le sens que les combattants donnaient eux-mêmes à leur sacrifice : ils se battaient pour qu'il n'y eût plus jamais de guerre, notamment, et les développements pacifistes trouvent ici leur justification. Organiser la paix est doublement acte de citoyen : c'est préserver la cité du fléau de la guerre, mais c'est aussi agir en citoyen de l'Humanité

puisque, dit-on, de même que les villages se sont unis en provinces, et les provinces en États, de même les États doivent trouver une forme supérieure d'union. Le patriotisme républicain s'épure et s'accomplit ainsi dans l'adhésion à une société des nations qui devrait tendre à la République universelle.
La seconde transition souligne davantage les vertus des morts dont l'exemple fonde tous les appels moralisateurs. Les leçons de leur sacrifice varient selon les orateurs et les moments, mais elles sont toujours civiques. C'est, par exemple, le dévouement absolu à la chose publique, l'intérêt général accepté et servi avant l'intérêt particulier, la loi obéie et aimée, avec les devoirs que créent, envers la collectivité, les droits que celle-ci garantit aux citoyens. Mais c'est aussi l'égalité concrète des citoyens-soldats dans leurs conditions de vie et de misère, leur égalité devant la mort aveugle qui donnent leur plein sens à l'égalité formelle des citoyens devant la loi. D'où une conception de la discipline, librement consentie, et des chefs reconnus, parce que les meilleurs d'entre les citoyens. Non des chefs autoritaires et distants, comme ces officiers d'active si souvent exécrés, mais des chefs proches et humains, parce que fondamentalement identiques aux hommes qu'ils commandent, citoyens comme eux mobilisés, qui exercent l'autorité pour un temps seulement, et affrontent comme eux les souffrances et la mort. C'est enfin la fraternité des tranchées, sans doute un peu enjolivée, mais si fortement ressentie à certains moments qu'elle illumine la mémoire; lui rester fidèle exige tolérance et respect des autres citoyens, ce qui met un terme aux affrontements stériles, comme les querelles religieuses du début du siècle, ou la politique, en tant qu'elle crée des divisions artificielles. Meurtrie par la mort de tant de citoyens hier opposés les uns aux autres, la République, c'est désormais la réconciliation.

«Il y a donc une profession de foi purement civile dont il appartient au souverain de fixer les articles, non pas précisément comme dogmes de religion, mais comme sentiments de sociabilité sans lesquels il est impossible d'être bon citoyen ni sujet fidèle...» J.-J. Rousseau, au dernier chapitre du *Contrat social*, développe la nécessité d'une religion civile. «Il importe bien à l'État que chaque citoyen ait une religion qui lui fasse aimer ses devoirs; mais les dogmes de cette religion n'intéressent ni l'État ni ses membres qu'autant que ces dogmes se rapportent à la morale et aux devoirs que celui qui la professe est tenu de remplir envers autrui.»
Le culte républicain des morts de la guerre, tel qu'il se constitue et se pratique entre les deux guerres, est sans doute le seul exemple historique de religion civile au sens de Rousseau, et il apparaît en un moment précis. D'une part, avec la séparation des Églises et de l'État, celui-ci s'est interdit de faire appel aux religions constituées pour développer l'amour des lois. D'autre part, la guerre a été terrible, et les sacrifices qu'elle a demandés excèdent ce

qu'on peut attendre de la simple obéissance civique; on sent la nécessité de citoyens qui aiment leur devoir. Enfin, la mort a frappé indifféremment républicains et conservateurs, libres penseurs et cléricaux; la République cesse d'être un parti: c'est la France même, et il faut exprimer cette réconciliation pour la consolider.

Les monuments aux morts sont ainsi devenus le lieu privilégié non d'une mémoire de la République, à l'instar des statues de celle-ci, mais d'un culte républicain, d'une religion civile, dont les particularités méritent d'être ramassées pour conclure.

C'est d'abord un culte ouvert; il ne se déroule pas dans un espace clos, fermé, mais sur des places publiques, en un lieu qui a un centre, un pôle, mais qui n'appartient à personne, puisqu'il est à tous.

C'est ensuite un culte laïque, qui n'a ni dieu ni prêtre. Ou plutôt le dieu, le prêtre et le croyant se confondent: au vrai, le citoyen s'y célèbre lui-même. Ce culte est hommage aux citoyens qui ont accompli sans réserve leur devoir civique. En conservant leur mémoire, le monument est déjà un haut lieu du civisme; sur cette tombe, on ne divinise ni l'armée ni la patrie, et conserver les noms de tous les citoyens morts à la guerre, en faire l'appel individuel est une façon de marquer que la République n'est rien d'autre que les citoyens. Ce culte est rendu par d'autres citoyens: les mêmes, pourrait-on dire, mais avec plus de chance, soit rescapés de la tuerie, pour parler leur langage, soit femmes, vieillards et enfants qui n'ont pas eu à y prendre part. L'initiative du monument comme de la fête ne vient pas de l'appareil étatique, ni des autorités sociales: elle est le fait des municipalités, de multiples comités, des associations de mutilés ou de combattants. Et si ces derniers jouent un rôle privilégié dans les cérémonies de 11-Novembre, c'est en raison du devoir civique accompli, non de leur personnalité propre: on a vu d'ailleurs comment ils tendaient à se fondre en un acteur collectif, tenant un discours impersonnel: tous les citoyens étant égaux devant la loi et le devoir civique, il faut, pour sortir du rang et parler au nom de tous, avoir été mandaté, et même tenir du groupe son texte.

Célébrer les citoyens qui ont fait leur devoir est inviter chacun à faire le sien. Sous une forme ou sous une autre, les discours tenus au monument répètent ce que disait déjà la cérémonie, par sa minute de silence, et les drapeaux qui s'inclinent, et ce que le monument affirme à longueur d'année par sa seule présence: parce qu'il est profondément bien de faire son devoir civique, ceux qui l'ont accompli jusqu'à la mort ne doivent jamais être oubliés, et réciproquement, honorer les citoyens morts pour la Cité est affirmer la grandeur du devoir civique.

Ce travail de mémoire est donc identiquement travail de conversion et pédagogie civiques. La fête du 11-Novembre est celle des citoyens par les citoyens eux-mêmes ; elle les conforte dans leur civisme, et elle le transmet aux jeunes générations. Là où une froide initiative officielle aurait peut-être échoué, cette entreprise collective anonyme – on ne saurait attribuer ni à un groupe seul ni à une personne la responsabilité de ces fêtes – réussit. Elle repose en effet sur une large adhésion populaire, sur une conviction sincère, elle-même fruit de l'école primaire républicaine, car c'est là que s'enseignaient les dogmes républicains. Mais le culte leur ajoute la force du sentiment collectif, de l'émotion partagée. Il mobilise à cet effet des habitudes religieuses empruntées au catholicisme encore familier, en ordonnant dans l'espace et le temps suivant un rituel précis le mouvement et l'immobilité, le silence et le chant, les symboles, les gestes et les paroles.

En lui-même, l'idéal républicain est abstrait, juridique. Dans la gravité et le recueillement du 11-Novembre, il perd de son austérité et de sa sécheresse pour devenir lien vivant entre des hommes. On peut considérer ce culte républicain de façon critique, et il ne résiste pas mieux à l'ironie que les autres. Mais la République n'est pas un régime comme les autres. Elle ne cherche pas seulement à améliorer le niveau de vie ou à augmenter le bien-être : elle incarne des valeurs et apporte une sorte de salut. Dès lors, elle exige un culte où cet idéal soit célébré, c'est-à-dire à la fois reconnu et partagé. Sans culte, il n'y a plus de foi ni de vertu républicaines ; prévaut alors un régime désenchanté, où le contrat social s'efface devant les nécessités fonctionnelles.

Une République qui ne s'enseigne ni ne se célèbre est une République morte, c'est-à-dire une République pour laquelle on ne meurt plus : on le vit bien en mai 1958, et déjà en 1940. Mais si la République n'est pas vivante déjà dans le cœur des citoyens, l'enseignement est stérile, et la célébration factice ; on peut alors entretenir le souvenir du passé, mais il n'a plus d'impact sur le présent, plus de sens pour l'avenir. C'est ce qui arrive aux monuments aux morts et aux cérémonies du 11-Novembre. Aujourd'hui abandonnés par la ferveur populaire qui les avait créés, ils demeurent des mémoriaux de la guerre, et l'on pourrait oublier qu'il y a un demi-siècle à peine, la République française, sûre d'elle, conviait en ce lieu et en ce jour tous les citoyens, pour célébrer un culte dont ils étaient à la fois les célébrants et les destinataires.

1. *La Voix du combattant*, 2 décembre 1923.

2. *Le Poilu dauphinois*, décembre 1932 et janvier 1933 pour la réponse du maire.

3. Nous nous permettons de renvoyer à notre thèse : *Les Anciens Combattants et la société*

française, 1914-1939, tome III : *Mentalités et idéologies*, Paris, Presses de la Fondation nationale des sciences politiques, 1977. On lira aussi avec intérêt l'étude des monuments commémoratifs du département de la Loire : Monique Luirard : *La France et ses morts*, Le Puy-en-Velay, impr. commerciale, 1977, et l'article de June Hargrove « Souviens-toi » dans le n° 124, décembre 1982-janvier 1983 de *Monuments historiques* consacré à l'architecture de la mort, qui rappelle opportunément la tradition du monument aux morts et annonce un ouvrage, sur les monuments aux morts après la guerre de 1870.

4. Il est exceptionnel qu'une commune n'ait pas de monument aux morts : le cas se présente moins d'une fois sur cent. Quand il se rencontre, il y a au moins une plaque dans l'église, et l'initiative rapide du clergé a rendu inutile, aux yeux d'une population massivement catholique, l'érection d'un monument (*cf.* M. Luirard, *op. cit.*, p. 19). Parfois aussi l'unité sociale n'est pas la commune, mais la paroisse, qui englobe plusieurs communes, et l'on trouve un monument intercommunal, comme à Fraroz, La Latette et Cerniébaud (Jura), où le monument est d'ailleurs près de l'église.

5. Aux exemples cités par M. Luirard, *op. cit.*, pp. 13-14, et par nous, *op. cit.*, pp. 38-39, on peut ajouter le monument aux mobiles de l'Allier, édifié par souscription publique à Moulins, place d'Allier.

6. Le barème des subventions est fixé par la loi de finances du 31 juillet 1920. La subvention principale varie de 4 à 15 % de la dépense totale en fonction du nombre de morts par rapport à la population. Une subvention complémentaire dépend de la richesse des communes, de 11 % pour les plus pauvres à 1 % pour les plus riches. M. Luirard, qui semble ignorer ce mécanisme, signale en revanche des subventions départementales, et elle précise dans certains cas la part des souscriptions et des fonds municipaux (*op. cit.*, p. 24). Pour 128 monuments, elle donne le montant des frais, soit 28 en dessous de 5 000 francs, 48 entre 5 et 10 000 francs, 39 entre 10 000 et 25 000, et 13 au-dessus de ce chiffre. D'après le catalogue de fondeur que nous avons retrouvé, il fallait compter au minimum 4 800 francs pour une statue de poilu en fonte bronzée. Un simple buste de poilu valait 2 000 francs. (Fonderies et ateliers de construction du Val d'Osne, tarif de mai 1921.)

7. Ils ont souvent pour enjeu l'adjonction d'un emblème religieux que le curé exige, et que le conseil refuse (*cf.* A. Prost, *op. cit.*, pp. 39-40).

8. À Lyon, au cimetière de la Guillotière, le 1er novembre 1916 (*Procès-verbal* du conseil d'administration de l'Union des mutilés et anciens combattants du Rhône, 5 novembre 1916), à Nîmes, le 1er novembre 1917 (*Après la bataille*, novembre 1917), à Orléans, de même (*Procès-verbal* du conseil d'administration des Mutilés du Loiret, 20 octobre 1917).

9. Cette minorité se regroupe dans deux associations : l'Association républicaine des anciens combattants, et l'Association ouvrière des mutilés, proche de la C.G.T., qui devient ensuite la Fédération ouvrière et paysanne des mutilés. L'A.R.A.C. et la F.O.P. sont les seules associations à refuser de s'associer aux fêtes du 14 juillet 1919, après que le gouvernement eut accepté de les faire précéder d'une veillée funèbre en l'honneur des morts de la guerre. Mais la manifestation organisée au Père-Lachaise réunit environ mille personnes. L'A.R.A.C. est une très petite association, avant 1940, et la F.O.P., plus importante, vient loin derrière les grandes associations. Elle quittera d'ailleurs en 1927 l'Internationale (rouge) des anciens combattants.

10. Cette enquête a été effectuée de façon que les diverses régions de France soient représentées, et, pour chaque zone d'investigation, elle a cherché à être exhaustive. Nous avons vu nous-même 306 monuments, en sept campagnes. Des collègues ont effectué deux campagnes similaires (51 monuments). Enfin, 500 questionnaires ont été expédiés à des instituteurs, dans onze groupes régionaux de communes. Nous avons reçu 201 réponses, ce qui porte à 564 le nombre de monuments pris en compte par notre enquête pour 35 départements différents. *Cf. op. cit.*, p. 42.

11. Le vœu émane des Mutilés du Loiret (*Procès-verbal* du conseil d'administration du

5 novembre 1931), l'une des premières associations de mutilés, dont le président, Henri Pichot, fut sans doute la personnalité la plus éminente du mouvement combattant entre les deux guerres, et présida longtemps la plus importante association nationale, l'Union fédérale.

12. Ainsi à Ayhere.

13. Saint-Martin-d'Estréaux (Loire), Brassac (Tarn), etc. M. Luirard cite quatre communes de son département (*op. cit.*, p. 27), mais non Saint-Martin-d'Estréaux.

14. La loi de séparation des Églises et de l'État interdisait d'apposer des emblèmes religieux sur les monuments commémoratifs, mais non sur les monuments funéraires. Pour les monuments aux morts, on considère qu'ils sont funéraires quand ils sont dans le cimetière. Mais il est arrivé que des communes fassent accepter un monument sur la place publique dont le projet ne comportait pas de croix, quitte à ajouter par la suite cette croix (A. Prost, *op. cit.*, p. 40).

15. Victor Hugo, «Hymne», *Les Chants du crépuscule*, 3.

16. Cette statue était produite par les fonderies Durenne, et porte la référence EE de leur catalogue (Établissements métallurgiques A. Durenne, *Statues et ornements pour monuments commémoratifs*, Paris. Impr. Puyfourcat, 1921, p. 5). Nous en ignorons malheureusement le prix. Cette statue est présente sur 2,6 % des monuments de notre échantillon. Si celui-ci est représentatif, il y en aurait donc près de 900 sur les places de nos villages.

17. Il serait intéressant de prolonger cette étude par une analyse systématique des effigies féminines des monuments. Dans *Marianne au combat*, Paris, Flammarion, 1979, Maurice Agulhon oppose la République populaire, coiffée du bonnet phrygien, celui de la liberté, et la République modérée, drapée et sage, couronnée d'épis ou de lauriers. Nous n'avons guère trouvé de République coiffée du bonnet phrygien sur les monuments aux morts. M. Luirard, *op. cit.*, donne la photographie d'une d'elles, à La Ricamarie, dans la Loire M. Agulhon en a vu en Provence. Mais nous avons surtout rencontré des femmes drapées à l'antique, où nous inclinons à voir la République, même quand elles sont coiffées d'un casque, comme à Boën-sur-Lignon ou à La Courneuve. M. Agulhon signale d'ailleurs une République casquée: le buste de Clésinger installé au Sénat (*op. cit.*, p. 211). Si notre impression était confirmée, la guerre de 1914 verrait le triomphe de la République sage, conservatrice et modérée, qui s'identifie du coup à la France, car elle est désormais acceptée par tous les Français, qui tous ont accepté de mourir pour elle, indépendamment de leurs opinions, et elle ne saurait plus s'identifier à un parti. C'était déjà le thème du discours de De Marcère à l'inauguration de la statue de la République au Champ-de-Mars, le 30 juin 1878 (M. Agulhon, *ibid.*, p. 218).

18. N° 854 du catalogue des fonderies du Val d'Osne, cette statue coûtait 5 300 francs en fonte bronzée. Elle n'est pas très répandue (4 exemplaires dans notre échantillon), mais d'autres sculpteurs ont traité le poilu avec une inspiration identique, en sentinelle ou en guetteur.

19. La statue la plus fréquente de ce type semble celle de Gourdon, que nous avons rencontrée 7 fois, mais qui semble avoir été imitée plusieurs fois.

20. Voir, dans l'ouvrage déjà cité de Monique Luirard, les monuments de Chazelles-sur-Lyon, La Fouillouse, Leigneux ou Sorbias.

21. Cette inscription est en triptyque. Au centre: «Bilan de la guerre: plus de douze millions de morts! Autant d'individus qui ne sont pas nés! Plus encore de mutilés, blessés, veuves et orphelins. Pour d'innombrables milliards de destructions diverses. Des fortunes scandaleuses édifiées sur les misères humaines. Des innocents au poteau d'exécution. Des coupables aux honneurs. La vie atroce pour les déshérités. La formidable note à payer.
«La guerre aura-t-elle enfin assez provoqué de souffrances et de misères? Assez tué d'hommes…? Pour qu'à leur tour les hommes aient l'intelligence et la volonté de tuer la guerre.»
Et la dernière ligne du panneau de droite est: «Maudite soit *[sic]* la guerre et ses auteurs!»

22. La chose est aisée quand il y a une seule association. Quand il y en a plusieurs, l'instance organisatrice des cérémonies est généralement la conférence des présidents d'association.

23. *Le Combattant* (Tarbes), 10 novembre 1921 et 1er novembre 1922.

24. *Compte rendu* du congrès de Clermond-Ferrand, Paris, Éditions de l'U.F., s.d., p. 291.

25. F. Malval (Hubert-Aubert), *La Voix du Combattant*, 30 juillet 1922.

26. A. Linville (A. L'Heureux), «La fête du 11 novembre», *Le Journal des mutilés et réformés*, 14 octobre 1922.

27. Pour la Loire, voir par exemple *Le Poilu de la Loire*, décembre 1934: *De profundis* au monument: Chuyer, Montregard, Saint-Maurice-de-Lignon, Chassigny-sur-Dun (Saône-et-Loire); absoute: Arthun, Saint-Victor-sur-Loire, Sevelinges, Chazelles-sur-Lavieu. Pour la Vendée, voir *Le Combattant vendéen*, décembre 1930. Mais on rencontre des cérémonies analogues dans les Ardennes (*cf. Le Combattant sanglier*, décembre 1933), ou en Normandie. À Henqueville (Seine-Inférieure): «À l'issue de la messe le cortège se forma, clergé en tête, pour aller au monument au chant du *Libera*. Au monument, prières habituelles, bénédiction, dépôt d'une gerbe, appel des noms et discours du Président Levasseur [résumé du discours]. Retour à l'église au chant du *Te Deum*» (*La Flamme*, novembre 1934).

28. L'appel des morts est explicitement mentionné dans 11 communes sur 29 dans les Ardennes en 1931 (*Le Combattant sanglier*, décembre 1931). Il est très fréquent dans l'Isère, l'Aveyron, etc.

29. À cette époque, dans de nombreuses paroisses, le prône débute par le nécrologe: le prêtre lit une liste de noms de morts, et l'on dit un *Pater* pour eux à la fin. Ensuite, vient le sermon. De même, au monument aux morts, le discours suit en général l'appel des morts.

30. Williers (Ardennes), 1930: «Les aimables demoiselles chantèrent un cantique de circonstance...» (*Le Combattant sanglier*, décembre 1930).

31. A. Prost, *op. cit.*, p. 59.

32. C. Vilain, *Le Soldat inconnu, histoire et culte*, Paris, Maurice d'Hartoy, 1933. Cette affirmation, contemporaine des débuts de la sonnerie: *Aux morts*, est confirmée par ailleurs. En 1934, *Le Combattant des Deux-Sèvres* de décembre note à Châtillon-Saint-Jouin une sonnerie «émouvante», intitulée *Salut aux morts*, dans la cérémonie du 11-Novembre. L'Union des mutilés et anciens combattants du Rhône décide, dans son conseil d'administration du 27 janvier 1935, de marquer désormais la minute de silence d'une sonnerie de clairon, qui est sans doute celle-ci.

33. Manent le précise dans *Le Combattant* (Tarbes), 1er octobre 1921.

34. Rosemonde Sanson, *Les 14-Juillet, fête et conscience nationale*, Paris, Flammarion, 1976, a bien montré comment cette fête a été organisée.

35. Sur l'initiative des Mutilés du Loiret, *La France mutilée*, 29 octobre 1922, *Le Journal des mutilés et réformés*, 4 novembre 1922, *Le Combattant du Pas-de-Calais*, 9 novembre 1922, qui reprend l'idée pour ce département. Voir aussi les réflexions sur l'organisation du 11-Novembre, qui préconisent un discours de combattant, et non d'élu: Linville, *Le Journal des mutilés et réformés*, 14 octobre 1922, Bruche, *Le Combattant du Pas-de-Calais*, 9 novembre 1922.

36. *Le Béquillard meusien*, novembre 1926.

LA RÉPUBLIQUE

Pédagogie

PASCAL ORY

Le “Grand Dictionnaire” de Pierre Larousse

Alphabet de la République

Les activités de médiation siègent au cœur de la société culturelle. Il n'en est que plus regrettable de voir le troisième grand terrain, à côté de la presse et de l'école, où celles-ci s'exercent, jusqu'à présent ignoré des chercheurs : la vulgarisation. Or, au cours de ce dernier tiers du XIXe siècle où s'opéra l'enracinement décisif de la culture républicaine dans la société française, c'est peut-être ici que l'action républicaine a été la plus constante, et la plus efficace, conformément d'ailleurs à l'idéologie démocratique et aux nécessités du suffrage universel. On ne peut faire l'histoire de l'« esprit républicain » sans relire attentivement comme autant de textes politiques le *Dictionnaire de la langue française* d'Émile Littré (1863-1872) ou, à l'autre extrémité de la période, la *Grande Encyclopédie* patronnée par Marcelin Berthelot (1885-1902).

Nous nous attacherons ici au seul *Grand Dictionnaire universel du* XIXe *siècle*, dont l'infatigable Pierre Larousse (1817-1875) assuma la direction et, pour une bonne part, la rédaction[1] entre 1863, date de la première souscription, exactement contemporaine du premier fascicule du *Littré*, et 1876, où parut la 524e et dernière livraison, deux années avant le premier *Supplément*, que nous lui avons intégré (le second est de 1890). Comme on le voit, cette œuvre dans tous les sens du mot monumentale (vingt mille sept cents pages *in-quarto* de quatre colonnes : quatre cent quatre-vingt-trois millions de signes) a été traversée par l'actualité bouleversante de 1870-1871, fatale d'ailleurs aux forces de son animateur, qui semble ne plus avoir mené à partir de 1872 qu'une vie amoindrie. En termes lexicographiques on la situera, approximativement, après le tome VI et la lettre *D*.

Le fait est d'autant plus important que la personnalité de Larousse et le dessein qu'il poursuit ne sont pas de ceux qui s'isolent de la conjoncture[2]. L'ancien instituteur républicain des années quarante, voué à partir de 1849 à la production d'ouvrages scolaires et documentaires, a fait de toute son œuvre un travail pédagogique au service de la libre pensée et de la démocratie[3]. Quand il édite le *Nouveau Dictionnaire de Langue française*, l'autre grand succès qui transformera son nom propre en nom commun[4], il est encore, par nécessité technique et par prudence, contraint à la discrétion : bien des années plus tard on a retrouvé, abondamment utilisé, l'exemplaire de l'impératrice... Le *Grand Dictionnaire*, annoncé comme l'*Encyclopédie* du XIXe siècle, couronne l'édifice, en lui donnant, au contraire, la signification idéologique la plus nette. C'est ce qu'a bien compris Victor Hugo, quand il accorda d'emblée son patronage à Larousse en tant que contre-feu en face d'une littérature lexicographique jugée par lui écrite « dans une pensée hostile au siècle ». Ses collaborateurs sont choisis en priorité dans les milieux les plus « avancés », de Louis Liard à Alfred Naquet, en passant par Louis Combes, grand porte-plume du gambettisme, à qui l'on attribue la plupart des articles concernant la Révolution française. La préface de 1865, pourtant obligée à une certaine retenue, proclame le regret du directeur de n'avoir pu s'assurer, avant sa mort, la collaboration de Proudhon, « le plus hardi et le plus profond penseur du XIXe siècle », pour les articles « Dieu » et « Propriété ». On connaît l'insolence de l'incipit de « Bonaparte » (II, 920-946 ; 1867)[5] : « Le nom le plus grand, le plus glorieux, le plus éclatant de l'histoire, sans en excepter celui de Napoléon. – Général de la République française, né à Ajaccio (île de Corse), le 15 août 1769, mort au château de Saint-Cloud, près de Paris, le 18 brumaire an VIII de la République française, une et indivisible (9 novembre 1799). » L'histoire voulut que l'article « Napoléon » parût en décembre 1873 : on en devine le ton.

Ce cas limite, voulu comme tel, donne cependant une idée de la plasticité du cadre formel dans lequel se coule le discours du maître, à commencer par la longueur même des articles[6], très dépendante de l'utilisation polémique qu'en tire l'auteur. Les procédés lexicographiques expérimentés par Bayle ou Diderot[7] pour tourner les censures sont crûment manipulés : renvois, citations tendancieuses, digressions imprévisibles[8]... Tous les articles importants se prolongent d'abondantes annexes bibliographiques et iconographiques[9], lieux d'appréciations plus vives encore. Dans le corps de la notice lui-même, le jugement de valeur est omniprésent, au travers d'un ton volontiers familier (anecdotes, bons mots, confidences personnelles) et lyrique, où l'on retrouve comme un écho affaibli de la manière d'Hugo ou de Quinet. Dans les grandes occasions, la prosopopée entre en scène, comme dans la surprenante harangue sur huit colonnes de « Angleterre (L') jugée par Jacques Bonhomme » (I, 374-376 ; 1866) qui suit l'étude, jusque-là assez mesurée, de ce pays. L'auteur aime avancer à visage découvert et à prendre le lecteur à témoin, comme dans cet article « Bouillon (Rose) », (II, 1085 ; 1867), qui commence par : « Nom obscur, nom ignoré, nom méconnu des historiens qui, occupés d'embrasser, de saisir l'ensemble des événements, laissent aux mémoires, aux chroniques, le soin de

s'occuper des détails, des épisodes» et s'interrompt un instant pour s'apostropher: «Allons, allons, *Grand Dictionnaire*, quel style nous donnes-tu là? On dirait vraiment que tu trempes ta plume dans l'encrier de M. Michelet ou plutôt de Mme Michelet. - Parbleu, lecteur, je ne m'en défends pas; c'est lyrique, fiévreux; cela va par bonds; mais ici il s'agit de la femme», etc.[10].
À un tel degré d'engagement, on peut se demander si la représentativité du *Grand Dictionnaire* est suffisante. Sa personnalisation a suscité bien des critiques, y compris à gauche[11] et il est patent que les successeurs de Pierre Larousse ont, dès les premières années soixante-dix[12], sensiblement édulcoré l'idéologie du maître. Mais, outre qu'il serait naïf de considérer ces tentatives et les suivantes comme des modèles d'impartialité[13], on sait assez que les contemporains ne se sont pas arrêtés à si peu pour faire un succès à un ouvrage d'une si abondante matière. Larousse figure d'emblée dans le panthéon républicain comme «puissant vulgarisateur de la Science et de la Vertu», ainsi que le salue Spuller, en inaugurant la statue érigée dans son village natal. Par sa date comme par sa situation, le *Grand Dictionnaire* peut être considéré comme l'une des matrices de la vulgarisation républicaine à la fin du siècle: manuels scolaires, livres de lectures courantes, livres de prix, littérature didactique populaire...

Syntaxe

Placé ainsi au cœur du mouvement historique, le *Grand Dictionnaire* revendique hautement son rôle de lieu de mémoire. C'est que si Pierre Larousse aime l'histoire, c'est au point de se méfier des historiens, comme un croyant fougueux, un peu mystique, se méfierait du clergé. Son esprit systématique, coloré de comtisme, lui fait conclure que «le XVIe est le siècle poétique, le XVIIe le siècle classique, le XVIIIe le siècle philosophique, et le XIXe le siècle historique» («Littérature française», VIII, 711-715; 1872). Quand ce libre penseur constate qu'«aujourd'hui, l'histoire est devenue, pour ainsi dire, une religion universelle», ce n'est pas pour la dévaloriser, mais bien pour prédire qu'«elle est destinée à devenir au milieu de la civilisation moderne ce que la théologie fut au Moyen Âge («Histoire», IX, 300-303; 1873). Mais cette situation éminente la conduit plus près de la philosophie, au sens du XVIIe, que de l'érudition. L'incipit de «Bouillon (Rose)» en donnait la preuve, confirmée onze ans plus tard - à cette date, Larousse est mort - par le compte rendu acide du *Henri IV et Marie de Médicis* de Berthold Zeller (*Supplément*, 947; 1878): «M. Zeller a donné dans un travers trop connu de nos jours. Il semble admis maintenant qu'on ne peut écrire que "d'après des documents inédits". Tout ce qui a été imprimé ne compte plus.»

Cette sortie, contemporaine des débuts de la *Revue historique* (1876), est bien dans la ligne d'un ouvrage rédigé pour l'essentiel par ceux que, pour reprendre un terme d'époque, je baptiserai «publicistes», mixte du journaliste, de l'essayiste et du militant dont les âges suivants ont gardé le type en perdant le nom. Elle renvoie, plus au fond, à une conception de l'histoire comme «la reine et la modératrice des consciences» («Histoire»). Quand l'article «Instituteur» (IX, 725-726; 1873) dénonce vivement l'histoire scolaire comme histoire-bataille, histoire de «sujets» monarchiques, alors que «c'est l'histoire de l'homme que nous avons besoin de connaître, celle des peuples», il ne le fait que pour conclure à la nécessité d'une morale de substitution. Contradiction classique, qui a été tant reprochée à cette génération par l'école de la *Revue historique*, avant que la «nouvelle histoire» ne montre son béjaune à cette dernière, *et coetera* à l'infini.

Ici, à vrai dire, le dogme a réponse à tout, puisqu'il s'agit du progrès, justification philosophique de l'historicisme. Le *Grand Dictionnaire* est la Somme d'un progressisme dans la force de l'âge, qui produit à la même époque les évangiles de Michelet ou la *Profession de foi* bien nommée d'Eugène Pelletan, père de Camille. Là aussi, on est prié de prendre au pied de la lettre ces métaphores religieuses quand on lit à l'article «Moyen Âge» (XI, 657-658; 1873) que l'auteur croit au «dogme de la perfectibilité indéfinie» et, à l'article clé («Progrès», XIII, 224-226; 1875), ces prémisses closes sur elles-mêmes: «La foi à la loi du progrès est la vraie foi de notre temps. C'est là une croyance qui trouve peu d'incrédules.»

Un tel postulat sous-tend évidemment chaque notice, de la zoologie à la métaphysique. Il justifie la sévérité pour les siècles passés et l'optimisme sur les temps proches, la prise en compte d'une hiérarchie des sociétés: il y a bien un «Sauvage» (XIV, 275-276; 1875) et une «Civilisation» (IV, 366-370; 1869). Celui-là est encore dans l'enfance, en vertu de l'«analogie entre les idées, le langage, les habitudes, le caractère des sauvages et des enfants»; celle-ci est bien l'«état d'un peuple chez lequel l'intelligence se trouve cultivée, les mœurs adoucies, les arts prospères et l'industrie active». À cet égard les théories de Gobineau, «ethnologiste distingué», ont droit à un traitement de faveur, aux côtés de celles de Guizot, de Fourier et surtout de Henry Burckle, historien philosophique anglais de perspective culturaliste. Elles valent aux «Aryas» (I, 736-737; 1866) d'être le «nom générique de l'un des plus nobles rameaux de la grande famille arienne ou race blanche».

Cela posé, le *Grand Dictionnaire* est le premier à demander que la vérification de son credo se fasse par le moyen de la «méthode scientifique» («Moyen Âge») et ne se contente pas du «souffle religieux et mystique», du style «illuminé» d'un Pelletan («Profession de foi du XIXe siècle», XIII, 219; 1875). Il est, surtout, tout prêt à prendre à bras-le-corps le délicat problème de la

«Décadence» (VI, 206-207; 1870), qu'il ne résout qu'en concédant en fait dans le détail des évolutions une certaine dose de discontinuité. Les périodes de «recul apparent» comme le Moyen Âge deviennent alors, du point de vue de Sirius, des «périodes d'incubation» («Moyen Âge») où germent «la science et la liberté». Et c'est ce dernier mot qui apporte la clé de l'énigme: la décadence existe en histoire, mais seulement chez les peuples aliénés («Décadence»). Ce volontarisme libéral confinerait à la tautologie s'il n'était l'autre nom de la foi en l'éducation des peuples qui justifie toute l'œuvre laroussienne. Réponse ultime à l'argument ultime, selon lequel si l'humanité progresse à l'instar d'un être vivant, elle devrait un jour décliner, jusqu'à l'extinction. Le supplément 1878 à l'article «Progrès» rend à cet égard un son étrange – son existence même est peu justifiable. Dans cette caudule l'hypothèse d'un renversement négatif des tendances n'est plus exclue en théorie, même si elle est rejetée dans la pratique au nom du travail progressiste dont le *Grand Dictionnaire* administre en quelque sorte le plus bel exemple.

Idiome

Reste une dernière contradiction interne, propre à ce grand entre-deux-guerres que fut la IIIe République: comment concilier l'universel progrès, mouvement unificateur par excellence, et la défense des valeurs nationales? Du fait de son radicalisme politique, qui le conduit, par exemple, à présenter une image assez négative du mouvement colonisateur («Colonisation», «Colonisateur», IV, 646-653; 1868, mais on est sous Napoléon III) comme de la date de son travail, Larousse est de ceux qui osent aller le plus loin dans l'affirmation de l'unité tendancielle de l'histoire humaine. L'article «Conquête» (IV, 960; 1868) fait même l'éloge de cet état de fait, tout en se couvrant du côté de la critique démocratique par une vive dénonciation des conquérants et du culte qui peut leur être voué. La fusion progressive et progressiste des races humaines est annoncée; on en voit les premiers signes dans la disparition des races «indigènes» (pour la «race nègre» l'extinction est en cours) devant les races «plus civilisées». «Le genre humain tend à ne constituer qu'une famille idéale» («Progrès»), et le lexicographe s'inquiète déjà de la langue unique à forger à cette humanité réconciliée par le chemin de fer et la philosophie («Langage», X, 144-145; 1873). Fédéraliste, l'admirateur de Proudhon ne croit guère, même s'il le regrette, à la disparition des entités nationales, mais la science positive lui fait voir en tous lieux les progrès du métissage: «Il est possible que le mélange continuel des races qui s'opère en Europe, depuis le commencement de notre ère, nous fasse échapper aux causes de la destruction» («Nation», XI, 854-855).

Le tout, pour un progressiste de 1870 et même de 1871, est de s'entendre sur le modèle à partir duquel se fera la fusion ; l'essentiel, pour le *Grand Dictionnaire*, est qu'il soit largement d'inspiration française, et c'est ce qu'il s'acharne à démontrer par les moyens de la lexicographie. Ainsi l'article consacré au « Français » en tant que langue (VIII, 708-711 ; 1872) tire-t-il parti de la supposée lenteur de la constitution de l'idiome national pour en déduire qu'il y a, comme chez un être vivant, proportion entre la longueur d'une croissance et la longévité de l'organisme. Nulle part peut-être la tactique intertextuelle ne révèle mieux son office que dans les citations choisies pour illustrer le mot. Sur les quatre le peuple s'en réserve trois, qui commencent galamment par « La grâce des mouvements et le piquant de l'esprit n'abandonnent jamais les femmes françaises (De Ségur) » et poursuivent avec deux sentences de contemporains obscurs, choisies donc pour leur contenu plus que pour leur forme : « Le peuple français a toujours été l'instrument de Dieu pour changer la face de la terre (Bautain) », et « Le génie français n'aime pas les nuages, il est positif au milieu de la pétulance (Aristide Dumont) ». Quant à la citation réservée à la langue, c'est évidemment le « Tout ce qui n'est pas clair n'est pas français » de Rivarol[14].

L'esprit généreux et impulsif de Pierre Larousse est ainsi fait que le potentiel hégémonique de telles prémisses s'épanouit au grand jour là où on l'attend. L'article « Gaulois » (VIII, 1081-1084 ; 1872) s'ouvre ainsi : « Il est de nos jours un peuple qui se distingue de tous les autres par l'universalité de son génie et par la merveilleuse variété de ses aptitudes » ; il se clôt par : « L'on peut affirmer, sans être trop gaulois, que jamais race mieux douée n'a habité un plus beau pays. » L'incipit « France » (VIII, 719-743 ; 1872) n'a plus qu'à claironner : « *France* (autrefois *Gallia*). État de l'Europe occidentale que son heureuse conformité géographique, son histoire, sa littérature, ses arts et son industrie ont placé au premier rang des États civilisés. » Le mystère de la composition de la formule culturelle fusionnée est levé dans cette envolée lyrique de l'article « Moyen Âge » : « Une nation est née. Romaine par sa centralisation, gauloise par l'audace de son esprit, franque par le sentiment indomptable de son indépendance, universelle enfin par son génie, la France est à elle seule toute une civilisation. »

Rien d'étonnant, dans ces conditions, à ce que l'excellence française naturalise le génie : « *Rousseau* (Jean-Jacques). L'un des philosophes qui ont exercé le plus d'influence sur la France et l'Europe du XVIIIe siècle, né à Genève le 28 juin 1712, mort à Ermenonville, près de Paris, le 3 juillet 1778. Bien que né en Suisse, il appartient tout entier à la France[15]. » Symétriquement, les méchants de l'histoire nationale doivent être, par quelque biais, rattachables à un sang étranger. « Marie-Antoinette » est, bien entendu, autrichienne, comme Eugénie, qui en est explicitement rapprochée (X, 1190-1193), est espagnole, mais on met aussi un malin plaisir à suggérer que le père naturel de «Napoléon III» était un Hollandais ou à citer à propos de «Louis XVI» la diatribe de Michelet jugeant que «de race et par sa mère, il était un pur Allemand». «Napoléon» (XI, 804-814; 1874) lui-même a droit à un «étranger par la race et par les idées», redoublé plus loin d'un «étranger, de race incertaine» et se trouve projeté d'un coup vers le despotisme oriental: «Loin d'être la continuation de la Révolution française, son règne, malgré son éclat, en fut la réaction haineuse et, sous le rapport politique, une pure imitation du césarisme byzantin.» On renverra ceux qui seraient tentés de mettre de tels rapprochements sur le compte d'un esprit passablement échauffé à l'article «Bazaine» de la sage *Grande Encyclopédie*, où Camille Pelletan attribue à l'Orient les turpitudes d'un monstre qui «connut à peine la France».

Ce patriotisme, qui remonte d'une seule enjambée à «Bouvines» (II, 1166-1167; 1867), «aurore de notre nationalité», est d'autant plus épanoui qu'il n'a pas encore tiré toutes les conséquences de son entrée, à partir de 71, dans l'ère du relatif. Le *Grand Dictionnaire* nous en livre une version à peu près brute, où l'«Allemagne» est encore une expression géographique, datée de 1865, la «Russie» antipathique mais lointaine, à tous les points de vue, les États-Unis sympathiques mais lointains, où seule l'«Angleterre» se dresse avec arrogance dans son rôle d'ennemi héréditaire, mais à tel point parangon du préjugé aristocratique que son avenir paraît bien sombre. Il n'est d'ailleurs que de comparer Londres à Paris pour savoir de quel côté la balance de la civilisation va pencher.

Pensée centralisatrice, le progressisme républicain, comme il place tendanciellement la France au point de jonction des cultures, fait en effet de la capitale, sans attendre, «le centre du monde entier» («Paris», XII, 226-281; 1875). L'incontestable rayonnement culturel de celle-ci devient alors le principal argument en faveur des prétentions universalistes de celle-là: dans cet article éponyme, le chapitre consacré au «Rôle de Paris dans la civilisation moderne», long dithyrambe, ne compte pas moins de treize colonnes. Le culte de la Ville-Lumière n'aura sans doute jamais été aussi vibrant que dans ces années-là dans les milieux républicains, face au pouvoir d'une Assemblée soupçonnée de vouloir la «décapitaliser». En vertu de quoi l'article «Paris» couvre cinquante-six pages, soit plus du double de l'article «France».

On commettrait un grave anachronisme en pensant qu'une conviction si bien ancrée se traduit par une agressivité particulière à l'égard des cultures minoritaires de l'espace français. La condescendance suffit. On constate bien que, par exemple, «le Basque résistera, pendant longtemps encore, aux idées modernes» («Basque», II, 317; 1867), mais il n'y a là rien d'inquiétant, puisqu'«en plein XIXe siècle, [il] tient encore le milieu entre l'état de simple nature et l'état civilisé». La Bretagne, contrée celte, bénéficie même de la sympathie que la conception romantique de l'histoire nationale, comme lutte du

vieux fonds gaulois contre les envahisseurs successifs, autorise, et la littérature bretonne est vue au travers des lunettes roses de Hersart de La Villemarqué. Il n'est pas jusqu'à la «Chouannerie» (IV, 199-200; 1869) qui ne soit traitée avec modération, comme un moment d'aberration de «paysans ignorants et égarés». Il ne coûte rien de rendre les honneurs de la guerre aux adversaires, puisque aussi bien le sens de l'histoire les condamne irréversiblement.
Le fin mot est en effet là, dans ces articles consacrés aux diverses provinces et qui s'arrêtent à leur rattachement au royaume ou à 1789: «Le Breton et le Normand sont encore très dissemblables du Gascon et du Languedocien, le nom même des anciennes provinces est encore employé dans la langue usuelle; mais la nation est *une*» («Province», XIII, 329; 1875). La démocratie, qui est tout à la fois universalité et modernité, a, depuis l'Assemblée nationale, rendu caduque toute velléité d'expression autonome[16].

Vocabulaire

Se plaçant par bien des traits en posture de fondateur, Larousse, lexicographe transformé en mythographe, procède à une relecture systématique de l'imagerie historique française véhiculée par les deux grandes interprétations monarchistes avec lesquelles est engagée la bataille. Sa vision des origines emprunte sans les discuter aux reconstitutions issues de Guizot et de Thierry. Elle l'amène à dresser un tableau flatteur de la civilisation gauloise («Gaule», VIII, 1079-1080; 1872), qu'il s'agit d'excepter du lot barbare, au contraire de la «Germanie», considérée à distance comme un grand objet sombre, incompréhensible (VIII, 1220-1222; 1872), et à limiter l'article «Gallo-Romain» (VIII, 968; 1872) à un survol de l'époque mérovingienne, dans la stricte perspective thierryste. La même généalogie intellectuelle débouche sur une condamnation sans phrases de la *noblesse*, dont on peut dire qu'elle est désormais «bien détruite, ainsi que l'odieuse inégalité qui en était la conséquence» (XI, 1036-1039; 1874)[17].
L'originalité de Larousse apparaît plus clairement dans la volonté de faire descendre de leur piédestal les grands hommes, dont le souvenir pouvait être utilisé par les tenants de l'Ancien Régime. Les figures les plus populaires sont regardées avec distance: «Louis IX» s'est soucié des humbles, mais son obsession religieuse l'a conduit à une expédition désastreuse au-delà des mers; si «Louis XI» (X, 701-702; 1873) «a rendu des services, c'est à son insu»; «*Henri IV* [...] fut un *grand roi* plutôt qu'un *bon roi.*» Les héros de l'absolutisme sont étrillés. Chez «François Ier» (VIII, 772-773; 1872), l'image positive centrale de «protecteur des arts» est révoquée en doute, dans une perspective où le collectif des Lumières l'emporte sur l'individuel des

monarques : « On lui fait honneur de la restauration des lettres, on veut rattacher à son règne l'admirable mouvement de la Renaissance ; mais d'autres prétendent aussi que la réforme religieuse a eu la part la plus considérable dans cette résurrection – déjà connue d'ailleurs depuis longtemps en Italie. » Les derniers Louis ont droit à un rude traitement : l'inconsistant « Louis XIII », dans la ligne des *Trois mousquetaires*, le crapuleux « Louis XV », prétexte à anecdotes noirâtres, le faible « Louis XVI », coupable d'intelligence avec l'ennemi. Mais le grand Autre est « Louis XIV » (X, 705-708 ; 1873), dont la stature domine aussi la partie historique de l'article « France ». Sa notice met en lumière son « infatuation énorme » et, suivant un modèle fréquemment utilisé pour la biographie d'un despote (à l'exemple de la littérature édifiante catholique se surajoutant à partir de 1870 le destin de Napoléon III), les conséquences désastreuses de ce péché originel du vivant même du personnage. En bonne psychologie morale, Louis XIV devient un type, à la manière comtienne. Dominé par « un seul sentiment et le plus méprisable de tous : l'égoïsme », il personnifie l'absolutisme, « dont il offre l'exemple le plus complet et parfois le plus extravagant ».

En face de cette galerie d'autocrates, le *Grand Dictionnaire* sait jouer des multiples avatars du « peuple » de Michelet. Il hérite du culte bourgeois de la « Commune », à laquelle il consacre un long article (IV, 739-749 ; 1869). Plus radicalement, le Bourguignon de Toucy, fils d'humbles, chante la « Jacquerie » (IX, 871 ; 1873), trop longtemps méprisée. Mais cet homme qui se méfie des statufiés traditionnels est, bien entendu, le premier à ériger d'autres figures exemplaires, réunies au sein d'une même téléologie démocratique. Le XIXe siècle juge et acquitte « Marcel (Étienne) » (X, 1134-1135 ; 1873) qui, « devançant son époque, songea, dès le XIVe siècle, à établir en France des institutions parlementaires ». Devant « Colbert » (IV, 574-576 ; 1869), le jury de « l'opinion démocratique se souvient qu'il aima les faibles et les humbles et que, revêtu de la toute-puissance, il désira des réformes tellement radicales, que soixante-dix ans de révolution n'ont pu nous les donner encore ». « Réforme » est bien le grand mot de passe historique. À lui seul, il justifie l'existence de personnalités comme « Sully » ou ce « L'Hospital (Michel de) » (X, 458-459 ; 1873), crédité de « réformes qui préparèrent de loin la grande réforme du XVIIIe siècle ».

La Révolution, elle, pose plus de problèmes. Certes tous les cas ne sont pas aussi désespérés que celui de « Carrier » (« Cet article, le plus difficile, le plus délicat peut-être et certainement le plus pénible du *Grand Dictionnaire*, dont on connaît les opinions honnêtes, quoique avancées », III, 451-452 ; 1868), à qui sont d'ailleurs reconnues plusieurs circonstances atténuantes. Mais, même si l'article « Révolution française » postule, sans entrer dans le détail, la continuité « jusqu'à l'histoire présente » de l'événement, la complexité des enjeux conduit à des choix d'époque, d'où il ressort que le culte de Danton ne date pas d'Aulard mais que, par le biais sans doute d'Auguste Comte, il est à son zénith dans l'opinion «avancée» dès les années soixante: «*Danton* (Georges-Jacques), illustre conventionnel, né à [...], mort le [...]. Nous sommes ici en présence d'une des plus grandes figures de la Révolution» (VI, 92-95; 1870). «Robespierre» fait les frais de la confrontation. Encore la critique est-elle absente de la notice proprement dite, froidement énumérative, pour se concentrer sur les comptes rendus de *«Révolution française (Essai sur la)»*, de Lanfrey (1858) ou de la biographie, jugée trop favorable, d'Ernest Hamel (1865-1867). On saisit pourtant au vol une formule de l'Adrien Hébrard du sage *Temps* pour sauver «Marat» au nom du «démon du patriotisme» (X, 1121-1123; 1873) et l'on reconnaît même à Saint-Just une «âme rare et singulière» *(«Révolution française (Essai sur la)»).* C'est qu'à l'instar d'un quelconque Denys, Robespierre est et demeure le Tyran. Et sur ce point la logique libérale de Larousse reste sans faille.

À ceux qui douteraient de la cohérence et de l'ambition du projet laroussien s'offre le traitement ostentatoire réservé à «Jeanne Darc» (telle est, en effet, la graphie dénobilisante du *Grand Dictionnaire*), long travail (trente-cinq colonnes avec les annexes, VI, 106-111; 1870) visant tout à la fois à ramener l'héroïne à des dimensions tout humaines («La grandeur de Jeanne Darc est avant tout du domaine de l'histoire, et l'histoire ne voit que des réalités humaines»), mais pour lui substituer, par des moyens lexicographiques qui ne sont qu'à lui, une interprétation strictement patriotique, à forte charge anticléricale. Le procédé, dérivé de celui du «Bonaparte/Napoléon», consiste à traiter deux fois de suite la biographie de l'héroïne, la première sur le ton du récit, la seconde comme une sorte d'enquête rationnelle, mettant en pièces l'hagiographie chrétienne de celle qui n'est, à l'époque, pas même encore vénérable. Le rationaliste crédite la jeune fille d'un génie fort calculateur, celui d'avoir «usé avec pleine réflexion du moyen efficace que lui offraient les croyances de son temps» et la seconde biographie est là pour «rassembler en un faisceau tous les faits qui montreront que le rôle de cette jeune paysanne a été tout national et que cette grande figure, transportée dans le monde des visions, est purement et simplement un vol que la légende a fait à l'histoire».

Il n'en reste pas moins que les panthéonisations du *Grand Dictionnaire* ne ressortissent pas toujours à une aussi savante pesée des âmes. Larousse est un prosélyte, toujours sur la brèche, et c'est la lutte au jour le jour contre le bonapartisme ou l'Ordre moral qui explique, en dernière analyse, la relative froideur à l'égard de «Vercingétorix» (XV, 894-895; 1876), dont la récupération par Napoléon III est encore trop récente, ou d'«Henri IV», dont la démystification est tout entière tournée, en 1873, contre les tentatives légitimistes. Dans l'un et l'autre cas, le temps permettra à la IIIe République d'en assumer sans danger l'héritage. Nul doute qu'à cet égard un Lavisse, frotté de bonapartisme, ne fût, avec un tout autre bagage scolaire que celui du fils du tonnelier-charron de Toucy, mieux à même de fabriquer la synthèse historique adéquate à une république établie. Il réalisait ainsi, au pouvoir, le type du grand instituteur de la nation dont Larousse, confiné presque toute sa vie dans l'opposition, rejeté dans le tiers état des intermédiaires, ne pouvait être qu'une approximation.

Pierre Larousse n'avait donc pas d'autre choix que d'en faire à sa tête, et il ne s'en priva pas. Ce n'est pas tout à fait un hasard si ce linguiste centralisateur, dont la vie tenait au culte d'une centralité langagière, a reconnu malgré tout au «Patois» (XII, 399-403; 1875), au «Dialecte» (VI, 704; 1870), la vertu de manifester à la barbe des langues savantes la vivacité de «la vie réelle, la vie élémentaire et naturelle du langage»: son idéologie, sa culture sont dialectales. La fortune posthume de son nom doit autant aux autres ouvrages didactiques, moins sulfureux, dont il a pris l'initiative et à la gestion fort conservatrice de ses successeurs qu'au *Grand Dictionnaire* proprement dit, objet sonore, flamboyant, et quelque peu compromettant pour tout le monde, même s'il fut, pendant un tiers de siècle, la source principale de maint journaliste et homme politique de tous bords[18].
À vrai dire, n'en fut-il pas de même, à son échelle, pour Hugo, statufié de son vivant malgré l'indépendance de ses jugements politiques? Ici comme là, l'œuvre a dévoré l'auteur. Mais si de Larousse au *Larousse* un mythe s'est forgé, facilité par le caractère collectif de l'entreprise et l'effacement progressif, dès son vivant, du lutteur, brisé par les deux soixante et onze, il ne s'explique que par la réussite de son projet pédagogique, relayé par mille autres. Ainsi, Pierre Larousse a-t-il résolu pour son propre compte la contradiction, laissée ouverte dans son œuvre, entre le héros et le peuple: ce vulgarisateur partisan est devenu synonyme d'«ouvrage de référence».

1. À défaut d'archives permettant de distinguer la part réelle du directeur et de ses collaborateurs (vingt-sept sont nommés dans la préface de 1865, mais il y en eut bien d'autres), on envisagera ici le sujet «Pierre Larousse» comme scripteur collectif, tous les témoignages concordant pour lui reconnaître la paternité ou l'attentive relecture de tous les articles à contenu idéologique précis.

2. Cette étude s'appuie sur plusieurs travaux de base. D'abord l'article du pionnier des études laroussiennes, André Rétif, «Pierre Larousse, républicain», *L'Esprit républicain*, colloque d'Orléans, 4 et 5 septembre 1970, Paris, Klincksieck, 1972, pp. 273-278, prolongé par *Pierre Larousse et son œuvre*, Paris, Larousse, 1974; ensuite Gilbert J. Maurin, *La Critique du second Empire dans le Grand Dictionnaire [...]*, Paris, 1975; enfin Évelyne Franc, *La Mémoire*

nationale dans le Grand Dictionnaire [...], mémoire de D.E.A. de l'I.E.P., Paris, 1980.

3. Lettre publiée dans *L'Illustration* du 2 juillet 1864 ; citée par Rétif, *Pierre Larousse et son œuvre, op. cit.*, p. 173.

4. Ire édition : 1856. Cinq millions d'exemplaires vendus en cinquante ans. Larousse y invente les « pages roses ». Claude Augé, en le refondant en 1905, l'intitulera le *Petit Larousse illustré.*

5. On a daté la publication des articles d'après Rétif, *ibid.*, et ses dix-sept « Laroussiana » de la revue *Vie et langage*, puisés dans les archives de la maison. La date de la rédaction reste, en général, inconnaissable.

6. Exemple : onze colonnes, plus les annexes, pour « Jésus » (IX, 966-968 ; 1873) mais trente pour « Jésuite » (IX, 958-965).

7. « Diderot » (VI, 764-773 ; 1870) : « Le génie le plus puissant, la personnalité la mieux marquée, l'athlète, le philosophe, le penseur, le critique, l'artiste le plus fortement constitué du XVIIIe siècle... après, ou plutôt avec Danton. » Suivent dix-huit colonnes et demie, plus les annexes, soit plus du double de Voltaire.

8. Exemple : l'article « Concours » (II, 856-861 ; 1869) truffé d'allusions malicieuses contre le régime.

9. « Henri IV » (IX, 185-186 ; 1873) : trois colonnes de biographie mais six colonnes d'annexes.

10. Citons aussi, dans l'article « Emprunt » (VII, 482 ; 1870) : « Aujourd'hui, 15 mars 1870, l'emprunt tunisien est tombé à 160 F. C'est le cas de le dire : "quelle dégringolade !" », ou, dans une tonalité différente, l'exclamation *in fine* de l'article « Damiens », racontant son supplice : « Atroce ! atroce ! » (VI, 47 ; 1870).

11. Voici le jugement de la *Grande Encyclopédie*, pourtant de sensibilité radicale, à l'article « Encyclopédie » : « Cette énorme compilation dut à son caractère anecdotique et aux facilités qu'elle offrait aux journalistes pour la rédaction de leurs chroniques une vogue très grande. C'est encore un amusant dictionnaire, mais le manque de plan méthodique et de proportion entre les articles, l'absence presque complète d'esprit critique en rendent l'usage hasardeux pour les travailleurs » *(sic).*

12. Comparer déjà l'indulgence de « Flourens » (VIII, 508-510 ; 1872) – un ami de Larousse – et les jugements assez sévères portés sur la Commune dans les articles « Hugo » du t. IX (1873) et, surtout, « Commune » du *Supplément.*

13. Par un retour ironique, Émile Moreau (1841-1919), l'un des dirigeants de la maison vers 1900, se convertira à l'Action française, dont son fils Lucien était l'un des fondateurs.

14. Il y aurait quelque intérêt à comparer les citations utilisées par les dictionnaires de tous pays pour exemplariser les peuples. Contentons-nous de signaler que le choix, plus vaste, de citations du *Littré*, à la même époque, va dans le même sens.

15. Comme elle gallicise les meilleurs patriotes : le nom de « Carnot » (III, 426-428 ; 1867) « est dérivé des vieux idiomes gaulois [...] et il règne dans la contrée, à l'égard de cette famille, des habitudes traditionnelles de respect affectueux ».

16. Même raisonnement pour le « Juif » (IX, 1083-1088 ; 1873) : « Les Juifs de nos jours qui tiennent à se faire un nom dans les lettres doivent comprendre et comprennent presque tous qu'il faut renoncer à cet instrument incomplet, démodé, arriéré » qu'est l'hébreu.

17. L'intertextualité renforce la dévalorisation. Les citations du *Littré* pour le même mot poussent à la roue.

18. À cet égard, il serait intéressant de poursuivre l'analyse sur les successeurs maison du *Grand Dictionnaire* : le second *Supplément* (1890), le *Nouveau Larousse illustré* (1896-1906), le *Larousse du XXe siècle* (1927-1933) le *Grand Larousse encyclopédique* (1958-1975), et la *Grande Encyclopédie* (1971-1978).

Lavisse, instituteur national

Le « Petit Lavisse », évangile de la République

Auteur d'un manuel primaire qui répandit à millions d'exemplaires un évangile républicain dans la plus humble des chaumières, codirecteur, avec Alfred Rambaud, de l'*Histoire générale du IV*[e] *siècle à nos jours* (douze tomes), animateur des vingt-sept volumes de l'*Histoire de France*, Ernest Lavisse (1842-1922) fait figure, aux yeux de la postérité, de porte-parole de la génération qui travailla, avec Gambetta et Jules Ferry, à la refonte de l'esprit national après la défaite de 1870 et à l'enracinement dans la société des institutions républicaines. «Toute sa vie a été guidée par la même préoccupation, déclare un de ses élèves: rénover les études historiques pour en faire un puissant moyen d'éducation nationale[1].» Et son disciple Charles-V. Langlois renchérit:

> C'est une grande chance que l'histoire de France ait été exposée pour longtemps dans son ensemble sous la direction d'un homme qui réalisait si parfaitement le type national français, en ce qu'il a de plus spécifique et de meilleur[2].

Entreprise vaine celle qui chercherait à démêler, dans la formation du sentiment national, entre 1870 et 1914, la contribution personnelle à Lavisse d'une volonté d'action républicaine dont il est à son tour le produit. Lavisse n'a pas la dimension d'un Taine, de quinze ans son aîné à Normale, et aucun Roemerspacher républicain n'est venu lui faire cette visite solennelle que Barrès fait faire à son héros des *Déracinés.*

Lavisse n'est un maître qu'au sens universitaire du terme. «Peut-être même, remarque Charléty, n'a-t-il directement *formé* aucun jeune homme.» Il n'eut avec la jeunesse qu'un contact collectif et aucun jeune Français ne lui doit sa conception de la France, comme à Taine ou à Maurras. Ces grands noms paraissent l'écraser; son influence, pour être moins prestigieuse, fut-elle moins profonde?

Aucun homme de lettres n'est, en France, l'homologue des Ranke, Sybel, Treitschke, Mommsen, Delbrück ou Strauss. Le rôle de directeurs de la conscience nationale que jouèrent les grands historiens allemands n'a pas d'équivalent; dans les premières décennies de la France républicaine, ce fut l'enseignement même de l'histoire qui l'assuma.
L'instruction publique jouit alors, avec l'armée jusqu'à la crise boulangiste, seule ensuite, d'un prestige national qu'elle n'avait pas connu jusque-là (sauf auprès de certains comités de la Convention) et qu'elle a perdu depuis. Or, Lavisse y tient, de la fin du siècle dernier à la Première Guerre mondiale, une place incomparable:

> Aux abords de la soixantaine, nous le présente Jules Isaac[3], il régnait sur tout, présidait à tout: rue des Écoles, en Sorbonne, aux études historiques [...] Boulevards Saint-Germain et Saint-Michel, chez Hachette et chez Armand Colin, grandes puissances de la librairie, aux publications historiques, voire scolaires; rue de Grenelle, où se trouvait le ministère de l'Instruction publique, au Conseil supérieur de ladite; sans compter à je ne sais combien de commissions et de cérémonies...

Le supermaître a connu l'apogée de son influence à la génération qui suivit celle des fondateurs, à l'œuvre de qui, pourtant, l'on associera son action. Loin des luttes politiques, à l'abri de l'usure du pouvoir, il aurait, à l'intérieur d'une des institutions les plus caractéristiques de la République, assuré la permanence et la diffusion d'une pensée marquée par l'humiliation de la défaite et la hantise de la revanche; ce décalage seul suffirait à lui faire une place à part. Certains le sentirent très tôt: «M. Lavisse, écrit René Doumic dès 1894, représente quelque chose de particulier, d'original et d'intéressant[4].»

I. Lavisse républicain ?

Les sentiments du jeune Lavisse pour le régime républicain

Prédicateur laïque d'une régénérescence républicaine dont les artisans seraient à la fois l'Instituteur et l'Officier, piliers jumeaux de la Patrie, telle est bien l'image dont Lavisse lui-même a écrit la légende dans ses *Souvenirs*, récit de sa jeunesse qu'il arrête en novembre 1862, lors de son entrée à l'École normale: «À cette date finit une période de ma vie.» Récit précieux pour l'historien, mais témoignage tendancieux: rédigé en 1912, il paraît la reconstruction d'un historien âgé de soixante-dix ans, qui, après avoir consacré sa vie à l'éducation nationale et reçu de la République tous les honneurs universitaires, opère dans ses souvenirs, fût-ce malgré lui, le tri nécessaire pour rendre son passé conforme à une vocation prétendue : celle d'un pédagogue républicain. Vocation qui serait née, selon lui, de l'amertume d'une éducation manquée. Fils d'un petit boutiquier qui tenait au Nouvion-en-Thiérache un magasin de nouveautés – « Au petit bénéfice » –, toute sa vie scolaire, de l'école communale à la rue d'Ulm, en passant par le collège de Laon et l'institution Massin, « la mieux réputée pourtant des pensions du Marais », est restée misère morale et grisaille intellectuelle. « Les plans y sont confondus, aucune perspective n'y conduit mon regard. Ma jeunesse n'a été qu'une grande brume flottante. » Au fur et à mesure qu'il se raconte, le procès qu'intente Lavisse à cette éducation « étroite, formelle, disciplinaire et coercitive », est instruit au nom « de tous les hommes de la même génération » et met en cause tout un système d'enseignement : « Je reproche aux humanités, telles qu'on nous les enseigna, d'avoir étriqué la France... Nous ne fûmes point préparés à comprendre tout ce que doit comprendre l'intelligence des hommes de notre temps ; nous ne fûmes point préparés à l'usage de la liberté... » Et l'autobiographie, se faisant page d'histoire, devient la justification d'une vie. Le vieillard pédagogue se présente comme le produit d'une pédagogie défaillante ; Lavisse aurait, d'après son propre témoignage, voulu transformer l'éducation personnelle à laquelle il fut réduit en un système moderne d'éducation collective inspirée par une grande idée nationale.

« Éducation personnelle », c'est le titre du plus long chapitre des *Souvenirs* où Lavisse relate comment l'attachement provincial à sa famille et à sa terre picardes, le culte partagé avec un petit cénacle de condisciples pour Victor Hugo se mêlent intimement à la foi républicaine très imprégnée de l'esprit de 1848. Ce qu'il sait sur la vie, nous dit-il, il le doit à son retour à Nouvion, où, avant d'aller, couvert de tous les honneurs universitaires, catéchiser les enfants par des discours de distribution de prix[5], il va passer ses vacances. Ce sont les membres de sa famille qui, les premiers, lui donnèrent le goût de l'histoire :

> J'appris la mort de Louis XVI, les victoires et les désastres de l'Empereur, les conquêtes et les invasions, non pas dans les livres, mais par un vieillard qui avait vu le Roi mourir sur l'échafaud, par des soldats de l'Empereur, par des gens qui s'étaient enfuis dans les bois à l'approche de l'ennemi.

Son premier argent de poche est consacré à l'achat du programme d'entrée à Saint-Cyr, il ne renonce à ses ambitions militaires que pour des ambitions littéraires aussi nobles : écrire dans une mansarde ; mais les « frissons littéraires» que lui donnent Lamartine et Musset ont, sous sa plume, quelque chose de bien académique. Il dévore, dit-il, toute l'œuvre de Michelet. «Son Introduction à l'Histoire universelle... m'enthousiasme. Je m'arrêtai longuement devant cette phrase: "Ce qu'il y a de moins fatal, de plus humain et de plus libre dans le monde, c'est l'Europe; de plus européen, c'est ma Patrie, c'est la France!» Michelet aurait été ainsi son grand maître.

> Nous étions donc républicains, déclare Lavisse; mais comment la République pourrait s'établir en France, nous ne nous le demandions pas. Le vocable nous paraissait pouvoir suffire à tout, étant miraculeux. Nous croyions que la République libérerait, en même temps que la France, l'humanité entière qui attendait notre signal.

Les *Souvenirs* paraissent expliquer des détails véridiques par des sentiments qui ne leur sont pas contemporains. Les manifestations de son républicanisme demeurent en général bien puériles: arborer cravate rouge et longue chevelure, écrire dans la *Jeune France* des éloges de Brutus, siffler Nisard trop en cour et veiller autour d'une «Marianne» en plâtre en chantant *La Marseillaise*, appeler son chien Badinguet et faire semblant de vivre dans la clandestinité. Mais elles sont parfois plus engagées; lors de la souscription organisée pour payer l'amende infligée à Eugène Pelletan par la magistrature impériale, Lavisse court porter son obole à Clemenceau et s'emploie, pendant les périodes électorales, chez Jules Simon, Ernest Picard ou Garnier-Pagès. L'anecdote de Saint-Cyr[6] a, par exemple, été probablement vécue, mais à la date où elle dut se situer, en 1856, elle s'explique mieux par la victoire de Malakoff et l'épopée impériale que par des sentiments d'ardeur républicaine. La prédilection exclusive pour Hugo et Michelet n'est-elle pas quelque peu suspecte? À cette date, Hugo est un proscrit et le cours de Michelet est encore suspendu.

Plus conforme à la réalité apparaît un aveu, bref et soudain, dans un article de 1895, «Jeunesse d'autrefois et jeunesse d'aujourd'hui[7]». Lavisse y évoque encore longuement la République, «si haut dans le ciel, belle figure vague nimbée d'une auréole vive», et ses rencontres au Procope, avec Charles Floquet et Gambetta, avec qui il déclame l'adieu d'Œdipe partant pour l'exil, et tout à coup: «À la vérité, écrit-il, je ne fus jamais engagé à fond dans ces mouvements de la jeunesse. Des goûts et des sentiments contradictoires se livraient en moi.» Lesquels? «Mon éducation dans une famille très respectueuse de l'autorité, l'admiration de la grandeur de l'Empereur et de sa force; l'ambition de commencer au plus vite une vie active, agissante et qui eut de la suite...» Oui, Lavisse est d'abord un bon élève provincial et boursier à Paris, en qui sa famille met beaucoup d'espoirs, un étudiant qui veut réussir et qui va très vite et très bien réussir.

À peine, en effet, est-il sorti de Normale que Lavisse est remarqué par Victor Duruy, ministre de l'Instruction publique depuis 1863, qui s'attache ses services et fait du jeune professeur au lycée Henri-IV un chef de cabinet sans le titre, avant d'en faire son fils spirituel[8]. Et, sur les recommandations du ministre dont l'empereur se sépare à regret, Lavisse est, de 1868 à la chute de l'Empire, le précepteur du prince impérial.

Aussi la défaite de 1870 provoque-t-elle en lui un choc d'une gravité décisive. Sans doute réagit-il d'abord en Français de sa génération qui «aimait sa patrie, aimait la liberté, aimait les hommes, individus ou nation, ceux qui souffraient surtout». Il reçoit en plein cœur l'humiliation de la paix imposée. «Raisons, principes, sentiments, dit-il, s'accordèrent après notre malheur. Notre cause avait l'honneur d'être la cause de l'humanité.» Mais la crise nationale se double chez lui d'une crise individuelle. Il a près de trente ans. Peut-être l'effondrement de l'Empire ébranla-t-il son diagnostic politique; à coup sûr, il brisa ses espoirs les plus légitimes. Précepteur du prince impérial à vingt-six ans, à quel avenir, si l'Empire avait été effectivement héréditaire, n'était pas promis ce nouveau Fénelon d'un autre duc de Bourgogne?

Signe de ce bouleversement, Lavisse prend soudain la décision de partir pour l'Allemagne, où il restera trois ans, avec un maigre traitement annuel de 500 francs. «Personne, écrit-il en 1871 au ministre pour lui demander son congé, n'a senti plus vivement des malheurs dont je ne me consolerai jamais et personne n'est plus résolu que moi à travailler, suivant ses forces, à l'œuvre de réparation.»

Le sous-titre de la thèse qu'il ramène d'Allemagne, en 1875, révèle nettement l'ambition de l'historien: *La Marche de Brandebourg sous la dynastie ascanienne, essai sur l'une des origines de la monarchie prussienne.* Dès son premier livre, Lavisse indique la nature de son intérêt pour l'histoire; ses ambitions ne sont pas purement scientifiques, l'histoire même de la Prusse ne l'absorbe pas. C'est l'énigme de la victoire allemande qui sollicite sa passion d'historien français, il veut révéler à ses compatriotes vaincus le secret de leur défaite. Il n'a pas fait la guerre, mais, historien, il contribue à sa manière à «l'œuvre de réparation». C'est donc, derrière l'histoire de la Prusse, l'histoire nationale qui le préoccupe déjà. La preuve en est qu'aussitôt après la thèse, alors qu'il fait déjà figure de spécialiste, Lavisse abandonne l'histoire de la Prusse pour, après quelques hésitations, recruter l'équipe qui, sous sa direction, écrira d'abord l'*Histoire générale*, puis la grande *Histoire de France.* Sans doute n'a-t-il jamais cessé de s'intéresser à l'Allemagne. Mais ses travaux restent très généraux, occasionnels, et répondent plus aux curiosités du public français qu'à celles du public germanique; ce sont successivement les *Études sur l'histoire de Prusse* (1879), les *Études sur l'Allemagne impériale* (1881) et le portrait comparé des *Trois Empereurs d'Allemagne*

(1888). Son seul ouvrage d'érudition sur Frédéric de Prusse demeure inachevé : la *Jeunesse du Grand Frédéric* (1891) et le *Grand Frédéric avant l'avènement* (1893). L'histoire de l'Allemagne n'est restée qu'un versant d'une œuvre dont le massif est l'histoire de la France.
En revanche, Lavisse est resté, très tardivement, fidèle à l'espoir d'une restauration bonapartiste. La correspondance qu'il entretient avec le prince en exil révèle beaucoup plus un attachement politique que personnel : « Les derniers événements électoraux, lui écrit-il en Angleterre le 14 novembre 1874, n'ont-ils pas éclairé encore une fois l'avenir et montré aux prises l'Empire avec la radicaille ? Une bonne partie de la nation ne s'est pas encore décidée ; le jour où elle se décidera pour l'Empire, ce qui ne peut manquer, l'Empire sera fait. »
Toute la correspondance est à consulter[9]. Décrivant, par exemple, l'état d'esprit de son département de l'Aisne, Lavisse n'a pour les républicains que sarcasme :

> Le paysan n'est absolument pas républicain, le bourgeois non plus ; l'ouvrier, excepté dans certains centres peu nombreux, ne l'est guère ; et pourtant, tout ce monde-là, aux dernières élections, a voté pour des candidats républicains. D'où vient cette contradiction ? De la lâcheté humaine. Tous ces gens que j'ai connus si fidèles serviteurs de l'Empire, il y a cinq ans, n'ont pas encore imaginé qu'il eût été bon de garder fidélité à l'Empire tombé.

Plus loin, il conseille au prince le rachat des journaux républicains, « feuilles malsaines, mais éphémères, parlant haut et d'un ton de maître ; si bien que quiconque les lirait et entendrait nos députés – à supposer que ceux-ci parlassent – nous croirait une collection de Thieristes mélangés de Gambettistes. Que faudra-t-il pour que ce rideau de mensonges soit déchiré ? ».
Quelques semaines avant la crise du 16 mai, son jugement demeure aussi sévère :

> La République est pleine de menaces. Les hommes sont très petits, les idées n'existent pas. Rien ne s'annonce. Nous sommes frappés de stérilité. L'opportunisme est une excuse d'impuissance. Le radicalisme est un vieux masque derrière lequel il n'y a que des passions basses. Le centre gauche n'a pas de sexe. Que faire avec tout cela ?... C'est autour de vous seul que peut se faire le ralliement [18 février 1877].

Ce n'est qu'en 1878, un an avant la mort du prince, que s'amorce une évolution :

> Je ne crois pas du tout à la possibilité d'une longue durée de la République, j'y crois moins que jamais ; mais je pensais jadis que l'Empire seul pouvait succéder à la République : je ne le pense plus [30 avril 1878].

La conclusion s'impose : patriote sourcilleux, mais républicain tardivement rallié, la ferveur patriotique de Lavisse n'a pris les couleurs de la République que lorsque, celle-ci définitivement enracinée, la défense du régime s'est confondue avec la défense de la nation.

Place de Lavisse dans les institutions républicaines

Même lorsque les grandes crises menacèrent directement l'existence de la République, Lavisse, avec une prudence que beaucoup lui reprocheront, n'est jamais descendu dans l'arène. Lors de la crise boulangiste, il ne prend pas parti. Au moment de l'Affaire Dreyfus, même abstention. Son seul article, en octobre 1899, à la veille de l'ouverture du procès en révision de Rennes, est un appel dans la *Revue de Paris* à la « réconciliation nationale ». À ses yeux, l'Affaire met aux prises deux expériences différentes de notre vie nationale, mais celle à laquelle il consacre toute son attention est l'expérience dont se réclament les antidreyfusards. Il brosse longuement le tableau de la trinité séculaire sur laquelle fut fondé l'ordre de la nation – l'Église, le Roi, l'Armée – détruite brutalement par la Révolution. L'Église et l'Armée, corporations de mémoire longue et fondées sur l'obéissance, amoureuses d'un passé qui fut le domicile de leur puissance et de leur gloire, ne peuvent aimer le « désordre de la liberté » ; elles ne peuvent pas ne pas regretter le roi. « Cet état d'esprit est légitime absolument. » Il renvoie donc les adversaires dos à dos : « L'Armée et la Justice étant opposées l'une à l'autre par un effroyable *malentendu*, commencez, frères ennemis, par rendre à votre pays cette justice qu'il est le seul au monde, peut-être, où tant d'hommes soient capables de se torturer pour des sentiments nobles. Offrez à la Patrie le sacrifice de vos haines. Et puis apaisez-vous en cette idée que, tous ensemble, vous êtes la France. »
Lavisse n'a donc jamais fait de politique, malgré un tempérament qui semblait l'y porter. Maître de conférences à l'École normale supérieure en 1876, professeur à la Sorbonne en 1888, directeur de l'École normale en 1904, sa carrière fut avant tout celle d'un grand universitaire ; mais son rayonnement social dépassa largement le cadre de l'Université : élu à l'Académie française en 1893, rédacteur en chef de la *Revue de Paris* de 1894 à sa mort, éminence grise du Quai d'Orsay, oracle familier des salons parisiens les plus en vue, en particulier celui – napoléonien – de la princesse Mathilde, « c'est un personnage, nous dit René Doumic dès 1894, avec qui on a pris l'habitude de compter ». Grand personnage, oui, plutôt que grande personnalité.

> Partout, écrit Jules Isaac, il en imposait par une certaine majesté naturelle, olympienne, qui l'apparentait à un Mounet-Sully ou Victor

> Hugo, lui inspirait une préférence marquée pour les plus majestueux des personnages historiques, Charlemagne, Louis XIV. Dans son large et calme visage, ses yeux d'un bleu très pur avaient un regard méditatif, d'une humanité sensible et séduisante. C'est par là qu'il me plut : il était humain, très humain, bienveillant aux jeunes.

Le voici encore, tel qu'il apparaît pour la première fois à son successeur à l'Académie, Pierre Benoît, au sortir d'une de ces séances du Conseil supérieur de l'Université qu'il présidait chez le ministre :

> Trapu, massif, vêtu simplement d'un costume de gros drap bleu marine. La tête carrée et solide était un peu enfoncée dans les épaules, et les yeux sous les arcades broussailleuses des sourcils. Il regardait la pluie avec cette indifférence des gens de la campagne et des gens de mer qui ne craignent pas d'être mouillés par elle. On lui parlait avec respect. Il continuait de répondre par monosyllabes. Il se dégageait de cet homme une curieuse impression d'équilibre et de tristesse. On eût dit un paysan soucieux.

À cette présence, à cette allure volontaire et décidée d'un préfet à poigne, il ajoute le verbe et la plume.

> Conférencier, écrit Jules Isaac, il subjuguait l'auditoire par une merveilleuse diction qui donnait vie et relief à ses moindres remarques... Combien de fois, quittant la salle où je venais de l'entendre, me suis-je dit : le grand orateur, le grand acteur qu'eût fait cet homme ! Plus que l'histoire, c'est l'art de la parole qu'il m'enseigna, en maître incomparable.

Écrivain, Lavisse a le don de la synthèse, la fécondité des formules, un style vigoureux et coloré, sans affectation, beaucoup d'élégance naturelle dans la présentation ; enfin, qualité non moins rare, il a l'art de s'attacher à tous les talents, d'utiliser – sans grands scrupules, il faut le dire[10] – toutes les compétences et d'orchestrer magistralement les résultats.
Mais l'influence de Lavisse ne tient pas tant à l'éclat incontestable de ses qualités individuelles qu'à l'union organique qu'il sut établir entre son œuvre d'historien de la France et la profession d'éducateur de la jeunesse. Ces deux activités, apparemment distinctes, ont entre elles un lien intime et quasi fonctionnel. C'est là la profonde originalité, la source vive de son influence sur la formation du sentiment national.
Historien, Lavisse n'a rien d'un érudit. À l'époque où Langlois et Seignobos cherchent à définir les méthodes positives de critique historique, on cher-

cherait en vain dans l'œuvre de Lavisse un souci du même genre. La thèse terminée, il fait faire par des élèves les travaux de recherches. Ce n'est pas un esprit chartiste, ce n'est pas non plus un historien à l'esprit philosophique comme Taine ou un amateur de profonde synthèse comme Fustel de Coulanges. Il refuse la spécialisation: «Le grand office de l'histoire est se suivre la route humaine, étape par étape, jusqu'à notre étape à nous.»
Mais, à la fin du siècle dernier, toutes les routes de l'humanité passent par l'Europe et même par la France. Lavisse n'a pas oublié l'enseignement de Michelet; témoin la préface qu'en 1890 il écrivit pour la *Vue générale de l'histoire de l'Europe* qui connut un grand succès[11]:

> Je me suis défendu de mon mieux contre les préjugés du patriotisme et je crois n'avoir pas exagéré la place de la France dans le monde. Mais le lecteur verra bien que, dans la lutte entre les facteurs opposés de l'histoire, la France est le plus redoutable adversaire de la *fatalité des suites*[12]... Si les conflits qui arment l'Europe et menacent de la ruiner peuvent être apaisés, ce sera par l'esprit de la France.

Plus encore pour Lavisse que pour Michelet, la France est le condensé de l'Europe. Vers 1885 – la coïncidence est frappante avec sa propre évolution politique –, il juge à la fois nécessaire et possible d'en écrire l'histoire. Jusque-là, la succession des régimes, l'usage polémique de la science et le manque de compétences historiennes interdisaient de dresser ce monument[13].
Dans son intention, l'entreprise signale donc, sur le passé de la France, un jugement historique que livre la conclusion: «Raisons de confiance dans l'avenir» (t. IX) – fruit d'un travail collectif, c'est cependant le seul fragment – avec le volume sur Louis XIV – que Lavisse rédigea et signa. La principale des raisons invoquées est la quasi-éternité *et* de la France *et* du régime. Le relèvement de la France après chaque crise, de la guerre de Cent Ans à celle de 1870, lui fait croire qu'il y a, dans la «solidité française», un élément providentiel et «indestructible». L'ère des révolutions et des coups d'État est close, «le pays est, enfin, pourvu d'un gouvernement que l'on peut croire définitif». Le sentiment patriotique et le sentiment républicain se sont rejoints et dictent la tâche nationale: «Mettre tout Français en culture pour qu'il rende son maximum.» Nul n'a mieux senti à quel point l'enseignement était lié au fonctionnement de la démocratie. Aussi n'est-il pas jusqu'à ces grandes collections encyclopédiques qui ne répondent à cette unique préoccupation. À l'époque où elles paraissaient, fascicule après fascicule, n'existait aucune de ces grandes collections qui donnent aux étudiants la vue globale d'une évolution. Les étudiants devaient recourir à une multitude d'ouvrages spécialisés; quel service ne leur rendit pas le «Lavisse et Rambaud»!

Le même principe anime donc l'œuvre scientifique et toute l'œuvre réformatrice de l'historien, sans qu'il soit, ici, besoin de distinguer son action dans le primaire de son action dans le supérieur[14]. Il a puisé auprès de Duruy le goût des réformes universitaires préparées de longue date et réalisées par l'administration. Il est l'un des rédacteurs de la loi Poincaré de 1896 sur la réforme de l'enseignement supérieur et la création des universités provinciales. C'est l'aboutissement d'un long effort de propagande auquel Lavisse, pour sa part, avait largement participé[15]. Le bénéfice qu'il attend de la création d'une université est avant tout moral, la jeunesse y associera le culte de la patrie à celui de la science. Encore faut-il que l'université ne soit pas, comme les corporations d'Ancien Régime, un conservatoire du passé, mais un séminaire de l'avenir. « Il faut que la haute université se mêle intimement à la vie nationale. » Lavisse a voulu rendre l'université actuelle et présente.

Mais, plus encore que dans ces grandes manifestations de régénération nationale, c'est dans la réforme de l'enseignement même qu'il faut voir le travail inlassable de Lavisse. Cours destinés non plus à un public d'amateurs, mais à des étudiants préparant des examens qui les destinent à l'enseignement ; création du diplôme d'études supérieures, réforme de l'agrégation d'histoire, toutes mesures qui, aux yeux de non-spécialistes, firent de Lavisse un niveleur intellectuel. À l'École normale même, Lavisse se fit, à son arrivée en 1904, une détestable réputation, en exposant son programme : il s'agissait d'obliger les normaliens à suivre le régime scolaire de la Sorbonne et de réduire, somme toute, la rue d'Ulm à une annexe résidentielle de la rue des Écoles[16]. L'objet des plus vifs sarcasmes furent les associations d'étudiants dont la première eut le malheur d'être fondée à Nancy, où le futur auteur du *Culte du Moi* faisait alors ses études. « Enrégimentement de la jeunesse ! » s'écrie Barrès[17], « mainmise sur toute initiative, éducation criminelle, étrange rage du type uniforme, manie moderne de briser l'individu. En vérité, je ne vois pas les Taine, les Renan, les Michelet nourrissant à vingt ans leur esprit dans ce maigre pâturage de 2 000 jeunes gens de la petite bourgeoisie qui n'ont à mettre en commun que leur misérable expérience de lycéens, leur timidité héréditaire et leur tapage de basochiens ! Mais puisque c'est le lieu, raille-t-il, où se prépare l'âme de la patrie, s'il faut que nos futurs notaires, médecins, avocats et substituts jouent au billard à prix réduit pour que M. Lavisse développe son très noble idéalisme patriotique, je n'hésite pas à me résigner. »

Jusque dans ces petits ridicules, on retrouve la même idée directrice. Fortifier la démocratie républicaine c'est désormais, pour Lavisse, armer la France. Aussi l'Allemagne est-elle, si l'on ose dire, le tissu conjonctif de cet enseignement national. Image fonctionnelle et constamment présente, référence obsédante, elle joue pour Lavisse un rôle tour à tour exemplaire, démonstratif et stimulant.

À notre enseignement, l'Allemagne propose des leçons que Lavisse n'est pas le seul à étudier[18]. Ce qu'il en tire personnellement, c'est une admiration du rôle social des universités directement responsables, outre-Rhin, de la formation de l'esprit public. Mais ces institutions ne peuvent être servilement imitées[19], il convient de les transposer en en conservant l'essentiel, le lien entre la science et le patriotisme. Lavisse dit clairement qu'en dressant le monument de l'histoire de France comme en rédigeant les programmes de l'enseignement primaire, son but a été le même : communiquer la *pietas erga patriam*[20], qui a fait la force allemande.

Le tableau de l'Allemagne tel qu'il ressort des ouvrages de Lavisse dresse, d'autre part, l'image antithétique de celle de la France. Plus profondément même que par leurs histoires nationales et leurs institutions politiques, les deux pays diffèrent par nature : les Allemands ont reçu la civilisation de l'extérieur. La nature germanique, réduite à elle-même, ne peut rien créer ; la latinité seule a apporté la lumière. En dépit de ses efforts de compréhension, en dépit de ses admirations pour la stabilité du régime allemand et même, à la fin du siècle, pour l'expansion économique, il demeure toujours, dans les jugements de Lavisse sur l'Allemagne, une tentation de caricature. Elle atteint son paroxysme au moment des deux guerres, et l'image du « barbare » allemand qui se dégage de l'*Invasion dans le département de l'Aisne* (1872) n'est guère différente de celle que diffusent les brochures de la Grande Guerre : *Discours aux soldats, Pourquoi nous nous battons* et *Procédés de guerre allemands* (à l'usage des États-Unis). L'historien devient ici propagandiste.

L'image de la République est l'opposé de celle de la Prusse. Décrire l'une, c'est décrire l'autre.

> À l'entrée de l'ère nouvelle, inaugurée par la victoire de la Prusse, il faut laisser toute espérance d'un progrès pacifique de l'humanité. La haine aujourd'hui, demain la guerre, voilà pour l'Europe le présent et l'avenir.

Quant à la France, au contraire :

> Depuis que l'Europe coalisée nous a fait rentrer dans nos frontières, notre politique n'a jamais été violente ni provocatrice. Elle a fini par professer que toute conquête est injuste si elle prétend disposer d'êtres humains contre leur volonté[21].

C'est ce qui fait de la question d'Alsace-Lorraine un problème de morale internationale :

> En face d'un Empire fondé par la force, soutenu par elle, et qui a immolé à des convenances de stratégie les droits de milliers d'hommes, la République française représente ces droits violés. Si quelque jour, dans une grande mêlée européenne, elle revendique le territoire arraché de la Patrie indivisible, elle le pourra faire au nom de l'humanité.

Ce n'est pas une question nationale. Pour Lavisse, autre chose est la revanche, autre chose la question d'Alsace. Le bellicisme est fondé par le droit comme il est justifié par les sentiments :

> Depuis l'année terrible, pas une minute je n'ai désespéré. L'espoir et la confiance qui étaient en moi, je les ai inlassablement prêchés à des millions d'enfants. J'ai dit et répété le permanent devoir envers les provinces perdues. Jamais la flèche de Strasbourg ne s'effaça de mon horizon. Toujours je l'ai vue, solitaire, monter vers le ciel : « Je suis Strasbourg, je suis l'Alsace, je fais signe, j'attends[22]. »

La critique de Lavisse par Péguy et sa signification

Ainsi Lavisse finit-il par jouer dans la République ce rôle de sage officiel et de mentor national qu'avait joué, par exemple, Henry Martin, que Lavisse en 1874 traitait de bénisseur, mais dont à la veille de la guerre de 1914 il paraît à bien des égards avoir pris le relais. On comprend dans ces conditions pourquoi Lavisse vieillissant fait aux yeux de la génération des militants de l'Affaire Dreyfus figure d'un modéré prudent, comblé des faveurs de la République, « le Pape et le Maréchal de l'Université[23] ».
L'offensive la plus violente a été menée par Péguy ; la cause directe était un incident personnel – l'Académie française décida de décerner pour la première fois en 1911 un grand prix de littérature que briguèrent deux candidats, Romain Rolland et Péguy. La discussion s'engagea entre Lavisse, Paul Bourget et Barrès. Lavisse, inspiré par Lucien Herr, combattit Péguy et sa formule de condamnation fut répétée à l'intéressé : « Péguy est un anarchiste catholique qui a mis de l'eau bénite dans son pétrole. » Péguy s'enflamme : « Il a suffi qu'un ordre vînt porté par M. Lavisse. Il a suffi qu'un ordre du Parti intellectuel fût apporté, parti de la rue d'Ulm, pour que l'Académie fléchît. » C'est l'occasion de deux pamphlets successifs, où à travers Fernand Laudet, directeur de la *Revue hebdomadaire*, ou « Langlois tel qu'on le parle », à travers Salomon Reinach, ou Lanson, Lavisse en personne est visé[24].

> Pour moi, qu'on le sache bien, personnellement je n'endurerai pas qu'un Lavisse, tout gonflé de rentes et de pensions et de traitements et d'honneurs (au pluriel, au pluriel), tout entripaillé de prébendes pour avoir semé autour de lui des désastres dans la République et dans l'Université, je n'endurerai pas qu'un Lavisse, quand même il serait de vingt académies, vienne impunément faire des facéties et des grossièretés, fussent-elles normaliennes, sur la carrière de peines et de soucis, de travail et de détresse de toutes sortes que nous fournissons depuis vingt ans.

Quels motifs poussent Péguy à demander à Lavisse « les seuls comptes hélas que l'on ait jamais pu songer à demander de lui » ? Règlement de compte individuel ? Oui, mais la cause de Péguy est ici d'intérêt général. À travers les redites et les coups de boutoir vengeurs, on distingue aisément trois arguments différents. Lavisse représente d'abord une génération parvenue. Péguy a le sentiment d'une insupportable injustice qui lui arrache des pages coléreuses dont il n'est pas fier[25]. Sa génération n'a-t-elle tant combattu que pour conserver à la génération précédente ses places et ses titres ?

> Je ne crois pas que chez aucun peuple on puisse trouver, en aucun temps, une génération, une promotion qui ait jamais été aussi sûre d'elle, qui ait jamais présenté une métaphysique aussi impudemment, aussi impunément, comme étant une physique et comme n'étant pas une métaphysique.

L'héroïsme spirituel de *Notre jeunesse* devait-il être confisqué « par quelques francs fileurs qui, à la moindre apparence de danger, filaient il y a quinze ans jusqu'au Nouvion-en-Thiérache et tremblaient dans leur peau et allaient se terrer » ? Lavisse, pour Péguy, est un usurpateur ; l'argument est le suivant : nous vous avons sauvé la République et vous l'avez confisquée. « Génération cupide et avare, temporellement, spirituellement, qui a étouffé, qui a gardé pour soi ce qu'elle avait reçu. » La cérémonie organisée en Sorbonne en l'honneur du jubilé de Lavisse, présidée en 1912 par Poincaré, est une mascarade : « Car la politique qui a fait élire M. Poincaré est diamétralement la contraire de celle qui avait prolongé M. Lavisse pendant ces cinquante ans. » Lavisse est d'autre part le représentant du parti intellectuel avec Lanson, Langlois, Seignobos : celui-ci a humilié la culture, déspiritualisé la France et bureaucratisé l'intelligence :

> Pendant trente ans ils se sont mis sur le pied de ruiner tout ce qui était debout en France et la France elle-même... Ils ont bien voulu, pendant trente ans, depuis trente ans, déniveler Dieu, l'Église, la France,

> l'Armée, les mœurs, les lois, et nous aujourd'hui nous n'aurions pas le droit de déniveler M. Lavisse.

Le lieu de cette médecine destructrice a été en particulier l'École normale. Au lieu d'une assemblée amicale de secours des anciens élèves, que propose Reinach, Péguy suggère une assemblée amicale de secours de l'ancienne École elle-même : « Et peut-être qu'en travaillant beaucoup, nous arriverons à en sauver quelques reliques des mains politiciennes, des séniles mains de M. Lavisse. »
Lavisse est enfin le nœud d'une conjuration :

> Il est précisément la porte basse, par laquelle tout ce désordre est entré dans l'ordre, toute cette anarchie dans le gouvernement, notamment dans le gouvernement universitaire et dans les honneurs. Il est le point d'articulation, le point d'insertion !...

Car si Lavisse règne, c'est Lucien Herr qui gouverne et Lucien Herr assure la liaison avec le mouvement jaurésiste. « Ce petit groupe de normaliens est devenu le point d'infection politique, le point de contamination, le point d'origine de virulence », qui a tout corrompu successivement, en particulier :
– le dreyfusisme qui de système de liberté absolue est devenu un système de fraude et de turpitude ;
– le socialisme qui sous le nom de jaurésisme est devenu le sabotage de la juste organisation du travail social ;
– le laïcisme qui de système de liberté de conscience est devenu le plus redoutable des systèmes d'oppression de conscience ;
– l'internationalisme qui de système d'égalité politique et sociale est devenu « une sorte de vague cosmopolitisme bourgeois vicieux » ;
– la République enfin qui de mystique est devenue politique.
Indistinctement, Lavisse est rendu responsable d'un amalgame. Il est la caution dans le monde bourgeois du trio diabolique dont Jaurès est le garant dans le monde socialiste. Mais toutes ces accusations convergent. Lavisse, pour Péguy, est coupable de haute trahison. Seigneur de tous les seigneurs de « défense républicaine », il a corrompu, abîmé, détruit la France dont il avait la charge. C'est un ennemi de l'intérieur ; Péguy l'accuse même de faire le jeu de l'Allemagne :

> M. Lavisse évidemment ne verse pas le sang. Mais il répand la ruine, mais il verse la mollesse ; et la honte ; et le ramollissement et le commun relâchement ; et la commune et la basse misère. Sans compter que le sang est tout de même au bout. Car si M. Lavisse et la génération de

M. Lavisse avaient réussi à faire de la France ce qu'ils voulaient, c'est-à-dire des gens comme eux, des mous comme eux, et si profitant de cette universelle lâcheté et de cette commune mollesse et de cette commune bassesse huit cent mille Allemands nous étaient entrés dedans, il y aurait peut-être du sang versé, mon jeune camarade[26].

Pareille attaque n'est compréhensible que dans l'atmosphère intellectuelle d'avant-guerre; elle demeure cependant ambiguë, d'autant plus intéressante qu'elle mêle arguments de gauche et de droite. Or, Lavisse était préservé des attaques officielles de la droite depuis son élection à l'Académie française, comme des attaques officielles de la gauche républicaine par ses attaches avec les milieux intellectuels et ses fidélités laïques. Le procès ne pouvait venir que d'un franc-tireur, qui n'était inféodé à aucune famille d'esprit politique.
Lavisse à l'époque apparaît comme le représentant d'une école d'historiens positivistes qui ont fait faire aux études historiques un progrès décisif et répandu, à la Sorbonne, le souci de la vérité scientifique et du rationalisme exigeant. En caricaturant leurs ridicules, Péguy a jeté le discrédit sur ce que la Sorbonne apportait de meilleur à la recherche historique: le respect des faits, la précision du vocabulaire, la rigueur de la méthode. Au lieu de dissocier le bon grain de l'ivraie, Péguy a cherché à noyer la science historique qu'illustrait Lavisse dans la fausse idéologie, la mauvaise morale et la triste politique qu'il discernait derrière elle. De plus, la condamnation de cet amalgame est prononcée par Péguy au nom d'une mystique nostalgique de l'ancienne France, qu'avait combattue toute la génération aux principes de laquelle Lavisse s'était finalement rallié. Dans cette mesure, l'attaque de Péguy, de gauche dans son inspiration, devient réactionnaire dans ses arguments.
Elle n'en est pas moins révélatrice. Tous les reproches de Péguy s'adressent à la personne de Lavisse plutôt qu'à son œuvre. Il l'accuse d'être responsable d'un crime culturel, politique et national. Mais, du contenu de l'enseignement de Lavisse, Péguy ne souffle mot. N'est-ce pas qu'il s'agit, à la limite, d'une fausse querelle? Que vienne la minute de vérité, où la nation va faire ses preuves, et c'est Maurras lui-même qui, le premier, salue «Lavisse retrouvé»: «Je ne sais si j'oserai dire en termes assez vifs notre joie, s'écrie-t-il dans l'*Action française* du 24 août 1914, en réponse à un article de Lavisse dans le *Temps*, intitulé "Découverte de la France par les Français". M. Lavisse nous manquait, à nous qui peu ou prou sommes ses anciens écoliers [...]. Lui qui avait été, entre 1885 et 1890, une sorte de Boulanger universitaire, professeur et docteur d'un patriotisme intellectuel des plus militants, il assista au nationalisme et il n'en fut pas!»
Mais quand Maurras voit Lavisse rendre hommage à Malvy d'avoir suspendu les lois contre les congrégations, à Augagneur d'avoir nommé des aumôniers

à nos vaisseaux de guerre, l'historien lui paraît avoir enfin «retrouvé son séjour naturel et la maison natale de son esprit [...] Et si je sens bien, sur quelques sujets, conclut-il, la pensée de M. Lavisse entrer comme une pointe vive dans ma pensée, si je n'ignore pas que la mienne peut lui produire çà et là les mêmes effets, tout de même, je me rappelle un curieux retour de pensée de Jules Lemaitre dans les premiers temps de l'*Action française* quotidienne:

«– Et Lavisse? aimait-il à dire. Croyez-vous qu'il n'y ait aucun espoir dans Lavisse?

«Nous hochions tristement la tête... Combien nous nous trompions!»

En dépit des fureurs de Péguy et des persiflages de Barrès, si Maurras eut ainsi le sentiment d'un malentendu, n'est-ce pas qu'une fois la République admise comme le régime qui divise le moins les Français, il n'y avait, dans le contenu même du sentiment national chez Lavisse, rien qui choquât profondément le plus ardent des nationalistes?

II. Le contenu du sentiment national

Présentation des manuels

Peut-être Lavisse ne donna-t-il tant de lui-même au primaire que parce que seule y est étudiée l'histoire de la France. Les impératifs majeurs de la démocratie rencontrent heureusement les prédilections du savant et son génie de parler aux enfants. Les minces manuels dont des millions d'écoliers apprirent par cœur les formules sont en eux-mêmes l'histoire d'une France autant qu'un récit de cette histoire. C'est là qu'il faut chercher, stylisée, l'idéologie de Lavisse; là que se condense et se cristallise sa philosophie nationale agissante. Le «Petit Lavisse» est une création continue et un remaniement perpétuel. Encore est-il possible, sans artifice excessif, de marquer les grandes étapes.

Le vrai manuel primaire, celui où Lavisse mit tout son cœur et son art, est de 1884, conforme au programme de 1882[27]: la première année d'histoire de France, *ouvrage nouveau* annonce l'en-tête de la couverture bleue. Des autorités les plus compétentes, l'accueil est enthousiaste: «Le voilà, le petit livre d'histoire vraiment national et vraiment libéral que nous demandions pour être un instrument d'éducation, voire même d'éducation morale!», écrit à l'auteur Ferdinand Buisson, directeur de l'enseignement primaire, collaborateur intime de Ferry, membre de la Ligue des Droits de l'Homme et futur professeur en Sorbonne de la science de l'éducation. «Il y a des pages, il y a même de simples images avec légendes qui font venir les larmes aux yeux, tant c'est vrai, impartial, élevé de courage envers et contre tous[28].» Cet ouvrage nouveau est un condensé synthétique de deux manuels qui paraissent à la même date: la première et deuxième année d'histoire de France (respectivement 355 et 439 pages), qui, eux-mêmes, sont une édition nouvelle et augmentée d'une première mouture, parue en 1876. La préface patriotique sur le rôle des instituteurs, «qui savent qu'on répète tous les jours en Allemagne que l'instituteur allemand a vaincu à Sadowa et à Sedan», a disparu au profit d'un avertissement «Aux Écoliers»: «Il y a cent ans, la France était gouvernée par un *roi*: aujourd'hui elle est une *république* et les Français *se gouvernent eux-mêmes.*» Le texte lui-même, jusqu'à la Révolution exclue, est resté à peu près identique. Mais des modifications profondes, de forme et de fond, ont bouleversé la physionomie du manuel et l'interprétation du passé. D'une part, une quantité de mots difficiles et de faits «inutiles» ont disparu, et les textes de chaque page, divisés en petites phrases numérotées, sont cadrés comme une figure de médaille. D'autre part et surtout, la partie contemporaine est très largement développée, et trois grandes dissertations sur la patrie française et sur la monarchie française, jusqu'à François Ier d'abord, jusqu'à la Révolution ensuite, mettent tout l'Ancien Régime dans un nouvel ordonnancement. Ces deux caractéristiques sont encore accentuées dans les éditions de 1895, nées d'un arrêté de 1894: la partie contemporaine est triplée, et cette fois une quatrième dissertation, sur «La Révolution française et ses conséquences jusqu'à nos jours», achève une formule qui permet de présenter toute l'histoire de France non plus comme une juxtaposition de régimes et une enfilade de règnes aboutissant à l'accident tragique de 1789, mais comme un déroulement ordonné, animé par la finalité révolutionnaire, que la césure de 1789 transforme en un diptyque intelligible et tout à l'avantage du second volet.

L'intention, dès 1882[29], est d'être, annonce l'avertissement, «plus simple, plus moral, plus civique». La gestation du manuel de 1884, plusieurs fois récrit, paraît avoir été laborieuse, et – détail révélateur – les premières versions soumises à la critique d'instituteurs avertis n'eurent pas l'heur de satisfaire leurs exigences républicaines: «Je ne puis m'empêcher de vous donner mon appréciation sur cet ouvrage, écrit à Armand Colin l'un d'eux, Eugène Boutemy, président de la bibliothèque populaire du 5e arrondissement. Il est écrit d'un bout à l'autre au point de vue clérical très habilement fait d'ailleurs. Un exemple suffira: lisez le dernier paragraphe de la page 71. Pas un mot de blâme contre l'Inquisition (qui n'a jamais pu pourtant s'implanter en France). On attribue ses excès, pour ne pas dire autre chose, à "la barbarie des temps". On va plus loin, on a l'air de dire que c'est grâce à l'Inquisition que le Midi est devenu une "province française". La phrase qui suit est de la même farce. L'histoire tout entière de la Révolution me paraît tout aussi défectueuse. Au lieu de glorifier cette grande page de l'humanité, ce triomphe de la raison contre les abus odieux de l'Ancien Régime, on la rabaisse ou on la rapetisse.» Le jugement est définitif:

«Pour corriger ce livre, il faudrait, je crois, prier l'auteur de le refaire dans un esprit *tout* différent, de l'animer d'un autre souffle[30].»

La présentation matérielle a fait l'objet des plus grands soins. Elle est l'œuvre d'Armand Colin en personne, éditeur de génie qui sut établir avec l'auteur une collaboration active de tous les instants[31], pour aboutir à une réussite technique incomparable: varié dans sa typographie, qui utilise judicieusement italiques et caractères gras, enrichi pour deux cent quarante pages de près de cent gravures minutieusement choisies, ce Lavisse vétéran constitue un net progrès pédagogique aussi bien par rapport au meilleur des manuels d'enseignement public, d'Edgard Zévort, que par rapport aux nombreux manuels de l'enseignement privé[32], et doit sans doute son succès à sa forme autant qu'à son contenu. Les manuels Mame, par les frères des écoles chrétiennes, adoptèrent une présentation analogue[33]. Le cours Lavisse en trois volumes (*Nouvelle Année préparatoire; Première Année* et *Seconde Année d'Histoire de France*) eut un succès sans précédent: 1895 connaît déjà sa soixante-quinzième édition.

Il est complété par deux livres de lecture; il s'agit des livrets et manuels d'instruction civique que Lavisse écrivit sous le pseudonyme de Pierre Laloi, et que rédigea plus tard avec lui Thalamas; il s'agit surtout de récits et leçons d'éducation militaires: *Tu seras soldat* (1888), signé par son frère, alors commandant. Cet ensemble reste pratiquement sans rival dans l'enseignement public[34] et son quasi-monopole ne paraît pas avoir été sérieusement menacé par la parution, de 1895 à 1908, d'une série de manuels dont la présentation est moins originale et le républicanisme davantage engagé: Manuels d'Aulard et Debidour en 1894 (L. Chailley), de Calvet en 1898, de Devinat en 1898 (L.-H. May); puis ceux de Guiot et Mane (1906, chez Delaplane), de Gauthier et Deschamps (1904, Hachette); enfin, le manuel de Rogie et Despiques en 1908 (chez Rieder). Presque tous, mis à part le premier, qui fit également carrière, et le dernier, qui parut trop tard, paraissent avoir pâti d'un mandement épiscopal qui les condamna, à la fin de 1907.

La question des manuels scolaires, après la séparation de l'Église et de l'État, prit un caractère politique[35]; le Lavisse demeure en dehors de la querelle et poursuit sa course triomphale.

Il est, en 1912, pris en relais par une nouvelle version. «J'ai entièrement refait mon cours d'histoire, je l'ai considérablement simplifié», dit – fort habilement – l'exergue de la page de garde. Cette refonte, selon M. Esmonin, «a été arrachée à Lavisse par Max Leclerc pour raison de concurrence commerciale. Lavisse l'a entreprise sans enthousiasme, comme un pensum». C'est la version cependant qui donne à l'ouvrage sa conception *ne varietur*: deux cent soixante-douze pages, cent quarante-deux gravures et dix-sept cartes sous la couverture blanche où une guirlande bleue encadre cet envoi: «Enfant, tu vois sur la couverture de ce livre les fleurs et les fruits de la France. Dans ce livre, tu apprendras l'histoire de la France. Tu dois aimer la France, parce que la nature l'a faite belle et parce que son histoire l'a faite grande.» Tel quel, ce cours moyen (1re et 2e années) est encore imprimé de nos jours (1950 a connu sa cinquantième édition). Ajoutons, enfin, que la mise à jour du *Nouveau Cours d'histoire*, réalisée par Pierre Conard en 1925 et 1934, nécessitée par de nouvelles circulaires, a adapté le manuel de 1912 aux exigences des programmes sans modifier notablement ni la matière ni la manière.

Très neuf en son temps, l'ouvrage paraît aujourd'hui vieilli. L'illustration même conserve son allure fin de siècle. Dans *Le laboratoire d'analyses chimiques de nos jours*, les savants en blouse blanche ne figurent qu'avec ces binocles et barbes qui les font tous ressembler à Pasteur. Jusque dans l'édition de 1960, *La locomotive la plus moderne*, chargée d'évoquer l'irrésistible progrès des moyens de communication, est un modèle de 1933 que, pour contempler dans la réalité, les enfants devraient aller voir dans un musée!

Mais, comme ces vieilles marques qui inspirent confiance, le vénérable «Petit Lavisse» tire son autorité de son antiquité. C'est une histoire politique et militaire. En cela, il ne diffère pas de tous les manuels d'histoire jusqu'à une époque toute récente. Mais l'absence de toute référence philosophique, sociale ou religieuse rend son idéologie plus déchiffrable. Les autres manuels incorporent au texte un jugement historique et se dispensent de jugements moraux; Lavisse fait l'inverse. Dans une langue d'une remarquable limpidité, il juxtapose et relate les faits en de courtes propositions qui composent un récit linéaire. Et l'explication, au lieu d'orienter l'exposé, se réfugie, dans l'édition de 1912, en un paragraphe psychologique et moral en italique. Un exemple: la croisade des Albigeois. La voici racontée des points de vue opposés par Aulard et Debidour, par les frères des écoles chrétiennes, par Lavisse enfin[36]:

– Aulard et Debidour (cours moyen, 1895, p. 22) condamnent les croisades en général:

> Ces guerres n'étaient point justes [...]. Elles échouèrent du reste en définitive et eurent pour résultat de rendre plus violente cette haine des *musulmans* contre les *chrétiens* qui est encore aujourd'hui si regrettable.

Et d'enchaîner:

> D'ailleurs, les papes, après avoir prêché les croisades contre les musulmans, en vinrent à en ordonner aussi contre les chrétiens. C'est ainsi que les Albigeois, population du midi de la France, qui ne com-

> prenait pas la religion chrétienne comme les catholiques et qui en avait bien le droit, furent exterminés au commencement du XIIIe siècle par la volonté d'Innocent III à la suite d'une guerre abominable où les croisés se comportèrent en sauvages ou en bêtes féroces [...]. La guerre des Albigeois agrandit encore le domaine royal d'une moitié du Languedoc (1229).

– Pour les frères des écoles chrétiennes (cours moyen, 1901, p. 74), au contraire :

> Les Albigeois étaient des hérétiques qui propageaient dans le Languedoc et les Cévennes des doctrines aussi funestes à la société civile qu'à la religion. Protégés par le comte de Toulouse, Raymond VI, par Roger, vicomte de Béziers, et par Pierre II, roi d'Aragon, ils maltraitaient les prêtres et détruisaient les églises. Le Pape Innocent III espérait les ramener par la prédication de vertueux missionnaires, notamment de saint Dominique ; mais ils maltraitaient les apôtres qui leur étaient réservés et assassinèrent le légat du pape, Pierre de Castelnau.
> Une croisade fut alors prêchée contre eux dans le Nord. Le vaillant Simon de Montfort, etc.

– Lavisse, qui hésite à parler de la « guerre des Albigeois » (éd. 1876) ou à traiter la question à propos du *Progrès du domaine royal du Midi* (éd. 1884-1895), relate en 1912 *La croisade des Albigeois* :

> Au temps de Philippe Auguste, il se passa dans le Midi des événements terribles. Un grand nombre de gens du Midi étaient *hérétiques*, c'est-à-dire qu'ils ne voulaient pas croire ce qu'enseignait l'Église. On les appelait *Albigeois*, du nom de la ville d'Albi, où les hérétiques étaient très nombreux.
> Le pape prêcha une croisade contre eux. Les seigneurs du Nord prirent part à cette croisade où des atrocités furent commises. Le pape établit un tribunal appelé *Inquisition*. Les juges de ce tribunal recherchaient les hérétiques et les condamnaient à des peines très dures, même à mort. *Acquisitions de provinces dans le Midi.* Philippe Auguste n'alla pas à cette croisade ; mais il y envoya son fils. Ce fils, devenu roi sous le nom de Louis VIII, réunit au domaine royal les pays de *Beaucaire* et de *Carcassonne.*

Et voici la conclusion en italiques :

Ainsi le domaine du roi commença de s'étendre dans ces pays du Midi qui paraissaient fort éloignés, car il fallait six fois plus de temps pour aller de Paris à Carcassonne qu'il n'en faut aujourd'hui pour aller de Paris à Constantinople.

Les exemples, que l'on pourrait aisément multiplier, montreraient toujours combien le manuel Lavisse est indifférent aux problèmes religieux, d'une part, au problème social, d'autre part. Sans doute, cette méthode confine-t-elle à de la prudence. Quand les frères des écoles chrétiennes n'hésitent pas à conclure en termes réalistes le coup d'État du 2-Décembre: «Encore effrayée par le souvenir des journées de Juin, la France sacrifia ses libertés politiques au désir de l'ordre»; quand Aulard et Debidour commentent ironiquement «cet acte de brigandage après lequel il se vanta d'avoir sauvé la religion, la famille et la liberté, et invita le suffrage universel qu'il venait de rétablir à lui donner pleins pouvoirs pour faire une nouvelle constitution»; Lavisse, jusque dans l'édition de 1912, rappelle l'approbation de la masse, les sept millions de *oui*, et conclut: «Encore une fois la France, effrayée par les dangers de la liberté, se donnait un maître.» Mais cette prudence même est avant tout *datée* des années qui virent l'élaboration du manuel de 1884. Le public auquel il l'adresse est surtout rural et artisanal; et l'image de la France qu'il présente vieillit plus vite que cette présentation même. Conçu avant la crise boulangiste, il est obligé d'être trop bref sur un monde contemporain en rapide évolution. Histoire nationale, il isole la France des autres nations. Les soixante dernières années sont chaque fois ajoutées au fur et à mesure des éditions successives; ce sont des «rallonges» artificielles à une histoire dont le centre de gravité se situe au moment de la Révolution. Aboutissement caricatural: dans les éditions de Pierre Conard, la Seconde Guerre mondiale jouxte la première, quand, de toute évidence, la guerre de 1914 paraît à un enfant de l'histoire très ancienne. La perspective historique s'ordonne à partir de l'événement révolutionnaire. Les écoliers «accommodent» sur une histoire construite autour d'un point de fuite qui échappe à leur propre horizon. Le rythme interne qui anime le cours Lavisse est celui d'une époque où, dans une France en majorité paysanne et déchirée par le grand débat né de 1789, la République doit apporter ses preuves. Or, comme l'antirépublicanisme se nourrit alors, presque exclusivement, au monarchisme, le manuel reproduit le dialogue de la République et de la Monarchie.

Critique de l'Ancien Régime et apologie du régime républicain

Une étude systématique d'édition en édition de la mise en place des thèmes par rapport à l'événement révolutionnaire aurait l'intérêt de montrer com-

ment le jugement de Lavisse sur la Révolution évolue vers une identification progressive de la patrie et de la République.
L'édition de 1876, non seulement condamne violemment le cours que prend la Révolution depuis la mort du roi, «ce lugubre événement», mais passe sous silence le thème de «la Patrie en danger» et conclut sur la Constituante elle-même de manière très réservée: «Elle avait trouvé la royauté trop puissante, elle l'a faite trop faible et incapable de résister aux passions qui montaient sans cesse.» Ces réserves ont disparu de l'édition de 1884; la mort du roi est justifiée par la «conspiration des émigrés qui préparent l'invasion de la France»; par la guerre civile qui commence en Vendée «où la royauté conservait beaucoup de partisans» et non plus «où la foi religieuse et monarchique était demeurée intacte». La fête de la Fédération, le Manifeste de Brunswick, l'exaltation de Valmy font leur apparition, tandis que des remarques préliminaires au récit de la Révolution avertissent nettement les écoliers qu'«il ne faut jamais oublier en lisant l'histoire de la Révolution que tous les esprits en France étaient troublés par les dangers de la Patrie. Les auteurs des crimes révolutionnaires sont de grands coupables, mais ce sont de grands coupables aussi que les émigrés et les insurgés de Vendée: *car ils sont trahi la France*».
Le grand changement s'amorce en 1895, surtout par le renouvellement des gravures, l'apparition des soldats de la République, pour trouver en 1912 son aboutissement: désormais le point de vue lui-même a changé. La mort du roi n'est plus excusable, mais approuvée. «Il paye les fautes commises» par la monarchie et la formule de Louis XV «après moi le déluge»! «Louis XVI avait manqué aux serments qu'il avait faits d'obéir à la Constitution: il avait demandé aux étrangers d'envahir la France pour le délivrer.» Toute la psychologie de la trahison et la nervosité révolutionnaire sont ici rendues; le terme de suspect est souligné et défini: «Soupçonné de ne pas aimer la Révolution.» La marge des reproches à la Révolution, qui englobait, dès la Constituante, la Constitution civile du clergé s'est réduite à la courte Terreur, dont Robespierre supporte maintenant seul tout le poids. Les massacres de septembre eux-mêmes, œuvre d'une bande de furieux, sont introduits par cette phrase menaçante: «Les ennemis étaient entrés en France. Ils avaient pris des villes, et ils avançaient», et tôt suivis par le récit de Valmy, d'une concision énergique et galvanisante:

> L'ennemi avançait toujours, il était en Champagne. Il croyait qu'il n'avait qu'à se montrer pour faire fuir nos soldats. Mais le *20 septembre 1792*, il se trouva en présence de l'armée française près de *Valmy*. Les généraux *Dumouriez* et *Kellermann* commandaient.
> L'ennemi attaqua. Nos soldats firent bonne contenance. Kellermann mit son chapeau au bout de son épée et cria: «Vive la Nation!» Nos

> soldats répétèrent: «Vive la Nation!» Une canonnade arrêta les Prussiens qui se retirèrent. La France était sauvée.

Parallèlement, tout ce qui exalte la poussée populaire et patriotique est vigoureusement mis en lumière: les journées révolutionnaires, la nuit du 5-Août, l'enrôlement des volontaires; le résumé de la Déclaration des droits de l'homme s'étale sur une page entière surmontée du bonnet phrygien et la fête de la Fédération a droit aux deux tiers d'une page:

> *Cette foule était pleine d'enthousiasme. Les Fédérés étaient venus de tous les pays de France. Mais ils oubliaient qu'ils étaient Bretons, Normands ou Gascons. Ils se sentaient Français avant tout, et fiers de l'être, parce qu'ils étaient des hommes libres. Ils fraternisaient en s'embrassant.*

Les armées de l'an II prennent une place de premier plan; elles occupent les trois pages qui terminent le récit de la Convention, illustré par les «Soldats en guenilles», *La Marseillaise* de Rude et le «Petit Bara» enrôlé volontaire à la mairie de Palaiseau. Tout le jacobinisme révolutionnaire est résumé en quelques propositions mâles: «Carnot, l'organisateur de la victoire... Ils voulaient délivrer les peuples de leurs rois, l'humanité entière...» Voici Rouget de l'Isle, voici Hoche et Marceau, les fils de domestique d'écurie et de petit employé, caporal et simple soldat en 1789; «généraux de division en 1793, Hoche avait vingt-cinq ans et Marceau en avait vingt-quatre... Enfants héroïques qui courent de victoire en victoire.» «*Grandeur de la France*», conclut le chapitre: «*En trois ans, la République avait fait pour la patrie plus que François Ier, Henri IV, Louis XIII et Louis XIV.*»

Ainsi s'opère une reconsidération du passé, où la Révolution, jouant un rôle de plus en plus déterminant, crée un *avant* et un *après*; ce qui est mis au crédit de l'un est mis au débit de l'autre. Esquissons le bilan général.

À l'actif de l'Ancien Régime demeure l'œuvre que la République a assumée et développée pour son propre compte. Les rois sont admis dans la mesure où ils furent les artisans de l'*unité* de la patrie: unité territoriale avec les premiers capétiens rassembleurs de terre, unité morale avec Saint Louis, unité administrative de François Ier à Louis XIV. Aux rois sont donc rattachés les thèmes les plus profonds de la sensibilité républicaine. Les plus actuels sont aussi les plus lointains: l'Alsace-Lorraine déclenche des réflexes qui trouvent leur source à Bouvines même, bataille à laquelle Lavisse consacra un opuscule entier où sont répétées déjà la haine de l'«étranger», la honte de l'«invasion» et la «sécurité des frontières». D'autres symboles républicains gravitent autour de Louis IX: l'idée que la vraie France s'appuie sur la force, mais ne

s'en sert pas, qu'elle est un arbitre du monde et un exemple pour l'humanité ; l'idée surtout que le vrai héros français est celui qui met ses qualités individuelles au service des aspirations populaires à la justice et à la paix. Enfin, le grand effort de centralisation administrative de la monarchie incarne la plus haute vertu : le respect de l'ordre fondé sur l'autorité de l'État.
Au passif de la monarchie, Lavisse inscrit au contraire tout ce que la République réprouve : l'orgueil des rois tout-puissants, la misère du peuple écrasé d'impots, les guerres de prestige, l'abandon d'une souveraineté territoriale, le cosmopolitisme des grandes familles princières. Deux rois résument ses griefs et lui servent de cible : Louis XIV et Louis XV. La seule gravure de la cour de Versailles est une *Procession de la viande du roi*, caricature du luxe d'autant plus révoltant qu'en regard apparaît une scène d'horreur : *Femmes de Paris refoulées par des cavaliers sur le pont de Sèvres* lors de la famine de 1709. Le récit de la guerre de Succession d'Espagne, vigoureusement condamnée, justifie pleinement les recommandations du roi à l'agonie : « J'ai trop aimé la guerre, ne m'imitez pas en cela, non plus que dans les trop grandes dépenses que j'ai faites. » Mais tous les éloges dont est tempéré le jugement définitif sur Louis XIV s'effacent quand il s'agit de Louis XV. Le premier « se repentit trop tard de ses grandes fautes qui ont fait beaucoup de mal à la France et aussi à la royauté », le second n'a pas de circonstances atténuantes. « Inutile » guerre de Succession d'Autriche, guerre de Sept Ans « sans excuses, punies par de grands désastres », perte des colonies, banqueroute, débauche : « Sous son règne, par sa faute, la France cessa d'être la nation grande et glorieuse... Louis XV est le plus mauvais roi qu'ait eu la France. » De la brouille finale avec la nation, Lavisse rend la royauté responsable.

> On dit que nous sommes un peuple qui n'a pas de suite dans les idées, un peuple inconstant, concluent les *Réflexions générales* sur l'Ancien Régime (éd. 1912), mais ce n'est pas vrai ; pendant des siècles, nos pères aimèrent les rois et ce fut par la faute des rois si la royauté n'a pas duré.

La première faille remonte aux états généraux de 1356 :

> Étienne Marcel, qui était le maire de Paris, y était député. Il aurait voulu que les états généraux se réunissent souvent et que le roi ne pût rien faire sans le consulter. *S'il avait réussi, la France aurait été depuis ce temps-là un pays libre.* Ç'aurait été un grand bonheur pour nous. Mais Étienne Marcel ne réussit pas. Il fut assassiné. Dans la suite, les rois ne réunirent presque jamais les états généraux. Ils aimaient mieux faire ce qui leur plaisait sans consulter personne (éd. 1912, p. 47).

Le départ entre l'action positive des rois et leur action négative est le moment, inévitable, où, d'instruments de la formation nationale, ils deviennent des obstacles. Lavisse a trouvé là le fil conducteur de son récit. Aussi sa philosophie se résume-t-elle en ces dissertations où la France se développe comme une personne. La Gaule vaincue de Vercingétorix n'est pas une patrie, « c'est-à-dire un pays dont tous les enfants doivent mourir plutôt que de subir la loi de l'étranger ». La patrie naît avec Jeanne d'Arc :

> Un jour, pour relever le courage de Charles VII, elle lui parla de Saint Louis et de Charlemagne. Ainsi cette fille du peuple savait que la France existait depuis longtemps et que son passé était plein de grands souvenirs... C'est donc au milieu des malheurs de la patrie que s'est éveillé chez nos pères l'amour de la France. Les rois ont fait l'unité de la France, le peuple l'a défendue[37].

La courbe de l'évolution monarchique s'infléchit donc nécessairement quand s'achève cette collaboration nationale et que l'autorité devient despotique, avec son cortège de mauvais sentiments, de désastres financiers, de fautes politiques ; alors interviennent les états généraux de 1789 : « Ils voulurent réformer tout l'État, et ils entreprirent cette œuvre immense de créer une France où le *despotisme fît place à la liberté*, les privilèges à l'égalité, les abus de toute sorte à la justice. »
Despotisme monarchique, liberté républicaine : l'antithèse majeure est posée, et Lavisse ne manque jamais de la rappeler. Le dernier chapitre du manuel « Ce qu'a fait la République » commence encore par ces mots : « *La liberté* : La République a donné à la France la liberté de presse, la liberté de réunion, la liberté d'association. Et, depuis, la France est un des pays les plus libres du monde. » Lavisse voit donc dans la liberté le fondement et la raison d'être de la République ; mais il ne la définit jamais que comme le *contraire* du régime despotique.
Or, la défense d'un régime fondé sur la liberté pose à Lavisse, comme à la première génération républicaine, le problème politique fondamental du libéralisme. Car l'unité de la France a reposé pendant des siècles sur l'union du Trône et de l'Autel. Si la liberté qui a succédé au despotisme ne trouve pas des limites et un contenu positif, n'est-elle pas, comme le prétendent ses détracteurs, menace de désunion et risque permanent d'anarchie ? Problème auquel s'est traditionnellement heurtée toute la pensée libérale du XIXe siècle, auquel Lavisse, pédagogue de la République au pouvoir, doit donner une réponse sans équivoque. Sans doute touche-t-on là un des aspects importants du sentiment républicain ; Lavisse semble dominé par la crainte d'un reproche qui pèse communément sur les républicains. La République a tué

le roi et «déchiré la robe de l'Église»; les républicains risquent à tout moment d'apparaître comme des *diviseurs.* Aussi Lavisse ne manque-t-il pas une occasion de retourner contre la monarchie le reproche de la division. L'exemple le plus net est celui de la révocation de l'édit de Nantes, non seulement elle occupe le sous-chapitre entier qui a pour titre: «Le pouvoir absolu de Louis XIV», ce qui tend à assimiler absolutisme et abus de pouvoir, mais encore les deux tiers du passage sont consacrés à l'exode des protestants en Allemagne où leur activité économique apparaît comme la raison principale de la grandeur allemande. De là à présenter Louis XIV comme un fauteur de guerre, il n'y a qu'un pas; il est vite franchi par la dernière phrase: «Ainsi, par la faute de Louis XIV, grandit la ville de Berlin, qui est aujourd'hui la capitale de l'Allemagne.» En revanche, Lavisse montrera toujours comment la République, présumée coupable de division, est capable de réussir là même où la monarchie a failli. Ainsi du domaine colonial que Louis XV a dilapidé et que la République a dilaté:

> Nos explorateurs et colonisateurs pénètrent profondément en Afrique. Nous remontons d'abord le fleuve Sénégal... Nous nous emparons du Soudan... Nous établirons ensuite la liaison entre le Soudan et l'Afrique du Nord. Nous nous installerons successivement en Guinée, en Côte d'Ivoire et au Dahomey... Nos explorateurs, nos soldats et nos administrateurs ont été les artisans souvent inconnus de cette œuvre admirable.

Ne s'agit-il pas, par la répétition exceptionnelle de cette première personne du pluriel, qui sonne comme un «nous» de majesté, de montrer que la République peut battre la monarchie sur le plan même de l'unité?

Montrer que la monarchie ne détient pas le monopole de l'unité nationale ne suffit cependant pas. Au nom de la liberté, la Révolution a provoqué le divorce des valeurs morales et politiques. Il faut les réconcilier, donner à la liberté un contenu positif, fonder une nouvelle légitimité.

Une nouvelle légitimité

«Puisque cette ancienne unité est morte, il faut à tout prix en trouver une autre[38].» Le devoir patriotique est donc le corollaire de la liberté républicaine. L'histoire de France n'est, à bien des égards, qu'un répertoire d'exemples pour le manuel d'instruction civique.

Or, à l'époque même de sa parution, l'originalité du *Manuel d'instruction civique* que Lavisse signa sous le pseudonyme de Pierre Laloi frappa les commentateurs. Émile Boutroux, dans la *Revue pédagogique*, en avril 1883, le distingue nettement des quarante-cinq manuels du même genre parus dans les deux années précédentes. «Aucune question de principe, remarque-t-il: la morale n'est approfondie ni au point de vue philosophique, ni au point de vue religieux, ni même au point de vue politique, mais au seul point de vue patriotique.» Et, à la différence de tous les autres manuels, l'idée de patrie, ajoute-t-il avec étonnement, n'est fondée ni sur la raison ni sur le sentiment des écoliers; «elle est conçue comme catégoriquement impérative». Le manuel de Ch. Bigot, le plus proche pourtant de celui de Laloi, débute en ces termes: «Petit Français, mon jeune ami, mon frère cadet, écoute-moi. Je viens te parler de ce qu'il y a au monde de plus grand et de plus sacré: de la patrie.» Laloi n'a pas cette voix comme étouffée par l'émotion; il n'envoûte ni discute, il assène une vérité révélée: «La Patrie, c'est la France dans le Passé, la France dans le Présent, la France dans l'Avenir. La Patrie je l'aime de tout mon cœur, d'une affection exclusive et jalouse.» Émile Boutroux paraît très frappé par l'aspect purement juridique (Lavisse aurait-il cherché un jeu de mots dans son pseudonyme?) du manuel Laloi. «La raison complète les prescriptions, nécessairement restreintes, de la loi civile et politique, écrit-il, mais elle est aussi une loi. Elle ne conseille pas, elle ne propose pas tel ou tel parti au libre arbitre. Elle commande comme Dieu le Décalogue.» C'est une suite de maximes où l'idée transcendantale de la patrie fonde le devoir quotidien: «Vous devez aimer vos parents, qui vous aiment, vous nourrissent et vous élèvent. Vous devez leur obéir. Ne discutez pas avec eux.»

Dans la pratique, ce dogmatisme patriotique aboutit à une apologie des valeurs sociales et morales de la bourgeoisie, inséparable de la légitimité politique. Le bon gouvernement dont l'image se dégage du manuel de Lavisse est celui qui, fondé sur le travail, l'épargne et la stabilité monétaire, gère, comme une entreprise, la maison France. Insensible, par exemple, à l'aspect conservateur de l'œuvre de Colbert, le manuel en fait un portrait idéal:

> Colbert était fils d'un marchand de Reims. Il voulut que la France gagnât beaucoup d'argent, pour qu'elle payât bien ses contributions et que le roi fût l'homme le plus riche du monde. Pour que la France gagnât beaucoup d'argent, il voulut que tout le monde travaillât. Il n'aimait pas ceux qui vivent sans travailler. Il trouvait qu'il y avait trop de moines en France. Il trouvait aussi qu'il y avait trop de juges, d'avocats et d'huissiers. Il aimait les laboureurs, les marchands et les soldats.

Après avoir retracé l'essor de l'agriculture, des manufactures, des routes, du grand commerce, de la marine et des colonies, l'auteur conclut sur les rapports du ministre et du roi:

> Colbert eut beaucoup de chagrin parce que le Roi dépensait trop et qu'il faisait des dettes. Il lui reprochait d'aimer mieux ses plaisirs que ses devoirs. Mais Louis XIV ne voulut rien entendre et Colbert devint triste. Il n'eut plus tant de plaisir à travailler.

Aussi la tolérance en matière religieuse, qui fait partie des libertés bourgeoises, ne s'accompagne jamais d'une tolérance en matière politique. À la différence de l'enseignement britannique, Lavisse ne donne jamais raison à deux partis à la fois ; il n'a pas le respect de l'opposition. Dans son récit de la Révolution, il prend nettement parti en faveur des Girondins, puis des dantonistes, et condamne sans appel Robespierre :

> Danton était un révolutionnaire... Il était un patriote. Au moment où la France était envahie, il avait soutenu les courages. Il répétait aux gens effrayés : « De l'audace, toujours de l'audace ! », mais la terreur finit par lui paraître abominable et il voulut la faire cesser.

Une demi-page retrace son duel oratoire avec Robespierre, sa mort héroïque et ses dernières paroles : « Tu montreras ma tête au peuple, elle en vaut la peine ! » Robespierre, au contraire, n'a droit qu'à une ligne : « À la fin la Convention se révolta contre Robespierre ; il fut guillotiné le 9 thermidor an II et la Terreur cessa peu de temps après. » La seule opposition justifiée par le manuel est l'opposition sous la Restauration, précisément parce qu'elle s'inspire des idées de la bourgeoisie libérale.

Fonder la nouvelle légitimité républicaine, mettre fin aux révolutions : ambition identique. De quels mots ne flétrit-il pas la Commune ? La condamnation est normale, certes, et générale à tous les manuels, mais comparons au récit de Lavisse celui d'Aulard et Debidour :

– *Aulard et Debidour (Histoire de France*, cours moyen, 1895) :

> À tous ces désastres succéda la *guerre civile.* L'*Assemblée nationale* était en majorité royaliste et elle affichait hautement sa haine de la République. Une partie de la population de Paris, craignant une restauration monarchique et cédant aussi à de funestes entraînements, se souleva le 18 mars contre l'Assemblée, qui s'était transportée à Versailles, où le gouvernement dut se réfugier. Paris fut gouverné par une autorité insurrectionnelle, qui s'appela la *Commune.*
>
> C'est alors qu'eut lieu une guerre civile, que la présence des Prussiens rendit encore plus douloureuse et plus funeste. Le second siège de Paris dura deux mois et, quand les troupes du gouvernement rentrèrent dans la capitale, elle fut pendant huit jours (21-28 mai) ensan-

glantée par d'affreux combats. Les incendies et les exécutions ordonnées par la Commune, les terribles rigueurs de l'armée victorieuse, l'effusion du sang français, rendent le souvenir de cette époque odieux aux bons citoyens. Un très grand nombre d'insurgés furent fusillés. Plus de 10 000, condamnés ensuite par les *Conseils de Guerre*, furent déportés et beaucoup ne purent rentrer en France qu'en 1880.

– *Lavisse (Nouvelle Deuxième année*, 1895) :

Une grande honte et de grands désastres viennent s'ajouter aux désastres de la guerre. L'Assemblée s'était transportée de Bordeaux à Versailles et le gouvernement s'était établi dans Paris quand la population parisienne s'insurgea et nomma une municipalité qui, sous le titre de *Commune*, prit le gouvernement de la capitale (mars 1871). Maîtresse des forts et des remparts, des armes et des canons, l'insurrection résista jusqu'au mois de mai ; il fallut que, sous les yeux des Allemands, une armée française, commandée par le maréchal *de Mac-Mahon*, assiégeât des Français révoltés et qu'elle prît d'assaut la capitale de la France. Avant sa défaite, la Commune incendia plusieurs des monuments de Paris : les Tuileries, la Cour des Comptes, l'Hôtel-de-Ville ; elle fusilla l'archevêque de Paris, Monseigneur Darboy, et les personnages qu'elle détenait en prison comme otage... [définition]. Pendant la lutte, un grand nombre de soldats furent tués. Un plus grand nombre d'insurgés périrent les armes à la main ou furent fusillés après jugement de cours martiales... [définition]. Il est vrai que les souffrances endurées pendant le siège, la colère contre le gouvernement auquel on avait reproché de n'avoir pas su défendre Paris, la crainte que l'Assemblée de Versailles ne rétablît la Monarchie, troublèrent l'esprit de la population parisienne et contribuèrent ainsi à cette terrible insurrection[39]. Mais, de toutes les insurrections dont l'histoire ait gardé le souvenir, *la plus criminelle fut certainement celle du mois de mars 1871 faite sous les yeux de l'ennemi vainqueur.*

Là, un exposé des motifs de la Commune, un parallèle entre les horreurs des insurgés et des Versaillais, l'accent final mis sur les rigueurs de la répression ; ici, une révolte honteuse et criminelle, l'incendie à sens unique, le meurtre du prélat ; et l'accusation d'antipatriotisme est d'autant plus remarquable qu'elle disparaît dans l'édition de 1912 :

Les esprits étaient très troublés à Paris à la fin du siège. Des patriotes étaient exaspérés par nos défaites. Beaucoup de républicains se

> défiaient de l'Assemblée nationale, qui était venue de Bordeaux à Versailles et qui semblait disposée à rétablir la royauté. Des révolutionnaires voulaient changer toute la société. Enfin, il y avait à Paris, comme dans toutes les grandes villes, des hommes qui aimaient le désordre et les violences.

Cette évolution du jugement ne diminue cependant pas la réprobation de toute tension entre les classes. Énumérant l'ensemble des lois sociales de la République, Lavisse ne dit mot du droit de grève ni du mouvement ouvrier en général. Son indifférence aux problèmes sociaux est évidente. Le Père Grégoire, héros des historiettes du manuel de Laloi, dans la bouche duquel est placé l'éloge de la concurrence de la liberté du travail, de « la bonne façon de s'élever en société », et condamné le collectivisme, n'est ni un ouvrier ni un salarié, mais un vieil artisan cordonnier. Et le chapitre sur l'organisation sociale conclut sans ambiguïté :

> La société française est régie par des lois justes, parce qu'elle est une société démocratique. Tous les Français sont égaux en droits ; mais il y a entre nous des inégalités qui viennent de la nature ou de la richesse. Ces inégalités ne peuvent disparaître.

Le suffrage universel a mis fin aux conflits sociaux. « Les révolutions, qui étaient nécessaires autrefois, ne le sont plus aujourd'hui[40]. »
Cette nouvelle légitimité politique demeurerait cependant fragile si ne lui étaient assignés que des buts conservateurs. La liberté, seule, et définie comme le contraire du despotisme, est un principe de division ; pour survivre, elle doit conquérir, sans quoi la nation se dissout. Aussi le manuel de Lavisse assume-t-il finalement tout le dynamisme expansionniste de la pensée jacobine ; le patriotisme s'achève en mystique, mystique en ce sens qu'il s'agit de fondre, en un tout indissoluble, trois notions différentes : une notion historique, la patrie ; une notion politique, la République ; une notion philosophique, la liberté. Et, pour ce faire, le pédagogue doit moins faire appel à la puissance de la raison qu'aux réflexes de la passion. « L'amour de la patrie ne s'apprend point par cœur, il s'apprend par le cœur… » « N'apprenons point l'histoire avec le calme qui sied à l'enseignement de la règle des participes. Il s'agit ici de la chair de notre chair et du sang de notre sang[41]. » Réponse adéquate au programme de l'enseignement primaire élaboré, au lendemain de la défaite, par Jules Simon, Waddington et Paul Bert ; à l'histoire est dévolue la mission essentielle : former de bons citoyens, des électeurs et des soldats[42]. Et cette mission nationale exige de l'instituteur la ferveur spéciale aux bâtisseurs de cathédrales :

> Pour tout dire, si l'écolier n'emporte pas avec lui le vivant souvenir de nos gloires nationales, s'il ne sait pas que ses ancêtres ont combattu sur tous les champs de bataille pour de nobles causes, s'il n'a point appris ce qu'il a coûté de sang et d'efforts pour faire l'Unité de notre patrie et dégager ensuite du chaos de nos institutions vieillies les lois qui nous ont fait libres; s'il ne devient pas un citoyen pénétré de ses devoirs et un soldat qui aime son fusil, l'instituteur aura perdu son temps.

D'où l'exaltation guerrière du manuel et l'idéal martial qu'il propose aux jeunes Français. L'histoire de la France culmine dans l'héroïsme. À l'idée d'une œuvre française continue et collective, où chaque génération a sa part et, dans chaque génération, chaque individu la sienne, se superpose la conviction que la Révolution a fait de la France une nation à part, exemplaire, hors de l'ordre commun, bref, universelle. Un pathétique intense saisit l'historien à l'évocation du corps même de cette nation-humanité, élue du progrès, fer de lance de l'histoire. «Je ne parlais jamais sans émotion de la géographie de la France», dit Lavisse. L'histoire-bataille trouve ici sa justification. Elle exprime, au pas cadencé des formules, le devoir même de l'instituteur qui, «par l'appel discret à la générosité naturelle et au vieux tempérament de la race, achemine nos soldats de demain vers le drapeau d'un pas allègre et gai[43]». «Vous, enfants du peuple, sachez que vous apprenez l'histoire pour graver dans vos cœurs l'amour de votre pays. Les *Gaulois, vos ancêtres*, ont été des vaillants. Les *Francs, vos ancêtres*, ont été des vaillants. Les *Français, vos ancêtres*, ont été des vaillants.» Aussi le thème de la revanche est-il la clé de voûte de tout l'édifice pédagogique. Il apparaît dès le premier mémoire sur *L'Invasion dans le département de l'Aisne*, dédié, en septembre 1871, «aux enfants des écoles»:

> Si vous avez devant vous la vive image de nos gloires passées, quelque chose vous manquera dans la vie: vous aurez la nostalgie de notre grandeur perdue. On ne meurt point de cette douleur-là: elle ennoblit l'existence, elle l'élève au-dessus des intérêts vulgaires et matériels; elle lui donne un but, celui que vous savez bien...

Et c'est ce but que définit enfin, près d'un demi-siècle plus tard, le dernier paragraphe du *Manuel*; une dernière fois, comparons:
– Dernier paragraphe du Manuel Mame (cours moyen, 1904); «La Société contemporaine»:

> La condition des ouvriers, économes et laborieux, s'est améliorée. Cependant, il reste encore bien des misères à soulager... Le socia-

lisme est venu, promettant de guérir tous ces maux par l'abolition de la propriété individuelle. Promesse menteuse. Les doctrines sociales n'aboutiraient qu'à augmenter la misère, à bouleverser la société, à détruire la liberté.

La société ne retrouvera la sécurité dont elle a besoin que par la pratique de la religion, le respect de la justice et de la saine liberté. Léon XIII, dans son encyclique sur *La Condition des Ouvriers*, a donné la véritable solution de la question sociale. Le grand pape y trace d'une main sûre la conduite à suivre pour ramener une cordiale entente entre les patrons et les ouvriers.

Puissent tous les hommes honnêtes, et particulièrement les catholiques qui forment encore, grâce au ciel, l'immense majorité de la nation, comprendre ces enseignements du vicaire de Jésus-Christ, et faire régner la concorde entre tous les citoyens français, enfants d'un même Dieu et d'une même patrie !

– Dernier paragraphe du Manuel d'Aulard et Debidour (cours moyen, 1905) : « Condition actuelle et besoins de la classe ouvrière » :

La condition des ouvriers s'est améliorée sensiblement, grâce à l'accroissement de leurs salaires, au droit qui leur est reconnu depuis 1864 de se *coaliser*, c'est-à-dire de s'unir, et de se *mettre en grève*, pour obtenir l'augmentation de leur salaire, grâce aussi à la multiplication des *sociétés coopératives*, des sociétés de *secours mutuels*, des *Caisses d'Épargne*, grâce enfin à la faculté qu'ont les corps de métier de former des associations ou syndicats pour la protection de leurs intérêts.

La classe ouvrière doit aussi beaucoup aux œuvres d'*assistance publique* (hôpitaux, asiles d'aliénés, orphelinats, crèches, asiles de nuit, etc.) pour lesquelles l'État et les communes ont fait de nos jours tant de sacrifices.

Mais elle réclame encore, par la voix du *parti socialiste*, d'autres améliorations à son sort. Les chambres, qui représentent le peuple, rechercheront ce qu'il est possible de faire pour elle. Les améliorations justes s'accompliront, mais pacifiquement. Dans une République, où tout le monde contribue à l'élection des députés, le peuple n'a plus besoin de s'insurger pour se faire rendre justice, et il n'en a pas le droit. Il doit avoir confiance dans les députés qu'il a lui-même nommés. S'il n'en est pas content, il en nommera d'autres. Mais, s'il avait recours à la force, il se révolterait vraiment contre lui-même et il serait indigne de la liberté.

– Dernier paragraphe du Manuel Lavisse (cours moyen, 1912): «Le devoir patriotique»:

> La guerre n'est pas probable, mais elle est possible. C'est pour cela qu'il faut que la France reste armée et toujours prête à se défendre. *Bien qu'elle ait un allié et des amis, elle doit avant tout compter sur elle-même.*
> En défendant la France, nous défendons la terre où nous sommes nés, la plus belle et la plus généreuse terre du monde.
> En défendant la France, nous nous conduisons comme de bons fils. Nous remplissons un devoir envers nos pères, qui se sont donné tant de peine depuis des siècles pour créer notre patrie.
> En défendant la France, nous travaillons pour tous les hommes de tous les pays, car la France, depuis la Révolution, a répandu dans le monde les idées de justice et d'humanité.
> La France est la plus juste, la plus libre, la plus humaine des patries.

Ce n'est point par son caractère nationaliste que se distingue l'enseignement de Lavisse, mais par la nature de son nationalisme. Sans doute représente-t-il l'effort le plus cohérent pour instaurer une légitimité politique tout en déclarant close l'ère des révolutions. Par une conception militante de l'éducation, il a appuyé le culte de la patrie sur celui de la liberté; une notion très simple sur une notion chargée d'équivoque.
Mais le ralliement tardif de Lavisse à la République a donné à son enseignement des caractères originaux. Idéologiquement, il est demeuré le contemporain de la génération de la défaite, non celui de l'Affaire Dreyfus. C'est pourquoi, entre les conclusions de son enseignement conservateur et les risques de démobilisation psychologique qu'elles comportent, Lavisse a vu le lien: «Nous disons aux jeunes gens que la grande œuvre politique est achevée, déclare-t-il en 1895; que les luttes sont apaisées et que la République est en possession tranquille de l'avenir. Nous leur disons que la paix du monde est assurée, et que jamais plus on ne sera en guerre.» Mais de s'inquiéter aussitôt de ce désarmement des énergies: «Par moment j'ai peur que malgré tous nos efforts et les progrès certains que nous avons faits dans l'éducation de la jeunesse, nous ne continuions, faute de prévoyance et d'une conception générale des devoirs présents, à façonner des épaves pour la dérive[44].»
Il suggère au Conseil général des facultés d'organiser un enseignement d'histoire de l'économie sociale, pour faire pièce à une faculté libre organisée rue Mouffetard par Brousse, Allemane, Jaurès, Guesde, Bernard Lazare et Vaillant; mais seul a répondu à son appel le comte de Chambrun; et Lavisse à nouveau s'alarme. «Je ne me dissimule pas que je vais être accusé d'appeler l'État bour-

geois et le capital bourgeois à la rescousse... » Mais d'ajouter aussitôt : « Je n'ai jamais su au juste où commence et où finit la bourgeoisie, ni si je suis un bourgeois ou autre chose. » Lavisse n'a retenu, et d'autant plus exalté, que le contenu patriotique de la pensée républicaine, non le contenu social.

La droite conservatrice à la fin du XIXe siècle, les partisans du nationalisme intégral au début du XXe siècle ne s'y sont pas trompés. Ils l'ont, tour à tour et parfois simultanément, accablé de leurs coups et de leurs marques de considération, avec la volonté de convaincre une personnalité qu'ils sentaient à la fois très proche et très loin.

C'est que son enseignement se présente comme une inversion simple, mais décisive, du sens et des valeurs du néo-monarchisme : même obsession de la faiblesse du sentiment national, même enracinement dans la tradition française, même culte de la terre, du ciel et des morts, invoqués comme ses plus hautes fidélités, même sens religieux de l'unité et du devoir – Lavisse a transposé, sur le mode laïque et républicain, les justifications de la monarchie. La République est devenue la Providence de la France ; elle *appelle* les citoyens à l'*unité* nationale pour le *salut* de la patrie comme le roi, chez Bossuet, rassemble ses sujets pour faire leur salut. En profondeur, et en dépit de la signification momentanée, et fort importante, des oppositions, l'*Histoire de France* de Lavisse, par son syncrétisme, est susceptible de rapprochements plus intimes avec l'*Histoire de France* de Bainville qu'avec l'*Histoire sincère de la nation française* de Seignobos.

Mais, politiquement, Lavisse a été, bon gré mal gré, entraîné dans le courant rapide né des crises de la République et de l'Affaire Dreyfus en particulier, amené à cautionner le parti « intellectuel » et à faire figure de proue de la nouvelle Sorbonne. D'où la rage qu'il suscite et le respect qu'il provoque. V. Jeanroy-Félix[45] déplore que le rassemblement de la jeunesse qu'il souhaite paraisse exclure la jeunesse de l'enseignement privé ; quelques formules telles que « l'inachèvement du royaume » et « la lugubre fin du règne » suffisent à Pierre Lasserre pour que « son Louis XIV fasse voir à nu l'homme à système, le pion et l'esprit chagrin qui sont en lui[46] ». Mais le critique s'empresse de préciser que « M. Lavisse ne représente pas la nouvelle Sorbonne ; il a ouvert les portes à de nouvelles méthodes et les a favorisées, mais ces méthodes ne sont point siennes ». Barrès et Péguy l'écrasèrent de leur sarcasme et de leur mépris. Mais tous deux *le reconnurent* ; et Barrès le premier, qui, vingt ans avant que Péguy critiquât en Lavisse un « système » et trente ans avant l'année qui devait les voir tous les deux mourir, dénonce en Lavisse « un des philosophes les plus actifs de cette époque[47] ».

Cet article a initialement paru dans La Revue historique, *juillet-septembre 1962, sous le titre: «Ernest Lavisse: son rôle dans la formation du sentiment national».*

1. *Cf.* L. Lemonnier, *Revue internationale de l'enseignement*, janvier-février 1923.

2. *Revue de France*, septembre-octobre 1922.

3. In *Expériences de ma vie*, Paris, Calmann-Lévy, 1959, pp. 265-267.

4. René Doumic, in *Écrivains d'aujourd'hui* (1894). On n'envisagera cependant ici qu'à titre accessoire le contenu des ouvrages de Lavisse sur l'Allemagne et des grandes collections, auxquelles appartient le grand livre sur Louis XIV; les problèmes qu'en soulève l'étude méritent un développement qui dépasserait le cadre du présent article, orienté vers l'analyse d'un manuel primaire.

5. *Discours à des enfants*, Paris, A. Colin, 1907; *Nouveaux discours à des enfants*, Paris, A. Colin, 1911.

6. Lavisse a toujours eu des rapports étroits avec Saint-Cyr. Il a cherché à en réformer l'examen d'entrée (*cf. Revue de Paris*, avril 1896: «L'examen de Saint-Cyr»). Il y a été professeur d'histoire et de littérature au plus fort de l'Affaire Dreyfus, en 1899. Son frère cadet, mort général, est sorti de Saint-Cyr; il a dirigé l'école de Saint-Maixent.

7. In *Études et étudiants* (1895).

8. Il m'a été impossible de préciser quelle fut l'occasion de la rencontre des deux hommes dont l'attachement durera jusqu'à la mort de Victor Duruy en 1894. Celui-ci termine ses *Notes et souvenirs* (écrits en 1892 et publiés en 1904) sur le sentiment de satisfaction que lui a donné la réussite de ses enfants et de son disciple: «Et mon ancien Secrétaire à l'Instruction publique, Ernest Lavisse, que depuis plus de trente ans je regarde comme un de mes enfants, a été reçu à l'Académie française» (p. 312). Cf. également: «Un ministre: Victor Duruy», par Lavisse (*Revue de Paris*, janvier-mars 1895).

9. Cette correspondance fut déposée par Lavisse lui-même à la Bibliothèque nationale: la publication de larges extraits par la *Revue des deux mondes*, en avril 1929, suscita chez Armand Colin une vive émotion. Max Leclerc, alors directeur de la maison, demanda aussitôt à l'héritière de Lavisse, Mme Jeanne Quiévreux, de réagir contre «une publication de nature à faire du tort à la mémoire de son oncle; car ces lettres sont vraiment "trop jeunes" et nullement en rapport avec ce que l'on sait de lui depuis lors». Mme Quiévreux se retourna alors contre Mme Suzanne-Émile Lavisse, veuve du général, qui a lu avec plaisir «ces lettres qui font honneur» à son beau-frère.
M. Mignot, directeur littéraire de la librairie Armand Colin, m'a très aimablement communiqué les archives de la maison sur Lavisse; je tiens à lui en exprimer ici ma vive reconnaissance.

10. Il utilisait toute main, dit Jules Isaac, qui, dans un entretien privé, me dit avoir retrouvé jusque dans les ouvrages de Lavisse des phrases entières de lettres qu'il avait lui-même adressées. Et surtout qui fera, sinon M. Esmonin lui-même, le bilan d'une étroite collaboration dont le *Louis XIV* est le fruit?

11. En 1927, il avait déjà été fait dix-sept éditions de l'ouvrage.

12. C'est nous qui soulignons. Ne convient-il pas, cependant, de remarquer combien, sous la plume de Lavisse, s'affadit la belle formule de Michelet?

13. Le projet initial remonte très loin: «Je crois vraiment qu'il serait utile qu'on apprît l'histoire de la France, écrit Lavisse à Gaston Pâris le 7 avril 1878. Or, les professeurs ne la savent point… Que de misères dans notre éducation nationale, et dire que nous ne les guérissons pas!» (Bibliothèque nationale, n. a. fr. 24-25, ff. 278-294).

14. Le secondaire l'intéresse moins. Détail significatif, Lavisse n'a pas fait partie de la commission de 1882 spécialisée dans l'enseignement secondaire.

15. *Cf. Questions d'enseignement national* (1885) et *Études et étudiants* (1890).

16. *Cf.* discours à l'École normale supérieure, 20 novembre 1904. Les normaliens de la promotion 1905 réagirent vivement; certains, tel le doyen Davy, de qui je tiens l'anecdote, se souviennent du chahut qui salua le nouveau directeur, arrivant à pas lents de son domicile de la rue de Médicis, accueilli aux cris de: «Sauvez, sauvez l'École, malgré son directeur!»

17. *Cf.* «Toute licence contre l'amour» (1892).

18. *Cf. La Crise allemande de la pensée française*, par Claude Digeon, Paris, 1959, chap. VII: «La nouvelle université et l'Allemagne».

19. *Cf.* La critique par Lavisse de l'ouvrage du Père Didon, *Les Allemands*, in *Questions d'enseignement national*, et l'article «Jeunesse allemande, jeunesse française», in *Études et étudiants.*

20. *Ibid.*

21. *Études sur l'Allemagne*, Paris, 1881, p. 98.

22. *La question d'Alsace dans une âme d'Alsacien*, Paris, A. Colin, 1891.

23. Daniel Halévy, *Péguy*, Paris, Grasset, 1941.

24. *Un nouveau théologien, M. Fernand Laudet* (septembre 1911), *L'Argent* (février 1913) et *L'Argent: suite* (avril 1913).

25. «Je me rends bien compte de tout ce qu'il y a de bas à relever ces bassesses et la haine et l'envie et l'ordure et la honte.» À son ami Lotte, Péguy confiait: «Pendant dix-huit mois je n'ai pu dire mon *Notre Père.*» Péguy est de la promotion 1894. Trente-deux ans le séparent de Lavisse.

26. Dans *L'Argent: suite*, Bibl. de la Pléiade (p. 1146), dont toutes les citations sont extraites.

27. Ce point est confirmé par M. Esmonin, qui, consulté, a bien voulu me donner de précieux renseignements.

28. Archives de la librairie Armand Colin.

29. *Cf.* le fascicule d'histoire contemporaine, mis à cette date à la disposition des possesseurs de l'ancienne édition.

30. Lettres du 29 avril, puis du 5 mai 1880 (archives de la librairie Armand Colin).

31. Les archives conservées par la librairie Armand Colin sont essentiellement composées d'un échange de billets. Armand Colin propose des caractères typographiques, des idées de mise en pages, recommande constamment à l'auteur d'être «simple et *intéressant*». Lavisse multiplie les scrupules. Exemple: «Je compte toujours que l'on relit après moi pour vérifier les numéros de chapitres, de questions, de récits; pour vérifier les dates, etc. J'ai fait une chasse énergique aux mots abstraits, aux tournures difficiles. J'ai lu, relu, lu et rerelu, mais je ne sais pas s'il n'en reste pas encore, et je serais heureux qu'on m'en signalât, qu'on me signalât aussi les répétitions de mots» (27 août 1881).

32. Les plus répandus, avec les manuels de chez Mame, paraissent être: les manuels des abbés Lucien Bailleux et Victor Martin, d'Alfred Baudrillard, de l'abbé Vandepitte, de l'abbé Godefroy, du R. P. Dom Ancel et Gabriel Maurel, de l'abbé P. Gagnol.

33. *Cf.* Lavisse à Armand Colin: «J'ai vu les livres de Mame. Quelle audace dans l'imitation!» (5 novembre 1896).

34. Il est pratiquement impossible de fournir le chiffre exact des tirages des manuels. Le chiffre normal et moyen d'un tirage paraît être 150 000. C'est donc par plusieurs millions qu'il faut évaluer le nombre des lecteurs des manuels de Lavisse. À titre indicatif, l'année de sa mort, Lavisse laissait, pour la seule année 1922, un crédit de 70 000 francs chez Armand Colin et de 15 000 chez Hachette.

35. Ce fut l'occasion d'une grande campagne pour la défense des manuels républicains. *Cf.* entre autres: Mme J. Guiot, *Les Attaques contre les manuels d'histoire*; Guiot et Mame, réponse (1910), ou encore: *Ce qu'ils enseignent? Est-ce vrai?, étude sur les manuels condamnés par l'épiscopat*, par Paul Lorris.

36. Les manuels Mame et le manuel d'Aulard et Debidour seront ici considérés comme les plus représentatifs, le premier des manuels d'enseignement privé, le second des manuels d'enseignement public républicain.

37. Même compte tenu du fait qu'il s'agit, ici, d'un manuel primaire, quel appauvrissement par rapport à Michelet! Là, Jeanne représente le peuple, la vierge, la victime du clergé, le salut par la femme, l'hostilité à l'Angleterre, la Passion, l'identification de la France à une femme: sept symboles. Ici, Jeanne est la mémoire de la France, qui n'est elle-même que dans le malheur.

38. *Discours à des enfants. L'école laïque* (1904).

39. Cette dernière phrase, qui figurait dans le fascicule de 1882 (développement de la partie contemporaine), avait disparu de «l'ouvrage nouveau» de 1884.

40. *Nouvelle Deuxième Année d'Histoire de France*, 1895, p. 415.

41. L'enseignement de l'histoire à l'école primaire, extrait du *Dictionnaire de pédagogie*, remanié et accru dans *Les Questions d'enseignement national* (1885).

42. *Cf.* L'évocation de cet enseignement primaire patriotique par Georges Goyau en particulier, dans *L'École d'aujourd'hui (1899-1906).*

43. L'école d'autrefois et l'école d'aujourd'hui, in *À propos de nos écoles*, Paris, A. Colin, 1895.

44. *À propos de nos écoles: Une école d'enseignement socialiste révolutionnaire* (1895).

45. *Cf. Fauteuils contemporains de l'Académie française* (1896).

46. Pierre Lasserre, *La doctrine officielle de l'Université*, Paris, 1912.

47. Barrès, *Toute licence sauf contre l'amour*, Paris, 1892.

JACQUES ET MONA OZOUF

« Le Tour de la France par deux enfants »

Le petit livre rouge de la République

Voici *Le Livre*, celui qu'un ami, paysan percheron, avisa sur notre bureau et s'émerveilla de retrouver : vraiment, on pouvait l'acheter ? Maintenant que nous le lui avons apporté, il y aura donc chez lui un livre, butte témoin d'une enfance qui fut, malgré l'obligation, peu alphabétisée. Moins objet de lecture que de contemplation : un presse-papier magique, une boule de verre qui enferme de noires sapinières, des bateaux à quai, des aqueducs et des machines à coudre, l'Orléanais et la Camargue, la poussière des routes, la fraîcheur des pâturages, les bruits de Paris et surtout deux enfants qui marchent. Car de ses séjours irréguliers et peu gratifiants à l'école, M. Mortier n'a retenu que ce qu'il appelle « le voyage d'André et de Julien ».

À peine s'il faut rappeler qu'André et Julien sont deux orphelins lorrains qui, à l'automne de 1871, franchissent clandestinement la frontière allemande et se lancent, à travers incendies, maladies et tempêtes, à la recherche d'un oncle et d'une mère. L'oncle porte le nom du père ; et le nom de la mère, chuchoté par le père mourant, dernière volonté, mot de la fin, c'est la France. Cette histoire, contée en 1877 dans « un livre de lecture courante pour le Cours Moyen, avec plus de deux cents gravures instructives pour les leçons de choses, par G. Bruno », est parvenue à concurrencer dans les foyers ruraux (dans le Pouldreuzic de Pierre-Jakez Hélias, par exemple) la vie des saints, autre livre phare, lui aussi compagnon unique de tant de vies. Les saints laïques imaginés par G. Bruno ont eu une extraordinaire fortune, qu'on sait désormais mesurer grâce à Aimé Dupuy[1] : après une vague qui déferle de 1877 à 1887 – trois millions d'exemplaires en dix ans –, une mer étale de deux cent mille exemplaires par an en moyenne jusqu'au tournant du siècle – six millions en 1901 – se retire en laissant sur le rivage, en 1976, huit millions et demi de volumes. Ce chiffre énorme, on ne sait trop par quoi il faudrait le multiplier pour obtenir celui des lecteurs effectifs : car c'était le livre le plus réclamé de la bibliothèque scolaire, celui qui fournissait à la maîtresse, pen-

dant la leçon de couture, de quoi faire aller l'aiguille en silence. Celui dont, sans l'avoir jamais possédé, on pouvait sans coup férir citer le titre: le seul, parfois, de toute la littérature nationale.
Sur les raisons de ce succès quantitatif, on a déjà[2] beaucoup écrit. *Le Tour de la France*, qui met en scène des enfants-adultes, chargés de vrais travaux, exposés à de vrais risques, a réussi l'exploit d'être aussi goûté des adultes[3] que des enfants; étudié dans les écoles confessionnelles comme dans les écoles laïques et du reste susceptible d'être attaqué sur sa gauche[4] et sur sa droite[5]; capable de mêler les registres et les genres, à la fois roman d'apprentissage, traité du bonheur, manuel pour remplir les papiers administratifs, soigner les vaches, se débrouiller à la poste. Texte à tout faire dont le livre du maître, qui redouble chaque chapitre d'un feu roulant de questions, accentue encore le caractère encyclopédique: car on peut, en interrogeant l'enfant à propos, user du *Tour de la France* comme manuel de géographie, précis de morale, livre de sciences naturelles, initiation élémentaire à cette loi française que nul n'est censé ignorer.
Le Tour de la France, par ailleurs, brille de l'évidence qu'ont les livres sans auteur. Celui-ci s'est effacé jusqu'à disparaître derrière son œuvre. Un tel succès pourtant n'eût pas été possible sans l'adresse de Mme Fouillée, la femme qu'a si longtemps dissimulée le pseudonyme-drapeau de G. Bruno. Il suffit de comparer son ouvrage à celui que son fils Jean-Marie Guyau[6] avait écrit deux années plus tôt – il s'agissait aussi d'un livre de lecture courante – pour mesurer à la fois la parenté d'une inspiration (à quoi nous reviendrons) et la grâce singulière d'un talent. Le coup de génie de Mme Fouillée a été de fondre toutes les historiettes morales de son fils en un roman d'une seule coulée, qui cumule leurs leçons éparses et emporte le lecteur anxieux du dénouement; d'imposer l'identification: si «parfaits[7]» que soient les héros de cette histoire, ils connaissent la peur, la forfanterie, la précipitation. Un réalisme à la William James préside à la description des sentiments enfantins. Dans *Le Tour de la France*, on rougit et on a honte, le cœur est lourd dans la poitrine, il «gonfle», les soupirs sont gros et on est triste, on bat des mains, on saute, nous voici en joie. André et Julien, si raisonnables, n'en sont pas moins gouvernés par l'émotion, et les aléas de la route leur font faire les zigzags des enfants en promenade, si bien que leur voyage de survie a quand même l'air d'être une école buissonnière. Mme Fouillée excelle à ces allées et venues, du hasard à la nécessité, de l'émotif à l'intellectuel, et de nouveau à l'émotif. Si les places fortes intéressent tant le petit Julien, c'est que le siège de Phalsbourg est pour lui la scène primitive. Si les instruments de précision fascinent André, c'est qu'il exerce le métier de serrurier. Mais une fois libéralement et didactiquement données les explications qu'appellent ces intérêts vitaux, Mme Fouillée revient prestement à l'affectif: les cris de plaisir de

Julien ponctuent et achèvent les plus austères des leçons; l'histoire repart vigoureusement après les ralentis pédagogiques. Tour de main professionnel à quoi il faut ajouter le bonheur d'écrire: l'oreille exigeante de Mme Fouillée se résignera mal à la chirurgie qu'imposera à son texte l'adaptation aux nouveaux programmes de l'école laïque[8]; elle tentera de recoudre ses paragraphes et de remplacer, autant que faire se peut, les passages sacrifiés par d'autres qui aient le même nombre de syllabes, le même phrasé en tout cas. En conclusion du dernier chapitre, le livre du maître[9] interroge: «Oublierez-vous l'histoire que vous venez de lire?» Question maintenant rhétorique, nous savons que la réponse est non: le livre s'est profondément inscrit dans la mémoire collective, et il n'en est pas sorti, car sa réédition luxueuse par les Éditions Belin pour le centenaire a réveillé des images engourdies et en a fait l'objet d'une nouvelle mémoire, fardée aux couleurs affectives d'un passé ethnographique désormais plus qu'historique. Mais la question donnait aussi la mesure d'une ambition: il s'agissait bien d'écrire un livre de mémoire. Non seulement de dresser l'état des lieux, au moment précis où emménageait la République; de rappeler le passé glorieux d'une France qui demeurait, bien qu'amputée, une grande nation; de boucler le paquetage minimal de savoirs et de rêves de l'écolier français. Mais surtout de délivrer la formule même pour mémoire garder: l'éducation d'André et de Julien n'est accomplie que parce qu'ils n'ont pas oublié et n'oublieront jamais (c'est le leitmotiv de l'épilogue) leur tour de France. Le livre, au moment même de sa fabrication, se voulait donc explicitement un art de la mémoire. Mais de quelle mémoire au juste? Une mémoire des lieux, ou une mémoire des temps? La mémoire d'un présent gros de l'avenir ou d'un présent dépassé, anachronique déjà et nostalgique? Une mémoire partisane ou une mémoire nationale? De la France tout entière ou de la République seulement? L'ambiguïté du livre alimente cette cascade de questions.

L'écolier d'aujourd'hui a vu du pays et du monde, mais il ne sait plus se situer dans l'espace français. Lequel peut placer le Confolentais, le seuil de Naurouze? D'avoir vécu nos enfances face aux cartes Vidal-Lablache, qui offraient toujours, quand l'attention fléchissait, la ressource rêveuse de suivre le fil bleu des canaux ou noir du chemin de fer, nous porte à croire que l'écolier d'hier le savait. Ne minimisons pourtant pas ses ignorances. Ne minimisons surtout pas l'évasion que procurait aux petits lecteurs du *Tour de la France*, qui souvent ne feraient d'autre voyage que celui du service militaire et n'iraient «en ville» qu'à de très rares occasions, le périple inouï d'André et de Julien.

L'itinéraire d'André et de Julien commence au début de l'automne («par un épais brouillard du mois de septembre», qui ne s'en souvient?), avec l'année scolaire; il s'achève quand les feuilles reverdissent et que s'annonce l'été des vacances; il va de Phalsbourg aux collines du Perche, dans un mouvement circulaire et enveloppant, de la périphérie au centre et d'est en ouest, fidèle en cela au parcours classique des compagnons du tour de France[10]. Par tous les moyens de transport imaginables (les pieds, la carriole, la péniche, le bateau, le chemin de fer), tous les chemins et tous les temps, car *Le Tour de la France* est une épreuve physique de l'espace; on sait si la route monte ou descend, si le pas de Pierrot ralentit ou s'accélère, si l'orage menace, si on frissonne dans «la petite pointe du jour».

Qu'il s'agit d'une appropriation du territoire français, nul ne peut douter. À chaque moment de leur voyage, André et Julien se demandent: «Où sommes-nous exactement?» et avec eux l'écolier français, leur compagnon. Pour répondre à cette question, il y a la carte, celle dont l'ignorance, paraît-il[11], a valu à la France l'humiliation et le malheur, et qu'on commence à suspendre aux murs des classes. Mme Fouillée ne se contente pas de la joindre toujours à son texte; son génie est d'avoir fait du repère intellectuel une nécessité vitale. Étudiée, mémorisée, retrouvée ensuite sur le terrain (là où la Sarre n'est plus un trait, mais un éclair liquide entre «deux haies de bouleaux et de saules»), la carte permet aux enfants de passer la frontière, malgré la défaillance du garde forestier. À la critique que fait Tolstoï[12] de l'enseignement de la géographie (à quoi bon apprendre toutes les terres, le cocher te mènera bien où il le faudra), le livre de Bruno répond qu'apprendre, c'est vivre. Mieux, survivre.

À mêler ainsi les leçons de la vie et celles des livres, on gagne de ne jamais désapprendre. L'expérience vécue rectifie l'expérience intellectuelle (Julien avait appris que le Rhône est l'un des plus beaux fleuves de France, mais il ne «se le figurait pas comme cela») et l'enracine: «Nous passerons demain à Moulins, ce qui fait que tu ne l'oublieras plus», dit à Julien M. Gertal, qui n'oubliera pas lui-même le Cantal parce qu'il y est «monté». Julien est certain d'être premier en classe, dès que son aventure lui laissera le loisir d'y retourner, pour avoir appris «sa» France à la semelle de ses souliers.

Comme André et Julien ne peuvent aller partout, l'auteur s'arrange pour compléter leur prise de possession et multiplier les crochets imaginaires par les lieux où ils n'iront pas, au petit bonheur des rencontres avec les hommes et les choses: la figure de Descartes permet de passer par la Touraine, l'assiette de faïence retournée de voyager en Limousin. Astuce didactique prolongée par le livre du maître qui, à chaque ville mentionnée, récite mécaniquement son guide Joanne: «Vesoul, chef-lieu de la Haute-Saône, 380 kilomètres de Paris, belle promenade du Cours, quartier de cavalerie.» Pourtant, cette appropriation ne vaut pas l'autre. Ce qu'a retenu la mémoire des lecteurs du *Tour de la France*, c'est l'espace effectivement parcouru par les enfants, à leur pas ou à celui du cheval ; car même le voyage en bateau, occasion de visiter des ports et de décrire des côtes « qu'on aperçoit », est loin d'avoir l'efficacité dense du voyage fait à pied ou sous la capote de la carriole flagellée par la pluie. Malgré les épreuves du voyage en mer, *Le Tour de la France* est moins un tour dès qu'on se confie à l'eau et plus à la terre. C'est le corps à corps avec elle qui fait l'intensité dynamique du parcours : en quoi le livre n'est pas tout à fait un arpentage[13] paisible, où tous les lieux se vaudraient.

Du reste, le charme du voyage tient à l'exotisme discret de leur diversité. André et Julien rencontrent des « populations économes et consciencieuses » en Auvergne, énergiques en Dauphiné, des Corses plus prompts à manier le fusil que la charrue, eux-mêmes ont la droiture et la solidité des arbres de leurs Vosges natales. Ils traversent des pays du Nord peu gâtés par la nature, un Midi fortuné croulant de citronniers. Ils mangent l'omelette au lard en Lorraine, la soupe de poissons à Marseille. Il arrive même qu'au milieu de paysans provençaux qui parlent une langue inintelligible, ils se sentent aussi déconcertés que dans une « ferme étrangère ».

Mais pour des enfants qui fuient l'étranger, à la recherche de la sécurité du même, cela est une expérience traumatique. Voilà qui rend compte du traitement que *Le Tour de la France* réserve à la notation des différences régionales. Il s'ingénie, pour commencer, à montrer qu'elles ne sont jamais vraiment menaçantes et à faire valoir le sentiment d'une similitude fondamentale de la France, que Fouillée[14] dit essentielle au tempérament français. Ensuite, il les présente comme autant de dons gracieux à la France tout entière, si bien que le chauvinisme[15] local ne se nourrit que des bienfaits rendus à la collectivité nationale par un tempérament particulier et dans une contribution originale. Aussi faut-il finalement renoncer – le petit Julien, dans son zèle scolaire, l'aurait bien voulu – à dresser le tableau d'honneur des provinces : chacune apporte sa couleur particulière à l'harmonie générale du bouquet, métaphore explicite. Il n'y a donc place ici pour aucune tentation séparatiste, comme le souligne le livre du maître, toujours plus brutal que le texte lui-même : c'était bon pour « autrefois ». Aujourd'hui, il n'y a plus qu'une France. En elle remuent encore des partis opposés et ennemis (le livre du maître, en cela très ferryste, ne pense jamais la division française à travers l'ethnographique mais à travers le politique) ; mais viendra le jour de leur dégénérescence, où tous les Français « seront unis sur les points fondamentaux ».

Si l'unité nationale paraît aussi évidente, c'est que les deux activités principales mises en scène par *Le Tour de la France* – apprendre, parcourir – contribuent elles-mêmes à la forger. Apprendre : les progrès de l'instruction portent la promesse de l'unité accomplie. Dans l'auberge provençale où le

langage des adultes déroute et isole André et Julien, quel bonheur, le soir venu, de voir rentrer des enfants avec qui parler, puisque eux, du moins, sont allés à l'école. Sur cette indication fugitive du texte, le livre du maître festonne lourdement. Il définit les patois comme «un langage populaire et corrompu», les recense avec une sévérité triste et pose de plein fouet la question de leur conservation. Si on est bilingue, à quoi bon «se charger la mémoire» au lieu d'apprendre des choses «utiles»? Et si on ne parle qu'une langue et que ce ne soit pas le français, alors quelle «honte»! Bref la langue régionale est soit frivolité, soit péché. Plus pour longtemps toutefois. L'école obligatoire en viendra à bout, comme de l'agressivité des Corses ou de la pauvreté savoyarde. De ce point de vue, il n'y a pas de vraies différences entre les régions françaises, mais seulement, comme dans la classe idéale, des retardés involontaires, qu'une bonne pédagogie met «au niveau».
Parcourir, d'autre part, c'est évidemment unir: par la route, le canal ou la voie du chemin de fer, les enfants font cette découverte, alors neuve encore si on en croit Émile Guillaumin[16], qu'au-delà des limites du canton s'étendent des pays qui ne sont ni mystérieux ni sauvages. On peut relier l'une à l'autre toutes les régions françaises qui échangent du même coup leurs qualités et leurs produits[17]. La Bretagne est bien loin, mais la vache bretonne est répandue à travers toute la France, Besançon donne l'heure à tous les Français. La démonstration que la France est faite d'une seule et même étoffe, où les lieux et les hommes se «tiennent», André et Julien la fournissent eux-mêmes en marchant.
Ce qui achève l'unité de l'espace français, c'est l'installation heureuse qui clôt le livre: il n'y a dans ce livre de voyage aucune lyrique des départs, toujours vécus comme autant d'arrachements. La chance de voyager, «comme si on avait des rentes», est une exclamation arrachée à Julien par l'étourderie, que M. Gertal corrige vite, et le livre du maître après lui: «La vie de voyages perpétuels est-elle aussi désirable qu'elle le semble au premier abord?» La réponse n'est pas douteuse, car le maître enchaîne sur le bonheur de la fixité, familiale et professionnelle. Du reste, l'épilogue de l'édition de 1906 réunit à la Grand-Lande, nouveau Phalsbourg, ceux qu'il a fallu douloureusement quitter au long du voyage, Alsaciens, Normands, Jurassiens, et l'orphelin d'Auvergne. Il additionne aussi tous les savoirs glanés à travers la France, d'hygiène, d'agriculture, de diététique, d'économie domestique. «André et moi n'avons pas oublié, nous nous rappelons», répète Julien en faisant les honneurs de la propriété modèle. La mémoire d'une année sur les chemins est devenue la règle d'une existence assise.
Cette mémoire des lieux n'est que secondairement une mémoire des temps. D'abord la précision chronologique de Mme Fouillée est toujours inférieure à sa précision topographique; la date et la saison lui importent moins que le lieu. D'autre part, elle est tout à fait insoucieuse de la suite des événements,

du déroulé de l'histoire de France. Elle ne se propose de la raconter qu'à travers les vies des hommes illustres qui la ponctuent : les biographies de Mme Fouillée sont les cadeaux qu'elle accroche à l'arbre de Noël national, scintillants mais détachables, sans autre rapport entre eux que l'éclat. Enfin, c'est toujours la mémoire des lieux qu'elle charge d'authentifier la mémoire tout court. Il est bon de savoir quelque chose sur Vauban, mais on ne l'apprend vraiment que par les traces qu'il a laissées dans l'espace vécu : « Quoi, s'écria le petit Julien, c'est Vauban qui a fortifié Phalsbourg où je suis né, et Besançon, dont j'ai si bien regardé les murailles ? » Ici l'histoire sert, au double sens du terme, à l'illustration de la province ; l'évidence physique du territoire fonde l'épique.

Si la mémoire du *Tour de la France* est plus topographique qu'historique, c'est sans doute que Mme Fouillée, en bonne pédagogue, sait que la mémoire collective s'accroche mieux aux lieux qu'aux dates. Mais c'est aussi que *Le Tour de la France*, « parcours de réintégration à la mère », comme l'a bien dit Dominique Maingueneau[18], est habité par une obsession de sécurité. Les enfants de la frontière viennent se blottir dans le giron de la Patrie, tout près des flèches de Chartres, au cœur du Perche beauceron, le plus français des pays français selon Péguy. La sûreté que leur offre la géographie, comment la demanderaient-ils à l'histoire, noir chaudron de conflits, où ils viennent tout juste de voir s'engloutir Phalsbourg ? On comprend que *Le Tour de la France* choisisse de ne tenir à l'histoire que par les vies exemplaires (les seuls conflits que met en scène l'histoire des grands hommes – entre une vie d'abnégation et les mépris du monde, par exemple – sont régulièrement et victorieusement effacés par la postérité reconnaissante) ; et qu'entre les grandes figures il n'élise que les messagères de conciliation. On sait[19] que le livre ouvre l'éventail de la mémoire nationale en arrière jusqu'à Vercingétorix, en avant jusqu'à Pasteur, héros de l'épilogue ; qu'il ignore les rois et les conquérants ; qu'il réserve sa tendresse aux deux grandes catégories des savants inventeurs et des militaires patriotes ; encore ceux-ci ne sont-ils pas porteurs de guerre mais de bienfaits : les paysans allemands appelaient Desaix « le bon général ». Quand *Le Tour de la France* doit choisir, il le fait toujours dans un sens pacificateur : des grands hommes du XVIIIe siècle il retient Montesquieu mais élimine Voltaire et Rousseau. Il consacre ses plus riches rubriques aux gloires qui sont aussi celles des manuels chrétiens. On mesure ici une certitude plus qu'une précaution. Si l'histoire du *Tour de la France*, réputée laïque, peut être la même qu'à l'école d'en face, ce n'est pas parce que Mme Fouillée a l'œil sur le chiffre de ses ventes : c'est qu'il s'agit pour elle non de raconter l'histoire, mais d'explorer les formes de l'héroïcité française. Les grandes figures ne s'ordonnent pas selon une perspective temporelle, mais font cercle autour de la France, dans un hommage rendu non à son histoire, mais à son éternité.

Ce livre conciliateur, qui a le génie d'additionner et jamais d'exclure, on a pu en faire un livre partisan : un montage, dont les lumières et les ombres ont été savamment distribuées. Daniel Halévy[20], qui eut le mérite d'attirer l'attention sur le best-seller républicain, a consacré des pages brillantes à en recenser les silences, plus éloquents que les récits. Selon lui, la France que traversent les deux enfants a été adroitement tronquée. En ont disparu les soutanes, les messes, les pèlerinages, les usines, les uniformes. Pas un curé, pas un soldat, pas l'ombre d'un prolétaire. Manque encore l'espoir, ou le sentiment de la revanche, André et Julien quittent Phalsbourg sans idée de retour. Enfin on y chercherait en vain la référence à l'Ancien Régime.
De l'inventaire de ces escamotages, Daniel Halévy tire deux conclusions : que la France du *Tour* est une France archaïque, toute rurale, tableau déjà nostalgique d'un monde perdu ; et qu'elle est une France sans enracinement historique ni religieux. Livre de mémoire doublement sans doute puisqu'il fixe pour les lecteurs de 1877 les traits couleur sépia d'une France qu'ils regardent s'éloigner par-dessus leur épaule ; et, de l'autre, livre sans mémoire, puisqu'il coupe la France de ses traditions. Une ambiguïté que Mme Fouillée aurait soigneusement entretenue, par conformisme, par opportunisme, ou les deux. La preuve décisive ? L'apparition en 1906 de l'édition « révisée ». Pour mettre son œuvre en accord avec les dispositions réglementaires, Mme Fouillée l'a remaniée. Or, les retranchements qu'elle a opérés rendent, en les aggravant, plus voyantes les absences de 1877, annonciatrices donc de toute une dérive d'idées. Comme le montrent aussi les deux éditions successives de *Francinet*[21], *Le Tour de la France* seconde manière consacre le « déclin constant de l'idée de Dieu[22] » dans l'esprit de Mme Fouillée.
Il faut considérer avec soin ces affirmations qui, malgré la critique nuancée à laquelle les a soumises Aimé Dupuy, continuent à faire autorité dans d'excellents livres[23]. Mais avant même d'entrer dans leur discussion, on peut donner un coup d'œil à l'édition révisée dont la droite en 1910 brocarde au Parlement[24] les arrangements laborieux et le mystérieux « auteur ». L'édition contestée coud au récit déjà classique un épilogue, situé en 1904, accorde une fille supplémentaire au père Guillaume pour un *happy end* de trois mariages au lieu de deux, mais ce ne sont pas ces adjonctions innocentes qui alimentent le débat parlementaire. Ce sont les retranchements, tous opérés au détriment d'un Dieu qui n'est plus aux programmes[25] et qu'ici on pourchasse même dans les « mon Dieu ! » d'émerveillement ou de pitié. À leur place désormais on lira « quelle joie ! », on lira « hélas ! ». Les enfants ne visiteront plus d'églises, à Marseille ils iront au château d'If, sans un regard pour Notre-Dame-de-la-Garde. Des grands hommes offerts à leur admiration disparaissent et Bossuet et Fénelon, et saint Vincent de Paul qui entraîne dans sa disgrâce le département des Landes, auquel on l'avait étroitement marié.

Repérer les trous du récit, tourner en ridicule l'ostracisme mécanique qui frappe «les gens d'église» jusque dans une citation de Duguesclin, met la droite en verve: «Dans la 328e édition, on a volé les tours de Notre-Dame! L'Hôtel-Dieu n'existe plus[26]!» Même Jaurès n'en croit pas ses oreilles: il n'arrive pas à penser «qu'un homme de la valeur de M. Alfred Fouillée se soit prêté à ce genre d'opération[27]».

Plus intéressant pourtant que la liste des disparitions imposées par une neutralité sourcilleuse est le mécanisme des substitutions. Car Mme Fouillée, fidèle à l'esprit d'un milieu intellectuel où on affirme volontiers que la République a eu raison de proclamer la neutralité mais tort de ne pas songer à remplacer ce qu'elle a ôté, répugne à la suppression pure et simple. Lorsqu'elle escamote Dieu, c'est au profit tantôt de l'effusion euphorique et fraternelle (là où dans l'édition de 1877 les enfants élevaient leur âme vers le ciel, on les voit dans l'édition de 1906 se jeter joyeusement dans les bras l'un de l'autre), tantôt de l'émotion patriotique (là où la nature en gloire célébrait la gloire de Dieu, elle fait désormais lever le souvenir des premiers pas sur la terre française, quand les enfants avaient juré d'en être «dignes»). Élan fraternel contre élan religieux, serment contre prière et, de toute manière, sortie de soi vers les frères humains ou la mère patrie: on sent assez que le livre réprouve l'étroitesse qu'il y a, le mot est de Fouillée, à «borner ses pensées, ses discours et ses actes à l'en deçà[28]».

Voici qui jette un doute sur les transformations bouleversantes qu'aurait apportées l'édition révisée. Elle a beau supprimer le nom de Dieu et accentuer le vibrato patriotique, a-t-elle changé l'esprit du texte, comme Daniel Halévy le suggère? Pour qu'il en soit ainsi, il faudrait que, dans la première édition, Dieu ait eu beaucoup de présence et la patrie fort peu. C'est ce qu'une lecture attentive ne permet pas de croire. Revenons donc au texte originel et ne le quittons plus désormais: choix d'autant moins arbitraire que l'édition primitive a continué de se vendre alors même que circulait la seconde; statistiquement[29], c'est bien elle qui a marqué la mémoire des Français.

Cette édition de 1877 faisait en effet entrer André et Julien dans des églises, mais qui étaient vides de prêtres. On semblait ne jamais y dire la messe. Nul n'y était entendu en confession. Plus significatif encore, le temps de l'itinéraire n'était rythmé ni par les dimanches[30], ni par les fêtes liturgiques. L'unique mention de Noël, c'est le Jour de l'An qui, avec les vœux, la fait venir sous la plume de Jean-Joseph. Églises sans prêtres, vie sans fêtes, France sans rites. Dans ce monde apparemment déserté, on priait pourtant, on disait «Notre Père qui êtes aux cieux». À l'intelligence de ce que représente cette prière, le livre du maître, une fois de plus, offre ses béquilles. D'abord, pourquoi «Notre Père»? L'instituteur fera remarquer que, si on donne ce nom à Dieu, c'est «que les hommes forment une même famille», puis il enchaînera

sur la fraternité. C'est dire qu'il mettra l'accent, non sur le lien des hommes à Dieu mais des hommes aux hommes. Et quant aux «cieux», le maître doit inviter les écoliers à prendre le terme non à la lettre, mais dans l'esprit de l'immensité, de «la suprême puissance qui a tout produit et est partout présente dans son action». Dans ce livre du maître, on pourrait faire ample récolte des équivalences qui font de Dieu «le terme humain par lequel nous désignons ce qui rend possible le mouvement du monde vers un état de raison, de concorde et d'harmonie». Qu'est-ce que la Providence? Le règlement du monde par des lois bienfaisantes. Qu'est-ce que l'âme? Le synonyme du mot esprit. Qu'est-ce que la prière? Le souhait de recevoir «la lumière et la force nécessaires à faire le bien». Le catéchisme déiste a réponse à tout.
C'est donc une parfaite cohérence qu'affiche *Le Tour de la France* première manière: les croyances relatives au principe du monde et à la destinée humaine, loin d'être des superstitions – au sens étymologique d'architectures secondes et superflues –, tiennent à la profonde et première structure de l'esprit humain. La morale est dans une relation immédiate à ces croyances, communes à tous les hommes. Dieu, l'âme, la destinée, on peut, et même on doit, prononcer leurs noms dans les écoles, sans avoir à souffler mot de messe, de paradis et d'enfer. Croire en Dieu, ou en une justice universelle, ou en une cité idéale, c'est tout un. L'important est de croire. Par là, on sent combien il devait être facile à Mme Fouillée de remplacer Dieu par le civisme ou la fraternité et comme ses retranchements ont dû lui être légers[31]. Non parce que «l'idée de Dieu était chez elle en constant déclin». Mais parce que toutes les formes de dévotion humaine convergent dans la religion commune. De celle-ci, la France est pleine, bien qu'elle soit vide de prêtres et de pèlerins et que s'y taisent les cloches; car elle est à elle-même, comme chez Michelet, sa foi et sa religion.
C'est pourquoi on ne peut consentir non plus à rendre Mme Fouillée coupable d'un second oubli: celui de l'Alsace-Lorraine dont elle aurait, selon Daniel Halévy, fait son deuil dès 1877. Car il est d'abord matériellement faux de dire qu'André et Julien tournent le dos à Phalsbourg pour n'y plus revenir. Non seulement ils y reviennent (pour acquérir les papiers nécessaires à la nationalité française et, symboliquement, pour un double pèlerinage à la tombe du père et à la maison de l'instituteur), mais Phalsbourg, ville archétypique depuis les romans d'Erckmann-Chatrian, capable d'inspirer au petit Julien, si brave, une vraie crise de mal du pays, au sens peureux et frileux du terme, reste tout au long du livre le mètre-étalon de l'enfant: «Phalsbourg est bien plus commode que Lyon parce qu'il est sur une colline» (et donc préservé des inondations); le siège d'Alésia, «c'est comme à Phalsbourg où je suis né et où j'étais quand les Allemands l'ont investi»; au moment où Julien croit toucher au port, la Grand-Lande ruinée par la guerre lui arrache ce cri d'une éloquence laconique[32]: «Je crois revoir Phalsbourg!»

Il est encore faux de dire que Mme Fouillée n'évoque jamais le service militaire que ses héros devront un jour accomplir : à la dernière page du livre, on apprend qu'André s'apprête à entrer sous les drapeaux. Bien mieux : André et Julien commencent leur service militaire à la minute même où ils marchent sur une route française qu'ils martèlent dès la frontière passée, « comme de jeunes conscrits ». Discrètes sans doute, les allusions à l'Alsace-Lorraine ponctuent le récit : le gendarme au grand cœur se trouve être alsacien, la bonne dame de Mâcon s'attendrit dès qu'elle apprend d'où viennent les enfants. Inutile, en effet, en 1877, de beaucoup alourdir de commentaires ce certificat d'état civil : « Deux orphelins d'Alsace Lorraine », voilà qui conjugue sans phrases l'innocence et le malheur.
À qui veut se persuader que loin d'écarter l'Alsace-Lorraine, ou d'apprendre à vivre en « lui tournant le dos » *Le Tour de la France* est au contraire le lieu où s'entretient la mémoire de l'amputation, le livre du maître apporte des preuves à foison. Il assortit le bref, le pudique récit de la guerre de 1870 de longues et précises interrogations : combien a coûté la guerre ? Comment la France a-t-elle payé sa dette ? À quel habile homme le doit-elle ? Il multiplie les observations sécurisantes : puisque avant de s'enfoncer au cœur même du pays, on en fait le « tour », c'est l'occasion de passer l'inspection générale des frontières, de leurs ouvrages défensifs, et de tester le patriotisme des marches. La mention de Briançon sert à suggérer que « si jamais les Italiens voulaient nous envahir, ils trouveraient dans le Dauphiné une population énergique et patriotique, prête à se défendre contre toute invasion étrangère » ; le retour à Phalsbourg à vérifier « ce qui empêche un peuple de périr ». Dira-t-on que cela est la manière décente d'habiller le renoncement et que le récit ne s'en tient pas moins obstinément éloigné du mot et de l'idée de revanche ? Ce serait oublier qu'en 1877 la règle du silence, formulée par Gambetta, est très rarement enfreinte ; négliger l'obligation militaire, qui figure au deuxième rang des devoirs envers la patrie (et le maître demande tout à trac : « Quand serez-vous soldats et conscrits ? »), juste après l'obligation scolaire, avant l'impôt, avant le vote. Ce serait surtout être insensible au transfert de militance que cherche à réussir *Le Tour de la France* : on y apprend que la grandeur d'un pays ne tient pas à l'étendue de son territoire mais à la force d'âme des Français, à la générosité de leurs entreprises, à la totalité d'une histoire ; on s'y prépare non à se battre frontalement, mais à équilibrer par d'autres réussites ou d'autres expansions le malheur de la défaite. On s'y convainc qu'il y a deux façons de concevoir la Revanche : par les armes, comme l'Allemagne après Iéna ; par le travail et le progrès moral, en comptant pour l'avenir sur la justice immanente ; la voici, la revanche française.
Il est exemplaire, l'épilogue ajouté en 1906 qui prend la photographie d'André, de Julien et de leur famille en 1904, trente-trois ans après le départ

de Phalsbourg. L'Alsace-Lorraine est toujours allemande, mais tout le monde a bien travaillé, les efforts modestes de chacun pour tenir en ordre sa personne, sa maison et ses comptes ont été la manière française de «résister» aux épreuves et de «réparer» les désastres, une tacite mobilisation générale. Les conquêtes coloniales sont venues montrer au monde que la France est grande (et réinstaller les provinces perdues sur un autre sol, comme les colons des *Enfants de Marcel*[33] quand ils baptisent «Petite-Alsace» leur ferme du Constantinois), les conquêtes scientifiques que la raison d'être de la France est de donner aux hommes l'idée d'une société universelle. Tableau d'honneur qui montre que loin de s'être résigné à la diminution territoriale, on y a toujours pensé. Mémoire méticuleusement entretenue, très loin de l'«oubli regrettable» que déplore Daniel Halévy.
Faut-il chicaner encore Daniel Halévy sur le troisième des sournois ostracismes qu'il reproche à ce livre, celui qui frappe, malgré la visite au Creusot, *topos* difficile à éviter, le prolétaire et la grande industrie? Vingt pages seulement, dit-il, pour les belles machines et quelques lignes à peine pour les ouvriers. *Le Tour de la France*, en cela héritier et précurseur de tant de manuels scolaires, genre littéraire voué à l'inertie, met en scène une France artisanale et agricole. L'artificialisme des grandes villes y est vivement ressenti, et, du reste, leur visite est expéditivement menée. La promenade à Paris arrache à Julien un cri d'admiration un peu académique: «J'aime Paris de tout mon cœur», mais l'enfant fatigué est pressé de retrouver ses champs. *Le Tour de la France* y gagne le charme fané des albums de photographies: on y voit encore flotter les bois du Morvan, on y célèbre l'homme de la Nièvre, Jean Rouvet, qui, quatre cents ans auparavant, a eu «cette bonne idée» (et le flottage meurt justement dans les années 1880), on utilise et vante le réseau des canaux (et celui-ci est déjà concurrencé victorieusement par le chemin de fer).
Encore qu'une fois de plus un peu hâtivement exprimée – car le travail industriel, de l'atelier de coutellerie à l'usine à papier, est loin d'être absent du livre et l'éventail des techniques très largement ouvert, jusqu'aux techniques de pointe –, cette intuition de Daniel Halévy est plus juste que les précédentes. Il est vrai que Mme Fouillée met un brin de désinvolture à décrire les ouvriers: la bouche d'ombre de la mine avale les mineurs et les dérobe aux enfants, et c'est, dirait-on, par une opération magique que la population ouvrière de Lyon fait sortir «les étoffes brillantes de ses obscurs logements». Ce que Daniel Halévy sent bien, c'est à quel point le livre s'adresse à une France rurale, à ces paysans qui «peuplent ou dépeuplent un pays[34]»: pouvait-il du reste en être autrement, dans une France où les emplois agricoles continuent à progresser en chiffres absolus[35]? La fixité du travail des champs, la fixité qu'il donne aux calculs et aux espérances borne l'horizon de Mme Fouillée et de ses héros.

L'enseignement primaire est destiné, il est vrai, à ceux qui resteront à la campagne et qu'on ne « poussera » pas plus loin. Il est remarquable que Julien ne se sente promis à aucun autre métier que celui de paysan, bien qu'il soit le premier de la classe. « Tu seras instituteur », ce sésame des bons élèves, nul ne le prononce pour lui. Francinet déjà, qui avait pourtant bénéficié des leçons particulières de la fille du patron, n'en tirait d'autre avantage que d'être un meilleur ouvrier. S'il y a, du reste, une évolution de la pensée de Mme Fouillée, c'est bien sur ce point : lorsqu'elle écrit *Le Tour de la France* en 1877, comme *Francinet* huit ans plus tôt, la stabilité des destinées individuelles lui paraît la règle d'une démocratie rurale close sur elle-même. En revanche, lorsqu'elle écrit *Les Enfants de Marcel*, en 1887, ou quand elle ajoute en 1906 un épilogue à l'édition révisée, elle fait une large place à la promotion sociale des bons écoliers. Le fils de M. Gertal est entré à l'Institut Pasteur, Louis à Saint-Cyr, Lucie est receveuse des postes. Les enfants laborieux de 1877 étaient destinés, dans l'esprit de Mme Fouillée, à faire de meilleurs paysans et de meilleurs soldats. Quelques années plus tard, elle les met à Polytechnique. On peut ici mesurer une dérive et sentir à quel point triomphe, sur l'école de la route, la route de l'école.

Ce qui donne envie d'en savoir davantage sur les conditions de fabrication du *Tour de la France*, sur les intentions de l'auteur, sur le type de mémoire qu'il a explicitement voulu mettre en œuvre. Il, ou elle ? Elle, nous le savons. Mais l'« auteur » a longtemps passé pour un « il » et l'ouvrage a été régulièrement attribué à Alfred Fouillée, dont l'image publique était alors celle d'un écrivain abondant, auteur de livres d'aimable philosophie *et* de manuels scolaires. C'est Fouillée, en effet, qui traite avec l'éditeur du *Tour de la France*, règle les problèmes de droits et de traductions étrangères[36], au nom d'un mystérieux auteur dont il serait le mandataire, qu'il désigne toujours au masculin et ne caractérise que négativement : il *n'*est *pas* un universitaire. La vérité sur l'auteur, il semble que Fouillée ne se décide à la livrer que lorsque l'ouvrage œcuménique de sa femme est directement attaqué. En janvier 1899, la *Revue socialiste*, sous la plume de Fournière[37], chicane la prudence de Fouillée, toujours à mi-pente, entre religion et irréligion, et la verveine philosophique qu'il fait couler dans ses « manuels de morale pour les enfants ». Ce n'est pas moi, réplique aussitôt Fouillée[38], c'est « Mme Fouillée qui sous le pseudonyme de G. Bruno a publié des livres universellement répandus dans les écoles ». Cette vérité mettra pourtant longtemps à faire son chemin puisque dans le débat parlementaire de 1910[39] Jaurès attribuera encore à Fouillée une paternité qu'il devra à nouveau démentir.

Si le secret éditorial a été si longtemps et si bien gardé, c'est qu'il recouvrait un autre secret, d'ordre privé, celui-ci. Sur celle que la *Grande Encyclopédie* désigne comme une «femme distinguée», on est contraint de presque tout deviner. Mme Fouillée est dans son œuvre comme dans leurs maisons les ménagères dont elle a semé ses livres, efficaces, l'œil à tout, mais silencieuses. Ses rares biographes ont été découragés par une pratique très sûre de la clandestinité. Car G. Bruno, qui s'appelait, au moment de la publication du *Tour de la France*, Mme Guyau, née Tuillerie, et vivait avec Alfred Fouillée, ne put l'épouser qu'une fois votée la loi sur le divorce: vingt-huit ans de secret, tenu - on imagine à quel prix - à travers les villes universitaires et les relations avec les collègues, mais assez fermement pour que nul ne le pénètre[40], pas même les intimes[41], pas même la presse conservatrice, à qui il manquera, en 1910, de pouvoir, contre *Le Tour de la France* révisé, agiter cet épouvantail: le livre d'une «divorcée». G. Bruno s'était en réalité séparée trente ans avant son remariage avec Fouillée d'un époux qui la brutalisait, jusqu'à la tentative d'assassinat semble-t-il. L'énorme scandale alors causé dans la bonne société lavalloise - en 1855 - avait un témoin vibrant, un lointain cousin, élève de rhétorique, amoureux fou de la touchante victime, son aînée de cinq ans: Alfred Fouillée, qui consacrera sa vie à la réparation de ce malheur.

L'abominable M. Guyau avait pourtant donné à sa femme le fils - ce Jean-Marie qui devait écrire *L'Irréligion de l'avenir* - qui fut la passion de sa vie. Passion partagée: c'est la main de sa mère que Jean-Marie Guyau souhaitera pour mourir[42], et lui-même a raconté ce cauchemar absolu d'un petit garçon, entendre la voix de sa mère, mais étrangement privée de son timbre affectueux. C'est aussi en mère idéale qu'Alfred Fouillée fera le plus volontiers le portrait de celle qu'il avait mis trente ans à épouser: sur un ton de dévotieuse tendresse dont on peut encore capter l'écho dans cette psychologie différentielle[43] où il rend au deuxième sexe l'apanage «des grands talents fins et délicats, des génies psychologiques, des génies éducatifs». Mais d'autres que lui la voyaient en épouse: son fils lui-même pensait au couple qu'elle formait avec Alfred Fouillée en versifiant sur les vieux époux qui persévèrent[44]. Et en 1907, quand Fr. García Calderón rend à Menton visite au ménage Fouillée - le cœur en est une promenade à la tombe de Guyau -, il croit deviner autour d'eux un «poème de vie intime et belle, de travail en commun pour le bien et l'idéal[45]».

Cette vie s'était vite repliée sur la Riviera française, loin de toute obligation professionnelle. Fouillée avait été le fils doué d'un directeur de carrière d'ardoises: le souvenir qui marqua son enfance fut celui d'une émeute ouvrière, tenue en respect par la sagesse paternelle mais qui fit peur et horreur à un garçon déjà ennemi des situations et des êtres de conflit. La mort du père (thème constant des manuels de sa femme) prive le brillant élève de l'entrée à l'École normale supérieure, contraint qu'il est de faire vivre sa mère. L'agrégation de philosophie, il la préparera seul, avec pour objectif et obsession une première place capable d’effacer ce péché originel : n’être pas normalien. Il l’arrachera et finira même, thèses passées, par enseigner à la prestigieuse école : trois brèves années au bout desquelles sa santé lui impose les villégiatures méridionales ; il y emmène sa compagne, le fils de celle-ci, « cet enfant de ma pensée, que je chérissais plus peut-être que s’il eût été mon propre fils[46] » ; vient ensuite la jeune femme qu’on a laborieusement cherchée pour Jean-Marie Guyau ; enfin le petit garçon qu’on élève à quatre, puis, après la mort prématurée de Guyau[47], à trois, dans la tendre et douloureuse fiction d’un voyage du père sans cesse prolongé.

On peut imaginer cette maison dans[48] les collines de Menton comme une ruche pédagogique. Alfred Fouillée, bon an mal an, livre son volume philosophique, sa cargaison d’articles, et caresse le projet d’écrire des livres pour l’enseignement primaire[49]. Sa femme les écrit pour lui. Jean-Marie Guyau mêle les œuvres philosophiques aux vers et aux manuels pédagogiques[50] : en 1875 une première année de lecture courante, en 1884 une année préparatoire de lecture. Quant à la femme de Guyau, sous le pseudonyme masculin de Pierre Ulric[51], elle écrit elle aussi de brefs romans mélancoliques destinés à la jeunesse. Entre les deux hommes et les deux femmes ne cessent de s’échanger les signes de la reconnaissance intellectuelle et affective. Fouillée rend hommage à sa femme de lui avoir soufflé l’idée de justice réparative et donc l’essentiel de « la science sociale contemporaine[52] ». Guyau dédie à Fouillée son poème sur la solidarité. Fouillée publie et présente les œuvres posthumes de Guyau. Il préface enfin un des livres de sa belle-fille, dans un texte qui à la fois brouille la piste – il recourt, il a l’habitude, au déguisement masculin d’un « auteur » mystérieux, « esprit élevé et généreux » – et comporte le clin d’œil aux *happy few* : il s’arrange pour enchâsser dans cette préface le dernier message de Guyau : « Ce qui a vécu revivra. » Guyau du reste avait lui-même coutume de semer dans ses textes les petits cailloux blancs des citations de Fouillée.

De fait, sous les rosiers grimpants de cette Salente, c’est bien une œuvre pédagogique commune qui s’élabore. Des manuels scolaires de Guyau à ceux de sa mère il y a la distance du talent. Mais il a les mêmes préoccupations qu’elle : relier sans relâche l’enfant aux objets quotidiens qui l’entourent, dans l’esprit de l’*Histoire d’une bouchée de pain*[53], alors un modèle (c’est lui qui invente le conte un brin sadique de l’instituteur qui convie ses élèves à un festin de fin d’année, où chacun se sert à discrétion, à la seule condition de pouvoir dire d’où viennent le thé, le sucre, le chocolat, de telle sorte que les cancres sortent affamés et repus les bons élèves) ; le relier aussi aux hommes qui travaillent autour de lui et pour lui ; aux grandes figures de l’humanité (à Franklin, par exemple, qui, revenant au pays natal, rend comme André et Julien visite à la maison paternelle, puis à l’école) ; à Dieu enfin, *c'est-à-dire* à la justice suprême. Pendant que Guyau et sa mère tissent autour de l'écolier le réseau serré des solidarités réciproques, Fouillée théorise leurs tours de main dans de gros ouvrages sédatifs[54].

Cette pédagogie jardinière, où chacun bouture, marcotte et greffe sur les œuvres de l'autre, a eu ses travaux pratiques, l'éducation du petit Augustin, le «jeune enfant» auquel Guyau emprunte ses «exemples philosophiques[55]», sur la croissance duquel tous sont attentivement penchés. Rien ne lui manquera, ni les leçons quotidiennes des parents et grands-parents, ni les professeurs venus du lycée de Nice, ni le tutorat de Janet[56], ni le jeune cousin invité à demeure pour briser une solitude d'enfant unique, ni les manuels de la grand-mère. Augustin Guyau, dont l'existence n'avait été secouée que par la mort de son grand-père adoptif – celle du père était venue trop tôt – sera fauché par la guerre. Non sans avoir eu le temps, dans des carnets posthumes pieusement publiés et préfacés par Mme Fouillée[57], de dire ce qu'avait été pour lui cette «radieuse enfance» phalanstérienne; de remercier ses éducateurs; de confirmer que lui du moins avait exactement et scrupuleusement capté leur message puisque l'amour de la patrie, à l'en croire, s'éveilla pour lui à la minute même où sa grand-mère lui fit don, sous la tonnelle, des *Enfants de Marcel*.

Rien n'est-il donc venu déranger l'ordonnance recueillie de cette serre laïque? Ni Guyau ni Fouillée n'étaient antireligieux. Jusque dans son livre réputé le plus provocant, *L'Irréligion de l'avenir*, Guyau recommandait de ne pas s'irriter d'un «vieux préjugé absurde, en songeant qu'il est le compagnon de route de l'humanité depuis dix mille ans peut-être». Reste que Fouillée voulut des obsèques civiles et qu'il a lui-même raconté[58] celles de Guyau: «À Pâques, alors que les croyants, eux, célébraient par toute la terre l'espoir de la délivrance totale, nous, à l'écart de cette pompe religieuse, nous suivions celui qu'on emportait accompagné de ses seuls amis.» À quelques confidences échappées à Fouillée, à la préface aussi qu'il écrivit pour un des livres de sa belle-fille, on peut pressentir que les deux femmes étaient restées, plus que les hommes, attachées à ce que Fouillée, avec des pincettes, appelle «la légitimité de certains espoirs[59]». En 1886, quand Fouillée répond au professeur Hovelacque, qui a dénoncé le caractère confessionnel du *Tour de la France*, c'est pour dire que «sa femme ne cache pas plus sa croyance en Dieu aujourd'hui qu'elle peut en retirer quelque défaveur, qu'elle n'a caché ses idées libérales aux différentes époques où elles pouvaient être tenues en suspicion[60]». Quant aux nonchalants récits de Mme Guyau, le fil qui les enchaîne est la description presque obsessive du conflit métaphysique entre les hommes et les femmes: tantôt un père géologue, homme «de science exclusive» et une jeune fille pétrie d'idéal; tantôt une mère chrétienne et un fils socialiste; tantôt un professeur d'histoire positiviste et sa jeune femme, qui fait passer le sens de l'éternité avant «les certitudes immédiates[61]». Le grand

thème de Mme Guyau est le ravage fait dans l'âme délicate des femmes par la brutalité matérialiste de leurs hommes, pères, fils, ou maris.
Est-ce trop forcer le trait d'imaginer que cette dissonance des sensibilités masculines et féminines (Fouillée la systématise dans sa psychologie des sexes en décrivant un esprit féminin «naturellement porté à chercher au-dessus du monde une vivante justice et un vivant amour[62]») devait, sinon diviser la petite gens pédagogique si soudée, du moins distribuer en elle les rôles? Cette hypothèse permettrait en tout cas de confirmer l'enracinement religieux du *Tour de la France* première manière; de comprendre qu'à la sacralisation de la figure féminine de la France ait contribué un savoir-faire féminin; de retrouver, dilué ici dans les généralisations de la psychologie différentielle et tempéré par l'affection réciproque, ce qui ouvrait au même moment une vraie fracture dans les foyers républicains.

Républicains, jusqu'à quel point l'étaient-ils donc? La mémoire qu'ils cherchaient à faire vivre chez leurs lecteurs était-elle la mémoire de la France, ou la mémoire de la République? Daniel Halévy jugeait assez éloquent le silence du *Tour de la France* sur l'Ancien Régime, et une fois de plus nous le prenons en flagrant délit de partialité: il est vrai que les enfants du *Tour* visitent peu de monuments de l'ancienne France, mais il est vrai aussi que dans ce milieu intellectuel les monuments, à la différence des hommes, ne passaient pas pour les créations maîtresses d'une nation; il est encore vrai que les rois n'y sont pas exemplaires et ont toujours à être éclairés par les grands hommes ou les grandes femmes, Louis XIV par Colbert, Charles VII par Jeanne d'Arc. La véritable cible du livre n'est pourtant pas la monarchie mais le césarisme. La discrétion du *Tour de la France* sur Napoléon est compensée par l'hostilité ouverte du livre du maître: «Le règne de Napoléon est une grande leçon pour les peuples.» Il ne faut jamais s'abandonner à un chef, fût-il génial, car dans l'aventure napoléonienne, «la France a perdu les conquêtes de la Révolution et les conquêtes de l'Empire». Sans compter l'Alsace-Lorraine, nouvel abandon d'un nouveau César.
Il est clair que si ce milieu était républicain, c'était surtout en rejet de l'Empire. Le souvenir du régime détesté est seul capable d'arracher à la prose de Fouillée, toujours si conciliante, des accents vigoureux: «Sous l'Empire, alors que l'armée fusillait, que la magistrature déportait et que le clergé bénissait, où a-t-on vu se produire les refus de serments?», écrit-il dans un grand élan d'admiration reconnaissante pour l'Université[63]. L'Empire abattu, il devait passer pour un des piliers du parti républicain, surtout à partir de la soutenance de ses thèses[64], à laquelle assistaient Challemel-Lacour et Gambetta. Il n'y avait là pourtant aucun arrangement très bouleversant entre la liberté et le déterminisme. Mais un membre du jury ayant reproché à l'au-

teur d'avoir risqué qu'« il faut aimer pour comprendre », la presse de droite s'engouffra dans la critique de cet audacieux laxisme. Assez pour faire craindre une interpellation de Mgr Dupanloup à la Chambre des députés et faire dépêcher à Fouillée un garde à cheval ; Jules Simon souhaitait de toute urgence un exemplaire de la thèse : grand émoi dans la cour de la rue d'Ulm. Finalement Mgr Dupanloup se tut, là s'achevèrent les barricades de Fouillée. Une légère odeur de fagot continua pourtant de flotter autour de lui, jusqu'à lui fermer les portes de l'Institut[65] ; on le disait socialiste. Méfiance injustifiée : il fut un dreyfusard assez modéré pour saisir que dans l'autre camp aussi on pouvait, quoique aveuglément, avoir souci de la justice et de l'honneur national. Et quant au socialisme, avec qui on le croyait en coquetterie, rien ne pouvait moins entrer dans les cadres de sa pensée : Fouillée tenait la lutte des classes pour une invention « allemande ».

L'horizon de Fouillée – et de sa maisonnée, comme nous pensons l'avoir montré – c'était l'humanisme tempéré d'une République tempérée. Dans ces conditions, ce qui est surprenant dans *Le Tour de la France*, ce n'est pas le silence gardé sur l'Ancien Régime, mais sur le nouveau, car à lire l'ouvrage on pourrait croire que seules les fourmis vivent en République. Ce qu'il faut donc comprendre à la fois, c'est pourquoi la République est innommée, et pourquoi elle est pourtant si indiscutablement présente.

Pourquoi innommée ? N'oublions surtout pas la date : 1877, c'est à Versailles encore et non à Paris qu'André et Julien visitent la Chambre des députés et le Sénat. Autour du berceau d'une République de deux ans grondent toujours l'hostilité et la tentation de dissidence, aussi y a-t-il des mots qu'il ne faut pas prononcer trop haut. N'oublions pas non plus que l'innocente nouvelle-née est fille de la Révolution française, et c'est ce que ce livre de continuité ne tient pas trop à rappeler. Mirabeau, Portalis, quelques généraux, voilà tout ce que *Le Tour de la France* accorde à l'histoire révolutionnaire, qui risquerait d'intoxiquer la mémoire unificatrice de la communauté. Ce que cache le texte, le livre du maître le dit crûment : André et Julien visitent la place de la Concorde et voici les écoliers invités à réfléchir sur ce nom. Le lieu a-t-il été toujours voué à la concorde ? Hélas non, car après « la fuite de Louis XVI hors des Tuileries » (récit euphémique du 10-Août), le « malheureux Louis XVI paya ainsi de sa tête les forfaits de son père et trois mille personnes périrent sur l'échafaud ». Le nom de Concorde n'est donc là que pour « effacer » – le mot y est – le souvenir de nos dissensions. L'aménagement de la place elle-même a été conçu pour rendre visible le commun amour de la patrie : la ronde des villes françaises (avec Strasbourg, si souvent alors fleurie d'immortelles) est un tour de la France pétrifié.

Mais si la République est absente comme régime et comme produit d'une histoire, elle est, en revanche, toujours présente comme idée. L'habileté de Mme

Fouillée consiste à lier ce régime sans nom à l'évidence d'un aujourd'hui bien supérieur à l'autrefois. Un autrefois obscur, un aujourd'hui lumineux – que peuvent indifféremment illustrer l'éclairage urbain ou la multiplication des phares – et dont le partage chronologique est assez flou pour que les supériorités de l'aujourd'hui ne puissent être directement attribuées à la Révolution. Ici, pourtant, le livre du maître se charge de mettre les points sur les «i», et sans précautions oratoires cette fois, puisqu'il s'agit non de l'histoire orageuse de la Révolution, mais de son «œuvre», intemporelle dirait-on. À propos de Portalis, l'instituteur fera l'éloge des «codes», bienfait de la Révolution. À propos de Monge, il rappellera qu'avant 1789 les impôts ne pesaient pas également sur tous les habitants. À propos de Desaix, qu'à l'Assemblée nationale et à la Convention revient la gloire d'avoir aboli l'esclavage (et il ajoutera sournoisement qu'il fut rétabli par Napoléon). Doit-on parler de l'héritage? C'est l'occasion de dire qu'avant la Révolution française «les aînés avaient plus que les autres». Fin mot de toute cette histoire: la loi qui exprimait «autrefois» la volonté d'un seul homme n'exprime «maintenant» que la volonté de la nation.

L'évidence des supériorités de l'aujourd'hui, l'acceptation du droit d'aujourd'hui comme d'un verdict éternel – à quoi est tacitement liée la pérennité de la République – a comme conséquence essentielle de déconsidérer la rébellion. Politique, bien sûr, mais aussi sociale. Ce qui heurte le plus aujourd'hui la sensibilité des lecteurs du *Tour de la France*, c'est le paternalisme de Mme Fouillée, ses développements ingénus sur les gentilles manières du pauvre, l'extraordinaire bonne conscience avec laquelle elle décrit le travail enfantin à l'usine, son refus d'envisager l'exploitation (c'est à une canaille qu'est laissé le soin d'en fournir une définition), les efforts qu'elle déploie pour faire accepter à chacun son destin. Mais cela ne veut pourtant pas dire du tout qu'elle ait manqué de compassion pour les démunis[66]. Simplement, en bonne fée-marraine, elle a glissé dans le baluchon d'André et de Julien de quoi équilibrer le malheur social: un constat, une volonté.

Le constat est celui même qu'ils enregistrent sur les chemins: tout va tellement mieux, la condition humaine s'est si étonnamment améliorée! «Ceci, pourtant, n'est pas un conte», comme Mme Fouillée tient souvent à le préciser. C'est suggérer qu'il pourrait l'être, tant les enfants vont se voir présenter, comme dans une lanterne magique, de merveilles. La papeterie d'Épinal, la machine à filer, les grands travaux accomplis si vite et si bien par la vapeur font songer aux fées de Mme Gertrude, dans un monde où pourtant Julien «savait bien qu'il n'y a pas de fées». De telle sorte que le quotidien des enfants eût été le merveilleux d'hier. Si le roi de France, dit à son écolier Michel l'instituteur imaginé par Guyau[67], pouvait visiter la maison de ton père (il s'agit d'un laboureur), «il aurait porté grande envie à plus d'une des choses que

vous possédez». Puisque la mère de Michel a dans son armoire plus de chemises qu'Isabeau de Bavière, c'est bien que la chaumière républicaine a dépassé le palais des rois.
Au-delà de ce constat, il y a une volonté, à quoi Mme Fouillée suspend la solution de ce qu'on appelle alors la question sociale. *Le Tour de la France* est une mise en scène de la solidarité humaine. Dans l'image modeste, mais prégnante, de la forme d'association que pratique la fromagerie du Jura, il y a l'idée qu'il ne s'agit tout à fait ni d'une solidarité organique (encore que la métaphore de l'organisme soit explicitement filée) ni d'une solidarité formelle (car elle n'a pas à être définie dans un contrat). Mi-organique, mi-contractuelle, mi-biologique, mi-juridique, cette solidarité est une volonté morale, un travail de soi sur soi. Dès 1879, Fouillée définissait la France comme quarante millions de volontés qui ont des engagements les unes avec les autres. Sa femme, deux ans avant lui, avait parsemé son livre des promesses d'entraide que se font, en relais fraternels, les héros de son histoire. Et la confiance qu'elle montre à ce «quasi-contrat[68]» explique la légèreté avec laquelle elle traite les rapports entre les classes sociales.
Il n'est pas absurde d'attribuer à Mme Fouillée l'invention de l'organisme contractuel, puisque c'est elle aussi qui inspira à son mari l'idée de justice réparative[69], c'est-à-dire de la dette collective que les générations présentes contractent avec les générations passées, de telle sorte qu'elles doivent bienfaisance, assistance et instruction «aux enfants qui peuvent encore se trouver abandonnés[70]». À l'égard des deux orphelins d'Alsace-Lorraine, nul n'est libre d'exercer la charité, car c'est stricte justice de tenter la réparation de leur malheur. Une fois de plus le livre du maître est plus éclairant que le texte lui-même, dans l'équivalence absolue qu'il établit entre la charité et la fraternité[71]. C'est cette résorption de la charité dans la justice qui signait en 1877 le caractère républicain et progressiste de l'ouvrage. La critique réactionnaire[72], scandalisée de s'entendre signifier que «si au point de vue moral tout doit être amour, même la justice, au point de vue social tout doit être justice, même l'amour[73]», ne s'y trompait pas. Le quasi-contrat, dans lequel on lit tant de mauvaise grâce à l'égard de la bienfaisance privée, lui paraissait être la nouvelle religion publique de la République telle qu'elle la détestait le plus: non millésimée, hors histoire et enveloppant l'idée d'une société universelle.
Dans ce livre si insoucieux d'une République datée, qui cherchait si obstinément – et si efficacement aussi – à construire une mémoire qui ait un air d'éternité, il y a quand même un événement-naissance, un an I de la liberté, l'obligation scolaire. Apparemment, c'est un paradoxe. Comment le dire d'un livre écrit en 1877, alors que la loi est votée en 1882? Mais précisément: il y a sur ce point, dans un texte réputé pourtant archaïque dès sa publication, comme une rumeur d'imminence. *Le Tour de la France* signale l'ouverture

accélérée des écoles, magnifie les départements tôt alphabétisés, annonce le rattrapage des autres. De Phalsbourg il fait emporter à Julien, comme seule relique, un cahier d'écolier[74]. L'édition de 1877 est toute tendue vers un avènement, si bien que le livre du maître de 1885 n'aura aucun mal à lui accrocher ses commentaires en forme de questions : la France ouvre-t-elle chaque jour de nouvelles écoles ? Depuis quand, surtout, en construit-on ? Il n'y a eu ici nul besoin de bricoler le texte primitif, miraculeusement adapté, cinq ans avant la rédaction des programmes officiels, à la loi sur l'instruction obligatoire, événement clé d'une histoire sans règnes, où on ne sacre que les pédagogues. Mais c'est justement ce caractère anticipateur qui le date aujourd'hui le plus sûrement. *Le Tour de la France* témoigne pour ce moment de notre histoire où tout a paru relever de l'école. Nous avons tout à fait perdu cette confiance dans la royauté de la pédagogie, et voilà qui embue pour nous le trait si net de Mme Fouillée, voilà qui fait du *Tour de la France* un lieu de mémoire, en lui donnant le tremblé et la succulence de ce que nous ne verrons plus.

1. Aimé Dupuy, « Les livres de lecture de G. Bruno », *Revue d'histoire économique et sociale*, n° 2, 1953. Nous sommes redevables à bien des égards à l'article fondateur d'Aimé Dupuy, qui a non seulement étudié la diffusion du *Tour de la France*, mais aussi attiré l'attention sur le dossier d'archives conservé par la maison Belin et entamé la discussion de la présentation brillante mais fausse de Daniel Halévy.

2. Entre beaucoup d'études, signalons l'excellente postface de Jean-Pierre Bardoz pour la réédition du centenaire en fac-similé, qui reprend intégralement la version de 1877.

3. Ferdinand Buisson, dans le débat parlementaire de 1910 sur les manuels, le dit explicitement : « En rédigeant le manuel de morale, on a songé à la deuxième lecture qu'on en fera une fois. »

4. Le conseil municipal de Paris, à la demande d'un professeur conseiller municipal, refuse en 1886 de voter les crédits pour l'achat des livres de Bruno dans les écoles primaires. Motif, ou prétexte : leur caractère « confessionnel », incompatible avec la neutralité scolaire.

5. Dans le débat parlementaire de janvier 1910, la droite met vivement en cause les remaniements qu'entraîne la « laïcisation », à ses yeux mécanique et absurde, de l'ouvrage. Dans son article du *Temps* du 11 février 1910, Fouillée résume les attaques convergentes dont le livre a été l'objet : « Je n'en finirais pas s'il fallait vous raconter toutes les péripéties, toutes les réclamations en sens contraire, toutes les menées dont le cours de G. Bruno a été l'occasion, à cause même de son succès extraordinaire et des jalousies dont il était l'objet... »

6. Jean-Marie Guyau, dont le premier ouvrage philosophique *(La Morale d'Épicure)* paraît en 1878, a commencé trois ans plus tôt – à vingt et un ans – par écrire une *Première Année de lecture courante*, Paris, A. Colin, 1875.

7. L'épithète est de Jean-Pierre Bardoz, *op. cit.*, qui écrit qu'« aucun écolier de France ne saurait se reconnaître en André ou Julien ».

8. L'édition révisée ou «laïcisée» du *Tour de la France* paraît en 1905.

9. Nous avons beaucoup utilisé le livre du maître – dans sa première édition de 1885 – pour son caractère explicite, là même où «glisse» le récit de Mme Fouillée et pour son souci constant de mettre en regard les programmes officiels et les pages correspondantes du *Tour de la France.* De la confection intégrale par Mme Fouillée du livre du maître, on a la preuve, dans le contrat conservé par les archives de la maison Belin: en tout point semblable au contrat établi pour le livre lui-même.

10. Ces itinéraires étaient variables selon les sociétés et bien entendu aussi selon la ville de départ du compagnon, mais suivaient toujours le sens de la rotation des aiguilles d'une montre, de l'est à l'ouest, en passant par le sud. L'itinéraire d'André et de Julien est proche du parcours compagnonnique idéal, mais néglige toutefois la vallée de la Loire (*cf.* J.-P. Bayard, *Le Compagnonnage en France*, Paris, 1977).

11. C'est alors un lieu commun de dire que Sedan est la victoire du maître d'école allemand, qui avait su enseigner la géographie à ses élèves; que les généraux français eux-mêmes ne savaient pas «si le Rhin coule du sud au nord ou du nord au sud» (*cf. La République française*, 27 novembre 1871).

12. Critique reprise par J.-M. Guyau, dans *Éducation et hérédité*, Paris, Alcan, 1889. Sur les moyens d'intéresser les enfants à la géographie, Guyau, comme sa mère, pense qu'il faut toujours partir de l'affectif: «J'ai vu un petit garçon de trois ans s'intéresser à l'Amérique depuis qu'on lui avait conté que la nuit le soleil allait y briller, de sorte que les petits enfants de ce pays extraordinaire se mettaient à jouer quand lui songeait à dormir…»

13. Ce qu'affirme Dominique Maingueneau, dans une interprétation par ailleurs très stimulante du livre de G. Bruno. Voir Dominique Maingueneau, *Les Livres d'école de la République 1870-1914*, Paris, Le Sycomore, 1979.

14. Alfred Fouillée, *Esquisse psychologique des peuples européens*, Paris, Alcan, 1903: l'idée est qu'en France la collectivité et les individus se ressemblent plus qu'ailleurs.

15. On peut être «fier d'être jurassien» parce que le Jura a légué à la France «la grande idée de s'associer».

16. Émile Guillaumin, *La Vie d'un simple*, Paris, Stock, 1905.

17. Voir, sur ce point, les développements de Dominique Maingueneau, *op. cit.*: «Parcourir les routes de la patrie, c'est le moyen d'apprendre le commerce, pratique exemplaire de la communication généralisée.»

18. Id., *ibid.*

19. Grâce, en particulier, aux comptages minutieux de Maurice Crubellier, dans une communication encore inédite: «L'histoire dans les livres de lecture courante», *Colloque sur les manuels d'histoire et la mémoire collective*, organisé en avril 1981 par l'université de Paris VII. Maurice Crubellier a compté le nombre de notices et même de lignes consacrées aux différentes figures de la grandeur dans *Le Tour de la France*: 22 notices et 687 lignes de texte aux bienfaiteurs de l'humanité, 16 notices et 694 lignes aux héros militaires, 8 notices et 273 lignes aux écrivains et artistes, 4 notices et 133 lignes aux hommes d'État.

20. Daniel Halévy, *La République des ducs*, Paris, Grasset, 1937.

21. Mme Fouillée avait commencé sa carrière d'auteur scolaire à succès par un livre qui fut lui aussi un best-seller: *Francinet, Principes généraux de la morale, de l'industrie, du commerce et de l'agriculture*, paru en 1869, devait, dans les rééditions ultérieures, porter le titre plus simple de *Livre de lecture courante.*

22. Le mot est d'Aimé Dupuy, résumant Daniel Halévy.

23. Voir par exemple Claude Digeon, *La Crise allemande de la pensée française (1870-1914)*, Paris, P.U.F., 1959. Claude Digeon écrit que, dans *Le Tour de la France*, «l'idéal de la Revanche s'efface et disparaît presque totalement. La guerre est toujours honnie, l'Alsace et la Lorraine paraissent

oubliées». Roger Thabault est plus nuancé. Il rend hommage à la pénétration de Daniel Halévy, mais remarque: «Nous ne voyions qu'une chose: deux orphelins chassés de leur pays conquis par l'Allemagne et qui découvrent la France, qui font de leur mieux tous les jours pour devenir meilleurs et se rendre plus dignes d'être Français», R. Thabault, *Mon village*, Paris, Delagrave, 1944.

24. Gérard Varet et Groussau, qui ne font pas du reste le procès d'un auteur particulier. «Je crois qu'il est mort», dit Gérard Varet (débat du 14 janvier 1910).

25. L'enseignement religieux est devenu matière facultative dès octobre 1882. Mais la morale continue à comporter de très vagues devoirs négatifs envers Dieu. Le problème d'une édition totalement laïque du *Tour de la France* ne se pose qu'après la séparation de l'Église et de l'État.

26. Mais elle reconnaît ce faisant l'impact de l'ouvrage: «Dans un livre, dit Groussau, qui à l'heure actuelle en est à la trois cent trente et unième édition, *Le Tour de la France par deux enfants*, on a supprimé Mon Dieu par hélas, oh, ou rien du tout...»

27. Sur l'attribution coutumière du *Tour de la France* à Alfred Fouillée, le témoignage de Jaurès, dans ce débat de janvier 1910, est précieux: «*Le Tour de la France*, signé Bruno, est de M. Alfred Fouillée», affirme Jaurès.

28. A. Fouillée, *Revue bleue*, 17-24 décembre 1898: «Sur quels fondements doit reposer l'enseignement moral et social dans les écoles de la démocratie parlementaire.»

29. Malgré l'édition révisée, l'édition originale, désormais appelée «primitive», restera en vente en 1967. L'édition révisée ne sera en vente que pendant dix ans jusqu'à l'édition du centenaire, fidèle, comme nous savons, à la version primitive.

30. Dans *La France au point de vue moral*, Paris, Alcan, 1900, A. Fouillée affirme lapidairement que le dimanche n'appartient pas à la religion.

31. A. Fouillée les justifie dans sa lettre au *Temps* du 11 janvier 1910 par la paix que souhaite légitimement l'instituteur et souligne: «Donc, abstention. Abstention n'est pas négation.»

32. Sur ce point, nous nous écartons d'Aimé Dupuy, *op. cit.*, qui trouve le mot «bien sec». En réalité, Julien n'a pas besoin d'en dire davantage et rien n'est plus efficace que la mention de cette redite du destin.

33. *Les Enfants de Marcel*, troisième best-seller de Mme Fouillée, paraît en 1887. Il s'agit d'une «instruction morale et civique en action», livre de lecture courante pour le cours moyen.

34. Le mot est de Fouillée.

35. Sur ce point, voir Eugen Weber, *La Fin des terroirs*, Paris, Fayard, 1983.

36. Car malgré le thème hexagonal du *Tour de la France*, il n'a pas seulement suscité des imitations françaises (comme *Le Tour de France d'un petit Parisien*, de C. Améro, paru après 1889, dont le héros est aussi un Lorrain orphelin et le parcours semé de références compagnonniques) mais des imitations étrangères. Il a soufflé à Selma Lagerlöf, par exemple, le thème du voyage de Nils Holgersson.

37. Fournière objecte à Fouillée que contrairement aux timorés auteurs de manuels scolaires, «les foules incroyantes ont franchi l'étape du déisme».

38. Dans *La France au point de vue moral, op. cit.*

39. Mais d'autres que Jaurès, moins bien informés encore (Gérard Varet et Reinach), affirment que l'auteur est mort.

40. Ces éléments biographiques sont empruntés à un article de M. Robert Vellerut, dans un numéro de *Nice historique* de janvier-mars 1968. M. Vellerut a eu accès à la correspondance inédite de la famille Foncin avec la famille Fouillée. Mme Foncin, femme du géographe, était l'amie de Mme Fouillée.

41. Puisque à son amie, Mme Foncin, G. Bruno peut annoncer en 1885 son mariage en écrivant que le monde la croyait veuve et libre, à tort: «Depuis plus de vingt-huit ans, j'étais aimée, adorée par le plus noble cœur que je connaisse.»

42. La scène est racontée dans le livre où Alfred Fouillée retrace l'évolution de la vie de Guyau en y mêlant des éléments biographiques (A. Fouillée, *La Morale, l'art et la religion*, 4e édition augmentée d'un appendice). Il s'agit d'une pietà: «La mère en pleurs, aussi pâle que son fils, on songeait malgré soi à quelque image du Christ descendu de la croix.»

43. A. Fouillée, *Tempérament et caractère selon les individus, les sexes et les races*, Paris, Alcan, 1895.

44. «De leur jeunesse à deux un rayon tombe et dore / Comme une aube sans fin leurs fronts transfigurés»: Jean-Marie Guyau, *Vers d'un philosophe*, Paris, G. Baillière, 1881.

45. Fr. García Calderón, *Profesores de Idealismo*.

46. A. Fouillée, *La Morale, l'art et la religion, op. cit.*

47. En 1888, le petit Augustin a quatre ans.

48. En fait il y eut plusieurs maisons, à Nice et à Menton, avant la construction de «la» maison évoquée par Augustin Guyau dans ses souvenirs, et achevée en 1887.

49. Comme le montre une lettre à son éditeur.

50. Dans sa courte vie – il meurt à trente-trois ans – Guyau a eu le temps de s'intéresser à la morale antique, à la morale anglaise, à l'esthétique contemporaine, de faire des vers, d'écrire pour les écoliers. Surtout, d'écrire les deux livres qui font sa réputation, l'*Esquisse d'une morale sans obligation ni sanction*, Paris, Alcan, en 1885, et, en 1888, chez le même éditeur, *L'Irréligion de l'avenir*.

51. Pierre Ulric, *Aux domaines incertains*, Paris, L. Theuveny, 1906, et *Parmi les jeunes*, Paris, Grasset, 1911, avec une préface d'Alfred Fouillée.

52. Alfred Fouillée, *La Science sociale contemporaine*, Paris, Hachette, 1880. C'est dans la préface à l'édition de 1910 qu'Alfred Fouillée signe cette dette de reconnaissance.

53. Jean Macé, *Histoire d'une bouchée de pain*, Paris, E. Dentu, 1861. Un des thèmes favoris de cet autre best-seller de l'école laïque, du reste extrêmement bien fait, est: «Que de mains en mouvement pour que vous puissiez prendre votre café du matin!»

54. Par exemple, A. Fouillée, *La Conception morale et civique de l'enseignement*, Paris, Éditions de la *Revue bleue*, 1902, ou *L'Enseignement au point de vue national*, Paris, Hachette, 1891.

55. Notamment dans *Éducation et hérédité*, Paris, Alcan, 1889.

56. Augustin Guyau était entré à l'École supérieure d'électricité de Paris en 1907; il en sortit ingénieur et prépara une thèse sous la direction de Paul Janet. Janet ajoutera une notice à l'édition de ses œuvres posthumes.

57. Augustin Guyau, *Œuvres posthumes: Voyages, Feuilles volantes, Journal de guerre*. Fidèle à la tradition familiale, Augustin Guyau avait lui aussi écrit un livre sur l'œuvre de son grand-père; *La Philosophie et sociologie d'Alfred Fouillée*, Paris, Alcan, 1913, où il inclut des détails biographiques qu'il doit à sa grand-mère.

58. Dans *L'Art, la morale et la religion, op. cit.*

59. A. Fouillée, préface à *Parmi les jeunes*. Il met du reste le propos au compte de Pierre Ulric, c'est-à-dire de sa belle-fille.

60. Dossier Fouillée, conservé aux archives Belin.

61. «Qui sait, dit une de ses ployantes héroïnes, si au sortir d'un cycle compliqué, nos raisonneurs, nos savants ne seront pas quelque jour ramenés vers les convictions que leurs compagnes ne purent jamais étouffer?»

62. A. Fouillée, *Tempérament et caractère selon les individus, les sexes et les races, op. cit.*

63. A. Fouillée, «La Réforme de l'enseignement philosophique et moral en France», *Revue des Deux Mondes*, 1880, XXXIX.

64. L'histoire de cette soutenance – en 1872 – est racontée par François Maury, *Figures et aspects de Paris*, Paris, 1910.

65. L'Institut, où, en 1893, il est le candidat de Ravaisson, Janet, Barthélemy Saint-Hilaire, lui restera fermé pour «tendances socialistes». C'est le bruit que fait courir son rival de toujours, venant du traditionalisme religieux, Ollé-Laprune.

66. Sur tous ces points voir le très pertinent article d'Yveline Fumat, «La socialisation politique à l'école du *Tour de la France de deux enfants* aux manuels de 1977», *Revue française de pédagogie*, n° 44, juillet-septembre 1978.

67. Jean-Marie Guyau, *La Première Année de lecture courante*, Paris, A. Colin, 1875.

68. Sur les rapports de l'idée républicaine et du quasi-contrat, voir le livre de Claude Nicolet, *L'Idée républicaine en France*, Paris, Gallimard, 1982.

69. Il le reconnaît dans la seconde préface de l'édition de 1910 de *La Science sociale contemporaine*: «Nous en devons la première idée à Mme Fouillée, qui en écrivant le premier de ses chefs-d'œuvre scolaires avait approfondi les questions économiques et sociales.» Il s'agit de *Francinet*.

70. Voir A. Fouillée, *La Propriété sociale et la démocratie*, Paris, Hachette, 1884.

71. Voir le livre du maître: «Pourquoi appelle-t-on encore la charité fraternité? Parce qu'elle nous fait considérer tous les hommes comme des frères.»

72. A. de Margerie, «La Philosophie d'A. Fouillée», extrait des *Annales de philosophie chrétienne*, Paris, A. Roger et F. Chernoviz, 1897.

73. A. Fouillée, *La Science sociale contemporaine*, seconde préface, édition de 1910, *op. cit.*

74. Significativement, après la guerre, Mme Fouillée léguera à l'école primaire de Menton cette autre relique: le pupitre d'écolier de Jean-Marie Guyau.

PASCALE MARIE

La bibliothèque des Amis de l'instruction du IIIe arrondissement

Un temple, quartier du Temple

Les geôles de Mazas, la réaction impériale et le peuple du Marais, les cours du soir de l'Association philotechnique sous le signe de l'Instruction et de la Raison, Jean-Jacques Rousseau et Eugène Brieux[1]: par le choix de ces références symboliques, l'allocution prononcée le 8 octobre 1911 à l'occasion du cinquantenaire de la bibliothèque des Amis de l'instruction du IIIe arrondissement révèle la signification profonde de cette fête. Raviver la mémoire à la flamme des mythes fondateurs, tel est le but d'une célébration qui se veut avant tout revendication d'un double enracinement, populaire et républicain.

Au vrai, elle est restée bien longtemps ignorée, l'existence de ce lieu de mémoire populaire au cœur du vieux Paris, dans un quartier du Temple baigné d'histoire, où plane l'ombre d'un Tolain, internationaliste de la première heure, d'un Baudin, martyr du 2-Décembre. Certes, les guides historiques du Marais ne négligent pas l'hôtel Montrésor et sa façade ornée d'écussons et de consoles de pierre sculptée; la transformation de la demeure du favori de Gaston d'Orléans, héros de la Fronde[2], en école de garçons est scrupuleusement mentionnée, mais la bibliothèque des Amis de l'instruction qui partage avec l'institution scolaire les locaux du 54, rue de Turenne reste dans l'ombre, et la poussière.

Cette poussière, il aura fallu le cri d'alarme lancé par quelques habitants du quartier épris de vieux livres, relayés par une équipe d'historiens professionnels, pour la secouer, et nous permettre de découvrir, tant rue de Turenne que dans divers dépôts d'archives, un fonds inestimable de documents qui retracent la vie de la bibliothèque durant près d'un siècle, et la lente sédimentation d'un imaginaire collectif[3].

Au vu de sa façade rongée par la lèpre, de ses balcons où s'ouvrent de larges blessures, de ses fenêtres dont la peinture s'écaille, rien ne permet de soupçonner que le vieil hôtel du XVIIe siècle soit le dépositaire d'un patrimoine culturel de cette richesse. Rien, hormis peut-être une inscription presque illisible : « Bibliothèque des Amis de l'Instruction, fondée en 1861 ». Pourtant, en pénétrant dans les minuscules locaux de la bibliothèque, on est saisi d'une émotion esthétique et spirituelle qui est celle des voyages hors du temps. Aucune décoration superflue, si ce n'est la muraille des volumes qui courent le long des murs, dont les rayons chargés de reliures à l'épiderme desséché montent jusqu'au plafond. Ouvrage étiquetés, classés, répertoriés, semblables à certains personnages des contes arabes, vivants pour les initiés, et morts pour les profanes. Car par-delà le substratum littéraire, c'est tout un climat intellectuel, un arrière-plan historique et culturel qu'il est brusquement donné de saisir, de manière quasi instinctive.

Une lumière chichement distillée par l'étroite vitrine qui ouvre sur l'extérieur ; l'agitation du monde tamisée, feutrée par l'épaisseur des volumes et de la poussière ; la disposition inchangée des lieux – l'antre du bibliothécaire, meublé d'un pupitre professoral, la table de consultation sur place recouverte d'une feutrine mitée, le vieux fichier à l'encre jaunie : l'univers des Amis de l'instruction est parcouru par le souffle du XIXe siècle. Même atmosphère d'une qualité exceptionnelle – et pour tout dire balzacienne – à l'étage supérieur, auquel on accède par un escalier tortueux. Mais les deux petites pièces où débouche le visiteur contiennent un trésor plus précieux encore, comme l'attestent les reliures craquelées dont l'or s'écaille. Certains volumes, issus du premier fonds de la bibliothèque en 1862, sont antérieurs à 1840.

« La lecture, délassement parfois frivole de l'esprit, s'élevant peu à peu à un noble désir d'instruction, à une conquête progressive de la science » : mesurer à l'aune de ce vœu ambitieux, exprimé par l'« historique officiel » de la bibliothèque rédigé en 1909, le succès des Amis de l'instruction est tâche ardue. À lire en se penchant sur le dos empoussiéré des volumes cent titres inutiles et dérisoires, l'on prend cependant conscience de l'ampleur de la crise d'identité que traversèrent les bibliothèques populaires – celle de la rue de Turenne, pionnière, est aussi la dernière survivante – aux alentours de 1930. Mais avant que les mutations sociales et culturelles ne viennent menacer, par-delà sa spécificité, l'existence même de ce « site » urbain de la mémoire populaire, avant qu'elles ne transforment un lieu vivant en nécropole, soixante-dix ans d'activité de la bibliothèque auront vu s'opérer une lente sédimentation d'un acquis collectif, tant matériel que spirituel.

Analyser cette sédimentation, c'est avant tout explorer la dimension historique, voire mythique de la mémoire des Amis de l'instruction, qui se cristallise dans le souvenir d'une fondation doublement valorisée, car issue d'un double combat : l'un mené contre l'obscurantisme, l'autre contre l'autoritarisme gouvernemental. C'est ensuite dérouler le fil des cérémonies qui en avivent le souvenir, reconnaissances rituelles d'un héritage bicéphale, tout à la fois populaire et républicain. C'est enfin définir l'inspiration doctrinale des fondateurs à travers le fonds des livres, point d'appui pour une pédagogie de la République.

Le discours fondateur

« C'est à Mazas, dans la prison où le gouvernement impérial lui faisait expier l'ardente et trop zélée conviction de ses opinions humanitaires que Jean-Baptiste Girard conçut l'idée de la première bibliothèque populaire[4] » ; « Les pieds dans la boue du Temple, ils convinrent de s'associer[5] » ; « Dès 1860, les ouvriers et les employés suivant les cours de l'association philotechnique étaient embarrassés pour se procurer les livres nécessaires à leurs études »[6] : expression toujours renouvelée d'une volonté de ressourcement, le récit des origines qui accompagne chaque événement de la vie des Amis de l'instruction ne doit pas être perçu comme le compte rendu complet et fidèle d'une réalité, mais comme un choix culturellement signifiant. Ce que les choix faits par la mémoire collective désignent, c'est une véritable mythologisation des origines, où se confondent description réaliste et amplification épique.
Cette sacralisation de la fondation, seuls un traumatisme, un arrachement, une naissance en quelque sorte « chirurgicale » pouvaient en faire le lit : la charge émotive, le pouvoir intégrateur dont est investie, aux yeux des Amis de l'instruction, la période héroïque des années 1861-1870 révèlent une mémoire construite sur le souvenir d'un combat.
L'ampleur et les enjeux de ce combat, l'origine socio culturelle des fondateurs les définissent assez. Figure exemplaire, incarnation vivante d'un légendaire, Jean-Baptiste Girard, l'instigateur direct du projet, est en 1861 ouvrier typographe[7]. Ses disciples ? Le champ de la reconnaissance s'étend à dix « démocrates éclairés », parmi lesquels figurent un tourneur en cuivre, un garnisseur de nécessaires, un monteur en bronze, un sellier, un graveur... tous artisans, ouvriers et, pour une faible proportion, petits employés. « De simples ouvriers formés en société » : quand les Amis de l'instruction choisissent, par cette formule définitive, de fixer leur personnalité sous les traits du Peuple, monolithique et non situé, ils masquent une partie de la réalité. Hautement conscients de leur spécificité politique et culturelle ils n'auront de cesse – paradoxe facile à comprendre – de se réclamer de la communauté ouvrière une et indivisible. Or, nous le savons, c'est bien plutôt d'une élite qu'il s'agit, de cette « aristocratie respectable, empressée au travail, économe et de mœurs excellentes » chère à Maxime Du Camp, et que ce dernier estime être « à la société ce que les sous-officiers sont à l'armée[8] ».
Hors du commun, ces hommes le sont avant tout par l'atmosphère qu'ils res-

pirent au milieu des plus vieilles pierres de Paris, dans ces ruelles périodiquement atteintes par le virus insurrectionnel, bien que le quartier du Temple soit plus calme sous le règne de Napoléon III que sous celui de Louis-Philippe. Paysage ancien des petits ateliers, de l'«article de Paris», ces îlots qu'habitent nombre de notables ouvriers, nombre de ceux qui jouent un rôle dans le mouvement politique du second Empire, constituent, selon Georges Duveau, un «cadre nuancé» dont «l'atmosphère intellectuelle relativement libératrice» produit des hommes «informés, relativement modérés[9]». Point de convergence de traditions idéologiques mitigées, le petit atelier représente, malgré les éventrements haussmanniens, l'épine dorsale du quartier. Dans les statistiques établies par la Chambre de commerce de Paris en 1860, le IIIe arrondissement vient en tête pour l'industrie des bronzes et de la petite orfèvrerie, le travail d'art – horlogerie, sellerie, ornementation ou brosserie –, et, en seconde position, après le quartier des Écoles, pour l'imprimerie, la gravure, la papeterie: toutes professions considérées par Georges Duveau, à l'issue de son étude d'évaluation des niveaux de vie ouvriers, comme privilégiées[10]. Jouissant d'une relative aisance matérielle, ces ouvriers «heureux» constituent, par leur politisation et leur ferme engagement en faveur du progrès des connaissances, une élite intellectuelle. Il suffit, pour s'en convaincre, de jeter un œil sur la composition de la société des Amis de l'instruction du IIIe arrondissement – alors forte de quatre cents membres – en décembre 1861, soit deux mois après l'ouverture effective de la bibliothèque. Les artisans et ouvriers d'art (menuisiers, selliers, orfèvres, bronziers...) figurent pour 32 % dans le registre des inscriptions. Héritiers, au même titre que les bronziers, d'une longue tradition de luttes sociales et politiques, les typographes – groupe socioprofessionnel dont la spécificité culturelle et la cohésion interne sont, par ailleurs, bien établies – représentent à eux seuls 8 % des effectifs. Occupent encore une place de choix les employés et commis – 21 % des sociétaires de la première heure –, tandis que les professions libérales, les ouvriers d'industrie et les étudiants n'adhèrent que dans une faible mesure à l'institution nouvelle. L'hypothèse selon laquelle «l'ouvrier qui emprunte des livres à la bibliothèque est en général un ouvrier d'art, un bronzier, un facteur d'orgue, [mais] pour ainsi dire jamais un ouvrier de la grande industrie[11]» est donc largement vérifiée.

À cette mémoire corporatiste – et, pourrait-on dire, la nourrissant – s'ajoute la militance des Amis de l'instruction en faveur de l'éducation populaire et de l'enseignement mutuel. Ce qui les définit socialement et les situe historiquement, c'est avant tout leur assiduité aux cours d'adultes, et l'accueil qu'ils réservent à l'autodidactisme.

Que l'esprit des cours du soir – qui s'inscrivent aux yeux des ouvriers de cette fin du second Empire dans le cadre de la franc-maçonnerie et de la tradition

révolutionnaire, et dont l'imagerie se mêle à celle des Trois Glorieuses - ait marqué de façon indélébile la bibliothèque de la rue de Turenne, la place que tient l'école du soir dans l'imaginaire collectif en témoigne amplement.
Auguste Perdonnet, premier président de la bibliothèque des Amis de l'instruction du IIIe arrondissement, est aussi cofondateur avec Jules Lechevallier de cette Association polytechnique qui, inspirée par la fraternisation des élèves de l'école du même nom avec les ouvriers sur les barricades de Juillet, inaugure dès 1831 des cours destinés à la classe ouvrière[12]. Administrateur-directeur du Chemin de fer de l'Est, il fait partie de ces «jeunes saint-simoniens qui lancent par le rail l'humanité vers le progrès et le bonheur[13]». Par le rail, mais aussi par la voie de l'instruction. L'Association polytechnique qui ouvre ses portes faubourg Saint-Antoine et dispense aux ouvriers un double enseignement, professionnel et général[14], suscite l'admiration des rédacteurs de *L'Atelier* et l'enthousiasme de moult délégations ouvrières à l'exposition de 1867[15].
Plus encore, l'empreinte que porte la société des Amis de l'instruction est celle de l'Association philotechnique, fondée en 1848 par quelques ouvriers transfuges du faubourg Saint-Antoine. Rancœur contre les privilèges accordés aux anciens polytechniciens dans l'administration de l'œuvre, mais surtout critique d'une instruction jugée trop scientifique et d'un niveau trop élevé sont les motifs d'une scission qui ne doit pas masquer une inspiration et un moule communs (l'analogie sémantique, par-delà le goût de l'époque pour cette terminologie antiquisante, le prouve). Née de l'Association polytechnique, l'institution nouvelle s'en distingue par «le choix délibéré de l'enseignement professionnel au détriment de l'enseignement général, un esprit essentiellement libéral et progressiste, la volonté de se maintenir à l'écart des luttes politiques et religieuses, un idéal d'apaisement, de conciliation d'élévation intellectuelle et morale[16]».
Nul doute que cette philosophie réformiste ait influencé durablement les hôtes de l'hôtel Montrésor, car l'association philotechnique est au cœur même du projet. C'est elle qui accouche des premiers fondateurs - tous sont lauréats des cours du soir dispensés à l'école Turgot -, elle encore qui fournit l'état-major de la bibliothèque - ses professeurs constitueront l'essentiel des conseils d'administration -, elle enfin qui procure les appuis politiques indispensables et détermine le choix des premiers ouvrages, essentiellement techniques et professionnels.
Ce n'est pas là tout le champ d'inspiration des Amis de l'instruction: les sociétés de secours mutuel, elles aussi, semblent avoir constitué un vivier de futurs responsables de la bibliothèque. Nous évoquions plus haut la coexistence, dans le spectre des sensibilités, de la franc-maçonnerie et de la tradition révolutionnaire. De fait, nous savons que le poids de la première ne s'est pas limité à une vague parenté idéologique: le très influent bibliothécaire de

la rue de Turenne qui prend ses fonctions en 1907 est le secrétaire de l'Union fraternelle du IIIe arrondissement, dont le maître n'est autre que l'ancien président de la bibliothèque[17]. Et le fait que Jean Macé – le fondateur de la Ligue de l'enseignement directement inspirée, semble-t-il, de l'expérience de Jean-Baptiste Girard – ait été un maçon convaincu n'autorise-t-il pas à certaines extrapolations ?
Tradition de fronde, enseignement mutuel, contacts étroits avec des cercles qui prennent fait et cause pour la république et la démocratie : autant d'armes pour un combat contre l'obscurantisme. À ceux qui prennent conscience de l'intérêt qu'il y a à dispenser chichement quelques bribes d'un savoir taillé à la mesure du triple objectif d'encadrement, de moralisation et d'amélioration des rendements économiques, les Amis de l'instruction répondent par la conception d'une « institution novatrice, qui répudie tout patronage théologique, officiel ou bourgeois[18] ». Le dessein d'inventer une bibliothèque véritablement populaire, c'est-à-dire créée *par* et non *pour* le peuple leur inspire une équation révolutionnaire : substitution de la mutualité au patronat et intéressement des lecteurs à l'œuvre président à l'organisation de la première bibliothèque par souscription ayant jamais existé en France. Les adhérents en sont à la fois usagers et gestionnaires : pour une participation pécuniaire modeste, ils peuvent emprunter des livres, mais aussi voter les statuts en assemblée générale, élire le bureau, et proposer des titres d'ouvrages pour acquisition[19].
Mémoire républicaine ? Quand le président de la bibliothèque évoque, en 1911, l'incarcération de Jean-Baptiste Girard pour motifs politiques, il ne fait qu'aviver un souvenir très présent à l'esprit de ses auditeurs. En témoigne l'enthousiasme avec lequel les Amis de l'instruction s'emparent de cet épisode héroïque, que l'examen systématique des registres d'écrou de la prison de Mazas[20] nous permet de préciser. Car si la réalité de l'emprisonnement s'impose – Jean-Baptiste Girard a été condamné par les assises de la Seine le 15 novembre 1850 pour sa participation active à l'organisation de l'Union des travailleurs de la rue Michel-Le-Comte[21] –, l'indifférence du discours fondateur à l'égard de ses conditions réelles annonce une dérive du récit vers la transposition mythique. Par la confusion même des lieux – c'est à Sainte-Pélagie que J.-B. Girard séjourna –, l'événement disparaît au profit du symbole. Par ailleurs, l'étoffe politique des Pères fondateurs ne fait pas de doute. « Républicains éprouvés, quelque peu socialistes » sous la plume du Syndicat des bibliothèques populaires de la Seine[22], ces hommes suscitent l'admiration du président du Conseil municipal de Paris, Songeon, qui en 1882 les présente comme des « citoyens déportés au coup d'État[23] ».
La vivacité de cette sensibilité républicaine, les conflits qui se font jour au sein de la société des Amis de l'instruction dès la fin de l'année 1861 l'attes-

tent clairement. Trois mois ont été nécessaires pour élaborer, réviser, fixer de manière définitive les statuts que l'assemblée générale du 23 juin consacre par un vote. Deux cents sociétaires s'y pressent pour élire le bureau auquel incombent les charges d'organisation, de gestion et d'admission des ouvrages et qui, selon Auguste Perdonnet, ne doit être composé que pour moitié par des représentants de la classe ouvrière[24]. Structure imposée par la défiance que le second Empire entretient à l'encontre des masses populaires; structure vouée à l'éclatement et dont les «vices», dénoncés par le président de l'Association polytechnique, ont tôt fait d'annoncer les premiers soubresauts: à une motivation inégale – l'assiduité des ouvriers contrastant avec l'absentéisme systématique des autres membres – s'ajoute une compétence discutée – les ouvriers, «pleins de bonnes intentions mais étrangers au maniement des affaires, rendent les débats longs et pénibles».

Débats laborieux, mais pas encore houleux. Certes, l'approbation des statuts par le ministre de l'Intérieur requiert des démarches persévérantes et multipliées (seule la caution du colonel Favé – futur général aide de camp de Napoléon III – vient à bout des «difficultés considérables» que l'administration oppose à la reconnaissance des Amis de l'instruction[25]), mais enfin l'institution fonctionne. Quatre cents adhérents franchissent régulièrement le seuil du local de l'école Turgot mis à leur disposition à l'automne, avant que la bibliothèque ne s'installe dans les dépendances de la mairie du Temple, et le catalogue établi en 1862 compte mille deux cents titres.

De l'abîme qui se creuse entre la base des sociétaires, et les «tuteurs», dont la légitimité paraît remise en cause, témoigne la cohorte des recommandations qui accompagnent désormais chaque nouvelle élection. L'unanimité s'est faite sans mal autour de la personne d'Auguste Perdonnet, qui «ayant déjà dans le passé des antécédents de capacité et d'honneur, possesseur d'une position sociale élevée qui ajoute toujours à la considération personnelle, ayant fait preuve d'une instruction incontestable», paraît à même «d'agir avec liberté, et comme d'égal à égal avec les autorités[26]». Mais à mesure que l'on s'éloigne de l'autorisation ministérielle, les incitations à la prudence se font plus pressantes, les appels à la «modération» et à «l'esprit de sagesse» plus précis. Ce qui évolue de façon irrésistible, c'est la conscience politique de ces ouvriers qui se plient désormais de mauvaise grâce aux empiétements de l'administration sur leurs principes d'autogestion nouvellement acquis. Lorsque Arnaud-Jeanti, maire du IIIe arrondissement, décide au cours de l'été 1862 d'imposer «quelques conditions d'ordre public» sous la forme d'un contre-projet de statuts[27], les Amis de l'instruction réunis en assemblée générale en rejettent – aux deux tiers des voix – les dispositions principales. Placer la bibliothèque sous le patronage du maire? Nommer ce dernier président honoraire? C'est là «introduire l'autorité, de manière indirecte, dans l'Association». Ce soupçon s'étend à la procédure d'examen des demandes d'ouvrages par le bureau: on parle de «cabinet noir», de «commission de censure», de «pression antilibérale», on exige de lui qu'il motive ses décisions[28]. Dans cette lutte qui apparaît comme le naufrage des utopies de réconciliation sociale et de collaboration de classes chères aux bourgeois éclairés, la position de ces derniers n'est pas monolithique. Pour un Auguste Perdonnet, la discussion reste «très calme, très convenable», même s'il apparaît selon lui que l'assemblée a été «influencée par des hommes étrangers à la classe ouvrière[29]». Une hypothèse que partage Arnaud-Jeanti, pour lequel le caractère factieux de cette «minorité turbulente», qui «inaugure la résurrection des clubs», ne fait pas de doute. Il est, en revanche, plus instructif d'entendre un Vincent – vice-président de la société des Amis de l'instruction, avocat à la cour, membre de la Société Franklin – engager fermement le maire à «signaler à M. le Préfet de police la nécessité de redresser immédiatement les écarts[30]».

Avec le retrait de la jouissance du local, la suspension de l'accord donné aux statuts et la dissolution de la Société apparaissent les limites de l'«Empire libéral», en même temps que se créent les conditions d'une mythologisation des origines. Victime de l'arbitraire gouvernemental, l'Association «coupable d'avoir des statuts jugés trop indépendants, coupable de vouloir instruire le peuple[31]» s'empare en un instant de toutes les luttes, de toutes les oppressions accumulées depuis des siècles… Image dramatique – et dramatisée: «Le congé fut brutal. Il fallait que dans les douze heures le déménagement fût opéré» –, autour de laquelle se construit la mémoire des Amis de l'instruction. De la période qui s'étend de février 1863 – où l'autorisation de reconstitution est accordée – à 1868, date à laquelle l'administration consent à ce que les assemblées générales reprennent leurs assises annuelles, cette mémoire ne retiendra que le mouvement d'émulation qui aboutit à la création de nombreuses bibliothèques portant le même nom, affirmant les mêmes principes et appliquant les mêmes statuts[32]. Ce «trou noir» de la conscience, l'encadrement étroit auquel est soumise l'association en fournit l'explication. Tutelle du maire, nomination du président de la bibliothèque par le ministre de l'Intérieur, examen du catalogue et droit de censure exercé par ce même ministre: la société qui se plie aux exigences du pouvoir central impose aux Amis de l'instruction une image flétrie d'eux-mêmes.

Paradoxalement, ces années qui semblent prolonger l'asphyxie intellectuelle du peuple et l'infantilisation des «classes dangereuses» constituent l'apogée de la bibliothèque. Car, dans l'arbitraire gouvernemental qui les menace, les Amis de l'instruction puisent à la fois leur raison d'être et la garantie de leur existence. Ce que masque l'atmosphère de libération et la bienveillance administrative qui succèdent à l'Empire, c'est en réalité l'amorce d'une dispersion de l'activité populaire, et, avec l'apparition des bibliothèques municipales, l'émergence d'une sévère concurrence. Huit cents sociétaires et deux mille huit cents ouvrages en 1868, un millier d'adhérents après l'instauration de conférences et d'excursions : le fantastique succès que remporte, sous la direction d'Henri Harant[33], l'œuvre du typographe Girard est de courte durée.

La fixation du légendaire

Avec la chute du second Empire et l'instauration d'un climat plus propice aux célébrations républicaines, le désir se fait jour de fixer la cohérence communautaire par l'exploration rituelle du champ de la mémoire. Messes triomphales, consécration d'un historique ou choix d'une allégorie : autant d'efforts, de la part des Amis de l'instruction, pour construire et reconstruire sans cesse une communauté en la situant avec exactitude dans un cadre historique plus ou moins rigoureux et dans un espace clairement reconnu. Peut-être faut-il attribuer à cette exigence d'une mémoire harmonique le silence qui pèse sur certains événements majeurs de la vie nationale : curieusement, la Commune n'offre aucune prise aux souvenirs. De cette dernière grande manifestation révolutionnaire de la capitale, seule demeure une timide allusion aux élections de 1869 : la circonscription électorale des Amis de l'instruction élit un démocrate-socialiste de 1848 – Bancel – contre Émile Ollivier[34]. Pourtant, comme la plupart des quartiers Est et Nord de Paris, celui du Temple n'a pas échappé à l'embrasement[35]. Mais les Amis de l'instruction se gardent bien de distinguer la dimension révolutionnaire de l'insurrection, pour n'en retenir que l'expression patriotique. Des « revers et capitulations » aux « convulsions d'une guerre civile », ils n'imaginent pas de rupture[36].

Que l'exploitation du thème national suscite une adhésion sans faille, la fête orchestrée le 6 août 1882 par le Syndicat des bibliothèques populaires au profit de ses adhérentes l'illustres clairement. Soucieux de marquer leur soutient sans réserves aux institutions républicaines, les organisateurs ont pris soin de placer cette communion politico-culturelle sous le patronage direct des élus. Le président du conseil municipal Songeon la conduit, tandis que se pressent, sous « un superbe buste en bronze de la République gracieusement prêté par son auteur, M. Paul Lebègue », députés et conseillers municipaux[37]. La salle, située dans le palais du Trocadéro, contient cinq mille personnes.

En ces débuts de la IIIe République où se cristallise la tradition républicaine, cette cérémonie apparaît comme la fusion du légendaire collectif avec la morale républicaine et même, pour reprendre le mot de Jean Touchard, le « puritanisme républicain ». Fusion à double sens, puisque le récit des origines, clé de voûte de la mémoire des Amis de l'instruction, est l'œuvre de

Songeon. À quoi s'ouvre le champ de la célébration ? Il y a là tout l'univers mental des républicains modérés. C'est avec la référence à Lakanal et la présence de Paul Bert, la confiance dans l'éducation accoucheuse d'une nouvelle espèce d'homme : le citoyen libre et responsable. C'est, toujours avec Paul Bert, la lutte contre l'obscurantisme clérical (« le cléricalisme, c'est comme le phylloxéra »), le culte du progrès et le triomphe de l'idée de justice. C'est, enfin, dans la bouche du fougueux député champion de l'instruction publique, l'absolue priorité de la Patrie. Figure centrale de cette leçon de nationalisme républicain, un homme dont la fidélité à la République n'est pas encore sujette à caution, Déroulède, poète que « la muse a baisé au front sur le champ de bataille ». Dans la sensibilité républicaine de l'époque opportuniste, il y a place pour l'émotion patriotique. Qu'à l'issue d'un discours qui appelle à la création de fêtes de la jeunesse aptes à développer la « surexcitation morale », entre en scène une allégorie vivante, rien d'étonnant. Les républicains sont adeptes du genre, et l'ex-actrice de la Comédie-Française qui apparaît, vêtue à l'antique, un drapeau tricolore à la main et chantant *La Marseillaise* « d'une voix forte et vibrante » s'est déjà illustrée sous la Commune par sa participation à diverses manifestations[38].

Au nombre des excursions organisées par les Amis de l'instruction, figure à cette date une « promenade dans les lignes occupées par l'ennemi[39] ».

À n'en point douter, les conférences et excursions programmées par les diverses bibliothèques populaires à partir de 1868 constituent, au même titre que les célébrations officielles, la revendication d'un héritage. C'est, par le choix de sujets scientifiques – leçons sur le carbone, l'astronomie par Flammarion –, la confirmation de l'héritage positiviste. C'est aussi, avec l'organisation de visites à la cristallerie de Grenelle ou à l'usine de distillation de la houille de La Villette, la revendication d'une culture ouvrière. Il est à cet égard fort intéressant de remarquer que l'extension du mouvement des Amis de l'instruction à d'autres arrondissements parisiens conduit l'imaginaire collectif à s'emparer d'une tradition jusque-là étrangère : celle de la grande industrie, de la « ceinture rouge » où, pour reprendre l'expression de Duveau, « le blanquiste l'emporte sur le proudhonien ».

Cette idéologie plus âpre, plus radicale, l'allégorie que choisissent en 1909 les Amis de l'instruction du IIIe pour illustrer leur catalogue et symboliser leur association l'ignore ostensiblement. Commandée pour l'occasion à un sociétaire, l'esquisse n'a rien de « la forte femme aux puissantes mamelles, aux durs appas, qui du brun sur la peau, du feu dans les prunelles... », chère à Auguste Barbier[40]. Rien non plus de la véhémence d'une Mlle Agar, récitant avec emphase les « vers sublimes de Rouget de Lisle ». À l'emblématique révolutionnaire, les Amis de l'instruction n'ont fait aucun emprunt : ni bonnet phrygien, ni posture animée, ni nudité partielle, ni glaive. Assise en majesté, drapée à l'antique du cou jusqu'aux pieds, cette sage image féminine frappe par sa dépolitisation. La Science ? La Raison ? L'Instruction ? Ce qui importe, c'est l'universalité de cette allégorie morale et civique dont n'importe quelle famille politique pourrait se réclamer. Si le sujet nous étonne par son côté libéral-bourgeois, c'est que la plus grande prudence – voire un certain conservatisme – a présidé au choix de ce que Maurice Agulhon nomme l'« attirail allégorique » : la coiffure en rayons, lien classique entre l'idée de progrès et les lumières de la raison ; le trône, attribut de la puissance ; les lauriers, sanctification du mérite et de l'effort, sans oublier le livre et le sceptre de la raison. Il y a là comme un parfum de sereine gravité, de puissance instituée et de maturité apaisante, comme si les Amis de l'instruction envisageaient leur œuvre sous le signe de la victoire. Thème végétal et thème de la lumière : la symbolique invitée au triomphe de l'Instruction suggère mal une version radicale de l'iconographie républicaine.

Pourtant, dans l'homme qui en 1909 préside aux destinées de la bibliothèque, ce n'est pas un conservateur que nous voyons. Serge Jacob – ancien bibliothécaire au musée Carnavalet – milite pour la Ligue des droits de l'homme, dont il dirige la section du IIIe arrondissement[41].

Et dans son effort pour rendre à la bibliothèque sa dimension conviviale comme dans son entreprise de fixation de la mémoire collective, il bénéficie du concours actif d'un franc-maçon convaincu, René Lorthioy. Faut-il y voir une preuve supplémentaire que le milieu républicain, politiquement libéral, cache sous un humanitarisme sentimental un solide conservatisme social ?

Paradoxalement, ce que propose l'aperçu historique placé en exergue du catalogue de 1909, c'est une version très politique des événements fondateurs. Version authentique – l'humilité des débuts, la condition modeste des fondateurs ; version mythifiée – « la première bibliothèque privée qui ait existé en France » ; en tout cas version officielle, puisqu'il s'agit là de la première proposition d'une mémoire exemplaire. Politisé, ce discours l'est avant tout par le fait qu'il s'oppose à tout triomphalisme : à la leçon de sérénité offerte par l'allégorie, il substitue en effet la leçon volontariste de l'appel à la lutte permanente : « La population fit confiance au régime démocratique sur lequel on comptait pour accorder au peuple des libertés et des réformes... dont beaucoup achèvent aujourd'hui d'user nos espérances. » Cette hésitation à crier trop tôt la victoire, les Amis de l'instruction en font encore preuve dans l'appréciation de leurs résultats. Nourri de l'idée d'une continuité dans le temps – poursuivre et étendre l'œuvre des fondateurs –, l'imaginaire collectif reste hanté par son contraire, l'idée de décadence.

Conçue comme une brillante manifestation de vitalité, la fête organisée le 8 octobre 1911 à l'occasion du cinquantenaire de la bibliothèque s'inscrit dans le même processus d'entretien de la mémoire. Sont longuement évoqués, dans le plus pur style romantique, l'héroïsme des fondateurs, l'absolue originalité de leur démarche, l'émulation provoquée par leur action. Quoi de plus émouvant que l'image de Jean-Baptiste Girard, élaborant dans l'obscurité d'un cachot le plan de sa bibliothèque[42] ?

Dans la bouche de Serge Jacob, l'hommage aux «lointains et bienveillants efforts» des artisans du Marais apparaît avant tout comme un florilège de vertus populaires : la raison et la solidarité, la probité et l'ardeur au travail, la fidélité au foyer et le respect des traditions.

Avec cet humanisme paternaliste et confiant dans le «relèvement social par l'équité et la raison», le choix d'Eugène Brieux comme président d'honneur est en parfaite convergence. Une enfance modeste partagée entre la rue Bourg-Labbé et le carré Saint-Martin, une opposition au régime impérial au moins symbolique[43], et une production littéraire populaire et moralisatrice : l'auteur dramatique découvert par André Antoine et son Théâtre-Libre[44] s'intègre naturellement dans l'univers mental des Amis de l'instruction. Que la pédagogie laborieuse de son discours[45] soit accueillie comme une «charmante péroraison», rien d'inattendu. Les ouvriers qui militent aux côtés des bourgeois libéraux pour l'émancipation intellectuelle des classes laborieuses baignent depuis soixante ans dans cette atmosphère quasi victorienne.

Lorsque la fête du cinquantenaire célèbre avec éclat «une vitalité bien conquise», la société de la rue de Turenne est en tête des bibliothèques populaires avec quatre cent vingt membres et près de dix mille livres. Cette brillante activité, peut-être la doit-elle au dynamisme d'un Serge Jacob et d'un René Lorthioy, derniers représentants de la race des administrateurs d'envergure. Avant eux, l'instabilité des présidents (Maugery, puis Bartholy jusqu'en 1902, Maxant jusqu'en 1903, puis Brancq jusqu'en 1907) s'accompagne d'un fléchissement de la bibliothèque. Après eux – Lorthioy s'éloigne progressivement à partir de 1925 –, la décadence amorcée au lendemain de la guerre s'accélère brutalement. Mais ce que cache l'évolution du rythme des acquisitions annuelles (cinq cents en moyenne sous le règne de Serge Jacob et trois cent quatre-vingts vers 1920) c'est l'inexorable déclin de l'inspiration fondatrice, conséquence et cause d'un processus d'acculturation.

L'évolution du fonds

«Pas de ces livres spécialement adressés à la classe populaire, mais rien non plus de ce qui peut exciter les passions. Pas de polémique religieuse ou politique, pas d'histoire travestie...» : ce dont témoigne cette liste d'exclusions placée en tête des statuts, c'est la vocation même de la bibliothèque à être le support d'une pédagogie. Soucieux d'imprimer à leur projet la valeur d'un contrat, les fondateurs ont pris soin de circonscrire avec précision le domaine des ouvrages «que recommandent leur mérite et leur utilité». Un tel volontarisme – avec ce qu'il suppose de confiance dans la capacité du livre à changer les mentalités – laisse d'autant moins de place au hasard que la leçon s'adresse, en partie, «aux enfants et aux femmes». Les livres iront, «véritables missionnaires, développer au foyer de la famille les idées saines et les bons sentiments». Avant toute chose, c'est aux ouvrages professionnels et à la «science pratique» que les Amis de l'instruction confient la réalisation de ce programme. Mais sans exclusive, car «la science ne suffit pas à former l'homme» et «les romans, les romans mêmes», à condition qu'ils ne soient ni frivoles ni immoraux, ont droit de cité à la bibliothèque[46].

S'il est une idée que les Amis de l'instruction partagent avec l'ensemble du milieu républicain, c'est bien la conviction que l'amélioration progressive de la société repose sur les progrès matériels. Avec ses quatorze divisions calquées sur les cours de l'Association philotechnique, le premier catalogue de la bibliothèque établi en 1862 répond à ce souci d'enrichir sans cesse les connaissances techniques et professionnelles du monde ouvrier, afin de hâter les transformations que laisse augurer la révolution industrielle. Géométrie, mécanique ou dessin linéaire, autant d'instruments à la portée de la classe laborieuse, pour «lui permettre peut-être de se libérer des chaînes dont le poids lui semble trop lourd[47]». L'exacte correspondance entre les séries du catalogue et les cours professés à l'École polytechnique le prouve: la bibliothèque est conçue, dans les années qui suivent sa fondation, comme un outil de travail complémentaire de l'instruction professionnelle que reçoivent la plupart des sociétaires.

Culture technicienne, culture industrialiste, qui se révèle être, aux yeux de ces ouvriers, un instrument de promotion professionnelle et sociale. Ce qui motive leur démarche libératrice, c'est avant tout l'intérêt bien compris. L'existence d'un fonds d'ouvrages consacrés à la législation, à l'économie politique, à l'hygiène n'obéit pas à une autre logique. L'extension des sciences exactes à l'organique, au biologique, au social, s'accompagne en cette fin du second Empire du développement d'une morale civique où l'adhésion aux préceptes sanitaires d'un Raspail ou d'un Velpeau prend figure de combat pour l'avènement d'un régime démocratique.

Plongés dans «le siècle de la revendication des droits», selon l'expression de Dolléans, les Amis de l'instruction s'emparent du thème de la révolution scientifique et intellectuelle fondée sur le progrès des sciences exactes. À l'heure où les premières expériences des grands rationalistes – Carnot, Claude Bernard, Berthelot – font trembler sur sa base le dogme d'une harmonie universelle préétablie, les sociétaires de la bibliothèque se passionnent pour la physique, l'électricité, la chimie organique de l'Allemand Liebig, la physiologie humaine

ou bien encore l'astronomie d'Arago ou de Flammarion. Par cette adhésion immédiate aux principes rigoureux du déterminisme scientifique, ils témoignent d'une volonté farouche de «coller au siècle». Ce qu'exprime, dans le catalogue de 1875, la cœxistence de *L'Origine des Espèces* et de *La Politique positive*, c'est avant tout le souci de ne rien ignorer du grand choc culturel du siècle. Marqué par l'héritage polytechnicien et saint-simonien, cet univers mental que définit le poids du pratique et du positivisme technicien laisse peu de place au rêve. L'astronomie, peut-être, «science merveilleuse qui élève l'âme en étendant les horizons au-delà des étroites limites de notre globe[48]». Les romans aussi, ou encore les voyages en Orient (42 % des récits de voyage dans le catalogue de 1862, 62 % si l'on inclut l'Extrême-Orient). Ce dont témoigne la distribution des mille deux cents ouvrages que possède la bibliothèque à cette date, c'est une intention délibérée de privilégier l'instruction et l'étude au détriment du délassement: 18 % de livres techniques et professionnels, 61 à 68 % d'ouvrages instructifs, et un fonds récréatif compris entre 14 et 21 %[49].
Les Amis de l'instruction proposent-ils, comme point d'appui à leur pédagogie, un système de références rigoureusement articulé? Un champ d'inspiration ouvert à des tendances contradictoires? Il y a là le philosophe matérialiste Büchner, mais aussi Fénelon et Bossuet. Darwin, mais aussi Cuvier. Auguste Comte, mais encore Victor Cousin. Cependant le voisinage, sur les rayons de la bibliothèque, des théories matérialistes – voire scientistes –, et de certains écrits idéalistes ou spiritualistes ne doit pas nous tromper. Certes, Berthelot reste absent jusqu'en 1920, Taine presque jusqu'en 1909[50]. Définitivement absent également, le Renan de *L'Avenir de la science* et de *La Réforme intellectuelle et morale* (l'ensemble de son œuvre d'histoire religieuse – dont *La Vie de Jésus*, écrite en 1863, un million d'exemplaires avant 1870 – apparaît sous la rubrique Philosophie-Pédagogie dans le catalogue de 1909). Mais cette hésitation à franchir le pas de l'athéisme militant n'altère en aucune façon le ferme engagement des Amis de l'instruction en faveur de la liberté de conscience, du rationalisme scientifique et du républicanisme[51]. De Bichat à Volney, de Spencer à la *Philosophie positive* du Dr Robinet, d'Auguste Comte à Pierre Laffitte ou Littré, l'univers mental qui se dessine sur le fond des choix doctrinaux, philosophiques et politiques reste avant tout marqué par le poids du positivisme.
À cette image inattendue d'une classe ouvrière soucieuse avant tout d'épouser son siècle, la relative ellipse du socialisme utopique donne un relief particulier. En 1862, la bibliothèque ne possède ni Fourier, ni Proudhon, ni encore moins Cabet dont le *Voyage en Icarie* (1840) n'apparaît... qu'en 1909! Curieusement, bien que baignés par le climat moderniste du scientisme appliqué à l'ordre humain des choses, les Amis de l'instruction tardent à s'intéresser au fait social. Renouvier *(Manuel républicain de l'homme et du citoyen)* reste absent

jusqu'en 1909[52]. Quant aux grandes figures de la science sociale – Étienne Vacherot – et du rationalisme sociologique – Durkheim –, elles restent définitivement dans l'ombre. Un destin que partagent les chrétiens réformateurs sociaux, de Villermé à Villeneuve-Bargemont et Buchez. En consonance avec la passion de la fin du siècle pour la physiologie sociale, le catalogue de 1875 s'est doté d'une division Économie politique-Législation relativement fournie. On y trouve Audiganne et Levasseur, *La Réforme sociale* de Le Play... et le journal *L'Atelier* acheté rétrospectivement. Mais la présence d'un Fourier, d'un Louis Blanc ou d'un Proudhon (avec sept titres dont *La Théorie de la propriété*) prend d'autant moins de relief que la série s'élargit à des économistes optimistes (Bastiat) ou libéraux (Blanqui aîné, J.-B. Say).
Bien sûr, la surveillance qui s'exerce sur la bibliothèque jusqu'en 1870 rend difficile toute conclusion définitive. Mais l'impression qui domine reste celle d'un univers culturel essentiellement positiviste et pratique, où l'utopie et la littérature de réforme sociale ont peu de prise.
À quel type de culture historique ce champ intellectuel s'ouvre-t-il? Bien qu'absente de l'enseignement dispensé par l'Association philotechnique, l'histoire représente en 1862, avec 25 % du fonds de la bibliothèque, la première discipline. À cette date – et plus encore en 1875 – les Amis de l'instruction se trouvent mêlés à ce «renversement de courant» mis en lumière par Claude Nicolet, où l'histoire cesse d'être «un catalogue d'erreurs à éviter» pour devenir «l'incarnation des principes posés par l'acte volontaire de 1789[53]», et retrouver, par là même, ses lettres de noblesse. À la conception antique et «exotique» de l'histoire qui se dégage du premier catalogue succède, à partir de 1875, une approche essentiellement politique et contemporaine[54]. Le rapport à l'Histoire c'est, bien sûr, en cette fin du XIXe siècle, le rapport à la rupture spirituelle et politique que constitue la Révolution française. En 1862, les rayons de la bibliothèque lui font un accueil timide: Condorcet et Thiers (*La Révolution française* en huit volumes) mais ni l'*Histoire des Girondins* de Lamartine, ni surtout Michelet. Du saint-simonien Buchez, la bibliothèque ne possède que *La Formation de la nationalité française* (Bibliothèque utile) en double exemplaire. Dans le catalogue de 1875, la leçon d'histoire qui se dégage du fonds des livres consacrés à la Révolution française est confuse: Michelet enfin et Mignet, mais aussi Tocqueville et le marquis de Bouillé, le babouviste Buonarrotti et le robespierriste d'Argenson[55]. Sur la Révolution des grands exilés, Quinet et Louis Blanc, l'ellipse est totale. Ces prestigieux républicains n'entrent dans le catalogue qu'en 1909, aux côtés de Jaurès (*Histoire socialiste*, en deux volumes) et des *Origines de la France contemporaine* de Taine. De cette vision politico-contemporaine de l'histoire, d'autres choix témoignent encore: l'actualité orientale et les nationalités dans le catalogue de 1862[56], les problèmes consti-

tutionnels, le parlementarisme anglais et l'histoire des États-Unis, dans celui de 1875. L'héritage du nationalisme révolutionnaire explique-t-il la vivacité avec laquelle les Amis de l'instruction s'emparent du thème de la lutte nationale ? La chute de l'Empire et les péripéties du conflit franco-prussien, de Garnier-Pagès à Tenot, suscitent un vif intérêt.

Mais aucune trace de la Commune. En assonance avec le silence qui entoure la vie de la bibliothèque durant cette période, la mémoire glisse sur l'expérience politique de 1871... Et quand, dans le catalogue de 1909, les Amis de l'instruction lui font enfin une place, c'est avec un net souci d'éclectisme : à côté de l'historien communard Lissagaray, figure Maxime Du Camp[57].

Conçue et présentée comme un instrument de travail, d'émancipation intellectuelle et de promotion sociale, la bibliothèque des Amis de l'instruction rencontre-t-elle son public ? Dès le premier trimestre d'activité, le rythme d'emprunt est élevé (deux ouvrages par mois et par sociétaire). Il suit une courbe ascendante régulière jusqu'en 1920 : près d'un livre par sociétaire et par mois de 1862 à 1868, deux en 1882, plus de trois en 1912, trois encore en 1917... Mais pour intéressants qu'ils soient, ces chiffres ne suffisent pas à établir le triomphe du projet initial. Le peu d'estime dans lequel les fondateurs tiennent les ouvrages distrayants doit être pondéré par la nature des emprunts. Pour les trois premiers mois, 35,4 % des demandes de prêt concernent la série Littérature (18,8 % l'Histoire, 5,6 % la Géographie, 6,1 % les Mathématiques, 1,3 % les Arts mécaniques). Si les ouvrages professionnels ne sont pas dédaignés (95 % d'entre eux ont été lus), ils sont loin de représenter l'essentiel des appétits de lecture. Et l'hiatus qui se dessine entre l'idéologie utilitariste des instigateurs et les pratiques de lecture s'accentue au fil des ans. Pour les six premières années, la moitié des ouvrages empruntés se compose d'œuvres purement littéraires (romans, poésie, théâtre). Les livres de science pure et appliquée, ceux de technologie ne viennent qu'en troisième position, après les volumes d'histoire et les récits de voyage. À cet affadissement des intentions vertueuses, l'évolution du catalogue donne un relief particulier. Dès 1875, les séries instructives sont l'objet d'un « grignotage » quasi général. Et, tandis que le fonds littéraire voit sa part augmenter de quinze points, les ouvrages techniques et professionnels, eux, ne représentent plus à cette date que 14,5 % du total.

Curieusement, l'écart grandissant entre le puritanisme originel et la lecture effective s'accompagne d'une permanence du discours. L'assemblée générale d'octobre 1906 qui envisage de « faire une place de plus en plus grande aux ouvrages de vulgarisation scientifique, d'histoire, d'économie politique afin de fournir un aliment digne d'eux aux esprits avides de s'instruire » réinfuse – y compris dans sa terminologie – le vœu pieux formulé un demi-siècle plus tôt. Pourtant, c'est un véritable laminage des ouvrages professionnels et tech-

niques (ils ne représentent plus que 3 % du fonds) que l'on constate dans le catalogue de 1909. Tandis que les rubriques instructives voient leur déclin s'accentuer (l'Histoire passe de 20,6 % à 12,5 % du total), le genre littéraire atteint 51,3 % des ouvrages. De l'aveu même du rapport d'assemblée destiné à ouvrir la fête du cinquantenaire, «l'on se procure les nouveautés littéraires au fur et à mesure de leur apparition». À cette date, les sciences pures ont fait place à la vulgarisation scientifique, et 60 % des titres de sciences naturelles (47 % de ceux de physique et chimie) sont antérieurs à 1870!
Existence d'un «surmoi» vigilant? Bien qu'en 1920 les Amis de l'instruction se fondent dans le mouvement général des bibliothèques municipales, bien que le catalogue ait perdu toute originalité, on s'efforce d'en maintenir artificiellement l'armature, c'est-à-dire une classification qui «remonte à nos origines et révèle l'influence qui s'exerça à notre berceau». Classification complexe et discutable, organisée autour de trois axes: Sciences (physiques, mais aussi historiques et géographiques, sociales et philosophiques), Lettres et Arts (Beaux-Arts et métiers). Comme si le gonflement illusoire de l'ensemble «Sciences» pouvait masquer l'amenuisement considérable du fonds scientifique de la bibliothèque.

«Si, grâce à la diffusion de l'enseignement sous toutes ses formes, la nécessité se fait moins pesante qu'à la première heure d'offrir au lecteur des livres d'étude, nous n'en sommes pas moins restés fidèles à l'esprit initial des fondateurs (de la bibliothèque), et nous demeurons les «Amis de l'instruction». «Dans cette phrase prononcée en 1911, c'est tout le dilemme des bibliothèques populaires – et celle des Amis de l'instruction n'échappe pas à la règle – qu'il nous est clairement donné de saisir. Car c'est dans l'accomplissement de la mission qui les fonde – l'émancipation intellectuelle des laissés pour compte de l'instruction – qu'elles voient l'assurance de leur propre disparition.
Cette inexorable marche vers la décadence, nous pouvons en repérer l'amorce aux alentours de 1920. En dépit du maintien, à un niveau relativement élevé, du rythme des emprunts (trois livres et demi par mois et par sociétaire en 1912, quatre en 1920, de nouveau trois et demi en 1930), plusieurs indices témoignent d'une dénaturation certaine. Tandis que le nombre des sociétaires plafonne à deux cents, le choix des ouvrages montre que le bureau se soucie plus de s'adapter à une demande intellectuellement et moralement en baisse que d'adapter cette demande à des objectifs d'instruction prédéterminés. Mais, au-delà de sa fonction, c'est l'esprit même de la bibliothèque qui se trouve menacé. Abandon progressif du bénévolat, instauration d'une caution et application rigoureuse du système des amendes: les rapports qui s'instaurent au sein de la bibliothèque à partir de 1920 rompent définitivement avec la tradition de convivialité.

À cette date, la misère intellectuelle qui fondait l'action des Amis de l'instruction a été en partie vaincue. Hautement symbolique est l'apparition, dans le catalogue de 1909, d'une rubrique Sports. Elle montre – s'il en était besoin – que le nivellement des cultures est lié à celui des niveaux de vie.
Placée d'entrée de jeu à l'écart des luttes politiques, la bibliothèque des Amis de l'instruction ne peut trouver dans leur pérennité un gage de sa survie. Historiquement daté, le type de culture ouvrière qu'elle propose disparaît sous l'action d'un certain nombre de facteurs, parmi lesquels l'application du programme scolaire républicain et l'extension, à de nouvelles couches de la population, de la civilisation du loisir. Dès lors, la perte de sa spécificité la met en demeure d'affronter la concurrence des bibliothèques municipales – dès 1880 elles fonctionnent sur le mode du prêt à domicile – et même, pour survivre, de les prendre pour modèle. Physiquement présente au 54 de la rue de Turenne, la bibliothèque des Amis de l'instruction du IIIe, pour nous, n'est plus.

1. Eugène Brieux (1858-1932), auteur dramatique, membre de l'Académie française, est l'auteur d'un certain nombre de pièces populaires inspirées des thèmes chers aux bourgeois libéraux de l'époque : moralisation, justice, primauté de la Raison. Les Amis de l'instruction l'ont choisi, de préférence à un homme politique, comme président de la fête du cinquantenaire de la bibliothèque : « Nous nous considérons, peut-être ambitieusement, comme citoyens de la République des lettres, qui se distingue de la République parlementaire », allocution de Serge Jacob, *in* Bibliothèque des Amis de l'instruction, *Fête du Cinquantenaire*, Montluçon, Imprimerie ouvrière, 1911 (archives de la bibliothèque).

2. L'hôtel Montrésor fut habité au milieu du XVIIe siècle par Claude de Bourdelles, comte de Montrésor (1608-1663), Grand Veneur et favori de Gaston d'Orléans, frère de Louis XIII. Après avoir joué un rôle des plus actifs dans la lutte contre Richelieu et contre Mazarin – il est considéré comme un héros de la Fronde –, Montrésor se rallia à la monarchie et finit sa vie dans son hôtel de la rue Saint-Louis-du-Marais, actuellement rue de Turenne. Cet hôtel, possession de l'intendant de Gourgues au début du XVIIIe siècle, fut acheté par la ville de Paris en 1909.

3. Nos remerciements vont à Laurent Theis, Josée Beaud, Nicole Courtine. À notre connaissance, la seule monographie de ce type qui ait jamais été développée à partir de l'exploitation systématique d'archives est celle de Marianne Carbonnier, relative à la Bibliothèque protestante de Lyon fondée en 1830. (M. Carbonnier, *Une bibliothèque populaire au XIXe, la Bibliothèque populaire protestante de Lyon*, mémoire pour l'obtention du titre de bibliothécaire, Lyon, 1976). Cette étude, principalement axée sur l'étude du fonds, a été menée avec un matériel d'archives plus lacunaire que celui dont nous disposions.

4. Serge Jacob, allocution pour la fête du cinquantenaire, *in* Bibliothèque des Amis de l'instruction, *Fête du cinquantenaire, op. cit.*

5. Bibliothèque des Amis de l'instruction du Ve, *Assemblée générale du 18 mars 1866*, Paris, siège de la bibliothèque (Musée pédagogique).

6. Syndicat des bibliothèques populaires libres de la Seine, *Notice sur l'origine des bibliothèques populaires, Pièces diverses*, Paris, Imprimerie Desgrandchamps, 1882 (Musée pédagogique).

7. «Un homme courageux, qui après avoir parcouru bien jeune encore une laborieuse carrière, s'être élevé péniblement de degré en degré, de profession en profession (il a exercé successivement sept métiers)...» Bibliothèque populaire des Amis de l'instruction du XIXe, *Assemblée générale annuelle du 23 février 1883*, Paris, Imprimerie nouvelle, 1883 (Bibliothèque historique de la ville de Paris).

8. Maxime Du Camp, *Histoire de Paris*, Paris, Hachette, 1875, t. VI.

9. «La tristesse que l'ouvrier respire là, au cœur de la Ville, a des musiques, elle a, pour ainsi dire, une certaine plénitude historique; elle n'a pas le caractère de sauvagerie et de nudité qu'elle présente dans les faubourgs extérieurs [...] Alors que l'état-major de l'Internationale se recrutera souvent dans ces petits ateliers situés au cœur de Paris et nourris de traditions idéologiques nuancées, les futurs soldats de la Commune grandiront à Belleville et à La Villette [...]», Georges Duveau, *La Vie ouvrière en France sous le second Empire*, Paris, Gallimard, 1946.

10. *Statistiques de la Chambre de commerce de Paris pour l'année 1860*, Paris, Imprimerie de la Chambre de commerce, 1864.
L'étude menée par Georges Duveau à partir du salaire nominal, du niveau de vie et des budgets a permis de fixer, au moins grossièrement, la composition du groupe des ouvriers aisés. Il comprend les ouvriers d'art – sculpteurs et ornementalistes, mais aussi verriers, bronziers, horlogers... –, un grand nombre d'ouvriers du bâtiment, les boulangers, et dans la métallurgie, certains mécaniciens. La même concordance entre ces professions relativement heureuses et le profil des sociétaires de la bibliothèque s'observe au niveau de la population féminine des Amis de l'instruction (5 % en 1862), essentiellement composée de dentellières, fleuristes, blanchisseuses.

11. Georges Duveau, *La Pensée ouvrière sur l'éducation pendant la seconde République et le second Empire*, Paris, Domat-Montchrestien, 1948.

12. L'engagement pour l'émancipation intellectuelle des classes laborieuses reste marqué du sceau de la pensée saint-simonienne, fouriériste, positiviste. Dès les années trente, des hommes comme Cabet – alors secrétaire de l'Association pour l'instruction gratuite du peuple –, Auguste Comte ou Jules Lechevallier se consacrent à l'éducation ouvrière. Pour Georges Duveau, les bourgeois qui se dévouent à l'œuvre des cours d'adultes sont ceux qui, «en juillet 1830, ont fait surgir du pavé parisien le drapeau tricolore» (*La Pensée ouvrière sur l'éducation*..., *op. cit.*, p. 288).

13. Jean-Pierre Rioux, *La Révolution industrielle*, Paris, Éd. du Seuil, 1977. Nommé à ce poste en 1845, Auguste Perdonnet a joué un rôle considérable dans le développement du réseau ferroviaire français. Il est l'auteur de nombreux ouvrages techniques sur le chemin de fer et l'exploitation des mines, et s'est longtemps consacré au développement des conférences de vulgarisation scientifique. Directeur de l'École centrale des arts et manufactures, président de l'Association polytechnique il a, avant de s'associer à l'initiative des Amis de l'instruction, crée en 1835 une petite bibliothèque dans un local de la Halle aux draps. Destinée à ses élèves artisans, cette bibliothèque a disparu peu après dans un incendie. Selon Georges Duveau, «A. Perdonnet passe, à tort ou à raison, pour avoir été carbonaro dans sa jeunesse».

14. Comptabilité, dessin, géométrie, mais aussi cours d'instruction générale élémentaire tels que grammaire, arithmétique, etc., l'Association polytechnique, qui attire à ses débuts une centaine d'auditeurs, est la première du genre à fonctionner.

15. Un notable du mouvement ouvrier comme Léon Barbier, ferblantier du faubourg Saint-Antoine et trésorier de la commission ouvrière de 1867-1868, ne tarit pas d'éloges à son égard: «Honneur [au savant M. Perdonnet]! Ceux qui ont su profiter de [son] enseignement [l'] en remercient tous les jours» (*Le Pays*, 26 septembre 1865. Cité par Georges Duveau dans *La Pensée ouvrière sur l'éducation*..., *op. cit.* p. 288).

16. Voir Auguste Pressard, *Histoire de l'Association philotechnique*, Paris, siège de l'Association, 1899.

17. Union fraternelle du IIIe arrondissement, *Convocation*, 15 juin 1916. L'ordre du jour de la réunion est: «Une institution républicaine menacée: la bibliothèque des Amis de l'instruction du IIIe.»

18. Syndicat des bibliothèques populaires libres de la Seine, *Rapport au Conseil municipal et au Conseil général*, Paris, Imprimerie Desgrandchamps, 1883.

19. Les statuts adoptés lors de l'assemblée générale du 2 février 1862 fixent cette participation comme suit:
- droit d'admission: 1 franc pour les hommes, 50 centimes pour les femmes (article 6)
- cotisation mensuelle: 40 centimes pour les hommes, 20 centimes pour les femmes.
Rapportés aux salaires ouvriers de base en 1864 (établis par Georges Duveau in *La Vie ouvrière sous le second Empire, op. cit.*, p. 319), ces chiffres donnent une idée assez exacte du poids financier que constitue pour les premiers adhérents l'inscription à la bibliothèque. La cotisation mensuelle représente en moyenne une heure de travail. Une heure pour les menuisiers et tailleurs, payés 0,40 à 0,45 franc de l'heure. Un peu moins pour les typographes, bijoutiers, bronziers et serruriers (0,40 à 0,50 franc de l'heure). Sensiblement moins pour les ouvriers mécaniciens (0,50 à 0,65 franc de l'heure). Un calcul en terme de budget serait cependant plus significatif, dans la mesure où ces professions se caractérisent par un chômage structurel d'environ quatre mois. Chômage compris, cotisations et droit d'admission cumulés représentent, pour la catégorie moyenne des typographes, 48 centimes par mois, soit 0,55 % du revenu mensuel réel (87,5 francs).
Pour les 5 % de femmes que compte la bibliothèque en 1862 (20 membres sur 400), la cotisation représente, là encore, une heure de travail environ. Blanchisseuses, modistes et fleuristes, qui fournissent le gros des Amies de l'instruction, gagnent en effet de 1,50 à 3 francs par jour.
L'évolution de la contribution primaire exigée des sociétaires ne suivra qu'avec un certain retard celle des salaires, puisque la cotisation ne passe à 0,50 franc pour les hommes et 0,25 franc pour les femmes qu'en 1889, alors que la moyenne des salaires horaires est passée à 0,50, voire 0,60 franc en 1871. Le droit d'admission est alors de 1 franc pour les deux sexes, et il faut attendre 1919 pour qu'une caution soit établie (5 francs, 10 francs pour les sociétaires vivant à l'hôtel).
Il est intéressant de constater que la justification de cette faible cotisation ne relève pas uniquement de considérations financières. Pour Auguste Perdonnet, «on attache d'autant plus de valeur aux choses qu'elles nous coûtent davantage. L'ouvrier a payé, il veut consommer». Cette opinion selon laquelle n'est apprécié que ce qui coûte un effort se retrouve dans bon nombre de documents de l'époque, relatifs à l'éducation populaire.
L'abonnement permet d'emprunter un ouvrage (deux à partir de 1909), pour une période de vingt jours. La bibliothèque est ouverte les dimanches et fêtes de 11 heures à 13 heures, et les autres jours de 19 à 22 heures. La coutume de travailler le dimanche et de chômer le lundi ne concerne, rappelons-le, qu'une faible part des ouvriers parisiens du second Empire. Dans l'ensemble, le dimanche reste pour eux une «journée familiale, close, recueillie». (Georges Duveau, *La Vie Ouvrière... op. cit.*, p. 243). Évolution des loisirs? À partir de 1902, l'ouverture dominicale de la bibliothèque ne concerne plus que la période du 15 octobre au 15 avril, et ce de 9 à 11 heures.

20. Ces registres, dressés à partir de 1850, sont disponibles aux Archives de la Seine. Jean-Baptiste Girard n'y figure pas.
Les rapports du conseil d'administration de la bibliothèque font état d'une biographie de J.-B. Girard, écrite par un certain Numa Raffin. Ce livre est pour nous introuvable.

21. Jean Maitron, *Dictionnaire biographique du mouvement ouvrier français (1789-1864)*, Paris, Éditions ouvrières, t. II, p. 273.

22. *Rapport au Conseil municipal, op. cit.*

23. Syndicat des bibliothèques populaires libres de la Seine, *Pièces diverses, op. cit.*

24. Auguste Perdonnet, *Notes sur les Associations polytechnique et philotechnique et sur la bibliothèque des Amis de l'instruction*, Paris, 1865 (Bibliothèque nationale).

Aucune disposition de ce type ne figure cependant dans les statuts révisés issus de l'assemblée générale du 2 février 1862.

25. Bibliothèque des Amis de l'instruction du IIIe arrondissement, *Exercice 1861-1862*, Paris, Imprimerie Claye, 1862 (Archives nationales).
Le rapport lu lors de l'assemblée générale insiste sur le rôle du colonel Favé, « savant professeur à l'École polytechnique, toujours prêt à s'intéresser aux œuvres utiles ». En 1869, Favé est général, aide de camp de l'empereur, et il commande l'École polytechnique. C'est grâce à ses conseils que Jean-Baptiste Girard a créé, en 1862, la Société Franklin pour la propagation des bibliothèques populaires. Devenue un club de libéraux regroupant la fine fleur de la bourgeoisie et de la fonction publique (Jules Simon, Amédée Thierry, Chasseloup-Laubat, Jean Macé, Adolphe d'Eichtal, Charles Robert en font notamment partie), cette société joua un rôle des plus actifs dans l'extension du mouvement des bibliothèques populaires. Son *Bulletin mensuel*, publié à partir de 1868, est une mine de renseignements (Musée pédagogique).

26. *Assemblée générale du 2 février 1862, op. cit.* Les élections du 8 février 1862 portent au poste d'administrateur un vieux militant de l'enseignement mutuel. Émile Marguerin (collaborateur du *Courrier français* sous Émile Barrault, de *La Liberté de penser* avec Jules Simon) est à l'origine de la création d'un enseignement très apprécié des ouvriers à l'école Turgot, dont il devient le directeur.

27. Arnaud-Jeanti, qui possède une maison commerciale située rue des Quatre-Fils, se retire des affaires vers 1862 ou 1863. La Maison Arnaud-Jeanti et fils, spécialisée dans le commerce des grains, est en effet dissoute à cette date après trente ans d'activité. (*Grand Livre des comptes courants de la Banque de France*, Banque de France.) Le contre-projet concerne les points suivants :
- mention, dans l'article 1 des statuts, du patronage du maire ;
- suppression de la salle de lecture et interdiction de stationner et de former des groupes dans la cour de la mairie ;
- fermeture de la bibliothèque les jours de fête religieuse ou nationale ; suppression du service en cas d'élection dix jours avant l'ouverture du scrutin.

28. *Procès-verbal de l'Assemblée générale du 9 novembre 1862* (Archives nationales).

29. Auguste Perdonnet, *Note sur les associations polytechnique et philotechnique, op. cit.* Une correspondance très complète, partagée entre les Archives de la Seine et les Archives nationales permet de retracer avec une précision extrême les événements de 1862.

30. « Ceci en rétablissant les passages litigieux et en y ajoutant quelques dispositions indispensables à l'esprit d'une bonne police de cet établissement. » *Lettre de Vincent à Arnaud-Jeanti*, Archives de la Seine. Plusieurs passages de cette lettre permettent de supposer que certaines personnalités – Vincent, mais peut-être également d'autres – aient pu jouer le rôle d'informateurs des autorités sous couvert d'une participation active à la gestion de la bibliothèque : « En qualité de membre du comité Franklin je recueille d'autres informations que je me ferai un devoir de soumettre en temps et lieu à M. le Ministre de l'Intérieur, car si l'on moralise en instruisant, c'est à la condition expresse que l'on ne faussera pas les instruments de moralisation. »

31. Serge Jacob, *Aperçu historique de la bibliothèque des Amis de l'instruction du IIIe*, Catalogue de 1909, Montluçon, Imprimerie Herbin, 1909.

32. Dans un premier temps il s'agit des bibliothèques : du XVIIIe arrondissement, créée sous l'impulsion de Lamouroux ; du XVe arrondissement, fondée en 1867 ; du Ve arrondissement fondée en août 1863 autour d'Edmond Laboulaye. Au 31 décembre cette société compte 530 membres et possède 3 015 volumes.
En 1869, les Amis de l'instruction des IIIe, V[e], VIIIe, X[e], XVe, XVIIIe, XIXe arrondissements se regroupent en un comité spécial chargé de provoquer l'établissement de bibliothèques dans tous les quartiers et de favoriser par différents moyens (conférences populaires, cours, articles) le développement des institutions existantes.

En 1882, un syndicat est formé qui regroupe douze bibliothèques parisiennes (celles des IIIe, V[e], VIe, VIIe, VIIIe, XIIe, XIIIe, XIVe, XVe, XVIIIe, XIXe, XXe arrondissements), la Bibliothèque positiviste de la rue Réaumur et cinq associations de la banlieue parisienne. Il a pour but de « prendre toute mesure pouvant assurer la multiplication, le développement et la prospérité des bibliothèques fondées sur le principe de l'association », par l'organisation de manifestations variées et la centralisation de divers documents pouvant intéresser les bibliothèques. Quelques autres bibliothèques, bien que fondées sur les mêmes bases et d'après les mêmes principes, ne se sont pas jointes au mouvement (celles du XIe, de Nanterre, d'Issy et de la Plaine-Saint-Denis).
Ces dix-huit groupes syndiqués représentent au total 8 000 sociétaires, dont un quart de femmes environ, soit 130 000 volumes emportés à domicile. Le syndicat constate dans son rapport de 1882 que l'ensemble des sociétés qu'il regroupe équivaut à « une bibliothèque dans laquelle 1 605 personnes viendraient chaque jour passer une séance de deux heures ». (Syndicat des bibliothèques populaires, *Rapport au Conseil général*, Imprimerie Desgrandchamps, Paris, 1883.) Cette même année, 188 conférences ont été faites dans 15 groupes syndiqués, conférences qui réunissent un auditoire qui peut aller jusqu'à 1 000 personnes.
Pour l'ensemble de ces bibliothèques, la population se répartit comme suit : 40 % d'ouvriers et artisans, 30 % d'employés, 10 % de professeurs et professions libérales, 20 % de propriétaires, industriels et commerçants.
Au 1er janvier 1898, le Syndicat présente à son actif 14 bibliothèques parisiennes (celles du IIe et du IXe se sont jointes aux autres), tandis que ne subsiste des associations du département de la Seine que celle d'Asnières. Le nombre total des volumes empruntés s'élève alors à 238 892.

33. Professeur de géométrie à l'Association polytechnique, il succède en 1868 à Auguste Perdonnet, décédé. La bienveillance de l'administration se traduit, dès 1875, par l'octroi d'une subvention municipale et la mise à la disposition de la bibliothèque d'un local situé au 48, rue de Sévigné. La subvention (2 000 francs en 1887) représente d'après nos calculs 78 % des recettes pour la période 1895-1902.

34. Discours du président du conseil municipal Songeon pour la fête du cinquantenaire, *in* Syndicat des bibliothèques populaires de la Seine, *Pièces diverses, op. cit.*

35. Voir Jacques Rougerie, *Paris libre, 1871*, Paris, Éd. du Seuil, 1971 : « Le 5 septembre 1870, les internationaux convoquent rue Aumaire, dans le IIIe arrondissement, une assemblée de républicains de bonne volonté soucieux de participer activement à la défense. Ils vinrent cinq cents. C'est là que naît l'idée des "comités de vigilance" [...] » (p. 33). « La nuit du 27 au 28 janvier est très agitée : des officiers de la garde nationale se réunissent à la mairie du IIIe [...] à 1 h 25 quatre cents hommes sont réunis devant la mairie du Temple [...] » (p. 81).

36. Jean Touchard note (*La Gauche en France depuis 1900*, Paris, Éd. du Seuil, 1977) l'absence à peu près complète du thème de la Commune chez les radicaux. Dans sa *Notice sur les bibliothèques populaires en France* (in *Pièces diverses, op. cit.*), le Syndicat des bibliothèques remarque que deux des premiers fondateurs sont morts à Buzenval. Quant à une éventuelle participation active des sociétaires aux événements de la Commune, nous ne disposons d'aucun indice.

37. MM. Hervé-Mangon, Albert Ferry, de Heredia, Guichard et Greppo, députés ; MM. Monteil, Dr Frère, Jacques, Robinet et Boll, conseillers municipaux.

38. Il s'agit de Mlle Agar. Selon Jean Maitron, « elle était le 14 mai aux Tuileries, elle y était encore le dimanche 21 alors que les troupes de Versailles entraient dans Paris ». Jean Maitron, *Dictionnaire biographique du mouvement ouvrier français (1864-1871)*, Paris, Éditions ouvrières, 1964, t. I : « Charvin, Florence Léonide dite Agar – 1836-1891 : actrice, elle jouait à la Comédie-Française depuis 1862. Après sa collaboration aux manifestations organisées au profit des combattants de la Commune, *Le Figaro* lui reprocha d'être devenue sociétaire de la Comédie-Française grâce à la princesse Mathilde, et de réciter *Les Châtiments* après la chute

de ses bienfaiteurs. Elle répondit très dignement dès la Commune, et qu'elle avait œuvré pour les blessés, et qu'elle gardait sa fidélité à la princesse Mathilde. Ces attaques l'obligèrent à quitter la Comédie-Française en 1872.»

39. Il s'agit de la bibliothèque populaire du XIVe arrondissement. Celle du IIIe organise à l'époque un grand nombre d'excursions, dont nous ignorons malheureusement le détail.

40. Auguste Barbier, *La Curée* (iambes). Cité par Maurice Agulhon dans *Marianne au combat*, Paris, Flammarion, 1979, p. 56.

41. «Publiciste à la plume alerte, il a mis ses talents au service d'un grand syndicat parisien, disposant d'un organe hebdomadaire.» Texte de l'hommage prononcé à l'occasion de l'enterrement de Serge Jacob, mort en 1915 (archives de la bibliothèque).

42. Notons que la prison de Sainte-Pélagie possédait une petite bibliothèque destinée aux prisonniers. Le père des Amis de l'instruction, incarnation vivante d'une genèse héroïque – il va de célébration en inauguration – est mort en 1900. Le thème de l'emprisonnement à Mazas n'apparaît qu'après cette date. Pour pallier cette absence, l'on décide à l'occasion de la cérémonie anniversaire d'élever à la distinction de membres honoraires trois disciples de la première heure, c'est-à-dire trois «valeureux», sociétaires depuis quarante-huit ans.

43. «J'ai le souvenir d'un "prix de l'empereur" qui se transforme en volumes beaucoup moins officiels», Bibliothèque des Amis de l'instruction du IIIe, *Fête du cinquantenaire*, Imprimerie ouvrière, Paris, 1911, p. VIII.

44. Eugène Brieux fut véritablement découvert par André Antoine. L'*Histoire littéraire de la France*, Éditions sociales, 1979, le présente comme un auteur partisan d'un théâtre «utile», s'intéressant aux grands sujets d'actualité: la peine de mort avec *La Robe rouge*, l'émancipation féminine avec *La Femme seule*. C'est négliger une grande partie de son œuvre, essentiellement constituée de pièces populaires et moralisatrices. (De 1887 à 1896, le Théâtre-Libre a présenté soixante-neuf auteurs novices, dont Eugène Brieux.)

45. «C'est le livre, on peut le dire, je crois, qui crée le foyer [...] Comparez la vie du travailleur qui lit et celle du travailleur qui ne lit pas. Le premier, après le dîner de famille, s'installe sous la lampe, entre la femme qui coud et l'enfant qui apprend sa leçon, et il lit [...] Quoi qu'il lise, il arrive un moment de la veillée où [...] son émotion est trop forte pour qu'il accepte d'être seul à l'éprouver; alors, il lit un passage tout haut [...] et associe à sa joie la femme qui l'écoute, l'aiguille levée, et l'enfant dont le petit doigt marque sur le livre de classe la ligne où il s'est trouvé arrêté, à sa grande satisfaction [...] À quoi bon, Mesdames et Messieurs, vous montrer le tableau de la tristesse de celui qui ne lit pas. Celui-là seul est vraiment, douloureusement, un isolé. Il ira à l'alcool, il y trouvera un oubli fugitif, mais pas une consolation [...]» Bibliothèque des Amis de l'instruction du IIIe, *Fête du cinquantenaire, op. cit.*, p. VIII.

46. Nous disposons, pour évaluer l'état du fonds et son évolution dans le temps, des catalogues régulièrement établis par la bibliothèque: Bibliothèque des Amis de l'instruction, mairie du IIIe arrondissement, *Catalogue 1862*, Paris, Imprimerie Claye; Bibliothèque des Amis de l'instruction, rue de Sévigné, *Catalogue de 1875*, Vouziers, Imprimerie de Frederick-Defrene; Bibliothèque des Amis de l'instruction, rue de Turenne, *Catalogue 1909*, Montluçon, Grande Imprimerie du Centre.

47. Discours d'Eugène Brieux, *Fête du cinquantenaire, op. cit.*
Les quatorze séries du catalogue de 1862 sont les suivantes: Mathématiques (arithmétique, algèbre, géométrie, arpentage); Physique (chimie, astronomie); Histoire naturelle; Hygiène; Sciences diverses, annuaires; Linguistique, philologie; Histoire, jurisprudence, économie politique; Géographie, voyages; Littérature; Beaux-Arts; Industrie mécanique, bâtiment; Industries chimiques et diverses; Commerce, comptabilité; Agriculture.

48. A. Perdonnet, «De l'*utilité de l'instruction pour le peuple*», in *Conférences populaires faites à l'Asile impérial de Vincennes*, Paris, Hachette, 1867.

49. Cette marge d'erreur traduit l'arbitraire d'un tel découpage. Au nombre des ouvrages

récréatifs, nous avons admis les romans et contes, les partitions musicales et livres de chant, les méthodes de dessin artistique et certains volumes de la série Agriculture. Le chiffre le plus élevé tient également compte des récits de voyage.

50. L'*Essai sur les fables de La Fontaine* (1853) et *De l'intelligence* (1870) ne figurent pas au catalogue avant 1909. Quant aux *Essais de critique et d'histoire* (1858), ils n'y prendront jamais place.

51. Dans son acception politique, le positivisme épouse presque toujours en cette deuxième moitié du second Empire les contours du parti républicain. Comme le montre Claude Nicolet dans son ouvrage classique *L'Idée républicaine en France*, Paris, Gallimard, 1982, l'esprit républicain se nourrit de traditions philosophiques nuancées, d'où les expériences spiritualistes et déistes ne sont pas absentes, comme chez Jules Simon *(La Liberté, L'Ouvrière)* ou Jules Barni *(Morale dans la démocratie)*. Rien de surprenant alors à ce que la bibliothèque possède les œuvres philosophiques de Bossuet ou le *Traité de l'existence de Dieu* de Fénelon.

52. Sa morale sociale, basée sur une logique de la solidarité, a été formulée pour la première fois en 1848.

53. Claude Nicolet, *L'Idée républicaine en France, op. cit.*

54. À cette date sont créées plusieurs sous-sections : Histoire générale, Histoire ancienne, Histoire de France, qui disparaissent curieusement en 1909.

55. Buonarrotti, *Gracchus Babœuf*; d'Argenson, *Mémoires relatifs à la Révolution*; Michelet trouve enfin sa place, répartie entre la série Philosophie-Morale *(Le Peuple, Nos fils)*, Histoire *(Histoire romaine, Histoire de la Révolution Française, Les Femmes et la Révolution)* et Littérature *(Légendes du Nord, La Montagne, L'Oiseau)*.

56. Texier, *Chroniques de la guerre d'Italie* (1859), Lenormant, *Les Massacres de Syrie* (1860), de Bazincourt, *Les Expéditions de Crimée*, etc., ne sont que quelques exemples.

57. Et aussi Beaussire *(La Guerre étrangère et la guerre civile)*, Jules Claretie *(Paris assiégé, Le Dernier Montagnard)*, Delion *(Les membres de la Commune)* et Prolès *(Histoire des hommes de la Révolution)*.

PIERRE NORA

Le "Dictionnaire de pédagogie" de Ferdinand Buisson

Cathédrale de l'école primaire

À qui voudrait saisir, dans toute la rigueur de son enchaînement, mais aussi dans l'infinie richesse de ses constellations, le lien absolu qui unit tout droit la Révolution à la République, la République à la raison, la raison à la démocratie, la démocratie à l'éducation, et qui, de proche en proche, fait donc reposer sur l'instruction primaire l'identité même de l'être national, on conseillerait en définitive un ouvrage et, s'il fallait n'en élire qu'un seul, celui-ci : un dictionnaire vieux d'un siècle et aujourd'hui bien oublié, difficile même à se procurer[1], fort connu des spécialistes, sans doute, mais qu'aucun historien de l'éducation n'a pourtant honoré d'une véritable analyse : le *Dictionnaire de pédagogie et d'instruction primaire* de Ferdinand Buisson[2].

Parcours

Pour en mesurer à la fois l'importance historique et la saveur, il faut s'y plonger. On peut choisir son parcours. Feuilleter pour commencer la table des matières, pour constater, par exemple, et dès la lettre *A*, que l'article «Architecture» est signé Viollet-le-Duc et l'article «Astronomie», Camille Flammarion. C'est à Lavisse qu'on doit «Histoire», à Rambaud «France», à Henri Hauser «Économie politique». Aucun des grands noms de l'époque n'a refusé son concours. Durkheim s'est chargé de trois grands articles fondamentaux, «Éducation», «Enfance», «Pédagogie». Gaston Maspero y croise Marcelin Berthelot, Aulard s'y rencontre avec Duruy et Ravaisson, sans compter les fondateurs du système éducatif de la République, de Paul Bert à Jules Steeg et Octave Gréard. Et devant une collection de signatures aussi prestigieuse, on se prend d'une première admiration pour celui qui a pu les réunir, ou plutôt le tandem qui a su tous les mobiliser et dont il ne faut pas attendre davantage pour marquer la féconde association: Ferdinand Buisson et James Guillaume.

On peut aussi ouvrir au milieu et se lancer, mettons, au début de la lettre *P*: en quel autre lieu pourrions-nous apprendre qu'Ambroise «Paccori», né à Céaucé (Mayenne) vers 1650, fut principal du collège de Meung, près d'Orléans, et qu'il a laissé plusieurs ouvrages de piété, dont les principaux sont *Avis à une mère chrétienne pour se sanctifier dans l'éducation de ses enfants*, plusieurs fois réimprimé, ainsi que des *Règles chrétiennes pour faire saintement toutes ses actions*, «où l'on parle des nudités du corps et l'on montre combien c'est une grande indécence de laisser voir nu aux autres quelque endroit de son corps que l'on doit couvrir». Ne nous attardons pas, sautons par-dessus Christian «Palmer», diacre à Tubingue et collaborateur du Dr Schmid, directeur du gymnase de Stuttgart pour la publication de la *Grande Encyclopédie pédagogique* publiée de 1858 à 1875, et dont ce *Dictionnaire* se veut précisément l'équivalent français; pour arriver à «Palmes» académiques, dont l'octroi, inauguré par Salvandy, a fait l'objet d'une réglementation détaillée sous Victor Duruy, que le décret de 1885 ne fait que reprendre. Courte halte à «Panama», indépendant de la Colombie depuis 1903, et qui, avec une superficie de 87 540 kilomètres carrés et une population estimée à 418 979 habitants en 1909, compte à cette date 15 690 enfants inscrits dans les écoles primaires auxquelles sont consacrés 395 000 dollars. Mais voici Mme «Pape-Carpantier» *(sic)*, auteur du *Secret des grains de sable ou Géométrie de la Nature* et théoricienne des salles d'asile, dont les cinq colonnes de biographie vous happent impérieusement. Marie Carpantier, née à La Flèche, le 10 septembre 1815, obligée de quitter l'école à onze ans pour gagner sa vie, sent naître en elle, à quatorze ans, une vocation poétique, et compose des pièces en vers «qui ne manquent ni de grâce, ni d'inspiration». Une future poétesse donc, si, à l'approche de sa vingtième année, l'autorité municipale de La Flèche ne lui avait proposé de diriger avec sa mère une salle d'asile qui allait être créée. À cette nouvelle tâche, Marie se livre avec tant d'ardeur qu'elle en compromet sa santé et se résigne à un emploi de demoiselle de compagnie. Mais les circonstances ramènent Marie Carpantier à sa mission abandonnée. La ville du Mans lui propose la direction de sa salle d'asile. Cette fois, c'est l'entrée résolue dans la carrière de réformatrice marquée par son premier ouvrage, *Considérations sur la direction des salles d'asile* (1845), couronné par l'Académie française. Si bien que deux ans plus tard, lorsque Mme Jules Mallet et le ministre Salvandy eurent fondé rue Neuve-Saint-Paul, dans le quartier Saint-Antoine, une sorte d'école normale pour le recrutement du personnel d'asile, ils font tout naturellement appel à elle pour la direction de l'établissement. Mme Pape-Carpantier (elle avait épousé vers ce temps un officier de gendarmerie, M. Pape) a gardé vingt-sept ans ce poste de confiance et d'honneur.

Abandonne-t-on à regret Mme Pape-Carpantier au seuil de sa vraie carrière que, volant au-dessus de «Paraguay» et négligeant Narcisse «Parent», trois semaines ministre de l'Instruction publique entre Salvandy et Villemain, jetant un œil rapide sur Jules François «Paré», pourtant secrétaire du Conseil exécutif puis ministre de l'Intérieur le 2 août 1793, frôlant au passage Louis Pierre Félix Esquirou de «Parien», à qui revient la responsabilité d'appliquer la loi Falloux, tournant enfin prestement les quatorze pages consacrées à l'histoire de l'enseignement primaire à «Paris» nous tombons sur d'autres «Paris» très attachants, Aimé et sa sœur Nanine. Cet Aimé Paris, né à Quimper le 14 juin 1798, après avoir quitté le barreau à vingt ans «à la suite d'un vol dont il fut victime de la part d'un client qu'il avait fait acquitter en correctionnelle», n'est rien moins que l'inventeur d'une méthode simplifiée de sténographie qui le fit rechercher par *Le Courrier français* et *Le Constitutionnel* pour leurs comptes rendus des séances parlementaires. Mais ce surdoué nourri des travaux de Destutt de Tracy entend se consacrer à la philosophie des signes. À vingt-quatre ans, professeur à l'Athénée royal de Paris, il court entre les sessions parlementaires les grandes villes de province pour faire des conférences sur la mnémotechnie, jusqu'à ce qu'un préfet ombrageux fasse fermer ses cours, sous prétexte que les repères dont il fait usage dissimulent des allusions malveillantes contre le régime. Et voilà notre homme exilé en Belgique, en Hollande et en Suisse jusqu'en 1828! De son retour à sa mort, en 1866, Aimé Paris se voua essentiellement à la vulgarisation de l'enseignement musical, d'après la méthode de Galin, puissamment secondé par sa sœur «Nanine», auteur d'une *Méthode élémentaire* de musique vocale et d'harmonie. Le lecteur qui voudrait avoir une idée plus complète de ce savant distingué, ce pédagogue éminent, cet inventeur ingénieux pourra consulter, etc. On est tenté de s'engloutir. Il ne faut pas moins, pour décourager notre émerveillement, que la sévère rubrique consacrée aux écoles «Paroissiales», les forêts de colonnes en l'honneur de «Pascal» (Jacqueline, bien entendu, la sœur cadette) et la suite implacable des *P*: «Patente», «Patronage» et dames «Patronesses».

Mais rien ne nous enchaîne à l'ordre alphabétique et le *Dictionnaire*, par son système de renvois, nous invite lui-même à la lecture buissonnière. Déjà, au passage, le marquis de «Pastoret», premier président de la Législative et successeur de Condorcet à la présidence du Comité d'instruction publique, nous a conduits à son épouse, Adélaïde Piscatory, bienfaitrice des enfants pauvres, qui nous adresse à «Crèches», «Maternelles», «Cochin», Mmes «Mallet» et «Millet». Déjà, «Palmes» académiques nous avait fait faire marche arrière jusqu'à «Décorations» universitaires qui nous avait projetés à «Récompenses» qui nous suggérait le retour à distribution de «Prix». Ainsi, de proche en proche, la capricieuse promenade trouve son ordre, puisque distribution de «Prix» nous entraîne à «Discours», que «Bredouillement» nous fait courir à «Zézaiement» pour parvenir à «Prononciation» et que, là, on plonge hardiment dans les dures réalités de l'enfance campagnarde, avec le bredouillement, le grasseyement, le chuintement, et surtout le «blèsement», qui consiste à dire «dâteau» pour gâteau et «tousin» pour cousin. D'où le détail très utile et précis de toutes les méthodes mécaniques et éducatives de redressement, celles de Dupuytren, Rullier, Voisin, Arnott et Chervin, signataire de l'article qui nous conseille, en désespoir de cause, de prendre le chemin de l'Institut des bègues, 82, avenue Victor-Hugo. Une inépuisable circulation intérieure s'organise ainsi dans cette encyclopédie des merveilles, véritable caverne d'Ali-Baba qui, du plus humble au plus important, de «Carnot» à «Cartable» et de «Vestiaire» à «Voltaire», reconstruit le monde entier à travers celui des éducateurs de l'enfance et enferme le vaste univers dans les quatre murs de la classe.

Les deux Dictionnaires

Le *Dictionnaire* a connu, en fait, deux formes différentes: une édition en quatre volumes, de cinq mille cinq cents pages, parue de 1882 à 1887, et, trente ans plus tard, en 1911, une édition en un seul volume de deux mille soixante-dix pages, le *Nouveau Dictionnaire de pédagogie.* Mais ce n'est pas tant l'épaisseur qui les différencie que les dates, l'esprit, la structure et les modalités de sa fabrication.

Le premier – faut-il dire le vrai? – sent tout entier l'urgence et la fébrilité. Le premier volume n'annonce même pas les intentions; il démarre sec sur «Abandonnés (enfants)» et «Abaque, nom donné au plus ancien instrument de calcul usuel connu en Europe». Il faut attendre le premier volume de la seconde partie, publié l'année suivante, en 1883, pour être informé de la structure de l'entreprise, et le second volume de la première partie, achevée en 1887, pour qu'un «Aux lecteurs», *in fine*, explique l'aventure. Elle est tout entière dans les dates: «Cette publication a coïncidé avec le mouvement même de la rénovation scolaire en France, elle en a pour ainsi dire reflété les phases successives. Elle a commencé sous le régime de la législation de 1850; elle s'achève précisément à l'heure où paraissent les nouveaux règlements organiques pour l'application de la loi [Goblet] du 30 octobre 1886.»

Le *Dictionnaire* est donc un recueil destiné à servir de guide théorique et pratique à tous ceux qui s'occupent d'enseignement primaire, public et privé. En fait, comme le montre assez la liste des mille cinq cents souscripteurs, l'entreprise a été soutenue majoritairement par les membres de l'enseignement public et elle s'adresse prioritairement à l'élite enseignante, directeurs d'écoles ou élèves des écoles normales[3]. Elle se compose de deux parties complètement distinctes, formant chacune, en deux volumes, un ouvrage indépendant. La première partie comprend les doctrines, la législation, l'histoire de l'enseignement primaire. C'est, à proprement parler, un vaste traité de pédagogie théorique disposé sous la forme de recueil d'articles par ordre alphabétique. Certains sont très longs, composant, comme «Convention», «Histoire de France», «Bibliographie», «Pestalozzi», de véritables traités indépendants, auxquels, rappellera l'avertissement «Aux lecteurs», «la direction a tenu à honneur de laisser la liberté d'allure, la vigueur de ton, la saveur de pensée et de style qui, même dans les cadres d'une encyclopédie, distinguent un travail original d'une compilation de seconde main». La seconde partie, en deux volumes également, fait l'application pratique des principes pédagogiques aux diverses matières de l'enseignement et constitue ainsi un cours complet d'instruction primaire, non pas à l'usage des élèves, mais à l'usage des maîtres. «Ce n'est pas un dictionnaire de mots, mais un dictionnaire de leçons. Autant il y a dans chaque science de grands sujets à traiter, autant on trouvera d'articles fournissant à l'instituteur les éléments de la leçon ou de la série de leçons qu'il y devra consacrer. Veut-il entreprendre tout d'une haleine la révision d'un ordre quelconque d'enseignement, de l'arithmétique par exemple? Il se reportera à l'article "Arithmétique" qui contient un programme ou un plan du cours, et lui indiquera la succession méthodique des leçons et le mot auquel il trouvera chacune d'elles: d'abord "Numération" puis "Addition", "Soustraction", etc., et ainsi de suite jusqu'à "Logarithmes", "Amortissement" et aux questions de "Banque". Veut-il au contraire revoir non pas tout un cours, mais une question spéciale en vue de l'enseignement? Il recourra, cette fois encore, au mot "Arithmétique", cherchera dans le programme qui est en même temps la table des articles spéciaux à quel mot est traitée la question dont il s'agit, et trouvera, dans l'article spécial indiqué, non pas une définition isolée ou un renseignement de détail, mais l'ensemble du sujet exposé avec les développements d'un enseignement complet, élevé et méthodique.»

Donner donc au maître l'instrument de travail indispensable, le nerf de la guerre. Parer au plus pressé. Au si pressé même que l'entreprise a commencé en février 1878, par livraison simultanée des deux parties, théorique et pratique, en deux feuilles d'impression, soit trente-deux pages, au prix de cinquante centimes et au rythme infernal d'au moins deux livraisons par mois, soit, en neuf ans, cent soixante-quinze livraisons, dont les premières ont donc simplement été reliées pour faire un volume. C'est ce qui donne à ces cinq mille cinq cents pages – près de quarante-trois millions de signes[4] – leur caractère héroïque et haletant. On est souvent obligé de se reporter aux mots des dernières lettres pour y chercher comme un appendice à ceux des premières. Les *Suppléments*, obligatoirement ajoutés aux deux parties, donnent la mesure de cette création continue. On trouve ainsi, parmi les quarante-sept articles ajoutés à la première partie, d'étranges rattrapages, comme «La Mothe Le Vayer», ou «Saint-Cyr», oublié, auquel O. Gréard ne consacre pas moins de vingt-cinq colonnes, ou «Histoire de la pédagogie». Mais aussi, au mot «Lois scolaires», quinze colonnes qui font suite à l'article du même nom par les textes publiés depuis 1883, complétés par les soixante colonnes de «Règlements organiques». Mais encore l'entrée des morts récents, comme l'éditeur Hetzel, et surtout Falloux et Paul Bert (neuf et cinq colonnes), disparus tous deux la même année, 1886, et dont la réunion prend valeur de symbole: l'homme dont tout le *Dictionnaire*, somme toute, est le long thrène et celui dont il est l'hosanna.

Le *Nouveau Dictionnaire* n'a pas ce caractère chaotique et cahotant, inaugural et initiatique. La distinction des deux parties, théorique et pratique, n'a plus paru nécessaire. Chacune des matières de l'enseignement a seulement donné lieu à un grand article traitant la question dans son ensemble. Les textes des lois scolaires et ordonnances, à partir de 1789, sont réunis sous un chef unique et dans sept autres articles nettement indiqués. Il ne s'agit plus de bulletins de victoire rédigés au jour le jour et par ceux-là mêmes qui, parfois, les avaient remportées à l'Assemblée ou dans des cabinets ministériels, mais du simple répertoire pratique d'une œuvre accomplie et comme inscrite, déjà, dans un cycle clos. Un petit côté officiel s'est introduit, avec la notice systématique des ministres de l'Instruction publique et des ministres de l'Intérieur pour la période durant laquelle l'instruction publique relevait de ce département. Trait plus frappant encore: d'un *Dictionnaire* à l'autre, une espèce de capitalisation de l'enseignement primaire s'est opérée sur lui-même. Ainsi, aux notices très détaillées concernant les pays étrangers et généralement confiées à un ressortissant du pays, se sont ajoutés, marque des temps, des articles encore plus complets traitant des colonies des pays concernés. Ainsi, également, a basculé dans la nouvelle mouture une génération entière encore vivante et active au temps de la première qui lui devait souvent sa marque ou sa collaboration; la double présence d'un article d'auteur et d'un article nécrologique sur le signataire provoquant, d'ailleurs, un saisissant effet de mémoire: Marcelin Berthelot, Victor Duruy, Octave Gréard, Jean Macé, Félix Pécaut, Alfred Rambaud, Charles Renouvier, Jules Simon. Enfin, et peut-être surtout, des rubriques nées du développement même de l'institution primaire ont fait leur apparition, signe de l'installation dans l'âge mûr: «Amicale» des instituteurs, «Association» d'anciens élèves, «Colonies» de vacances, «Œuvres» post-scolaires, «Monopole» de l'enseignement, «Pères» de familles nombreuses, «Syndicat» des instituteurs. Mais c'est, en fait, une foule d'articles remaniés qu'il faudrait comparer l'un à

l'autre pour saisir, en son fond, l'esprit de la transformation. Un seul exemple, «Histoire sainte», certainement rédigé par Ferdinand Buisson luimême: huit colonnes très combatives dans le premier ouvrage devenues une colonne apaisée dans le second.
La véritable différence, c'est, en définitive, dans l'accueil du public qu'il faudrait la mesurer. Les chiffres, pour autant qu'ils sont fiables, sont éloquents. En 1889, la première partie se serait vendue, tome I, à 9 700 exemplaires, tome II à 12 100. La seconde partie, tome I à 8 750 exemplaires, tome II, à 12 040. Tandis que le volume unique de 1911 aurait été tiré à 5 500 exemplaires[5]. La conclusion est claire, si l'on tient compte que les premiers tomes de chaque partie avaient dû être achetés par livraisons (ce qui explique la différence entre 9 et 12 000); et surtout si l'on rapporte ces chiffres globaux, 12 000 et 5 000 environ, au nombre des instituteurs de chaque époque respective: 55 026 instituteurs et institutrices de l'enseignement laïque en 1876-1877, et 121 182 de la même catégorie trente ans plus tard, en 1906-1907[6]. Près d'un sur quatre des instituteurs laïques aurait acheté le premier *Dictionnaire*, un sur vingt-cinq seulement aurait acheté le second.
N'exagérons pourtant pas, par symétrie rhétorique, l'opposition des deux versions. L'ancien et le nouveau, qui a dû à sa maniabilité une manière de survie, brassent une matière identique. Le nouveau s'est seulement assagi, épuré, dégrossi. On y sent moins la ferveur fondatrice que le piétinement des cent vingt mille maîtres d'école d'avant-guerre anxieux de connaître très exactement leurs droits et leurs devoirs. C'est moins les *Dictionnaires* qui ont changé que l'époque - le régime a trente ans -, et les deux responsables, dont l'un, Guillaume, a maintenant soixante-sept ans, et dont l'autre, bon pied, bon œil, va fêter son soixante-dixième anniversaire. Ils se sont retrouvés à cette occasion. Mais la permanence du compagnonnage ne doit pas leurrer: non des vies parallèles et des œuvres croisées, mais des *Dictionnaires* parallèles et des destins croisés.

Destins croisés

Quelque chose en effet fascine dans la courbe de ces deux existences et dans l'étrangeté de leur association.
Ferdinand Buisson mériterait une étude spéciale, qu'on s'étonne de ne pas lui trouver consacrée. Il n'apparaît jamais que de profil, au tournant de tous les livres sur la IIIe République, associé à des noms plus en vue - Ferry, Bourgeois -, confondu avec ses fonctions - directeur de l'Enseignement primaire, député radical-socialiste -, incarné dans des institutions - la Ligue de l'enseignement[7], la Ligue des droits de l'homme. Cet effacement volontaire,

entretenu – «qui ma vie pourrait-elle bien intéresser?», répondait-il quand on le pressait d'écrire ses Mémoires[8] –, si parfaitement adapté à sa personnalité, est lui-même révélateur de sa philosophie morale et de son kantisme appliqué. C'est ce qui donne son unité à cette longue existence (1841-1932) de protestant ultra-libéral, incarnation du radicalisme universitaire que l'Affaire Dreyfus a fait passer au radicalisme politique, conscience rousseauiste par qui l'héritage de Jules Ferry s'est annexé au radicalisme anticlérical du début du siècle. Sans doute est-ce la centralité même du personnage qui enlève de son individualité à un fort caractère que sa sincérité, sa modestie, sa tolérance constamment rappelées ont livré à une hagiographie que la sagesse est peut-être d'accepter comme vraie.

Une lumière exemplaire et presque symbolique baigne le premier Ferdinand Buisson, qui nous porte précisément jusqu'aux débuts du *Dictionnaire*, à trente-sept ans. Fils d'un petit magistrat que la mort de son père a fait un précoce soutien de famille, étudiant méritant que sa faible constitution aurait détourné de l'École normale (il a pourtant déployé une intense activité jusqu'à quatre-vingt-dix ans!), mais à qui son honnête labeur vaut l'agrégation de philosophie, il se voit privé de poste, en 1866, pour avoir refusé le serment à l'Empire et, sur le conseil de Quinet, postule et obtient une chaire de philosophie et de littérature comparée à Neuchâtel. La Suisse lui devient une seconde patrie. Le fils spirituel du républicain Jules Barni y rejoint la cohorte des proscrits français; et tandis qu'il travaille sur le christianisme libéral, l'orthodoxie de l'Évangile et l'Écriture sainte, il assiste au Premier Congrès international de la paix et de la liberté, qui se tient à Genève en 1868 sous la présidence de Garibaldi, et au second, qui se tient à Lausanne l'année suivante sous la présidence de Victor Hugo. Il découvre sa vocation: éducateur. Sedan le ramène à Paris pendant le siège où il s'engage dans la garde nationale. Avec Benoît Malon, il organise un asile municipal pour orphelins et enfants errants auquel il saura, quand la nouvelle municipalité voudra le dissoudre, intéresser un vieux saint-simonien, M. Prévost, qui avait de son côté fondé un asile de vieillards à Cempuis (S.-et-O.). Jules Simon le nomme en 1871 inspecteur primaire de la Seine, mais l'abandonne sous les attaques de Mgr Dupanloup et le voilà de nouveau en disponibilité, rendu à sa thèse sur *Sébastien Castellion*, apôtre de la tolérance (qui ne paraîtra qu'en 1892), disponibilité seulement interrompue par deux missions à l'étranger: la première comme délégué de la France à l'Exposition internationale de Vienne en 1873, première manifestation internationale où figura la France après la défaite, la seconde en 1876 comme délégué de l'Instruction publique à l'Exposition de Philadelphie. Détail typique et qui le situe bien: il appartient, dans le sillage de Jules Lagneau, à l'Union pour l'action morale de Paul Desjardins[9]. Il venait donc de commencer, en février 1877, sur la demande de la maison Hachette, les premières livraisons du *Dictionnaire de pédagogie* quand la crise du 16 mai et l'arrivée des républicains au pouvoir lui offrent sa réparation : Jules Ferry le nomme le 10 février 1879 à la Direction de l'enseignement primaire.

Il y restera dix-neuf ans et ne quittera le ministère, en 1896, que pour occuper six ans à la Sorbonne la chaire de science de l'éducation, créée pour lui et où Durkheim lui succédera, quand l'engagement dans l'Affaire Dreyfus l'aura précipité dans la politique. C'est là le deuxième Buisson, personnage clé de l'édification scolaire de la République, artisan de sa consolidation au jour le jour. Buisson n'est pas l'homme des écrits théoriques, mais son action quotidienne a fait sans doute beaucoup plus pour l'inscription d'une doctrine dans les institutions que tout traité théologique ou philosophique. C'est dans des écrits de circonstances, articles, discours et préfaces qu'il faut chercher sa *Foi laïque*[10] d'une étonnante continuité. « Libre pensée religieuse », comme dit Jean-Marie Mayeur[11], empreinte d'un spiritualisme profond, pénétrée de la conviction que la religion est un besoin éternel de l'âme humaine et qu'elle doit faire le fond de la morale laïque, véritable recherche d'une religion de l'avenir qui fonderait le royaume de Dieu sur la terre. Peu d'œuvres administratives auront sans doute été à ce point traversées d'une philosophie sociale qu'il continuera d'appliquer dans sa vie politique. Troisième période : député de Paris, élu du XIIIe arrondissement qu'il a conquis sur un ancien boulangiste, protégé de Waldeck-Rousseau, homme de terrain et doctrinaire de *La Politique radicale* (1907), préfacée par Léon Bourgeois, ami de Clemenceau, Pelletan, Aulard, il siégera à l'Assemblée jusqu'en 1919. Tandis que la présidence de la Ligue des droits de l'homme, où il succède à Pressensé en 1914 et la présidence de la Ligue de l'enseignement, en 1918, où il succède à Jean Macé, achèvent de lui donner sa figure de « Juste » qui lui vaudra le prix Nobel de la paix, en 1927, en son active retraite de Cincinnatus de la République.

Le contrepoint est éclatant avec son coéquipier du *Dictionnaire.* Autant Ferdinand Buisson est dans le droit-fil de l'histoire, aspiré par les reconnaissances officielles, soudé à l'évolution d'une République dont il est à la fois le produit, l'artisan, l'apôtre et la conscience, autant James Guillaume est, du début à la fin (1844-1916), un marginal qui se condamne à l'apostolat des travaux forcés de l'érudition. C'est qu'il y avait eu aussi un premier Guillaume, le militant de la Ire Internationale ; expérience politique décisive dont le *Dictionnaire* marque la fin et le tombeau.

Bien des conditions, historiques et familiales, s'étaient pourtant conjuguées pour faire au jeune Guillaume des débuts particulièrement prometteurs[12]. Issu de la bourgeoisie industrielle et horlogère de Neuchâtel, canton helvétique depuis 1814 mais demeuré principauté prussienne, il naît et grandit à Londres ; d'où son prénom. Son père, libre penseur, homme de large culture et de forte-personnalité, s'était replié là sur une succursale de famille pour fuir le régime que devait emporter la révolution de 1848 et avait épousé une jeune femme d'origine française, préceptrice et musicienne. Des parents, donc, exceptionnellement ouverts et attentifs à l'éducation d'un fils à l'esprit éveillé, qui, une fois rentrés à Neuchâtel où le père devient conseiller d'État radical, sont le point de ralliement de tout un milieu cosmopolite et avancé : des Anglais, comme Clemence Auguste Royer, originale figure de femme libre et traductrice de Darwin, des Américains, comme le théologien Theodore Parker, des Allemands comme Carl Vogt, l'ancien député au Parlement de Francfort, des Français, comme le socialiste Pierre Leroux, et les champions du protestantisme libéral émigré : Félix Pécaut, Jules Steeg et Ferdinand Buisson. Le jeune James en est profondément marqué. Étudiant à l'université de Zurich, il complète sa culture anglaise et française d'une solide connaissance de la philologie et de la philosophie allemandes. Le voilà promis à une brillante carrière universitaire quand un remplacement occasionnel d'un an à l'École industrielle du Locle, accepté d'abord pour améliorer son pécule et préparer son départ à Paris, allait changer son orientation. C'est là, en plein milieu ouvrier, entre 1865 et 1866, que se cristallise son engagement politique, au contact du mouvement coopératif, avec la fondation d'une section de l'Internationale à La Chaux-de-Fonds, et sous le coup de la mort brutale de son jeune frère, dont il dit bizarrement, dans son autobiographie[13], que, bien que trois ans seulement les séparent, « il était comme mon élève ». « J'étais triste, j'avais le cœur en deuil depuis la mort de mon frère ; mais je pensais que l'existence serait supportable si je me vouais tout entier à la cause des opprimés, pour les aider à s'émanciper [...] Je songeai à me faire instituteur dans un village, pour être plus près du peuple ; puis à me faire ouvrier typographe ; mais on me dissuada de l'un et de l'autre, en me démontrant que si je me "déclassais", je perdrais presque toute l'influence utile que je pourrais exercer. » Devenu, donc, la tête pensante et organisatrice de la fédération jurassienne de l'Internationale, complètement acquis aux thèses bakouniniennes antiautoritaires et antimarxistes, il vit, pendant dix ans, la vie du militant révolutionnaire dans un milieu coopératif ouvrier profondément original, mais aussi les péripéties et pour finir l'échec de la tendance de Bakounine au sein de l'Internationale. L'adhésion à l'élite ouvrière lui avait fait une vie précaire : rupture avec le milieu familial et difficultés avec son père, renvoi de sa place d'enseignant. L'avènement d'un certain extrémisme révolutionnaire marqué notamment par l'illégalisme et la « propagande par le fait » qu'il désapprouvait, la crise de l'industrie horlogère qui accélère la disparition de l'atelier au profit de la grande fabrique[14] mettent fin à la belle période de la Fédération jurassienne où l'influence de Paul Brousse, qui s'affirme dans une manifestation violente à Berne, le 18 mars 1877, marque le terme de celle de Guillaume. Il est sous le coup d'un jugement correctionnel. À l'échec politique s'ajoutent d'inextricables difficultés matérielles. C'est dans ce moment de découragement général que Ferdinand Buisson l'appelle à Paris pour collaborer de manière stable au *Dictionnaire*; Paris, où, périodiquement, Guillaume avait rêvé de se fixer pour approfondir sa connaissance de l'histoire de la Révolution.

Curieux et providentiel moment de cette rencontre, curieux croisement de ces destinées représentatives de courants si profondément différents, mais dont l'association, pourtant, signale comme une alliance de fait entre radicalisme et socialisme dans l'enseignement. L'aîné, jusque-là exilé de l'intérieur, est sur le point d'entamer, à quarante ans, la plus stratégique des carrières administratives de la République triomphante. Sa nomination à la Direction de l'enseignement primaire va faire, au contraire, du cadet, l'exilé de l'extérieur, désormais fiché par la police, un homme qui, à la fois nourri et marqué par l'échec politique, va s'enfouir pour toujours dans de hautes et obscures entreprises éditoriales et réinvestir dans la passion de l'éducation populaire et de l'histoire de la Révolution son expérience et ses exceptionnelles qualités: probité intellectuelle, sens critique, culture encyclopédique, maîtrise de l'érudition, habitude du travail collectif.

En même temps que le *Dictionnaire*, c'est, en effet, pour lui, le secrétariat de rédaction de *La Revue pédagogique* publiée par Delagrave, carrefour des idées nouvelles en matière d'éducation et d'enseignement. Et, après le *Dictionnaire de pédagogie*, Le *Dictionnaire géographique et administratif de la France*, sous la direction de P. Joanne, à quoi s'ajoutent les publications du Club alpin français. Mais ce ne sont là que les travaux alimentaires, par rapport aux deux grandes œuvres documentaires, auxquelles J. Guillaume a attaché son nom.

La plus classique consiste dans les huit volumes des procès-verbaux des séances du Comité d'instruction publique de la Législative et de la Convention, publication monumentale du Comité des travaux historiques et scientifiques, étagée du centenaire de la Révolution à 1907, et devenue un usuel de l'historiographie révolutionnaire. Ici encore, l'initiative revient à F. Buisson qui, dès 1880, avait soutenu auprès de Jules Ferry qu'« un dépouillement complet et une publication méthodique des pièces relatives à l'Instruction publique de 1789 à 1808 rendrait les plus grands services et ferait honneur au pays». À quoi le ministre avait donné son accord: «La première chose à faire serait de s'assurer si les Archives contiennent les procès-verbaux du Comité (d'Instruction publique de la Convention). Je suis prêt à y envoyer M. Guillaume en reconnaissance, sous votre direction[15].» Ce patronage officiel ne s'est jamais démenti, puisque des deux commissions créées dans le cadre du centenaire à partir de 1885, l'une d'origine ministérielle, plus officielle et moins engagée, l'autre d'origine municipale, plus radicale et dépendante des objectifs commémoratifs, c'est à la première qu'appartint Guillaume[16].

L'autre chantier devait au contraire sortir d'un retour sur son expérience personnelle. Il est lié, au tournant du siècle, à une série de malheurs domestiques et privés, la mort de sa fille, une grave rechute dépressive, puis la maladie et la mort de sa femme. Guillaume songe alors à la publication de sa correspondance avec cette dernière, du temps de leurs fiançailles, en 1868-1869, moyen de «revivre les jours lointains où j'étais heureux», écrit-il à Kropotkine en 1902, et parce qu'«on y voit l'état d'esprit des socialistes de l'époque[17]». Le projet va évoluer, sous la double pression d'amis politiques retrouvés à La Chaux-de-Fonds et de Lucien Herr, dont Guillaume avait fait connaissance par Jaurès et Buisson, pour aboutir, de 1905 à 1910, aux quatre volumes de *L'Internationale, Documents et souvenirs*, source d'une inestimable valeur sur le combat bakouniniste et l'expérience des libres producteurs jurassiens.

Guillaume n'aura donc jamais abandonné les deux versants de sa passion. Aux yeux de la nouvelle génération du syndicalisme révolutionnaire, l'ancien compagnon de Malatesta, de Kropotkine et de Schwitzguebel, le vieux militant jurassien, vaincu et retraité de la culture révolutionnaire vivante, fait figure, comme Buonarroti dans la monarchie de Juillet, de ces ancêtres auxquels il a lui-même consacré sa vie. «Le père Guillaume - dira plus tard Pierre Monatte, le fondateur de *La Vie ouvrière* qui, en 1914, lui consacre un numéro d'hommage pour ses soixante-dix ans - guidait, sans le vouloir, nos pas et nos recherches[18].» Et il boucle sa courbe avec le *Nouveau Dictionnaire*, pour lequel Buisson le requiert à nouveau.

À fréquenter un peu continûment le *Dictionnaire*, on finit par reconstituer le style de cette exceptionnelle collaboration et les modalités de son fonctionnement. Ferdinand Buisson dispose d'un bureau chez Hachette qui s'est libéralement chargé de toute l'infrastructure (et dont le fondateur, Louis Hachette, mort en 1864, a droit à une citation au champ d'honneur du *Dictionnaire*: «En somme, peu de vies ont été mieux remplies et consacrées à des travaux plus élevés et plus utiles»). Il y dirige d'ailleurs, à partir de 1905, le vénérable *Manuel général de l'instruction primaire*, hebdomadaire qui existe depuis 1832. Mais sur Guillaume repose l'essentiel du travail. Buisson lui apporte d'abord son réseau, unique, de relations universitaires et politiques. «Par M. Buisson, écrit-il à sa mère en 1881, j'ai fait peu à peu la connaissance de toutes les personnes qui ont un nom ou une fonction importante dans l'instruction publique; on me fourre de temps en temps dans une commission, et j'y vais siéger sans scrupule, attendu qu'il ne s'agit que de pédagogie et non de politique.» Et à sa mère, deux ans plus tard: «Je te quitte

pour aller au Ministère, dans le cabinet de M. Buisson, siéger comme membre d'une commission à côté de MM. Gréard, Pécaut et autres notables personnages.» Lettres intéressantes, car elles précisent bien, toutes deux, l'attitude psychologique de Guillaume vis-à-vis de son milieu d'adoption. «J'ai conservé une entière liberté de langage avec M. Buisson et ceux que je connais, continue la première, et je m'en trouve très bien. On sait ce que je pense, on ne me demande que ce qui est compatible avec mes idées. Tout ce monde-là est tolérant en raison même de son intelligence...» Et la seconde: «En France, je suis traité avec des égards qui feraient tourner la tête à plus d'un [...] En Suisse, je suis un paria[19].»
Buisson abreuve d'autre part son collaborateur de tout l'appareil statistique dont Victor Duruy avait pris l'initiative, mais que les besoins de la rénovation scolaire avaient puissamment renforcé. N'était-il pas lui-même la cheville ouvrière de la commission de statistique de l'enseignement primaire créée en 1876 par Henri Wallon, alors ministre de l'Instruction publique et des Cultes, et présidée par Émile Levasseur, membre de l'Institut, professeur au Collège de France et au Conservatoire national des arts et métiers, lequel signera dans le *Dictionnaire* la «Statistique scolaire»? Sa part d'articles non signés est moins facile à déterminer. L'avertissement «Aux lecteurs» de la première édition les attribue tous à la direction. Mais l'attribution n'est claire que pour le domaine réservé des grands principes philosophiques et doctrinaux, comme «Laïcité[20]». Au reste, la solidarité entre les deux hommes est si profonde sur l'essentiel, cimentée par la sensibilité protestante, que les parts respectives importent peu: «Notre, je devrais dire son Dictionnaire»; le directeur en titre de l'entreprise rend ainsi ce qui lui revient au secrétaire de la rédaction: «Pour résumer, coordonner et mettre au point cette énorme et confuse collection de faits et de textes, il fallait un homme doué d'abord d'une rare puissance de travail, possédant à fond les langues modernes et capable d'extraire avec sûreté de tant de lois et de règlements la pensée vraie et la formule exacte, ayant de plus une patience que rien ne pût rebuter, une conscience d'érudit méticuleux et intransigeant, une sévérité d'esprit critique et une impartialité historique, pédagogique, philosophique, vraiment extraordinaire. Je savais que l'on pouvait demander tout cela, et autre chose, à cet homme que ses ardentes convictions sociales n'empêchaient pas d'être le plus scrupuleux et le plus intègre des érudits[21].»
Mais de Guillaume il faut, du travail de rédacteur, isoler la part d'auteur. Ses domaines de spécialités sont clairs et ce sont eux, avec les grands articles directeurs de Buisson, qui donnent au *Dictionnaire* sa puissante personnalité. Le premier vient du passé suisse: c'est la cohorte des éducateurs germaniques, du XVIe au XIXe siècle, penseurs et philanthropes, initiateurs et précurseurs de la pédagogie moderne et de l'éducation populaire, parmi lesquels se

détachent Comenius, Froebel et surtout Henri Pestalozzi (1746-1827), le philanthrope de Neuhof, auquel Guillaume consacre soixante colonnes, l'équivalent d'un livre entier[22]. Second domaine de prédilection, les modes mêmes de l'acculturation populaire, qui rappellent l'ancien professeur des cours du soir au Locle, avec des articles aussi fondamentaux qu'« Écriture » (huit colonnes) et « Lecture » (trente colonnes), « Livres scolaires » (quarante-quatre colonnes) et « Travail manuel » (trente colonnes). Mais ce sont surtout, abondants et nombreux, tous les articles sur la Révolution qui contribuent fortement à infléchir l'optique générale et à dresser le massif himalayen où s'adosse l'histoire nationale. James Guillaume, à cet égard, a puissamment contribué à renforcer, à tort et à raison, cette ligne de partage des eaux. La Révolution, en effet, comme l'ont montré de façon définitive François Furet et Jacques Ozouf, n'a rien changé, ou presque, à la pratique réelle de l'école élémentaire ; en revanche, « elle a non seulement bouleversé la législation, mais inventé une image de l'école, investi sur l'école son propre avenir et, du coup, fait de l'école, et pour longtemps, l'enjeu central d'un affrontement politique et culturel[23] ». Dans cette mesure, le très long article consacré à la « Convention », dont les projets préfigurent l'œuvre des contemporains du *Dictionnaire*, constitue certainement un des épicentres de l'ouvrage. Les quatre-vingts colonnes comprennent à la fois une déclaration de méthode (« Notre exposé est jusque dans ses moindres détails puisé aux sources originales »), une présentation œcuménique (« la pression de l'unité nationale animait la Convention tout entière »), une profession de foi socialiste (l'invocation finale au jugement de Jaurès), une discrète préférence montagnarde (Michel-Edme Petit comparé à Ducos, l'approbation terminale à Gilbert Romme) et, ce qui est peut-être le plus important pour définir la Révolution de Guillaume, proche au total de celle d'Aulard, la distinction Montagnards-Jacobins. France, Révolution, Convention, Instruction publique, documents inédits : on est là tout à la fois au cœur d'une formation mythologique, d'une affirmation de méthode historique, et d'une raison individuelle de vivre[24].

Quant à l'organisation de l'équipe rédactionnelle, les strates se décèlent sans peine. À la base, un petit cercle de fidèles chargés de tout un secteur : comme le recteur Louis Maggiolo, auquel sa retraite anticipée, en 1871, à soixante ans, laisse des loisirs et qui connaît parfaitement l'organisation scolaire médiévale et d'Ancien Régime, ou Gabriel Compayré, ancien professeur de philosophie à la faculté de Toulouse et député, que son *Histoire critique des doctrines de l'éducation en France depuis le XVIe siècle* a mis à même de rédiger toutes les grandes biographies des doctrinaires classiques de l'éducation depuis l'Antiquité. S'y ajoutent les anciens du vieux noyau neuchâtelois : Jules Steeg, devenu député et le rapporteur de la loi Goblet de 1886, Félix Pécaut, devenu inspecteur général de l'enseignement primaire. Au sommet, la couronne des grands spécialistes qui n'ont pas refusé leur concours; et pour les pays étrangers, appel systématique a été fait aux services des consulats, sauf pour l'Allemagne, qui a précédé la France dans cette entreprise encyclopédique et où, notamment en la personne du Dr W. Rein, professeur à Iéna, l'équipe française a ses correspondants réguliers.

La dynamique d'un lieu de mémoire

Le miracle de cette alchimie, c'est que soient aussi nettement perceptibles, au travers de la nomenclature éclatée, deux types de temporalités, deux rythmes de durée dont l'emboîtement spontané donne à cette œuvre de circonstance sa dynamique interne et son élan, comme les deux temps d'un moteur à explosion : une temporalité historique et une temporalité journalistique.

D'un côté, en effet, le *Dictionnaire* fait œuvre d'historien. Tantôt, c'est le haché menu de tant de biographies individuelles qui nous restitue le peuple des éducateurs oubliés : pas un frère des petites écoles chrétiennes, pas un obscur théologien du XVIe siècle bavarois ou un philanthrope de l'Assistance qui ne laissent ici leur humble trace. Tantôt c'est la galerie des grands ancêtres, de la Paideia antique aux Lumières, des Pères de l'Église aux pères fondateurs de la République, des grands renaissants à Auguste Comte. La curiosité que le XIXe siècle tout entier a entretenue pour l'école et pour l'institution scolaire, l'effort statistique entrepris depuis le baron Dupin, sous la Restauration et dont les grandes enquêtes rétrospectives comme celle de Maggiolo sont l'expression achevée trouvent ici leur application. À ce moment privilégié du remaniement de la mémoire et du savoir de l'éducation sur elle-même, le *Dictionnaire* apporte une contribution majeure et souvent originale. Il jette une lumière drue sur les temps forts de l'éducation populaire et sur ses précurseurs : où trouverait-on ailleurs, en français, quelque autre éclaircissement, par exemple, sur Comenius, quelque autre analyse interne de ses trois livres, la *Didactique*, la *Janua linguarum* et l'*Orbis pictus* ? Nulle part avant le *Dictionnaire*, et seulement bien longtemps après. En ce premier sens, étroitement positif, mais fortement documenté, le *Dictionnaire de pédagogie* condense et consigne la résurrection d'une mémoire.

Mais, en même temps, une chronique institutionnelle au jour le jour borde ce continent désenglouti de l'histoire de l'éducation, innerve cette chair un peu lourde d'un sang tout chaud, celui des batailles pour l'enseignement. C'est ce qui donne leur allégresse combative et leur fraîcheur militante à ces lourds in-quarto. Les mêmes qui, la veille, avaient fait passer tel amendement s'empressaient le lendemain de l'inscrire au décalogue du *Dictionnaire*, à côté des projets de Condorcet ou du quadrivium de saint Augustin ! « N'aurait-on pas un jour quelque plaisir, demandait malicieusement Buisson dans son avertissement “Aux lecteurs”, ou quelque profit, à retrouver ici, prises sur le vif, les impressions premières de ceux qui assistaient, qui collaboraient à la constitution du nouveau régime?» Profit, certes, pour le lecteur, mais profit bien supérieur encore pour les rédacteurs! Quelle légitimité la victoire politique ne gagnait-elle pas à cette inscription immédiate au registre de la grande histoire? Le *Dictionnaire* n'en devient pas seulement un document capital pour l'histoire de ces dix années décisives. Dans le moment même, l'instant y prenait une couleur de continuité. Le passé reconquis et le débat contemporain se renforcent mutuellement de leur juxtaposition saisissante. Là est la vérité du *Dictionnaire*, dans l'énergique articulation de ces deux données et dans leur va-et-vient. Ce qui les soude et les unifie, c'est d'être, en fait, le récit de la même histoire, celle de l'avènement historique du personnage clé de l'instituteur. De ce jeune homme à peine sorti du monde rural et chargé tout à coup d'une mission de confiance de la République, ces milliers de pages dressent la nouvelle identité. Elles en assurent la généalogie, elles en célèbrent la neuve dignité, elles en précisent les droits et les devoirs, elles éclairent l'étroit chemin de son ascension. Dans le labyrinthe de lois, décrets, ordonnances et règlements où le profane aujourd'hui se perd un peu, comme dans ces interminables colonnes qui précisent le rôle des différents types d'*inspecteurs* (inspecteurs d'académie, inspecteurs de l'enseignement primaire, inspecteurs généraux), nul doute que chacun des utilisateurs et des utilisatrices décelait très clairement les étapes de son émancipation des pouvoirs locaux et les conquêtes toutes récentes de l'administration centrale. Des noms devenus un peu indifférents pour nous, ou lointains, comme «Rendu (Ambroise)» ou «Gérando (baron de)» leur rappelaient, par exemple, une date importante et précise: l'ordonnance de 1816, qui, la première, en réservant à l'État le principe d'un droit de regard sur les écoles de commune, initiait leur affranchissement de l'église et du château. Rien d'étonnant, alors, dans le détail affolant des barèmes, traitements, échelons d'avancement, indemnités complémentaires, et autres indices. Ils font partie de la définition d'identité. Encore celle-ci ne sera-t-elle définitivement établie qu'au lendemain même de la publication du *Dictionnaire*, quand la loi de finances du 19 juillet 1889 n'aura plus rien laissé aux communes que le financement des locaux et du matériel scolaires. L'instituteur sera devenu alors un vrai fonctionnaire d'État. «Nos instituteurs sont-ils en état de faire honneur à ces destinées nouvelles? demande l'article de 1882. Sauront-ils résister à leur propre fortune, fermer l'oreille aux flatteries intéressées, aux suggestions de la vanité, à la fièvre de l'ambition, à l'ardeur même des passions généreuses qui les animent? [...] Nous l'espérons de toute notre âme [...] S'il y a un pays au monde, s'il y a un régime où semblable expérience peut être faite avec des chances de plein succès, nous croyons fermement que c'est la France républicaine, et s'il y a une classe d'hommes qui mérite qu'on ait confiance dans sa raison, et qu'on l'appelle sans hésiter à ce rôle nouveau, c'est le corps des instituteurs français.»

L'originalité cependant la plus surprenante de ce *Dictionnaire* est dans la brutale dilatation de cette mémoire corporative à l'univers tout entier. Le monde y défile sous le prisme unique de l'éducation, et rien n'y apparaît que sous ce signe. Cette reconstruction tient du tour de force. Madagascar n'émerge du néant de l'océan Indien que pour opposer les belles écoles de la République à l'état lamentable des écoles de missions. Louis-Philippe n'a d'intérêt qu'à cause de Guizot, Guizot qu'à cause de la loi sur l'enseignement primaire de 1833 et surtout pour avoir épousé en premières noces Pauline de Meulan, collaboratrice des *Annales de l'éducation* et auteur de *Raoul et Victor, ou l'écolier*, ainsi que de *L'Éducation domestique*; elle a droit à trois colonnes. Ce n'est pas tant l'importance capitalissime que prend le moindre auteur d'un livre pour enfant qui frappe ici, le *Dictionnaire* est fait pour lui. C'est qu'Alexandre n'ait le droit de paraître que parce qu'Aristote a été son précepteur et qu'il a fondé des écoles en Bactriane. La «Femme», même, ne semble digne de figurer que sous les trois espèces qui ne nous font guère sortir de l'école: «Fille», qui nous y mène tout droit par l'histoire législative de son instruction; «Institutrice», qui paraît le débouché normal de cette instruction; et «Mère», dont c'est la raison d'être d'y préparer l'enfant. L'article «France», trente pages d'Alfred Rambaud, est exemplaire à cet égard. «Avant la Révolution, commence-t-il bravement, il y avait en France, 1°) des académies, 2°) de grands établissements scientifiques et des écoles spéciales, 3°) des universités, 4°) des collèges, 5°) des écoles primaires ou pour parler le langage du temps, des petites écoles»... *Dictionnaire de pédagogie*, soit; mais qui convoque le monde sous la lorgnette de la pédagogie et télescope hardiment une mémoire simplement corporative et une mémoire universelle. Le *Dictionnaire* cesse, du même coup, d'être ce «guide pratique et sûr de toutes les connaissances utiles», comme le présentait modestement son directeur; le simple «vade mecum» devient la saga d'une histoire aux proportions immenses, l'épopée homérique et initiatique du maître d'école.

De cette figure du maître d'école, une historiographie de haute qualité, à commencer par le petit livre de Georges Duveau, a fini par populariser, au bout d'un quart de siècle, une vision riche et précise, admirative et pourtant légèrement condescendante pour ces «saints sans espérance». Il y a tout, dans ce dictionnaire, pour conforter cet attendrissement. Voici une architecture d'école, «simple et modeste toujours, destinée à traduire sa destination d'étude, calme et tranquille» mais sans pousser à l'extrême ces austères principes, et en entourant le bâtiment de «plantes et fleurs dont les couleurs se marient aux tuiles du toit, aux briques rouges, aux parements blancs des

murs». Voici les humbles instruments du culte scolaire, la «Plume» d'oie dont la taille revient au sous-maître d'école, et les premières plumes métalliques dont l'emploi remonte aux solitaires de Port-Royal, et qu'on taillait alors dans du cuivre, jusqu'à ce que l'Anglais Wyse fabrique, en 1803, des plumes d'acier qui, en fer, ne coûtent que vingt centimes la grosse, mais qui ont l'inconvénient de subir rapidement l'action corrosive de l'encre que n'arrivent à prévenir ni le bleuissage, ni le bronzage, ni la dorure. Et ces «Encriers», cornets de bois en forme de poire, dont le couvercle fermait à pas de vis, remplacés par l'encrier cylindrique en verre cannelé, ces encriers de verre en forme de syphon, mais impossibles à caler sur le plain bord de la table et trop faciles à envoyer à travers la figure, ces encriers dits «magiques» dont le succès n'a pas justifié la réclame, jusqu'à ce que M. Cardot, ingénieur à Paris, ait réellement innové avec son encrier de porcelaine et qu'un encrier dit «inversable», imaginé par M. Guérin, ait résolu presque tous les problèmes. «Les personnes qui s'occupent d'éducation, conclut joliment ce chapitre, ne s'étonneront pas de nous voir nous arrêter avec tant de détails sur un des plus petits objets du matériel scolaire. Elles savent que rien n'est plus important que de donner aux élèves l'habitude de travailler avec soin, de maintenir la propreté sur eux et autour d'eux, afin de porter partout ce respect du travail intellectuel qui est la marque d'une bonne éducation.»
Sage remarque. Elle nous montre à quel point cette image folklorique et sentimentale nous occulte une mémoire plus profonde, moins haute en couleurs mais plus riche de vérité anthropologique et culturelle, faite de durée lente, quotidienne, répétitive et disciplinaire, comme tous les gestes de l'éducation, à une époque où l'écriture n'était pas loin de s'apparenter à un travail manuel, où l'acquisition des pleins et des déliés supposait le dur apprentissage de la calligraphie, le difficile et très long arrachement au monde de l'inculture. Mémoire des gestes et des habitudes, la moins spectaculaire, la plus corporelle et certainement la plus vraie. C'est à elle que nous renvoie toute une série d'articles parmi les plus significatifs de ce *Dictionnaire*, les plus inattendus aussi, comme «Égoïsme», «Propreté», «Volonté (éducation de la)», qui concernent tous l'éducation morale et corporelle et la formation des mœurs, ou, par exemple, le long et remarquable développement sur la «Politesse», malheureusement disparu de l'édition de 1911, où le Dr Élie Pécaut s'attachait à démontrer sur trois colonnes que l'ancienne politesse française n'était pas simplement une «œuvre d'art aristocratique», et que l'école primaire devait donc être, entre autres choses, une école de politesse, parce qu'elle est avant tout une école de civilisation. «Ce n'est pas une tâche commode. Et quand il vous arrivera de voir un maître ou une maîtresse d'école rurale qui a reçu des mains de la nature une troupe de petits sauvages effrontés et timides, grossiers et rusés, réduits aux rudes instincts de

l'égoïsme et qui rend à la société de petits hommes bien élevés, formés à la vie compliquée et supérieure de notre temps, sachant se tenir, parler, se taire, montrant de la dignité, du tact, peut-être du goût, si vous assistez à ce spectacle, ne marchandez pas votre admiration : c'est l'un des plus grands que vous puissiez voir. »

Le *Dictionnaire* combine ainsi plusieurs types de mémoires : historique et journalistique, corporative et universelle, sentimentale et ethnologique. Les deux premières viennent des auteurs, les deux suivantes appartiennent aux utilisateurs, les deux dernières sont les nôtres, lecteurs d'aujourd'hui. Ce qui fait de cet ouvrage un lieu de mémoire est l'effet des quatre premières sur les deux dernières, et leur profondeur ainsi retrouvée. Lieu de mémoire, le *Dictionnaire* a voulu l'être sur le moment, pour ses contemporains ; mais à ce premier degré, sa signification a disparu, incorporée dans la pratique de ses utilisateurs. Lieu de mémoire, il ne l'est cependant pour nous que parce que nous savons qu'il avait voulu l'être autrefois. C'est cette dialectique qui, à nos yeux, le constitue comme tel.

Il ne serait pas indifférent, pour la définition même de l'objet, de comparer la mémoire donnée par notre *Dictionnaire* aux maîtres d'école des années quatre-vingt, à celle qu'ils ont laissée d'eux-mêmes, nourrie précisément par ce *Dictionnaire*, à travers d'autres lieux de mémoire à la fois semblables et différents : par exemple ces « autobiographies d'instituteurs de la Belle Époque », suscitées il y a une vingtaine d'années par Jacques Ozouf[25], ou ces « cahiers de la famille Sandre, enseignants » (au moins l'un d'eux, celui de Joseph), présentés il y a peu par Mona Ozouf[26]. Par rapport à ceux-là, unitaires et volontaires, la neutralité purement alphabétique et utilitaire du *Dictionnaire* ne doit pas tromper. Elle lui assure peut-être le meilleur de son efficacité mémorielle. Aucun livre de Mémoires ou de souvenirs personnels ne nous dirait, mieux que cette juxtaposition de rubriques éclatées, la leçon quinze cents fois répétée, lisible en chacune des entrées, que l'éducation est une science, que l'école sans Dieu est une religion de l'école, et que la morale n'est pas un dogme d'Église, mais une contrainte de la raison sans obligations ni sanctions. À la différence des Mémoires individuels, le *Dictionnaire* n'était pas fait pour qu'on s'en souvienne, mais pour qu'on s'en nourrisse. Sa vraie réussite est de s'être fondu dans le capital mémoriel d'une collectivité pratiquement disparue, qui nous a laissé d'elle des témoignages plus individualisés. On n'en pourrait que davantage parler du « temps du *Dictionnaire* » comme on a parlé du « temps des cathédrales », car lui aussi est un miroir du monde. Les lieux de mémoire qui survivent à la longue sont peut-être ceux auxquels la fusion dans l'anonymat provisoire a donné cette précaire, mais solennelle manière d'éternité.

1. À la Bibliothèque nationale, le *Dictionnaire* n'est communicable que sous la forme de microfilms, ce qui le rend inconsultable. À la bibliothèque de la Sorbonne figure seulement l'édition de 1911 et à celle de la Maison des sciences de l'homme, seulement l'édition de 1887. À l'École normale, manque le tome II. Le Musée social ne le possède pas. À la bibliothèque de l'Institut pédagogique national (dont le conservateur m'a fort obligeamment prêté celui qu'il a enfermé dans son bureau), les tables de l'exemplaire de lecture sont déchirées, ce qui ne facilite pas la consultation.

2. Pour une mise en place de l'histoire et des institutions scolaires de la période, on se reportera, une fois pour toutes, à deux excellents manuels: Antoine Prost, *L'Enseignement en France, 1800-1967*, Paris, Armand Colin, 1968, et Françoise Mayeur, *De la Révolution à l'école républicaine (1789-1830)*, tome III de l'*Histoire générale de l'enseignement et de l'éducation en France*, Paris, Nouvelle Librairie de France, 1981.

3. C'est en 1882 qu'est fondée l'École normale supérieure de Saint-Cloud, *cf.* Jean-Noël Luc et Alain Barbé, *Des normaliens, histoires de l'École normale de Saint-Cloud*, Paris, Presses de la F.N.S.P., 1982; Gilles Laprévote, *Les Écoles normales primaires en France, 1879-1979*, Presses universitaires de Lyon, 1984.

4. À titre comparatif, une page de texte de cet ouvrage-ci comprend trois mille deux cents signes. Une page du *Dictionnaire* comprend, en deux colonnes: édition de 1882-1877, sept mille huit cents signes, édition de 1911: huit mille cinq cents signes.

5. Je dois ces chiffres à l'obligeance de M. Lanthoinette, responsable de la conservation des archives du fonds Hachette. Qu'il en soit ici remercié.

6. La statistique détaillée est donnée par Mona Ozouf dans *L'École, l'Église et la République*, Paris, Armand Colin, collection «Kiosque», 1963, édition remaniée Cana, 1982.

	Instituteurs et institutrices du public		Instituteurs et institutrices du privé	
	laïques	congréganistes	laïques	congréganistes
1876-1877	55 026	26 823	10 725	19 801
1906-1907	121 182	823	31 896	6 564

7. Sur la Ligue de l'enseignement, *cf.* Katherine Auspitz, *The Radical Bourgeoisie, La Ligue de l'Enseignement and the Origins of the Third Republic, 1866-1885*, Londres, Cambridge University Press, 1982.

8. Propos rapporté par Ernest Roussel, dans une conférence sur «La vie et l'œuvre de Ferdinand Buisson», prononcée le 20 juin 1931 pour le cinquantenaire de l'École laïque.

9. *Cf.* Jules Canivez, «Lagneau républicain», in *Cent Ans d'esprit républicain*, Paris, Publications de la Sorbonne, 1978. Sur Paul Desjardins, on se reportera en particulier à *Paul Desjardins, Témoignages et documents*, Paris, Éd. de Minuit, 1968. À noter que du *Devoir présent de la jeunesse*, principal ouvrage et manifeste de Paul Desjardins, Ferdinand Buisson reprendra le titre pour une conférence prononcée le 10 mars 1899 au Collège des sciences sociales, et publiée dans la *Revue bleue*, 25 mars 1899.

10. *La Foi laïque*, c'est le titre de ses discours et écrits, publiés chez Hachette en 1912, avec une préface de Raymond Poincaré.

11. *Cf.* Jean-Marie Mayeur, «La Foi laïque de F. Buisson», dans *Libre pensée et religion laïque en France* (Journées d'études de Paris XII, 1979), Strasbourg, Cerdic-Publications, 1980.

12. James Guillaume a fait l'objet d'une excellente étude de Marc Vuilleumier, publiée en introduction à la réédition de *L'Internationale, Documents et souvenirs*, Genève, Éd. Grounauer, 1980, pp. 1-57. C'est à elle que je dois les indications biographiques qu'il a paru indispensable de rappeler.

13. Il s'agit en fait d'une notice autobiographique adressée en 1906 à l'un de ses jeunes amis, le médecin zurichois Fritz Brupbacher, socialiste libertaire qui avait demandé à J. Guillaume son *curriculum vitae* pour présenter dans sa revue *Polis* le premier volume de

L'Internationale. Cette notice a été publiée dans la *Révolution prolétarienne*, n° 116, VIIe année, 5 avril 1931, sous le titre « Une vie de militant. L'autobiographie de James Guillaume ».

14. *Cf.* David S. Landes, *Revolution in Time, Clocks and the Making of the Modern World*, Harvard University Press, 1983, p. 325 et *sq.*

15. Cité par Louis Capéran, *Histoire contemporaine de la laïcité française*, Paris, Marcel Rivière, 1960, t. II, p. 30.

16. À la suite du rapport de F. Buisson, publié sous le ministère Gambetta (*cf. Journal officiel*, 1881, pp. 6609-6610), une première commission avait été créée par Paul Bert. Y figuraient Gréard, Lavisse, Monod, Pelletan, Quicherat, Rambaud. Guillaume n'en est pas, bien qu'on affirme ici et là qu'il avait commencé de travailler dès cette première commission ministérielle. En fait, cette commission de vingt-trois membres est vite languissante. Une seconde commission est ressuscitée par Goblet en 1885 : seize membres, dont Guillaume. Elle aboutit à un projet moins ambitieux que le premier et se limite aux documents parisiens. La commission se rattache au Comité des travaux historiques et scientifiques. Cette commission ministérielle va être concurrencée par une commission municipale plus radicale, encore que les publications issues des deux commissions soient scientifiquement comparables et que certains membres, Aulard et Rambaud par exemple, siègent à la fois dans les deux commissions. *Cf.* Brenda Nelms, *The Third Republic and the Centenial of 1789*, Ann Arbor, University microfilms, 1976.

17. *Cf.* Marc Vuilleumier, *op. cit.*, p. XXVII.

18. *La Révolution prolétarienne*, n.s., n° 145, janvier 1960, p. 10.

19. Lettres des 21 février 1881 et 25 janvier 1883, fonds privé, Berne, *in* Marc Vuilleumier, *op. cit.*, p. XIX. Je ne cite que des extraits.

20. À noter d'ailleurs que, d'une édition à l'autre, l'anticléricalisme s'accentue : partisan de l'intégration des congréganistes dans la première, F.B. s'y montre opposé dans la seconde.

21. *La Vie ouvrière*, hommage à James Guillaume à l'occasion de ses soixante-dix ans – 20 février 1914, 6e année, n° 106, p. 214.

22. L'article sur Pestalozzi, considérablement enrichi, est devenu un ouvrage à part : *Pestalozzi, étude biographique*, Paris, 1890, 455 pages. L'article du *Nouveau Dictionnaire de pédagogie* a été à son tour remanié par l'auteur pour tenir compte des publications parues depuis 1890, dont plusieurs dues à sa plume, indique Marc Vuilleumier, pour qui cette étude demeure la meilleure biographie du pédagogue suisse en langue française (*op. cit.*, p. 18).

23. *Cf.* François Furet et Jacques Ozouf, *Lire et écrire, l'alphabétisation des Français de Calvin à Jules Ferry*, Paris, Éd. de Minuit, 1977, t. I, p. 97.

24. La liste complète des articles du *Nouveau Dictionnaire* signés par James Guillaume se monte à soixante et un. Ce sont : « Athéniens (éducation chez les) », « Banquier », « Consulat », « Convention », « Destutt de Tracy », « Écriture-Lecture », « Égoïsme », « Falloux », « Fichte », « Florian », « Fourcroy », « Froebel », « Gerdil (le cardinal) », « Goethe », « Grégoire (l'abbé) », « Herbault », « Heusinger », « Jussieu, père », « Lakanal », « Langethal », « Lavoisier », « Lecture », « Le Peletier de Saint-Fargeau », « Livres scolaires » (Ire partie), « Maîtres-écrivains », « Travail manuel », « Mentelle (Edme) », « Middendorff », « Milton », « Mirabeau », « Mnémotechnie », « Napoléon Ier », « Niederer », « Noël (Jean-François) », « École normale de l'An II », « Pastoret », « Pawlet (le chevalier) », « Payan (Joseph) », « Pestalozzi », « Philipon de La Madelaine », « Ratichius (Radke) », « Renouvier », « Rochow (Eberhardt von) », « Roederer », « Roland de La Platière », « Romme (Gilbert) », « Saint-Lambert », « Saint-Simon (Henri de) », « Sainte Aldegonde », « Salzmann », « Say (J.-B.) », « Schmid (Joseph) », « Sieyès », « Simon (Jean-Frédéric) », « Spartiates », « Universités (Ire partie) », « Vallange », « Vatimesnil », « Vegio (Maffeo) », « Verdier (Jean) », « Vincent de Beauvais ».

25. Jacques Ozouf, *Nous, les maîtres d'école*, Paris, Julliard, coll. « Archives », 1966.

26. Mona Ozouf, *La Classe ininterrompue*, Paris, Hachette-Littérature, 1979.

LA RÉPUBLIQUE

Commémorations

JEAN-MARIE GOULEMOT ET ÉRIC WALTER

Les centenaires de Voltaire et de Rousseau

Les deux lampions des Lumières

La République est mère,
C'est la faute à Voltaire,
Du gamin lionceau,
C'est la faute à Rousseau.

À qui feuillette, un siècle après, la presse parisienne ou provinciale de l'année 1878, les grandes lignes de l'actualité se présentent avec une netteté d'épure. L'horizon international est surplombé par la Question d'Orient et le problème des alliances face à l'Allemagne de Bismarck. En politique intérieure trois thèmes ressortent. Ratifiant l'éclatement des droites, chaque élection confirme la vocation majoritaire de la coalition républicaine et accentue le désarroi, volontiers agressif, des adversaires de la République. À l'inverse, l'Exposition universelle (mai-novembre) introduit un motif réconciliateur, elle est symbole du redressement national et de l'indépendance retrouvée. Cependant, la résurgence d'un mouvement ouvrier oblige à débattre de l'amnistie des communards, tandis que les grèves soudaines du printemps et de l'été (Anzin) perturbent un climat d'euphorie économique que la nouvelle majorité voudrait synonyme de paix sociale.
Aussi l'optimisme historique des républicains se tempère-t-il d'inquiétude : le temps travaille pour leur cause, mais rien n'est encore acquis, il faut à la fois défendre la République et la fonder. À la différence des conservateurs, ils ne redoutent pas une révolution : la police surveille les anciens communards ; l'extrême gauche guesdiste est un embryon ; disloqué, le syndicalisme ouvrier se réorganise en associations réformistes qui ont l'aval de la gauche républicaine. Mais, à droite, la menace est double : monarchiste et cléricale. Car le spectre de la monarchie, fortifié par la faveur de l'Église, garde de la consistance, malgré la division entre légitimistes et orléanistes. Et c'est bien comme une tentative de restauration qu'est perçu le coup de force du 16 mai

1877, par lequel un Ordre moral sur la défensive cherche surtout à juguler une presse trop vigoureuse. « Affranchir » la presse : cette grande cause qui triomphera avec la loi de 1881 fournit, de mai à décembre 1877, son fer de lance au combat mené contre l'autoritarisme « liberticide » des notables.
Si la crise éclate en 1877, c'est que vient à maturité un processus enclenché, dès 1874, par la lente et patiente mise en place des institutions républicaines. Amendement Wallon, loi sur le Sénat, loi sur l'organisation des pouvoirs publics : le compromis parlementaire entre républicains et orléanistes élude l'affrontement, d'autant que Gambetta modère sa gauche et joue la carte d'un anticléricalisme de rassemblement : « Le cléricalisme ? Voilà l'ennemi » (4 mai 1877). Mais quand, otage de Gambetta, Jules Simon réprime l'agitation catholique, Mgr Dupanloup et le duc de Broglie poussent Mac-Mahon, resté monarchiste, à la résistance. D'où le coup du 16 mai et, en riposte, la montée en puissance du camp républicain, attestée par les législatives d'octobre 1877, amplifiée par les municipales de janvier 1878. D'où, à plus long terme, la puissante bipolarisation politique qui, divisant la France bourgeoise, accentue la coupure entre l'agrégat déclinant des notables réactionnaires, cléricaux, nostalgiques de la monarchie ou de l'empire, et un « bloc du Tiers État » (J.-M. Mayeur) cimenté par l'anticléricalisme, dynamisé par l'adhésion aux idéaux des Lumières et de 1789, confiant en un progrès tous azimuts capable de neutraliser l'Église, de scolariser les masses et de résorber la lutte des classes en intégrant le monde ouvrier à la République.
Avancées institutionnelles et victoires électorales. Sur ces deux scènes l'« idée républicaine » fait décidément son chemin. Cette émergence à la fois conflictuelle et unifiante du principe républicain s'appuie sur•tout un travail de la mémoire historique et symbolique. 1877-1882 : en cette aurore inaugurale que vont bientôt obscurcir l'opportunisme et le boulangisme, la « République des Jules » adopte la démarche conquérante de la théodicée et du messianisme. Et, de Hugo ou Ferry au militant de base, l'évangile républicain retrouve l'accent de l'eschatologie révolutionnaire, mais en la purgeant de ses violences et de ses angoisses. Car la République se sent maîtresse du temps et entend réussir là où la Révolution a échoué. Le 1er juillet 1878, à la fête de la République, le ministre de Marcère proclame tranquillement le projet « d'achever la Révolution française » : réinstituer la société par le suffrage universel, régénérer l'homme par l'éducation du citoyen, accomplir les promesses de la grande mutation, politique et symbolique, ébauchée en 1789. À la charnière des années 1880, dans son euphorie fondatrice, l'État républicain multiplie donc les gestes d'appropriation. En février 1879, *La Marseillaise* redevient hymne national. En 1880, le Parlement quitte Versailles pour Paris et le 14 juillet est décrété fête de la Nation. En 1885 les funérailles de Hugo assignent au Panthéon sa vocation définitive (et toujours contestée), tandis que l'apothéose

de ce Père majuscule divinise la figure de l'Écrivain en l'intégrant à un culte, étatique et populaire, des grands hommes[1].
Or ce processus d'instauration symbolique prend force et forme dès 1878, avec les célébrations officieuses mais solennelles qui captent l'héritage des Philosophes au profit de la démocratie républicaine : le 30 mai, à Paris et en province, les républicains anticléricaux commémorent le centenaire de la mort de Voltaire, le 1er juillet ils organisent à Paris une fête de la République, enfin les célébrants rousseauistes déplacent du 2 au 14 juillet l'hommage à Rousseau (mort le 2 juillet 1778) de façon à le faire coïncider avec l'anniversaire de la prise de la Bastille. Ainsi s'effectue, par de grandes onctions mémorielles, le sacre de Marianne. Restaurée et légitimée, la République n'est plus orpheline. Ses Pères lui viennent de la Révolution mais aussi des Lumières. Et, sur ce point, les camps adverses de 1878 semblent d'accord : pour le meilleur ou pour le pire – et par le relais de 1792 et de 1848 – l'avènement de la République, c'est bel et bien « la faute à Voltaire » et/ou « la faute à Rousseau »... Avant de scander la chanson douce-amère que Gavroche fredonne sous les balles, ce refrain a son histoire, significative. Il provient du répertoire voltairien de la Restauration. En 1817, quatre éditeurs lancent chacun un « Voltaire complet » tandis que Belin annonce un « tout Rousseau ». C'en est trop pour le haut clergé qui fulmine l'anathème. Un soir, au Caveau, J.-F. Chaponnière parodie le mandement du vicaire général de Paris : « S'il est du mal sur la terre/C'est la faute de Voltaire/C'est la faute de Rousseau. » Le refrain, Béranger s'en saisit pour rimer sa propre satire laquelle court sur les lèvres républicaines jusqu'à l'époque de Badinguet. Puis, remanié par la syntaxe gouailleuse de Gavroche, ce distique devenu dicton accompagne l'éclatante fortune des *Misérables* en même temps qu'il entre dans le folklore d'une République riche de chansons et d'icônes[2].

On les adore ou on les exècre, on les encense ou on les vitupère mais ceux-là mêmes qui les vénèrent ne sont pas toujours d'accord pour les réunir dans le même culte. Symboles d'une Révolution qui fracture la mémoire nationale – l'avant et l'après 1789, mais aussi l'opposition 1789/1793 – Voltaire et Rousseau sont, en 1878, des figures qui catalysent l'imaginaire partisan, mobilisent la presse et les forces politiques, sollicitent l'Église et l'État plus encore que l'Université ou l'Académie (elles s'activeront pour ou contre Rousseau en 1889, 1907 et 1912). Un siècle plus tard, nos deux totems, politiquement refroidis et culturellement intégrés, ne donnent prétexte qu'aux échanges feutrés d'un bicentenaire poliment ignoré des media. Ce décalage appelait une recherche. Que fut ce premier centenaire ? Que peut-il nous apprendre de la filiation Lumières-Révolution-République ? Et nous révéler sur l'institution commémorative ? À l'occasion du colloque international « Voltaire et Rousseau, 1778-

1978» (Paris, juillet 1978), ce questionnement a donné lieu à une étude collective et à des travaux individuels, reliés à d'autres enquêtes qui débordaient le problème de la commémoration pour envisager tout le devenir des Lumières aux XIXe et XXe siècles, dans leurs avatars positivistes et spiritualistes, libéraux ou socialistes[3]. L'ensemble de ces recherches amenait à manipuler un «corpus» composite qui se répartit en quatre masses:
- les très nombreuses rééditions – savantes ou scolaires, commerciales ou militantes – de Rousseau et surtout de Voltaire;
- une imposante littérature critique, de La Harpe à Sainte-Beuve, de Taine à Maurras, à Lanson, à Jaurès;
- le flot des brochures polémiques qui se gonfle de 1877 à 1880 mais commence sous la Restauration et ne tarit guère;
- enfin et surtout, accès principal à l'événement commémoratif de 1878, un échantillon de la presse parisienne et provinciale qui couvre l'éventail politique[4].

Allégé de ses références, l'exposé qu'on va lire s'appuie sur l'analyse de la production pamphlétaire et, avant tout, sur celle des journaux recensés en note. Archive privilégiée: aux luttes de mémoire le discours du journal est, peut-on dire, consubstantiel. Partisane et militante, la presse d'opinion de 1878 construit l'événement commémoratif, beaucoup plus qu'elle ne le reflète. Elle en organise le discours, elle en éclaire les enjeux et les ancrages. Réciproquement, l'analyse de l'événement permet de ressaisir le fonctionnement pluriel d'une presse où le lecteur de 1878 rencontrait tout à la fois l'archive d'un «réel» quotidien et le lieu du débat politique, les services d'un médiateur culturel, sorte d'école pour les adultes, en même temps que le travail d'une mémoire engagée qui ordonne le foisonnement de l'actualité à la lumière d'un passé élucidé et d'un futur à construire.

De ce point de vue, la presse de Paris n'a d'autre avantage que d'offrir toutes les nuances de l'éventail politique. Car, alimentés par leurs correspondances parisiennes, bourrés d'extraits de presse, ouverts aux débats d'idées, les quotidiens départementaux répercutent un discours politique globalisant qui parle d'emblée le langage de l'universel. Mais en même temps – c'est leur richesse propre – le contexte local dessine un espace d'affrontements qui grossit le geste commémoratif et permet de le saisir dans ce qu'il a eu de quotidien et de capillaire. Volontiers emphatique, le journal surinterprète les luttes et les rites: une empoignade électorale, la fête des écoles, la querelle d'un évêque et d'un maire autour d'un monument aux morts, les obsèques laïques d'un dirigeant vénéré, la confection d'une couronne pour la Pucelle ou la fête voltairienne du 30 mai... À la lumière d'une mémoire qui les légitime, des enjeux parfois minces accèdent à la dignité de l'Histoire et de la Culture.

Dans la rhétorique un peu guindée du discours commémoratif, le journal fait passer le vent de la polémique et le souffle de la conviction militante.

Caricature, invective, moquerie, sarcasme antilaïque ou anecdote « bouffe-curés » : à gauche comme à droite, la parole pamphlétaire fonctionne à l'excès. On force la voix, on charge le trait, l'outrance du commentaire fait politique de tout bois, de l'écho à l'éditorial, du fait divers au feuilleton. Mais l'accent polémique n'exclut pas un pédagogisme généreux. En disciple des Lumières, la politique républicaine se veut d'abord éducation du citoyen. Et là où la presse conservatrice, sur la défensive, se borne à dénoncer, récriminer, sermonner, les journaux républicains les plus incisifs informent, éduquent, politisent, donnent à la foi laïque ses moyens de communication et de propagande. À des lecteurs recrutés par un réseau associatif en pleine expansion (loges, cercles, bibliothèques), un organe comme *Le Petit Progrès de la Somme* offre, étalé sur la semaine, un montage culturel de bonne tenue où feuilletons, conférences, études, extraits, comptes rendus, etc., se relaient pour construire les bases d'une nouvelle mémoire nationale.

Entre le discours du journal et le récit commémoratif s'instaure une tension féconde. Écriture du/au présent, le quotidien laisse surgir une actualité brutale, déconcertante, mais qui est d'emblée prise en charge par le commentaire, stratégie mémorielle qui relie, coordonne, totalise de façon à inscrire l'imprévisible présent dans le cadre d'un passé balisé, grâce à quoi on conjure l'avenir, on exorcise l'« événement-monstre » (P. Nora) en le soumettant aux règles d'une mémoire nationale homogène et rassurante. Pour réduire l'écart entre l'inattendu de l'événement et l'universalité du principe, le journal met en scène une temporalité multiple : le court terme de la répétition rituelle et de l'accident novateur, le moyen terme de la conjoncture, la longue durée des permanences ou des ruptures fondatrices. C'est à ce troisième niveau que se déploie volontiers un récit commémoratif qui prétend dire le sens du devenir historique. Ainsi font les républicains en voulant « achever la Révolution française » par un geste qui ouvre et ferme le temps. Le progrès républicain se lit donc à la fois comme un temps cumulatif, linéaire, irréversible et comme un calendrier sacré où reviennent les anniversaires des grands morts : martyrs, précurseurs, fondateurs, pères de la Révolution et de la République[5].

Le projet de commémorer ensemble, à l'occasion de leur centenaire, « les deux grands esprits qui personnifient le mieux la libre pensée et la Révolution » remonte à 1876. Il coïncide avec la décision gouvernementale d'organiser, en 1878, une Exposition universelle, symbole pour l'étranger du renouveau français et temps de trêve politique dans l'oubli des discordes civiles. L'initiative du double centenaire appartient à la gauche du Conseil municipal de Paris. Et la presse républicaine lui apporte un écho puis un soutien qui vont en s'amplifiant. En 1877, la campagne est lancée par *Le Bien public* (futur *Voltaire*), le journal d'Émile Menier, célèbre fabricant de chocolat et député gambettiste, qui demande qu'une salle de l'Exposition soit consacrée à la mémoire de Voltaire et Rousseau. S'y associent la gauche radicale *(Le Radical, Le Rappel)*, la maçonnerie socialisante des *Droits de l'homme* et, plus tard, le centre gauche *(Le Siècle)* et même le centre *(Le Temps)*. Assez vite trois points ressortent. D'abord la neutralité et même la réserve du gouvernement qui déclare que ce centenaire gardera un caractère officieux. Ensuite, de la part des organisateurs, la décision d'honorer non pas Voltaire littérateur, mais le prophète militant, celui qui a dit: «Écrasons l'infâme.» Cette thématique anticléricale, voire antireligieuse, rend difficile le jumelage des anniversaires, le déisme trop fervent de Jean-Jacques (plus que son populisme) devenant une pomme de discorde entre républicains. Non sans débats (on y reviendra), il est décidé, en février 1878, qu'il n'y aura pas d'anniversaire commun au seigneur de Ferney et au citoyen de Genève. L'année 1878 sera surtout une année Voltaire.

Le 12 janvier 1878, la Société des gens de lettres demande à Victor Hugo de glorifier la mémoire de Voltaire lors de la cérémonie à laquelle elle participera. En février se constitue le Comité national pour la célébration du seul centenaire de Voltaire. Il lance un appel à tous les conseils généraux et municipaux de France, les exhortant à se joindre à lui pour faire de cette commémoration un événement national. Le Conseil général de la Seine vote une subvention de mille francs, le Conseil municipal de Paris une de dix mille francs. À cette campagne, que la presse départementale développe avec entrain, les élus républicains répondent massivement. Ainsi font Nantes et Bordeaux, Lille et Marseille, Amiens, Auxerre, Étampes, Versailles, Argenteuil, des centaines de communes de moindre importance. Les journaux républicains soulignent les adhésions étrangères qui se multiplient à l'approche de l'Exposition (1er mai). Ils relatent les débats des assemblées parisiennes: Chambre, Sénat, Conseil municipal. Enfin ils recensent la floraison des initiatives locales qui conjuguent les célébrations privées (la loge maçonnique de Maule honore Voltaire le 6 mars) avec des gestes plus spectaculaires comme les votes des conseils, les conférences publiques, la diffusion de tracts et de brochures, les représentations théâtrales prévues pour le 30 mai ou le début de juin (à Reims, puis à Nantes, on montera *Tancrède*, tragédie «patriotique» de Voltaire).

L'argent des subventions est destiné à soutenir les manifestations. Parallèlement le Comité national organise une souscription pour que soient éditées et distribuées massivement les *Œuvres choisies* de Voltaire, volume de mille pages dont certains attendent un effet apocalyptique: «Il ira dans chaque famille et quand il y aura un Voltaire dans chaque famille, les églises se videront» (texte du Comité cité par Mgr Dupanloup). Pour scander l'effort militant, les journaux républicains publient les listes de souscripteurs. Ainsi fait *Le*

Petit Progrès de la Somme (P.P.S.) du 25 mars au 9 juin. Les sommes les plus importantes proviennent des élus de gauche de toute la Picardie, des hebdomadaires locaux, des associations comme les joueurs d'échecs d'Amiens ou le Syndicat des cordonniers. Individuelle, la souscription s'assortit souvent d'une brève profession de foi qui intègre le signataire à la vaste famille des partisans de Voltaire, à ceux que le *P.P.S.* baptise «nos coreligionnaires politiques». Ainsi souscrivent «un cordonnier radical», «un dessinateur voltairien», «un ouvrier démocrate», «un avocat républicain», ou encore «un protestant républicain», un «jeune» puis un «vieux républicain» ou bien, d'un seul élan, «Danicourt Joseph, un travailleur, un ami des lumières»... On constate que la cause voltairienne rassemble des fervents de toutes origines sociales (à l'exception des notables traditionalistes), en particulier une élite ouvrière et la petite-bourgeoisie des «nouvelles couches». Là se recrutent les lecteurs des bibliothèques populaires, les auditeurs des cours du soir, les animateurs des orphéons, les membres des loges, des sociétés d'instruction, de la Ligue de l'enseignement, bref les militants de ce réseau associatif laïque qui, faisant pièce aux groupes cléricaux, diffuse en profondeur les idéaux républicains. C'est à ce public avide d'émancipation culturelle que le *P.P.S.*, feuille à cinq centimes, destine son effort de divulgation : de février à juillet 1878, comme à Nantes *Le Phare de la Loire*, le quotidien amiénois fait paraître des extraits commentés de Voltaire et Rousseau, des recensions d'ouvrages critiques, des études sur les salons du XVIIIe siècle, les hommes de la Convention, la noblesse ralliée à la République... Par cet investissement pédagogique le *P.P.S.* préfigure les universités populaires des lendemains de l'Affaire Dreyfus.

Dans le camp antivoltairien le contre-centenaire s'organise comme une guerre sainte. Guerre à Voltaire plus qu'à Rousseau sur lequel on fait silence sauf à l'approche de la fête de juillet. Guerre surtout défensive où presse de droite et presse cléricale mènent deux opérations articulées. D'une part, on dénonce ou on raille les entreprises des voltairiens tout en démystifiant la légende dorée de l'apôtre des Lumières. D'autre part, on annonce les initiatives du clergé : messes expiatoires ou réparatoires... et la mise en place d'un Comité du centenaire qui émane de la Société bibliographique et de quelques académiciens français. Mais la conduite de la contre-offensive revient surtout à Mgr Dupanloup, évêque d'Orléans, sénateur centre droit, principal adversaire de Hugo et auteur des *Lettres* au Conseil municipal de Paris qui, diffusées sous la forme de brochures bon marché, fourniront aux antivoltairiens tout l'arsenal de leur polémique[6].

Au diapason d'une presse cléricale qui se voit à la veille d'une catastrophe historique abolissant «les droits de Dieu et de l'Église», *Le Bulletin religieux de Versailles* dénonce, raille et conjure. Un article du 19 mai récapitule l'argumentaire antivoltairien et annonce une double riposte :

> Le centenaire de Voltaire révolte à juste titre tous les vrais Français, comme tous les simples chrétiens. Voltaire fut l'ami de la Prusse, l'insulteur de la France, l'insulteur de notre gloire la plus pure, Jeanne d'Arc. Voilà que les Français veulent le fêter à Paris le 30 mai, avant même que les ruines de la guerre et du siège aient été réparées. Dieu fera sans doute tomber dans le ridicule une entreprise aussi révoltante, mais nous ne devons pas moins protester et expier.

Sur le même ton, *L'Écho de la Somme* et *Le Mémorial d'Amiens* stigmatisent les votes du conseil municipal amiénois, soutiennent les initiatives de Mgr Dupanloup, en particulier l'idée de faire rétablir à Orléans le monument expiatoire à Jeanne d'Arc tel qu'il existait avant 1793, approuvent les cercles catholiques dont ils reproduisent les tracts. Postées, glissées sous les portes, distribuées aux enfants des écoles ces feuilles bordées de noir diffusent les formules «antifrançaises» extraites de la correspondance de Voltaire. L'évêque d'Amiens, Mgr Bataille, engage le fer en publiant dans *Le Mémorial* la lettre diocésaine qui ordonne, pour le 30 mai, un rituel de réparation pour «l'injure faite à Dieu et à N.S.J.-C.». Au demeurant, la presse cléricale met en doute la neutralité du gouvernement Dufaure, qui a interdit les manifestations de rue, imité par toutes les municipalités favorables au centenaire (Auxerre, Amiens, Nantes, Rodez, Versailles...): n'est-ce pas la preuve de l'intolérance hypocrite de ces libres penseurs qui veulent empêcher les processions et par là même les hommages à Jeanne d'Arc?
Avec la «vierge libératrice», héroïne chrétienne et patriote, vénérée à l'égal de Saint Louis, la droite réactive une mémoire qui lui est propre. Les troupes du contre-centenaire comportant une majorité de femmes, on ne saurait, pour faire pièce au panthéon républicain, trouver emblème plus radieux que cette figure doublement mobilisatrice: on espère sa prochaine canonisation et on demande à l'État de reconnaître une gloire nationale. Un Comité des femmes de France, où se retrouvent duchesses et «dames de la Halle», entretient une grande flambée militante. Le 30 mai (jour de la mort de Jeanne!), c'est un pèlerinage à Domremy où doit s'élever le monument pour lequel la collecte va durer toute l'année 1878. Sur la figure de Jeanne d'Arc s'articule un discours qui vise l'auteur sacrilège de *La Pucelle*, texte trop polisson pour que les voltairiens se risquent à le défendre! On fait jouer un système d'antithèses qui touchent à l'archétype: Jeanne, c'est la pure jeune fille contre le vieillard corrupteur, l'humble bergère contre l'ami des Grands, la patriote contre le complice du Prussien Frédéric. L'efficacité de ce contre-mythe tient à l'effet d'unanimité que provoque le nom de Jeanne d'Arc. Voltaire divise mais Jeanne rassemble... Car les républicains entendent bien intégrer à leur martyrologe une Jeanne qui leur appartienne. La contre-offensive s'ouvre le

24 mai par une proclamation de Gambetta: «Je me sens l'esprit assez libre pour être le dévot de Jeanne la Lorraine et l'admirateur et le disciple de Voltaire.» Sous l'autorité de Michelet, le *P.P.S.* se réapproprie une Jeanne Darc *(sic)* «fille du peuple» et non «dame de France», héroïne «européenne» comme Voltaire était «citoyen de l'univers», martyre dont le sang accuse le fanatisme de l'Église, enfin militante de la tolérance et partenaire (inattendue) du combat contre l'Infâme puisque, c'est E. Pelletan qui l'affirme dans son discours amiénois du 30 mai, Jeanne eût-elle vécu au XVIIIe siècle, Voltaire l'aurait défendue comme il a défendu La Barre, jeune victime sacrifiée par des dévots «cannibales»! Mais, sous ce théâtre d'ombres où se heurtent deux fantômes de Jeanne, affleure le socle commun des valeurs nationales (la Patrie, le Peuple, la Femme) dont chaque camp, par morts interposés, se présente comme le champion attitré, voire exclusif.
L'événement du 30 mai 1878 et la campagne militante qui le prépare réactivent une tradition polémique déjà longue qui est liée au nom de Voltaire ou, si on préfère, à son mythe. Convergence entre un nom, une œuvre et une figure, la «gloire» de Voltaire au XIXe siècle porte les traces mêlées de l'affrontement et du consensus. Affrontements autour du chef des Philosophes et d'un père de la Révolution. Consensus acquis depuis La Harpe (*Le Lycée*, 1799-1805) sur la valeur de l'écrivain, dramaturge, poète, homme de goût que prônent anthologies et manuels. Mais le nom de Voltaire est, de toute façon, une référence obligée du discours public. Et les dizaines de libelles produits de 1877 à 1880 (trente pages de la bibliographie de Mohr) ne sont que des variations apprises à l'intérieur d'un mythe dualiste que voltairiens et antivoltairiens partagent tout en cherchant à l'adapter aux exigences d'une conjoncture politique sans précédent. Car ni en 1778 (l'écrivain vivant couronné sur la scène) ni même en 1791 (le Père de la liberté installé dans le temple d'une nation régénérée) la figure de Voltaire n'avait été associée à des enjeux aussi lourds que ceux de la bataille laïque de 1877 à 1882: contrôle de l'État, statut de l'Église, problème de l'école, question sociale... Or, ce troisième sacre du patriarche correspond aussi à l'émergence, dans le champ littéraire, d'un dispositif destiné à produire de l'unanimité nationale. Avec la *IIIe République des Lettres* (A. Compagnon) s'instaure, remanié par l'Affaire Dreyfus et ses suites, un culte du «grand écrivain français» qui, de célébrations en funérailles, institue une sacralité littéraire, à la fois reconnue par les appareils éducatifs et contestée par des minorités d'avant ou d'arrière-garde. 1878, Voltaire. 1885, Hugo. 1912, Rousseau. 1924, Anatole France...
Qu'on ait commencé par Voltaire semble, *a posteriori*, s'imposer. Au XVIIIe siècle, déjà, il est en tête du hit-parade de l'édition. Sur deux cents ans, ses œuvres complètes ont été publiées six fois plus que celles de Rousseau[7]. Et, depuis la Restauration jusqu'en 1880, on édite du Voltaire, avec frénésie et

pour tous publics. Puisant dans l'œuvre énorme, l'édition, la presse, l'école, l'Église fabriquent, pour des groupes très ciblés, des montages de textes sur mesure. Le Voltaire des «chaumières» n'est pas celui de la «grande propriété», celui du «commerce» ne fraye pas avec le Voltaire des écoliers ou celui des bibliophiles, tandis que le Voltaire «pornographe» (*La Pucelle*, contes en vers) nourrit les lectures «particulières». L'Église cite Voltaire pour réfuter ses «erreurs». Les voltairiens diffusent leurs florilèges «bouffe-curés» dont l'anthologie du centenaire reprend les recettes.

Le texte, donc, éclate et se disperse. Mais, au long du XIXe siècle, le mythe garde son unité. Mythe *bifrons* et pourtant unique en ceci que les oppositions proclamées, exhibées, recouvrent un modèle commun. Partisans autant qu'adversaires occultent l'œuvre comme totalité complexe pour y substituer une légende composée d'anecdotes biographiques, de citations-slogans, de rêveries fétichistes autour de la statue de Houdon qui, partout reproduite, donne prétexte à des lectures diamétralement opposées. Car tout en l'homme Voltaire, tel que la statue l'éternise, devient signe et se propose à l'interprétation. Sa naissance et sa mort, son corps, son sourire, ses mains… sont déchiffrés selon l'ambivalence de l'adoration ou de l'exécration, de la légende dorée ou de la fable sulfureuse. Pour les laudateurs du grand homme, du défenseur des Calas, la statue symbolise la volonté tendue au-delà des possibilités du corps, la bonté du patriarche à la Hugo. Pour ses adversaires, c'est la haine qui ne désarme pas, la méchanceté du vieillard sacrilège, l'abjection du coprophage qui se souille jusque dans la mort. Dans le fameux sourire, les uns lisent la vitalité d'une dérision libératrice, les autres, le rictus satanique de la négation… «Voltaire» ne désigne plus un texte mais un destin exemplaire, pâture pour hagiographes ou iconoclastes[8].

En 1878, qu'il soit signé Hugo ou Dupanloup, le discours sur Voltaire s'organise selon les mêmes qualifications antagonistes, à base d'hyperboles globalisantes. D'un côté, le saint Paul, voire le Jésus de l'évangile républicain, «l'Homme de la Justice et de la Vérité» *(P.P.S.)*. De l'autre, une figure satanisée par l'anathème: «Ce gouffre immense d'ordures, de sottises, d'impiétés, de mensonges» *(L'Écho)*. Il en résulte qu'à gauche presque autant qu'à droite le texte n'est exhibé que sous la forme de fragments sans cesse repris: des aphorismes hors contexte, quelques vers tirés, à gauche, des poèmes philosophiques, à droite, de *La Pucelle*, des extraits de la correspondance, texte qui renvoie à l'homme plus qu'à l'œuvre. Les voltairiens vont jusqu'à fabriquer, en usant du style indirect, un Voltaire apocryphe destiné à la catéchèse républicaine. À l'occasion, on se substitue au grand homme pour écrire en son nom: un chef d'escadron d'artillerie, grand mangeur de jésuites, aligne cent soixante alexandrins pour répondre à *Rolla*: «Je dors content, Musset…» (*P.P.S.*, 6 mai 1878).

La lecture dominante dans les débats de 1878 est constituée par les *Œuvres choisies*, «édition du centenaire». Livre de référence, il apparaît aux uns comme un catéchisme d'impiété, il est encensé par les autres comme un manuel du citoyen. Sa composition est significative des enjeux investis dans l'objet «Voltaire». Pour un quart, ce volume de mille pages comporte des textes sur la religion, pour un cinquième, il est consacré aux romans. Viennent ensuite, par nombre de pages: l'histoire (cent cinquante), la polémique littéraire (cent), puis selon une catégorisation hétéroclite «la défense des opprimés, les facéties, la philosophie générale, *Brutus*, la morale et la poésie fugitive». Ni notes, ni introduction. Le texte est censé parler de lui-même aux lecteurs lesquels sont incités, de part et d'autre, à *lire* Voltaire... pour y vérifier leurs mythes respectifs. D'autant que les discours d'escorte surabondent. Pour riposter à Mgr Dupanloup, Gustave Nogra propose aux voltairiens un vade-mecum de quatre-vingts pages intitulé: *Voltaire, sa vie et ses œuvres, l'influence de ses idées dans la société.* Quant aux *Lettres*, *Nouvelles Lettres* et *Dernières lettres* de Dupanloup, elles visent, par-delà le Conseil municipal de Paris, le public le plus vaste.

Ces trois brochures de cinquante pages en méchant papier méritent qu'on s'y arrête. D'abord en raison de la personnalité de ce leader du parti clérical. Antivoltairien conséquent, il a dû quitter son enseignement en Sorbonne à la suite d'un mot vengeur lancé contre Voltaire, qui avait provoqué une émeute d'étudiants. De 1871 à 1877, il a joué un rôle politique important auprès de Mac-Mahon et du duc de Castries. Homme de culture, il connaît très bien les références idéologiques de ses adversaires et les combat sur leur propre terrain. De ses dix *Lettres*, qui ont connu un vif succès, seule la dernière s'en prend à Voltaire «insulteur du Christianisme». Les autres s'emploient à démasquer l'apôtre et le militant des Lumières en opposant à ses écrits les plus généreux les turpitudes de l'homme privé et public. Voltaire, c'est le courtisan qui plie le genou à Versailles ou à Berlin, le spéculateur sans scrupules, le bourgeois gentilhomme plein de mépris pour le peuple, l'ami de la Prusse, l'insulteur de la France et de Jeanne d'Arc, une figure de fourbe qui se dérobe derrière le masque de la philanthropie et de la tolérance.

De ce portrait répulsif, tracts et journaux de droite tirent un chapelet d'anathèmes qui se récitent comme une litanie. À quoi les républicains se font un devoir de riposter par un argumentaire extrait de la brochure de Nogra, elle-même compilée sur les travaux de Desnoiresterres[9]. On invoque le rôle diplomatique de Voltaire, on souligne son prestige d'intellectuel, roi de l'Europe éclairée, on admet qu'il n'était pas «l'homme de la démocratie républicaine», mais on exalte ses luttes de «défenseur des faibles» et d'«éducateur du genre humain» (*P.P.S.*, mai 1878). Pas de réponse, en revanche, à l'hypothèse d'un Voltaire guillotiné par la dictature montagnarde (*Le Mémorial*, 29 mai 1878)!

C'est que ce fantasme touche au vif les voltairiens dans leur souci de présenter la Révolution comme un bloc sans contradictions, à l'image d'une Philosophie rêvée comme unanime, l'une et l'autre venant légitimer le rassemblement des républicains de 1878. Très conscient de ces enjeux, Mgr Dupanloup entend conjurer la menace d'un voltairianisme d'État, doctrine officielle d'une République anticléricale. Ce sera son dernier combat : il meurt en octobre 1878.
Le 21 mai 1878, son interpellation au Sénat avait donné le coup d'envoi du centenaire. Dupanloup dénonçait le rôle du Conseil municipal de Paris et exigeait que soit interdite la diffusion (financée par Menier) des *Œuvres choisies* de Voltaire : éparses dans l'œuvre immense, les impiétés ainsi condensées ne peuvent, dit-il, que déclencher une guerre antireligieuse qui serait aussi une guerre civile. De la tribune du Sénat, l'évêque d'Orléans en appelle à l'opinion et à la sagesse du gouvernement dont il attend qu'il désavoue le centenaire. En réponse, Dufaure, président du Conseil, affirme la neutralité du gouvernement, le caractère officieux des cérémonies, mais il se refuse à censurer un livre dont il minimise l'influence, distinguant dans l'œuvre de Voltaire la part admirable et les aspects caducs ou détestables. Cette prudence habile permet aux républicains de dénoncer le fanatisme du prélat.
Le jeudi 30 mai, les grandes villes de France célèbrent Voltaire. En tête, Paris où tout se passe en des lieux clos et privés, conformément aux consignes préfectorales. Le théâtre de la Gaieté abrite la première manifestation qui est la plus solennelle. Prennent la parole le député Spuller, bras droit de Gambetta, puis, au nom des Lettres, É. Deschanel et Victor Hugo, grandes figures de l'opposition à l'Empire. Sont invités des représentants des Chambres, du Conseil municipal de Paris, du Conseil général de la Seine, des Académies ainsi que des « jeunesses des écoles ». Au centre de la scène, magnifiquement drapé, le *Voltaire* en buste de Houdon. Dans la salle un très nombreux public qui, hormis les étudiants, a chèrement payé ses places, la recette allant aux familles des prisonniers politiques (dont Hugo demande l'amnistie). Une deuxième célébration prend place au cirque Myers où l'on érige une statue à Voltaire. Le monde de la politique y voisine avec celui des arts. Avant les discours, la fanfare de Meaux interprète une *Cantate à Voltaire.* Plus populaire et plus fervent, le public, environ cinq mille personnes, arbore des bannières tricolores ou maçonniques. Enfin le soir, dans la salle du Grand Orient, a lieu un banquet : y assistent des gens de lettres (dont Heredia) et des journalistes étrangers ; on y porte des toasts à Voltaire puis à Voltaire et à Jeanne d'Arc réunis… Malgré les invitations du Comité du centenaire, on a peu pavoisé, très peu illuminé, sauf dans les quartiers ouvriers[10]. Mais toute la journée on a vendu dans les rues des médailles commémoratives.
Sur la défensive, les forces du contre-centenaire usent du défi, puis de l'exorcisme. Le matin, on tente une sortie et la police refoule les délégations

venues déposer des gerbes au pied de la statue de Jeanne d'Arc. L'après-midi, le cardinal archevêque officiant, on célèbre à Notre-Dame un salut solennel du saint sacrement. Dans une foule nombreuse on note la présence de députés et de sénateurs de l'opposition.

Les lampions éteints, l'odeur de l'encens évanouie, la presse, par ses comptes rendus, ses commentaires, tout son effet informatif et critique, prolonge quelques jours encore le débat autour de Voltaire. Parisiens et provinciaux peuvent ainsi dresser le bilan des manifestations tant à l'étranger qu'en France. L'Italie est en pointe. Elle a envoyé des télégrammes qui ont été lus au théâtre de la Gaieté. À Bologne, Milan, Rome, des manifestations ont réuni les étudiants avec les associations ouvrières. À Rome le théâtre Apollo a joué *Zaïre* et on a, comme en 1778, couronné le buste de Voltaire sous les ovations d'un public gagné à la libre pensée.

Un tableau complet des commémorations provinciales exigerait une revue de presse exhaustive. Les journaux consultés permettent de supposer qu'un peu partout l'événement se résume à un contrepoint réglé : les messes expiatoires, les hommages à Jeanne d'Arc sont la riposte aux conférences sur Voltaire, elles-mêmes suivies de solides agapes républicaines. En Seine-et-Oise les loges festoient à qui mieux mieux. Six banquets à Lyon, plus des illuminations, un à Bordeaux, un à Saint-Étienne, un à Marseille, un à Versailles, un à Nantes, un à Amiens..., tandis qu'à Rouen, en symbole des conquêtes philosophiques, un ballon monte ses astronautes jusqu'à trois mille cinq cents mètres ! Deux villes se distinguent par l'effort de leur état-major républicain pour donner à la fête voltairienne un éclat particulier. C'est le cas d'Amiens dont toute la presse, comme on va le voir, souligne la réussite. Succès plus incertain à Nantes où l'année 1878 avait pourtant commencé par un « scandale » que la presse de droite qualifia de « révolutionnaire ». Le 16 janvier on joue une pièce interdite sous l'Empire : *Marceau ou les enfants de la République*, dont *Le Phare de la Loire*, organe républicain d'avant-garde, fait un test politique ; un public électrisé applaudit le personnage de Robespierre, tandis que l'orchestre militaire (qui sera sanctionné par ses chefs) exécute un hymne encore séditieux : *La Marseillaise*... Mais la célébration de Voltaire, pourtant préparée par une propagande dynamique, n'attire pas les foules et l'échec s'aggrave, les 6 et 7 juin, avec *Tancrède*, « tragédie patriotique », qui est un four, pour la satisfaction sarcastique de *L'Espérance du peuple*, organe du légitimisme nantais.

Tirant la leçon du centenaire, la presse républicaine se félicite de la tenue des cérémonies. Sont démenties les craintes proclamées (ou les vœux secrets) d'une droite qui présidait une « orgie démocratique », voire la répétition de la Commune ! Nulle part l'ordre public n'a été perturbé, constate avec soulagement le très modéré *Journal d'Amiens*. Et la force tranquille des célébrations suggère au *Temps* un commentaire irénique : « Ce sont les idées de justice et de tolérance, de respect des minorités dont Voltaire a été le grand représentant, le grand vulgarisateur, qui ont été acclamées par la foule » (31 mai 1878). Faute de s'en prendre à des désordres qui n'ont pas eu lieu, la presse de droite décrète l'insuccès flagrant du 30 mai. Pas de participation ouvrière, note le légitimiste *Courrier de Versailles*, qui voit là une fête pour les « petits commerçants » gobant comme « parole d'Évangile » la prose de « ce grand charlatan, Émile de Girardin » (2 juin 1878). Grinçant ou perfide, voire haineux contre le « Prussien Spuller », le commentaire se fait ironique pour traduire en termes religieux les gestes du rituel républicain : le ticket d'entrée est un « viatique », les applaudissements, des « coups d'encensoir », Hugo, un « Bouddha », ou un « poussah » ! Plus que ce persiflage paraît significative l'insistance de la presse cléricale, proche d'un solidarisme à la façon d'Albert de Mun, à vouloir récupérer les masses candides égarées par le messianisme républicain. Le 31 mai, le *Bulletin religieux* de Versailles colporte cette anecdote :

> À Amiens un ouvrier demandait le jeudi matin à un habitant de la ville où se disait la messe pour le centenaire de Voltaire [...] Cela prouve l'affolement de nos pauvres populations qui marchent sous la bannière du radicalisme sans savoir où elle les conduit.

Le 29 mai, à Amiens, nul affolement. C'est plutôt, toutes consignes données, une veillée d'armes. De part et d'autre – on l'a vu – le grand jour se prépare depuis février en un foisonnement de gestes militants. On diffuse tracts et brochures, on organise les souscriptions, on se bat au coup par coup en une guérilla où la presse républicaine n'hésite pas à consacrer toute la surface de la une à la prédication « voltairienne », tandis qu'à droite on est partagé entre l'envie d'étouffer l'affaire et le désir de rendre les coups. Le Dupanloup local, le comte de Badts de Cugnac, manie, à l'adresse des amis comme des adversaires, l'incantation conjuratoire :

> Grâce à Dieu la ville d'Amiens tiendra une place d'honneur parmi les cités catholiques dont la voix s'élève au nom de la France de Jeanne d'Arc contre la glorification du Prussien Voltaire (*Le Mémorial*, 28 mai 1878).

En 1878 ces notables mac-mahoniens qui ont perdu la mairie, le Conseil général et des circonscriptions dominent encore, avec l'appui de l'Église, l'enseignement et les sociétés savantes. Ils disposent de deux quotidiens : un « petit journal », *L'Écho de la Somme*, dirigé par É. Yvert, champion du légitimisme ; *Le Mémorial*, « grande feuille » bonapartiste, ultra-cléricale, très agressive. Face à eux, l'état-major républicain se regroupe autour du *Progrès de la Somme*, fondé en mai 1869. L'équipe réunit deux générations : les jeunes opposants à l'Empire et les héritiers de 1848. Parmi ces « républicains de la vieille école », deux ont une stature nationale. En 1870 l'avocat René Goblet a commencé sa carrière de grand notable, conseiller général, maire et député d'Amiens. Dans les années 1880, plus radical qu'opportuniste, il sera plusieurs fois ministre et président du Conseil. À ses côtés, revenu de son exil suisse, le philosophe combattant et martyr, Jules Barni. Célèbre traducteur de Kant, il s'était, en 1848, associé à J. Simon et à Deschanel pour éditer une revue anticléricale et socialisante : *La Liberté de penser.* Destitué par l'Empire, il professe à l'académie de Genève et préside la Ligue internationale de la paix et de la liberté. Compagnon de Gambetta, puis député d'Amiens (1872), cet apôtre de la République prêche inlassablement, journaliste, conférencier, auteur de manuels civiques, militant de l'éducation populaire[11]. Le 7 juillet 1878, ses funérailles rassemblent toutes les composantes d'une Union républicaine qui, dans l'optique d'un réformisme à la Barberet, fait dépendre la paix sociale et l'avenir de la République de l'alliance entre la gauche gambettiste et les associations ouvrières. À cette politique adhère Frédéric Petit, plébéien autodidacte, jeune leader des républicains amiénois, très lié au cercle de l'Union ouvrière qui se propose de « faire avancer la classe ouvrière par la lecture des journaux et l'organisation de conférences ». Amnistie des communards, éducation ouvrière, réformes sociales, ce triptyque résume le programme des organisateurs du centenaire. Et c'est ainsi qu'il faut comprendre le mot d'ordre quarante-huitard que, le 30 mai, un Eugène Pelletan ventriloque prête généreusement à Voltaire : « Éclairer le peuple pour l'affranchir. » L'audace des républicains amiénois, c'est de prendre au pied de la lettre ce slogan ambigu et de vouloir tout faire pour le rendre réel. D'où le coup de clairon du *P.P.S.* ouvrant, le 1er février, la campagne commémorative :

> Eh bien ! puisque la bourgeoisie a renié ses traditions, puisque, après avoir été l'armée du progrès, elle a pactisé avec ses anciens ennemis (clergé et noblesse), adressons-nous au peuple, faisons pénétrer en lui les mâles enseignements, apprenons-lui à connaître le nom et les œuvres de Voltaire.

À l'approche du jour *J*, ce populisme conquérant redouble de zèle. Le 28 mai l'Union ouvrière bénéficie d'un cours public sur Voltaire. Le 30 au matin, elle accueille et pilote « les ouvriers des campagnes ». La veille, à la gare, Eugène Pelletan, compagnon de Barni, s'est vu saluer par les élus républicains et par une foule chantant *La Marseillaise.* Les délégués affluent de toute la Picardie et du Nord-Pas-de-Calais. Et le *P.P.S.* d'insister sur la portée d'un événement qui associe aux « élites intellectuelles » les « travailleurs des villes et des campagnes », ardents à « glorifier le grand homme dont la plupart n'ont jamais lu les œuvres, mais que tous connaissent de nom et qu'ils ont appris à aimer et à bénir » (31 mai 1878).

Habilement, on contourne l'interdiction de manifester. On célébrera Voltaire en des lieux clos. Mais les festivités de plein air ouvrent aux voltairiens l'espace entier de la ville : ils occuperont la rue jusqu'à la nuit... La matinée du jeudi 30 s'ouvre dans l'éclat des fanfares. Opposant leurs joyeux fracas aux « cloches de l'expiation », huit orphéons défilent de la place Saint-Denis, où ils ont bu le vin d'honneur, au kiosque de la place Montplaisir, en suivant des rues pavoisées aux trois couleurs. Tout le monde gagne le cirque de la place Longueville, réservé aux discours. Député d'Abbeville, Porphyre Labitte fait se dresser le spectre sanglant du chevalier de La Barre, martyr de la Philosophie, figure locale, nationale, universelle[12]. Suit la conférence d'E. Pelletan, biographie d'un Voltaire militant, précurseur de 1789 et de 1848, digne désormais d'habiter « le panthéon vivant de l'esprit humain ». Il y a là rassemblés trois mille auditeurs (« des deux sexes », précise le *P.P.S.*) dont nombre de journalistes républicains... De nouveau les fanfares. Par la rue des Trois-Cailloux qui résonne d'une *Marseillaise*, les musiques gagnent la vaste esplanade de La Hotoie, espace voué aux fêtes civiques, aux jeux picards traditionnels et, sur l'initiative de Barni, à une grandiose fête des Écoles. Place aux jeux : sous une tente on joue à la paume, ailleurs au « tamis », avec une balle au gant ou à la main ; d'autres pratiquent le tennis et « il faudrait *L'Iliade* pour narrer les hauts faits des combattants » ; les sociétés d'archers, « disciples de Guillaume Tell », tirent des oiseaux empaillés ; à dix-sept heures, les vélocipèdes s'élancent le long de la Somme pour un parcours de vingt-quatre kilomètres :

> Le coup d'œil était charmant ; les couleurs éclatantes des toques et des jaquettes des coureurs se détachaient merveilleusement sur le vert sombre des grands arbres de La Hotoie (*P.P.S.*, 2 juin 1878).

En fin d'après-midi, se tient un banquet de soixante couverts où les notables de la République portent des toasts à Amiens, à Voltaire, à Pelletan, à Goblet, à Barni. Mais le bouquet, c'est, le soir à La Hotoie, un feu d'artifice tiré devant un arc de triomphe où « scintillait en différentes couleurs le mot : VOLTAIRE » *(P.P.S.)*. La foule y était énorme, concède, de mauvais gré, *L'Écho* qui attribue l'affluence à « la pyrotechnie plus qu'à Voltaire » (2 juin 1878)... Toute procession extérieure étant interdite, le contre-centenaire s'est confiné dans l'espace du culte : messe à la cathédrale et, pour réparer l'offense faite à Dieu, des sonneries de cloches expiatoires. Quant à la fête voltairienne – qui a eu l'arrogance de s'épancher par les rues –, la presse cléricale y dénonce un mélange impur de l'excès (« une orgie »), de l'imposture (« une colossale mystification ») et de l'ennui (« un fiasco complet ») : la musique a été « un four », le drapeau ne flottait que sur « les cabarets borgnes et les maisons garnies » ; peu suivie, la conférence de Pelletan s'est distinguée par « son degré sénégalien de température politique », grommelle *Le Mémorial*, tout en résumant et en réfutant le propos du conférencier (31 mai 1878). En réponse, le *P.P.S.* affiche un triomphalisme sans nuances. C'est par le discours intégral de Hugo qu'il fait précéder le récit de la fête amiénoise (2 juin). Et, portée par l'envolée hugolienne, la péroraison se hisse au sublime :

> Amiens, en dépit des manœuvres d'un parti aux abois, malgré les calomnies tombées de la chaire et colportées par une presse peu scrupuleuse, malgré les menaces des foudres du ciel et des flammes éternelles, Amiens a fêté Voltaire.

Ce qui, dans le centenaire amiénois, retient l'intérêt – enthousiaste ou réprobateur – de la presse nationale, ce n'est pas seulement l'afflux d'une « foule énorme ». Ce n'est pas non plus la place faite à la liesse populaire dans le cadre d'une commémoration semi-officielle. Car, depuis la Révolution, la formule a beaucoup servi de la fête de plein air didactique, hiérarchisée, intégratrice, transparente au regard panoptique de pouvoirs qui y contrôlent l'usage de l'espace et du temps pour juguler tout débordement. Ainsi, exorcisant le souvenir de juin 1848, Amiens, déjà bonapartiste en 1849, avait commémoré Du Cange par une fête de l'Érudition puis, en 1851, Gresset en une fête de la Poésie. Avec le concours canalisé des associations populaires, les corps savants, les autorités civiles et militaires, tous les notables de la mémoire avaient célébré en chœur les noces du Savoir et du Pouvoir, au bénéfice du parti de l'Ordre[13]. Tout en étant une fête de gauche, la journée républicaine du 30 mai peut, par certains traits, rappeler ces commémorations autoritaires. Machine à produire du consensus, elle vise à l'unanimité, n'excluant que les irréductibles, cette minorité cléricale repliée dans les lieux de son culte. On y retrouve aussi le paternalisme didactique (« Adressons-nous au peuple ; faisons pénétrer en lui les mâles enseignements ») qui convie les masses à une grande fête de la mémoire, mais qui réserve aux dirigeants, maîtres du savoir et de la parole, le privilège de dire le sens de la célébration. Cependant, ce 30 mai voltairien se situe sous le signe, non de l'Ordre, mais d'une Liberté à construire avec et pour la République. Et l'activité commémorative s'y rattache à une conception élargie du suffrage universel, gambettiste et non plébiscitaire[14]. En ces années 1876-1885, avec la montée

en puissance du radicalisme et la renaissance du mouvement ouvrier, les élites populaires font leur entrée dans le champ du débat public et accèdent à l'exercice, limité et partagé, du pouvoir commémoratif.
On en a la preuve à Amiens, le 30 mai, mais aussi le 7 juillet, aux funérailles de Barni, où l'Union ouvrière prend sa part de la célébration. Pour fêter Voltaire, les ouvriers amiénois ont pavoisé, comme à Paris. Mais, à la différence de ceux de Paris, ils assistent aux conférences, animent les orphéons, s'approprient l'espace et le temps d'une fête qui est aussi la leur. Certes, l'Union ouvrière regroupe l'élite des métiers qualifiés. Et, même sur cette élite, il est difficile de mesurer l'impact effectif du discours républicain, de même que nous ne saurons jamais précisément décrire les mille manières dont les lecteurs du *P.P.S.*, les auditeurs de Pelletan, les joueurs de tamis de La Hotoie ont construit leur objet «Voltaire», leur objet «Lumières». Une chose du moins est certaine: à l'opposé de ce qu'en dit la presse cléricale, la fête amiénoise du 30 mai n'aura été ni une «orgie» carnavalesque, ni une machinerie manipulatrice montée par les dirigeants radicaux. Divers, actif, inventif, le peuple réuni pour fêter Voltaire n'a rien d'une masse uniforme, passive, glissant d'une sujétion à une autre, de la tutelle maternelle de l'Église à la mâle emprise de la République! De l'autonomie culturelle d'une certaine élite ouvrière, on a, du reste, confirmation en lisant les discours des trois congrès ouvriers, de 1876 à 1879. Leurs références à Molière, Voltaire, Rousseau, Hugo, Béranger ou Proudhon disent la quête d'une identité nationale, la revendication d'une dignité fondée sur le savoir, le projet, enfin, de s'approprier, par une mémoire émancipatrice, l'héritage de la Révolution et des Lumières. «Mais prenons garde aux mots, car les mots font les choses», s'exclame, au Congrès de Lyon (1878), le délégué Desmoulins. Cette conscience aiguë des enjeux sociaux du discours montre assez que les rapports entre mouvement ouvrier et culture nationale ne peuvent se penser selon le dilemme simpliste de la sujétion ou du divorce[15].
S'il avait fallu au citoyen Desmoulins une autorité qui attestât qu'en effet «les mots font les choses», le nom de Hugo s'imposait. En 1878, père fondateur de la République et pontife de la religion civile, le grand poète national entre vivant dans l'immortalité. Quand, le 30 mai, il commémore Voltaire, son geste semble préfigurer ses propres funérailles, la foule immense du 1er juin 1885 fêtant l'apothéose conjointe du Génie, de la Nation et du Peuple souverain. Gravées comme des stèles, les formules dont il honore Voltaire réunissent le célébrant et le célébré dans un même combat, une même gloire, une même Histoire:

> Il y a cent ans aujourd'hui un homme mourait. Il mourait immortel […] Il s'en allait maudit et béni, maudit par le passé et béni par l'avenir […] Il était plus qu'un homme, il était un siècle.

Omis par la presse cléricale («maudit par le passé»!), mais «béni par l'avenir», le discours de Hugo occupe la «une» des journaux républicains. Par sa cohérence et son souffle, cette oraison emblématique condense le panégyrique de Voltaire, elle fixe l'image que le centenaire veut donner de lui-même, elle élève à une sorte de perfection haletante les procédés et les figures du récit commémoratif. Hugo évite l'anticléricalisme sommaire. Il élargit son propos pour honorer, par-delà Voltaire, tout le XVIIIe siècle militant et son œuvre finale: la Révolution. Il orchestre son thème favori: la haine de la guerre, la dénonciation d'une fausse gloire qui débouche sur «cette épouvantable exposition universelle qu'on appelle un champ de bataille».
Au mythe de Voltaire, Hugo donne son expression la plus achevée. Le texte disparaît: l'œuvre de Voltaire, c'est son combat, plume à la main, contre «les iniquités sociales». L'agonie de Calas, l'assassinat «juridique» de La Barre («accusé d'être passé sur un pont et d'avoir chanté»), ces deux tableaux ouvrent l'évocation de «la guerre rayonnante» conduite sur des fronts multiples, partout où règnent le préjugé, l'injustice et l'oppression. Héroïsé par l'exploit, sanctifié comme martyr de la Cause (celle du «genre humain»), Voltaire est constitué en une figure christique, par un transfert symétrique de celui qui, en 1848, coiffe Jésus du bonnet phrygien. Ébauchée par les Lumières, l'annexion laïque de Jésus s'était précisée avec le culte révolutionnaire des grands hommes (S. Maréchal), mais ce sont les prophètes quarante-huitards qui vont jusqu'au bout de cette récupération conquérante: «Jésus a été une incarnation saignante du progrès [...] je décloue le Christ du christianisme» (Hugo à Michelet, lettre du 9 juin 1856). Nouveau Messie, Voltaire reprend et achève l'œuvre de Jésus:

> La guerre de Jésus-Christ, c'est Voltaire qui l'a faite. L'œuvre évangélique a pour complément l'œuvre philosophique [...] Jésus a pleuré, Voltaire a souri.

Chef-d'œuvre du messianisme républicain, ce discours du 30 mai 1878 fonde le nouvel évangile sur un système d'équivalences qui postule l'unité de la pensée des Philosophes, la justesse de leur combat qui a valeur universelle, la filiation directe des Lumières à la Révolution et de la Révolution à la présente République que le geste commémoratif enracine au plus profond de l'histoire nationale. Parlant par la bouche de Hugo, la Clio républicaine réintègre à la République la part lumineuse de l'Ancien Régime (la Philosophie) en même temps qu'elle efface les fractures révolutionnaires (1789/1793) à l'intérieur d'une Révolution figurée comme un seul grand bloc événementiel. Ce panthéon républicain, qui élimine et consacre, a donc pour base une géographie sacrée du XVIIIe siècle d'où disparaissent toute diversité des Lumières et toute opposition entre les Philosophes. Voltaire est la cime la plus haute qu'entourent Montesquieu, Buffon, Beaumarchais et deux puissants sommets : Diderot et Rousseau. Dans leurs différences, Rousseau et Voltaire ne s'opposent pas, ils se complètent : l'un incarne le Peuple, l'autre incarne l'Homme. Car tous sont réunis par une œuvre commune qui est « leur âme », la Révolution :

> Elle est leur émanation rayonnante. Elle vient d'eux. On les retrouve partout dans cette catastrophe bénie et superbe qui a fait la clôture du passé et l'ouverture de l'avenir.

Sous le regard souverain du poète mage, il n'y a plus opacité ni distance, l'Histoire est devenue une sphère transparente où chaque effet coexiste avec sa cause, une machinerie d'Opéra où un progrès réglé et nécessaire assigne à chaque acteur sa place dont il est l'héritier en ligne directe, attendu et légitime :

> Dans cette transparence qui est propre aux révolutions, et qui à travers les causes laisse apercevoir les effets, et, à travers le premier plan, le second, on voit derrière Diderot, Danton, derrière Rousseau, Robespierre, et derrière Voltaire, Mirabeau. Ceux-ci ont fait ceux-là.

S'énonçant dans le registre du didactisme épique, Hugo développe une vision totalisante du devenir historique, qui implique un cause-finalisme forcené, une téléologie manichéenne et triomphaliste où les camps sont départagés à la lumière d'un événement absolu, à la fois origine et fin de l'Histoire : la Révolution. Car, dans la Révolution, la République est en germe, comme l'est la Fin dans l'Origine. Ainsi s'instaure une théodicée laïque qui conduit l'Histoire de l'incomplet au complet, du relatif à l'absolu, de la Réforme puis des Lumières à la Révolution et à son achèvement dans la République. L'eschatologie de Hugo mobilise les procédés du récit commémoratif pour élargir le patrimoine républicain, multiplier les filiations, revendiquer – contre l'Église et la monarchie – tout ce qui du passé national peut préfigurer et légitimer le combat de 1878. Mais ce discours hugolien n'est possible qu'au prix d'un non-dit et d'une exclusion. Le non-dit porte sur la Terreur, jamais évoquée, même quand Hugo cite le couple Rousseau-Robespierre[16]. L'exclusion vise non les communards, mais le couple sanglant constitué par la Commune et Versailles. En accord avec la gauche gambettiste qui réclame l'amnistie, c'est-à-dire la réconciliation de la France républicaine avec le monde ouvrier, Hugo soulève les applaudissements par une envolée calculée : « Le jour où l'amnistie sera proclamée, je l'affirme, là-haut dans les étoiles, Voltaire sourira.» Ce sourire est celui du pardon, de l'oubli, de l'unanimité nationale retrouvée grâce au retour des bannis. Mais il n'est pas question de légitimer la Commune. Aux morts de la Semaine sanglante le panthéon républicain reste prudemment fermé, même si, désormais, le portier du panthéon est plutôt Gambetta que Thiers.

À partir du discours de Hugo et du discours de presse considéré dans toutes ses variantes, on peut assigner à la fête voltairienne du 30 mai trois fonctions: une nécromancie, une prophétie et un messianisme. «Aux grands hommes, la Patrie reconnaissante»: la devise du Panthéon propose un modèle de liturgie civique assez vague pour être adopté par tous les appareils éducatifs ou militants, école, manuels, musée, meeting, banquet électoral, presse quotidienne. Ainsi, au jour le jour, le *P.P.S.* de 1878 «panthéonise» les morts de l'année: Courbet martyr de la réaction, Raspail militant exemplaire, le grand savant agnostique Claude Bernard, sans oublier des morts plus anciens dont les anniversaires, à la façon des saints, scandent le calendrier républicain: P.-L. Courier, Hoche, Lamartine, Voltaire... Cette nécrologie engagée fait fonction de nécromancie, elle évoque les morts pour les invoquer, elle retrouve les gestes de la scénographie funèbre où, dans leur culte de la postérité, se complaisaient les Philosophes («On ne peut parler avec force que du fond de son tombeau», Diderot). Aux illustres défunts on paye la dette de reconnaissance, mais c'est pour leur extorquer une plus-value symbolique. Ombres exemplaires, les grands ancêtres cautionnent l'action des vivants, ils l'inscrivent dans une tradition, la raccordent à l'universel. Mais si grands soient-ils, les morts n'ont d'autre pouvoir que celui que leur prêtent les luttes des vivants. Et quand ceux-ci leur redonnent force et voix, c'est pour leur faire parler le discours des vivants, par cette ventriloquie posthume qui permet à Spuller ou à Pelletan de prêcher pour Voltaire, à Louis Blanc de s'énoncer au nom de Jean-Jacques. De même Hugo, le 30 mai, dans l'étourdissante péroraison où il se fait nécromancien et prophète:

> «Demandons conseil à Voltaire, à J.-J. Rousseau, à Diderot, à Montesquieu [...] Donnons la parole à ces grandes voix [...] Les philosophes, nos prédécesseurs, sont les apôtres du vrai: invoquons ces illustres fantômes [...] Et puisque la nuit sort des trônes, que la lumière sorte des tombeaux!» (Acclamation unanime et prolongée. Cris: Vive Victor Hugo!)

Par leur dialogue avec les grands morts, les dirigeants républicains, législateurs et pédagogues, enracinent la République dans un invisible fondateur. Nouveaux pontifes, ils disputent à l'Église le monopole des relations avec cet invisible qui est constitutif du lien religieux. Déistes, positivistes athées, ces messieurs barbus et ventrus, qui se réclament de la Science, de la Raison, du Progrès, revêtent le charisme du prophète dès lors qu'ils se donnent pour capables de proférer le sens du devenir historique. Grâce au récit commémoratif qui lui dit ses origines et sa fin dernière, qui le crédite d'une mission universelle, l'État-nation républicain s'assure de la légitimité de son histoire. C'est ainsi que, devenue une «forme *a priori* de la sensibilité nationale» (Cl. Nicolet), l'idée républicaine se confond avec l'avenir souhaitable et nourrit un messianisme sans fébrilité où s'exprime une religion civile stabilisée et conquérante[17].

Le refrain de Gavroche popularise un thème qui inspirait déjà les panthéonisations de 1791 (Voltaire) et de 1794 (Rousseau) et qui traverse tout le XIXe siècle: la réconciliation posthume des deux adversaires marchant d'un même pas vers l'immortalité. En 1864, rêvant sur les deux corps arrachés au Panthéon une nuit de mai 1814, Hugo fantasme cette scène: «Les deux crânes se heurtèrent; une étincelle, point faite pour être vue par ces hommes, s'échangea sans doute de la tête qui avait fait le *Dictionnaire philosophique* à la tête qui avait fait le *Contrat social*, et les réconcilia» *(William Shakespeare).* Selon le projet de 1876, le jumelage des deux anniversaires de 1878 aurait consacré l'unité des républicains alliés contre l'ennemi commun. C'est l'argument qu'en février 1878 Louis Blanc et ses amis font valoir auprès du Comité du centenaire voltairien: à l'instar de la Révolution, il importe d'unir dans un même hommage le champion de la tolérance et celui de la démocratie, sous la présidence de Victor Hugo. En vain. Il se forme donc, en juin 1878, un autre Comité pour le centenaire du seul Rousseau. Celui-ci regroupe des sénateurs, des députés, des conseillers généraux, des membres de l'Université, de l'Institut, de l'armée, des artistes, des étudiants, des journalistes et gens de lettres ainsi que dix délégués des Chambres syndicales ouvrières de Paris[18]. On préfère au 2 juillet la date du 14, selon une rigueur symbolique que soulignera le discours de Louis Blanc: «Il est absolument juste que la mémoire de l'homme qui a sacré le peuple souverain soit célébrée le jour anniversaire où, pour la première fois, le peuple a fait acte de souveraineté.»

Le dimanche 14 juillet, la commémoration de Rousseau s'ouvre au cirque Myers avec le concours de six mille personnes. Plus modeste que pour Voltaire, le décor ne présente ni oriflammes, ni couronnes, ni statue. Un buste de la République et, au-dessus de la porte d'entrée, entre drapeaux et couronnes, un petit buste de Jean-Jacques assorti de la célèbre devise: «Il consacra toute sa vie à la Vérité.» Puis deux écussons: l'un avec les dates de la naissance et de la mort et la chronologie des œuvres, l'autre avec la liste des honneurs que la République lui a rendus. Sur la tribune ont pris place les trois orateurs : Louis Blanc, E. Hamel, Marcou entourés de personnalités politiques comme Barodet, B. Raspail, Tiersot, H. Martin, de musiciens comme Sivry, avec la présence du général de Wimpfen, brillant officier à qui l'Empereur avait imposé la capitulation de Sedan… À deux heures on clame : « Vive la République ! » et l'orchestre attaque *La Marseillaise.* Louis Blanc lit deux messages de solidarité : l'un de Garibaldi, l'autre des citoyens de Genève qui, du 28 juin au 2 juillet, ont fêté l'enfant du pays. Viennent ensuite les discours : celui de Marcou, suivi de l'exécution d'un extrait du *Devin du village*, puis ceux de Louis Blanc et d'Ernest Hamel. On donne lecture d'une dépêche des ouvriers de l'Union des syndicats bordelais. Enfin Louis Blanc annonce une quête pour les familles des détenus politiques, tandis que la foule crie « Amnistie ! » et chante une *Marseillaise…* Le soir un banquet de huit cents couverts, sous la présidence de Louis Blanc, se tient au restaurant du lac Saint-Fargeau. Trois discours y sont prononcés : l'un par Mlle Le Floch, au nom des Chambres ouvrières de Paris, un autre par Maillard, au nom du Conseil municipal de Paris, un troisième, au nom de l'armée, par le général de Wimpfen. Une lecture poétique couronne le banquet : *Rousseau et la Bastille* de Clovis Hugues.

Le centenaire de Rousseau, associé à l'anniversaire de la prise de la Bastille, ne passa pas inaperçu. Mais la célébration fut éclipsée par le festival des Orphéons qui se tenait le même jour aux Tuileries. À l'enseigne du « chocolat républicain », sous la présidence de Menier, cette fête du « suffrage universel appliqué à la musique » rassemble deux cent mille spectateurs et trente mille participants pour qui il a fallu mobiliser vingt-quatre trains de plaisir. Passé de Voltaire aux orphéons, Spuller préside le concours, à côté du compositeur Charles Gounod. On exalte l'art social, l'accession du peuple à la culture et on rend hommage aux patrons d'avant-garde comme Menier. Avec les derniers échos des fanfares se termine ce triple 14-Juillet. Les orphéons continuèrent à jouer longtemps encore. En 1880, le 14-Juillet deviendra officiellement fête de la nation. Quant à l'odyssée de J.-J. Rousseau à travers la conscience nationale, elle ne fait que recommencer.

Entre 1878 et 1912, l'énergumène prénommé Jean-Jacques va acquérir le statut de grand écrivain national. Mais l'intégration au patrimoine d'un magicien du langage doublé d'un prophète errant ne se fait pas sans débats, combats, mutations et paradoxes qui révèlent la complexité de l'enjeu Rousseau. Enjeu marginal si on le compare à la dimension massive des conflits et du consensus qui entourent Voltaire. Enjeu primordial si l'on voit s'y exprimer les perplexités d'une culture travaillée par des interrogations sans réponse sur l'écriture, le pouvoir et la vérité, sur l'essence du moi et la nature du politique. En octobre 1794, la première célébration nationale n'avait choisi les emblèmes de l'idylle et de l'innocence que pour mieux se cacher la férocité du débat sur l'impact politique du rousseauisme : doctrine de la souveraineté démocratique ? Caution de la dictature montagnarde ? Apologie d'un droit absolu de la personne ? Mais la spécificité de l'enjeu Rousseau tient plus encore à l'intrication entre le discours du politique, le langage de l'écrivain et la parole de l'homme, d'où il résulte que la vérité de l'œuvre doit être garantie par la rectitude de la personne. « Un ami, un séducteur, un maître » (Mme de Staël) : Jean-Jacques est cette voix de la conscience qui interpelle le lecteur au-delà de toute littérature. Et pour Villemain ou Sainte-Beuve, Michelet ou Taine, la fascination qu'exerce Rousseau réside dans l'image d'un pouvoir – maléfique ou bénéfique – de l'individu qui serait déposé au cœur du langage[19].

À elle seule, cette complexité explique, à nos yeux, l'échec du jumelage de 1878. Mais la lecture de la presse révèle que le facteur déterminant a été la répugnance des libres penseurs à assumer le déisme du Vicaire savoyard. Doit-on aussi attribuer la rupture à un rejet du Rousseau « révolutionnaire » ? Même quand la République des Jules supplante celle des Ducs, les modérés comme É. de Girardin tiennent toujours Rousseau pour un inspirateur des partageux de 1848 ou de 1871 et de tous ceux qui préfèrent à la révolution par « en haut » (« les idées ») la révolution par « en bas » (« les pavés »). De fait, malgré le discours réconciliateur de Hugo, le projet d'un centenaire rousseauiste autonome devient l'affaire exclusive de la gauche radicale démocratique. On y retrouve associés Pelletan du *Rappel*, Magnier de *L'Événement* ainsi que toute l'équipe de *La Marseillaise*, journal symbole qui, le 20 mars, célèbre le soulèvement « communaliste » et se définit comme l'organe des « républicains radicaux qui ne séparent pas la question sociale de la politique ». Le 14 juillet, les célébrants du centenaire marquent l'extrême limite du républicanisme de gauche, cette zone charnière où se rejoignent les anciens de 1848 intégrés au jeu parlementaire et les éléments les plus durs du radicalisme. Proches de Louis Blanc par leur itinéraire, il y a Nadaud, communiste disciple de Cabet, le fouriériste Gagneur déporté en 1851, Greppo qui a participé aux émeutes lyonnaises de 1832-1834. Mais la pierre de touche, c'est leur attitude par rapport à la Commune. Chauds partisans de l'amnistie, ils ont, en 1871, joué les conciliateurs, pour faire prévaloir sur la guerre sociale l'unité républicaine. C'est le cas de l'avocat A. Joly, du médecin Naquet, de Marmottan, de Greppo et Floquet qui négocièrent avec Clemenceau, de l'ex-bronzier Tollain, jadis fondateur de l'Internationale, maintenant mutualiste, légaliste et sénateur. Pour représenter les Chambres ouvrières, pas d'ami de Guesde *(L'Égalité)*, mais des adeptes du réformisme à la Barberet comme Mlle Floch, É. Couturat, socialiste coopérateur, l'instituteur Desmoulins. En 1878, Rousseau offre un point de ralliement à une gauche républicaine qui veut concilier l'unité nationale avec un progrès social acquis par des réformes.

Cette double exigence se traduit dans le discours que, le 14 juillet, le principal orateur, Louis Blanc, tient sur un Rousseau remodelé dont il rectifie, en connaisseur des textes, certaines «outrances». Sa modération lui permet de contrer tous ceux qui dénigrent en Rousseau le plébéien mû par le ressentiment et l'étatiste marqué par l'utopie. En Jean-Jacques il faut aimer l'homme du sentiment, le fils du peuple ennemi des tyrans et surtout l'apôtre d'une harmonie entre deux souverainetés : celle du moi et celle du corps politique. Même son de cloche dans l'exposé très pédagogique du député radical Marcou qui réconcilie Rousseau et les encyclopédistes au sein d'un progrès œcuménique que résume ce vœu assez grotesque : «Je voudrais que la statue de Rousseau surmontât la colonne de Juillet élevée sur les ruines de la Bastille.» Conseiller municipal de Paris, Ernest Hamel plaide, lui aussi, pour la construction d'un monument à Rousseau. Mais l'essentiel de son propos consiste à présenter la vie exemplaire et malheureuse d'un saint Jean-Jacques, homme du peuple, génie autodidacte, persécuté par les «holbachiens» et par les despotes pour avoir été trop vertueux.
Comme avec Voltaire, l'hagiographie s'emploie à construire un mythe Rousseau. Mais on notera des différences significatives. Les références aux textes (surtout l'autobiographie) sont plus précises, mieux informées. Elles visent à dresser le portrait moral d'une vie dont les fautes avouées appellent l'explication et l'excuse, d'autant que «ces faiblesses sont rachetées par beaucoup de vertus» (L. Blanc). Chez Voltaire, le militantisme de l'homme public compensait ratés et défaillances. En faveur de Rousseau, on ne peut invoquer d'affaire Calas, mais le grandissement moral de Jean-Jacques s'appuie à la fois sur la sincérité de l'homme et sur la vérité de ses livres. L'une et l'autre figures se prêtent ainsi au désir d'identification des célébrants. Dans ses carnets, Hugo s'assimilait au Voltaire de l'exil et son discours du 30 mai fait du patriarche de Ferney le modèle de l'intellectuel engagé dans un combat contre des pouvoirs oppressifs. Porte-parole des «damnés de la terre», héros de «la République démocratique», prophète de l'homme nouveau, Rousseau sert de fondateur mythique à cette extrême gauche légaliste dont Louis Blanc apparaît comme le leader inspiré, en qui souffle l'esprit même du *Contrat social*.
Il faut cependant souligner un écart entre les deux centenaires. Voltaire fait l'unanimité du bloc républicain et, par-delà les voltairiens, Hugo s'adresse aux ennemis de Voltaire qu'il provoque, voire stigmatise, en reprochant par exemple à Mgr Dupanloup sa complicité avec les turpitudes de l'Empire (lettre du 3 juin 1878). La position charnière des rousseauistes les oblige à une stratégie sur deux fronts, à l'intérieur du camp républicain. À l'extrême gauche restée fidèle au souvenir de la Commune, Louis Blanc et ses amis proposent, par le truchement du Rousseau égalitaire et démocrate, le ralliement à la République. Mais, pour s'être rapprochée d'une libre pensée vol-

tairienne – naguère honnie comme «bourgeoise» par le Louis Blanc de l'*Histoire de la Révolution* –, la gauche radicale invite les républicains anticléricaux à intégrer l'héritage de Rousseau, y compris la foi déiste et la prédication du «premier des pauvres». Du coup, l'échec du jumelage se relativise. Le sacre de l'idée républicaine réunifie la Révolution et, par filiation rétroactive, les Lumières. La spécificité des frères ennemis les rend moins contradictoires que complémentaires. Tous deux entrent dans une même patrologie: l'un (Voltaire) est le père de la Constituante, l'autre (Rousseau) celui de la Convention. Si Hugo subordonne Rousseau à Voltaire comme le Peuple (la partie) doit l'être à l'Homme (le tout), on peut aussi considérer que cet accouplement préfigure la paix sociale entre une plèbe réhabilitée et une bourgeoisie émancipée du cléricalisme. Bref, entre le «saint Pierre» et le «saint Paul» des Lumières, la répartition des tâches entretient une glorieuse émulation:

> À Voltaire, aux encyclopédistes d'écraser l'infâme, de détruire la superstition pour faire régner la tolérance avec la liberté de penser. À Rousseau d'attaquer, de nier le droit royal et d'affirmer la souveraineté du peuple et de l'égalité (L. Blanc, 14 juillet 1878).

Dissociées, les deux célébrations se font écho. L'unanimisme commémoratif permet, le temps d'un centenaire, d'esquisser l'idéale réconciliation entre les deux grands courants issus des Lumières: le libéralisme anticlérical (Voltaire) et le populisme socialisant (Rousseau).

1791: le quai Voltaire. 1870: chassant le prince Eugène, le nom de Voltaire baptise le boulevard qui, en 1879, va relier la place de la République (ex-Château-d'Eau) à celle de la Nation (ex-Trône). Inscrite dans la toponymie parisienne, la gloire de Voltaire paraît si bien fondée qu'elle attendra la fin de 1944 pour bénéficier d'un nouvel hommage national. Plus laborieuse, la promotion de Rousseau en grand écrivain français exige plusieurs étapes jusqu'en 1912.

Conçu par Hamel dès la fin de l'Empire, le projet d'un mémorial Rousseau traîne jusqu'en 1884 où un comité se groupe autour d'E. About, M. Berthelot, A. Dumas, F. de Lesseps. Ses efforts aboutissent à l'érection, place du Panthéon, de la statue de Rousseau qui est inaugurée en 1889 en même temps qu'on célèbre le Centenaire de la Révolution. Directeur de l'Académie, Jules Simon exalte le génie très français de l'écrivain enfin reconnu et apprécié presque unanimement. Semble confirmer ses dires la composition du comité d'honneur qui associe Brunetière et Scheurer-Kestner, Clemenceau et Léon Daudet...

Un deuxième hommage intervient en 1907. Entre-temps, l'Université s'est approprié Rousseau au nom de l'histoire littéraire (Lanson). Mais surtout l'Affaire Dreyfus a remanié les rapports entre le champ politique et le champ littéraire. Par la cause dreyfusarde, la haute Université et les avant-gardes artistiques se sont forgé une identité, une «mystique» (Péguy) où se réinvestit la figure rousseauiste de l'intellectuel martyr de la justice et prophète de la vérité. En riposte à l'offensive antirousseauiste de l'Action française, l'Université, fidèle à la défense républicaine, organise, le 10 mars 1907, une manifestation dans le grand amphi de la Sorbonne où affluent cinq mille personnes. Outre Léon Blum et Romain Rolland, sont présents les chefs dreyfusards comme J. Reinach, Pressensé... et surtout les vétérans de l'Université conquérante: F. Buisson, L. Liard, E. Lavisse, J. Bédier, F. Brunot, G. Lanson... La référence à Rousseau reste floue, humaniste et libérale, mais on cherche en lui un ancêtre du combat pour Dreyfus en même temps qu'un recours contre le dévoiement des valeurs patriotiques par une droite antirépublicaine.

En 1912, pour le bicentenaire de la naissance, c'est le gouvernement lui-même qui coordonne un grand élan national de consécration de Rousseau. Ces fastes officiels se déroulent à la Sorbonne, le 28 juin, puis, le 30 juin, au Panthéon où l'on inaugure un tombeau allégorique sculpté par Bartholomé. Le ministre de l'Instruction publique, Guist'hau, salue «l'écrivain et l'orateur», sans insister sur l'apôtre de la justice et de la démocratie, que revendique, pour sa part, le socialisme jaurésien (articles de 1912). On a visé à l'unanimité la plus large de la France officielle, politique et pensante: le socialisme modéré avec Sembat et Thomas, le centre droit avec Poincaré, la jeune Université avec D. Mornet et, témoin de la réconciliation nationale, le commandant Alfred Dreyfus. On achève l'intégration de Rousseau en affirmant qu'il a «consacré sa vie au triomphe de la culture française». Et, pour divulguer des *Pages célèbres* du «grand écrivain classique de la démocratie», on tire à cent mille exemplaires une brochure de huit pages...

À ce concert seule résiste la droite doctrinaire, antidreyfusarde et antisémite, avec à sa tête une Action française dont le prestige grandit. En 1907 et 1908 les interventions fracassantes de P. Lasserre *(Le Romantisme français)* et d'E. Seillière *(Le Mal romantique)* avaient déjà porté à un degré de véhémence peu commun l'agression contre un Rousseau psychiatrisé, simulateur, sophiste, bouffon, premier porteur de la «névrose révolutionnaire». Pour l'anniversaire de 1912, avec les interventions de Charles Maurras, Paul Bourget et quelques autres, culmine une violence dénonciatrice où la haine de «l'autre» projette sur Jean-Jacques toutes les figures de l'exclusion: le fou, le «juif» ou le métèque, le faux prophète délirant, «un de ces énergumènes qui, vomis du désert, affublés d'un vieux sac, ceints de poils de chameau et la tête souillée de cendres, promenaient leurs mélancoliques hurlements à travers les rues de Sion» (Maurras). Mais il est aussi, fol androgyne, une négation de la virilité nationale, comme y insiste le Cercle Proudhon en rééditant un texte du maître *(Les Femmelins)* qui jetait l'anathème contre le démocrate «efféminé», figure répulsive vomie également par Lasserre: «Car Jean-Jacques se fait femme. Il se couche sous l'univers pour en subir un immense frôlement. Et quels singuliers appels échappent à sa pâmoison»... Dans un tout autre registre, Barrès, le 11 juin 1912 à la Chambre, dénonce l'incohérence d'un gouvernement qui veut introduire dans le sanctuaire de la mémoire nationale un ancêtre avéré de l'anarchie:

> Ce n'est pas au moment où vous abattez comme des chiens ceux qui s'insurgent contre la société en lui disant qu'elle est injuste et mauvaise qu'il faut glorifier celui dont peuvent se réclamer à juste titre tous les théoriciens de l'anarchisme.

Avec ce grief habile mais réfutable, Barrès ne mène qu'un combat d'arrière-garde. Car le Rousseau qu'intègre le consensus républicain de 1912 n'est ni le solitaire marginal ni le prophète subversif. Caution d'un humanisme démocratique, il est surtout célébré comme un magicien de la langue, investi, au même titre que Racine ou Voltaire, de la mission d'incarner face au monde le génie universel de la France[20].

Composante active du culte que la Nation française se rend à elle-même, la commémoration participe de ce travail d'élaboration spirituelle qui permet à la République de construire son rapport au temps et à la mort sur la base d'une conviction sacralisante: vouée à l'universel, la France des Droits de l'homme et du citoyen doit plus que jamais devenir la Grande Nation chère à Michelet. Mais cette activité commémorative s'articule sur une pratique politique, elle obéit à des stratégies fines, elle entre dans des opérations ponctuelles, ciblées, adaptées aux aléas de la conjoncture et à la mutation des rapports de force. Répartis sur un peu moins de quarante ans, les hommages décernés à Voltaire et à Rousseau s'inscrivent dans un processus de mémorisation institutionnelle marqué d'abord par les conflits et les compromis qui, de 1870 à 1882, accompagnent la montée en puissance du mouvement républicain et la mise en place des lois fondamentales, puis, après 1882, par les glissements, les retournements, les contradictions d'une République que secouent tour à tour la crise boulangiste, l'Affaire Dreyfus, la séparation de l'Église et de l'État, les attaques concomitantes de l'Action française et du syndicalisme révolutionnaire. Aussi faut-il restituer chaque célébration dans son contexte propre. En 1878, c'est une mémoire de lutte – partisane, dénoncia-

trice et légitimante – qui promeut, contre les notables cléricо-monarchistes, un Voltaire anticlérical et militant républicain, tandis que le Rousseau populiste de Louis Blanc assigne à la gauche radicale la mission de réintégrer le monde ouvrier dans la République. Irénique et unanimiste en 1889, la célébration de Rousseau redevient combattante en 1907 pour contrer l'offensive de l'Action française. En 1912, l'hommage gouvernemental se présente comme un acte de réconciliation nationale qui consacre le fondateur de l'idée démocratique en même temps qu'un maître de la langue française.
À cette célébration terminale il faudrait confronter l'hommage rendu à Voltaire en novembre et décembre 1944. Contre l'«obscurantisme» de Vichy, les élites de la France libérée réhabilitent les Lumières. Deux cent cinquante ans après sa naissance, Voltaire voit rivaliser pour sa commémoration, outre l'Union soviétique, le P.C.F., les socialistes, les gaullistes, le Comité national des écrivains, conjointement avec des instances plus neutres comme la Sorbonne, la Bibliothèque nationale, la Comédie-Française, la radio. Au prix de mille ambiguïtés, l'unanimité de la célébration veut dire la patrie retrouvée et restaurée, les Français réunis et réinscrits, par l'héritage littéraire, dans une Nation fraternelle[21].
Au terme de cette étude, nombre d'interrogations subsistent. On en retiendra deux qui sont liées.
En novembre 1944, tandis qu'on célèbre avec Voltaire tout le patrimoine culturel de la nation, paraît un dessin de Jean Effel: on y voit Rimbaud en communard, d'Aubigné en poète militant, le Zola de *J'accuse* et Apollinaire en blessé de guerre répondre «présent» à l'appel de Victor Hugo. Le dessin s'intitule: *Forces françaises de l'au-delà*. Cette sacralité, massivement admise, de la chose littéraire, à quoi tient-elle? Comment l'écrivain est-il devenu, au cours du XIXe siècle, le médiateur privilégié des rapports entre la société et l'invisible? On peut chercher la réponse du côté de l'alphabétisation généralisée, de l'école obligatoire, de ce travail sur les «textes français» qui, depuis la fin du XIXe siècle, mobilise écoliers et lycéens. Scolarisée et sacralisée, la littérature sert à unifier la conscience nationale en même temps qu'elle légitime l'État-nation républicain. Est-ce suffisant pour rendre compte de l'étrange complicité qui, en France, associe littérature et politique, l'homme de plume et l'homme d'État[22]?
Dernière question: la religion littéraire est-elle surtout un culte de l'écrivain ou un culte de l'écriture? Antoine Compagnon a bien montré la connexion entre le culte, étatique et populaire, du grand écrivain national et l'émergence d'une histoire littéraire qui, sous le pontificat de Lanson, reprend à son compte les idéaux du catéchisme républicain: patrie, démocratie, solidarité[23]. On sait aussi comment Péguy, Proust ou Valéry ont pu rejeter, avec le lansonisme, la réduction de l'œuvre à un message et celle de l'écrivain à la fonc-

tion de porte-parole des valeurs nationales. Déjà, en 1878, Flaubert se refusait à célébrer Voltaire en compagnie d'un chocolatier, tandis que les Goncourt confondaient dans un même opprobre le projet d'une statue à Voltaire et celui d'un reposoir pour l'Immaculée Conception. Contre le culte, officiel et vulgarisé, de l'écrivain national, les avant-gardes vont, de Mallarmé à Sollers, inventer leur religion propre, à usage ésotérique : le culte de l'écriture en tant que pouvoir spécifique et voie d'accès à des vérités autrement inaccessibles. « Sait-on ce que c'est qu'écrire ? Une ancienne et très vague, mais jalouse pratique dont gît le sens au mystère du cœur » (Mallarmé, 1889). La commémoration des écrivains est donc plus qu'une forme particulière du culte des grands hommes ou du processus de constitution d'une mémoire nationale. En elle s'investissent des enjeux politiques, des conflits partisans, des compromis unanimistes, mais ce qui la caractérise en propre ce sont les interrogations toujours présentes et les doutes jamais levés d'une société et d'une culture sur la pratique de l'écriture.

1. Voir Antoine Compagnon, *La Troisième République des Lettres. De Flaubert à Proust*, Paris, Éd. du Seuil, 1983.

2. Voir Jeroom Vercruysse, « C'est la faute à Rousseau, c'est la faute à Voltaire », *Studies on Voltaire*, t. XXIII, 1963. Le couplet cité en exergue est une variante du manuscrit des *Misérables* (1862).

3. Sur le devenir des Lumières et sur les commémorations/appropriations républicaines de l'héritage « philosophique », quelques titres : Georges Benrekassa, Jean Biou, Michel Delon, Jean-Marie Goulemot, Jean Sgard, Éric Walter, « Le premier centenaire de la mort de Rousseau et de Voltaire », *Revue d'histoire littéraire de la France*, mars-juin 1979 ; Georges Benrekassa, « Entre l'individu et l'auteur : J.-J Rousseau grand écrivain national (1878-1912) », *in Fables de la personne, pour une histoire de l'individualité*, Paris, P.U.F., 1985 ; Jean Biou, recherches inédites sur la presse nantaise au XIXe siècle ; Michel Delon, « Un centenaire ou deux ? », *Annales historiques de la Révolution française*, octobre-décembre 1978 ; « Rousseau et Voltaire à l'épreuve de 1848 », *Lendemains* (Berlin), n° 28, 1982 ; « Voltaire : le texte et le mythe », étude inédite ; Jean-Marie Goulemot, « La Harpe ou l'émergence du discours de l'histoire des idées », *Littérature*, n° 24, décembre 1976 ; « Candide militant ou le P.C.F. et les Lumières de 1944 à 1953 », *Libre*, n° 7, 1980 ; Éric Walter, « Luttes de mémoire, pouvoir intellectuel, imaginaire national : l'enjeu Voltaire-Rousseau dans les quotidiens amiénois de 1878 », Ire partie (pp. 9 à 83) de Claude Lelièvre et Éric Walter, *La Presse picarde, mémoire de la République, Cahiers du C.U.R.S.A.*, n° 12, Centre universitaire de recherche sociologique d'Amiens, Amiens, 1983.

4. Sur les éditions, la littérature critique, le corpus polémique concernant Voltaire et Rousseau, on se reportera aux bibliographies spécialisées : Alexandre Cioranescu, *Bibliographie de la littérature française du XVIIIe siècle*, Paris, C.N.R.S., 1969, 3 tomes ; *Catalogue général des livres imprimés de la Bibliothèque nationale*, en particulier t. 214 (2 vol.) : « Voltaire », 1979. Voir aussi, pour 1877-1880, Louis Mohr, *Les Centenaires de Voltaire et J.-J. Rousseau. Aperçu bibliographique*, Bâle, 1880, 40 pages.

Le corpus de presse se présente ainsi :
- les titres parisiens vont de la gauche la plus radicale au centre droit : *La Marseillaise* (Rochefort), *Le Bien public* (Menier), *Le Rappel* (équipe liée à Hugo), *Les Droits de l'homme* (maçon et socialisant), *Le Temps* (très centriste) et, proche de Mgr Dupanloup, *La Défense sociale et religieuse* ;
- pour Versailles (ville symbolique) et la Seine-et-Oise, deux titres républicains : *L'Union libérale et démocratique* et *Le Libéral* s'opposent au légitimiste *Courrier de Versailles*, au très droitier *Journal de Versailles* et au *Bulletin religieux* ;
- à Nantes, un face-à-face entre *L'Espérance du peuple*, légitimiste, et *Le Phare de la Loire*, anticlérical et franc-maçon, dirigé par Georges Schwob ;
- à Amiens, où le centenaire de Voltaire a revêtu une dimension exceptionnelle avec un écho national, il valait la peine d'étudier de près le dispositif formé par les quatre quotidiens de 1878. À droite *L'Écho de la Somme*, légitimiste, clérical, populiste (feuille à cinq centimes) et *Le Mémorial d'Amiens*, ex-bonapartiste, clérico-monarchiste. Au centre, *Le Journal d'Amiens*, républicain modéré. À gauche, d'obédience gambettiste, deux versions d'un même organe : *Le Progrès de la Somme* (quinze centimes) et *Le Petit Progrès de la Somme* (cinq centimes, en abrégé : *P.P.S.*), remarquable outil d'éducation populaire. Voir Cl. Lelièvre et E. Walter, *La Presse picarde…, op. cit.*

5. Trois textes, parmi bien d'autres, pour représenter le récit-discours commémoratif caractéristique de la vulgate républicaine : Jules Barni, *Les Martyrs de la libre pensée*, Genève, 1862 ; Enne et Montprofit, *Le Panthéon républicain*, Paris, 1874 ; Joseph Fabre, *Les Pères de la Révolution*, Paris, 1910.

6. Mgr Dupanloup, *Premières Lettres à MM. les membres du Conseil municipal de Paris sur le centenaire de Voltaire, par Mgr l'Évêque d'Orléans* (4 lettres), puis *Nouvelles Lettres…* (3 lettres), enfin *Dernières Lettres…* (3 lettres), Paris, 1878.

7. Si on confronte les volumes Rousseau et Voltaire du *Catalogue des imprimés* (Bibliothèque nationale), on aboutit aux constats suivants : de 1760 à 1939, 65 éditions des *Œuvres complètes* ou *choisies* de Rousseau contre 160 éditions comparables de Voltaire de 1732 à 1789 ou 325 éditions des *Œuvres complètes* de 1732 à 1979. Le volume *Rousseau* de la Bibliothèque nationale (1939) comporte 762 notices d'œuvres, les deux volumes *Voltaire* (1979) en comptent 5 622.

8. Voir l'iconographie de Voltaire de 1694 à 1791 dans l'*Album Voltaire* (Paris, Bibliothèque de la Pléiade, 1983) et dans le catalogue de l'Exposition de la Bibliothèque nationale : *Voltaire, un homme, un siècle*, 1979. À l'Exposition universelle de 1878, on distribue l'étrange portrait d'un Voltaire joufflu piétinant des prêtres en déroute. On vend aussi, dans un carton, des clichés de Nadar qui, sous des angles et des éclairages divers, a photographié les bustes de Voltaire par Houdon.

9. Gustave Desnoiresterres, *Voltaire et la société française au XVIIIe siècle*, Paris, 1867-1876, 8 vol. La grande édition Louis Moland des *Œuvres complètes* (50 vol.) paraît chez Garnier de 1877 à 1885.

10. *La Marseillaise* du 1er mai 1878 insiste sur ces drapeaux et ces lampions des quartiers ouvriers : elle y voit le signe que le prolétariat militant est prêt à prendre la relève culturelle d'une bourgeoisie rétrograde.

11. Sur J. Barni, R. Goblet, voir les *Dictionnaires des parlementaires* ainsi qu'Auguste Dide, *Jules Barni, sa vie et ses œuvres*, Paris, 1891. Sur l'ensemble du centenaire amiénois, l'étude d'É. Walter, *op. cit.*

12. L'affaire du chevalier de La Barre, supplicié à Abbeville le 1er juillet 1766, est devenue, par l'action de Voltaire et de ses relais médiatiques, une cause « philosophique » exemplaire, puis, avec le décret de réhabilitation de la Convention (15 novembre 1793), une cause nationale qui catalyse le manichéisme républicain, enfin, de 1878 à 1960, une cause démocratique qui va rassembler la mouvance laïque, de la franc-maçonnerie au syndicalisme ouvrier. En 1884,

Hugo préside le Comité de souscription pour le monument La Barre (Montmartre, 1905). Abbeville a son mémorial (1907), haut lieu de la gauche picarde. Voir Éric Walter, «L'affaire La Barre et le concept d'opinion publique», *in Le Journalisme d'Ancien Régime*, Presses universitaires de Lyon, 1982.

13. Sur ces fêtes de 1849 et 1851 et sur le culte de Gresset, voir Éric Walter, «Le vol du perroquet, 1734-1950. Notes pour une recherche sur la totémisation de J.-B. L. Gresset et sur l'exercice du pouvoir commémoratif dans les élites amiénoises», *In'hui*, n° 10, hiver 1980, Maison de la culture d'Amiens.

14. Gambetta, en 1881, sur le suffrage universel: «Son principe et sa valeur ne dépendent pas de l'état intellectuel de tout un peuple [...] C'est un droit avant d'être l'exercice légal et régulier de la raison cultivée» (cité par Cl. Nicolet, *op. cit.*, p. 260).

15. Voir Michelle Perrot, *Les Ouvriers en grève, France: 1871-1890*, Paris et La Haye, Mouton, 1974, pp. 197 *sq.* À lire les procès-verbaux des Congrès ouvriers de France (Paris 1876, Lyon 1878, Marseille 1879) on mesure l'impact du messianisme républicain sur les associations ouvrières, mais aussi les failles ouvertes par les grèves de 1878, lourdes de futures divisions.

16. En revanche, la hantise qui gouverne *Quatrevingt-treize* (1874), c'est la triple saignée de la Terreur, de la Vendée et de la Commune, trois involutions qui font gouffre et suggèrent l'impensable échec de la République.

17. Voir les conclusions de Claude Nicolet dans *L'Idée républicaine en France (1789-1924)*, Paris, Gallimard, 1982: «La République est pour les Français l'expression même de la temporalité historique [...] C'est pourquoi il faut l'achever en permanence [...] Il faut que chaque Français vive et revive, par l'éducation, par la mémoire collective, à l'intérieur et à l'extérieur de lui-même, les phases historiques de cette révolution [...] On ne fait plus la Révolution contre la République [...] mais c'est parce qu'on peut, qu'on doit la faire en elle et par elle, par d'autres voies que la violence» (pp. 497-498).

18. Voir *Le Centenaire de J.-J. Rousseau célébré à Paris sous la présidence de Louis Blanc*, Paris, 1878, épaisse brochure sur le comité, ses membres, avec le discours de Louis Blanc, le poème de Clovis Hugues, etc. Pour 1889, Castellant, *Centenaire de la Révolution, J.-J. Rousseau, Hommage national*, Paris, 1889. Pour 1907, la presse. Pour 1912, une brochure intitulée *Deuxième Centenaire de J.-J. Rousseau, 1712-1912*, Paris, 1912, avec tous les discours (Sorbonne, Panthéon, Bossey, Genève, Berlin).

19. Pour cette analyse et pour l'ensemble de la bibliographie concernant l'«effet Rousseau» (1878-1912), se reporter à l'étude de Georges Benrekassa, *op. cit.*

20. Les textes de Jaurès sur Rousseau sont un éditorial de *L'Humanité* (30 juin 1912) et une conférence de 1899 reprise dans la *Revue de métaphysique et de morale* de 1912 (pp. 375 *sq.*). La citation de Pierre Lasserre est tirée de son *Romantisme français*, p. 23. On lit les textes de P. Bourget, Ch. Maurras, etc., dans la *Revue critique des idées et des livres*, juin 1912. Le discours de Barrès est repris dans *Les Maîtres*, Paris, 1927.

21. Voir l'article de Jean-Marie Goulemot, «Candide militant...», *op. cit.*

22. Voir Régis Debray, *Le Scribe*, Paris, Grasset, 1980.

23. Voir Antoine Compagnon, *op. cit.*, pp. 125 *sq.* On n'oubliera pas cependant que Lanson vaut mieux que le lansonisme. À preuve, son livre sur Voltaire (1906).

CHRISTIAN AMALVI

Le 14-Juillet

Du Dies irae *à* Jour de fête

C'est le quatorze juillet.
À pareil jour, sur la terre
La liberté s'éveillait
Et riait dans le tonnerre.
Peuple, à pareil jour râlait
Le passé, ce noir pirate;
Paris prenait au collet
La Bastille scélérate.
À pareil jour, un décret
Chassait la nuit de la France,
Et l'infini s'éclairait
Du côté de l'espérance.
Victor Hugo
14 juillet 1859[1]

Vingt et un ans après cette célébration solitaire du 14 juillet 1789 par le poète républicain exilé, la France dans son ensemble, devenue entre-temps la «fille aînée de la République», retentit des échos joyeux de la fête nationale qui commémore la prise de la Bastille par le peuple de Paris. Que reste-t-il aujourd'hui dans la mémoire collective de cet imaginaire national peuplé d'emblèmes, de dates et de repères symboliques que nous ont pieusement légués les Pères fondateurs de la République? Après un siècle de pratique ritualisée, leur nécessité originelle, leur signification historique et leur charge émotionnelle nous échappent si souvent que nous avons à présent quelque peine à imaginer, rétrospectivement, l'efficacité fondatrice de la fête nationale adoptée en 1880 par les Français; à comprendre la diversité des représentations politiques que la date a pu susciter; à concevoir enfin la violence des polémiques soulevées, notamment entre 1880 et 1914, par la célébration de cet anniversaire pour nous depuis longtemps dépolitisé et folklorisé.

Cet effacement est dû à plusieurs raisons : le 14-Juillet a cessé de fonctionner pour nous comme un repère annuel autour duquel s'articulait de façon immuable la vie nationale : il sonnait jadis la fin de l'année scolaire et constituait probablement pour les laïques ce que Pâques représente pour les catholiques : le temps fort du calendrier liturgique qui assigne son sens à l'ensemble de l'année religieuse.

Ce privilège de baliser le temps était d'autant plus fort que la fête nationale n'était alors « concurrencée » ni par le 11-Novembre, ni par le 1er et le 8-Mai. Sur le plan politique, enfin, on peut constater – *grosso modo* depuis la défaite de Vichy, dernier avatar de la Contre-Révolution – que « la Révolution est terminée[2] » ; qu'elle n'est plus pensée comme un enjeu idéologique fondamental par rapport auquel chaque parti s'est pendant longtemps situé sur l'échiquier politique ; en 1880, en revanche, partisans et adversaires de la République éprouvent le sentiment commun que leurs luttes prolongent directement le grand combat engagé en 1789, et que cette nouvelle « guerre de Cent Ans » se nourrit de débats historiographiques essentiels qui s'articulent autour des interprétations contradictoires et partisanes des principales étapes de la Révolution et symboliquement de la prise de la Bastille.

Dans la mesure, donc, où « ici et maintenant » la Révolution française n'est plus perçue comme un enjeu de mémoire déterminant, nous vivons aujourd'hui une fête nationale vidée de sa substance historique et politique. Dans la mesure où l'idée républicaine, dont le 14-Juillet fut avec l'école laïque de Jules Ferry un des vecteurs privilégiés de propagation, a conquis l'ensemble de la nation de façon irréversible, le combat autour des « saturnales révolutionnaires » si vif sous la IIIe République a cessé sous la IVe et la Ve, probablement faute de combattants. Un sondage récent de *L'Express* révèle d'ailleurs que « la Révolution apparaît [à 70 % des Français] comme le mythe fondateur de la conscience nationale », et la formule lapidaire de l'historien Jules Claretie : « L'histoire de la Révolution française n'est pas plus finie que la Révolution elle-même[3] », pertinente en 1884, paraît dépassée cent ans après.

Comment s'est opérée la métamorphose de la mémoire collective à l'égard de la fête nationale ? Comment les attributs historiques, symboliques et sociaux inhérents à la commémoration du 14-Juillet et sacralisés par la seule gauche républicaine ont-ils pu être progressivement intériorisés par l'ensemble des Français pour devenir ceux de la nation tout entière ? Comment le 14-Juillet a-t-il perdu à droite son statut de *Dies irae* pour être considéré par tous les Français comme un *Jour de fête* pour tous les Français[4] ?

I. Le choix de la date

«Les grandes dates évoquent les grandes mémoires. À de certaines heures, les glorieux souvenirs sont de droit[5].» Les députés républicains, appelés à adopter en 1880 une date «glorieuse» comme fête nationale, ont peut-être médité ces paroles de Victor Hugo, prononcées en 1878. En effet ce choix, qui postule une conception dynamique, volontariste et linéaire de l'histoire de France, est d'emblée investi d'une signification supérieure qui correspond aux idéaux de la jeune République et peut fonctionner comme mythe fondateur définitif, irrévocable du nouveau régime. En apparence pourtant les choses sont simples: la République se proclamant héritière de la Révolution française, c'est cette dernière qu'elle se doit de commémorer. Mais quel moment de la Révolution? La Révolution bourgeoise de 1789, chère aux républicains «opportunistes», ou la Révolution démocratique de 1792 qui a les faveurs de l'extrême gauche radicale[6]?

Pour éviter les divisions au sein des républicains, ne vaut-il pas mieux «se rabattre» sur une autre révolution contemporaine, 1830, 1848 ou 1870? Mais, en dépit de leurs avocats, leur handicap au départ est trop lourd pour qu'elles puissent l'emporter: juillet 1830, par exemple, souffre d'être trop marqué du sceau de l'orléanisme; de même, malgré les efforts de Louis Blanc, le 24 février 1848 est écarté. La IIIe République, qui entend bien fonder un système politique définitif, ne tient guère à se référer à un régime dont la brièveté et la fin tragique placeraient ses propres débuts sous de sombres auspices et encourageraient probablement les menées royalistes et bonapartistes. Si le 24 février 1848 a de chauds partisans, le 4 septembre 1870 ne rencontre en revanche aucune adhésion, dans la mesure où personne, à gauche, ne tient à rappeler que la République française doit sa résurrection à la débâcle des armées françaises à Sedan. Personne n'imaginant de célébrer le souvenir des républiques de l'Antiquité ni celui des révolutions du Moyen Âge, et encore moins celui du 18-Mars, proclamation de la Commune de Paris, seule la Révolution française peut fournir la date appropriée.

Mais, parmi toutes les grandes journées de la Révolution, quelle date retenir? La concurrence est d'autant plus vive que l'antagonisme entre leurs sympathisants respectifs recoupe en fait des oppositions politiques contemporaines. Or, dans l'ordre chronologique, le 5 mai, le 20 juin, le 14 juillet, le 4 août et les 5-6 octobre 1789; le 14 juillet 1790; le 10 août, le 20 ou 22 septembre 1792; le 21 janvier 1793; le 9 thermidor 1794 peuvent plus ou moins légitimement prétendre au titre de fête nationale, et le choix final du 14-Juillet résulte peut-être autant de ses qualités intrinsèques que du désir d'éviter les graves problèmes qu'aurait suscités aux républicains l'élection de l'une de ses rivales.

Le 5 mai 1789, ouverture des états généraux octroyés par Louis XVI, paraît trop favorable aux intérêts monarchistes; le serment du Jeu de Paume, prêté par le tiers état bourgeois, le 20 juin 1789, retient l'attention des républicains, mais a, à leurs yeux, le grand tort d'exclure la majeure partie du peuple (il pose également d'autres problèmes évoqués plus loin). Les journées des 5 et 6 octobre 1789, qui risquent d'évoquer l'affrontement entre Paris et Versailles sous la Commune, n'ont pas d'avocats. Le renversement brutal de la monarchie, le 10 août 1792, répugne aux modérés, et présente de plus l'inconvénient d'être trop rapproché du 15 août, fête nationale sous l'Empire. L'anniversaire de Valmy et de la proclamation de la République (20 et 21 septembre) présenterait toutes les garanties patriotiques et politiques voulues, s'il n'était disqualifié par sa proximité funeste avec les massacres de septembre... Personne à gauche, sauf le bouillant Henri Rochefort de retour d'exil, n'ose proposer l'exécution de Louis XVI. Quant au 9-Thermidor, le retenir comme fête nationale serait officialiser, institutionnaliser (pour le seul bénéfice de la droite) le clivage majeur qui, depuis 1794, divise la gauche et trancher dans un sens antijacobin ce vieux débat (encore d'actualité): 93 avec son cortège tragique (Terreur, maximum, guerre civile...) est-il le prolongement naturel, la conséquence inéluctable de 89, ou, au contraire, sa déviation aberrante? D'autre part le 9-Thermidor est une date négative qui conjure un péril, mais n'offre guère de perspectives séduisantes sur le plan politique, et ne peut guère proposer à un régime nouveau un mythe fondateur exaltant.

Ne restent alors en présence que *les* 14-Juillet (la prise de la Bastille et la fête de la Fédération) et la nuit du 4-Août. Cette dernière date, symbole de la mort de la féodalité et de la fin des «privilèges» de la noblesse et du clergé, a l'immense avantage de séduire, par son caractère volontaire et officiel, les modérés des deux camps, notamment au Sénat; l'austère *Journal des débats* lui trouve des charmes et dans la mesure où le 4-Août incarne un compromis national dépourvu de violence, il peut constituer pour le centre droit et le centre gauche une date acceptable. Mais si son caractère national lui est bénéfique à droite, il le dessert à gauche, où l'on souligne que le 4 août 1789 n'est que la *conséquence* du 14 juillet 1789. Intervient ici dans le débat une notion chère aux vrais républicains, celle de *rupture* avec un Ancien Régime honni et paré des couleurs les plus sombres; thème hérité notamment de l'historiographie libérale et républicaine illustrée entre autres par Sismondi, Michelet et Henri Martin, qui décrit la Révolution française comme l'ultime assaut populaire lancé contre un Ancien Régime tyrannique, commencé dès l'émancipation communale du XIIe siècle, prolongé, au XIVe, par la tentative avortée d'Étienne Marcel et parachevé par la prise héroïque de la Bastille le 14 juillet 1789. On ne peut donc moralement donner comme origine mythologique à la République un compromis boiteux, qui a le tort grave de rejeter dans les coulisses le peuple de Paris, et de présenter sous un jour positif les «privilégiés» de la noblesse et du clergé, traditionnellement dénoncés comme les plus farouches défenseurs du despotisme et les plus redoutables adversaires de la Liberté.

Or, *liberté* est bien ici le mot clé qui doit résumer et symboliser l'œuvre de la Révolution, et donner son sens à la date fondatrice de la République. Dans cette perspective émancipatrice qui est celle des républicains, le 14 juillet 1789, et lui seul, peut délimiter de façon indiscutable un *avant* et un *après* irréductibles; tracer une frontière insurmontable entre un Ancien Régime condamné et une France moderne définitivement affranchie, malgré les multiples tentatives réactionnaires du XIXe siècle, du triple joug féodal, clérical et monarchique; bref signifier qu'avec la chute de la sombre Bastille médiévale «c'est le monde ancien qui finit et un monde nouveau qui commence». En choisissant ainsi pour fête nationale le 14 juillet 1789 de préférence à toutes les autres dates, les républicains sont fidèles à l'œuvre des grands défenseurs de la Révolution française, et notamment de Michelet et de Victor Hugo. *Quatrevingt-Treize*, par exemple, paru en 1874, a certainement contribué, par ses nombreuses formules lapidaires, à populariser le 14-juillet: «89, la chute de la Bastille, la fin du supplice des peuples.» «Le 14 juillet avait délivré.» «Renverser les bastilles, c'est délivrer l'humanité.» Mais, surtout, Victor Hugo considère que sa tour bretonne, La Tourgue, «était cette résultante fatale du passé qui s'appelait la Bastille à Paris, la Tour de Londres en Angleterre, le Spielberg en Allemagne, l'Escurial en Espagne, le Kremlin à Moscou, le château Saint-Ange à Rome.

«Dans la Tourgue étaient condensés quinze cents ans, le moyen-âge, le vasselage, la glèbe, la féodalité[7].»

Cette identification de la Bastille au Moyen Âge et à l'Ancien Régime est également exprimée par Gambetta dans un discours prononcé précisément le 14 juillet 1872 à La Ferté-sous-Jouarre: selon lui le peuple de Paris ne s'est pas levé «pour renverser une Bastille de pierre, mais pour détruire la véritable Bastille: le moyen-âge, le despotisme, l'oligarchie, la royauté!» (Salve d'applaudissements. Acclamations)[8].

Mais la fête nationale que l'on célèbre en 1880 ne commémore pas seulement le 14 juillet 1789; c'est une date bicéphale qui renvoie simultanément à la prise de la Bastille et à la fête de la Fédération: le second événement permet de conjurer, par son aspect national et œcuménique, le caractère violent et sanglant du premier, et de rassurer à bon compte les modérés. Cependant, pour les vrais républicains, c'est d'abord et avant tout au 14 juillet 1789, en dépit des excès sanglants commis par le peuple ce jour-là, que la fête nationale rend hommage: à leurs yeux la fête de la Fédération ne constitue que la réplique d'un phénomène unique qui, le 14 juillet 1789, s'est en quelque sorte autocélébré et autocommémoré dans une ambiance de fête fraternelle, comme l'avait d'ailleurs bien vu Charles Péguy dans *Clio*:

> La prise de la Bastille, dit l'histoire, ce fut proprement une fête, ce fut la première célébration, la première commémoration et pour ainsi dire le premier anniversaire de la prise de la Bastille. Ou enfin le *zéroième* anniversaire. On s'est trompé, dit l'histoire. On a vu dans un sens, il fallait voir dans l'autre. On a vu. Ce n'est pas la fête de la Fédération qui fut la première commémoration, le premier anniversaire de la prise de la Bastille. C'est la prise de la Bastille qui fut la première fête de la Fédération, une Fédération avant la lettre[9].

D'autre part, l'acteur principal de cette journée demeure le peuple, la foule anonyme. En glorifiant son héroïsme, les républicains font coup double: ils confirment à peu de frais leurs tendances démocratiques, et surtout font l'économie de polémiques qui n'auraient pas manqué de se produire autour du rôle révolutionnaire des principales figures du tiers état si, au lieu du 14-Juillet, on avait choisi le 20-Juin ou le 4-Août: les héros de ces journées-là (Bailly, Mirabeau, La Fayette, etc.) ont en effet «mal tourné» au fur et à mesure que la Révolution se radicalisait, et il aurait été difficile de présenter comme une apologie de la Révolution l'hommage indirect rendu aux hommes qui l'ont par la suite trahie ou du moins abandonnée en cours de route.

Les républicains confèrent une fonction supplémentaire et déterminante à la commémoration du 14 juillet 1789, celle d'abolir l'incontournable et embarrassante chronologie révolutionnaire et de placer la Révolution hors du temps: dans la mesure où cette date sacrée ne symbolise pas seulement l'aurore de la Révolution française, mais résume et accomplit la Révolution elle-même, elle permet de transcender les événements dramatiques qui se sont succédé entre 1789 et 1794 et de jeter, en particulier, le manteau de Noé sur «les années de plomb»: 1793 et 1794, dont l'évocation risquerait de susciter des polémiques et de contredire la volonté d'unité et de réconciliation nationales volontiers proclamée par les «opportunistes».

On notera enfin que, sur le plan social, la fête du 14-Juillet sert admirablement les intérêts des républicains modérés, «opportunistes», qui nient farouchement l'existence d'une «question sociale» et qui brandissent l'image œcuménique des vainqueurs de la Bastille, où se côtoient fraternellement bourgeois parisiens, peuple des villes et des campagnes et armée, comme une sorte d'idéal, d'absolu valable pour la société française contemporaine. Gambetta a d'ailleurs longuement développé, dans son discours de La Ferté-sous-Jouarre, l'idée de recréer, comme fondement de la stabilité sociale de la République, la « Fédération morale » qui s'est spontanément constituée pour l'assaut de la Bastille et que les gouvernements réactionnaires du XIXe siècle sont parvenus à rompre. Il y esquisse même une sacralisation du 14 juillet 1789 car, « le 10 août, [...] le 22 septembre [...] les journées les plus décisives de la Révolution française sont contenues, sont impliquées dans ce premier fait qui les enveloppe : le 14 juillet 1789.

« Et voilà pourquoi aussi c'est la vraie date révolutionnaire, celle qui a fait tressaillir la France [...]. On comprend que ce jour-là notre Nouveau Testament nous a été donné, et que tout doit en découler (Oui ! Oui ! Applaudissements)[10] ».

Le choix du 14 juillet 1789 comme fête nationale n'offre donc que des avantages aux républicains : en niant la division de la société française en classes antagonistes, il conjure un passé menaçant, mais, en proclamant sa volonté de poursuivre les promesses d'affranchissement moral et intellectuel que, faute de temps, la Révolution française n'a pu tenir, il ouvre des perspectives d'avenir fondées sur la science, la raison et le progrès : la prise de la Bastille a libéré les Français sur le plan social en proclamant leur égalité ; la révolution de février 1848 les a affranchis sur le plan politique en leur accordant le suffrage universel. Reste à la IIIe République à les émanciper du joug clérical, qui étouffe les consciences, en fondant l'école laïque et en séparant l'Église et l'État. Précisons enfin que la date a bénéficié depuis 1872 d'un culte rituel célébré en privé chaque année par les républicains (comme en témoigne le discours de Gambetta à La Ferté-sous-Jouarre) ; la décision prise en juillet 1880 de la transformer en fête nationale institutionnalise en quelque sorte une pratique antérieure.

Face au choix cohérent des républicains, la droite se montre désemparée et incapable d'une alternative crédible, notamment parce qu'elle est divisée en trois composantes rivales : les orléanistes, les bonapartistes et les légitimistes. Les premiers peuvent difficilement récuser le 14-Juillet alors que Louis-Philippe a fait édifier, sur l'emplacement de la Bastille, à la mémoire non seulement des morts de Juillet 1830 mais aussi de ceux de Juillet 1789, la colonne de Juillet[11]. Les seconds, qui se sont toujours réclamés des principes de 89, sont mal à l'aise pour critiquer la fête nationale. Les légitimistes, en revanche, défenseurs de l'Ancien Régime renversé par la prise de la Bastille, n'ont pas les mêmes scrupules ; mais, dans l'ensemble, ils n'ont rien d'autre à proposer. Les dates illustres de l'ancienne France (de Tolbiac à Yorktown) ne manquent certes pas, même si aucune ne s'impose indiscutablement ; mais opposer l'Ancien Régime à la Révolution, n'est-ce pas apparaître *ipso facto* comme les tenants réactionnaires de temps révolus, et reconnaître que 89 est bien, comme le proclament leurs adversaires républicains, cette fracture insurmontable dans l'histoire de France qui sépare la nuit du jour, les ténèbres de la lumière, deux mondes étrangers ? Enfin et surtout, proposer une date purement historique pour faire pièce à la prise de la Bastille serait de la part des légitimistes renoncer à leur idéal catholique et monarchique : défenseurs intransigeants du trône et de l'autel, thuriféraires de la vieille monarchie de Clovis et de Saint Louis, ils ne peuvent concevoir d'autre fête pour la France que celle de son roi légitime, qui associe le prénom du souverain au vocable d'un grand saint, et souffrent de voir « la fille aînée de l'Église » renier quinze siècles de catholicisme. En conséquence les chefs légitimistes demandent à leurs fidèles de célébrer la Saint-Henri, fête du comte de Chambord, qui tombe le 15 juillet, autant pour honorer la cause et la figure d'« Henri V » que pour conjurer la fête sacrilège[12].

Il ne reste plus à la droite qu'à poursuivre la lutte politique sur le terrain historique, en réfutant la signification symbolique du 14 juillet 1789. C'est un registre qu'elle maîtrise bien dans la mesure où, depuis 1871, elle ne cesse de multiplier les brochures populaires pour combattre les « calomnies » et les « falsifications » répandues par ses adversaires républicains, à propos de la Révolution en général et de l'histoire de la Bastille en particulier. Ces opuscules, publiés notamment sous l'« Ordre moral » entre 1873 et 1877, ironisent sur l'image d'une Bastille transformée en bagne, où des milliers d'innocents, rivés à de lourdes chaînes de fer, croupissaient dans d'infects cachots, et pour la délivrance desquels le peuple de Paris se serait soulevé spontanément le 14 juillet 1789, comme l'affirmait Michelet. Pour les royalistes ce sont là contes de fées et purs mensonges auxquels il convient de substituer la vérité beaucoup moins glorieuse, qui se résume en quelques mots : le 14 juillet 1789, la Bastille n'a pas été prise d'assaut mais s'est rendue pratiquement sans combattre ; les pseudo-vainqueurs se sont déshonorés en massacrant des innocents ; quant aux prisonniers la foule n'en trouva à la Bastille que sept fort bien traités : « Une forteresse mal défendue ouvrant elle-même ses portes à une émeute ; des scélérats profitant d'une capitulation pour massacrer des hommes désarmés : il n'y a rien de plus[13]. »

La conclusion de toutes ces brochures est limpide : vouloir célébrer en guise de fête nationale la rébellion, la désertion, le parjure et l'assassinat serait proprement aberrant car « la fête du 14 juillet c'est la première journée de la Terreur ; mais les libéraux ne peuvent accepter comme une date glorieuse celle de l'avènement de la tyrannie démagogique. Les fêtes de la liberté ne sont pas celles où l'on promène des têtes coupées.

« Le 14 juillet commence cette période de conquêtes révolutionnaires dont les dates se nomment : le 6 octobre, le 10 août, le 21 janvier, le 31 mai, et dont les triomphes sont l'échafaud de Louis XVI et l'esclavage de la représentation nationale[14] ».

«La date du 14 juillet, que le conseil municipal de Paris veut consacrer par une fête nationale, ne rappelle pas seulement le triomphe de l'insurrection; elle rappelle aussi et surtout les scènes de carnage et de cannibalisme qui préparèrent la Terreur, mais qui l'avaient d'avance dépassée[15].»
Cette image apocalyptique et révisionniste du 14-Juillet va être renforcée et systématisée par le talent littéraire d'Hippolyte Taine, dont le volume des *Origines de la France contemporaine*, consacré à 1789 et intitulé de façon révélatrice *L'Anarchie*, paraît en 1878. Toute la presse réactionnaire a puisé à pleines mains, entre 1880 et 1914, dans cette machine de guerre d'une passion exacerbée contre la Révolution, la plupart de ses arguments contre «la fête de l'assassinat» et «les saturnales» républicaines.
Naturellement, à gauche, des polémistes républicains, indignés par ces tentatives de démythification ont répliqué à leur tour, sur le même ton, en martelant dans leurs brochures l'idée selon laquelle le 14 juillet 1789 a bien vu l'aurore rayonnante de la Liberté se lever sur les ruines du despotisme comme l'affirmaient Michelet, Louis Blanc et Victor Hugo[16].
Tous ces débats prouvent au moins deux choses: qu'avant d'être retenu comme fête nationale le 14-Juillet était perçu, à gauche comme à droite, comme un symbole insigne, investi d'une puissante charge émotionnelle; qu'avant même que le rideau ne se lève sur la première commémoration du 14 juillet 1789, il n'y a guère de compromis possible en ce domaine entre partisans et adversaires irréconciliables et que, dans chaque camp et pour longtemps encore, c'est «chacun sa vérité»...

II. L'enracinement du rituel

1. La fête militante : 1880-1889

À gauche : « La Liberté guidant le peuple »

Cette période représente pour les républicains la phase militante et lyrique de la fête nationale, dont l'image héroïque est alors étroitement associée au combat pour la laïcité scolaire, mené pour l'essentiel entre 1881 et 1887, puis à la lutte contre le boulangisme assimilé par ses adversaires, en dépit de sa phraséologie radicale, à un mouvement contre-révolutionnaire; au cours de cette décennie 1880-1890, l'anniversaire du 14 juillet 1789 constitue probablement un des instruments privilégiés de l'enracinement de la République dans la «France profonde» et notamment dans les campagnes encore influencées par les notables traditionnels de la noblesse et du clergé. La gauche développe dans les milieux populaires une campagne pédagogique en faveur de la fête nationale qui mêle deux niveaux de mémoire : un aspect proprement historique, qui valorise et dramatise la traditionnelle légende noire d'une Bastille truffée de cachots et d'effroyables instruments de torture réservés au peuple ; un niveau symbolique qui célèbre de façon désormais rituelle l'aurore de la Liberté sur les ruines du Moyen Âge et de l'Ancien Régime. Choisis entre mille, en voici deux exemples :

> Cette Bastille, ce château fort sombre et sinistre, flanqué de ses huit tours, dominait tout Paris et le tenait sous le feu de ses canons. C'était là le pied de la tyrannie posé sur le ventre populaire. C'était là que pourrissaient dans les cachots les victimes des caprices de la noblesse, les infortunés que la lettre de cachet arrachée à la faveur, rayait du nombre des êtres [...]
> Ainsi tomba l'énorme poids qui oppressait la poitrine de Paris.
> Cette personnification matérielle de la tyrannie des nobles et des privilégiés disparut sous le souffle de la colère populaire comme une plume légère entraînée par le vent[17].

> 14 juillet !
> Brillant anniversaire !!
> Première victoire de la Révolution !!!
> Un géant de chair se rue sur un colosse de granit ; le peuple attaque les pierres qui soutenaient la féodalité tout entière ; en détruisant la Bastille, Paris donne une impulsion énorme au monde, détraque le rouage monarchique, renverse un trône, anéantit un principe, ruine une caste privilégiée, brise les chaînes, relève la France courbée depuis des siècles, conquiert l'indépendance, prépare la liberté [...]
> Admirable élan populaire !
> Peuple ! au moment de commencer la lutte, ton premier soin est d'anéantir le charnier patricien. Lion faubourien, tu rugis enfin ! Tu te dresses du haut de ta taille ! Un seul coup de ta griffe suffit pour faire disparaître cette monstrueuse citadelle où les rois enterraient dans la pierre des cachots ceux qui les gênaient ou qui déplaisaient à leurs concubines. L'orgueil des souverains, les rancunes des prostituées peuplaient la Bastille de martyrs, la remplissaient de sanglots, de soupirs, l'arrosaient de pleurs ; toi, tu la renversas.
> La Révolution commence ! [...]
> À tel jour, le peuple brisa ses fers pour la première fois[18] !

De plus, là où l'antagonisme entre partisans et adversaires de la République prolonge directement l'affrontement des « Bleus » et des « Blancs », les républicains ont à cœur, le jour de la fête nationale, de prouver par des actions symboliques et spectaculaires (au besoin en renouvelant celles de leurs ancêtres) leur filiation directe avec les héros de 89. À Saumur, par exemple, ville républicaine isolée dans le département «chouan» du Maine-et-Loire, le 14 juillet 1880, on scelle en grande pompe sur la façade de l'hôtel de ville une pierre de la Bastille offerte à sa ville natale par Aubin Bonnemère, un des «vainqueurs» de la forteresse, et oubliée dans un grenier par les régimes «réactionnaires» du XIXe siècle; par ce geste théâtral, accompli en présence d'Eugène Bonnemère, descendant d'Aubin Bonnemère et lui-même historien du 14 juillet 1789[19], les républicains démontrent qu'à l'image des Bonnemère, ils sont demeurés fidèles au message et à l'œuvre de leurs aïeux.

Le caractère militant de la fête nationale s'exprime enfin par une forte connotation anticléricale: si la chute de la Bastille a libéré les Français sur le plan social, et, à terme, politique, les républicains se plaisent à souligner que l'émancipation morale et spirituelle de la nation passe par la prise de la Bastille cléricale, toujours debout, toujours redoutable. Cet anticléricalisme est, entre 1880 et 1889, d'autant plus virulent que cette décennie est aussi celle de la résistance acharnée de l'Église catholique à la laïcisation de l'école publique et à la sécularisation de la société française. L'anticléricalisme peut alors revêtir des expressions complémentaires: on peut, comme à Rezé en 1889, proclamer «qu'il est d'autres bastilles encore debout; celles-là ne sont pas, comme celle dont nous venons de parler, flanquées de tours et défendues par des fossés, des ponts-levis, des murailles imprenables mais elles n'en sont pas moins redoutables pour la liberté: il nous reste à forcer sur plus d'un point les bastilles de l'ignorance et de la superstition, et j'aime à penser que vous saurez en tenter victorieusement l'assaut, comme nos pères l'ont fait en 1789 pour la Bastille de la rue Saint-Antoine[20]».

Dans d'autres localités de l'ouest de la France on établit avec amertume une relation de cause à effet entre la médiocrité de la fête nationale et l'éclat des cérémonies religieuses traditionnelles. À La Roche-Bernard, par exemple, les républicains soulignent, en 1883, que «les autorités municipales feront tout leur possible pour que la fête [nationale] ne réussisse pas. [Mais] lorsque l'évêque de Vannes, dans sa tournée pastorale, est venu à La Roche, nous avons vu s'élever comme par enchantement un arc de triomphe, les maisons se sont pavoisées et les jeunes gens ont formé une espèce de cavalcade pour aller au-devant du prélat[21]».

Mais la manière la plus habile de discréditer la position «rétrograde» de l'Église et des catholiques consiste à louer l'attitude civique des protestants et des juifs dont les édifices religieux sont souvent les seuls à être spontanément pavoisés. À Nantes *Le Phare de la Loire* souligne volontiers «le fait que la synagogue et le temple protestant étaient illuminés alors que tous les édifices

dépendant du culte romain restaient plongés dans l'obscurité la plus profonde. «Grâce à ce contraste significatif, les édifices religieux ont symbolisé la nature respective des cultes auxquels ils sont consacrés : des trois cultes reconnus par l'État, un seul redoute la lumière, un seul se refuse à prendre part à la vie publique de la nation, un seul voit avec douleur cette fête du 14 juillet qui commémore le grand mouvement populaire auquel nous devons, entre autres bienfaits, la liberté de conscience[22].»
Variante de cette critique par ricochet : l'éloge d'un catholicisme républicain libéré, dans la grande tradition des «quarante-huitards», du carcan dogmatique et de la hiérarchie cléricale ou l'hommage adressé à des catholiques peu orthodoxes rejetés et condamnés par l'Église. En 1883 par exemple *Le Phare de la Loire* félicite un restaurateur nantais d'avoir placé devant sa maison un grand Christ entouré de drapeaux tricolores avec une inscription associant des préceptes évangéliques avec la devise républicaine :

Liberté	Égalité	Fraternité
Je suis venu pour délivrer	*Il n'y a ni premier ni dernier*	*Aimez-vous les uns les autres*

> Cette idée originale qui rappelle l'école républicaine de Lamennais, de George Sand et de Pierre Leroux a obtenu un vif succès.
> Elle aura dû scandaliser quelques personnes, surtout celles qui sont attachées au catholicisme d'aujourd'hui, ennemi implacable de ce principe d'égalité dont le Christ fut un des premiers prédicateurs[23].

En 1885, à Lunéville, les républicains inaugurent la statue de l'abbé Grégoire, grande figure du clergé gallican fidèle à la Révolution française, qui n'est pas particulièrement en odeur de sainteté chez les intégristes ultramontains de l'époque...
Le caractère partisan de la fête nationale est cependant tempéré par la volonté déclarée des «opportunistes» de célébrer la prise de la Bastille «comme une victoire définitive, non comme une bataille à recommencer[24]» : en ce sens le 14-Juillet ritualisé, institutionnalisé, loin de constituer, comme le clame la droite, un appel officiel à l'insurrection, conjure au contraire le spectre d'une nouvelle Commune. D'autre part, même si la référence à la prise de la Bastille reste omniprésente entre 1880 et 1889, la mémoire de la fête de la Fédération n'en est pas pour autant occultée : la République opportuniste tient à donner de la France et des Français l'image paisible d'une Fédération fraternelle, d'un pays réconcilié avec son armée et avec son histoire ; à administrer à l'étranger la preuve quotidienne que l'on peut désormais en France marier Ordre et Progrès, Démocratie et Liberté et les défendre par les seules vertus du bulle-

tin de vote. Mais c'est précisément cette référence œcuménique à la Fédération de 1790 que la droite récuse avec indignation pour ne retenir de la fête nationale que sa filiation révolutionnaire.

À droite : « Le Fantôme de la Liberté »

L'offensive de la droite contre la fête républicaine se déroule à trois niveaux complémentaires : sur le plan politique en premier lieu, sur le plan de l'histoire et de la mémoire ensuite, sur celui de la religion enfin. Les choses sont claires ; en célébrant, au lendemain de l'amnistie accordée aux anciens communards (11 juillet 1880), la victoire de la désertion et de la rébellion contre l'autorité légitime, le gouvernement républicain encourage ouvertement une nouvelle insurrection armée. L'amertume des catholiques est d'autant plus vive que le retour des communards et la première fête nationale coïncident, à quelques jours près, avec l'expulsion des jésuites en vertu du décret de Jules Ferry du 27 mars 1880. Pour les catholiques, ce rapprochement n'est pas fortuit : la République chasse délibérément les « honnêtes gens » pour mieux accueillir les assassins et laisser le champ libre à leurs criminels projets :

> NANTAIS À VOS LAMPIONS !
> À vos lampions, vous tous, chrétiens et chrétiennes, froissés dans vos sentiments les plus chers et les plus intimes. De quoi vous plaindre ? – Les couvents se ferment et les bagnes s'ouvrent, c'est la roue qui tourne. – À vos lampions !
> À vos lampions ! mères et sœurs des imbéciles qui se faisaient casser la tête en 1871, dans cette grande bataille des rues de Paris. Des misérables, en face de l'ennemi railleur, avaient osé lever le drapeau de la guerre civile. – Vos fils avaient donné leur sang pour laver cette honte. Regardez aujourd'hui même, sur ce mur, cette affiche rouge : c'est l'annonce d'un grand journal qui va paraître. Lisez bien les noms des rédacteurs :
> Rochefort, Félix Pyat, Amouroux ! Femmes en deuil, connaissez-vous ces revenants ? Ce sont eux qui tuaient vos enfants là-bas, il y a dix ans. – Vous avez bien encore quelque jeune fils à donner. – À vos lampions !
> Et vous aussi, filles des victimes de 93, à vos lampions ! Dans ce jour mémorable que nous fêtons demain, le peuple vaillant goûta au sang – et le trouva bon ; – vos pères en surent quelque chose. – À vos lampions ! [...][25].

Mais, constatant de mauvaise grâce que la fête nationale, loin de susciter les désordres tant redoutés publiquement (mais secrètement espérés), connaît

d'année en année un succès populaire grandissant, la droite met une sourdine à ses diatribes contre le prélude à la Commune et se replie sur un terrain qu'elle connaît bien, celui de l'histoire et de la mémoire.
Paradoxalement, sur le plan historique, républicains et conservateurs tombent d'accord sur un point précis: 89 incarne et résume bien la Révolution française; mais là s'arrête leur unanimité. Entre 1881 et 1890 la presse hostile à la République ne cesse en effet de marteler que loin d'être un jour de gloire, le 14 juillet 1789 représente le prélude sanglant de la Terreur, le modèle des saturnales révolutionnaires:

> D. – Voudriez-vous nous dire bien consciencieusement ce que fut le 14 juillet 1789 [...]?
> R. – Le 14 juillet 1789, en lui-même et dans ses suites, fut un jour de désordre, *d'émeute populacière et avinée*; – un jour de *lâcheté et de mensonge*; – un jour de parjure; – un jour d'*insubordination, de trahison et de désertion militaire*; – un jour de *brigandage*; – de *barbarie sauvage* et de *cannibalisme*... En un mot, ce fut la réhabilitation de tous les crimes et le vrai commencement de l'époque révolutionnaire si justement appelée la Terreur[26].

> Que la Révolution solennise la victoire de cinquante mille fauves armés sur *trente-deux* mercenaires et *quatre-vingt-deux invalides*, c'est dans la logique de ses instincts. Elle prouve ainsi, assez maladroitement du reste, l'indigence de ses gloires.
> Chacun fait ce qu'il peut. Le christianisme célèbre les fêtes de son Dieu, de ses héros, de ses saints, de ses martyrs; la monarchie a son splendide calendrier national: Tolbiac, Bouvines, Taillebourg, Marignan, Arques, Ivry, Rocroi, Fontenoy, Marengo, Austerlitz, Iéna, Alger, Sébastopol, Magenta. – La République célèbre la lâcheté, la trahison, l'assassinat. C'est correct[27].

Mais il est une tactique à laquelle la droite affectionne tout particulièrement d'avoir recours entre 1880 et 1889, c'est l'emploi des «armes spirituelles[28]»: silence des cloches, refus de pavoiser les édifices du culte, célébrations de messes de *requiem* «à l'intention des malheureuses victimes tombées le 14 juillet 1789 pour la défense de l'autorité légitime et des lois du pays[29]», la fête votive de Marianne ne laisse pas indifférente notre sainte mère l'Église. Certains clercs batailleurs vont plus loin encore, tel ce curé de Cezais en Vendée qui, en 1882, accuse en chaire ses paroissiens d'avoir *profané* le cimetière en se livrant, non loin de son enclos, à de véritables saturnales: «Pour eux, ce n'était pas assez de célébrer la fête du 14 juillet [...], il leur fallait

Le rituel festif du 14-juillet :
revue des troupes et défilé des bataillons scolaires place de la République.
Image populaire, 1883.

encore insulter les morts, profaner leur demeure par des illuminations, des feux d'artifice et des fusées lancées jusque sur leur tombe, le tout accompagné de hurlements sauvages et de cris féroces[30].»

Ce recours aux «armes spirituelles» se manifeste également dans le comportement individuel des catholiques. Une minorité active ne se contente pas de fuir à la campagne, de clore ses volets et de s'abstenir de toute décoration voyante pour exprimer sa réprobation muette devant la vague tricolore qui déferle sur les villes, submerge rues et places en un raz de marée chatoyant dont les impressionnistes et les fauves nous ont laissé un souvenir éblouissant; ils placent parfois sur leurs balcons statuettes et objets de piété qui, par leur présence propitiatoire, semblent conjurer les emblèmes de la Révolution. À Nantes, en 1883, *Le Phare de la Loire* signale malicieusement une maison dont le «balcon veuf, bien entendu de tout drapeau et de tout lampion, [est] en revanche meublé d'une série de petites vierges en plâtre, [placées là] sans doute en guise d'amulettes et de préservatif contre la contagion républicaine[31]». Dans cette panoplie saint-sulpicienne figure également le culte du Sacré-Cœur de Jésus: les catholiques tentent de terrasser les principes intrinsèquement pervers de 89 en opposant le 28 juin 1689 (date d'une des principales apparitions, à Paray-le-Monial, du Sacré-Cœur de Jésus à Marguerite-Marie Alacoque) au 14 juillet 1789. Il convient de prouver ainsi que 1889 ne sera pas l'année du centenaire de la funeste Révolution mais bien celle des miracles de Paray-le-Monial, et qu'en réintégrant le giron de la monarchie catholique, la «fille aînée de l'Église» sortira enfin de l'ornière où un siècle d'anarchie révolutionnaire l'avait embourbée; bref, «La France de 1889 effacera la France de 1789[32]».

Ces pieuses espérances sont cependant déçues par l'apothéose républicaine du premier centenaire, rehaussé, transfiguré par le succès de l'Exposition universelle de Paris. Un siècle après la chute de l'Ancien Régime, la République s'autocélèbre en opposant de façon manichéenne à la Bastille, symbole du Moyen Âge, la tour Eiffel, preuve éclatante du triomphe de la Raison, de la Science et du Progrès sur le despotisme, le fanatisme et l'ignorance: d'un côté une sombre forteresse trapue, repliée sur elle-même et sur un hideux passé, de l'autre un monument jeune, transparent et élancé dont le jaillissement dynamique dans le ciel incarnerait la République à la conquête de l'avenir sur les ruines de l'ancienne France[33]. Dix ans de pratique militante ont permis ce triomphe et contribué surtout à l'enracinement provincial de la fête nationale dont le rituel, désormais bien rodé, est longtemps resté immuable.

2. Espace et temps de la fête

Dès son origine, le 14-Juillet ne se réduit pas à la commémoration abstraite d'une date mémorable, il constitue pour ses initiateurs l'incarnation en actes et en spectacles de valeurs républicaines dont l'intériorisation individuelle passe par la liesse collective qu'il convient d'organiser soigneusement. Cette «journée particulière» n'est pas seulement «le temps retrouvé»; elle est le temps présent vécu et partagé fraternellement dans un espace bien déterminé et bien balisé. L'entreprise républicaine, couronnée de succès dès 1880, a su gagner durablement les suffrages populaires. Cette réussite, qui ne se démentira plus, sans doute faut-il l'attribuer à l'heureuse combinaison d'éléments ludiques essentiels : le choix de la date, l'espace même de la fête et son décor, la répartition des rôles entre les différents acteurs, l'économie des activités et des spectacles, etc.

La date n'est certainement pas étrangère à l'éclat de la fête nationale : le beau temps favorise naturellement les festivités de plein air : revues, banquets, jeux, joutes sportives, bals, feux d'artifice, etc. Le 14-Juillet correspondant *grosso modo* au milieu de l'année va pendant longtemps s'identifier au départ en vacances et marquer pour l'ouvrier, l'artisan (alors dépourvus de congés) et le paysan (juste avant la moisson) une pause, un répit appréciés, une sorte de dépaysement gratuit.

Grâce aux différentes composantes de la fête nationale mises en scène sur la voie publique (inaugurations de statues, défilés, commémorations en tout genre, retraites aux flambeaux) la République reprend à l'Église catholique le contrôle quasi exclusif que celle-ci exerçait depuis 1815 sur l'espace civil et opère, dans le domaine festif et ludique, un transfert de sacralité du religieux sur le laïque, le civique et le profane. Dans les rues jadis pavoisées de tapisseries et habituées au déploiement solennel des lourdes bannières paroissiales, à l'ordonnancement des reposoirs immaculés, à la psalmodie des cantiques et au lent étirement des processions de la Fête-Dieu, se déroulent à présent avec entrain les fastes laïques de la fête votive de «Marianne» sous des balcons parés de tricolore, éclairés par de multiples lampions, dans une ambiance de kermesse que dominent le bruit des pétards et la musique entraînante et colorée des bastringues de quartier. On note cependant que contrairement aux cérémonies religieuses la profusion ou la médiocrité du décor ne dépendent pas de la richesse ou de la pauvreté des citadins mais de la vigueur ou de la faiblesse de leurs convictions républicaines ; ainsi à Paris les habitants des quartiers populaires du nord et de l'est mettent autant d'empressement à célébrer la République que ceux des «beaux quartiers» à déserter ou à ignorer l'anniversaire de la «Gueuse». Le décor de la fête nationale permet ainsi, à Paris et dans les grandes villes, de dessiner en creux et en relief une géographie exacte des sentiments politiques de la France urbaine.

La fête elle-même se déroule en deux temps successifs : la matinée généralement consacrée aux manifestations officielles et/ou partisanes, l'après-midi réservé aux jeux et distractions populaires. Dans ces deux phases, les trois catégories d'acteurs de la fête – les officiels, les militants et sympathisants, le peuple au sens large – sont investies de fonctions complémentaires : le matin le rôle actif est plutôt dévolu aux officiels et aux militants qui, par leurs discours et leurs activités politiques, assurent l'essentiel du spectacle. À Paris et dans le Midi rouge où la gauche est bien enracinée et dans l'Ouest où la mémoire républicaine a besoin de s'affirmer symboliquement si elle veut s'implanter durablement, il est fréquent d'assister, entre 1880 et 1890, à l'inauguration de monuments allégoriques – bustes de « Marianne », statues – hommage des républicains aux précurseurs de 89 ou considérés comme tels (Voltaire en 1885, Diderot en 1886, Étienne Marcel en 1888), aux artisans des luttes politiques du XIXe siècle (Béranger en 1885, Lamartine en 1886, Raspail en 1889, entre autres), enfin aux fondateurs disparus de la République comme Gambetta en 1888[34]. Dans cette perspective partisane, fêter la prise de la Bastille n'est pas seulement commémorer un événement isolé, amarré une fois pour toutes à un point fixe de l'histoire, mais se remémorer une chaîne de dates prédestinées, liées davantage entre elles par la nécessité que par le hasard, dont la IIIe République constitue la conséquence et le prolongement directs ; c'est en quelque sorte arpenter collectivement la mémoire et l'imaginaire républicain, en baliser les temps forts de bornes, de repères symboliques : 1789, 1792, 1830, 1848, 1870, 1880. À Paris, cette sacralisation de l'espace et du temps révolutionnaires se lit, par exemple, sur les bas-reliefs de la statue de la République par Morice, inaugurée place du Château-d'Eau (aujourd'hui de la République) le 14 juillet 1883[35].

Mais tous les participants officiels à ces cérémonies ne sont ni des sympathisants ni des militants de la cause républicaine et beaucoup ne figurent dans l'ordonnancement des festivités que contraints et forcés, en particulier les prêtres et les officiers. Injonction est faite aux premiers, salariés de l'État en vertu du Concordat, de faire sonner les cloches à toute volée en l'honneur de « Marianne », ce qui ne manque pas, là où les antagonismes politiques et religieux sont vifs, de provoquer de nombreuses frictions. Quant aux seconds, ils doivent, en dépit de convictions monarchistes avérées[36], encadrer les soldats lors de la traditionnelle revue militaire qui se déroule dans toutes les villes de garnison et qui tend progressivement, notamment à Paris où elle a lieu à Longchamp, à devenir le « clou » de la fête, à constituer un spectacle (celui des uniformes chamarrés, de la cavalerie, de la musique militaire…) dans le spectacle.

Entre le défilé militaire qui occupe généralement la matinée et l'après-midi des jeux et distractions populaires, se situe le traditionnel banquet républicain, haut lieu de la sociabilité de la gauche, version laïque de la messe, où l'on se retrouve entre soi pour chanter, boire à la santé de la République, évoquer les luttes victorieuses du passé et débattre les problèmes politiques de l'heure. C'est là, dans la chaleur et la ferveur d'un banquet fraternel, que s'exprime le plus ouvertement, devant un auditoire acquis d'avance à l'orateur, la conception partisane et militante de la mémoire républicaine : les discours retracent parfois les grands combats menés par le tiers état, depuis le XIIe siècle, contre la Féodalité, l'Église et la Royauté, célèbrent toujours, avec le même lyrisme stéréotypé, dans la prise de la Bastille l'acte fondateur de la Révolution et de la nation. Le banquet : lieu par excellence où s'opère l'inversion de rituels catholiques dont la puissance d'attraction sur une grande partie du peuple et l'usage immémorial semblent fasciner les dévots de « Marianne » ; qui sait si le fait de tourner en dérision ces pieuses litanies ne procède pas autant d'un secret et inavoué désir de sacraliser la fête laïque, de couler le sacré dans un moule républicain, que d'un anticléricalisme gouailleur[37] ? Quoi qu'il en soit, le 14 juillet 1880, les participants au banquet de Mont, Loir-et-Cher, ont récité ces étranges « prières » républicaines :

> *Pater Noster*
>
> Notre père qui êtes à l'Élysée national, que votre nom soit glorifié, que, par vous, la Liberté, l'Égalité et la Fraternité règnent sur la terre, que la volonté de nos pères de 89, en faisant l'homme maître de lui-même, s'accomplisse ; donnez-nous tous les jours la Liberté, pardonnez-nous les torts que nous aurions pu avoir envers la République, donnez-nous la force de défendre la Trinité démocratique et délivrez-nous du mal que nous pourrions lui causer involontairement.
> Ainsi soit-il.
>
> *Ave Maria*
>
> Je vous salue, ô Liberté chérie, seule déité des Français, le vrai bonheur est avec vous ; vous êtes bénie des peuples opprimés, et l'union est votre fruit.
> Sainte Liberté, fille de la Nature, protégez vos enfants naguère esclaves et nous vous défendrons avec ardeur maintenant et à l'heure de notre mort.
> Ainsi soit-il.
>
> *Credo*
>
> Je crois en la République, et en Grévy et Gambetta ses fils dévoués, nos concitoyens, qui ont été conçus et sont nés pour soutenir les droits de l'homme, qui ont souffert sous l'Empire, et y sont demeurés comme morts ; mais sont ressuscités le 4 septembre 1870 et sont montés à la tribune peu de temps après s'être assis sur les bancs de l'Assemblée nationale, d'où ils ont jugé les traîtres, les ministres de l'Ordre moral.

> Je crois à l'Égalité, à la noble République, à la communion des peuples, à la rémission des utopies, à la résurrection du bonheur commun et à la vie fraternelle.
> Ainsi soit-il.
>
> *Confiteor*
> Je me confesse à la Liberté protectrice des peuples asservis, à l'Égalité des droits devant la loi, à la Fraternité de tous les nobles cœurs et à toutes les vertus qui constituent l'homme d'honneur et le loyal citoyen; parce que je suis contrit d'être demeuré si longtemps esclave en pensées, en paroles et en actions, par ma faute, par ma très grande faute; c'est pourquoi je supplie la Liberté, l'Égalité, la Fraternité, cette Trinité démocratique, de veiller sur notre pays, pour faire descendre enfin parmi nous le règne de la Raison.
> Ainsi soit-il[38].

À l'heure des vêpres, les réjouissances publiques – qui varient selon les coutumes régionales – reprennent et la foule, jusqu'alors spectatrice plutôt passive, y prend une part beaucoup plus active; elle épaule même volontiers, par le truchement d'associations sportives et musicales locales, les autorités municipales. Théâtres d'amateurs, orphéons et orchestres municipaux, équipes sportives (de la joute nautique au concours de boules ou de quilles), kermesses organisées par le personnel et les élèves des écoles publiques animent la fin de l'après-midi. Et la journée s'achève sur ces bals de quartiers et villages, tard prolongés dans la nuit chaude, occasion si rare de danser pour tant de petites gens, ces bals qui ont sans doute donné au 14-Juillet sa légende (voir l'œuvre de René Clair), et à la fête, certainement, une bonne partie de son succès.
Mais la réussite de la journée dépendait largement de la participation volontaire du peuple. Or, dès 1880, les masses populaires, sauf dans l'Ouest, n'ont pas marchandé leur appui aux promoteurs de la fête, finalement devenue l'image forte, sinon la plus forte de la République au village. Cet engouement résulte d'abord de l'équilibre, recherché et obtenu, entre les objectifs politiques assignés par les républicains aux manifestations de la matinée et les aspects proprement ludiques et festifs de l'après-midi; il s'explique sans doute aussi par le fait que, pour la première fois depuis la Révolution, les Français de condition modeste ne se sentent plus spectateurs d'une réjouissance officielle qui les excluait comme sous la monarchie constitutionnelle et l'Empire, mais conviés à participer à leur propre fête. Dès 1880 se développe d'ailleurs le thème selon lequel le 14-Juillet «la France s'est fêtée elle-même[39]»; la fête nationale constitue la fête de tout le monde, la fête des familles, des enfants et

des vieux, qui abolit fictivement, le temps d'une journée, la rigueur des hiérarchies sociales : dans les bals musette et au son de l'accordéon, surtout en ville, le bourgeois côtoie la cousette et le petit artisan fait valser le trottin ; brèves rencontres, mêlées d'illusions, mais dans cette société encore si cloisonnée où l'ordre social a succédé à l'ordre moral, rupture de l'ordre quotidien qui le rend peut-être plus supportable le reste de l'année.

Le rituel de la fête nationale a, du moins jusqu'en 1914, dans l'ensemble peu varié et a fini, comme tout rituel, par se scléroser. On observe aussi que les violentes polémiques qui caractérisent la décennie 1880-1889 s'estompent nettement après 1890 sauf dans l'Ouest. Cette situation peut s'expliquer en premier lieu par la baisse de tension politique qui succède à la défaite du boulangisme. Grâce notamment à l'Exposition universelle de 1889, les républicains ont écarté les menaces très réelles que les partisans hétéroclites du « brave général » faisaient peser sur le régime. La République à présent victorieuse, la nécessité de réaffirmer avec éclat, à travers la fête nationale, les grands principes et les grands souvenirs ne s'impose plus de façon aussi impérative. D'autant plus qu'entre 1890 et 1899, la France est gouvernée par des ministres fort modérés (Méline entre autres), qui proclament volontiers leur désir d'« apaisement », et que la droite elle-même est profondément divisée entre une poignée de « ralliés » suspects à tout le monde et une majorité de monarchistes honteux qui, tout en condamnant la République et ses symboles, n'osent plus guère se réclamer de la royauté tant elle paraît confondue avec un retour archaïque à l'Ancien Régime. La droite a d'autant moins de raisons de relancer les vieux combats autour de la fête nationale que, depuis 1894, elle célèbre en grande pompe le 8-Mai, anniversaire de la délivrance d'Orléans par Jeanne d'Arc en 1429, comme une sorte de contre-manifestation antirépublicaine, de fête nationale catholique[40].

Il convient également de noter que le développement du nationalisme français, attisé par le boulangisme, a valorisé et popularisé la revue militaire de Longchamp : celle-ci est progressivement devenue l'attraction majeure, voire le symbole de la fête nationale elle-même, et occulte ainsi sa signification historique première. Comment la droite pourrait-elle, dans ces conditions, convaincre les Français que le 14-Juillet cultive le souvenir de la rébellion et de la désertion des gardes-françaises en 1789, alors qu'une foule toujours plus dense et toujours plus enthousiaste se presse pour « voir et complimenter l'armée française » ? On voit même, en juillet 1899, en pleine Affaire Dreyfus, partisans et adversaires de la révision du procès s'affronter dans les grandes villes lors des revues du 14-Juillet.

Mais, dans l'ensemble, la commémoration de la prise de la Bastille ne suscite plus guère d'aussi âpres polémiques qu'entre 1880 et 1889 sauf, paradoxalement, à l'extrême gauche révolutionnaire qui, dans la dernière décennie du

XIXe siècle, oppose violemment au 14-Juillet «bourgeois» la manifestation ouvrière du 1er-Mai ; en témoigne l'attitude des chambres syndicales ouvrières de Saint-Nazaire qui, en juillet 1892, «déclarent laisser le soin de fêter le 14-Juillet à la bourgeoisie qui seule a retiré avantage de la prise de la Bastille.
«Se considérant aujourd'hui tout aussi lésées qu'en 1789, déclarent s'abstenir de toute manifestation et ne reconnaître désormais comme fête que le 1er mai, jour choisi par les travailleurs du monde entier pour formuler leurs revendications et pour pleurer leurs morts de Fourmies[41] ».
Ce phénomène demeure cependant limité et n'empêche pas les Français, y compris la plupart des ouvriers, de participer avec entrain à la fête nationale, à «leur» fête. Il faut des événements exceptionnels sur le plan intérieur et extérieur pour lui conférer une dimension supérieure comparable à l'éclat des années 1880-1889 et perturber un rituel festif et une mémoire historique désormais bien intégrés aux «passions françaises»...

III. Les temps forts du 14-Juillet

Les grandes heures de la fête nationale au XXe siècle (1906-1914, 1935-1936, 1939 et 1945), loin de présenter les mêmes caractéristiques, constituent autant de variations originales sur la mémoire primitive du 14-Juillet, réactualisée chaque fois par le contexte politique, social et international du moment, qui déterminent un rituel officiel particulier et une pratique populaire irréductible à la routine des célébrations traditionnelles (notamment lors du Front populaire).

1. 1906-1914 : « Le temps du mépris »

Les premières années du XXe siècle connaissent une mise en accusation de la République par les deux pôles les plus extrêmes et les plus virulents de la vie politique ; cette contestation violente s'opère notamment par la dénonciation ou la dérision des représentations les plus symboliques de l'État républicain en général et de la fête nationale en particulier : tandis que l'extrême droite nationaliste, antisémite et xénophobe désigne avec indignation dans la prise de la Bastille un exploit... allemand (!), l'extrême gauche révolutionnaire se déchaîne contre la fête de la bourgeoisie.
Entre 1890 et 1905, c'est tout à fait épisodiquement et localement que l'extrême gauche encore convalescente a boycotté et critiqué le 14-Juillet et lui a opposé le 1er-Mai. Entre 1906 et 1914, la réprobation devient plus systématique et plus mordante. Elle est naturellement liée à l'essor d'un syndicalisme révolutionnaire qui s'organise à travers la C.G.T. et les bourses du travail et

Méprisé par la gauche :
Marianne reçoit des fleurs
des mains ensanglantées d'un Clemenceau flic.

exprime une méfiance viscérale et une hostilité radicale à l'égard de la démocratie parlementaire, de ses symboles (drapeaux, fêtes, hymnes...) et de ses institutions, notamment l'armée perçue comme l'instrument privilégié de la répression des luttes ouvrières. C'est d'ailleurs la sanglante intervention à Draveil et Villeneuve-Saint-Georges de la police et de l'armée contre des grévistes et des manifestants, sous le ministère autoritaire de Georges Clemenceau (1906-1909), qui exaspère l'opposition des syndicalistes à toute participation ouvrière à la fête nationale[42].

Ce n'est pas seulement par antimilitarisme que l'extrême gauche révolutionnaire la condamne : elle lui adresse en fait deux autres reproches majeurs ; le 14-Juillet serait un sommet d'hypocrisie bourgeoise qui retentit du bruit des discours ronflants et creux des démagogues dont les envolées lyriques sur la Liberté, l'Égalité et la Fraternité sont chaque jour contredites par les conditions de vie et de travail inhumaines de la plupart des ouvriers ; et surtout elle est perçue comme la fête de l'ivrognerie par laquelle le patronat et le gouvernement tenteraient de faire oublier à l'ouvrier son sort misérable et de lui faire perdre dans le caniveau sa dignité d'homme : le 14-Juillet opium du peuple : « Que le 1er-Mai, recommande en 1910 *La Voix du Peuple*, ne soit pas une sorte de 14 juillet prolétarien où les beuveries et les dégueulades font partie de la fête, comme les discours pompeux et les banquets officiels[43]. »

Nul mieux qu'Aristide Delannoy, un des meilleurs et des plus féroces dessinateurs satiriques du début du siècle, n'a résumé, dans un numéro spécial de *L'Assiette au beurre* paru en 1907, tous les griefs formulés par l'extrême gauche anarchiste et révolutionnaire pendant la « Belle Époque ». À tout seigneur tout honneur : Clemenceau, déguisé en « flic », ouvre le bal et offre à une corpulente et laide Marianne des fleurs enveloppées dans du papier de boucherie... L'hypocrisie de la fête de la République est illustrée par une tribune officielle où un magistrat, véritable chat fourré, un capitaliste les bras chargés d'or et un militaire à tête de mort portant une épée nue sanglante se tiennent assis sous la devise Liberté-Égalité-Fraternité, tandis qu'au pied de la tribune un travailleur brandit sa pioche en murmurant : « – Des mots... des maux. »

Une autre caricature ironise sur les niaiseries solennelles débitées ce jour-là : pendant qu'un officiel déclame pompeusement : « Aïeux... Bastille... gouvernement... République » un ouvrier demande à son voisin : « Qu'est-ce qu'il nous chante ?

– Toujours la même chose... mais aujourd'hui, c'est sur l'air des lampions. »

Plusieurs dessins dénoncent le fléau de l'alcoolisme qui dégrade et humilie le peuple : l'un souligne que si le 14-Juillet est « jour de gloire » pour les autorités, « pour l'électeur c'est le jour de boire ». La légende d'un second dessin, qui représente l'accolade de deux ivrognes, résume probablement le jugement définitif de Delannoy sur la « beuverie » nationale :

> 14 JUILLET
> – Liberté, Égalité, Fraternité, buvons, faisons pipi, Vive la République, ohé ! vessies, ohé ! lanternes !

Ce féroce jeu de massacre s'achève sur la vision d'un Fallières gras comme un cochon qui déclare cyniquement en désignant la foule qui valse sous son balcon : « Pendant qu'ils dansent, ils nous foutent la paix[44] ! »

La violence du ton employé par l'extrême gauche n'a d'ailleurs pas échappé à l'extrême droite qui en a complaisamment répercuté l'écho pour amplifier les divisions du camp républicain et les exploiter au profit des intérêts monarchistes : *L'Espérance du peuple* va jusqu'à enchâsser le placard diffusé par la C.G.T. en juillet 1907 dans son propre texte[45].

Mais l'extrême droite, loin de demeurer spectatrice du combat fratricide que se livrent sous ses yeux les républicains, relance à son tour, à partir de 1906, les vieilles polémiques assoupies depuis une quinzaine d'années, sauf dans l'Ouest. Ce climat politique exacerbé est en premier lieu lié à la tension qui agite les catholiques à la suite de la Séparation de l'Église et de l'État, et qui s'exprime en 1906 par la résistance aux inventaires, et, à partir de 1909, par la lutte contre les manuels de morale et d'histoire laïques, accusés de violer la neutralité scolaire. On note d'ailleurs qu'un des griefs majeurs adressés aux livres d'histoire mis à l'index par l'épiscopat en septembre 1909 concerne précisément la « falsification » de l'histoire révolutionnaire en général et du 14-Juillet en particulier, dans un sens ouvertement favorable aux intérêts républicains ; *Le Tract populaire illustré*, brochure catholique à grand tirage, dénonce, par exemple, dans la prise de la Bastille « *le symbole de deux Frances* : d'un côté la France nationale vaincue, de l'autre la France alliée de l'étranger, victorieuse, triomphante [...] Ces Hommes du 14 juillet, qui pillent et massacrent avec frénésie, représentent la France gangrenée par les mauvaises doctrines venues de l'étranger : juifs, protestants, philosophes, francs-maçons, soudoyés par l'Allemagne et l'Angleterre pour démoraliser le pays. Ils ont pour mission de détruire son catholicisme qui fait sa force et de préparer ainsi son démembrement[46] ».

La contestation s'articule aussi, à droite, sur un renouveau de l'historiographie contre-révolutionnaire. En 1909, par exemple, Gustave Bord publie un ouvrage incendiaire au titre révélateur : *La Conspiration révolutionnaire de 1789, les complices, les victimes*, aussitôt encensé par *L'Espérance du peuple* qui y puise de nouveaux arguments contre « la fête de l'assassinat[47] ».

Cependant, le durcissement de ton et le raidissement de l'extrême droite à l'égard de la fête nationale semblent principalement résulter de la métamorphose de l'extrême droite elle-même, ragaillardie et galvanisée par la bruyante entrée en scène à partir de 1905 de la Ligue d'action française : à une vieille garde royaliste timorée, composée de hobereaux légitimistes perclus de rhumatismes, confits en dévotion et geignards, a succédé une cohorte de jeunes « Camelots du roi » musclés et dynamiques, qui ne demandent qu'à en découdre avec les « insulteurs de Jeanne d'Arc » et les thuriféraires de 89, et qui se révèlent aussi experts dans le maniement de la canne que dans celui du chapelet, aussi diserts, à l'instar de Léon Daudet, en insultes rabelaisiennes qu'en *oremus* et patenôtres. Ce n'est donc pas un hasard si la critique la plus virulente du 14-Juillet se manifeste à partir des années 1907-1908 ; cette période correspond au moment où l'Action française, dont le journal devient quotidien en mars 1908, s'impose comme le fer de lance du mouvement royaliste (malgré la grogne de quelques barons et barbons) et conquiert d'ardentes sympathies dans le clergé. Désormais l'extrême droite dispose, avec *L'Enquête sur la monarchie* de Charles Maurras, d'une doctrine cohérente à opposer aux principes républicains.

Or, la xénophobie inhérente au « nationalisme intégral » de Maurras rejaillit sur l'image caricaturale de la prise de la Bastille que diffusent alors les journaux royalistes. Au thème éternel de « la fête de l'assassinat » et des « têtes coupées » s'ajoute une dimension historique nouvelle, qui combine la réactualisation de la vieille thèse du complot maçonnique lancée par l'abbé Barruel avec un nationalisme agressif : on explique ainsi très sérieusement comment la chute de la forteresse du boulevard Saint-Antoine résulte d'une sombre conjuration maçonnique ourdie à l'étranger (en Allemagne de préférence) et méthodiquement exécutée par des Prussiens avec l'appui de la populace parisienne pour renverser la France catholique, dernier obstacle aux visées ambitieuses de la triple subversion maçonnique, protestante et philosophique. Dans cette vision délirante, qui n'est pas sans rappeler les divagations antisémites des antidreyfusards, la prise de la Bastille n'est plus le fait du peuple de Paris ni des gardes-françaises mais de métèques appuyés par une poignée de traîtres tout droit sortis des bas-fonds de la société et symboles de l'« Anti-France ». Ces thèses, qui prétendent s'appuyer sur des documents historiques irréfutables, culminent entre 1911 et 1914 lorsque, après le coup d'Agadir (juillet 1911), le déferlement nationaliste et germanophobe atteint son paroxysme. Voici d'ailleurs un échantillon de cette critique dévoyée :

> Le 14 Juillet 1789 ou la Révolution française organisée par l'Étranger.
>
> Ce ne sont pas des Français qui ont fait la Révolution Française.
>
> La Révolution Française a été la première « Affaire ».
>
> Décidée par l'Étranger, arrêtée dans ses grandes lignes comme le plan d'une invasion militaire, elle a été exécutée *par une armée de bandits étrangers introduits en France dans ce but.*
>
> *Le plan de la Révolution [fut] arrêté dans les Loges Allemandes* [...]

Détruisons la Bastille !!!

A tous les Français !

« On a tellement fêlé le cerveau de ce pays, disait Henry Maret, qu'il s'imagine n'être plus opprimé lorsqu'au lieu d'être opprimé par un **seul** maître, il l'est par **plusieurs**... »

Le fait est que *si un* **Roi** *ou un* **Empereur** *avait fait le* **quart** *du mal qu'a accompli la République maçonnique* les barricades se seraient dressées toutes seules dans la rue !

Pourtant si le peuple tient un peu à sa liberté il ne doit pas plus supporter l'oppression maçonnique qu'aucune autre oppression.

EN 1789

En 1789, le peuple français était persuadé — ou plutôt certains meneurs avaient cherché à persuader au peuple qu'il ne posséderait la véritable liberté que le jour où la Bastille — prison d'Etat — serait à terre.

Le 14 juillet 1789, le peuple de Paris renversa la Bastille mais... la liberté ne vint pas.

Il renversa la royauté, guillotina le meilleur des monarques et... ce fut la tyrannie sanglante et jacobine qui s'installa au Pouvoir.

AUJOURD'HUI...

Après plus d'un siècle écoulé,
Après avoir fait trois révolutions,
Après avoir conquis le suffrage universel,
Sous une République *soi-disant* démocratique... le peuple de France est PLUS ESCLAVE QUE JAMAIS.

D'où vient cela ?

Cela vient de ce que, sous cette étiquette *menteuse* de « République », la secte maçonnique qui détient le pouvoir, a rétabli à *son profit et en les aggravant,* **tous**

Contesté par la droite :
la Bastille maçonnique renversée
par la Bonne Presse et les Honnêtes Gens, 1908.

> Le plan de campagne des Loges Allemandes ne se bornait pas à fomenter de longue main l'agitation en France et à gagner et enrégimenter l'armée, toujours nombreuse, des mécontents, des envieux, des gens sans scrupules et sans aveu : en un mot, à essayer de faire renverser le trône par des mains françaises.
> Elles jugeaient à bon droit cela impossible.
> Il fallait des mains étrangères, une force étrangère envahissante.
> Les Loges introduisirent donc en France, pour donner le signal de l'émeute et exécuter les violences, une véritable armée de bandits.
> Cette armée pénètre dans Paris au commencement de 1789 [...]
> Parfaitement organisés sous des chefs qui les ont munis d'un mot d'ordre, les poches pleines d'écus marqués de signes particuliers, ils viennent rejoindre les bandits nationaux, également enrégimentés [...]
> *Les Allemands [sont les] vainqueurs de la Bastille.*
> C'est eux qui prennent la Bastille [...][48].

En cette période de tension politique l'Action française ne se contente pas de répandre la bonne parole à travers la presse à sa dévotion mais organise également des conférences publiques et diffuse des tracts pour réfuter la légende noire de la prison. En 1911 et 1912, par exemple, le groupe royaliste de Bergerac a, dans plusieurs réunions, présenté la forteresse comme « un refuge discret pour les dégénérés auxquels on voulait éviter l'opprobre de la maison de fous », qu'il convient de réhabiliter pour des raisons médicales et sociales[49]. D'autre part, la veille du 14 juillet 1912, la section nantaise de l'Action française affiche dans la ville ce violent placard nationaliste et antisémite :

> La République, fondée sur les ruines de la Bastille, a fait disparaître, par la guillotine, les noyades, les fusillades, plus de deux millions de Français [...]
> En résumé, que nous a valu la prise de la Bastille ?
> Une tyrannie anonyme et collective nous opprime.
> Les partis républicains se déchirent entre eux et déchirent la France.
> Les grands Juifs, les escrocs de haut vol achètent à prix d'or la protection des parlementaires, tandis que les Bastilles républicaines s'emplissent de syndicalistes et de Camelots du roi[50].

On notera par ailleurs la fortune sémantique du mot « Bastille » dans le vocabulaire de la IIIe République ainsi que l'évolution de sa signification partisane et le déplacement de son usage polémique de la gauche vers l'extrême droite au début du XXe siècle. En 1880, les républicains avaient discrédité l'Ancien Régime en l'associant, dans la mémoire collective, au souvenir infamant des lettres de cachet de la Bastille, symboles éclatants de l'arbitraire royal et du «bon plaisir». Vingt-cinq ans après, l'extrême droite rend la politesse à la gauche en présentant la République comme une nouvelle Bastille dont le rempart est sévèrement gardé par les francs-maçons: un hebdomadaire illustré, intitulé *La Bastille, journal antimaçonnique,* appelle énergiquement, de 1902 à 1914, «les bons Français» à la renverser; Jeanne d'Arc elle-même, fraîchement béatifiée, est enrôlée[51] dans cette croisade nationaliste contre les Bastilles républicaines:

> N'est-ce pas la principale des *Bastilles maçonniques* ce *Parlement* où la secte s'embusque comme dans une forteresse pour forger au peuple de lourdes chaînes d'esclaves et lancer sur lui, en guise de boulets de canon, les lois les plus meurtrières pour une nation catholique?
> Ne sont-ce pas des *Bastilles maçonniques,* ces *écoles laïques* où l'enfant du peuple est livré à ce bourreau des âmes!... à l'instituteur athée qui le dépouille de sa foi en Dieu, de son espérance en un monde meilleur? *Bastilles maçonniques* aussi ces officines ténébreuses d'où sortent chaque matin des *feuilles immondes* qui frappent comme des poignards acérés l'innocence de nos enfants, la réputation de nos prêtres, l'armée dans son honneur et son drapeau, la Patrie dans ses traditions les plus respectables et les plus sacrées[52]!

Mais malgré tous les efforts de propagande déployés tant par l'extrême gauche que par l'extrême droite contre la fête nationale, il semble que l'écho de leurs thèses révolutionnaires ou révisionnistes n'ait guère touché et intéressé qu'un cercle restreint d'initiés: les diatribes de la C.G.T. contre la mémoire bourgeoise du 14-Juillet et les outrances de l'Action française sur le complot des loges prussiennes ont laissé indifférent le bon peuple des villes pour qui la fête nationale représente désormais un jour de congé et de festivités apprécié. *Le Phare de la Loire* peut ainsi se féliciter, en juillet 1911, de l'échec des «contestataires» des deux bords et du succès du défilé militaire, devenu le «clou» de la fête nationale dont «on rentre chez soi, fourbu et poussiéreux; mais on ne regrette pas sa fatigue: on a senti que la France existe encore».
«La revue, c'est le grand, c'est le vrai spectacle de la Fête Nationale. On ira bien au lancement du ballon, à la kermesse des Écoles ou au feu d'artifice. Ce ne sera pas la même chose[53].»
De fait, au moment du vote de la loi de trois ans, *Raymond Poincaré regnante,* l'extrême gauche révolutionnaire, pacifiste et antimilitariste échoue dans sa tentative de perturber la revue triomphale des troupes à Longchamp le 14 juillet 1913... Mais la vague de nationalisme qui déferle alors sur la

France ne privilégie pas seulement le défilé militaire, elle rejaillit également sur les références historiques et contamine la mémoire du 14-Juillet: en juillet 1914, dans *Le Phare de la Loire*, Maurice Schwob évoque, sous le titre *La Bastille ressuscitée*, la condamnation de Hansi par un tribunal allemand et compare, dans le climat de tension internationale et de germanophobie que l'on connaît, l'Empire allemand à une gigantesque Bastille dont il faudra un jour s'emparer pour délivrer ses deux malheureuses captives l'Alsace et la Lorraine: «L'Allemagne ouvre sa Bastille le jour où nous fêtons la destruction de la nôtre.
«L'oppression en face de la liberté[54].»
Est-ce à dire qu'en 1914 la fête nationale est, même dans l'Ouest, si bien intégrée aux mœurs que la référence au mythe fondateur de la prise de la Bastille, à la «kermesse héroïque» du 14 juillet 1789 est occultée par la kermesse tout court? Là encore répondre par l'affirmative serait confondre la vie collective d'une grande ville avec la sociabilité villageoise qui, davantage que dans une cité anonyme, intègre les affrontements politiques au vécu quotidien et au réseau des relations familiales et amicales. Alors même, par exemple, qu'à Nantes *Le Phare de la Loire* rend compte de la fête nationale sans éprouver le besoin de rappeler ses fondements historiques et sa signification politique et symbolique intériorisées depuis longtemps déjà, il reproduit, dans ses pages intérieures, plusieurs discours prononcés dans des localités moins importantes de Loire-Inférieure, où le 14-Juillet semble avoir bel et bien conservé le même sens libérateur dont il était investi en 1880; ainsi à Couëron, en 1908, où les républicains savent réactualiser en fonction des péripéties politiques locales la dimension émancipatrice de la fête de la liberté:

> Cette année, citoyens, nous avons une raison de plus de nous réjouir car nous avons renversé, nous aussi, notre petite Bastille. Notre ancienne municipalité réactionnaire ressemblait, en effet, à une forteresse [...]
> De même que le 14 juillet 1789, la Bastille en s'écroulant enfouissait sous ses décombres les privilèges et les abus de toutes sortes, les préjugés de toute nature, les iniquités sociales les plus flagrantes, amenant la chute des tyrans et faisant du peuple esclave le peuple souverain, les élections municipales dernières ont mis fin, à Couëron, à la politique réactionnaire[55].

C'est que partout où dans l'Ouest l'affrontement séculaire entre «Bleus» et «Blancs» se prolonge et où les républicains sont minoritaires ou disposent d'une fragile majorité, le rappel incantatoire et rituel des grands principes et des grands souvenirs s'avère nécessaire pour maintenir, face à la pression et à l'hostilité de l'adversaire, la cohérence interne du groupe : on en perçoit un nouveau témoignage, mais cette fois valable pour toute la France, lors des grands jours du Front populaire…

2. 1935-1936 : « Le temps retrouvé ». La mémoire reconquise

Alors que depuis la victoire de 1918 la gauche syndicale, socialiste et communiste dédaigne la fête nationale, dénoncée régulièrement comme l'expression du nationalisme bourgeois[56], on assiste en 1935, sous le choc du 6 février 1934 et du péril « fasciste » que les ligues d'extrême droite font courir à la République, à la brusque réactualisation de la signification démocratique, émancipatrice et populaire du 14-Juillet. Après le 6 février 1934, la gauche jusque-là profondément déchirée, sur le plan politique entre socialistes et communistes et sur le plan syndical entre C.G.T. et C.G.T.U., se réconcilie et célèbre, le 14 juillet 1935, de grandioses retrouvailles : tandis que les Croix-de-Feu du colonel de La Rocque défilent en rangs serrés sur l'axe impérial des Champs-Élysées, une foule évaluée à cinq cent mille personnes traverse, dans la joie de l'unité retrouvée et l'espérance de lendemains meilleurs, de la place de la Bastille à celle de la Nation, les quartiers populaires de l'est de Paris et rend ainsi au 14-Juillet tout son sens libérateur et révolutionnaire : devant un tel spectacle les vétérans des luttes politiques et syndicalistes reconnaissent, admiratifs, qu'ils n'ont pas assisté à un mouvement populaire de si grande ampleur depuis les combats de l'Affaire Dreyfus[57]. Un tel phénomène n'est d'ailleurs pas limité à Paris : la province a largement contribué, elle aussi, à donner le jour au Front populaire.
L'impact de cette journée est d'ailleurs tel que l'« esprit » du 14 juillet 1935, caractérisé par la résistance au « fascisme », se prolonge bien au-delà de la fête nationale : il anime et sous-tend la campagne électorale du printemps 1936 et contribue à la victoire du Front populaire. « Un seul choix : 6 février ou 14 juillet ! » C'est par cette formule lapidaire qu'entre les deux tours des législatives le journal radical *L'Œuvre* a pu résumer l'enjeu des élections[58]. Dans ces conditions, la journée triomphale du 14 juillet 1936 est vécue à Paris comme en province par des millions d'hommes et de femmes enthousiastes autant comme la revanche des masses sur le 6-Février et les ligues factieuses que comme l'expression de la reconnaissance populaire envers le gouvernement qui vient d'accorder aux travailleurs, entre autres droits, leurs premiers congés payés. Le succès du 14 juillet 1936 est contagieux : il rejaillit sur l'ambiance du 1er mai 1937 qui prend des allures de 14-Juillet *bis*, évolution qu'un vieux militant blanchi sous le harnois syndical comme Georges Dumoulin n'a guère appréciée : « Le 1er Mai est un acte qui ne doit pas dégé-

nérer et se défigurer au point de devenir une parodie de festivités bourgeoises ou un 11 Novembre ensoleillé[59]. »

Mais l'« illusion lyrique » de l'été 36 ne résiste pas à l'épreuve des faits et il faut vite déchanter : le 14-Juillet a fait naître « de grandes espérances » que le drame espagnol et les difficultés économiques vont cruellement balayer. Le Front populaire disloqué dès 1937, c'est en ordre dispersé que la gauche, une fois de plus déchirée, fête en 1939 un morne cent cinquantième anniversaire de la prise de la Bastille : dans le contexte pesant de Munich, le 14 juillet 1939 ne pouvait être, comme les 14 juillet 1935 et 1936, un temps fort de la mémoire nationale.

Malgré sa brièveté, la période du Front populaire constitue cependant pour le 14-Juillet un grand tournant : on y assisté et applaudi à la *réappropriation* consciente, à la *reconquête* pacifique par le « peuple de gauche » de la mémoire républicaine et des symboles révolutionnaires, drapeau tricolore, *Marseillaise*, prise de la Bastille, etc., que la droite lui avait, dans l'euphorie de la victoire de 1918, arrachés et qu'elle avait détournés de leur signification originelle : en 1935, par exemple, Victor Basch, président de la Ligue des droits de l'homme, a pleinement « conscience que cette journée [...] s'appareille aux journées illustres du 14 juillet 1789 et du 14 juillet 1790.

« Comme lors du 14 juillet 1789, où le peuple de Paris a démoli pierre par pierre le donjon royal, en ce 14 juillet 1935, le Peuple est résolu à donner l'assaut aux Bastilles survivantes – Bastille du fascisme, Bastille des lois scélérates, Bastille de la misère, Bastille des congrégations économiques et financières, Bastille de la guerre – que 150 ans de lutte ardente et quatre révolutions n'ont pas su abattre[60] ! ».

L'année suivante, la victoire du Front populaire valorise naturellement le parallèle entre les mouvements populaires de 1789 et de 1936 :

> Ce qui s'est réveillé, dans l'inoubliable journée du 14 juillet 1936, c'est l'esprit éternellement jeune de la Révolution française, l'esprit de Quatre-Vingt-Neuf.
>
> Tout l'évoquait : images de la prise de la Bastille, bonnets phrygiens, et cette *Marseillaise* qui, reconquise, redevenait l'hymne du peuple, et ces trois couleurs qui ravies aux fascistes, redevenaient l'emblème de la liberté !
>
> Nous hésitons à le dire [...] mais tout de même, nous le sentons : *le 14 juillet 1936, il s'est accompli quelque chose d'aussi grand que le 14 juillet 1789*[61]...

Le Front populaire se caractérise enfin par un extraordinaire foisonnement artistique et par des tentatives originales de créer une authentique culture populaire de haute tenue centrée autour de la mémoire révolutionnaire ; parmi tant d'exemples rappelons les deux plus célèbres : la réalisation par Jean Renoir, conseillé par l'historien communiste Jean Bruhat, de *La Marseillaise*, et l'immense succès populaire remporté par la reprise, à l'Alhambra, de la pièce de Romain Rolland *Quatorze Juillet* :

> Le soir du 14 juillet, la foule qui se pressait à l'Alhambra, revenait de la Bastille [...] Ayant rendu son sens au 14 juillet, elle venait le soir en entendre le chant du berceau et retrouver ses origines.
> Elle ne venait pas, comme on va « à la Comédie » [...] Cette foule venait là pour prendre la Bastille, reconnaître ses premiers chefs et conquérir la liberté.
> Ce fut prodigieux. De la salle à la scène, un courant passait, si intense et si continu que la fiction se trouva abolie, comme les siècles. Ce n'étaient pas des acteurs qui jouaient un rôle, mais Marat, Desmoulins, Hoche [...] eux-mêmes qui parlaient et qui parlaient au peuple de 89, au peuple de la salle [...] La Bastille fut *vraiment* prise, ce soir de 1936. Et quand à la fin du spectacle, acteurs, figurants et spectateurs chantèrent d'une même voix *La Marseillaise* et *L'Internationale*, il n'y avait plus personne pour *entendre*, ou pour *voir*, pas un acteur qui tînt son rôle[62].

Le parti communiste français sut, de son côté, utiliser très habilement la réactivation du mythe de 89 et la reconquête de la mémoire républicaine pour briser son isolement politique et réintégrer la communauté nationale après quinze ans d'exil intérieur marqué par le sectarisme, le dogmatisme idéologiques et l'alignement inconditionnel sur l'U.R.S.S. En 1939, pour fêter le cent cinquantenaire de la prise de la Bastille, *L'Humanité* superpose sur la couverture de son calendrier (par un montage photographique) la représentation des sans-culottes parisiens et un hommage rendu, au pied de la colonne de Juillet dans une forêt de drapeaux rouges, par les principaux dirigeants du P.C.F., Thorez, Duclos, Marty, Cachin, à la Révolution française. Cette filiation historique entre le mouvement révolutionnaire parisien de 93 et l'action politique menée par les communistes est accentuée par ce célèbre refrain : « Nous continuons la France », qui pose le parti communiste français en héritier exclusif du peuple révolutionnaire et en gardien privilégié de la mémoire républicaine voire nationale[63] !

3. 1919-1945 : La mémoire des victoires

Le 14 juillet 1945, Paris connaît une nouvelle journée triomphale de la victoire qui, du moins au premier abord, rappelle le grandiose défilé de 1919 :

en 1945 comme en 1919, de prestigieux chefs militaires, Foch, Joffre, De Lattre de Tassigny, ne caracolent-ils pas à la tête de leurs troupes victorieuses devant des foules enthousiastes, sur des parcours il est vrai différents: de l'arc de Triomphe à la Concorde en 1919, de la Bastille à l'Étoile en 1945? Les situations de la France en 1919 et en 1945 sont, malgré les apparences, radicalement différentes et l'on peut mesurer à travers l'évocation de ces deux pôles de la mémoire nationale et des significations symboliques dont elles sont chargées le brutal déclin international de la France d'une victoire à l'autre.
En juillet 1919, alors que sur l'axe des Champs-Élysées l'armée française conduite par Joffre et Foch, commandant en chef des troupes alliées, précède des détachements de tous les pays vainqueurs, les illusions de la victoire peuvent encore faire croire aux Français, malgré les déceptions du traité de Versailles, que leur nation a retrouvé sa prépondérance mondiale d'antan. En ce matin du 14 juillet 1945, l'armée qui défile n'est qu'une armée française qui n'a plus voix au chapitre dans les conférences des trois «grands», Yalta, Potsdam. En juillet 1919 la France exprime sa joie d'avoir gagné à l'arraché la victoire et la paix; en juillet 1945 elle célèbre sa délivrance pour se prouver à elle-même et au monde incrédule qu'elle existe encore et qu'elle a bien survécu au plus grand désastre de son histoire. Dans le premier cas la fête nationale met un point final glorieux au conflit, dans le second elle tente de démontrer en renouant avec la tradition festive d'avant-guerre que tout est redevenu normal et que tout est rentré dans l'ordre dans le meilleur des mondes possibles. Bref, si le 14 juillet 1919 administre la preuve de la grandeur surestimée de la France, le 14 juillet 1945 témoigne de sa simple pérennité dans un univers bouleversé où, en dépit des efforts du général de Gaulle, elle ne figure plus au premier rang des nations.
Certes on peut toujours affirmer comme le fait *Le Monde* que le «premier 14 juillet français depuis six ans [est] plus grandiose que le 14 juillet 1919; on ne fêtait, alors, que la victoire. Aujourd'hui le défilé est double: de la victoire et de la liberté[64]». Mais n'est-ce pas rappeler implicitement que la victoire de 1945 n'est pas seulement une victoire militaire de l'armée française sur l'armée allemande, mais *aussi* une victoire des Français sur d'autres Français coupables de «collaboration» avec l'ennemi?
La remarque du *Monde* est cependant pertinente dans la mesure où, sur le plan de la mémoire nationale, elle met en relief tout ce qui sépare le 14 juillet 1919 du 14 juillet 1945: en 1919 la joie de la victoire est telle que la commémoration de la prise de la Bastille est totalement occultée par les cérémonies patriotiques et militaires. En 1945, en revanche, il est naturel d'associer le triomphe de la Liberté dans le présent au souvenir de la chute de la Bastille dans le passé. Mais cette articulation s'est réalisée avec des arrière-pensées

politiques si évidentes qu'elle a métamorphosé la fête nationale en un moyen de pression utilisé par les différents partenaires en présence pour conforter leurs positions dans la perspective de la nouvelle Constitution et des réformes institutionnelles indispensables. En effet, alors qu'en 1919 la République victorieuse sort affermie et grandie de l'épreuve du feu, en 1945, dans un pays dévasté par la guerre et l'occupation, il faut reconstruire non seulement les infrastructures économiques mais aussi, la IIIe République ayant sombré dans le naufrage de 1940, les institutions politiques: la première fête nationale depuis la Libération s'inscrit donc dans un contexte de divergences de fond autour de l'avenir politique de la France et constitue l'enjeu d'une nouvelle partie de bras de fer entre le général de Gaulle et le parti communiste. Le premier, partisan d'un exécutif fort, a défendu, le 12 juillet, ses conceptions dans une allocution radiodiffusée; le second se sert habilement du paravent des mouvements issus de la Résistance, opportunément réunis à Paris depuis le 10 juillet en *États généraux de la renaissance française*, pour exiger l'élection d'une assemblée constituante souveraine (qu'il compte bien dominer), projet auquel le général de Gaulle est farouchement hostile, et appelle le peuple à manifester le 14 juillet dans toute la France «pour le rétablissement de toutes les libertés démocratiques», en clair contre l'action et les desseins du général de Gaulle. Le 14 juillet l'affrontement se déroule entre autres en deux manches et deux défilés[65].

La revue du 14-Juillet apparaît comme le fruit d'un compromis entre la mémoire gaulliste, qui veut inscrire cette manifestation militaire dans le mythe de la France éternelle successivement incarnée par des chefs, des «sauveurs» providentiels, Jeanne d'Arc, Henri IV, Napoléon, Clemenceau, de Gaulle, et la mémoire communiste, soucieuse de la rattacher à la tradition insurrectionnelle de Paris que symbolisent les révolutions de 1789, 1830, 1848, 1871; la première, «plus nationaliste que républicaine[66]», entend renouer ainsi avec la journée triomphale de 1919, la seconde, jacobine, tente de se référer, pour mieux occulter l'embarrassante approbation donnée par le parti communiste au pacte germano-soviétique, aux grandes heures du Front populaire: si la tribune officielle est dressée place de la Bastille, ce qui confère à la cérémonie un caractère démocratique et républicain, le défilé des fantassins a débuté au cours de Vincennes – où ils ont été passés en revue par de Gaulle –, et surtout celui des troupes motorisées ne s'est achevé que sur les Champs-Élysées: la mémoire républicaine, réactualisée par le P.C., fut ainsi encadrée et équilibrée par la mémoire nationale qu'incarnent de Gaulle et l'armée. Sur le papier du moins, car le peuple de Paris a modifié à son tour la règle du jeu en rendant à la fête une signification révolutionnaire plus conforme à la mémoire de l'événement célébré. Comme le souligne *Le Monde*, «ce matin, Paris acclama une fois de plus l'armée. Mais ce n'était plus aux avenues aristocratiques que le peuple s'était rué: c'était autour de la place de la Bastille, au pied de la colonne des "Trois Glorieuses", gainée des couleurs alliées. Les soldats débouchèrent du faubourg où jadis les citoyens sur les barricades se firent tuer pour la liberté[67] ».

La mémoire jacobine semble accentuer son avantage lorsque, l'après-midi, les ténors du P.C., de la C.G.T. et de leurs organisations défilent, au sein des *États généraux de la renaissance française*, en sens inverse (là encore la géographie possède une forte connotation politique et symbolique) de la Concorde à la Bastille. Malgré les jeux nautiques organisés au même moment sur la Seine pour divertir les Parisiens (et faire diversion), l'impression demeure que le P.C. est finalement resté maître de la fête. Pour prendre sa revanche, le géneral de Gaulle devra patienter jusqu'au... 14 juillet 1959...

Cent ans après l'instauration du 14-Juillet comme fête nationale, les enjeux successifs qui lui avaient conféré, en certaines circonstances dramatiques, un éclat exceptionnel n'ont plus aujourd'hui en France la même actualité. Le rituel devenu routinier s'accomplit chaque année dans une ambiance touristique qui paraît *a priori* dépourvue depuis longtemps déjà de tout caractère partisan et militant; on serait donc tenté de rouler avec indifférence le 14-Juillet dans le fameux «linceul de pourpre où dorment les dieux morts». Cependant les passions exacerbées que l'annulation de l'Exposition universelle de 1989 a suscitées dans le monde politique et l'opinion publique en juillet 1983 semblent démontrer le caractère prématuré d'une vision irénique de la mémoire révolutionnaire. La polémique au début ne portait, il est vrai, que sur l'opportunité financière de cette entreprise rendue problématique par la crise économique; mais elle s'est rapidement déplacée vers l'objet même de l'Exposition, la commémoration solennelle du bicentenaire de la prise de la Bastille et de la Révolution française, qui a rallumé de vieux débats que l'on croyait éteints, et l'on éprouve souvent le sentiment de relire, à un siècle de distance, les mêmes arguments qu'échangeaient alors adversaires et partisans de la fête nationale (et de la République), réactualisés par les luttes politiques contemporaines (querelles autour de la politique économique, sociale et culturelle du gouvernement socialiste, discussions autour du rôle des intellectuels de gauche, etc.).

À droite, la campagne est orchestrée par *Le Figaro* sur un ton il est vrai beaucoup plus pondéré et serein qu'il y a un siècle: se sentant le vent en poupe, la droite n'a sans doute guère besoin de hausser le ton pour énoncer des vérités qui pour elle relèvent du simple bon sens. Thierry Maulnier se demande, par exemple, «si le fameux 14 Juillet de la prise de la Bastille constitue un véritable tournant historique et mérite la première place qu'il tient dans le calendrier de la mythologie républicaine» et répond, dans la foulée, que «ce n'est pas la prise de la Bastille, prison presque désaffectée et mal défendue, dont, après une journée d'émeute comparable à beaucoup d'autres émeutes de l'histoire parisienne, la tête du gouverneur s'est promenée au bout d'une pique, qui mérite d'être commémorée[68]». Cette tête sanglante, *Le Figaro* la reproduit d'ailleurs, symboliquement, le 14 juillet 1983 pour illustrer un article dénonçant «la légende de la Bastille» et la falsification d'un événement mineur en mythe fondateur[69]. La gauche, maîtresse du pouvoir politique, mais qui, sur le plan intellectuel, se sent sur la défensive, a tendance à dramatiser la situation, à se poser en gardienne de la mémoire républicaine menacée et à identifier, comme aux plus beaux jours de la IIIe République, ses adversaires à ceux de la République elle-même. Max Gallo fustige ainsi, dans *Le Monde*, l'offensive culturelle de la nouvelle droite (ou supposée telle) contre l'héritage révolutionnaire: «Les thèses maurrassiennes sur la Révolution française sont diffusées par des commentateurs pour qui 89 est le "meurtre fondateur de la nation française" [...] Cochin donne, désormais, le *la* de toute réflexion "sérieuse" sur 89[70].» Quant à *L'Humanité*, elle ne s'embarrasse guère de nuances pour réfuter les critiques formulées par la droite contre l'Exposition universelle et titre, le 9 juillet, en première page:

LE RPR CONTRE L'EXPO
ILS
PRÉFÈRENT LA BASTILLE

Le 14 Juillet, André Wurmser revient à la charge et assimile cette fois, sans rire, la droite, aux émigrés de la Contre-Révolution:

> Alerte, citoyens! Cette honte: Paris refusant à la France de célébrer par une Exposition universelle le bicentenaire de la Révolution française, c'est le premier coup de tocsin. Il faudrait la voix d'Hugo ou celle d'Aragon pour fouailler cette meute. Du moins, démocrates de tous les partis, vous savez quelle droite unie vous fait face, au temps de l'émigration des capitaux, comme au temps de l'émigration à Coblence, au temps des dangers nucléaires comme au temps de l'Europe coalisée contre la Révolution, en 1983, comme de tout temps depuis 1789...»

Cependant, malgré ce rapprochement caricatural opéré entre la situation de la France révolutionnaire et la réalité contemporaine, il semble patent, manifeste, que la mémoire de la Révolution en général et celle du 14-Juillet en particulier appartiennent désormais à part entière au patrimoine national et qu'elles transcendent les clivages politiques qui divisent les Français. N'en relève-t-on pas la meilleure preuve dans la *Lettre* que le comte de Paris, prétendant au trône de France, a adressée, en 1983, aux Français ? Considérant sans amertume que « l'événement symbolisé par la prise de la Bastille est d'une dimension telle qu'il ne sert à rien de la condamner, ni même de le regretter », le comte de Paris intègre sereinement cet acte fondateur de notre histoire contemporaine dans la continuité nationale[71] ; comme si, à l'heure du bicentenaire, la Révolution ne devait plus opposer de façon manichéenne, comme au « bon vieux temps » du centenaire, la droite à la gauche, mais seulement la gauche à elle-même ?...

1. Victor Hugo, « Célébration du 14-Juillet dans la forêt », *Les Chansons des rues et des bois, Œuvres complètes, poésie*, Paris, Ollendorff, 1933, t. VII, pp. 241-245.

2. François Furet, *Penser la Révolution française*, Paris, Gallimard, 1978, p. 11.

3. Jean-Bernard Passerieu, *Histoire anecdotique de la Révolution française, 1789*, Préface de Jules Claretie, Paris, 1884, p. I.

4. L'étude du passage, au niveau du 14-Juillet, du politique à l'anthropologique et au folklorique, de l'histoire à la mémoire, ne constitue pas une nouvelle histoire de la fête nationale – le livre classique de Rosemonde Sanson, *Le 14-Juillet : fête et conscience nationale, 1789-1975*, Paris, Flammarion, 1976, nous en dispense –, mais une tentative d'analyse anthropologique de la fête et de la mémoire républicaines fondée sur l'interprétation de discours politiques, de brochures de propagande et de polémiques jusqu'ici peu utilisés, d'articles de presse, etc. Ce corpus privilégie l'écho rencontré par la fête en cette France de l'Ouest où, selon André Siegfried, la résistance des fidèles partisans de la vieille monarchie à la pénétration des principes de 89 est la plus vive, mais où aussi « la foi laïque » (F. Buisson) anime les consciences d'une ardeur à la mesure de l'hostilité qu'elle rencontre et où « il n'est pas excessif de dire que, sur plus d'un point, la guerre civile continue dans les esprits » (*Tableau politique de la France de l'Ouest*, Paris, A. Colin, 1913, p. 510). Pour leurs conseils et leurs informations nous tenons à exprimer notre reconnaissance envers Mona Ozouf, Pierre Nora et Jean El Gammal.

5. Victor Hugo, « Inauguration du tombeau de Ledru-Rollin, 24 février 1878 », *Œuvres politiques complètes, œuvres diverses de Victor Hugo réunies et présentées par Francis Bouvet*, Paris, J.-J. Pauvert, 1964, p. 765.

6. Sur le choix de la date, voir Mona Ozouf, « Le premier 14-Juillet de la République, 1880 », *L'Histoire*, n° 25, juillet-août 1980, pp. 10-19.

7. Victor Hugo, *Quatrevingt-Treize*, Paris, Garnier-Flammarion, 1965, pp. 117, 151, 342.

8. Léon Gambetta, *Discours prononcé à La Ferté-sous-Jouarre, le 14 juillet 1872*, Paris, Leroux, 1870, p. 10.

9. Charles Péguy, *Clio*, Paris, Gallimard, 1932, pp. 114-115.

10. L. Gambetta, *op. cit.*, pp. 13-14.

11. « Le principe d'un monument à la mémoire des victimes de juillet 1830 et de juillet 1789 avait été voté le 13 décembre 1830 », Catalogue de l'exposition *Du faubourg Saint-Antoine au bois de Vincennes*, Musée Carnavalet, avril-juin 1983, p. 23, notice n° 24.

12. Néanmoins, «certains royalistes, se plaçant maladroitement sur le terrain de l'adversaire, s'échinèrent à trouver au mois de juillet une couleur légitimiste. Mais ni la prise d'Alger en 1830, ni à fortiori, celle de Jérusalem, par les Croisés, en 1099, ne pouvaient faire le poids». Pascal Ory, *La République en fête, catalogue de l'exposition de la B.P.I.*, Centre Georges-Pompidou, juillet-octobre 1980, p. 6.

13. Léon de Poncins, *La prise de la Bastille, Brochures populaires sur la Révolution française*, Paris, Société bibliographique, 1873, p. 28.

14. *Ibid.*, p. 35.

15. Auguste Vitu, *Le Contrepoison, extrait du Figaro du 21 mai 1878*, p. 4.

16. Jacques Malacamp, *Vous en avez menti! Réponse péremptoirement prouvée adressée aux détracteurs systématiques de ce fait à la fois légitime et glorieux: la prise de la Bastille* [Bordeaux], 1874.

17. Légende de l'estampe de Kürner: *«Sainte République-Fête nationale 14 juillet 1881: prime offerte par le Génie moderne»*, Bibliothèque nationale, Estampes.

18. J.-B. Passerieu, *op. cit.*, pp. 115-117.

19. Eugène Bonnemère, *1789: la prise de la Bastille, 14 juillet-4 août*, Paris, Librairie centrale des publications populaires, 1881.

20. *Le Phare de la Loire*, 16 juillet 1889. Fondé en 1814, ce quotidien républicain est, sous la IIIe République, un des plus importants périodiques de province.

21. *Le Phare de la Loire*, 20 juillet 1883.

22. *Ibid.*, 15-16 juillet 1882.

23. *Ibid.*, 16 juillet 1883.

24. *Ibid.*, 18 juillet 1880.

25. *L'Espérance du peuple, journal de la Bretagne et de la Vendée*, 14 juillet 1880. Ce périodique est un des principaux organes de la droite légitimiste et cléricale.

26. *Une leçon d'histoire ou le 14 juillet 1789 avec ses antécédents et ses conséquences*, Grenoble, 1880, p. 9.

27. Eugène Roulleaux, *La Prise de la Bastille et la fête du 14 juillet*, Fontenay-le-Comte, Imprimerie vendéenne, 1882, p. 1.

28. René Rémond, «La droite dans l'opposition», *L'Histoire*, n° 54, mars 1983, p. 29.

29. *Œuvres de Mgr Charles-Émile Freppel, évêque d'Angers: œuvres pastorales et oratoires* (5), Paris, Roger et Chernoviz, 1895, t. VII, p. 424.

30. *Souvenirs judiciaires de la République aimable et neutre: procès de M. l'abbé Murzeau, curé de Cezais*, Fontenay-le-Comte, 1882, p. 20.

31. *Le Phare de la Loire*, 16 juillet 1883.

32. *Les Trois 89: 1689-1789-1889 par M... B...*, Paris, René Haton, 1889, p. 44.

33. Estampe de P. Clemençon: *Gloire au centenaire, 1789-1889*, Bibliothèque nationale, Estampes.

34. Paul Marmottan, *Les Statues de Paris*, Paris, Henri Laurens, 1886. Sur le folklore républicain, voir naturellement l'œuvre de Maurice Agulhon, notamment: «Imagerie civique et décor urbain dans la France du XIXe siècle», *Ethnologie française*, t. V, 1975, pp. 34-56. «La statuomanie et l'histoire», *Ethnologie française*, t. VIII, n° 2-3, 1978, pp. 145-172. *Marianne au combat: l'imagerie et la symbolique républicaines de 1789 à 1880*, Paris, Flammarion, 1979.

35. Ces bas-reliefs, œuvre de Dalou, représentent le 20 juin 1789, le 14 juillet 1789, le 4 août 1789, le 14 juillet 1790, le 11 juillet 1792, le 20 septembre 1792, le 13 prairial an II, le 29 juillet 1830, le 4 mars 1848, le 4 septembre 1870 et le 14 juillet 1880.

36. Voir William Serman, *Les Officiers français dans la nation (1848-1914)*, Paris, Aubier-Montaigne, 1982.

37. L'auteur anonyme de cette brochure républicaine déclare que «Notre fête subsistera comme une sainte fête», *Réponse à la prétendue leçon d'histoire ou le 14 juillet 1789* [Grenoble], [1881], p. 7.

38. J. A. M. Bellanger, *Prières d'un républicain et commandements de la République et de la Patrie*, Blois, 1880, pp. 23-30.

39. Paul Berne, *Souvenir du 14 juillet 1880: trois dates: fête nationale du 14 juillet 1880-le 14 juillet 1789-le 14 juillet 1790...*, Lyon, 1880, p. 6.

40. Rosemonde Sanson, «La fête de Jeanne d'Arc en 1894: controverse et célébration», *Revue d'histoire moderne et contemporaine*, XX, 1973, pp. 444-463.

41. *Le Socialiste*, n° 95, 17 juillet 1892; cité par Maurice Dommanget, *Histoire du premier mai*, Paris, Société universitaire d'édition et de librairie, 1953, p. 358.

42. Voir Jacques Julliard, *Clemenceau briseur de grèves*, Paris, Gallimard-Julliard, 1965.

43. *La Voix du peuple*, 1er-8 mai 1910; cité par M. Dommanget, *op. cit.*, p. 360.

44. *L'Assiette au beurre*, n° 328, juillet 1907, pp. 246-259.

45. *L'Espérance du peuple*, 14 juillet 1907.

46. *Le Tract populaire illustré*, périodique bimensuel, 1914.

47. *L'Espérance du peuple*, 15 juillet 1909.

48. *Ibid.*, 15 juillet 1911.

49. Maurice d'Auteville, *La Bastille, légende-histoire: conférences données aux membres de l'Action française, Bergerac le 25 novembre 1911 et le 10 mars 1912*, Bergerac, 1912, pp. 84, 111. Maurras lui-même, dans des articles parus en juillet 1907 et 1911 et recueillis dans *Entre le Louvre et la Bastille*, Paris, Éd. du Cadran, 1931, pp. 64-77, a fait l'apologie de la Bastille.

50. *L'Espérance du peuple*, 14 juillet 1912. Le même numéro utilise contre la fête nationale *Les Dieux ont soif* d'Anatole France, paru en 1912 et fraîchement accueilli par la gauche.

51. J. Le Lorrain, *Sous l'étendard de la bienheureuse Jeanne d'Arc: appel à la France*, Paris, Téqui [1909].

52. *Tract affiche du Petit Patriote, «Détruisons la Bastille!!!»*, Auxerre, Imprimerie du *Petit Patriote*, 1908, p. 2.

53. *Le Phare de la Loire*, 15 juillet 1911.

54. *Ibid.*, 13 juillet 1914.

55. *Ibid.*, 16 juillet 1908, p. 4.

56. On relève, par exemple, dans *Le Fonctionnaire syndicaliste*, n° 49, 20 avril 1930: «On fête [le 14-Juillet] comme le lundi de Pentecôte ou le 15-Août par habitude ou par distraction... Personne désormais n'attribue une importance "sociale" à cette date thermidorienne et les travailleurs [...] savent qu'elle est vidée de tout sens révolutionnaire»; cité par M. Dommanget, *op. cit.*, p. 361.

57. *Le Populaire*, 15 juillet 1935. C'est le 14 juillet 1935 que Jacques Duclos a prononcé sa fameuse phrase: «Nous voyons dans le drapeau tricolore le symbole des luttes du passé et dans notre drapeau rouge le symbole des luttes et des victoires futures», *Les Cahiers des droits de l'homme: bulletin de la Ligue des droits de l'homme*, 31 juillet 1935, p. 527.

58. Louis Bodin et Jean Touchard, *Front populaire, 1936*, Paris, A. Colin, 1961, p. 62.

59. *Syndicats*, n° 29, 29 avril 1937; cité par M. Dommanget, *op. cit.*, p. 290.

60. *Les Cahiers des droits de l'homme*, *op. cit.*, p. 517.

61. Albert Bayet, *La Lumière*, 18 juillet 1936 ; cité par L. Bodin et J. Touchard, *op., cit.*, pp. 134-135.

62. François Lassagne, *Vendredi*, 24 juillet 1936 ; cité par L. Bodin et J. Touchard, *op. cit.*, p. 161.
Jean Bruhat a évoqué son rôle auprès de J. Renoir dans *Il n'est jamais trop tard : souvenirs*, Paris, Albin Michel, 1983, pp. 98-99.

63. *Calendrier de l'Humanité : cent cinquantième anniversaire de la Grande Révolution, 1789-1939.*

64. *Le Monde*, 15-16 juillet 1945.

65. Le 14-Juillet s'inscrit dans un ensemble de cérémonies commémoratives qui constituent autant d'affrontements politiques entre le parti communiste et le général de Gaulle, combats bien décrits par Gérard Namer dans *Batailles pour la mémoire : la commémoration en France de 1945 à nos jours*, Paris, S.P.A.G./Papyrus, 1983, pp. 89-113 : « Le 14 juillet 1945 entre le serment du Jeu de Paume et les gloires de l'Empire ».

66. G. Namer, *op. cit.*, p. 27.

67. *Le Monde*, 15-16 juillet 1945.

68. *Le Figaro*, 8 juillet 1983.

69. « Michelet en a fait l'antre du despotisme mais les seuls prisonniers étaient quatre faussaires, deux fous et un maniaque », *Le Figaro*, 14 juillet 1983.

70. *Le Monde*, 26 juillet 1983.

71. Henri, comte de Paris, *Lettre aux Français*, Paris, Fayard, 1983, p. 31.

AVNER BEN-AMOS

Les funérailles de Victor Hugo

Apothéose de l'événement spectacle

Lui-même, singulier Hugo, roi des fêtes royales populaires, prince des cortèges, duc des grands enterrements, introducteur des ambassadeurs, et grand organisateur des funérailles nationales, à commencer par les siennes, ami des pompes, même funèbres, ami des pompes, même républicaines, ami des oraisons, même funèbres.

Charles Péguy[1].

La transformation du dernier rite de passage en une fête politique n'est pas une initiative républicaine. Dans l'Ancien Régime, les funérailles royales étaient aussi l'occasion d'introniser le nouveau roi et d'exalter l'imposante puissance de la monarchie. À l'époque moderne, les premières années de la Révolution connurent une soudaine poussée d'intense activité funéraire avec l'ouverture du Panthéon aux grands hommes du moment. Dans le même esprit, la IIIe République transforma l'organisation des funérailles nationales en un art inimaginable sous le régime de Napoléon III. Sans doute le second Empire avait-il honoré d'éminentes personnalités, mais son choix s'était presque exclusivement limité aux membres du gouvernement, aux chefs de l'armée et aux membres de la famille régnante. La IIIe République innova, en refaisant de la circonstance un rituel d'éducation républicaine et en déplaçant le sens de l'hommage : sur les quatre-vingts cas qui, de 1878 à 1940, parurent dignes d'honneurs publics – funérailles nationales, funérailles aux frais de l'État, transfert au Panthéon ou aux Invalides –, un quart environ concerne des musiciens, écrivains ou savants (*cf.* « Annexe », *infra*, pp. 459-460). Cette démocratisation sanctionnait, implicitement, un nouveau contrat entre l'individu et la société, la nation et le citoyen. Tout bon citoyen qui avait bien mérité de la Patrie, par sa vie ou par sa mort avait droit à devenir immortel, à s'inscrire dans la mémoire d'une éternelle République. Hugo ne fut pas le premier à inaugurer cette liste; en février 1878, les premières funérailles, aux frais de l'État, à être accordées après la fin de l'Ordre moral furent celles de Claude Bernard. Mais c'est pour la dépouille mortelle de Hugo qu'après trente-quatre ans furent rouvertes les portes du Panthéon. Une conjonction probablement unique de l'homme, de l'époque de sa mort, du moment politique, de la situation scolaire, du développement de la presse, firent de ses funérailles une explosion et une pédagogie de la mémoire. Un des premiers produits de l'ère des masses, le type même de l'« événement monstre[2] » qui surgit en France entre la Commune et l'Affaire Dreyfus, la matrice d'un modèle qui préfigurait les autres cérémonies qui devaient suivre.

L'événement se situe, en mai 1885, au point de rencontre de deux traditions politiques: la fin des funérailles comme occasion de manifestations populaires spontanées, et le début de la récupération de l'émotion populaire pour la plus grande gloire du régime[3]. Plusieurs enterrements, au XIXe siècle, en période de réaction, avaient failli dégénérer en journées révolutionnaires, tels ceux du général Lamarque en 1832 et du journaliste Victor Noir en 1870. Par deux fois, le second Empire avait décrété des funérailles nationales à deux personnalités qui sentaient le soufre républicain, le savant Fr. Arago en 1853 et le poète L. Béranger en 1857, mais la manœuvre avait précisément consisté, dans les deux cas, à confisquer le corps aux partisans de la République et à décourager, par un encadrement très officiel, toute velléité de manifestations populaires. Avec Victor Hugo, tout le problème du régime encore jeune est d'annexer l'émotion populaire en conjurant la menace, d'orchestrer les débordements, et, en élargissant la base d'unanimité, de faire d'une manifestation géante une démonstration de force à la fois contre la droite et contre l'extrême gauche, un test de la cohérence et de la stabilité républicaines. Plus rien donc, des funérailles tragiques de la Ire République, où l'on exposait au peuple des images violentes et macabres destinées à dramatiser le conflit de la République avec ses ennemis de l'extérieur et de l'intérieur. Au contraire, un hommage œcuménique, laïque, civil et civique à celui qui avait tout pour incarner la figure syncrétique du parfait Grand Homme.

Victor Hugo fondait en effet providentiellement en sa personne la double image du Grand Homme: celle, héritée des Lumières, et systématiquement exposée par Auguste Comte, qui considérait le Grand Homme comme une personnalité profondément démocratique, dont le seul titre à la grandeur était le service humblement rendu à l'humanité, citoyen et père de famille. Celle, née avec le culte romantique du génie et illustrée par la figure de Napoléon, qui exaltait au contraire le héros solitaire, dressé au-dessus de la multitude rampante et défiant la force des choses par sa seule volonté – de Sainte-Hélène ou de Guernesey. Double image, que Hugo exalte, unifie et transcende au bénéfice de l'idéologie républicaine. Souverain, mais seulement des mots et de

l'imagination, en même temps que simple citoyen engagé dans le combat contre la tyrannie, pour la justice et pour la République.
Circonstance supplémentaire: Hugo est entré vivant dans l'immortalité. Non seulement sa longévité a fait de lui, «centenaire et séculaire» comme dit Péguy, la figure absolue du grand-père, l'homme de tout le XIXe siècle qui se célèbre et se récapitule en lui pour ce dernier hommage, le dernier survivant de la génération de 1820, l'homme qui a pleuré la mort de tant des siens, ses deux frères, trois de ses quatre enfants, un petit-fils, sa femme et sa maîtresse. Mais plus encore, sa longévité lui a donné, depuis le triomphe de la République, l'ultime consécration des grands hommes, celle de tous les manuels scolaires.
La double image de Hugo qui émerge des sélections des manuels de l'enseignement primaire n'en fait véritablement qu'une: le grand-père intimiste se confond avec l'opposant à l'Empire. Les deux poèmes en effet les plus régulièrement cités sont précisément «L'enfant patriote» qui réclamait de la poudre et des balles et qu'un manuel d'exercice de mémoire, par exemple, fait suivre de cette recommandation: «Dites ce morceau d'un ton empreint de compassion qui devient... énergique dans la réponse de l'enfant[4].» Et l'«Hymne» des *Chants du crépuscule*, écrit en juillet 1831 pour la cérémonie commémorative des morts des Trois Glorieuses: «Ceux qui pieusement sont morts pour la Patrie/Ont droit qu'à leur cercueil la foule vienne et prie...[5]» La pénétration scolaire et civique de Hugo, dans les quelques années qui précédèrent sa mort, est si profonde qu'elle annexe même sa légende et sa vie familiale: «Savez-vous pourquoi Victor Hugo a habité quelque temps à Guernesey?», demande un livre de lectures morales et civiques de 1883. «Que trouvez-vous d'admirable dans la conduite de Victor Hugo[6]?» «En ces jours où la République enfant commençait à peine d'assurer ses premiers pas chancelants», Romain Rolland, que sa mère, royaliste et catholique, brûlait pourtant de faire bénir par «la vieille main gonflée» du patriarche, se souvient d'avoir suivi, à travers champs, son père qui causait avec des paysans. «Et brusquement l'un d'eux récita, radieux, une pièce des *Châtiments* et les autres soufflaient, en jubilant, les vers suivants...» Qu'eût été la mort de Hugo avant les lois Ferry sur l'enseignement primaire ou avant l'abdication de Mac-Mahon? En 1885, Hugo était déjà entré au Panthéon des manuels et des cœurs. C'est ce qui fait de ses funérailles l'apothéose de son apothéose, le point d'orgue d'une messe civique déjà écrite, l'enjeu d'une politique, pourtant incertaine, de la mémoire.

L'homme penché à la fenêtre

«Combien de fois me suis-je trouvé – moi perdu dans la foule, lui centre de tous les regards – en présence de Hugo?» écrivait Lucien Meunier, journaliste du *Cri du peuple*. C'est la mort qui offrit une occasion de plus au poète, d'être au centre de tous les regards. Ou, plus exactement, pour la foule parisienne, Hugo ne fut pas le centre mais plutôt, maintes et maintes fois, l'homme penché à la fenêtre.

La première apparition se situe, comme devait le rappeler *Le Temps* quinze ans plus tard, lorsque Hugo rentra à Paris, après dix-neuf années d'exil, le 5 septembre 1870. La fille de Théophile Gautier qui accompagnait Hugo a décrit la foule fervente qui se pressait à la gare du Nord et faillit l'étouffer. Il dut se réfugier dans un estaminet. Là, «Paul Meurice [...] ouvrit la fenêtre donnant sur la place. Une immense clameur s'éleva. C'est de cette fenêtre que Victor Hugo s'adressa au peuple de Paris[7]». «Citoyens, j'avais dit: le jour où la République rentrera, je rentrerai. Me voici», lança-t-il. Cette nuit même, il nota, non sans satisfaction, dans son journal: «Une foule immense m'attendait. Accueil indescriptible... On chantait *La Marseillaise* et le *Chant du départ*. On criait: Vive Victor Hugo!... J'ai donné plus de six mille poignées de main. Le trajet de la gare du Nord à la rue Laval a duré deux heures» *(Choses vues)*. Au cours des années suivantes, le pouvoir qu'exerçait le nom de Hugo sur l'imagination républicaine ne fit que grandir. Élu député de Paris à l'Assemblée nationale de Bordeaux, en février 1871, après Louis Blanc, mais avant Edgar Quinet, Gambetta et Henri Rochefort, il en démissionna pour protester contre l'attitude pacifiste de l'Assemblée et son refus d'admettre Garibaldi pour membre, mais revint à la vie parlementaire en janvier 1876, élu sénateur de Paris, ce qu'il resta jusqu'à sa mort.

Lorsqu'il se présenta de nouveau à la fenêtre, la République était déjà républicaine. Ce fut le 27 février 1881 à l'occasion de son quatre-vingtième anniversaire que les républicains impatients célébrèrent avec un an d'avance. Hugo «comme Charles-Quint assista à sa propre glorification», dit Jules Claretie, qui fut pour lui un «avant-goût de son apothéose», une avant-première de ses funérailles. Tout le décor était déjà en place, jusqu'aux camelots vendant ses portraits aux cris de «Demandez notre grand poète national!», sauf que Hugo était encore valide, debout à la fenêtre entouré de ses deux petits-enfants et saluant la foule enthousiaste. Cette scène touchante fit plus tard l'objet d'une toile de Raffaëli d'où seules se détachent les couleurs du drapeau français[8].

C'est sous la présidence de Louis Blanc et d'Anatole de La Forge que le Grand Orient de France prit l'initiative de la célébration. Jules Ferry, alors président du Conseil, se rendit au domicile de Hugo pour lui offrir un vase de Sèvres au nom du gouvernement; la journée se poursuivit au Trocadéro par une «fête littéraire» et se termina par un défilé populaire de divers «cercles, sociétés et corporations» en sens inverse de celui des funérailles: de l'Arc de Triomphe à la maison de Hugo devant laquelle fut placé un buste de la

République. Même la description qu'en fit la presse préfigure celle des funérailles: «Un spectacle merveilleux, dit *Le Rappel*, inouï, unique, et tel qu'on n'en vit jamais.»
Au cours des quatre années suivantes, la célébration de l'anniversaire de Hugo devint une grande «fête» républicaine, un mélange d'honneurs officiels et d'acclamations populaires dont le point culminant fut, à chaque fois, la scène familière qui se joua pour la dernière fois le 27 février 1885, lorsque Victor Hugo «parut à l'une des fenêtres de sa maison. La foule se découvrait et, au milieu d'un silence respectueux, Victor Hugo prononça quelques paroles émues, puis le flot humain s'écoula lentement en acclamant de plus belle son poète vénéré» (Mme R. Lesclide). Onze semaines plus tard un petit entrefilet parut en première page du *Rappel* – journal auquel Hugo avait été étroitement associé: «Victor Hugo a été pris jeudi soir d'une indisposition qui d'abord a semblé légère et qui s'est aggravée subitement. On nous communique la note suivante: Victor Hugo, qui souffrait d'une lésion du cœur, a été atteint d'une congestion pulmonaire – Dr Germain Sée, Dr Émile Alix.» Le lendemain, tous les journaux de la capitale reprenaient la nouvelle, et s'emparaient à nouveau du nom magique. Pendant deux semaines, jusqu'à la fin des funérailles, Hugo ne quitta pas les premières pages; les dignitaires commencèrent un interminable et pieux pèlerinage vers le domicile du poète autour duquel se rassembla une foule fervente.
Quatre-vingts ans après, on a montré, à propos de la mort de Jean XXIII, l'ambivalence qui caractérise la manière dont la presse rend compte des derniers jours d'un Grand Homme[9]: «Le récit s'amorce parce que la mort est probable, entrevue et préparée comme conclusion normale; mais aussitôt le narrateur tend à professer le désir (et l'espoir) d'une improbable guérison, à conduire son récit selon cet axe du désir.» Dans le cas de Hugo, la presse fut moins ambivalente. «Depuis le commencement de la maladie, tout espoir était perdu, et l'on attendait le fatal dénouement avec une poignante inquiétude» *(Le Cri du peuple).* Il n'y en eut pas moins des variations mineures introduites par les bulletins médicaux et les annonces des «derniers instants» qui parlaient d'une «légère tendance à l'amélioration» *(Le Figaro),* d'un «calme relatif» *(L'Intransigeant)* ou affirmaient «l'état du malade s'est encore aggravé» *(L'Intransigeant).* Si elles ne laissaient guère d'espoir, elles comblaient au moins la soif d'information et entretenaient l'intérêt du public.
Rendre visite à Hugo mourant devint une obligation politique et sociale. Membres du gouvernement, ambassadeurs, hommes politiques, écrivains, artistes – la liste de ceux qui ont signé le registre placé à l'entrée de la maison du poète et dont la presse a fait état pourrait constituer le *«who's who»* de la France du XIXe siècle finissant. Seuls les privilégiés purent entrer, tous les autres devant rester à l'extérieur comme les membres de la presse. «Dès

la première nouvelle de la maladie, raconte Romain Rolland, j'avais couru à la maison de l'avenue d'Eylau, je manquais mes classes pour y attendre, dans la rue, angoissé, avec des centaines de badauds, pour la plupart ouvriers, happant les moindres mots de ceux qui sortaient du logis.» La foule se pressait au-dessous du symbole du poète réduit au silence, «la fenêtre fermée derrière laquelle on le devine, lui, Victor Hugo» (J. Claretie). Au fil des jours, la foule devint plus dense, et, nouvel élément du décor, «deux attachés du ministère de l'Intérieur furent dépêchés sur les lieux pour renseigner le gouvernement sur la marche de la maladie» *(Le Rappel).*

Derrière les portes fermées que scrutait la foule se déroulait une scène typique du XIXe siècle – une mort romantique dont la presse se régale de chaque détail. Le poète qui fit tant pour célébrer le culte de la mort et chanta la beauté de la terrible Méduse[10] connut les deux profils de la mort romantique: la quiétude, la douce conclusion à laquelle on est impatient de s'abandonner, et la bête immonde contre laquelle on lutte désespérément. «C'est un mort qui vous parle», confia Hugo à sa famille, après la première crise, en assumant de plein gré le digne rôle du mourant *(Journal des débats).* Devant les protestations des siens, il ajouta «c'est la mort. Elle est la bienvenue», puis se plaignit sur un ton de reproche amical, «c'est bien long la mort, c'est trop long» *(La République Française).* Mais, en ces jours douloureux, la mort montra aussi son autre face de femme impitoyable: à trois heures du matin, Hugo «a rejeté les couvertures et s'est élancé... dans la ruelle en criant: "Debout! Debout! Je veux mourir debout!" Puis, passant à plusieurs reprises la main sur son front, comme pour faire jaillir de son cerveau un éclair suprême, il a lancé le vers: "C'est ici le combat du jour et de la nuit"» *(Le Gaulois).* Dans la mort romantique, Ph. Ariès et M. Vovelle l'ont tous les deux montré[11], le mourant, entouré de sa famille et de ses amis intimes, s'apprête à retrouver dans l'autre monde ses proches déjà disparus: c'est ainsi que dans la matinée du vendredi 22 mai 1885 Victor Hugo fit ses adieux à ses deux petits-enfants puis rendit l'âme «doucement, paisiblement, entouré de tous les siens» *(L'Intransigeant).* Les derniers instants furent paisibles, et *Le Rappel* put écrire avec satisfaction: «On était heureux de voir une si belle vie terminée par aussi belle mort.»

Hugo mourut en romantique, non en catholique. L'homme qui dans son testament, rédigé le 2 août 1883, écrivit «je crois en Dieu» et demanda «une prière à toutes les âmes» refusa également «l'oraison de toutes les Églises[12]». Ainsi Hugo fut-il lui-même à l'origine de la controverse qui s'ensuivit autour de sa dépouille mortelle. Ses funérailles en devinrent une bataille entre une République laïque et une Église catholique et royaliste à laquelle vint plus tard se joindre l'extrême gauche. Les hostilités commencèrent avant même le décès de Hugo, à l'initiative du cardinal Guibert, archevêque de Paris, qui, dans une lettre à Mme Lockroy, la veuve de son fils Charles, remariée à un député radical, proposa dès le 21 février, ses bons services à l'«illustre malade... s'il avait le désir de voir un ministre de notre sainte religion». Édouard Lockroy lui répondit par un non ferme mais courtois le 21 mai, en certifiant que Hugo «a déclaré ces jours-ci encore qu'il ne voulait être assisté, pendant sa maladie, par aucun prêtre d'aucun culte». Sitôt que cette correspondance fut rendue publique par *Le Gaulois*, la presse catholique dénonça ces républicains athées qui n'entendaient même pas consulter Hugo à ce sujet et montaient la «garde autour du lit de mort de M. Victor Hugo, dans la crainte qu'au souvenir de foi ancienne il ne retrouvât la volonté d'exprimer publiquement un désir de retour à Dieu» *(L'Univers)*. Loin de nier ces accusations, la presse républicaine s'enorgueillit d'en prendre la responsabilité: «On peut être bien rassuré. Victor Hugo est bien protégé sur son lit de souffrance contre cette monstrueuse profanation catholique qui s'exerce sur les malades vaincus par la nature pour déshonorer leur œuvre et qui cherche à mutiler plus que le corps: la pensée et la gloire», affirmait *La Justice*. Dans la France des années soixante-dix, les funérailles civiles étaient devenues un des points de ralliement principaux des forces anticléricales, dans la mesure même où l'Ordre moral avait essayé d'en limiter la pratique par tous les moyens possibles. Le triomphe des républicains, dans les années quatre-vingt, n'en diminua pas sensiblement les enjeux[15] – surtout lorsqu'il s'agissait d'un «malade illustre». «Si Victor Hugo était entré à Notre-Dame, observa Henri Rochefort dans *L'Intransigeant*, c'eût été pour le clergé ce que pour Louis XVI eût été la reprise de la Bastille.»

La « fatale nouvelle »

Les derniers échos de cet incident s'éteignaient à peine que l'annonce du décès déchaîna une tempête plus violente encore. Lorsque, dans l'après-midi du vendredi 22, Victorien Sardou sortit de la maison pour annoncer la «fatale nouvelle», tout monta d'un ton. «Des ouvriers se découvrirent respectueusement, des vieillards se mirent à pleurer silencieusement, des grandes dames coudoyant des femmes du peuple s'unirent à elles dans un même sentiment de désespoir [pour la première fois apparaît ici le thème de la mort du poète devant laquelle tout le pays se trouve réuni]... mais bientôt la nouvelle se répandait jusqu'au cœur même de Paris. Les reporters, qui depuis trois jours et trois nuits stationnaient aux environs de l'hôtel, s'abattirent sur leurs journaux respectifs, et, moins d'une heure après, on vendait des éditions spéciales dans tous les quartiers de la grande cité» *(Gil Blas)*. En quelques heures, Paris commença à changer d'aspect et s'apprêta pour une nouvelle fête républicaine. On vit apparaître aux fenêtres des drapeaux tricolores portant un ruban de crêpe. Le futur critique littéraire Fernand Gregh, alors âgé de douze ans, fréquentait le lycée Michelet; c'est dans le réfectoire qu'il apprit la nouvelle: «En un instant, de bouche en bouche, de table en table, elle eut fait le tour du lycée. Et tous alors, enfants de la IIIe République, petits idéalistes élevés dans l'amour de la gloire et la vénération du génie, nous sentîmes passer quelque chose [...], un souffle, un frisson de beauté et de mort, le vent d'une aile triomphale et funèbre.» Sur les lieux mêmes, la foule aussitôt rassemblée par familles entières ne cessa de grossir jusqu'au jour des funérailles. Le pèlerinage, estimé de trois à cinq mille personnes par jour, donna naissance à un autre aspect du spectacle moderne de la mort publique, les petites activités commerciales qui fleurirent autour de la maison du défunt. Le registre mortuaire se gonfla de phrases définitives. La densité de la presse, comme celle de la foule, atteignit des proportions nouvelles. Le samedi 23, dix-sept journaux parisiens parurent avec un cadre noir en première page, et *Le Rappel* continua à porter le deuil jusqu'au jour des funérailles. Les jours suivants, les informations concernant Hugo et ses prochaines obsèques occupèrent une bonne partie des premières pages, et la presse illustrée se remplit de dessins représentant la maison de Hugo, sa chambre mortuaire, la foule qui patientait dans la rue et autres scènes de la vie et des écrits du poète. L'édition ne demeura pas en reste. Hetzel-Quantin s'empressa de publier, pour sortir avant les funérailles, une petite anthologie incluant autographe et testament, sous-titrée «édition du monument», parce que les recettes étaient supposées servir aux fonds du monument Hugo, et mettant vigoureusement l'accent sur le chantre de la gloire patriotique et le porte-parole de l'opposition à l'Empire. Charpentier réédita en vitesse la biographie de Hugo qu'Alfred Barbou avait sortie dans sa série «Les grands citoyens de la France». Et les plus avides de *memorabilia* hugoliennes purent aussitôt recourir à un *Victor Hugo intime, mémoires et correspondance*, rédigé par Alfred Asseline et lancé par Marpon et Flammarion, ou se jeter sur le suspense d'une *Vie de Victor Hugo* promise en «65 à 70 livraisons» par les mêmes éditeurs, sans nom d'auteur.

Hugo ne pouvant plus réserver de surprises à ses admirateurs, il était aussi temps de définir sa place dans l'histoire et d'évaluer la grandeur de cet homme hors du commun. Les républicains furent unanimes dans leur éloge et Ferdinand Gregh grommela même que l'on «avait épuisé à son profit toutes les épithètes laudatives». Pour *Gil Blas*, par exemple, Hugo était «le grand poète qui vient de descendre au tombeau comme un soleil qui disparaît derrière l'océan», tandis qu'avec sa mort, annonçait *Le Rappel*, «nous entrions dans je ne sais quelles ténèbres». Mais les deux hosannas les plus fréquents n'employèrent pas les métaphores de la lumière et des ténèbres.

Le premier fut lancé quatre ans avant sa mort par Louis Blanc et repris, entre autres, par *La République Française*: «Victor Hugo est mort, mort après avoir marché tout vivant dans l'immortalité.» Charles Floquet a résumé cette idée paradoxale d'immortalité séculière dans son discours à la Chambre des députés où il annonça la mort de Hugo: «Désormais, il vivra dans l'éternelle admiration de la postérité», c'est-à-dire dans la mémoire collective de l'humanité. Le second hosanna s'efforça de fixer le souvenir de Hugo dans le fil inconstant des jours: «Le dix-neuvième siècle sera le siècle de Victor Hugo, comme le dix-huitième fut celui de Voltaire» *(Le Figaro)*. La fréquente référence à Voltaire dans le discours républicain contribua aussi à définir la place de Hugo dans la marche vers le progrès de l'espèce humaine, luttant contre le cléricalisme réactionnaire, et à ancrer ses qualités d'«immortel» dans les réalités du moment. Hugo lui-même n'avait-il pas contribué à l'association des deux noms, quand, président du Comité pour le centenaire de la mort de Voltaire, en 1878, il avait exalté celui qui «mourait immortel», l'homme qui «était un siècle» et qui, seul, «déclara la guerre à cette coalition de toutes les iniquités sociales[14]»? Et à l'opposition, rappelant que Hugo n'avait pas toujours été républicain mais, tour à tour, légitimiste et catholique, bonapartiste, orléaniste et mystique, on répondait qu'il était devenu républicain «précisément à l'heure où son génie, qui n'avait jamais cessé de s'élever, était à la veille de toucher à son apogée» *(La République Française)*, et que «même lorsqu'il chantait les rois, il s'est montré républicain de sentiment» *(L'Intransigeant)*.

La mort conféra à la figure du poète national des pouvoirs plus magiques encore. Théodore de Banville demanda que des statues du «père» vinssent rapidement remplacer la figure du disparu, «car nous avons besoin de voir sans cesse devant nous, de contempler sur les places publiques l'image de ce témoin, devant qui les actions lâches et viles n'oseraient se produire[15]» *(Gil Blas)*. Mais c'est l'heure des funérailles qui excita le plus l'imagination républicaine: la France, déchirée par ses conflits internes, s'unifierait à l'occasion de ce que Jules Claretie nomma «la trêve de Victor Hugo». *Le Radical* en fit une description idyllique: «L'atelier chômera, le théâtre fermera, les passions s'apaiseront, et les partisans des vieux trônes se joindront aux fils de la Révolution pour accompagner, tristes et recueillis, les restes du chantre sublime de toutes les gloires et de tous les malheurs.»

Toutes les mesquines querelles politiques devaient s'éteindre face à la grandeur de Hugo et au spectacle édifiant de sa mort, expliquaient les républicains. Mais ce rêve d'effacer les anciens clivages se heurta à la résistance tenace de ceux qui voyaient dans son accomplissement un triomphe républicain. Eugène Veuillot taxa de «derviches hurleurs» les républicains qui glorifiaient Hugo, et entreprit de démolir la réputation littéraire du poète qui

« n'a cessé, pour se rendre populaire, de caresser les plus mauvais instincts ». Puis il dénonça l'exploitation politique indigne que la République entendait faire de la dépouille mortelle : « Les funérailles de Victor Hugo ne sont pas seulement civiles, elles sont démagogiques » *(L'Univers).* Aux yeux des catholiques, tel était bien le plus grave péché de Hugo, plus grave que son républicanisme et que sa sympathie pour les communards. Sa dépouille allait servir « de prétexte à une infernale manifestation » qui ne pouvait que « glorifier le mal » *(La Croix)*, et cela était impardonnable. Mais d'autres, à droite, refusaient d'abandonner à la République la mémoire de Hugo. Prêts à fermer les yeux sur les funérailles civiles, ils préféraient mettre en évidence son légitimisme dont il ne s'était écarté, à leurs yeux, qu'à un âge avancé, et ils invitèrent donc le peuple à honorer « sans trouble et sans remords ce grand esprit certain de la postérité, dont les défaillances seules appartiennent à nos adversaires » *(Le Gaulois).*

L'extrême gauche n'était pas moins partagée. D'aucuns chérissaient l'auteur des *Misérables* qui avait exprimé les souffrances du « peuple », d'autres ne voulaient se souvenir que du Hugo de *L'Année terrible* révolté par les excès de la Commune. La ligne de partage semble avoir été affaire d'idéologie et de génération. La « vieille garde » se souvenait avec émotion du poète qui avait combattu le second Empire, généreusement offert un asile aux communards et toujours réclamé leur amnistie, tandis que la « nouvelle garde » marxiste ne pouvait lui pardonner d'avoir appartenu à la bourgeoisie et incarné ses valeurs. Dans un pamphlet dénonçant *La Légende de Victor Hugo*, Paul Lafargue le décrivit comme un poète à l'esprit « commerçant » qui s'était donné pour maxime « les affaires d'abord, la politique ensuite ». Affirmant, comme Veuillot, que Hugo « consacrait son talent à flatter les goûts du public qui paie », il lui reprocha d'avoir amassé une fortune estimée alors à cinq millions de francs. Le combat de Hugo contre « Napoléon le petit » n'aurait, à l'en croire, servi que les intérêts de « la classe capitaliste », qui s'empressait aujourd'hui de le glorifier en témoignage de gratitude. Jules Guesde résuma la critique marxiste de Victor Hugo dans une conférence prononcée trois jours après les funérailles, déclarant que le poète était un homme du passé, puisque ce qui comptait le plus pour lui, la famille et Dieu, étaient mourants. La classe porteuse d'avenir n'avait donc rien à apprendre de lui.

Une affaire d'État

Pour le gouvernement qui devait organiser ces tumultueuses obsèques nationales, la mort de Hugo ne pouvait pas plus mal tomber. Formé le 6 avril 1885, après la chute de Jules Ferry, le cabinet Brisson se considérait comme un gouvernement de transition dont la tâche essentielle était de préparer les prochaines élections générales d'octobre et d'en faire un succès pour la République. Elles devaient, en fait, manifester une nette remontée des droites et un début de regroupement des conservateurs[16]. Outre une majorité de ministres opportunistes, le gouvernement comportait trois radicaux modérés et souhaitait se donner l'image d'un «cabinet de conciliation et d'union» dévoué aux intérêts du pays tout entier. Ainsi naquit la formule de «la politique de concentration républicaine» – politique neutre et passive, s'efforçant de ne prendre aucun risque.

Cette politique d'attentisme s'avéra particulièrement difficile à tenir en ces jours tendus qui séparèrent la mort de Hugo de ses funérailles, alors que la situation exigeait des décisions rapides et fermes. Après avoir consacré deux réunions aux funérailles de Victor Hugo, la veille et le lendemain de sa mort, le gouvernement choisit la meilleure solution: transformer la cérémonie en obsèques nationales, avec exposition du corps à l'Arc de Triomphe et enterrement au cimetière du Père-Lachaise où la famille de Hugo avait acheté un caveau. Par ailleurs, le ministre de l'Intérieur, Allain-Targé, mit sur pied un comité des funérailles dont les deux membres les plus influents étaient des hauts fonctionnaires: Turquet, sous-secrétaire d'État aux Beaux-Arts, et Alphand, directeur des Travaux de la ville de Paris. Les autres membres étaient l'architecte Garnier, les peintres Bonnat, Guillaume et Bouguereau, les sculpteurs Dalou et Mercié, Ernest Renan, Peyrat, vice-président du Sénat, Auguste Vacquerie, rédacteur en chef du *Rappel* et proche ami de Hugo, et Michelin, président du conseil municipal de Paris. Il est significatif qu'aucun membre de la famille n'appartienne au comité: à l'évidence, les funérailles étaient une affaire d'État. «Les quelques vœux que nous avons émis, se plaint Édouard Lockroy, n'ont pas été favorablement accueillis» *(Gil Blas).*

Le choix de l'Arc de Triomphe pour exposer le corps semblait aller de soi. Le Royer, le président du Sénat auquel appartenait Hugo, montra son manque d'imagination en suggérant d'exposer la dépouille mortelle au palais du Luxembourg, comme Gambetta l'avait été au Palais-Bourbon en 1883 lors des premières grandes funérailles nationales qui marquèrent la IIIe République. Ainsi le nom de Hugo fut-il une nouvelle fois associé à celui de Napoléon. «Le décret nominatif qui créa Napoléon pour le monde ne faisait qu'envelopper le décret nominatif qui créa Napoléon pour Hugo. Jamais aucune matière ne fut à ce point rendue à un artiste[17]» écrivit Péguy, expliquant combien les vicissitudes du grand-oncle et de son petit-neveu avaient marqué la vie de Hugo tout au long du XIXe siècle. Le choix de ce «monceau de pierre assis sur un monceau de gloire» *(Les Voix intérieures)*, et qui avait connu la seule cérémonie funèbre comparable à celle de Hugo, obéissait également à une nécessité pratique, l'Arc et ses abords étant suffisamment vastes et spacieux pour contenir et canaliser la foule immense que l'on attendait pour rendre un dernier hommage au poète.

Le testament de Victor Hugo ne créa pas la moindre difficulté pour les organisateurs des funérailles. «Je donne cinquante mille francs aux pauvres. Je désire être porté au cimetière dans leur corbillard», fut la seule allusion aux cérémonies funèbres de ce texte laconique. Ainsi put se produire le fameux «coup de théâtre» des funérailles dont l'hypocrisie fut dénoncée par beaucoup. «Le corbillard des pauvres n'a de sens que si tout l'enterrement est d'un pauvre [...] son antithèse suprême était une de ses plus mauvaises» (A. Bellessort). L'idée d'un corbillard noir, simple et dépouillé remonte au «retour des cendres» de Napoléon dont Hugo nous a laissé une description détaillée dans *Choses vues.* Après avoir dépeint le magnifique char funèbre, il observe, désappointé, que «le vrai cercueil est invisible. On l'a déposé dans la cave du soubassement, ce qui diminue l'émotion [...] Il cache ce qu'on voudrait voir, ce que la France a réclamé, ce que le peuple attend.» Seul le corbillard des pauvres permettrait une «magnificence qui fût sincère».

Pour que les funérailles fussent «nationales», le gouvernement devait obtenir l'approbation de la Chambre et du Sénat – ce qui ne présenta guère de difficultés. C'est Henri Brisson qui présenta le projet de loi devant la Chambre après avoir expliqué que la voix de Hugo faisait partie de la vie nationale: «C'est tout un peuple qui conduira ses funérailles[18].» Comme il était prévisible, l'opposition fut bruyante mais peu nombreuse. La loi fut adoptée à la quasi-unanimité par quatre cent huit voix contre trois. Et c'est alors qu'Anatole de La Forge, devant un parlement houleux, avança une proposition qui fit l'effet d'une bombe: désacraliser le Panthéon et y déposer la dépouille mortelle de Hugo.

La bataille du Panthéon

«Ce n'est plus un monument, c'est un thermomètre», lança un journaliste royaliste à propos du sanctuaire de la montagne Sainte-Geneviève *(Le Gaulois).* Et, en effet, les tentatives pour rendre le Panthéon au culte républicain des Grands Hommes après que Napoléon III l'eut abandonné à l'Église catholique commencèrent dès 1876 par une proposition de loi présentée par plusieurs députés radicaux. En 1881, la Chambre finit par adopter une proposition analogue qui fut néanmoins repoussée par le Sénat. À l'extrême gauche, beaucoup virent dans la mort de Hugo une occasion de réussir où ils avaient jusqu'ici échoué. Sitôt connue la mort de Hugo, le conseil municipal radical de Paris émit «le vœu que le Panthéon soit rendu à sa destination primitive et que le corps de Hugo y soit inhumé». Et la presse d'extrême gauche lui emboîta le pas aussitôt: « Curés, faites place. Débarrassez cet asile de vos dieux, que nous puissions y mettre nos hommes» *(La Bataille).* Les liens entre Hugo et le Panthéon, l'un de ces « monuments monarchiques et perpétuellement démocratiques, et aujourd'hui proprement républicains, et demain tout ce que l'on voudra» selon Péguy, étaient presque aussi forts que ses attaches à l'Arc de Triomphe, comme en témoigne l'*Hymne* déjà évoqué: « C'est pour ces morts, dont l'ombre est ici bienvenue/Que le haut Panthéon s'élève dans la nue. » Toujours est-il que l'arc napoléonien était plus au goût de Hugo: « L'Arc de Triomphe est véritablement grand, confia-t-il à Richard Lesclide, je doute que le Panthéon le soit jamais. Ce n'est pas seulement parce qu'il ressemble à un gâteau de Savoie, mais, dans cette superposition de dômes, de coupoles et de frontons, rien ne m'étonne, rien ne m'attire. » Ces objections n'étaient, pourtant, pas une raison pour ne pas l'y inhumer. « Victor Hugo est entré dans ce Panthéon qu'avait fermé aux grands hommes Napoléon le Petit», écrivit *Le Rappel* après les funérailles évoquant sa vengeance posthume.

Bien que la proposition d'Anatole de La Forge couvât depuis longtemps, elle parut prendre de surprise le gouvernement. La proposition ayant été déclarée urgente, Allain-Targé prit la parole pour demander l'ajournement de la discussion sous prétexte de demander l'avis de la famille. Le gouvernement qui s'était déjà prononcé contre la désacralisation du Panthéon pour éviter une controverse publique dans cette situation délicate fut mis au pied du mur, et chercha à gagner du temps. Car comment un gouvernement républicain pourrait-il refuser ce que Louis-Philippe avait déjà fait en 1830 ? Et l'extrême gauche retourna contre le gouvernement l'argument de la famille: « La famille de Victor Hugo c'est la grande famille française», répliqua Delattre, voulant dire par là que le pays seul devait avoir le dernier mot en la matière. Sans reprendre cette thèse, la droite prétendit que le gouvernement cherchait en réalité à briser la famille: « La France tout entière aurait pu, sans doute, se trouver réunie dans un sentiment d'admiration pour le grand génie qui vient de s'éteindre. On ne l'a pas voulu. Ce n'était pas assez d'avoir transformé l'hommage qu'on lui préparait en une manifestation politique. On en a fait une provocation religieuse. » La première session se termina par la victoire du gouvernement qui obtint l'ajournement du débat sur la désacralisation. Mais le problème était loin d'être réglé. La possibilité d'une inhumation dans un Panthéon laïcisé redoubla l'enjeu des funérailles: il ne s'agissait pas seulement d'honorer la mémoire du poète, mais aussi de renouer de manière spectaculaire avec le culte des Grands Hommes inauguré en 1791 par l'Assemblée nationale. Confrontés à cette menace, les catholiques multiplièrent leurs attaques. *L'Univers* lança un appel à « une manifestation qui serait à la fois une prière, une protestation et une expiation» au Panthéon et

demanda au Congrès catholique, qui se déroulait cette semaine à Paris, de prendre l'initiative et de mobiliser les «consciences chrétiennes» contre le blasphème. Il se déclara résolu à s'opposer aux «libres penseurs» voulant «affranchir la France de la religion pour cette apothéose du génie laïcisé», et laisser ainsi libre cours «aux folies du paganisme».
L'extrême gauche, quant à elle, était convaincue que la République républicaine ne devait pas laisser échapper cette occasion: «Les rois avaient Saint-Denis; la nation qui est reine a droit à son Panthéon», déclara *Le Radical.* Elle était déterminée à pousser le gouvernement dans la «bonne» direction: «Si la population, ne comprenant rien à ses timidités, à ses hésitations, dans un mouvement spontané, tournait les roues du corbillard vers le Panthéon, le gouvernement oserait-il employer la force pour s'y opposer? Oserait-il faire sabrer la foule sur le cercueil de Victor Hugo?» demandait *La Lanterne* sur un ton de demi-menace. Les étudiants parisiens ne furent pas en reste et, réunis en assemblée le samedi 23 mai, votèrent une résolution appelant le gouvernement à transférer le corps de Hugo au Panthéon. Le lendemain, ils se rendirent du Panthéon à la maison du poète, en passant par l'Arc de Triomphe, pour rendre hommage au disparu, et donner ainsi à leurs paroles la force de leurs pas.

Une nouvelle journée révolutionnaire ?

Alors que les pouvoirs publics, indécis, étaient ainsi soumis aux pressions des deux bords, la commémoration de la «semaine sanglante» vint ajouter une nouvelle dimension à la controverse sur les funérailles. La semaine précédant la mort de Hugo, *La Bataille* publia un appel demandant à ses lecteurs de se rendre au Père-Lachaise le dimanche 24. Le pèlerinage annuel au mur des Fédérés devint en ces années l'une des manifestations antirépublicaines les plus imposantes que connut la IIIe République. Pour la commémoration de 1885, l'énergique Allain-Targé décida de modifier les règlements et d'interdire l'exhibition du drapeau rouge durant la cérémonie. Ce symbole de la Commune, depuis longtemps associé au «peuple», était de toute évidence un «emblème séditieux» et une invite à la guerre civile. En bon disciple de Gambetta, il savait que, pour conquérir le cœur des Français et obtenir leurs suffrages, la République devait prendre ses distances vis-à-vis de ceux qui pouvaient paraître enclins à la violence et au désordre ou menacer la propriété privée. On ne pouvait donc admettre que le drapeau rouge fût hissé sous les yeux d'une police républicaine, surtout à cinq mois des élections. Mais les révolutionnaires n'étaient pas disposés à abandonner ainsi leur insigne sacré, et les échos des heurts qui s'ensuivirent se prolongèrent jusqu'aux funérailles de Victor Hugo.

La cérémonie du Père-Lachaise dégénéra en affrontement violent entre la police et les manifestants, estimés de deux à cinq mille, et ce fut au tour de *La Bataille* d'encadrer de noir sa première page et de dénoncer le gouvernement Brisson tenu pour responsable des «assassinats du Père-Lachaise»: une trentaine de blessés.

L'extrême gauche s'empressa d'établir un lien avec les funérailles de Hugo: «Le gouvernement vient d'arroser de sang le cercueil de notre poète national et a célébré par des égorgements ses funérailles anticipées» *(L'Intransigeant).* La presse royaliste fut aussi prompte à tirer la sonnette d'alarme et à affirmer que chez les anarchistes on s'occupait «exclusivement des obsèques de Victor Hugo, considérées comme prétexte à manifestation». Elle se plut également à prétendre que le seul avantage de la République, le calme dans la rue, était menacé pour en conclure que «la République a épuisé sa lune de miel». Mais, pour le camp républicain, le pire était encore à venir: les deux cérémonies funèbres qui se déroulèrent entre la commémoration et les funérailles de Hugo – l'inhumation au Père-Lachaise de deux anciens chefs de la Commune – semblèrent des fléaux du ciel pour accroître les difficultés.

Pour les premières obsèques, celles de Frédéric Cournet, le gouvernement s'efforça de manœuvrer plus adroitement. À défaut d'une définition légale des «emblèmes séditieux», il établit une distinction entre les bannières (tolérées) et les simples drapeaux (interdits), ainsi qu'entre l'enceinte «sacrée» du cimetière et l'extérieur où les manifestants devraient respecter les dispositions prises par les autorités. Près de dix mille manifestants se rendirent aux funérailles dans un esprit de revanche mais la cérémonie se déroula sans incident jusqu'au moment où un groupe d'anarchistes décida de sortir derrière un drapeau noir[19]. La perspective de l'enterrement d'un autre communard le lendemain suscita beaucoup d'inquiétude dans le camp républicain, mais les obsèques d'Amouroux se déroulèrent finalement sans heurt. En tant que député, il eut droit aux honneurs militaires, et la présence de délégations officielles rendit la cérémonie moins militante. Les dispositions prises par le gouvernement furent respectées, et après un bref pèlerinage au mur des Fédérés, la foule, estimée à quinze mille personnes, s'est «dispersée dans le plus grand calme». En dépit de ce spectacle rassurant, la presse de droite continua à fulminer contre «cette loque couleur de sang, qui rappelle des souvenirs de honte et de crime» *(Journal des débats),* et prétendit voir dans les incidents du Père-Lachaise le signe de l'apparition d'une «force révolutionnaire nouvelle» qui préparait «la prochaine commune» dont ces manifestations ne furent qu'une «répétition générale» *(Le Gaulois).*

Tandis que la droite redoutait que les funérailles de Victor Hugo ne devinssent une «nouvelle journée révolutionnaire», l'extrême gauche tint de nombreuses réunions pour s'y préparer. Les agents de police se pressèrent à ces assemblées et envoyèrent des rapports alarmants à leurs chefs qui prirent très au sérieux les intentions des révolutionnaires. Quels que fussent les mobiles de ces derniers – honorer sincèrement la mémoire de «leur» Hugo, se venger d'avoir été humiliés par le gouvernement, profiter du rassemblement populaire à des fins de propagande – ils semblaient résolus à se manifester aux funérailles, et à recourir à la violence au cas où l'on essaierait de leur barrer la route. Mais il y eut aussi des voix dissidentes pour conseiller de s'abstenir de toute participation aux funérailles, soit parce que «ce vieux fétiche qui a nom Victor Hugo» n'en valait pas la peine, soit, plus communément, parce que la foule immense serait hostile à tout étalage d'insignes socialistes ou anarchistes, et que les manifestants subiraient la nouvelle humiliation de devoir être secourus par la police. Toute cette agitation ne pouvait échapper à la vigilance de la presse de droite, qui conseilla à ses lecteurs de rester chez eux le jour des funérailles, ou mieux encore de partir à la campagne puisque «la Commune s'empare du cadavre de Victor Hugo et [...] règne dans la cité» *(Le Gaulois).* Cette campagne commença à inquiéter les républicains, préoccupés de l'effet de cette image de «Paris rouge» sur l'esprit soupçonneux des provinciaux. «Si de pareils tumultes se renouvelaient, écrivit *Gil Blas* après les deux funérailles du Père-Lachaise, la France qui a besoin d'ordre, de paix et de travail, finirait par croire [...] que les institutions actuelles nous conduisent à l'anarchie et les candidats de la droite auraient la partie belle, lors des prochaines élections.»

Mais la première victime de l'agitation des communards ne fut pas un homme politique, mais un homme de lettres: Maxime Du Camp qui avait été pressenti pour prononcer l'éloge funèbre de Hugo au nom de l'Académie française. Or, Du Camp était connu pour son hostilité à la Commune – ce qui, aux yeux de l'extrême gauche, le disqualifiait pour prendre la parole aux funérailles. Dès la mort de Hugo, *La Bataille* lança la croisade contre «le misérable sans courage et sans talent» qui allait «asperger de son venimeux éloge le cadavre de celui qui revendiqua l'honneur, en 1871, de recevoir chez lui les vaincus de la Commune». L'éditorial se terminait par un avertissement solennel: «Nous ne laisserons pas [...] le plus grand fusilleur de Paris après Thiers et Mac-Mahon, parler au Père-Lachaise. Et s'il ose ouvrir la bouche, nous la lui fermerons vigoureusement.» La campagne de presse, soutenue par les étudiants parisiens, aboutit à ses fins au lendemain des incidents du Père-Lachaise. Du Camp se déclara prêt à s'effacer si l'Académie le souhaitait avant de confier à *La République Française*: «La seule chose qui m'effraye un peu [...] c'est la perspective de marcher à pied, probablement tête nue, de l'Arc de Triomphe au Père-Lachaise, derrière le Char.» Le lendemain, il fit savoir que l'Académie avait décidé de confier cette tâche délicate au poète Émile Augier.

Peu après, le gouvernement prit une nouvelle initiative qui surprit aussi bien ses partisans que l'opposition, et déplaça la bataille autour du sacré sur un nouveau terrain. En réponse à ceux qui lui reprochaient de se montrer trop hésitant, il fit paraître deux décrets dans le *Journal officiel* du mercredi 27 mai : le premier stipulait que « Le Panthéon est rendu à sa destination primitive et légale. Les restes des grands hommes qui ont mérité la reconnaissance nationale y seront déposés » ; le second précisait que « à la suite des obsèques ordonnées par la loi du 24.5.1885, le corps de Victor Hugo sera déposé au Panthéon ». Par ce recours inattendu au décret, plutôt qu'à la procédure parlementaire habituelle, le gouvernement souhaitait éviter un débat public pénible qui n'aurait fait qu'accroître les tensions politiques et conjurer les risques de complications juridiques. En réalité, il ne put éviter l'indignation de la droite et n'atteignit que partiellement son second objectif puisque l'opposition usa de son droit d'interpellation.

La prise du Panthéon

Tandis que l'extrême gauche saluait la décision comme « la prise du Panthéon » et la juste revanche de la Commune, ce fut au tour de la presse catholique d'encadrer de noir ses premières pages et de proclamer « Satan triomphe ». Les funérailles nationales de Hugo n'étaient plus « seulement » des obsèques civiles, mais quelque chose de bien plus grave, la République prenant possession d'une église qui avait acquis valeur de symbole : « On chassera Dieu pour faire place à M. Hugo », affirmait *L'Univers* tandis que *La Croix* renchérissait en prétendant que ces funérailles seraient le signe de « la désaffectation de la France arrachée à l'Église et vouée au culte maçonnique ». Cette laïcisation du Panthéon parut d'autant plus horrifiante que l'on n'y vit pas seulement la désacralisation d'une église, mais le symbole d'un retour au « culte des morts entendu à la façon païenne » *(L'Univers)* qu'allait inaugurer la divinisation de Hugo. Ce culte païen qui remplacerait le christianisme tirait ses origines de la fête de l'Être suprême de Robespierre. Sur ses pas, la IIIe République « impose à la France la religion de la cité, du nombre. L'apothéose de la société moderne est matériellement figurée par le Panthéon ». Un « nouveau système de fêtes religieuses » était en préparation, comme aux temps de la Révolution, et il fallait faire un gros effort pour endiguer ce déluge séculier.

La presse catholique militante ne fut pas la seule à s'opposer à la transformation du Panthéon ; d'autres organes d'opinion, tels que *Le Temps* et le *Journal des débats* en firent autant. Le premier argument portait sur la situation politique du moment : au lieu de faire des funérailles de Hugo une cérémonie «où tous les cœurs français» communieraient «dans la religion des lettres, dans celle du patriotisme, dans le culte d'un grand homme», le gouvernement en faisait une «manifestation de parti» à laquelle aucun catholique ne pourrait prendre part. Le second argument concernait l'avenir : étant donné l'inconstance des passions politiques françaises et l'histoire du Panthéon et de ses hôtes, «cette pitoyable succession d'honneurs et d'insultes adressés aux mêmes personnages», il fallait bien convenir qu'il était fort peu probable qu'un régime quelconque pût s'élever au-dessus de «nos mesquines querelles de tous les jours», et respecter les Grands Hommes de celui qui l'a précédé. Le dernier argument s'inspirait de la même sensibilité qui, dans les années 1860 à 1880, fut à l'origine de diverses propositions visant à transférer les cimetières parisiens à l'extérieur de la ville. Un temple pour les Grands Hommes ? Excellente idée ; mais pourquoi l'associer à un cimetière ? Consacrer dans le temple une statue ou une plaque à la mémoire du Grand Homme serait «quelque chose de plus élevé, de plus noble, de plus spiritualiste» et de bien préférable à la «cérémonie matérielle d'un enterrement».

L'affaire du Panthéon valut au gouvernement deux nouvelles interpellations, l'une à la Chambre, l'autre au Sénat. Albert de Mun et le baron de Ravignan lui reprochèrent de succomber aux pressions des partisans de la Commune et de profaner l'église Sainte-Geneviève afin de préparer pour Hugo une «saturnale funèbre». Après s'être placé sur un terrain juridique, le gouvernement affirma à nouveau, par la voix du ministre de l'Instruction publique que les funérailles ne seraient pas une «journée de révolution» mais «une manifestation grandiose de la reconnaissance de la nation envers l'un de ses plus glorieux enfants». Les deux interpellations furent repoussées par une confortable majorité, et plus rien ne s'opposa à ce que le corps de Hugo fût déposé au Panthéon.

Pendant qu'un débat animé se poursuivait au Parlement, le gouvernement prit les mesures nécessaires pour transformer le monument chrétien en temple laïque. Les catholiques suivirent chaque épisode de cette profanation, et leur presse relata comment le jeudi 28 mai «dans l'après-midi, tandis que quelques fidèles priaient autour de la châsse, des individus se promenaient la tête couverte, causant à haute voix. Un bénitier a été couvert de crachats. Les agents de police ne s'occupent pas de cela. L'indifférence, ou pour mieux dire, une sorte d'accoutumance au sacrilège caractérise cette foule impie» *(La Croix)*. Cet après-midi, le Panthéon fut fermé au public. Et le lendemain matin, «à cinq heures et demie, cinq ouvriers envoyés par les gens du gouvernement sont montés sur le fronton de l'église ; ils ont commencé par scier la croix pour en enlever les deux bras ; puis, avec une pioche, ils en ont déraciné le montant [...] À cette heure matinale, l'attentat impie n'a eu que peu de témoins. Selon la pratique des malfaiteurs, les auteurs de cet acte de banditisme avaient choisi leur moment. Toute la France chrétienne frémira à la nouvelle de ce sacrilège accompli par la république, à l'exemple de la Commune» *(L'Univers)*. La croix de fer plantée au sommet du dôme fut le seul reliquat du passé chrétien du sanctuaire, et elle ne passa pas inaperçue. «Descendez la croix», demanda *La Bataille* en première page, mais celle-ci était trop lourde pour que l'on pût l'enlever à temps pour les funérailles[20]. Le climat devint tendu place du Panthéon, et la police et la presse firent état de plusieurs bagarres entre catholiques et libres penseurs du vendredi 29 au dimanche 31. Mais, dans l'ensemble, la déclaration de l'Assemblée générale des catholiques, qui se tint cette semaine à Paris, affirmant que le pays se devait «à lui-même de faire entendre sa voix et de revendiquer le respect de sa foi et de sa liberté» fut interprétée comme un appel à une protestation pacifique.

Transfert du sacré : la demeure

Au moment même où le Panthéon était ainsi désacralisé, la maison – et le corps – de Hugo, à l'autre extrémité de la ville, se virent entourés d'une aura sacrée. Les premiers signes en apparurent quelques heures à peine après le décès : «Dalou est là [...] faisant le moulage. Il compte faire de la tête un buste [...] Bonnat, de son pinceau inspiré, peint un admirable tableau de Victor Hugo sur son lit de mort [...] enfin, Nadar photographie la chambre mortuaire» *(Gil Blas)*. Ce ne fut que la première vague d'artistes dont les dessins et les photographies emplirent les journaux et donnèrent naissance à l'industrie du souvenir qui se développa autour de la mort du poète national. Son visage «superbe, pâle, marmoréen» *(La République Française)*, fut décrit dans les moindres détails, et son corps embaumé afin de pouvoir être exposé à visage découvert à l'Arc de Triomphe[21]. La chambre mortuaire, décorée de fleurs cueillies tout spécialement dans son jardin, le buste de la *République* par Clésinger placé en face du lit, se transforma en un temple de sentiments républicains et familiaux réservé aux intimes. Il s'agissait, certes, de maintenir ainsi quelque intimité, mais peut-être aussi de ne pas gâter l'effet de l'exposition publique du corps à l'Arc de Triomphe. La mort allait, en même temps que le poète, immortaliser sa demeure que le maire du XVIe arrondissement prit l'initiative de transformer en lieu saint. «La maison de Hugo, écrivit-il au préfet de la Seine, a pris un caractère sacré ; ce serait une profanation que de l'abandonner aux hasards des intérêts privés.» Il convenait donc, conclua-t-il, d'en faire la propriété de la ville de Paris[22] *(La République Française)*. C'est au conseil municipal qu'il revint de prendre la première mesure destinée à fixer le souvenir de Victor Hugo dans la ville en décidant, le jour de sa mort, de donner son nom à la place Eylau et à la partie de l'avenue Eylau allant de cette même place à l'Arc de Triomphe – l'autre moitié ayant déjà été baptisée de son nom lors de la célébration de son quatre-vingtième anniversaire. Pour un moment, la demeure du poète devint le centre de l'univers. Sentiment renforcé par l'afflux des télégrammes de condoléances venus de tous les coins du monde, ceux des gouvernements étrangers et des institutions les plus importantes publiés en longues listes dans la presse et lus à haute voix à la Chambre et au Sénat. Le maire du XVIe arrondissement résuma cette impression en formules éloquentes : « Le monde vient de perdre Victor Hugo. Dans le monde, c'était la France, dans la France, c'était Paris qui le possédait. Et dans Paris c'est à Passy que le grand homme est venu vivre les dernières années de sa grande vie » *(Gil Blas).*

Le projet d'apothéose républicaine

L'organisation d'obsèques nationales civiles signifiait que la République devait offrir à Hugo une cérémonie qui ne le céderait en rien aux funérailles nationales religieuses que la France moderne avait connues : telle fut la mission essentielle de la commission des funérailles. La France n'en était pas à ses premières funérailles nationales civiles, et Turquet en était bien conscient lorsqu'il avouait son intention « de faire de cette manifestation une véritable apothéose », inspirée « des cérémonies de grand apparat de la Convention dont Victor Hugo était bien digne[23] ». Tout le problème était de savoir comment utiliser l'Arc de Triomphe et le Panthéon pour faire valoir au mieux toute la puissance de la République. Ayant décidé de faire de l'Arc de Triomphe une sorte de « chapelle ardente » où le corps serait exposé un jour et une nuit pour permettre au plus grand nombre de venir s'y recueillir, le comité adopta un projet de décoration raffiné suggéré par Charles Garnier, l'architecte de l'Opéra : un immense catafalque[24], à la mesure des dimensions impressionnantes de la place, ornerait l'intérieur de l'Arc, tandis que d'autres éléments décoratifs associeraient ce lieu napoléonien au souvenir du défunt. Un grand vélum en crêpe analogue à celui qui décorait la Chambre des députés lors des obsèques de Gambetta, deux ans plus tôt, couvrirait le côté gauche de l'Arc de Triomphe. Sur la place, des mâts portant les oriflammes de la ville seraient dressés, sur tous les candélabres des trophées de drapeaux voilés soutiendraient des écussons portant les titres des œuvres de Victor Hugo. C'est ce projet ambitieux qui, plus que tout autre facteur, a, en définitive, déterminé le choix de la date des funérailles. Son achèvement n'étant pas prévu avant le vendredi 29, l'exposition du corps devait commencer samedi matin et les funérailles avoir lieu dimanche, neuf jours après le décès – c'est-à-dire assez longtemps pour que les provinciaux et les étrangers pussent venir à la cérémonie. L'itinéraire retenu paraissait assez long pour permettre aux foules de suivre la procession : de l'Arc de Triomphe au Père-Lachaise, en passant par les Champs-Élysées et les boulevards jusqu'à la place de la République où, à l'occasion d'une halte, les chœurs de l'Opéra et de l'Opéra-Comique entonneraient des hymnes funéraires. La direction musicale des funérailles fut confiée à Camille Saint-Saëns dont l'*Hymne à Victor Hugo*, composé tout particulièrement pour le quatre-vingtième anniversaire du poète, devait être joué pendant la levée du corps à l'Arc de Triomphe. Une fois de plus, le gouvernement Brisson se mit dans une position difficile : d'un côté, il souhaitait pour Hugo des « funérailles triomphales », de l'autre, il redoutait une cérémonie qui prendrait trop d'ampleur et risquerait de lui échapper, comme cela avait été le cas quelques mois auparavant, en février 1885, lors de l'enterrement de Jules Vallès, qui avait dégénéré en manifestation communarde, entraînant de violents heurts entre ouvriers et étudiants nationalistes. Sa première mesure fut donc de changer la date des funérailles, dimanche paraissant beaucoup trop éloigné. En maintenant cette date, comme l'écrivait *Le Gaulois*, il « laisse aux communards le temps de s'organiser, il verra affluer de tous les points de l'étranger des centaines de délégations révolutionnaires, une sorte de cour plénière de la révolution internationale, qui pourra lui causer les plus graves embarras ».

En accroissant le nombre d'ouvriers participant à la décoration de la place de l'Étoile et travaillant jour et nuit, le gouvernement fit pression sur le comité dans l'espoir d'avancer les obsèques au samedi – date qui présentait l'avantage supplémentaire d'être un jour de travail. Mais les doutes de la famille et du comité quant à la possibilité d'avancer ainsi le jour des funérailles se révélèrent fondés. Le gouvernement ne réussit en fait qu'à attirer l'attention sur les prochains événements ; les travaux nocturnes étant illuminés par ce « miracle moderne » qu'était l'électricité, gracieusement offerte par la société Edison, une « foule considérable » s'y donna rendez-vous, « attirée par cet éclairage qui se voyait de la place de la Concorde ». En fin de compte, les travaux n'ayant pu être terminés à temps, il fallut reporter les funérailles au lundi 1er juin. Il fut décidé de fermer à cette occasion les théâtres subventionnés ainsi que les écoles ; après tout, pensa-t-on, les écoliers étaient inoffensifs, et cela faisait partie de leur éducation républicaine[25], mais le gouvernement refusa d'aller plus loin et décida de ne pas décréter lundi jour férié « en raison des graves inconvénients que présenterait la suppression de la vie commerciale le premier jour du mois » *(Gil Blas)*.

Afin de s'assurer du caractère restreint et pacifique des obsèques, le gouvernement déchargea, en outre, le comité des funérailles du soin d'arrêter l'itinéraire. Au lieu de laisser la procession emprunter les grands boulevards, il préféra acheminer le cercueil de la place de la Concorde jusqu'au boulevard Saint-Michel en passant par le boulevard Saint-Germain, le quartier le plus aristocratique de Paris. Il réduisit ainsi sensiblement la longueur du trajet tout en diminuant les risques d'explosion populaire et supprima la halte hasardeuse initialement prévue pour l'audition des hymnes funèbres. Ce changement d'itinéraire provoqua la colère de la presse d'extrême gauche qui y vit une trahison du poète: «On va conduire Victor Hugo au Panthéon par les sentiers de la réaction», protesta *La Bataille.* Les considérations politiques ne furent pas la seule raison de l'indignation provoquée par la décision du gouvernement, car celle-ci frustra également les marchands des grands boulevards des profits exceptionnels qu'ils espéraient réaliser à la faveur de la foule immense attendue aux funérailles. Mais, pas plus que les plaintes et les délégations de ces commerçants, la réunion des députés parisiens à la Chambre ne put faire revenir le gouvernement sur sa décision, et le corps de Hugo manqua ainsi l'occasion de passer devant Notre-Dame, autre haut lieu hugolien devant lequel une halte avait aussi été initialement prévue.

Une explosion très contrôlée

L'itinéraire fixé, restait à contrôler l'organisation du défilé: à cette fin, toutes les délégations souhaitant participer à la procession durent se faire au préalable enregistrer à l'Hôtel de Ville. L'inscription commença à l'initiative du maire du XVIe arrondissement à sa mairie, mais devant l'accroissement rapide du nombre des postulants et la nécessité de surveiller de près la constitution de la procession, le gouvernement décida de transférer le service d'inscription en un lieu plus propice et de prendre des mesures afin d'éviter toute surprise. «On vous pose un tas de questions, se plaignit *La Bataille.* Depuis quand existe votre groupe? Est-il nombreux? Est-il vacciné contre la Révolution? Avez-vous un drapeau ou une bannière? Quelle est sa couleur? Quelle inscription dessus?» Et la lettre qui fut adressée à chaque président de groupe montra que les pouvoirs publics prenaient au sérieux la menace du drapeau rouge: «Aucun drapeau, autre que le drapeau national ou celui des nations étrangères porté par les délégués aux obsèques, ne sera admis dans le cortège. Les bannières, les couronnes, les trophées ou autres insignes déclarés au moment de l'inscription sont admis.»
Le programme des funérailles, l'ordre de la procession et une liste complète des délégations furent publiés dans le *Journal officiel* du 31 mai dont la presse reprit les principaux éléments afin de permettre à la foule de suivre le déroulement de la cérémonie sans difficulté. La liste des délégations, sociétés, cercles et diverses organisations était impressionnante: mille cent

soixante-huit groupes inscrits, dont un grand nombre se réclamant de la république ou de la gauche, et un groupe particulièrement important de la Ligue des patriotes[26]. Pour les délégations autorisées à défiler avec leurs emblèmes, la procession n'était pas seulement une manière de rendre un dernier hommage au poète disparu et, à travers lui, à la Patrie, mais aussi un excellent moyen de se faire connaître d'une foule immense. L'ordre du défilé, fixé par Alphand, correspondait moins à l'ordre des «rangs et préséances» promulgué en 1804 sous le premier Empire qu'à celui que la République devait adopter en 1907, et dont les principes directeurs furent les suivants: «consécration de la suprématie du pouvoir civil» et «attribution aux corps élus d'un rang correspondant à leur importance».
À côté de ces grandes formations traditionnelles de la procession – autorités civiles et militaires, délégations, détachements de l'armée, fanfares –, il y avait aussi place pour l'improvisation afin de tenir compte des qualités spécifiques du défunt. Le cercueil et la famille – le cœur de la marche – furent précédés par les «commissaires», un groupe de douze jeunes poètes choisis par la famille, une délégation de la ville natale de Hugo (Besançon), une délégation de la presse et quatre sociétés artistiques.

À l'Arc de Triomphe, l'exposition du corps

Les funérailles devaient commencer par l'exposition du corps à l'Arc de Triomphe où il devait apparaître de façon quasi miraculeuse: la famille souhaitait l'y transporter dans la nuit de samedi à dimanche, en gardant secrète l'heure exacte, afin de prolonger l'intimité aussi longtemps que possible. Mais ce projet fut complètement bouleversé. Dès que les maires des vingt arrondissements eurent vent de l'intention de transférer le corps, ils vinrent rejoindre la famille et les intimes assemblés dans la maison de Hugo pour ne pas manquer la levée du corps. L'achèvement du catafalque ayant pris quelque retard, le convoi ne put s'ébranler qu'à 6 heures du matin – heure à laquelle la petite foule qui avait attendu toute la nuit à l'extérieur de la maison s'accrut considérablement. Le départ du cortège funèbre, première apparition publique de Hugo depuis sa mort, libéra les tensions accumulées au cours de la semaine. Et c'est ainsi, au milieu d'une foule qui criait «Vive Victor Hugo!», que commencèrent les funérailles. Mais, sur le moment, il ne vint à l'esprit de personne d'employer ce terme pour décrire ce qui se passa autour du corbillard noir et dépouillé pendant les trente-six heures qui suivirent. Ce ne sont pas les mots qui manquèrent, ni aux détracteurs de la cérémonie ni à ses protagonistes – tous d'accord sur sa nature, mais partagés sur sa signification. «Honteuses bacchanales», «danse macabre», «cavalcade»

(La Croix), «orgie funèbre» *(La Lorraine)*, «cohue» *(L'Univers)* ou «fête des fous» *(Le Gaulois)* en passant par «chienlit» (Léon Daudet) ou «promenade carnavalesque» (Paul Lafargue) pour les uns; d'autres y virent au contraire la «fête du génie et de la gloire» (Camille Pelletan), un «brillant spectacle» et «un triomphe» *(Journal des débats)*.

Quels que soient les termes employés, les funérailles ont sans nul doute marqué ceux qui y assistèrent – ce dont les souvenirs des contemporains nous offrent un vivant témoignage. Ainsi, dans son livre consacré à la mémoire collective, Maurice Halbwachs raconte que «le premier événement qui pénétra dans la trame de mes impressions d'enfant, ce fut l'enterrement de Victor Hugo (alors que j'avais huit ans)». Jules Romains se trouvait aussi parmi la foule: «Je n'étais encore qu'un fœtus d'environ six mois [...] Pour que ma jeune mère restât debout, dans la foule, avec cette charge, il lui fallait bien du courage, et aussi l'idée que c'était important. Elle m'en a parlé plusieurs fois [...] J'en suis réduit à admirer qu'une jeune femme si modeste, issue d'une lignée paysanne, eût eu déjà le sentiment que son devoir était de se trouver là, et de me ménager ce contact fugitif.» Mais les échos de l'événement parvinrent aussi jusqu'au village de Varennes-sur-Amance, en Haute-Marne, où Marcel Arland vécut son enfance. «Retiens ce nom-là: Hugo», lui conseilla le pharmacien local, M. Laurent, géniale réincarnation de M. Homais. «Quand il est mort, on peut bien dire que le ciel s'est couvert. On a posé son cercueil sous l'Arc de Triomphe, à Paris, et toute la nuit on l'a veillé. J'étais là et j'ai prié à ma façon, moi qui ne prie pas. C'est comme cela qu'on doit honorer les grands hommes.» Puis il donna sa propre définition de cette créature de l'imaginaire républicain qu'est le Grand Homme – définition très éloignée de la figure héroïque que fut Napoléon pour Hugo: «Un grand homme c'est un homme qui ne vit plus pour soi, mais pour les autres. Il les guide, il les sauve, il est leur âme, comprends-tu? Pasteur aussi était un grand homme», et Arland d'ajouter: «Mais j'avais choisi et rêvais à toute une ville, la nuit, autour d'un cercueil.»

La vision de Marcel Arland enfant correspondait à la réalité, sauf que la foule n'attendit pas la tombée de la nuit pour entreprendre son pèlerinage. C'était dimanche, et il faisait beau. «Un fleuve de peuple [...] coulait toujours plus dense vers l'arc de l'Étoile», dit Fernand Gregh. Les «bataillons scolaires» qui montaient la garde furent remplacés pour la nuit par les douze jeunes poètes qui participèrent ensuite à la procession. Ainsi l'exposition du cercueil permit-elle d'évoquer les aspects politiques et littéraires de la vie de Hugo. Un autre aspect de ce solennel spectacle n'a pas échappé à Romain Rolland: «Le peuple entier était en ribote.» Ce fut «une véritable fête foraine», constata *Le Figaro*, mais l'apparition, à côté des marchands de vin et de victuailles, d'une nouvelle sorte de commerce fit de ces funérailles tout autre chose qu'une kermesse ordinaire. L'admiration suscitée par le Grand Homme et la culture de masse à l'état naissant donnèrent le jour à toute une industrie commémorative: médailles, petites lyres de métal entourées de couronnes mortuaires en peluche jaune, violette ou rouge, portraits du héros debout, à mi-corps, étendu sur son lit de mort; «jusqu'à des épingles de cravate en galvano, représentant Victor Hugo, et que les inventeurs annoncent sous cette rubrique: “Deuil National”» (J. Claretie). Certains portraits étaient accompagnés de brèves biographies de Hugo insistant sur ses opinions républicaines et athées, d'autres le représentaient entre deux figures féminines allégoriques en pleurs: la Muse de la Poésie, et la République. Les chansons des camelots ne firent qu'accentuer cette atmosphère étrange. L'un d'eux «psalmodiait sur un air monotone une romance intitulée “la mort d'un génie”, dont il vendait des exemplaires entre deux couplets», rapporte *Gil Blas.* «Peuple français célébrons la mémoire/Du grand génie qui descend au tombeau./Oui, ton nom seul sera notre flambeau,/Victor Hugo nous chanterons ta gloire», proclamait le refrain de ce «chant national patriotique» dont les rimes reprenaient celles du court poème écrit par Hugo au retour des cendres de Napoléon, *Le 15 décembre 1840*, mais chanté cette fois sur l'air du *Quatorze Juillet des petits enfants.* Et, de fait, l'on songe à l'atmosphère du 14-Juillet transformé depuis peu en fête nationale. Les deux célébrations avaient un autre point commun: le défilé qui attirait des foules immenses et inspira la métaphore la plus utilisée pour rendre compte des funérailles de Hugo, celle du théâtre.

Dès que fut connu l'itinéraire définitif, les propriétaires d'appartements se mirent à louer des places donnant sur le trajet pour des sommes allant de plusieurs dizaines de francs – pour une fenêtre –, à plusieurs milliers – pour un balcon. La plus demandée fut la rue Soufflot débouchant sur le Panthéon. Là, ce fut «un vrai marchandage, comme pour les grandes premières» *(Le Gaulois).* Ceux qui n'avaient pas les moyens de louer une place ou n'avaient pas d'amis habitant le long du trajet durent se débrouiller autrement. «Espérons que notre balcon ne cédera pas sous le poids de nos personnes et de nos invités», écrit à son fils Louis Pasteur, dont la fille avait un appartement bien placé sur l'itinéraire[27]. Ainsi, au matin des obsèques, on put constater qu'«un nombre incalculable de personnes avaient couché dans les Champs-Élysées pour occuper les premières places dans l'avenue centrale, en même temps qu'on se massait sur la place de la Concorde».

«Toutes mesures sont prises pour que les drapeaux que les révolutionnaires tenteraient de déployer soient enlevés», put écrire le préfet de police dans son rapport avant le début des cérémonies. Le gouvernement ne voulait pas prendre le moindre risque, et se prépara au pire. Le Palais-Bourbon, dont les marches servaient de tribunes aux députés et à leurs familles, le palais du

Luxembourg, le palais de l'Élysée et le ministère de l'Intérieur furent placés sous la garde de dragons. Des troupes furent également concentrées en divers points du parcours, prêtes à intervenir; toutes les permissions des soldats de la garnison de Paris furent annulées, et l'impression générale était que «les mesures d'ordre paraissent bien prises» *(L'Univers).* Pour circuler librement le long de l'itinéraire, il fallait être «en uniforme ou en habit de gala», ou porter un des multiples «laissez-passer, carte de circulation ou estampille», les personnes arrêtées sans leurs papiers devenant immédiatement suspectes *(Le Cri du peuple).* L'art moderne de la surveillance des foules fit la preuve de son efficacité à cette occasion. Mais celle-ci n'allait pas sans contrepartie: «On avait si bien limité et rétréci le cadre dans lequel l'émotion devait se contenir, on avait si bien ordonnancé l'enthousiasme qu'on aurait pu craindre de le voir dégénérer en mécontentement» *(Le Cri du peuple).* L'absence d'Allain-Targé et du président était significative à cet égard: si celle de Jules Grévy pouvait s'expliquer par des raisons de protocole, ou par son hostilité au poète national[28], il semble que les deux hommes soient restés dans leurs bureaux par crainte de la foule assemblée – l'un pour mieux la contrôler, l'autre pour l'éviter.

Après-coup, la mobilisation de tout l'appareil d'État contre une poignée de militants peut paraître ridicule alors que, sur le moment, le danger semblait bien réel, et la réputation de la République en aurait été considérablement ternie si les choses avaient mal tourné. En réalité, la procession se déroula sans le moindre «emblème séditieux» et la journée s'acheva sans incident sérieux. Le *Journal officiel* termina son laconique compte rendu des funérailles par une pointe de satisfaction: «Pendant tout le cours de cette imposante cérémonie, l'ordre le plus parfait n'a cessé de régner.» Le soulagement d'Allain-Targé transparaît dans le télégramme aux préfets qu'il envoya sitôt la procession terminée: «Obsèques Victor Hugo ont eu lieu au milieu d'une affluence énorme; attitude population respectueuse et recueillie; aucun incident.» Il n'exagérait pas. À peine dix-sept drapeaux rouges et noirs furent-ils saisis avant même d'avoir pu être déployés, et le seul drapeau rouge que l'on put voir fut celui des «proscrits de 1851» autorisé «à la condition expresse que la hampe serait surmontée d'une cravate tricolore et d'une écharpe de crêpe noir».

La traversée de Paris

C'est à 10 heures 30 du matin que la cérémonie des funérailles fut officiellement ouverte par vingt et une salves tirées de l'hôtel des Invalides – autre lieu rappelant la mémoire de Napoléon. Les tirs se poursuivirent tout au long de la cérémonie, à raison d'un toutes les demi-heures, pour rendre au poète les honneurs militaires, mais aussi, peut-être, pour rappeler à ceux qui seraient tentés de l'oublier que l'armée était sur ses gardes. Après les salves vint le tour des mots. Il y eut en tout et pour tout dix-neuf orateurs, et alors que les représentants de l'État, du département et de la ville prirent la parole au début de la procession à l'Arc de Triomphe, c'est au Panthéon que les représentants des organisations artistiques et étrangères ou les dignitaires de moindre importance prononcèrent leurs éloges funèbres. « Ce n'est pas à des funérailles que nous assistons, c'est à un sacre », assura Émile Augier ; « c'est une apothéose », renchérit Floquet. « Aucunes funérailles n'ont été plus magnifiques, plus importantes, plus triomphales », entendit-on au Panthéon. On exalta les qualités littéraires et républicaines d'un homme qui était « bien au-dessus de nos passions et de nos disputes » (René Goblet). Ainsi Hugo fut-il transformé en symbole national, en figure incarnatrice de la gloire française après l'humiliation militaire de 1870. « Le monde entier honore Victor Hugo, proclama fièrement R. Goblet au début de son discours, mais c'est à la France qu'il appartient. Quel que soit le caractère universel de son génie, il est nôtre d'abord. Il vient de nous, de nos traditions, de notre race [...] la France justement orgueilleuse le revendique ; elle se glorifie en lui et s'illustre elle-même en lui faisant aujourd'hui ces funérailles nationales. » Jules Claretie exprima le même sentiment en affirmant : « Ce qui assure encore à notre pays la suprématie dans le monde, c'est la littérature et l'art, c'est le roman, c'est l'histoire[29]. »

L'immense procession s'ébranla à 11 heures 30 de l'Arc de Triomphe pour se terminer à 19 heures au Panthéon – la dernière unité de la garde républicaine fermant la marche. Le parcours fut rythmé par plusieurs spectacles mémorables : la sculpture allégorique géante d'Hector Lemaire représentant *L'Immortalité* placée devant le palais de l'Industrie ; la foule envahissant le boulevard Saint-Germain et en modifiant la physionomie le temps d'une journée ; la grande statue de Hugo assis placée à l'entrée de la rue Soufflot, comme s'il contemplait le Panthéon revêtu, pour la circonstance, de longs draps noirs suspendus au-dessus d'un second catafalque destiné à recréer la sombre atmosphère de l'Arc de Triomphe.

La présence de l'armée, la « grande muette », réussit presque à détourner l'attention du « corbillard des pauvres ». Tout au long du parcours, ses commandants et ses unités furent applaudis et accueillis par des acclamations enthousiastes. « C'était le peuple de Paris acclamant cette autre partie du peuple qui sert la France sous les drapeaux », affirma *La République Française* en expliquant : « Le service militaire pour tous et les progrès de la liberté générale ont fait cette union qui est le fondement le plus solide de la République et de la France. » Mais peut-être était-ce aussi parce que, comme le prétendait Péguy, le peuple demande toujours « aux militaires des parades comme ils peuvent seuls en fournir ». En réalité, ces deux explications ne sont pas exclusives. L'« Arche sainte » est alors la dépositaire des valeurs les plus sacrées de, pratiquement, toutes les couches de la société française qui s'unissent dans l'espoir de revanche – surtout après la création d'une armée authentiquement nationale incarnant les sentiments patriotiques auxquels les défilés du 14-Juillet donnèrent l'occasion de se manifester ouvertement[30]. Un jour viendrait où la gloire de la France ne serait plus seulement d'ordre artistique.

Les discours terminés, la cérémonie se poursuivit à l'intérieur du Panthéon sans qu'il fût possible de lui conserver un caractère intime. Avec le cercueil, la famille et les amis, entra dans le monument une foule de députés, de sénateurs et d'autres personnalités qui ne voulaient pas manquer ce moment privilégié. Le cercueil fut descendu dans les caveaux du monument où il resta dans une position que décrivit quatorze ans plus tard Georges Rodenbach : « Il est toujours dans une situation provisoire ; il s'attarde sur des tréteaux [...] Et, tout autour, les anciennes couronnes, les fleurs, les bouquets, tout fripés, recroquevillés, séchés, déteints ; rubans pâlis, inscriptions aux lettres en allées, lyres de cartons qui s'émiettent, spectres des roses, cadavres de fleurs qui aussi se décomposent. »

Mais la cérémonie du Panthéon ne mit pas fin aux « festivités ». « Le pèlerinage continue », constatait *Le Rappel* dans son édition du 4 juin. « Il n'a fait que de se déplacer. Le Panthéon a succédé à l'Arc de Triomphe [...] Plus de vingt mille personnes se sont rendues au Panthéon, dont les grilles étaient fermées [...] Une grande animation règne dans tout le quartier. En descendant la rue Soufflot, la foule fait halte devant la statue de Victor Hugo élevée en avant du bassin du boulevard Saint-Michel, et se découvre. Les brochures, photographies, médailles, dessins, bijoux consacrés à Victor Hugo se vendent par milliers. On s'arrache comme des reliques tout ce qui porte le nom du grand mort. »

Le commentaire d'escorte

Plusieurs jours après la cérémonie, les funérailles faisaient toujours la une des journaux qui ne se lassaient point d'en faire le récit et essayaient d'en dégager la signification. Nul ne contesta que les funérailles pacifiques eussent atteint des dimensions sans précédent, et tout le monde reprit à son compte le sentiment qu'exprima André Bellesort : « Je n'ai jamais été le témoin de funérailles d'où l'idée de la mort fût aussi absente. » Mais, pour le reste, les points de vue étaient partagés, car les funérailles n'avaient pas évacué l'idée du sacré, elles n'avaient fait que la déplacer. Des obsèques sans Dieu, prétendaient les catholiques, ne pouvaient être une célébration digne de la mort, et ce que firent les Républicains est pis encore : il leur a manqué « le respect de la mort et du mort. Victor Hugo était le clou auquel chacun avait attaché son plaisir ou son gain ». Ce fut un véritable sacrilège : « Défilé sans âme, cohue sans esprit, mise en scène vulgaire et décoration d'un paganisme inintelligent » – infamie dont *La Croix* exposa une fois de plus les origines : « La courtisane, la déesse raison a été remplacée par un cadavre » autour duquel la population, ravie, vint « applaudir et danser ». Alors que *La Croix* termina sur un ton militant en lançant « Brisons les idoles ! », *L'Univers* se montra plus assuré de l'inévitable fiasco du culte des Grands Hommes : « Un Panthéon sans prières ce n'est qu'un musée. Quand les curieux auront cessé d'y venir, le dieu Hugo restera sans emploi. » Sans nier que les funérailles n'ont pas dégénéré en « journée révolutionnaire », l'opposition de droite prétendit qu'il aurait mieux valu « lutter contre une émeute ouverte [...] que de se laisser gagner par l'infiltration révolutionnaire ». Et *Le Gaulois* de conclure : « Voilà justement où nous en sommes. »

De l'autre côté de la scène politique, Paul Lafargue condamna les obsèques en des termes assez proches de ceux des catholiques. Les funérailles, assura-t-il, « ont été dignes du mort qu'on panthéonisait et dignes de la classe qui escortait le cadavre ». Les aspects commerciaux y ont prédominé, et « la multitude immense n'avait ni regrets pour le mort, ni souvenirs pour l'écrivain », mais manifesta « sa satisfaction du temps et du spectacle ». D'autres voix de l'extrême gauche furent beaucoup moins critiques. Ainsi *Le Cri du peuple* écrivait-il fièrement : « Cette foule en blouse, en casquette, en bourgeron, en pantalon de travail, c'était bien le vrai peuple de Paris qui venait décerner son sublime hommage au grand poète. » Au-delà de cette affirmation de la conscience de classe, l'extrême gauche n'en partageait pas moins avec les républicains la conviction que les funérailles n'étaient pas, et n'auraient pas dû être, autre chose qu'une fête : « La foule que traversera son cercueil n'a pas à déchirer ses vêtements en signe de deuil : c'est moins l'affliction qu'une secrète joie qu'on lira sur tous les visages : la joie d'une nation libre de ses destinées rendant au génie le culte que jadis on rendait au despotisme » *(La Bataille)*.

Ces « funérailles triomphales » ne furent pas seulement un témoignage de la popularité de Hugo : elles montrèrent aussi aux républicains dans quelle mesure le peuple était prêt à participer à des festivités républicaines, et plus particulièrement au culte des Grands Hommes. « Maintenant, la République dispose pour ses fêtes d'un public d'un million de spectateurs, à peu près le chiffre de pèlerins que les fêtes catholiques de Rome y attiraient au XVe siècle », aurait déclaré d'un air triomphant Eugène Spuller, le collaborateur de Gambetta, après les obsèques[31]. *La République Française*, quant à elle, annonça que ces funérailles marquaient le début d'une ère nouvelle: «On sentait dans cette foule le profond sentiment d'un avenir nouveau avec un nouvel idéal. Les philosophes qui voudront y réfléchir se demanderont pourquoi cet empressement solennel à des obsèques qui n'ont plus de religieux que le pieux honneur rendu aux hommes qui ont le mieux servi la patrie, qui ont le plus illustré l'humanité. Un grand changement est en train de s'opérer dans la conscience populaire; que les prêtres des vieux cultes y regardent de près!» Eugène Spuller ne fut pas le seul à rapprocher le culte de Hugo du catholicisme. Le discours républicain du culte des Grands Hommes s'est nourri de notions chrétiennes aidant à exprimer les sentiments de révérence que le peuple était censé éprouver devant une mort glorieuse. Dans son éloge funèbre, Jules Claretie parla de Hugo comme d'un «apôtre»; pour *Gil Blas*, sa tombe devint un «autel»; et *Le Télégraphe* compara ses funérailles à une «ascension» dans un paragraphe qui, paradoxalement, assurait que la cérémonie était la preuve que la République était capable de glorifier ses héros sans l'aide de l'Église: «Cette incomparable manifestation républicaine a été une apothéose philosophique. Les cultes répudiés étaient absents! Les prêtres étaient bannis! Entre ce cadavre et le mystère de la création, point d'intermédiaire religieux. Face à face le mort immortel et l'insondable infini!» Un tel langage métamorphosa Hugo en un personnage christique dont la mort ne devait pas être considérée comme un échec humain, mais plutôt comme un triomphe accomplissant la rédemption tant attendue, l'unification de la Nation. Le sacrifice du héros réalisait l'unité du Peuple, comme la tribu célébrant sa communauté à la mort du bouc émissaire[32]. «C'était la France tout entière, Parisiens et délégués de tous nos départements, c'était bien la patrie personnifiée par cette procession laïque qui suivait à travers Paris la dépouille mortelle de l'immortel auteur des *Châtiments* et de *La Légende des Siècles* [...] Pour qui voyait se dérouler ce cortège grandiose aux accords de l'air national, il n'y avait plus ni classes sociales ni écoles politiques; les divergences s'effacent à certaines heures» *(La République Française).* Aux yeux de certains républicains, cet état de béatitude était comparable à celui qui régnait à la fête de la Fédération de 1790 – symbole de l'unité du pays et début d'une ère nouvelle. Ainsi, les funérailles de Hugo furent-elles mises dans une perspective historique qui avait le double mérite de les présenter comme le début d'un nouvel ordre républicain et de les inscrire dans le fil de la vieille tradition républicaine modérée. Rejetant le poids de la religion établie, assurait *Gil Blas*, le peuple était à la recherche d'un nouveau culte et de nouvelles croyances: «Il a commencé à les trouver à la fête impersonnelle du 14 juillet, puis aux obsèques de Gambetta. Mais l'une et l'autre cérémonie sont et ont été de caractère purement politique. Le culte de Victor Hugo, au contraire, est largement compréhensif.»

Modernité de l'événement

Les funérailles de Hugo créèrent ainsi un espace mythique dans lequel les tensions politiques paraissaient suspendues. Évoquant l'événement et sa nouveauté, Léon Daudet s'attacha à démasquer cette «mystique» républicaine en affirmant que «l'exploitation politique des cadavres est une tradition républicaine». Et dans un chapitre des *Déracinés* intitulé, sans la moindre intention sarcastique, «La vertu sociale d'un cadavre», Barrès a montré que d'autres notions pouvaient aussi investir cet espace sacré: «Les flots, par remous immenses, depuis la place de la Concorde, venaient battre sur les chevaux épouvantés, jusqu'à deux cents mètres du catafalque, et déliraient d'admiration d'avoir fait un Dieu.» C'est une scène qui joue un rôle déterminant dans la conversion du principal personnage du roman à la doctrine barressienne ultra-nationaliste et antirépublicaine de «la terre et [des] morts». François Sturel est l'un des sept «déracinés» qui ont quitté leur Lorraine natale pour venir se faire un nom à Paris. Alors qu'il se demande s'il doit ou non dénoncer à la police deux de ses camarades meurtriers d'une jolie Arménienne, cette nuit place de l'Étoile lui fait découvrir les liens profonds qui unissent tous les Français rassemblés dans une même admiration du poète, et il prend la résolution de ne pas trahir ses compatriotes. Si méprisable que fût leur conduite, ils appartiennent à la France éternelle, à laquelle l'Arménienne était étrangère, et sa mort ne devrait pas le conduire à affaiblir cette «sève nationale». Le lendemain, la cérémonie des funérailles confirme Sturel dans sa nouvelle foi: «À marcher tout le jour avec la France organisée, avec les pouvoirs élus, avec les gloires consacrées, avec les corporations, il a distingué la grande source dont sa vie n'est qu'un petit flot.» Ces obsèques dans lesquelles *L'Intransigeant* vit une manifestation cosmopolite contribuant à «resserrer l'alliance des peuples», Barrès s'en servit pour démontrer qu'une telle alliance était impossible en raison de la singularité de chaque nation. Le paradoxe d'une cérémonie républicaine qui amène le héros de Barrès à adhérer à une doctrine antirépublicaine montre assez que les paroles prononcées par les orateurs officiels sont loin d'épuiser toute la signification de la fête nationale. De telles manifestations ne sont jamais unidimensionnelles. Il arrive parfois que la forme – les flambeaux dans la nuit, les casques des soldats, le murmure de la foule – prenne plus d'importance que la teneur des discours. Paul Déroulède, le chef de la Ligue des patriotes qui avait voulu qu'on exclût du cortège une délégation de socialistes allemands, participa à la procession à la tête d'une forte délégation de son mouvement. «Notre Nation, écrivit-il ensuite dans son journal, *Le Drapeau*, était hier une vraie nation, s'aimant elle-même, s'enorgueillissant de soi, se préférant à toute autre, comme doit faire toute association humaine qui veut ne pas périr.» Pour lui, comme pour Barrès, c'était un signe encourageant: la Patrie, unie autour du cercueil du poète, avec la participation active de l'armée, était prête pour la revanche. La reconquête des territoires perdus d'où s'étaient exilés les déracinés de Barrès n'était plus qu'une question de temps. On aurait dû refermer sur Hugo les portes du Panthéon, affirma le journal nationaliste *La Ligue*, et ne les rouvrir que pour celui qui aurait su «rendre à ce peuple, en échange de l'immortalité qu'il lui demandera, les provinces perdues dont nous avons salué hier les bannières, les larmes aux yeux, l'espérance au cœur». C'était la tâche qu'on allait bientôt assigner au général Boulanger dont l'élégante silhouette se profilait déjà sur l'horizon politique[33].

Quelles que soient les interprétations contradictoires des funérailles, le véritable héros qui ressort de ces descriptions, ce n'est pas Victor Hugo, mais la foule[34]. Ce nouveau phénomène de la ville moderne que Baudelaire, selon l'analyse de Walter Benjamin[35], comparait à «un réservoir d'énergie électrique» a retenu l'attention de la plupart des commentateurs, fascinés par ses dimensions et par son comportement – deux notions qui, dans l'esprit des contemporains, étaient incompatibles. Quel fut le nombre de participants aux funérailles? De un à deux millions de personnes, suivant les estimations, parmi lesquelles maints provinciaux et étrangers qui emplirent les trains à destination de Paris et occupèrent toutes les chambres d'hôtel de la capitale. En admettant même que l'estimation la plus basse soit plus proche de la réalité, on n'en comprend pas moins l'étonnement des observateurs devant la «grandeur inouïe» de la foule si l'on songe qu'elle représentait à peu près le tiers de la population parisienne[36]. Mais ce qui surprit le plus et démentit les idées que l'on se faisait du comportement des foules, «c'est qu'avec cette foule innombrable il n'y a pas eu le moindre désordre». Le calme fut si impressionnant que *Le Rappel* put comparer le passage du cercueil au milieu des «flots de l'océan humain» au miracle de la traversée de la mer Rouge par Moïse et son peuple. Dans *Masse et puissance*, Elias Canetti décrit ce type de foule comme «la masse ouverte [...] qui s'abandonne librement à sa tendance naturelle à s'accroître», et qu'il tient pour un fruit de la croissance démographique de la ville moderne. Mais il y voit aussi le signe d'un phénomène atemporel: l'essor d'un nouveau culte qui se rebelle contre l'ancien, confiné dans un espace clos – espace qui limite toujours le nombre de participants à une cérémonie, et crée un sentiment d'exclusion. Les fêtes de la Révolution témoignent d'une préférence générale pour les espaces ouverts, au grand air, pour faire contraste avec l'intérieur de l'église ou l'espace limité du parvis[37]. Les funérailles de Hugo s'inscrivent dans la même tendance puisque, à aucun moment, elles ne se déroulèrent dans une enceinte fermée. Marcher derrière le corbillard ne fut pas le privilège de la seule famille et des corps constitués, mais celui d'une foule de trois cent à huit cent mille personnes. Bien que les autorités eussent contrôlé l'identité des délégations et les insignes qu'elles portaient, la masse qui défila n'était pas

Le cortège funèbre de Victor Hugo traverse Paris.
Les Funérailles de Victor Hugo, 1er juin 1885.
Aspect de la place Saint-Germain-des-Prés, dessin de Quesnay de Beaurepaire.

fondamentalement différente de celle qui l'observa. Comme le dit Péguy à une autre occasion, «c'était surtout lui, le peuple, qui passait et défilait, que l'on regardait passer et défiler, qui lui-même se regardait passer et défiler[38]». C'est de là que vint la dimension égalitaire des funérailles qui n'a point échappé aux yeux des observateurs. Ainsi de Vogüé fut-il attiré par le phénomène des individus isolés qui se transforment en masse au cours de la cérémonie, et pensa qu'ils formaient «un cerveau collectif, et dans ce cerveau une pensée claire; chacun d'eux la voit mal, tous ensemble la voient bien[39]». Cette entité collective célèbre «à la fois la souveraineté du génie humain et sa propre souveraineté», deux éléments apparemment contradictoires qui représentent néanmoins une nouvelle force démocratique qui ne reconnaît d'autre maître qu'elle-même. La comparant à la force militaire et hiérarchique déployée à l'occasion des funérailles de Guillaume Ier, Vogüé déclare, non sans crainte, préférer la première «puisqu'elle contient l'idéal vers lequel l'humanité gravite», c'est-à-dire la liberté. Mais, à défaut de «frein au ciel» elle risque de devenir excessivement dangereuse, tant pour elle-même que pour les autres. Frédéric Nietzsche, qui séjournait à cette époque à Nice, se montra bien plus catégorique dans son jugement: rempli d'horreur au spectacle des masses médiocres qui envahissaient l'Europe, il condamna «la France, déchue dans la bêtise et la vulgarité [...] aux obsèques de Victor Hugo elle s'est livrée à une véritable orgie de mauvais goût et de béate satisfaction de soi[40]».

Depuis lors, à intervalles réguliers, l'État et la Ville de Paris ont célébré les anniversaires naissance et mort de Victor Hugo. En 1902, alors que l'on entendait encore les échos de l'Affaire Dreyfus, les pouvoirs publics organisèrent une imposante cérémonie fermée au Panthéon avec la participation de tous les grands corps de l'État pour célébrer par des discours, de la musique et des déclamations de poèmes de Hugo la mémoire du poète qui «a défendu l'idéal républicain fait de justice et de bonté» (G. Leygues). Le conseil municipal estima nécessaire d'organiser une cérémonie plus populaire, en plein air, à la place des Vosges où la Maison de Victor-Hugo devait être ouverte un an plus tard. L'apothéose en fut le couronnement d'une statue du «Maître» par la Muse du peuple sous la direction de Gustave Charpentier – le compositeur qui, quatre ans auparavant, avait créé le même spectacle pour l'anniversaire de Michelet. Après 1902, vinrent les commémorations de 1935, puis celle de 1952 à l'occasion de laquelle Louis Aragon revint sur l'appréciation marxiste de Hugo[41]. C'était l'époque de la guerre froide, et Aragon choisit de mettre en relief les aspects internationalistes de la pensée du poète – ceux qui représentaient «la chance de la paix». Au lendemain de la mort de Hugo, Ernest Renan demandait: «Que se passera-t-il en 1985, quand le centenaire de M. Victor Hugo sera célébré à son tour?» La question reste ouverte.

Annexe

Liste des funérailles d'État sous la IIIe République

Cette liste regroupe les funérailles nationales (f. n.) et les funérailles aux frais de l'État, les transferts au Panthéon ou aux Invalides. On ne les a recensées qu'à partir du triomphe définitif de la République, après les élections d'octobre 1877 et la fin de l'Ordre moral.

1878	Claude Bernard
	colonel Denfert-Rochereau
1880	Adolphe Crémieux
	général Aymard
1881	général Clinchant
1882	Louis Blanc
1883	Léon Gambetta (f. n.)
	général Chanzy
	Henri Martin
1885	Victor Hugo (f. n., Panthéon)
	amiral Courbet
1887	Paul Bert
1889	vice-amiral Jaurès
	Eugène Chevreul
	Baudin, Marceau, Lazare Carnot, La Tour d'Auvergne (Panthéon)
	général Faidherbe
1891	Jules Grévy
1892	Ernest Renan
1893	Jules Ferry
	maréchal Mac-Mahon (Invalides)
	Charles Gounod
1894	Sadi Carnot (f. n., Panthéon)
	Auguste Burdeau
1895	maréchal Canrobert (Invalides)
	Albert Martin
	Louis Pasteur (f. n.)
1896	Jules Simon
1897	Armand Rousseau
1899	Félix Faure (f. n.)
1902	Noël Ballay
	général Arnoux (Invalides)
1904	le cœur de La Tour d'Auvergne (Invalides)
1905	Pierre Savorgnan de Brazza
1907	Marcelin Berthelot et Mme Berthelot (f. n., Panthéon)
1908	Émile Zola (Panthéon)
	Jean Guyot-Dessaigne
1911	général Brun
	général Berteaux
1912	Henri Brisson
1913	Alfred Picart
1914	général Picquart
1915	Rouget de Lisle (Invalides)
1916	général Gallieni
1920	soldat inconnu (Arc de Triomphe), le cœur de Gambetta (Panthéon)
1921	Camille Saint-Saëns

1922	Paul Deschanel
1923	Théophile Delcassé
	maréchal Maunoury (Invalides)
	Pierre Loti
	Charles de Freycinet
	Maurice Barrès
1924	Anatole France
	Gabriel Fauré
	Jean Jaurès (Panthéon)
1925	Clément Ader
	René Viviani
	Léon Bourgeois
	Jules Méline
1928	maréchal Fayolle (f. n., Invalides)
1929	général Sarrail (Invalides)
	maréchal Foch (f. n., Invalides)
1931	maréchal Joffre (f. n.)
	maréchaux, généraux et amiraux ayant commandé en chef pendant la guerre de 1914 (Invalides)
1932	André Maginot (f. n.)
	Aristide Briand (f. n.)
	Paul Doumer (f. n.)
1933	Georges Leygues (f. n.)
	Paul Painlevé (f. n., Panthéon)
	Émile Roux (f. n.)
1934	général Dubail
	Pierre Pasquier et ses compagnons
	maréchal Lyautey (f. n., Invalides en 1961)
	Louis Barthou (f. n.)
	Raymond Poincaré (f. n.)
1935	Édouard Renard et ses compagnons
	Philippe Marcombes
1936	Jean Charcot et l'équipage du *Pourquoi-Pas?*
1937	Gaston Doumergue (f. n.)
1938	Victimes de l'accident de Villejuif (explosion de munitions)
1940	Édouard Branly

NOTES

J'exprime tous mes remerciements à Maurice Agulhon, Christian Amalvi, Lynn Hunt, Pascal Ory et Mona Ozouf pour leurs avis et encouragements au cours de ma recherche.
Ma reconnaissance s'adresse particulièrement à Pierre Nora, pour l'aide qu'il m'a apportée dans la préparation, la présentation et la rédaction de cet article, originellement écrit en anglais.

1. Charles Péguy, *Œuvres en prose*, Paris, Bibl. de la Pléiade, t. I, p. 821.

2. *Cf.* Pierre Nora, «Le retour de l'événement», *in* Jacques Le Goff et Pierre Nora, éd., *Faire de l'histoire*, Paris, Gallimard, 1973, t. I, pp. 210-228.

3. *Cf.* Michelle Perrot, *Les Ouvriers en grève*, Paris, t. II, p. 558.

4. A. Delapierre et A.-P. Delamarche, *Cours supérieur. Exercices de mémoire*, Paris, Picard et Kaan, 1882, p. 49.

5. Cet « Hymne » apparaît souvent sous le titre plus explicite : « Aux martyrs de la patrie » (exemple : Charles Labaigne, *Le Livre de l'école, choix de lectures*, cours moyen, Paris, Belin, 1885, p. 136), ou « Morts pour la patrie » (exemple : E. Cuissart, *Premier Degré de lecture courante*, Paris, Picard et Kaan, 1882, p. 32), suivi de cette maxime, « Il faut vivre et mourir pour la patrie ».

6. Gabriel Compayré et A. Delplan, *Lectures morales et civiques*, Paris, Delaplane, 1883, p. 163.

7. Incident rapporté par Joanna Richardson, *Victor Hugo*, Londres, Weidenfeld et Nicolson, 1976, p. 216.

8. Raffaëli, *Fête des quatre-vingts ans de Victor Hugo, avenue d'Eylau*, à la Maison de Victor Hugo.

9. Jules Gritti, « Un récit de presse : *Les derniers jours d'un Grand Homme* », *Communication*, 8, 1966, p. 96.

10. *Cf.* Mario Praz, *La Chair, la mort et le diable dans la littérature romantique du XIXe siècle*, Paris, Denoël, 1977, chap. I.

11. Philippe Ariès, *L'Homme devant la mort*, Paris, Éd. du Seuil, 1977, et Michel Vovelle, *La Mort et l'Occident, de 1300 à nos jours*, Paris, Gallimard, 1983.

12. Le testament figure notamment dans les *Œuvres complètes, Actes et paroles*, Paris, Ollendorf, 1940, t. III.

13. *Cf.* Gérard Jacquement, « Edmond Lepelletier et la libre pensée à Paris au début de la IIIe République », *in Libre Pensée et religion laïque en France*, Journées d'études de Paris XII, 1979, Strasbourg, Cerdic, 1980, pp. 104-125, ainsi que Jacqueline Lalouette, « Les enterrements civils dans les premières décennies de la IIIe République », *Ethnologie française*, t. XIII, 1983, 2.

14. Le discours de Hugo pour le centenaire de la mort de Voltaire est reproduit dans les *Œuvres complètes, Actes et paroles*, Paris, Ollendorf, t. XIX, pp. 177-181, et analysé par G. Benrekassa *et al.*, « Le premier centenaire de la mort de Voltaire et Rousseau : signification d'une commémoration », *Revue d'histoire littéraire de la France*, mars-juin, 1979, p. 282.

15. Plusieurs organisations, comme le Syndicat de la presse parisienne et la Société des gens de lettres, décidèrent aussitôt la construction d'un monument Hugo. Un groupe d'artistes, le 29 juin, constitua un comité d'exécution pour mettre sur pied une souscription nationale. Sur les monuments républicains, *cf.* l'article de M. Agulhon, « Esquisse pour une archéologie de la République », *Annales E.S.C.*, janvier-février 1973.

16. Pour une analyse de la situation politique et électorale, cf. Jean-Marie Mayeur, *Les Débuts de la IIIe République, 1871-1898*, Paris, Éd. du Seuil, *Nouvelle Histoire de la France contemporaine*, t. X, p. 162, et O. Rudelle, *La République absolue*, Paris, Publications de la Sorbonne, 1982, chap. VI.

17. Charles Péguy, *Œuvres en prose, op. cit.*, t. II, p. 304. Cf. aussi Maurice Descotes, *La Légende de Napoléon et les écrivains français du XIXe siècle*, Paris, Minard, 1967.

18. *Cf.* pour toutes les citations parlementaires, *Journal officiel, Débats parlementaires*, mai-juin 1885.

19. L'enterrement de Cournet devait avoir lieu en principe au cimetière de Saint-Ouen, où sa famille avait acheté un caveau, mais il fut finalement décidé qu'on l'enterrerait dans un lieu plus central et plus accessible. Les rapports de police remarquent que les manifestants pensaient « que l'autorité témoignerait pour le cercueil de Cournet un respect qui s'étendrait jusqu'à rendre inviolable également la foule qui le suivrait, quels qu'en fussent l'attitude et les emblèmes révolutionnaires dont l'exhibition avait été interdite la veille ». Pendant les funérailles, les drapeaux rouges et noirs suivirent « immédiatement le cercueil, de manière à être en quelque sorte protégés par lui ».

20. L'atermoiement provisoire devint permanent. En 1903, le gouvernement rejetait une proposition de loi qui demandait «la suppression de la croix qui domine le Panthéon», pour raisons d'économies. *Journal officiel, débats parlementaires*, Chambre des députés, 29 novembre 1903, p. 3005. La croix est donc toujours sur le Panthéon!

21. L'embaumement, semble-t-il, ne fut pas une réussite. Au dernier moment, on décida d'exposer Hugo dans un cercueil clos, au grand désappointement de la foule. Pour les catholiques, c'était le signe indubitable que Dieu avait détourné la Face de Hugo *(La Croix)*. Puisque le corps était caché, ce furent ses initiales qui le représentèrent, comme le voulait la tradition dans l'aristocratie et la haute bourgeoisie. Présence obsédante sur le catafalque, la décoration de la place de l'Étoile, le corbillard, les draps du Panthéon. Au point qu'Auguste Vacquerie, au retour des funérailles, eut ce mot: «Les tours de Notre-Dame était l'H de son nom» (cité par Jules Claretie, *op. cit.*, p. 244).

22. En fait, c'est la maison dans laquelle Hugo avait vécu place des Vosges, de 1832 à 1848, achetée par la Ville de Paris en 1873, qui devint musée Victor-Hugo en 1903.

23. Dans un premier temps, la commission envisagea la construction d'immenses statues allégoriques qu'on aurait promenées sur des chariots, dans la tradition des funérailles révolutionnaires, idée abandonnée faute de temps (*Procès-verbaux des séances de la commission des funérailles de Victor Hugo*, Archives nationales, F1C1-187b).

24. On reprocha à Charles Garnier d'avoir ajouté au catafalque des symboles maçonniques, comme le soleil, une étoile et des feuilles d'acacia *(L'Univers)*. L'existence de pareils symboles n'a rien d'étonnant, ou du moins leur interprétation. Deux membres du gouvernement, son chef et le ministre de l'Intérieur, étaient francs-maçons, ainsi que certains membres de la commission des funérailles, comme Auguste Vacquerie. Le ministre de l'Instruction publique passait pour sympathisant. Il y eut, en outre, une forte présence de loges maçonniques à la procession, et un discours d'un représentant de la franc-maçonnerie italienne au Panthéon.

25. Les effets pédagogiques des funérailles de Hugo ne se limitèrent pas aux enfants des écoles. Le *Manuel général de l'instruction primaire*, dès cette année 1885, suggéra aux instituteurs d'en faire un sujet de composition sous la forme de lettres échangées entre un élève de Paris et son ami de province (t. VIII, n° 23, 6 juin 1885).

26. La répartition exacte était la suivante: 185 (15,8 %) délégations des municipalités et communes, 161 (13,7 %) sociétés artistiques musicales et chorales, 141 (12 %) chambres syndicales, corporations et sociétés ouvrières, 128 (10,9 %) sociétés (socialiste, républicaine-radicale, démocratique) et cercles politiques, 122 (10,4 %) écoles et sociétés d'instruction, 107 (9,1 %) sociétés de tir et de gymnastique, 76 (6,5 %) délégations étrangères, 72 (6,1 %) sociétés de prévoyance et de secours mutuels, 61 (5,2 %) sociétés de la libre pensée, 46 (3,9 %) sociétés militaires et patriotiques, 40 (3,4 %) loges maçonniques, 29 (2,4 %) sociétés diverses. Ces chiffres ne représentent cependant pas les proportions des délégations, dont l'ampleur était variable.

27. Louis Pasteur, *Correspondance 1840-1895*, Paris, Flammarion, 1951, t. IV, 1885-1895, p. 20.

28. Lors du quatre-vingt-unième anniversaire de Hugo, Jules Grévy déclarait: «Je n'aime pas Victor Hugo. C'est un des grands corrupteurs du goût français. Il cherche les effets dans les mots, dans les antithèses; point dans les idées.» Cité par Bernard Lavergne, *Les Deux Présidences de Jules Grévy*, Paris, Fischbacher, 1966, p. 134.

29. Tous les discours sont reproduits dans le *Journal officiel*, 2 et 5 juin, pp. 2810-2818 et 2859.

30. *Cf.* Raoul Girardet, *La Société militaire dans la France contemporaine*, Paris, Plon, 1952, et *Le Nationalisme français, 1870-1914*, Paris, A. Colin, collection U, 1966, rééd., Paris, Éd. du Seuil, 1983.

31. Edmond et Jules de Goncourt, *Journal*, 1879-1890, Paris, Fasquelle-Flammarion, 1956, t. III, p. 459.

32. *Cf.* René Girard, *La Violence et le sacré*, Paris, Grasset, coll. «Pluriel», 1982.

33. Le général Boulanger allait être ministre de la Guerre dans le cabinet qui allait sortir des élections d'octobre 1885.
Ce fut en fait le maréchal Foch qui eut droit, en 1929, à l'honneur de la reconnaissance patriotique, son corps exposé à l'Arc de Triomphe et enterré aux Invalides.

34. *Cf.* Susanna Barrows, *Distorting Mirrors, Visions of the Crowd in Late 19th Century France*, New Haven, Yale University Press, 1981, et Serge Moscovici, *L'Âge des foules*, Paris, Fayard, 1981.

35. Walter Benjamin, *Œuvres*, vol. II, *Poésie et révolution*, Paris, Denoël, 1971, p. 251.

36. *Cf.* Louis Chevallier, *La Formation de la population parisienne au XIXe siècle*, Paris, P.U.F., 1950, tableau p. 284.

37. *Cf.* Mona Ozouf, *La Fête révolutionnaire, 1789-1799*, Paris, Gallimard, 1976, chap. VI.

38. Ch. Péguy, *Œuvres en prose*, 1898-1908, *op. cit.*, t. I, p. 815.

39. E.-M. de Vogüé, *Spectacles contemporains*, Paris, A. Colin, 1891, p. 124.

40. Frédéric Nietzsche, *Par-delà le bien et le mal*, Paris, 10-18, 1968, p. 199.

41. Louis Aragon, «Hugo vivant», *Europe*, février-mars 1952, n° 74-75, p. 245.

SOURCES

Cette étude est fondée, pour l'essentiel, sur trois types de sources: la presse, les archives et les souvenirs et Mémoires. Pour ne pas multiplier les références, on les a ici regroupées:

Presse:

Ont été systématiquement dépouillées, pour les mois de mai et juin 1885, les journaux suivants: *La Bataille, Le Cri du peuple, La Croix, Le Figaro, Gil Blas, Le Gaulois, L'Intransigeant, Le Journal des débats, Le Journal officiel, La Justice, La Lanterne, La Radical, Le Rappel, La République Française, Le Temps, L'Univers.*

Archives:

Archives de la préfecture de police: séries Ba 74, Ba 95 et Ba 884.

Bibliothèque de la Maison de Victor Hugo, dossier des funérailles.

Archives nationales: F1C1-187b

Archives de la Seine: VK[3] 84.

Souvenirs et Mémoires:

MARCEL ARLAND
Terre natale, Paris, Gallimard, 1938.

MAURICE BARRÈS
Les Déracinés, Paris, Plon, 1922.

ANDRÉ BELLESSORT
Victor Hugo, Paris, Perrin, 1951.

Jules Claretie
La Vie à Paris. 1885, Paris, Havard, s.d.

Léon Daudet
Souvenirs littéraires, Paris, Grasset, 1968.

Edmond et Jules de Goncourt
Journal, 1879-1890, Paris, Fasquelle-Flammarion, t. III, 1956.

Fernand Gregh
Études sur Victor Hugo, Paris, Charpentier, 1905.

Maurice Halbwachs
La Mémoire collective, Paris, P.U.F., 1950.

Paul Lafargue
La Légende de Victor Hugo, Paris, Jacques, 1902 (réimpression).

Richard Lesclide
Propos de table de Victor Hugo, Paris, Dentu, 1885.

Mme Richard Lesclide
« Le dernier anniversaire et la mort de Victor Hugo », *Les Annales politiques et littéraires*, 25 mai 1935.

Georges Leygues, ministre de l'Instruction publique
« circulaire » citée in *Les Fêtes du Centenaire de Victor Hugo*, Paris, 1902.

Charles Péguy
Œuvres en prose, Paris, Gallimard, Bibl. de la Pléiade, t. I et II, 1957.

Georges Rodenbach
L'Élite, Paris, Charpentier, 1899.

Romain Rolland
« Le Vieux Orphée », *Europe*, février-mars 1952, n° 74-75.

Jules Romains
Amitiés et rencontres, Paris, Flammarion, 1970.

Eugène Melchior de Vogüé
Spectacles contemporains, Paris, A. Colin, 1891.

PASCAL ORY

Le centenaire de la Révolution française

L'histoire voulut que le premier centenaire de 1789 fût fêté en France alors que les hommes qui se réclamaient le plus explicitement de cet héritage étaient au pouvoir. Cette circonstance et l'ébranlement que ne pouvait manquer de provoquer dans l'opinion publique un tel anniversaire offrent à l'historien un exemple particulièrement riche, étendu à une année entière, de cet objet complexe où sa recherche se projette comme un abîme: une commémoration. Il ne s'agira donc pas ici d'analyser le seul Centenaire mais de pratiquer à cette occasion une coupe dans le fonctionnement commémoratif républicain à cette époque, conduit, par les forces conjuguées du calendrier et du pouvoir, à mettre en jeu toutes ses ressources[1].

Supposons connu lc contexte politique. Retenons-en la gravité du défi lancé à ce qui commence à se présenter comme «la tradition républicaine[2]» par la vague boulangiste, précisément à son apogée dans les premiers jours de l'année, avec l'élection partielle de Paris, le 27 janvier. Mais aussi que l'année ouverte sous de tels auspices fut, en fait, celle d'un continu et total ressaisissement de la majorité au pouvoir, attribuable pour l'essentiel à l'efficacité de la «discipline républicaine», de Ferry à Clemenceau, face à l'hétérogénéité de la coalition révisionniste. Le personnel républicain avait déjà montré son aptitude à surmonter sa première crise interne grave en 1887, en élisant à la présidence de la République, à défaut d'un grand homme, un grand nom, doté en lui-même d'une forte charge commémorative[3]. Après le vote du retour au scrutin uninominal, c'est le gouvernement Tirard du 21 février qui préside à la contre-offensive, subtil mélange d'apaisement en direction du centre droit, sous l'égide de l'esprit d'Exposition[4], et d'énergique reprise en main des instruments autoritaires du pouvoir d'État, confiés à l'efficace Constans. On ne perdra donc pas de vue que les moments commémoratifs de cette année sont scandés par une série d'événements ressortissant à la poli-

tique immédiate. Ce n'est pas tout à fait un hasard si la dernière manifestation publique du Centenaire a lieu le 21 septembre, la veille même du premier tour des élections législatives qui verront les républicains l'emporter nettement sur leurs adversaires.
Cette cristallisation politique s'est-elle accompagnée d'une égale cristallisation rétrospective? L'occasion était trop belle pour les camps en présence de récapituler leurs arguments mais il est significatif que la partition ne se soit pas faite ici entre révisionnistes et républicains, les premiers se révélant incapables de se réclamer d'une histoire commune au comte Albert de Mun et à Georges Laguerre. C'est bien entre les deux adversaires traditionnels des années soixante-dix que se dramatise le duel mémorial, et que s'échangent, en parts très inégales d'ailleurs, les trois grands types de moyens commémoratifs: l'historiographique, le monumental et le cérémonial. Sur chacun de ces terrains, la synthèse républicaine, malgré ses nuances, voire ses divisions, surclasse un adversaire nécessairement sur la défensive et à qui l'Exposition du Centenaire porte un coup décisif.

Savoirs

«Il y aura une bibliothèque du Centenaire», prédisait Albert Sorel[5], à la considération des ouvrages de toute espèce suscités par l'anniversaire. Encore se méprenait-il en ne voulant faire passer à la postérité que les essais, oubliant les éditions documentaires et, surtout, l'abondante et multiforme littérature de vulgarisation. Et sur ce plan il est clair que les gros bataillons sont du côté des héritiers de 89.
C'est ici l'apport de l'histoire culturelle, qui tient compte de l'ensemble des formes de l'historiographie, alors qu'en ce domaine l'histoire des idées enseigne que ce dernier quart du siècle est dominé par la relecture hostile d'Hippolyte Taine[6]. Le quatrième tome des *Origines de la France contemporaine* est paru en novembre 1884. Il clôt l'exposé de la Révolution proprement dite. Depuis lors, l'actualité de la critique se précise avec la parution dans la prestigieuse *Revue des deux mondes* du premier volume du *Régime moderne* (février 1887-mai 1890). On sait que la maladie et la mort laisseront inachevé un édifice dont l'usage antirévolutionnaire est déjà bien engagé, comme en témoignent les références des uns (Édouard Goumy, Th. Ferneuil) et des autres (Alphonse Aulard), ainsi que le soutien explicite donné par le vieux maître au congrès (13-20 juin 1889) de la Société d'économie sociale et des Unions fondées par Le Play, longue suite de quarante monographies unanimement défavorables aux «sophismes philosophiques» de 89. Sorel luimême, dont le deuxième tome de *L'Europe et la Révolution Française* est paru

en 1887, et qui succédera à Taine sous la coupole, diffuse déjà une version adoucie de l'interprétation, à l'usage des cénacles académiques. Émile Faguet creuse le même sillon quand il publie l'année du Centenaire son *Dix-Huitième Siècle*, estimé par la critique contre-révolutionnaire comme achevant « l'immense débâcle où croulent les systèmes sociaux de la Révolution et leurs directes ou bâtardes progénitures[7] ». Mais si la force de Taine est dans le systématisme et le scientisme de l'ancien libéral du second Empire, sa faiblesse, vers 1889, gît dans l'ambiguïté même de ces sources intellectuelles au regard du discours historique conservateur, encore très attaché à l'argumentaire royaliste-catholique.

Cet argumentaire a, lui, le soutien d'un réseau historiographique complet. Les facultés catholiques en constituent le foyer universitaire. Celles d'Angers, créées en 1875 par l'évêque député Charles Freppel, et où enseigne René Bazin, naguère éditeur de Burke, sont les plus actives, ou du moins les plus militantes. Mgr Freppel est sans conteste le premier au rendez-vous anniversaire, avec sa *Révolution française*, symboliquement datée du 1er janvier. Les bilans généraux (comte de Chaudordy, Raoul Frary), pas plus que les études érudites (Albert Babeau) ne manquent au rendez-vous, mais les adversaires absolus de la Révolution disposent aussi de structures *ad hoc*. Plus spécialisée que la *Revue des questions historiques* du marquis de Beaucourt, *La Revue de la Révolution* est leur principal organe. Fondée en 1883 par Charles de Ricault, dit d'Héricault, et frappée de la fleur de lis, elle alterne les articles d'érudition et les diatribes d'actualité contre les « sycophantes » du Centenaire ou la tyrannie maçonnique. D'Héricault lui-même, érudit mais aussi vulgarisateur, voire romancier, occupe un de ces lieux de propagande historique essentiels que nous aurons l'occasion de voir fonctionner avec plus d'ampleur chez ses adversaires. De 1887 à 1893 il publie chaque année chez Gaume un *Almanach de la Révolution* au ton populiste et aux anecdotes choisies. Le rayonnement en est pourtant beaucoup moins grand que celui de la Société bibliographique et des publications populaires (1868), du même marquis de Beaucourt, éditrice de la *Bibliothèque à vingt-cinq centimes*, bases de « bibliothèques renouvelables créées en commun avec l'œuvre des campagnes ». Elle seule sera en mesure de créer quelques comités départementaux chargés de contre-célébrer 89, c'est-à-dire de diffuser, ponctuellement, des tracts et des brochures hostiles[8].

L'esprit de symétrie trouverait aisément l'équivalent à ces divers postes dans l'autre camp : universités, société et revue savantes, société et presse de vulgarisation. Mais si le même type de fonction crée le même type d'organe, le rapport des forces est sans commune mesure. Face au seul Taine, les noms de Michelet, Quinet et Henri Martin, largement diffusés, pèsent autrement plus lourd. Douze ans après l'érection de son grand monument au Père-

Lachaise, le premier trône comme l'un des patriarches de la nouvelle République, pendant historique du Victor Hugo panthéonisé de 1885. En 1889, le seul acte historiographique de l'État sera de voter une édition nationale de l'*Histoire de la Révolution française*[9]. Et face à l'histoire philosophique des *Origines* la philosophie historique républicaine dispose d'un pare-feu, local mais prestigieux, avec le groupe comtiste orthodoxe. Dominé par la personnalité de Pierre Laffitte, auteur d'une *Révolution française* (1880) qui inscrit 1789 dans la continuité héroïque des *Grands Types de l'humanité* (1874-1897)[10], il fournit au Centenaire, en la personne du Dr Robinet, dantonien fervent et auteur d'un *Condorcet* (1887), le biographe par excellence du héros central (deux ouvrages en 1889 sur Danton).

Le pivot de la commémoration historiographique est cependant ailleurs. Au départ, vers 1881, il se concentre tout entier dans l'équipe fondatrice de la revue *La Révolution Française* et les sociétés ou comités du Centenaire qu'elle suscite en province. L'ambition initiale mêle, indissolubles, l'avancement de la recherche (articles de fond, éditions de documents) et la vulgarisation (ouverture de musées locaux, diffusion de brochures et estampes à sujet révolutionnaire), le tout dans une perspective idéologique nette. Ce mixte, à l'origine de la riposte de la *Revue de la Révolution*, fera la force puis l'ambiguïté de la Société, qui devra un jour choisir.

La composition du groupe elle-même juxtapose des hommes politiques, pour la plupart de sensibilité radicale[11], et des érudits, étrangers, sauf Aulard, au monde des universités puisqu'il n'existe pas d'enseignement spécialisé. Dans l'entre-deux, des «publicistes», qui tiennent un peu des uns et des autres. Mais tous, missionnaires ou bénédictins, consacrent une large part de leur existence au culte civique. La première catégorie est dominée par le pasteur Auguste Dide, qui devient sénateur du Gard en 1885, et par l'homme de loi Jean-Claude Colfavru[12], élu la même année député de Seine-et-Oise: personnalités représentatives des deux grandes sources spirituelles du républicanisme, le protestantisme libéral (Dide en est, à l'époque, la figure la plus connue) et la franc-maçonnerie[13]. L'archiviste paléographe Étienne Charavay, fils d'un bibliographe célèbre et lui-même premier expert bibliographique de son temps, incarne pour sa part tout un milieu d'érudition «bleue» dans lequel puiseront la Ligue de l'enseignement ou la Ville de Paris pour leurs travaux d'histoire politique. L'avocat Paul Robiquet, le médecin Robinet, les journalistes Sigismond Lacroix ou Charles-Louis Chassin, disciple de Quinet, en sont devenus, par leurs publications répétées, de petites autorités.

Après avoir mis en place un réseau assez ténu de comités locaux[14], la revue devra établir une plus nette séparation entre ses activités. La propagande directe écherra en 1887 à un bimensuel, *La Révolution française, organe des Sociétés du Centenaire de 1789*, et à des «comités de propagande» chargés de

mobiliser l'énergie célébratrice locale, en suscitant, par exemple, l'érection de monuments commémoratifs. Mais le bulletin ne dépassera pas l'automne et les publications populaires se limitent à la réédition, en 1888, des deux textes fondateurs de Sieyès. Les Sociétés elles-mêmes, transformées tendanciellement en sociétés savantes, se fédéreront cette année-là en une association unique ayant pour objectif «de faire prévaloir la méthode scientifique dans les études sur la Révolution française» et, accessoirement, sur «l'histoire de France depuis 1789» (statuts), d'où le sous-titre de «revue d'histoire moderne et contemporaine» donné au mensuel. Ce changement d'orientation traduit l'accession au pouvoir historiographique de celui qui allait faire de la revue et de la «Société d'Histoire de la Révolution Française» sa principauté: Alphonse Aulard.
Cette volonté de pérenniser et de respectabiliser l'interprétation républicaine de l'histoire nationale par l'occupation systématique des lieux de l'historiographie savante inspire les initiatives convergentes de l'État et de la Ville de Paris, visant à poser les bases d'une science historique républicaine dans le style qui s'impose à l'époque: la chaire et le document. Convergence, cependant, de deux dynamismes bien inégaux, et qui partent de bien bas. La gauche républicaine s'entend à dénoncer la timidité de la politique scientifique gouvernementale en ce domaine, qui se limite jusqu'en 1886 à l'institution modeste d'une commission significativement chargée de publier les documents relatifs à l'histoire de l'instruction publique de 1789 à 1808[15]. Tout se précipite en décembre de cette année-là, où, coup sur coup, un arrêté en date du 4 décembre crée auprès de la section des sciences économiques et sociales[16] du Comité des travaux historiques et scientifiques une commission vouée cette fois à l'ensemble des documents inédits relatifs à la Révolution, sous la présidence du très officiel Octave Gréard. Dide ou Charavay en font partie, mais pas Chassin, qui en ressentira une vive amertume d'autodidacte bafoué par les officiels, qu'il n'hésitera pas à rendre publique.
Dans l'immédiat, la commission, avançant à pas de sénateur, ne mettait en chantier que la *Correspondance générale* de Carnot[17], et le *Recueil des Actes du Comité de Salut Public*, confié à Aulard. Le contraste est frappant avec l'activité, presque la fébrilité de la commission symétrique instituée par la Ville de Paris le lendemain même du jour où était connue la composition de la commission Gréard. Grâce au don Liesville (1881), et à l'énergie de Jules Cousin, conservateur d'un musée Carnavalet qui achève à peine de s'installer, la capitale est en passe de posséder un véritable musée de la Révolution parisienne. Il s'agit d'aller plus loin, et de passer de la collection d'objets au signe irrécusable du sérieux scientifique: le catalogue de sources écrites.
Chassin ne dissimule pas l'enjeu politique sous-jacent quand il déclare le 26 janvier 1887 devant la commission municipale: «Le Centenaire national de 1789 ne sera célébré avec une conviction raisonnée et ne servira à l'édu-

cation civique et patriotique des générations nouvelles que s'il est précédé d'une vaste enquête historique – enquête prouvant, par les faits recueillis selon la méthode positive, la légitimité des revendications de nos pères[18].» On retrouve son nom à l'origine de l'ambitieux projet de *Collection de documents relatifs à l'histoire de Paris pendant la Révolution Française*, engagé avec un grand luxe de précautions scientifiques – et politiques[19] – à partir de 1888. Dès la première année, une douzaine de volumes a été mise en chantier, six d'entre eux sont déjà parus l'année du Centenaire[20], auxquels s'ajoute une initiative connexe du Conseil général de la Seine. Abel Hovelacque, linguiste et anthropologue disciple de Broca, l'un des intellectuels organiques du conseil municipal à cette époque et qui fut, avec le publiciste Hector Depasse, biographe de Carnot, à l'origine de la décision parisienne, situe d'emblée cette édition de textes dans une perspective plus vaste, en faisant voter le subventionnement d'un manuel bibliographique de l'histoire de Paris pendant la Révolution, confié à un collaborateur de *La Révolution Française*, Maurice Tourneux, suivi de l'inventaire des manuscrits par l'archiviste Alexandre Tuetey.

On demeure pourtant loin du projet de Chassin, en 1884, d'un catalogue général des sources de la période, et de celui d'Hippolyte Monin, professeur au collège (municipal) Rollin, deux ans plus tard[21], proposant l'établissement, pour le Centenaire, d'un inventaire comparé de l'état de la France en 1789 et en 1889 : données statistiques, «travaux sur l'état de la propriété», etc. Un questionnaire administratif semble avoir été effectivement adressé en ce sens aux préfets, mais on perd sa trace[22].

La même préoccupation conduit quelques conseils généraux à voter l'édition de documents, comme elle fait décider par plusieurs municipalités «avancées» la création de cours municipaux (et non pas de chaires d'État) d'histoire de la Révolution. On connaît celui de Paris, inauguré le 12 mars 1886 par Aulard, jeune professeur de lettres, spécialiste de Leopardi mais aussi journaliste radical, collaborateur de Clemenceau, qui vient de s'ancrer dans l'historiographie par le biais de son étude sur *L'Éloquence parlementaire pendant la Révolution*. Mais on sait moins que l'initiative fut doublée, à Paris même, par la création d'un second cours libre en Sorbonne, confié à Monin, sur «L'état politique, administratif et social des généralités composant le ressort du Parlement de Paris» à la veille de la Révolution, et répercutée en province par les conseils municipaux de Lyon (Émile Bourgeois, 1887) et de Toulouse (Jean-Bernard Passerieu, janvier 1889). Autant de décisions qui n'allaient pas de soi : à Toulouse de vives manifestations étudiantes conduiront même la municipalité à déplacer le cours dans un local communal.

Le travail de popularisation n'est pas pour autant abandonné aux seules initiatives isolées, telle celle d'Augustin Challamel et Désiré Lacroix, éditant en

1889 chez Jouvet *L'Album du Centenaire, grands hommes et grands faits de la Révolution 1789-1804*[23], mais il sera, en fait, assumé pour l'essentiel par l'association qui semble avoir été jusqu'à nos jours la grande institutrice du culte républicain[24] : la Ligue de l'enseignement, définitivement organisée, sous la forme d'une fédération nationale, en 1881 seulement (secrétaire général : Emmanuel Vauchez). Ses initiatives sont d'abord tout à fait parallèles à celles de la *Revue* et même avec un temps de retard, puisque la décision n'est prise qu'en 1884 à Tours, au IIe congrès : cycles de conférences, prêts de livres, impression d'estampes, sociétés du Centenaire... Mais la densité, l'efficacité du réseau, fortifiées par une souscription nationale, sont d'une tout autre envergure[25].

C'est la Ligue qui innove le plus en matière de vulgarisation, grâce aux travaux de sa commission du Centenaire, créée en 1885. Ainsi ne propose-t-elle à ses abonnés pas moins de quatre types de documents destinés à illustrer les exposés sur le sujet. Trois représentent trois niveaux d'intervention gradués : « documents pour conférence », « renseignements pour lectures publiques », « renseignements pour veillées de famille ». Les deux derniers illustrent l'étendue de la littérature de vulgarisation républicaine en cette année où l'école primaire nouvelle achève sa mise en place. Aux côtés de Thiers, Louis Blanc, Michelet, Henri Martin figurent quelques romanciers populaires marqués à gauche (Alfred Assolant, Erckmann-Chatrian), mais le plus gros contingent est fourni par une longue liste de vulgarisateurs militants, dont les noms parfois (Alphonse Esquiros, Camille Pelletan) et les titres des œuvres plus souvent disent l'orientation pédagogique (H. François, *Scènes de la Révolution française*, Édouard Guillon, *Petite Histoire de la Révolution*, Vauchez, *Manuel d'instruction nationale*,...) et téléologique (Léon Barracand, *Un village au* XIIe *et au* XIXe *siècle*, Marc Bonnefoy, *Histoire du bon vieux temps*, Eugène Bonnemère, *Hier et aujourd'hui : les habitants des campagnes*,...). Toujours à la pointe de la modernité, la Ligue propose aussi une série de vues sur verre, accompagnées du mode d'emploi[26].

Édifications

L'imagerie commémorative est, bien entendu, loin de se limiter à des supports aussi restreints, aussi éphémères. Par fonction, elle tend au monumental. L'expression en est encore intermédiaire dans le cas du *Musée historique du Centenaire de la Révolution française* d'Émile Bin (1825-1897), « un ardent patriote, un amoureux passionné de la Révolution Française et des immortels principes qu'elle a proclamés il y a cent ans[27] ». Rien d'un musée, en fait, mais la terminologie est en soi significative d'un propos anoblissant et pérennisateur; plutôt une sorte d'album pédagogique dans l'espace, à la dimension de tableaux réels, puisqu'il s'agit de l'exposition, dans le quartier des Buttes-Chaumont, de vingt toiles de quatre-vingts à cent mètres carrés chacune, sises au fond de «chambres optiques» et résumant l'histoire de la patrie sur l'ensemble du siècle, le tout accompagné d'un catalogue explicatif. À la forme adoptée près, on reste dans le domaine de la propagande républicaine par la vignette illustrée: «La vue des vingt tableaux de M. Émile Bin gravera mieux l'histoire dans la mémoire des visiteurs du Musée historique que nous ne pourrions le faire en écrivant vingt volumes, avec la plume d'un Thiers, d'un Michelet ou d'un Thierry[28].»

Le plus intéressant, pour notre propos, est que Bin, peintre d'histoire et portraitiste, est en même temps maire du XVIIIe arrondissement[29]. En cette fin de siècle républicaine qui vit l'apogée du procédé monumental, le concours, la commande ou l'achat publics, qu'ils viennent de l'État, des collectivités locales ou des associations qui œuvrent dans le même sens qu'eux en flanc-garde, sont les lieux de jonction entre une pratique artistique plus orientée idéologiquement qu'on ne l'a longtemps cru, et d'une pratique politique soucieuse tout à la fois d'illustrer la grandeur du nouveau régime et de former l'esprit public[30].

Outre Henri Gervex, dont le panorama séculaire couronne, on le verra, le travail commémoratif de l'Exposition du Centenaire, la plupart des peintres récompensés en 1889 au Salon ou à l'Expo puisent dans la veine historique ou patriotique: Francis Tattegrain, Paul-Émile Boutigny et surtout, très explicites, Henri Martin, dont *La Fête de la Fédération* (médaille d'or au Salon) est acheté par l'État, et Georges Cain (1856-1919), médaille de bronze pour *Une barricade en 1830*[31]. Le trait est plus net encore en ce qui concerne le monde des sculpteurs. Deux médailles d'or vont respectivement à l'auteur de l'*Étienne Dolet* de la place Maubert, Ernest Guilbert, et à Auguste Pâris, qui présente cette année-là un *1789!* au moment même où il enlève le concours du *Danton* de l'Odéon. Le grand artiste triomphateur de l'année n'est-il pas le plus «engagé» de tous, Jules Dalou, qui reçoit coup sur coup la croix d'officier de la Légion d'honneur et le grand prix de l'Exposition? Certains artistes s'intègrent encore plus au pouvoir. Les deux conseillers municipaux de Paris les plus actifs en la matière, Félix Jobbé-Duval et Léon Delhomme, sont de métier respectivement peintre et sculpteur[32].

Ce milieu sensible aux influences du temps est abondamment mis à contribution par les ambitieux projets immobiliers et décoratifs de l'État, occasion d'allusions idéologiques plus ou moins appuyées. Au Panthéon, le programme décoratif de 1874 est désormais perturbé et, en fait, gauchi par la désaffection de 1885[33]. 1889 voit ainsi l'acceptation par les Beaux-Arts, en septembre[34], du nouveau sujet de Meissonnier, substituant à Sainte-

Geneviève, dans le chœur, une allégorie du *Triomphe pacifique de la France*, écho de la thématique expositionnaire. Il est au diapason du nouveau plan de décoration sculptée de l'édifice, présenté en février par la Direction des beaux-arts à la commission consultative nouvellement créée et que celle-ci acceptera pour l'essentiel[35]: mise en valeur des cénotaphes de Voltaire et Rousseau entourés des statues des philosophes du XVIIIe siècle, symétrie Mirabeau-Hugo, sculptés par Injalbert et Rodin, hommage à Descartes, flanqué de la Raison et de la Méditation, enfin, sommant le tout, monument à la Révolution française, symbolisée par une France entourée de la Liberté, de l'Égalité et de la Fraternité.

La capitale surenchérit. Elle vient d'ouvrir, en 1886, le «musée d'Auteuil» destiné à devenir son musée statuaire. «Il est facile de constater, dit la notice des pavillons parisiens à l'Exposition, que, depuis 1878, les travaux artistiques de la Ville de Paris sont entrés dans une voie tout à fait nouvelle»: primat désormais est donné aux édifices civils. «Il importait d'honorer en les embellissant les monuments qui sont le théâtre des actes de la vie politique et sociale de la nation.» «La décoration généralisée des édifices» est devenue, lit-on dans l'*Inventaire général des œuvres d'art appartenant à la Ville de Paris*, «la préoccupation presque exclusive de la Municipalité[36]». Le souci commémoratif du conseil se trouvera cependant sérieusement limité par les débats esthétiques et politiques, étroitement mêlés, qui retardent jusqu'au 20 décembre 1888 la décision portant sur la décoration intérieure de l'Hôtel de Ville, l'un des plus grands chantiers de l'histoire de la capitale. Elle met fin à cinq années de polémique entre l'État, favorable à une décoration essentiellement allégorique, la majorité du conseil, plus historiquc, et la minorité socialiste, qui opte pour des sujets contemporains. Le choix libéral de la «commission de décoration picturale de l'Hôtel de Ville», après le rejet d'un programme à dominante rétrospective où la Révolution française aurait tenu une grande place, est de ne pas choisir, et de n'imposer à peu près aucun programme. Le résultat, connu dans son principe au cours de l'année 1889, sera net: allégorique, à l'exception du salon Lobau confié à Jean-Paul Laurens et de la salle des commissions du budget, que Detaille décore d'un *1792* tout patriotique. L'exaltation d'une nouvelle histoire sainte, tout entière tendue vers l'ascension sociale et le progrès de l'esprit par le moyen de l'école laïque, gratuite et obligatoire, sera beaucoup plus explicite dans le principal bâtiment public inauguré en 1889, construit à part égal par l'Etat et la Ville: la nouvelle Sorbonne, d'Henri Nénot, ou, plus précisément, les bâtiments administratifs et d'apparat[37].

Rien de tout cela ne pouvait toucher aussi directement la fibre sociale que la statuaire publique, grand instrument pédagogique des «générations futures[38]». L'accusation de «statuomanie», déjà répandue[39], est relevée avec vivacité: «Une nation n'est pas seulement l'ensemble de tous ceux qui vivent sur le sol sacré où reposent les aïeux; elle est une individualité, elle a une âme», lance le député gauche radicale Jacquemont à l'adresse de ces persifleurs, lors de l'inauguration de la statue de Raspail, le 7 juillet; les grands hommes «la personnifient, la représentent à travers les siècles et devant toutes les nations. Il ne saurait donc y avoir d'enseignement plus élevé que celui que donnent à la masse des citoyens les hommages rendus à la mémoire de ceux qui ont illustré leur pays[40]».

C'est ce qu'a bien compris R. Gasne, maître de forges à Tusey, commune de Vaucouleurs (Meuse), spécialiste de la fonte moulée, qui propose par circulaire aux municipalités de les fournir à l'occasion du Centenaire, au meilleur prix, en statues républicaines, à défaut des colonnes commémoratives dont il avait présenté le projet aux pouvoirs publics et qui eussent été, elles, érigées systématiquement dans chaque commune[41]. La Ligue de l'enseignement, toujours active, avait pour sa part envisagé au congrès de Rouen de 1886 de faire mouler en grande quantité une série de bustes de grands hommes; les sociétés correspondantes auraient pu acquérir l'objet pour elles-mêmes, l'offrir à une école, à une commune, organiser autour de lui des fêtes civiques. L'idée n'eut pas de suite.

Malgré ces échecs, l'année 1889 reste sans doute l'une des plus accueillantes à la commémoration statuaire, étant bien entendu que la plupart des initiatives en échappent, originellement, à l'État et même aux collectivités locales. Celui-là comme celles-ci préfèrent prendre le relais d'un comité privé, au sein duquel les hommes politiques côtoient d'emblée les simples particuliers. La municipalité couronne alors le processus célébrateur, en accordant à l'effigie proposée un emplacement public et, le plus souvent, un piédestal[42]. Les cas les plus significatifs à cet égard en 1889 sont ceux des monuments à Étienne Dolet, place Maubert (sculpteur: Guilbert, architecte: Paul Blondel) et F.-V. Raspail, au carrefour Quinet-Raspail (sculpteur: Léopold Morice, architecte: son frère Charles). L'imagerie des piédestaux comme la thématique des discours prononcés par les inaugurateurs en explicitent le sens, conforme dans les deux cas à la sensibilité radicale, structurée autour des sociétés de libre pensée et des loges franc-maçonniques (le Dr Bourneville, successeur de Louis Blanc, et Fernand Rabier, député d'Orléans, pour Dolet, deux représentants du Grand Orient pour Raspail). Mais l'utilisation politique de l'histoire nationale n'est pas moins évidente quand il s'agit, pour la Ville, d'aider à l'érection, le 3 février, de la statue de Jean-Jacques Rousseau (sculpteur: Paul Berthet) devant le Panthéon[43], ou de laisser dresser, le 17 juillet, celle de Gaspard de Coligny (sculpteur: Gustave Crauk, architecte: Sallier de Gisors) dans le jardinet de l'Oratoire, vis-à-vis du Louvre de Charles IX.

Le conseil municipal passe en première ligne dès que la Révolution française est directement concernée. L'année 1888 a été pour lui dominée par l'érection de l'*Étienne Marcel* de Jean Idrac et L.-H. Marqueste. L'année 1889 sera celle du choix entre les trois projets classés hors pair pour le monument à Danton décidé par délibération du 11 novembre 1887. Monument expiatoire à plus d'un titre puisqu'il s'élèvera sur l'emplacement de la maison où Danton fut arrêté – et que la première proposition du conseil, le 7 mars, visait à l'installer aux lieu et place de la chapelle du square Louis-XVI... La complexité de ce dernier dossier explique, avec la conjoncture politique chargée des années 1887 et 1888, le retard mis à l'inauguration d'une statue dont le piédestal, bien que dressé avec elle en 1891, porte la mention «À Danton/la ville de Paris/1889». Des considérations plus techniques sont à l'origine de l'autre semi-inauguration de l'année, celle, le 21 septembre, de la version en plâtre (peint façon bronze) du *Triomphe de la République*, de Dalou, qui attendra encore une décennie l'installation définitive (19 novembre 1899). L'initiative en est due à Jobbé-Duval, séduit par un projet qui, trop ample et signé d'un communard, n'entrait pas dans le cadre du concours de 1879 pour la place de la République. Elle permettait de poser un sémaphore idéologique de belle taille à l'entrée est de Paris, au moment même où s'allumait à l'ouest la *Liberté* de Bartholdi, le 4 juillet[44].

Le *Danton* de l'Odéon, même s'il fut accompagné de l'achat du *1789!* du même auteur, cinq ans après celui du *Marat* de Baffier (parc Montsouris dans les deux cas), était loin de mettre Paris en tête du mouvement de commémoration monumentale de la Révolution. Le Centenaire, qui est à l'origine des *République* bordelaise (1888), lyonnaise et toulonnaise (1889)[45], permettait *a fortiori* au patriotisme local de se donner libre cours, dans les régions les plus «bleues» comme dans les autres, où les républicains serraient les rangs. De ces initiatives sont issus les monuments élevés par le comité des fêtes du Centenaire de Saint-Claude en l'honneur de Voltaire et de l'avocat Christin, libérateur des serfs du Mont-Jura (1888), et par les municipalités de Rouen, de Saint-Brieuc ou d'Angers à des personnalités ou événements révolutionnaires, de signification généralement assez polémique (à Saint-Brieuc, un ancien député du tiers assassiné par les Chouans, à Angers le sacrifice de six cents volontaires parisiens morts à Murs pendant les guerres de Vendée), sans oublier un Voltaire exposé au Salon et acheté par Ferney, portant à huit le nombre des effigies sculptées du personnage.

Communions

Si le monument joue sur la pérennité, le système commémoratif trouve, lui, son apogée dans le mélange de rituel et de festif que produit l'instant cérémoniel. C'est là que le terme de «célébration» trouve tout son sens. C'est ce

qu'avaient bien compris les conservateurs qui, à l'instigation d'Albert de Mun, chercheront tout au long de l'année anniversaire qui s'étend de juillet 1888 à juin 1889 à canaliser à leur profit le «mouvement réformateur». Mais cette démarche ambiguë reste trop sophistiquée pour la masse de l'opinion. Les seize Assemblées provinciales[46] qui se déroulent de novembre à mai, sur la lancée d'un banquet dressé à Romans sous la présidence de La Tour du Pin, en protestation contre la célébration de la révolution dauphinoise, revêtent en fait l'aspect de réunions préélectorales. Les «cahiers généraux des vœux de 1889» qui sortent de l'assemblée finale, à Paris en juin, passent inaperçus. Précédées de messes et confinées dans des lieux clos, les Assemblées font pâle figure en face de la mobilisation festive des républicains.
Les cinq dates proposées par Chassin au début des années quatre-vingt seront respectées, jusque dans leur subtile volonté d'amalgamer la chronologie de 89 (5 mai, 20 juin, 14 juillet, 4 août) à celle de 92 (21 septembre). Le pouvoir central et les collectivités locales rivalisent à ces occasions d'imagination célébratrice, mais il est clair qu'ils ne privilégient pas les mêmes souvenirs. Le gouvernement met l'accent sur les deux plus pacifiantes. Le 5 mai et le 4 août. La première cérémonie déplace à Versailles les corps constitués pour l'inauguration d'une modeste plaque, un défilé des troupes et une série de discours dans la galerie des Glaces, où le citoyen Carnot prend la place du Roi de France. Mais le jour est férié, et fait l'objet de circulaires énergiques des préfets aux communes et des inspecteurs d'académie aux instituteurs[47]. De l'inauguration d'une rue des États-généraux à Saint-Quentin jusqu'à l'érection d'arbres de la liberté, en passant par la distribution gratuite de la *Déclaration des droits de l'homme* (Avignon), le concours populaire est garanti. Le cortège présidentiel lui-même se déroule dans une ambiance chaleureuse. Les communautés protestante et juive[48] concourent activement au succès provincial.
Le 4-Août est, lui, beaucoup plus centralisé puisque l'essentiel en tient dans une panthéonisation, la première depuis celle d'Hugo. L'initiative remonte à un député radical qui est lui-même un symbole vivant, Barodet, déposant le 2 décembre 1888 sur le bureau de la Chambre une proposition de panthéonisation de Lazare Carnot, Hoche et Marceau, flanqués de Baudin. Ainsi l'opinion publique pourra-t-elle donner la preuve «qu'elle n'est pas décidée à laisser abattre la statue de la République [...] Ouvrons les portes du Panthéon. Convions le peuple et l'armée, étroitement unis dans l'amour de la patrie, à une de ces manifestations grandioses qui élèvent les esprits et les cœurs[49]». Le choix de trois hommes du sursaut de l'an II vise à rallier le consensus le plus large, tout en rappelant face aux conservateurs la grandeur de la France révolutionnaire, face à Boulanger le loyalisme des armées de la République. L'exorcisme de l'épouvantail césarien se trouve complété par la glorification du martyr type du régime représentatif.

En fait, la question est plus compliquée. Le descendant de Hoche, un aristocrate royaliste, se refusera à céder sa dépouille, le Sénat ajoutera La Tour d'Auvergne[50] mais, surtout, on découvre avec surprise que la proposition Barodet est présentée le même jour qu'une proposition boulangiste limitée... à Baudin. Les deux camps se renverront vivement l'accusation de détournement de cadavre; sans doute l'aile gauche du révisionnisme, très isolée[51], cherche-t-elle à réaffirmer sa filiation républicaine et, plus hypocritement, son refus du coup de force. L'important reste que, le jour de la panthéonisation, la signification antiboulangiste de la présence de Baudin est la seule mise en avant par les célébrateurs.
Ceux-ci font de la cérémonie un grand moment d'évocation, l'apogée du mouvement continuiste. Le président de la IIIe République, petit-fils de Lazare, est assis, muet, sous son dais étoilé d'argent «à côté des morts que l'on célèbre[52]», représentants symboliques des deux premières. Noël Parfait, député chenu qui fut un collègue de Baudin, achève le dernier discours par une longue tirade du panthéonisé de 1885. La toute neuve statue de Rousseau siège à gauche de l'édifice, au sein duquel le chef de l'État pose la première pierre d'un monument à Hoche et à Kléber, destiné à remplacer l'autel de la Vierge.
Le gouvernement reste modéré dans ses épanchements. Les concours, les fêtes de gymnastique, les illuminations des hauteurs de Paris «en souvenir des feux de joie allumés dans la nuit du 4 août pour fêter l'abolition des privilèges[53]» sont, ce jour-là, des initiatives de l'Exposition. Le 20 juin à Versailles est une cérémonie close et d'origine municipale qui ne déplace que trois ministres. Il en est un peu de même le 21 septembre où, si le président Carnot est présent, c'est pour recevoir au nom de l'État un monument voulu par la seule municipalité.
Et ce sont les mêmes initiateurs – collectivités locales ou commissariat des fêtes de l'Exposition – qu'on retrouve à l'origine des autres manifestations exceptionnelles de l'année, moins précisément datées mais qui, par leur ampleur, visent à frapper les esprits, ce en quoi elles semblent avoir réussi, en arpégeant sur les trois grandes épiphanies de la messe laïque: l'odéon populaire, l'agape fraternelle et la cantate. On veut parler ici de la fête organisée le 13 juillet par la fédération des Sociétés musicales de France (orphéons, harmonies et fanfares), qui vit le défilé, de la Cour du Louvre au Champ-de-Mars – de l'Ancien Régime au monde nouveau – de deux mille musiciens amateurs derrière les bannières des corporations et districts parisiens de 1790; du grand banquet des maires, le 18 août, précédé d'un cortège qui se déroula cette fois entre l'Hôtel de Ville, siège de la puissance invitante, et le palais de l'Industrie; enfin de l'*Ode triomphale* d'Augusta Holmès (1847-1903), représentée en septembre dans l'enceinte dudit palais[54].

Une même référence à la Fédération de 1790 hante les esprits à ces occasions. Elles rappellent, en l'atomisant, le projet caressé par Jean Macé, au congrès de Rouen, de reproduire la cérémonie du Champ-de-Mars – les conseils municipaux envoyant chacun un délégué à Paris – sur la place de la Concorde, où eût été ré-érigé l'*autel de la Patrie*[55]. Le gouvernement ne suivit pas, non plus qu'il n'approuva, les délibérations du conseil de Paris, en 1887, conviant toutes les communes de France à participer dans la capitale à un congrès préparatoire au Centenaire «pour établir le bilan du siècle» et «donner forme aux aspirations comprimées par les réactions successives[56]». Il fallut attendre que l'Exposition fût ouverte et la réaction antiboulangiste clairement engagée en haut lieu pour que la Ville fût autorisée à inviter les maires de France à un grand banquet, sur le modèle du banquet des chefs-lieux de canton du 14 juillet 1888. Elle put même adjoindre *in extremis* (décision du 15 août) à ces festoyances colossales une réception à l'Hôtel de Ville et une procession rue de Rivoli, autonome par rapport au pouvoir d'État puisque celui-ci, en la personne du président, n'entrait en scène qu'au palais de l'Industrie. «Journée inoubliable, qui sera une grande date dans l'histoire», chante le conseil municipal[57]. L'heure est aux chiffres gigantesques, bien propres à émouvoir la presse: trente mille spectateurs et douze cents exécutants à la première de l'*Ode*, une foule de sept à huit cent mille personnes (?) le long du cortège des quinze mille deux cents maires... Il est vrai qu'à cette date, au cœur de l'été, le Centenaire est désormais inséparable de la grande fête familiale du régime, saluée par tous ses partisans avec un soulagement d'autant plus net que leurs adversaires avaient prophétisé le pire[58]: l'Exposition universelle[59].

Les idées et les figures[60]

Les choses avaient d'abord traîné, depuis le lancement de l'idée, en 1883, par le républicain *Petit Journal*, désireux, dans un esprit très XVIIIe siècle, «d'appliquer à la nation ce qui se passe dans la vie privée[61]»: la fête familiale d'un alerte centenaire. Il fallut attendre jusqu'à novembre 1884 le décret fondateur, juillet 1886 la loi définitive et août la publication des règlement général et plan d'ensemble.

C'est que la dimension commémorative de l'Exposition est, date oblige, assez explicite, malgré les multiples précautions et édulcorations des pouvoirs publics, pour que la plupart des monarchies refusent d'y participer officiellement. On retiendra que dans la pratique ce désistement fut de peu d'importance: un commissaire, un comité assurent la présence de fait de toutes les puissances, à l'exception de l'Allemagne (quelques exposants privés)... et du

Monténégro. Autant de signes précurseurs d'un succès (55 486 exposants dont 25 364 étrangers, 25 515 985 entrées payantes) qui ne pouvait que rejaillir sur tout le régime, et son cortège idéologique. Le confirment l'afflux des visiteurs étrangers, l'importance accordée au palais du ministère de la Guerre et, plus encore, à la section coloniale, qui prend, pour la première fois, aux Invalides, la figure d'une exposition autonome, enfin les multiples prouesses techniques célébrées par les officiels et la presse républicaine, et dominées par ce véritable arc de triomphe de la République, symbole écrasant de la supériorité du monde moderne, technologique et démocratique : la tour Eiffel[62].

Cette perspective moderniste n'évacue pas, bien au contraire, la dimension commémorative initiale. Un peu parce que le commissariat des fêtes de l'Exposition ordonnance la plupart des commémorations révolutionnaires parisiennes[63]. Surtout parce qu'il n'y a rien de plus commémorateur qu'un progressisme et que les Expositions universelles, créées pour illustrer la modernité en marche, ont, du même pas, inventé la « rétrospective[64] ». À cet égard 1889 est sans doute la plus historique de toutes. Chacune des grandes expositions thématiques qu'elle accueille en son sein va dans ce sens : « Exposition rétrospective de l'histoire de l'habitat », « Exposition des objets d'art au Trocadéro », « Décennale des beaux-arts », « Centennale des beaux-arts » (1789-1878), histoire de l'éducation et de l'enseignement, « Exposition rétrospective du travail et des sciences anthropologiques »,... au même titre que les initiatives privées : populaire, avec « La prise de la Bastille » reconstituée en carton-pâte depuis 1888, avenue de Suffren, chic avec « L'histoire du siècle », panorama d'Henri Gervex, Alfred Stevens et une douzaine de collaborateurs, sis au jardin des Tuileries par autorisation spéciale.

Cette dernière œuvre, qu'on peut considérer comme l'aboutissement du grand mouvement panoramique du XIXe siècle[65], bénéficia de cet emplacement en raison, dira Gervex, de son « caractère politique et artistique ». Caractère insuffisant, cependant, aux yeux des pouvoirs publics – à moins qu'il ne se soit plutôt agi d'un coût excessif –, qui refusèrent de l'acheter pour l'édification des générations à venir.

Une déception autrement plus vive attendait les initiateurs de l'objet commémoratif le plus explicite de toute l'Exposition, le musée de la Révolution française. L'âme en avait été, une fois de plus, Chassin. On retrouve son nom et ceux des dirigeants de *La Révolution Française* au bas du projet, daté du 9 juin 1884, d'un « pavillon-musée » sis au milieu du Champ-de-Mars. Le terme résume ce qui fait l'originalité du bâtiment : juxtaposer à un musée classique une bibliothèque et une vaste salle destinée à accueillir les fêtes commémoratives de la Révolution, le tout pérennisé. L'enjeu mémorial est perçu par les contemporains : avec un tel édifice « ce n'est pas seulement l'esprit [de la Révolution] qui planera sur cette grande manifestation nationale, c'est une réalité concrète et visible que les nouvelles générations auront sous les yeux», grâce à laquelle «l'histoire même des progrès de l'humanité [...] se graverait aisément dans les mémoires[66]»; désormais, le musée, lieu neutre ou réactionnaire, entrerait dans la panoplie pédagogique républicaine, aux côtés du manuel scolaire et de la statue des carrefours.

Francisque Sarcey avait soulevé à cette occasion un riche débat de fond, qui n'eut pas de suite, sur l'éventuelle contradiction des termes «musée» et «révolution[67]». À quoi les partisans du projet avaient répondu que, précisément, l'adjonction d'une bibliothèque et d'une salle des fêtes maintiendrait en permanence une circulation entre le souvenir et l'actualité. «Il est évident, écrira *Le Petit Journal*, que ce pavillon-musée serait comme l'histoire en action[68].»

Mais ce fut l'histoire en action qui tua le projet. Jusqu'en 1887 le gouvernement s'avéra peu pressé de marteler à ce point, sous les regards de l'étranger, la dimension historique de l'Exposition universelle. Il put d'autant plus faire traîner sa réponse que les initiateurs ne réussissaient pas à présenter un front uni. Le conservateur du musée Carnavalet faisait remarquer avec acrimonie que ses collections suffisaient à l'affaire, la Ville affirmait à plusieurs reprises son intention d'élever un monument commémoratif à la Révolution à l'occasion du Centenaire, mais retardait sa décision définitive jusqu'à l'automne 1886, dans l'espoir d'une initiative conjointe avec le ministère où siégeait, en la personne de Lockroy, un républicain supposé avancé.

Chassin, pressé par le temps, ne cessait d'en rabattre: le 2 février 1886, dans une lettre à Lockroy, il proposait à la place du Champ-de-Mars l'emplacement, cette fois extérieur au périmètre de l'Exposition mais tout à fait symbolique, du palais des Tuileries[69]. Le 7 avril, une étude de l'architecte Auguste Sauvage[70] précisait que le bâtiment ordonnerait autour d'une salle de trois mille places un réseau de six galeries historiques, décorées en abondance de sculptures historiques et allégoriques. On abandonnait l'idée de rattacher l'ensemble aux pavillons de Flore et de Marsan par deux galeries en fer et à jour, où l'on peut voir le symbole de la modernité transparente substituée à la clôture opaque si fatale aux monarchies. Le 8 octobre, devant la lenteur gouvernementale et, sans doute, pour ne pas gêner le projet parisien, Chassin reculait encore, et ne proposait plus, pour l'Exposition du moins, que d'occuper les pavillons de Flore et de Marsan, aux trois quarts vides.

L'«Exposition historique de la Révolution française» aura bien lieu, mais plus modeste encore. Inaugurée par Carnot le 20 avril 1889, elle se limite à peu près à la salle des États du Louvre et au prêt tout provisoire de diverses collections privées. Chassin, découragé et mécontent, ne figure pas parmi ses organisateurs, issus de la nouvelle équipe de la Société d'Histoire. Quant au monument de la Ville, il ne connaîtra même pas un début d'exécution. Le crédit des études préparatoires avait pourtant été voté en 1886, mais le Conseil supérieur des monuments civils, engagé dans un programme de décoration aux Tuileries, s'était opposé à un édifice quelconque en ces lieux. Le gouvernement proposait à la place le site du bassin des Tuileries. Ce fut un tollé au conseil, le 25 novembre : « C'est insensé ! C'est grotesque ! La République dans le bassin[71] ! » Tout devait repartir à zéro. Trois mois plus tard, le nouveau ministre de l'Instruction publique, Marcelin Berthelot, déposait enfin un projet de loi de monument commémoratif aux Tuileries, ambitieux mais vague : bâtiment ou groupe sculpté ? La crise boulangiste et la modération du Sénat enterreront le texte.

Si l'on en croit Alfred Picard, l'Exposition accueillit malgré tout en son sein le « véritable monument commémoratif de 1789[72] » : la *Fontaine du Progrès*, de Jules Coutan[73] (architecte : Formigé), axe central de l'Exposition en ce qu'elle unissait le Dôme central à la tour Eiffel. Mais qu'on en juge : assise ou plutôt juchée sur la barque du Progrès, allusion explicite à la nef de Paris, vogue la France, appuyée sur les emblèmes du Travail, entourée du Commerce, de l'Agriculture, des Arts et des Lettres ; à la proue, deux renommées et un coq gaulois, à la barre, la République, coiffée d'un bonnet phrygien. Dans un tourbillon de jets d'eau, de naïades, génies et dauphins, trébuchent sur les récifs l'Ignorance et la Routine. Programme complexe, voire confus, qui efface la Révolution derrière le Progrès et la République derrière la France. Sans nul doute, l'allégorie donnait moins à voir, et donc à craindre, qu'un musée. La fontaine draina pourtant les foules : éclairée à l'électricité, elle illustrait en elle-même, par-delà une esthétique conformiste, le monde progressif dont elle proclamait le triomphe. Belle image de l'ambiguïté de cette commémoration réticente, aboutissant pourtant à une incontestable réussite politique.

Commémorer ou célébrer ?

La substance commémorative de 1889, saisie dans sa totalité, ne déçoit pas la recherche : en soi, elle témoigne excellemment de la variété mais aussi de l'interdépendance des manifestations de ce que nous qualifierons de « politique symbolique », domaine encore mal connu de l'activité des pouvoirs, et dont on aurait tort de minorer le poids. À cet égard, elle confirme l'importance du volontarisme célébratif (de la construction d'une cathédrale à l'investissement dans une exposition universelle) dans l'histoire d'une société.

La coexistence, tout au long de la période préparatoire, de deux associations politiques prétendant l'une et l'autre à l'exclusivité de la mobilisation célébratrice – face au groupe de Dide et Colfavru une Association républicaine du

Centenaire de 1789, de tendance opportuniste, qui se voua en fait à partir de mars 1888 à la préparation des législatives en fusionnant avec le Comité national républicain[74] – est un signe évident de l'incertitude républicaine. L'année 1888 avait déjà fourni comme une répétition générale en opposant autour du souvenir dauphinois les deux sensibilités : les radicaux tenaient pour le 7 juin, journée des Tuiles, ou à défaut pour le 21, ouverture de l'assemblée de Vizille, les opportunistes, majoritaires au sein de la municipalité de Grenoble, n'acceptaient que le 14, date de la délibération municipale décidant de sa tenue. Le conseil général, plus à gauche mais plus irénique, proposait le 14 juillet. Les deux dates choisies furent autant de compromis, bien qu'honorées de la présence présidentielle, le 9 juin à Paris et les 20 et 21 juillet sur place, pour l'inauguration du monument de Vizille.

Le Centenaire lui-même laisse donc un goût un peu amer aux plus radicaux, qui se retrouvent frustrés des deux manifestations les plus explicites : la réitération de la Fédération, qui eût ravivé le serment civique, et le musée permanent, qui eût pérennisé l'exemplarité révolutionnaire. L'Exposition dans son ensemble leur paraît un peu pâle à cet égard. Ceux qui avec eux partagent la conviction que « la Révolution est un bloc[75] » ne peuvent que s'offusquer des républicains modérés qui, à l'instar du philosophe Paul Janet, jettent l'anathème sur 93[76].

Mais il est intéressant de voir Aulard, en passe de devenir l'interprète autorisé de la vulgate révolutionnaire, saluer avec faveur un tel ouvrage en tant que preuve de la solidarité républicaine sur l'essentiel, emboîtant le pas à la distinction janetienne entre l'« esprit révolutionnaire », néfaste, et l'« esprit de la Révolution », plus que jamais à défendre dans son expression contemporaine. Cette version moyenne et, surtout, transcendée facilite le ralliement des spiritualistes républicains[77] et des comtistes officiels. Elle nourrit le contenu de l'imagerie ordinaire, qu'il s'agisse du tableau des turpitudes de l'Ancien Régime[78] ou de la description du gouvernement robespierriste [79]. Les années, les décennies qui suivront élargiront les fissures qui partagent dès cette époque les divers courants de la mémoire républicaine. À ne considérer que 1889, on demeure cependant plutôt frappé par la capacité des hommes au pouvoir à répondre en termes rétrospectifs aux défis de leurs oppositions symétriques. C'est par la commémoration que la République de M. Carnot s'affirme en son centre comme unie à l'intérieur et rayonnante alentour, et sur ses marges de droite et de gauche héritière ici de la plus haute tradition patriotique, là des aspirations sociales de la démocratie.

Peu d'occasions qui ne permettent aux représentants de Paris de moduler sur le thème du centralisme démocratique et de la ville lumière, à commencer, dès 1888, par l'inauguration de la statue (équestre) d'Étienne Marcel, salué comme « le grand semeur de l'idée féconde qui germa pendant des siècles et ouvrit à la France l'ère de la liberté proclamée par nos pères en 1789[80]». La célébration révolutionnaire ne commence-t-elle pas, le 9 juin 1888, par un hommage aux... Dauphinois de Paris?

Nul moment ne lie aussi clairement l'unité nationale à la prééminence parisienne que la grande fédération du 18 août où l'on «a vu resplendir l'unité de la France républicaine[81]» (l'adjectif compte). La disposition du cortège de tête signifie tout, composé qu'il est des maires de Blida, Tunis, Hanoi et d'un bachaga kabyle, précédés du président du conseil municipal parisien que flanquent les maires des deux plus petites communes représentées. Le banquet lui-même prend, dans son déroulement, tous les airs d'une manifestation de la supériorité illuministe de la capitale, en même temps que d'acte d'allégeance démocratique des municipalités républicaines au président Carnot.

La commémoration républicaine met plus de système encore à démontrer l'inanité du gros argument de ses adversaires: son isolement dans le concert des nations. Elle y réussit en exaltant la solidarité entre républiques (cérémonies franco-genevoise pour l'inauguration de la statue de Rousseau, franco-américaine pour celle de la réplique de la *Liberté* de Bartholdi) et, plus largement encore, la fraternité des peuples «par-dessus les combinaisons des diplomates», «au-dessus même du pouvoir des rois[82]». C'est ici tout le sens de l'insistance mise par la Ville à accueillir des délégations de démocrates italiens, espagnols, hongrois ou tchèques[83], de l'air d'apothéose internationale de la République française que prennent les fêtes de la nouvelle Sorbonne, vers quoi convergent, souvent au chant de *La Marseillaise*, les délégations de vingt et un pays reçues par la toute neuve Association générale des étudiants, eux-mêmes «dignes fils de nos ancêtres de 1789[84]».

L'ambiguïté – et la richesse – de la mémoire mise en avant à cette occasion est ainsi symbolisée par le subtil balancement entre les proclamations iréniques – mais non pacifistes – et la facile récupération du sentiment patriotique. La Paix, à l'instar de l'allégorie du monument Dalou, marche en retrait derrière la République, et si les enfants d'Augusta Holmès entonnent: «Tous les hommes sont frères/Plus de guerres! Assez de pleurs![85]», ils ont été précédés par des soldats prêts à mourir pour le sort le plus doux. L'imagerie de Bin comme celle de la Ligue pratiquent l'amalgame Révolution-Patriotisme, en cette année qui voit l'apothéose de Detaille (grand prix d'honneur de l'Exposition) et de Neuville (inauguration de son monument en novembre). Sur ce terrain, l'alliance opportunistes-radicaux ne connaît pas de failles. Le 4 août télescope la panthéonisation de trois hommes d'armes avec la tenue d'un immense festival des musiques militaires, mais la Ville de Paris n'est pas en reste. Elle expose dans ses pavillons un groupe *Pro patria morituri*, destiné au Champ-de-Mars, participe à l'érection d'un monument aux armées, place Fontenay, sous la présidence de l'inspecteur des bataillons scolaires, le

général Jeanningros ; et que trouve devant son assiette chacun des quinze mille invités du banquet du palais de l'Industrie, après avoir salué, au passage, la statue de Strasbourg ? La photographie des statues de Viala et de Bara, de Noël Ruffier : bel exemple de circulation commémorative.
L'aile la plus à gauche de la commémoration entend profiter de cette année exceptionnelle pour aller plus loin dans la réhabilitation historique. Encore discrète dans la symbolique du monument Dalou[86], où cependant, en opposition avec les versions parisiennes antérieures, triomphe une république phrygienne marchante et universelle que flanque une allégorie ouvrière, peut-être connotée d'allusion maçonnique, elle est beaucoup plus explicite quand la parole est donnée aux grands hommes : les statues de Raspail et de Dolet, le premier médecin matérialiste[87], penseur socialiste et défenseur des communards, le second un des rares Grands Ancêtres faisant en lui la synthèse du manuel et de l'intellectuel. Synthèse à proprement parler radicale-socialiste, illustrée par la présence, à la cérémonie, de plusieurs représentants du syndicalisme modéré, et la prise de parole du plus illustre d'entre eux, Auguste Keufer, secrétaire de la Fédération des travailleurs français du livre et membre en vue de la famille positiviste. Le haut-relief du piédestal de Dolet montre, tout simplement, *La Ville de Paris protégeant la libre pensée.*
On comprend combien Danton peut servir de cristallisateur à cette concentration républicaine, sur la base de l'hagiographie comtienne (« le seul homme d'État dont l'Occident doive s'honorer depuis Frédéric », avait dit le Maître), relayée désormais par Aulard et son propre groupe. Républicain anticlérical, Danton ne permet pas, comme le souhaiteraient les plus modérés, l'occultation de 92, mais victime de la Terreur, comme le rappelle l'emplacement de la statue, il répond par son martyre à l'amalgame conservateur. Au centre, garantissant le reste, le patriotisme. Et c'est cette image énergique, offensive, que retient Paris en 1889 pour son groupe sculpté, c'est ce Danton éclairé et national que graveront les inscriptions du piédestal. On n'en est pas à la critique de l'extrême gauche mathézienne, comme on est déjà sorti de la démolition royaliste : dans cette embellie, le personnage rallie le plus grand nombre.
Alors, plus petit commun dénominateur ? On pourrait soutenir qu'il s'agit, en fait, d'un plus grand commun multiple. D'abord parce qu'il trouble, à l'évidence, autant les adversaires du régime que ses partisans, avec l'intérêt supplémentaire, on l'a vu, de les mettre, d'emblée, en position défensive. Passons sur l'équivoque flagrante du mouvement boulangiste, caricaturée par la proposition de panthéoniser Baudin. Mais la situation commémorative des conservateurs reflète une ambiguïté bien aussi grande. Même les cahiers des Assemblées provinciales n'osent prôner un retour à la monarchie, ce qui provoque une vive critique de leur aile droite. La brochure de Freppel, extrême à bien des égards[88], clairement monarchiste et corporatiste, habile dans sa

volonté de démontrer que le socialisme est en germe dans 1789, n'en conclut pas moins, à l'instar du comte de Chambord, à la nécessité de reprendre sans tarder le «mouvement réformateur de 1789». Un conservateur angevin, Édouard Trogan, dans une sévère *Réponse à Mgr Freppel*, aura beau jeu de dénoncer le caractère acrobatique d'une telle conclusion. L'idée qu'il faut, dès lors, en bonne logique, «prendre son parti[89]» de 1789, quitte à trier le bon grain de l'ivraie, sous-tend les analyses les plus remarquées de la droite, celles d'un Ferneuil ou d'un Goumy, ce dernier aboutissant à un appel à «quelque chose d'infiniment plus sérieux qu'une fête[90]»: la constitution d'un grand parti républicain antidémocratique. Ici et là en province des comités conservateurs appelleront à célébrer le 5 mai.

Mais le style de commémoration adopté a eu d'autres avantages, internes, ceux-là. Le moins aperçu des contemporains mais l'un des moins contestables est d'avoir donné un coup de fouet décisif au questionnement historiographique: chaires et collections, sociétés et revues. Sur le moyen terme tout au moins, cette respectabilisation d'une période ne peut que consolider le piédestal philosophique du régime. L'important pour la synthèse républicaine modérée est que l'effet de scientificité opère désormais aussi en faveur de la gauche. L'inauguration de la nouvelle Sorbonne théâtralise cette conquête, que va bientôt confirmer l'intronisation d'Aulard.

Cette république modérée convient parfaitement au gouvernement centriste de Tirard. L'accent mis sur 89 n'est pas seulement, ni même sans doute pas d'abord, une prudence expositionnaire, encore moins une sorte de paralysie hypnotique devant le césarisme qui remonte: il correspond exactement à ce que souhaitent les opportunistes au pouvoir. Leur commémoration n'est pas un 89 réduit à sa plus simple expression puisqu'elle intègre une république dont les Constituants étaient fort loin.

En obligeant les célébrateurs à parler plus volontiers en termes de principes qu'en termes d'hommes et d'événements, le choix modéré permet une meilleure récupération de la révolution elle-même, comprise comme mouvement progressiste linéaire. Car 1889 a moins célébré 1789 que le XIXe siècle. C'est ce que comprennent bien la plupart de ses adversaires, qui mettent sous le vocable de «Révolution française» toute la période ouverte par 1789, et jamais close, et mieux encore la totalité de ses partisans. Des disciples plus ou moins orthodoxes de Saint-Simon et d'Auguste Comte – mais n'est-ce pas la même généalogie? – profitent de l'anniversaire pour dresser un tableau triomphal des «résultats obtenus depuis cent ans dans tous les ordres de l'activité et de la connaissance humaines[91]». Mais le discours scientifique dominant est plus que jamais le darwinisme.

Sans l'image d'une histoire naturelle de l'humanité, fondée sur l'évolution des espèces et la sophistication continue des techniques ne se comprendraient ni le succès du plus populaire panorama de l'année, « Le monde antédiluvien », de Castellani, ni la téléologie de l'exposition anthropologique du Champ-de-Mars, s'ouvrant sur une collection de crânes pour s'achever sur des cires d'hommes célèbres[92], ni la création par la Ville de Paris, le 31 décembre 1888, d'un ensemble de six cours d'« enseignement populaire supérieur » qui juxtaposent trois histoires classiques (universelle, nationale, de Paris) à l'« histoire des sciences », l'« anthropologie » et la « biologie ». Ainsi s'éclaire la volonté de Chassin, surprenante au premier abord, d'encadrer son musée de la Révolution par deux galeries consacrées respectivement à l'« histoire du peuple français » et à l'« histoire du genre humain » ainsi subdivisée : « Les éléments caractéristiques des périodes préhistoriques, le développement des races humaines, la formation des diverses nationalités, le mouvement de la civilisation générale jusqu'à la Révolution Française[93] ». Le porte-parole du radicalisme parisien en 1889 est on ne peut plus explicite quand, recevant le Congrès international d'anthropologie, il proclame : « La politique est, en effet, tributaire de l'anthropologie, et Darwin, en proclamant la loi de la sélection naturelle par la persistance du plus apte, a éclairé d'un jour lumineux les phénomènes sociaux dont nous sommes chaque jour les témoins. » En un mot, une société démocratiquement organisée « bénéficiera plus promptement des heureux effets de la sélection naturelle qu'une société basée sur les faveurs de la naissance[94] ». Telle est l'une des grandes leçons philosophiques de 1789 tirées par ses partisans cent ans après : seule l'analyse du fonctionnement commémoratif global pouvait nous la faire découvrir. Du coup, le régime célébrateur se trouve légitimé de cet exhaussement même. Cette continuité plus encore spirituelle que temporelle est tout l'esprit du panorama de Gervex qui, prenant le visiteur par la main, le conduit des statues des philosophes du XVIIIe siècle, jusqu'au président Sadi Carnot entouré de toutes les notabilités du temps. Dans l'intervalle, environ six cent soixante personnages, rassemblés dans une même mémoire unanime, Marat et Charlotte Corday, Napoléon III et Louise Michel. L'important ici est dans la clôture de la perspective sur cette apothéose des corps constitués. Les héros vivants de 1889 sont des hommes de la technique et de la science, Edison, Eiffel, Pasteur, tous citoyens d'une république, qui s'en viennent prêter main-forte à la longue théorie des intellectuels précurseurs ouverte par Abélard et Rabelais (tous deux illustrés par le décor et les fêtes de la nouvelle Sorbonne) et provisoirement close par Hugo, penseur tutélaire du panorama de Gervex comme de la panthéonisation. Chautemps, inaugurant la statue de Dolet, la rapproche explicitement de la sépulture d'Hugo, des effigies de Rousseau et de Voltaire récemment érigées.

Conclure à un échec du Centenaire n'est donc possible que si l'on entre dans le système de la droite d'opposition, convaincue jusqu'à la fin de l'hiver 1888-1889 que le régime est à l'agonie, ou de l'extrême gauche radicale, déçue de

la prudence gouvernementale. Mais il est aisé de voir que, fondée sur des grands principes généraux et généreux et sur des grands hommes sélectionnés, plus que sur des événements, des politiques, des programmes, la commémoration moyenne répondait au mieux, en tous les cas au moindre risque, à l'inspiration essentiellement religieuse de tout phénomène de cet ordre.
Sans doute la réitération, la répétition manque-t-elle au Centenaire. Elle n'intervient que le 5 mai, pour l'acte le plus anodin, et en lieu clos début septembre, avec l'*Ode* d'Augusta Holmès, dont les radicaux voulurent clairement faire une résurrection des fêtes révolutionnaires[95]. La Fédération rêvée reste inaboutie. Mais l'échec de la réitération, cette fois explicite, du cent cinquantenaire, en 1939, au palais de Chaillot[96], est là pour assigner les limites du procédé.
Le risque de la commémoration opportuniste était celui d'une célébration froide et tout allégorique, comme l'illustrent le programme décoratif sculpté du Panthéon ou la fontaine de Coutan, mais celui de la commémoration radicale était sans doute, en cette année électorale et face au boulangisme, plus grand encore: celui d'une désunion, d'une cacophonie. Dans sa forme, si l'année n'a été ni le lieu ni le lien d'une messe (la Fédération), d'un temple (le pavillon-musée), d'une idole (le monument), elle a du moins permis à la société républicaine de vérifier l'étendue et l'efficacité de son système sacralisant: patristique, hagiographie, arts sacrés, rituel – et jusqu'au jubilé. Sur le fond, elle permet à tous ces procédés d'illustrer l'unité, le dynamisme et le rayonnement d'un pays dont plusieurs voix écoutées diagnostiquaient *a priori*, depuis 1871, la «décadence». Il n'y aurait rien d'excessif à repérer dans le discours de l'évêque de Versailles à la cérémonie du 5 mai, fort critiqué par les conservateurs, comme dans les visites russes officielles à l'Expo les signes avant-coureurs des deux grandes ruptures de l'année suivante: le toast Lavigerie et le rapprochement franco-russe.
Le projet Chassin avait la subtilité de concilier la canonisation (le musée) avec l'entretien de la flamme (la salle des fêtes). Mais c'était sans doute se heurter à une contradiction interne entre la commémoration, qu'on définira ici comme procédé de légitimation par recherche d'un consensus rétrospectif, et la Révolution, dont on voit mal tout à la fois en amont la muséification et en aval la ritualisation. Contrairement à un homme (Danton), à un événement (le 14-Juillet), la Révolution est sans doute, par définition, incommémorable, peut-être même l'Incommémorable. Au régime républicain, en revanche, le droit, donc le devoir, de s'autocélébrer, d'autant plus qu'il est fondé sur une linéarité progressiste. Et, à considérer le boulangisme de 1889 ou le fascisme de 1939, on est autorisé à penser qu'à cet égard l'actualité de cette célébration-là n'est pas près de s'épuiser.

1. Le Centenaire, qui n'est donc, à nos yeux, qu'une partie des processus commémoratifs convergeant cette année-là, a fait l'objet d'une thèse de l'École des chartes, d'Annie Philippe, (*cf. Bibliothèque de l'École des chartes*, Positions des thèses, 1981, pp. 213-223).

2. Sur les questions posées par ce concept, *cf.* Odile Rudelle, *La Notion de tradition républicaine dans les années 1938-1939*, rapport multigraphié pour le colloque Daladier, F.N.S.P., 1975.

3. Pour la seule année 1888 on ne compte pas moins de six ouvrages traitant de Lazare Carnot ou de sa famille. Signalons, pour ne plus y revenir, qu'Hippolyte Carnot puis son fils Sadi présideront la Société d'Histoire de la Révolution Française.

4. Lien explicite entre cette politique «large, tolérante et sage» et «le succès de l'Exposition universelle» dans le discours d'investiture du président du Conseil, le 23.

5. *Le Temps*, 30 octobre 1889.

6. L'année s'ouvre, de surcroît, sur le discours de réception à l'Académie française de Jules Claretie par Renan, le 21 février, attaque en règle du Centenaire – «Rien de plus malsain que de rythmer la vie du présent sur le passé, quand le passé est exceptionnel» – et de ses valeurs – «Un principe qui, dans l'espace de cent ans, épuise une nation, ne saurait être le véritable» –, le tout accompagné cependant des adoucissements sceptiques habituels à l'auteur (*Le Temps*, 22 février 1889).

7. *La Réforme sociale et le Centenaire de la Révolution […]*, Paris, 1890, p. 185. On sait que, par ailleurs, 1889 est dans la réalité l'année du *Disciple* et, dans la fiction, celle de *L'Appel au soldat*, où figure une allusion critique à la panthéonisation du 4 août.

8. *Les Réformes et la Révolution en 1789*, du comte Henri de L'Épinois, parue en 1889, est la vingt-deuxième «brochure sur la Révolution» de la Société bibliographique. Au printemps, les libres penseurs dénoncent la diffusion, à la veille de l'inauguration de la statue d'Étienne Dolet, de livrets cherchant à ternir l'image du héros, issus des mêmes officines.

9. Jules Rouff en donne par ailleurs une édition populaire en livraisons bihebdomadaires à dix centimes. On réédite la même année *La Révolution* de Quinet.

10. Les positivistes français et anglais célèbrent solennellement la Révolution française le 4 septembre, par un pèlerinage à Versailles, sur les traces du tiers état, et un hommage particulier au *grand type* local: Hoche.

11. À ses origines, la Société reçoit le patronage de Louis Blanc et d'Eugène Pelletan.

12. Rédacteur du *Père Duchêne* de 1848.

13. Dide est en même temps l'un des dirigeants de la Ligue de l'enseignement.

14. En tête, par la date et l'activité, celui de Lille.

15. La création remonte au 28 novembre 1881; elle est due à Paul Bert, ministre de l'Instruction publique, conseillé par Ferdinand Buisson.

16. Département lui-même de création récente (1883), et destiné à procéder à l'examen et au choix des travaux historiques portant sur l'époque commençant en 1789 (Archives nationales, F^{17} 2922).

17. Projet d'Albert Duruy repris après sa mort, en 1887, par Charavay.

18. Préface à *Les Élections et les cahiers de Paris*, t. I, p. XIX.

19. Les procès verbaux de la commission, composée de conseillers municipaux et d'experts, font l'objet de publications. Les volumes édités sont soumis à une commission de contrôle, qui n'hésite pas à proposer des réductions. Ce sera le cas pour le volume de Monin.

20. Les quatre Chassin sur *Les Élections et les cahiers de Paris*, le Monin sur *L'État de Paris en 1789*, le premier Aulard sur *La Société des Jacobins*. Même thème chez Carnot, saluant, lors du banquet des Dauphinois de Paris, les «recherches locales», destinées à «asseoir sur des bases solides les croyances de la nation».

21. Successivement le 19 février 1886 devant la Société de géographie et le 1er mai, à la séance de clôture du congrès des Sociétés savantes.

22. Les années 89 et avoisinantes voient du moins se multiplier les monographies locales, dont quelques-unes, telle celle de l'Yonne, répondent au programme de Chassin. Citons, à titre d'exemple typique jusqu'à la caricature, la polémique entre deux érudits locaux du nom de Borrel (un architecte anticlérical et un prêtre) sur *La Révolution française en Tarentaise.*

23. Comme le dira, trois ans plus tard, le préfacier, chez le même éditeur, de l'*Almanach national du Centenaire*: «Ce modeste opuscule, par le grand succès qui l'attend, fera plus, je crois, que tous les livres pour réhabiliter la "grande époque"» (p. 11).

24. *Cf.* Pascal Ory, «La commémoration révolutionnaire en 1939», in *La France et les Français en 1938-1939*, Paris, Presses de la Fondation nationale des sciences 1978, pp. 115-136.

25. La société la plus active sera celle de Lyon, créée en mars 1886 par le publiciste Adrien Duvand, rédacteur en chef du *Courrier de Lyon*, qui revendique dès sa création dix mille adhérents.

26. *Catalogue du Centenaire de 89. Vues sur verre [...]*, Paris, s.d., trois fascicules non paginés. Soit, par exemple, cette image des costumes des trois ordres, illustrant le thème des cahiers de doléance: «Il ne s'agit que de montrer une vue. Indiquer en quelques mots avec quel esprit vétillard et dans quelles dispositions trop peu concordantes à l'état des esprits, la royauté abordait le procès que ses fautes, ses gaspillages financiers l'avaient obligée de provoquer.»

27. Norbert Le Marié, *Musée historique du Centenaire [...] Notice*, Paris, 1889, p. 7. Voir aussi *Le Musée historique [...]*, Paris, 1889.

28. *Ibid.*, p. 41.

29. En 1871 il a été l'adjoint de Clemenceau, dont il peint le portrait en 1880 – avant de passer, en 1888, à celui de Boulanger.

30. La thèse de Pierre Vaisse sur *La IIIe République et les peintres (...)*, Paris, 1980, ouvre la voie à cette «sociologie politique» des milieux artistiques, qui reste à faire.

31. Peintre politique, auteur déjà d'un *Buste de Marat aux Halles* et plus tard d'une *Mort des députés montagnards*, dont la Ville de Paris fera le conservateur de Carnavalet. Sur tous ces artistes, voir le Thieme/Becker, le *Dictionnaire* de Bénézit et la *Grande Encyclopédie.*

32. Le second, auteur du Louis Blanc de la place Monge, a dirigé plusieurs associations coopératives et syndicales de sa profession.

33. On dispose d'un état précis de la décoration intérieure du Panthéon à la date du 15 avril 1889, publié dans l'*Inventaire des richesses d'art de la France, Monuments civils*, t. III.

34. *Le Temps*, 12 novembre.

35. *Ibid.*, 12 février et 19 septembre.

36. *Édifices civils*, t. II, daté de 1889, p. 122.

37. Henri Nénot, *La Nouvelle Sorbonne*, Paris, 1895. Cf. Pascal Ory, «La Sorbonne [...]», *L'Histoire*, n° 12.

38. Cf. Émile Chautemps inaugurant le 19 mai la statue d'Étienne Dolet et se félicitant «que les générations futures eussent sans cesse présente en mémoire l'histoire du régime auquel nous avons été arrachés par la Révolution Française», *Exposition Universelle de 1889, Centenaire de la Révolution Française, Discours [...]*, Paris, 1890, pp. 133-134; et *ibid.*, p. 127.

39. Ex: Jules Joffrin au conseil municipal, le 11 novembre 1887.

40. *La statue de François-Vincent Raspail [...]*, Paris, 1890, pp. 54-55.

41. Initiative reprise par le député de Heredia en 1888, et qui sera elle aussi enterrée.

42. En 1885, la Ville a offert au comité de la statue de Ledru-Rollin le piédestal destiné par le second Empire au prince Eugène.

43. Simple exécution, comme le fera remarquer Aulard, d'un décret de la Convention. Voltaire a été statufié en 1885 et 1887, Diderot en 1884 et 1886.

44. Signalons pour mémoire la *République* du conseiller municipal Delhomme à la nouvelle Sorbonne.

45. Celle de Lyon est due à la Société du centenaire créée par la Ligue. *La Révolution française*, t. XI, p. 468, affirme, après *Le Figaro*, qu'en 1886 encore, sur la dizaine de grands hommes de la période statufiés depuis 1872 à travers la France, chiffre modeste, Paris était absent: oubli (significatif?) du *Marat*.

46. Aix, Montpellier, Toulouse, Cahors, Lyon, Besançon, Dijon, Poitiers, Limoges, Bourges, Angers, Rennes, Caen, Orléans, Troyes, Lille, Versailles.

47. Extraits cités dans *Le Temps*, 27 et 30 avril, 2 mai. Cf. Archives nationales, F [19] 5582 et 5611.

48. Le grand rabbin d'Alger, Isaac Bloch (*Centenaire de la Révolution Française […]*, Alger, 1889, p. 23), salue comme semence d'Israël, dans l'ordre, le christianisme, l'islam, la Réforme et, enfin, «le mouvement prodigieux dont nous célébrons le centenaire».

49. *Journal officiel, Chambre des députés, Débats*, 1888, p. 2630.

50. Des membres de la commission *ad hoc* de la Chambre proposeront aussi Danton, Laplace, Descartes et Bayle.

51. L'aile droite de l'Assemblée propose, au contraire, un symétrique de Baudin, Gaston Chaudey, républicain victime de la Commune.

52. *Les fêtes de l'Université de Paris en 1889*, Paris, 1890, p. 8.

53. Alfred Picard, *Exposition Universelle […] Rapport général*, t. III, p. 354. Les fêtes du Centenaire, à l'exception du 20 juin, font l'objet d'une loi *ad hoc*, votée au printemps.

54. Élève de Frank et compagne de Catulle Mendès, l'auteur est familière des poèmes symphoniques et cantates à programmes solennels et gros effectifs. Le texte semble fortement influencé par la symbolique maçonnique.

55. Le mot est utilisé en 1889 pour définir le monument à la Révolution prévu au Panthéon. L'autel de l'*Ode triomphale*, d'abord imaginé par Holmès en plein air, en tint un peu lieu.

56. L'idée est d'Édouard Vaillant, qui la réitère jusqu'en 1888.

57. Chautemps, *op. cit.*, p. 69.

58. Selon le cas et les époques, l'annulation, le report à 1890, l'abstention totale des étrangers ou l'inauguration par un autre régime… *Cf.*, par exemple, le débat à la Chambre, le 25 mai 1889.

59. Le dernier tableau de Bin, *La Fédération de 1889*, décrit avec un grand luxe de détails le monument et la cérémonie récapitulatifs idéaux. Des Gallo-Romains au président Carnot, toutes les références sont mises à contribution.

60. «À l'occasion du jubilé, les écrivains ont fait l'exposition des idées, comme les peintres l'exposition des figures» (vicomte de Vogüé, *Remarques sur l'Exposition du Centenaire*, Paris, 1889, p. 221).

61. 4 avril 1886.

62. Imposée en 1886 à ses détracteurs par l'énergie du ministre radical Lockroy et saluée en 1889 par une médaille commémorative du conseil municipal de Paris, elle sert aux deux camps de symbole, négatif ou positif, du monde nouveau.

63. Comme le prouvent les archives de l'Exposition (Archives nationales, F [12] 3914 à 3961, 3960 et 3961) et le *Rapport général* de l'Exposition, d'Alfred Picard, t. III, pp. 353-360.

Rappelons que l'inauguration elle-même, par Carnot, a lieu le lendemain du 5, qui s'en présente comme le prélude.

64. *Cf.* Pascal Ory, *Les Expositions universelles de Paris*, Paris, Ramsay, 1982.

65. 142 013 entrées payantes. 1889 est l'année record, avec treize panoramas visibles, dont une nouvelle «Jeanne d'Arc» et une autre «Prise de la Bastille» remontant à 1882. Sur cette question: François Robichon, *Les Panoramas en France au XIXe siècle*, doctorat d'État, 1982. Sur «L'histoire du siècle»: Henri Gervex, *Souvenirs [...]*, Paris, 1925.

66. *Courrier de Lyon et du Sud-Est*, 13 avril 1886.

67. *Le Gagne-petit*, 22 avril 1886.

68. 4 avril 1886. Le vocable de «leçon de choses» revient souvent sous la plume des commentateurs.

69. *Cf.* Étienne Charavay, *Le Centenaire de 1789 et le musée de la Révolution française*, Paris, 1886.

70. *La Révolution Française*, X, pp. 986-987.

71. Cité dans *La Révolution Française*, XI, p. 492.

72. *Rapport général*, t. II, p. 325.

73. Lauréat en 1881 du concours du monument commémoratif de la Constituante à Versailles, auteur de la *République* de Dijon.

74. À son actif quelques brochures, des conférences sur les cahiers de doléance. Pour le reste, un travail strictement para-parlementaire. Même évolution pour la Fédération du Centenaire issue en 1888 des comités de propagande radicaux, et présidée par le clemenciste Anatole de La Forge.

75. Clemenceau lance sa formule deux ans plus tard, à l'occasion de la polémique autour de la pièce *Thermidor*: le théâtre de boulevard, autre lieu de mémoration à revisiter.

76. *Centenaire de 1789. Histoire de la Révolution Française*, Paris, 1889, p. 236. Comme l'extrême droite, l'auteur voit dans Babeuf l'ancêtre de cet «immense parti d'une incroyable puissance, et qui est la plus grande menace suspendue sur la société européenne».

77. Exemple: le christianisme républicain qui, dans une série de brochures *À propos de l'Exposition*, fait de l'Évangile «le vrai fondement de la République».

78. Le premier tableau de Bin, *Situation des classes en France sous l'ancienne monarchie*, rappelle en grand les vignettes des manuels scolaires.

79. Exemple: le tableau 6 de Bin, ou les documents commentés de la Ligue de l'enseignement.

80. Cité par Christian Amalfi, *L'Image d'Étienne Marcel en France [...] 1789-1982*, doctorat de 3e cycle, 1982, annexe 20, p. 3.

81. Chautemps, *op. cit.*, p. 69.

82. *Ibid.* pp. 67 et 89.

83. Paoletti, préface à Chautemps, *op. cit.*, p. VI: «Spectacle grandiose et superbe que celui de ces hommes accourus de tous les points du globe sur la place de l'Hôtel de Ville avec leurs bannières nationales, acclamant Paris et son génie civilisateur, fêtant la fraternité universelle, nous pourrions dire la Révolution, opposant ainsi la solidarité des peuples à la solidarité des monarques.»

84. *Les Fêtes [...]*, *op. cit.*, p. 47.

85. Augusta Holmès, *Ode triomphale [...]*, Paris, 1889, p. 7. Jules Claretie, lors des fêtes de la Sorbonne, s'exalte: «Tuer la haine avec la rage/Et que la Guerre ait son Pasteur.»

86. Le rapporteur du projet auprès du conseil municipal avait fait du monument, en 1880,

une sorte de symbole comtien du triomphe, après l'idée religieuse et l'idée aristocratique, de l'idée démocratique, « autrement haute et puissante ». *Cf.* Chautemps, *op. cit.*, p. 112.

87. Dont le piédestal porte deux professions de foi matérialiste («... Donnez-moi une vésicule animée... ») et scientiste («... À la science, l'unique religion de l'avenir »).

88. *La Révolution française. À propos du Centenaire de 1789*, Paris, 1889. Elle prône la dissolution du monopole de l'enseignement et critique le « militarisme » antichrétien de la République.

89. Édouard Trogan, *L'Équivoque sur la Révolution française [...]*, Paris, 1889, p. 65.

90. Édouard Goumy, *La France du Centenaire*, Paris, 1889, p. 389.

91. Georges Guéroult, *Le Centenaire de 1789 [...]*, Paris, 1889, p. v. L'Exposition organise un concours de cantates pour « célébrer la marche en avant de tout un siècle entre 1789 et 1889 ». Symétriquement, un royaliste publie un ouvrage sur *Les Origines de la Révolution française au* XVI*e siècle.*

92. Chargé par Lockroy de donner à l'Exposition « une portée plus haute, une signification plus élevée », elle illustre « la marche de l'humanité à travers les siècles » (*Exposition universelle de 1889. Les expositions de l'État [...]*, Paris, 1890, p. 41.

93. *La Révolution Française*, X, pp. 989-990.

94. Chautemps, *op. cit.*, pp. 84 et 85.

95. Archives de la commission de contrôle des fêtes de l'Exposition (Archives nationales, F 12 3915, p. 6) : « Il est en effet nécessaire de faire revivre pour les yeux et pour l'oreille les impressions puissantes des fêtes populaires de la première révolution, ces cérémonies de plein air, avec leurs défilés, leurs cortèges, les chars de musique et de danse, avaient un côté profondément impressionnant que le Conseil Municipal voudrait faire revivre pendant les fêtes essentiellement républicaines du Centenaire. »

96. *Ibid.*, cf. ci-dessus, n. 24.

CHARLES-ROBERT AGERON

L'Exposition coloniale de 1931

Mythe républicain ou mythe impérial ?

Voici plus de vingt ans que l'Homme blanc a déposé partout dans le monde le «fardeau colonial» dont parlait Kipling; partout il reste pourtant fustigé, parfois condamné pour crime contre l'humanité. Dès lors il devient difficile d'imaginer ce temps, proche encore, où triomphait avec bonne conscience l'impérialisme colonial. Qui veut célébrer la République se garde de rappeler qu'elle s'est enorgueillie, quasi unanimement, de son œuvre coloniale.

Et pourtant quel écolier de jadis ne se souvient d'avoir appris dans les manuels de l'école laïque que «l'honneur de la IIIe République est d'avoir constitué à la France un empire qui fait d'elle la seconde puissance coloniale du monde». «La colonisation, couronnement et chef-d'œuvre de la République», sur ce thème la franc-maçonnerie se sentait d'accord avec l'Académie française et les convents radicaux avec les assemblées des missionnaires. Tout écrivain, tout historien du monde contemporain, ou presque, se croyait tenu dans l'entre-deux-guerres de célébrer «l'œuvre civilisatrice de la IIIe République». Sait-on que Daniel Halévy, historien pourtant non conformiste et modérément républicain, après avoir écrit *La République des ducs* et *La République des notables* entreprit la rédaction d'un troisième ouvrage? Il se fût intitulé *La République des colonisateurs*. Mais, après la défaite de 1940, le cœur lui manqua et le triptyque fut interrompu.

De quand date cette unanimité troublante? De la Grande Guerre durant laquelle «les colonies ont bien mérité de la patrie», disait-on dans les années 1920. La guerre aurait révélé aux Français l'immensité, les richesses et l'avenir illimité de la «Plus Grande France». Aujourd'hui l'idée s'est accréditée, semble-t-il, que l'apothéose de l'Empire colonial et l'apogée de l'idée coloniale en France se situeraient, tous deux, dans les années 1930 et 1931. Les fêtes du Centenaire de l'Algérie et celles de l'Exposition coloniale de Paris

auraient clairement manifesté alors le triomphe de l'Empire colonial français. Elles mériteraient d'en rester le symbole.
L'Exposition coloniale, ainsi devenue l'une des dates et l'un des lieux de mémoire de la IIIe République, ce fait interpelle l'historien. Fut-elle décidée et construite pour célébrer le grand œuvre de la République colonisatrice? Servit-elle la gloire de la République auprès des Français? Après sa clôture, la grande fête de Vincennes ne laissa-t-elle comme le bois lui-même qu'un tourbillon de feuilles mortes? Ou bien ce spectacle provisoire devint-il musée imaginaire, référence obligatoire pour des générations brusquement confrontées au ressac anticolonial de l'histoire? Oui ou non, l'Exposition de Vincennes fut-elle ce lieu où s'enracina pour l'avenir la mémoire de la République coloniale?

La tradition de l'Exposition coloniale

Peut-être n'est-il pas superflu de rappeler qu'avant 1931 courait déjà en France une longue tradition de l'exposition coloniale:
On ne remonterait pas jusqu'au second Empire, malgré la présence attestée d'une section coloniale à l'Exposition de 1855, si les Parisiens ne connaissaient l'observatoire météorologique du parc Montsouris. Or cette curieuse construction fut édifiée à l'image fidèle du palais tunisien du Bardo où fut signé le traité de 1881. Lors de l'Exposition internationale de 1867, elle constituait le pavillon de la Tunisie, alors État indépendant. C'est donc rétrospectivement qu'elle a pris valeur de premier monument «colonial» laissé à Paris par une exposition. En revanche, il n'est rien resté de l'Exposition permanente des colonies installée au Champ-de-Mars en 1867. Onze ans après, à l'exposition de 1878, on édifia au moins un vrai bâtiment colonial, fort miniaturisé semble-t-il, puisque le critique Henri Houssaye commentait: «Toute l'Algérie en 50 m²» pour présenter cette pâle reproduction de la mosquée Sidi bou Médine de Tlemcen, à laquelle on avait accolé un bazar tunisien et une boutique marocaine.
En fait, c'est en 1889 que, pour la première fois, les colonies eurent droit à une organisation étendue au sein de l'Exposition internationale universelle. Autour d'un pavillon central se groupaient sur l'esplanade des Invalides diverses constructions de taille normale abritant essentiellement des collections d'objets coloniaux, mais aussi des réductions de cités africaines et asiatiques. De l'avis des contemporains avertis, elle fut pourtant un échec pour la propagande coloniale. Certes, les visiteurs purent marchander dans des souks algériens et tunisiens et se divertirent au spectacle d'un théâtre annamite et d'un concert arabe. Mais les badauds regardèrent surtout les dan-

seuses algériennes à l'établissement dit de *La Belle Fatma* et les soldats noirs ou jaunes, ces derniers étant jusque-là inconnus en France. Jules Ferry ne put cacher son indignation devant le succès malsain de ces spectacles. Quant à Abel Hermant, il ne se souvenait plus tard que «des palais bleus et des ânes de la rue du Caire» identifiés abusivement par lui au domaine colonial. L'exotisme l'avait donc emporté sur la vision coloniale.

En 1900, lors de la Grande Exposition universelle, l'œuvre coloniale de la République fut présentée enfin avec éclat dans les jardins du Trocadéro, et ce grâce à l'aide efficace du tout-puissant Eugène Étienne, patron des coloniaux. Cette section coloniale visait expressément à la propagande pratique au point de vue commercial et éducatif, mais on sacrifia aussi beaucoup au pittoresque. On y exhiba sans complexe «les citoyens de nos colonies militaires ou civils, artisans exerçant leurs métiers sous les yeux du public».

Dès lors la tradition s'imposa dans toutes les expositions de réserver une place aux colonies françaises. Un comité national des expositions coloniales créé en 1906 intervint dans toutes les expositions françaises ou étrangères, notamment dans l'Exposition nationale coloniale de Paris en 1907 et l'Exposition franco-britannique de Londres en 1908.

Le projet d'exposition coloniale internationale de 1913 à 1927

En 1910, par lassitude des expositions universelles de périodicité undécennale, on songea pour des raisons plus esthétiques que nationales à une exposition de l'exotisme. Il fut notamment question d'édifier en grandeur naturelle à Paris une vision de l'Orient et de l'Extrême-Orient. Puis, sous l'influence d'un membre actif du parti colonial, Louis Brunet, l'idée se transforma en un projet différent: il s'agissait de mettre sous les yeux des visiteurs en un raccourci saisissant tous les résultats de la colonisation française et européenne. Le programme élaboré en 1913 précisait: «Notre empire d'outre-mer s'est étendu, son organisation s'est perfectionnée, ses merveilleuses ressources se sont accrues. Il convient d'en établir le bilan, d'en tracer le vivant inventaire, de placer le public, l'opinion devant les faits et les résultats. C'est l'œuvre d'une exposition.» Cette exposition devait être internationale, s'ouvrir en 1916 et comporter l'édification à Paris d'un musée permanent des colonies, ce musée qui manquait encore à la France alors que tous les grands États avaient déjà le leur.

Comme Paris et Marseille se disputaient l'honneur d'organiser cette grande manifestation, le gouvernement décida que Marseille aurait une Exposition coloniale nationale en 1916. Il se réservait de mettre sur pied pour 1920 l'Exposition coloniale internationale de Paris.

La guerre arrêta bien entendu tous les travaux préparatoires, mais dès la fin des hostilités, le 13 novembre 1918, la chambre de commerce de Marseille décida la reprise de son projet. De son côté, le conseil municipal de Paris demandait le 27 décembre 1918, pour 1920 ou 1921, une «exposition coloniale interalliée» excluant la «participation de nos ennemis qui se sont mis hors des lois de toute civilisation». Ce «grandiose projet» fut repris dans une proposition de loi présentée par trente-quatre députés du parti colonial. Selon le rapporteur, le député de la Cochinchine, Ernest Outrey, cette exposition de 1921 «constituera une manifestation de la puissance coloniale française destinée à démontrer au monde les résultats obtenus par vingt-cinq ans de politique indigène». Le Parlement se prononça finalement en faveur d'une Exposition coloniale nationale à Marseille en 1922; quant à l'Exposition coloniale interalliée, elle aurait lieu à Paris en 1925.

Ainsi fut consacré par la loi du 7 mars 1920, soit sept ans après que l'idée eut été lancée, le principe d'une exposition coloniale internationale. Le ministre des Colonies, Albert Sarraut, en définit peu après l'esprit: «L'exposition doit constituer la vivante apothéose de l'expansion extérieure de la France sous la IIIe République et de l'effort colonial des nations civilisées, éprises d'un même idéal de progrès et d'humanité. Si la guerre a largement contribué à révéler les ressources considérables que peuvent fournir les colonies au pays, l'Exposition de 1925 sera l'occasion de compléter l'éducation coloniale de la nation par une vivante et rationnelle leçon de choses. À l'industrie et au commerce de la Métropole, elle montrera les produits qu'offre notre domaine colonial ainsi que les débouchés infinis qu'il ouvre à leurs entreprises.»

Pendant plusieurs années, la classe politique glosa sur ces thèmes impérialistes et utilitaristes. La date de 1925 ne put toutefois être retenue car on s'aperçut très tard qu'il fallait la réserver à l'Exposition internationale des arts décoratifs. En la retardant à 1928, on décida de lui rendre son caractère pleinement international, notamment pour y faire place aux Pays-Bas, troisième puissance coloniale du monde. L'accent fut mis aussi sur la colonisation comme «œuvre de civilisation qui crée entre les peuples à la fois une solidarité et une émulation utiles et fécondes».

Cependant le commissaire général désigné en 1920, le gouverneur général Angoulvant, dut abandonner ses fonctions après avoir été élu député de l'Inde. Pour le remplacer, le président du Conseil, Poincaré, songea au maréchal Lyautey, alors retiré dans son exil de Thorey et que l'inaction rongeait. Lyautey, s'affirmant «homme de droite», posa ses conditions: l'exposition coloniale devrait nécessairement comporter la présence et le rappel de l'œuvre des Missions jusque-là oubliées. Par ailleurs, vu la proximité de la date retenue, celle-ci devait être à nouveau retardée. Le 27 juillet 1927, ces exigences furent acceptées. Lyautey, devenu commissaire général, n'allait pas tarder à définir publiquement ses projets.

Les conceptions de Lyautey

Pour l'homme qui s'était donné comme devise: *The soul's joy lies in doing*, l'Exposition ne devait pas être fondamentalement une «exhibition foraine» mais plutôt «une grande leçon d'action réalisatrice, un foyer d'enseignement pratique», une sorte d'«office du travail colonial». Du coup, la conception qui prédominait jusque-là d'un bilan en forme d'apothéose de l'œuvre coloniale de la République basculait. «Cette grande manifestation», Lyautey lui assignait le 5 novembre 1928 lors de la pose de la première pierre du musée permanent des Colonies, «un caractère d'ordre essentiellement économique et pratique». Elle devait être à l'origine de «créations permanentes», non seulement le musée prévu, mais encore une Maison des colonies et un Office colonial regroupant toutes les agences et offices disséminés dans Paris. En attendant l'autorisation de les construire, Lyautey fit élever à l'entrée de l'Exposition «deux loges de concierge», disait-il, en fait une Cité des informations où les hommes d'affaires, les commerçants et les industriels français et étrangers pourraient obtenir tous les renseignements pratiques qu'ils souhaitaient.

D'autre part, l'Exposition ne pouvait se borner à célébrer dans la colonisation l'œuvre de la République. Lyautey pensait qu'à envisager l'expansion coloniale sous cet angle, on l'eût rétrécie. Elle ne pouvait méconnaître le passé, les gloires et le caractère véritable du peuple français trop souvent ignoré à ses yeux. Dès mars 1928, Lyautey fit donc décider la création d'une section rétrospective qui prépara finalement un véritable historique illustré de la colonisation entendue depuis les Croisades. «Les campagnes coloniales, commentait alors la revue *La Vie*, ne sont-elles pas en réalité notre dixième et notre onzième croisade?» Avec les pavillons des missions et l'exposition rétrospective, Lyautey estimait pouvoir restituer toutes ses dimensions nationales à l'effort colonial français.

Enfin, Lyautey, rallié à l'idée d'un rapprochement européen, estimait qu'«aux lendemains de la période meurtrière fratricide qui a couvert le monde de ruines», il convenait de montrer par une exposition réellement internationale «qu'il y avait pour notre civilisation d'autres champs d'action que les champs de bataille». Il entendait démontrer que l'Occident européen ne renonçait pas à poursuivre dans le monde sa mission de civilisation: de grandes et belles batailles restaient à livrer outre-mer, notamment contre la maladie et l'ignorance.

Encore fallait-il convaincre les États étrangers de participer nombreux à ce manifeste de l'Occident lancé contre les prophètes de l'Est, disciples de Spengler, annonciateurs trop pressés du *Westenuntergang*, ou bolcheviks russes acharnés à la destruction des empires européens.
La Grande-Bretagne, invitée depuis 1921, faisait traîner sa réponse en multipliant les objections. Elle préparait jusqu'en 1924 la *British Empire Exhibition* dont on affirmait en France qu'elle avait donné aux populations britanniques plus que toute manifestation antérieure une mentalité impériale. Lyautey à trois reprises insista, en 1928, pour obtenir au moins la présence de l'*Imperial Institute* qui refusa. Il se rendit alors à Londres en décembre 1928, puis en juillet 1929, pour plaider lui-même la cause de cette manifestation, défense et illustration de la colonisation européenne. Plus qu'à un veto véritable du *Colonial Office*, il se heurta à l'indifférence teintée de condescendance des autorités pour ce projet colonial français. Finalement les Britanniques, mettant en avant leurs difficultés financières dues à la crise économique, annoncèrent qu'ils ouvriraient seulement un stand commercial à la Cité des informations. L'Allemagne, humiliée par «le mensonge de sa culpabilité coloniale», usa du même subterfuge. Parmi les dominions, seuls le Canada et l'Union sud-africaine acceptèrent une très modeste représentation. En revanche, la Palestine, pays sous mandat britannique, décida d'édifier un luxueux pavillon, sans doute pour faire pièce aux palais nationaux de la Syrie et du Liban. L'Espagne gallophobe refusa le moindre geste de courtoisie, tandis que les États-Unis, les Philippines et le Brésil promirent d'édifier des bâtiments représentatifs de leur passé colonial. Au total, cinq États européens seulement construisirent des pavillons nationaux et coloniaux: le Danemark, la Belgique, l'Italie, les Pays-Bas et le Portugal. L'Europe réconciliée et solidaire dans l'œuvre coloniale, ce rêve que Lyautey partageait alors avec Albert Sarraut, Joseph Caillaux et nombre de républicains de gouvernement, se révélait irréaliste.
Cet échec, pudiquement passé sous silence, contribua involontairement à rendre plus étroitement française la grande exposition coloniale internationale. Le discours officiel s'infléchit en ce sens. Pour Lyautey déçu, l'Exposition devenait «une bonne occasion de faire le point, de voir où nous en sommes au point de vue colonial». On en revenait donc à la conception de l'exposition bilan de l'activité économique, politique et culturelle de la France coloniale, dessein qui avait été et demeurait essentiel pour le ministère des Colonies. Un décret du 18 juillet 1928 l'avait chargé «de présenter sous une forme synthétique: 1° L'œuvre réalisée par la France dans son empire colonial; 2° l'apport des colonies à la Métropole». Il était ainsi bien entendu que l'Exposition coloniale avait un «rôle nécessaire de propagande directe».
En avril 1930, le ministère des Colonies publia un ouvrage définissant les *But et organisation de l'Exposition*. Celle-ci visait à «matérialiser sur le sol

métropolitain la présence lointaine de toutes les parties de l'Empire»: «Elle sera une justification et une réponse. Il faudra bien qu'enfin le peuple de France sente en lui s'émouvoir un légitime sentiment d'orgueil et de foi.» Fait digne de remarque, l'auteur anonyme de ce livre officiel n'omettait de signaler aucun nom parmi les grands colonisateurs, mais ne faisait nulle allusion à la République, ni aux grands républicains initiateurs. Est-ce pour cette raison ou parce qu'on le savait bonapartiste que le ministre des Colonies, François Pietri, crut devoir expliquer, le 26 avril 1930, les vertus de «l'impérialisme français, formule de liberté politique et de fraternité sociale. Penser impérialement c'est rester fidèle à cette conception que les hommes de 89 et de 93 se faisaient de la patrie. C'est reporter les frontières de la République jusqu'où peuvent atteindre sa générosité, sa vaillance, son amour de la justice et des hommes».

Pour le parti colonial qui, lui, du moins, restait fidèle à ses attaches républicaines, l'Exposition devait être un inventaire et une démonstration et servir avant tout au développement de l'idée coloniale dans le pays. Les parlementaires du parti ne convainquirent que tardivement Lyautey de la nécessité d'un gros effort financier pour la propagande intérieure. En 1928, Lyautey n'avait affecté que cinq millions à ce chapitre. Le groupe colonial de la Chambre obtint par la loi du 18 mars 1931 un crédit supplémentaire de douze millions. Il fit valoir que l'Exposition devait être tout à la fois une justification des efforts consentis par le passé mais aussi une réponse à la propagande anticoloniale. Quand bien même la Grande Guerre avait prouvé à tous les Français l'utilité des colonies et la sagesse du pari colonial engagé par les républicains modérés, il fallait leur démontrer à nouveau le bien-fondé de la colonisation, dès lors qu'elle était contestée «par certains voyageurs en quête de thèses tapageuses» et menacée par «l'entreprise bolchevique».

La propagande anticolonialiste

Face à la mobilisation du parti colonial, les anticolonialistes – le mot état déjà à la mode – avaient décidé d'intensifier leur action. Le Komintern avait jugé qu'en 1930, lors du Centenaire de l'Algérie, la propagande anticolonialiste avait été trop peu active. Il chargea donc la Ligue [internationale] contre l'oppression coloniale et l'impérialisme, le P.C.F. et la C.G.T.U. de lancer une grande campagne d'agitation contre «l'Exposition internationale de l'Impérialisme».

Encore que ce ne soit pas le lieu de présenter ici cette campagne peu connue, il apparaît pourtant nécessaire, pour une juste appréciation de l'esprit public en matière coloniale, d'en évoquer quelques manifestations. La Ligue française contre l'impérialisme, association fantomatique qui, après trois ans d'existence, n'avait réuni en 1930 que deux cents adhérents, dut organiser à Paris une « Exposition anti-impérialiste ». Celle-ci devait être pour ceux qui la commanditèrent l'anti-Exposition coloniale. Baptisée « La vérité sur les colonies », cette contre-exposition se borna à présenter au pavillon des Soviets, annexe de la Maison des syndicats, un ensemble de photographies sur les guerres coloniales, de vieux dessins satiriques de *L'Assiette au beurre* et des graphiques sur « les profits fabuleux » des sociétés capitalistes. L'écrivain Aragon y exposa une collection d'objets d'art nègre, océanien et indien en regard d'imageries religieuses de facture sulpicienne, ces symboles du mauvais goût occidental. Des photographies naïves sur le bonheur des peuples asiatiques libérés par la révolution soviétique complétaient cette mini-exposition. Malgré sa durée exceptionnelle (de juillet 1931 à février 1932) et des visites collectives organisées par les syndicats, quelque cinq mille visiteurs seulement furent dénombrés par la police parisienne.

Il est vrai que dans diverses villes françaises des comités de lutte contre l'Exposition coloniale agirent peut-être plus efficacement. Ils distribuèrent à tous les colonisés des tracts en langue vietnamienne, malgache et française. Ceux-ci dénonçaient « l'oppression sanglante des impérialistes exploiteurs », « l'œuvre de civilisation, cette pure hypocrisie aux dessous ignobles » ; ils protestaient contre « les curiosités de l'Exposition frisant la barbarie, telles que l'exhibition de cannibales en cages *(sic)*, de négresses à plateaux et de pousse-pousse ». Des tracts en qnoc-ngru avertissaient les Annamites qu'on les avait fait venir pour se servir d'eux « comme d'un troupeau d'étranges bêtes » et « faire de vous une bande de singes pour parc zoologique ».

Le Secours rouge international avait préparé de minces brochures anticolonialistes présentées sous le titre : *Le Véritable Guide de l'Exposition coloniale. L'œuvre civilisatrice de la France magnifiée en quelques pages.* Elles contenaient surtout des chiffres accablants sur « la répression dans les principales colonies françaises » et des dessins illustrant violences et massacres. Des milliers de papillons imprimés par le parti communiste français expliquaient aux ouvriers français : « L'impérialisme français lutte pour garder et exploiter les colonies. Le Parti communiste lutte pour la libération et l'indépendance des colonies », ou « Les peuples coloniaux ne demandent pas des gouverneurs social-fascistes. C'est l'indépendance qu'ils réclament ». *L'Humanité* s'employa à partir du 17 avril 1931 à dénoncer « les méfaits sanglants de la colonisation », à fustiger dans la foire de Vincennes « l'apothéose du crime » (Florimond Bonte). Ce fut aussi pour l'organe communiste une occasion nouvelle de « flétrir la complicité des chefs socialistes dont le journal *Le Populaire* fait, moyennant finance, une propagande incessante pour la foire de Vincennes ». Le 7 juin, *L'Humanité* titrait : « Les chefs S.F.I.O. aux côtés des pires colonialistes. »

Le Parti mobilisa douze écrivains du groupe surréaliste, dont Aragon, André Breton, René Char, Paul Éluard, Georges Sadoul, pour rédiger un très long (et médiocre) tract intitulé *Ne visitez pas l'Exposition coloniale!* Ceux-ci s'en prenaient essentiellement «aux zélateurs de cette entreprise, au scandaleux parti socialiste, à la jésuitique Ligue des droits de l'homme, à l'immonde Paul-Boncour...». Ils exigeaient «l'évacuation immédiate des colonies et la mise en accusation des généraux et fonctionnaires responsables des massacres d'Annam, du Liban, du Maroc et de l'Afrique centrale». Enfin, la Ligue de défense de la race nègre qu'animait Kouyaté, un révolutionnaire manipulé par la police, attendit septembre 1931 pour s'adresser aux «travailleurs nègres» et dénoncer «la foire mercantile et épicurienne de Vincennes».

Selon la préfecture de police, cette campagne aurait été un échec total et tel rapport du P.C.F. intercepté par un indicateur en expliquait les raisons: «On se heurta à une paresse et à une mauvaise volonté systématique touchant au sabotage.» L'anticolonialisme ne faisait pas recette en 1931 chez les militants communistes et les travailleurs socialistes boudèrent les appels au front unique prolétarien pour l'évacuation des colonies. En revanche, les communistes indochinois et les nationalistes algériens auraient mieux réussi dans leur campagne antifrançaise. Messali Hadj a confirmé dans des pages inédites de ses Mémoires que l'Exposition, «cette mascarade colonialiste», avait permis le renforcement de son parti, l'Étoile nord-africaine.

Au terme de ce long mais nécessaire historique sur les buts et les conditions de préparation de l'Exposition coloniale, on a pu mesurer les distorsions subies par l'entreprise. Lancé en 1913 par un publiciste du parti colonial, Louis Brunet, spécialisé dans la propagande coloniale par le mode des expositions, le projet visait à consacrer «les efforts et les sacrifices de la Métropole» et à montrer le bilan positif de l'œuvre coloniale. En 1920, Albert Sarraut entendit en faire l'apothéose de l'expansion coloniale des nations civilisées. Le maréchal Lyautey, monarchiste insensible à la célébration républicaine, tâcha de son mieux à orienter l'Exposition dans le sens de ses convictions européennes, mais n'y réussit que très incomplètement.

Lorsque s'ouvrit enfin l'Exposition si longtemps mûrie, le climat international qui entourait la colonisation avait profondément changé. On savait en France par le livre d'Andrée Viollis, *L'Inde contre les Anglais* (1930), et l'on redoutait, depuis Yen-Bay et les soulèvements communistes du Nghe Tinh, l'Annam contre les Français. «Le communisme, disait le ministre des Colonies Paul Reynaud, le 23 février 1931, veut chasser la France de l'Indochine. Voilà la guerre entre lui et nous.» Bref, comme A. Sarraut l'avouait dans son livre de 1931 *Grandeur et servitudes coloniales*: «La crise de la colonisation partout est ouverte.» Mais ces inquiétudes devaient être soigneusement cachées aux visiteurs qu'on invitait seulement à s'émerveiller de l'action colonisatrice de l'Europe et de la France.

Dès lors, l'Exposition coloniale allait prendre l'allure d'un plaidoyer passéiste. Internationale du fait des participations étrangères, elle allait se borner à une œuvre d'éducation nationale. À quoi l'on ne pourrait qu'applaudir rétrospectivement s'il s'était agi de révéler aux Français les colonies et les colonisés dans leur singularité et leur commun destin. Mais il s'agissait seulement encore de vulgariser à l'usage du peuple français les piètres slogans du parti colonial : la mise en valeur des colonies, l'Empire, remède miracle à la crise, le salut militaire de la France par l'Empire. Face à la fermentation de l'Asie et du Moyen-Orient, on allait redire aux Français par l'Exposition les bienfaits de l'apostolat colonial pour « la rééducation des peuples arriérés », le loyalisme reconnaissant des populations soumises et les réalisations de la France comme État mandataire dans les territoires africains et arabes que lui avait confiés la Société des Nations.

Quant au « but essentiel », le ministre le formula ainsi le jour de l'inauguration : « Donner aux Français conscience de leur Empire. » « Il faut que chacun de nous se sente citoyen de la Grande France. »

Une lecture de l'Exposition

Que l'Exposition coloniale internationale de 1931 ait d'abord pensé à instruire le peuple français selon les traditions du spectacle et de la fête chères au parti colonial parisien, cela peut se lire dans son organisation même et dans mille détails.

L'Exposition devait provoquer chez le visiteur l'illusion d'un voyage dans le monde colonial. Pensant s'adresser aux lecteurs de Jules Verne, elle leur promettait « le tour du monde en quatre jours », voire en une journée. Des affiches publicitaires disaient : « Pourquoi aller en Tunisie quand vous pouvez la visiter aux portes de Paris ? » C'est autour du lac Daumesnil que le visiteur était invité au voyage planétaire. Sans effort, comme dans des dioramas, il pourrait glisser d'une colonie à l'autre. Il irait d'un palais marocain à la rue d'un village soudanais, il pourrait entrer dans la grande mosquée de Djenné avant de gravir la chaussée monumentale du temple khmer d'Angkor Vat.

À l'usage de l'élite déjà férue de tourisme exotique, l'exposition de Vincennes se voulut aussi un spectacle d'art où la beauté et la couleur des architectures l'emportaient parfois sur le strict réalisme. Plusieurs pavillons dits de style local furent de libres interprétations, non des reconstitutions fidèles. Ainsi le bizarre et beau palais rouge de Madagascar fut flanqué d'une surprenante tour surmontée de têtes de bœufs. Mais ce campanile altier était une pure création artistique parisienne, vaguement inspirée des humbles poteaux votifs de la campagne betsiléo. Le pavillon du Cameroun prétendait amplifier la hutte des Bamoums, mais il s'imposait surtout par la réussite d'un décor géométrique original. À des fins décoratives semblables, le bois de Vincennes fut orné de somptueux palmiers dattiers, alors que ce palmier est rare sur les côtes d'Afrique. On eut soin cependant de présenter «aux amis des arts primitifs» des expositions d'objets authentiques et de tenter une reconstitution de villages indigènes en pays africain et malgache.

Comme dans les précédentes expositions, mais avec plus de goût et de moyens, furent donnés des spectacles authentiques: processions rituelles des génies villageois de l'Annam ou cérémonie religieuse dans la pagode du Laos. On ressuscita même avec des figurants autochtones le cortège du roi Béhanzin ou celui du Morho-Naba et l'on fit défiler dans leurs uniformes d'apparat les dignitaires malgaches qui entouraient la reine Ranavalona III avant 1895. Une fois encore, le public fut invité à entendre des orchestres africains et malgaches, des musiciens de cafés maures ou à admirer des ballets annamites et des troupes de danseurs noirs. Cependant, chaque soir, tandis que s'illuminaient les pavillons, des fêtes lumineuses et musicales se déroulaient au théâtre d'eau. Mais qu'y venaient faire les ensembles de music-halls parisiens?

Pour le populaire, avide d'exotisme bon enfant, furent organisées des caravanes et des courses de chameaux, des promenades en pirogues malgaches sur le lac Daumesnil, voire simplement des ventes de casques coloniaux. Des souks marocains, des restaurants africains ou tunisiens, le «café du Cameroun», étaient censés révéler au peuple la «gastronomie coloniale», les pâtisseries arabes ou les «boissons exotiques». Il paraît que les spectacles et les plaisirs furent décents. Barrès qu'écœuraient les expositions («Limonade et prostitution», tranchait-il) eût peut-être été satisfait.

Certaines des intentions des organisateurs furent aussi fermement soulignées. L'hommage rendu aux missionnaires et aux militaires était appuyé, lisible jusque dans le plan. Ainsi les pavillons des missions catholiques et protestantes occupaient une place de choix au centre de l'«avenue des Colonies-françaises» et semblaient conduire vers une tour haute de quatre-vingt-deux mètres, le monument de l'armée coloniale. En ces années où le sort de l'Indochine était remis en question, on fit large place au «joyau de la colonisation française»: la part réservée aux seuls palais et temples d'Indochine représentait, à elle seule, le dixième de la superficie totale de l'Exposition.

D'autres intentions furent déjouées. Les organisateurs auraient voulu démythifier un certain exotisme de pacotille qui horripilait les coloniaux. Mais, en dressant de luxueux décors et en y plaçant d'authentiques personnages vêtus d'habits de fête, ils créèrent des impressions esthétiques tout aussi erronées.

Les visiteurs savaient-ils que bien peu d'Annamites habitaient ces demeures aux décorations somptueuses, ou que les cortèges de nobles mandarins relevaient d'un folklore disparu? La grande misère des paysans d'Indochine fut dérobée aux regards derrière un paravent de laque. Bref, l'Exposition coloniale de 1931 resta, comme celles du passé, un théâtre d'ombres, non un reportage fidèle.

Lyautey avait demandé qu'on insistât aussi sur les réalisations de la «politique indigène» et les progrès économiques dus à la colonisation. Ainsi s'expliquent qu'aient été soulignés dans chaque pavillon les moindres réalisations sociales et les progrès de l'hygiène et de la santé publique. Mais les salles qui attirèrent le plus grand nombre de visiteurs furent celles qui présentaient les arts décoratifs, les collections de masques et de fétiches. Les photographies de réalisations industrielles, les statistiques sur le mouvement commercial, les collections d'échantillons n'intéressèrent pas le grand public. L'amélioration du bien-être, le développement des populations colonisées, proclamés «mission sacrée de la colonisation», furent affirmés de manière didactique; ils laissèrent les visiteurs et les journalistes indifférents.

Enfin, à supposer que le ministère des Colonies ait vraiment voulu célébrer l'œuvre coloniale de la République, les touristes les plus attentifs y furent insensibles. La grande épigraphe du musée des Colonies disait: «À ses fils qui ont étendu l'empire de son génie et fait aimer son nom au-delà des mers, la France reconnaissante.» Mais, dans la longue liste des artisans du domaine colonial, les noms des grands décideurs républicains disparaissaient...

Curieusement, les hommes politiques furent rares dans leurs discours de 1931 à faire hommage à la République de cet immense empire colonial. Certes, le ministre des Colonies, Paul Reynaud, invita la foule à la reconnaissance vis-à-vis de ceux «qui ont fondé à la fois un régime et un Empire». Certes, André Lebon, ancien ministre des Colonies, affirma que «la foule française avait salué avec déférence et attention la mémoire des artisans connus ou anonymes de l'œuvre coloniale». Mais aucun hommage spectaculaire ne fut rendu à Vincennes aux grands Républicains coloniaux. Il ne fut pas même question de Gambetta, l'initiateur, ni d'Eugène Étienne, son disciple, jusqu'à sa mort chef incontesté du parti colonial. Jules Ferry eut droit à une cérémonie commémorative à Saint-Dié, mais J. Paul-Boncour fut peut-être le seul à faire un rapprochement qui s'imposait: «Il me plaît que les splendeurs de cette Exposition coloniale où la France s'admire et s'étonne presque d'une œuvre qu'elle ne soupçonnait point se soient ouvertes à l'heure où des foules venaient déposer la palme du souvenir dans celui qui en fut l'initiateur méconnu et torturé.»

Bilan matériel et moral de l'Exposition

On ne s'interrogerait pas sur le succès matériel de cette Exposition, incontestable, sauf au point de vue financier, si le nombre des visiteurs ne servait d'ordinaire à mesurer son influence supposée sur l'opinion.

Selon les rapports des organisateurs, on avait comptabilisé en 193 jours, 33 489 000 entrées à l'Exposition et au parc zoologique. Or, ce parc, l'une des grandes réussites de l'Exposition, enregistra à lui seul 5 288 462 entrées à 2 francs, chiffre qu'il serait légitime pour notre propos de soustraire de celui des visiteurs de l'Exposition qui acquittaient 3 francs. En retenant cependant le total de 33 millions de tickets d'entrée (or il fallait présenter quatre tickets par personne le vendredi, un les autres jours) et en supposant pour un même visiteur une moyenne de quatre entrées (les tickets étaient vendus par quatre), les organisateurs estimaient à 8 millions le nombre des visiteurs différents, soit, pensaient-ils, 4 millions de Parisiens, 3 millions de provinciaux et 1 million d'étrangers.

Cette évaluation maximale (on trouverait 6 millions de Français en ne tenant pas compte des visiteurs du seul parc zoologique) permet du moins de mesurer les excès de plume des gazettes coloniales. L'une d'elles écrivait sans rire le 19 novembre 1931 que «trente-trois millions de Français avaient pris conscience de la France de cent millions d'habitants».

Le bilan moral de l'Exposition reste encore plus difficile à établir. Confortés par le succès d'affluence malgré un temps maussade, les officiels estimèrent dans un premier mouvement que le public français devait avoir été «séduit et instruit». Les Français ne pourraient désormais oublier qu'ils avaient un Empire. Celui-ci cesserait d'être une vague entité, un thème à discours; il deviendrait «la plus magnifique des réalités». Les colonies ne seraient plus jamais cette *terra incognita* dont la presse n'entretenait ses lecteurs qu'à l'occasion de scandales. Après avoir respiré un peu de l'atmosphère coloniale, vécu «les heures de gloire de l'épopée coloniale», les Français seraient plus confiants dans la grandeur de la France. Dans les milieux gouvernementaux, on affirmait que le but avait été atteint: l'esprit colonial avait pénétré les masses populaires. André Tardieu, qui avait écrit dans *L'Illustration* de janvier 1931: «Chez nous la conscience impériale est à naître», affirmait dix mois plus tard: «Elle est née. L'Exposition coloniale a été un triomphe, une leçon, une espérance.» Pour le ministre des Colonies, Paul Reynaud, la démonstration était faite: l'Empire français était devenu un bloc indivisible et les Français ressentaient l'honneur d'en être les citoyens. «La vieille France d'Europe et la jeune France d'outre-mer, commentait l'ancien ministre Léon Bérard, se sont peu à peu rapprochées malgré la distance, réciproquement pénétrées et mêlées et sont devenues inséparables.»

Certains enthousiastes affirmaient que «la France comme l'Angleterre, deux siècles avant nous, commençait à penser impérialement», oubliant au passage que le mot d'ordre: *«Learn to think imperially»* avait été formulé par Joseph Chamberlain en 1895. Le gouverneur général Olivier, qui fut, comme délégué général, le maître d'œuvre de l'Exposition, prétendait en novembre 1931: «En six mois, l'idée coloniale a gagné plus de terrain qu'elle n'en avait gagné en cinquante ans.» Toutefois, il se corrigeait aussitôt: «Peut-on en déduire que, pénétré désormais de l'importance de ses colonies, le Français a enfin acquis ce sens impérial qu'on lui a tant reproché de ne pas avoir? Je me garderai bien de l'affirmer, ce serait lui demander un bouleversement trop radical.»

Du côté des écrivains, la réflexion sur l'Exposition fut courte, rarement critique, généralement indifférente à l'œuvre républicaine. Marcel Prévost pensa bien à célébrer le «miracle» de ce qui avait été accompli entre «la défaite de 1871 et la victoire de 1914», mais, volontairement ou non, le mot République ne fut pas écrit par lui dans la *Revue de France*. Il s'attardait à noter la surprise de l'orgueil national: «Vous ne croyiez pas la France si grande», mais remarquait la dignité et la retenue de la fierté populaire. Paul Morand appelait joliment l'Exposition «cette clinique au but précis où l'on opère le peuple français de son indifférence coloniale», mais, prudent, il ne se prononçait pas sur les résultats de l'opération. L'écrivain colonial Pierre Mille ne s'y hasardait guère davantage: «Au lendemain de Vincennes, le Français ne saura pas où c'est, mais il saura que ça existe.»

À Paul Valéry, il semblait au contraire que «l'Exposition magnifiquement organisée avait produit une impression considérable dans le pays [...] Le plus grand nombre des Français n'avaient de leurs colonies qu'une idée vague sinon toute fausse, où il entrait de l'indifférence sinon quelque sentiment assez peu favorable. L'Exposition a mis la nation en présence de son œuvre. Elle lui a fait concevoir sa puissance et ses responsabilités». Mais Valéry feignait de croire que l'on avait proposé aux Français sous une forme pittoresque de réfléchir aux problèmes coloniaux, car «les problèmes ne manquent pas». Léon Blum se montra plus incisif; il aurait voulu «moins de festivités et de discours et plus d'intelligence humaine». Cette présentation des colonies dans un parc d'attractions lui paraissait même dangereuse parce que mensongère face à la réalité des insurrections et de la répression en Annam. S'il parla donc à plusieurs reprises de l'Exposition, ce fut surtout pour dissocier le parti socialiste des actions coloniales du passé et des politiques du présent.

Quant aux réactions spontanées du petit peuple, avouons qu'elles nous échappent. Retenons pourtant que de nombreux visiteurs qui avaient employé le tutoiement vis-à-vis des marchands des souks furent vivement

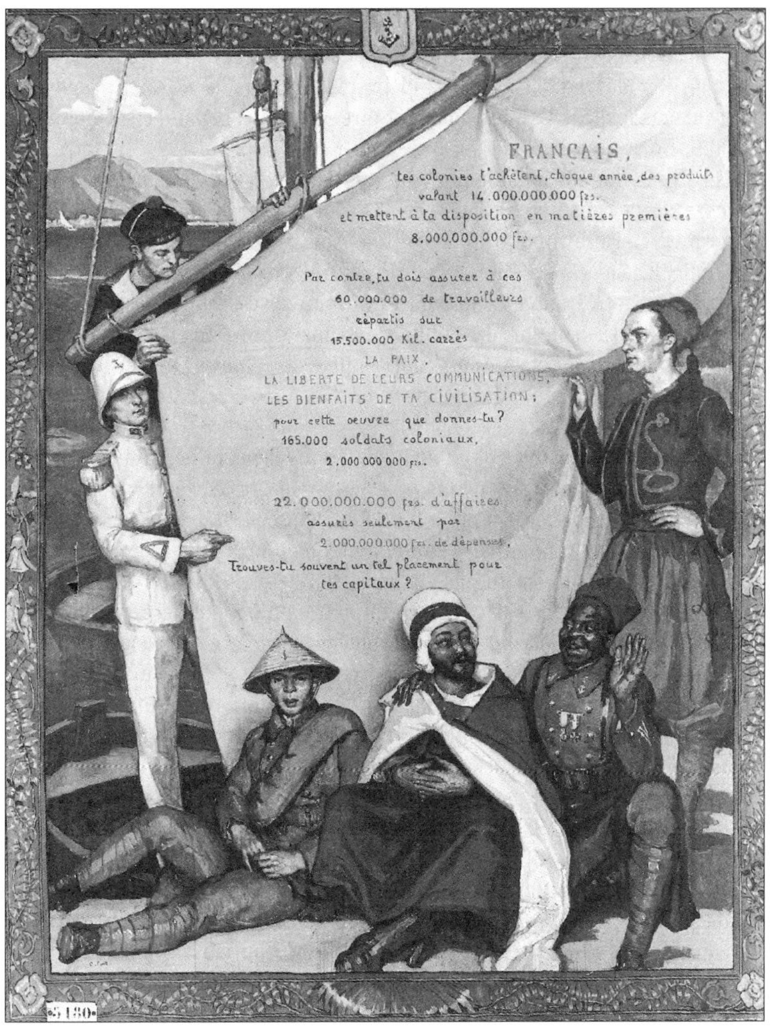

Nos soldats aux colonies,
affiches de Font, vers 1930,
en faveur de l'œuvre coloniale de la France.

réprimandés par ceux auxquels ils s'adressaient. Ils se déclarèrent stupéfaits de cette agressivité. D'autres incidents éclatèrent entre des photographes amateurs et des colonisés; ceux-ci protestèrent qu'ils n'étaient point des objets de curiosité. L'Expo révéla peut-être à certains badauds eux-mêmes la mort du Bon Sauvage.

Mais l'Exposition internationale visait aussi, on s'en souvient, à démontrer la justesse de la cause civilisatrice de l'Occident. Sur ce plan, le gouverneur général Olivier croyait que «l'Exposition avait réhabilité l'œuvre de l'Europe coloniale. Elle a mis ses élites en garde contre ceux qui lui conseillaient d'abdiquer sous prétexte que cette œuvre fut mauvaise ou qu'elle est achevée». Telle était aussi l'opinion du publiciste et historien Lucien Romier: l'idéalisme populaire avait été rendu témoin et juge de l'effort de notre civilisation; «l'élan de la foule a répondu: l'Exposition coloniale a restauré la noblesse de l'Europe».

Les militants de la cause coloniale furent, dans l'ensemble, moins satisfaits. Parce qu'ils avaient espéré que «la jeunesse française trouverait dans l'Exposition l'enseignement qui a manqué aux générations précédentes», ils expliquèrent, plus ou moins aimablement, qu'on avait trop sacrifié au pittoresque. L'Exposition n'avait pas été assez éducative. Dans *La Dépêche coloniale*, Rondet-Saint écrivait: «L'Exposition a été une apothéose certes, mais elle n'a pas revêtu dans son ensemble ce caractère d'enseignement, de leçons de choses qu'on eût aimé trouver en elle.» Pour le président de l'Association sciences-colonies, Messimy, «elle n'aura été qu'une feria colossale» si elle n'était partout continuée, si elle ne pénétrait pas tous les ordres d'enseignement.

Bientôt les augures du parti colonial se déclarèrent franchement déçus. Le secrétaire général de la plus puissante des associations coloniales privées, *L'Union coloniale*, affirmait en 1932, dans son rapport annuel, que «l'Exposition coloniale avec toutes ses merveilles qui reflétaient l'existence réelle de nos richesses d'Outre-Mer a frappé l'imagination. Elle n'a point fixé dans les esprits l'importance capitale de notre Empire. La colonisation reste incomprise». Un économiste, du Vivier de Steel, personnalité importante du parti colonial, avouait à ses pairs: «Je dois dire qu'à mon sentiment, cette magnifique manifestation a plus instruit la masse populaire, naturellement sensible et vibrante, que l'élite française volontiers en défense contre les nouveautés de la politique coloniale». Celle-ci avait refusé de s'intéresser à la complexité des problèmes économiques et politiques soulevés par la colonisation. L'intelligentsia française, sommée de réfléchir aux conséquences possibles «d'une insurrection de l'Asie jaune ou de l'Afrique noire ou arabe», pressée de trouver des solutions politiques à l'hostilité latente des indigènes, était restée, selon lui, indifférente.

Telles étaient aussi – pourquoi l'a-t-on caché ? – les conclusions du maréchal Lyautey. Dans la préface qu'il donna en 1932 au rapport sur l'Exposition, Lyautey, qui avait parlé en novembre 1931 du « succès inespéré » de l'Exposition, précisait que le succès n'était que matériel ; dans l'ordre colonial et social, il en allait autrement : « À un an de sa clôture, l'on est en mesure de constater que si l'Exposition a produit son maximum d'effet et atteint ses buts d'éducation vis-à-vis des masses et surtout de la jeunesse, elle n'a en rien modifié la mentalité des cerveaux adultes, ou ceux des gens en place qui n'étaient pas par avance convaincus. »
Aux élections de 1932, on vérifia que rien n'était changé : il n'y eut pas dix députés à parler des colonies dans leur profession de foi. Or, le silence sur la question coloniale faisait traditionnellement l'unanimité dans les consultations électorales. Tel était, selon J. Renaud, « le drame colonial » : la classe politique agissait comme si les colonies étaient chose négligeable ou encombrante et le public « n'avait gardé de l'exposition que le souvenir d'une belle image ou d'un somptueux feu d'artifice ». En novembre 1933, la grande revue *L'Afrique française* formulait après enquête le diagnostic des coloniaux : « Après avoir été émerveillé du succès de l'apothéose coloniale de 1931, on est profondément déçu de la pauvreté de ses résultats sur l'opinion publique : tout reste à entreprendre pour faire l'éducation de ce pays qui a reconstitué un Empire et n'en a encore pris aucune conscience précise. » Le directeur de l'École coloniale, Georges Hardy, contestait que « la moyenne des Français ait pris conscience de la solidarité qui lie la France à ses colonies » : « Avons-nous pris l'habitude de penser impérialement ? Assurément non. » Et l'ancien ministre Gabriel Hanotaux d'expliquer en 1935 que « l'opinion s'était en quelque sorte endormie sur le succès de l'Exposition coloniale ». Enfin, les élections de 1936 confirmèrent ce que la *Chronique coloniale* appelait « l'indifférence populaire en matière coloniale ». Ainsi, dans les années 1932 à 1936, les caciques du parti colonial comme ses plus humbles publicistes, bien loin de se réjouir de la prétendue prise de conscience impériale des Français, ne cessèrent de soupirer, comme le faisait en 1934 *La Quinzaine coloniale* : « Hélas ! les masses n'ont pas encore compris !... »
Mais le souvenir des festivités de 1931 ne fut-il pas dans le long terme plus important que les coloniaux eux-mêmes ne l'avaient espéré ?
On pourrait se demander, par exemple, si l'Exposition de 1931 provoqua des vocations coloniales ? Pour le savoir un sondage rétrospectif s'imposerait : il faudrait interroger par questionnaire un échantillon représentatif des divers milieux d'anciens coloniaux. L'historien américain W.B. Cohen, qui eut le mérite de questionner quelque deux cent cinquante administrateurs formés par l'École nationale de la France d'outre-mer, pensa bien à leur demander les motifs de leur vocation. Mais il ne fournit dans sa thèse, *Rulers of Empire*,

aucune réponse chiffrée. C'est donc sans en donner de preuves qu'il écrit que, l'Exposition ayant attiré « surtout des enfants des écoles [?] », « elle poussa bon nombre d'entre eux vers l'administration outre-mer [?]. Plusieurs de ceux qui entrèrent à l'École coloniale dans les années trente croient que l'exposition de Vincennes a joué un rôle déterminant dans leur choix de carrière ». Comme l'auteur reconnaît lui-même que les raisons qui poussaient les jeunes étudiants des années 1930 à entrer à l'École coloniale étaient nombreuses et leurs motivations semblables à celles des générations antérieures, il paraît de bonne méthode de ne pas conclure à l'« importance » de l'Exposition dans le choix de la carrière d'administrateur. Si le nombre des candidats à « Colo » augmenta brusquement à partir de 1929 et fut multiplié par neuf jusqu'en 1946, il est clair qu'on ne saurait rattacher à l'Exposition de 1931 un mouvement aussi continu.

Au-delà du petit monde des administrateurs des colonies, même s'ils furent « les vrais chefs de l'Empire » (R. Delavignette), est-il possible de déceler l'influence supposée de l'Exposition sur le public français ? Un des très rares sondages d'opinion réalisés par l'I.F.O.P. en 1939 permet de noter que 53 % des Français estimaient « aussi pénible de devoir céder un morceau de notre empire colonial qu'un morceau du territoire de la France » et que 43 % étaient d'un avis contraire. Or, parmi la majorité de Français attachés à l'Empire, les plus forts pourcentages se rencontraient « parmi les jeunes de moins de 30 ans » et ensuite parmi les personnes de plus de 60 ans. Au contraire, les personnes âgées de 30 à 50 ans éprouvaient le moins d'intérêt. Ce sondage oppose donc nettement les générations qui eurent 20 ans entre 1909 et 1929 – années pendant lesquelles le parti colonial déplora le plus vivement l'indifférence de l'opinion vis-à-vis des colonies – et les générations nées après 1909 susceptibles d'avoir été influencées par les campagnes d'opinion des années 1930-1931 (et 1937-1938) et singulièrement par l'Exposition coloniale.

Toutefois, avant de conclure du seul sondage existant pour cette période à une relative adéquation entre la propagande coloniale et la popularité de l'idée coloniale, on prendra le temps de consulter des sondages postérieurs. Or, selon un sondage réalisé par l'I.N.S.E.E. en 1949, les Français les plus favorables à l'Empire étaient encore les jeunes de 21 ans à 35 ans, mais le pourcentage avait singulièrement augmenté : plus de 86 % d'entre eux pensaient que la France avait intérêt à avoir des territoires outremer contre 75 % pour les plus de 50 ans. Ce sondage, et d'autres, attestent donc que, contrairement à la légende, l'apogée de l'idée coloniale en France ne se situe nullement en 1931 (ou 1939) mais bien après la Seconde Guerre mondiale et que l'influence de « l'apothéose de Vincennes » ne saurait être tenue pour décisive.

Est-ce à dire que l'Exposition coloniale ne fut pas propice à la fixation d'un grand souvenir collectif, qu'elle n'ait point marqué la sensibilité d'une jeu-

nesse qui la contempla avec admiration peut-être ou du moins curiosité, ou même qui ne l'ayant pas connue directement en entendit parler avec faveur dans le milieu familial ? C'est là une question difficile, celle de la naissance d'un mythe.
Remarquons d'abord que c'est après la fin de l'ère coloniale qu'a pris naissance ce mythe erroné de l'Exposition de 1931, lieu de mémoire de la République et apogée de l'idée coloniale républicaine. L'oubli, l'ignorance, la nostalgie voire, chez certains, l'habileté politicienne ont pu accréditer peu à peu cette fable.
D'abord le public a sans doute aujourd'hui l'impression que l'Exposition de 1931 fut la dernière de ces grandes manifestations pro-coloniales. Ainsi se trouverait magnifié dans la mémoire collective le souvenir de l'Exposition de Vincennes. Et peu lui importerait que se soient tenus à Paris en 1933 le premier Salon de la France d'outre-mer, puis en 1935 l'Exposition du tricentenaire du rattachement des Antilles à la France et celle du quarantenaire de la conquête de Madagascar. Apparemment la mémoire collective aurait aussi oublié l'Exposition internationale de 1937 qui, elle, prit grand soin de célébrer « notre magnifique empire d'outre-mer objet de tant de convoitises ». Mais qui se souvient des pavillons coloniaux édifiés dans l'île des Cygnes ? Combien de Parisiens eux-mêmes ont gardé souvenance de cette nouvelle exposition coloniale de 1937 ou de celles montées pendant la nuit de l'occupation à la gloire des « Pionniers et explorateurs coloniaux » ou de « Cent Cinquante Ans de littérature coloniale » ? Face à ces oublis massifs, comment s'étonner que la mémoire collective ait privilégié, amplifié, transmuté cet événement, relativement mineur, l'Exposition coloniale de 1931. Mais encore faudrait-il être sûr de la réalité de cette amplification dans le souvenir collectif.
L'ignorance des évolutions et des retards de notre opinion publique, qui ne découvrit le monde qu'après 1944 comme elle avait tardivement découvert l'Europe après 1918, semble *a priori* plus étonnante. On croirait volontiers aujourd'hui que la France est entrée dans l'ère des sondages en même temps que les États-Unis du Dr Gallup. Or, il n'en est rien et, jusqu'en ces dernières années, il était de bon ton dans le monde des littéraires de faire fi des « Gallups » et de moquer la « sondomanie ». Il suffit de se référer aux débats de l'Assemblée de l'Union française pour vérifier à quelle date cette assemblée de spécialistes commença à se préoccuper de connaître l'opinion réelle des Français sur les pays d'outre-mer. Choqués par l'indifférence dans laquelle leur Assemblée travaillait, quelques conseillers eurent enfin l'idée en novembre 1949 d'inviter le gouvernement à organiser une enquête sur « les connaissances et l'opinion des Français en ce qui concernait les pays et les problèmes d'outre-mer ». Ils ne furent d'ailleurs pas entendus. Or le Gallup Poll fournissait régulièrement aux U.S.A. ce type d'informations depuis

Le maréchal Lyautey fait visiter l'Exposition coloniale au duc et à la duchesse d'York. Au fond, le temple d'Angkor.

quinze ans. Il faudra attendre la guerre d'Algérie pour qu'on jugeât nécessaire, au moins dans la classe politique, de se tenir informé des sentiments de l'opinion profonde. Mais il restait possible d'accréditer des mythes parfaitement erronés. Ainsi la vague prétendue de nationalisme chauvin qui aurait porté l'action du gouvernement de Guy Mollet, le «national-mollétisme», cette mirifique invention dont Alexander Werth persuada la presse parisienne contre l'évidence des sondages.

Il en alla de même lorsque, dans les années qui suivirent la décolonisation, divers publicistes voulurent célébrer le temps heureux des colonies et aviver la nostalgie d'un passé colonial triomphal. Presque tous se retrouvèrent pour fixer au centenaire de l'Algérie ou à l'année de l'Exposition coloniale l'«acmé» de la conscience impériale.

Chez certains le choix n'était sans doute pas innocent d'arrière-pensées politiciennes. En situant l'apogée de la mentalité impériale sous la IIIe République, ne tentaient-ils pas une manœuvre de diversion? Ainsi seraient peut-être oubliés le refus de Vichy de continuer la lutte outre-mer, l'espoir mis par le peuple français dans les colonies de la France libre et la geste de l'Empire finalement rassemblé à l'appel du général de Gaulle. Aussi bien n'expliquèrent-ils pas comment les représentants de ce peuple français vibrant dans les années trente d'enthousiasme impérial prétendu purent accepter en 1940 un armistice conclu sans que fût même consulté l'Empire français. Chez quelques auteurs de filiation maurrassienne, cela permettait enfin d'occulter et le rétablissement de la République par les «dissidents» venus de l'Empire et la reconnaissance du peuple français envers ces pays qu'on n'oserait plus appeler «colonies».

S'il fait pourtant abstraction de ces intentions inavouées, comme des polémiques ouvertes contre la IVe République puis contre de Gaulle «bradeur d'Empire», l'historien peut bien sûr accorder une part de vérité à la thèse de ces auteurs. Oui, comme le suggérait Lyautey, la jeunesse française avait pu être impressionnée, plus ou moins durablement, par la *feria* de Vincennes. Mais, d'après le témoignage même de tous les mentors du parti colonial, l'historien doit répéter que l'Exposition de 1931 a échoué à constituer une mentalité coloniale: elle n'a point imprégné durablement la mémoire collective ou l'imaginaire social des Français. Certes, pour quelques Français de petite bourgeoisie traditionaliste, fils d'officiers ou de fonctionnaires, l'image de l'Empire a pu rester liée partiellement au souvenir des festivités de 1931. Mais cette Exposition rejetée et combattue par la gauche socialiste et communiste, minimisée ou dédaignée par la bourgeoisie libérale, vite oubliée par le peuple, ressuscitée enfin comme mythe compensateur par la droite nationaliste, ne saurait être désignée comme un mémorial de la République.

S'il fallait indiquer la date exacte où l'œuvre coloniale de la France républicaine parut s'accomplir dans la fidélité à son idéal égalitaire de toujours, ce serait le 25 avril 1946 qu'on devrait désigner. Ce jour-là, l'Assemblée constituante, en accordant à l'unanimité, sur la proposition d'un député noir du Sénégal, Me Lamine Guèye, la qualité de citoyens à tous les ressortissants des territoires d'outre-mer, donna satisfaction à l'aspiration profonde de la politique coloniale de la République : l'égalité dans la famille française. Ce jour-là aussi – ou le 7 mai 1946, date de promulgation de la loi Lamine Guèye – les Français apprirent qu'il n'y avait plus que des Français dans les territoires de l'ancien Empire colonial. « Demain, avait écrit en juillet 1945 le directeur de l'École coloniale, nous serons tous indigènes d'une même Union française. » Un an plus tard, tous en étaient les citoyens.

« La République n'entend plus faire de distinction dans la famille humaine », avaient proclamé les hommes de 1848. Cet article de foi de l'Évangile républicain, qui représenta longtemps une grande espérance pour beaucoup de colonisés, les constituants de 1946 tinrent à honneur de le traduire dans la réalité. Or 63 % des Français (contre 22 % d'un avis contraire) interrogés par sondage en mars 1946 s'étaient prononcés à l'avance pour qu'on accordât « aux populations des colonies françaises les mêmes droits qu'aux citoyens français ».

Ceux qui célèbrent dans l'Exposition coloniale de 1931 un mémorial républicain ont en réalité cédé à une nostalgie triomphaliste. Ceux qui voudraient choisir le vote historique du 25 avril 1946 rendraient hommage non seulement à Lamine Guèye mais à ses inspirateurs, à Victor Schœlcher et à l'abbé Grégoire, et surtout à l'effort de générosité des trois Républiques.

LA RÉPUBLIQUE

Contre-mémoire

JEAN-CLÉMENT MARTIN

La Vendée, région-mémoire

Bleus et blancs

Il n'est jamais facile d'assigner une place précise à l'évocation de la Vendée dans l'ensemble des traces, sédiments, cristallisations laissés par la Révolution française. La trop évidente symétrie, rappeler la présence de la Contre-Révolution à propos de la Révolution, n'est au mieux qu'un leurre. Comme si toute la Contre-Révolution pouvait se réduire à cet appendice provincial de l'Ouest français ! Alors qu'elle fut triomphante au XIXe siècle, et encore bien vivante au XXe. Comme si les protestations populaires survenues en Vendée, et dans les départements voisins, contre la marche de la Révolution relevaient intégralement de la Contre-Révolution ! Comme si la Vendée était constituée définitivement après cette époque. Ces ambiguïtés fondamentales ont été, et sont encore, grosses de malentendus[1].

C'est pourtant pendant la Révolution française, et contre elle, que la Vendée s'est définie et fait connaître, à la suite de la longue guerre qui se déroula sur son sol de 1793 à 1796. L'image qu'elle acquiert alors, la région la gardera ensuite, en même temps que ses habitants conservent et transmettent les souvenirs des combats et des massacres. S'établissaient à cette époque les bases d'une tradition qui fit de la Vendée une région particulière, marquée par les souvenirs, la mémoire de cette guerre.

Au fil des années, les relations entre ces souvenirs et la région sont devenues de plus en plus complexes. Rassemblés, organisés et combattus, ceux-ci ont façonné une mémoire collective qui a modelé les Vendéens, et enfin donné à la région le statut original de «région-mémoire». Ce ne sont pas, en effet, seulement des objets, des monuments, des écrits, des attitudes collectives qui rendent compte de la permanence des guerres de 1793 dans la mentalité régionale ; tout cela a été unifié, amalgamé dans des réseaux organisant un espace délimité strictement, pourvu ainsi d'un sens. Les simples rappels des guerres de la Vendée ne permettent pas de comprendre la création de la région née de l'assimilation, de la digestion de ces multiples conséquences, née, donc, d'un proces-

sus complexe. C'est ce phénomène original qu'il faut décrire, dont il faut présenter la genèse et le fonctionnement pour comprendre en quel sens et jusqu'à quel point il est légitime de faire de la Vendée une véritable région-mémoire.
Indépendamment d'une mémoire ethnologique de masses, indépendamment d'une tradition du vivre et du mourir qui ignore les événements et les faits historiques antérieurs à deux ou trois générations[2], la Vendée – et c'est là son originalité profonde – tire son identité d'une obsédante mémoire historique précise, déchiffrable et même obsédante[3]. L'atteste déjà la vitalité de la notion de Vendée[4], terme qui renvoie à une région qui ne doit rien aux découpages administratifs, ni à une lointaine naissance. Le cadre vendéen correspond à la totalité de la zone insurgée en 1793, soit les deux tiers nord du département de la Vendée (Bocage, Marais breton, bassin de Chantonnay), le quart nord-est des Deux-Sèvres (Gâtine bressuiraise, Argentonais), le tiers à l'ouest du Maine-et-Loire (Mauges), le sud de la Loire-Atlantique (Loroux, pays de Retz, de Maine et Sèvre) – vallée de la Loire et côte atlantique exclues. Cet ensemble n'a guère de cohérence : ni du fait de l'occupation humaine : les terres pauvres du Bocage et de la Gâtine voisinent avec celles un peu plus riches des Mauges, les vignobles du Clissonnais, et les terres lourdes du Marais et du pays de Retz ; ni grâce aux groupes humains : bocains, maraîchins, « paydrets » gardant avec des habitudes différentes un mépris de leurs voisins d'une part, artisans et ouvriers du textile formant une part notable de la population rurale dans les Mauges et dans le bas Bocage, mais inconnues ailleurs, d'autre part; encore moins du point de vue politique et administratif: les provinces de Bretagne, d'Anjou et de Poitou se joignaient là selon les imbrications complexes des marches séparantes, donnant des cadres réglementaires opposés à des populations pourtant très proches les unes des autres[5].
Cependant les populations réunies dans les armées insurgées, regroupées lors de la répression sous la dénomination de « brigands de la Vendée » ne cesseront plus ensuite de revendiquer leur titre de Vendéens. Les Mauges d'abord, qui ont donné à l'insurrection son premier généralissime, Cathelineau, se voudront cœur de la Vendée ; mais aussi le pays de Retz où vivait Charette. On vit même, dès 1818, Fontenay-le-Comte, haut lieu de la résistance républicaine, se réclamer de la Vendée à son tour, bientôt imitée de nombre d'autres villes, tant le prestige, la renommée, de la Vendée militaire, des armées catholiques et royales éclipsaient toute autre référence. Aujourd'hui la cause est entendue. Cette région vendéenne trouve maintenant la confirmation de son existence dans les panneaux de signalisation touristique. Cholet est devenu capitale de la Vendée militaire. Piètre référence, et médiocre système de valeur sans doute, mais ces panneaux officiels assurent et confortent les sentiments d'appartenance à la région ; et même si ces sentiments restent peu élaborés, du moins sont-ils répandus et consacrés.

I. L'événement fondateur

Présence des morts

Une des originalités de cette région, et une de ses différences les plus éclatantes avec ses voisines, réside dans la prolifération des rappels des guerres de 1793. Dès la fin des combats, des croix, des arceaux furent érigés par des survivants reconnaissants d'avoir échappé à la mort, ou désireux de conserver le souvenir de leurs proches[6]. Mais ce courant commémoratif privé ne fut rien devant la vague de commémorations qui se répandit pendant la première Restauration: monument de Bonchamps à Saint-Florent-le-Vieil, statue et chapelle à Legé à la mémoire de Charette, monument de Cathelineau au Pin-en-Mauges, colonne de Torfou... Le souvenir des guerres est mis au premier plan lors des visites princières (duc et duchesse d'Angoulême, duchesse de Berry) qui se déroulent en présence des «anciens» combattants, et qui laissent derrière elles de nouveaux projets de monuments. Aussi, en 1830, les grands chefs et les principaux lieux ont-ils été durablement rappelés au souvenir des populations; tandis que pour un public plus restreint le souvenir prend la forme des tableaux commandés par le roi Louis XVIII pour son palais de Saint-Cloud, et qui représentent douze généraux vendéens et chouans[7], ou s'alimente aux publications déjà innombrables.

Malgré la Monarchie de Juillet qui martèle les inscriptions et brise les monuments, l'expression monumentale du souvenir va se prolonger et s'enfler pour prendre sa plus grande expansion après la moitié du XIXe siècle. Son apogée se situe dans les années 1880-1910 lorsque le rappel des guerres de Vendée prend une valeur politique immédiate – avec l'érection de la statue d'Henri de La Rochejaquelein à Saint-Aubin-de-Baubigné, et de la croix de Charette à La Chabotterie, par exemple. Mais dans le même temps, des croix, voire des plaques, rappellent les massacres subis par de simples campagnards dans d'innombrables lieux de la région. Par la suite, même s'il s'est beaucoup ralenti, le courant ne s'est pas tari. Il a même permis l'achèvement de la chapelle du mont des Alouettes, bénie en mars 1968, cent quarante ans après la pose de la première pierre; il continue à entretenir les monuments existants et augmente, à raison de trois ou quatre par an, le stock de lieux marqués par le souvenir. Ainsi se constitue, avec un maillage inégal, il est vrai, le réseau des lieux du souvenir.

Pareil mouvement est devenu une institution. Des équipes de spécialistes sont constituées: nobles légitimistes au début du XIXe siècle, érudits, hommes politiques et clercs à la fin, se sont donné pour mission de défendre et de transmettre le souvenir; aujourd'hui des associations spécifiques[8], regroupant deux mille cinq cents à trois mille personnes, ont pris le relais. Si l'on ne peut pas évaluer précisément le résultat de ces actions, du moins la mémoire a-t-elle été entretenue sans discontinuité depuis deux siècles; surtout, elle a été popularisée jusqu'à l'émiettement, diffusée au plus près des individus. En témoignent aujourd'hui les choix des noms de rue des petites villes et des bourgs de la Vendée, tels qu'ils ont été réalisés dans la dernière décennie. La quasi-totalité des localités de la zone insurgée cite logiquement des héros ou des événements marquants de ces guerres. Mais aucun bleu, sauf quelques rares modérés, n'a eu l'honneur d'une plaque; et surtout ont été rappelées des figures locales, humbles combattants ou victimes dont les noms n'évoquent rien à quelques kilomètres de là[9]. Les principaux chefs, Charette, Cathelineau, La Rochejaquelein, sont présents dans des communes qui étaient autrefois sous leur autorité: pays de Retz, Mauges, Bressuirais... Enfin, sont mentionnés les massacres qui ont endeuillé des localités: rue ou place des Martyrs, rue du Salve-Regina[10]... Ainsi les choix ne sont pas effectués pour satisfaire vaguement aux exigences d'une mode «rétro», mais en correspondance avec les profondeurs de l'histoire locale toujours connue et toujours assumée.

Réseaux du souvenir

C'est bien une des forces essentielles de ce souvenir que d'avoir su s'accrocher aux plus petits faits, aux personnalités les plus humbles, d'avoir imprégné la vie de tous les jours. Plusieurs raisons expliquent cette situation. D'une part, la mémoire est véhiculée par une masse prodigieuse de médiations: objets, images, récits, publications... Déjà la guerre elle-même, du fait de sa longueur, de son caractère populaire, de son cadre restreint, a laissé derrière elle beaucoup d'armes, de munitions, voire de vêtements, d'objets du culte, d'emblèmes. Les récompenses royales de la Restauration, fusils, sabres, décorations, pensions, s'y sont ajoutées, avant le passage en 1832 de la duchesse de Berry qui, providence des collectionneurs, abandonne vêtements, chaussures, petites pièces d'argenterie à ses proches. Enfin, désir de fronder les autorités, goût de l'histoire, tout bonnement appât du gain ont provoqué la commercialisation de petites choses rappelant les guerres: pipes à la tête de Charette ou d'Henri de La Rochejaquelein, statuettes, et bien évidemment lithographies, estampes, puis photographies et cartes postales, sans compter les cœurs vendéens produits dans tous les matériaux possibles; autant d'objets qui ont pénétré au plus intime des familles vendéennes, assurant la présence du passé. Cette imprégnation s'est complétée, d'autre part, par la transmission d'un savoir oral pour beaucoup de ces familles. Ainsi, en cette fin de XXe siècle, il est possible, sans trop de recherches, de rencontrer des personnes récitant des épisodes originaux des guerres[11].

Il est vrai, cependant, qu'il est encore plus facile d'entendre des récits qui ne sont que la reprise de textes publiés une ou deux générations plus tôt. Pourtant, cette oralité inauthentique atteste le maintien sans faille de l'intérêt pour ces guerres, et le statut dévolu aux épisodes les plus anecdotiques.
Là réside la deuxième raison de la permanence du souvenir. La guerre fut profondément populaire : les chefs nobles ne pouvaient commander qu'avec l'assentiment des capitaines de paroisses, ruraux désignés par leurs pairs, voisins et alliés. Par la suite, à la fois par calcul politique – maintenir le peuple contre la révolution –, et par obligation – tenir compte d'une population malcommode et armée –, les paysans, descendants des combattants de 1793, furent mis à l'honneur par les notables régionaux. Aussi n'y eut-il pas de mépris jeté sur la culture populaire, sur les traditions orales. Bien au contraire, on ne cessa de s'intéresser aux plus humbles héros, d'exalter la noblesse des rustres analphabètes, gardiens des meilleures traditions françaises. Le mépris ne pouvait venir que des adversaires politiques, ce qui valorisait d'autant le monde rural et le souvenir. Ont pu se transmettre ainsi les histoires de ces paysans-soldats dont la meilleure incarnation est bien entendu Jacques Cathelineau. Durent alors les traditions familiales, et voilà la troisième raison, car elles ont été aidées puissamment par l'étalement des guerres qui affectèrent la région. En effet, les guerres proprement dites de Vendée s'achèvent avec la mort de Charette et de Stofflet en 1796, même si leurs derniers feux brûlent en 1799. Elles se continuent cependant en 1815 et en 1832. Lors du retour de Napoléon Ier, pour ce qui allait être les Cent Jours, des chefs vendéens, commandés par Louis de La Rochejaquelein, frère d'Henri, tentent d'organiser la Vendée en bastion royaliste : façon de prolonger le soulèvement initial et de lui donner un sens. Ils réussissent, non sans difficultés, à lever des troupes paysannes dans l'étendue de l'ancienne zone insurgée, mais l'impréparation du projet, leur faiblesse réelle, la crainte des paysans se rappelant ce qu'avait été la répression, provoquent l'échec du mouvement peu avant Waterloo. Quand, dix-sept ans plus tard, la duchesse de Berry, désireuse de conserver le trône de France pour son fils, décide de soulever le pays contre Louis-Philippe, c'est encore au nom de 1793 qu'elle fait partir sa reconquête de la Vendée, terre de la fidélité. On en connaît l'histoire, et l'échec. Là encore les souvenirs ont la part belle. Auguste de La Rochejaquelein, Athanase Charette commandent des paysans, frères, fils ou neveux des combattants de 1793 ; mais le souvenir appartient à tous : la plupart des paysans ont gardé le souvenir d'une insurrection populaire, les adversaires n'ont pas oublié comment il fallait combattre dans le bocage et le marais. Ces cinquante années de guerres, même si l'ampleur des combats varie, ont forgé des attitudes, des traditions, ont figé des images. Les Vendéens sont devenus les défenseurs sans peur du trône et de l'autel ; ce que les chefs

vont illustrer en s'engageant aux côtés des rois légitimes de Portugal et d'Espagne combattus par des libéraux, puis en organisant les zouaves pontificaux défenseurs du pouvoir temporel du pape. Avec le général Lamoricière, un Nantais, puis le général-baron de Charette à la tête de ce corps qui accueille bon nombre de paysans de l'Ouest, les zouaves pontificaux, transformés en volontaires de l'Ouest contre les Prussiens en 1870, s'inscrivent en continuité évidente avec les combattants de 1793, dont ils se réclament.
On comprend alors, et c'est la quatrième raison, que les adversaires politiques et idéologiques gardent également le souvenir de la Vendée. Ils se réfèrent continûment aux guerres de 1793 dès qu'ils ont maille à partir avec la région. D'où la surveillance étroite de Napoléon Ier, suivi en cela par Louis-Philippe qui achève d'éventrer le bocage par les routes stratégiques joignant les principales villes; d'où la méfiance des gouvernements républicains, après 1877, qui disposent d'un véritable réseau de renseignements avec les gendarmes et les instituteurs. Ainsi la Vendée est-elle sempiternellement confrontée à ce qu'elle fut en 1793, et sommée de s'y conformer.

Volonté d'enfermement

Cette consécration de la Vendée par ses adversaires ne doit pas être sous-estimée. Ce sont eux qui ont les premiers désigné cette région comme terre de la Contre-Révolution et de l'Ancien Régime. Quand, dans les premiers mois de la Ire République se déclencha une vague de révoltes paysannes de l'Alsace à la Provence, des troubles furent également signalés dans les Deux-Sèvres, le Maine-et-Loire et la Loire-Inférieure. C'est la Vendée, inconnue jusque-là, qui devint pourtant terme générique, passé le 19 mars 1793 à la suite d'un combat qui vit la déroute de la première armée régulière envoyée sur place. Cet événement suscita un bouleversement dans la perception des insurrections, et fit de la Vendée le porte-drapeau de la Contre-Révolution, alors que les émigrés et leurs alliés ignoraient tout ou presque de la révolte et des révoltés qu'ils méprisaient[12] ! Les républicains achevèrent le baptême de la région en la présentant tournée vers le passé, figée dans les traditions, image de l'ancienne France. Les Vendéens, guidés par les nobles et les prêtres, représentaient caricaturalement la réaction, et il n'était pas jusqu'au paysage, bocage inexpugnable, sans chemins, sans villes, qui confirmait l'isolement, partant le retard de la région. La Vendée était déjà région-mémoire en 1793 ; conservatoire des temps abolis. C'est bien cette image d'une région nostalgique d'un âge d'or disparu que les partisans de la Vendée vont exalter par la suite. S'ouvrent ainsi les *Mémoires* de la marquise de La Rochejaquelein par un chapitre consacré à « La description du bocage. Mœurs des habitants, premiers effets de la Révolution. Époque qui précéda la guerre de Vendée », dans lequel les Vendéens d'avant la Vendée sont dépeints comme des êtres d'exception, dignes paysans d'une bergerie du Trianon, sages, pieux, respectueux des coutumes et de leurs maîtres, sans doute un peu trop renfrognés, voire superstitieux, mais en définitive derniers témoins d'un peuple d'avant la corruption. Ce tableau idyllique fut repris par la plupart des ouvrages composés ensuite par des auteurs favorables aux Vendéens[13]. La vérité historique comptait évidemment moins que l'intention polémique contenue dans la description de la Vendée d'avant la faute révolutionnaire. La région devint ainsi fille du passé, tournant le dos à la France de la Révolution. Vision simpliste et manichéenne, mais qui eut l'avantage d'être parfaitement réversible au gré des jugements et des valeurs de chacun.

S'il convient de prendre cette littérature pour ce qu'elle vaut, il ne faut pas cependant lui dénier tout intérêt historique. La description de la Vendée bucolique groupée autour de ses pasteurs sous la protection de ses nobles fut plus un rêve prémonitoire qu'un tableau réaliste. Car c'est cette Vendée idéale que voulurent réaliser ses élites quand la région se trouva en marge de la France républicaine à la fin du XIXe siècle. Alors, la région affirme plus que jamais l'irréductibilité de ses choix face au reste du pays. Ses représentants dans les deux chambres appartiennent à la droite monarchiste, exceptionnellement à la droite cléricale. C'est l'époque où le Bressuirais délègue Julien de La Rochejaquelein, notabilité royaliste ; et le Marais, de Baudry d'Asson, célèbre pour sa virulence contre Combes. Les opinions politiques de la Vendée se cristallisèrent en ce bloc impressionnant qu'André Siegfried met en première place dans son *Tableau politique de la France de l'Ouest*[14]. Non pas qu'il ignore toute évolution. A. Siegfried relève lui-même le changement qui se produit avec l'élection de députés cléricaux sans être monarchistes, et il note avec justesse : « En réalité, soit sous le drapeau royaliste, soit sous le drapeau catholique, la Vendée reste au fond exactement semblable à elle-même[15]. »

Les temps plus récents ont confirmé l'observation de Siegfried. Les sentiments royalistes n'ont plus guère cours, cela n'a pas entamé l'unité politique de la région ; comme en témoignent les victoires massives et répétées des partis de la droite française jusqu'à ce jour[16]. Et c'est son attachement à la religion catholique qui témoigne encore plus du maintien de l'identité vendéenne. L'élan religieux qui affecte toute la chrétienté au XIXe siècle a trouvé en Vendée un terrain particulièrement propice. Quelles qu'aient été les dissensions entre ouailles et pasteurs avant 1793, le caractère très antireligieux des mesures révolutionnaires soude le peuple catholique, provoque même une forte demande religieuse que satisfait le clergé concordataire fondant de nouveaux ordres, acceptant la piété populaire. Les souvenirs vont naturellement se trouver transcrits grâce au langage religieux, comparant les Vendéens aux Maccabées de l'Église primitive, identifiant la Révolution au

Malin ; enfin, dans la dernière année du XIXe siècle, l'évêque de Luçon suscite la recherche des martyrs de la foi, des religieux morts pendant les guerres de Vendée, en vue de leur béatification. Cette concordance entre le rappel des guerres et le sentiment religieux explique la création d'églises, de croix, de grottes de Lourdes qui couvrirent la région alors, en même temps que celle-ci remplissait ses séminaires de futurs prêtres envoyés dans la France entière, et que la quasi-totalité de sa population se pressait chaque dimanche à la messe. S'instaurait une communauté vendéenne fidèle aux ancêtres de 1793 et aux principes qu'ils étaient censés incarner, intolérante aux idées adverses, au point que les seuls éléments extérieurs qui résistaient durablement dans les bourgades étaient les gendarmes et les instituteurs.

La région se ferma ainsi au monde extérieur, politiquement, idéologiquement, démographiquement également. Alors que l'industrie demande de plus en plus de bras, les campagnes vendéennes se surchargent. Pour ne pas aller en ville, lieu de perdition, les métairies accueillent sous le même toit des familles de quinze à vingt personnes, les journaliers les plus pauvres retardent leur mariage[17]. Enfin, le point de rupture est atteint, mais seulement à l'extrême fin du XIXe siècle, une émigration s'installe, non seulement vers les villes proches, mais significativement vers des campagnes déjà vidées par des exodes antérieurs : les Charentes et tout ce Sud-Ouest aquitain baptisé du nom de Garonne. Les notabilités et le clergé condamnèrent ces départs, qui furent le fait d'une faible partie de la population, à bout de misère ou de malchance. La Vendée se distingua ainsi par l'immobilisme de sa population, et son refus d'éléments étrangers[18].

Les dangers que faisait courir cette pression démographique à l'ensemble de la société et du système qu'elle représentait poussa enfin une partie des élites à susciter et à cautionner un changement économique nécessaire pour maintenir les masses rurales au pays. Ainsi, sous la houlette de curés parfaitement réactionnaires, naquirent des ateliers, voire des usines, changèrent les modes de cultures et le rapport à la terre[19]. Ce qu'on appelle la « nébuleuse choletaise » se créa alors, qui reste un des exemples les plus originaux et étendus d'industrie diffuse en milieu rural. Car, par la suite, les gens humbles promus chefs d'entreprise, paysans dynamiques, ne restèrent pas inactifs en si bon chemin. Passant par la rude école des syndicats agricoles, des mouvements d'action catholique, ils en vinrent à remplacer les élites traditionnelles dans tous les domaines.

Ce changement ne fut pas une rupture. Le passé continuait sous une autre forme. Il n'y avait pas eu de bouleversement mental pour valoriser une initiative populaire, dans une région où un voiturier avait été généralissime et où les choix personnels se pliaient à la volonté collective et divine ; il n'y avait guère de conflit dans des usines soumises au repos dominical, et à un esprit patriarcal. En outre, les ateliers, absorbant l'excédent de main-d'œuvre des métairies et des borderies, permettaient que se maintienne l'équilibre démographique antérieur, et, par voie de conséquence, l'équilibre religieux et politique. La région restait ainsi elle-même, préservait l'unité acquise et reconnue en 1793.

Car il est certain que le maintien des souvenirs tel qu'on le constate aujourd'hui n'a pu se réaliser que par la présence continue d'une société stable, homogène, ayant le respect de sa propre culture. Sans cette indéniable réussite économique, le souvenir ne subsisterait que par lambeaux. Inversement, c'est la présence d'une mémoire organisatrice qui a irrigué les consciences individuelles, qui a donné cette vitalité à la région. Et si, comme on peut le penser, les souvenirs des guerres de Vendée risquent progressivement de disparaître de la conscience des Vendéens, resteront cependant les habitudes collectives forgées par eux dans la région. Ce sont là des marques qui identifient les Vendéens par rapport aux autres populations, et que l'on retrouve seules chez les Vendéens vivant dans d'autres campagnes aujourd'hui. C'est bien le traumatisme de la guerre qui donne à la région son discours des origines et sa définition.

II. Dialectique des mémoires

Présenter ainsi la Vendée, c'est, espérons-le, fournir une explication qui rende compte scientifiquement de la réalité de la région. Cependant, il serait vain de ne pas penser que cette clé s'insère dans un ensemble d'autres éléments explicatifs sans lesquels elle serait inutile, même si elle est parmi eux particulièrement opérante. N'est-il pas outrecuidant de parler de région-mémoire si cette mémoire se révèle n'être qu'un moment d'une mémoire plus longue, si l'on ignore la part prise dans son édification par les choix délibérés et les apprentissages forcés, si l'on n'estime pas son importance dans la vie quotidienne, les pensées habituelles des Vendéens ?

Quel est donc le lien qui unit la Vendée et la mémoire ? La région est-elle définie et structurée par la mémoire née de la guerre de 1793, ou celle-ci et l'événement qui en fut le prétexte ne sont-ils que des moments dans la vie longue de l'organisation régionale ? Il est certain que les guerres de Vendée ont joué un rôle d'« événement-matrice » à l'instar de celui joué par la chouannerie sarthoise, qui a mis en œuvre des oppositions et des clivages jusque-là potentiels[20]. La coexistence entre deux communautés différentes, les ruraux, paysans et ouvriers du textile d'une part, et les citadins – ou plutôt les « bourgadins » des bourgs – propriétaires, bourgeois, commerçants de l'autre, telle qu'elle existait à la fin de l'Ancien Régime avec de fortes tensions, débouche alors du fait de la marche de la Révolution dans l'affrontement, politique, puis armé, forgeant ainsi l'unité de chaque communauté, et par contrecoup de la Vendée[21].

Mémoire prédisposée

Cependant, les structures régionales consacrées par 1793 paraissent se dégager avec force dès le XVIe siècle, voire bien avant, puisque s'opposent catégoriquement le Bocage (les Gâtines) et les Mauges d'une part, à la plaine environnante, d'autre part: la piété des habitants des premiers lieux est sans commune mesure avec celle des seconds[22], et au moment des guerres de religion, le protestantisme vigoureux dans la plaine échoua dans les Mauges, et ne pénétra dans la Gâtine industrielle (le bas Bocage) qu'en liaison avec des groupes urbanisés d'ouvriers du textile, provoquant des conflits armés très violents[23]... Les soldats de l'armée catholique et royale n'auraient donc fait qu'épouser à deux siècles de distance la même cause que leurs ancêtres! Jouent et rejouent donc les structures pérennes dans les mêmes lieux: les populations reprenant, au gré des siècles, selon des modalités différentes, les attitudes et les conflits des générations antérieures. De la même façon qu'en Vendée les zones ligueuses autour de Vitré pendant les guerres de religion sont chouannes en 1794, tandis que les descendants des protestants sont républicains[24]; et au XXe siècle – même si la corrélation ne se vérifie pas parfaitement dans tout le département de l'Ille-et-Vilaine – dans cette région les résistants prendront la place des bleus, tandis que la région blanche restera imperméable à la Résistance[25]. Pareille vérification se réalise dans la basse Bretagne, puisque la révolte de 1793 est le négatif presque parfait de la zone insurgée en 1675 pendant l'insurrection des Bonnets rouges[26]. Alors, 1793 a-t-il révélé à elle-même une région inédite, ou n'a-t-il fait que revêtir d'habits neufs un pays immuable? Le débat académique reste largement ouvert, en même temps qu'il sert de prétexte aux innombrables folliculaires, pétris de parti pris, partisans fanatiques qui se déchirent depuis deux siècles, par plumes interposées. Il paraît possible d'avancer quelques hypothèses contournant cette dualité irréductible.

D'abord, il ne semble pas qu'il y ait de différences essentielles entre les causes des guerres de Vendée et les origines des chouanneries. Même si les chouans sarthois paraissent plus aisés que les vendéens[27] – distinction peut-être pas si tranchée d'ailleurs[28] –, ce qui a déterminé le déclenchement des révoltes est l'accumulation des frustrations ressenties par les communautés rurales, surtout à l'occasion de l'application de la Constitution civile du clergé[29]. On constate en effet que de 1790-1791 à 1793 l'Ouest est le théâtre de multiples affrontements entre gardes nationales urbaines et ruraux à propos de problèmes religieux. En 1793, c'est alors toute la région qui est affectée par des soulèvements armés concomitants, mais sans liens entre eux – les conspirations de hobereaux bretons ont fait long feu. Jusque-là, donc, les mêmes causes ont produit les mêmes effets. L'avancée révolutionnaire heurte de plus en plus les communautés rurales, les sentiments religieux deviennent un enjeu, constituant à la fois le siège et le prétexte d'une identité rurale spécifique. Il est frappant de remarquer que le «dimorphisme poitevin» (Bocage, Mauges religieux/Plaine plus incrédule) s'était estompé au fil du temps et opposait moins les populations du début du XVIIIe siècle[30]. Il a fallu la brutalité des interventions révolutionnaires sur cette question sensible pour qu'elle prenne une actualité nouvelle. En cela, c'est bien l'événement qui paraît être matrice d'une structure qui naît (qui renaît) et qu'il consacre.

Mémoire octroyée

Pourtant la Vendée et les chouanneries cessent rapidement d'avoir des destins semblables. La région vendéenne va être définie par un territoire homogène. Les paroisses insurgées n'étaient que rurales; au nombre de quatre cent quatre-vingts, elles enserraient des petites villes, des gros bourgs patriotes (Les Herbiers, Cholet...). Ces îlots de résistance sont d'abord submergés puis intégrés dans la Vendée blanche. Différence complète avec l'aspect de «peau de léopard» pris par les zones chouannes formées de petits blocs de communes insurgées dispersées et non jointives. La Vendée se crée véritablement en région dès 1793.

Les péripéties de la guerre rendent compte en partie de cette situation. D'avril à octobre 1793, les Vendéens ont pu disposer d'un territoire soumis à peu près à leur autorité, régi par le Conseil supérieur siégeant à Châtillon. Leurs adversaires locaux avaient disparu: soit qu'ils fussent réfugiés dans les zones républicaines, soit qu'ils fussent emprisonnés, surveillés par les blancs, ou tués au combat. Cette situation militaire paraît résulter plus de l'effet du hasard que d'une prédisposition particulière à la région. Partout ailleurs, des armées régulières étaient présentes et suffisamment fortes pour écraser dans l'œuf les révoltes; ce fut le cas à Vannes dès 1791, et enfin surtout dans le Morbihan en 1793, ainsi que dans le Léon au fameux pont de Kerguidu. Les révoltés les plus compromis ou les plus opiniâtres rejoignent alors la Vendée pour continuer la lutte, ainsi Cadoudal, et des Segréens vaincus[31]. La région vendéenne ne subit pas semblable répression; et lorsque les troupes régulières sont envoyées, elle leur inflige des défaites explicables par leur impréparation, ou leur inaptitude. L'arrivée des troupes évacuées de Mayence sous le commandement de Kléber renverse enfin l'équilibre des forces.

C'est l'importance que prend ainsi la Vendée qui est plus sûrement responsable de sa constitution en région particulière. La Vendée est devenue la menace intérieure la plus grave pour la Révolution, au point qu'elle va désigner très rapidement, comme terme générique, toutes les autres menées insurrectionnelles, et qu'elle va incarner la Contre-Révolution. Elle joue ainsi le rôle du traître dans la tragédie révolutionnaire, confirmant, justifiant l'instauration du «règne du soupçon[32]». La lutte contre la Vendée prend alors une dimension symbolique, ce qui entraîne logiquement la prise de mesures exceptionnelles : il ne faudra rien moins que «détruire la Vendée», source de tous les maux de la République. Cette décision prise par la Convention, notamment à la suite d'un discours célèbre de Barrère, va s'incarner dans l'organisation de colonnes mobiles qui détruisent systématiquement les populations rencontrées ; partisans de la Vendée et de la République confondus puisque se trouvant sur le même «sol infâme», comme on l'écrit alors. Réalité brutale couverte par l'énoncé des principes, et que les révolutionnaires thermidoriens, ou victimes de la Terreur, décrivent quand la «langue convenue» est abandonnée après la chute de Robespierre – et qui reste encore malconnue, méconnue.

Cette double action va, d'une part, marquer profondément les populations survivantes épouvantées et, d'autre part, désigner la Vendée à tous les ennemis de la République, émigrés et têtes couronnées. Naissent ainsi deux traditions différentes mais concordantes : l'image de la Vendée est définitivement fixée dans les consciences politiques des amis et des ennemis de la région, ensuite la répression s'ancre dans la mémoire locale de génération en génération. Aussi la région vendéenne sera la rencontre, sur un territoire défini par le soulèvement et les massacres, d'une population soudée par les mêmes épreuves irréfutables avec la représentation idéologique attribuée à la région. Le résultat sera cette mémoire spécifique que ne possèdent pas les zones de chouanneries.

Il s'agit bien d'une mémoire imposée. Par les républicains d'abord, suivis avec empressement ensuite par les royalistes ; c'est ainsi qu'il faut comprendre les multiples interventions du clergé et des notables à la fin du XIXe siècle – mais aussi celles des républicains du moment, qui n'entendent pas que s'oublie ce qu'a été la Vendée ! L'originalité réside dans l'écho que ces opérations trouvent dans les consciences populaires ; tandis que dans les zones chouannées, la conscience populaire a retenu l'image de chouan brigand de grand chemin et que les notables n'ont pas cherché à s'identifier aux révoltés[33]. Il y a eu, donc, fabrication de la mémoire ; mais le légendaire vendéen dénoncé régulièrement par les bonnes âmes en quête de «démythification» n'en est pas le seul responsable, il s'intègre même dans tout un ensemble mental et social qui le dépasse. Ainsi, ce ne serait pas l'événement, ou les structures antérieures à celui-ci, qui porterait la mémoire, mais ce serait l'image de cet événement, les actions prises face à lui qui seraient à la base d'une mémoire enracinée dans une société.

Mémoire efficace

C'est enfin la place de la mémoire dans la société vendéenne qu'il convient d'apprécier. Il est évident que les souvenirs des guerres de Vendée n'ont pas anéanti, ni tout à fait remplacé d'autres souvenirs, d'autres préoccupations, d'autres intérêts. On le voit par exemple dans le maintien de l'autonomie des différents groupes qui composent la société vendéenne : il n'y a pas eu de fusion entre les habitants des Mauges, des Gâtines, du Marais ; chacun a conservé sa propre identité ; surtout dans ces traditions restées vivaces sans liens avec les guerres de Vendée. Ainsi, les croyances religieuses et les superstitions ont eu beau jeu après les guerres et se sont maintenues ; et jusqu'au début de ce siècle les garous, hommes-loups, continuèrent de parcourir les campagnes nocturnes. Durent bien évidemment toutes les pratiques de la vie quotidienne, tous ces usages communautaires codifiés au moment des grands événements de l'existence : naissance, baptême, mariage, décès. Restent également des souvenirs qui datent des guerres de religion[34], certains se confondant avec ceux des guerres de Vendée.
Ainsi les souvenirs de ces guerres furent-ils considérablement altérés, et pour beaucoup d'entre eux oubliés progressivement. Honte de l'événement, volonté d'oublier, abandon pur et simple, beaucoup de massacres ne furent plus connus que de quelques personnes à la fin du XIXe siècle, avant que les clercs ne les rappellent à la mémoire collective. Par exemple, le massacre commis au Petit-Luc tombe dans le silence pendant près de soixante-dix ans[35]. Par la suite, les tueries de la guerre 1914-1918 – auxquelles les Vendéens furent très mêlés – réduiront notablement les évocations de ces guerres dorénavant trop lointaines, et moins effrayantes. Enfin, les transformations sociales et économiques de la deuxième moitié de ce siècle déprécieront encore plus les récits de ces événements, d'autant plus suspects qu'ils sont liés à des catégories sociales en perte d'influence. Dans la dernière décennie, l'intérêt porté à ces souvenirs paraît prendre une nouvelle vigueur.
Les souvenirs ont été en effet, et sont encore largement, tributaires de l'action de médiateurs, d'intermédiaires, sans laquelle ils auraient décliné plus vite, voire se seraient perdus, mais à cause de laquelle ils ont été affectés d'un gauchissement, d'une orientation particulière. Ainsi l'œuvre religieuse et cléricale, essentielle, a donné aux souvenirs une coloration sacrificielle : la défaite ultime des Vendéens renvoyant à une victime plus auguste, la cause des paysans-soldats, s'apparentait à une croisade, les victimes des massacres, sur-

tout les enfants, méritaient la béatification... Cette présentation a considérablement orienté la compréhension des souvenirs, dans une certaine mesure elle les a rendus ainsi acceptables par la masse des ruraux qui a toujours rechigné devant une récupération trop politique des souvenirs. Mais, là encore, il faut clairement préciser la place prise par ces actions dans la mentalité collective. Les fréquents rappels des guerres, l'unité régionale, le poids des élites n'ont pas, cependant, empêché l'existence de tensions, de conflits. La soumission envers les propriétaires nobles n'a pas supprimé toute fronde des paysans votant pour le candidat du curé, faisant jouer solidarités et ruses, partant tout simplement[36]. L'acceptation des directives religieuses n'a pas suffi à supprimer les déviations quotidiennes de l'alcoolisme très répandu[37], du maraîchinage, ces relations intimes prémaritales[38]. Enfin, les rivalités entre les bourgs, entre habitants des villages, surtout entre bourgs et campagnes n'ont jamais cessé malgré la nécessité de l'unité vendéenne[39].
Le souvenir a donc été limité par autant d'habitudes, de luttes qui l'ont obligé à être en continuelle évolution, et toujours en sursis. Ce sont plutôt ses conséquences sociales, puis économiques, d'une part, et cette organisation de la mémoire autour de quelques grands hommes, de quelques grands lieux appuyée sur des exemples locaux, d'autre part, qui ont compté le plus. Il s'agit d'un lent façonnement d'une population, de la mise en place de structures profondes, largement inconscientes aujourd'hui, qui représentent les souvenirs des guerres de Vendée, mais qui aussi donnent son plein sens à l'expression «région-mémoire».
La Vendée s'est organisée autour d'une armature mentale, sociale et économique, véritable infrastructure, composée peu à peu par la mémoire, ellemême élaborée suivant les structures antérieures et sous le choc des événements et des conflits. La compréhension de cette genèse rend la présence de la région moins insolite dans le reste du pays, puisqu'elle atteste que la région n'a pas nié l'évolution du monde contemporain, et qu'elle rappelle que les adaptations les plus brutales réussissent d'autant mieux qu'elles sont en liaison avec les structures les plus profondes.

1. Michel Denis, *Les Royalistes de la Mayenne et le monde moderne*, Paris, Klinksieck, 1977, l'illustre pour la Mayenne, notamment aux pages 111-143.

2. Par exemple, Françoise Zonabend, *La Mémoire longue*, Paris, P.U.F., 1980, et le classique Pierre-Jakez Hélias, *Le Cheval d'orgueil*, Paris, Plon, 1975.

3. Philippe Joutard, *La Légende des Camisards*, Paris, Gallimard, 1977, présente une «mémoire longue» appuyée sur une tradition littéraire.

4. Il n'est pas utile d'entrer ici dans la distinction entre Vendée insurgée (ensemble des communes et paroisses effectivement insurgées) et Vendée militaire (ensemble du théâtre des opérations).

5. Louis Pérouas, *Le Diocèse de La Rochelle*, Paris, 1963, pp. 79-119, et Claude Petit-frère, *Blancs et Bleus d'Anjou*, Paris-Lille, 1979, I, pp. 485 *sq.*

6. Nombreux exemples, le plus célèbre est constitué par la paroisse de La Gaubretière (Vendée départementale).

7. Josette Bottineau, «Les portraits des généraux vendéens», *La Gazette des Beaux-Arts*, mai-juin 1975, pp. 175-192.

8. Associations: le Souvenir vendéen qui édite la revue du même nom, Vendée-militaire qui édite la revue *Savoir.*

9. Par exemple, rue de l'Abbé-Voyneau aux Lucs-sur-Boulogne.

10. Exemples nombreux: Chavagnes-en-Paillers, les Lucs-sur-Boulogne, Noirmoûtier-en-l'île, Melay, Saint-Laurent-sur-Sèvre, Turquant.

11. En témoigne l'ouvrage de Dominique Gauvrit et Michel Gautier, *Une autre Vendée*, Les Sables-d'Olonne, 1980, pp. 158-163.

12. Jean-Clément Martin, «La Vendée», *Le Monde*, 26 juin 1983.

13. Voir par exemple Abbé Deniau, *Histoire de la Vendée*, Angers, Siraudeau, 1876, I.

14. André Siegfried, *Tableau politique de la France de l'Ouest...* (Paris, 1913), Genève-Paris, Slatkine, 1980, pp. 29-36.

15. Id., *ibid.*, pp. 30-31.

16. Jean-Luc Sarrazin *et al.*, *La Vendée*, Saint-Jean-d'Angély, 1982, pp. 410 *sq.*

17. Yves Durand, «Les structures familiales dans les marais atlantiques au XIXe siècle» *in Enquête et documents*, Nantes, 1978, pp. 118-125, et J.-Cl. Martin, «Chavagnes-en-Paillers, immobile à grands pas», *Les Cahiers nantais*, 19, 1981, pp. 5-52.

18. P. Hohenberg, «L'exode rural en France au XIXe siècle», *Annales E.S.C.*, 2, 1974, p. 466.

19. J.-Cl. Martin, «Les réactionnaires progressistes de l'Ouest», *Le Monde*, 15 février 1982; «Le clergé vendéen face à l'industrialisation», *Annales de Bretagne P.O.*, 1982, 3, pp. 357-368; «Aux origines de l'industrie vendéenne», *Les Cahiers nantais*, 1983, 22, pp. 37-49.

20. Paul Bois, *Paysans de l'Ouest*, Le Mans, 1960, et Emmanuel Le Roy Ladurie, «Événement et longue durée dans l'histoire sociale: l'exemple chouan», *in Le Territoire de l'historien*, Paris, Gallimard, 1973, pp. 168-187.

21. Marcel Faucheux, *L'Insurrection vendéenne de 1793*, Paris, 1964, et Charles Tilly, *La Vendée*, Paris, Fayard, 1970.

22. L. Pérouas, *op. cit.*, pp. 198-199.

23. Roger Joxe, *Les Protestants du comté de Nantes*, exemplaire dactylographié, p. 113, et F. Baudry, *Le Protestantisme au XVIIIe siècle*, Paris, 1922, p. 311.

24. Michel Lagrée, «La structure pérenne, événement et histoire en Bretagne orientale, XVIe-XXe siècles», *Revue d'histoire moderne et contemporaine*, XXIII, 1976, pp. 384-407.

25. Jacqueline Sainclivier, «Chouannerie et Résistance en Ille-et-Vilaine», *Échange, Vendée-Chouannerie*, Nantes, 1981, pp. 211-221.

26. Alain Pennec, «La Chouannerie en Basse-Bretagne», *ibid.*, pp. 93-109.

27. M. Faucheux, *op. cit.*

28. Cl. Petitfrère, *op. cit.*, I, pp. 622-713.

29. Donald Sutherland, *The Chouans*, Oxford, Oxford University Press, 1982.

30. L. Pérouas, *op. cit.*, pp. 460-465.

31. Cl. Petitfrère, *op. cit.*, pp. 101 *sq.*

32. Jean Starobinski, *1789, les emblèmes de la raison*, Paris, 1979, pp. 45-48.

33. Le terme chouan a eu un emploi péjoratif très longtemps, même auprès des Vendéens du début du XIXe siècle.

34. Rappelés dans Michel Ragon, *L'Accent de ma Mère*, Paris, Albin-Michel, 1980, p. 240.

35. J.-Cl. Martin, « Résonances pour un massacre, paysans et politique », *Annales de Bretagne P.O.*, 1982, 2, pp. 247-257.

36. Voir Henri Pitaud, *Le Pain de la terre*, Paris, Lattès, 1982.

37. Fernand Boulard, « Aspects de la pratique religieuse en France, 1802-1939 : l'exemple des Pays de la Loire », *Annales E.S.C.*, 1976, 4, pp. 761-802.

38. Marcel Baudouin, *Le Maraîchinage...*, Paris, 1932.

39. Alain Chauvet, « Les facteurs de la réussite de l'industrialisation du Nord-Est vendéen », *Les Cahiers Nantais*, 1983, 22, pp. 48-62.

MADELEINE REBÉRIOUX

Le mur des Fédérés

Rouge, « sang craché »

Tombe sans croix et sans chapelle,
Sans lys d'or, sans vitraux, d'azur.
Quand le peuple en parle, il l'appelle
Le Mur.

Jules Jouy,
4 novembre 1887.

Imaginez au pied du Mur des fédérés
une colline de fleurs et de rubans à lettres
d'or. La manifestation monte là-dedans comme
un soleil [...] et chante, en piétinant ce sol
que la bataille défonça.

Hélène Parmelin,
La Montée au mur, 1950.

Tout en haut du Père-Lachaise, dans la soixante-seizième division du vieux cimetière planté d'arbres aux oiseaux innombrables, semé d'étranges monuments, dans cette ville des morts, il y a – nous sommes en 1880 et la IIIe République va célébrer son premier 14-Juillet – un terrain vague situé au sud-est, près du mur qui borde Charonne, « le mur gris des vaincus de mai » écrira plus tard Séverine[1]. « Ils sont là nos combattants ; ceux que nous avons aimés, les bons et les braves, couchés côte à côte dans leur linceul de chaux[2] », ceux qui, pourchassés à travers les tombes, ont été fusillés, le dos au mur, ceux, plus nombreux encore, que les services de la préfecture de la Seine ont amenés là par charretées entières, en reprenant du 28 au 31 mai 1871, possession du Paris communeux[3]. Hâtivement enfouis, leurs corps ont été entassés en hauteur, sur trois rangs. Dix ans plus tard, quand, par un beau dimanche de mai, l'après-midi s'achève, il arrive que des jeunes gens s'amusent à faire rouler des crânes le long de la colline, à reconstituer des squelettes[4]. Simple jeu, macabre, ô combien ! jeu cependant ? Ou allégorie cruelle d'un possible oubli ? Des hommes, des femmes, des organisations ont voulu le combattre. Comment ? Au nom de quoi ? Socialiste pour les quartiers et les hommes les plus rouges, républicaine, ardemment, pour tous, telle avait été la Commune, la ville libre, évoquée par Jacques Rougerie. Mais Ferry – Ferry-famine –, maire de Paris pendant le siège, porte ce poids sur ses épaules lorsqu'il arrive au pouvoir en 1880. Et Thiers, l'organisateur de la répression, ne fut-il pas aussi un des pères de la République, « la seule forme de gouvernement possible » ? À travers quels réseaux d'interprétation surmonter cette contradiction ? À travers quelle histoire ?

Naissance du Mur

Il a fallu quelque quinze années pour que le mur des Fédérés émerge comme lieu privilégié de la mémoire communeuse. Ce n'est guère chose faite avant 1885, l'année de la mort de Vallès qui combattit et de Hugo qui eut pitié. Quinze ans vraiment ? Parcourons-les.

De 1871 à 1880, c'est le silence. Non que le souvenir de la Commune soit vraiment étouffé. Comment serait-ce possible dans la ville martyre, et surtout sur les hauteurs de Belleville, ce quartier révolté qui passait pour barbare[5] ? Malgré la prudence indispensable tant que se prolonge la grande répression et que s'abat l'Ordre moral, malgré les multiples formes prises par le recentrage nécessaire de tous les républicains sur la défense du nouveau régime, elle n'est pas morte, Nicolas[6]. Même si nul ne la nomme lors du premier congrès ouvrier, le congrès de la salle d'Arras en octobre 1876, et si, dans les théâtres et les cafés-concerts, la commission de censure interdit toute allusion au printemps de 1871, les complaintes s'élèvent souvent au fond des cours populeuses pour dire la peine des proscrits et la douleur de leurs parents[7]. Le Comité de secours aux familles des détenus politiques fondé en novembre 1871 par un député radical de la Seine, un ancien canut, Jean-Louis Greppo, collecte en neuf ans plus de trois cent quarante mille francs distribués à plus de trois mille d'entre elles[8]. Mais, lorsque le culte de la Commune commence de s'organiser, c'est autour du 18-Mars et non du Père-Lachaise : les repas fraternels, semi-clandestins d'abord, véritables banquets du souvenir bientôt, s'accompagnent de plus en plus souvent, à mesure que se desserre l'Ordre moral, d'une conférence, d'un concert, voire d'un bal, et, depuis 1878, c'est dans une atmosphère d'espoir, sinon de fête, que l'on célèbre l'aube de la Commune.

Même si c'est sur papier rouge que, quand ils le peuvent, les premiers journaux socialistes – *L'Égalité, Le Prolétaire* – lui consacrent leurs numéros spéciaux, l'écho de ces jours heureux déborde déjà, de beaucoup, les milieux qui s'avouent révolutionnaires. Le Comité Greppo, dont le responsable a évolué dans la mouvance du gambettisme, fait circuler ses listes de souscription dans les banquets républicains : anniversaire de Valmy le 22 septembre 1876, trentième anniversaire de la IIe République le 24 février 1878 et, la même année, centenaire de la mort de Voltaire. Simple geste de compassion, dira-t-on. Il ne semble pas, car la réciproque fonctionne elle aussi. Le 16 mai est qualifié en février 1878 de « date fatale » par Maujean, le trésorier du Comité de souscription permanente pour les réfugiés de la Commune, qui fonctionne à Londres au moins depuis 1874[9] : signe visible d'attachement au régime que le coup d'État de Mac-Mahon avait menacé quelques mois plus tôt. Les radicaux le savent bien selon qui, de Pelletan à Tony Revillon, le peuple de Paris fut inséparablement communard et républicain. Et, dès la fin des années 1870, comme l'a montré Gérard Jacquemet, la République reconnaît dans les Bellevillois d'excellents républicains, d'ardents patriotes aussi qu'on ne manque pas d'applaudir lors des manifestations. L'association de vocabulaire Commune-République s'impose aussi dans les cercles démocratiques du Midi aux vivaces tendances fédératives. L'image des communards qui commence à s'affirmer en ces régions, c'est celle de républicains entre tous avancés ou, comme on dit encore, « énergiques[10] ». Quelle que soit leur volonté d'asseoir le régime chez les notables et leur inquiétude devant les « excès » de la Commune, les amants de Marianne qui arrivent au pouvoir en 1878-1879 ne peuvent l'oublier. On le leur rappelle d'ailleurs en exigeant d'eux l'entière amnistie, cet objectif humain, certes, voire humanitaire, politique aussi. Si bien que, dès le début, à travers la campagne menée par les journaux radicaux – Gambetta s'y associera de façon décisive avec son grand discours du 21 juin 1880 – les luttes du présent s'investissent dans le souvenir.

Il est plus agréable – et, dans la perspective politique que je viens d'esquisser, sans doute plus efficace – de commémorer une aurore qu'un massacre[11]. Jusqu'en 1880, l'objectif ne se fixe que lentement sur la Semaine sanglante, plus lentement encore sur le Père-Lachaise. Semaine ou décade ? Le vocabulaire lui-même n'est pas assuré[12] et les proscrits, lorsqu'ils tentent, en vers, de raconter la Commune, suffoquent devant ses ultimes moments : « La Semaine sanglante en pourrai-je parler ? », se demande Pottier dans un alexandrin impeccable niché le 18 mars 1876 au cœur d'un long poème. Les adversaires eux-mêmes hésitent : si un feuilletoniste connu, Georges Bell, met en scène non sans frémissement la bataille du Père-Lachaise[13], Ernest Daudet, dans *L'Agonie de la Commune*, minore l'horreur de la chasse à l'homme entre les tombeaux. Les massacres du cimetière, en somme, ne sont pas encore exemplaires. Il en fut d'autres, il est vrai, dans le Paris communeux, et il est d'autres nécropoles : Montparnasse, Charonne[14] ou, hors les murs, Clichy. Jusqu'en 1880 en tout cas, nulle trace de pratiques collectives au cimetière bellevillois : la tradition veut que, dès la Toussaint 1871, des bouquets y aient été déposés, mais on n'y compta jamais plus qu'une poignée de visiteurs[15].

De la veille de l'amnistie à l'enterrement de Victor Hugo, entre 1880 et 1885, tout change. Mais avec quelle lenteur, même en ces années privilégiées, émerge ce haut lieu, le Mur ! Dès 1880 *Le Prolétaire* comme *L'Égalité* encadrent de noir leurs numéros spéciaux consacrés à la Semaine sanglante. Ce signe de deuil en fait après le 18-Mars, l'autre moment de la commémoration. Le Mur, lui, manque toujours à l'appel. Pendant plusieurs années la presse militante qui s'accroît de nouvelles unités – *La Bataille* de Lissagaray, *Le Cri du peuple* de Vallès, etc. – propose comme lieu de rendez-vous aux amis de la Commune la fosse profonde où sont enterrés pêle-mêle les Fédérés, la fosse commune. Défilé chapeau bas, prises de parole émues, silence du cortège, on retrouve les pratiques d'enterrement dont ces morts furent privés : en 1882, les socialistes-révolutionnaires de Saint-Denis s'y soumettent comme le groupe des Écoles et la Libre Pensée du XXe arrondissement[16]. L'évocation du Mur, ce n'est ni dans les appels publiés par les journaux, ni dans leurs comptes rendus qu'il faut la chercher. Son invocation, moins encore.

Mais, d'abord, dans les poèmes qui construisent et diffusent sa mémoire au rythme d'un nouveau rituel. En multipliant les feuilles volantes et les journaux, ample provende où puiseront bientôt quelques recueils aux beaux noms[17], Pottier se taille dans cette entreprise la part du lion. À la fosse, au trou noir et profond, il annexe lentement le mur où s'adossèrent pour mourir hommes, femmes et enfants, symboles de tous les cadavres enfouis (*Le Monument des fédérés*, 1883) :

Ici fut l'abattoir, le charnier. Les victimes
Roulaient de ce mur d'angle à la grand' fosse en bas.

C'est lui qui, fantasmatiquement, constitue le rite (*Le Quatorzième Anniversaire*, 1885).

Cet anniversaire est le quatorzième.
Tous les ans Paris est venu de même
Saluer les vaincus de mai,
Grave toujours et toujours désarmé.

Et c'est lui, finalement, qui intègre le mur à l'histoire (*Le Mur voilé*, 1881) :

Le massacre en l'éclaboussant
En fit une page historique.

Aux poèmes, aux chansons, s'associent très tôt dessins, estampes et tableaux. N'en retenons qu'un, dès le début de 1880 : *Le Triomphe de l'ordre* d'Ernest Pichio qui fut membre de la commission fédérale des artistes sous la Commune, et dont le républicanisme est attesté par sa *Mort de Baudin*. Lithographiée, l'œuvre de Pichio, entièrement barrée par le Mur au pied duquel s'entassent les cadavres, sera souvent reproduite dans la presse socialiste et républicaine[18]. Pichio, c'est, comme plus tard le Philémon de Descaves, un vieux de la vieille. *Le Triomphe de l'ordre* va contribuer à lier à la fosse commune, image de la mort, la verticalité du Mur, symbole de la lutte.

Alliance féconde. De 1880 à 1885 il y a autour du Mur une manière de va-et-vient entre l'émotion recueillie et, dès lors que la République l'a emporté, la volonté d'affronter les tenants de l'ordre bourgeois. Ainsi se forgent de nouvelles pratiques, politiques, physiques et symboliques. La première manifestation, le 23 mai 1880[19], relève de l'affrontement. Affrontement politique, d'abord, entre la bourgeoisie, fût-elle républicaine, et les socialistes rassemblés, depuis l'« immortel congrès » de Marseille, quelques mois plus tôt, dans l'Union fédérative adhérente au Parti de la fédération des travailleurs socialistes de France. En rendant hommage « à ceux qui sont morts en 1871 pour l'émancipation sociale », le prolétariat affirmera « sa scission complète avec la bourgeoisie[20] ». Mais voici que le gouvernement interdit le regroupement prévu place de la Bastille. La presse radicale qui juge le projet peu opportun, à l'heure où s'engagent les ultimes efforts pour l'amnistie, ne proteste pas. « Le suffrage universel a tué les barricadeurs » : ce propos du *Temps*, quelque peu déclamatoire, exprime assez bien, de son côté, le sentiment des républicains de gouvernement. L'affrontement sera donc physique : le préfet de police fait charger sabre au clair les rares porteurs de couronnes qui ont passé outre à l'interdiction. Surtout, deux symboles sont en présence : vainqueur du comte de Chambord, le drapeau tricolore rassemble tous les républicains – et au-delà – pendant que le rouge, qui incarne la guerre civile pour les hommes d'ordre et la police, est chargé par ceux qui sont au Père-Lachaise de l'espérance des ouvriers[21].

Des affrontements il y en aura encore pendant ces cinq années. Ceux du 24 mai 1885 se sont d'autant plus nettement gravés dans les mémoires qu'ils se sont déroulés devant le Mur auquel ils ont fourni comme une seconde consécration. Ce jour-là, sur l'ordre d'Allain-Targé, ministre de l'Intérieur depuis quelques semaines, la police fit du zèle et chargea avec une grande violence pour empêcher le déploiement des rouges emblèmes dans le cimetière, pire, pour détruire ceux qui avaient été saisis. Il y eut plusieurs dizaines de blessés dont deux grièvement[22]. C'était le surlendemain de la mort de Hugo. Une carte postale de style caricatural popularisa cette scène jugée scandaleuse très au-delà du vieux faubourg.

L'émotion pacifiée constitue l'autre pôle autour duquel se forge la conscience du Mur. À vrai dire, de 1881 à 1884, elle l'emporte sans peine pour peu que ministres de l'Intérieur et préfets de police choisissent l'apaisement: un choix de sagesse en ces années où le chômage s'abat sur la capitale et où se multiplient les manifestations tumultueuses[23]. Le dernier ou l'avant-dernier dimanche de mai, le Père-Lachaise est laissé au souvenir. La couleur des couronnes, celle des roses que l'on plante devant le Mur, celle des églantines qu'on porte à la boutonnière, les gardiens de l'ordre renoncent à s'en inquiéter. En 1883 les drapeaux rouges eux-mêmes, toujours interdits dans la rue, peuvent se déployer dans le cimetière[24] et, dès 1882, la parole est libre au bord des tombes. Vingt discours peut-être cette année-là[25]! C'est que, même si les forces qui se réclament du socialisme et de la révolution sont rassemblées au cimetière, leur dispersion est telle, l'union de 1879 ayant volé en éclats, que du Parti ouvrier au Comité révolutionnaire central, des anarchistes aux groupes socialistes de Saint-Ouen, chacun veut délivrer son message. Pour l'essentiel, des proscrits aux jeunes manifestants, l'appel du vieux Joffrin a cependant été entendu: le sol où les combattants de la Commune sont couchés ne peut sans crime être transformé en champ de bataille pour une lutte entre socialistes. Cette parole communeuse suscite le respect. Dès lors, les femmes, les enfants peuvent se mêler aux groupes. Dès lors aussi la politique se fait mémoire et prophétie. Les propos tenus devant le Mur n'évoquent qu'un passé magnifié - le sacrifice de ceux qui sont morts pour la République - ou un avenir lointain et brumeux, plus fascinant que flamboyant, où se marient le rêve abstrait de la vengeance et l'espoir d'un avenir meilleur. «Vive la Commune», ce cri simple et sublime par lequel tous se réconcilient tend à se revêtir d'intemporalité.

Il signifie aussi que la mémoire de l'événement est devenue inséparable de ces tombes. Or, les règlements administratifs menacent la fosse commune. Le «coin des fédérés» risque d'être loti en concessions privées, fructueuses pour la Ville. La presse socialiste s'en émeut. Les anciens s'organisent. Les comités se multiplient: après l'Association fraternelle des anciens combattants de la Commune née en 1880 sur des objectifs de solidarité[26], voici le Comité du monument des fédérés[27], sans parler des organisations propres aux proscrits[28]. Le 24 décembre 1883, le Conseil municipal, tout en refusant la concession du terrain à perpétuité, décide de ne pas le lotir pendant vingt-cinq ans, d'en niveler et gazonner le sol, de le relier «au grand chemin de ronde par deux sentiers suffisants». Les élus républicains de Paris s'engagent, en somme, à la déférence. La zone constituée par la fosse et le mur va échapper au délabrement, le Mur va s'affirmer, le long duquel, dès 1885, le chroniqueur du *Temps* voit courir «une plate-bande d'arbustes et de fleurs soigneusement entretenus[29]». Les amis de la Commune se réjouissent-ils de cette entrée du vieux Mur dans la civilisation des cimetières ? La banalisation bourgeoise ne le guette-t-elle pas, à mesure qu'il perd de sa sauvagerie ? Le Comité du monument des fédérés avait, non sans hésitation, fait un autre choix : clôturer le terrain avec une grille acquise par souscription et célébrer à l'avenir, aux jours anniversaires, le souvenir des martyrs dans l'intimité collective[30]. Deux logiques, on le voit, furent à l'œuvre dans la reconnaissance du Mur : celle d'une ouverture à tous les publics, porteuse un jour – qui sait ? – de tourisme social ; celle du chez soi, chère au parti ouvrier, aux possibilistes. Malgré une décision du Conseil municipal, le 17 mars 1884, favorable à la seconde démarche[31], c'est la première qui l'emporta : le préfet de la Seine fit prévaloir l'autorité de la loi et s'appuya sur un texte du Consulat pour mettre sous séquestre la grille acquise par le Comité.

Et pourtant, au fil de ces mêmes années, les pratiques militantes, qu'elles se veuillent de rupture avec la bourgeoisie républicaine ou de simple continuité commémorative, confèrent au mur des Fédérés un statut privilégié. Ces couronnes rouges qui commencent d'affluer fin mai, comment assurer d'une année à l'autre leur survie ? À terre, sur la fosse, les immortelles pourriront. Le Mur est là, accueillant. À partir de 1882, on les accroche dans ses interstices. Bientôt on pose quelques crochets. Les rouges oboles vont rester là ; humbles ou éclatantes, elles vont assurer la continuité du souvenir. On en parle. On les photographie. On en fait des cartes postales. Faut-il aller jusqu'à dire qu'avec les chansons et les dessins ce sont elles qui ont créé ce mur « sans lys d'or et sans chapelle », ce mur laïque et révolutionnaire chanté par Jules Jouy ? C'est trop dire peut-être. En tout cas elles en ont assuré la promotion, elles lui ont communiqué à la fois la chaleur de la révolte et la tendresse de la mémoire. Et l'on peut lire comme emblématiques les tensions qui, à leur propos, se sont manifestées, de 1880 à 1885, entre les hommes du pouvoir central – ministres de l'Intérieur, préfets – et le Conseil municipal d'une ville qui se souvient, même si les socialistes ont à peine commencé d'y pénétrer : ce n'est pas la République qui est en cause.

Tensions autour du Mur : 1885-1905

Le moment est venu de tenter de cerner les discours de tout ordre qui, une fois le Mur établi dans sa dignité, vont s'entrecroiser autour de lui. Le risque de redondance, la pauvreté, souvent, des textes typiques suggèrent – sauf à retracer l'entière histoire des rapports entre les groupes socialistes parisiens, véritables créateurs du Mur, leurs amis-ennemis radicaux et les gouvernements de la République – une approche aussi ethnologique que politique.

Partons donc des couronnes dont chaque année, fin mai, se vêt désormais le vieux Mur. Leur stabilité, leur nombre, leur caractère symbolique, les enjeux dont, au début des années 1880, elles ont été porteuses, tout conduit à valoriser leur témoignage. La préfecture de police, pourtant, ne semble s'être intéressée à leur langage qu'avec la nomination de Lépine, le 11 juillet 1893, peu avant les élections législatives du mois d'août: des élections glorieuses, les premières, pour les socialistes, et – pour cette raison peut-être – significatives d'un repli conservateur des républicains de gouvernement. Dans ces dossiers, deux «nomenclatures des couronnes déposées au mur des Fédérés», et deux seulement: elles datent de 1897 et de 1900[32]. À trois ans de distance, le nombre des emblèmes recensés reste sensiblement le même, plus faible que celui donné pour 1885 par *Le Cri du peuple*: une soixantaine en 1885, quarante-sept en 1897, quarante-neuf en 1900. Quelques années plus tard, l'officier de police du XXe arrondissement, reprenant ses comptes, en dénombrera, pour 1900, cinquante-quatre et précisera qu'entre 1901 et 1903 il a diminué d'une dizaine[33]. Il n'y en aura plus que trente-six en 1904[34]: il est vrai que *L'Humanité* du 30 mai, dont c'est «le premier Mur» en compte, elle, quarante-deux. Mais le déclin n'est guère contestable.

Le rouge, en tout cas, a durablement triomphé, comme en 1880 lors de la manifestation de *L'Égalité* et du *Prolétaire*. Dans l'intervalle il y avait eu quelques flottements: en 1885 *Le Cri du peuple* avait noté beaucoup de jaune et de violet, le violet du deuil; en 1897, même les groupes libertaires déposent des couronnes rouges. Une seule, celle de Séverine, est tissée de perles noires, en souvenir de Vallès qu'enchantaient la profonde tristesse de cette non-couleur et le danger qu'elle faisait planer sur l'adversaire[35]. Que le rouge soit, lui aussi, menaçant pour la République devenue, par antiphrase, «progressiste», les interdits qui continuent de peser sur le déploiement des drapeaux dans les rues de la capitale, fût-ce à l'occasion d'un enterrement[36], le disent assez. Mais les inscriptions dont on attendrait une énonciation plus explicite restent étonnamment peu loquaces: aux martyrs, aux victimes, aux fusillés, aux assassinés, aux combattants de la Commune, aux vaincus, à nos frères, à nos pères, aux fédérés, aux communeux enfin. Manque d'imagination? Refus de s'exprimer en termes politiques dans un lieu de piété, fût-elle laïque et militante? Ou prudence? En 1899 la police arrache du Mur comme séditieuse la couronne de la Jeunesse révolutionnaire internationaliste des XIe et XIIe arrondissements: dédiée «Aux frères assassinés», elle eût été tolérée; «Aux frères assassinés par les Versaillais», la voilà récusée. Passe d'être tué à condition qu'il n'y ait pas de tueur. Ni d'idéologie porteuse de mort: en 1900, Lépine fait disparaître la couronne de la Fédération des jeunesses socialistes de France consacrée «Aux victimes du militarisme»... Les collectivistes du XXe arrondissement avaient, quoique fort hardis, montré plus de prudence en 1897, en dédiant la leur «Aux martyrs, victimes de la férocité

bourgeoise» : c'était désigner une classe, non des hommes, et pas davantage une idéologie nationale. En 1900 elles sont deux à tenir un langage plus clair, et plus clairement républicain : celle de Séverine est vouée « Aux morts pour la République », celle du Parti socialiste-révolutionnaire du IVe arrondissement, un groupe vaillantiste, « Aux victimes du nationalisme » : cette dédicace respire l'odeur des rudes meetings contemporains de l'Affaire Dreyfus plus que celle de la poudre qui abattit les fédérés. Lépine ne dut pas la lire.
Pour qui cherche à dépister autour du Mur un discours politique plus abondant, c'est du côté des chansons, dont j'ai déjà souligné le rôle, qu'il convient de regarder. Non que les chants révolutionnaires s'élèvent dans le cimetière : le lieu exige le recueillement ; toute parole violente y semble longtemps inadmissible[37]. Mais, dans les rassemblements qui s'organisent à l'entrée ou à la sortie du Père-Lachaise, les militants, en chantant, se libèrent de la tension émotive née de la montée au Mur. En 1897 les anars, assez nombreux, reprennent la très républicaine *Carmagnole*, un des airs à travers lesquels s'exprime le plus fortement la continuité d'une tradition, mais aussi *Le Tocsin* et *La Ravachole*[38]. En 1898 la campagne antinationaliste assure, sur un air connu, le succès d'un couplet qui ridiculise Rochefort[39] et les apprentis dictateurs. Et s'il faut attendre 1905 pour trouver dans la presse la première mention de *L'Internationale*, la popularité de Montehus imposera très vite l'*Hymne au dix-septième* et son culte profond de la République :

Vous auriez, en tirant sur nous,
Assassiné la République.

Les chants s'élèvent, plus nourris, à partir du tournant du siècle. Les trajets aussi se précisent, que suivent fin mai les pèlerins, les manifestants. Prenons ici encore, comme poste d'observation, 1897, une année ordinaire, bien suivie par la police. Les groupes se donnent de plus en plus souvent rendez-vous à leur siège, parfois éloigné, avant de se déployer dans Paris. Certains, les banlieusards, se retrouvent dans les gares. Près du cimetière se sont petit à petit imposés des relais, des cafés aux vastes salles et aux comptoirs savoureux : la salle Florat, place Voltaire ; la salle Planchon, rue du Château-Vert, surtout la salle Lexcellent – ce petit hôtel existe toujours – au coin de la rue du Repos et du boulevard de Ménilmontant : on s'y réunira pendant tout le XXe siècle. Les manifestants s'y retrouvent après le Mur, en réunion publique ou privée ; c'est là aussi qu'ils prennent en tout début d'après-midi les ultimes dispositions avant de pénétrer dans la nécropole. Des dispositions que rendent indispensables depuis 1893-1894 l'effritement du *modus vivendi* avec les forces de police, plus ou moins établi dans les années 1880, la mise en place d'un système policier, insupportable non seulement aux anciens communards – il leur rappelle l'Empire et la répression – mais à tous les « bons républicains ». Chaque année[40], un fort contingent de gardes à pied – cinq cents à cinq cent cinquante – est mobilisé, ainsi qu'un contingent plus léger et plus variable, plus impressionnant aussi, de gardes à cheval : entre quarante et cent vingt-cinq. Sur eux repose la force de Lépine, l'humiliant système des « petits paquets » que tous dénoncent, mais qu'Allemane et ses amis supportent particulièrement mal : dans l'allée principale, divisée en écluses, aucun groupe ne pénètre, fût-ce entre deux rangs de gardes, tant que le groupe précédent n'a pas quitté le bief ; les vexations s'accumulent aussi pour ceux qui, avant ou après le Mur, souhaitent gagner la tombe de Blanqui, de Vallès, de Delescluze ou de Pottier. Et, à partir de 1895, Lépine impose, et le gouvernement de la République accepte, que toute parole soit interdite devant le Mur : les manifestants sont contraints de défiler silencieux, toujours par petits paquets, sous l'œil vigilant des gardes, du commissaire du quartier et parfois du préfet.

Provocation ? Le mot ne semble pas excessif pour désigner la chose, à Belleville surtout, dans ce secteur du Père-Lachaise qui, depuis 1884, envoie Vaillant siéger au Conseil municipal, et, depuis 1893, à la Chambre. À plusieurs reprises les allemanistes, voire les broussistes – ces expressions sont devenues courantes – menacent de ne plus monter au Mur[41] : qu'est-ce donc que cette République insultante ? Celle des Versaillais ? Pour limiter au plus juste les conséquences de ces pratiques hautement symboliques, il a fallu que d'autres crises s'ouvrent dans les milieux révolutionnaires parisiens et qu'elles rendent à la fois nécessaires et possibles d'autres reclassements. Il a fallu les mutations qui se sont opérées pendant ces quelque vingt années dans le socialisme vécu par la capitale. Des mutations complexes : ce n'est pas sans mal, comme l'a montré Zeev Sternhell[42], que les socialistes les assument ! Pour souligner, plus fortement que Sternhell, la victoire remportée sur eux-mêmes et sur une part de leurs traditions par les socialistes les plus conscients de la nécessaire inscription dans le régime des espérances révolutionnaires, retenons deux moments clés : 1887-1890, la crise boulangiste et celle du Comité central révolutionnaire ; 1898-1900, l'Affaire Rochefort – autant et plus ici que l'Affaire Dreyfus – et la crise nationaliste.

Même si le premier épisode couvre une période antérieure à l'étalage par Lépine de la force étatique, il faut l'intégrer à ce survol. C'est alors qu'apparaissent en effet, entre les groupes qui se réclament de la Commune et se retrouvent au Mur, les premières tensions insurmontables, insurmontées. Elles naissent de la crise industrielle, profonde depuis 1883 dans la capitale, et des grèves véhémentes qu'elle déclenche – la plus célèbre, pour maintes raisons, celle des terrassiers, dure du 19 juillet au 17 août 1888 –, du refus aussi de la Chambre élue en 1885 de prendre quelque initiative sociale que ce soit[43].

Enfin des espoirs que nombre de travailleurs, mais aussi un certain nombre de militants socialistes-révolutionnaires, placent dans la capacité de l'agitation boulangiste à déstabiliser la bourgeoisie opportuniste, à offrir au peuple, et d'abord aux ouvriers parisiens et à ceux qui leur sont proches, une issue politique et sociale[44]. À partir de mai 1888, le boulangisme, pour la première fois, cristallise jusqu'au Père-Lachaise, traditionnellement unanimiste, les deux courants communards et ceux qui se veulent leurs amis, leurs héritiers. Hégémoniques depuis 1887 dans le groupe socialiste au Conseil municipal et à la Bourse du travail qui vient de s'ouvrir, les possibilistes, amis de Brousse, Joffrin et Allemane, acceptent le 23 mai 1888, au nom de «l'entente entre tous ceux qui sont demeurés fidèles à la République», de se coaliser avec radicaux et francs-maçons dans la Société des droits de l'homme, pendant que blanquistes, et, à un moindre degré, guesdistes s'indignent: la République, oui; avec les radicaux, non, d'autant que Boulanger n'est pas si dangereux que le disent ceux qui en font un épouvantail. La Commune s'éloigne? Qu'importe! La mémoire sert à lire le présent. Le Parti ouvrier - les possibilistes - appelle les inorganisés à se joindre à la coalition cadettiste contre «ceux qui ont oublié le rôle de M. Boulanger pendant la Commune». Et, lorsque le 17 mai 1888 l'anarchiste Lucas tire au Mur sur un blanquiste, le journal de Joffrin n'hésite pas à écrire: «Messieurs les blanquistes et M. Rochefort, leur allié, ont reçu l'affront qu'ils méritaient[45]», ils ont démérité de la République.
Deux ans plus tard - la Commune en 1890 va sur ses vingt ans - c'est entre les blanquistes eux-mêmes que la violence éclate au Père-Lachaise. Le Comité révolutionnaire central a fait scission lorsque, après la mort et l'enterrement dramatique d'Eudes, s'est posé en plein boulangisme le problème de la candidature de Rochefort aux élections législatives de 1889 dans le XXe arrondissement. Voici d'un côté Vaillant et ses fidèles, partisans de Susini, contre Rochefort soupçonné de «césarisme», étranger à l'organisation socialiste, mais ancien communard - il en fait parade - et soutien financier peu contestable des journaux révolutionnaires; de l'autre, Rochefort, et surtout Granger qui refuse qu'un candidat révolutionnaire soit opposé au marquis communard. Rochefort est battu au deuxième tour par un ouvrier du Creusot, un possibiliste, Jean-Baptiste Dumay, qui a eu besoin, grand besoin, des voix, même peu nombreuses, de Susini. Césure décisive malgré ou à cause de son caractère électoral qui l'intègre dans le système. Dorénavant, chaque fois que Granger et ses amis appelleront à se recueillir sur la tombe de Blanqui, à monter au Mur, les autres socialistes, avec Vaillant, s'opposeront à «l'affront que l'on veut faire à leurs morts» et mêleront aux cris traditionnels «Vive la Commune!», «Vive la Révolution sociale!», ceux de: «À bas la dictature, à bas Boulanger!» En mai 1890 la bagarre fait rage au Père-Lachaise. Le Mur a cessé d'être réconciliateur.

Conflit sur la forme républicaine du régime? Sûrement pas: l'accord est total. Pas même sur le parlementarisme auquel allemanistes et vaillantistes appellent souvent, comme le groupe Granger, à substituer la législation directe[46]. Mais sur les risques de césarisme, cette hantise française, sur les menaces chauvines mieux perçues par ceux qui ne récusent pas en Marx un penseur allemand[47], et tout autant sur l'importance de l'organisation ouvrière, sur la nécessité de multiplier syndicats et comités socialistes, sur le danger de la barricade aventureuse. Aussi est-ce contre «l'aventurier Rochefort» qu'à partir de l'Affaire Dreyfus les passions vont se redéployer Rochefort qui a pris position dans l'Affaire pour la «patrie», et donc pour l'état-major et les forces d'ordre qui le soutiennent, Église comprise, est véhémentement conspué le 29 mai 1898 au Père-Lachaise par les groupes dont *La Petite République*, le journal de Gérault-Richard et de Jaurès, est le catalyseur. Les communards sont «tombés pour la République et la justice sociale», la Commune a servi le socialisme dans tous les pays: Jaurès, d'ailleurs étranger à la tradition communeuse, ne serait-ce qu'en raison de son âge, l'écrit non sans force ce jour-là. Mais autour de lui, au Père-Lachaise, sous la houlette, pour la première fois, de socialistes indépendants, nouveaux venus et combatifs, c'est «la haine du sabre, des soutanes et de la gent galonnée» que tous expriment – y compris les allemanistes, ces pionniers du dreyfusisme ouvrier[48]. Pourchassés à travers le cimetière, les porteurs de la couronne de *L'Intransigeant* – Rochefort n'est pas venu – ne peuvent la déposer au Mur que sous la protection de la police[49]. En 1899, en 1900, ils manifesteront une semaine avant les autres. Malgré le groupe de la Jeunesse blanquiste, ils ne font en effet pas le poids: une centaine en 1899[50], ce n'est guère. En 1901 ils se présenteront le même jour, mais pas à la même heure que l'«agglomération» guesdiste qui vient de se séparer des «ministérialistes[51]». En 1905, c'est fini: dégoûtés de la «manifestation gouvernementale» qu'est devenue selon eux la montée au Mur, les blanquistes déclarent s'abstenir désormais de ces «démonstrations hypocrites». En fait, les raisins sont trop verts. L'unité socialiste en se réalisant a laissé leur groupe sur la plage. Elle s'est faite contre eux. Contre la tradition qu'ils incarnaient et les possibilités de «droite révolutionnaire» qu'elle recelait. La mémoire du Mur se fixe ailleurs.

1905-1914 : Victoire du politique

Les conséquences de l'unité ne vont se faire pleinement sentir, au Mur, qu'à partir de 1908. Relance d'une mémoire un peu ternie par les ans et les mutations politiques, sociales, culturelles. Démarrage d'une efficace entreprise de structuration sous l'égide du parti unifié: ces deux événements, rigoureuse-

1908. Lieu de mémoire, enjeu de pouvoir.
Le parti socialiste, Section française de l'Internationale ouvrière,
groupe de La Villette, au Père-Lachaise.

Centenaire de la Commune, 1971.
Manifestation du Parti communiste et du Parti socialiste ;
à partir de la droite : Jacques Duclos, Roland Leroy, Georges Marchais, Claude Estier.

ment contemporains, ne se recouvrent pas, et de loin. Le nouveau départ de la mémoire communeuse s'articule sur la décision prise, le 20 décembre 1907, par le conseil municipal, d'affecter perpétuellement à la sépulture des fédérés l'emplacement réservé pour vingt-cinq ans en 1883[52]. Leur insertion dans l'histoire de la République serait-elle officiellement assurée? En tout cas les comités, en déclin à l'heure des divisions socialistes où leurs animateurs ne se reconnaissaient guère, reprennent vigueur et tentent d'affirmer l'autonomie de la commémoration: une commémoration plus ou moins négociée avec le gouvernement Clemenceau. On devine, entre les lignes assurément, cette tactique et cet objectif chez le Dr Edmond Goupil comme chez Élie May, tous deux anciens communards - Goupil, il est vrai, a démissionné de la Commune le 17 avril - et chargés de responsabilités dans la franc-maçonnerie, comme chez le Dr Navarre, un conseiller municipal, beaucoup plus jeune, que son adhésion à l'unité n'empêche pas de rester pour l'essentiel un radical[53]. Devenu Comité du Mur, le Comité du monument est en flèche. Le 24 mai 1908 une manifestation, nombreuse pour la première fois depuis le début du siècle, peut sur son initiative inaugurer le «monument» longtemps désiré: une simple plaque de marbre au texte si bref et si raboté qu'il est loisible de l'interpréter comme le seul sur lequel les anciens et les nouveaux se sont mis d'accord; un texte si simple aussi qu'on rêve de le lire comme le plus émouvant des hommages: «Aux morts de la Commune, 21-28 mai 1871». Pas aux vaincus, pas aux héros, pas aux assassinés. Aux morts. En effet.

Si le 24 mai 1908 la méthode des petits paquets a été pour une fois mise entre parenthèses, si cinq militants - Goupil, May et Navarre pour les comités, Allemane et Vaillant au nom du Parti - ont pu prendre la parole devant quelque dix mille personnes[54], on le doit certes aux efforts des associations spécifiquement communeuses, mais aussi à ceux, différents, de la Fédération socialiste de la Seine. Dubreuilh et Renaudel ont en effet jeté dans la balance la participation massive des sections pour obtenir que le Comité du Mur se dessaisisse de l'organisation et du patronage de la manifestation à leur profit[55]. Lieu de mémoire, le Mur devient un enjeu de pouvoir. Le Parti, qui tient à s'affirmer dans sa spécificité après la rupture du Bloc, l'emporte sans peine. À partir de 1910, Renaudel, bon organisateur, est chargé de repérer les lieux, d'arrêter le plan de la manifestation, de l'encadrer à l'allemande, avec des «hommes de confiance» placés tous les cent mètres[56]. La manifestation, incontestablement, se rigidifie: les socialistes indépendants tel Faillet, un vieux communard trop convaincu de la «supériorité morale de la France» pour adhérer à l'Internationale socialiste[57], sont rossés par les unifiés; leur couronne est mise en pièces[58]. En 1911, la Fédération refusera de laisser les Jeunesses socialistes, soupçonnées d'hervéisme, participer en corps au défilé[59]. Mais, pour la première fois, l'ensemble des forces du Parti, y compris toutes les sections de banlieue se groupent pour la montée au Mur... Qui donc a dit que l'histoire était riche en contradictions? Et aussi en anticipations. La commémoration de la Semaine sanglante est désormais totalement investie dans les luttes du présent.

L'effort propre de Jaurès va consister à utiliser pour un grand objectif, la lutte contre la guerre, l'emprise acquise par la S.F.I.O. sur la célébration de la Semaine sanglante. Tel est le sens du puissant rassemblement prévu au Père-Lachaise le 25 mai 1913 contre les trois ans. En interdisant, pour la première fois depuis 1880, la manifestation du Mur[60], Barthou ne dessert pas le projet jaurésien. Au contraire. «Le Parti socialiste a la responsabilité de ne pas faire massacrer le peuple», dit Renaudel[61]. En fait on sera plus libre hors les murs, au Pré-Saint-Gervais. En trois jours la S.F.I.O. y reporte ses efforts. Pour la première fois non seulement la Fédération communiste anarchiste et les Jeunes Gardes révolutionnaires, mais surtout l'Union départementale des syndicats C.G.T., inégalement investie dans les traditions communeuses, se joignent au Parti. Le lieu de mémoire a été abandonné en quelques heures au profit de l'efficacité et de l'urgence politiques. Grande leçon. Certes, divers groupes socialistes et l'Association des anciens combattants de la Commune iront les jours suivants déposer au Mur leurs couronnes[62]. Comme l'avait dit Compère-Morel, c'était «le souvenir». Il y eut cent cinquante mille personnes au Pré-Saint-Gervais, et quelque quarante mille l'année suivante – beaucoup plus qu'en 1912 – au Mur retrouvé. Lépine avait renoncé. En tant qu'organisateur collectif, le Parti avait gagné.

Le XXe siècle

D'une certaine manière, tout est joué dès 1914. Quelque cinquante ans après la semaine sanglante, la mémoire directe de la tragédie s'efface, la prise en charge du souvenir par le parti dominant s'affirme, surtout la fonction politique du pèlerinage au Mur l'emporte définitivement sur les traces du deuil. Des retrouvailles de mai 1919, après le long sommeil de la guerre, jusqu'au centenaire de la Commune, tel de ces traits pourra s'atténuer, tel autre se renforcer, n'importe: comme en tant d'autres domaines, les forces vives du XXe siècle étaient lisibles dans le tissu de la Belle Époque. C'est pourquoi il n'est plus nécessaire, pour évoquer l'histoire du Mur depuis la Grande Guerre, de respecter l'ordre de l'émergence, l'ordre chronologique. Les lignes de force sont dessinées. Suivons-les.

Le lent écoulement du temps érode impitoyablement la mémoire. Les témoins vieillissent, ils ne se reconnaissent plus dans le monde comme il va, ils disparaissent. Le charme si doux, presque poignant, de la recherche du temps perdu à laquelle se livrait, dès 1913, Philémon, dans le plus beau roman de Lucien Descaves[63], se nourrissait déjà de l'éloignement d'une histoire qui pénétrait peu à peu dans le royaume des ombres : dans sa cuisine proprette, il se souvenait, Philémon, et il savait qu'il allait cesser de se souvenir. Et la même année, le père Burtau, un ancien déporté blanquiste, auquel Léon Deffoux prêtait une parole balbutiante[64], se disposait à renoncer à jamais au Mur et à la vie. Ces personnages romanesques renvoient au monde réel. Certes, les derniers survivants de la Commune ne s'éteindront qu'au début des années trente : Élie May (1930), Zéphirin Camélinat (1932), Jean Allemane (1935). Mais leur place dans les manifestations du souvenir est devenue de plus en plus décorative. Le Dr Goupil, Élie May le joaillier, Allemane le vieux typo ont cessé d'être en prise sur la réalité politique française. Camélinat lui-même, l'ancien responsable de la Monnaie, entré vivant dans la légende communiste pour avoir, après Tours, équitablement partagé les actions de *L'Humanité*, n'a joué dans le P.C.F. qu'un rôle pour l'essentiel symbolique, rehaussé encore lors de ses obsèques par le corbillard des pauvres qu'il avait exigé ; cependant que Briand, le « renégat » devenu ministre, se voyait offrir deux jours plus tard des funérailles officielles. Le seul ancien communard capable d'intégrer le souvenir à une pratique politique partidaire[65], Édouard Vaillant, était mort en 1915.

Bref, les Anciens doivent prendre acte à la fois du fléchissement inéluctable de leur présence et des décalages politiques qui les ont marginalisés. Dès janvier 1914, d'ailleurs, l'Association des anciens combattants de la Commune, est devenue, sur proposition de Séverine, Société fraternelle des anciens combattants et des amis de la Commune[66]. Camélinat la reconstitue en 1930 dans la mouvance du P.C., à l'heure des plus grandes divisions[67]. Anciens combattants : le mot va disparaître avec eux. Et lorsque Jacques Duclos en 1962, puis, après sa mort, Jean Bruhat, aujourd'hui Claude Willard, assureront le redémarrage de l'Association, elle n'aura plus vocation à regrouper que « les amis de la Commune » : sa revue née en 1975, *La Commune*, se voudra, jusqu'à sa disparition en 1982, lieu de rencontre d'historiens et non plus support de témoignages. N'est-ce pas en mai 1971, l'année du Centenaire, que fut déposée au pied du Mur l'urne contenant les cendres d'Adrien Lejeune, le dernier des communards, mort en 1942, de mort naturelle, en U.R.S.S. où il s'était installé en 1926 ?

Ce retour des cendres couronnait la longue entreprise de légitimation conduite en direction du Mur par le P.C.F. Au plan de la tradition révolutionnaire, telle que l'avait sacralisée la Commune, les communistes n'ont pas eu grand mal à supplanter ceux qui étaient restés à la vieille maison. Certes, des deux côtés, on use, pendant les premières années, d'un langage lyrique, voire mystique qui tranche sur le discours organisationnel du début du siècle :

Barbusse évoque en 1926 «le Mur sacré où notre armée révolutionnaire va se recueillir comme dans un temple», cependant qu'en 1932 encore *Le Populaire* écrit qu'il s'agit de «conduire l'humanité vers la cité de liberté, d'égalité et de fraternité que porte en lui le socialisme[68]». Mais, alors que, du côté socialiste, toute charge politique précise s'effrite et que, seul, pendant de longues années, le «devoir» appelle les «militants» au Père-Lachaise, un devoir que rien ne vient spécifier et qu'il faut «accomplir» en honorant «les morts de la Couronne[69]», les mots d'ordre concrets, les collectes, les appels abondent du côté des communistes et leur dynamisme fonctionne à plein.
À l'image de Jaurès[70], mais avec une vigueur nourrie par l'apparition d'un nouveau modèle révolutionnaire, le P.C. affirme en effet sa capacité non seulement à conserver, mais à renouveler l'héritage. La difficile et contraignante durée de la «Commune soviétique» permet par exemple aux critiques jadis formulées par Marx de passer enfin la rampe: la «force révolutionnaire», la «discipline de fer» de la IIIe Internationale[71] rendent possible une lecture, nouvelle dans le mouvement révolutionnaire français, de la Commune de Paris. Marcel Cachin en tire une solide leçon en trois points qui sera par la suite maintes fois paraphrasée. Cependant que, pour la première fois, en 1932, les chœurs parlés de la F.T.O.F.[72] donnent à ceux qui montent au Mur le sentiment de participer – c'est tout au moins ce qu'éprouve Vaillant-Couturier – à une veille de bataille, à une revue révolutionnaire: au lendemain du succès électoral remporté à Paris par les socialistes, il s'agit de montrer que «si la S.F.I.O. a des électeurs, nous avons des militants et des sympathisants[73]»; aux manifestants clairsemés et peu combattifs rassemblés une semaine plus tôt par la Fédération socialiste de la Seine il s'agit d'opposer les gros bataillons venus de la banlieue rouge, encadrés par la vitalité des militants culturels de l'Agit-Prop. Pour faire sienne devant «les masses» la mémoire militante du Mur, le P.C.F. n'a même pas eu besoin d'éliminer par la violence physique ceux qui s'en forgeaient une autre idée: en défilant depuis 1921 un autre jour, les socialistes avaient choisi et affirmé leur différence; ils avaient aussi pris le risque de donner, à Paris, le spectacle d'une certaine faiblesse militante[74].
La Résistance et la Déportation vont renforcer encore la légitimité de la mémoire communiste et sa prégnance sur le Mur. C'est dans la quatre-vingt-dix-septième division du Père-Lachaise qui jouxte la soixante-seizième, celle du Mur, que sont rassemblés, au lendemain de la Seconde Guerre mondiale, stèles et monuments dédiés aux martyrs et aux héros. Aux deux figures de bronze enchaînées au gouvernail de l'envahisseur, à la tête sans visage «soutenue par un corps fragile[75]», dédiée aux martyrs d'Auschwitz, aux monuments aux morts de Ravensbrück et de Neuengamme, à celui qui sortit des carrières de Mauthausen, à l'urne emplie de la terre de Treblinka, se mêlent

le bloc de granit à la gloire des élus communistes, «héros et martyrs de la Résistance», le monument à la brigade Fabien et la stèle de Paul Éluard. Et, tout près, à côté du «petit Timbaud» dont Léon Blum sut parler avec émotion au procès de Riom, de Guy Moquet et de Georges Politzer, voici Barbusse et Vaillant-Couturier, morts avant la guerre, Thorez et Cachin, Duclos et Frachon, plus récemment disparus. Le souvenir anonyme des camps prolonge celui des morts sans noms de la semaine sanglante. Sa participation à la Résistance a permis au P.C.F. sinon d'identifier l'ensemble de ses leaders à l'héritage communard, du moins de créer une proximité géographique propice à cette identification.

Et pourtant... L'espérance, cette petite sœur qui, aux abords du Mur, s'est finalement substituée à la pitié, ne peut rassembler les foules que dans l'unité politique des frères désunis depuis Tours. C'est Léon Blum qui l'écrit le 20 mai 1935, lors du premier grand Mur unitaire[76]: «Le grand jour de deuil était bien devenu un jour de fête.» Et Marcel Cachin, un an plus tard, le 26 mai 1936: «Ils ne sont pas venus cette fois au Mur pour pleurer leurs morts héroïques. Devant la fosse où reposent leurs martyrs, ils ont montré qu'ils étaient près de leur définitive montée au pouvoir et qu'ils en avaient conscience.» Tout un peuple est là, écrit *Le Populaire*; six cent mille personnes dit *L'Humanité*. On est à quelques jours de la victoire électorale. Et la manifestation est en partie vécue, chez les socialistes et chez les communistes, comme l'occasion de «venger» enfin la Commune, comme l'attente d'une «revanche» totale qui enracine ce jour de fête dans le passé endeuillé. Cette houle puissante, le vieux cimetière la retrouvera à la Libération le 27 mai 1945. Mieux que les journaux dont les reportages sont réduits à la portion congrue par de sévères restrictions de papier, c'est le roman d'Hélène Parmelin, *La Montée au mur*, qui permet au lecteur d'aujourd'hui d'imaginer cette journée. Les premiers déportés viennent de rentrer: les ombres de ceux qui ont péri dans les camps les escortent jusqu'à la fosse où reposent les corps des fédérés. La tombe du cheminot Pierre Sémard n'est encore recouverte que de terre brune. Les monuments viendront plus tard. Le vent de la victoire souffle-t-il plus fort que celui du deuil? Il semble que oui. Le cimetière «parle et rit pendant plus de sept heures». Derrière Zélie, la fille de Camélinat «au nom de bergerie», s'avancent le comité central du P.C.F. et le comité directeur de la S.F.I.O., suivis du Comité parisien de libération – derrière les partis, la chose reste à noter –, de l'Union départementale C.G.T. de la région parisienne et de tant d'autres mouvements. Jamais il n'y avait eu, non, même pas en 36 semble-t-il, et il n'y eut plus jamais, pareil rassemblement. Le Front populaire, la Libération, ces deux moments révolutionnaires de notre XXe siècle, ont démultiplié les foules réunies au Pré-Saint-Gervais en 1913. Au-delà des différences de ton, sensibles d'une manifestation à l'autre

– en 1945 apparaît le drapeau tricolore –, ils ont amplifié la mémoire du Mur jusqu'à en faire celle des éternels vaincus par deux fois vainqueurs.

Le mur des Fédérés ne s'est remis ni de la guerre froide, ni des mutations intervenues dans la population de la capitale et de sa banlieue, ni peut-être des mœurs nouvelles qui ont gagné le monde du travail. Les divisions politiques, l'affaiblissement à Paris du poids de la classe ouvrière, la pratique des longs week-ends ont, au fil des trente à quarante dernières années, affaibli la capacité mobilisatrice du Mur. On l'a bien vu en 1971 où le Centenaire de la Commune a fait l'objet de manifestations particulièrement éclatées. Quatre cortèges se sont en effet succédé au Mur : le dimanche 16 mai la Ligue communiste révolutionnaire a ouvert la marche en mobilisant dans son défilé coloré au moins trente mille jeunes manifestants[77], tout chauds encore des journées proches de Mai 68 ; le samedi 22 au matin, la C.F.D.T. et le P.S.U. ont organisé un rassemblement qui n'a guère dépassé quatre mille personnes ; l'après-midi, ce fut au tour du P.S., de F.O. et de la F.E.N. de pénétrer fort lentement dans le cimetière : là encore quatre mille participants au grand maximum ; il a fallu attendre le dimanche 23 mai pour que les communistes rassemblent plus de cinquante mille manifestants au Mur. Le bureau national de la Convention des institutions républicaines s'était joint à ce défilé : à cette date ce n'était encore qu'un bureau. Unitaire au contraire – c'est le temps du Programme commun –, le défilé de 1972 n'a pas pour autant été massif. On a classé le 14 novembre 1983 le mur des Fédérés monument historique : ce n'est pas forcément un signe de mort, ce n'est pas nécessairement un signe de vie.
En tout cas le Mur n'a jamais pu être « récupéré » – quel vilain mot ! – à droite ou à l'extrême droite. Les hommes qui gouvernent habituellement la France ne s'en sont pas souciés. L'équipe de *Je suis partout*, en revanche, a tenté l'aventure lorsqu'elle a décidé en mai 1938 de porter au Mur une couronne dédiée « aux premières victimes du régime » dans un sentiment, comme l'écrit Robert Brasillach, de « pitié pour les égarés » et de « respect pour les patriotes parisiens qui voulaient continuer la lutte[78] ». La rédaction du journal, ouvertement fasciste, fit la « une » de son numéro du 27 mai avec la photo de cette couronne, assortie d'une liste des « victimes actuelles » de la gueuse : militants d'extrême droite et ouvriers révolutionnaires choisis – quand même ! – parmi les non-communistes. Cet effort n'eut que peu d'écho. Il n'a jamais suffi de détester la République pour pouvoir se dire héritier des communeux.
Il n'a jamais suffi non plus de se dire républicain : il reste rouge le drapeau qui orne aujourd'hui la carte d'Ami de la Commune de Paris. Mais pour la quasi-totalité de ceux qui, entre 1880 et 1885, ont fondé la tradition de la

montée au Mur, la République n'a pu triompher de ses ennemis que grâce aux hommes et aux femmes fusillés par les Versaillais. Et, au fil du boulangisme et de l'Affaire Dreyfus, s'est affirmée la finalité républicaine, au sens français du terme, du Mur. La République en France ce n'est pas seulement un régime. C'est pourquoi le Mur n'a jamais pu être perçu comme un lieu de mémoire antirépublicain. S'il est vrai, comme l'a écrit Jeanne Gaillard, et comme je le crois, que « la confiance dans l'avenir républicain, c'est cela qui fonde l'existence de la République[79] », alors le Mur, lieu entre tous mythique, qui doit sa mythologie à une histoire renouvelée, témoigne fortement de la difficulté de séparer en France l'amour de la Révolution et celui de la République.

1. *Clarté*, 27 mai 1921 (c'est l'année du cinquantenaire de la Commune).

2. Allocution prononcée au Père-Lachaise le 28 mai 1882 par Émile Gois qui fut aide de camp d'Eudes, et un des responsables de l'exécution des cinquante otages de la rue Haxo (*Le Citoyen*, 30 mai 1882).

3. Les cadavres ont été en particulier apportés de La Roquette où une cour martiale avait condamné à mort en bloc huit cent soixante et un fédérés et les avait fait immédiatement exécuter.

4. Selon le reportage anonyme du *Temps*, 30 mai 1882.

5. *Cf.* Gérard Jacquemet, « Belleville ouvrier à la Belle Époque », *Le Mouvement social*, janvier-mars 1982 (numéro spécial sur « Ouvriers dans la ville », dirigé par Yves Lequin).

6. Le célèbre texte de Pottier, « Elle n'est pas morte », a été publié pour la première fois dans *La Question sociale*, 10 avril-10 mai 1885. Renvoyons une fois pour toutes à Eugène Pottier, *Œuvres complètes*, réunies et présentées par Pierre Brochon, Paris, Maspero, 1966.

7. Sur ces questions, *cf.* Madeleine Rebérioux, « Roman, théâtre et chanson : quelle commune ? » dans *La Commune de 1871*, Paris, Éditions Ouvrières, 1972, ainsi que, dans le même volume, le texte de Josette Parrain sur la censure. Voir aussi les travaux sur la chanson communeuse de Robert Brécy, hélas toujours en partie inédits.

8. *Cf.* Marcel Cerf, « Le Comité de secours pour les familles des détenus politiques », *La Commune*, janvier 1982. Le Comité a son siège à Paris. De nombreuses sociétés se sont constituées très tôt à l'étranger. M. Cerf apporte des informations sur plusieurs d'entre elles. Les comptes définitifs du Comité Greppo ont été publiés dans *L'Intransigeant* le 8 octobre 1880 et *Le Rappel* le 9 octobre.

9. *Ibid.* Le Comité est issu de la Société des réfugiés de la Commune.

10. *Cf.* Raymond Huard, *Le Mouvement républicain en bas Languedoc 1848-1881*, Paris, Presses de la F.N.S.P., 1982, pp. 295-297.

11. Encore qu'Olivier Souëtre résume plusieurs chansons contemporaines lorsqu'en 1879 il obtient le premier prix au concours de *La Muse républicaine* en écrivant :

[...] Grâce à tant de morts stoïques,
Couverts de lueurs héroïques,
Oui, la République a vaincu.

Il souligne lui aussi le caractère républicain du mouvement.

12. Le 26 mai 1878, le journal de Guesde, *L'Égalité*, parle de «décade sanglante», non de semaine.

13. Georges Bell, *Paris incendié-Histoire de la Commune de 1871*, Paris, 1872-1873, IIe partie, chap. VIII : «Le Père-Lachaise». Documentation transmise par Michel Gillet que je remercie.

14. Dans le cimetière désaffecté de Charonne, on retrouvera en 1897 les corps de huit cents fédérés (*cf. Le Matin*, 29 janvier 1897).

15. C'est ce qu'indique Jean Sery, *Pour le Mur des Fédérés*, Paris, Imprimerie La Productrice, 1907, p. 6.

16. *Le Citoyen*, 30 mai 1882.

17. *Quel est le fou ?* (1884), *Chants révolutionnaires* (1887), etc.

18. Pottier en 1885 croyait le tableau «vendu pour l'Amérique» (lettre à Argyriades du 4 juin 1885 citée par P. Brochon, *op. cit.*, p. 219). Il serait aujourd'hui en U.R.S.S. Une lithographie est visible au musée de Saint-Denis où, depuis 1971, est également exposé un beau tableau de Félix Philippoteaux, peint dès 1871, et auquel on a donné pour titre : *Les Derniers Combats de la Commune au Père-Lachaise*. Pichio est enterré au Père-Lachaise.

19. *L'Égalité* lui a consacré un supplément de trois pages à son numéro du 23-26 mai 1880 (Amédée Dunois reprendra ce récit par deux fois dans *Le Populaire*, 19 mai 1935, 24 mai 1936). *Cf.* aussi *Le Prolétaire* (1er et 15 mai 1880) et *La Justice*, le journal de Clemenceau (24 mai 1880).
On dispose encore d'une lettre écrite le jour même par Guesde à Lafargue (elle est publiée dans *La Naissance du Parti ouvrier français*, correspondance inédite réunie par Émile Bottigelli présentée et annotée par Claude Willard, Paris, Éditions sociales, 1981, p. 81). Guesde a vu vingt-cinq mille manifestants, *Le Temps* quelques centaines de curieux...

20. *Cf.* l'appel de divers groupes publié le 1er mai 1880 dans *Le Prolétaire*.

21. Voir Maurice Dommanget, *Histoire du drapeau rouge*, Paris, Librairie de l'Étoile, s.d.

22. Sur cette journée, on dispose, outre la presse, de deux lettres de Paul et Laura Lafargue (elles sont publiées dans *Friedrich Engels, Paul et Laura Lafargue, Correspondance*, Paris, Éditions sociales, t. I, 1956, pp. 289-293) et du compte rendu des débats, fort vifs, au Conseil municipal et à la Chambre. Quatre morts : c'est le chiffre, inexact semble-t-il, donné le premier jour, sous le coup de l'émotion, par *Le Cri du peuple*.

23. En mai 1885 *Le Temps* exhorte vertueusement Allain-Targé à mettre un terme à la jurisprudence «molle et floue» de ses prédécesseurs. Il suit ce conseil.

24. *Cf.* le beau tableau de Répine, *Meeting au Mur des fédérés, 1883*, galerie Tretiakov, Moscou.

25. Chiffre établi en confrontant les récits du *Temps* et du *Citoyen*. Il n'y a pas de dossiers à la préfecture de police avant 1897.

26. Pour un historique de l'Association qui a plusieurs fois changé de nom et dont l'activité a été jusqu'à aujourd'hui assez discontinue, *cf.* Jean Braire, son secrétaire général actuel, dans *La Commune*, janvier 1982.

27. Le Comité du monument des fédérés se crée, semble-t-il, en 1883. Il suscite la lettre au préfet de la Seine signée, entre autres, par Joffrin et l'ami de Clemenceau, Stephen Pichon, qui sollicite l'autorisation d'élever un monument sur l'emplacement réservé le 24 décembre 1883. Deux projets : la grille chère à Joffrin, et un monument de pierre (peut-être le tronc de pyramide dont la maquette est reproduite sur une carte postale conservée par J. Braire). Les procès-verbaux du Comité, d'abord rédigés sur des feuilles volantes, seront recopiés sur un registre quand Navarre succédera à Ferré, le frère du communard, au secrétariat du Comité (*cf.* J. Sery, *op. cit.*, *passim*). Où sont aujourd'hui ces archives ?

28. Le Comité des proscrits se constitue à l'initiative de Lissagaray le 28 mai 1885. Il décide de participer aux obsèques de Hugo, *La Bataille*, 30 mai 1885.

29. *Le Temps*, 25 mai 1885.

30. Le principe de la grille a été retenu par la commission exécutive du Comité le 19 avril 1884.

31. Mais de justesse: en raison des arguments juridiques développés par le préfet, il y a trente-six abstentions et seulement trente-trois voix favorables, cinq irréductibles – les anti-communards absolus – votant contre.

32. Les dossiers où elles sont conservées portent les cotes Ba 1545 et Ba 1546. Les feuillets ne sont pas numérotés. On les désignera par PP Ba 1545, etc. Ces dossiers s'arrêtent en 1913.

33. PP Ba 1546, année 1903.

34. PP Ba 1546, année 1904.

35. *Le Cri du Peuple*, 10-11 novembre 1884.

36. *Cf.* les violentes bagarres qui ont marqué le 10 août 1888 l'enterrement d'Eudes.

37. Même les groupes anarchistes dénoncent en 1888 les trois coups de pistolet tirés par l'un d'eux au moment où un militant du Comité révolutionnaire central déposait la couronne de son organisation.

38. PP Ba 1545, année 1897.

39. Voici la chanson anti-Rochefort du 29 mai 1898:

Rochefort est un vieux cochon
Plus il devient vieux, plus il devient bête,
Rochefort est un vieux cochon
Plus il devient vieux, plus il devient con.

40. Un solide dossier récapitulatif est établi par la préfecture de police en 1899: *cf.* PP Ba, année 1899. Les dossiers suivants confirment la stabilité du système.

41. Ainsi en 1897 où ils déclarent ne plus souffrir «le contact insultant de la police» au voisinage du Mur: *cf.* l'ordre du jour voté le 23 mai, après la manifestation (PP Ba 1545, année 1897).

42. *Cf.* Zeev Sternhell, *La Droite révolutionnaire, 1885-1914*, Paris, Éditions du Seuil, 1978.

43. C'est une des raisons qui vont conduire Jaurès au socialisme. Allemane lui-même avait espéré obtenir quelques aménagements de la loi Waldeck-Rousseau en échange de l'accord conclu le 23 mai 1888 avec les radicaux: en vain (*cf.* Sian Reynolds, *La Vie de Jean Allemane (1843-1935)*, thèse de troisième cycle, Université de Paris VII, 1981, t. I, chap. VII).

44. Outre le livre de Sternhell, *op. cit.*, voir, parmi les travaux les plus récents, Philippe Levillain, *Boulanger, fossoyeur de la monarchie*, Paris, Flammarion, 1982, et Odile Rudelle, *La République absolue, 1870-1889*, Paris, Publications de la Sorbonne, 1982.

45. *Le Prolétariat* (nouveau titre du *Prolétaire*), juin 1888.

46. *Cf.* dans *Le Parti ouvrier*, qu'Allemane vient de fonder, l'article du 21 avril 1888.

47. Pour une interprétation marxiste de Vaillant, *cf.* Jolyon Howorth, *Édouard Vaillant*, Paris, E.D.I.-Syros, 1982, préface de M. Rebérioux.

48. J'ai essayé de montrer que l'engagement total de Jaurès dans l'Affaire se fait sous leur impulsion: *cf.* M. Rebérioux, «Classe ouvrière et intellectuels devant l'affaire: Jaurès», *in Les Écrivains et l'Affaire Dreyfus*, Paris, P.U.F., 1983.

49. Toutes les informations concordent, du gros dossier de la préfecture de police, Ba 1545, année 1898, aux abondants récits de ces «exploits» dans *La Petite République*, 31 mai 1898.

50. Alors que, huit jours plus tard, à en croire un rapport de la préfecture de police en date du 29 mai 1899, six mille personnes manifestent en criant «Vive Dreyfus! Vive Zola! Vive l'Internationale!».

51. PP Ba 1546, année 1901.

52. La même décision est prise, au cours de la même séance, pour le cimetière Montparnasse où le souvenir jusqu'à la Grande Guerre ne s'éteint pas plus qu'au Père-Lachaise même s'il fut toujours moins ample et moins amplifié.

53. Pour les biographies de ces trois militants, *cf.* le *Dictionnaire biographique du mouvement ouvrier français*, t. VI et XIV. Les contacts entre Élie May et la préfecture, sinon le ministre de l'Intérieur, sont présentés comme notoires : *cf.* PP Ba 1546, année 1908, rapport du 24 mai.

54. Selon les estimations de la police : c'est une manière de résurrection.

55. PP Ba 1546, année 1908 : *cf.* les comptes rendus, par « Fauvette » de la réunion de la XXe section (19 mai) et, par « Robert » de la réunion de la Fédération (20 mai).

56. PP Ba 1547, année 1910, rapport de synthèse du 28 mai.

57. *Cf.* sa déclaration à *L'Éclair*, 4 juillet 1905, et sa biographie dans le *Dictionnaire...*, *op. cit.*, t. XII.

58. Ils protesteront vivement contre ces mauvais traitements : cf. *Bulletin municipal officiel* du 15 juin 1909. *L'Humanité* s'était, sur le moment, justifiée non sans quelque gêne : « Pourquoi diable ces messieurs n'agissent-ils pas comme les Rochefortistes ? »... qui ont renoncé à venir au Mur (25 mai 1908) !

59. PP Ba 1547 année 1911, rapport « Fauvette » sur la Commission exécutive de la fédération du 15 mai.

60. Il met en avant, dans sa circulaire, « le caractère particulier et exceptionnel que les organisateurs veulent lui donner » (texte dans PP Ba 1547, année 1913).

61. Dans le même dossier voir le rapport très détaillé sur la réunion commune tenue le 22 mai par la Fédération de la Seine et la C.A.P.

62. *Cf.* PP Ba 1547, année 1913.

63. *Philémon, vieux de la vieille* est aussi celui de ses romans que Descaves préférait.

64. Léon Deffoux, *Un communard*, 1913.

65. Il exerce un droit de regard vigilant sur la turbulente Fédération de la Seine de la S.F.I.O. jusqu'à sa mort : *cf.* M. Rebérioux, préface à Jolyon Howorth, *Édouard Vaillant, op. cit.*

66. Présidée par le Dr Goupil, la Société va inaugurer le 15 février 1914 le buste de Vallès au Père-Lachaise.

67. Il y a encore quelques survivants en 1930 : Chevalier, Poensens, Clerget, Philippe – et bien sûr Allemane et Camélinat.

68. C'est parfois aux républicains de 1848 que ces pages font songer.

69. Je dégage ici l'essentiel des textes, d'ailleurs courts, que *Le Populaire* consacre à appeler à la manifestation le 20 mai 1933, une semaine avant les communistes.

70. *Cf.* entre autres articles, ceux parus dans *Le Matin* le 10 juin 1896 et *L'Humanité*, le 18 mars 1907.

71. *L'Humanité*, 31 mai 1931. C'est l'année où l'orientation stalinienne s'impose en tous domaines et à tous.

72. Le groupe de la Fédération du Théâtre ouvrier français qui anime en 1932 la manifestation s'appelle « Prémices ». Voir à son sujet le mémoire de maîtrise de Lise Cortes-Durand, *Une expérience de théâtre populaire : la compagnie Proscenium*, Centre d'histoire du syndicalisme et des mouvements sociaux. La pratique des chœurs parlés vient d'U.R.S.S. et du parti communiste allemand. *Cf.* Michel Fauré, *Le Groupe Octobre*, Paris, Christian Bourgois, 1977.

73. Marcel Cachin, *L'Humanité*, 30 mai 1932.

74. En 1948 c'est le comité d'organisation de la manifestation à dominante communiste qui décide de la reporter au 6 juin pour éviter des « incidents graves » avec les socialistes et les courants qualifiés de trotskistes chez les socialistes.

75. *Cf.* Michel Dansel, *Au Père-Lachaise*, Paris, Fayard, 1976.

76. La situation en mai 1934 est particulièrement intéressante : il s'agit pour le P.C. de combattre Doriot au nom du Comité central et pour la Fédération socialiste de la Seine, pivertiste, de se démarquer de la direction nationale de la S.F.I.O. Naturellement, il faut aussi dénoncer le fascisme et répondre aux désirs unitaires.

77. Ces chiffres et les suivants sont extraits des reportages du *Monde.*

78. *Cf. Je suis partout*, 27 mai 1938.

79. *Cf.* l'introduction historique de J. Gaillard à Émile Zola, *Correspondance*, t. IV (1880-1883). Presses de l'Université de Montréal, Éd. du C.N.R.S., 1983, p. 75.

PIERRE NORA

De la République à la Nation

Indépendamment de leur intérêt intrinsèque, ce que ces dix-huit coups de sonde dessinent et précisent est un dispositif de mémoire dont l'essentiel a été mis en place très vite – qui s'est rapidement fondu dans le capital mémoriel collectif pour en constituer la toile de fond et perdurer, somme toute, jusqu'à nos jours, non sans subir les avatars et les métamorphoses que lui ont infligés les lourdes réalités de notre XXe siècle. Une mémoire pure, le stock consolidé d'une mémoire de base et de référence.

Républicaine ou nationale ? Cette question, qu'à sa manière pose chacun des auteurs, et qui ne comporte pas de réponse, est le signe d'une rapide acculturation réciproque. L'apprentissage de la République s'est traduit par une prise de possession rapide et concentrée de l'espace, des esprits et du temps ; par une capacité à construire un « spirituel républicain » et à confirmer son hégémonie par la mobilisation autour de ses principes fondateurs ; par une véritable religion civile qui s'est dotée d'un Panthéon, d'un martyrologe, d'une hagiographie, en un polythéisme proliférant où la consécration associe les vivants et les morts, où l'auto-institution mémorielle tourne à l'épopée nécromantique. Liturgie plurielle, multiforme, ubiquitaire, qui a inventé ses mythes, ses rites, dressé ses autels, construit ses temples et multiplié ses supports – statues, fresques, plaques de rues, manuels scolaires – en un spectacle éducatif permanent.

En soi, pourtant, l'utilisation politique de la mémoire n'a rien de spécifiquement républicain, ni même français. C'est un phénomène d'époque, dont tous les pays d'Europe font alors l'expérience, ce qu'Eric Hobsbawm appelle joliment « l'invention de la tradition[1] ». L'avènement de l'ère des masses a mis à la disposition des nationalismes montants des moyens jusqu'alors inconnus, au moins à cette échelle, et imposé à toutes les nouveautés, elles aussi d'une échelle inconnue, la nécessité de s'inventer rapidement un passé. Par rapport à d'autres pays, monarchie anglaise ou empire allemand, la France républicaine paraîtrait même plutôt en retrait : une architecture discrète, des symboles abstraits, comme Marianne, des bustes bourgeoisement civiques, une utilisation sans mégalomanie de la pratique mémorielle. Mais en revanche, la République s'en distingue par un investissement en profondeur, et par la construction systématique d'une mémoire à la fois autoritaire, unitaire, exclusiviste, universaliste et intensément passéiste.

Autoritaire, parce qu'il s'agissait d'un régime nouveau, contesté sur sa droite et rapidement sur sa gauche, décidé à imposer l'héritage révolutionnaire par un jacobinisme centralisateur ; contraint en permanence à surmonter par la force les crises et les coups de force, à opposer idéologiquement Église à Église et société à société, à cimenter l'alliance d'une grande bourgeoisie bancaire et industrielle et d'une classe paysanne ; à investir les institutions ; à conquérir une armée réfractaire, à réussir rapidement le *melting pot* républicain.

Unitaire : cette unité, toute l'historiographie du XIXe siècle, en particulier celle des manuels scolaires de la IIIe République qui nous a formés, nous la fait tenir pour alors acquise ; non seulement l'unité géographique et administrative, mais l'unité spirituelle et idéologique. C'est méconnaître l'incroyable bigarrure des peuples, des pays et des langues, l'inachèvement national et le cloisonnement de la France de l'époque, qu'il a fallu, pour nous rappeler, le regard d'Anglo-Saxons comme Theodor Zeldin et Eugen Weber[2]. Mesurée à cette aune, la construction d'une mémoire collective apparaît comme une nécessité prioritaire, un contre-pouvoir aux inerties des différences, un contrepoids aux mosaïques des façons de vivre et de mourir ; l'obligation absolue d'enrôler des mémoires locales dans le fonds commun d'une culture nationale et de faire de tous « les fils de 89[3] ». École, service militaire, rituel électoral, formation régulière des partis politiques : la conquête républicaine de l'État se double d'une conquête de la société qui a fait de la République plus qu'un régime, plus qu'une doctrine ou une philosophie, un système, une culture et presque une civilisation morale.

Cette mémoire tient sa cohérence de ce qu'elle exclut. Elle se définit contre, elle vit d'ennemis. Ennemis à coup sûr bien réels, ennemis également fantasmés. La République a besoin d'adversaires pour développer son aptitude génétique à incarner le tout, le tout de la société constitutive de la Nation, le Tiers État contre les « privilégiés », les patriotes contre les « aristocrates », les petits contre « les gros », le peuple contre ses oppresseurs, pour ne pas évoquer les « travailleurs » contre les monopoles[4]. La République a hérité de la Révolution le besoin consubstantiel, dont l'imaginaire du complot a été le premier modèle, d'asseoir son unanimité par l'adversité. À la différence des démocraties anglo-saxonnes, la France n'a pas conçu le contrat social comme la conciliation des intérêts particuliers, mais comme l'expression de la volonté générale, qui exige ses exclus. Et le fait qu'elle n'ait connu la démocratie politique que sous la forme républicaine l'a peut-être rendue spontanément allergique au pluralisme et à l'alternance[5]. La République a soif d'unanimité combative. C'est ce qui explique qu'en devenant la seule figure imaginable de la Nation, elle ne se fond pas tout à fait dans l'unanimité sans faille. Qu'en cessant d'être automatiquement liée à l'union des gauches, elle n'abandonne pas toute forme de militance politique. Qu'en devenant une culture commune, elle ne cesse pas complètement d'être une mystique. Qu'en s'effondrant dans le folklore, elle n'ait pas cessé, à toutes les grandes heures de notre histoire, d'être intensément mobilisatrice. La République, c'est la guerre, et une République pour laquelle on ne veut pas vaincre et on n'accepte pas de mourir est une République morte. Les deux épisodes clés qui ont achevé de façon décisive l'enracinement national du consensus républicain sont là pour le prouver : la victoire arrachée par Clemenceau en 1918 et la République restaurée, contre le seul régime qui l'ait mise en faillite, par la Résistance et le général d'« une certaine idée de la France ».

Universaliste, parce que l'idéologie fondatrice a su opérer dans l'héritage révolutionnaire soit un tri, soit un amalgame, qui, dans les deux cas, fixait la Révolution à la signification libérale de la Déclaration des droits de l'homme[6]. Parce qu'elle a su mêler à cet héritage des traditions historiques qui ne lui étaient pas obligatoirement liées, comme les républiques de l'Antiquité, ou des traditions intellectuelles qui lui étaient étrangères, et même contraires, comme le positivisme d'Auguste Comte, si prégnant chez les augures de la République, Littré, Ferry ou même Durkheim[7]. Parce qu'elle a su ainsi fonder sa mémoire en raison et sur la raison, mettre le développement d'un savoir de la société sur elle-même – historique et sociologique – au service de sa légitimation ; faire d'une aventure nationale particulière l'avant-garde émancipatrice de l'humanité ; introduire le critère du progrès et un critère de progrès, à réaliser dans et par l'histoire, et dont la République constitue, bien évidemment, une étape essentielle.

À cette indexation majeure sur l'échelle du temps, la mémoire républicaine, tout habitée qu'elle soit d'un projet d'avenir, doit son fondamental passéisme. Proposition apparemment paradoxale et tautologique, puisque c'est à la réaction que sont liés, en général, l'attachement au passé et le respect de la continuité ; puisque mémoire est rapport au passé. Sa signification est pourtant précise : la force consensuelle de la République a reposé sur sa mémoire, et sa mémoire sur la commémoration. De même que le 14-Juillet, selon la phrase de Péguy ici rappelée, a été à lui-même son premier anniversaire, de même la République, troisième du nom, est tout entière à elle-même sa propre célébration. Son inscription immédiate dans l'histoire, sa capacité d'incarnation – dans une société, dans un espace, dans des institutions, dans une politique –, sont consubstantiels à sa définition d'identité, comme, très vite la référence à sa propre tradition. La « Tradition républicaine » ! C'est elle, sans doute, le vrai lieu de mémoire de la République auquel on aurait aimé pouvoir consacrer un gros chapitre de cet ouvrage déjà trop gros, non dans son évolution historique[8] mais dans ses foyers d'expression : la rhétorique parlementaire, la « chaleur communicative des banquets », la querelle du latin, la culture qui vous reste quand on a tout oublié, l'évolution des sujets de bac, les pages roses du *Petit Larousse*, le triangle sacré que définissent la province, la rue d'Ulm et la présidence du parti radical et qu'au centre occuperait, homme-mémoire s'il en fut, la figure éponyme d'Édouard Herriot[9]. Républicaine ou nationale ? L'important n'est pas là, mais dans le fait que le bloc consolidé de la mémoire républicaine a articulé l'État, la société et la nation dans une synthèse patriotique. Synthèse dont Verdun a représenté l'apothéose mais qui est devenue aujourd'hui une forme sans contenu.

Les métamorphoses de la mémoire républicaine que, pour comprendre, il faudrait systématiquement refaire l'histoire de la France du XXe siècle, dépendent toutes de quatre séries de facteurs.

Et d'abord de son succès lui-même. De l'absence de menace réelle, intérieure ou extérieure. Plus de péril clérical ni monarchique ni dictatorial, plus d'irrédentisme républicain ni d'ennemis héréditaires. Toutes les mises en cause de la légalité républicaine semblent appartenir au passé. Les unes, réelles ou non, comme le 6 février 1934, se sont heurtées au réflexe de « défense républicaine » ; les autres, irréelles ou non, se sont envolées, comme la crainte d'un coup de force communiste à la Libération, l'arrivée de De Gaulle en 1958 sur les épaules des généraux putschistes, ou le parachutage de ces mêmes généraux pendant la guerre d'Algérie, en 1961 ; ou encore l'utilisation abusive de l'article 16 de la constitution de 1958, ou la rumeur qui prêtait un moment au général de Gaulle l'intention d'une succession monarchique. Vichy, installé dans la défaite nationale et chassé avec la défaite allemande, a purgé l'antirépublicanisme de principe et marginalisé la vieille France du refus. La mémoire républicaine est devenue œcuménique.

Cet enracinement durable dans le capital mémoriel de la nation ne l'a rendue que plus vulnérable à la dévitalisation interne et aux mises en accusation, tantôt pour faiblesse, tantôt pour violence. Quand un régime a fait deux fois faillites, l'une dans une « étrange défaite » (Marc Bloch), l'autre devant ses propres colonels, en 1958, et deux fois été au bord, en février 1934, à l'automne 1947 ; quand il s'est offert le « lâche soulagement » de Munich et qu'il a compromis son honneur dans une campagne de tortures en Algérie ; quand il a, des années durant, donné le spectacle de l'instabilité ministérielle, de l'impuissance parlementaire et de la paralysie institutionnelle[10], sa mémoire se charge des souvenirs de sa propre faiblesse et de la litanie des «trahisons» dont la vulgate communiste a, en priorité, chargé la tradition socialiste, censée incarner les valeurs suprêmes de la République: trahison de l'Internationale socialiste à la veille de la guerre de 1914, non-intervention en Espagne en 1936, démission du Front républicain devant les Français d'Algérie, en 1956.

Accusation contraire de violence: celle que la République tient de sa longue alliance avec la gauche jacobine, centralisatrice et bureaucratique; procès qui n'oppose pas non plus la Révolution et la réaction, la gauche et la droite, mais la gauche à elle-même, une gauche officielle et une autre – un moment appelée «deuxième» – et qui se cherche, ailleurs, dans la revendication régionale, la volonté décentralisatrice, le rapprochement du citoyen et du pouvoir local, le respect des différences. Une République au visage cette fois despotique, dissimulant le réflexe d'homogénéisation derrière l'ambition égalisatrice, incarnation du Pouvoir niveleur et coercitif qui fait surgir un tout autre paysage mémoriel, de la croisade albigeoise à Clemenceau «premier flic de France», en passant par le génocide vendéen et l'extirpation des patois; non sans mettre au jour un autre héritage révolutionnaire, celui dont l'expérience soviétique a porté les virtualités à leur maximum d'intensité négative.

Mais l'affaiblissement de l'image républicaine est dû surtout à la concurrence de deux familles de mémoires, nationalistes et révolutionnaires, qui, depuis la fin du siècle dernier, n'ont cessé de contester la République et auxquelles la guerre et l'après-guerre ont donné, sous la forme du gaullisme et du communisme, une force d'appel sur l'imaginaire national-républicain, qui ne se mesure pas au nombre de leurs adhérents ni à leur rapport réel au pouvoir, mais à la légitimité de leur prétention à incarner la France, la «vraie» France.

Non que l'on puisse, de ces deux mémoires et par rapport à la République, pousser la symétrie trop loin. La mémoire gaulliste a pu se présenter comme une alternative à la République défaillante; le communisme, comme son approfondissement logique, sa continuité naturelle et son rempart le plus solide. En revanche, si large qu'ait pu être, aux grands moments de son histoire, son aire d'influence, la mémoire communiste est restée sectorielle, circonscrite à la gauche, et, pour le reste, exclue du consensus républicain; le gaullisme, au contraire, a été un moment plein de l'histoire nationale et s'est inscrit de manière décisive dans les institutions de la République. L'opposition de ces deux mémoires, que tout sépare et qui ont toutes les deux connu dans le temps des formes profondément différentes, va plus loin. On ne saurait oublier que l'une, qui s'éprouve comme la plus proche de la mémoire républicaine, s'appuie sur une doctrine – le marxisme –, une stratégie – la lutte des classes –, et une expérience historique – le bolchevisme soviétique – non seulement étrangères mais radicalement destructrices de son existence; alors que l'autre repose sur un homme, sans doute assez profondément étranger par sa formation, sa sensibilité et ses idées à la tradition républicaine, mais dont les deux grandes interventions nationales auront abouti d'abord à rétablir la République, ensuite à lui donner les moyens institutionnels de son affermissement.

Symétrie illusoire, donc, mais effet pourtant complémentaire. L'hégémonie de ces deux mémoires a été parfaitement contemporaine et leur effacement a été parallèle au milieu des années 1970. Les deux ont représenté, pour la nation, une continuité plausible. Les deux ont pu refouler la légitimité républicaine sur les seules frontières de sa légalité, comme en 1947, où, aux élections municipales, R.P.F. et communistes réduisent à trente pour cent, moins d'un tiers, une République aux yeux de qui ils ne sont alors que «factieux» et «moscoutaires». Les deux ont pu, en des occasions aussi solennelles que la première élection présidentielle au suffrage universel de 1965, se disputer le monopole de la représentation républicaine, quand André Malraux s'écriait à l'adresse de François Mitterrand: «Candidat unique des républicains, laissez dormir la République!» Les deux n'ont pu incarner les images de la nation que lorsqu'elles se sont identifiées à la République, à sa défense et à son illustration, Front populaire, Résistance, mai 1958 pour les uns, et pour l'autre, descente des Champs-Élysées à la Libération, discours de septembre 1958 sur la place même de la République, appel à la défense de la République, en février 1961, contre le quarteron des généraux rebelles. Les deux enfin ont pu, par un habile et sourd partage, rayer la République de l'imaginaire national, au temps où le même André Malraux pouvait affirmer qu'«entre les communistes et nous, il n'y a rien[11]».

Quatrième et dernier élément de la métamorphose du vieux fonds de la mémoire républicaine, le moins évident mais peut-être le plus actif: le développement économique exceptionnel que la France a connu pendant trente années et aujourd'hui révolu. Élément décisif en soi, parce que la croissance a déplacé le consensus national que la République avait opéré sur la mémoire vers des valeurs qui lui sont le plus étrangères: l'économie, le présent, la prévision, la consommation, la paix, le social, la modernité; et à ce titre, elle a contribué puissamment à neutraliser les valeurs de la République et à les rendre légèrement obsolètes. Élément décisif aussi, parce que la croissance, thème politiquement indifférent[12], s'est opérée, malgré tout, sous le gaullisme, par un étrange partage des tâches où le président de la République a paru confier la modernisation industrielle à Georges Pompidou, se réservant la manipulation rhétorique de la mémoire. Là com-

mence donc la dialectique subtile et complexe de deux processus, économique et politique, qui a paradoxalement abouti à connoter sur la droite, pourtant refuge traditionnel de l'archaïsme, les valeurs de la modernité et à faire de la gauche la dépositaire des vieilles et sûres valeurs républicaines. Ou, plutôt, qui l'aurait faite si, dans le même temps, le parti communiste n'avait commencer d'entamer sa marginalisation nationale.
Par-delà les péripéties d'une longue histoire, les résultats d'ensemble sont clairs : épuisée dans le consentement général, accusée pour sa faiblesse ou pour sa tyrannie, concurrencée par deux mémoires plus dynamiques, neutralisée par le rassemblement sur d'autres valeurs, la mémoire nationale républicaine a perdu de son mordant. Sa grandeur, elle l'avait tenue d'être à la fois mémoire de l'État, de la nation et de la société. L'accord sur la forme de l'État ? Il est acquis. La Nation ? De puissance mondiale monitrice, elle cherche son statut de puissance démocratique moyenne. La société ? De majoritairement terrienne et conservatrice, elle est devenue tertiaire et spontanéiste. Les trois instances ont repris leur autonomie. La mémoire républicaine n'a plus la solidité d'une épargne-or ; elle a connu, elle aussi, ses inflations et ses dévaluations.

Plusieurs faits sont venus, depuis peu, remanier cette nouvelle mise en place. Plusieurs faits trop proches de nous pour qu'il soit possible d'en dégager la signification historique pour ce phénomène de longue durée qu'est par nature la mémoire ; mais en même temps trop massifs et trop concentrés dans le temps pour ne pas constituer les repères d'une configuration neuve. C'est d'abord la conscience tardive mais brutale de la crise et de l'entrée dans une longue période de non-croissance : le décollage est devenu une parenthèse. C'est ensuite l'épreuve de l'alternance et l'usage par la gauche d'institutions qui lui avaient paru l'expression antirépublicaine du coup d'État permanent : la constitution gaullienne est, au bout de vingt-cinq ans, devenue la constitution nationale républicaine. C'est enfin le double éloignement du gaullisme et du communisme. Éloignement de nature très différente, voire opposée, puisque, dans le cas du communisme, il s'agit d'une marginalisation réelle, qui n'est pas loin de le mettre, aux yeux même d'une large partie de la gauche, à la lisière du consensus national républicain ; tandis que, dans le cas du gaullisme, il s'agit d'une explosion de l'héritage en trois directions : la distance historique du fondateur, qui a rejoint le Panthéon des gloires nationales, la fusion de l'acquis institutionnel dans le capital collectif, la localisation du thème national dans un secteur de l'opinion et dans un parti. Aucun de ces faits ne nous ramène à la case départ, mais leur conjonction offre les conditions d'une nouvelle donne.

Le retour du national et le repli sur les vieilles valeurs minimales de la République est sensible de tous les horizons des familles politiques. À gauche, c'est, chez les communistes, le besoin de secouer l'opprobre où les a entraînés le discrédit récent, mais sans doute installé pour longtemps, du socialisme soviétique et l'effort pour ne laisser aucun doute sur leur fidélité républicaine. C'est, chez les socialistes, la double nécessité de se démarquer de l'alliance communiste et, dans l'abandon de l'orthodoxie marxiste, d'opposer à la geste rêveuse du gaullisme le ressourcement dans la geste laborieuse du peuple de France. Course à la République qui se complète par la surenchère de la droite, à qui l'héritage désormais incontesté du gaullisme national permet de faire oublier sa longue lutte contre «la gueuse» et même de se présenter, contre la «coalition socialo-communiste», comme le défenseur attesté de la vraie légitimité républicaine. S'esquisse un revirement étrange et peut-être provisoire: quand c'était au parti des «75 000 fusillés» que revenait, avec une apparence de raison, le prestige d'être l'ultime sanctuaire et l'insoupçonnable garant de la République, la droite restait globalement, avec le souvenir de la défaite de 1940 et du pétainisme vichyssois, frappée du soupçon de la trahison nationale toujours possible. Quand c'est ce même parti communiste, déshabillé de sa mythologie nationale, qui se trouve frappé du même soupçon, ceux qui lui ont toujours été le plus hostiles peuvent, avec la même apparence de raison, reprendre à leur compte, contre les communistes et leurs alliés, le flambeau de la vigilance républicaine.

Au-delà des péripéties de la politique et dans le trouble général qu'entraîne l'effacement des grandes idéologies, le retour au national se marque par une réaction volontariste de mémoire collective, dont le président de la République lui-même s'est fait récemment l'interprète au sommet. Un de ses traits les plus sensibles est, précisément, le retour de l'historiographie scientifique de pointe à l'histoire nationale qu'elle avait longtemps contournée. Une autre France, et un autre regard qui exprime le réajustement de la conscience publique aux réalités de l'échiquier mondial. La France, devenue puissance moyenne, est restée grande par son histoire; comment ne la cultiverait-elle pas?

Deux grands cycles s'achèvent. Et celui qui commence fait de la République ce qui la désignait d'abord à notre étude. Ni combat vécu dans l'ardeur, ni tradition vécue dans l'habitude. Un lieu de mémoire.

1984

1. Eric Hobsbawm et Terence Ranger (sous la direction de), *The Invention of Tradition*, Londres, Cambridge University Press, 1983, en particulier le chapitre VII, «Mass-Producing Traditions: Europe 1870-1914», par Éric Hobsbawm.

2. *Cf.* Theodor Zeldin, *Histoire des passions françaises*, Paris, Éd. Recherches, 1978, 4 volumes. Eugen Weber, *La Fin des terroirs, la modernisation de la France rurale 1870-1914*, Paris, Fayard et Éd. Recherches, 1983.

3. *Cf.* Mona Ozouf, «Unité nationale et unité de la pensée de Jules Ferry», communication au colloque Jules Ferry tenu en janvier 1982 à l'initiative de l'E.H.E.S.S.

4. *Cf.* Alain Bergounioux et Bernard Manin, «L'exclu de la nation. La gauche française et son mythe de l'adversaire», *Le Débat*, n° 5, octobre 1980.

5. *Cf.* Odile Rudelle, *La République absolue, 1870-1889, Aux origines de l'instabilité constitutionnelle de la France républicaine*, Paris, Publications de la Sorbonne, 1982.

6. *Cf.* François Furet, *Penser la Révolution française*, Paris, Gallimard, 1978, ainsi que ses articles parus dans *Le Débat*, «La Révolution sans la terreur? Le débat des historiens du XIXe siècle» (n° 13), «La Révolution dans l'imaginaire politique français» (n° 26) et sa discussion avec Maurice Agulhon (n°30).

7. *Cf.* Claude Nicolet, *L'Idée républicaine en France*, Paris, Gallimard, 1982, chap. VI, ainsi que sa communication au colloque *Jules Ferry*.

8. Odile Rudelle en daterait la première apparition dans un discours de Waldeck-Rousseau à la Chambre des députés, le 11 avril 1900: «Je parlais tout à l'heure de la tradition républicaine...» *Cf.* «La notion de tradition républicaine», communication au colloque *La France sous le gouvernement Daladier*, 4-6 décembre 1975, Fondation nationale des sciences politiques.

9. *Cf.* Jean-Thomas Nordmann, *La France radicale*, Paris, Gallimard-Julliard, coll. «Archives», 1977.

10. *Cf.*, entre autres, le témoignage particulièrement éloquent du président de la République, Vincent Auriol, *Mon septennat, 1947-1954*, Paris, Gallimard, 1970, et *Journal du septennat*, 7 volumes établis sous la direction de Pierre Nora et Jacques Ozouf, Paris, Armand Colin.

11. Sur le contenu et l'utilisation politique des mémoires gaulliste et communiste, on reviendra dans un chapitre du quatrième volume *Les France*, «La mémoire comme lieu de pouvoir depuis la Libération».

12. Fort évocateurs à cet égard, les entretiens recueillis et présentés par François Fourquet, *Les Comptes de la puissance, histoire de la comptabilité nationale et du plan*, Paris, Éd. Recherches, 1980.

LA NATION

Présentation

De *La République* à *La Nation*, on ne change pas seulement de chapitre, mais de registre et de traitement[1].

La République était la forme aboutie de la nation. À ce titre elle s'en distinguait tout en se confondant avec elle. Elle s'y confondait par sa volonté explicite d'en absorber tout l'héritage. Quitte à n'en produire qu'une interprétation tout orientée vers la légitimation de la République. Quitte, aussi, à faire pénétrer ce message dans les masses par une mobilisation intégratrice qu'ont assurée, de façon maintenant bien connue, d'une part les grandes filières de l'école, du suffrage universel et du service militaire, d'autre part – et c'était le sujet du premier tome – la politique délibérée des fêtes, des commémorations, des monuments civiques et des gestes symboliques. Mais de l'idée nationale elle se distinguait radicalement parce que la République est datable dans ses commencements, saisissable dans son projet comme dans les étapes de son établissement. C'est ce qui avait permis d'en cibler l'étude en son foyer le plus central – les débuts de la IIIe République –, pour ne saisir que les plus représentatifs de ses échantillons.

La Nation, en revanche, impose un tout autre regard et un tout autre traitement: systématique et hiérarchique. Ce n'est pas seulement que le cadre chronologique soit infiniment plus ouvert, et même sans fond, puisque les origines nationales sont elles-mêmes l'enjeu d'un débat qui constitue un lieu de mémoire[2]. En tout cas, dix siècles, à supposer que, pour sacrifier à l'actualité, on veuille faire droit à l'avènement de Hugues Capet, dont le millénaire coïncide presque avec la parution de ce livre[3]. Ce n'est pas seulement que les objets représentatifs de notre mythologie nationale soient infiniment plus nombreux, et à la limite inchiffrables. C'est que la Nation elle-même est tout entière une représentation. Ni un régime, ni une politique, ni une doctrine, ni une culture, mais le cadre de toutes leurs expressions, une forme pure, la formule immuable et changeante de notre communauté sociale comme d'ailleurs de toutes les communautés sociale modernes. Sans doute n'a-t-elle pas cessé d'évoluer au cours du temps, passible de toutes les incarnations imaginables ; fluctuante dans les limites de sa souveraineté ; diverse selon les régimes qui en assument les pouvoirs, les formes étatiques qu'elle revêt, les lois et les coutumes qui la régissent, les légitimités qui la revendiquent, les sentiments qu'elle inspire. Mais stable dans le cadre de référence qu'elle constitue, et dans la forme politique originale de société humaine qu'elle représente par rapport aux tribus, aux empires, aux cités ou aux aires religieuses, culturelles et idéologiques. Héritage ou projet, rêve ou réalité, célébrée ou maudite, elle est là, c'est un donné. À la fois historique et juridique, concret et abstrait ; fait du sentiment qu'on a pour elle et de la loi qu'on en subit. De la certitude de son unicité et de sa particularité ; mais aussi de sa parité et du rapport de ses forces dans le concert, la mosaïque, la société ou l'organisation des autres nations. Fait de la connaissance qu'on en a, mais aussi de l'expérience plus ou moins heureuse qu'on lui doit, selon les générations. Des sacrifices qu'elle vous inflige ou qu'on est prêt à lui consentir, des bienfaits qu'elle vous dispense ou qu'elle vous refuse. La nation-tunique, la nation-nous, la nation en nous. La forme de notre « être-ensemble », et pour nous, Français, sans début assignable.

La Nation installe donc l'historien de sa mémoire, par principe, et dès l'abord, dans l'histoire de sa représentation. Pas l'histoire d'une idée, pas l'histoire d'un sentiment, pas l'histoire d'un mouvement, pas l'histoire d'un pays, d'un État, d'une culture ou d'une société, pas l'histoire d'une histoire ; celle d'une représentation. C'est elle qui dicte impérativement les objets qu'il était impossible de ne pas prendre en compte, comme des blocs tout constitués de notre mythologie et de notre tradition, et véhiculés jusqu'à nous par l'histoire, pour les faire passer au laboratoire de la conscience historique du présent. Blocs nombreux – d'où l'épaisseur imprévue de cet ouvrage[4] – mais parmi lesquels s'imposaient, en revanche, un regroupement rigoureux et un classement thématique. On pourra en discuter les découpages de détail ou la pertinence de tel élément. On pourra regretter des absences, dont l'architecte de l'entreprise est le seul responsable et le premier conscient. Mais tout autre choix n'aurait pas réduit davantage la part inévitable de l'arbitraire individuel. Elle a aussi sa fécondité.

C'est trois volumes n'en font qu'un. Si l'on voulait cependant en justifier la division, on en trouverait aisément la logique. Chacun d'eux pourrait avoir pour sous-titre : *l'immatériel, le matériel* et *l'idéel.*

Les trois thèmes qui composent le premier volume ne renvoient en effet qu'à des réalités au second degré. Ou plutôt la réalité dont ils sont faits est impalpable : *Héritage, Historiographie, Paysages.* Le premier est une incorporation, le deuxième une traduction, le troisième une construction. Les trois thèmes ont bien en commun d'être, du fonds national, ce qu'il y a de plus présent, de plus déterminant et peut-être de plus sensible, mais en même temps de moins tangible et de moins réel. Sans doute l'héritage a-t-il laissé partout des traces, plus nombreuses et plus variées peut-être en France qu'ailleurs ; et tout lieu de mémoire appartient à notre héritage. Mais, ce qu'on a voulu précisément caractériser par cet ensemble et par ce mot, c'est le noyau le plus intensément mémoriel de l'héritage apparemment le plus révolu : le sacral du sacre, le généalogique du lignage, le sacerdotal du sanctuaire, le ritualisme des premières annales. Sans doute les histoires de France représentelles un des genres les plus continus de la production historique. Mais ce qu'on a voulu exclusivement exhumer, ce sont les seuls moments clefs de remaniement intégral de l'assiette même de la mémoire nationale[5] : le « roman aux roys » qu'au XIIe siècle Louis IX commande à Primat, moine de Saint-Denis, ces *Grandes Chroniques de France* qui sont l'équivalent homérique de nos origines nationales ; l'invention des Gaulois qui fait l'essentiel des *Recherches de la France* d'Étienne Pasquier, dans la seconde moitié du XVIe siècle, en pleine crise des guerres de Religion et au moment d'une définition étatique de la monarchie ; « l'alliance austère du patriotisme et de la science », comme disait Augustin Thierry, dont les *Lettres sur l'histoire de France*, du même, marque le coup d'envoi, l'*Histoire de France* de Michelet le sommet lyrique[6] et celle de Lavisse le moment de l'établissement critique ; enfin l'heure des *Annales*, qui ont longtemps paru avoir pour originalité de marquer l'éclatement scientifique du fait national, mais dont le bilan, au lendemain du cinquantenaire, peut aussi et doit s'interpréter comme le plus ample et le plus profond des renouvellements de la mémoire nationale, par son souci d'enracinement à la terre, par la prise en compte des hommes et du nombre, par l'ouverture sur le grand large du monde. Sur chacun de ces moments capitaux, existaient des aperçus d'ensemble dispersés, encore que rares et généralement en anglais[7]. Si nul, cependant, n'avait éprouvé le besoin d'accommoder l'attention sur cette chaîne qui constitue autant de lentilles de réfraction de notre identité collective, c'est que manquait le point de vue qui justifiait l'éclairage en enfilade. Cette galerie historiographique représente presque un livre dans le livre. On n'a pas hésité à lui donner le développement qu'il mérite.

Quoi de plus immatériel, enfin, que le paysage ? Sans doute est-ce la plus immédiate de toutes les données de la conscience nationale. Si l'affiche électorale de François Mitterrand, sur fond d'anonyme village, a pu voler le même projet à son concurrent de 1981, tous deux retrouvant inconsciemment une affiche identique de Pétain (voir « Le paysage du peintre »), c'est bien qu'il y a un archétype de paysage national, celui de la «doulce France» des coteaux modérés et du berceau de l'Île-de-France. Et que l'extraordinaire variété des paysages français, qui fait l'émerveillement toujours recommencé de ceux qui les contemplent, n'empêche pas l'unité organique d'un «être géographique» de la France. Mais, laissant au géographe le soin d'une définition scientifique du paysage[8], on a privilégié ici l'inédit de quatre instruments d'élaboration mémorielle du paysage: l'œil du peintre, le regard du savant, le pas du voyageur, et cette incontournable butte témoin de l'admirable *Tableau de la géographie de la France* de Vidal de La Blache (1903), fils du *Tableau de la France* de Michelet et père de l'école française de géographie humaine.

Le territoire, L'État, Le patrimoine: le deuxième volume rassemble, au contraire, le plus matériel de la nation, ses représentations les plus fortement enracinées dans le sol, les plus attachées au pouvoir, les plus comptables des richesses mobilières du passé. Thèmes qui renvoient à des réalités lourdes, consubstantielles à l'identité même de la nation. Chacun a cependant supposé des approches différentes.
S'agissait-il du territoire? On a soigneusement évité de mettre l'accent sur la diversité et de se lancer dans l'inventaire amoureux de l'invention géografique de la France[9]. La diversité française est un fait indéniable; pour qu'elle soit typique de la spécificité, il faudrait prouver qu'il n'en va pas de même de tous les pays voisins, ce qui n'est pas évident. Pour comprendre l'identité territoriale de la nation, rien ne sert de courir la France, si attachante que soit la promenade. Il faut partir de l'idée qu'elle s'en est faite elle-même. D'où l'insistance ici portée sur la notion de frontière et de partage, paticulièrement chargée, en France, de contenus de mémoire lourds et variés, puisque liés à la définition étatique de la nation et à la puralité de ses types de frontière[10]. Liés aussi à ce fond de mémoire qu'a représenté la Gaule. Même, en effet, si la délimitation des frontières n'a rien eu à voir, depuis le partage de Verdun (843), avec le souvenir de la Gaule, ni la stratégie d'annexions dominicales, ni la stratégie défensive classique, l'identification de la France à la Gaule est, elle, un phénomène original qui a joué très tôt, dès la Renaissance, au moins dans les cercles savants et chez les cosmographes du roi (voir volume II, «Des limites d'État aux frontières nationales»). Figure archétypale, vénérable et quasi géométrique qui fournit un soubassement de mémoire à l'«arrondissement» progressif du «pré carré[11]»; puis une justification mythologique aux revendications territoriales. L'Italie et l'Allemagne n'invoqueront leur héritage historique impérial ou romain qu'au moment des unités natonales tardives du XIXe siècle. La France a connu l'argument beaucoup plus tôt. Aucun grand État européen n'a eu, d'autre part, autant de frontières, continentales et maritimes, à défendre en même temps. Cet effort incessant et sur des fronts

multiples a exigé une mobilisation financière et militaire obsédante et qui explique assez l'incorporation d'un long sentiment d'insécurité à la mémoire historique de la nation. Mais l'intimité de la mémoire et de la frontière va peut-être plus loin encore. Pour en saisir la profondeur, il suffirait de songer au retournement de sens que la frontière a subi dans les pays neufs d'immigration européenne, les États-Unis par exemple, où, symbole de l'avenir et de la conquête continue de la civilisation sur la barbarie, elle a pu, depuis Turner à la fin du dernier siècle[12], servir de tremplin périodique à la relance de l'élan national. En Europe, et plus particulièrement en France, ouverte aux invasions sauf sur ses barrières montagneuses, la frontière est symbole du passé, image même du malheur historique lié au destin national, de Poitiers à Bouvines, de Valmy à Verdun.

S'agissait-il de l'État, recteur et vecteur de la formation nationale elle-même[13]? On a délibérément écarté la solution chronologique qui aurait consisté à égrener le chapelet des lieux les plus représentatifs des formes successives de l'État: du palais royal à l'Élysée de la Ve République, en passant par le tribunal révolutionnaire ou le Comité de salut public, le préfet ou le grognard napoléoniens, l'urne ou l'Assemblée nationale, sans oublier Vichy. À cette litanie de l'histoire politique, on a préféré la condensation de toutes les formes expressives de l'omniprésence de l'État, et l'ouverture large de l'éventail, politique, juridique, économique, littéraire même; mais chacun des lieux retenus représentant une mémoire totale, au sens où Marcel Mauss pouvait parler d'un fait social total. Ainsi des images symboliques de la monarchie comme les avait étudiées pour l'Empire germanique Percy Ernst Schramm[14], ainsi du complexe monumental de Versailles, ainsi du Code civil napoléonien, de la Statistique générale de la France, ainsi des Mémoires d'État: tous points de vue heuristiques en leur volonté d'incarner, de symboliser, de comprendre et d'exprimer le tout-État d'un tout-société.

S'agissait-il enfin du patrimoine? Même démarche. On a donc renoncé à un inventaire systématique des institutions de mémoire, malgré l'intérêt qu'aurait aujourd'hui une histoire générale des archives et des bibliothèques, à commencer par les Archives et la Bibliothèque nationales[15], une histoire des collections[16] et des musées, à commencer par le Louvre et les grands musées de province, ici évoqués. Malgré aussi le principe de ces *Lieux de mémoire*, dont une des idées-forces est précisément de mettre sur le même plan et de considérer du même regard les symboles et réalisations les plus éclatantes de la tradition nationale *et* les instruments de formation de cette tradition elle-même: le musée historique de Versailles à côté du retour des Cendres. Mais une juxtaposition institutionnelle n'était pas dans l'esprit de l'entreprise et n'aurait abouti, du point de vue qui est le nôtre, qu'à des parallèles répétitifs. Les grandes institutions de mémoire ne figurent donc pas en tant que

telles. On les trouvera largement évoquées, mais le plus souvent croisées avec des «hommes-mémoire», qui ont été au principe de leur création ou au nœud de leur développement – qu'il s'agisse d'Alexandre Lenoir, l'âme du légendaire musée des Monuments français d'où descendent le musée de Cluny et le musée des Antiquités nationales de Saint-Germain-en-Laye ; qu'il s'agisse des sociétés savantes auquelles Arcisse de Caumont, le fondateur de l'illustre Société des antiquaires de Normandie, a fourni le modèle ; ou encore des Monuments historiques, qui doivent à Mérimée leur première impulsion ; ou encore de la Société de l'histoire de France et du Comité des travaux historiques dont Guizot a été le grand concepteur et le plus actif réalisateur[17] ; ou enfin de Viollet-le-Duc, en qui se résume tout le débat idéologique qui sous-tend la possibilité même d'une restauration[18]. L'inconvénient d'une telle atomisation est compensé par l'histoire de ce lieu de mémoire que constitue, en soi, la notion même de «patrimoine» qui se cristallise sous la Révolution sur les monuments «périmés» de l'ancienne France, églises et châteaux, pour se dilater, de nos jours qui ont célébré en 1980 l'«année du patrimoine», jusqu'à tous les vestiges possibles et impossibles du passé national. L'immense avantage du traitement est, en revanche, de mettre vigoureusement en relief, dans la formation d'une mémoire nationale, le massif de la Restauration et de la monarchie de Juillet, qui nous domine encore.
À représentations matérielles semblables, donc, solutions différentes : pour le territoire, le cadre ; pour l'État, la palette ; et pour le patrimoine : la toile d'araignée.

L'idéel, enfin : soit *La gloire*, et *Les mots*. C'est-à-dire l'idée que la nation projette d'elle-même et veut en donner. D'idées, il n'y en a pas, sans doute, de plus significatives que ces deux-là, dans un pays qui a si fortement identifié ses formes politiques successives avec la guerre, féodale et monarchique, révolutionnaire et républicaine ; dans un pays aussi qui a si constamment incorporé la culture à la définition de son identité et fait de sa langue la clef de son universalité. En un sens, ces thèmes sont proches à se confondre, et l'un ne va guère sans l'autre. Leur rapport à la nation est cependant de nature radicalement différente, dans la mesure où la gloire est une manière de vivre une ambition de grandeur et de prestige que partagent peu ou prou tous les peuples et toutes les nations, tandis que les mots renvoient à une intimité de la langue et de l'État qui n'est propre qu'à la France.
La gloire donc, pas la grandeur. S'il ne s'agissait que de grandeur, ses lieux de mémoire ne seraient que ses moments de plus grand éclat. Mais, à la différence de la grandeur, valeur qui se mesure et se compare, valeur profane et qui s'impose, la gloire, même en ce monde, n'est pas de ce monde ; elle appartient au sacré, c'est un titre qui se mérite et se conquiert sur l'au-delà –

salut éternel ou postérité –, en fonction des valeurs les plus hautes et les mieux établies de la communauté sociale[19]. De Dieu qui reconnaît les siens à la Patrie reconnaissante, la gloire a donc subi un double mouvement de laïcisation et de démocratisation : d'une part un transfert du sacrifice chrétien sur le sacrifice patriotique, dont ont bénéficié d'abord les grands, saints rois et illustres capitaines qui, aux grandeurs d'état et aux grandeurs d'établissement ont ajouté le renoncement volontaire à ces grandeurs par le renoncement à la vie – jusqu'aux simples noms qui s'alignent sur les monuments aux morts « pour la patrie ». D'autre part, un élargissement de la valeur du mémorable à toutes les formes des illustrations nationales et locales, à toutes les notabilités intellectuelles, artistiques, scientifique ou civiques. C'est à ce double parcours qu'on a cherché à rendre sensible. En commençant par faire droit, du Moyen Âge à Verdun, à la longue prégnance du sacrifice du sang exigé par l'intense identification de la guerre à la solidification des formes de l'État national. En soulignant, pour finir, deux formes d'aboutissement du processus : les statues de Paris et les noms de rues, après les monuments aux morts de *La République*. Non sans que des lieux intermédiaires permettent de saisir la passage, de l'une à l'autre, des figures de la gloire : la promotion laïque et démocratique de la gloire militaire qu'ont représentée, notamment sous la Restauration et la monarchie de Juillet, la cérémonie du retour des Cendres, l'élaboration du mythe du soldat Chauvin, ce père inconnu du chauvinisme, l'ouverture enfin, à Versailles, de la galerie des Batailles « à toutes les gloires de la France » ; la promotion laïque et démocratique de la gloire civile qu'ont représentée la transformation du Louvre, palais royal, en panthéon des arts, ou le passage, dans le discours sur les morts, de l'oraison funèbre à l'éloge académique et à la simple nécrologie.

Si la célébration de la nation par elle-même implique un parcours, les mots exigeaient plutôt de saisir un trait spécifique, une permanence : non celle, trop évidente, de la culture dans la détermination nationale, mais l'exceptionnelle implication politique, étatique et civique des faits de culture dans la tradition française, à commencer par la langue et par le mot, officiel et régenté. C'est pourquoi les raisons qui déconseillaient de traiter le patrimoine à partir de ses institutions militaient au contraire pour que ce soit à travers elles que se précise la place très particulière que la France a faite à la culture dans la définition de sa nature. À condition de choisir précisément celles où se relève avec le plus d'évidence l'impératif politique de la langue, comme l'unique et subtile intimité du mot et de l'autorité, de la littérature et de la politique. C'est éminemment le cas de l'Académie française, officiellement chargée par l'État de faire un dictionnaire, dont l'élection fait de l'écrivain un dignitaire d'État et répand inversement sur ses autres membres, qu'ils soient hommes de science, d'Église ou d'épée, l'aura de l'homme de lettres. Mais c'est aussi le cas du

Collège de France, directement patronné par le Prince, mais où la liberté de savoir est garantie par le pouvoir contre le pouvoir lui-même. Ce fut enfin plus secrètement, plus temporairement, mais de manière non moins éclairante, de ces classes de « khâgne » des années 1880 aux années 1960, où, entre l'enfer du secondaire et le paradis de la littérature, se distillait à grands coups de classiques scolaires le culte d'une rhétorique à tout usage. Aucune de ces institutions n'a son équivalent à l'étranger. Plane sur elles l'ombre des magiciens des mots : le grand écrivain, dont l'attouchement représente pour le moins grand un vrai adoubement et chez qui la visite, depuis celles qu'on faisait à Voltaire, Rousseau et Buffon, a constitué un véritable rituel d'initiation ; le grand orateur, dont la parole, qu'elle descende de la chaire, du barreau ou de la tribune, a été traditionnellement en France, et décisivement depuis la Révolution, par son pouvoir de capter les esprits plus encore que de les convaincre, le vrai lieu de la politique.

La politique : aucun de ces essais n'en traite directement et c'est elle pourtant qui donne à ces trois volumes leur intention d'ensemble et leur profonde unité.

Si l'on cherchait, en effet, à fonder en raison ce qui justifie le rapprochement inattendu de tant d'objets apparemment si éclatés et confère à leur réunion son homogénéité et son appartenance à une même gamme de phénomènes, on le trouverait dans leur commune manière de mettre en évidence une dimension du politique dont on est en train de découvrir qu'elle constitue peut-être sa vérité dernière : sa dimension symbolique.

Qu'ont en commun, par exemple, un monument, un livre, une institution – Saint-Denis, les Guides-Joanne et le Collège de France –, tels du moins qu'ils sont envisagés ici ? Qu'ont en commun une cérémonie, une devise, un musée, une biographie, une statue, une région, un dictionnaire, et chacune de ces quarante-huit monographies indépendantes, sinon d'emporter avec elles une signification qui parle au-delà de leur teneur immédiate et qui engage de proche en proche ce que la nation a de plus essentiel, l'organisation même de l'être-ensemble, la forme de la cité et ce qu'il faut bien appeler son âme ? La nation n'est pas un concept juridique seulement, pas seulement une unité territoriale et un vouloir-vivre en commun, pas même seulement ce « riche legs de souvenirs » et ce « plébiscite de tous les jours » dont parlait Renan ; c'est une organisation symbolique du groupe humain, dont il s'est agi de retrouver les repères et d'éclairer les circuits. Il y a, par exemple, des tableaux de paysages de France qu'on peut étudier pour l'esthétique et l'histoire d'un art du paysage ; et ces mêmes tableaux pris dans un réseau général d'institutions et de significations qui constituent tout à coup un corpus indicateur d'une identité politique. Il y a Versailles, mille fois étudié, mais aussi foyer d'une représentation du pouvoir qui rayonne magnétiquement à travers les siècles et qui reste pour les Français le symbole du pouvoir. Il y a une région, l'Alsace, par exemple, et le rôle qu'elle a joué de tous les points de vue, stratégique, économique, religieux, culturel, dans l'histoire nationale ; et l'Alsace dans ce qu'elle incarne de spécifique dans la construction de l'entité française. Il y a l'Académie française, son rôle et son poids dans l'histoire des institutions, les intrigues de ses élections et la succession de ses discours de réception ; et il y a le modèle original que la Coupole a imposé directement ou indirectement aux hiérarchies dite et non dites de tous les développements de la littérature. On pourrait ainsi reprendre chaque essai, et montrer que, par-delà l'ouverture infinie de leur variété possible, leur principe et leur intention convergent dans la mise en lumière de cette force agissante de symboles et dans leur poids, impalpable et décisif, sur la vie des sociétés et la constitution de l'identité politique de la nation.

C'est dans cette dimension symbolique, la moins étudiée et peut-être la plus neuve, que se situe aujourd'hui la réinterrogation du politique, par l'histoire, la philosophie, le droit, la littérature. C'est dans cette dimension que l'histoire nationale peut puiser les ressources d'un renouvellement et d'un nouveau programme. Le symbolique permet de faire le joint entre les bases les plus matérielles de l'existence des sociétés et les productions les plus élaborées de la culture et de la réflexion. C'est cette capacité d'articuler ensemble et d'embrasser du même regard analytique l'histoire des faits de culture et l'histoire des faits sociaux qui donne à l'histoire symbolique son dynamisme et sa fécondité. Des historiens de l'art, de la littérature, de la politique, du droit, de l'économie ou de la démographie ont ici trouvé le terrain d'un travail commun.

Ironie des choses : l'histoire « totale » s'était définie contre l'histoire politique et son étroitesse. Et voici que le politique resurgit comme l'instrument d'une histoire plus englobante encore, sous une figure que nous ne lui connaissions pas.

1993

1. Pour une présentation générale des *Lieux de mémoire* et du type d'histoire qu'ils supposent, le lecteur est prié de se reporter *supra*, « Entre mémoire et histoire », pp. 23-43.

2. Il sera examiné dans, *Les France*, voir *infra*.

3. *Cf.* Laurent Theis, *L'Avènement de Hugues Capet, 3 juillet 987*, Paris, Gallimard, coll. « Les trente journées qui ont fait la France », 1984.

4. Le projet initialement annoncé prévoyait deux volumes pour *La Nation*. Sa réalisation a exigé en définitive trois volumes que voici.

5. La tradition antiquaire ne constitue pas à cet égard une rupture, malgré l'importance de son apport à l'érudition nationale, que l'on trouvera ici plusieurs fois soulignée. De même, l'histoire philosophique du XVIIIe siècle qui s'est donné pour problème le développement de la civilisation, non celui de la nation. *Cf.* François Furet, « La naissance de l'histoire », *in L'Atelier de l'histoire*, Paris, Flammarion, 1981. Le débat Boulainvilliers-Dubos et Mably sur les origines « germanistes » et « romanistes » de la monarchie française peut paraître faire exception. Mais, de portée plus politique que proprement nationale, il a paru plus logique de lui faire place dans « Les mythes d'origine », *cf.*, *Les France*, voir *infra*.

6. L'*Histoire de France* de Michelet n'a pas été traitée comme un lieu de mémoire en soi. Non qu'elle n'en soit un, et de taille. À ce parti, deux raisons. Une quatité de travaux existent sur Michelet, à commencer par la thèse de Paul Viallaneix, *La Voie royale, essai sur l'idée de peuple chez Michelet*, Paris, Flammarion, 1971, et les nombreuses et abondantes introductions aux différentes parties des *Œuvres complètes*, en cours de publication, qu'il dirige chez le même éditeur. On y renvoie. Dans une stratigraphie historique de la mémoire nationale, d'autre part, Michelet, quelle que soit son importance, ne constitue pas une couche indépendante, si ce n'est par sa personnalité individuelle d'écrivain. De cette couche, il a paru meilleur de saisir l'émergence, avec Augustin Thierry (où l'on retrouvera le premier Michelet, le moins étudié), et la retombée universitaire avec Lavisse (que l'on a rapporté à Michelet).

7. On songe en particulier à G. M. Siegel, *The Chronical Tradition of Saint-Denis : A Survey*, Brookline, Mass., et Leyde, 1978 ; à Donald D. Kelley, *Foundations of Modern Historical Scholarship. Language, Law and History in French Renaissance*, New York, Columbia University Press, 1970 ; à R. M. Smithson, *Augustin Thierry : Social and Political Consciousness in the Evolution of a Historical Method*, Genève, Droz, 1973 ; et à William R. Keylor, *Academy and Community. The Foundation of the French Historical Profession*, Cambridge, Mass., Harvard University Press, 1975.

8. Sur laquelle existe une abondante littérature, qu'on trouvera, en dernière date, exposée dans l'intéressant ouvrage de Jean-Robert Pitte, *Histoire du paysage français*, Paris, Tallandier, 1983, 2 vol.

9. Le point de vue adopté ici est donc complètement différent de celui de Fernand Braudel, *L'Identité de la France*, t. I, *Espace et Histoire*, Paris, Arthaud-Flammarion, 1986.

10. L'historique des types de frontières a été fait, et bien fait, par Bernard Guenée dans *La France et les Français*, sous la direction de Michel François, Paris, Gallimard, Encyclopédie de la Pléïade, 1972, chapitre « Les limites », pp. 50-69. On ne l'a donc pas traité ici.

11. *Cf.*, notamment, l'utile et récent ouvrage d'Alfred Fierro-Domenech, *Le Pré carré, géographie historique de la France*, Paris, Robert Laffont, 1986.

12. *Cf.* Frederick Jackson Turner, *La Frontière dans l'histoire des États-Unis* [1893], trad. franç. Annie Rambert, préface de René Rémond, Paris, P.U.F., 1963.

13. On se reportera en particulier aux article classiques de Bernard Guenée réunis dans la première partie de *Politique et histoire au Moyen Âge*, Paris, Publications de la Sorbonne, 1981.

14. *Cf.* Percy Ernst Schramm, *Herrschaftszeichen und Staatssymbolik*, Stuttgart, Hiersemann Verlag, 1954-1957, 3 vol. Pour une présentation en français de cette somme, *cf.* Philippe Braunstein, « Les signes du pouvoir et la symbolique de l'État », *Le Débat*, juillet-août 1981, n°14. À signaler, de rares analyses du même type du côté français : après Marc Bloch, « Les formes de la rupture de l'hommage dans l'« ancien droit féodal », *Nouvelle Revue historique de droit français et étranger*, 1912, repris *in Mélanges historiques*, Paris, 1963, vol. I (pp. 189-209), Jacques Le Goff, « Le rituel symbolique de la vassalité », dans *Pour un autre Moyen Âge*, Paris, Gallimard, 1977, pp. 349-420.

15. *Cf.*, pour la Bibliothèque nationale, Jean-François Foucaud, *La Bibliothèque royale sous la monarchie de Juillet*, Paris, Bibliothèque nationale, 1978.

16. *Cf.* Krzysztof Pomian, *Collectionneurs, amateurs et curieux, Paris-Venise, XVIe-XVIIIe siècle*, Paris, Gallimard, Bibliothèque des Histoires, 1987.

17. *Cf. Le Temps où l'histoire se fit science, 1830-1848*, colloque international organisé par Robert-Henri Bautier à l'occasion du cent cinquantenaire du *Comité français des sciences historiques*, Paris, Institut de France, 17-20 décembre 1985, dont les actes sont parus dans la revue *Storia della storiografia*.

18. *Cf.* le catalogue de l'exposition Viollet-le-Duc, Paris, Grand-Palais, 1980.

19. Pour une première approche du problème, *cf.* Maria Rosa Lida de Malkiel, *L'Idée de gloire dans la tradition occidentale (Antiquité, Moyen Âge, Castille)*, trad. franç. Sylvia Roubaud, Munich-Paris, Klincksieck, 1968.

LA NATION

1. L'IMMATÉRIEL

Héritage

Entre la reconstitution mythologique des origines et la théorie des fondements de la nation française, il y a la vérité d'un long et prégnant héritage : depuis les traces laissées sur le sol et dans le paysage par la fortification féodale jusqu'à l'empreinte laissée sur la société par le phénomène de Cour (qu'on traitera dans *Les France*), en passant par le monument légendaire de Versailles (voir *infra*).

Plutôt que le donjon, le rempart, la basilique, on examine ici les aspects proprement mémoriels du passé féodal et monarchique. Ce sont les plus nouveaux.

Le laboratoire, donc, où, d'un lieu l'autre, s'élaborent, à l'ombre du pouvoir, des annales du pouvoir : chapelle royale, chancelleries, monastères, et qui débouche sur les *Chroniques de Saint-Denis*.

La mémoire généalogique, à l'origine celle des plus nobles, qui, du Xe au XIIIe siècle, à la belle époque de la féodalité, contribue à la formation de l'aristocratie par les stratégies de parenté et de culte des aïeux qui aboutiront à la formation des lignages.

Les sanctuaires où la monarchie enracine et cultive sa sacralité d'élection : Saint-Denis, Saint-Michel, Saint-Léonard.

Et le rituel central enfin qui, à Reims, de Hugues Capet à Charles X, n'a pas arrêté de renouer la royauté à ses origines et d'en pérenniser l'aura.

Pierre Nora 1986

BERNARD GUENÉE

Chancelleries et monastères

La mémoire de la France au Moyen Âge

C'était en 788. Charles, le roi des Francs, n'était pas encore le grand Charles, empereur des Romains. Mais il avait déjà, en 774, forcé le roi Didier à capituler à Pavie, et il s'était proclamé roi des Lombards. En 785, après des années d'une guerre implacable, Widukind avait dû déposer les armes ; toute la Saxe, jusqu'à l'Elbe, était annexée au royaume. En cette même année 785, les armées de Charles, libres au nord, commençaient la conquête de ce qui allait devenir la marche d'Espagne. En 787, le duc de Bénévent, au sud de l'Italie, devait se soumettre. En 788 enfin, Tassilon III, le dernier duc indépendant de Bavière, était destitué ; toute la Germanie devenait franque. Dans le temps même de ces prodigieux succès, depuis bientôt dix ans, le roi travaillait à lier ces immenses territoires, à les couvrir du grand filet des institutions d'un État solide et d'une Église soumise. En 788, Charles, qui venait d'avoir quarante ans, pouvait se croire sûr de l'avenir de son royaume. Il voulut, pour assurer son passé, en conserver la mémoire.

La chapelle royale

Le roi franc avait à sa cour même les moyens érudits de sa volonté politique. Il avait peuplé l'école du palais de maîtres venus de partout, et surtout d'Italie et d'Angleterre. Dès 774, Pierre de Pise y avait enseigné la grammaire. Dès 776, Paulin y avait enseigné la grammaire, avant de s'orienter vers la philosophie et de devenir plus tard archevêque d'Aquilée. En 782, Paul Warnefried, dit ordinairement Paul Diacre parce que, précisément, il était diacre, venait y enseigner la grammaire ; mais il était aussi grand poète et excellent historien. En 786, enfin, Alcuin, le maître de l'école d'York, était appelé au palais ; il commença d'y enseigner les arts libéraux littéraires, c'est-à-dire la grammaire, la rhétorique et la dialectique, de façon si brillante qu'il fut pour Charles lui-même et son entourage le plus grand des maîtres et devint, à travers eux, le précepteur de toute la Gaule, *praeceptor Galliae.* Les lettrés formés à l'école du palais peuplèrent toute l'administration du royaume. Beaucoup se retrouvèrent aussi dans la chapelle même du palais. La chapelle, c'était d'abord l'oratoire privé du prince. Le mot finit par désigner toutes sortes de lieux de culte, dans tout le royaume, mais il ne désignait encore, en 788, que l'oratoire du palais. Et, depuis quelques années, la chapelle, c'était aussi l'ensemble des clercs qui assuraient le service liturgique dans l'oratoire du prince. Or, sous Pépin et dans les premières années du règne de Charles, la chapelle s'organisa en un service, à la tête duquel il fallut un chef, et le nombre des «chapelains» s'accrut. Car à ces gens de plus en plus instruits furent confiées des tâches de plus en plus lourdes. On n'attendait plus simplement d'eux qu'ils chantent et qu'ils prient. Ils calligraphièrent les livres nécessaires au culte. Et, surtout, c'est à eux que revint la rédaction de tous les écrits nécessaires à l'administration du royaume: certains chapelains de la chapelle étaient aussi les notaires de la toute jeune chancellerie. Par la force des choses, pour satisfaire aux exigences de leur culture, pour leur permettre d'accomplir leurs tâches administratives, livres et documents s'accumulèrent auprès de la chapelle. Des archives, une bibliothèque, des lettrés. En 788, Charles avait auprès de lui, dans la chapelle de son palais, le lieu même où cultiver cette mémoire qu'il souhaitait à son royaume.

Jusqu'alors, l'histoire n'avait guère été le fait des Francs en général, et des rois francs en particulier. Aucun roi mérovingien, semble-t-il, ne s'était soucié d'encourager la composition d'une quelconque œuvre historique. Cependant, dans ce si maigre pré, une fleur exceptionnelle avait poussé. Dans la seconde moitié du VIe siècle, l'évêque de Tours Grégoire avait beaucoup écrit. Il avait, entre autres, en 591, achevé la rédaction de dix livres d'*Histoires* où, parti de la création du monde, il en était vite venu aux Francs, à l'histoire desquels, de leurs origines à son temps, il avait consacré l'essentiel de son récit. Puis, au milieu du VIIe siècle, un ou plusieurs historiens bourguignons que notre ignorance recouvre du nom de Frédégaire avaient écrit une nouvelle histoire du monde où le résumé des *Histoires* de Grégoire de Tours était suivi du récit des événements jusqu'en 642, tels qu'ils avaient pu venir à leur connaissance. Puis, au début du VIIIe siècle, un historien neustrien, qui a donc probablement vécu dans notre actuelle Normandie ou dans les pays voisins, ignorant d'ailleurs l'œuvre de «Frédégaire», avait fait lui aussi un résumé de Grégoire de Tours, à quoi il avait ajouté, jusqu'en 727, le récit des événements qu'il avait pu connaître: c'est le *Livre de l'histoire des Francs (Liber historiae Francorum).* Plus tard, enfin, de proches parents de Charles Martel et de son fils Pépin avaient soufflé à des historiens de continuer soit le *Liber historiae Francorum*, soit la chronique de «Frédégaire» par un récit dont il va sans dire qu'il était favorable au grand-père et au père du futur roi Charles. Ainsi s'était peu à peu ébauché, par le jeu de continuations successives, d'initiatives différentes et d'inspirations variées, une sorte de corpus d'histoire franque des origines à la mort de Pépin, en 768. Ce corpus était d'ailleurs en réalité encore plus complexe, désordonné et divers dans la mesure où, d'un manuscrit à l'autre, les membres qui le constituaient pouvaient ne pas être les mêmes. Pourtant, si imparfait qu'il fût, ce corpus existait. Mais, en 788, le roi Charles et ses conseillers le laissèrent de côté. Car leur but n'était pas de reprendre et de continuer une grande histoire des Francs depuis leurs origines.

Leur but n'était pas non plus d'élever un monument à la gloire de la famille carolingienne. D'ailleurs, un tel monument existait déjà. Angilram était évêque de Metz depuis 768. En 784, sans cesser d'être évêque de Metz, il avait été appelé à diriger la chapelle royale. C'est probablement peu de temps après qu'il eut l'idée de faire composer par Paul Diacre, sur le modèle du *Liber Pontificalis* qui donnait, en une série de brèves notices, la suite ininterrompue des évêques de Rome depuis saint Pierre, une histoire des évêques de Metz, *Gesta episcoporum Mettensium*. Comme saint Arnoul, l'ancêtre de la lignée carolingienne, avait été évêque de Metz, Paul Diacre réussit dans son ouvrage à exalter une ville qui était, en quelque sorte, la ville sainte du nouveau pouvoir, à greffer habilement sur la liste des évêques de Metz la généalogie de la nouvelle famille régnante, et à justifier discrètement la montée sur le trône de Pépin.

En 788, le but de Charles et de ses conseillers n'était ni d'exalter une famille ni de glorifier un peuple. Il était plus immédiat et plus pratique. Leur ambition était d'aider les administrateurs du royaume à mieux situer la documentation accumulée dans leurs archives et sur laquelle ils fondaient leur action quotidienne. Leur besoin de mémoire était le fruit d'une nécessité administrative tout autant que d'une vision politique. Il se satisfit de brèves notations où, année après année, étaient mentionnés les principaux événements depuis 741, depuis la mort de Charles Martel et l'arrivée au pouvoir, comme maire du palais, de son fils Pépin qui devait, quelques années plus tard, en 751, mettant à profit ses succès, écarter le dernier roi mérovingien et devenir lui-même roi des Francs.

Ce modèle «annalistique» était, en 788, tout récent encore. La première exigence de la liturgie chrétienne était que fût connue d'avance, pour chaque année, la date à laquelle célébrer Pâques. Grâce à de savants calculs mettant en œuvre de complexes principes, une table pascale avait été élaborée, que toutes les églises d'Occident, au VIIIe siècle, avaient finalement adoptée. L'un des biens les plus précieux d'une église ou d'un monastère était cette table pascale qui lui disait quand, en chaque année à venir, Pâques devrait être célébré. L'habitude se prit peu à peu, dans les monastères, de noter sur la table, à chaque année écoulée, un ou deux événements marquants, pour en conserver la mémoire. Peu à peu, la note brève devint bref récit, et se détacha de la table. Ainsi naquirent les annales. Les premières annales étaient apparues, sur les tables pascales, en Angleterre. Les missionnaires anglo-saxons avaient apporté sur le continent, au VIIIe siècle, tables pascales et notes annalistiques, et nombre d'églises et de monastères, surtout au cœur du royaume franc, dans la vallée rhénane et aux alentours, continuant ou imitant ces premiers modèles, commencèrent à tenir de petites annales. En particulier, des annales furent tenues dans un lieu qui nous est inconnu mais qui doit se situer entre Cologne et Trèves ; d'autres furent rédigées dans l'abbaye de Gorze, près de Metz ; d'autres encore dans l'abbaye de Murbach, en Alsace, qui furent continuées en Souabe. Le chapelain auquel Charles et Angilram en confièrent la mission combina les notes dont il pouvait disposer sur place avec les mentions qu'il pouvait tirer de ces annales rhénanes, mosellanes ou souabes, qui lui étaient facilement accessibles. Ainsi furent composées à la cour du roi Charles des annales que l'érudition moderne appelle les *Annales du royaume des Francs (Annales regni Francorum),* mais qu'il vaut mieux appeler, comme le faisaient les sujets du roi carolingien au IXe siècle, les *Annales des rois, les Annales royales.*

Lorsque le chapelain qui œuvrait pour Angilram eut achevé son travail, celui-ci fut continué, à la chapelle du palais même. Chaque année, une annale était ajoutée, qui résumait ce qui venait juste de se passer dans le royaume. Ces *Annales royales* eurent les qualités et les défauts d'une œuvre rédigée à l'ombre du pouvoir. Elles furent bien informées, mais elles furent tendancieuses. Surtout, leur rédaction refléta les progrès et les vicissitudes de la culture et de la politique carolingiennes. Par exemple, après la mort de Charlemagne, entre 814 et 817, une complète révision des *Annales,* quant à la forme et quant au fond, parut nécessaire. Les lettrés qui entouraient le jeune empereur Louis ne pouvaient plus se satisfaire du latin encore un peu simple et rude de la génération précédente, et leurs perspectives politiques, aussi, avaient changé. C'était le temps des grandes espérances. La rédaction des notices annuelles continua un moment, puis vinrent les désillusions et les drames. En 830, les fils de Louis le Pieux se révoltèrent contre leur père. Le chef de la chapelle, l'archichapelain, comme on disait maintenant, était alors Hilduin, abbé de Saint-Denis. Il prit parti pour les fils contre le père. Le travail de la chapelle et de la chancellerie fut désorganisé. L'annale de 829 fut, pour un temps, la dernière. Mais, après quelques années fertiles en péripéties, en 834, Louis le Pieux était rétabli sur son trône. Le travail, à la chancellerie, reprit un cours plus régulier. Un clerc d'ailleurs malhabile à manier le latin reçut pour tâche de continuer les *Annales royales.* Il eut le temps de le faire pour les années 830, 831, 832, 833, 834. Il avait à peine commencé le récit de 835 qu'il dut s'interrompre. Est-ce la mort de l'archichapelain d'alors ? Est-ce la reprise des difficultés politiques ? Toujours est-il que l'empereur mourut (840), que l'Empire fut partagé entre ses fils (843) sans que quiconque songeât à continuer les *Annales royales.*

Mais la partie occidentale de l'Empire, le royaume de Francie occidentale, était échue au plus jeune fils de Louis le Pieux, Charles le Chauve. Pour celui-ci, l'affermissement de son pouvoir, l'affirmation de la continuité carolingienne exigeaient la continuation des *Annales royales.* Et tout de suite le nouveau roi en chargea un clerc de son palais, un fin lettré d'origine espagnole qui avait abandonné son nom de Galindo pour prendre celui de Prudence. Prudence accepta. Il fut récompensé par l'évêché de Troyes. Il n'abandonna pas pour autant ses fonctions à la cour, ni son œuvre historique. Il rédigea de brèves notices pour les dernières années du règne de Louis le Pieux, qui manquaient, puis il continua les *Annales* jusqu'à sa mort, en 861. C'est alors qu'une longue page d'histoire fut tournée. Le roi Charles était désormais trop accablé de soucis quotidiens, sa chancellerie était trop pressée de tâches quotidiennes pour qu'un clerc y pût trouver le temps d'écrire l'histoire du règne. Ce fut bien pis après. Le pouvoir carolingien sombrait. La chancellerie du roi s'étiolait. Après 861, la chapelle du palais ne fut plus jamais ce qu'elle avait été pendant trois quarts de siècle : la mémoire du royaume.

Dans le temps même où Charlemagne et Louis le Pieux veillaient à la composition des *Annales royales,* ils se soucièrent aussi de leur diffusion. À la vérité, comme l'idéal de ces rois et de leurs conseillers était un État fort puissamment soutenu par une hiérarchie ecclésiastique dont personne ne contestait que le pape fût la tête, la construction politique carolingienne s'appuya sur deux œuvres historiques majeures dont elle assura la diffusion : le *Liber Pontificalis,* qui disait l'histoire des évêques de Rome, et les *Annales royales,* qui disaient celle du royaume. Et de même que le *Liber Pontificalis* fut possédé et imité par de nombreux prélats carolingiens, de même les *Annales royales* furent-elles largement connues dans l'Empire. Encore faut-il préciser les limites de ce succès. Les laïcs du IXe siècle n'étaient pas aussi ignares qu'on l'a longtemps cru. Certains étaient instruits. Ils avaient même de belles bibliothèques et possédaient quelques livres d'histoire. Mais leurs goûts les portaient vers des œuvres moins austères que les *Annales royales,* et le fait est qu'aucun indice ne nous permet d'affirmer qu'un laïc les ait jamais possédées. Les bibliothèques des églises et des monastères, voilà où on les pouvait trouver. Encore ne sommes-nous pas sûrs qu'elles parvinrent dans toutes les régions de l'Empire. Nous sommes sûrs du moins qu'elles

étaient dès le IXe siècle largement connues dans sa partie germanique, par exemple à Liège et à Worms, où un exemplaire en était conservé, par exemple à Salzbourg, à Lorsch ou à Xanten, où elles furent copiées et continuées.
Quant à Charles le Chauve, il n'avait pas simplement pris soin, au début de son règne, d'en faire écrire l'histoire; il s'était aussi soucié, par la suite, de la diffuser. Des copies des *Annales* de Prudence ont circulé. Mais cet effort fut perdu. Aucune n'a subsisté et n'a jamais été utilisée. Du moins n'est-il pas douteux que Charles le Chauve lui-même avait dans sa bibliothèque une copie, ou peut-être l'original, de l'œuvre de Prudence. Et le roi de Francie occidentale eut un jour un geste de grande conséquence: il prêta son exemplaire à Hincmar.

Reims

Hincmar avait été moine de Saint-Denis. Lorsque Hilduin, abbé de Saint-Denis, était devenu archichapelain, il avait introduit Hincmar à la cour. Notre moine y avait été très vite apprécié et, au début de son règne, Charles le Chauve avait fait de lui l'archevêque de Reims. La province ecclésiastique de Reims était une des plus importantes du monde chrétien, à cheval sur le royaume de Charles et le royaume de Lothaire. La ville de Reims était un des centres administratifs les plus importants du royaume de Charles. Hincmar devenait ainsi en 845, à près de quarante ans, maître d'un des hauts lieux du royaume et du monde carolingien. De cette position exceptionnelle, sa personnalité exceptionnelle domina, pendant plus de trente ans, la vie politique et religieuse de l'Occident. Hincmar domina par son action, mais aussi par ses écrits, nourris d'innombrables lectures. Et, pour se donner les moyens nécessaires, l'archevêque fit de Reims un des grands centres intellectuels de la seconde moitié du IXe siècle. Il surveilla personnellement l'activité de l'école. Il créa de toutes pièces un actif *scriptorium* où d'excellents scribes copiaient en suivant des règles strictes de nombreux manuscrits qu'Hincmar lisait et annotait lui-même avec le plus grand soin. Comme l'archevêque conservait aussi avec soin le double de toute la documentation que nécessitaient l'administration de sa province et son action politique, il y eut finalement à Reims d'importantes archives, et une grande bibliothèque dont une centaine de manuscrits existent encore.
C'est à cet homme-là que Charles le Chauve prêta un jour son exemplaire de l'œuvre de Prudence. Geste malheureux en ce sens qu'il n'est pas sûr que le roi ait jamais pu récupérer son livre. Initiative heureuse en ceci qu'Hincmar entreprit de son chef de continuer Prudence en coulant dans le moule anna-

listique un récit forcément bien documenté mais d'un ton très personnel. Un véritable journal. Et Hincmar tint ainsi ses annales jusqu'à sa mort, à plus de soixante-quinze ans, en 882.

Hincmar mort, Reims, comme tant d'autres villes du royaume, eut beaucoup à souffrir des ravages normands. Son école périclita. Sa bibliothèque, heureusement, subsista. Et pendant quelques décennies le seul exemplaire qui existât des annales de Prudence et d'Hincmar resta ainsi enfoui au fond d'une bibliothèque endormie.

Une fois passée la tempête normande, dès avant la fin du IXe siècle, l'archevêque Foulques avait redonné vie aux écoles de Reims en y appelant les meilleurs maîtres. Et, tout au long du Xe siècle, grâce à la richesse de sa bibliothèque, grâce au soutien de ses archevêques, grâce à l'action de ses maîtres dont le moindre ne fut pas l'illustre Gerbert, qui devait devenir archevêque de Reims en 991 et pape, en 999, sous le nom de Sylvestre II, Reims fut un centre intellectuel de première grandeur. On peut même dire que Reims fut la seule ville du royaume qu'anima ainsi, tout au long du Xe siècle, une intense vie intellectuelle. Tous les arts libéraux étaient cultivés à Reims, aussi bien les arts littéraires du *trivium* (grammaire, rhétorique, dialectique) que les arts scientifiques du *quadrivium* (arithmétique, géométrie, astronomie, musique). L'histoire n'était pas un de ces arts. Mais, portés par ce grand bouillonnement, riches de cette grande bibliothèque, de grands historiens travaillèrent à Reims, qui reprirent l'héritage et le continuèrent.

Flodoard était né en 894. Il avait été formé aux écoles de Reims. Il était vite devenu chanoine de l'église de Reims et garde de ses archives. La documentation et les livres nés de l'effort d'Hincmar lui étaient ainsi familiers. Il connaissait, entre autres, les *Annales* du grand archevêque, qu'il utilisa dans son *Histoire de l'église de Reims.* Mais cet homme d'études fut aussi homme d'action. Il avait gagné et conservé la confiance de plusieurs des successifs archevêques de Reims. Or, les archevêques de cette puissante métropole qu'était Reims ont joué, tout au long du Xe siècle, un rôle prépondérant dans la politique du royaume. Flodoard fut donc mêlé aux principaux événements de son temps, il connut les principaux personnages de son temps. Et, à l'imitation d'Hincmar, il écrivit, année après année, son «journal». Ces *Annales,* Flodoard les a commencées en 919, à vingt-cinq ans. Jusqu'au milieu du siècle, elles sont amples et bien informées. Puis, lorsque notre chanoine eut dépassé cinquante-cinq ans, l'âge et les infirmités le tinrent de plus en plus éloigné des événements. Ses notations se firent plus brèves et plus lacunaires. Il mourut cependant la plume à la main, à plus de soixante-dix ans, en 966. Les *Annales* de Flodoard, sans lesquelles nous connaîtrions bien peu du Xe siècle, étaient encore, à la fin de ce siècle, dans la bibliothèque de Reims, et c'est là que Richer, qui était moine de Saint-Remi de Reims, les trouva.

Lorsque Richer se mit à écrire, vers 995, il dit expressément dans son prologue que son ambition était de continuer les *Annales* d'Hincmar, pour lesquelles il ne cache pas son admiration, en s'aidant, lorsqu'il le pouvait, des *Annales* de Flodoard, sur lesquelles il dit ses réserves. C'est que Richer entendait continuer la tradition rémoise. Mais ses ambitions étaient plus hautes que celles de Flodoard. Flodoard avait prouvé, dans son *Histoire de l'église de Reims*, qu'il était capable d'écrire un assez beau latin. Mais il est vrai que la langue de son journal était peu élégante, et même parfois peu correcte. En outre, il offrait au lecteur des notes plus qu'un récit bien ordonné. Et s'il va de soi qu'il mentionnait, au hasard des événements, le royaume des Francs ou le royaume de Francie, ce royaume n'était pas au cœur de son œuvre. Or, à la fin du xe siècle, Reims était sans doute à son apogée culturel et politique. L'école de Reims était si renommée que le duc de France Hugues y avait mis son fils Robert, sans doute vers 984. Et quelques années plus tard l'archevêque de Reims Adalbéron jouait un rôle décisif dans le coup d'État qui écartait le dernier Carolingien et faisait de ce même Hugues le nouveau roi. Et, le 3 juillet 987, c'est encore Adalbéron qui sacrait roi Hugues Capet, dans la cathédrale de Reims. Aussi, lorsque le nouvel archevêque, Gerbert, demanda à Richer d'écrire, celui-ci, nourri de Salluste et de César, et témoin d'événements si importants, utilisa Flodoard mais voulut mieux faire. Il entendit écrire un plus beau latin, construire un récit plus ordonné et traiter un sujet plus précis : il annonçait d'entrée de jeu qu'il allait traiter des luttes des Gaulois (*De Gallorum congressibus*) et il commençait par une brève description de la Gaule et de ses habitants. Ne reprochons pas à Richer, gâté par la rhétorique, d'avoir fait, à partir de Flodoard, un « travail de délayage ». Ne nous étonnons même pas que, trop fidèle à César, mais aussi soucieux de marquer une continuité, il parle de la Gaule et des Gaulois lorsqu'il dit l'histoire du royaume et de ses habitants au xe siècle. Admirons plutôt que, continuant Hincmar et utilisant Flodoard, aidé par la culture antique et l'expérience politique qu'il avait acquises à Reims, Richer ait voulu écrire, et ait écrit en effet, racontant les événements de 888 à 995 sous le titre *De Gallorum congressibus*, une véritable histoire du royaume au xe siècle.

L'œuvre de Richer n'eut aucun succès. Aucune copie ne fut faite du seul manuscrit qui nous soit resté, qui est l'autographe que Gerbert, sans doute, emporta de Reims en quittant la France (998) et qui alla dormir dans une bibliothèque de l'Empire. Et Reims était trop liée aux Carolingiens. Avec le nouveau roi, elle cessa d'être le cœur politique et culturel du royaume. Elle cessait aussi d'être ce qu'elle avait été pendant plus d'un siècle : la mémoire de la France.

Mais celle-ci ne fut pas engloutie. Dès 976, une copie des *Annales* de Flodoard était à Laon. D'autres furent faites un peu plus tard, au hasard des enthousiasmes et des migrations monastiques, à Verdun, à Langres, à Dijon. De Dijon, les *Annales* de Flodoard furent emportées à Fécamp, où elles furent copiées au tout début du XIe siècle et gagnèrent de là toute la Normandie. Si vite et si largement répandues qu'elles eussent été, les *Annales* de Flodoard étaient pourtant encore inconnues à Arras à la fin du Xe siècle. Par contre, les moines de Saint-Vaast d'Arras eurent alors entre les mains le texte des *Annales* de Prudence et d'Hincmar qui était longtemps resté dans la seule bibliothèque de Reims et n'avait été connu que des seuls Rémois. Si bien que les moines de Saint-Vaast, avec les *Annales royales* et leurs continuations, purent constituer un seul ensemble annalistique qui leur gardait la mémoire des événements de 741 à 882. Mais les moines de Saint-Vaast prirent dans le même temps une autre initiative qui précisait ce que les ambitions de Richer avaient laissé pressentir. Cette dernière génération du Xe siècle ne pouvait plus se contenter de ces notations annalistiques. Elle voulait voir plus ample. Elle voulait enraciner la France dans un passé plus lointain. Et les moines de Saint-Vaast composèrent un véritable corpus d'histoire de France où les annales carolingiennes étaient précédées du texte des *Histoires* de Grégoire de Tours et des continuations dites de Frédégaire. Ce corpus védastin fut copié vers l'an mille, à l'initiative de l'abbé Otbert, par les moines de Saint-Bertin, à Saint-Omer. Ainsi apparaissait, ici ou là, dans le nord du pays, le souci d'en savoir tout le passé. Ce ne fut pourtant pas un monastère du nord du royaume qui reprit, vers l'an mille, le flambeau tombé des mains de Reims : ce fut Fleury.

Fleury

Fleury était un très vieux monastère qui avait été fondé au VIIe siècle, dans la vallée de la Loire, un peu en amont d'Orléans. Dès 670-672, des moines y avaient apporté du Mont-Cassin des reliques qu'ils croyaient être celles de saint Benoît. C'est pourquoi cette antique abbaye fut appelée par la suite Saint-Benoît-sur-Loire. Les moines de Fleury n'avaient pas apporté d'Italie que ces précieuses reliques. Ils avaient apporté des manuscrits et commencé à doter l'abbaye d'une très riche bibliothèque. Au IXe siècle, l'abbaye avait souffert des invasions normandes, mais avait pu sauver beaucoup de ses livres. En 930, la réforme venue de Cluny y rétablissait dans toute leur rigueur les vieilles traditions bénédictines. Lorsque, en 987, Hugues Capet fut sacré roi de France, Fleury avait donc le triple avantage d'être un grand centre religieux, d'avoir une belle bibliothèque et d'être située dans le petit domaine que le nouveau roi, de Senlis à Orléans, contrôlait et qui allait être, pour longtemps, le cœur du pouvoir capétien. Or, l'année suivante, en 988, Abbon était élu abbé de

Fleury, où il était déjà depuis longtemps un prestigieux écolâtre. Et dans les seize années de son abbatiat (988-1004), ce maître incomparable fit de Fleury le principal foyer d'études monastiques de la France. Il fit copier de si nombreux livres que, malgré les désastres postérieurs, une centaine de manuscrits écrits à Fleury au Xe siècle subsistent encore aujourd'hui. Il forma de nombreux élèves. Il cultiva surtout la grammaire. Mais il ne négligea aucune des branches du savoir. Il s'intéressa en particulier à l'histoire. Il n'écrivit lui-même, à la vérité, aucun ouvrage historique. Mais comme il avait étudié, entre autres, à Reims et qu'il connaissait très bien les travaux de l'école historiographique rémoise, comme il était l'abbé d'une des plus grandes abbayes du domaine royal, comme il était mêlé de près aux plus grandes affaires politiques du royaume, comme il avait dû s'opposer à Hugues Capet mais que le fils de celui-ci, Robert, devenu seul roi à la mort de son père, en 996, l'écoutait volontiers, il n'est pas étonnant qu'Abbon ait alors demandé à l'un de ses meilleurs disciples, Aimoin, d'écrire pour le deuxième roi de la nouvelle dynastie «une histoire du peuple ou des rois des Francs».
Pour lui permettre d'exécuter sa tâche, Abbon a dû envoyer Aimoin là où lui-même avait été élève, à Reims. Il est impossible qu'Aimoin n'ait pas passé un long moment dans une cité dont il connaît si bien toute la production historique, même la plus récente. Il est impossible qu'il n'ait pas connu Richer et son œuvre. Comme Richer, il veut écrire un meilleur latin que ses sources. Comme Richer, il se soucie de la confusion que peuvent engendrer trop de rois homonymes. Comme Richer, il veut donner à son histoire une introduction géographique. En outre, il divise son œuvre en quatre parties, comme Flodoard. Il connaît si bien les *Annales* d'Hincmar qu'il en exécute ou fait exécuter une copie pour la bibliothèque de Fleury. Il connaît si bien le corpus des *Annales royales* et de leurs continuations qu'il n'entend nullement récrire l'histoire des Francs depuis l'avènement de la dynastie carolingienne. Son projet est précisément de reprendre cette histoire des Francs, qui est encore «dispersée en divers ouvrages et écrite d'un style négligé», depuis les origines jusqu'à l'avènement de Pépin.
Preuve nouvelle qu'à la fin du Xe siècle, au moment où disparaissaient les Carolingiens, au moment d'une si grande rupture, les plus cultivés des habitants du royaume ne pouvaient décidément plus se satisfaire d'une mémoire carolingienne telle que l'avait conçue Charlemagne et telle que l'avaient écrite les clercs de la chapelle royale et les historiens rémois. Ils voulaient retrouver de plus lointaines racines. Pour ce faire, les moines de Saint-Vaast d'Arras s'étaient contentés de recopier, avant les annales carolingiennes, le texte des *Histoires* de Grégoire de Tours et des continuations dites de Frédégaire. Le projet d'Abbon et d'Aimoin partait de la même idée, mais ils le réalisèrent avec d'autres moyens et d'autres ambitions.

Revenu à Fleury, Aimoin disposa d'abord de toutes les ressources accumulées dans la bibliothèque du monastère. Il put tirer parti d'auteurs de l'Antiquité comme César, Pline, Salluste ou Orose. Il utilisa l'*Histoire des Romains* et l'*Histoire des Lombards* de Paul Diacre. Il se fonda surtout sur les œuvres indispensables à qui voulait dire le passé mérovingien : les *Histoires* de Grégoire de Tours, les continuations dites de Frédégaire, le *Liber historiae Francorum*. À quoi il ajouta quelques vies de saints. La documentation d'Aimoin était aussi complète que possible. De tous ces livres, Aimoin fit ou fit faire des extraits. Puis il tira de ces fiches accumulées, en les ordonnant selon les meilleures traditions érudites, le récit qu'Abbon lui avait demandé. Ainsi naquit la première histoire des Francs depuis leurs origines.

Le plus important, et le plus difficile, fut précisément de dire les origines des Francs. Grégoire de Tours avouait son ignorance. Il se contentait de rapporter ce que les historiens qu'il avait lus (et qui furent dès après lui perdus) avaient dit : les Francs étaient sortis un jour de Pannonie, c'est-à-dire de l'actuelle Hongrie, puis ils avaient habité les rives du Rhin, puis ils avaient franchi le Rhin. Ils obéissaient alors à des ducs dont on ignorait les noms, dont on savait simplement qu'ils étaient les ancêtres des illustres rois mérovingiens. Le *Liber historiae Francorum*, au VIIIe siècle, avait levé le voile sur cette obscurité : les Francs étaient d'origine troyenne. Et Aimoin commença son récit à la chute de Troie. De même qu'Énée, avec quelques compagnons, avait quitté Troie en flammes et avait, au bout d'un long périple, fondé Rome, de même Francion et ses compagnons avaient débarqué en Thrace ; leurs descendants avaient lentement traversé l'Europe ; ils s'étaient installés en Pannonie, où ils avaient fondé Sicambrie ; puis ils avaient conquis la Germanie où ils avaient, par la suite, battu les Romains. En disant cette histoire, Aimoin ne satisfaisait pas seulement l'innocente curiosité de l'historien ; il comblait la fierté du Franc dont les ancêtres, un jour, avaient vaincu et les Germains et les Romains. Sans doute, cette fierté d'être franc, ce sentiment qu'on peut bien dire « national » n'était pas encore dilaté à tout le royaume. Il était aussi borné que le jeune pouvoir capétien. Il distinguait les Francs des Lorrains, mais aussi des Normands, des Bretons et des Aquitains. Il n'empêche que, marqué comme tant d'habitants de la moitié septentrionale du royaume par les graves événements politiques de la fin du Xe siècle, soucieux de retrouver au-delà des Carolingiens un passé plus lointain, sur l'ordre de son abbé Abbon et pour être lu du roi Robert, Aimoin, en écrivant, grâce aux immenses ressources érudites de son monastère et à son immense talent d'historien, l'histoire des Francs depuis leurs origines, avait ainsi donné pour la première fois au peuple franc, en un récit continu, la mémoire de tout son passé.

La politique avait mis en branle l'érudition. La politique, provisoirement, la paralysa. Dès 999, Abbon avait perdu la confiance du roi Robert. Il jugea inutile qu'Aimoin continuât son travail. Il le mit à d'autres tâches. L'histoire d'Aimoin ne dépassa pas 654. Mais les échos de son effort n'étaient pas près de s'éteindre.

C'est d'abord que quelques manuscrits de l'*Historia Francorum* d'Aimoin furent copiés et l'œuvre fut par là connue hors de Fleury. C'est surtout que les matériaux accumulés à Fleury par Aimoin et son équipe furent à la base d'autres travaux. Par exemple, Aimoin avait rapporté de son séjour à Reims une copie des *Annales* d'Hincmar. Aimoin lui-même mourut vers 1008 sans les avoir utilisées. Mais bientôt après un autre historien de Fleury, un disciple d'Aimoin à n'en pas douter, continua l'*Histoire* de son maître et y tira parti des *Annales* d'Hincmar. Or, en 1015, après bien des efforts, le roi Robert mettait enfin la main sur Sens et en faisait un nouveau et beau fleuron du domaine royal. Sens était, comme Reims, la métropole d'une grande province ecclésiastique. L'archevêque de Sens était le traditionnel rival de l'archevêque de Reims. L'école historiographique de Sens n'était pourtant rien à côté de celle de Reims. Cependant, au début du XIe siècle, au chapitre cathédral et dans deux ou trois grandes abbayes de la cité, il y avait des historiens, et ils travaillaient. L'entrée de Sens dans le domaine royal et la faible distance qui séparait Sens de Fleury favorisèrent les rapports entre les historiens du monastère et ceux de la métropole. Et c'est ainsi que peu après 1015 l'histoire d'Aimoin et sa continuation se retrouvaient à Sens, où elles étaient recopiées, révisées et adaptées. Mais pour mieux s'assurer la fidélité sénonaise, le roi Robert avait pris soin de mettre à la tête de la grande abbaye de Saint-Pierre-le-Vif un homme dont il était sûr : Ingon, l'abbé de Saint-Germain-des-Prés. Et Ingon fut à la fois abbé de Saint-Germain-des-Prés et abbé de Saint-Pierre-le-Vif de Sens jusqu'à sa mort, en 1025. Et c'est pendant ce temps, à n'en pas douter, qu'Aimoin, continué et interpolé, aboutit à la bibliothèque de Saint-Germain-des-Prés. Il y reposait encore lorsque, à l'extrême fin du XIe siècle, ou au tout début du XIIe siècle, un moine de Saint-Germain entreprit de le continuer. Mais il ne put donner qu'un pauvre récit où n'était consigné que ce qu'il avait su de ce qui s'était passé à Paris et aux alentours. L'abbaye parisienne n'avait ni la volonté politique, ni les perspectives historiques, ni les moyens érudits qui lui eussent permis de faire fructifier l'héritage qu'elle avait un jour reçu, un peu par hasard, de Fleury.

Et c'est à Fleury même, au début du XIIe siècle encore, qu'il fallait chercher les dignes continuateurs d'Aimoin. Car, pendant plus d'un siècle, après Abbon et Aimoin, Fleury resta le plus grand centre historiographique du royaume, et un des plus hauts lieux de la politique capétienne. Et l'abbaye, à l'aube du XIIe siècle, était à l'apogée de son prestige. En 1101, l'acquisition de la vicomté de Bourges semblait déplacer vers le sud le centre de gravité du domaine royal.

En 1108, le roi Philippe Ier était, par son expresse volonté, enterré à Fleury. En 1110, le moine Hugues, le plus grand historien qui ait sans doute travaillé à Fleury, achevait son *Histoire ecclésiastique*, où il retraçait l'histoire du monde jusqu'à la dislocation de l'Empire carolingien, au milieu du IXe siècle. Et dès avant 1115, il en donnait la suite : le *Liber qui modernorum regum Francorum continet actus*, le *Livre qui contient les faits des modernes rois des Français*, où il disait en somme l'histoire de la France « moderne » du règne de Charles le Chauve à la mort de Philippe Ier, qui venait d'être enterré dans l'abbatiale de son monastère. Aimoin avait écrit l'histoire d'un peuple, celle des Francs depuis leur origine. Un siècle plus tard, dans un remarquable retournement qui marquait bien les progrès de l'État territorial et la conscience qu'en pouvait avoir un historien au début du XIIe siècle, Hugues de Fleury écrivait l'histoire d'un pays, celle du royaume des Français, et il la commençait avec lucidité au moment où l'on pouvait en effet bien dire que ce royaume était né, au moment où l'Empire carolingien avait été démembré et où Charles le Chauve était devenu roi de Francie occidentale. À Fleury, à un siècle de distance, Aimoin avait écrit la première histoire des Français, Hugues la première histoire de France.

Le fait est que cette histoire de France, pourtant si remarquable par sa conception et son érudition, n'eut, sur le moment, guère d'écho. Il n'en subsiste aujourd'hui que deux manuscrits. Est-ce le fond de l'œuvre qui ne plut pas au public d'alors ? Les sujets du roi capétien trouvèrent-ils ses perspectives encore trop carolingiennes ? Ou regrettèrent-ils au contraire qu'elle fût mutilée de tout un passé lointain et flatteur ? Le plus vraisemblable est que l'échec de l'œuvre, en tant qu'œuvre autonome, tint non pas à ce qu'elle dit, mais aux seules circonstances. En 1110, en effet, Hugues de Fleury avait envoyé un exemplaire de son *Histoire ecclésiastique*, avec un prologue rimé, au jeune roi Louis VI, fils et successeur de Philippe Ier. Il en avait envoyé un autre, avec un autre prologue, à Adèle, fille de Guillaume le Conquérant et femme du puissant comte de Blois et de Chartres, Étienne. Louis VI et son entourage négligèrent si complètement l'envoi de Hugues qu'aucune copie n'en fut jamais faite. Adèle, par contre, accueillit favorablement l'*Histoire ecclésiastique* qui connut grâce à elle, et en France et en Angleterre, un beau succès. Résigné, Hugues de Fleury n'envoya son *Histoire de France*, en 1115, qu'à Mathilde, la nièce d'Adèle, la petite-fille de Guillaume le Conquérant. Mais c'était sans doute une impossible gageure de tenter d'intéresser à l'histoire de France une princesse de souche assurément française mais qui était fille du roi d'Angleterre Henri Ier Beauclerc, femme de l'empereur Henri V et qui, de surcroît, en 1115, n'avait encore que treize ans. L'échec de l'*Histoire de France* de Hugues de Fleury, quand elle parut, tient en somme simplement au fait qu'au moment même où Hugues écrivait, l'heure de Fleury avait passé. Celle de Saint-Denis avait sonné.

Saint-Denis

Au début du XIIe siècle, l'abbaye de Saint-Denis avait derrière elle un très long passé. Dès le Ve siècle, une belle église avait été construite un peu au nord de Paris, là où le premier évêque de la cité avait été, pensait-on, enterré. Autour de cette église plusieurs fois reconstruite s'était développée une communauté monastique qui, au cours des siècles, avait connu des heures de gloire, et d'autres plus ternes. Toujours est-il que lorsque Adam, en 1094, devint abbé de Saint-Denis, les moines pouvaient se vanter que leur saint patron, Denis, était depuis longtemps reconnu comme spécial protecteur des rois vivants, et que leur abbatiale abritait plus de tombes de rois morts qu'aucune autre église du royaume, des Mérovingiens comme Dagobert, des Carolingiens comme Charles le Chauve, et tous les Capétiens alors décédés, Hugues, Robert et Henri.

Il est vrai que ces glorieuses sépultures n'empêchaient nullement que les bâtiments de Saint-Denis fussent délabrés, ses terres à l'abandon, son poids politique et culturel bien plus faible que celui de Fleury. Et le jour où, comme dit Suger, le corps du roi Philippe « fut transporté en grand cortège au noble monastère de Saint-Benoît-sur-Loire », selon son souhait et malgré que Saint-Denis fût, « comme de droit naturel », « la sépulture des rois ses pères », l'avenir dut paraître bien sombre à l'abbé Adam.

Or, dans l'instant même où Louis VI devint roi, tout changea. Il comprit que le centre de son pouvoir ne serait pas sur la Loire, mais à Paris. Il se détourna de Fleury, où Hugues exerça en vain son talent. Il marqua à Denis et à son abbaye la plus vive affection, au point de lui donner, en 1120, la couronne de son père Philippe. Il ne lui suffisait pas que l'abbaye fût le cimetière des rois. Il lui semblait bon que la garde des insignes du roi mort fût confiée au saint martyr qui avait été, de son vivant, son spécial protecteur. L'abbé Adam mourait, en 1122, comblé.

Nous savons, nous, par une charte authentique, que le roi Louis remit la couronne de son père à l'abbé Adam, en 1120. Dans sa *Vie de Louis VI,* Suger, le successeur d'Adam, situe l'événement en 1124, au début de son propre abbatiat. C'est que la modestie n'était pas la vertu essentielle du grand abbé. Tous ses écrits tendirent à exalter son roi et son abbaye, mais aussi sa propre personne et sa propre action, fût-ce aux dépens de son prédécesseur. Or, en vérité, Suger fut un très grand abbé. Il continua l'œuvre d'Adam avec un tel succès qu'il eût pu se dispenser de la pousser à l'ombre. Il lui eût suffi de dire ce que lui-même avait fait.

C'est par son initiative que Louis VI, en 1124, partant au-devant de l'empereur qui avait envahi son royaume, vint à Saint-Denis lever ce qui n'était encore que l'étendard de l'abbaye et devint par là l'étendard de l'armée royale. C'est lui qui imposa l'idée que saint Denis n'était pas simplement le protecteur du roi, mais celui du royaume. C'est lui qui conforta un pouvoir royal encore mal assuré de ses droits en construisant dans ses écrits cette pyramide d'hommages dont la base couvrait tout le royaume et au sommet de quoi il hissa le roi. C'est lui enfin qui voulut qu'outre les tombes royales et les insignes royaux son abbaye conservât la mémoire du royaume.

Mais Saint-Denis n'avait pas alors les moyens érudits de cette volonté politique. Sa bibliothèque était bien maigre, son école historiographique bien peu active. Aussi, pendant les vingt-neuf ans de l'abbatiat de Suger (1122-1151), les moines de Saint-Denis allèrent-ils copier ou firent-ils copier à Fleury, à Saint-Germain-des-Prés et ailleurs les livres qui leur paraissaient nécessaires. Leur effort porta ses fruits. Saint-Denis eut bientôt une des plus riches bibliothèques du royaume. Et ses historiens, mieux armés, purent reprendre, en des essais encore imparfaits, l'histoire de France là où Fleury l'avait laissée.

L'école dionysienne hérita évidemment de Fleury le souci d'enraciner l'histoire française dans son passé le plus lointain. Elle utilisa le texte d'Aimoin et de ses continuateurs, qu'elle avait trouvé à Saint-Germain-des-Prés, pour dire les origines troyennes des Francs, et les temps mérovingiens. Après quoi le grand souci de Saint-Denis fut, tout en utilisant largement les œuvres de Hugues de Fleury, de repousser cette vision qu'il avait eue, qui dressait Charles le Chauve aux origines de la France moderne. Saint-Denis voulut mieux asseoir le prestige du jeune royaume sur la grandeur carolingienne en général, et celle de Charlemagne en particulier. C'est à Saint-Denis, sous l'abbatiat de Suger, que l'*Histoire de Charlemagne (Historia Karoli Magni)*, venue d'on ne sait où et dont on croyait que l'archevêque Turpin était l'auteur, fut accueillie et remaniée. C'est grâce à Saint-Denis que cette version remaniée devint un des livres les plus lus d'Occident.

Faut-il aller plus loin ? Faut-il penser que Suger est responsable de ce faux diplôme, daté de 813 et attribué à Charlemagne, qui utilise l'*Historia Karoli Magni* et fait du grand empereur le patron de la France, de Saint-Denis l'église principale de la France, et qui va même jusqu'à faire du royaume un fief de Saint-Denis ? Certains l'ont pensé. D'autres en ont rejeté l'idée : Suger était un trop grand historien et un trop noble caractère pour avoir fait chose pareille. Mais les érudits ont dû récemment admettre que de nombreux faux d'alors étaient bel et bien le fait de grands historiens et de nobles caractères acharnés à défendre et à accroître les droits de leur maison, et nous avons déjà surpris Suger en flagrant délit d'erreur, et il faut bien admettre que ce diplôme comblait ses vœux. L'essentiel reste que c'est à Saint-Denis, sous l'abbatiat de Suger, que le royaume, l'abbaye et Charlemagne furent étroitement et définitivement associés dans la mémoire des Français. Grâce au héros des chansons de geste, grâce à l'« empereur à la barbe fleurie », l'histoire de France prenait une dimension épique.

Mais il ne suffit pas à Suger que ses moines ancrent le royaume dans son passé troyen, mérovingien et carolingien. Il voulut aussi exalter la nouvelle dynastie. Il écrivit lui-même le règne de Louis VI et commença d'écrire le règne de Louis VII. Ainsi Suger ouvrait-il la double voie que Saint-Denis allait suivre pendant plus de trois siècles : d'une part, constamment reprendre la composition d'une histoire de France de plus en plus documentée, d'autre part compléter, règne après règne, cette même histoire. Et pendant près de trois siècles Saint-Denis abrita ainsi la mémoire de la France, dans un effort complexe d'entreprises enchevêtrées, reprises et continuées, scandé de temps faibles et de temps forts, chaque temps fort ajoutant une nouvelle pierre à un monument de plus en plus grandiose, et colorant l'ensemble d'une nouvelle nuance.

Nous voici sous le règne de Philippe Auguste (1180-1223). Le moine Rigord n'écrit pas seulement une courte chronique des rois de France, pour aider les visiteurs de Saint-Denis à mieux voir le cimetière des rois défunts. Il entreprend surtout d'écrire l'histoire du roi vivant. La postérité verra plus tard en Philippe « le Conquérant ». Mais Rigord écrit avant les grands accroissements et les grandes victoires. Il dit surtout le miracle de la naissance tardive et inespérée de Philippe « Dieudonné ». Il entoure toute la vie du roi d'un halo miraculeux. L'histoire du royaume et de la dynastie prend avec lui une dimension religieuse.

Nous voici maintenant sous le règne de Louis IX, le futur Saint Louis (1226-1270). Le grand roi ne fut pas simplement attentif à réformer les institutions de son royaume. Son obsession fut aussi de justifier sa légitimité, d'effacer la douloureuse rupture qu'avait été l'« usurpation » de son ancêtre Hugues. En réorganisant, dans l'abbatiale reconstruite, la disposition des tombes royales, il fit tout pour souligner la continuité dynastique française. À peu près dans le même temps, par un grand effort érudit, les historiens de Saint-Denis profitaient de tout le labeur des siècles antérieurs pour construire une histoire continue des Français depuis leurs origines troyennes jusqu'à la mort de Philippe Auguste. Le seul défaut de cette grande synthèse est qu'elle était encore écrite en latin. Or, un public existait désormais qui ne maîtrisait point le latin, mais qu'intéressait le passé. Non plus simplement le douteux passé des jongleurs, mais le passé vrai des historiens. Louis IX voulut que la synthèse dionysienne fût traduite à Saint-Denis même. Le grand historien Primat s'attela à la tâche. Il ne l'acheva qu'en 1274, après la mort du saint roi. Ainsi est née cette grande histoire de France que cinq siècles avaient peu à peu construite, où chaque époque avait laissé son sédiment reconnaissable, mais où se reflétaient aussi tous les grands thèmes que les Français d'alors voulaient garder en mémoire, et qui justifiaient leur fierté nationale : les origines troyennes, la gloire carolingienne, la faveur divine, la continuité royale. Car cette véritable épopée n'est guère l'épopée d'un peuple qui n'apparaît qu'aux origines et en de rares occasions; c'est davantage l'épopée des prélats et des barons qui ne cessent d'entourer le roi; c'est surtout l'histoire des rois; elle dit surtout les «gestes des rois»; et comme elle les dit en français, c'est d'abord le «roman des rois».

Primat disparu, l'entreprise dionysienne fut continuée par le grand historien que fut Guillaume de Nangis. Guillaume écrivit une histoire du règne de Saint Louis, puis une histoire du règne de Philippe III le Hardi (1270-1285). Et comme il écrivait au début du règne de Philippe IV le Bel monté sur le trône en 1285, en un temps où le pouvoir royal entendait s'imposer plus encore, l'œuvre de Guillaume refléta fidèlement cette nouvelle atmosphère: les barons s'effacèrent davantage; le roi y fut plus présent que jamais.

Lorsque, en 1300, Guillaume de Nangis mourait, le prestige de Saint-Denis était toujours si grand que des historiens tenaient encore à dire ce que d'autres avaient dit tout au long du XIIIe siècle, qu'ils avaient puisé leur documentation à Saint-Denis. Je vais rimer l'histoire des rois de France, avait dit Philippe Mousket en 1242, et je vais suivre

Li livres ki des anchiiens
Tiesmougne les maus et les biens,
En l'abéie Saint Denise
De France u j'ai l'estoire prise,
Et del latin mise en roumans.

Et Guillaume Guiart lui fait encore écho en 1306, au début de sa *Branche des royaux lignages*:

Sont ordenées mes repliques
Selonc les certaines croniques,
C'est-à-dire paroles voires
Dont j'ai transcrites les mémoires
À Saint-Denis soir et matin,
À l'exemplaire du latin,
Et à droit françois ramenées
Et puis en rime ordenées.

Mais, après Guillaume Guiart, l'assurance d'avoir travaillé à Saint-Denis devint moins nécessaire. Saint-Denis avait bientôt perdu le monopole de la mémoire française.

La mémoire diffuse

Non que le travail historique eût cessé dans la grande abbaye. Mais, après cinquante ans d'activité intense, il connut à nouveau des hauts et des bas. L'histoire de France fut bien continuée jusqu'en 1350, mais par de simples annales, rédigées presque au jour le jour, qui n'avaient plus le souffle des œuvres antérieures. Puis vint, au milieu du XIVe siècle, la Peste noire, qui tua tant de gens, désorganisa tant d'institutions, et stoppa pour un temps la production historiographique dionysienne. Après une génération cependant, ici comme ailleurs, vint la reprise, et Michel Pintoin, le chantre de l'abbaye, sut écrire en latin une admirable histoire du règne de Charles VI. Puis la guerre civile, l'occupation étrangère, le repli du roi Valois au sud de la Loire laissèrent à nouveau Saint-Denis sans voix. Mais lorsque Charles VII eut reconquis Saint-Denis en 1435 et Paris en 1436, il avait à peine fait sa première entrée dans sa capitale, le 8 novembre 1437, qu'il créait, le 18 novembre, un office d'historiographe royal et le confiait à un moine de Saint-Denis, Jean Chartier. Et Jean Chartier écrivit en effet une histoire du règne de Charles VII où il consigna avec soin les récits des événements que des témoins plus ou moins officiels venaient lui faire à Saint-Denis. L'abbaye était donc encore en 1461, à la mort de Charles VII, et par la volonté du roi, le lieu privilégié de la mémoire du royaume.

Mais il n'était plus le seul. Dès avant 1300, mais surtout au XIVe siècle, les progrès de la bureaucratie royale avaient multiplié à la cour en général et à la chancellerie en particulier le nombre des serviteurs sur lesquels le roi pouvait compter. Or, ceux-ci avaient une culture livresque; leur travail les amenait aussi à quotidiennement manier des archives; ils maîtrisaient tous les moyens techniques qu'exigeait l'écriture de l'histoire. Et en même temps le roi était assuré de trouver en eux l'écho le plus fidèle de ses propres pensées. Aussi, au lendemain de la Peste noire, des défaites et des troubles qui avaient si profondément désorganisé l'atelier de Saint-Denis et si gravement menacé la royauté des Valois, lorsque Charles V eut restauré son pouvoir et qu'il voulut reprendre le fil un moment interrompu de la continuité française, il s'appuya tout naturellement sur le corpus dionysien, mais il s'adressa, pour le continuer et pour écrire l'histoire du règne de son père Jean le Bon (1350-1364) et celle de son propre règne, à son chancelier Pierre d'Orgemont. Pendant plus de deux siècles, l'abbaye avait développé une histoire où le roi, certes, mais aussi saint Denis tenaient les premiers rôles. Dans l'histoire confiée à ses serviteurs, le roi, comblé, se retrouvait seul.

Le roi carolingien avait trouvé auprès de lui, à sa cour même, les moyens érudits de sa volonté politique. Après un long périple où le jeu complexe de la politique et de l'érudition avait porté d'un lieu à l'autre la mémoire de la

France, le roi Valois retrouvait auprès de lui, à sa cour même, les moyens érudits de sa volonté politique. Mais cet apparent retour se situait dans des conditions si différentes que tout en était changé. Non pas simplement parce que, sous Charles V, Saint-Denis était loin encore d'avoir abdiqué. Mais parce que le contexte était maintenant nouveau. En un temps où la culture historique avait été si peu répandue et les grands centres historiographiques si rares, le rôle de la chancellerie carolingienne, puis celui des écoles de Reims, de Fleury et de Saint-Denis, avait été fondamental. Il avait à chaque fois fallu quelque miracle pour que la politique et l'érudition trouvassent où abriter la mémoire de la France. En 1300 encore, Saint-Denis était un lieu irremplaçable. Mais bientôt la culture historique faisait en France de tels progrès que si le roi se souciait toujours de donner sa vérité, ses sujets, de plus en plus nombreux, pouvaient savoir sans lui leur passé.

Dès la première moitié du XIVe siècle, des libraires parisiens faisaient copier et vendaient l'œuvre de Primat continuée, qu'ils intitulaient alors la *Chronique des rois de France.* En 1318, par exemple, Thomas de Maubeuge, qui tenait boutique Rue Neuve-Notre-Dame-de-Paris, en vendait un exemplaire à «Pierre Honnorez du Neufchastel en Normandie». Cet exemplaire nous est parvenu. Quelques autres aussi, de la même période.

Les tragiques événements du milieu du XIVe siècle freinaient ce début de diffusion. Mais lorsque Charles V eut réuni en deux volumes suivis l'histoire de Primat, ses continuations dionysiennes jusqu'en 1350 et l'œuvre de Pierre d'Orgemont, un libraire parisien n'eut plus qu'à continuer ce royal volume jusqu'en 1381, et ces *Chroniques de France,* ces *Grandes Chroniques de France,* copiées et enluminées à Paris, eurent sous le règne de Charles VI, pendant plus de trente ans, auprès d'un public essentiellement parisien, noble et riche, un succès ininterrompu.

À la fin du règne de Charles VI, les malheurs des temps stoppèrent à nouveau ce succès. Mais lorsque, vers le milieu du XVe siècle, Charles VII eut reconquis son royaume et rétabli la paix, les *Grandes Chroniques de France* trouvèrent de plus nombreux lecteurs encore, dans un plus large public, et dans toute la moitié septentrionale du royaume. Beaucoup de sujets de Charles VII, puis de Louis XI devenu roi à la mort de son père en 1461, se contentaient de cette histoire interrompue en 1381. D'autres voulaient qu'elle allât plus loin. Des manuscrits continuèrent donc la vieille édition du temps de Charles VI par la traduction française de l'histoire du règne de Charles VI écrite en latin par Michel Pintoin pour les années 1380-1402, suivie du texte de la chronique de Gilles le Bouvier, dit le Héraut Berry, pour les années 1402-1422, suivi de l'histoire du règne de Charles VII (1422-1461) écrite par Jean Chartier.

Ce majestueux ensemble des *Grandes Chroniques de France* des origines à 1461 fut le premier ouvrage imprimé à Paris, par Pasquier Bonhomme. Il allait avoir un immense succès. De nombreux Français, dans tout le royaume, allaient pouvoir dès lors porter en eux la mémoire de la France, au moment même, d'ailleurs, où une érudition mieux assurée allait commencer de contester tous ces grands thèmes que le Moyen Âge avait peu à peu construits et que reflétaient les *Grandes Chroniques de France.* C'était en 1477.

ORIENTATION BIBLIOGRAPHIQUE

Quelques textes

Annales de Saint-Bertin, Félix Grat, Jeanne Vielliard et Suzanne Clémencet, éd., avec une introduction et des notes par Léon Levillain, Paris, Société de l'Histoire de France, 1964.

Les Annales de Flodoard, Philippe Laueur, éd., Paris, Collection de textes pour servir à l'étude et à l'enseignement de l'histoire, 1905.

Richer
Histoire de France (888-995) Robert Latouche, éd. et trad., Paris, Les Classiques de l'histoire de France au Moyen Âge, 1930, 2 vol.

Suger
Vie de Louis VI le Gros, Henri Waquet, éd. et trad., Paris, Les Classiques de l'histoire de France au Moyen Âge, 1929.

Les Grandes Chroniques de France, Jules Viard, éd., Paris, Société de l'Histoire de France, 1920-1953, 10 vol.

Quelques études

Jean Devisse
Hincmar, archevêque de Reims, 845-882, Genève, 1976, 3 vol.

Bernard Guenée
Histoire et culture historique dans l'Occident médiéval, Paris, 1980.

Pierre Riché
Écoles et enseignement dans le haut Moyen Âge, Paris, 1979.

Gabrielle M. Spiegel
The Chronicle Tradition of Saint-Denis : a Survey, Brookline, Mass., et Leyde, 1978.

La Storiografia Altomedievale, Spolète, 1970, t. II (Settimane di Studi del Centro Italiano di Studi sull'Alto Medioevo, XVII).

Alexandre Vidier
L'Historiographie à Saint-Benoît-sur-Loire et les miracles de saint Benoît, Paris, 1965.

GEORGES DUBY

Le lignage

Xe-XIIIe siècle

Entre le dernier tiers du IXe siècle et le début du XIe, entre le moment où la décadence du pouvoir carolingien s'est accélérée et celui où la vigueur s'affirma du courant de nouvelle croissance qui, dans les profondeurs, portait la civilisation qui est la nôtre à s'épanouir, une période s'étend où les sources d'informations tarissent, où l'historien de la France ne voit presque plus clair et tâtonne. Dans l'ombre, une mutation s'opère alors qui transforme de fond en comble les relations de société. Lorsque les ténèbres commencent à se dissiper, on discerne, nettement circonscrite, une classe dominante fondée sur l'exercice du pouvoir seigneurial, sur le devoir de diriger, de maintenir en paix, en ordre, le peuple désarmé des travailleurs et sur le droit de l'exploiter. Cette aristocratie apparaît constituée de lignées, de lignages. La mémoire généalogique forme l'armature de sa cohésion et le soutien de sa prééminence.

Selon toute apparence, une telle disposition du système de parenté était, lorsqu'on l'entrevoit, nouvelle. En tout cas, c'est bien au sein des ténèbres du Xe siècle que, dans notre culture, s'enfoncent et se perdent les plus lointaines racines de cette forme particulière du souvenir, le souvenir des aïeux ; c'est là que, du temps de Philippe Auguste, les plus nobles familles de France situaient les fondateurs, réels ou imaginaires, de leur race, et c'est également là qu'un obstacle infranchissable se dresse sur quoi viennent inexorablement buter les entreprises des érudits appliqués à monter le plus haut qu'ils peuvent dans le passé la construction des généalogies. Ce n'est pas qu'auparavant les détenteurs de la puissance n'eussent point fait cas de leurs ancêtres. Mais, pour eux, les alliances comptaient autant, sinon plus, que l'ascendance. La conscience de la parenté s'étendait, si je puis dire, à l'horizontale. Par la transformation dont je parle, cet axe fut renversé. Dans les représentations mentales que chacun, à cet étage de la société, se fit dès lors de sa famille, la dominante devint verticale, et l'image, celle d'un arbre de Jessé, d'une tige le long de quoi, de génération en génération, un mâle avait succédé à un mâle, celle d'un tronc soigneusement émondé pour que le développement de rameaux adventices ne vînt pas lui retirer de sa vigueur. Et, de fait, durant deux siècles, jusqu'au moment, les approches de l'an 1200, où la fluidité nouvelle de la richesse permit d'établir les cadets, de les marier, de les installer dans leurs propres demeures, les frondaisons lignagères s'étalant désormais en branches latérales, la politique familiale semble bien être parvenue à conserver aux arborescences de la parenté, leur allure élancée, rectiligne.

Le pouvoir et le sang

La mise en place d'une telle structure fut étroitement liée à l'instauration de ce que l'on appelle la féodalité. Elle procède directement de la dissociation du faisceau d'autorité que les souverains francs avaient réuni en leurs mains, du progressif morcellement, de l'éparpillement de la puissance régalienne.
Au début du Xe siècle, dans les pays aujourd'hui français, les liens étaient déjà fort distendus qui attachaient au roi les chefs de guerre, et en premier lieu les plus élevés d'entre eux, ceux qui sur les marches frontières et dans les anciens territoires ethniques que l'on nommait des royaumes avaient chargé de rassembler l'armée au nom du monarque et de la conduire ; ils commençaient de tenir pour leur bien propre les pouvoirs de commandement dont ils avaient reçu délégation ; bientôt, les comtes, qui sous ces ducs remplissaient la même fonction dans une circonscription plus restreinte, se rendirent à leur tour indépendants ; enfin, quelques décennies plus tard, aux alentours de l'an mil, la décomposition de l'édifice politique se poursuivant, les gardiens des forteresses se libérèrent dans presque toutes les provinces de la tutelle ducale ou comtale. Or, c'étaient des relations de familiarité domestique qui successivement se rompaient de la sorte du haut en bas de la hiérarchie : de la maisonnée royale s'étaient éloignés d'abord les princes, qui fondèrent dans chaque cité leur propre maison ; ensuite, de ces maisons s'étaient séparés les « puissants » de seconde zone, qui fondèrent la leur dans chaque château. Ces ruptures eurent pour effet d'incorporer à des patrimoines une fonction publique : assurer par la force des armes la paix et la justice en ce monde. Ce pouvoir, cet « honneur », comme on disait, devint héréditaire. Mais, parce que c'était justement un honneur, cette part de l'héritage fut soumise à des règles de dévolution particulières. De nature militaire, l'honneur ne pouvait passer en des mains féminines. Il n'était pas divisible, car il paraissait évident que, sur la terre comme au ciel, un seul est en droit de commander. Le titre comtal, le château se transmirent donc, comme le royaume, de mâle en mâle, d'un père, d'un oncle à l'un de ses fils,

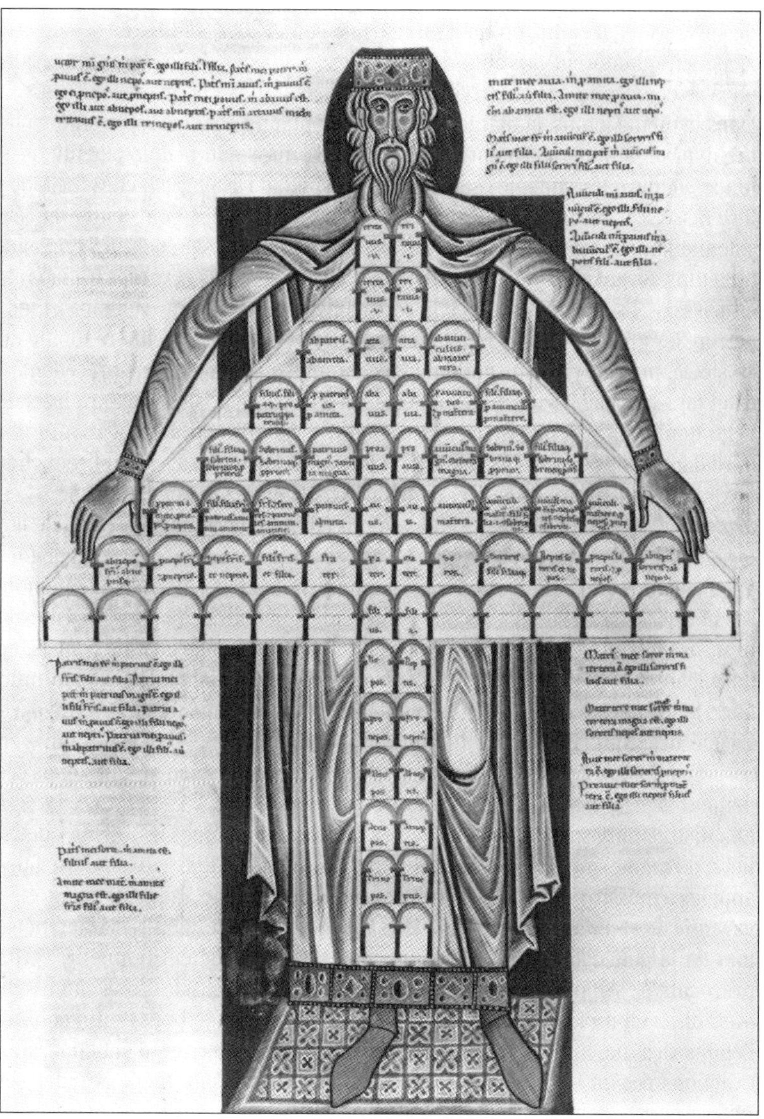

Arbre de consanguinité illustrant un traité de droit canonique.
Il donne le tableau des parents qu'il est, selon l'Église, interdit d'épouser.

de ses neveux, à l'aîné, ou bien au mari de l'aînée de ses filles, de ses nièces. Ainsi s'implantèrent quantité de dynasties. À l'instar de la dynastie royale, elles se construisirent en privilégiant la masculinité et la primogéniture.
Dans le même temps, la manière dont était appliquée l'autorité souveraine que ces dynasties se partageaient vint isoler de la masse du peuple par une profonde coupure les quelques spécialistes du combat cavalier attachés à chaque forteresse. En récompense des services rendus par l'épée qui leur avait été solennellement remise, ces «chevaliers», comme les désignaient les langages du temps, furent exempts des taxes levées sur les paysans et sur les trafiquants de passage. Ils partagèrent avec le seigneur du château, leur capitaine et leur patron, les profits de ces perceptions lucratives. Pendant la première moitié du XIe siècle, un mouvement semblable à celui qui, aux générations précédentes, avait fait se disperser les maisonnées de la très haute aristocratie, tira hors de l'état domestique la plupart des chevaliers: à distance du point d'appui militaire dont en cas d'alerte ils revenaient former la garnison, ils s'établirent chez eux, dans leur propre ménage, nantis d'un fief qui les astreignait à servir, en armes. Ce service devint naturellement héréditaire. La concession féodale qui le soldait le fut aussi, et gouvernée par des coutumes successorales analogues à celles qui régissaient l'honneur: à la mort du feudataire, l'un seulement de ses héritiers mâles «relevait» cette tenure. Ainsi naquirent de nouvelles dynasties, structurées comme les dynasties de seigneurs de châteaux, de comtes, de ducs, comme celles des rois. Elles prétendirent au monopole de l'action militaire. Seuls purent porter légitimement les armes, se ranger dans l'«ordre» privilégié des combattants, les hommes appartenant à ces lignées et qui s'en réclamaient. Les gentils-hommes. «Gentils», c'est-à-dire bien nés, nés dans ces demeures et non point dans les autres, «vilaines».
Les distinctions sociales – la «liberté» que revendiquaient les fils de chevaliers, de même que l'accession aux pouvoirs seigneuriaux, le droit de se faire appeler «messire» – furent donc désormais affaire de sang. Le sang était garantie de vaillance. Il qualifiait. Du sang, des deux sangs qui s'étaient mêlés lors de la conception dans le ventre maternel, procédaient honneur, vertu, prérogative. Affaire de sang, d'ascendance, affaire par conséquent de mémoire. S'il lui fallait justifier son droit de juger, de n'être pas puni comme l'étaient les manants, de recevoir le fourniment du guerrier, d'échapper aux exactions pesant sur les rustres, chacun devait nécessairement évoquer ses *antecessores*, ses prédécesseurs, les pères dont il avait hérité les prédispositions génétiques. Plus haut pouvait être remontée la chaîne des filiations, et plus loin situé l'aïeul qui le premier avait accumulé le capital de gloire que ses descendants avaient l'obligation de faire fructifier, plus éclatante paraissait la valeur individuelle, et mieux assurée la noblesse. Car la noblesse est bien cela: une illustration d'origine ancestrale. Dans une culture qui prati-

quait peu l'écrit et où les facultés de mémorisation étaient par conséquent fort aiguisées, ces gens qui détenaient puissance et prestige par naissance entretinrent attentivement le souvenir de leurs ancêtres. En effet, ils le savaient bien, leur supériorité et celle de la classe qu'ils constituaient reposaient tout entières sur lui.

La commémoration des défunts

Deux facteurs, liés l'un et l'autre aux usages que l'Église invitait à suivre et aux devoirs qu'elle prescrivait, intervinrent durant la même période pour aider à l'affermissement de la mémoire généalogique, à son affinement. Entrait en jeu en premier lieu, et de longue date, l'expansion des services que l'on jugeait décent de rendre aux défunts. Prier pour le salut des morts était depuis le haut Moyen Âge l'une des fonctions majeures remplies par les communautés religieuses et, sans doute, aux yeux des laïcs, la plus importante. Ces équipes étaient rassemblées autour de tombeaux, de reliquaires, des sarcophages ou des châsses enfermant les restes d'hommes et de femmes que l'on tenait pour saints. Elles veillaient sur ce qui, de la personne de ces héros du christianisme, demeurait sur la terre et qu'imprégnait une puissance merveilleuse. En l'honneur de ces trépassés illustres et redoutables, des liturgies se déroulaient en permanence ; elles prenaient de l'ampleur à certaines dates, le jour anniversaire de leur décès, celui de l'invention, de l'élévation, de la translation de leurs reliques.
Chacune de ces communautés, d'autre part, réunissant des frères sous la direction d'un père, avait conscience de former une famille, plus parfaite que les familles charnelles ; elle honorait ses propres morts, les commémorait, réclamait pour eux les faveurs du ciel, et leur associait ceux des autres familles monastiques à qui elle se trouvait affiliée. Le souvenir individuel de ces défunts était, comme celui des saints, spécialement évoqué le jour anniversaire de leur trépas, au réfectoire, où l'on mangeait avec eux, pour eux, et dans le cours des exercices liturgiques. Le bon ordre de ce cérémonial exigeait que leur nom fût inscrit à sa place sur un « livre mémorial », un « livre de la vie », comme on disait, un registre en forme de calendrier dont les blancs se remplissaient peu à peu de ces noms. Les fidèles rêvaient de profiter eux aussi des grâces que moines et chanoines récoltaient par leurs prières, de s'agréger à leur groupe, sinon durant cette vie, du moins dans l'autre. Tous souhaitaient prendre place un jour sur les mêmes listes nécrologiques. Ils souhaitaient, et plus ardemment, que leur corps fût porté après leur mort au plus près de celui des saints, dans l'*aura* bénéfique qui émanait de ces dépouilles sacrées.
Le vœu de certains d'entre eux fut exaucé, et d'abord celui des plus riches,

des puissants qui avaient fondé le monastère ou la collégiale, de leurs descendants qui les protégeaient et les enrichissaient de leurs offrandes. D'autres bienfaiteurs les rejoignirent. Dans le voisinage de l'abbaye de Cluny, par exemple, il est peu de chevaliers, à la fin du XIe siècle, qui, à l'approche de la mort, ne se soucièrent pas de prendre les mesures nécessaires, de prélever sur leur patrimoine la donation convenable, afin, revêtus *in extremis* de l'habit de saint Benoît, d'être ensevelis dans le cimetière des moines et associés au bénéfice des oraisons rituelles. Ainsi, des sépultures s'agglutinèrent dans les cryptes, autour des églises conventuelles ; elles les envahirent. Peu à peu se transportèrent vers elles des cérémonies analogues à celles dont les restes des saints étaient le centre, elles aussi annuelles, anniversaires. Des noms de laïcs furent récités jour après jour, mêlés à ceux des religieux, en *memento.* Puisque les prières auxquelles ils avaient droit étaient perpétuelles, ces noms furent fixés pour toujours par l'écriture. Sauvés de l'oubli. Trop mal informés des pratiques religieuses laïques, les historiens ne peuvent assurer que la descendance de ces trépassés participait en ce temps de près ou de loin à leur commémoration périodique. Il est du moins certain que les obituaires, les nécrologes, les cartulaires aussi où les aumônes funéraires étaient consignées formèrent d'abondantes réserves où puiser de quoi raviver, s'il en était besoin, le souvenir familial. Ces écrits constituèrent le plus solide, le plus durable de ses conservatoires.

La répression de l'inceste

Il est permis de penser que les lignages utilisèrent ces documents lorsque les autorités ecclésiastiques, à la fin du XIe siècle, bousculant les stratégies matrimoniales, parvinrent, au terme d'un combat difficile, à faire admettre par l'aristocratie que le mariage est indissoluble, qu'il n'est pas permis de choisir sa femme parmi ses parentes, que toute union incestueuse est nulle et non avenue et que l'interdit s'étend jusqu'au septième degré de consanguinité, au quatrième d'affinité, c'est-à-dire à l'infini. Il importa dès lors aux marieurs d'être clairement informés du pedigree de l'homme et de la femme qu'ils désiraient unir. L'Église prescrivait d'enquêter minutieusement sur la double ascendance avant de procéder aux rites de *desponsatio,* de l'engagement de fiançailles. Pour bien faire, pour ne pas risquer de transgresser cette loi, il eût fallu que tout individu, torturant sa mémoire, pût remonter jusqu'aux deux grands-parents de ses seize trisaïeux et connaître dans toute son extension le déploiement de leur progéniture respective. Exercice évidemment impossible. Or, dans la classe dominante, le pacte conjugal tenait un rôle capital. En dépendaient la paix, la prospérité, la gloire des familles. Marier ses filles, l'aîné de ses garçons, était le souci majeur de tout chef de maison. Les intrigues les plus passionnées, la trame des rivalités les plus ardentes, de tout ce que nous appelons la politique se tissaient alors autour du mariage. Il faisait l'un des principaux sujets des palabres. Toute présomption d'inceste rendait caduc un projet d'union ; l'emportant sur le principe d'indissolubilité, elle obligeait après coup les époux imprévoyants à se séparer. Par conséquent, quiconque voulait contrecarrer telle intention qui dérangeait ses propres plans, quiconque, lassé de son conjoint, souhaitait s'en défaire dans les règles, n'avait qu'à solliciter le souvenir de la parenté, assuré d'y découvrir des rapports de filiation ou d'alliance assez étroits pour rendre le contrat illicite, sûr aussi de trouver dans le cousinage des hommes tout prêts à prouver ces relations par leur serment. Parmi les jureurs dont nos sources attestent l'intervention, nous en apercevons de quasi professionnels, attentifs au soir de leur vie à étaler en longs discours devant de plus jeunes qui leur succéderaient en ce rôle la masse d'informations dont ils se targuaient d'être les dépositaires. Par récitations périodiques, la mémoire familiale se perpétuait ainsi. Elle fut entretenue, stimulée, réveillée sans cesse par les innombrables, les interminables débats dont les affaires matrimoniales furent l'occasion dans l'aristocratie durant le XIe et le XIIe siècle. Menés devant des instances ecclésiastiques accoutumées à user de l'écriture, ces procès incitèrent aussi à extraire cette mémoire de l'oralité, en dressant sur le parchemin des tableaux généalogiques. L'évêque de Chartres Yves, champion de la lutte pour l'exogamie aristocratique, avoue dans sa correspondance en garder pardevers lui bon nombre, s'armant de la sorte pour dissoudre éventuellement des unions gênantes en les proclamant pécamineuses. Je tiens les schémas généalogiques qui furent construits à la fin du XIe siècle dans l'abbaye de Saint-Aubin d'Angers pour les preuves justificatives fournies par le comte d'Anjou Foulque Réchin lorsqu'il répudia telle ou telle de ses successives épouses. Cent ans plus tard, on en fabriquait de semblables, trichant un peu, dans la chancellerie du roi Philippe Auguste afin d'établir que celui-ci avait à bon droit renvoyé Ingeburge, sa femme.

Structures de la mémoire

Dans le troisième tiers du XIIe siècle, Lambert, chanoine de Saint-Aubert de Cambrai, fait de l'histoire. Classant année par année les événements dont il se souvient, il compose ce que nous nommons des annales. Lorsqu'il parvient à l'année 1108, celle de sa naissance, il décide d'introduire dans son récit la « généalogie, dit-il, des parents qui m'ont précédé ». Nous saisissons à ce moment d'un coup la forme et l'étendue du souvenir que pouvait conserver de sa parenté, à cette époque, un homme d'une cinquantaine d'années que sa naissance haussait hors du commun mais qui ne comptait pas pourtant parmi les princes, un «intellectuel», certes, un homme de plume et, par métier, mémorialiste, qui, toutefois, n'était pas mieux armé que les chevaliers, ses cousins, pour maintenir en leur fraîcheur des réminiscences de ce genre, qui, en tout cas, célibataire parce que religieux, n'avait pas eu avant des épousailles à explorer sa parentèle, qui, enfin, entré tout jeune dans un monastère pour s'introduire ensuite dans une autre fraternité, s'était depuis longtemps éloigné de sa famille charnelle.

Ce qui surgit d'abord dans son esprit, c'est l'image – et cette image l'émeut – d'une maison, Néchin, le beau domaine où il est né, où il a vécu son enfance. Le grand-père paternel de Lambert s'était établi dans cette maison dont il avait épousé l'héritière. Cet homme, auparavant, fils d'un cadet, était sans terre qui lui appartînt; membre de la domesticité chevaleresque de l'évêque de Cambrai, il n'avait reçu de son seigneur qu'un petit casement, à l'occasion sans doute de son mariage. En tout cas, à Néchin, il avait engendré ses enfants; l'un d'eux au moins, le père de Lambert, avait ici installé son foyer. La demeure des pères est, remarquons-le, le premier point d'ancrage du souvenir.

Le mémorialiste évoque ensuite des gens. Soixante-treize personnes qu'il a lui-même côtoyées ou dont il a entendu parler. Il en connaît par leur nom près de la moitié, trente-cinq. Ce sont pour la plupart des hommes. Il fait allusion à dix-neuf femmes seulement, et dont ne sont nommées que dix. Les femmes ont pourtant joué un rôle décisif dans l'histoire du patrimoine. Une large part en fut apportée par elles: ainsi Néchin, comme on vient de le voir. Sa mère, ses deux aïeules, Lambert en est très conscient, étaient sensiblement plus riches que leur époux. Lorsqu'il regarde du côté maternel, l'image qu'il perçoit de la parenté est certes moins profonde: il ne remonte pas au-delà du grand-père et de la grand-mère; elle est moins nette: la proportion des anonymes est plus forte; mais elle brille d'un plus vif éclat: Lambert se plaît à rappeler que dix des frères de son grand-père furent tués le même jour dans un combat; les jongleurs célèbrent ces héros dans leurs cantilènes; ce versant touche à l'épopée: c'est là que se tient la gloire la plus vive. S'y trouvent aussi les auxiliaires naturels: en ce temps, plus que sur son père, tout homme compte sur les frères de sa mère. Lambert porte le nom de l'un d'eux, un autre l'a poussé dans la carrière ecclésiastique.

L'idée, toutefois, s'impose que la préséance revient aux mâles. C'est pourquoi l'énumération des parents commence par la branche paternelle. De son père, Lambert passe à son grand-père, puis non pas à son bisaïeul, mais au frère de celui-ci. C'était vraisemblablement l'aîné, tête de lignage. Il est resté pour cela très présent dans le souvenir. Lambert sait non seulement son nom mais celui de son épouse, ceux de tous ses fils, sauf un qui, avoue-t-il à regret, lui est sorti de l'esprit. Cette mémoire, on le voit, n'est pas très longue. Comme celle de la plupart d'entre nous, elle s'étend sur quatre générations, c'est-à-dire sur un peu plus d'un siècle. Il est permis de penser qu'elle pousse jusqu'à l'époque où ce lignage de chevaliers a pris naissance, lorsque l'arrière-grand-oncle a fondé sa propre maison.

Non point à Néchin, dans un autre lieu : Wattrelos. Ici, Lambert n'a jamais vécu. Il nomme cependant ce domaine ; il en adjoint le nom, comme signe distinctif, au nom individuel de plusieurs des hommes, vivants ou morts, qu'il désigne. Car, dans cette maison, berceau de la famille, réside celui que le lignage tient pour son chef parce qu'il est le plus droit héritier du fondateur. Autour de sa personne, autour de sa demeure, se noue le sentiment de la cohésion familiale.

Nom et surnom

Dans les documents antérieurs à l'an mil, les individus, sauf exceptions très rares, sont désignés par un seul nom, celui qui leur fut donné à leur naissance. Toutefois, ne nous méprenons pas, ce nom unique n'est pas ce qu'est aujourd'hui un prénom. Il est un nom de famille. L'un de leurs ancêtres l'a porté, et parfois, par moitié, deux d'entre eux : jusqu'au Xe siècle l'usage s'est en effet maintenu de forger des noms nouveaux en combinant des éléments empruntés à deux autres noms, mais toujours ceux de parents. Les noms se transmettaient par le sang, comme le patrimoine. Héréditaire, le nom remplissait une fonction essentielle. Désignant l'ascendance, signalant le cousinage, il situait tel homme, telle femme dans le réseau de sa parenté. Il marquait aussi le rang, distinguait les aînés des cadets, prédestinait un tel à tenir un jour l'honneur après tel autre, ou bien à être placé dans l'Église pour y succéder à un oncle dans telle ou telle dignité. Nul ne pouvait donc nommer à sa fantaisie son fils ou sa fille. En plein XIe siècle encore, la mère de saint Arnould, favorisée durant sa grossesse par une vision prémonitoire, souhaitait appeler Christophe, « porteur du Christ », le futur héros de la foi. Le jour du baptême, le chef du lignage exigea que l'on respectât la coutume, que l'enfant portât l'un des noms de la parenté ; il lui imposa le sien propre.

Longtemps, un seul nom suffit. Le stock onomastique était assez riche ; la proportion d'homonymes demeurait faible. Or, on voit la manière de désigner les gens se transformer peu à peu dans le cours du XIe siècle. Il conviendrait d'étudier de près un tel bouleversement des habitudes, d'en dater, région par région, les étapes. Les matériaux sont là tout prêts. Leur mise en œuvre ne paraît pas si malaisée. Cette enquête apprendrait beaucoup sans doute sur l'évolution des comportements sociaux et des attitudes mentales. En particulier, sur l'histoire des structures de parenté et de la mémoire fami-

liale, car ce changement est étroitement lié à tous ceux qui aboutirent à resserrer les solidarités lignagères.
Il apparaît en premier lieu qu'à cette époque la réserve de noms individuels s'enrichit : certains, rarement employés jusqu'alors, se diffusent largement, tels Étienne ou Pierre ; ils viennent de l'Écriture sainte ; d'autres, tout nouveaux, Olivier, Roland, sont empruntés à la littérature d'évasion, aux chants épiques, et leur adoption atteste le succès de ces poèmes. Elle atteste surtout que les contraintes se sont relâchées, que l'obligation n'est plus aussi stricte de puiser exclusivement dans le trésor génétique, qu'un champ de liberté s'est ouvert et se déploie progressivement au moment du baptême. Cependant, ces apports sont loin de compenser les pertes. La plupart des vieux noms héréditaires sortent l'un après l'autre d'usage. Il apparaît qu'ils sont expulsés par l'expansion de quelques-uns d'entre eux qui appartiennent aux familles les plus puissantes du pays ; multiplication, par exemple, dans l'ancien duché de France, des Eudes, des Robert : le nom qu'ils portent était la possession de la lignée capétienne. On peut expliquer en partie ce phénomène par la politique des princes, grands et petits. Ceux-ci, en effet, pour étendre et mieux rassembler leur clientèle, marient autour d'eux, au-dessous d'eux, les filles de leur maison ; fier de cette alliance, le lignage qui reçoit ces femmes attribue de préférence aux enfants qu'elles mettent au monde les noms de leurs ancêtres maternels. Les princes utilisent également le lien de parenté spirituel ; ils portent volontiers sur les fonts baptismaux les fils de leurs fidèles et, puisque les règles ne sont plus aussi rigoureuses qui obligent de nommer l'enfant comme son père, son oncle ou son aïeul, ils donnent à leurs multiples filleuls, afin que ceux-ci n'oublient pas ce qu'ils leur doivent, leur propre nom.
Par l'effet conjugué de ce renouvellement et de cet appauvrissement, le nom individuel cessa de tenir convenablement son rôle d'indicateur. Les homonymes en particulier se multiplièrent. Leur nombre doubla en deux générations, je l'ai vérifié, parmi les chevaliers qui résidaient au voisinage de l'abbaye de Cluny. On s'accoutuma donc à les distinguer les uns des autres par un nom supplémentaire, le *cognomen,* le surnom. Ce fut souvent un sobriquet individuel. Parmi les nobles qui vivaient en Mâconnais à la fin du XIe siècle, l'un était surnommé Leblanc, l'autre Lenchaîné : on découvre qu'ils étaient frères. Toutefois dans un lignage voisin, qui tenait les châteaux d'Uxelles et de Brancion, le surnom jadis ajouté à celui du chef de maison, Legros – on l'avait distingué des autres Bernard, qui pullulaient, par une particularité physique –, se transmettait déjà de génération en génération dans la famille. J'ajoute que bientôt ce sobriquet fut abandonné : un autre surnom, topographique celui-ci, l'éclipsa ; les descendants arborèrent désormais le nom de la demeure qui faisait le principal du pouvoir et du renom lignagers, Brancion, la meilleure des deux forteresses.

Pour la plupart, en fait, les surnoms de famille, dont l'emploi s'est propagé depuis l'an mil dans la noblesse et dans la chevalerie, que l'on voit, passé 1100, solidement implantés partout, qui servent désormais de support à la mémoire ancestrale, sont des noms de maisons. Quelquefois ce nom de lieu devenu patronymique est aussi l'un de ces noms de personne dont chaque lignage était propriétaire. L'homonymie entre la maison et tel ancêtre résulte directement du processus que j'ai décrit, qui fit se disperser les domesticités princières et s'implanter des dynasties nouvelles : l'homme qui fondait une lignée en même temps qu'il bâtissait une demeure donna souvent à celle-ci son propre nom ou celui de son héritier. Un exemple : le mariant, lui donnant pour épouse une des filles dont il pouvait disposer, un comte d'Anjou vers 1050 chargea un cadet de famille, son vassal, et qu'il venait d'armer chevalier, d'édifier sur les lisières de sa principauté une forteresse nouvelle dont cet homme aurait la garde, la construction s'acheva au moment même où naissait le premier fils du couple ; ce garçon fut appelé Renaud comme son grand-père paternel, et la maison neuve aussi : Château-Renaud. D'où tant de ces lieux-dits, dispersés dans toutes les provinces de France, dont certains sont devenus bourgades, petites villes, qui conservent aujourd'hui, mal perçu mais indélébile, le souvenir des anciennes races et du héros dont elles procèdent : La Rochefoucauld, Montélimar, La Garde-Guérin, Château-Gontier, La Roquebrussane, Nogent-le-Rotrou, La Ferté-Milon, Bourbon-L'Archambault... Plus souvent cependant, le surnom collectif qui petit à petit supplanta les noms individuels que l'on continuait de choisir parmi ceux des ancêtres et les relégua dans une position subalterne, celle d'un prénom, fut, porté par l'homme de guerre qui dirigeait la parenté, le nom de la maison abritant sa chambre, le lit où ses enfants étaient conçus, venaient au monde, où il mourrait un jour, la salle où les vassaux venaient lui prêter hommage, les manants lui porter les redevances. Pour se distinguer des autres Hugues, tel s'était intitulé Hugues, sire de Berzé, tel autre, Hugues, chevalier de Massilly. On tint les descendants de l'un, les descendants de l'autre pour les Berzé, les Massilly, et cela pendant des siècles. Quelques-uns, répandus de par le monde, se nomment encore ainsi aujourd'hui ; rêvent-ils parfois de la maison qu'ils n'ont jamais vue, qu'ils ne verront jamais, où s'enracina il y a mille ans l'arbre de Jessé dont ils sont les fleurons ultimes ?

Les mémoriaux

Indice d'une filiation, d'une consanguinité, de tels surnoms classaient. Ils garantissaient des droits, celui de se réclamer de prédécesseurs fameux, de se vanter d'un sang généreux. Ils autorisaient à solliciter, en justice, à la guerre, l'aide de parents, à partager avec eux une gloire. La même fonction fut remplie un peu plus tard, dans le cours du XIIIe siècle, par d'autres emblèmes, des couleurs, un blason, devenus eux aussi héréditaires. Sur cet ensemble de signes, se construisit une nomenclature, c'est-à-dire la domination d'une classe. Celle-ci, afin que cette assise si nécessaire ne fût pas sapée, entretenait un personnel nombreux de spécialistes, les hérauts d'armes ; leur tâche était de reconnaître, d'identifier, d'expulser les intrus, les faussaires. Ils coopéraient donc eux aussi, et très efficacement, à la conservation du savoir généalogique. Les plus doués savaient tirer profit de leur expertise : sur commande et pour un bon prix, ils travaillaient à exhiber, à mettre en forme solennelle, ce qui, dans leur mémoire, concernait tel ou tel lignage. Les familles en effet savaient bien qu'il était parfois fort utile, lorsque telle de leurs prérogatives était mise en cause, qu'il était toujours gratifiant de faire ostentation du prestige des aïeux : nombre de mémoriaux furent érigés, plus ou moins fermes. Quelques-uns le furent assez pour traverser les siècles. Ils ont tenu bon jusqu'à nous.

La tombe

La plus grande part de ces monuments est funéraire. J'ai parlé des tombes. On s'attendrait à voir se constituer de bonne heure des nécropoles rassemblant tous les défunts d'un même lignage. En réalité, et dans les maisons les plus puissantes, celles qui donnaient le ton et dont on imitait les pratiques, elles apparaissent tard, un siècle ou deux après la fondation des dynasties. En 1096, pour prouver que ses pouvoirs sont légitimes – il en a dépouillé son frère aîné, qu'il tient depuis lors en dure prison –, le comte d'Anjou Foulque, surnommé Réchin, dit ce qu'il sait de ses plus lointains ancêtres et « que lui a conté lui-même son oncle maternel Geoffroy Martel ». Sa lignée tient l'honneur comtal ; elle est ancienne, beaucoup plus que le lignage de Wattrelos. Pourtant la mémoire de Foulque n'est pas plus longue que celle de Lambert : elle s'étend elle aussi sur un peu plus d'un siècle et jusqu'à l'arrière-grand-père Geoffroi Grisegonelle. Au-delà, avoue Foulque, « je ne peux plus commémorer dignement les vertus et les actes des comtes car, ajoute-t-il, ils sont si éloignés de nous que les lieux où reposent leurs corps nous sont inconnus ». Marquant bien que le souvenir s'attache étroitement à la sépulture des ancêtres. Il sait en effet que son oncle est enterré dans l'abbaye de Saint-Nicolas où il s'est fait moine dans la nuit qui précéda sa mort, son aïeul dans l'abbaye de Beaulieu, son bisaïeul à Saint-Martin de Tours. Ces tombeaux sont encore dispersés. Ceux des comtes de Flandre le sont aussi à travers le pays flamand, le Hainaut, l'Artois, à Saint-Pierre-au-Mont-Blandin, à Saint-Pierre de Lille, à Hasnon, Saint-Omer, Cassel, Bergues-Saint-Winock, Arras.

Ce n'est qu'après la mort en 1119 de Baudouin VI qu'ils se rassemblèrent au monastère de Saint-Bertin, rejoignant les restes de très lointains ancêtres (et par un retour semblable la nécropole des Capétiens s'installait au même moment à Saint-Denis). Il n'existe pas d'inventaire général des sépultures nobles de l'époque féodale. Confirmerait-il l'impression que, dans les pays français, les panthéons seigneuriaux ont commencé de se constituer passé l'an 1100? La série des tombeaux qui envahirent peu à peu l'espace intérieur de la collégiale de Mons s'inaugure avec celui du comte de Hainaut Baudouin VIII, mort en 1133. Et c'est en 1157 qu'Henri, comte de Champagne, fonde à Troyes la collégiale Saint-Étienne où furent enterrés ses descendants.
Le rassemblement des défunts de la famille, la concentration sur cet amas de sépultures de services funéraires dispensés par une équipe de clercs instruits, raffermit singulièrement la mémoire lignagère. Elle s'attacha d'autant plus solidement à ce lieu qu'un ensemble de signes, invitant à se souvenir de chacun des morts et de ses proches, vint orner les tombeaux. La veuve de Thibaud III de Champagne fit élever entre 1204 et 1220 celui de son époux. Elle voulut qu'il fût représenté gisant sur la dalle et que onze statuettes d'argent fussent disposées dans des niches sur les côtés de la haute tombe. C'étaient celles des parents du défunt, de son père, de sa mère, de son frère, de ses deux sœurs, de son épouse, de ses deux enfants, du roi de Navarre, leur oncle maternel, c'est-à-dire leur protecteur attitré. On ajouta deux figures royales, l'image du roi de France Louis VII, aïeul de Thibaud, l'image du roi d'Angleterre Étienne, son grand-oncle, le seul homme du lignage paternel qui ait été couronné. Jusqu'à la Révolution qui le détruisit, ce monument porta témoignage de la qualité d'un sang: pour peu qu'il fût cultivé, le visiteur de la collégiale pouvait rêver de Charlemagne devant la statue du Capétien, son descendant, de Guillaume le Conquérant et même du roi Arthur devant celle d'Étienne, rameutant ainsi, pour rehausser la gloire de la maison de Champagne, les récits merveilleux de la matière de France et de la matière de Bretagne. Une mise en scène aussi complexe était, il est vrai, à l'époque exceptionnelle. Moins somptueux, des décors du même genre l'avaient précédée, mais de peu. On était encore à l'orée de l'interminable suite de ces représentations funéraires sculptées, gravées, peintes qui, commandées d'abord par les dynasties les plus vigoureuses, devaient l'être ensuite par des lignées de moins en moins huppées et se répandre de toutes parts au cours des siècles: les photographies que l'on place encore dans nos cimetières en constituent le prolongement tenace. Le recours à l'image fut tardif. Il n'y avait guère plus d'une génération, lorsque fut conçu le plan du monument dédié à Thibaud III, qu'avait cédé dans l'entourage des princes français la longue retenue qui empêchait de disposer sur la tombe des simples fidèles, comme sur celle des saints et des personnages sacrés, l'effigie de celui qui dormait dans le sarcophage.

Toutefois, bien avant que l'on osât figurer le défunt, on s'était employé à perpétuer son souvenir par des mots, par des inscriptions commémoratives. Les plus simples et les plus nombreuses sont comme un simple extrait des livres obituaires ; elles appellent celui qui passe près du tombeau à prier jusqu'à la fin des temps, et spécialement un certain jour de l'année, anniversaire, pour le trépassé désigné par son nom, par ses titres. S'adjoint parfois son éloge. Nous savons que l'épitaphe était au XIe, au XIIe siècle, l'un des genres littéraires les plus vivants. Ces paroles brèves et fortes, ineffaçables, qui glorifiaient les ancêtres, enseignaient aussi leurs successeurs, les pressaient d'imiter les vertus de leurs pères, de ne point dégénérer. La nécropole familiale développait une pédagogie.

Lors de leur fête, on célébrait les saints par des discours panégyriques. Était-il d'usage d'en prononcer périodiquement sur les tombes lignagères ? Tout ce qu'il est permis de dire c'est que commença sans doute dans la proximité des sépultures l'héroïsation des aïeux les plus prestigieux par le moyen de leur biographie. De la même intention procédèrent, en effet, dans le dernier tiers du XIIe siècle, la composition d'une vie de Geoffroi Plantagenêt, comte d'Anjou, et la confection de la plaque d'émail qui le représente et qui orna son tombeau : gardien de celle-ci dans sa cathédrale, l'évêque du Mans fut le dédicataire du texte.

Parce que, comme tous ceux de ce genre qui nous ont été conservés jusqu'au XIIIe siècle, il était en latin, langue des liturgies, cet éloge fut jugé digne d'être confié à l'écriture. Nous pouvons aujourd'hui le lire. Alors que tout s'est perdu des cantilènes à quoi Lambert de Wattrelos fait allusion à propos de ses grands-oncles maternels. Or, la réserve la plus drue de souvenirs familiaux ne se trouvait-elle pas dans de tels chants épiques, composés au sein de la parenté, et le plus souvent sans doute par l'un de ses membres plus aptes à « trouver », à disposer des mots sur des rythmes, qui les récitait lui-même, que tel de ses fils, de ses neveux récitait à son tour à la génération suivante et que reprenaient parfois des interprètes professionnels, les jongleurs ? Répétées de loin en loin mais volages, les paroles de ces chansons sont parties à tous les vents. Hormis quelques-unes cependant, reprises dans les ouvrages que des écrivains de métier reçurent l'ordre de façonner dans le beau langage. Ces littérateurs étaient des domestiques, des gens d'Église, formés aux écoles, chanoines attachés à la collégiale qui jouxtait la demeure noble, ou bien, plus modestes, chapelains entretenus dans la maisonnée. Ils furent, selon toute apparence, nombreux et actifs, et leur œuvre très abondante. De ces ouvrages, dont on peut penser qu'ils furent pourtant reproduits à plusieurs exemplaires, recopiés à l'occasion d'un mariage, lorsque la lignée se propageait, seuls de rares débris demeurent. Une vingtaine de textes antérieurs au début du XIIIe siècle, pas davantage. Presque tous furent sauvés de la destruction par hasard, et tardivement, au XIVe, au XVe siècle, en un temps où les bibliothèques laïques étaient moins mal tenues et dans la transcription qu'ordonnèrent alors d'en faire les héritiers du titre et de la maison.

Le récit généalogique

Ce sont des généalogies. Mais non point laconiques, à la manière des épitaphes, ni schématiques, comme les tableaux dressés pour soutenir ou détruire une accusation d'inceste. Étoffées, on les voit au fil du temps devenir de plus en plus loquaces.

Le plus ancien des écrits de ce type date du début du XIe siècle. Il fut composé dans la maison ducale normande sur l'ordre de Richard Ier par Dudon, un chanoine très instruit que l'on avait fait venir de Saint-Quentin, de la région où se maintenait la tradition littéraire carolingienne. Traitant « des manières de vivre et des actes des premiers ducs normands », il relate les exploits des quatre personnages qui successivement, durant un siècle, avaient dirigé le peuple des pirates pour enfin parvenir, par étapes, en lui imposant la foi chrétienne, en le pliant à des usages moins barbares, à l'extraire de la sauvagerie, à l'introduire dans la communauté culturelle que présidaient les rois de France. C'est donc l'histoire d'une nation. Mais cette nation s'incarnait dans des chefs. L'histoire est donc d'abord celle d'une dynastie. Exaltant les vertus de plus en plus manifestes des conducteurs de ce peuple, et spécialement celles du dernier d'entre eux, le commanditaire, elle entend prouver la légitimité de leur pouvoir. Cet écrit exemplaire fut repris et le récit généalogique prolongé dans les deux siècles qui suivirent, d'abord pour Guillaume le Conquérant par le moine Guillaume de Jumièges, puis, vers 1170, par Wace et par Benoît de Sainte-Maure, qui travaillaient aux ordres d'Henri Plantagenêt et le transposèrent de la prose latine à la langue et à la forme du nouveau roman. Des années qui entourent l'an 1100 – c'est-à-dire l'époque même où le comte Foulque d'Anjou sentit le besoin de « confier », comme il dit, « à l'écriture la manière dont ses ancêtres avaient acquis et tenu leur honneur jusqu'en son temps, et dont lui-même l'avait tenu » – date le premier état d'une généalogie des comtes de Boulogne et de deux généalogies des comtes de Flandre. Cependant, c'est un demi-siècle plus tard – est-ce une illusion qui tient au hasard de la conservation des textes ? Mais, notons-le, ce moment est aussi celui où la première iconographie funéraire est en germe – que ce genre littéraire paraît s'épanouir. En 1155 est en particulier écrit le superbe récit des hauts faits des seigneurs d'Amboise ; offert à Henri Plantagenêt, le grand mécène, il adjoint à cette geste celle, parallèle, des comtes d'Anjou dont les Amboise étaient les vassaux fidèles. À l'orée du XIIIe siècle paraissent enfin les deux textes les plus nourris, l'histoire des comtes de Guînes, écrite par un prêtre domestique, Lambert d'Ardres, celle des comtes de Hainaut, dont l'auteur, le chanoine Gislebert de Mons, était l'ami d'enfance du dernier comte défunt.

Les ouvrages littéraires sont, comme les hautes tombes ou les dalles funéraires, des monuments. On les voulut très soigneusement façonnés, richement ornés. Ils portaient le renom, donc la noblesse, du lignage. Du souvenir, les seuls dépositaires légitimes étaient les descendants de l'ancêtre fondateur. Il leur appartenait de le transmettre. Les auteurs des récits généalogiques que nous conservons, choisis pour leur virtuosité, prennent soin de l'affirmer hautement : ils parlent à leur place. Parce qu'ils sont capables de parler mieux, d'atteindre au meilleur langage, prenant les classiques latins pour modèles. Leur souci de majesté rend compte de la disposition qu'ils adoptent : l'ordre est celui que suit Suétone écrivant la vie des douze Césars, mais c'est aussi l'ordre qui, par les rois de Juda, conduit au Christ, celui dans lequel sont évoqués les rois de France de dynastie en dynastie. En effet, le modèle est royal : les écrivains à gage ne remontent pas la chaîne des filiations comme Lambert de Wattrelos partant de lui-même et comme souvent aussi les auteurs de biographies, ils la descendent. Ils montrent la gloire et les prétentions familiales portées par une série d'hommes se succédant de père en fils. Sans doute arrive-t-il que l'héritier mâle fasse défaut. Alors ce capital passe aux mains d'une femme qui le lègue à l'aîné de ses garçons. Un décrochement se produit de ce fait sur la ligne verticale qui de l'aïeul, source du sang et des droits, aboutit à l'actuel chef de maison, parfois à son héritier présomptif. Telle est l'armature directrice. Elle est dynastique. À la limite, elle porterait à ne retenir en mémoire que les tenants successifs du titre, de l'honneur, du patrimoine. Mais, durant le XIIe siècle, dans le progrès de toutes choses, le tissu narratif s'enrichit d'adjonctions que l'on peut ranger en trois catégories.

À la première, et la plus importante, appartiennent les notices biographiques qui s'accolent au nom de chaque chef de famille. Composées de souvenirs vrais, de références prises aux archives, mais aussi de fables, elles transforment la liste d'ascendants en galerie de portraits. Elles campent les aïeux dans des poses avantageuses, les parent de mérites inventés, voilent leurs vices. Par ces vies exemplaires, proposant des modèles de bonne conduite, la généalogie devient, comme la vie de saint, prédication édifiante. Rappel d'exploits, magnifiant la vaillance, la virilité, exaltant prouesse, largesse, loyauté, les vertus de chevalerie, elles dispensent un discours moral qui, par-delà les héritiers, s'adresse, comme celui dont l'épopée ou le roman sont porteurs, à tous ceux que les cours, grandes et petites, ont fonction d'éduquer, c'est-à-dire à l'ensemble de la classe dominante.

Les deux autres extensions élargissent la scène et font s'y multiplier les personnages. Pour attiser l'éclat de la maison, et puisque, par l'effet des straté-

gies matrimoniales dont le but est de gagner pour l'héritier une femme de meilleur sang, cette maison d'ordinaire est fière de ses alliances, le récit fait place à l'ascendance des épouses. Se déployant à l'horizontale, il tire aussi de l'ombre les collatéraux, les frères, les sœurs ; il évoque les lignages où celles-ci sont entrées ; mais il prend soin de respecter les rangs de naissance, nommant d'abord les mâles et d'abord les aînés. D'autre part, les auteurs s'appliquèrent à combler l'hiatus entre les limites extrêmes, assez proches, du souvenir vrai et le temps des héros fondateurs que le légendaire familial repoussait beaucoup plus loin dans le passé. Utilisant des techniques qui manquaient aux membres de la parenté, leurs informateurs, saisissant ici et là un nom sur une inscription funéraire ou dans un cartulaire, ces lettrés intercalèrent ainsi une, deux générations entre le bisaïeul, le trisaïeul dont on se souvenait encore, et telle fille de roi, telle fille de comte, morte depuis des siècles, dont la lignée prétendait tirer le meilleur de son héritage génétique (pour ne rien dire des fabuleux animaux totémiques que certains, tels les comtes de Boulogne, se donnaient pour ancêtres). Et les continuateurs, poursuivant l'entreprise, en ajoutèrent une troisième, une quatrième.
Pour plaire à leur patron, pour prolonger, pour enrichir la mémoire domestique, ces écrivains, dans la seconde moitié du XIIe siècle, empruntèrent de toutes parts, et fort largement, à la littérature de fiction qui florissait à l'époque. Ils la connaissaient d'autant mieux qu'ils en diffusaient la production dans la maison où ils servaient, lorsqu'ils ne se risquaient pas eux-mêmes à composer des poèmes ou des romans. On voit ainsi des bribes de chansons de geste parer la silhouette indécise de Geoffroi Grisegonelle dans l'histoire des seigneurs d'Amboise, et Lambert d'Ardres prêter à son maître, le fils du comte de Guînes, les postures de l'amour courtois qu'André le Chapelain venait de codifier dans Paris. La liberté était évidemment beaucoup plus grande lorsqu'il s'agissait de construire, dans le mythe, la figure d'ancêtres supposés. Assurés de donner ainsi forme exacte aux rêves de dynasties qui résistaient alors à l'expansion du pouvoir capétien et qui, lorsqu'elles peinaient à se rattacher à la famille carolingienne, affirmaient ne devoir rien qu'à elles-mêmes, les écrivains de cour firent volontiers de ces aïeux improbables, des « jeunes », semblables aux chevaliers errants de l'aventure courtoise, des célibataires sans fortune qui, munis de leur seul courage et de leurs dons de séduction, parvenaient, comme espéraient le faire tous les cadets, fils de princes ou fils de pauvres chevaliers, à conquérir une épouse, l'héritière d'une belle terre, l'une et l'autre fécondes, fondant ainsi la maison.

La mémoire lignagère fut à l'origine celle des plus nobles. Mais on sait que les modèles culturels se vulgarisent et qu'un irrésistible mimétisme fait se répandre d'étage en étage, du haut en bas de l'édifice social, les manières de se comporter qu'affichent d'abord les élites. Ce fut bien ici le cas. Tout comme les princes, les chevaliers les plus besogneux, situés aux lisières de la roture, anxieux de n'y point tomber, s'acharnèrent à tirer de l'oubli des aïeux de moins en moins proches. À leur niveau, aux confins de la classe dominante, devant la montée d'hommes nouveaux enrichis par le service ou par le négoce, la revendication des privilèges de la bonne naissance était sans doute, au début du XIIIe siècle, la plus âpre, et donc le recours y fut le plus obstiné à la mémoire ancestrale. En un temps de forte croissance économique et de regroupement politique, celle-ci paraissait une barrière efficacement dressée face aux pressions de la capillarité sociale. Mais, dès lors, et dans tous les siècles qui suivirent, ce fut aussi en se réclamant d'une généalogie, en se donnant un nom – et ce surnom faisait d'ordinaire référence à un domaine, lieu d'un pouvoir –, en forgeant des armoiries, en passant commande d'une sépulture ostentatoire, que les parvenus justement s'ingénièrent à faire oublier la bassesse de leur extraction. Et qu'en est-il, pour d'autres raisons, de nous-mêmes ? De l'engouement croissant que nous remarquons pour l'enquête généalogique ? Tandis que se désagrège ce qui formait la charpente de la famille traditionnelle, qu'en est-il de cette inquiétude, du besoin éperdu qui porte tant de nos contemporains à fouiller les greniers, à déchiffrer sur les pierres tombales des inscriptions illisibles, à feuilleter des correspondances jaunies, dans l'espoir fallacieux de se sentir un peu moins déracinés ?

COLETTE BEAUNE

Les sanctuaires royaux

De Saint-Denis à Saint-Michel et Saint-Léonard

Memoria au Moyen Âge signifie non pas mémoire mais tombeau, relique ou sanctuaire. Les églises furent les dépositaires de la mémoire depuis qu'aux premiers siècles les Pères avaient admis le culte des martyrs et encouragé les prières pour les morts. La fonction première de l'Église n'était-elle pas, d'ailleurs, de maintenir la mémoire d'un Messie déjà venu et des efforts faits par l'humanité pour suivre la voie qu'Il avait ouverte ? Toute la liturgie était mémoire, depuis Noël et Pâques, qui commémoraient la naissance et la mort du Sauveur jusqu'à la moindre fête de saint. En fonction de cette liturgie, ces professionnels de la mémoire sacrée qu'étaient les clercs avaient conçu des bâtiments spécifiques, dont le pouvoir civil ne possédait pas l'équivalent. Les églises rappelaient l'enseignement du Christ par leur matériau (la pierre), la forme en croix et le décor. Sculptures et vitraux étaient un grand livre où le paysan illettré pouvait lire l'essentiel de l'histoire biblique et chrétienne. Dans une société encore pour beaucoup orale, la mémoire peu sensible au texte s'accrochait à l'image sacrée des reliques, à l'image peinte des fresques ou au déroulement répétitif des liturgies. L'Église avait donc des lieux de mémoire collectifs, prestigieux et sacrés. Elle avait aussi des cérémonies commémoratives mises au point depuis les premiers âges et accessibles à tous. Conformément à sa vocation propre, la mémoire qui s'enracinait dans les églises fut longtemps celle de l'histoire sainte et les tombeaux qui s'y abritaient furent surtout ceux des martyrs. Mais les clercs ne purent refuser d'abriter les tombeaux de ceux qui, rois ou princes, les avaient fondées ni de célébrer des messes à leur souvenir. Quand les rois furent sacrés, quand ils firent miracles, quand certains d'entre eux furent honorés comme saints, l'Église ne put plus les reléguer sous de modestes dalles mais les admit sous des tombes élevées aux places centrales des sanctuaires autour des autels. Saint-Denis devint le « cimetière aux rois » et reçut en garde la plupart des insignes sacrés de la royauté, de l'oriflamme aux couronnes de sacre. L'alliance étroite entre le roi et l'abbaye fit de celle-ci le centre religieux du pouvoir de la dynastie capétienne. La mémoire qui s'enracinait ainsi fut dans un premier temps une mémoire dynastique. Le passage fut très lent de la mémoire dynastique à la mémoire nationale et Saint-Denis n'y joua qu'un rôle second. Dans la deuxième moitié du XIIIe siècle, l'idée vint de célébrer religieusement les origines nationales, le moment où Dieu avait fondé et approuvé le royaume de Clovis. Joyenval, où l'on situait la bataille qui avait décidé de la conversion de Clovis, connut un succès fulgurant. En même temps, on en vint à célébrer les renouvellements de cette alliance entre Dieu et la nation très chrétienne, à chaque bataille gagnée. Le souvenir de toute épreuve traversée avec succès grâce à l'aide divine fut matérialisé par de multiples fondations de messes, de chapelles, d'églises qui, loin de se limiter à la région parisienne, finirent par couvrir tout le royaume du réseau de leurs ferveurs entrecroisées. Autre histoire sainte, l'histoire nationale s'inscrivit dans la pierre et dans le chant des hymnes au centre du royaume comme sur les frontières menacées. La mémoire française, loin d'inventer des cadres ou des cérémonies nouvelles, se perpétua au sein des églises et le pèlerinage à ces lieux où l'élection divine s'était manifestée en faveur du royaume, où la France et Dieu s'étaient en quelque sorte rencontrés, devint l'une des formes les plus anciennes et probablement les plus efficaces du sentiment national. La mémoire nationale fut une autre mémoire, plus particulière que celle de l'Église qui englobait la chrétienté tout entière, mais aussi une mémoire sacrée.

1. Saint-Denis, sanctuaire dynastique

Jusqu'au début du XIIIe siècle, le royaume de France fut limité, en fait, au Bassin parisien. Le domaine royal ne dépassait guère Paris et Orléans et les sanctuaires dynastiques, d'ailleurs peu nombreux, se fixèrent donc dans une zone très étroite. La dilatation très rapide du domaine qui s'opéra alors demeura longtemps sans effet idéologique. Les sanctuaires royaux restèrent parisiens jusqu'à la deuxième moitié du XIVe siècle et l'on s'imagina simplement que l'ancien domaine était le centre du nouveau royaume, qu'on croyait rond (en signe de perfection) ou losangé (car la France est femme et les écus féminins sont losangés). L'image de l'Hexagone était encore inconnue, l'Hexagone n'existait pas plus que l'idée de l'Hexagone. De ce centre, la grâce de Dieu pouvait irriguer le royaume entier tout comme le roi gouvernait l'ensemble de ses terres de sa capitale[1]. Centralisme religieux et centralisme politique allaient de pair. Tant que les centres du pouvoir restèrent parisiens, tant que la mémoire de la France fut dynastique plus que nationale, Saint-Denis eut une place décisive.

La basilique fondée autour du tombeau du premier évêque de Paris martyrisé au IIIe siècle n'avait joué qu'un rôle obscur jusqu'à ce que Dagobert[2], au VIIe siècle, la transforme en monastère bénédictin, la reconstruise et s'y fasse enterrer. De nombreux Mérovingiens et quelques Carolingiens, dont Charles Martel et Charles le Chauve, suivirent cet exemple. Dès le IXe siècle, l'abbé Hilduin identifia l'incolore et tardif évêque de Paris avec l'apôtre converti par saint Paul, Denis l'Aréopagite, auteur d'une œuvre philosophique obscure et respectée et l'un des premiers martyrs céphalophores[3]. Bien que ces innovations n'aient pas fait l'unanimité, la place du saint comme de l'abbaye s'en trouva confortée. Celle-ci, dédiée désormais au principal protecteur de l'Empire chrétien, s'enrichit, son abbé prit rang parmi les évêques et les conseillers royaux. Pourtant, l'abbaye n'était encore que l'une des grandes abbayes de l'Empire carolingien. La dynastie qui manquait d'ancrage territorial choisissait, au gré des choix personnels nécessairement fluctuants, les sanctuaires où elle se faisait couronner ou enterrer. Saint Denis était le patron du peuple franc et non du pays de France encore à naître. L'arrivée au pouvoir des Capétiens réduisit le choix à Fleury ou à Saint-Denis. Au milieu du XIe siècle, quand les Capétiens abandonnèrent Fleury, Saint-Denis devint enfin le sanctuaire patrimonial de la nouvelle dynastie. À l'image de bien d'autres familles nobles, les Capétiens firent de ce seul sanctuaire le centre religieux de leur pouvoir[4]. Tous y firent prier pour leur âme, tous lui confièrent leurs couronnes, tous s'y firent enterrer, le fils à côté du père. Denis devint l'unique patron d'une dynastie désormais fixée dans un espace précis. Son action s'enferma à l'intérieur des quatre fleuves (l'Escaut, la Meuse, la Saône, le Rhône) qui formaient la limite théorique du royaume et même en fait s'exerça surtout au nord de la Loire. Inversement, cette énorme réduction territoriale de la sphère d'influence du saint comme de la dynastie rendit les liens entre les deux plus étroits qu'ils ne l'avaient jamais été. De nombreuses légendes apparurent aux XIe et XIIe siècles pour illustrer et justifier le rapport nécessaire entre le saint et le «roi de Saint-Denis» comme les chansons de geste appellent le roi de France. Charlemagne, avant de partir pour l'Orient, aurait reconnu tenir le royaume en fief de saint Denis et laissé sa couronne sur l'autel, précédent bien utile pour réclamer la régence durant les croisades royales et pour obtenir la garde des couronnes. Charles le Chauve aurait donné à l'abbaye deux des précieuses reliques de la Passion, jusque-là conservées à Aix-la-Chapelle: le saint clou et la sainte couronne d'épines. Enfin, le Christ lui-même aurait dédicacé les nouveaux bâtiments monastiques, laissant de son passage des traces visibles et miraculeuses[5]. Des reliques prestigieuses, presque toujours considérées comme un don de la dynastie, s'ajoutèrent donc aux corps de Denis et de ses deux compagnons et justifièrent les nouvelles fonctions de l'abbaye. Suger, abbé de Saint-Denis de 1122 à

1150, conseiller de Louis VI et de Louis VII en fut le chantre inspiré[6]. Pour lui, Denis est à la fois le patron du roi, celui du royaume et celui de la couronne. Partons de cette très belle définition pour saisir les fonctions du saint et du sanctuaire au Moyen Âge. Au niveau le plus simple, Denis protège la personne physique du roi contre les maladies ou les blessures. De Louis VI en 1111 à Louis XI en 1482, tous les rois du Moyen Âge firent prier à Saint-Denis pour le maintien ou le rétablissement de leur santé. Donnons-en un exemple : en 1244, Louis IX gît inconscient à Pontoise. Guéri par l'élévation des châsses des trois martyrs sur l'autel, il jure, par reconnaissance, de partir en croisade. Cette procédure très solennelle, identique à une prise d'oriflamme, n'est pas utilisée pour la personne d'un prince héritier. On se contente de prières, de processions ou de l'imposition sur la partie du corps malade de l'une des reliques secondaires de l'abbaye. La maladie d'un roi, explique Guillaume de Nangis[7], est un péril public comme une invasion, celle d'un héritier du trône n'en est pas un. Le roi n'est pas un malade comme un autre. Il n'est pas non plus un mort comme un autre. Si Denis protégeait à chaque heure le roi du vice et du péché, ces maladies de l'âme plus dangereuses encore que celles du corps, son action devenait décisive au moment de la mort et du bilan final de toute action terrestre. À leur lit de mort, presque tous les rois se confessèrent à des moines de Saint-Denis et presque tous moururent en invoquant leur saint patron. L'efficacité de l'intervention de l'Aréopagite en faveur du roi au moment de la mort fut prouvée par toute une série de visions, rédigées entre l'époque carolingienne et le début du XIIIe siècle[8]. Elles s'intéressaient évidemment à des princes, dont le sort dans l'autre monde n'allait pas de soi, qu'ils aient eu une réputation douteuse ou qu'ils aient été excommuniés : Dagobert, Charles Martel, Charlemagne, Charles le Chauve et Philippe Auguste. Les trois premiers récits datent de l'époque carolingienne et se ressemblent étrangement. L'âme du roi qui a manqué à la vertu est pesée au moment de la mort et risque l'enfer. L'intervention de saint Denis lui permet d'accéder difficilement au paradis. Les péchés royaux sont ceux de n'importe quel fidèle (la luxure ou l'avarice), l'au-delà est bipolaire, partagé entre enfer et paradis. Seul Charles Martel disparaît dans les gouffres de l'enfer, pour avoir volé les biens des églises. La vision de Charles le Chauve est quelque peu différente. Le prince, avant sa mort, visite l'au-delà où il voit de nombreux princes de sa famille et où il lui est promis que le pouvoir restera toujours dans sa lignée si lui-même accède au paradis. Revenu au jour, il améliore sa conduite. C'est la seule vision qui lie le sort de l'âme royale et l'avenir de la lignée. Les visions du roi Philippe sont les plus tardives et les plus intéressantes. Quand Philippe Auguste meurt en 1223, il emporte avec lui une gloire immense mais aussi une réputation douteuse de bigame et d'excommunié. L'entourage royal et l'abbaye répondirent aux inquiétudes en faisant circuler une série de visions[9]. Un chevalier romain gravement malade voit en songe saint Denis accompagner l'âme du roi au paradis ou au purgatoire, suivant les textes. Dieu le guérit, pour qu'il puisse annoncer au pape que l'âme du roi est sauvée. L'au-delà est tripolaire (enfer, paradis, purgatoire). Le roi de France évite désormais, grâce aux prières de son protecteur, non seulement l'enfer mais aussi le purgatoire, où une seule des six visions envoie le prince faire un bref séjour. Rétroactivement, on modifia même le sort de l'âme de Charles Martel. Dès la fin du XIIIe siècle, ce «bâtard né d'une servante qui ne songeait qu'à faire le mal[10]», ce mort maudit du tombeau duquel les démons s'échappaient n'alla plus qu'au purgatoire et au début du XIVe siècle gagna le paradis grâce aux mérites de ses successeurs[11]. Les rois de France très chrétiens allaient tous désormais en paradis. Grâce à saint Denis, ils jouissaient d'une assurance nouvelle vis-à-vis de l'au-delà. Le patron du roi-personne avait donc réussi au-delà de toute espérance à protéger le corps et l'âme du fidèle à lui confié. Et il n'était pas sans intérêt politique de voir affirmer à Saint-Denis même que les rois étaient de bons chrétiens, dont les mérites obtenaient au dernier jour l'inscription dans le Livre des vivants. Les XIVe et XVe siècles ne donnèrent plus naissance à des visions d'âme royale en péril, mais ils exprimèrent autrement la même certitude. La mort royale devint un grand spectacle, dont on diffusa des récits. Philippe IV ou Charles V moururent saintement devant un nombreux public, après avoir enseigné leur héritier et lui avoir transmis la couronne. La mort royale et le double transfert de couronne qui s'y faisait (le roi mourant abandonnait la couronne terrestre pour la couronne d'éternelle gloire, tandis que l'héritier recevait la couronne royale) anticipèrent le sacre qui n'eut plus qu'une valeur déclarative. Là où deux siècles plus tôt on aurait eu recours à une vision, la mort sainte du roi garantit son salut et assura la transmission du pouvoir. Il est vrai que cette autre conception rendait moins évidente l'intervention de saint Denis. Les vertus spécifiques des rois tendaient à éclipser celles de leur protecteur.

Patron de la personne royale, saint Denis était aussi celui de toute la lignée royale, de tous ceux qui, génération après génération, avaient exercé ce ministère à part et supérieur à tout autre : le métier de roi de France. L'abbaye était fondamentalement le «cimetière aux rois», le lieu où s'alignaient les tombeaux de ces fidèles d'exception qu'on ensevelissait dans les églises comme les saints ou les martyrs. Tous les rois capétiens sauf trois (Philippe Ier qui préféra Fleury, Louis VII qui gît à Barbeaux et Louis XI qui choisit Cléry) dorment dans l'abbaye de leur dernier sommeil. Depuis la fin du XIe siècle, l'abbaye avait réussi à monopoliser la fonction de nécropole royale à peu près à l'époque où Reims devenait l'unique cathédrale des sacres. Cette distribution des rôles assura à Saint-Denis un succès considérable. De nombreux visiteurs affluèrent autour des tombeaux de ces rois sacrés, bons chrétiens et, pour certains même, saints. Les souverains étrangers en visite y vinrent tous. Pour ce peuple illustre ou anonyme, les plus grands historiens de l'abbaye, tels Rigord ou Guillaume Lebreton, écrivirent dès 1196 des guides par tombe qui résumaient la vie, les hauts faits de chaque roi et informaient sur le sort de son âme[12]. Grâce à ces à-côtés de la grande école historique de Saint-Denis, nous connaissons assez bien la disposition des tombes[13]. Jusqu'au début du XIIIe siècle, la plupart des rois semblent avoir été enterrés sans aucun plan d'ensemble, souvent sous de simples dalles. Seuls, les deux fondateurs, Dagobert et Charles le Chauve, avaient des tombeaux monumentaux refaits vers 1240, un enfeu à gauche du chœur pour l'un et un tombeau au centre du chœur derrière le grand autel pour l'autre. Vers 1263-1264, un colossal programme sculpté remania l'ensemble des tombeaux désormais tous élevés et très visibles et les redisposa dans le chœur nouvellement reconstruit. Seize tombeaux nouveaux, sculptés sur l'ordre de Mathieu de Vendôme, abbé de Saint-Denis de 1259 à 1286, ou peut-être de Saint Louis lui-même, alignèrent à droite tous les premiers Capétiens et à gauche les Mérovingiens et les Carolingiens, tandis que les tombes de Philippe Auguste et de Louis VIII au centre reliaient les deux lignées[14]. C'est figurer dans la pierre et montrer au peuple rassemblé que Louis et Philippe descendaient à la fois des Carolingiens et des Capétiens. La race de Charlemagne était en eux revenue sur le trône. C'était là une réponse aux inquiétudes que suscitaient toujours l'usurpation de 987 et la prophétie de saint Valery qui n'avait promis le trône aux nouveaux venus que pour sept générations. Or, Philippe était le septième roi depuis Hugues Capet. Des liaisons féminines avec les dynasties antérieures furent établies par l'intermédiaire des ancêtres d'Adèle de Champagne et d'Isabelle de Hainaut, la mère et l'épouse de Philippe. Toute une propagande en faveur de ce qu'on appelait le «*reditus regni ad stirpem Karoli*» (le «retour du royaume à la race de Charlemagne») avait commencé dès la chronique d'André de Marchiennes à la fin du XIIe siècle et venait de triompher en ce milieu du XIIIe siècle dans le *Miroir historial* de Vincent de Beauvais en attendant de s'inscrire dans l'histoire officielle de la monarchie française, les *Grandes Chroniques de France*[15]. La dynastie pouvait donc désormais se proclamer unique et s'identifier à l'histoire nationale depuis les origines. L'une des idées politiques les plus abstraites mais aussi les plus importantes du temps venait donc de s'inscrire dans la pierre, avec la caution de l'Église. Le *reditus* avait néanmoins l'inconvénient de ne fournir aucune justification du règne des six premiers rois capétiens. Aussi, à partir de la fin du XIIIe siècle, préféra-t-on se référer au souvenir de l'ottonienne Havise, mère d'Hugues Capet, dont l'existence légitimait en quelque sorte les événements de 987. Cette solution devint quasi officielle sous Philippe le Bel, qui régna «*mixtim*», parce qu'il était à la fois un Carolingien et un Capétien. En 1306-1307, il fit remanier les tombeaux en ce sens. Carolingiens et Capétiens se mélangèrent à droite comme à gauche du chœur, veillant au centre sur Louis VIII, Philippe Auguste, Louis IX et Philippe III, leurs communs descendants. L'abbaye rappelait donc à tous ses visiteurs qu'une dynastie légitime, unique et sainte, veillait sur la France depuis les origines. Les Capétiens étaient une «*beata stirps*», un lignage de saints[16]. Peut-être le devaient-ils aux prières de Saint-Denis ou à l'onction sacrale qu'ils recevaient à Reims comme le disait l'Église, peut-être le devaient-ils à des croyances beaucoup plus anciennes, à la vertu du sang sacré des rois. L'évolution de la nécropole de Saint-Denis à la fin du Moyen Âge semble aller dans ce sens. Les derniers Capétiens directs et les premiers Valois furent enterrés au gré des places disponibles dans un chœur déjà très surchargé. Aussi Charles V transforma-t-il la chapelle Saint-Jean-Baptiste, la première à droite près du chœur, en nécropole non plus de tous les rois de France mais de tout le sang de France, ce qui est une idée très différente. Alors que Saint Louis ou Philippe IV élevaient à Royaumont, à Maubuisson ou à Poissy les tombeaux de leurs proches, tandis qu'eux-mêmes, chefs de lignage et rois sacrés, gisaient à Saint-Denis, on voit désormais figurer dans la nouvelle chapelle toutes les reines jusqu'alors rares à Saint-Denis et tous les enfants de France. Même des bébés de sexe féminin, de rang élevé, eurent leur minuscule tombeau aux places les plus honorables de la nécropole. Une mystique du sang de France se mettait en place et elle englobait de la même aura sacrée tous les membres de la dynastie que leur sang, et non l'aînesse ou le sacre, mettait désormais à part du commun des mortels. Mais on entremêla aux tombes royales celles des héros. Bertrand du Guesclin, Bureau de la Rivière, Louis de Sancerre dormirent à Saint-Denis. À partir du règne de Charles VII le bien servi, les chefs de guerre tués à l'ennemi entourèrent leurs rois dans la mort comme dans la vie terrestre. Le sang versé, la gloire et le mérite ouvrirent les portes de la nécropole royale. Pour un siècle et demi, Saint-Denis joua le rôle de Panthéon. La glorification du sang de France ne contribua donc pas à isoler celui-ci mais au contraire associa à ses mérites les héros de la nation.

C'est probablement à cause de la fonction funéraire de Saint-Denis que l'abbaye devint la gardienne des insignes du pouvoir royal, la couronne surtout mais aussi le sceptre, la main de justice ou l'oriflamme[17]. Cette dernière pose des problèmes particuliers. Ce n'était à l'origine qu'une bannière féodale comme tant d'autres, un carré de soie écarlate sur une hampe dorée[18]. En 1124, Louis VI l'avait arborée pour la première fois comme vassal de l'abbaye pour le comté de Vexin. Ces humbles débuts furent vite oubliés et, dès le XIIIe siècle, l'oriflamme fut attribuée à Charlemagne qui l'aurait arborée durant sa croisade en Orient. Elle éblouissait et dispersait les infidèles. Ses mérites ne

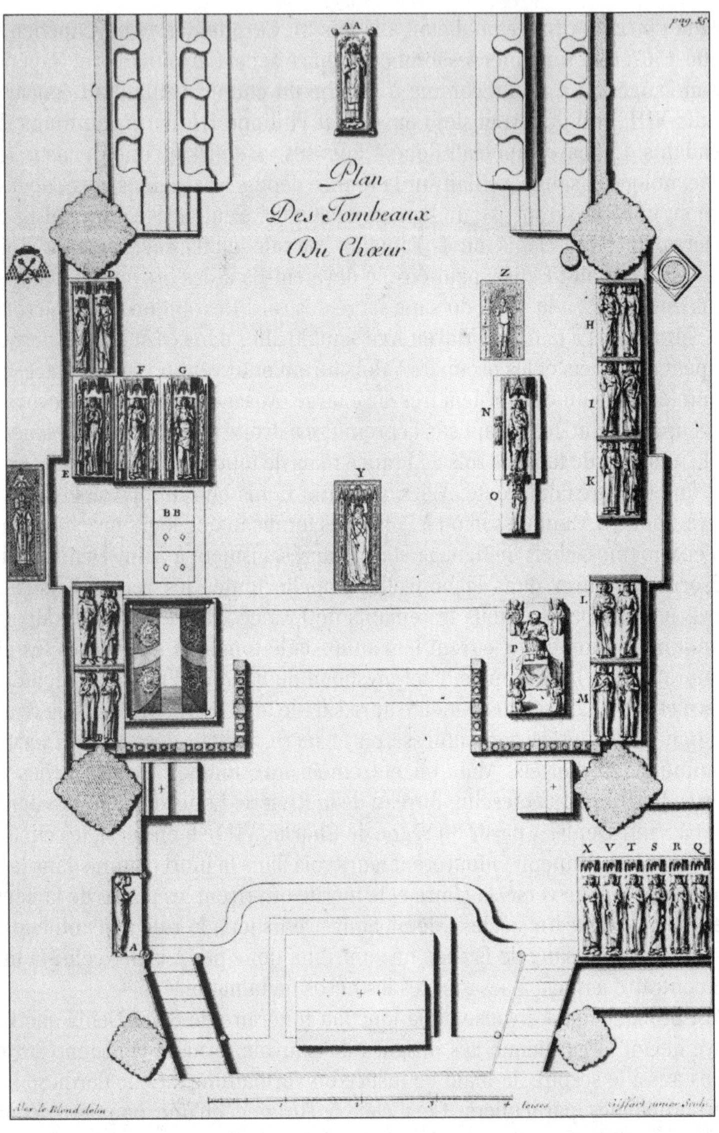

Ce plan de Félibien montre ce qui restait au début de XVIIIe siècle de la disposition des tombeaux de 1263, remaniée en 1306. Les deux fondateurs sont à part (Dagobert en bas [A] et Charles le Chauve en haut [AA]). La disposition en deux lignées reliées par un pont est encore visible. À droite, une majorité de Carolingiens (Pépin le Bref et Berthe [B], Louis et Carloman [C], Charles Martel [D] et quelques Mérovingiens (Clovis II [D]).

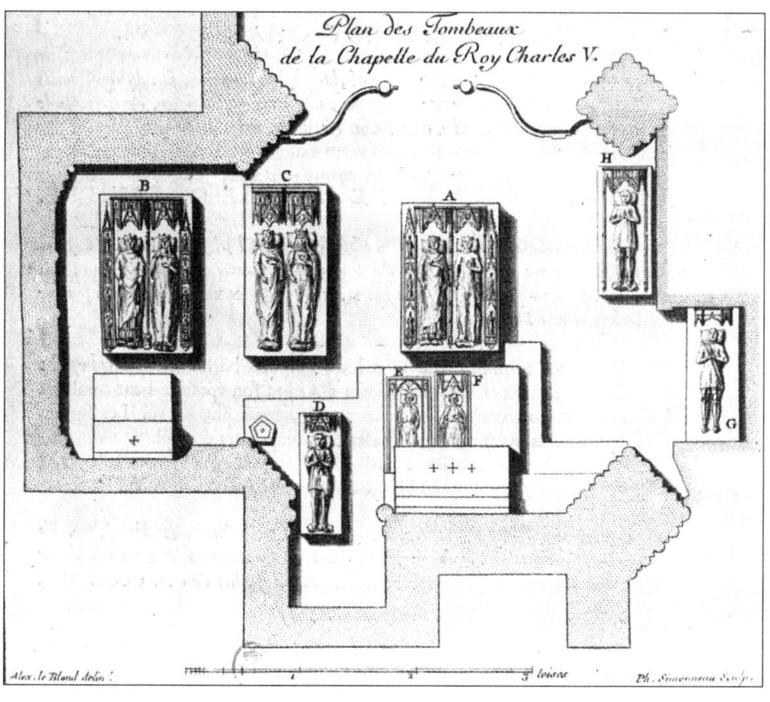

À gauche, les Capétiens (Eudes et Hugues Capet [H], Robert le Pieux et Constance d'Arles [I], Henri Ier et Louis VI [K], Constance de Castille et Philippe, fils de Louis VI [L], Hugues le Grand [Z]) et des Carolingiens (Carloman et Ermentrude [M]). Les tombeaux formant pont entre les deux lignées sont réduits à ceux de Marguerite de Provence [Y], Philippe III [F], Philippe IV [G] et Louis X [N]. Les tombes de Philippe Auguste, de Saint Louis et de Louis VIII qui étaient au centre ont disparu. Les derniers Capétiens et les premiers Valois ont été ajoutés en bas à gauche (Philippe V [Q], Jeanne d'Évreux [R], Charles IV [S], Jeanne de Bourgogne [T], Philippe VI [V] et Jean II [X]).

furent pas mis en doute jusque vers 1300. Mais elle fut ensuite perdue dans les guerres de Flandre, aventurée contre des chrétiens pendant les guerres civiles et surtout tournée en dérision par les Anglais à Crécy ou à Poitiers. À vrai dire, on y croyait encore, on se bornait à affirmer que les hommes avaient bien mal utilisé le don de Dieu et que celui-ci avait été pour cette raison frappé de stérilité. Mais l'importance de la couronne était bien supérieure. Saint-Denis fut «patron de la couronne», à partir du début du XIIe siècle. C'est une conséquence à la fois des légendes répandues par l'abbaye sur la couronne de Charlemagne et la couronne d'épines qu'elle détenait et de l'orientation des legs par les moines vers cet objet de prix hautement symbolique qu'était la couronne. En France, pourtant, contrairement à beaucoup d'autres États européens, il n'y eut longtemps pas de couronne de sacre unique dont la possession aurait donné le pouvoir à son détenteur mais chaque roi semble avoir fait faire une couronne à son avènement. Le seul objet du sacre qui était toujours le même, la fiole de la sainte ampoule, conservée à Saint-Remi de Reims, échappait à Saint-Denis. Vers 1120, Louis VI fut le premier roi capétien à remettre à l'abbaye sa couronne et jusqu'au début du XIVe siècle, l'abbaye accrut son trésor à chaque génération, même si les remises étaient souvent très tardives. Ainsi, Saint Louis ne remit la couronne de Philippe Auguste qu'en 1262. Pourtant, dès le XIIIe siècle, se fait sentir une évolution qui assure une valeur à part non pas à une couronne, mais à deux couronnes : celle de Saint Louis et celle de Charlemagne. La première est une couronne reliquaire qui enchâsse les épines et les cheveux du Sauveur que l'abbaye possédait depuis la fin du XIe siècle dans un bandeau très haut à quatre fleurons. Cette « sainte couronne » fut portée par Louis IX mais aussi par Jean II et Charles VII, à une époque où il importait de s'affirmer face au roi d'Angleterre l'héritier du saint roi. La seconde, attribuée à Charlemagne et utilisée épisodiquement à partir de la fin du XIIIe siècle, s'imposa à la fin du XVe siècle, à cause du succès des prétentions impériales des rois de France. Bien qu'on ait pu réutiliser un objet antérieur, elle date probablement du règne de Philippe III, une époque où la plupart des insignes du sacre furent indiscutablement attribués au Carolingien. Le fait qu'il n'y eut plus que deux couronnes de sacre possibles renforçait le rôle de Saint-Denis. Elle avait désormais sous son contrôle et exposait autour du grand autel tout ce qui était nécessaire pour faire un roi, sauf l'huile céleste. Reims n'avait plus pour elle que l'antériorité et la sainte ampoule. Il semble bien d'ailleurs qu'on ait pensé à plusieurs reprises à faire de Saint-Denis l'église des sacres. Quand Rigord[19] raconte que Philippe Auguste, après la cérémonie semi-manquée de Reims, vint prier à Saint-Denis où, miraculeusement, une lampe à huile répandit son contenu sur sa tête, ne sous-entend-il pas que la main de Dieu voulait par ce miracle fixer désormais dans l'abbaye parisienne le sacre des rois ? Le succès ne couronna pas cette prétention, mais Saint-Denis réussit néanmoins à la fin du Moyen Âge à monopoliser le sacre des reines pour lesquelles la sainte ampoule n'était pas nécessaire tandis que les rois nouvellement sacrés s'arrêtèrent à l'abbaye pour tenir une cour solennelle, couronne en tête, avant leur entrée dans Paris. Ce n'était que de piètres consolations au grave camouflet qu'avait subi l'abbaye en 1429. Cette année-là on fit un vrai roi, sans Saint-Denis. L'abbaye était sous contrôle anglais et Charles VII fut sacré à Reims avec la sainte ampoule, mais sans qu'aucun des objets de Saint-Denis ne soit utilisé. On trouva à Reims un *ordo* de sacre[20] et une couronne et le nouveau roi ne vint à Saint-Denis qu'en septembre. Il en repartit avec la sainte couronne[21]. L'épée Joyeuse, le sceptre, la couronne de Charlemagne étaient très probablement à Paris, où l'on préparait le couronnement du jeune Henry VI qui fut finalement retardé jusqu'en décembre 1431. Il est d'ailleurs impossible de savoir si les objets sacrés de la monarchie française servirent à cette occasion. Mais toutes les légendes qui naquirent autour de leur sort reflètent l'embarras de l'abbaye, une fois que la victoire eut changé de camp. On raconta qu'ils avaient été enterrés et défendus par Dieu contre les pillards anglais, on raconta aussi qu'un moine les avait portés à Charles VII, dès 1418. Bien que fausse, cette théorie répondait mieux à son objet ; on ne pouvait faire un vrai roi sans les *regalia,* on ne pouvait faire un vrai roi sans Saint-Denis. Reims, dont le rôle avait été au contraire conforté par les événements de 1429, n'eut donc pas de peine à faire face ensuite aux prétentions dionysiennes, dont on ne trouve après cette date plus aucune trace.

Saint-Denis était donc à la fois le patron du roi, celui du royaume et celui de l'abstraite couronne. Ces trois aspects confluaient dans la liturgie qui y était célébrée[22]. Si le haut Moyen Âge avait surtout connu l'anniversaire des fondateurs Charles le Chauve et Dagobert, le XIIe siècle compliqua le calendrier liturgique de l'abbaye en y introduisant la célébration de Robert le Pieux et de Louis VI. À partir de Philippe Auguste, tous les rois fondèrent à Saint-Denis des anniversaires plus ou moins développés en leur faveur et en celle de leur lignée. Le gonflement des liturgies mortuaires de la fin du Moyen Âge et l'inflation de messes qui les caractérisait se traduisirent aussi dans l'abbaye royale. Charles V prévit, par exemple, la célébration de deux messes par jour et quatre obits solennels par an pour le repos de son âme, pour lesquels il fallut organiser un collège spécial de clercs. Toutes ces intentions royales s'ajoutaient aux fêtes mi-religieuses, mi-politiques des patrons de la nation comme Saint Louis à la fin d'août ou saint Denis lui-même le 9 octobre. Dans ce calendrier surchargé s'introduisirent aussi à partir du début du XIIIe siècle les *Te Deum* qui commémoraient les victoires de la monarchie. Bouvines était fêtée chaque année au 12 juin, et le 12 août on célébra plus tard la reconquête de la

Normandie. Une sorte de *laus perennis* entourait donc à Saint-Denis la monarchie de prières quasi continuelles, qu'on amplifiait à certaines dates choisies en fonction de motifs religieux ou politiques. Si pour Louis VII cette concentration de prières était un inconvénient, son souvenir risquant ainsi de passer inaperçu, la plupart des rois trouvaient bon de voir ainsi prier au cœur de leur domaine, constamment et fastueusement pour eux, leur lignée, et le royaume que Dieu leur avait confié. Cet énorme ensemble de tombeaux, d'objets symboliques ou sacrés qu'était l'abbaye de Saint-Denis offrait à chacun de ses visiteurs une image laudative de chaque roi et de chaque règne. Les pierres tombales et les mots des prières y affirmaient l'unité et la légitimité de la dynastie. Le prestige de l'Église y renforçait la sacralité du sang des rois. La mémoire que Saint-Denis transmettait était une mémoire officielle qui avait le poids d'une mémoire sacrée. Mais elle restait dynastique plus que nationale. Certes, on y célébrait les victoires, on y enterrait les héros à côté des rois. La fonction primordiale de l'abbaye restait pourtant, en cette fin du Moyen Âge, de prier pour les rois dont elle abritait les corps et les couronnes, le corps réel et le corps symbolique[23], les deux corps du roi.

2. *Vers les sanctuaires nationaux*

Les sanctuaires nationaux naquirent d'une idée très différente des cérémonies dionysiennes qui n'étaient après tout que la célébration d'un lignage, fût-il un lignage de saints. Vers la fin du XIIIe siècle, on s'avisa de commémorer la bataille où Clovis vainquit les Alamans avant sa conversion, l'événement origine de l'histoire de France. Reims déjà rappelait le baptême qui, disait-on, était aussi un sacre du premier Mérovingien chrétien. Mais peut-être préférait-on désormais ne plus mettre l'accent sur la sacralité conférée par l'Église ou plutôt sur les mérites du roi et du peuple francs. On avait déjà célébré d'autres victoires par des liturgies ou des fondations d'églises. Près de Senlis, Notre-Dame-de-la-Victoire maintenait le souvenir du pont de Bouvines où Philippe Auguste avait arrêté les Impériaux[24]. Mais là, l'événement était d'une autre importance. En lui commençait l'histoire de France. Le peuple franc qu'on identifiait au peuple français y prenait possession du territoire que Dieu lui avait destiné de toute éternité. Or, cette France du XIIIe siècle venait d'acquérir une certaine stabilité territoriale et le pays de France commençait à être loué au-dessus de tous les autres. Si, antérieurement, la mémoire s'était surtout intéressée aux chefs qui avaient conduit le peuple franc d'âge en âge, elle se focalisa sur le moment précieux entre tous où peuple et pays s'étaient rencontrés sous l'œil de Dieu. Il y eut donc place, à côté de Saint-Denis, pour des sanctuaires d'un genre nouveau.

La célébration religieuse des origines nationales présentait en France des difficultés particulières. Paradoxalement, la nation très chrétienne n'avait pas aux origines de son histoire un saint roi fondateur, contrairement aux pays de l'Europe du Nord ou de l'Est. L'apparition de la monarchie et la conversion à la vraie foi n'y coïncidaient ni chronologiquement ni géographiquement. Qui plus est, les Francs possédaient depuis le VIIe siècle un mythe d'origine propre, sans lien avec la vision chrétienne de l'histoire[25]. Il rattachait le peuple franc aux princes troyens sur le modèle de la légende antique de la fondation de Rome par des exilés conduits par Énée. Païennes et étrangères, ces origines n'avaient pas grand sens dans un contexte chrétien et national. Aucun des lieux que la légende citait n'était situé dans le royaume. Sycambria était en Hongrie, Dispargum en Rhénanie. Quant au roi Pharamond dont on fit dans la deuxième moitié du XIVe siècle l'auteur de la loi salique, il restait une figure incolore et extérieure au monde chrétien. Toute une partie du mythe ne put donc être récupérée par la religion nationale ou plus exactement la partie païenne du mythe annonça la partie chrétienne comme dans la Bible, l'histoire d'un autre peuple élu, l'Ancien Testament annonçait le Nouveau. La France eut un mythe d'origine double. Elle fut fondée deux fois, tout comme chaque fidèle naissait deux fois à la chair par la naissance et à l'esprit par le baptême. Pharamond et les exilés troyens figurèrent la première naissance matérielle. La naissance spirituelle, l'entrée dans le plan de Dieu furent très logiquement attribuées à Clovis. Clovis éclipsa Pharamond autant qu'il l'équilibra. Avec un législateur et un roi saint aux origines de son histoire, la France s'ancrait à la fois dans le droit de ce monde et dans le sacré qui le relie à l'autre. Certes, il n'avait pas été très facile de faire du premier Mérovingien chrétien un saint[26]. Les sources anciennes le décrivaient comme un Barbare fourbe et violent aussi bien après sa conversion qu'avant. Or, les manuels d'histoire après 1300 renoncèrent à l'ancienne image de Clovis qui devint peu à peu le modèle du chevalier et du roi très chrétien, tandis que les limites de son royaume annonçaient, croyait-on, celles de la France de la fin du Moyen Âge. Ce roi saint réunit enfin autour de lui tous les attributs sacrés de ses successeurs : la sainte ampoule conformément à la tradition de Reims, mais aussi les fleurs de lis, l'oriflamme et la guérison des écrouelles. Entre 1340 et 1430 s'était formé par étapes un cycle de Clovis qui rattachait au règne et à la personne du Mérovingien tous les symboles nationaux[27]. Car si ce règne marquait bien le début de la nation très chrétienne, ce commencement était déjà perfection, il avait en lui tous les caractères nationaux ultérieurs, qu'on croyait être attribués par Dieu en une fois au moment de la conversion et non le fruit aléatoire de l'histoire. L'Église n'a jamais canonisé Clovis et ne lui a pas rendu de culte. Seule, Clotilde accéda à la sainteté officielle. Cela n'empêcha pas son royal époux d'être vénéré en de nombreux endroits du royaume. Sainte-Geneviève de Paris, qui conservait son tombeau, Saint-Mesmin d'Orléans et Moissac qu'il aurait fondés, Sainte-Marthe de Tarascon l'honorèrent. Mais ce fut Joyenval, en forêt de Marly, qui devint le principal des sanctuaires liés à la mémoire du Mérovingien. Bien que l'ensemble des bâtiments en ait été détruit au XVIe siècle, puis rasé au XVIIe siècle pour faire place au désert de Retz, la disposition des lieux comme l'histoire de l'abbaye sont assez faciles à reconstituer. À Joyenval, croyait-on, le chemin de Clovis avait croisé le chemin de Dieu. C'était le lieu de la bataille décisive où Clovis aux prises avec les Alamans avait promis de se convertir. Le récit de Grégoire de Tours ne comportait ni date ni lieu mais on se persuada que le champ de bataille se trouvait au pied de la colline où se dressait le château de Montjoie, près d'une source miraculeuse. Là, Barthélemy de Roye, l'un des principaux conseillers de Philippe Auguste, avait fondé en 1221 une abbaye de prémontrés autour des reliques de saint Barthélemy, qu'il avait rapportées de Palestine. Le sanctuaire fut vite considéré comme royal, d'autant plus que l'héritière de Barthélemy épousa un Capétien. Les bâtiments portaient témoignage de ce lien avec la royauté. Les lis ornaient le pavement et les vitraux. La fontaine miraculeuse qui se trouvait près du cloître était surmontée d'un écu aux lis soutenu par deux anges. Peu après l'accession des Valois au trône, un moine de Joyenval fixa par écrit le premier état de la légende, à partir de la disposition réelle des lieux et des reliques possédées par l'abbaye. Le lieu, ici, fut créateur de mémoire. Clovis séjournait au château de Montjoie, à la veille d'affronter les Alamans. Un ermite en prières auprès de la fontaine vit un ange lui apporter l'écu aux trois lis, emblème chrétien pour remplacer l'écu païen aux crapauds que Clovis portait jusqu'alors. Grâce aux lis, Clovis vainquit. Reconnaissant, il aurait sur les lieux du combat fondé une abbaye appelée Joyenval en souvenir de la joie reçue ce jour-là, joie temporelle de la victoire et joie spirituelle de l'illumination divine. Il lui confia l'écu miraculeux que l'abbaye montrait à tous ses visiteurs aux XIVe et XVe siècles. Cette relique royale était-elle très différente de l'autre relique que les moines vénéraient enchâssée au-dessus du grand autel, une partie de la peau de saint Barthélemy ? De même que Barthélemy l'Écorché avait quitté sa dépouille de chair faillible pour entrer à jamais dans l'amour du Christ, de même Clovis, le jour de la promesse, changeait de peau en quelque sorte par l'intermédiaire d'un changement de signes. Un parallélisme secret reliait donc les deux reliques. Le succès de la légende fut considérable, du règne de Charles V aux débuts de l'époque moderne. Malgré les difficultés dues à la guerre de Cent Ans, l'affluence des pèlerins ne cessa d'agrandir et d'enrichir l'abbaye qui finit par concurrencer Saint-Denis en possédant sa propre oriflamme. On crut même qu'à Joyenval s'étaient produits pour la première fois tous les miracles du cycle de Clovis : le port des lis et de l'oriflamme, la guérison des écrouelles. La fontaine de Joyenval guérissait entre autres les maladies de la peau, que l'on doive attribuer cette efficacité à Clovis ou à saint Barthélemy. Le cycle avait donc fini par s'inscrire entièrement en un seul lieu qui concentrait ainsi la sacralité des différents symboles nationaux. Aussi, quand, à la fin du Moyen Âge, Guillaume Crétin versifie ses chroniques rimées pour rendre l'ancienne histoire officielle de la monarchie française conforme aux canons de la rhétorique humaniste[28], il commence par décrire longuement le sanctuaire de Joyenval, le lieu où l'histoire de France commença. Il suggère au roi de clore cet espace sacré de portiques de marbre blanc. Sous ces portiques, des fresques représenteraient non seulement la victoire de Clovis mais aussi la croisade de Charlemagne en Orient, la bataille de Bouvines, les deux croisades de Saint Louis. À tous ces moments, l'élection divine accordée à Clovis s'était à nouveau manifestée dans ces jugements de Dieu que sont les batailles. La mémoire de la nation serait ainsi récapitulée et visible d'un seul regard à travers la chaîne des événements miraculeux où Dieu avait manifesté son choix. La très chrétienne nation vainquait d'âge en âge l'infidèle ou l'hérétique. Cette galerie de batailles encore très médiévale accroîtrait la ferveur témoignée par les pèlerins à la fois à Dieu qui donna et au roi qui reçut au nom de tous ses successeurs et de tous les Français. Le projet n'eut pas de suite et la dévastation de l'abbaye au XVIe siècle effaça peu à peu le souvenir de son fulgurant succès. À vrai dire, Joyenval avait été à la fois un sanctuaire très novateur et un sanctuaire très ancien. Novateur, il immobilisait dans la pierre le souvenir de deux liens complémentaires, celui du peuple avec son territoire et celui de Dieu avec la nation ainsi formée. Son ambition était plus large que celle de Saint-Denis. Mais comme la grande abbaye, il était situé dans la région parisienne, au centre des domaines capétiens, et tirait sa gloire d'un passé reculé et légendaire, quoique moins étroitement lié à la dynastie. Sanctuaire national plus que dynastique, il annonce malgré sa localisation parisienne ces sanctuaires que la deuxième moitié du XIVe siècle allait faire naître au sud de la Loire.

Après 1350, on passa en effet d'un nombre restreint de sanctuaires royaux tous situés dans le Bassin parisien à un éparpillement de petits sanctuaires nationalistes, particulièrement nombreux au sud de la Loire et dans les zones frontières. Ce n'est que le reflet d'une situation politique différente. Les nécessités de la reconquête annoncent dès 1370 l'abandon de la région parisienne, abandon total après 1415. Le pouvoir se replie entre Bourges et Poitiers et, deux siècles durant, le centre du royaume oscille entre le Berry et la vallée de la Loire. Les nécessités de la guerre, la faiblesse royale accentuent la décentralisation. Parallèlement, le pouvoir politique se trouve, sur le plan religieux, dans une situation très inconfortable. Le ciel est vide, le ciel a trahi. En effet, saint Denis ou Saint Louis ont vécu à Paris, leurs reliques et leurs miracles sont parisiens et leur culte est assez mal représenté au sud de la Loire. Qui plus est, la double monarchie les adopta comme patrons. Henri V se disait plus prochain de Saint Louis que le roi dauphin, et Saint-Denis s'était rallié facilement au nouveau pouvoir. Le problème était le même pour Joyenval. Clovis, époux d'une princesse bourguignonne, ne pouvait que pousser à une alliance franco-bourguignonne qui n'était plus à l'ordre du jour. Il fallut donc à la fois chercher d'autres patrons au ciel et d'autres sanctuaires hors du Bassin parisien.

Charles VII opta pour saint Michel. C'était, à la fois, le premier des anges, vainqueur du dragon à l'aube des temps et le peseur d'âmes du Jugement[29]. En lui s'ouvrait et se fermait l'histoire des hommes et l'histoire de chaque homme. Ange des morts, il assistait à la fin de toute vie, comme il récapitulerait au dernier jour la somme des bonnes et des mauvaises actions jetées sur sa balance. Lumière victorieuse des ténèbres, il avait aussi marché devant le peuple de Dieu pour éclairer le chemin de la terre promise. D'ange du peuple juif il était devenu, après la conversion de Constantin, le chef mystique des armées romaines qui luttaient contre le mal barbare. Charlemagne imposait en 813 sa fête dans tout l'empire, faisait de lui le protecteur du peuple franc et de l'Église qui lui était liée. Alors le sanctuaire du Mont construit au début du VIIIe siècle, à l'imitation du Monte Gargano, par saint Aubert, évêque d'Avranches, devint le plus grand sanctuaire de l'extrême Occident. Là, croyait-on, l'archange avait affronté et vaincu Lucifer, là se rejoignaient la terre, pays des vivants, et la mer, pays des morts. Le miracle se fit fréquent sur ce lieu prédestiné. Là, l'archange, sous forme de langue de feu, rendait visite à son église, il calmait les flots enflés par la tempête et protégeait les pauvres pèlerins accourus pour voir l'épée et le bouclier qui avaient vaincu le mal et la nuit. Mais jusqu'au XIIIe siècle, saint Michel était encore une de ces dévotions universelles en laquelle communiait toute la chrétienté. L'Empire l'honorait, les rois d'Angleterre qui contrôlaient le Mont jusqu'en 1204 le tenaient pour leur protecteur depuis que Guillaume le Conquérant avait sous son égide conquis la grande île.

La royauté resta donc longtemps réservée vis-à-vis du sanctuaire et de l'Archange. La Normandie, même rattachée, était terre excentrique et si nombre de grandes familles protègent le Mont où, durant le XIIIe siècle, de grands abbés élèvent la Merveille, les Capétiens n'y font que de rares et discrets pèlerinages. Il faut attendre le XIVe pour que se marque une lente transformation des rapports jusque-là distants entre l'Ange et les rois de France. Jean II, après 1332, frappe des anges d'or où, sur l'avers, saint Michel terrasse le dragon. Charles VI vient au Mont en 1393 et nomme Michèle l'enfant qui lui naît peu après. Mais c'est à Charles VII qu'il convient d'attribuer le choix décisif. Au vu et au su de tous, le jeune dauphin adopte dès 1418 comme devise un saint Michel armé triomphant du dragon avec comme mot «Michel est mon seul défenseur». Durant tout le règne, l'Archange impose sur les livrées royales, les tapisseries, les bannières et les étendards une présence obsédante. Le roi de Bourges ne fait que reconnaître ainsi que par son intermédiaire Dieu fit pour lui «plus de miracles qu'il n'en fit pour Charlemagne ou Saint Louis[30]». Miracle en 1422 quand le prince échappa à la mort à La Rochelle, miracle surtout quand, durant dix ans (1424-1434), le Mont assiégé par terre et par mer demeura inviolé malgré la faiblesse de sa garnison. L'Archange avait bien gardé son rocher. Le Mont demeura dans cet Ouest anglo-bourguignon la seule place fidèle au roi et l'écho de sa résistance fut énorme dans tout le royaume. Jeanne d'Arc, paysanne lorraine, l'apprit. Saint Michel lui apparut plusieurs fois pour lui demander de «subvenir au désarroi de France[31]». Elle tenta l'assaut d'Orléans le 8 mai, jour de la fête de l'Archange, et se confia à lui dans l'épreuve. L'Archange de la résistance devint bientôt celui de la reconquête. Le 25 juin 1429, il apparut à la garnison de Chien, près de Talmant, en Poitou, «au milieu d'un grand feu [...] et tenait dans sa main une épée toute nue [...] sur un grand cheval blanc [...] et dessus son armure une bande blanche[32]». Vingt-deux ans plus tard, il apparut au siège de Bayonne le 6 août 1451. À l'heure où la garnison anglaise se rendait au roi, le signe de saint Michel apparut dans le ciel, «une croix blanche qui se tint sur ladite ville l'espace d'un quart d'heure, qui était signifiante que icelui pays fût rendu à celui qui portait la croix blanche[33]».

Le choix du prince avait valeur politique. L'Archange devait triompher de l'ange *(angelus = Anglus)* ou de l'Anglais. Celui-ci était comme le dragon, le mal venu de la mer. Alors qu'au haut Moyen Âge saint Michel, une croix processionnelle à la main, triomphait sans effort de Lucifer, au XIVe, dans les représentations françaises, il se couvrit d'une armure, s'arma d'une épée et d'un bouclier. Le combat devint une victoire arrachée et non plus un miracle statique. L'Archange devenait en quelque sorte l'anti-saint Georges. L'Angleterre s'était en effet rangée à la même époque sous la protection du saint chevalier à la croix rouge. La croix blanche de saint Michel s'opposa à l'autre comme le bien au mal, la lumière au sang. Les troupes françaises portèrent la croix blanche à la fois comme pèlerins et comme combattants d'une juste guerre. Inversement, l'Archange se vit attribuer la même croix et les lis couvrirent son bouclier.

Ce choix récupérait aussi une lente maturation religieuse. Le haut Moyen Âge se figurait les anges organisés en hiérarchies complexes et ne les faisait intervenir dans l'histoire du monde et dans l'histoire individuelle que pour des occasions exceptionnelles. Ainsi Gabriel avait-il été envoyé à Marie. Vers le XIIe siècle, on admit dans les milieux ecclésiastiques que l'ange assistait continuellement l'homme dans sa quête de Dieu. Plus tard, chaque homme, moine ou non, fut doté d'un ou plusieurs anges gardiens. L'ange se mit à veiller sur chaque fidèle de sa naissance selon certains (ou de son baptême selon d'autres) à sa mort, écartant les démons et les périls. Mais les grands de ce monde et les collectivités avaient, croyait-on, plusieurs anges, l'un en raison de leur personne et l'autre en raison de leur dignité. Les anges de dignité ne pouvaient être que situés très haut dans la hiérarchie des anges et d'autant plus haut que la dignité sur laquelle ils veillaient était grande. Saint Michel était le premier des Archanges. Certains théologiens lui attribuèrent donc la garde de l'Église entière, d'autres celle du meilleur des royaumes de ce monde, la France très chrétienne. Saint Michel était ainsi devenu l'ange gardien de la dignité royale comme de l'abstraite France. Charles VII ne faisait là que reconnaître et accepter l'extraordinaire succès du culte des anges gardiens à la fin du Moyen Âge et utiliser, à son profit, la dévotion ardente qui entourait le premier de ceux-ci. Le sanctuaire de l'Archange voyait en effet affluer annuellement, malgré les guerres, une foule de jeunes gens venus de France, d'Allemagne ou de Suisse. La jeunesse masculine qui mourrait dans les guerres s'était donné comme patron l'Archange tout-puissant qui délivrait des périls. Image du bien triomphant du mal dans de justes guerres, saint Michel était en quelque sorte le premier d'entre eux.

Saint Michel devint donc pour plusieurs siècles le protecteur de la France. Louis XI officialisa la chose en créant en 1469 l'ordre de Saint-Michel qui regroupait, autour de la monarchie victorieuse, les grands féodaux. Le siège de l'ordre était au Mont où devaient se tenir, dans la salle des chevaliers, les réunions des membres vêtus de damas blanc, le collier de coquilles d'or au saint Michel armé au cou. Il fut ensuite transféré à la Sainte-Chapelle. Mais la volonté royale n'était que le résultat de la captation réussie d'un culte en plein essor. Saint Michel était un meilleur choix que saint Martial, saint Julien ou saint Léonard qui n'avaient qu'une implantation locale. Les églises dédiées à saint Michel étaient nombreuses dans tout le royaume. D'ailleurs, le roi y aidait, fondant des églises à l'Archange dans les terres nouvellement conquises ou offrant des statues aux églises des frontières pour que saint Michel y effectue sa « garde et office ».

Malgré l'excellence du choix, il mit longtemps à s'imposer et, durant toute la première moitié du XVe siècle, les patrons de la nation furent multiples. Mais, derrière cette multiplicité, se cachait une unité profonde. Ni évangélisateurs ni modèles de vertu, les saints auxquels on faisait désormais confiance étaient les juvéniles libérateurs d'une nation aux prises avec l'adversité. Ils intervenaient dans les batailles, ils chassaient l'Anglais, ils libéraient les prisonniers, ils ne guérissaient et ne convertissaient plus guère. On disait de la plupart d'entre eux qu'ils étaient nés de la terre de France, qu'ils avaient accepté de se sacrifier pour elle, ou qu'ils avaient choisi d'y reposer pour l'éternité. La militarisation du ciel reflétait celle de la société civile. Le royaume menacé projetait au ciel ses angoisses et ses espoirs. Il se couvrait désormais de sanctuaires nationaux plus que dynastiques. Prenons-en deux exemples bien connus quoique pour des raisons différentes. Fierbois et Noblat sont tous deux situés au sud de la Loire dans des localités d'importance médiocre, sur la frontière ou près de celle-ci. Noblat se trouve à une vingtaine de kilomètres de Limoges sur un promontoire qui domine la Vienne. Tenue en pariage du roi et de l'évêque de Limoges, c'est une place forte importante face à la Guyenne anglaise qui s'anime, encore aujourd'hui, chaque année, le 6 novembre, à l'occasion de la foire et du pèlerinage au sanctuaire de saint Léonard[34]. Cet ermite du VIe siècle était réputé depuis l'époque des croisades libérer les prisonniers, en partie probablement à cause d'un jeu de mots sur son nom («lienard»: qui ard [brûle] les liens). Or, voilà qu'après 1400 il devient un proche parent de Clovis qui sauve la vie de Clotilde en mal d'enfant et préserve ainsi l'avenir de la dynastie. Charles VII fit vœu en 1422 à saint Léonard et vint à Noblat en mai 1439 apporter un reliquaire en forme de la bastide Saint-Antoine qui symbolisait la libération de Paris obtenue grâce aux prières de son saint ancêtre. Or, depuis, chaque année, le jour de la fête de saint Léonard, la population de cette bourgade limousine se livre à un jeu, combat ou quintaine. Deux équipes de jeunes gens armés de bâtons aujourd'hui et de lances autrefois se disputent une cible qui est la reproduction, en bois, de la châsse offerte par Charles VII. Tous les participants portent la bande blanche en sautoir des troupes royales de la fin du XIVe siècle ou du début du XVe siècle. Célèbre-t-on à Noblat la libération de la ville en 1372 par les troupes de Louis de Sancerre, celle de Paris en 1436, ou celle du royaume tout entier après 1450? Il est impossible d'en décider et toutes ces significations étaient sans doute à l'origine présentes dans la mémoire des confrères de saint Léonard. Retenons simplement que pendant des siècles, par l'intermédiaire d'une fête religieuse, les paysans de la zone frontière allaient répéter annuellement les gestes de l'allégeance à la nation. Ils les répétèrent si longtemps que l'événement-origine finit par être oublié et masqué, sans que le rite soit atteint.

Plus tardive encore fut l'idée de célébrer le non-événement, la somme des dévouements individuels et anonymes que des circonstances difficiles rendaient nécessaires. Si la guerre de Cent Ans ne fut rythmée que par un nombre limité de grandes batailles, elle obligea chacun à choisir son camp. Le routier ou le brigand y furent plus fréquents que le soldat de l'armée régulière. Le registre des miracles de Fierbois reflète cette nouvelle optique[35]. Cet extraordinaire document écrit pour la reine Charlotte de Savoie regroupe trois cents miracles qui eurent lieu dans le sanctuaire de sainte Catherine entre 1375 et 1475. La clientèle du lieu est très masculine et militaire, elle vient chercher la protection contre les blessures ou la mort au combat, ou remercier de la délivrance des prisons anglaises. Jeanne d'Arc, qui vint y chercher l'épée qui lui servit lors du siège d'Orléans, portait comme tant d'autres un anneau de sainte Catherine dans les batailles. Aussi, les épées, les lances, les fers de prisonniers exposés dans le sanctuaire rappelaient-ils à tous les pèlerins que la fiancée du Christ protégeait le royaume de Celui-ci, ce terrestre jardin de Dieu qu'était le royaume très chrétien. Tous les miracles sont faits en faveur de partisans du roi dauphin. Les Anglais y figurent toujours le démon vaincu grâce à l'aide de sainte Catherine, dans les accrochages de la guérilla. Fierbois maintient ainsi la mémoire d'humbles sacrifices plus que de glorieuses victoires. On voit donc que dans ces sanctuaires éclatés qui formaient autour du royaume une sorte de barrière cachée s'additionnaient des mémoires différentes. Si, à Joyenval, on célébrait dès le début du XIVe siècle un événement glorieux et très reculé dans le temps, origine de la vie nationale, à Noblat on célébrait une victoire récente et plus obscure, à Fierbois on célébrait le non-événement, le patriotisme au quotidien. À la limite, après 1450, chaque église de France devint un sanctuaire national. On y pria pour les rois lors de leur sacre, de leurs maladies, de leur départ à la guerre ou de leur mort. On y ensevelit ceux qui n'étaient pas encore « morts au champ d'honneur » mais qu'on disait déjà « martyrs », parce qu'ils avaient donné leur sang pour leur terre et leur peuple. Sur leurs tombeaux, on écrivit après 1415 « mort à Azincourt[36] » ou à Verneuil ou à Formigny et dans le dernier quart du siècle, on trouve au moins une fois mort pour la France sur la tombe de Jean de Bueil :

Priez pour moi, braves gens
Pour les sires de Bueil
Morts à la grande guerre
En combattant pour la France
Et pour vous[37].

La théologie s'adapta. Thomas d'Aquin fournit une célèbre justification des indulgences nombreuses accordées à ceux qui priaient chaque jour pour la nation[38]. L'amour de la nation fut l'un de ces *amor generalis* dont le plus élevé s'adressait à Dieu mais qui étaient tous louables et ouvraient tous le paradis. Aussi, quand Charles VII voulut, après la reconquête de la Normandie, organiser la première fête nationale que la France ait connue, la plaça-t-il très normalement au sein de chaque église. Il fit faire annuellement après 1451, le 12 août, messes et processions dans tous les monastères, cathédrales et églises royales du pays. Dans tout l'Ouest, les paroisses elles-mêmes célébrèrent jusqu'à la Révolution cette date sacrée qui marque l'expulsion des Anglais de Cherbourg et de Normandie. Dans de nombreuses villes, nous en connaissons le scénario exact. Une procession conduisait les autorités municipales, le clergé urbain régulier et séculier, les chefs de toutes les familles du lieu (dont la présence était parfois même obligatoire), de la cathédrale à l'un des couvents mendiants avec parfois un détour par le rempart ou le pont où l'on s'était battu. La messe dite par l'évêque était une messe d'actions de grâce. Le sermon devait célébrer la mémoire des morts des guerres et remercier Dieu de l'aide fournie au roi très chrétien. Nous possédons encore celui qu'écrivit en 1451 pour son évêque un chanoine de Bayeux, Orlando dei Talenti. Cet Italien écrivit ce qui est pour nous le premier « discours de 14-Juillet » connu. Il choisit un thème entièrement laïc et contemporain, la guerre de Normandie qui opposa le bien au mal, Dieu à Satan. Il loua les morts et leur « amour du pays » et encouragea les survivants à ne pas oublier les leçons de l'histoire pour échapper désormais pour toujours à la servitude[39]. Un espace de prière national était né avec ses propres intentions et ses propres temps forts : le 28 janvier, la Saint-Charlemagne, le 8 mai la Saint-Michel, le 12 août la Réduction de Normandie, le 25 la Saint-Louis et le 9 octobre la Saint-Denis. Centrée surtout sur les mois d'été, la liturgie nationale était assez différente de la liturgie chrétienne organisée autour du double temps sacré de Noël et de Pâques[40]. La nation s'inscrivit dans une sorte de creux de l'année liturgique. Il est d'ailleurs assez curieux de constater que les deux fêtes nationales qui succédèrent à celle-ci (la fête du Vœu le 15 août, lorsque Louis XIII dédia le royaume à la Vierge de l'Assomption, le 14-Juillet après la Révolution) ne rompirent pas avec cette tradition.

Les sanctuaires sont donc bien des *memoriae*. Ils célèbrent les saints protecteurs du royaume. Ils prient pour les rois et les chefs du peuple. Mais cette mémoire n'est pas une mémoire historique, textuelle ou savante. Elle s'entretient par l'intermédiaire d'objets sacrés ou de tombeaux et s'inscrit dans des liturgies qui mêlent le national et le chrétien. Ce n'est pourtant pas une mémoire totalement immobile, même si elle est répétitive. Chaque époque y ajoute. Le haut Moyen Âge priait dans quelques rares sanctuaires autour des tombeaux des rois qui les avaient fondés. Entre le XIe et le XIIIe siècle, certains de ces sanctuaires situés près de la capitale devinrent dynastiques et la mémoire qui s'y exprimait s'organisa autour d'une lignée et non plus d'un pieux personnage. Saint-Denis devint le cimetière aux rois et le centre mystique du royaume. À partir du XIVe siècle, une mémoire nationale apparut à côté de la mémoire dynastique. Joyenval concurrença Saint-Denis et faillit devenir le mémorial de tous les grands événements de l'histoire de France, tandis que l'abbaye rivale devenait le Panthéon des héros autant que des rois.

La fin du Moyen Âge célébra dans chaque église du royaume la mémoire des hommes et des batailles qui avaient fait l'histoire de France. Bien qu'ait succédé à la religion royale dont parlait Marc Bloch[41] une religion de la nation, jamais on n'eut l'idée avant 1500 d'autre monument commémoratif qu'églises, chapelles ou croix, jamais on ne connut d'autre fête nationale que la procession. Apparu plus tôt que les autres sentiments nationaux médiévaux, le patriotisme français resta pour beaucoup une mystique ou une religion[42]. La mémoire de la nation en garda la caution du sacré, la quasi-immobilité, l'allure liturgique et le parti pris. Tous les rois furent saints, tous les rois furent victorieux. Défaites ou règnes médiocres y furent comme frappés d'interdit. Et la mémoire comme l'oubli reçurent l'aide de l'Église. Il fallut que la mémoire de la France très chrétienne, le peuple élu de la nouvelle alliance, fût non seulement sacrée mais parfaite, sans ombre ni tache, comme la *memoria* d'un saint, à cette différence près qu'il s'agissait là de celle d'un être collectif lentement personnifié à travers l'histoire.

1. L. Olschki, *Der ideale Mittelpunkt Frankreichs*, Heidelberg, 1913.

2. Laurent Theis, «Dagobert, Saint-Denis et la royauté française», *Le Métier d'historien au Moyen Âge*, sous la direction de Bernard Guenée, Paris, Publications de la Sorbonne, 1977, pp. 19-30.

3. G. Théry, «Contribution à l'histoire de l'aréopagitisme au IXe siècle», *Le Moyen Âge*, 1923, pp. 111-123.

4. G.M. Spiegel, «The Cult of saint Denis and Capetian Kingship», *Journal of Medieval History*, t. 1, 1975, pp. 43-69.

5. Ch. Liebman, «La consécration légendaire de Saint-Denis», *Le Moyen Âge*, 1935, pp. 252-264.

6. Edwin Panofsky, *Suger, abbé de Saint-Denis*, Paris, Éd. de Minuit, 1967. Marcel Aubert, *L'Abbé Suger*, Paris, Éd. de Fontenelle, 1960.

7. Guillaume de Nangis, «Chronique», *R.H.G.F.*, t. XX, pp. 346-347.

8. Jacques Le Goff, *La Naissance du Purgatoire*, Paris, Gallimard, 1982, pp. 324-332.

9. Guillaume Rigord et Guillaume Lebreton, *Œuvres complètes*, éd. H.F. Delaborde, Paris, 1885, t. II, pp. 375-377.

10. Flodoard, *Historia remensis ecclesiae*, *M.G.H.*, *«Scriptores»*, t. XIII, p. 460.

11. Bibl. nat., Lat. 5286, Yves de Saint-Denis, f° 166.

12. G.M. Spiegel, *The Chronical Tradition of Saint-Denis*; *a Survey*, Brooklyne, 1978.

13. Alain Erlande-Brandenburg, *Le Roi est mort; étude sur les funérailles, les sépultures et les tombeaux des rois de France jusqu'à la fin du XIIIe siècle*, Paris, Arts et métiers graphiques, 1975.

14. E.R. Brown, «The Quest for Ancestry in later Medieval Europe; myths of Origins and genealogies in Capetian France», Colloque «*Legitimation by Descent*», Paris, 1982.

15. G.M. Spiegel, «The *reditus regni ad stirpem Karoli*», *French Historical Studies*, t. VII, 1971, pp. 145-174. E.R. Brown, «La notion de légitimité et la prophétie à la cour de Philippe Auguste», colloque du C.N.R.S.: *La France de Philippe Auguste; le temps des mutations*, Paris, 1982, pp. 77-111. Bernard Guenée, «Les généalogies entre l'histoire et la politique; la fierté d'être Capétien en France au Moyen Âge», *Annales*, 1978, pp. 450-477.

16. A. Vauchez, «*Beata stirps*; sainteté et lignage en Occident aux XIIIe et XIVe siècles», colloque: *Famille et parenté dans l'Occident médiéval*, Paris-Rome, 1977, pp. 397-406.

17. H. Pinoteau, *Vingt-Cinq Ans d'études dynastiques*, Paris, Christian, 1982. D. Gaborit-Chopin, «Les couronnes de sacre des rois et des reines au Trésor de Saint-Denis», *Bulletin monumental*, t. CXXXIII, 1975, pp. 165-181.

18. Philippe Contamine, «L'oriflamme de Saint-Denis aux XIVe et XVe siècles», *Annales de l'Est*, t. XXV, 1973, pp. 179-245.

19. Guillaume Rigord, *Œuvres complètes*, éd. H.F. Delaborde, Paris, 1882, t. I, p. 22.

20. R.A. Jackson, «Les manuscrits des *ordines* de sacre de la bibliothèque de Charles V», *Le Moyen Âge*, 1976, p. 77.

21. La plupart des relations du sacre de Charles VII sont éditées dans: J. Quicherat, *Procès de condamnation et de réhabilitation de Jeanne d'Arc*, Paris, S.H.F., 1841-1850, t. IV.

22. M. Barroux, «Les anniversaires royaux de la mort de Dagobert», *Bulletin du Comité des travaux historiques et scientifiques*, 1942-1943, pp. 131-151.

23. E. Kantorowicz, *The King's Two Bodies*, Princeton, 1957 (traduction française, *Les Deux corps du Roi*, Paris, 1989).

24. Georges Duby, *Le Dimanche de Bouvines*, Paris, Gallimard, 1973.

25. George Huppert, «The Trojan Franks and their Critics», *Studies in the Renaissance*, t. XII, 1965, pp. 227-241.

26. Colette Beaune, «Costume et pouvoir en France à la fin du Moyen Âge; les devises royales vers 1400», *Revue des sciences humaines*, t. CLXXXIII, 1981, pp. 126-146.

27. Philippe Contamine, «À propos du légendaire de la monarchie française à la fin du Moyen Âge...», Colloque «*Texte et Image*», Chantilly, 1982, pp. 201-214.

28. Bibl. nat., Fr. 17274, Guillaume Crétin, «Chroniques rimées», fin du XVe siècle, ff[os] 38-39.

29. L'essentiel de la bibliographie est dans les trois volumes publiés à l'occasion du *Millénaire monastique du Mont-Saint-Michel*, 1966 à 1968.

30. Bibl. nat., Fr. 2701, Jean Jouvenel des Ursins, f° 87.

31. F. Guessard et E. de Certain, *Le Mystère du siège d'Orléans*, Paris, 1862, p. 273.

32. J. Quicherat, *Procès de condamnation et de réhabilitation de Jeanne d'Arc*, Paris, S.H.F., 1841-1850, t. V, pp. 122-123.

33. G. Dufresne de Beaucourt, *Histoire de Charles VII*, Paris, 1881-1891, t. V, p. 52. Jean Chartier, *Chronique de Charles VII*, éd. A. Vallat de Viriville, Paris, 1858, t. II, p. 320.

34. Georges Duby, *Fêtes en France*, Paris, Éd. du Chêne, 1977, pp. 184-187. M. Robert, «La quintaine limousine», *Bulletin de la Société d'ethnographie du Limousin*, t. XIII, 1965, pp. 193-197.

35. Y. Chauvin, «Le Livre des Miracles de sainte Catherine de Fierbois», *Bulletin de la Société des antiquaires de l'Ouest*, t. XIII, 1975, pp. 282-311 (édition). Id., «Le Livre des Miracles de sainte Catherine de Fierbois», *Archives historiques du Poitou*, t. LX, 1976 (commentaire).

36. E. Raunie, *L'Épitaphier du vieux Paris...*, *Histoire générale de Paris*, 1890-1894, t. II, p. 290, t. III, p. 360.

37. Jean de Bueil, *Le Jouvencel*, éd. L. Lecestre, Paris, 1889, t. I, p. CCCV.

38. Thomas d'Aquin, *Opera omnia*, éd. S. Fretté, Paris, 1884, t. X, pp. 576-577.

39. É. Mâle, « La fête de la *Reductio Normaniae* », *Baiocana*, 1911, pp. 49-70, 1912, pp. 193-242, 1913, pp. 61-78.

40. Comme exemple : A. Mirot et B. Mahieu, « Cérémonies officielles à Notre-Dame de Paris au XVe siècle », *VIIIe Centenaire de Notre-Dame de Paris*, Paris, 1967, pp. 263-290.

41. Marc Bloch, *Les Rois thaumaturges*, rééd., Paris, Gallimard, 1982.

42. Colette Beaune, *Naissance de la nation France*, Paris, Gallimard, 1985, en particulier l. II, « La France et Dieu ».

J A C Q U E S   L E   G O F F

Reims, ville du sacre

Dans la mémoire des Français, Reims c'est une ville, une cathédrale, une cérémonie.

La ville entre dans l'histoire documentée par des textes dans les années 57-53 avant Jésus-Christ, lors de la conquête de la Gaule par César qui la cite dans le *De bello Gallico.* Elle porte alors le nom celtique de *Durocortorum (Durocortora* chez le géographe Strabon). Elle le change entre 237 et 275 pour celui de *Civitas Remorum* ou *Urbs Remorum*, qui sera Reims en français, de l'appellation du peuple venu de Germanie s'installer dans la région au IIe siècle avant Jésus-Christ, les Rêmes.

Une première cathédrale fut sans doute construite à la fin du IIIe siècle et le siège épiscopal fut transféré vers 400 par l'évêque saint Nicaise dans une nouvelle église dédiée à Notre-Dame au centre de la cité, sur le lieu de la cathédrale actuelle, une des plus belles cathédrales gothiques, bâtie à partir de 1211, le chœur et le transept étant achevés en 1241.

La cérémonie, c'est le sacre et couronnement des rois de France. Le premier souverain oint et consacré à Reims fut l'empereur Louis le Pieux, fils de Charlemagne, sacré par le pape Étienne IV le 5 octobre 816. Les prétentions de l'archevêque de Reims à être le prélat consécrateur du roi de France occidentale datent de l'archiépiscopat d'Hincmar (845-882). La cathédrale de Reims devint le lieu du sacre des rois de France sous les Capétiens. Le premier Capétien à y être oint et couronné fut Henri Ier, petit-fils de Hugues Capet, en 1026. Tous les rois de France y furent sacrés, de Louis VII (1131) à Charles X (1825), à l'exception d'Henri IV (sacré à Chartres en 1594, Reims étant aux mains de ses ennemis, les ligueurs) – et après l'hiatus créé par la Révolution française (abolition de la royauté en 1792), l'Empire (sacre de Napoléon Ier à Notre-Dame de Paris en 1804) et le règne de Louis XVIII (1815-1824) qui ne se fit pas sacrer. Mais à l'origine de cette histoire et de cette mémoire symboliques, il y a un événement fondateur, à partir duquel Reims

se constitua en lieu de mémoire. C'est le baptême de Clovis, roi des Francs, par l'évêque de Reims, saint Remi, dans la cathédrale de l'époque, très probablement le jour de Noël 498 (ou 499).
Ainsi, l'histoire de Reims, lieu par excellence de l'intégration de la monarchie dans la mémoire nationale, peut dans la diachronie se décomposer en quatre phases.

Quatre temps de la mémoire

De la protohistoire à 498-499, c'est la construction d'un cadre spatial qui sera le réceptacle de l'événement mémorable, une structure d'accueil. C'est l'histoire ancienne d'une ville où s'accumulent toutes les strates d'où est sortie la mémoire nationale des Français : Celtes, Germains, Romains, christianisme.
De 498-499 au règne de Saint Louis (1226-1270), c'est la construction de cette mémoire. Le développement des événements, des mythes, des traditions qui, par le souvenir du baptême de Clovis, le culte de saint Remi, la légende de la sainte ampoule, la série des sacres royaux, la construction d'une cathédrale qui offre à l'office de la consécration une enveloppe éclatante conduisent à une cérémonie qui, sous Saint Louis, s'affirme comme la proclamation de l'indépendance et de la supériorité de la monarchie française sur les autres monarchies chrétiennes. À Reims, chaque nouveau roi devient *rex christianissimus*, roi très chrétien, au cours d'une cérémonie qui renouvelle, relance le souvenir de l'éminente dignité de la monarchie et du peuple français.
De 1270 à 1789 – avec l'éphémère retour de flamme, le bref feu de paille de 1825 –, c'est la perpétuation de cette mémoire, presque immobile. Le sacre de chaque roi s'ingénie à recréer les sacres précédents, dans une cérémonie que domine, malgré quelques innovations de portée en général secondaire, le souci de la répétition, de l'identification de l'histoire à la mémoire, une longue plage d'archaïsme dans laquelle la monarchie cherche à immobiliser la société française. La stabilité dépend de plus en plus d'une monarchie qui prétend davantage à une fonction cosmique. Fondée sur l'hérédité et les lois constitutionnelles du royaume, le pouvoir royal ne s'allume vraiment qu'à Reims où les lumières du sacre mettent à feu le Roi-Soleil, suprême avatar du roi très chrétien.
La monarchie de Juillet, le second Empire et surtout la IIIe République interrompent le fonctionnement de cette mémoire comme recréation de l'identité française à travers le sacre de ses rois toujours recommencés et désormais éteints. Mais une mémoire pétrifiée demeure dans cette quatrième et probablement ultime phase de Reims qui débute en 1830. Deux supports la perpétuent : la cathédrale, lieu vide de cérémonies royales mais bruissant de souvenirs et d'images évocatrices ; et l'histoire qui vient servir de relais à la

tradition, et qui la diffuse au moyen des livres, des media, et surtout de l'enseignement. Mémoire pétrifiée mais toujours palpitante à travers la vie de l'histoire. Durant la Grande Guerre de 1914-1918, les atteintes portées au monument-mémoire sont une blessure de la mémoire elle-même.

I. Une longue préparation

Au début, comme toujours, il y eut la géographie et l'histoire. Un site avec ses avantages et ses inconvénients dont s'empare l'histoire. Nul ne l'a mieux dit que Vidal de La Blache.

La géographie vivifiée par l'histoire

Nous sommes habitués à faire pivoter notre histoire autour de Paris : pendant longtemps elle a pivoté entre Reims, Laon, Soissons et Noyon. C'est à la convergence des rivières que Paris a dû progressivement son importance ; Reims a dû la sienne au remarquable faisceau de vallées qu'il commande. À portée des ressources de la falaise dont le talus s'incline lentement jusqu'à ses faubourgs et d'où se détachent quelques monticules, à l'entrée d'une des larges et plus directes ouvertures fluviales qui pénètrent dans la région tertiaire, Reims appelait naturellement à lui les voies de la Bourgogne, de la Champagne, de la Lorraine vers la Flandre et la Grande-Bretagne. Elles pénétraient par là dans une des régions les plus propres à réaliser un précoce développement politique, car tous les éléments d'aisance et de bien-être s'y trouvaient concentrés. Reims devint ainsi, grâce au réseau des voies romaines, un carrefour où, de la Marne, de la Meuse à l'Escaut, tout aboutissait, d'où tout partait. Ce fut la métropole de la Deuxième Belgique, c'est-à-dire d'un groupement très ancien, qui a failli rester dominant dans notre histoire. Reims capitale politique de la France, comme elle en fut longtemps la capitale religieuse, eût joué entre le Rhin moyen et les Pays-Bas un rôle de rapprochement dont l'absence se fait sentir dans notre histoire.
Du moins c'est autour de ce centre politique et religieux qu'a gravité cette région de Noyon, Soissons et Laon, qui prolonge la Picardie jusqu'au seuil de la Champagne. Il suffirait de rappeler, comme une preuve de précoce importance nationale, la floraison de souvenirs, contes, légendes, qu'elle a légués au patrimoine commun dont notre enfance est encore bercée. Ce fut un foyer riche et vivant. Ses saints sont des hommes d'actions, qui par là plurent à ce peuple, et qu'il

s'amusa à ciseler à son image. Saint Remi, saint Éloi, saint Médard, saint Crépin sont des saints familiers, que l'imagination populaire adopte et avec lesquels elle prend ses libertés. Reims résume et incarne tout un cycle de légendes. C'est bien, comme on l'a dit, « la plus française » de nos cathédrales ; toujours prête et parée pour le sacre : traduisant en sculpture la légende de Clovis et de saint Remi.

Si les avantages l'ont finalement emporté sur les inconvénients, c'est par la grâce de l'histoire qui actualisa les potentialités du site et surtout de la situation. « Carrefour naturel », Reims attira très tôt un peuplement. Mais les fouilles archéologiques ont montré que « le site de Reims n'eut rien de privilégié aux époques préhistoriques et protohistoriques ». Les premiers qui firent profiter Reims de ses chances furent sans doute les Rêmes, qui regroupèrent les Celtes préexistants dans l'oppidum de Durocortorum au sud d'un territoire allant de la Marne et du Tardenois à l'Argonne et aux Ardennes et qui, au Ier siècle avant Jésus-Christ, faisait partie de la confédération belge. Reims est le centre d'un territoire en des marges frontières où se cumulent une fonction d'échange au centre d'un réseau de routes et de filtre frontalier entre Nord et Sud, Est et Ouest.
Ainsi Reims accueille les nouveaux venus dont la chimie démographique va créer le peuple français. Le modèle ethnique et culturel français y est exemplaire : Celtes, Gallo-Romains, Germains. C'est sur ce fond de brassage français des peuples que va se produire, se construire et se perpétuer une mémoire politique et nationale.

La chance romaine

La deuxième chance de Reims – et celle-là fit faire un bond en avant au destin de l'agglomération –, ce fut la venue des Romains. Les Rêmes firent le bon choix. Au lieu d'aller grossir la cohue des peuples celtes désunis, sans conscience d'identité, encore moins d'unité nationale, les Rêmes se firent d'entrée de jeu les alliés des Romains. Leur fidélité fut sans faille. Dès 53 avant Jésus-Christ, César désigna Durocortorum comme siège du congrès des peuples gaulois *(concilium Galliae)* convoqués pour juger la conjuration des Sénons et des Carnutes.
Après la conquête romaine, les Rêmes figurent dans la catégorie supérieure des peuples de Gaule, celle des fédérés, en théorie indépendants et alliés à Rome sur un pied d'égalité. Ils restèrent fidèles à Rome lors des révoltes de 21 et de 69 et, en 70, c'est à Durocortorum que se tint une réunion des cités gauloises qui, à l'appel du Rême Julius Auspex, décidèrent de rester dans l'Empire romain. C'est à la fin du IIe et au IIIe siècle que Durocortorum,

devenu Reims, connut sa plus grande prospérité. Des monuments importants contribuèrent à la future mémoire monumentale de Reims dont le passé romain est resté jusqu'à aujourd'hui une composante. Certes, l'imposant cryptoportique ne fut redécouvert qu'au XIXe siècle et mis au jour au XXe siècle, mais la porte dite de Mars – en fait un arc monumental – continuait à rappeler l'empreinte romaine au Moyen Âge bien que celui-ci l'eût englobée dans les remparts et dans un château des archevêques. Trois autres arcs monumentaux dits «porte de Cérès» à l'est, «arc de Vénus» à l'ouest et «porte Bazée» ou «de Bacchus» au sud subsistèrent jusqu'au XVIIIe siècle et l'amphithéâtre ne fut détruit qu'au XIXe.
Atteignant sans doute soixante hectares de superficie (et même quatre-vingt-dix si on compte la zone habitée au-delà des «portes») et vingt mille habitants (à l'instar de Lyon, Nîmes, Narbonne), Reims devint sous Dioclétien (184-205) la capitale de l'importante province de Belgique seconde. Les grandes invasions barbares venues de Germanie en 259-260, 261-262, 269-270, 273-275 n'épargnèrent pas la cité. C'est en 273-275 que, comme beaucoup d'autres cités en Gaule et dans l'Empire romain, elle se munit de murailles qui s'appuyèrent sur les quatre arcs monumentaux transformés en portes de rempart. La trace de cette muraille du Bas-Empire et la forme de la ville qu'elle enserrait sont encore visibles dans le dessin du centre actuel.
La mémoire romaine de Reims va enrichir au Moyen Âge le mythe rémois. Sur la base d'une de ces étymologies fantaisistes qu'à la suite d'Isidore de Séville le Moyen Âge a beaucoup pratiquées et qui ont nourri son imaginaire au moment où la renaissance de l'Antiquité et l'idéologie impériale carolingienne et othonienne inspiraient à beaucoup de cités la revendication d'origines romaines, Reims se réclama de Remus, le frère de Romulus, comme fondateur. Le Rémois Flodoard, au Xe siècle, dans son *Histoire de l'Église de Reims*, cherche à concilier les faits historiques que son érudition d'historien lui fait considérer comme vrais et la tradition légendaire :

> À la suite d'une querelle, Remus fut tué, et Romulus donna son nom à Rome. Il semble donc probable que les soldats de Remus s'exilèrent, bâtirent notre ville et fondèrent la nation rémoise, car nos murs portent pour ornements les emblèmes des Romains, et la porte la plus élevée a conservé jusqu'à nos jours le nom de Mars, qui, selon l'opinion des Anciens, fut le père de la nation romaine. Sous la voûte, à droite en sortant, est représentée, suivant la fable, la louve qui donne ses mamelles aux deux enfants Remus et Romulus ; dans celle du milieu sont sculptés les douze mois dans l'ordre du calendrier romain ; la troisième voûte, qui est celle de gauche, est remarquable par l'emblème des cygnes ou des oies.

> Il n'est pas étonnant néanmoins que la fondation et l'origine de notre ville présentent de l'obscurité, puisque, d'après le témoignage d'Isidore, la naissance de Rome elle-même, la maîtresse du monde, est un objet de controverse, et qu'on ne peut avec certitude en connaître l'origine.

Reims, rejeton de Rome, se perd comme elle dans l'obscurité des temps et des légendes.

L'affirmation chrétienne

Une nouvelle mémoire, plus importante encore pour l'avenir de Reims, se met en place de la fin du IIIe au début du Ve siècle : la mémoire chrétienne.
C'est très probablement dans la seconde moitié du IIIe siècle que les chrétiens du territoire rémois s'organisent. Selon une tradition établie pendant le haut Moyen Âge, le premier évêque, dont l'existence n'est pas solidement attestée, aurait été saint Sixte. Le premier évêque historiquement prouvé est Imbetausius qui assista en 314 au concile d'Arles avec son diacre Primogenitus.
Le premier oratoire construit à Reims avait été dédié à saint Sixte et s'élevait dans le faubourg qui s'était développé à proximité de la grande route nord-sud, au sud-est de la cité et qui forma au IVe siècle un « quartier des Chrétiens » *(vicus Christianorum)* avec plusieurs églises et chapelles et un cimetière. L'église des Apôtres (plus tard Saint-Symphorien) y aurait été le siège de l'évêque. Au début du Ve siècle, l'évêque saint Nicaise aurait fait construire, à l'emplacement de la cathédrale actuelle, une église dédiée à la Vierge Marie, mais comme on ne connaît pas en Occident d'église placée sous le vocable de Marie avant le concile d'Éphèse (431), la nouvelle cathédrale Notre-Dame pourrait n'avoir été élevée que dans la seconde moitié du Ve siècle. En tout cas, le christianisme non seulement entrait dans la cité emmurée (l'*arx*) mais il y installait le centre de son pouvoir. Du Ve au VIIe siècle, d'autres édifices religieux s'élevèrent (deux monastères de moniales tous deux placés sous le vocable de saint Pierre dont le plus connu – Saint-Pierre-aux-Nonnains – fut probablement transféré au cœur de la cité lors des invasions normandes du IXe siècle), à proximité immédiate des quatre portes (quatre chapelles protégeaient, Saint-Hilaire la porte de Mars, Saint-Martin, avec le petit sanctuaire de Saint-Christophe, la porte Bazée, Saint-Victor la porte de Soissons, Saints-Crépin-et-Crépinien la porte de Trèves) et surtout dans l'ancien « quartier des Chrétiens » ; aux basiliques Saint-Sixte et Saints-Timothée-et-Apollinaire, Saint-Agricola devenu Saint-Nicaise s'ajoutèrent deux chapelles d'hôpitaux, Saint-Julien et Saints-Cosme-et-Damien et surtout Saint-Christophe, devenu au VIe siècle Saint-Remi, et appelé à devenir, avec la cathédrale Notre-Dame, l'un des deux grands « lieux » de la mémoire religieuse et politique de Reims.

Aux deux bornes du Ve siècle, la mémoire chrétienne de Rome s'était, en effet, enrichie de deux événements essentiels: le martyre de l'évêque (saint) Nicaise (407) et, surtout, le baptême de Clovis par l'évêque (saint) Remi en 498 (ou 499).

Comme toutes les cités épiscopales de l'Occident latin, Reims fut de plus en plus dominée par ses évêques. Ils jouaient un rôle croissant dans la ville où l'Église possédait des terrains toujours plus étendus et des bâtiments plus nombreux, et où elle reçut l'immunité, c'est-à-dire l'exemption d'impôts, en 575-583. Reims, plus que d'autres cités, devint pendant le haut Moyen Âge une «ville sainte», selon l'expression de Pierre Desportes avec son faubourg sud au caractère funéraire nettement marqué. Eugen Ewig a recensé vingt-deux églises rémoises à la fin de l'époque mérovingienne, dont sept remontent à l'époque romaine.

Nicaise fut massacré avec sa sœur et deux diacres par les Vandales lors de la grande invasion de 407. La tradition situe ce martyre sur le seuil de la nouvelle cathédrale que Nicaise aurait fait construire mais cette construction est peu certaine. En tout cas, une église à son vocable fut élevée sur son tombeau hors les murs, non loin de celui de saint Sixte, premier évêque de la tradition épiscopale rémoise. Dans la mémoire rémoise, saint Nicaise va demeurer, apportant au patrimoine religieux de la cité l'auréole du martyre. Il va éclipser saint Sixte et ne sera pas effacé par saint Remi. Dans la sculpture de la grande cathédrale gothique du XIIIe siècle, saint Nicaise se retrouvera à l'honneur avec sa sœur Eutropie.

II. Genèse de la mémoire rémoise

Le couple fondateur : saint Remi et Clovis

C'est avec l'évêque Remi que Reims va rencontrer son mémorable destin. Remi est le type même de l'évêque gallo-romain du haut Moyen Âge. Son origine aristocratique – il était issu d'une grande famille sénatoriale laonnaise – fit de lui un évêque d'une vingtaine d'années en 459. Soucieux du temporel de l'Église, il veilla aussi au niveau culturel du clergé. Lui-même avait reçu la solide formation des fils de l'aristocratie gallo-romaine, surtout de ceux promis à l'Église. Il adhéra très vite à la tendance d'une grande partie de l'épiscopat gallo-romain de l'époque, qui se tournait vers les rois francs établis à Tournai pour obtenir leur protection contre une double menace: la barbarie de leurs propres soldats et l'anarchie qui s'installait sur la décomposition du pouvoir militaire et politique de l'Empire romain en cette fin du Ve siècle.

Dès 481, l'évêque Remi avait écrit au nouveau roi Clovis, à la mort de son père Childéric. Il saluait son avènement comme un fait normal : « Ce n'est pas une nouveauté que vous commenciez à être ce que vos parents ont toujours été », rois de la Belgique seconde, et il lui donnait des conseils paternels de gouvernement, l'exhortant à s'entourer d'hommes âgés et chrétiens.
L'espoir de Remi de voir Clovis se tourner vers le catholicisme se précisa bientôt. Un fait légendaire ou enjolivé, raconté près d'un siècle plus tard par Grégoire de Tours, illustrera jusqu'à nos jours, dans la mémoire des Français, le premier pas, assez barbare, qu'aurait accompli Clovis vers Remi et le catholicisme. C'est le vase de Soissons, deuxième épisode, après la défaite de Vercingétorix à Alésia, de la mythologie scolaire de la France républicaine. Voici la version qu'en donne Michelet :

> Après sa victoire sur Syagrius, un guerrier refusa au roi un vase sacré qu'il demandait dans son partage pour le remettre à saint Remi, à l'église duquel il appartenait. Peu après, Clovis, passant ses bandes en revue, arrache au soldat sa francisque, et pendant qu'il la ramasse lui fend la tête de sa hache : « Souviens-toi du vase de Soissons. »

Michelet recueille l'état final de la légende. Grégoire de Tours a parlé d'« un évêque ». La mémoire en a fait saint Remi, car saint Remi et Clovis, dans la mythologie française, c'est un couple fondateur. En 493, Clovis prit pour épouse principale une princesse burgonde catholique, Clotilde, et accepta qu'elle fît baptiser les deux premiers fils qu'elle lui donna. En 498 (ou 499), Clovis franchit le pas et fut baptisé à la Noël dans le baptistère de la cathédrale de Reims par le chef du clergé catholique de son « royaume », l'évêque Remi. Clovis n'était pas le premier roi « barbare » à embrasser la foi chrétienne, mais ce qui se révéla un coup de génie, c'est qu'il fit au bon moment le « bon choix », celui du catholicisme, du christianisme romain. Ainsi s'assurait-il le soutien de la plus grande puissance de l'Occident, l'Église romaine, qui l'aida à triompher de tous les rois barbares rivaux qui avaient, pour leur malheur, choisi le christianisme arien, hérétique aux yeux de Rome.
Le baptême de Clovis fut l'événement sur lequel se fonda désormais l'image mémorable de Reims. Ce qui précéda n'avait été que le soubassement aléatoire d'un grand destin. Le baptême de Clovis a été la base du monument qu'est devenue Reims dans l'histoire et la conscience nationale des Français. Reims entre alors dans la longue durée – du Ve au XIIIe siècle – de la construction d'un événement mémorable. Faisons un saut au Xe siècle à un moment où la mémoire du baptême de Clovis a réalisé toutes les potentialités en

germe dans l'événement. L'évolution des structures, l'action des personnalités et des milieux sociaux se sont combinées avec les hasards, les occasions de l'histoire pour édifier une mémoire.
Voici, pour l'essentiel, le récit qu'en donne, peu après 948, dans son *Histoire de l'Église de Reims*, le chanoine rémois Flodoard :

> Or, le jour de la passion de Notre-Seigneur, la veille de celui où ils devaient recevoir la grâce du baptême, après les hymnes et les offices de la nuit, l'évêque se rendit à l'appartement royal, afin de pouvoir, à l'heure où le prince n'était plus occupé des affaires de ce monde, lui faire entendre avec plus de liberté les mystères de la sainte parole. Saint Remi fut reçu avec respect par les officiers du roi qui se leva et courut avec empressement à la rencontre du prélat. Ensuite ils se rendent ensemble dans l'oratoire de Saint-Pierre, prince des apôtres, attenant à la chambre à coucher du roi. Le prélat, le roi et la reine se placèrent sur les sièges qui leur avaient été préparés, et l'on fit entrer quelques clercs, des serviteurs et des officiers de la maison. Tandis que le vénérable pontife adressait au roi ses salutaires instructions, Dieu, pour fortifier la parole sainte de son fidèle serviteur, daigna montrer ostensiblement que, suivant sa promesse, il est toujours au milieu des fidèles réunis en son nom. En effet, toute la chapelle fut tout à coup remplie d'une lumière si vive qu'elle semblait effacer l'éclat du soleil. Puis, au milieu de cette lumière, une voix se fit entendre : « La paix soit avec vous ; c'est moi ; ne craignez point, demeurez dans mon amour. » Après ces paroles, la lumière disparut, mais la chapelle conserva un parfum d'une suavité ineffable ; en sorte qu'on reconnaissait qu'en ce lieu était venu l'auteur de la lumière, de la paix et de la douce piété. La même lumière répandit aussi sur le visage du saint prélat un éclat surnaturel [...] Saint Remi lui-même, tout brillant à l'extérieur de cet éclat qui illuminait le visage de l'ancien législateur, mais plus brillant encore à l'intérieur de la lumière divine, saisi de l'esprit prophétique, leur annonça, dit-on, ce qui devait arriver soit à eux, soit à leurs descendants. Il leur prédit comment leur postérité étendrait glorieusement les limites du royaume, élèverait l'Église de Jésus-Christ, posséderait le sceptre et l'empire romain, et triompherait des attaques des nations étrangères, pourvu que, ne dégénérant point de la vertu, elle ne quittât pas la voie du salut, pourvu qu'elle ne s'adonnât point aux crimes qui offensent Dieu, et qu'elle ne se laissât pas entraîner dans les pièges de ces vices mortels, qui renversent les empires et les font passer d'une nation à une autre. Enfin, on prépare le chemin depuis le palais du roi jusqu'au baptis-

> tère. On suspend des voiles, des tentures ; les places sont couvertes de tapis, l'église est parée, le baptistère est rempli de baume et d'autres parfums, et le Seigneur répandait sa grâce sur le peuple avec une telle abondance qu'on croyait respirer les doux parfums du paradis. Précédé des évangiles et des croix, au milieu du chant des litanies, des hymnes et des cantiques spirituels, le saint pontife s'avance du palais au baptistère, conduisant le roi par la main, suivi de la reine et du peuple. Chemin faisant, on rapporte que le roi demanda à l'évêque si c'était là le royaume de Dieu qu'il lui avait promis : « Non, répondit le prélat, c'est l'entrée de la route qui y conduit. » Quand on fut arrivé au presbytère, le clerc qui portait le saint chrême, arrêté par la foule, ne put arriver jusqu'aux fonts baptismaux. Après la bénédiction des fonts, par une permission divine, le saint chrême manqua. Alors le saint prélat levant au ciel ses yeux baignés de larmes, adresse secrètement une prière à Dieu. Tout à coup, voilà qu'une colombe, blanche comme la neige, arrive portant dans son bec une fiole envoyée du ciel et remplie de saint chrême. Il s'en exhale un parfum délicieux, et tous les assistants éprouvent un plaisir ineffable qui surpasse toutes les jouissances qu'ils avaient goûtées jusqu'alors. Le saint prélat prit la fiole, et, lorsqu'il eut versé le saint chrême sur l'eau baptismale, la colombe disparut tout à coup. À la vue d'une faveur si miraculeuse, le roi transporté de joie renonce aussitôt aux pompes et aux œuvres du démon, et demande le baptême au vénérable prélat. Lorsqu'il fut entré dans la source de l'éternelle vie, le saint prélat lui adressa ces paroles éloquentes : « Sicambre, baisse la tête avec humilité : adore ce que tu as brûlé, brûle ce que tu as adoré. » Puis, après avoir confessé la foi orthodoxe, le roi est plongé trois fois dans l'eau sainte, au nom de la très haute et indivisible Trinité, du Père, du Fils et du Saint-Esprit ; enfin il est relevé par le saint prélat et consacré par l'onction divine. Avec le roi sont baptisées ses deux sœurs Alboflède et Landéhile, et trois mille hommes de l'armée des Francs, sans compter les femmes et les enfants.

Ainsi le baptême de Clovis baigne dans une atmosphère miraculeuse. Dieu, sous forme de lumière, se manifeste au roi, à la reine et à l'assistance mais il illumine plus particulièrement l'évêque, futur saint non seulement à l'extérieur – manifestation qui touche aussi bien les laïcs que les clercs, les païens que les chrétiens – mais à l'intérieur, ce qui distingue les clercs inspirés. Remi, saisi par l'esprit prophétique *(interius, divini fulgoris illuminatione, spiritu prophetico [...] traditur praedixisse)*, prédit à Clovis et à sa postérité la pérennité royale et même la dignité impériale et la victoire sur les autres nations. Par cette prophétie, le baptême de Clovis n'acquiert pas seulement une vertu légendaire mais aussi une valeur mythique. Un mythe d'origine, fondateur d'une mémoire nationale.

À cette prophétie – qui est promesse – une restriction, une condition. La race royale issue de Clovis devra respecter la religion chrétienne. La future France sera chrétienne ou ne sera pas.

Vient ensuite la cérémonie liturgique. Elle suscite un imaginaire paradisiaque. Mais l'Église, par la bouche de Remi, contrôle le processus eschatologique. Il n'est qu'entamé. De ce pèlerinage royal, l'Église est le guide et le commentateur. Les rites de l'onction manifestent plus encore le rôle fondamental de l'Église garante de la «religion royale». Un deuxième miracle se produit. Une colombe (en laquelle on reconnaît, même si on ne le dit pas, le Saint-Esprit) apporte dans une ampoule (*ampulla*, sottement traduite par «fiole») le chrême pour l'onction du roi ainsi consacré avec une liqueur venue du ciel.

Que fallait-il donc pour que le baptême de 498 fît de Reims le lieu périodiquement renouvelé de la sacralité royale et du ressourcement continu de la conscience nationale des Français?

Redisons d'abord que des Celtes aux Romains, aux Gallo-Romains chrétiens, aux Francs, le parcours ethnopolitique de Reims s'identifie au processus essentiel de formation du peuple français. Pour que les Francs de Tournai baptisés à Reims avec leur chef deviennent les maîtres de la Gaule, il n'y a pas longtemps à attendre. Clovis, par ses victoires, réalise presque l'unité d'une Gaule franque dont le centre de gravité appelé à devenir capitale se déplace vers Paris. Mais à la mort de Clovis, quand son royaume est partagé entre ses fils tous nommés «rois de France», Thierry établit sa capitale à Reims. Capitale éphémère mais qui restera, par sa fonction de métropole ecclésiastique, un des centres de gravité de la France à venir.

Du baptême au sacre

Le plein effet du baptême de Clovis vint d'abord de trois développements: le culte de saint Remi, l'affirmation du miracle de la sainte ampoule, la transformation du baptême de Clovis en sacre royal.

Le culte de saint Remi se développa lentement. Local, il eut de la peine à se transformer en culte national, à se défendre contre la concurrence d'un autre culte royal et national, celui de saint Denis.

Saint Remi, mort vers 533, fut enterré, conformément à son vœu, dans la chapelle Saint-Christophe située dans la nécropole du quartier Saint-Sixte. Bientôt, comme l'indique Grégoire de Tours, ses reliques opérèrent des miracles et son culte se répandit. La chapelle Saint-Christophe fut agrandie et le nouvel édifice prit le nom de Saint-Remi. Ses restes firent l'objet d'une

translation et, dès 585, sa fête fut célébrée, par exemple à la cour austrasienne de Metz, le 1er octobre, jour de la translation. Dès 589, une communauté de prêtres desservit cette chapelle et elle eut un abbé. Disons tout de suite que Saint-Remi devint une abbaye bénédictine dans la seconde moitié du IXe siècle, mais l'archevêque de Reims rattacha cet abbé à sa personne. Conformément à la règle bénédictine, l'abbaye élut de façon indépendante son abbé à partir de 945. Autour de l'abbaye, fortifiée entre 923 et 925, s'était développé un bourg que l'abbaye administra à partir de 989. Il s'y établit un marché, une boucherie, des fours, des moulins, des ateliers, des tavernes, mais le bourg garda un caractère en grande partie rural à la différence de la cité où s'installaient les marchands, les changeurs et les juifs. L'église avait fait place à une basilique carolingienne au IXe siècle puis à une église romane consacrée par le pape Léon IX le 1er octobre 1049. Je parlerai plus loin de l'église gothique de la seconde moitié du XIIe siècle. Au XIIIe siècle, le temporel de l'abbaye cessa de croître. En 1281, le roi de France mit la main sur l'abbaye tandis qu'en 1295 une nouvelle enceinte urbaine engloba le bourg Saint-Remi. Mais à cette époque le culte de saint Remi et le rôle de l'abbaye dans le sacre des rois de France s'étaient définitivement affirmés.
Dès le VIe siècle, le tombeau de saint Remi devint le lieu de miracles nombreux et réguliers et le patronage du saint s'avéra efficace contre la grande épidémie de peste noire (la première à affecter l'Europe occidentale à partir de 541 jusqu'au milieu du VIIIe siècle, venue d'Orient et de Byzance, d'où son nom traditionnel de «peste de Justinien»). Quand la peste menaçait, les reliques de saint Remi étaient désormais promenées en procession dans Reims qui fut épargnée.
C'est au VIIe siècle qu'apparaît dans la liturgie rémoise le thème de la sainte ampoule contenant le saint chrême qui aurait été apporté du ciel miraculeusement à saint Remi pour le baptême de Clovis.

Hincmar

Le grand prêtre du culte de saint Remi c'est, au IXe siècle, Hincmar, archevêque de Reims. Hincmar, né en 806, avait été moine de Saint-Denis (le futur grand concurrent de Saint-Remi et de Reims) et devint archevêque de Reims en 845. Il continua les travaux d'une nouvelle cathédrale, la carolingienne, probablement commencée par son prédécesseur Abbon; et dès 852 il fit procéder à la deuxième translation des reliques de saint Remi dans la nouvelle basilique et dans un poème célébra le saint «Évêque, honneur de cette ville et objet d'amour pour l'univers» *(Istius urbis honor praesul et orbis amor)*. Saint non seulement local donc mais universel, faiseur de grands miracles «Rendant la vie aux morts et la vue aux aveugles» *(Vitam defunctis reddens quoque lumina caecis)*, consécrateur de la royauté franque, enfin, « Consacrant le sceptre royal de la race des Sicambres » *(Sicambrae gentis regia sceptra sacrans)*. En 868, Hincmar nomma saint Remi pour la première fois « apôtre des Francs » et, en 869, lorsqu'il sacra à Metz Charles le Chauve en tant que roi de Lorraine, il fit remonter les Carolingiens au « glorieux Clovis roi des Francs baptisé avec toute sa famille et trois mille Francs, sans compter les femmes et les enfants, la veille de la Sainte Pâque dans la cathédrale de Reims, et oint et consacré comme roi à l'aide d'un chrême venu du ciel, dont nous possédons encore » [1].

Tout est dans cette phrase : la descendance de Clovis, le lieu, la cathédrale de Reims, le rôle supérieur et essentiel de saint Remi, le geste fondamental du sacre : l'onction, le chrême miraculeux, la présence à Reims du reste de ce chrême qui pourra servir - ouverture sur l'avenir.

Mais c'est surtout dans sa *Vie de saint Remi (Vita Remigii)* écrite à la fin de sa vie (877-881), ouvrage à succès recopié dans de nombreux manuscrits, qu'Hincmar a assuré la mémoire de Remi non seulement dans le récit de sa vie et de ses miracles mais aussi dans les nombreux textes liturgiques inclus dans la *Vita* et qui assoiront, à Reims d'abord, une des plus longues mémoires qui soient, la *mémoire liturgique* sans cesse ravivée par le retour annuel des fêtes.

L'image et l'art se joignent bientôt à cette promotion du saint. La plaque de reliure en ivoire d'un manuscrit de la *Vita Remigii* de la fin du IXe siècle présente trois scènes superposées : en haut Remi ressuscite une jeune fille de Toulouse ; au milieu, répétition du miracle du saint chrême, la main de Dieu remplit deux flacons d'un liquide avec lequel le saint va guérir un malade ; en bas une colombe apporte l'ampoule du saint chrême avec lequel Remi va baptiser Clovis.

Le nom de Remi, lié au baptême de Clovis et à Reims, se retrouve dans quelques-unes des principales histoires du haut Moyen Âge : à Reims même, bien entendu, dans l'*Histoire de l'Église de Reims* de Flodoard, dans l'*Histoire* (dite plus tard *de France*) de Richer au Xe siècle, dans la *Vie de saint Berchain* d'Adson de Montier-en-Der au Xe siècle encore, dans l'*Histoire des Francs* d'Aimoin de Fleury (Saint-Benoît-sur-Loire, la grande abbaye qui aurait pu être la rivale de Saint-Denis et de Saint-Remi de Reims) au XIe, dans la Chronique de Morigny au XIIe siècle. Le témoignage de Jean Beleth, chanoine de Notre-Dame de Paris, dans la seconde moitié du XIIe siècle est clair : « Saint Remi est appelé pontife des Gaulois *(Gallorum pontifex)* car le premier il oignit le roi des Gaulois et pour cela on le tient en France en si grand honneur et vénération, que sa fête éclipse celle de saint Michel. »

Enfin dans le texte liturgique du sacre royal de Reims à partir du sacre de Charles V (1364) un répons *Gentem Francorum inclitam* et une prière *Deus qui populo tuo*, firent définitivement de saint Remi un saint national (le répons rappelant d'ailleurs la préface de la loi salique, comme l'a remarqué Richard Jackson, se trouvait déjà dans un bréviaire rémois du XIIe siècle) : « Saint Remi, ayant reçu le chrême du ciel, consacra dans un déluge sacré l'illustre nation française et son noble roi, et les enrichit de la plénitude du Saint-Esprit. »

La sainte ampoule

La mythification du baptême de Clovis se fit à travers la promotion d'un saint, Remi, mais aussi avec l'instauration d'une relique, d'un objet sacré : la sainte ampoule.

Aux IXe-Xe siècles se diffusa dans la Chrétienté une nouvelle iconographie du baptême du Christ, en liaison avec l'évolution des pratiques baptismales. Le baptême ne se faisait plus par simple immersion ou aspersion de la tête de Jésus par de l'eau du Jourdain, mais une colombe représentant le Saint-Esprit apportait à Jean-Baptiste dans une ampoule le liquide venu du ciel avec lequel il baptisait Jésus.

Entre la représentation du baptême de Jésus et celle du baptême de Clovis, une contamination se fit bientôt. Une ampoule apparut aussi dans le bec de la colombe de Reims et, comme on avait affirmé que le liquide amené du ciel se trouvait toujours à Reims, on produisit bientôt, à une date qu'il est difficile de préciser, l'ampoule que la colombe divine avait laissée en même temps que le saint chrême. Cette deuxième relique – vivante puisque renfermant un liquide qui à chaque sacre faisait un nouveau roi – reposait à côté de celle dont l'intervention avait permis sa venue à Reims : le corps de saint Remi. La basilique bénédictine devenait ainsi l'écrin de la mémoire sacrée du baptême fondateur de la royauté française.

Doublement fondateur, car, pour compléter la genèse du mythe, le baptême se doubla d'un sacre. Saint Remi donna simultanément ou successivement l'onction du baptême et du sacre à Clovis. Hincmar l'avait dit en 869 : « Clovis [...] baptisé [...] et oint et consacré comme roi à l'aide d'un chrême venu du ciel, dont nous possédons encore... » Or, Remi n'avait pu sacrer Clovis roi, car l'onction royale n'existait pas alors. Elle avait peut-être été pratiquée – mais dans l'isolement – par les rois wisigothiques ; mais le vrai début de cette pratique qui devint rite de consécration royale par l'huile appliquée par un haut personnage ecclésiastique – sur le modèle de Saül et de David oints dans la Bible par le « juge » Samuel – date de l'initiative de Pépin le Bref : ce dernier, pour faire oublier son usurpation sur les Mérovingiens, se fit oindre une première fois par un évêque franc (peut-être saint Boniface), en 751, et une seconde fois avec ses deux fils, Carloman et Charles (le futur Charlemagne), par le pape Étienne II à Saint-Denis en 754. La coutume se répandit aussi (et peut-être même commença un peu plus tôt) chez les rois anglo-saxons.

En 816, le pape Étienne IV oignit et sans doute couronna Louis le Pieux qui avait succédé en 814 à son père Charlemagne et l'impératrice Irmingarde, à Reims. C'est probablement la première fois qu'un nouveau souverain reçut, dans une même cérémonie, l'onction et la couronne. De cette fusion, la liturgie du sacre garda toujours la marque et le texte qui la décrivit s'appela *ordo du sacre et du couronnement des rois* (de France). Reims était-il donc devenu dès 816 ce lieu sacré où se consacraient les nouveaux rois dans la mémoire encore dans les limbes du baptême-sacre de Clovis ?

Concurrences : l'archevêque de Sens et l'abbaye de Saint-Denis

Il fallut encore plus de trois siècles pour que Reims et son archevêque triomphassent de divers concurrents et finalement de deux puissants rivaux : l'archevêque de Sens et l'abbaye de Saint-Denis.

Par-delà l'événement de 498, l'enjeu de prestige et de mémoire (donc de pouvoir) était non plus un ou deux monuments : la cathédrale et l'abbaye Saint-Remi, mais une grande institution ecclésiastique : l'Église de Reims, et la ville dont elle était le cœur.

C'est en faveur de l'Église de Reims qu'Hincmar avait été le champion de Saint Remi, et c'est de l'entente entre son archevêque et la monarchie (alors carolingienne, mais héritière de Clovis), dont il consacrait le chef, que devait naître un gouvernement légitime, juste, pacifique, stable, comme il avait pu le croire réalisé pendant les quelques années de son entente avec Charles le Chauve.

Le rôle monarchique de Reims reposait donc aussi sur l'aptitude de la ville et de son évêque à jouer ce rôle. Notons d'abord l'amarrage du VIe au XIe siècle de la ville de Reims au royaume des Francs occidentaux. Lors des partages mérovingiens, la ville fit toujours partie de l'Austrasie et le traité de Verdun (843) la laissa dans le royaume de la Francie occidentale dont elle ne sortit plus. Mais à son rôle géo-historique de carrefour de routes, Reims ajoutait de façon stable une deuxième situation : celle de ville-frontière. Position dangereuse, a-t-on souvent souligné, mais aussi, au Moyen Âge où la notion de frontière est floue et s'applique à des régions qui sont autant des lieux de rencontre que d'affrontement, position riche de potentialités.

La conjonction politique qui fit la fortune de Reims, ce fut l'alliance de la monarchie et de l'Église qui s'affirma avant que la prérogative de la ville et de son évêque dans le sacre des rois se fût confirmée. En 744 le rétablissement de métropolitains par la papauté en entente avec les souverains chrétiens vaut à Reims un archevêché. Le deuxième archevêque, Tilpin, nommé en 748, ancien moine de Saint-Denis, fut assez actif pour donner son nom à l'un des personnages de la future grande chanson de geste des

Francs/Français, le Turpin de la *Chanson de Roland*. Un siècle plus tard, l'archevêque de Reims Hincmar s'opposa victorieusement aux tentatives de son collègue de Sens, l'archevêque Ganelon, pour enlever à Charles le Chauve sa couronne et la donner à Louis le Germanique. Ganelon sera, lui, le traître de la *Chanson de Roland*.

Reims était un archevêché royal. Le roi y était maître du temporel. C'est lui qui en investissait l'évêque. Malgré un certain respect de l'élection par le clergé, il contrôlait cette élection. En revanche, lors des invasions normandes à la fin du IXe siècle, lors des guerres et querelles entre Robertiens (ancêtres des Capétiens) et Carolingiens, les évêques devinrent «les chefs de la garnison, les gardiens et les défenseurs de la cité». En 1023, l'archevêque Ebles acquit du comte de Blois et Champagne Eudes II le *comitatus*, les droits du comte à Reims. L'histoire politique de Reims met ainsi face à face, mais le plus souvent en alliés, les deux protagonistes du sacre, le roi et l'archevêque. Plus encore qu'au temps d'Hincmar, les grands moments de la puissance politique de l'Église de Reims se situent au Xe siècle et, malgré de bons rapports avec les rois robertiens, c'est avec les Carolingiens que les archevêques de Reims ont eu les relations les plus étroites. Hervé, qui avait été le chancelier et le principal conseiller du roi Eudes, un Robertien, de 894 à sa mort en 898, remplit ensuite les mêmes fonctions auprès du successeur d'Eudes, le Carolingien Charles III le Simple presque jusqu'à sa déposition en 922. Devenu archevêque de Reims en 900, il est avec Charles le Simple l'artisan d'une «véritable *renovatio regni Francorum*» [2] (K. F. Werner[3]). Il fait redéfinir par le synode de Trosly (909) les devoirs des rois et des laïcs à l'égard de l'Église et du clergé et ses avis ont été décisifs pour la conversion des Normands de Rollon et leur établissement dans la future Normandie («traité» de Saint-Clair-sur-Epte, 911).

Reims est redevenue capitale royale, celle des derniers Carolingiens, Louis IV d'Outremer (936-954), Lothaire (954-986), Louis V (986-987). Passé un moment sous l'influence des empereurs othoniens, le royaume de Francie occidentale s'en écarte bientôt. Mais les archevêques de Reims sont devenus les arbitres de la situation: comme l'écrivit K. F. Werner, «quand l'appui de l'Église de Reims, détentrice *de facto* de la légitimité que l'Église peut conférer à la royauté, sera effectivement perdu, l'effondrement de la dynastie carolingienne s'inscrira dans une certaine logique».

Louis V étant mort sans enfant, il y eut deux candidats à sa succession, un Carolingien, Charles «de Lorraine», oncle de Louis V, et un Robertien, Hugues dit «Capet». À l'assemblée des grands du royaume à Senlis le 1er juin 987, le discours d'Adalbéron, archevêque de Reims, fait élire Hugues Capet roi. Le 3 juillet, Adalbéron le sacre à Noyon.

Richer, l'historien rémois contemporain, nous a laissé dans son *Histoire (de*

France) une version toute rhétorique mais devenue fameuse du discours d'Adalbéron à Senlis. L'archevêque de Reims y opposait les qualités d'un candidat choisi par l'élection aux défauts d'un prétendant qui n'avait pour recommandation que sa race.

> Le trône ne s'acquiert pas par droit héréditaire et on ne doit y élever que celui qui se distingue non seulement par la noblesse de son corps, mais encore par la sagesse de son esprit, que celui qui a l'honneur pour bouclier et la générosité pour rempart [...] Choisissez-vous donc le duc, qui se recommande par ses actions, sa noblesse et sa puissance militaire ; vous trouverez en lui un défenseur non seulement pour l'État, mais encore pour nos intérêts privés.

Ironie de l'histoire. Ce Hugues Capet, qu'Adalbéron venait de faire roi au nom du principe de l'élection, s'empressait de faire la même année couronner roi et successeur son fils Robert à Orléans. Ainsi commençait-il à construire le droit héréditaire de sa famille que la dynastie capétienne rattacherait bientôt non seulement aux Carolingiens, mais aux Mérovingiens et au premier oint d'entre eux, Clovis, à la descendance duquel Remi de Reims, à Reims, avait promis de régner pour toujours. Pourtant, ni Hugues Capet ni l'archevêque de Reims n'en sont là en 987. Le sacre a lieu à Noyon. Quand et comment s'enracinera-t-il à Reims ?

Il faut évoquer ici un double phénomène : la persistance de la mémoire carolingienne à Reims et la « capétisation » de la ville.

L'église de l'abbaye bénédictine de Saint-Remi hors les murs avait été, outre la nécropole de saint Remi et de nombreux évêques et archevêques rémois dont Hincmar, la sépulture de deux rois carolingiens, Louis IV d'Outremer (mort en 954) et son fils Lothaire (mort en 986). Sous l'abbatiat d'Odon (1118-1152), exact contemporain du célèbre abbé Suger à Saint-Denis (1122-1151) qui eut aussi dans son abbatiale une « politique funéraire », probablement un peu après 1130, on éleva dans l'église de l'abbaye trois monuments. Deux, de part et d'autre du maître-autel, représentaient, un peu plus petits que nature, assis, couronne en tête, tenant le sceptre de la main droite, les rois Louis IV et Lothaire. Le monument d'Hincmar est encore plus intéressant, d'abord parce que c'est un des premiers tombeaux à enfeu, ensuite parce que l'iconographie en est remarquable. Dans un cadre rectangulaire une sculpture représente, à droite, un prélat donnant l'investiture ou l'onction royale à un personnage couronné (Hincmar sacrant Charles le Chauve à Metz ou Louis le Bègue à Compiègne ?) ; au milieu, un souverain offre une église à un prélat (Charles le Chauve offrant la nouvelle cathédrale à Hincmar ?) ; à gauche un monastère (Saint-Remi, très probablement), un abbé, un moine et un prélat en train de

Sacre des rois carolingiens, robertiens et capétiens de Charles le Chauve (848) à la mort de Saint Louis (1270).

	Roi	*Âge au moment du sacre*	*Lieu du sacre*	*Prélat consécrateur*
848	Charles II le Chauve († 877) comme roi de Francie occidentale et d'Aquitaine		Orléans	Ganelon de Sens
869	Charles II le Chauve († 877) comme roi de Lorraine		Metz	Hincmar de Reims
875	Charles II le Chauve († 877) comme empereur		Rome	Pape Jean VIII
879	Louis III († 882) et Carloman		Ferrières-en-Gâtinais	Ansegise de Sens
888	Eudes Ier († 898) (fils de Robert le Fort)		Compiègne	Gautier de Sens
893	Charles III le Simple († 929) (détrôné 922)		Saint-Remi de Reims	Foulques de Reims
922	Robert Ier († 923) (fils de Robert le Fort)		Saint-Remi de Reims	Gautier de Sens
923	Raoul Ier († 936) (gendre de Robert Ier)		Soissons	Gautier de Sens
936	Louis IV d'Outremer († 954) (fils de Charles le Simple)		Laon	Artaud de Reims
954	Lothaire († 986) (fils de Louis IV)		Saint-Remi de Reims	Artaud de Reims
979	Louis V († 987) fils de Lothaire (du vivant de son père)		Compiègne	Adalbéron de Reims
987	Hugues Capet († 996)	environ 45 ans	Noyon	Adalbéron de Reims

	Robert II le Pieux († 1031) (du vivant de son père)	environ 20 ans	Orléans	Adalbéron de Reims
1017	Hugues, fils aîné de Robert le Pieux († 1025) (du vivant de son père)	environ 10 ans	Compiègne	Arnoul de Reims
1027	Henri Ier († 1060) fils cadet de Robert le Pieux (du vivant de son père)	18 ans	Reims	Ebles de Reims
1059	Philippe Ier († 1108) (du vivant de son père)	7 ans	Reims	Gervais de Reims
1108	Louis VI le Gros († 1137) (roi délégué du vivant de son père)	27 ans	Orléans	Daimbert de Sens
1129	Philippe († 1131) fils aîné de Louis VI (du vivant de son père)	12 ans	Reims	Renaud de Reims
1131	Louis VII († 1180) (du vivant de son père)	11 ans	Reims	Pape Innocent II
1179	Philippe II Auguste († 1223) (du vivant de son père)	14 ans	Reims	Guillaume de Champagne, archevêque de Reims
1223	Louis VIII († 1226)	36 ans	Reims	Guillaume de Joinville, archevêque de Reims
1226	Louis IX (Saint Louis) († 1270)	12 ans	Reims	Jacques de Bazoches, évêque de Soissons, à la place de l'arche- vêque de Reims, le siège étant vacant
1271	Philippe III le Hardi († 1285)	26 ans	Reims	Milon de Bazoches, évêque de Soissons, le siège étant vacant

s'agenouiller devant le roi. Témoignage éclatant de ce que Reims rappelle : l'alliance de la monarchie et de l'Église représentée par trois institutions : le monachisme à Saint-Remi, la royauté, l'épiscopat à la cathédrale.
Auprès des rois capétiens, les archevêques de Reims, non plus d'ailleurs qu'aucun autre archevêque, ne jouent plus désormais, aux XIe et XIIe siècles, de rôle aussi important qu'au siècle précédent. Mais leur fidélité à la dynastie ne peut pas se montrer davantage qu'à travers deux d'entre eux. Henri de France (1162-1176) est le propre frère de Louis VII. Son successeur, Guillaume de Champagne, Guillaume aux Blanches Mains (1176-1202), est son beau-frère, le frère de la reine Adèle de Champagne. Cet oncle de Philippe Auguste, qui fut corégent du royaume de France quand le roi partit à la croisade, présida avec son prédécesseur au grand essor économique, social et politique de Reims, au tournant décisif du XIIe au XIIIe siècle. Aux Rémois il accorda les franchises et les échevins que réclamaient les nouveaux temps urbains. Dans la cité, la religion royale allait s'épanouir dans la prospérité.

Reims, Paris, Saint-Denis

Mais à la ville, il avait fallu triompher de concurrentes, de rivales. Non de Paris. La ville avait mis longtemps à s'imposer comme capitale pendant les longs siècles où les Carolingiens, les Robertiens puis les premiers Capétiens hésitent à choisir le centre de gravité de leur domination. Ce n'est que le XIIe siècle qui fit de Paris une capitale et le XIIIe la consacra : l'installation du roi et des organes proliférants de la bureaucratie royale, l'établissement d'une université prestigieuse assurèrent son succès. Mais la ville du pouvoir laïc, du Palais royal, ne devait pas être celle du pouvoir sacré. Paris ne serait ni la ville de la consécration des rois ni celle de leur nécropole. À partir des XIIe-XIIIe siècles la mémoire royale et nationale s'élabora entre trois métropoles rivales, Reims, la ville du sacre, Paris, la ville du trône, Saint-Denis, la ville de la tombe.
Paris ne fut que le lieu où on exposa à Notre-Dame, quand ce fut possible, le cadavre du roi avant d'aller l'inhumer à Saint-Denis. Ce fut le cas de Philippe le Bel au début de décembre 1314. À la fin de mai 1271, ç'avait été celui du cercueil qui renfermait les ossements de Saint Louis, mort le 25 août 1270 devant Tunis. La cathédrale de Reims et son archevêque ne l'emportèrent définitivement qu'au XIIe siècle. Sans doute, au Xe siècle, les derniers Carolingiens avaient fait de Saint-Remi le lieu à la fois de leur consécration et de leur nécropole. Mais Orléans, dans le domaine royal (avec la grande abbaye bénédictine proche de Fleury – aujourd'hui Saint-Benoît-sur-Loire –, où Philippe Ier se fit enterrer en 1108), disputait encore la prééminence à Reims au début du XIIe siècle, et ce fut l'occasion pour l'archevêque de Sens –

chef de l'archidiocèse où se trouvait Paris et prétendant à une sorte de primauté ecclésiastique dans le Nord de la Francie occidentale – de supplanter pour la dernière fois l'archevêque de Reims comme prélat consécrateur. L'abbé de Saint-Denis, Suger, a rapporté la vive réaction en 1108 du clergé de Notre-Dame de Reims à l'annonce du sacre de Louis VI à Orléans. Suger justifie le choix de cette ville par la nécessité pour le jeune roi, en butte à de graves menaces pour son autorité, d'asseoir son prestige au plus vite; par ses mauvaises relations aussi avec l'archevêque de Reims Raoul le Vert. Philippe Ier était mort à Melun le 29 juillet, il fut enterré à Fleury-sur-Loire le 1er août. Dès le 3 août, Louis VI était sacré et couronné à Sainte-Croix d'Orléans par l'archevêque de Sens, Daimbert. Et voici, à la fin de la cérémonie, le coup de théâtre.

> Il n'avait pas encore déposé ses ornements de fête après la célébration du service divin quand, brusquement, apparurent, venant de l'Église de Reims, des messagers d'une mauvaise nouvelle, porteurs de lettres de contestation, et qui, sous le couvert de l'autorité apostolique, efficace s'ils étaient venus à temps, défendaient avec des menaces de procéder à la cérémonie de l'onction royale. Ils disaient que les prémices du couronnement du roi appartenaient de droit à l'Église de Reims, que c'était du premier roi de France, Clovis, baptisé par saint Remi, qu'elle tenait cette prérogative entière et incontestée, que quiconque essaierait de la violer avec une téméraire audace tomberait sous le coup d'un perpétuel anathème...

Mais le célèbre canoniste Yves de Chartres justifia plus tard le choix d'Orléans par les mêmes raisons politiques qu'avait invoquées Suger. On avait agi pour « l'utilité commune du royaume et du clergé ». Le roi avait été régulièrement choisi par « droit héréditaire » et par « le consentement unanime des évêques et des grands ». Au reste, de nombreux rois mérovingiens ou carolingiens avaient été sacrés, dans le passé, ailleurs qu'à Reims. Les premiers Capétiens eux-mêmes l'avaient parfois négligée. Robert le Pieux avait été consacré à Orléans, le jeune Hugues, fils aîné de Robert, à Compiègne. Et si l'Église de Reims prétend s'appuyer sur des privilèges, « pour nous ces privilèges sont nuls, car on ne les a jamais lus dans aucun concile général ni adressés en bonne et due forme à nos églises ». Cependant, affirmait-il, « nous ne jalousons pas l'Église de Reims, et si les rois des Francs avaient à son égard une telle dévotion qu'ils préfèrent être consacrés par son archevêque plutôt que par un autre, nous n'aurions rien contre, nous ne nous plaindrions pas et si nous étions présents à leur bénédiction nous répondrions volontiers amen ».

Or, cette préférence pour Reims, c'est bien ce qu'avaient montré à la fin du XIIe siècle les rois capétiens. «En sacrant Louis roi à Orléans nous n'avons rien fait contre la coutume *(mos)*», affirmait Yves de Chartres après la cérémonie de 1108. Mais après le sacre de Philippe Auguste, petit-fils de Louis VI, à Reims en 1179, Guillaume Lebreton mentionne précisément dans sa *Philippide* que «l'archevêque Guillaume a sacré le jeune roi son neveu en observant la coutume de ses pères» *(patrum servato more suorum).* Orléans a perdu les faveurs royales.

La grande concurrente de Reims dans la religion royale c'est de plus en plus l'abbaye de Saint-Denis, forte de la mémoire de Dagobert et de Charles le Chauve, gardienne d'une relique exceptionnelle, le clou de la Passion, dépositaire de l'oriflamme que le roi de France vient y prendre avant de partir en expédition guerrière; Saint-Denis, pour qui Suger a fait ce qu'Hincmar avait fait pour Reims et qui, en devenant l'historiographe des rois et du royaume dans ses *Chroniques,* en accueillant depuis Hugues Capet, à l'exception du seul Philippe Ier, les dépouilles royales, s'est faite le grand centre de production d'une mémoire «nationale». C'est Philippe Auguste qui a réglé, semble-t-il, le problème de la rivalité entre Reims et Saint-Denis pour le sacre des rois.

D'abord, prenant sans doute exemple sur son père qui s'était fait une deuxième et une troisième fois couronner (mais, naturellement, sans l'onction de l'huile divine) lors de ses remariages avec Aliénor d'Aquitaine à Bordeaux en 1137, avec Constance de Castille à Orléans en 1152, Philippe Auguste se fit couronner avec sa première femme Élisabeth de Hainaut à Saint-Denis en 1180 ou 1181, un an environ après son sacre à Reims. Surtout, Philippe Auguste semble avoir donné en garde à l'abbaye de Saint-Denis les insignes royaux: «La couronne, la chemise et les autres vêtements royaux, la tunique, les sandales et le sceptre.» Ainsi, parmi les accessoires indispensables et prestigieux du sacre, à Reims l'objet sacré: la sainte ampoule-reliquaire; à Saint-Denis les *regalia,* les insignes du pouvoir monarchique.

Reims, ses archives, son école

Si Reims a pourtant fini par s'imposer, c'est en particulier parce qu'elle était un grand dépôt de la mémoire écrite et un grand centre intellectuel.

Au milieu de toutes les épreuves qui, jusqu'à l'incendie de 1210, avaient frappé la cathédrale de Reims, elle avait eu une chance, celle de conserver ses archives. Reims ici a eu la même attitude que les autres églises épiscopales: garder un maximum d'actes écrits – y compris les faux qu'on y avait allégrement forgés, autant sinon plus que dans d'autres chancelleries ecclésiastiques. Ses motivations étaient les mêmes que partout ailleurs: pouvoir asseoir sur des documents la défense de biens et de droits, réclamer la restitution de possessions et de privilèges usurpés ou bafoués, accumuler un trésor de témoignages, d'informations, de mémoire d'elle-même. Reims semble avoir été en ce domaine d'une attention, d'un zèle exceptionnels. Cette thésaurisation culmina au Xe siècle dans deux œuvres particulièrement notoires, l'*Histoire de l'Église de Reims* de Flodoard et l'*Histoire de France* de Richer.

Au IXe siècle l'archevêque Ebbon avait été un insigne commanditaire et amateur de beaux manuscrits (dont l'admirable évangéliaire conservé à Épernay) ; ses successeurs, dont le grand Hincmar (845-882), développèrent l'enseignement avec l'aide des maîtres scots établis près de l'abbaye de Saint-Vincent et de ceux établis à Laon, siège d'un évêché suffragant. Ils enrichirent la bibliothèque épiscopale et capitulaire dont bénéficient les historiens du Xe siècle.

Enfin, l'archevêque Foulques (mort en 900) avait réorganisé les écoles de Reims en un moment de grande détresse dans le royaume. Il avait appelé Hucbald de Saint-Amand et Remi d'Auxerre. Flodoard, né en 894, peut-être à Épernay, fut leur élève. En 919, il devint chanoine et archiviste de la cathédrale. Il fut en relation avec les plus grands lettrés de son temps et les deux grands centres intellectuels les plus actifs en dehors de la Lorraine, la région de Liège et l'Italie du Nord. Après lui, Richer, moine à Saint-Remi de Reims, écrit entre 991 et 998 une *Histoire* qui prend la suite des *Annales* d'Hincmar (882) et qui devient originale à partir de 966, date de la mort de Flodoard. C'est un auteur au style fleuri, plus soucieux d'imiter Salluste que de vérité historique. Mais il a raconté avec sans doute beaucoup d'imagination l'élection de Hugues Capet comme roi en 987.

La principale vedette des écoles de Reims au Moyen Âge c'est, à la fin du Xe siècle, Gerbert d'Aurillac, un des très grands savants des temps dits obscurs, le pape de l'an mil. En 972, Gerranus, qui dirige l'école cathédrale de Reims, ramène de Rome un clerc venu de Catalogne qui enseignait les arts du *quadrivium* – que nous appellerions les sciences – à la Curie pontificale et au jeune empereur Otton II. Ce dévoreur de livres, cet admirateur des Anciens, logicien et musicien, le Léonard de Vinci de l'an mil, est aussi un maître incomparable qui donne un lustre exceptionnel à l'école de Reims dont il devient archevêque en 991 avant de passer au siège de Ravenne en 998 et enfin au pontificat suprême en 999 sous le nom de Sylvestre II. Le nouveau roi de France, Hugues Capet, dont Gerbert a favorisé l'élévation à la royauté, va confier à l'école de Reims son fils, le futur Robert le Pieux. L'institution est encore florissante au XIe siècle. Ce n'est qu'au XIIe que le flambeau de la science passe de Reims à Chartres puis à Paris.

Le sacre de Philippe Ier (1059)

Nous ne possédons qu'un récit relativement détaillé du sacre d'un roi capétien. C'est celui de Philippe Ier en 1059 raconté dans un mémorial destiné à rappeler les droits des archevêques de Reims à sacrer les rois de France.

> En recevant la crosse de saint Remi, l'archevêque exposa avec sérénité et calme comment l'élection et la consécration lui appartenaient exclusivement depuis que saint Remi baptisa et consacra le roi Clovis. Il exposa aussi comment le pape Hormisdas donna à Remi avec cette crosse le pouvoir de procéder au sacre et la primatie de toute la Gaule et comment le pape Victor lui avait confirmé ces privilèges, à lui-même et à son église.
>
> À ce moment et avec l'assentiment d'Henri, père de Philippe, il désigna ce dernier comme roi. À sa suite il y avait les légats du Siège romain, bien qu'ici même on eût déclaré qu'on pouvait procéder au sacre sans l'autorisation du pape ; toutefois ses légats y assistèrent par déférence et par amitié. À leur suite étaient les archevêques, les évêques, les abbés et les clercs. Ensuite venaient Gui, duc d'Aquitaine, puis Hugues, fils et ambassadeur du duc de Bourgogne, puis les ambassadeurs de Baudoin, marquis, et les ambassadeurs de Geoffroi, comte d'Anjou. Ensuite venaient les comtes, Raoul de Valois, Herbert de Vermandois, Gui de Ponthieu, Guillaume de Soissons, Rainaud, Roger, Manassés, Audouin, Guillaume d'Auvergne, Audebert de la Marche, Foulques d'Angoulême, vicomte de Limoges. Enfin venaient les chevaliers, les grands comme le menu peuple. À l'unanimité ils donnèrent leur assentiment et manifestèrent leur approbation en criant à trois reprises : « Nous approuvons, nous voulons ! Qu'il en soit ainsi ! »
>
> Philippe fit alors un diplôme comme l'avaient fait ses prédécesseurs concernant les biens de Notre-Dame et du comté de Reims, ainsi que ceux de Saint-Remi et les autres abbayes. Il le confirma et le souscrivit. L'archevêque aussi y apposa sa souscription, car le roi le nomma archichancelier comme ses prédécesseurs avaient fait pour les prédécesseurs de l'archevêque.
>
> C'est ainsi que l'archevêque le sacra roi. Quand l'archevêque fut revenu à son siège et s'y fut assis, on lui apporta le privilège que lui avait accordé le pape Victor. On le lut devant l'assistance des évêques qui écoutèrent. Tout cela fut fait avec une très respectueuse attention et un grand enthousiasme.

Manuel pour un sacre à Reims à l'époque de Saint Louis

Un texte qui n'a sans doute servi à aucun sacre précis nous donne la meilleure description, le meilleur contenu, le sens le plus profond de la cérémonie qui fait les rois. Il le fait d'autant mieux que le manuscrit qui nous l'a légué, le manuscrit latin 1246 de la Bibliothèque nationale de Paris, déroule sous nos yeux la cérémonie en seize miniatures. C'est le premier film d'un sacre royal.
Depuis qu'on sacrait des rois et des empereurs, en France, en Angleterre, en Germanie (puis, peu à peu, dans presque toute la Chrétienté, sauf en Italie qui avait le pape et l'empereur), une liturgie avait été instituée pour ces cérémonies plus que religieuses, sacrées. Cette liturgie fut consignée dans des manuscrits qu'on appela *ordines,* recueils de textes ayant servi pour un sacre ou programmes pour un sacre à venir.
C'est sous Saint Louis (1226-1270) que la liturgie du sacre des rois de France affirme ses caractères originaux par rapport à celle des sacres des empereurs et des autres rois. Probablement au début de son règne est rédigé un *ordo* qui manifeste d'importantes nouveautés et marque l'aboutissement d'une longue évolution, celle au cours de laquelle Reims est devenue sans conteste la ville du sacre. On nomme à juste titre cet *ordo,* l'*ordo* de Reims. À la fin du règne, sans doute, fut composé un texte un peu modifié qu'on appelle le dernier « *ordo* capétien ». Entre les deux, vers 1250, à la fin du « beau XIIIe siècle », apogée de l'essor de la Chrétienté, a été écrit et enluminé, probablement pour l'évêque de Châlons, le manuscrit qui nous intéresse. Il contient une description de la cérémonie, le texte des prières qui y étaient dites et des chants qui y étaient exécutés et les miniatures qui en évoquent le déroulement.
À son arrivée à Reims, le roi est déjà roi parce que, comme le rappelle l'*ordo,* il a satisfait aux deux premières des trois conditions nécessaires pour être roi. Il a d'abord été choisi par Dieu, il a été désigné par la tradition désormais bien établie de succession par droit héréditaire. Mais il lui faut enfin être oint et couronné. Le clergé entre ici en scène.
Le clergé, c'est d'abord l'archevêque. Avec lui ce sont aussi les chanoines de la cathédrale dont la communauté, le chapitre, est co-maître des lieux, et, d'autre part, les cinq évêques suffragants de Reims plus un sixième, celui de Langres. Les prélats (dans l'ordre de préséance ceux de Soissons, Laon, Beauvais, Langres, Châlons et Noyon) sont appelés à officier avec l'archevêque pendant la cérémonie et l'un d'entre eux, selon l'ordre de préséance, peut faire fonction de prélat consécrateur en cas de vacance du siège archiépiscopal. Ce fut le cas en 1226 où le jeune Louis IX fut sacré par l'évêque de Soissons. Le clergé, ce sont enfin les représentants des deux abbayes concernées par la cérémonie : l'abbé

et quatre moines au moins de Saint-Remi, gardiens de la sainte ampoule ; l'abbé de Saint-Denis-en-France, gardien des *regalia*, les insignes royaux.

Après le clergé, une autre formation, originale et récente, joue un rôle important dans la cérémonie, essentiellement au moment du couronnement. Ce sont les douze pairs : six ecclésiastiques et six laïcs. Les six pairs ecclésiastiques sont les cinq évêques suffragants et celui de Langres ; les six laïcs sont de grands seigneurs : en 1225, les pairs laïcs sont les ducs de Bourgogne, de Normandie, de Guyenne, les comtes de Champagne, de Flandre et de Toulouse. L'*ordo* de 1250 cite un seul pair laïc : le duc de Bourgogne.

Selon l'hypothèse séduisante de Ferdinand Lot, les pairs, qui apparaissent pour la première fois dans un document sûr en 1216, ont été créés à l'imitation des douze pairs de Charlemagne dans la *Chanson de Roland*. Ainsi, comme il arrive souvent, ce n'est pas l'histoire qui précède la légende mais l'inverse. L'imaginaire se fait réalité.

L'entourage laïc du roi à Reims comprend aussi quelques-uns des grands officiers royaux, chambrier, connétable, sénéchal, qui jouent un rôle à un moment de la cérémonie (remise des vêtements ou des insignes, port de l'épée).

Quant à la foule, nous ne savons qui était admis dans la cathédrale lors des sacres médiévaux. Clercs et nobles devaient emplir la nef. Le « bon peuple » devait être contenu dehors, marée informe assiégeant le lieu sacré, avide de voir le héros royal, d'obtenir quelques miettes de sacré.

La veille du sacre, la police royale, au grand dam des chanoines qui se sentaient privés de leurs prérogatives, fouillait de fond en comble la cathédrale, à la recherche de l'importun, du fou, peut-être de l'assassin qui s'y serait caché pour troubler la cérémonie par le scandale, le désordre et/ou même le crime. Puis, en un de ces rites de préparation aux rites de passage proprement dits, le roi venait, de nuit, prier dans le sanctuaire.

Le jour du sacre, toujours un dimanche et le plus souvent un jour de grande fête (Pentecôte, Assomption, Toussaint), le roi et les acteurs de la cérémonie doivent, selon l'*ordo* de Reims (celui de 1250 est muet sur ce point), arriver dès prime, à l'aube, dans la cathédrale et prendre place dans le chœur sur les sièges qui leur ont été préparés, celui du roi élevé sur une estrade, occupant une place centrale bien soulignée dans la première miniature du manuscrit. Toujours selon l'*ordo* de Reims, deux évêques sont allés chercher le roi dans sa chambre au palais et l'ont amené processionnellement à la cathédrale où la liturgie commence sur le seuil.

Quand le roi et les autres acteurs ont pris place sur leurs sièges, un moment essentiel de la cérémonie se produit : la venue processionnelle de l'objet le plus sacré, la sainte ampoule apportée sous un *dais* par l'abbé et des moines de Saint-Remi. Les *ordines* du XIIIe siècle marquent la promotion de la sainte ampoule dans le rituel du sacre.

Mais avant de recevoir l'onction et le couronnement, le roi doit s'engager, faire une série de promesses et de serments dont le clergé est le dépositaire, et le premier bénéficiaire. Il promet à l'Église de la protéger dans ses personnes et ses biens et assoit cette promesse sur un serment. Après le chant du *Te Deum*, le roi fait trois nouvelles promesses qui définissent les vertus et les devoirs royaux : c'est un *miroir des princes* en condensé. Il promet de faire régner la *paix* et la *justice* – mots forts à connotation religieuse sinon eschatologique – et, à l'instar de Dieu, de faire preuve de miséricorde.
Un évêque ayant demandé au clergé et au peuple s'ils acceptent ce roi et obtenu (ce n'est plus qu'une formalité, un geste symbolique) leur acquiescement, le roi prononce de nouveaux serments qui concernent Dieu (il défendra la sainte foi catholique), l'Église (il sera le tuteur et le défenseur des églises et de leurs ministres) et le peuple (il régira et défendra le royaume que Dieu lui a concédé selon la tradition de justice de ses pères). L'assentiment du clergé et du peuple (aux cris de *fiat ! fiat !*) clôture ce pacte passé entre le roi et le clergé agissant aussi, en fait, au nom du *populus*.
La première phase du rituel à proprement parler a lieu ensuite et c'est une forme d'*adoubement* : on entre en royauté comme on entre en chevalerie. Les objets qui donneront au roi sa véritable dignité et son véritable pouvoir ont été déposés sur l'autel par l'abbé de Saint-Denis qui les garde, debout. Le roi abandonne la partie extérieure de ses vêtements antérieurs, c'est la fin du rite de *séparation*. Il reçoit du grand chambrier les souliers où apparaît pour la première fois le motif des fleurs de lis emblématique de la monarchie française ; du duc de Bourgogne les éperons d'or et de l'archevêque, au cours d'un rite complexe où entrent l'autel et le fourreau, l'épée qui fait du roi le bras séculier de l'Église et que se met à porter, nue, le sénéchal de France.
Vient alors la deuxième phase, essentielle : l'onction. Elle est faite par l'archevêque sur la tête (comme pour l'onction du grand prêtre et du roi dans l'ancien Israël et comme pour les évêques), sur la poitrine, entre les épaules, sur les épaules, à la jointure des bras et enfin, un peu après, sur les mains. Tout le corps significatif du roi, tous les sièges de forces sont investis par le saint chrême prélevé par l'archevêque dans la sainte ampoule à l'aide d'une aiguille d'or. C'est alors que l'*ordo* souligne que, seul parmi tous les rois de la terre, le roi de France resplendit du glorieux privilège d'être oint, lui seul, avec une huile envoyée du ciel. Comme le dit l'archevêque, après l'onction des mains, le roi est devenu semblable aux rois et aux prophètes de l'Ancien Testament et à David oint par Samuel.
La troisième phase est celle de la remise des *insignes* royaux. Le chambrier remet au roi la *tunique* « jacinthe » (couleur des habits du grand prêtre israélite devenue la couleur des rois de France qui ont lancé le bleu comme couleur du pouvoir, du sacré, devenue – avec le pastel – couleur à la mode) et

par-dessus une *chape* (ou *surcot*) relevée sur le bras gauche comme une chasuble sacerdotale. L'archevêque remet ensuite au roi l'*anneau* signe de la dignité royale et de la foi catholique (et peut-être du mariage que Dieu contracte avec son peuple), le *sceptre* dans la main droite et dans la gauche la *verge* devenue - c'est le plus ancien témoignage - une *main de justice*: la justice, fonction royale de toutes la plus sacrée.

La quatrième phase est celle du couronnement. Le sacre est le résultat de la réunion en une seule cérémonie de deux rites d'inauguration royale primitivement séparés, l'onction venue d'Israël et le couronnement venu d'Iran par l'intermédiaire de la monarchie hellénistique. L'imposition de la *couronne* par l'archevêque requiert l'intervention des pairs qui doivent la soutenir et accompagner le roi lorsqu'il va s'asseoir sur le *trône* pour y ancrer la plénitude de sa dignité et de son pouvoir.

Il reste au roi une dernière profession à formuler. Il la prononce «face à Dieu, au clergé et au peuple» *(coram Deo, clero et populo)* comme à une synthèse des partenaires du rituel. Il y reprend à son compte, sans allusion au pape ni à l'Église romaine, les engagements des empereurs. Cette dernière phase s'achève sur le *baiser* de paix et de fidélité que l'archevêque et les pairs donnent respectueusement au roi. Les cloches sonnent, le clergé chante le *Te Deum*, le peuple le *Kyrie eleison*.

La messe solennelle qui suit apparaît, ainsi qu'elle le sera tardivement pour le mariage, comme un rite plaqué postérieurement au rite de l'onction et du couronnement. Il s'y passe pourtant un acte qui montre le nouveau statut acquis par le roi et son passage dans une catégorie où le statut royal se double d'un certain caractère sacerdotal: le roi, comme un clerc, y *communie sous les deux espèces*.

Le jeune âge des rois ou, parfois, leur situation de veuvage provisoire (ainsi pour Philippe III en 1271) a fait que le sacre de Reims a été souvent un sacre de célibataires. Mais la royauté sacrée à Reims est normalement incarnée par un couple, dont l'union promet fécondité, tradition héréditaire, continuité. L'*ordo* de 1250 compte un chapitre spécial pour la reine. Comme le roi elle est ointe, mais avec une huile ordinaire, comme lui, en revanche, elle communie sous les deux espèces.

La cérémonie s'achève par les rites finaux d'*agrégation*. Le roi, désormais complet, quitte l'édifice sacré après avoir échangé la lourde couronne réservée à cette unique cérémonie contre une couronne plus légère. Il rentre au palais archiépiscopal mais avec une dignité accrue, avec de nouveaux pouvoirs qu'incarne l'épée nue portée devant lui.

L'*ordo* ne nous dit pas que la journée s'achève très probablement par un banquet rituel, un *repas en commun* dont Van Gennep a souligné la fréquence comme conclusion d'un rite de passage.

Ce que l'*ordo* ne dit pas non plus et qui est essentiel pour le roi de France, c'est que le sacre lui a conféré un privilège exceptionnel, un pouvoir *thaumaturgique*, celui de guérir miraculeusement une maladie, les *écrouelles* ou *scrofules*, l'adénite tuberculeuse. C'est à Reims que le roi devient faiseur de miracles. Nous ne savons pas quand les rois de France commencèrent à guérir les écrouelles. Il est possible que ce ne soit devenu une pratique royale continue que sous Saint Louis, et nous ne savons pas quand Saint Louis a exercé pour la première fois son pouvoir thaumaturgique. Mais par la suite c'est à Reims, souvent le lendemain du sacre, que le roi accomplit son premier miracle.

Au milieu du XIIIe siècle, le sacre de Reims a ainsi atteint un triple objectif: manifester un équilibre entre le pouvoir royal et le pouvoir ecclésiastique, réunir en un système rituel et faire collaborer les trois pouvoirs religieux qui, historiquement, ont conquis le droit de consacrer le roi, exprimer l'indépendance de la monarchie française et sa supériorité sur les autres rois chrétiens. Les miniatures du manuscrit latin 1246 montrent bien cette volonté d'équilibre entre le pouvoir de l'Église et celui de la monarchie. Tout le système des gestes et attitudes du roi (debout, à genoux, prosterné) renvoie à cette recherche d'une égalité à réaliser entre les deux pouvoirs. Jusqu'au couronnement, ou plutôt jusqu'à l'intronisation, l'Église semble dominer, manipuler le roi, le forcer à s'engager le premier, le mener à sa guise. Mais, oint et couronné, assis sur le trône, quand il reçoit le baiser de paix et une sorte d'hommage de la part de l'archevêque et des pairs, c'est lui qui est devenu le plus puissant.

Entre le clergé de la cathédrale, archevêque, suffragants, chanoines, et les moines de Saint-Remi de Reims et de Saint-Denis avec lcurs abbés à leur tête, s'est établie une répartition des rôles dans le sacre. Mais chaque partenaire ecclésiastique est indispensable : comment sacrer le roi sans Saint-Remi et la sainte ampoule, sans Saint-Denis et les insignes royaux, sans l'archevêque et les chanoines qui disposent du lieu sacré de la cathédrale ?

Jusqu'au XIIIe siècle, les *ordines* qui régissaient les sacres des rois de France se distinguaient mal d'un même modèle qui faisait les rois dans toute la Chrétienté et portait la forte marque des traditions anglo-saxonnes d'une part, germaniques de l'autre. Avec l'*ordo* de Reims et l'*ordo* de 1250, le roi de France s'est approprié ces apports étrangers. En donnant unc telle importance à la sainte ampoule, il a souligné sa supériorité sur tous les autres rois chrétiens par l'utilisation exclusive d'une huile venue du ciel. En transformant la verge en main de justice, il s'est affirmé comme le roi par excellence. En faisant déboucher la cérémonie sur le pouvoir thaumaturgique, il a acquis une vertu supérieure qu'il ne partage qu'avec les rois d'Angleterre.

Ce rite de passage royal utilise un système de lieux et de trajets. Le premier lieu englobant, c'est Reims, ville sacrée, sanctuaire de la religion royale. Dans la ville, trois lieux déterminent un modèle de déplacements par lesquels s'opère la métamorphose du roi. D'abord, le palais d'où le roi part, roi incomplet, pour revenir, roi entier, investi de la plénitude religieuse de ses pouvoirs, symbolisée par l'épée nue qu'on porte devant lui au retour. Palais archiépiscopal où le roi est chez lui, à Reims, évêché royal. Palais en apparence dépourvu, face à Saint-Remi et à Notre-Dame, de charge sacrée. Mais dans le palais il y a le *lit*. Le rite du lever du roi - bien que le lit soit mentionné dans l'*ordo* de 1250 - n'est peut-être pas encore au point au milieu du XIIIe siècle. Mais il est déjà le lieu intime où, à l'aube du sacre, le roi ressent le premier frémissement du sacré. Ensuite l'abbaye de Saint-Remi où est conservé l'objet miraculeux qui est désormais au centre de la cérémonie, la sainte ampoule, qu'on apporte de l'abbaye pour le sacre et qui y revient quand il est accompli. La cathédrale Notre-Dame, enfin, où a lieu la transformation du roi. La cérémonie, dans son intégralité, se déroule entre les trois lieux selon des trajets qui sont tous des trajets processionnels. Espace sacré défini par des lieux sacrés reliés par des trajets sacrés.

La cathédrale n'est pas seulement le contenant de la cérémonie, elle y participe elle-même dans la mesure où elle est toute revêtue, vêtue sur ses murs, ses piliers, son sol, de tapisseries, de tentures et de tapis comme le roi l'est de nouveaux vêtements. L'espace qu'elle enferme n'est pas inerte ni homogène. Il a sa partie valorisée : le chœur et surtout le centre sacré, sinon géographique, du chœur, l'autel. Sur l'autel sont déposés les insignes royaux qui s'y chargent du pouvoir sacré qui est transmis au roi quand il les reçoit. C'est devant l'autel que s'opèrent les principaux actes de la cérémonie : prosternation du roi, énonciation des serments, onction, réception des insignes et couronnement. Enfin, pour cette cérémonie exceptionnelle on ajoute au mobilier de la cathédrale un accessoire qui confère au roi, outre le privilège, rare pour un laïc, de la proximité avec le centre du lieu sacré, celui de la domination verticale. Le roi est sur une estrade au début et à la fin de la cérémonie, à la fin surtout où, oint et couronné, il est mis sur le trône placé sur l'estrade. Il y est, comme le dit l'*ordo* « en un siège éminent d'où il pourra être vu par tous ». Reims est le lieu de la première « ostension » de la *majesté* royale

Le reliquaire de la mémoire : la cathédrale de Reims

À la liturgie royale et nationale qui se mettait en place, il fallait une enveloppe, un écrin, un reliquaire. Ce fut la cathédrale gothique de Reims, *monument* par excellence. Comment imaginer les lieux de la mémoire française sans les cathédrales ? Songeons à ce prodigieux XIIIe siècle où se multiplient tant de chantiers de cathédrales, d'abbayes, de couvents marqués par la présence de l'empreinte royale, et d'abord celle de Louis IX, roi de 1226 à 1270, Saint Louis à partir de 1297. Songeons à tant de cérémonies royales célébrées dans des cathédrales inachevées, des chœurs sans nef. La cathédrale, la royauté, la France se construisent en même temps, s'affirment sur les chantiers de l'avenir. Louis VIII (1223), Louis IX (1226), Philippe III (1271) sont sacrés dans la cathédrale inachevée de Reims; même Notre-Dame de Paris, dont le chœur était achevé en 1182, la nef au début du XIIIe siècle et la façade en 1250, n'avait pas encore les chapelles de son chevet quand Louis IX y vint pieds nus, le 15 mars 1270, avant de partir pour sa dernière croisade.

Mais la cathédrale gothique de Reims prolonge la mémoire du sacre. Six siècles après son érection, alors que les fastes du sacre s'éteindront, la cathédrale resplendira encore. Car Reims, c'est une des «grandes». La cathédrale carolingienne construite sur l'emplacement de la cathédrale du Ve siècle par l'archevêque Ebbon en 817, consacrée par l'archevêque Hincmar en 862 en présence de Charles le Chauve, munie d'une crypte par l'archevêque Hervé au début du Xe siècle, d'un clocher-porche par l'archevêque Adalbéron en 976, de deux tours de façade par l'archevêque Samson en 1152, brûle le 6 mai 1210. Comme à Chartres, comme ailleurs, l'incendie, précipitant le changement du goût et les besoins d'agrandissement, fait surgir une nouvelle cathédrale. La première pierre en est posée par l'architecte Jean d'Orbais le 6 mai 1211. Malgré une révolte contre l'archevêque, en 1233-1237, le chœur est achevé en 1241, la façade vers 1260, l'ensemble de l'édifice a dû être terminé vers le moment du sacre de Philippe le Bel en 1287.

Je suis, pour décrire Notre-Dame de Reims, la belle étude que Hans Reinhardt a publiée en 1963. La cathédrale eut quatre architectes. Jean d'Orbais (1210-v. 1228) en dressa les plans. C'est lui qui imagina les proportions magnifiques de l'édifice, réalisant la parfaite harmonie gothique à partir des modèles, qu'il connaissait bien, de Laon, de Chartres, de Soissons, étirant la nef, ajourant la façade mais en conservant l'équilibre entre pierres et fenêtres, lignes verticales et horizontales qui sera rompu à Amiens[4]. Il inventa «la fenêtre composée de deux lancettes, surmontées d'une rose en remplage entièrement ajouré», qui devait charmer toute l'Europe et que l'architecte Villard de Honnecourt, visitant le chantier vers 1220, dessina dans son carnet, «parce que je l'aimais tant». À Reims, l'architecture gothique est une dame dont on tombe amoureux. Jean d'Orbais ne réalisa pas les deux autres grandes idées de son projet: quatre clochers au transept «entourant une immense flèche centrale élevée sur la croisée» (la moins imparfaite réalisation de ce modèle est à la cathédrale de Tournai), «des façades diaphanes intimement soudées dans le corps du bâtiment». Il reste que les façades de Reims, et en particulier la façade occidentale, incarnent l'idée gothique d'un extérieur qui n'est que l'efflorescence de la structure interne. Reims est un organisme de pierre. La cathédrale exprime ce lien intime entre intérieur et extérieur que depuis un siècle le christianisme occidental s'efforçait de réaliser : cette morale où la valeur de l'acte est cherchée dans l'intention, cette foi où la vérité se trouve dans le cœur de l'homme qui s'ouvre (ou se ferme) à Dieu, cette religion qui, par la confession auriculaire rendue obligatoire une fois l'an pour tous les fidèles depuis le IVe concile du Latran de 1214, fait rentrer le fidèle en lui-même pour réaliser l'équilibre de la grâce et du libre arbitre, cette structure de raison et d'amour, elles s'incarnent mieux qu'ailleurs à Reims.

Les spécialistes de l'architecture médiévale discutent des motifs des bâtisseurs de Reims : structure et dimensions faites pour répondre à la majesté qu'on attend de l'église du sacre royal ou réminiscence de la tradition architecturale carolingienne ? Pourquoi pas les deux ? C'est au XIIIe siècle que s'institutionnalise au sacre la procession de la sainte ampoule de la porte au chœur : quoi de plus apte à laisser se dérouler cette partie devenue essentielle de la liturgie du sacre que les dix travées de la nef ? Et c'est au XIIIe siècle que s'affirme définitivement la prétention des Capétiens au *redditus*, au retour en arrière, ou plutôt à la mémoire dynastique, à la continuité des Mérovingiens et des Carolingiens aux Capétiens. Clovis et Charlemagne doivent être les ancêtres visibles du roi de France à Reims.

Le deuxième architecte de Reims, Jean le Loup (v. 1228-v. 1244), quoiqu'un peu lourdement, poursuivit dans son esprit l'œuvre de Jean d'Orbais : il réalisa une nouvelle façade aussi transparente, contribua à la beauté unitaire du monument en réalisant la couronne de pinacles faisant le tour de tout l'édifice, termina les voûtes du chœur et du transept. Gaucher de Reims, le troisième (v. 1244-1252), monta les portails, introduisit le tympan ajouré mais acheva le triforium avec un mur de fond plein et non vitré comme il était devenu de mode. Mais il fut surtout, semble-t-il, un sculpteur. C'est lui qui a réalisé « le splendide revers intérieur de la façade ». Bernard de Soissons, enfin (v. 1252-1287) a achevé dans le respect de ses prédécesseurs, mais non sans personnalité, le gros œuvre de la cathédrale : travées occidentales et voûtes de la nef, triforium ajouré dans les travées, renforcement de l'élévation extérieure de l'étage de la rose scandé de gigantesques pinacles.

Ainsi, en une soixantaine d'années, ce qui n'est pas beaucoup, débordant à peine le règne de Saint Louis avant son avènement (1226) et un peu plus après sa mort (1270), fut construite par une série d'architectes qui formèrent, dans leur succession, une véritable « équipe », la plus harmonieuse des cathédrales gothiques françaises. La plus « parfaite » aussi – trop parfaite, peut-être, car elle incarne l'ordre dans lequel le système monarchique était en train d'encadrer, presque d'enfermer, la société française[5]. Reims est le chef-d'œuvre du

gothique «classique», et «classique» dans l'histoire de France se réfère souvent à l'instauration d'un contrôle idéologique et politique. Mais il y a plus car à l'harmonie de l'architecture s'ajoute la grâce de la sculpture.
Classique, la sculpture de Reims l'est par son style «antiquisant», mais l'apparente incohérence de son ordonnance a déconcerté. Si la sculpture de Reims n'est pas aussi démonstrativement qu'à Chartes le miroir des activités humaines – travaux ruraux des mois, arts libéraux, arts mécaniques, vie active et vie contemplative, vices et vertus –, bien que rien de ce qui touche à l'homme n'en soit absent, elle est superbement l'expression de l'humanisme gothique dans le foisonnement de la nature, de l'animal et de l'homme. Reims est une forêt, un herbier et c'est là que le nouvel œil de l'artiste chrétien, après avoir observé les «humbles plantes du printemps» produit la révolution du réalisme depuis longtemps amorcée et pour longtemps encore à accomplir. Cathédrale de la flore, Reims est aussi la basilique de la faune. Certes, la sculpture de Reims ne manque ni de monstres ni d'animaux symboliques. Mais ce sont plus souvent des animaux réels et familiers qui y sont représentés; et même les dragons y ressemblent souvent à de petits monstres domestiques.
L'histoire a détruit une partie importante de cette mémoire de pierre. Surtout depuis le XIXe siècle – l'œil ultra-sensible de Victor Hugo l'a bien saisi – avec la pollution urbaine, la sculpture de Reims, en particulier dans les parties hautes, s'est effritée, dégradée. Les coups fatals sont venus des bombardements allemands de la Première Guerre mondiale. L'univers sculpté de Reims y a en partie péri et si l'architecture a pu être restaurée, comment faire revivre la sculpture? Comment retrouver par cxcmplc la beauté de la reine de Saba si longtemps admirée? En 1911, la *Description historique et archéologique de Notre-Dame de Reims* de l'abbé Victor Tourneur comptait «211 grandes statues de 3 à 4 mètres de hauteur, 126 moyennes, 936 petites, 788 animaux de toutes grandeurs» à l'extérieur, «191 statues moyennes et 50 animaux» à l'intérieur soit un total de 2 302 figures sculptées pour la décoration de Notre-Dame de Reims». Qu'en reste-t-il?
C'est le lieu de se souvenir que la mémoire lapidaire est rarement une mémoire des origines. L'architecture des églises chrétiennes ne se renouvelle pas aussi systématiquement que celle, en bois, des temples japonais sans cesse reconstruits à l'identique. Mais les réfections nombreuses et fréquentes dues à la fragilité des matériaux et aux variations du goût esthétique ne nous donnent à voir que fort peu des œuvres originelles. Les réfections et les pastiches ont été nombreux. Pourtant, comme elle est belle encore la sculpture de Reims! Quelle merveille ce dut être au XIIIe siècle!
Les statues de Reims proclament la Vierge, Dieu, l'Église de Reims, le roi. La Vierge, patronne de la cathédrale, trône au portail principal de la façade et se

retrouve dans son Assomption au fronton de la façade du transept méridional. Mais elle est surtout la mère de Jésus et la façade occidentale, dans le projet de Jean d'Orbais, devait être essentiellement dédiée au Christ et, secondairement, à la Vierge mère. Car Dieu, c'est surtout le Christ du Jugement qui devait être représenté au porche méridional de la façade occidentale et qui se retrouve à la façade du transept septentrional. C'est aussi le Christ de la Passion et de la Résurrection.

Dieu et la Vierge qui trônent dans un Couronnement de Marie au gâble du portail central, prototype céleste de tous les couronnements. Les derniers temps, qui mènent de l'Apocalypse au Jugement dernier. Ce sont là deux grands thèmes du XIIIe siècle, marial et eschatologique. Ajoutons-y, plus traditionnel, le thème de la Nouvelle Loi parachevant l'Ancienne, exprimé par deux grands cycles iconographiques à l'étage des roses : l'un va d'Adam et Ève au développement de la civilisation humaine aboutissant à des activités rurales, artisanales ou culturelles, l'autre, entre la Synagogue et l'Église, va de la Création au Christ par les Prophètes jusqu'aux Apôtres.

Dans cette statuaire où la gloire de l'Église locale et celle de la royauté nationale sont si intimement liées, les « saints de Reims » figurent en bonne place. S'il n'est pas sûr que saint Sixte, premier évêque rémois de la tradition, soit présent, bien d'autres se retrouvent individuellement ou en groupe. Ainsi, à ce qu'on a appelé le « portail des Saints », portail septentrional de la façade occidentale, sont réunis saint Nicaise, protomartyr, accompagné de sa sœur Eutropie et du saint diacre Florent, saint Remi, saint Rigobert, vingt-septième évêque de Reims ; ainsi, les saints qui avaient dans la cathédrale des autels ou des reliques – saint Étienne et sainte Hélène, saint Calixte et saint Nicolas. Omniprésent, saint Remi, le baptiseur de la monarchie.

La glorification royale dans la statuaire de Reims s'exprime de deux façons : d'abord par les statues des rois de Juda et d'Israël dont Hans Reinhardt a bien défini la signification : « À la façade actuelle, l'archivolte de la rose renferme des scènes de l'histoire de David et de Salomon. Les rois juifs n'y apparaissent pas en tant qu'ancêtres du Christ, mais comme préfigures de l'onction, de la légitimité et du juste gouvernement des rois. » David et Salomon se multiplient à Reims.

L'autre statuaire royale concerne peut-être des rois de France, notamment à la galerie des Rois à la façade. Les historiens de l'art se divisent sur l'identification de ces statues. Pour les uns, il s'agit de rois de France, pour les autres, de rois de Juda. À l'inverse de Hans Reinhardt, je crois que les rois de Reims, comme ceux des galeries, des façades de Paris, d'Amiens et de Chartres, sont des rois de Juda. Ce n'est, je crois, qu'à la fin du XIIIe siècle, et probablement dans la galerie du Palais de Paris, ornée de statues royales par Philippe le Bel, qu'on représente des rois « modernes » à qui bientôt on donnera des traits, des visages individuels et réalistes. Mais je suis d'accord pour ne pas mettre en doute la présence, à Reims, de statues de Clovis dont le baptême est représenté trois fois et de Charlemagne, personnages sans doute «historiques» mais aussi «antiques», presque comme les rois de Juda. Quant à identifier, comme certains l'ont fait, un «Philippe Auguste» ou un «Saint Louis jeune», ce sont là rêveries. L'essentiel pour tous ceux qui étaient intéressés à faire de la cathédrale de Reims un lieu de la mémoire monarchique et dynastique, c'était d'évoquer les rois contemporains à travers leurs modèles et leurs ancêtres, les rois bibliques, les Mérovingiens, les Carolingiens.

Ce programme monarchique se retrouve dans la sculpture du revers de la façade occidentale[6]. Le baptême du Christ y figure comme référence au baptême de Clovis et à l'onction royale. La leçon y est faite aux rois sur la «voie royale» *(via regia)* qui peut être bonne ou mauvaise. Hérode y représente le mauvais roi, sourd aux avertissements de Jean-Baptiste et séduit par la diabolique Hérodias. David d'un côté, Melchisedech (ici représenté en prêtre, plus qu'en roi prêtre) et Abraham de l'autre y manifestent ce que doivent être les rapports entre Église et Royauté. La communion du chevalier incarne l'investissement des guerriers par la religion, au sein de la chevalerie dont l'Église est l'inspiratrice et le roi la tête. Reims est bien le manifeste de la «religion royale».

À l'architecture et à la sculpture, il faut enfin associer les vitraux. On sait que la cathédrale gothique aspire à l'unité. Le XVIIIe siècle iconoclaste a malheureusement détruit les vitraux de tout le rez-de-chaussée et les autres vitraux ont souffert de la guerre de 1914-1918. Mais ce qui a subsisté d'original et ce qui a été restauré dans le chœur, à la haute nef (où trônent, chose rare, des figures toutes assises), aux façades (c'est le cas des roses) atteste l'importance de Reims pour l'histoire du vitrail. Je ne retiendrai ici que deux traits dominants de l'iconographie et de sa signification idéologique. Comme l'a encore justement souligné Hans Reinhardt, les vitraux de Reims, outre l'illustration du double vocable de la cathédrale «dédiée à la mère de Dieu et au Christ-Sauveur depuis l'âge carolingien», «affirment la supériorité de la métropole rémoise sur toute la Seconde Gaule Belgique» (les archevêques y trônent entourés de leurs évêques suffragants) «et le droit de ses archevêques de sacrer les rois de France».

Dieu et la Vierge, l'Église de Reims, la royauté, tant de grandeurs ne doivent pas faire oublier que dans la sculpture rémoise celui qui s'affirme avant tout, c'est l'homme. Dans cette «renaissance antiquisante» qui marquerait la statuaire rémoise, le plus neuf est un humanisme qui s'inspire de modèles : modèles antiques, modèles chartrains et amiénois, mais qui offre l'épanouissement d'un homme nouveau : l'homme d'une nouvelle beauté, faite d'harmonie, d'aménité et de sourire. Le «Beau Dieu» de Reims précède celui

d'Amiens, les « anges au sourire » témoignent d'une religion plus humaine et moins sombre, les visages des femmes (tel celui de la Vierge de l'Annonciation) sont empreints de réserve, de douceur, et de malice. Cette douceur n'exclut pas la grandeur, au sens littéral et au sens figuré. Les statues de Reims sont souvent plus grandes que la taille humaine. Réalisme dans les proportions, non dans les mesures. L'humanisme rémois exprime la grandeur biblique et antique et, s'il fait sa place à Job, l'homme qu'il représente est « à l'image de Dieu ».
Cathédrale du gothique français urbain et royal du « beau » XIIIe siècle, celui de 1220-1260, la basilique mariale de Reims a aussi propagé dans toute l'Europe la gloire de la France de Saint Louis en qui chrétiens, musulmans, Mongols reconnaissaient la tête de la Chrétienté pour sa richesse, sa force, sa langue, l'éclat de sa piété et de son art. Reims a essaimé en architecture et en sculpture à Amiens, à Bourges, vers le monde germanique, à Bamberg, à Trèves, à Mayence, à Naumburg et en Espagne, à Osma, à León, à Burgos. Elle est même présente en Italie, plutôt rebelle au gothique français, chez les sculpteurs de Frédéric II, à la chaire du dôme de Ravello, chez Nicolas Pisano dans la fameuse chaire du baptistère de Pise. On a envisagé que les volumes des statues de la façade auraient inspiré Giotto, et certains motifs rémois jusqu'à Donatello. Enfin, s'appuyant sur un retour à l'Antique et réalisant un point d'équilibre quasi miraculeux dans le gothique « classique », Notre-Dame de Reims a aussi amorcé l'avenir du gothique dans ses nouvelles créations et peut-être aussi ses gauchissements maniéristes. Le gothique rayonnant « est issu du chantier de Reims ».

Saint Remi, reliquaire gothique de la sainte ampoule

Si la cathédrale est la plus grande expression de la gloire unie de l'Église de Reims et de la monarchie française, d'autres églises en témoignent aussi. La reconstruction au XVIIIe siècle de l'église de l'abbaye bénédictine de Saint-Nicaise, évêque protomartyr de Reims, fondée en 1060 sur l'emplacement de la vieille basilique Saint-Agricola, suivit de peu celle de la cathédrale. Saint-Remi est plus importante encore. Nécropole du saint évêque, des reines Fréderonne, première épouse de Charles le Simple, Gerberge, sœur d'Otton le Grand et femme de Louis IV d'Outremer (969), du roi Carloman, frère de Charlemagne (771) et de deux des derniers rois carolingiens Louis IV d'Outremer (954) et son fils Lothaire (986), de nombreux évêques et archevêques de Reims dont Hincmar, l'abbaye est surtout, peut-être, la « châsse », de la sainte ampoule dont on a vu que le rôle était devenu essentiel aux XIIe et XIIIe siècles dans la consécration et la religion royales. Sa reconstruction avait précédé dans l'histoire de l'architecture gothique la reconstruction de la cathédrale. Elle fut l'œuvre d'un grand abbé, Pierre de Celle. Lié à quelques-uns des plus grands hommes de culture de la première scolastique, comme Jean de Salisbury, il fut, après son long abbatiat (1162-1181), évêque de Chartres, mais mourut dès 1183. Pierre de Celle n'était pas un clerc urbain mais un moine qui exprima toute sa spiritualité dans un traité de la vie monastique, le *De disciplina claustrali.* La fortune de Saint-Remi était devenue considérable. Comme Suger l'avait fait pour Saint-Denis, Pierre de Celle voulut consacrer une partie de ces richesses à la reconstruction d'un édifice où s'incarnerait l'harmonie, « la quatrième des conditions nécessaires, selon lui, avec le silence, la paix, et la sérénité pour parvenir à la perfection de la vie religieuse » (Anne Prache, *Saint-Remi de Reims*). Pierre de Celle est imbu de la beauté monumentale, expression de cette harmonie. Cet idéal, c'est l'art gothique qui le réalise et qui, à l'unité, ajoute l'intégration de la lumière dans l'espace intérieur. Le maître anonyme de Saint-Remi a eu une grande influence dans la phase du gothique qui se situe au tournant du XIIe au XIIIe siècle. Influencé par des traditions nordiques et anglo-saxonnes, il a à son tour été imité à Troyes, à Sens, à Bourges, à Cambrai et au chœur et au chevet gothiques de la cathédrale de Canterbury. Surtout, il a manifesté l'heureuse convergence, au XIIe siècle, des tendances de l'Île-de-France et des régions plus nordiques. Entre Saint-Denis et Reims, Saint-Remi a noué l'alliance gothique des deux hauts lieux de la symbolique monarchique et nationale.

L'absent du sacre : le peuple

Ainsi, Reims, en devenant définitivement la ville du sacre, en réalisant l'entente de l'Église et de la monarchie autour d'une « religion royale » bien tempérée s'est imposée, à la fin du XIIIe siècle, comme un lieu de mémoire nationale. Évêques, chanoines et moines, rois, conseillers et chevaliers y ont créé la mise en scène liturgique et symbolique de l'équilibre des pouvoirs, l'ancien et le nouveau, l'Église et l'État. Est-ce donc toute la France qui s'y impose à une imagination unitaire ? Il y manque quelqu'un, formidable et donc tenu à distance, pas complètement exclu, mais contenu à l'extérieur du centre sacré, le peuple.

Ordo et cérémonial royal précisent, dès le XIIIe siècle, que le consensus populaire, traditionnellement nécessaire à la consécration royale, n'est plus qu'un rite-croupion, vaguement symbolisé par les acclamations sans liberté ni surprise d'une populace que deux évêques viennent interroger sur le seuil de la cathédrale en une parodie de consultation. Certes le « peuple » de l'intérieur, clercs et vassaux devenus sujets obéissants et stylés, fait bruyamment entendre d'une seule voix son approbation quand le clergé le lui demande après les promesses du roi. Mais le vrai peuple, depuis les débuts de cette histoire, n'apparaît au mieux que comme une «claque» royale, au pire comme un trublion. N'est-ce pas la presse populaire qui, dès le baptême de Clovis, a empêché le prêtre porteur de l'huile consécratrice de parvenir jusqu'à saint Remi et a donc involontairement permis à celui-ci d'appeler le ciel à l'aide? L'*ordo* de Reims de la première moitié du XIIIe siècle n'évoque-t-il pas expressément «la pression à l'extérieur de la multitude populaire» *(propter multitudinem turbe exterius comprimentis)*? Il y a bien, perdus dans la flore et la faune sculptées de la cathédrale, les marchands de draps et de toiles qui font la prospérité médiévale de Reims (comme les marchands de guède à la cathédrale d'Amiens), un paysan, un boulanger et un musicien. Il reste que les bourgeois de Reims se sont révoltés contre l'archevêque et le chapitre, forçant les chanoines à quitter la ville en 1234, et que le chantier de la cathédrale est resté inactif pendant plusieurs années. Pour son sacre, le roi admettait seulement dans la cathédrale, en dehors des «ayants droit» ecclésiastiques et laïcs de haut rang, «qui il voulait» – et la veille du sacre la police royale, comme on l'a vu, fouillait de fond en comble l'édifice. À partir de la fin du Moyen Âge et de la Renaissance, le peuple put se divertir aux attractions de la «joyeuse entrée royale» et envahir le bas de la nef de la cathédrale à la fin de la cérémonie, après le couronnement, au moment du lâcher des oiseaux. Les bourgeois eurent droit à quelques manifestations et festins subalternes avant ou après le sacre. Mais le peuple ne fut jamais, à Reims, qu'un figurant traité comme populace. La mémoire nationale produite à Reims ne fut jamais qu'une mémoire de rois, de prélats, de nobles et de hauts fonctionnaires. Rien d'étonnant si, après quelque griserie romantique d'émotion moyenâgeuse, les deux grands génies «populaires» français du XIXe siècle, Michelet et Victor Hugo, ne trouvèrent plus sous les voûtes de la cathédrale de Reims que la poussière d'un monde suranné et d'une monarchie qui avait su faire de plus en plus l'État et de moins en moins la Nation. Ces voûtes où ne résonnait aucun écho de la voix du peuple leur parurent à jamais muettes.

III. De Saint Louis à Charles X : la mémoire presque immobile

À partir de la fin du XIIIe siècle, Reims est devenue définitivement la ville du sacre. Une seule exception à la fin du XVIe siècle: Reims qui a été, avec les archevêques de la maison de Guise, un des principaux centres de la Ligue catholique extrémiste, n'est pas en mesure d'accueillir Henri IV converti. Il sera donc sacré à Chartres, le 25 février 1594.

La liturgie du sacre est, à cette époque, également fixée dans ses grandes lignes. Les changements sont peu nombreux et peu importants, les innovations rares et limitées. Le sens même de la cérémonie rémoise est de manifester une continuité, un éternel retour de l'origine. Le sacre, par nature et par volonté politique, est *archaïsant.* Il fonctionnera aussi longtemps que cet archaïsme exprimera les sentiments et les institutions des Français, aussi longtemps que la religion monarchique vivra. Le temps du sacre rémois est le temps d'une mémoire longue, de sept à huit siècles, mais s'éteindra en tant que mémoire active en 1825, avec le sacre de Charles X.

D'excellents historiens ont affirmé que l'importance du sacre de Reims avait diminué à partir de la fin du Moyen Âge à cause de règles juridiques, de « lois fondamentales » d'une part, d'un nouveau système symbolique de l'autre, rendant accessoire le sacre comme début d'un nouveau règne : les premières apparitions du roi dans les lits de justice, lors des joyeuses entrées et surtout quand, au XVIe siècle, à la mort de son prédécesseur on proclamera : « Le roi est mort, vive le roi ! » Je ne le pense pas. D'abord, le roi a toujours été investi de son pouvoir de gouvernement avant le sacre. Dans leur recherche angoissée de limiter au maximum le vide, l'interrègne, le temps sans maître entre la mort d'un roi et le début du règne de son successeur, les conseillers royaux ont trouvé très tôt des solutions. Pour la datation des actes de la chancellerie royale, c'est dès 1142 que l'usage devient habituel de faire débuter le règne du nouveau roi à la mort de son père. Cet usage est devenu régulier à la mort de Philippe Auguste. La mise en place définitive de la datation de la chancellerie et celle de la liturgie rémoise du sacre sont donc contemporaines et définissent la durée du rite de passage qui fait un nouveau roi. Mais jusqu'à la fin, comme on verra – et Charles X et ses conseillers l'ont bien senti –, un roi de France n'est un roi complet qu'après le sacre. Le pouvoir monarchiquc cst fait de droit et de sacralité. Le réduire au droit est une mutilation, un appauvrissement de la réalité historique. Même si les rites de Reims ne rappellent que d'une façon de plus en plus affaiblie les rites de l'inauguration de la monarchie sacrée encore observables chez certaines ethnies africaines, ce qui s'est passé à Reims jusqu'au début du XIXe siècle c'est, par l'onction et le couronnement d'un nouveau chef, la re-naissance d'un peuple, d'un royaume, c'est l'assurance que les forces sacrées nécessaires à la vie d'une communauté « nationale » sont ravivées, ces forces que nous appelons aussi bien économiques – le roi est le garant de la prospérité – que politiques ou, plus largement, vitales.

Pour que ces forces qui sont originelles soient recréées, restaurées par le sacre, il faut que celui-ci reste aussi proche que possible de ses formes d'origine. Après le XIIIe siècle, les dépositaires de la mémoire rémoise (quelle fébrilité, par exemple, à la veille du sacre de Charles VIII en 1484 pour retrouver de vieux *ordines* de la cérémonie !) vont s'efforcer de la rendre aussi immobile que possible.

Ouvrons ici une parenthèse matérielle. Quel fut le coût financier du sacre et qui l'assuma ? On a pu penser que la venue de foules à Reims a pu, surtout aux XVIIe et XVIIIe siècles, enrichir le commerce rémois. Sans doute. Mais la charge, qui a reposé longtemps en grande partie sur les Rémois, a été lourde, et le désir de faire, à chaque sacre, plus fastueux que précédemment a dilaté prodigieusement la dépense. Le sacre de Saint Louis, en 1226, coûta plus de neuf mille livres et celui de Charles X, en 1825, plus de six millions de francs. Pierre Desportes a calculé qu'au XIVe siècle la part de dépenses qui revenait au seul archevêque de Reims s'élevait au triple ou au quadruple de ses revenus temporels annuels. Aux XIIIe et XIVe siècles, les bourgeois de Reims luttèrent avec acharnement pour faire diminuer les redevances qu'ils devaient à l'archevêque pour payer cette dépense, de loin les plus lourdes. Au Moyen Âge, en tout cas, la perspective d'un sacre était pour les Rémois redoutable. Le souci de la bourse n'allait pas dans le même sens que celui du prestige et de la liesse.

Innovations dans le rituel du sacre

La partie du rituel du sacre la plus ouverte au changement est la parole. Les serments accueillent et laissent disparaître au gré de la conjoncture historique de nouveaux engagements du roi – plus ou moins éphémères.
Le premier est la lutte contre l'hérésie à laquelle avait appelé le IVe concile du Latran en 1215. Le roi de France, à partir de l'*ordo* de Reims (v. 1220-1230), s'engage, en tant que bras séculier de l'Église, à combattre les hérétiques. Mais ce serment connut des éclipses difficiles à expliquer. Il n'apparaît pas dans l'*ordo* de 1250 et on sait qu'Henri II en 1547 ne le prêta pas. En revanche, Henri IV, hérétique fraîchement converti, le prêta à Chartres en 1594. Les serments du sacre conservèrent ainsi la mémoire de la grande menace que les hérétiques – cathares au premier chef – firent peser au XIIe-XIIIe siècle, d'abord, au XVIe-XVIIe siècle ensuite avec les protestants sur l'Église catholique à laquelle la monarchie française avait lié sa destinée.
La deuxième innovation est celle d'une clause d'*inaliénabilité* du royaume introduite dans l'*ordo* de Charles V qui, très probablement, décrit la cérémonie réelle du sacre du roi en 1364. L'idée qu'un roi (ou un évêque) n'avait pas le droit de céder un morceau du territoire ou une partie de la souveraineté qui lui avaient été conférés par la fonction royale remonte, en Occident, au deuxième quart du XIIe siècle. Elle est d'abord apparue dans l'Empire. En France les premiers Capétiens n'avaient pas une conception territoriale de leur royaume. C'était pour eux un ensemble de possessions et de droits rassemblant deux sous-ensembles : celui des terres et droits de leurs vassaux et arrière-vassaux, celui, hétéroclite aussi, du domaine royal qui dépendait plus

directement d'eux. La notion de l'unité du royaume et de sa territorialité fit de grands progrès au XIIIe siècle. L'établissement d'une justice royale effective dans tout le royaume, concrétisée par le droit général de tous les sujets à faire appel à la justice du roi, définit un territoire à l'intérieur duquel s'exerçait ce droit d'appel. Le roi est, depuis Philippe Auguste, au début du XIIIe siècle, *roi de France (rex Franciae)* et non plus *roi des Francs (rex Francorum).* Un juriste d'Orléans, très représentatif des idées politiques à la fin du règne de Saint Louis, Jacques de Révigny, l'écrit en 1270 : « De même que Rome est le pays commun des Romains, de même la couronne du royaume est le pays commun des Français, car elle est la tête. » Cette tête qui est ointe à Reims, cette couronne qui est mise à Reims sur la tête du roi.

En 1364, l'actualité politique conduisit le nouveau roi et son entourage à affirmer solennellement par serment au cours du sacre le principe de l'inaliénabilité. Depuis Philippe V en 1318, les rois de France avaient pris l'habitude de révoquer des aliénations faites par leurs prédécesseurs. En 1357, les États généraux avaient imposé à Charles, alors dauphin et régent pendant la captivité de son père à Londres après le désastre de Poitiers, la promesse de ne pas aliéner « les hautesses, noblesses, dignités, franchises de la couronne, et tous les domaines qui y appartiennent et peuvent appartenir ». Après le traité de Brétigny (1360), par lequel Jean II le Bon avait dû, sous la pression des Anglais, leur abandonner ses droits sur certains territoires français, il revint sur certaines clauses non encore ratifiées et une charte de novembre 1361 stipula que ses successeurs, devraient, au moment de leur sacre, jurer de défendre l'inaliénabilité du duché de Normandie. Certains historiens ont estimé que, lors du sacre de son fils Charles V en 1364, la clause fut étendue. Le nouveau roi aurait promis par serment : « Et je préserverai inviolablement la souveraineté, les droits et la noblesse de la couronne de France, et je ne les transférerai ni ne les aliénerai. » Mais cette clause a été introduite postérieurement dans le manuscrit de l'*ordo* de Charles V. Il semble bien qu'il n'y a pas eu de serment d'inaliénabilité prêté lors du sacre des anciens rois de France et que jusqu'au XVIe siècle il se soit agi de droits plutôt que de territoires. Il est en tout cas symptomatique de l'importance du sacre que, dès la fin du XIVe siècle, juristes et hommes politiques ont affirmé que le roi, lors de son sacre et couronnement, prêtait un serment d'inaliénabilité. C'est dans la cérémonie de Reims que l'essentiel de la fonction royale et l'essence du royaume s'affirmaient. Le sacre réalisait comme une nouvelle naissance, une nouvelle création de la France. L'intégrité du corps « national » devait y être proclamée. Un nouveau serment apparut au XVIIe siècle ou plutôt au XVIIIe siècle. Le roi y promettait d'appliquer dans toute leur sévérité les lois interdisant et réprimant le duel. Le premier roi de France qui interdit le duel fut, en 1566, Charles IX à l'instigation du chancelier Michel de L'Hospital. Depuis le fameux «coup de Jarnac» lors d'un duel en 1547, cette pratique était déconsidérée. Mais elle restait un fléau de la noblesse. Surtout le duel apparaissait comme une «véritable révolte contre l'autorité royale». Le duel avait pris la suite des guerres privées. Saint Louis avait vigoureusement interdit celles-ci. Quatre siècles plus tard, la monarchie recourait contre le duel au mode le plus solennel de condamnation dont elle disposait: un serment pendant le sacre. C'est en effet Louis XIV qui, au cours du lit de justice où il fut déclaré majeur en 1651, à treize ans, annonça qu'il prononcerait un serment contre le duel lors de son sacre. Pour des raisons inconnues il ne le prêta pas à Reims en 1654, mais il reprit la condamnation dans un édit encore plus rigoureux en 1679. Ce furent ses deux successeurs, Louis XV en 1722 et Louis XVI en 1775 qui ajoutèrent ce serment à ceux, traditionnels, du sacre. Comme l'a judicieusement remarqué Richard Jackson, ce n'est pas cette innovation qui porte la marque de l'absolutisme mais le fait que les rois qui ont juré la répression du duel n'ont pas tenu parole. Les rois du XVIIe et du XVIIIe siècle ne respectaient ni leurs serments ni leurs lois. En ce sens, ils étaient absolus. L'absolutisme ne s'observe pas dans une évolution du rituel rémois. Il existe dans le fait que tout en continuant à recevoir à Reims le bénéfice d'une sacralisation encore fortement ressentie, ils négligeaient le contre-don que dans leurs serments ils promettaient. Peut-être s'estimaient-ils quittes par le présent qu'ils faisaient à l'Église de Reims au cours de la cérémonie et par les médailles qu'ils dispensaient au peuple. Seules les offrandes à l'Église de Reims d'Henri II et d'Henri III ont survécu au «vandalisme» révolutionnaire. Le présent d'Henri II en 1547 fut magnifique par sa valeur et par sa beauté. C'est un reliquaire de la Résurrection sculpté au XVe siècle et qui contenait à l'origine, sous un cristal, une pierre du saint sépulcre. Ce présent était accompagné de l'offrande traditionnelle d'une bourse contenant treize pièces d'or.

Henri II inaugura un autre geste: celui des «jetons» du sacre jetés au peuple dans la cathédrale après le couronnement. Tantôt d'or, tantôt d'argent, ces médailles représentaient, à l'avers, le roi avec la date de son sacre, au revers soit une main sortant des nuages, soit une colombe avec la sainte ampoule descendant du ciel sur la ville de Reims, et une devise. Ce geste était d'origine byzantine, la culture politique de la Renaissance ayant retrouvé, dans le rituel grec, le faste souhaité par la monarchie française.

Un autre serment enfin fut intégré dans le sacre. Dès le XIIe siècle, la Chrétienté avait créé des communautés d'élite ou «ordres» dont les membres se distinguaient par le port d'une décoration. Militaires et religieux à l'origine, les ordres de chevalerie devinrent ensuite princiers et politiques, mais sans perdre une aura religieuse, voire sacrée. Les deux plus fameux de ces ordres de la fin du Moyen Âge furent celui de la Jarretière, fondé par le roi d'Angleterre Édouard III en 1346-1348, et celui de la Toison d'or, créé par le duc de Bourgogne Philippe le Bon en 1429. Les rois de France avaient suivi avec quelque retard. Louis XI fonda l'ordre de Saint-Michel en 1469, Henri III en 1578 l'ordre du Saint-Esprit lié à la Pentecôte, la grande fête religieuse de la monarchie chevaleresque depuis le Moyen Âge, et au souvenir de la colombe du baptême de Clovis à Reims. Grand maître de l'ordre, le roi devait jurer d'en respecter les statuts au moment de son sacre, mais Henri IV et Louis XIII se contentèrent de prononcer ce serment à Reims le lendemain du sacre. Louis XIV fut le premier à le prêter au cours de la cérémonie du sacre en 1654 et Louis XV et Louis XVI y ajoutèrent le serment d'observer les règles d'un nouvel ordre, celui de Saint-Louis, créé par Louis XIV en 1693. Ainsi les rois de France inséraient-ils dans le rituel de Reims le plus possible de ce qui leur conférait une image charismatique.

Les développements et les innovations dans le rite furent également limités. Je pense que l'on peut déduire de l'*ordo* de 1250 que dès le XIIIe siècle le rite de passage royal débutait au matin du sacre par l'épisode du «roi dormant» décrit plus loin dans le récit du sacre de Louis XIV en 1654. Depuis Charles V, en 1364, en tout cas, deux évêques-pairs de France allaient chercher le roi reposant sur un lit dans sa chambre du palais archiépiscopal et l'amenaient processionnellement à la cathédrale. À partir du sacre de Charles IX en 1561, le roi fait semblant de dormir à l'arrivée des évêques. Plutôt qu'un rite imitant le lit d'adoubement, j'y vois la symbolisation d'un rite de passage où le lit est le lieu auquel s'arrache – passant du sommeil à la veille – le personnage qui va subir une mutation dans sa nature et sa fonction.

Un nouvel insigne royal apparut au sacre de Charles V en 1364, les *gants*, dont l'archevêque lui donnait l'investiture après l'onction des mains. Ces gants étaient destinés à éviter aux mains ointes la souillure du contact avec des matières et des objets profanes. À la fin de la cérémonie ils étaient brûlés en même temps que la chemise du roi imbibée du saint chrême.

La plus importante des innovations liturgiques fut sans doute celle liée à la construction d'un jubé dans la cathédrale de Reims au début du XVe siècle. On y plaça après le couronnement le trône royal pour mieux exalter et faire voir le roi couronné. Ainsi, la volonté d'ostension du roi lors du sacre qui se manifestait au XIIIe siècle par une estrade devenue échafaud au XIVe trouvait son point d'aboutissement. En même temps, un insigne royal, le trône, recevait une grande promotion et une troisième phase de la cérémonie se développait: après l'onction et le couronnement, l'intronisation. Le roi montait toujours plus haut.

Une évolution se manifestait aussi dans les cérémonies qui précédaient ou suivaient le jour du sacre, dilatant et parachevant le rite de passage.

Après la cérémonie, après avoir quitté Reims, le roi allait inaugurer son pouvoir thaumaturgique, son pouvoir de guérir le «mal royal», les écrouelles, par simple toucher des malades qui en étaient atteints. Ce premier exercice d'un pouvoir issu de la sacralisation de Reims, dont Marc Bloch a magnifiquement montré la genèse dans *Les Rois thaumaturges*, se faisait à Corbény, dans l'Aisne, dans l'enceinte d'un monastère fondé par Charles le Simple en 906 pour y abriter les reliques de saint Marcoul, saint royal, donné en dot par le roi à sa première épouse Fréderonne qui le légua à Saint-Remi de Reims. En 1654, Louis XIV fit transférer la châsse de saint Marcoul dans l'abbaye de Saint-Remi et c'est là, à Reims même, dont les puissances sacrales conférées à la royauté se trouvèrent ainsi augmentées, que le roi de France inaugura désormais le «miracle royal». Les sources de la religion royale étaient toutes concentrées à Reims.

À partir de Louis XIII, en 1610, le sacre royal s'accompagna aussi de l'exercice du droit de *grâce* par le nouveau souverain. Louis XIV, en 1654, gracia probablement six mille prisonniers. Ici encore, c'était l'insertion dans la période rémoise d'inauguration royale d'une vieille prérogative royale dont l'histoire, esquissée par Richard Jackson, est très mal connue. Le droit de grâce royal fut l'objet de contestations et de limitations. Il avait attiré en 1654 des milliers de malfaiteurs, et de criminels venus se faire emprisonner à Reims pour en bénéficier; mais au sacre de Louis XV, en 1722, on libéra moins de six cents prisonniers et en 1775, à l'occasion du sacre de Louis XVI, cent douze seulement furent trouvés dignes de la grâce royale par des commissaires préposés à l'examen des dossiers des postulants.

Plus important – et principale innovation des festivités rémoises à mon avis – fut l'établissement, au moment où le nouveau roi arrive à Reims pour y être sacré, d'un rite nouveau, celui de la «joyeuse entrée». Depuis le XIVe siècle, quand le roi entrait dans une de ses bonnes villes, c'était une fête. Clercs et gens de métier, endimanchés, l'accueillaient solennellement, on dressait des décorations sur son passage, au XVe siècle on lui remettait les clefs de la ville. Bernard Guenée et Françoise Lehoux ont repéré la première joyeuse entrée d'un roi de France à Paris en 1350, précisément quand Jean II le Bon revint de son sacre. Il n'y eut pas, semble-t-il, de joyeuse entrée dans la ville du sacre avant le XVe siècle. Peut-être se mit-on alors à considérer que le roi était déjà suffisamment roi même avant le sacre pour qu'il fût royalement accueilli à son arrivée à Reims. Mais la joyeuse entrée à Paris après le sacre continua à être célébrée: ce qui, à mes yeux, signifie plus que l'allégresse née de l'accomplissement de la cérémonie de Reims, mais souligne le parachèvement du personnage du roi. L'entrée rémoise se souda avec la cérémonie du sacre dont elle était à la fois le prélude et le commentaire. L'histoire de France et l'Antiquité fournirent l'essentiel des thèmes de ces entrées, dont la fonction était de renforcer une longue durée de la mémoire monarchique, allant au-delà de l'archaïsme moyenâgeux de la liturgie du sacre[7].

Le plus ancien récit conservé est celui de la joyeuse entrée de Charles VIII en 1484 où apparaissent les principaux thèmes qui devaient persister jusqu'à l'entrée de Louis XVI en 1775. Le baptême de Clovis avec la sainte ampoule y fut représenté par un tableau vivant. Le roi en ayant demandé la signification, on lui répondit que c'était le «mystère du sacre». Il défit son manteau et ôta son chapeau avant de poursuivre son chemin. À l'entrée de Louis XIII en 1610, «un arc de triomphe représentait Clovis et portait des vers latins et français à la gloire du royaume et de l'empire que le roi avait conquis grâce à sa vaillance et grâce au chrême». À l'une des portes de la ville, un tableau représentait la colombe portant la sainte ampoule au-dessus de l'autel.
Le baptême de Clovis était, lors de l'entrée de Charles VIII, le dernier de trois épisodes représentant l'histoire de France, les deux premiers étant franchement légendaires. L'un évoquait le mythe des origines troyennes des rois de France à travers Francus, fils inventé d'Hector et fondateur du royaume de Sicambrie. L'autre présentait les anciens rois (légendaires) des Francs: Samothès et Pharamond, trisaïeul de Clovis et législateur de la loi salique invoquée depuis la fin du XIVe siècle. L'histoire romaine apporta Rémus, fondateur légendaire de Reims. À l'entrée de Louis XIII, on représenta Hercule, Alexandre et Achille avec des vers prédisant à l'enfant roi, déjà l'Achille des Français, qu'il deviendrait un jour l'Alexandre gaulois. En 1772, à l'entrée de Louis XVI, ce fut César qu'on évoqua et le thème du renouveau exprimé par une phrase de Virgile: «*redeunt Saturnia regna*», «voici que revient le règne de Saturne»; la paix allait remplacer la guerre.
Partout l'emblème monarchique français, les fleurs de lis, était semé et, à partir du XVIe siècle (pour Henri III en 1575), on y ajouta une connotation impériale. L'imagerie rémoise était donc un condensé visuel de toute l'histoire imaginaire nationale inventée par les Français au Moyen Âge et à la Renaissance.

Les protagonistes

Une double évolution se produisit enfin dans l'entourage royal lors de la cérémonie du sacre. Peu à peu, le personnage de la reine s'effaça. Pourtant, en 1286, Philippe IV le Bel avait été couronné en même temps que sa femme et il en fut de même en 1315 pour Louis X et sa seconde femme, Clémence de Hongrie. Mais en 1317, deux problèmes se posaient et ils concernaient la place des femmes dans le système monarchique français. D'abord la comtesse d'Artois, belle-mère de Philippe V, exigea de figurer parmi les pairs laïcs et soutint avec eux la couronne au moment du couronnement. Plus sérieux fut l'ordre intimé par la vieille duchesse de Bourgogne aux pairs, et en particulier aux pairs ecclésiastiques, de ne pas procéder au couronnement du nouveau roi – qui avait pourtant attendu six mois après la mort de son frère Louis X la naissance puis la mort à cinq jours du fils posthume de celui-ci, Jean Ier – avant qu'on eût réglé le problème des droits aux royaumes de France et de Navarre de sa petite-fille Jeanne, fille aînée du feu roi Louis X. Ainsi autour du sacre de Reims, se jouait le droit des femmes dans le système monarchique et dynastique français, en un temps où l'on n'invoquait pas encore la loi salique. Jeanne de Bourbon fut en fait la dernière reine de France à être sacrée et couronnée à Reims avec son époux, le roi Charles V, en 1364. Les reines furent ensuite couronnées après le sacre du roi et ailleurs. Enfin, Marie de Médicis fut la dernière reine de France sacrée et couronnée. Ce fut à Saint-Denis, le 13 mai 1610, la veille même de l'assassinat d'Henri IV. La mémoire monarchique de Reims était devenue essentiellement masculine. Les femmes proches du roi ne furent plus que des spectatrices et non des héroïnes du théâtre du sacre et du couronnement.

Il faut bien mentionner ici une spectatrice exceptionnelle d'un sacre royal lui-même hors du commun. Après la mort de Charles VI, suivant de quelques semaines dans la tombe en 1422 son gendre le roi d'Angleterre Henri V, l'enfant Henri VI, âgé d'un an, fils d'Henri V, était devenu roi d'Angleterre et de France en vertu du traité de Troyes. Mais le duc de Bedford, régent pour la France, n'osa faire sacrer son neveu à Reims et le couronnement français d'Henri VI eut lieu à Notre-Dame de Paris en 1431. Le fils de Charles VI, le roi de Bourges Charles VII, était, lui, coupé de Reims par les Anglais et les Bourguignons et n'avait pas voulu se faire sacrer ailleurs. Sa légitimité était contestée et avait absolument besoin d'être fermement établie dans la ville du sacre. Après la prise d'Orléans en 1429, alors que des rumeurs couraient sur un enlèvement de la sainte ampoule par les Anglais, Jeanne d'Arc, sensible au symbolique et au sacré et plus fine politique qu'on ne l'a dit, harcela Charles VII pour qu'il allât sans tarder se faire sacrer à Reims. Elle avait bien compris qu'un roi de France n'est vraiment roi qu'après le sacre rémois. Elle appela toujours Charles VII « Monseigneur le Dauphin » jusqu'à la cérémonie accomplie, le 17 juillet 1429.

On a peu de détails sur ce sacre, mais le procès-verbal du procès de la Pucelle donne une précision dont l'iconographie de Jeanne d'Arc devait s'emparer pour lui faire un sort extraordinaire : elle se tenait, pendant la cérémonie, près de l'autel, avec son oriflamme. On connaît moins un autre détail que Richard Jackson a fort bien expliqué. Au cours du procès, on l'interrogea sur les procédés de sorcellerie qu'elle aurait mis en œuvre pendant le sacre pour retrouver les gants du roi que l'on avait égarés. Elle montra un grand étonnement et dit tout ignorer de cet épisode, ce qui fit mauvaise impression sur

Imagerie populaire du sacre :
le sacre de Charles VII (1429) en présence de Jeanne d'Arc.
Chromo pour une Histoire de Jeanne d'Arc par Louis Moland, vers 1900.

les juges. Ceux-ci pensaient en effet que l'on avait appliqué le rite exécuté depuis le sacre de Charles V et qui comportait l'investiture du roi par les gants. Or, pour des raisons inconnues, on se servit du dernier *ordo* capétien de la fin du XIIIe siècle où il n'était pas question de gants. Jeanne d'Arc n'avait pas vu de gants parce qu'il n'y en eut pas. Ainsi une erreur d'érudition liturgique permit d'accroître les soupçons qui pesaient sur Jeanne. Il reste que l'essentiel de ce sacre est qu'il enrichit prodigieusement la mémoire rémoise d'un des personnages les plus charismatiques de l'histoire de France : à Saint Louis se joignait désormais Jeanne d'Arc.

Une anecdote racontée par le chroniqueur Georges Chastellain est également peu connue. Lors de son sacre en 1461 Louis XI, un fou de reliques, se serait rué à genoux à trois reprises devant la sainte ampoule, perturbant l'ordre de la cérémonie. L'évêque de Laon aurait voulu mettre un terme à l'agitation du roi en lui donnant l'ampoule à baiser mais Louis XI se serait alors abîmé en oraison, dévorant la relique des yeux. La chose est bien possible si l'on songe que sur son lit de mort à Plessis-lez-Tours, il se fit apporter la sainte ampoule, faisant ainsi quitter pour une unique fois son domicile à la fameuse relique.

Il reste à évoquer l'un des changements les plus intéressants survenus dans un groupe d'acteurs de la cérémonie : les pairs. Il y avait eu parmi eux très tôt, à différents sacres, des querelles de préséance soit entre pairs ecclésiastiques, soit entre pairs laïcs. Lors du banquet de clôture du sacre de Charles VI en 1380, par exemple, le duc Louis d'Anjou, oncle aîné du jeune roi, avait mal supporté que son frère cadet Philippe, duc de Bourgogne, eût traditionnellement occupé la place de premier pair laïc à la cathédrale. À table il réclame la première place. Le roi consulte son Conseil qui donne la préséance au duc de Bourgogne. Louis, furieux, se met quand même à côté du roi. Philippe saute par-dessus son frère et s'assoit entre le roi et lui. C'est de cet incident qu'il aurait reçu le surnom de Hardi et non, comme on le dit, de la bataille de Poitiers où, encore incapable de porter les armes, il protégea de la voix son père Jean le Bon.

Pourtant, le groupe des pairs ecclésiastiques demeura en gros le même jusqu'à la Révolution, seul le jeu des remplacements amenant parfois un nouveau prélat. Il n'en fut pas de même pour le groupe des pairs laïcs. Pendant les XIVe et XVe siècles, les anciennes pairies revinrent à la couronne ou disparurent. Il fallut désigner de nouveaux pairs et une compétition très vive s'engagea entre les titulaires des grands fiefs et les princes issus de sang royal qui venaient de former un groupe nouveau dans la hiérarchie des personnages de haut rang, celui des « princes du sang », expression dont la plus ancienne mention repérée remonte à 1441. Le rôle des princes du sang fut très grand lors des sacres de Charles VII (1429) et, surtout, de Louis XI (1461) et de Charles VIII (1484).

En 1547, à la veille du sacre d'Henri II, trois des «anciens» pairs, le duc de Guyenne, le comte de Flandre et le comte de Champagne, furent remplacés respectivement par les ducs de Guise, de Nevers et de Montpensier. Traditionnellement le duc de Guyenne et le comte de Flandre passaient avant le comte de Champagne; mais Montpensier (c'était un Bourbon, Louis II) réclama la préséance en tant que prince du sang. Henri II se prononça en faveur de l'ordre ancien mais souligna la dignité éminente des princes du sang. En décembre 1576, sous l'influence de sa mère Catherine de Médicis, Henri III décida de donner la préséance aux princes du sang selon l'ordre de consanguinité. Ce principe triompha dans les sacres postérieurs à 1576.
Dans cette promotion du sang royal on a voulu voir une des premières manifestations de l'absolutisme royal. J'y vois plutôt le triomphe du principe dynastique sur le vieil ordre féodal, l'affirmation d'une valeur nouvelle, celle du sang, l'aboutissement de l'accaparement du charisme rémois par la famille royale. Ici, l'archaïsme rémois a dû céder sous la poussée du principe monarchique, ce qui était au fond, dès le début, dans la logique de l'investiture puisque, à Reims, dès le haut Moyen Âge, c'est une dynastie qui était sacrée.

Le sacre du jeune Roi-Soleil (1654)

Richard Jackson a donné une excellente description et analyse du sacre de Louis XIII en 1610. Je m'attache à celui de son fils, Louis XIV, en 1654. Quatre siècles après le récit par les *ordines* du XIIIe siècle du sacre royal, l'essentiel du rite n'a pas changé. Peut-on y découvrir une image de l'absolutisme que la monarchie française est en train d'imposer? Il me semble que ni l'exercice libéral du droit de grâce, ni l'annonce d'un serment sur la répression du duel, ni même l'augmentation du faste par la richesse des costumes et des décorations, la largesse de jetons et le lâcher d'oiseaux après le couronnement et l'intronisation ne permettent de parler d'une cérémonie «absolutiste». L'absolutisme, je le répète, se manifeste ailleurs qu'à Reims, lieu de tradition, d'une mémoire presque immobile. Le lieu de la production d'une représentation absolutiste, ce sera, très bientôt, Versailles. Tout au plus peut-on, à Reims, dans l'agencement des participants, image de la vieille structure hiérarchique de la France royale et ecclésiastique, déceler la promotion d'une nouvelle «élite» liée au fonctionnement d'une royauté en passe de devenir absolutiste. Le public de Reims s'est rapproché d'une société de cour et le cérémonial religieux des lois profanes de l'étiquette.
Mais le roi qu'on consacre à Reims en 1654 est un adolescent de seize ans, roi à cinq, dont l'inauguration a été différée pendant onze ans à cause des troubles politiques de la Fronde qui a ébranlé son trône et en qui on ne saurait deviner le futur réalisateur de la plus ambitieuse image du roi de France, le Roi-Soleil.

C'est finalement le 13 mai 1654 que le jeune Louis envoya au prélat qui devait être le consécrateur en raison de la vacance du siège archiépiscopal de Reims, l'évêque de Soissons, la lettre suivante :

> Monsieur l'évêque de Soissons, quelques prosperitez que Dieu me donne, je ne puis être satisfait, que mon Sacre n'ait affermi mon Règne, et que mon zèle pour l'accomplissement de cette auguste et sainte cérémonie n'ait surmonté tous les obstacles qui m'en ont empêché jusqu'à présent : c'est pour cet effet que j'ay résolu de me rendre en ma ville de Reims au 28 de ce mois et que je vous ay destiné pour officier en cette solennité et pour représenter l'Archevêque et Duc de Reims, l'un des six Pairs de France clercs ; comme je ne doute point que pour satisfaire à mon désir, et à l'avis que je vous donne, vous ne vous trouviez auprès de moy au jour et au lieu que cette lettre vous prescrit, je ne vous la feray aussi plus expresse, et prie Dieu qu'il vous ait, Monsieur l'Évêque de Soissons, en sa sainte garde. Écrit à Paris ce 13, jour de May 1654. LOUIS.

Lettre qui respecte les traditions en ce qui concerne le lieu de la consécration et la personne du prélat consécrateur, mais qui présente sur un ton sans réplique le choix de l'évêque de Soissons comme un choix royal. Le jeune roi y fait par ailleurs une allusion discrète aux troubles de sa minorité et à la Fronde qui ont jusqu'alors empêché la réalisation de la cérémonie. Surtout, il définit bien l'importance du sacre. Certes il est déjà roi sans avoir été sacré, mais le rituel doit l'affermir, lui donner une légitimité supplémentaire et plus haute, lui apporter un accroissement essentiel de pouvoir et de prestige.
« Pour des raisons à nous inconnues », ajoute l'évêque de Soissons, la cérémonie fut remise au dimanche 7 juin au lieu de se faire le dimanche précédent 31 mai. Les munificences d'une entrée solennelle ayant été refusées, les manifestations extérieures au sacre dans la cathédrale furent très limitées. Paradoxalement, le roi de France qui devait porter au plus haut niveau le cérémonial monarchique eut un couronnement amputé d'une partie de son faste. Le jeune roi, accompagné de la reine sa mère, fut accueilli à une lieue de la ville, le mercredi 3 juin 1654, par les magistrats de Reims entourés de deux mille Rémois à cheval et suivis de cinq mille hommes de pied en armes qui poussaient de telles acclamations qu'« elles exprimoient bien mieux leurs affections que les Arcs de triomphe et les autres somptueux ornements qu'ils auroient employez, si un ordre contraire n'eût donné des bornes à leur zèle ». À la porte de la Ville, le lieutenant des Habitants en remit au roi les clefs d'argent, le fit monter dans le carrosse de la reine et l'escorta jusqu'au grand portail de l'Église où le jeune roi descendit. L'auteur du récit s'interrompt pour

une parenthèse admirative : « Ce grand chef-d'œuvre », dit-il du portail, « est assez célèbre et pourroit passer pour un des miracles du monde, le sacre de Clovis qui y est représenté en grandes et magnifiques figures il y a si longtemps, n'est pas la moindre partie qui pourroit être considérée dans cette rencontre ». Beaucoup est dit dans ces lignes sur la place de la cathédrale et en particulier de ses sculptures dans la gloire monarchique et française de Reims. Merveille de la France, la cathédrale pouvait être une des merveilles du monde chrétien. Église du sacre, elle avait montré dès l'origine sa participation à l'idéologie monarchique en faisant apparaître dans ses « figures » le sacre de Clovis, l'auteur accueillant le mythe du baptême de Clovis élargi en sacre. Enfin, ce chef-d'œuvre s'ancrait dans l'histoire, dans la tradition historique, celle du baptême-sacre de Clovis, celle de sa représentation au portail de la cathédrale « il y a si longtemps ».

À la porte de l'Église, Louis fut accueilli par l'évêque de Soissons, Simon le Gras, premier prélat de la province de Reims et pair ecclésiastique traditionnellement chargé de remplacer l'archevêque de Reims quand le siège était vacant. Il était entouré des évêques de Beauvais et de Noyon, pairs ecclésiastiques, de son coadjuteur Charles de Bourbon, évêque de Césarée, tous quatre en vêtements pontificaux, l'évêque de Soissons « précédé de sa crosse », et des chanoines de la cathédrale, tous en chape de drap d'or. Le roi se mit à genoux sur un petit tapis, l'eau bénite et le texte de l'Évangile lui furent présentés. L'évêque de Soissons fit alors son « compliment » au roi. Bien que les prérogatives de l'Église de Reims et des clercs fussent respectées, le prélat souligna, dans un langage flatteur, la soumission du clergé à la majesté royale. On s'éloignait des temps médiévaux où la cérémonie du sacre répondait au désir d'équilibre entre l'Église et le roi, où Reims était le lieu où se réalisait cet équilibre entre pouvoir ecclésiastique et pouvoir laïc monarchique. Reims est désormais le lieu de la sacralisation royale par un clergé soumis et obéissant quoique toujours conscient de son rôle éminent dans cette confirmation des nouveaux rois. Mais la ville est devenue bien davantage. « Ce n'est pas, Sire, dit l'évêque, faire montre de l'autorité que Nous avons étans les Oincts du Seigneur que Nous venons au-devant de Vôtre Majesté avec ce magnifique appareil ; mais au contraire, Nous Nous présentons avec cette pompe et ces riches ornemens, pour faire connaître aux Princes, aux grands de vôtre Royaume et à tous vos peuples et sujets qui affluent de toutes parts à cette glorieuse et sainte Solennité de vôtre Sacre, que, où arrive vôtre Majesté, toutes autres puissances se viennent humilier pour rendre leurs devoirs, respects et soûmissions, à Vous, Sire, qui devez être fait l'Oinct du Seigneur, le Fils du Très Haut, le Pasteur des Peuples, le bras droit de l'Église, le premier des Rois de la Terre, et qui êtes choisi et donné du Ciel pour porter le sceptre des François, étendre loin l'honneur et l'odeur de vos Lys, dont la gloire surpasse de beaucoup celle de Salomon, d'un pol à l'autre, d'un soleil jusqu'à l'autre, faisant de la France un Univers et de l'Univers une France.»

Dans la marche à une idéologie royale, française, d'impérialisme universel, Reims est devenue le nombril non seulement de la France mais de l'Univers. Et, définitivement, les rois de France ne pourront être, comme l'a inauguré Louis XIII, que les Louis, successeurs de Saint Louis et désignés par Dieu, des Louis Dieudonné.

Après le compliment du consécrateur, le clergé rentra dans l'Église en ordre de procession, le roi marchant le dernier après les évêques. Il prit place sur un marchepied préparé devant le maître-autel avec la reine à ses côtés, son frère, Monsieur, devant, et l'évêque de Soissons sur les marches de l'autel. On chanta le *Beata Dei genitrix*, puis le *Te Deum* joué à l'orgue et par les Musiciens du Roi «pendant que les canons et les salves de plus de huit mille hommes faisoient un autre concert qu'on entendoit de bien loin». Après de brèves oraisons et la bénédiction qui lui fut donnée par l'évêque de Soissons, le jeune roi se retira dans le palais archiépiscopal qui lui servait de demeure et y reçut l'hommage des chanoines de la cathédrale.

Le vendredi 5, le roi dut résoudre une question de préséance entre les pairs ecclésiastiques. Deux pairs évêques étant absents, l'évêque de Laon et celui de Langres, ils avaient été remplacés par les archevêques de Bourges et de Rouen. Ceux-ci prétendirent précéder les évêques pairs de la province de Reims. Le roi en décida autrement. Derrière l'évêque de Soissons représentant l'archevêque de Reims, l'évêque et comte de Beauvais vint en deuxième à la place de l'évêque de Laon et l'évêque et comte de Châlons en troisième à la place de l'évêque de Langres. L'évêque et comte de Noyon devint le quatrième à la place de l'évêque comte de Beauvais promu deuxième et les archevêques de Bourges et de Rouen durent se contenter des numéros cinq et six comme remplaçants des évêques de Châlons et de Noyon eux-mêmes promus. Ainsi la préséance des pairs de la province ecclésiastique de Reims était préservée aux dépens des titres archiépiscopaux.

La veille du sacre, le samedi 6 juin, le roi assista à genoux, sous son haut dais devant l'autel, aux vêpres chantées dans la cathédrale, l'évêque de Soissons officiant. Le roi était entouré de Monsieur, son frère, «un peu au-dessous» et, plus bas, des cardinaux Grimaldi et Mazarin en rochet et camail rouge. Venait ensuite une série d'archevêques et d'évêques. À la fin du premier psaume, un chanoine de la cathédrale conduit par le maître des cérémonies alla chercher dans la sacristie une relique insigne qui rappelait la prétendue origine de la dynastie et du sacre, le chef de saint Remi. Il la donna au maréchal du Plessy-Praslin, gouverneur de Monsieur, qui la présenta au jeune prince qui la porta à son tour au roi son frère. Louis XIV posa sur l'autel de la cathédrale, à qui il en faisait présent, le reliquaire en vermeil, pesant cent marcs, porté de part et d'autre par deux anges et soutenu par un piédestal avec, d'un côté, l'effigie du roi et, de l'autre, cette inscription : « Louis XIV, roi très chrétien des Gaules et de Navarre, après avoir apaisé des révoltes à l'intérieur, et remporté au dehors des victoires avec l'aide de Dieu, étant venu se faire oindre au saint chrême de Reims, donna à Saint Remi ce monument de sa piété et de sa gratitude l'an 1654 de la Rédemption, la veille des calendes de Juin » (l'inscription, faite à l'avance, portait la date primitivement arrêtée pour le sacre). Ainsi le nouveau roi attachait-il son portrait au souvenir le plus vénéré de la religion royale, le saint archevêque de Reims qui avait baptisé et, croyait-on, sacré le premier roi chrétien de la future France.

Les vêpres s'achevèrent par un sermon de l'évêque de Dol qui prêcha sur le thème de ces paroles de David : « Je couvrirai de confusion ses ennemis et sur lui fleurira ma sanctification. » De la sorte, le sacre du lendemain s'inscrivait dans la continuité de la royauté vétéro-testamentaire et le leitmotiv de ce sacre – la victoire et la paix – était annoncé.

Le dimanche 7 juin, jour du sacre, l'évêque de Soissons et les autres prélats qui devaient officier arrivèrent dans le chœur de la cathédrale avec les chanoines. Ceux-ci revêtirent des chapes de drap d'or et prirent place dans les hautes stalles du chœur. Les officiants vinrent ensuite en procession devant l'autel, devant le chantre et le sous-chantre en chape avec leurs bâtons d'argent puis, portant tous leur mitre, les évêques de Rennes, Saint-Paul, Coutances et Agde, qui devaient chanter les litanies, les cinq pairs ecclésiastiques représentés par les évêques de Beauvais, de Châlons et de Noyon et par les archevêques de Bourges et de Rouen, les évêques d'Amiens et de Senlis qui devaient chanter l'Évangile et l'Épître et enfin, assisté de deux chanoines rémois, l'évêque de Soissons précédé de sa crosse. Ils prirent leur place dans le chœur, l'évêque de Soissons devant l'autel, le visage tourné vers le chœur. Un peu après cinq heures et demie, quatre seigneurs, les marquis de Coislin, de Richelieu et de Mancini et le comte de Biron, allèrent demander à l'abbaye de Saint-Remi qu'on apportât la sainte ampoule à la cathédrale. Arrivèrent alors devant l'autel de la cathédrale les six pairs laïcs représentés par Monsieur, frère du roi, les ducs de « Vendôme, d'Elbœuf, de Candale, de Roüanois et de Bournonville, revêtus de vestes ou tuniques de toile d'or et d'argent et soye aurore, longue jusqu'à my-jambe, du manteau Ducal d'Écarlate violete, ouverte sur l'épaule droite, et enrichy à l'ouverture de Boutons de Diamans, doublé d'hermines, avec l'épitoge ou collet rond aussi d'hermines moucheté, de la couronne Ducale dorée sur un bonnet de Satin violet ». Quand ils eurent occupé les places que leur indiqua le maître des cérémonies, M. de Rodez, arrivèrent la reine mère, Anne d'Autriche, la reine d'Angleterre, Henriette-Marie, veuve de Charles Ier et tante du roi, les ducs d'York et de Gloucester, ses fils, la princesse d'Angleterre, sa fille, la princesse de Conti, la princesse Palatine et la duchesse de Vendôme accompagnées des dames de la Cour. Suivirent, empruntant la galerie aménagée pour amener les grands de la salle du palais archiépiscopal à la tribune élevée à droite de l'autel, «Son Éminence», c'est-à-dire Mazarin, et le cardinal Grimaldi, en rochet et chape de tabis (étoffe de soie moirée) rouge, l'archevêque de Toulouse et quinze évêques en rochet et camail violet, quatre chevaliers du Saint-Esprit, avec le grand collier de l'ordre par-dessus leur manteau, qui devaient porter les offrandes, le surintendant des finances, les conseillers et secrétaires d'État, les maréchaux, le nonce du pape, les ambassadeurs de Portugal, Venise, Savoie, Malte et Pologne.

Les entrées et le placement de tous ces personnages répètent la hiérarchie de la haute société française au milieu du XVIIe siècle. Mais il faut s'arrêter sur cette compagnie si exceptionnelle et si représentative comme le fait d'ailleurs *Le Sacre et couronnement de Louis XIV roy de France et de Navarre dans l'église de Reims, le septième juin 1654,* dans un chapitre intitulé «Disposition de l'église». Des trois grandes cérémonies royales de l'Ancien Régime – si l'on met à part les entrées royales fort intéressantes mais fragmentaires et fortuites –, les lits de justice, les funérailles et le sacre, celle-ci est la seule à donner une image intégrale de la hiérarchie de la France monarchique. Ce n'est qu'à Reims, en cette cérémonie, que s'offre, ostentatoirement, le portrait du roi et des élites de la France monarchique. Reims, ce n'est pas seulement la sacralisation de la royauté française, c'est aussi l'épiphanie du sommet de la société monarchique. C'est d'abord un décor car «la décoration de l'Église et la disposition des Sièges, Théâtres et Échaffauts contribuent beaucoup à la magnificence de cette illustre Action». L'église, depuis les hautes galeries jusqu'en bas, tant dans le chœur que dans la nef et les deux ailes du transept, était tendue et ornée des plus belles tapisseries de la couronne. Le marchepied de l'autel et tout le pavé du chœur étaient couverts de grands tapis de Turquie. Le maître-autel, outre ses parures habituelles de marbre, d'or et de pierres précieuses, était paré des ornements de satin blanc brodé d'or que le roi avait donnés la veille en même temps qu'une chapelle de diamants, posée sur l'autel entre les deux reliquaires, celui du chef de Saint Louis que celui-ci avait, selon la tradition, donné à l'Église lors de son sacre et celui du chef de saint Remi offert la veille par Louis XIV. Tout comme le roi allait être revêtu des vêtements «régaliens» apportés de Saint-Denis, la cathédrale avait été tout habillée, pour participer elle aussi à cette *investiture.*

La disposition des acteurs et des assistants était différente selon les deux grandes phases de la cérémonie. Jusqu'à l'intronisation, tout se passait au niveau du sol, les personnages éminents ne se détachant des autres que par leur place ou une légère élévation due aux marches de l'autel ou à des «marchepieds». Puis le roi, comme Dieu, s'élevait au-dessus de tous les autres sur le jubé et il était offert en majesté à la vue de son peuple.

Voici maintenant en termes symboliques la mise en place dans l'église des acteurs et des assistants du spectacle. Les sièges aussi sont *tous* habillés aux couleurs et insignes de la royauté française, c'est-à-dire de velours «violet» (jacinthe), parsemé de fleurs de lis d'or.

Au bas des marches, devant le maître-autel, la «chaire» à haut dossier de l'évêque de Soissons. Vis-à-vis, «à huit pieds environ» de la «chaire» du consécrateur, un haut dais de huit pieds en carré et d'un pied de haut couvert d'un tapis de velours violet, en broderie de fleurs de lis d'or, un prie-Dieu, un fauteuil et deux petits tapis avec un grand dais suspendu au-dessus pour le roi. Au milieu, entre la chaire de l'officiant et le prie-Dieu du roi, un grand tapis sur lequel tous deux se prosterneront pendant la litanie. Face à face, donc, le chef de la hiérarchie ecclésiastique et le chef de la hiérarchie laïque, le premier ayant pour privilège la proximité de l'autel, le second l'honneur de deux dais élevés.

Derrière, à cinq pieds du fauteuil du roi, un siège pour le connétable, un autre trois pieds plus loin pour le chancelier et plus en arrière un banc pour le grand maître, le grand chambellan et le premier gentilhomme de la Chambre. Le roi est donc adossé, à des distances hiérarchiques, dans l'axe du chœur, aux principaux grands officiers de sa Maison.

À droite de l'autel, on a disposé un banc pour les pairs ecclésiastiques, un autre derrière pour les cardinaux avec, semble-t-il, une certaine prééminence pour Mazarin, deux autres plus loin pour les prélats qui n'officieront pas et, plus bas encore, au-dessous des pairs ecclésiastiques et des prélats, des bancs pour les conseillers d'État, maîtres des Requêtes et secrétaires du roi. Plus haut que le banc des clercs ecclésiastiques, à côté de l'autel, un autre banc accueille les évêques qui chanteront la litanie et, derrière, deux autres pour les douze assistants diacres et sous-diacres, chanoines de la cathédrale.

Du côté droit encore, entre deux piliers, à douze pieds de haut, est dressée une tribune pour la reine mère Anne d'Autriche, la reine d'Angleterre et les princesses qui l'accompagnent et, contre la tribune, un échafaud pour les filles de la reine et les dames de condition. Du côté gauche de l'autel, vis-à-vis du banc des pairs ecclésiastiques, étaient placés les pairs laïcs. Un honneur spécial est rendu à Monsieur, le jeune frère du roi, âgé de quatorze ans, qui a un siège avec un marchepied d'un demi-pied de haut. Il représente le duc de Bourgogne, premier pair laïc. Ce remplacement évite un conflit de préséance entre princes du sang et pairs laïcs. Les cinq autres pairs ont un banc contre le siège de Monsieur. Derrière, des bancs sont disposés pour les maréchaux et autres grands seigneurs, d'autres plus bas encore pour les secrétaires d'État et plus bas en arrière pour les officiers de la Maison du roi. De ce même côté gauche, face à la tribune de la reine mère et des princesses,

entre deux piliers, un échafaud accueille le nonce du pape et les autres ambassadeurs.
Les hautes chaires des stalles du chœur demeurent réservées à leurs titulaires, les chanoines de la cathédrale, à l'exception des quatre premières destinées, à droite, aux quatre chevaliers de l'ordre du Saint-Esprit qui doivent porter les offrandes et, à gauche, aux quatre barons qui doivent escorter la sainte ampoule. Du jubé jusqu'aux petites portes du chœur, au-dessus des chaires des chanoines, on a dressé des galeries en amphithéâtre pour les personnes de condition et, derrière le maître-autel, un échafaud sur toute la largeur de l'église pour la Musique du Roi (mais l'acoustique ne s'y révéla pas bonne et la Musique fut placée dans la galerie au-dessus des premières chaires des chanoines à gauche).
L'ordonnance hiérarchique est ainsi définie selon trois couples d'opposition, droite et gauche, haut et bas, devant et derrière.
À droite, le haut clergé, devant, les pairs ecclésiastiques, et derrière, les cardinaux puis les prélats, derrière encore, les hauts fonctionnaires laïcs.
À droite, plus loin, mais plus haut, les reines et les princesses et plus bas, les dames de la cour et les dames de condition. Le haut rang de ces femmes leur vaut le côté droit et une situation élevée mais elles doivent se satisfaire d'un certain éloignement.
À gauche, les grands laïcs, les pairs avec une distinction pour le frère du roi, premier prince du sang devant, puis au niveau des cardinaux et prélats, les maréchaux, donc l'armée, et les autres grands seigneurs; derrière eux, les moins hauts fonctionnaires et derrière encore, les simples gentilshommes de la Maison du roi. Au niveau, enfin, des reines et des princesses, mais sur un simple échafaud au lieu d'une tribune, le nonce pontifical et les ambassadeurs.
Le clergé qui officie a le privilège de la proximité de l'autel. À la place de choix, au milieu et dans l'axe du chœur, les deux protagonistes, l'archevêque de Reims (représenté ici par l'évêque de Soissons, deuxième pair ecclésiastique et, entre parenthèses, conseiller d'État) et le roi, à la tête de ses plus hauts officiers. Lui seul a droit à deux dais, accessoires symboliques de la majesté royale, et seul aussi, semble-t-il, à un prie-Dieu. Peut-être parce que seul, après son sacre, il sera en communication directe avec Dieu.
Un important changement s'était produit en effet dans la mise en scène du sacre après l'onction et le couronnement. On avait donc en prévision de ce second acte dressé deux grands et larges escaliers de cinquante marches allant de l'entrée située au milieu des stalles des chanoines jusqu'au jubé. Les chaires du chantre et du sous-chantre avaient été placées des deux côtés entre les escaliers et les chaires des chanoines.
Sur le milieu du jubé, dont les balustres du côté du chœur avaient été démolis, on avait élevé le trône, sur une plate-forme de trois marches de haut, de huit

pieds de long et cinq de large, sur laquelle étaient posés un prie-Dieu par-devant, un fauteuil par-derrière et un grand dais au-dessus, le tout de velours violet, semé de fleurs de lis d'or. De la sorte, alors que pendant toute la partie précédente de la cérémonie le roi ne pouvait être vu que d'un petit nombre de personnes dans le chœur, installé sur son trône dans le jubé, il pourrait être vu aussi bien du côté de la nef «par l'ouverture qui est au-dessous du crucifix en forme d'arcade» que du côté du chœur et, de ce côté-là, de face puisqu'il avait le visage tourné vers l'autel. Au-devant du trône, un siège était prévu pour le connétable au niveau du plancher du jubé ; à droite, sur la deuxième marche du trône, on avait mis un siège pour le grand chambellan et à gauche, sur la plus basse marche, un pour le premier gentilhomme de la Chambre. Sur le devant du jubé, sur un échafaud avançant un peu dans le chœur, il y avait deux sièges, celui de droite pour le chancelier et celui de gauche pour le grand maître de l'ordre du Saint-Esprit. Contre les balustrades du jubé du côté de la nef, à droite du trône, un banc pour les pairs ecclésiastiques et, à gauche, un siège ayant un petit marchepied pour Monsieur et un banc pour les cinq autres pairs laïcs.
Ainsi, à l'exception du prélat consécrateur dont on verra plus loin le rôle à ce moment de la cérémonie, l'élite de l'assistance se retrouvait autour du roi sur son trône, les grands officiers qui désormais l'entouraient au lieu d'être tous derrière lui, et les pairs ecclésiastiques et laïcs plus bas que le roi mais sur la même ligne que le trône et le touchant. Outre le trône, le roi conservait le prie-Dieu et le dais. Ce noyau des grands protagonistes de la cérémonie était ainsi *exalté.*
C'était l'épiphanie royale, plus solennelle, plus unique que l'entrée à cheval dans les villes et le point culminant d'un rite de passage qui marquait l'entrée du roi dans sa fonction de détenteur sacré du pouvoir alors que la solennité des funérailles en exprimait la sortie et le dépouillement.
Le déroulement de la cérémonie se fit selon la tradition fixée pour l'essentiel au XIIIe siècle – à l'époque de Saint Louis, la bénédiction des gants et l'exaltation de l'intronisation étant les principales innovations liturgiques apparues, la première au XIVe et la seconde au XVe siècle. Comme le souligne le procès-verbal, ce qui avait disparu depuis le Moyen Âge c'était la bénédiction de l'oriflamme.
En revanche, parmi les préliminaires qui constituaient les premiers rites de séparation du roi d'avec sa nature antérieure – office de l'arrivée, vêpres de la veille rappelant la veillée de l'adoubement et dont le modèle s'était infiltré dans le sacre à la fin du XIIe siècle ou au début du XIIIe –, fut exécuté le rite du *roi dormant* qui, depuis le sacre de Charles IX en 1561, précédait désormais la cérémonie et en marquait même le début, rite typique de séparation où le sommeil symbolisait l'état intermédiaire qui séparait le roi non couronné du roi couronné. Sommeil-frontière, sommeil-épreuve, sommeil-prélude, le roi n'était-il

pas un «bel au palais dormant» dans la nuit d'avant le sacre passé en ce lieu d'attente, le lit royal du palais archiépiscopal de Reims ? Quand, vers six heures du matin, tous les acteurs et assistants eurent pris place dans le chœur de la cathédrale, à l'exception des quatre barons qui étaient allés chercher à Saint-Remi la sainte ampoule, les pairs ecclésiastiques et laïcs s'étaient approchés de l'évêque de Soissons qui leur demanda s'ils étaient d'accord pour que les évêques de Laon et de Beauvais allassent chercher le roi. Cet accord donné, les deux évêques, ayant de saintes reliques pendues au cou, allèrent en procession, précédés par deux clercs portant des croix, des chanoines de la cathédrale, des musiciens et des enfants de chœur, le chantre et le sous-chantre, le grand maître des cérémonies et trois enfants de chœur, portant l'un un bénitier d'eau bénite et les deux autres des chandeliers avec un cierge allumé. Parvenu à l'antichambre du roi, le chantre frappa de son bâton d'argent à la porte de sa chambre. Sans l'ouvrir, le duc de Joyeuse, grand chambellan, dit de l'intérieur : «Que demandez-vous ?» L'évêque de Beauvais répondit : «Le roi.» À quoi le grand chambellan répliqua : «Le roi dort.» Ce bref dialogue se répéta une deuxième fois. À la troisième, l'évêque de Beauvais précisa : «Nous demandons Louis XIV, fils de ce grand roi Louis XIII que Dieu nous a donné pour roi.» À l'instant la porte fut ouverte, les deux évêques entrèrent dans la chambre, précédés du chantre et du sous-chantre et de l'enfant de chœur qui portait l'eau bénite, et s'approchèrent du lit de parade sur lequel le roi était étendu, vêtu d'une chemise de toile de Hollande, d'une camisole de satin rouge en forme de tunique, l'une et l'autre fendues aux endroits où l'on devait faire les onctions avec le saint chrême, et, par-dessus, d'une robe longue en toile d'argent, coiffé d'une toque de velours noir, garnie d'un cordon de diamant, d'une plume et d'une double aigrette blanche, attachée avec un ruban de diamant. Dans la chambre se tenaient le connétable, le chancelier, le grand maître de l'ordre du Saint-Esprit, le grand chambellan et le premier gentilhomme de la Chambre et d'autres membres de la Maison du roi. L'évêque de Beauvais s'approcha du lit, présenta l'eau bénite à Louis, dit une oraison. Puis l'évêque de Beauvais et celui de Châlons prenant le roi l'un par la droite, l'autre par la gauche, le soulevèrent de son lit et le menèrent en procession à la cathédrale. La procession royale comprenait la musique – trompettes, tambours, fifres, hautbois, flûtes, musettes et sacqueboutes –, tous habillés de taffetas blanc, puis le grand prévôt de l'Hôtel avec ses archers, puis le clergé avec à ses côtés les cent-suisses de la garde, puis les hérauts en habits de velours blanc, les cent gentilshommes de la Maison du roi, le maréchal d'Estrées qui, faisant fonction de connétable, portait l'épée nue devant le roi qui s'avançait entre l'évêque de Beauvais et celui de Châlons, le prince Eugène de Savoie portant la queue du manteau royal. Le maréchal de Villeroy, représentant le grand maître de l'ordre du Saint-Esprit, le duc de Joyeuse, grand chambellan, le comte de Vivonne, premier gentilhomme de la Chambre, le comte de Noailles, capitaine des gardes, commandant la garde écossaise, et le marquis de Charost, commandant des gardes en quartier, fermaient la marche.

La cérémonie se déroula selon la tradition médiévale à peine modifiée, comme on l'a vu. Le roi fut conduit sous son haut dais devant l'autel, la sainte ampoule fut apportée en procession et déposée par l'évêque de Soissons sur l'autel. Le roi fit sa promesse de défendre les églises et fit serment sur l'Évangile de procurer la paix, d'interdire la violence et l'injustice, de faire régner l'équité et la miséricorde et d'extirper l'hérésie. Il prêta ensuite le serment de l'ordre du Saint-Esprit. Le duc de Joyeuse, grand chambellan, lui chaussa les bottines ou sandales de velours violet brodées de fleurs de lis d'or ; Monsieur, à la place du duc de Bourgogne, lui mit et ôta les éperons d'or, l'évêque de Soissons bénit l'épée de Charlemagne qui, après la double remise au roi, fut confiée au connétable qui la tiendrait la pointe levée devant le roi pendant le reste de la cérémonie et pendant le dîner qui suivrait. L'évêque de Soissons prépara ensuite le saint chrême et, assis, tournant le dos à l'autel, oignit le roi à genoux devant lui sur le sommet de la tête, sur l'estomac, entre les deux épaules, sur l'épaule droite, sur l'épaule gauche, à la jointure du bras droit, à celle du bras gauche. Puis, après que la chemise et la camisole du roi eurent été refermées, le roi reçut la tunique, la dalmatique et le manteau royal en velours violet brodé de fleurs de lis. L'évêque de Soissons fit enfin les dernières onctions, la huitième sur la paume de la main droite, la neuvième sur celle de la main gauche.

Le roi consacré, l'officiant sans mitre bénit les gants et les mit aux mains du roi, fit de même pour l'anneau, le sceptre, enfin, après avoir remis sa mitre, la main de justice.

Le chancelier de France, monté à l'autel, appela selon leur rang les pairs laïcs puis les pairs ecclésiastiques qui prirent place auprès du roi. L'évêque de Soissons prit sur l'autel la couronne qu'il mit au-dessus de la tête du roi et les pairs la soutinrent d'une main avant que l'évêque de Soissons seul la mît sur la tête du roi.

Après des oraisons (il en avait été égrené depuis le début de la cérémonie) et des bénédictions, l'évêque de Soissons prit le roi tenant le sceptre et la main de justice par le bras droit et, précédé et suivi par les personnages formant le noyau des acteurs de la cérémonie, lui fit monter le jubé. Alors « le roi parut dans ce superbe appareil avec un port et une majesté si particulière qu'il ravissait tous les cœurs des spectateurs ». C'est l'épiphanie royale.

L'officiant fit s'asseoir le roi sur son trône et, prières dites, quitta sa mitre, fit une profonde révérence au roi et le baisa en disant à voix haute : « *Vivat rex in aeternum* » (« Vive le roi pour l'éternité »). Pendant que les pairs faisaient de même, on ouvrit les portes de l'église pour faire entrer le peuple. Les instruments de

musique retentissaient, le peuple cria «Vive le roi!» transporté de «*voir* son *sacré* Monarque dans ce trône de gloire» – c'est la vision du roi sacré en majesté – et «afin que cette joye ne fût pas renfermée dans la seule Église», le régiment des gardes rangé en bataille sur le parvis tira trois salves de mousquetades qui portèrent la nouvelle par toute la ville où s'élevèrent les cris de «Vive le roi!».
À l'intérieur de l'église, dans le chœur et dans la nef, le chancelier, le grand chambellan et les hérauts jetèrent des jetons d'or et d'argent fabriqués exprès (les jetons du sacre), marqués d'un côté à l'effigie du roi couronné et de l'autre à celle de la Ville de Reims surmontée d'une colombe tenant la sainte ampoule. Comment mieux perpétuer la mémoire de la religion monarchique que par ces pièces qui unissaient le héros du sacre et le lieu de cette sainte action, la ville de Reims? Comment en mieux exprimer à la fois le caractère traditionnel et surnaturel qu'en représentant le miracle initial de la monarchie française et en soulignant dans la langue sacrée, le latin, le moment historique. Les jetons d'un côté nommaient le roi: «Louis XIV, roi très chrétien de France et de Navarre», et de l'autre indiquaient la date et le lieu de l'investiture: «sacré et salué à Reims le 31 mai 1654» (date fausse au demeurant puisque le sacre fut, au dernier moment, reporté au 7 juin). Les Oiseleurs du roi lâchèrent dans l'église du haut du jubé «une infinité de petits oyseaux».
Après ce point d'orgue de la cérémonie, le roi oint, muni des insignes royaux, couronné, intronisé et salué, l'évêque de Soissons entonna le *Te Deum*, repris par la musique.
La messe fut enfin célébrée. À l'offertoire, les hérauts allèrent prendre dans la sacristie les offrandes qu'ils remirent aux quatre seigneurs préalablement désignés. Ceux-ci montèrent chercher sur son trône le souverain qui en descendit, accompagné de tous les personnages du jubé, à l'exception du grand chambellan et du premier gentilhomme de la Chambre qui restèrent pour garder le trône.
À l'évêque de Soissons assis sur sa chaire devant le maître-autel, le roi, à genoux, remit en lui baisant à chaque fois la main, la bourse de velours rouge brodé d'or renfermant treize jetons d'or du sacre, le pain d'or, le pain d'argent et le grand vase en vermeil contenant du vin. L'évêque les plaça dans un bassin d'argent tenu par le fabricien de l'Église de Reims qui alla les porter pour être conservés dans le trésor. Ainsi s'enrichissait la mémoire matérielle de la reconnaissance royale envers l'Église de Reims qui l'avait sacré.
Le roi remonté sur son trône, la messe s'acheva, le cardinal Grimaldi, suivi des douze pairs – les ecclésiastiques cette fois-ci les premiers pour tenir la balance entre clercs et laïcs –, alla donner au roi le baiser de paix.
La messe achevée, Louis descendit de son trône sur le jubé, s'inclina devant l'autel, eut sa couronne ôtée par Monsieur, son frère, se confessa à son confesseur dans un oratoire fait de bandes de drap d'or et velours violet,

semé de fleurs de lis, ressortit et s'agenouilla devant l'autel où l'évêque de Soissons, après lui avoir donné l'absolution, le fit communier sous les deux espèces. Ainsi à Reims, une fois dans sa vie, le roi de France partageait avec les prêtres, dans une apparence quasi sacerdotale, le privilège de la communion avec le pain de l'hostie et avec le vin du calice.
Le roi pria à genoux quelque temps, ayant repris sa couronne, et quand il eut rendu grâces, il se leva. L'évêque de Soissons lui ôta la grande couronne dite de Charlemagne et la donna au maréchal de L'Hôpital qui allait la porter devant le roi tandis que le connétable portait l'épée nue. Louis, qui portait une couronne plus légère mais très richement ornée, prit place derrière eux, avec le sceptre et la main de justice, dans un cortège semblable à celui qui l'avait amené du palais archiépiscopal où il rentra.
Il devait être environ deux heures de l'après-midi, la cérémonie ayant duré vraisemblablement six ou sept heures. Arrivé au palais, le roi donna ses gants et sa chemise qui avaient été en contact avec le saint chrême au premier aumônier pour qu'il les brûlât car ils «ne devoient servir à aucun autre usage». Dans le même temps, la sainte ampoule fut reconduite à l'abbaye de Saint-Remi selon le même cérémonial qu'à l'aller.

Le banquet royal

Au bout d'une demi-heure, le roi fut l'invité de la ville de Reims en un grand festin préparé par les soins de «Messieurs de la Ville de Reims» dans la grande salle du palais archiépiscopal. Un autre cérémonial, celui de la Table, se déploya dont le roi était, cette fois-ci, la seule vedette. Cinq tables étaient dressées dans la grande salle. Seule la table du roi, devant la cheminée, était élevée sur une plate-forme de quatre marches de haut, avec une balustrade à l'entour et un riche dais au-dessus. Le roi, qui était arrivé avec la couronne de Charlemagne sur la tête, portant le sceptre et la main de justice, déposa ces trois insignes royaux sur la table tandis que le connétable tint pendant tout le repas l'épée nue au poing. Il y mangea avec pour seul compagnon son jeune frère, Monsieur, à sa gauche. Il fut servi par ses officiers précédés à chaque service par les trompettes et les hérauts.
Ici encore, la hiérarchie des invités figurait celle des honneurs. Contre les fenêtres à droite du roi, une table était dressée pour les pairs ecclésiastiques, mitrés, avec à leur tête l'évêque de Soissons qui, sa crosse à côté de lui, se contenta de dire le bénédicité au début du repas et les grâces à la fin. En face, contre les fenêtres de gauche, les cinq pairs laïcs restant, revêtus du manteau ducal, couronne en tête. Au-dessous de la table des pairs ecclésiastiques, il y avait la table des ambassadeurs auxquels s'étaient joints le chancelier de France et l'introducteur des ambassadeurs. Au-des-

sous de la table des pairs laïcs était dressée la table des Honneurs où prirent place le grand chambellan, le premier gentilhomme de la Chambre, les quatre chevaliers de l'ordre du Saint-Esprit qui avaient porté les offrandes et les quatre seigneurs qui avaient escorté la sainte ampoule. Ces quatre tables furent servies par les lieutenants et les bourgeois notables de la ville.

C'est à la maison de ville – qui se glissait ainsi modestement parmi les lieux officiels du sacre, loin derrière la cathédrale et le palais archiépiscopal – que furent « magnifiquement traités » le grand maître de l'ordre du Saint-Esprit, le maréchal de L'Hôpital, les capitaines des gardes, le grand maître des cérémonies et les autres personnes de condition.

Et les femmes ? Dans ce banquet qui est sans doute (avec quel changement de société et de style !) l'héritier des beuveries des chefs francs, les hommes seuls sont acteurs et participants. Pourtant, dans cette élite royale et aristocratique où quelques femmes, et particulièrement les reines, ont, depuis près de deux siècles, joué un si grand rôle, un petit groupe les représente. Au-dessus de la table des pairs laïcs a été été dressé « un petit théâtre avancé en forme de balcon », du haut duquel la reine, accompagnée des princesses et de quelques dames de condition, « voïoit dîner le Roy ». Là où le goût des hommes était flatté de toutes les jouissances, les femmes devaient se contenter des plaisirs de la vue.

Les cérémonies de conclusion

Le lendemain, lundi 8 juin, le roi alla le matin en cavalcade à l'église de Saint-Remi « pour y entendre la Messe, et demander à ce glorieux Apôtre de la France, la continuation des soins paternels qu'il a toûjours pris d'un Royaume qui lui est recevable de sa Foy et de sa conversion ». Louis XIV était vêtu d'un habit de toile d'argent à l'antique (le roi-empereur ?) avec une toque de velours noir garnie d'une aigrette et était monté sur une haquenée blanche couverte d'une riche housse brodée d'argent. La messe dite, le roi revint au palais archiépiscopal au milieu des acclamations du peuple.

L'après-midi de ce même lundi 8 juin 1654 eut lieu la « cérémonie des chevaliers ». Dans la cathédrale où les escaliers montant au jubé avaient été démolis, les protagonistes qui avaient pris part la veille à la cérémonie du sacre avaient repris leurs places à l'exception du roi, habillé comme le matin, assis dans la première chaire haute des stalles de droite sous un dais de velours vert semé de lis d'or et sur un grand tapis pareillement décoré, avec le grand chambellan à son côté, et des chanoines qui, au lieu d'être dans les hautes stalles, s'étaient installés sur quatre bancs des deux côtés de l'autel. L'évêque de Soissons présida aux vêpres puis donna au roi le collier du Saint-Esprit,

après quoi M. de Lionne mit sur les épaules de Louis XIV le manteau royal du Saint-Esprit tandis que la Musique chantait le *Veni Creator*. Le roi remit ensuite le collier et le manteau de l'ordre à Monsieur, son frère, et l'on chanta les complies avant que le cortège royal revînt au palais archiépiscopal.
Enfin, le surlendemain du sacre, le mardi 9 juin, eut lieu une importante nouveauté. On se rappelle que, ce jour-là, le nouveau roi avait l'habitude, depuis Jean II le Bon en 1350, d'aller à Corbeny (dans l'Aisne actuelle) où, après avoir pris dans ses mains le chef de saint Marcoul, guérisseur des écrouelles, et prié devant sa châsse, il procédait pour la première fois au toucher des malades. Mais, si l'entremise de saint Marcoul paraissait, sinon nécessaire, du moins traditionnelle (Henri IV qui, bien sûr, n'était pas allé à Corbeny après son sacre à Chartres, n'en avait pas moins guéri les écrouelles), l'essentiel de la croyance était que le roi avait reçu ce pouvoir thaumaturgique de son onction à Reims. Louis XIV renonça au fastidieux voyage à Corbeny et fit le 9 juin 1654 son premier toucher dans le parc de l'abbaye de Saint-Remi. Il alla y entendre la messe, y communia, déjeuna au couvent, revint entendre une deuxième messe à l'église et, précédé de la compagnie des cent-suisses, de trente archers du grand prévôt et des gardes du corps, accompagné de Monsieur, du cardinal Grimaldi et de plusieurs seigneurs, entra dans le parc de l'abbé, vis-à-vis de l'église, et y toucha deux mille cinq cents ou six cents malades. Il toucha chacun d'eux au visage de sa main droite grande ouverte, du front au menton et d'une joue à l'autre, en faisant un signe de Croix – geste dont l'initiative était traditionnellement attribuée à Saint Louis – et en prononçant les paroles rituelles : « Dieu te guérisse, le Roi te touche. » Le cardinal Grimaldi, qui suivait le roi, donnait à chaque « touché » quelques pièces d'argent. On admira que Louis XIV ait accompli ce long rite avec bonne grâce et en ne s'arrêtant que deux fois pour boire un verre d'eau, car il faisait très chaud.
Enfin le roi compléta ces actions en usant ce même jour de son droit de grâce en faveur de plus de six mille auteurs de délits ou de crimes qui étaient venus se constituer prisonniers à Reims.
Ainsi Louis XIV avait ramené dans l'enceinte de Reims et lié plus à saint Remi qu'à saint Marcoul (jugé sans doute un peu trop « folklorique ») son pouvoir thaumaturgique. Tout le sacré produit par le sacre royal était enfermé dans Reims. Pourtant, si les successeurs de Louis XIV ne retournèrent plus à Corbeny, la croyance au pouvoir de saint Marcoul sur le miracle royal ne disparut pas rapidement. En 1658, une malade que Louis XIV avait touchée et qui semblait avoir guéri, le surlendemain de son sacre, fut reprise des écrouelles. Elle alla à Corbeny, fit neuvaine à saint Marcoul et fut définitivement guérie. Vers 1690, le peintre Jean Jouvenet exécuta pour l'abbé de Saint-Riquier, Charles d'Aligre, un tableau représentant Louis XIV touchant les écrouelles. Derrière le roi on aperçoit toujours saint Marcoul.

Les circonstances apportaient donc à la tradition des changements (en général mineurs), des inflexions, des significations nouvelles. L'auteur de la relation du sacre de Louis XIV en 1717 ajoute au procès-verbal de l'évêque de Soissons un long développement final sur la paix. Depuis l'époque carolingienne, le terme apparaît dans les *ordines* et dans l'idéologie du sacre. Il est certes un appel contre la violence mais surtout un souhait d'ordre et de soumission à la hiérarchie. Au lendemain de la Fronde comme au lendemain de la mort de Louis XIV, il exprimait surtout une protestation contre les guerres, contre la guerre. Du sacre médiéval au sacre de Louis XIV, la tradition, la continuité certes est frappante. La liturgie du rite de passage monarchique a peu changé. Et pourtant, même dans ce cas où l'absence d'entrée solennelle a quelque peu limité le faste des cérémonies, le développement du côté cérémoniel du sacre est important. Il transforme la cathédrale, le palais archiépiscopal, l'abbaye de Saint-Remi, la ville de Reims tout entière en scène de spectacle. Reims est devenue, selon l'heureuse expression de Frances Yates, un *théâtre de mémoire*. Tous les textes qui décrivent le sacre de Louis XIV à Reims le dimanche 7 juin 1654 insistent sur la continuité, la tradition, la mémoire. Le sacre est une cérémonie mémorable, Reims, ville du sacre, est un lieu de mémoire. Cette mémoire est avant tout celle de l'Église de Reims :

> L'Église même de Reims qui a toujours conservé ce que les Anges lui ont confié, et dans la même force et dans la même odeur [la sainte ampoule]. Elle sait que la Religion chrétienne n'oublie rien de toutes ses cérémonies les plus augustes, que toute la pompe et la magnificence royale fait ses efforts dans cette occasion : elle a encore devant les yeux ce qui s'est passé il y a peu de jours, elle se souvient de ce qui s'est toujours fait en pareilles rencontres, et surtout, de ce qui fut dit au sacre de Clovis, lorsque ce Prince tout ravy et tout emeu, demandoit au grand S. Remy, si ce n'étoit pas le Paradis, au moins quelque rayon de la gloire qui lui étoit promise, ou quelque avant-goût des felicitez de l'autre vie.

Le sacre rémois, moment eschatologique... Dans son procès-verbal du sacre, l'officiant, l'évêque de Soissons Simon le Gras, souligne dès l'abord ce rôle de la mémoire :

> Comme il importe grandement que la postérité sçache les choses qui se passent dans le cours des temps, afin que la mémoire en soit conservée et ne se perde pas, et particulièrement celles qui sont les plus grandes, les plus augustes et dont la relation donne de la vénération à ceux qui les lisent, et font naître en leur esprit un certain désir d'être nez dans les temps où ces Actions illustres se sont faites.

C'est ce que répètent en 1654 les chanoines de la cathédrale en défense des privilèges de leur église :

> Comme l'Église de Reims n'a pas un plus beau Privilège que d'estre le lieu Saint destiné au Sacre des Rois de France, on ne doit pas trouver étranger qu'elle soit jalouse de la conservation d'un Droit si auguste, ni qu'elle s'oppose à tout ce qui pourroit y donner atteinte.

Doutes et apogée : le sacre de Louis XVI (1775)

Le sacre de Louis XVI est le dernier de la monarchie d'Ancien Régime. On ne peut s'empêcher de le dramatiser, quand on connaît le sort de ce roi et la fin proche de la royauté française. Pourtant, il marque non le déclin, mais l'apogée de la cérémonie rémoise. Il se place sous le signe non seulement de la tradition presque millénaire, mais encore de l'esprit du rite rémois : celui du renouveau, renouveau religieux de la royauté et du peuple français.

Un vieux thème courait en filigrane dans le sacre, celui du Roi-Soleil que le XVIe siècle avait fait s'épanouir. En 1775, ce fut une illumination irradiée par les décorations de la joyeuse entrée. Louis était né le 23 août 1754, jour où le soleil entre dans la constellation de la Vierge. Une image incarna cet événement symbolique : un soleil éclairait de « ses premiers rayons un paysage chargé des fruits de la terre, d'où semblait monter » cette constellation. Un autre soleil magnifiait l'action du roi qui avait, dès le début de son règne, rappelé les parlements. Il personnifiait le roi dont les rayons, obscurcis par des nuages symbolisant les dernières années de Louis XV et aussi, peut-être, les premiers mois du nouveau règne assombri par les troubles sociaux de la « guerre des farines », dessinait un cadran solaire représentant le Parlement « rendu à l'usage public », comme le disait une devise. Un autre soleil, commenté avec un vers de l'*Énéide* de Virgile, « *spondeo digna tuis ingentibus omnia coeptis* » (sois tranquille, tout sera digne de tes grands desseins), faisait allusion au retour de l'âge d'or. Le thème du soleil était enfin associé à celui de la justice depuis la Bible et le Moyen Âge, vertu fondamentale des rois. Sur le socle d'une statue représentant la Justice était écrit : « J'annonçais les beaux jours dont on bénit l'aurore. »

Un autre thème, apparu au Moyen Âge, puis souligné avec François Ier s'affirmait aussi : celui du caractère « impérial » de la monarchie française qui élevait ainsi ses prétentions. Louis fut gratifié du titre romain impérial d'Auguste : *Ludovicus Augustus.* La France était qualifiée d'Empire. Les vers suivants accompagnaient un feu représentant « l'ardent amour des Français pour leurs souverains » :

De l'Empire à jamais cette flamme sacrée
Doit assurer la gloire et la prospérité.

Mais le sacre de Louis XVI, comme l'a bien démontré Hermann Weber, fut aussi l'objet d'un débat essentiel où s'affrontèrent pour la première et (presque) la dernière fois des conceptions très contrastées du sacre de Reims. Au départ une tentative de Turgot, contrôleur général des Finances et ministre d'État, pour moderniser résolument la cérémonie. Dans un mémoire au roi du 11 novembre 1774 (Louis XV était mort le 10 mai 1774) Turgot soulignait que le sacre à Reims coûterait sept millions de livres et qu'il vaudrait mieux le célébrer à Paris : on y bénéficierait, en outre, de la liesse du peuple parisien, de nombreux étrangers et à cette innovation le roi gagnerait de « nouveaux droits à l'amour et à la reconnaissance de ses sujets ».
Le roi décida pourtant de maintenir le sacre à Reims. Turgot fit alors porter son offensive sur le contenu de la cérémonie. Il proposa la réduction de tous les serments à une formule simple d'où disparaîtrait en particulier la promesse désormais anachronique de combattre l'hérésie.
L'argument financier était important pour Turgot, en cette époque de difficultés économiques et financières et de troubles sociaux. Mais l'essentiel, pour cet homme des Lumières, était d'ordre idéologique. Dans une lettre à Condorcet du 23 novembre 1774, il demandait à celui-ci si, « de toutes les dépenses inutiles, la plus inutile comme la plus ridicule ne serait pas celle du sacre ? ». Il voulait tout particulièrement « détruire le préjugé qui y destine la ville de Reims, y fait employer une huile regardée comme miraculeuse, d'après une fable rejetée par tous les critiques ; y ajouter l'opinion fausse d'une vertu non moins fabuleuse et peut contribuer à faire regarder comme nécessaire une cérémonie qui n'ajoute rien aux droits du Monarque ». Il avançait enfin une raison de circonstance : « Dans un temps paisible, ces préjugés ne sont que puérils ; dans un temps de trouble, ils peuvent avoir des conséquences terribles et la prudence exige qu'on choisisse, pour les attaquer, le moment où ils ne sont pas encore dangereux. » Turgot souhaitait donc un « aggiornamento » du sacre, il ne voulait pas le supprimer. D'autres, selon F. Métra dans des *Mémoires* parus à Londres en 1787, étaient plus radicaux et pensaient qu'« il eût mieux valu abolir cette absurde cérémonie ».
Louis XVI rejeta ces idées et se rangea à l'avis de ceux qui estimaient que « le sacre de nos rois est la cérémonie la plus solennelle que la Religion ait établie pour rendre nos Monarques respectables » et que le rite de Reims était un « Spectacle de la Religion ». Il subit en particulier l'influence de l'abbé de Beauvais, prédicateur de la Cour et qui avait prononcé l'oraison funèbre de Louis XV le 27 juillet 1774 dans l'église de l'abbaye royale de Saint-Denis. Selon cette conception, le sacre rémois n'était pas seulement une tradition,

mais il devait être l'instrument d'un renouveau : le renouveau du peuple français procuré par un renouveau de la royauté et fondé sur un renouveau de la religion.

Il y eut donc autour du sacre une lutte politique et idéologique très vive, où l'on peut distinguer quatre courants principaux, deux chez les ecclésiastiques, deux chez les laïcs.

Chez les ecclésiastiques s'opposaient les *Zélés,* dont les têtes étaient l'archevêque de Paris et l'archevêque de Vienne, Jean-Georges Lefranc de Pompignan, et dont les conceptions étaient proches de celles de l'abbé de Beauvais, devenu évêque de Séez, et les prélats *politiques,* soutiens de Turgot, dont le principal était l'archevêque d'Aix, Jean de Dieu-Raymond Cucé de Boisgelin.

La position des premiers s'exprima avant le sacre dans un mandement de l'archevêque de Paris du 2 juin 1775, puis, après la cérémonie, fin 1775, dans l'*Avertissement* de l'Assemblée générale au clergé de France ainsi que dans les *Remontrances du roi sur l'affaiblissement de la Religion et des Mœurs* de Lefranc de Pompignan. L'*Avertissement* affirmait l'existence d'une religion royale : « Le roi est l'oint du Seigneur, son lieutenant, son image. Sa personne sacrée nous offre une seconde majesté, la soumission que nous lui rendons est une espèce de religion. » Et les *Remontrances* : « Nous vous en conjurons donc, par l'onction sainte que vous venez de recevoir, par le serment solennel que vous venez de prouver [...] nous vous en conjurons, ne souffrez pas que la religion et la vertu continuent de dépérir dans votre royaume. » L'attitude des Zélés est claire : il faut que le sacre de Reims soit l'occasion d'un renouveau religieux, seul susceptible de sauver la monarchie, la France et le peuple français des malheurs qui les menacent. En perspective historique, ce renouveau a un nom : réaction. Le sacre de Reims n'est pas seulement la perpétuation d'une tradition, il doit être l'instrument d'un retour à l'esprit et aux institutions du Moyen Âge, même si celui-ci n'est pas explicitement invoqué.

Chez les laïcs lettrés qui écrivent, s'affrontent aussi deux positions. L'une est extrême. Elle condamne le sacre comme le mandement de l'archevêque de Paris dont les *Mémoires secrets* disent qu'il va « tout à fait dans le sens du clergé, qui rapporte l'autorité des Princes toute à Dieu, c'est-à-dire à lui ; c'est une vraie capucinade politique ». L'autre est plus nuancée et s'efforce de donner du sacre de Reims une interprétation allant dans le sens de l'esprit nouveau : il est, il doit être l'occasion de l'alliance du roi et du peuple. Le principal tenant de cette conception est un jeune avocat lorrain, Martin Morizot, dans son ouvrage *Le Sacre royal ou les droits de la nation française reconnus et confirmés par cette cérémonie* (Amsterdam, 1776). Pour Morizot, le sacre est un contrat social et sa base en est l'« élection nationale ». Il écrit : « L'objet principal du sacre étant la consécration du mariage politique contracté entre le Prince et la Nation [...] et ce mariage ou cette alliance ne pouvant exister dans sa pureté que par le consentement mutuel des Parties [...] il s'ensuit qu'il n'y aurait point de Sacre, proprement dit, s'il ne portait sur l'élection véritable des Papes.» Et de conclure: «Tout ce qui se passe dans la solennité du Sacre, tout ce qui le précède confirme et le droit d'élection nationale, et l'existence indubitable du pacte social, dont ce droit fait partie.»

La réalité du sacre de Louis XVI fut la conformité au modèle traditionnel. Ce fut un sacre fondamentalement médiéval. Il se déroula du 9 au 15 juin 1775 et j'en évoque les phases avec Hermann Weber: joyeuse entrée à Reims et réception immédiate à la cathédrale par l'archevêque; le lendemain, veille du sacre, vêpres avec prédication et confession; le jour du sacre: apport de la sainte ampoule de Saint-Remi à la cathédrale, éveil du roi dormant, entrée dans la cathédrale, jurement des serments, bénédiction et remise de l'épée, onction, bénédiction et remise des autres insignes, couronnement, intronisation, *Te Deum*, messe avec une nouvelle confession avant la communion sous les deux espèces, sortie et banquet; le lendemain, jurement du respect des statuts des ordres du Saint-Esprit et de Saint-Louis, parade des troupes; le jour suivant, messe à Saint-Remi, confession, communion et toucher des écrouelles; libération de prisonniers.

Préparé dans une atmosphère de scepticisme, le sacre ne fut pas un succès de foule. De nombreux lits restèrent vides dans les auberges, les mesures prises contre les embouteillages prévus de la circulation s'avérèrent inutiles. La noblesse de cour bouda, il vint très peu d'étrangers. La majesté de la cérémonie fut en outre troublée par la mauvaise conduite du plus jeune frère du roi, le comte d'Artois (le futur Charles X!) et de quelques jeunes princes du sang.

Pourtant, quand le roi fut installé sur son trône sur le jubé, lorsqu'on ouvrit les portes, lorsque le peuple s'engouffra dans la cathédrale, lorsque les trompettes sonnèrent et que les oiseaux s'envolèrent à grand bruit d'ailes, «le transport fut général» selon le duc de Croy. Des larmes coulèrent. Marie-Antoinette, qui assistait, pleura. Le duc de Croy déplora l'absence de ceux qu'avait retenus la situation troublée, la «révolte des grains». Pourtant le duc lui-même rapporte une impression fâcheuse qu'il partagea avec d'autres assistants. La cathédrale semblait avoir été transformée en une de «nos salles de théâtres mondains». Cette salle apparaissait comme «un petit morceau de carton doré [...] renfermé dans un superbe vaisseau d'église gothique» et la cérémonie y jurait quelque peu, «rappelant trop l'opéra». Les réactions du public s'accordèrent à ce décor: «Les applaudissements venaient de l'usage nouveau de claquer le Roi et la Reine en spectacle.» En réalité, le sacre n'était pas resté inchangé depuis le Moyen Âge. D'office liturgique il s'était transformé aux XVIe et XVIIe siècles en cérémonie et, en 1775, en représentation théâtrale. Le mystère était devenu opéra.

Il y eut plus. Un seul petit changement intervint dans la cérémonie. Selon l'*ordo* médiéval, deux évêques, après la prestation du premier serment par le roi, se retournaient vers le peuple et requéraient son assentiment. Depuis le sacre d'Henri IV, le « oui » du peuple avait été remplacé par un « consentement tacite ». En 1775, on supprima purement et simplement tout appel au peuple. Les *Mémoires secrets* exprimèrent la réaction d'une partie de l'opinion publique :

> Ce qui a indigné les patriotes, ç'a été la suppression de cette partie du cérémonial, où l'on semble demander le consentement du peuple pour l'élection du Roi. Quelque vaine que soit cette formule, dérisoire aujourd'hui, on trouve très mauvais que le clergé pour qui semble surtout fait ce pieux spectacle, se soit avisé de retrancher de son chef l'autre partie, et de ne conserver que ce qui le concerne spécialement.

Par ce détail la tradition s'était transformée en régression.
Mais, plus profondément encore, ce qui s'était passé dans les coulisses de ce théâtre – et, dans ces coulisses, on trouvait la France et une partie de l'opinion européenne – c'était la fin de la croyance au sacre. Marc Bloch l'a bien vu pour le miracle royal auquel on ne croyait plus. Voltaire avait dit : « Cette mode sacrée passa quand la raison arriva [...] Il faut qu'un roi guérisse des écrouelles dans un temps d'ignorance, inutile aujourd'hui. »
Comme l'avance Hermann Weber c'est peut-être le 14 juin 1775 que « la vieille royauté cessa de paraître supportable à l'opinion ».

Le dernier sacre : Charles X (1825)

L'historien rémois Gustave Laurent a vu en Reims « la ville désignée la plus ardente de la Révolution ». Georges Clause apporte beaucoup de nuances à ce jugement. Déjà, étudiant la pénétration des Lumières dans la société rémoise à la veille de la Révolution d'après les cahiers de doléance, André Burguière distinguait trois couches selon les corporations de métier. Les plus évoluées mettaient en avant la nation ; les intermédiaires insistaient davantage sur le roi ; les plus humbles exprimaient « de manière traditionnelle, moins rationnelle, sacralisée », la subordination du peuple au souverain.
Si ardents qu'ils aient été, les révolutionnaires rémois ne surent guère défendre leur ville. Dans le nouveau département de la Marne, Châlons-sur-Marne devint le chef-lieu. Reims, en contrepartie, fut le siège de l'évêché et celui du tribunal criminel.

Un évêque honnête mais médiocre, mesquinement ambitieux, Nicolas Diot, louvoya parmi les intempéries politiques et religieuses. On fêta la Raison dans la cathédrale qui en 1793 fut transformée en grange à fourrages pour les armées. Diot ne protesta pas quand la châsse de la sainte ampoule à Saint-Remi fut brisée. Thermidor amena, ici comme ailleurs, la réaction. La cathédrale fut rouverte le 15 messidor an III (12 juillet 1795). Mais «la guillotine politique ne fonctionna pas à Reims et après Thermidor, tous les Jacobins rémois furent blanchis par les tribunaux». Déjà, le 10 août 1793, pour l'anniversaire de la chute de la monarchie, les Rémois, dans un esprit d'apaisement sinon d'unité, avaient célébré «une fête funèbre en l'honneur des soldats morts dans la guerre nationale».

La ville fut sans doute majoritairement révolutionnaire mais elle n'apporta pas une passion excessive dans la destruction d'une monarchie qui s'était pendant des siècles renouvelée à Reims et pendant longtemps s'était identifiée à la nation. La mémoire rémoise, en profondeur, fonctionnait d'abord à Reims.

Qui aurait imaginé vers 1820 que le sacre de Reims allait revivre cinq ans plus tard?

Il parut d'abord emporté par la disparition même de la monarchie. Puis, quand Napoléon restitua à son profit des formes monarchiques et se fit sacrer le 2 décembre 1804, ce fut à Notre-Dame de Paris, en présence du pape Pie VII (rappelant donc Charlemagne plutôt que Saint Louis), sans sainte ampoule, et avec un autocouronnement, l'empereur s'étant mis lui-même la couronne sur la tête. Plus grave encore, quand la monarchie fut restaurée en 1815, le frère puîné de Louis XVI, Louis XVIII n'estima pas nécessaire de venir se faire couronner à Reims.

Dès l'automne 1814 pourtant, un sacre à Reims fut envisagé. L'article 74 de la Charte stipulait: «Le Roi et ses successeurs jureront dans la solennité de leur sacre d'observer fidèlement la présente Charte constitutionnelle.» François-Joseph Belanger, architecte royal chargé des fêtes et des cérémonies, fut prié d'en préparer le plan. Il se préoccupa d'abord du sort de la sainte ampoule dont il était avéré qu'un envoyé spécial de la Convention l'avait brisée en 1793 contre le socle de la statue de Louis XV. On imagina plusieurs versions d'une histoire destinée à légitimer un sauvetage de la relique. Celle retenue affirma que les morceaux de l'ampoule, encore enduits du saint chrême, avaient été conservés par de pieux citoyens, puis que l'archevêque avait pu les rassembler tous. Mais Louis XVIII, qui devenait de plus en plus impotent, hésita à affronter les fatigues du voyage à Reims. D'ailleurs, ce roi voltairien en avait-il tellement envie? En 1819 pourtant, ouvrant la session des Chambres, il déclara:

> J'ai attendu en silence cette heureuse époque pour m'occuper de la solennité nationale où la religion consacre l'union intime du peuple avec son Roi. En recevant au milieu de vous l'onction royale je prendrai à témoin le Dieu par qui règnent les rois, le Dieu de Clovis, de Charlemagne et de Saint Louis. Je renouvellerai sur les autels le serment d'affermir les institutions fondées par cette Charte que je chéris davantage *depuis que les Français par un sentiment unanime, s'y sont franchement ralliés.*

Volney répondit aussitôt, dans un ouvrage intitulé *Histoire de Samuel, inventeur du sacre des rois*, qu'il s'étonnait qu'«un gouvernement constitutionnel se proposât de donner à l'Europe du XIXe siècle un tel spectacle moyenâgeux!». Ce que Louis XVIII n'avait pas dit aux Chambres, c'est que le nouveau projet de 1819, reprenant l'idée de Turgot en 1775, prévoyait un sacre à Paris, à l'église Sainte-Geneviève. Mais Louis XVIII ne fut pas davantage sacré à Paris qu'à Reims.
Charles X était tout le contraire de son frère. Au physique, «jeune et svelte comme à trente ans», au moral aussi, car il pensait, selon ses propres termes, que «le seul moyen d'imprimer à la Restauration un caractère de durée était de la mettre sous la sauvegarde de la religion». Dès le discours du Trône, le 22 décembre 1824, il annonça:

> Je veux que la cérémonie de mon sacre termine la première session de mon règne. Vous assisterez, messieurs, à cette auguste cérémonie. Là, prosterné au pied du même autel où Clovis reçut l'onction sainte et en présence de celui qui juge les peuples et les rois, je renouvellerai le serment de maintenir et de faire observer les lois de l'État et les institutions octroyées par le Roi, mon frère; je remercierai la divine Providence d'avoir daigné se servir de moi pour réparer les derniers malheurs de mon peuple et je la conjurerai de continuer à protéger cette belle France que je suis fier de gouverner.

Les deux Chambres se mirent à l'unisson dans leur adresse en réponse. La Chambre des pairs déclara:

> Sire, Votre Majesté a daigné appeler les pairs de France et les députés des départements à cette importante cérémonie où sera de nouveau consacrée l'antique et sainte alliance de la religion et de la royauté... La France de Clovis et de Saint Louis se retrouvera dans la France de Charles X et la restauration de la monarchie semblera l'anniversaire de sa fondation. On y verra le successeur de Clovis recevoir l'onction sainte des mains du successeur de saint Remi et attester le même Dieu à la face des mêmes autels...

Le projet, toutefois, fit l'objet de discussions serrées. Les milieux libéraux, dont l'organe était *Le Constitutionnel*, dénonçaient à l'avance une cérémonie qui serait un « symbole du retour au passé ». Le président même de la commission chargée de préparer le sacre, Villèle, était méfiant. Selon la duchesse d'Abrantès, « il craignait Reims et le sacre, car tout cet appareil ne lui plaisait pas ». Le duc de La Rochefoucauld, dans une note à Charles X du 5 novembre 1824, soulevait la question la plus épineuse depuis que Napoléon s'était couronné lui-même : « Que serait donc aujourd'hui le Roi dans son royaume si quelqu'un sur la terre avait le droit de lui placer la couronne sur la tête ? » Et il rappelait que Louis XVIII, pour éviter toute attitude fâcheuse, avait prévu d'arriver à Reims déjà couronné. Mais Charles X choisit la tradition.

Il fit de même pour le lieu du sacre. Le débat du temps de Louis XVI reparut, plus vif : Reims ou Paris ? L'archevêque de Reims, Mgr de Latil, attira l'attention sur la sainte ampoule miraculeusement retrouvée. L'argument parut décisif et on oublia que le représentant de la Convention qui avait brisé la relique en 1793 l'avait appelée « cette fiole d'huile qu'un moine dit avoir été apportée du ciel par un pigeon ». Le roi fit annoncer dans *Le Moniteur* que « l'huile sainte qui coulera sur le front de Charles X sera la même que celle qui depuis Clovis a consacré tous les monarques français ».

Seule concession au changement de société : les grands officiers royaux qui remettaient au roi les insignes de son pouvoir seraient remplacés par des maréchaux de Napoléon qui, à vrai dire, s'étaient rués dans le reniement et le ralliement à la Restauration : Moncey porterait l'épée du connétable, Soult le sceptre, Mortier la main de justice et Jourdan la couronne.

L'officiant fut le cardinal de La Fare qui, a écrit Duvergier de Hauranne, « trente-six ans auparavant, à l'ouverture des États généraux, avait prononcé un long sermon sur les devoirs des souverains et les droits du peuple, et qui devait, par un singulier retour, prêcher sur les devoirs du peuple et les droits des souverains ».

Dès la veille du sacre, le 28 mai, on libéra cinquante prisonniers. La tradition était respectée, mais chichement. À la cérémonie, l'aristocratie de Paris et de province fut largement représentée. Nouveauté, les pairs et les députés étaient très nombreux. Comme l'a souligné Jean-Paul Garnier, le président de la Chambre, M. Ravez, fils d'un marchand de vins de Bordeaux, « représentait la France nouvelle ». Il y avait une foule d'étrangers, « toute la vieille Europe monarchique, brillant d'un dernier éclat ». Les protestants étaient nombreux, il y avait un orthodoxe, l'ambassadeur de Russie, un musulman, envoyé de Tunis, un israélite, M. de Rothschild.

La cérémonie fut moyenâgeuse, mais avec des innovations notables. Les serments traditionnels furent remplacés par le bref engagement suivant :

> En présence de Dieu, je promets à mon peuple de maintenir et d'honorer notre sainte religion, comme il appartient au roi très chrétien et au fils aîné de l'Église, de rendre bonne justice à mes sujets ; enfin de gouverner conformément aux lois du royaume et à la charte constitutionnelle que je jure d'observer fidèlement. Ainsi que Dieu me soit en aide et ses saints Évangiles.

Aux serments en tant que grand maître de l'ordre du Saint-Esprit et chef souverain de l'ordre de Saint-Louis, Charles X ajouta le serment de la Légion d'honneur. La liturgie fut allégée des oraisons qui paraissaient trop démodées. Deux suppressions importantes concernent l'une la formule de l'élection du roi par le clergé, l'autre la promesse de combattre l'hérésie. Après beaucoup d'hésitations, on conserva le toucher des écrouelles. Chateaubriand note durement : « Il n'y a plus de main assez vertueuse pour guérir les écrouelles ni de sainte ampoule assez salutaire pour rendre les rois inviolables. »

Charles X toucha les scrofuleux mais presque en cachette, à huis clos, dans les salles de l'hôpital, en présence de quelques curieux. Louis XIV avait touché deux mille cinq cents malades, Louis XV deux mille, Louis XVI deux mille quatre cents, Charles X seulement cent vingt et un. Un vieillard se présenta comme un miraculé du toucher de Louis XVI. On s'aperçut qu'un demi-siècle (et lequel !) s'était écoulé.

Le sacre apparut comme un succès. On y retrouva certes l'impression théâtrale du sacre de Louis XVI. Victor Hugo et Lamartine, qui voulurent faire oublier leur flagornerie d'invités empressés au sacre, le soulignèrent plus tard. Le premier écrivit : « On avait pour le couronnement d'un roi de France inséré un théâtre dans l'église, si bien qu'on a pu raconter avec une exactitude parfaite qu'en arrivant au portail j'avais pu demander au garde du corps en faction : “Où est ma loge ?” » Et le second : « La pompe, plus digne du théâtre que de l'histoire, fut aussi imposante que ces traditions à qui la foi antique manque et qui ne vivent plus que des souvenirs et de l'appareil[8]. » Quant à Chateaubriand, il déclara crûment : « Nous avons eu des tréteaux et une parade. » Un seul épisode souleva un grand malaise chez beaucoup d'assistants, ce fut le moment où Charles X se prosterna couché de tout son long. « Reconnaît-on l'attitude royale dans un monarque couché à plat ventre ? » La signification du rituel et le sens des sacralités étaient bien perdus.

Au retour, lors de la Joyeuse Entrée à Paris, il fallut déchanter. La foule fut clairsemée et tiède. Béranger composa une chanson L*e Sacre de Charles le Simple* qui lui valut, à sa publication en 1828, neuf mois de prison. Dès 1825, on la chantait « à la ville et à la campagne ».

Chamarré de vieux oripeaux
Ce roi, grand avaleur d'impôts,
Marche entouré de ses fidèles
Qui tous, en des temps moins heureux,
Ont suivi les drapeaux rebelles
D'un usurpateur généreux.

Aux pieds de prélats cousus d'or,
Charles dit son Confiteor.
On l'habille, on le baise, on l'huile,
Puis au son des hymnes sacrés
Il met la main sur l'Évangile.
Son confesseur lui dit: «Jurez!»

Le meilleur interprète de l'impression anachronique que donna le sacre de Charles X fut en définitive, amer, mais lucide, Chateaubriand. Il avait annoncé: «Le sacre actuel sera la représentation d'un sacre et non un sacre.» Dans les *Mémoires d'outre-tombe*, il commente:

> Le sacre nouveau, où le Pape est venu oindre un homme aussi grand que le chef de la seconde race, n'a-t-il pas, en changeant les têtes, détruit l'effet de l'antique cérémonie de notre histoire? Le peuple a été amené à penser qu'un rite pieux ne dédiait personne au trône ou rendait indifférent le choix du front auquel s'appliquait l'huile sainte. Les figurants à Notre-Dame de Paris, jouant pareillement dans la cathédrale de Reims, ne seront plus que les personnages obligés d'une scène devenue vulgaire: l'avantage demeurera à Napoléon qui envoie ses comparses à Charles X. La figure de l'Empereur domine tout désormais. Elle apparaît au fond des événements et des idées: les feuillets des bas temps où nous sommes arrivés se recroquevillent au regard de ses aigles.

Ce n'est pas le souvenir de Reims et des rois qui va peser sur le XIXe siècle mais celui de Notre-Dame et de Napoléon.
Au début de la monarchie de Juillet, dont le roi n'avait pas été sacré, Dulaure écrivit dans l'*Histoire de la Révolution française depuis 1814 jusqu'en 1830*: «Les Rois des Français n'iront plus désormais chercher leur couronne sur l'autel de la cathédrale de Reims; c'est la nation et non saint Remi qui leur dira: "*Accipe sceptrum regiae potestatis insigne.*"»

La trace du dernier sacre

À Reims en 1825 les jeunes poètes romantiques, légitimistes et amoureux du passé, se font, non sans quelque servilité les chantres du sacre.
Hugo y va d'une ode: *Le Sacre de Charles X*:

Le vieux pays des Francs, parmi ses métropoles,
Compte une église illustre, où venaient tous nos rois,
De ce pas triomphant dont tremblent les deux pôles,
S'humilier devant la croix.
Le peuple en racontait cent prodiges antiques;
Ce temple a des voûtes gothiques,
Dont les saints aimaient les détours;

Celui qui vient en pompe à l'autel du Dieu juste,
C'est l'héritier nouveau du vieux droit de Clovis,
Le chef des douze pairs, que son appel auguste
Convoque en ces sacrés parvis.
Ses preux, quand de sa voix leur oreille est frappée,
Touchent le pommeau de l'épée,
Et l'ennemi pâlit d'effroi

Le roi dit: – «Nous jurons, comme ont juré nos pères,
De rendre à nos sujets paix, amour, équité;
D'aimer, aux mauvais jours comme en des temps prospères
La charte de leur liberté.
Nous vivrons dans la foi par nos aïeux chérie.
Des ordres de chevalerie
Nous suivrons le chemin étroit.
Pour sauver l'opprimé nos pas seront agiles.
Ainsi nous le jurons sur les saint Évangiles.
Que Dieu soit en aide au bon droit!»
Montjoie et Saint-Denis! – Voilà que Clovis même
Se lève pour l'entendre; et les deux saints guerriers,
Charlemagne et Louis, portant pour diadème
Une auréole de lauriers;
Et Charles Sept, guidé par Jeanne encor ravie;

Devant ces grands témoins de la grandeur française,
Le saint chrême de Charles a rajeuni les droits.
Il reçoit, sans faiblir, cette couronne où pèse

La gloire de soixante rois.
L'archevêque bénit l'épée héréditaire,
Et le sceptre et la main austère
Dont nul signe n'est démenti ;
Puis il plonge à leur tour dans le divin calice
Ces gants, qu'un roi jamais n'a jetés dans la lice,
Sans qu'un monde en ait retenti !

Entre, ô peuple ! – Sonnez, clairons, tambours, fanfare !
Le prince est sur le trône ; il est grand et sacré !
Sur la foule ondoyante il brille comme un phare
Des flots d'une mer entouré.
Mille chantres des airs, du peuple heureuse image,
Mêlant leur voix et leur plumage,
Croisent leur vol sous les arceaux ;
Car les Francs, nos aïeux, croyaient voir dans la nue
Planer la Liberté, leur mère bien connue,
Sur l'aile errante des oiseaux.

Le voilà prêtre et roi ! – De ce titre sublime
Puisque le double éclat sur sa couronne a lui,
Il faut qu'il sacrifie. Où donc est la victime ? –
La victime, c'est encor lui !
Ah ! pour les rois français qu'un sceptre est formidable !

Et Lamartine d'un *Chant du sacre* dans lequel il ne recule, il est vrai, devant aucune fiction romantique. Charles X y entre dans Reims à minuit, suivi de cent chevaliers, et répète les maximes traditionnelles de la royauté sacrée. Pourtant, le moment de l'onction apparaît singulièrement désacralisé :

Le pontife est debout : le nard aux flots dorés
Semble prêt à couler de ses doigts consacrés ;
Charles, à genoux, baissant son front sans diadème,
Offre ses blancs cheveux aux parfums du saint chrême
Et le prêtre, élevant la couronne en ses mains,
Parle au nom du seul maître, au maître des humains.

L'Archevêque

Si nous étions encore aux siècles des miracles,

La colombe, planant sur les saints tabernacles,
T'apporterait du ciel le chrême de Clovis,
Et les anges eux-mêmes, aux accents d'un prophète,
Poseraient sur ta tête
La couronne de lis !
Mais les temps ne sont plus ! le passé les emporte ;
Le ciel parle à la terre une langue plus forte :
C'est la seule raison qui l'explique à la foi !
Les grands événements, voilà les grands prestiges !
Tu cherches les prodiges,
Le prodige c'est toi !

Enfin, voulant, comme Hugo, unir le trône et la liberté, Lamartine procède au sacre de la Liberté :

Et toi qui, relevant les débris des couronnes,
Viens du trône des rois embrasser les colonnes,
Rêve des nations, qu'ont vu passer nos yeux,
Que le Christ après lui fit descendre des cieux,
LIBERTÉ ! *dont la Grèce a salué l'aurore,*
Que d'un berceau de feu ce siècle vit éclore,
Viens ! le front incliné sous le sceptre des Rois,
Poser le sceau du peuple au livre de nos lois !

Je ne sais quel instinct, plus sûr que l'espérance,
Présage aux nations ton règne qui s'avance !

Chaque peuple à son tour te possède ou t'espère,
Et ton œil cherche en vain un tyran sur la terre !
Viens donc ! viens, il est temps, tardive LIBERTÉ !

IV. La mémoire posthume

Mais la sensibilité romantique, puis postromantique, à mesure que se déroule le XIXe siècle, que la mémoire de Reims s'éloigne, ne chante plus guère que la tristesse de ruines. La cathédrale de Reims est désormais un cénotaphe où errent les fantômes des rois et la mémoire toujours plus refoulée de l'alliance du trône et de l'autel, défunte peu regrettée.
Ainsi médite Michelet devant la cathédrale :

> Notre-Dame de Paris est l'église de la monarchie : Notre-Dame de Reims celle du sacre. Celle-ci achevée, contre l'ordinaire des cathédrales. Riche, transparente, pimpante dans sa coquetterie colossale, elle semble attendre une fête ; elle n'en est que plus triste, la fête ne revient plus. Chargée et surchargée de sculptures, couverte plus qu'aucune autre des emblèmes du sacerdoce, elle symbolise l'alliance du roi et du prêtre. Sur les rampes extérieures de la croisée batifolent les diables, ils se laissent glisser aux pentes rapides. Ils font la moue à la ville, tandis qu'au pied du Clocher-à-l'Ange le peuple est pilorié.

Quant à Victor Hugo vieux, dans ce texte de *Choses vues* publié dans la *Revue de Paris* le 1er octobre 1899, quatorze ans après sa mort, il dit ses souvenirs de Reims dans un texte bien en retrait sur l'*Ode* de 1825 :

> La première fois que j'ai entendu le nom de Shakespeare, c'est à Reims, de la bouche de Charles Nodier. Ce fut en 1825, pendant le sacre de Charles X [...]
> Dans ce voyage de 1825, nous passions notre temps, Charles Nodier et moi, à nous raconter les histoires et les romans gothiques qui ont fait souche à Reims. Nos mémoires, et quelquefois nos imaginations, se cotisaient. Chacun fournissait sa légende. Reims est une des plus invraisemblables villes de la géographie du conte. Elle a eu des marquis païens, dont un donnait en dot à sa fille les langues de terre du Borysthène, dites les courses d'Achille. Le duc de Guyenne, dans les fabliaux, passe par Reims pour aller assiéger Babylone ; Babylone, d'ailleurs, fort digne de Reims, est la capitale de l'amiral Gaudisse. C'est à Reims que « débarque » la députation envoyée par les Locres-Ozoles à Apollonius de Tyane, « grand prêtre de Bellone ». Tout en narrant le débarquement, nous discutions sur les Locres-Ozoles : ces peuples étaient ainsi nommés, les Fétides, – selon Nodier, parce que c'étaient des demi-singes ; selon moi, tout simplement, parce qu'ils habitaient les marais de la Phocide. Nous reconstruisions sur place la tradition de saint Remy et ses aventures avec la fée Mazelane. Les contes pullulent dans cette Champagne. Presque toute la vieille fable gauloise y est née. Reims est le pays des chimères. C'est pour cela peut-être qu'on y sacrait les rois [...]
> Pendant les trois jours du sacre, la foule se pressait dans les rues de Reims, à l'archevêché, aux promenades sur la Vesle, pour voir passer Charles X ; je disais à Nodier :
> – Allons voir Sa Majesté la cathédrale.
> ... La nef n'étant que de pierre, on l'avait remplacée à l'intérieur par

un édifice de carton, pour plus de ressemblance probablement avec la monarchie d'alors; on avait, pour le couronnement du roi de France, inséré un théâtre dans l'église; si bien qu'on a pu raconter avec une exactitude parfaite qu'en arrivant au portail j'avais pu demander au garde du corps de faction:

– Où est ma loge?

Cette cathédrale de Reims est belle entre toutes. Sur la façade, les rois; à l'abside, les énervés: les bourreaux ayant derrière eux le supplice. Sacre des rois avec accompagnement de victimes. La façade est une des plus magnifiques symphonies qu'ait chantées cette musique, l'architecture. On rêve longtemps devant cet oratorio. De la place, en levant la tête, on voit, à une hauteur de vertige, à la base des deux clochers, une rangée de colosses, qui sont les rois de France. Ils ont au poing le sceptre, l'épée, la main de justice, le globe, et sur la tête l'antique couronne pharamonde, non fermée, à fleurons évasés. Cela est superbe et farouche. On pousse la porte du sonneur, on gravit la vis de Saint-Gilles, on monte dans les tours, on arrive dans la haute région de la prière, on baisse les yeux, et on a au-dessous de soi les colosses. La rangée des rois s'enfonce dans l'abîme. On entend, aux vibrations des vagues souffles du ciel, le chuchotement des cloches énormes.

Un vaste tapis fleurdelysé, fait exprès pour l'occasion et appelé le «tapis du sacre», couvrait d'un bout à l'autre les vieilles dalles et cachait les tombes mêlées au pavé de la cathédrale. Une lumineuse épaisseur d'encres emplissait la nef. Les oiseaux, mis en liberté, erraient dans ce nuage, effarouchés.

Le roi changea six ou sept fois de costume.

Treize ans après, un hasard me ramena à Reims.

C'était le 28 août 1838.

... Je revis toute l'église. Elle était solitaire. Les pierres étaient noires, les statues tristes, l'autel mystérieux. Aucune lampe ne faisait concurrence au soleil. Il allongeait sur les pierres sépulcrales du pavé les longues silhouettes blanches des fenêtres, et, à travers l'obscurité mélancolique du reste de l'église, on eût dit des fantômes couchés sur ces tombes. Personne dans l'église. Pas une voix ne chuchotait, aucun pas ne marchait.

Cette solitude serrait le cœur et ravissait l'âme. Il y avait là de l'abandon, du délaissement, de l'oubli, de l'exil, de la sublimité. Ce n'était plus le tourbillon de 1825. L'église avait repris sa dignité et son calme. Aucune parure, aucun vêtement, rien. Elle était toute nue, et belle. La haute voûte n'avait plus de dais à porter. Les cérémonies de palais ne vont point à ces demeures sévères; un sacre est une complaisance;

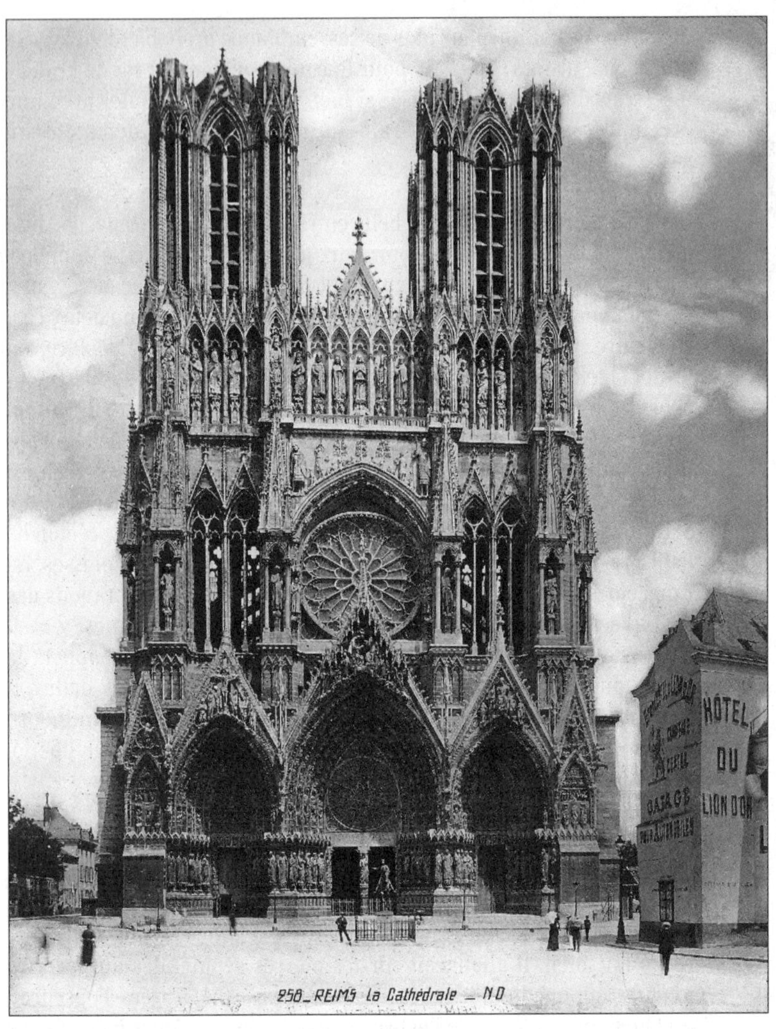

La vitrine du reliquaire : la façade de la cathédrale de Reims avant 1914.

> ces masures augustes ne sont pas faites pour être courtisanes ; il y a accroissement de majesté pour un temple à le débarrasser du trône et à retirer le roi de devant Dieu. Louis XIV masque Jéhovah.
> Retirez aussi le prêtre : tout ce qui faisait éclipse étant ôté, vous verrez le jour direct. Les oraisons, les rites, les bibles, les formules, réfractent et décomposent la lumière sacrée. Un dogme est une chambre noire. À travers une religion vous voyez le spectre solaire de Dieu, mais non Dieu. La désuétude et l'écroulement grandissent un temple. À mesure que la religion humaine se retire de ce mystérieux et jaloux édifice, la religion divine y entre. Faites-y la solitude, vous y sentez le ciel.

Ainsi semble à tout jamais muette la cathédrale de Reims et arrêté dans la mémoire le sacre des rois.
Pourtant, la Première et la Seconde Guerre mondiale vont relancer l'image de la basilique dans la conscience nationale française. Le 19 septembre 1914, alors que les tranchées avaient été creusées à moins de quatre kilomètres du centre de Reims, l'artillerie du général allemand von Heeringen bombarda la cathédrale : la toiture brûla, des blessés allemands installés dans la nef furent carbonisés, l'abside fut incendiée, le clocher à l'Ange s'effondra, les cloches de la tour nord fondirent. Quand l'archevêque, le cardinal Luçon, parti à Rome au conclave qui élut le pape Benoît XV, revint à Reims le 22 septembre, la cathédrale était en ruine, frappée d'environ trois cents obus. Sa reconstruction se fit sous l'excellente direction d'un architecte rémois, passionné par l'édifice, Henri Deneux. Elle ne fut achevée qu'en juillet 1938. Ce mois-là, la cathédrale restaurée fut inaugurée par son archevêque le cardinal Suhard, en présence du président de la République Albert Lebrun, du ministre de l'Instruction publique, Jean Zay, du ministre des Finances, Paul Marchandeau, député maire de Reims, du maréchal Pétain, du général Gouraud et d'une foule immense. Devant le grand portail de la cathédrale, on joua un mystère médiéval et *Les Grandes Heures de Reims* d'Henri Ghéon. La cathédrale du sacre devenait un monument martyr.
La Seconde Guerre mondiale et ses suites valurent à Reims, toujours en raison de sa proximité avec la frontière de l'Est, des heures non plus de deuil mais de joie et de gloire. La ville fut le théâtre de la capitulation allemande le 7 mai 1945, dans un édifice qui devint un autre lieu de mémoire, la « petite école rouge ». En 1962 la réconciliation franco-allemande fut scellée à Reims par Charles de Gaulle et Konrad Adenauer qui entendirent ensemble une messe à la cathédrale. Malgré ce regain de mémoire, le sacre de Reims semble bien aujourd'hui confiné dans sa cathédrale restaurée mais vide, et dans la mémoire livresque des Français, ce qui n'est pas rien.

Mais le plus étonnant est sans doute que le souvenir de Reims nourrisse toujours une frustration bien vivante. Même si la religion républicaine n'a pas engendré de cérémonies identiques à la religion monarchique, un besoin de trouver une formule d'inauguration plus ou moins sacralisée des présidents de la République se fait sentir et peut-être de façon plus aiguë avec le retour du goût pour le symbolique et le sacré, fût-il déchristianisé. Mais le lieu de substitution, le palais parisien de l'Élysée, malgré les fastes de l'histoire républicaine et bien qu'il n'ait pas été souillé par le chef du régime de Vichy, n'a rien de sacré. L'imposition du grand collier de la Légion d'honneur établit une certaine continuité avec celle des ordres du Saint-Esprit et de Saint-Louis conférés au roi au lendemain du sacre. Mais point d'objets sacrés comparables à la sainte ampoule ou aux insignes royaux. Ni couronne ni trône. Seul François Mitterrand, en mai 1981, a réalisé un substitut moderne du sacre royal en allant au Panthéon – ancienne église Sainte-Geneviève devenue le temple de la République –, la rose à la main. Résurgence vivante des fleurs de lis endormies à Reims ? Longue durée de la mémoire et de l'histoire...

1. Nous savons que la cérémonie dont nous ignorons les détails eut lieu à Noël et non à Pâques. Entre le Ve et le XIe siècle, Pâques était devenu – plutôt que Noël – la grande fête chrétienne.

2. Le terme *Francia* (France) pour désigner l'ensemble du royaume occidental apparaît dans des actes royaux à partir de 946.

3. In *Histoire de France*, J. Favier, éd., t. I, *Les Origines*, Paris, 1985, p. 450.

4.

	CHARTRES *8 travées projetées 6 réalisées*	REIMS *10 travées projetées et réalisées*	AMIENS *7 travées projetées, 6 réalisées*
Longueur totale	130 m	138 m	143 m
Longueur de la nef	73 m		
Longueur du chœur	37 m		
Hauteur de la nef	37 m	38 m	42 m

5. L'historien de l'art Wilhelm Vöge a parlé de « cette grandiose monotonie semblable à un chant composé de notes équivalentes ».

6. Donna Sadler-Davis a présenté, dans une excellente communication, cette iconographie à un colloque international sur les *Couronnements royaux au Moyen Âge et à la Renaissance*, Toronto, février 1985.

7. Il n'y eut pas toujours de joyeuses entrées à Reims. Il n'y en eut pas pour François Ier et Louis XIV. Et nous savons peu de choses sur celles de Louis XII, de François II et de Charles IX.

8. Est-ce un hasard si, dans *Le Voyage à Reims*, l'opéra que Rossini composa pour les fêtes de 1825, les protagonistes sont bloqués à l'*Auberge du Lys d'or* et se trouvent incapables de rejoindre le lieu du sacre ?

BIBLIOGRAPHIE

J'ai beaucoup utilisé l'excellent livre de Richard A. Jackson, *Vivat Rex – Histoire des sacres et couronnements en France, 1364-1825*, Association des publications près les universités de Strasbourg, 1984. En revanche, je n'ai pu consulter *Le Sacre des rois*, Actes du Colloque international de Reims de 1975, Paris, Les Belles Lettres, 1986, paru après l'achèvement et la remise de mon texte à l'éditeur pour bon à tirer.

LOUIS-PIERRE ANQUETIL
Histoire civile et politique de la ville de Reims, Reims, 1756, 3 vol.

A. BLANCHET
«Médailles et jetons du sacre des rois de France», *Études de numismatique*, II (1892), pp. 191-220.

MARC BLOCH
Les Rois thaumaturges, Paris, 1924, nouv. éd., Paris, 1983.

J.-C. BONNE,
«The Manuscript of the Ordo of 1250 and its Illuminations», *Coronations Medieval and Early Modern Monarch Ritual*, ed. J. M. Bak, University of California Press, 1990, pp. 58-71.

C. A. BOUMAN
Sacring and Crowning: The Development of the Latin Ritual for the Anointing of Kings... before the XIth century, Groningue, 1957.

G. BOUSSINESQ et G. LAURENT
Histoire de Reims depuis les origines, d'après un cours donné à Reims de 1911 à 1914, Reims, 1933, 2e éd., 1980.

C. RICHARD BRÜHL
– «Frankischer Krönungsbrauch und das Problem des Festkrönungen», *Historische Zeitschrift*, t. 194, 1962, pp. 265-326.
– *Reims als Krönungsstadt des französischen Königs bis zum Ausgangdes 14. Jarhunderts*, Francfort-sur-le-Main, 1950.
– *Palatium und Civitas*, vol. I, *Gallien*, Cologne-Vienne, 1975.

M. BUR
La Formation du comté de Champagne v. 950-v. 1150, thèse université de Lille III, 1974.

F. M. CAREY
«The Scriptorium of Reims during the Archbistropic of Hincmar (845-882)», *Classical and Mediaeval Studies in Honor of E.K. Rand*, New York, 1938, pp. 41-60.

M. DAVID
Le Serment du sacre du IXe au XVe siècle: contribution à l'étude des limites juridiques de la souveraineté, Strasbourg, 1951.

L. DEMAISON
– «Une description de Reims au XIIe siècle», *Bulletin archéologique du Comité des travaux historiques et scientifiques*, 1892, pp. 378-395.
– «Reims à la fin du XIIe siècle d'après la vie de Saint Albert, évêque de Liège», *Travaux de l'Académie nationale de Reims*, t. CXXXIX, 1924-1925.

P. DESPORTES
Reims et les Rémois aux XIIIe et XIVe siècles, Paris, 1979.

J. DEVISSE
Hincmar, archevêque de Reims (845-882), Paris-Genève, 1976.

A. DUMAS
– «L'Église de Reims au temps des luttes entre Carolingiens et Robertiens (888-1027)», *Revue d'histoire de l'Église de France*, t. XXX, 1944.

– *Cérémonie de sacre et couronnement du roi Louis XIV, in* J. Dumont, *Le Cérémonial diplomatique des cours de l'Europe,* Amsterdam et La Haye, 1739 (supplément au *Corps universel diplomatique du droit des gens,* IV), pp. 212-221.

F. GANSHOF
Étude sur le développement des villes en Loire et Rhin au Moyen Âge, Paris, Bruxelles, 1943.

J.-P. GARNIER
« Le sacre de Charles X », *La Revue des Deux Mondes,* XXXVII, 1937, pp. 634-662.

C. GEERTZ
« Centers, Kings and Charisma : Reflections on the Symbolics of Power », *in* J. BEN DAVID et T. N. CLARK, éd., *Culture and its Creators,* Chicago, 1977.

TH. et D. GODEFROY
Le Cérémonial françois, Paris, 1649, 2 vol.

A. HAUETER
– *Die Krönungen der französischen Könige im Zeitalter des Absolutismus und in der Restauration,* Zurich, 1975.
– *Histoire de Reims,* sous la direction de Pierre Desportes, Toulouse, Privat, 1983.

R. KAISER
Bischofsherrschaft zwischen Königtum und Fürstenmacht, Bonn, 1981.

E. KANTOROWICZ
The King's Two Bodies : A Study in Mediaeval Political Theology, Princeton, 1957.

JEAN M. C. LEBER
Des cérémonies du sacre, ou recherches historiques et critiques sur les mœurs, les coutumes, les institutions et le droit public des Français dans l'ancienne monarchie, Paris, 1825.

J. LEFLON
Histoire de l'Église de Reims du Ier au Ve siècle, Travaux de l'Académie nationale de Reims, CLII, 1943.

J. LE GOFF,
– « A Coronation Program for the Age of Saint Louis : The Ordo of 1250 », *Coronations, op. cit.,* pp. 46-57.
– « La Genèse du miracle royal » *in Marc Bloch aujourd'hui : Histoire comparée et sciences sociales,* H. Atsma et André Burguière, éd. Paris, 1990, pp. 147-158.

S. LE GRAS
Procès-verbal du sacre du roy Louis quatorze du nom, Soissons, 1694.

A. LE NOBLE
Histoire du sacre et du couronnement des rois et reines de France, Paris, 1825.

F. LOT
« Quelques mots sur l'origine des pairs de France », *Revue historique,* LIV, 1894, pp. 34-59.

GUILLAUME MARLOT († 1667)
Metropolis Remensis Historia, vol. I, 1666, vol. II, 1679. L'académie de Reims a publié le texte français plus long *Histoire de la ville, cité et université de Reims, métropolitaine de la Gaule Belgique,* 4 vol., 1843.

FRANCIS OPPENHEIMER
The Legend of the Sainte Ampoule, Londres, 1953.

DE PANGE
Le Roi très chrétien, Paris, 1949.

TH. J. PICHON
Journal historique du sacre et du couronnement de Louis XVI, roi de France et de Navarre, Paris, 1775.

L. Pietri
La Topographie chrétienne des cités de la Gaule, des origines à la fin du VIIe siècle, recueil publié par le Centre de recherches sur l'Antiquité tardive et le haut Moyen Âge de l'université de Paris X, 1974, pp. 73-83.

H. Pinoteau
Vingt-cinq ans d'études dynastiques, Paris, 1982.

A. Prache
– *Saint-Remi de Reims. L'œuvre de Pierre de Celle et sa place dans l'architecture gothique*, Paris, 1978.
– « Les monuments funéraires des Carolingiens élevés à Saint-Remi de Reims au XIIe siècle », *Revue de l'art*, 1969.
– « Sites et dispositions des monastères bénédictins de Reims aux XIIe et XIIIe siècles », *in Sous le règne de saint Benoît...*, Abbaye bénédictine Sainte-Marie de Paris, 1980, Genève, Droz, 1982.
– *La Regalita sacra*, Leyde, 1959.

H. Reinhardt
La Cathédrale de Reims, Paris, 1963.
Relation de la cérémonie du sacre et couronnement du roi Louis XV, faite en l'église métropolitaine de Reims, le dimanche 25 octobre 1722, *in* J. Dumont, *op. cit.*, pp. 221-234.

C. de Rémond
Le Sacre et couronnement du roi Louis XIII, Paris, 1610.

P. Riché
Écoles et enseignement dans le haut Moyen Âge, Paris, 1979.

P. E. Schramm
Der König von Frankreich, Darmstadt, 1939, 2 vol.
– « *Ordines* – Studien II : Die Krönung bei den Westfranken und die Franzosen », *Archiv für Urkundenforschung*, XV, 1938, pp. 3-55.

G. Tessier
Le Baptême de Clovis, Paris, 1964.

M. Valensise
« Rappresentazione del potere e ideologia nell'area gallica e nella Francia moderna : il sacro di Lodovico XVI », *Annali della Fundazione Luigi Einaudi*, 1982.

F. Vercauteren
Études sur les civitates *de la Belgique seconde*, Bruxelles, 1934.

H. Weber
« Le sacre de Louis XVI », *in* Actes du Colloque international de Sorrèze, *Le Règne de Louis XVI... (1976)*, 1977, pp. 11-22. « Das Sacre Ludwigs XVI vom 11 juin 1775 und die Krise des Ancien Régime », *in Vom Ancien Régime zur französischen Revolution : Forschungen und Perspektiven, E. Hinrichs, E. Schmitt et R. Vierhaus*, éd., Veröffentlichungen des Max-Planck-Institut für Geschichte, n° 55, Göttigen, 1978.

J. R. Williams
« The Cathedral School of Rheims in the XIth century », *Speculum*, t. XXIX, 1954.
– « The Cathedral School of Rheims in the time of Master Alberic », *Traditio*, t. XX, 1964.

H. Wolff
« Le mystère et la fête : les sacres royaux racontés par les chroniqueurs du XVe siècle », *Bulletin du Comité du folklore champenois*, CXIX-CXXI, 1976, pp. 1-4.

H. Zimmermann
Frankreich und Reims in der Politik der Ottonenzeit, Vienne, 1962

LA NATION

1. L'IMMATÉRIEL

Historiographie

Depuis cinquante ans, la croisade contre l'histoire événementielle avait paru entraîner le discrédit du national, qui en constituait le cadre naturel et l'horizon indépassable.

Et s'il s'agissait d'une illusion d'optique ? À l'heure du bilan, c'est au contraire un prodigieux renouvellement du paysage national qui frappe ; enracinement dans la diversité et les contraintes de la géographie, plongée dans l'épaisseur des vécus régionaux et paysans, élargissement aux grands nombres de la statistique et de la démographie. La stratégie de contournement du phénomène national a abouti au plus profond de ses remaniements.

Remaniements moins nombreux que ne pourrait le faire croire le flot continu des histoires de France. Ils coïncident avec les trois moments décisifs de la cristallisation de l'identité nationale, moments qui s'incarnent dans quelques titres clefs.

Il y a les *Grandes Chroniques de France* (XIIIe-XVIe siècle) qui ont fixé en langue française la mémoire dynastique. Récit essentiellement généalogique et mythique, mais cependant matrice d'une histoire monarchique, chrétienne, française et par là déjà nationale.

Il y a *Les Recherches de la France* d'Étienne Pasquier, dans la seconde moitié du XVIe siècle, quand se fait sentir le besoin d'une redéfinition étatique de la monarchie. Elles fondent la France en objet historique à défendre et à illustrer par un passé puissamment légitimateur, celui des Gaulois.

Il y a, enfin, le grand cycle de la Nation s'affirmant souveraine, dont les *Lettres sur l'histoire de France* d'Augustin Thierry marquent l'envol romantique que magnifiera Michelet, et dont l'*Histoire de France* de Lavisse représente l'établissement critique et méthodique.

Pierre Nora 1986

BERNARD GUENÉE

Les "Grandes Chroniques de France"

Le Roman aux roys

1274-1518

Phelippes, rois de France, qui tant ies renommés,
Je te rens le romans qui des roys est romés.
Tant a cis travaillé qui Primas est nommez
Que il est, Dieu merci, parfais et consummez.

[Philippe, roi de France, toi qui es si renommé,
Je te fais hommage de cette histoire des rois écrite en français.
Tant y a travaillé celui qui s'appelle Primat
Que l'œuvre est, Dieu merci, parfaite et achevée.]

Ainsi, en 1274, l'historien Primat, moine à Saint-Denis, en présence de son abbé, Mathieu de Vendôme, offrait-il au roi de France Philippe III le Hardi l'œuvre historique que, quelques années auparavant, Louis IX lui avait demandé d'écrire. La scène eut-elle réellement lieu ? Elle est peinte, en tout cas, sur le luxueux manuscrit de présentation dont nous sommes sûrs qu'il était, au XIVe siècle, dans la librairie royale[1]. Et le moine et l'abbé avaient pu justement rêver de ce triomphe d'un instant qu'avait préparé la séculaire histoire de leur monastère[2].

Sur le tombeau de saint Denis, le premier évêque de Paris, décapité au IIIe siècle, des foules nombreuses étaient tôt venues. Dès le VIIe siècle, une communauté religieuse y fleurissait. Au VIIe siècle, le roi Dagobert multipliait les donations en sa faveur et les foires du Lendit, dans la plaine proche, commençaient à s'organiser. Dès lors, soutenu par le pouvoir politique, enrichi par le mouvement économique, Saint-Denis ne cessa guère de prospérer. C'était, en 1274, un riche et puissant monastère bénédictin où quelque deux cents moines vivaient à l'ombre de l'abbatiale dont l'abbé Suger (1122-1151) avait entrepris la construction et que son lointain successeur Mathieu de Vendôme (1253-1286) achevait précisément.

D'autres communautés s'étaient consacrées à la prière, aux études scripturaires et théologiques. Sans négliger l'une et les autres, Saint-Denis s'était tourné vers la recherche historique. Assez tardivement il est vrai. L'école historique du monastère de Fleury (notre Saint-Benoît-sur-Loire) avait depuis longtemps produit des œuvres nombreuses et remarquables que rien n'était encore sorti du *scriptorium* de Saint-Denis. C'est vers la fin du XIe siècle qu'une faible activité historiographique y était perceptible. Dans la première moitié du XIIe siècle, dès avant Suger mais surtout sous l'impulsion de Suger, historien lui-même et auteur d'une grande histoire du roi Louis VI, plusieurs compilations historiques étaient composées à Saint-Denis. Pour préparer ces synthèses, pour soutenir leur érudition, les moines allèrent copier ou firent copier à Fleury, à Saint-Germain-des-Prés et ailleurs, dans les grands centres historiques d'alors, les livres qui leur paraissaient nécessaires. Cet effort porta ses fruits. Saint-Denis eut bientôt une des plus riches bibliothèques du royaume, où les chercheurs ne pouvaient pas ne pas s'arrêter. Vers 1175, le comte de Hainaut Baudouin V, passionné par l'histoire de Charlemagne, envoyait ses clercs se documenter à Cluny, à Tours, et à Saint-Denis. Vers 1180, un moine de l'abbaye de Saint-Foillian de Rœulx en Hainaut, pour préparer la vaste compilation historique à laquelle il rêvait, alla peut-être jusqu'à Fleury prendre des notes, il passa sûrement à Saint-Germain-des-Prés, mais il fit surtout un long séjour à Saint-Denis[3]. Grâce à cette bibliothèque, l'école historique dionysienne était devenue sous Philippe Auguste et était encore en 1274 la plus active du royaume.

La vocation naturelle d'un centre historique bénédictin était de produire des œuvres hagiographiques, des histoires universelles, et des histoires locales où tout le récit tournait autour du monastère. Le *scriptorium* de Saint-Denis a évidemment beaucoup travaillé à la gloire de saint Denis, mais son originalité est de s'être par ailleurs consacré à l'histoire des rois qui régnèrent sur les *Franci*, c'est-à-dire d'abord les Francs, puis les Français. Cet effort original avait abouti, au XIIIe siècle, à deux grandes synthèses latines. Dès les premières années du siècle, une histoire de France des origines à la mort de Louis VI le Gros avait été compilée à Saint-Denis[4]. Cinquante ans plus tard une autre compilation latine y était composée qui racontait l'histoire de France des origines à la mort de Philippe Auguste (1223) [5]. L'historiographie dionysienne était par tradition royale et nationale.

C'est que les liens entre les rois et l'abbaye étaient depuis longtemps étroits. Dès le début du VIIe siècle Clotaire II avait reconnu saint Denis comme son « patron particulier ». Tous ses successeurs, mérovingiens, carolingiens et capétiens, avaient fait de même. Suger allait plus loin et faisait de Denis le patron particulier du royaume. D'autre part, des rois mérovingiens, des rois carolingiens avaient été enterrés dans l'abbatiale, mais tous les capétiens, à deux exceptions

près, le furent. Saint-Denis était bien, au XIIIe siècle, le «cimetière aus rois». Enfin, non loin des tombes, dans son trésor, le monastère conservait les couronnes et les autres insignes avec lesquels les rois n'étaient plus enterrés et dont certains servaient à chaque nouveau sacre. Il était naturel que l'école dionysienne se consacrât à l'histoire de ces rois qui lui étaient si proches.
L'autorité royale tirait prestige et gloire de l'historiographie dionysienne. Mais l'historiographie dionysienne avait besoin aussi de l'autorité royale. Car les principes de la critique historique n'étaient pas alors les mêmes qu'aujourd'hui. Pour discerner le vrai du faux, les historiens du Moyen Âge ne disposaient pas de l'arsenal critique dont nous pouvons, non sans difficultés, user. Un récit leur paraissait d'autant plus digne de foi (ils disaient «authentique») qu'il avait été écrit par un auteur qui avait plus de poids, ou approuvé par un pouvoir qui avait plus d'autorité. Quel laïc, dans le royaume, avait plus d'autorité que le roi ? Le rêve d'un historien français était d'écrire une histoire digne de foi, c'est-à-dire une histoire que l'approbation royale rendrait authentique. Au début du XIIIe siècle, Rigord, moine de Saint-Denis, avait entrepris d'écrire en latin l'histoire de Philippe Auguste à la demande de son abbé. Lorsqu'il l'eut achevée, celui qui s'intitulait «chronographe du roi de France» soumettait humblement son œuvre au roi très chrétien «pour qu'elle devînt, alors seulement, par l'autorité du roi, un monument public». En 1274, Primat renouvelait le geste de Rigord, pour que son histoire fût authentique.
Les moines bénédictins avaient toujours écrit leur savante histoire en latin. Mais, dès le XIIe siècle, le public des cours princières et seigneuriales avait pris plaisir à écouter les longs récits historiques que les jongleurs rimaient en langue vulgaire. Au début du XIIIe siècle, cependant, la conviction s'imposa que les vers déformaient trop la vérité, et qu'une histoire sérieuse devait être en prose. Un public laïc de plus en plus nombreux et de plus en plus averti réclamait une histoire de plus en plus sérieuse. Les œuvres historiques en prose française se multiplièrent. Mais les moines restaient fidèles au latin. Jusqu'à ce que Primat fût invité par Louis IX à écrire en français cette histoire, à «romer» ce «roman» que, parfait et achevé, il pouvait présenter, en 1274, au fils et successeur du saint roi.

On a cru d'abord que Primat n'avait été que le copiste du manuscrit de présentation. Puis on ne vit en lui que le simple traducteur de la compilation latine réalisée à Saint-Denis vers le milieu du XIIIe siècle. En réalité, Primat fut un véritable historien et son œuvre est plus originale qu'on ne l'a longtemps dit. Certes, il a en premier lieu usé, comme lui-même le précise, des «chroniques de l'abaïe de Saint Denis en France, où les hystoires et li fait de touz les rois sont escrit[6]», c'est-à-dire que sa tâche fondamentale a été de traduire les auteurs successivement copiés dans la compilation latine du milieu du XIIIe siècle, par exemple Aimoin, le grand historien qui travaillait au monastère de Fleury vers l'an mille et avait écrit une histoire des Francs qu'il n'avait pu mener que jusqu'au VIIe siècle, ou Éginhard, qui avait bien connu Charlemagne et en avait raconté la vie, ou Suger, qui avait composé la vie de Louis VI. Mais, d'abord, s'il avait pu «trover es croniques d'autres eglises chose qui vaille à la besoigne», il en avait tiré parti. Et ensuite les mots français qu'il avait choisis dans sa traduction, ceux qu'il avait ajoutés, les petites phrases et les passages entiers qu'il avait composés et interpolés n'étaient pas innocents. Ils révélaient bien quelles avaient été, lorsqu'il écrivait, ses perspectives et ses ambitions.

Le plus évident souci de Primat était d'offrir à son lecteur un recueil d'exemples à fuir et à imiter. Certes, c'est un souci traditionnel chez beaucoup d'historiens du Moyen Âge. Mais il est assurément plus vif chez Primat que chez beaucoup d'autres. Il y insiste dans son prologue: «Ci pourra chascuns trover bien et mal, bel et lait, sens et folie, et fere son preu [profit] de tout par les examples de l'estoire[7].» Il y revient au cours de son récit: «A cestui doivent tout prince prendre example[8]...» Le roman de Primat est d'abord une longue leçon de morale.

Les exemples en sont tirés des vies des rois. Mais ce n'est pas à dire que Primat entendait choisir en celles-ci quelques récits qu'il aurait jugés plus particulièrement instructifs. Son propos était bien de composer une histoire suivie des rois, de «fere cognoistre... la geste des rois[9]», d'écrire en français «le roman [...] des roys».

Plus précisément même, son propos était de dire «la genealogie des rois de France, de quel origenal et de quel lignie ils ont descendu[10]». Chacun savait «que III generacions ont esté des rois de France puis que il commencierent à estre[11]», celle des Mérovingiens, celle, prestigieuse, des Carolingiens, et celle que Hugues Capet, par un bien contestable coup d'État, avait hissée sur le trône. Mais, justement, dans un passage qui peut être considéré comme le nœud de son œuvre[12], Primat expliquait que Philippe Auguste avait pris soin d'épouser une descendante de Charlemagne et qu'ainsi son fils «li vaillanz rois Loys [VIII] fu du lignage le grant Challemaine, et fu en li recovrée la lignie». Or, cette idée que le royaume était revenu en 1223 à la race de Charlemagne fut un point fondamental de la pensée politique de Saint Louis. Il eut le constant souci de l'imposer à tous, et surtout à ceux qu'obsédait encore le souvenir du grand empereur. En 1263, le roi avait fait modifier la disposition des tombes royales dans l'abbatiale de Saint-Denis pour rendre évident qu'avec Philippe Auguste et Louis VIII les sangs capétien et carolingien s'étaient mêlés en une nouvelle dynastie. Est-ce un hasard que cette même idée sous-tende l'œuvre commandée à Primat par le même roi, et que Primat considère précisément son histoire achevée lorsque, en 1223, à la mort de Philippe Auguste, avec l'avènement de Louis VIII, le retour carolingien qu'il avait annoncé dès l'avènement de Hugues Capet était enfin consommé?

Primat dit bien dans son prologue qu'il a voulu écrire la «geste des rois». Son premier chapitre est pourtant intitulé: «Coment François descendirent des Troiens». L'histoire de Primat est autant nationale que royale. Et l'origine troyenne des Français, que les historiens répétaient depuis le VIIIe siècle, doit être, aux yeux de Primat, le fondement même de leur fierté nationale: «Seigneur François, fait-il dire à Clovis, qui estes descendu de la haute lignie des Troiens, vous devez estre remembrable de la hautece de vostre non et de vostre lignage[13].» Et l'historien dionysien prend bien soin de constamment mettre en scène, derrière les rois, ces fiers Français. Les Alamans «laissent la victoire à Clovis» disait Aimoin racontant la bataille de Tolbiac; «la victoire demora au roi et aus François», traduit Primat[14].

Derrière le roi, il y a les Français. Au-dessus du roi et des Français, il y a la couronne et le royaume. La renaissance du droit romain avait peu à peu chargé de réalité ce qui n'avait d'abord été que de pâles abstractions. À la fin du XIIIe siècle, les Français les plus instruits se disaient prêts à défendre le royaume, à mourir pour leur pays. Et Primat faisait écho aux sentiments de cette élite cultivée lorsque, racontant après Suger l'invasion de l'empereur Henri V en 1124, il précisait les réactions des combattants français par des phrases qu'il n'avait pas trouvées dans le texte de Suger: ils vinrent «richement aparelié por le roi lor segnor aidier et por son regne defendre»; ils étaient «prest de morir ou de la corone defendre aus espées tranchanz»; «et totevoies estoit-il là venuz por le besoing dou roiaume contre les estranges nations[15]».

À Tolbiac, la victoire était demeurée «au roi et aus François» et, insiste Primat par une phrase qui n'est que de lui, il ne faut pas croire que ce fut un hasard, mais «fu par divine ordenance[16]». Car, la conviction en court tout au long de l'œuvre, Dieu protège spécialement les rois et le royaume de France. Dieu et saint Denis, dont tous savaient bien qu'il «estoit après Dieu especiaus defenderres des rois et dou regne[17]». Constamment présent, ce secours divin ne fut jamais plus évident que lorsque Louis VII, qui n'avait jusqu'alors reçu que des filles des trois femmes qu'il avait épousées, après d'ardentes prières pour que Dieu lui donnât un hoir mâle qui pût être «noble governeor dou roiaume de France, à la confusion de [ses] anemis», eut enfin un fils, Philippe, que Primat appelle parfois *Auguste* mais qu'il préfère dire *Dieudonné*. Louis VII ne fut pas simplement favorisé d'un fils. Il fut favorisé d'une vision où il voyait son fils Philippe tenir un calice d'or en sa main «et de ce kalice qui estoit touz plains de sanc humain, amenistroit et donoit à boire à touz ses princes et à touz ses barons[18]». Rêve audacieux où le roi de France n'est pas simplement protégé par Dieu, mais presque Dieu lui-même. Les Français ne sont pourtant pas écrasés par cette royauté divine à laquelle ils sont antérieurs. Car, fidèle écho, comme l'auteur du *Roman de la Rose*, Jean de Meung, de l'enseignement contemporain des docteurs parisiens, Primat interpole dans le texte d'Aimoin un important passage où il montre, au tout début, les Français vivant simplement, sans roi, faisant ce que bon leur semblait, jusqu'à ce qu'ils fissent de Pharamond leur «seigneur et roi[19]». Après quoi d'ailleurs l'ensemble des Français n'apparaît plus guère. Dans le rêve de son père, Philippe Dieudonné ne donnait à boire qu'à ses princes et à ses barons. Seule cette élite des princes et des barons joue un rôle dans l'histoire de Primat. Mais ce rôle, à côté du roi et parfois même avant le roi, est primordial. Suivant ses sources ou renchérissant sur elles, Primat montre comment «li baron de France et de Borgoigne [...] reçurent à seigneur» le jeune Clovis II[20], comment Louis le Bègue «dona aus barons ce qu'il leur plesoit pour aquerre leur grâce[21]», «comment li baron de France firent coroner les II fiuz» de Louis le Bègue[22], «comment li prelat et li baron asemblerent à Orliens por [...] coroner» le jeune Louis VI[23]. Tout au long de l'histoire de France, les «barons» pèsent d'un poids décisif. L'œuvre de Primat, c'est le roman des rois, l'histoire du royaume, mais aussi l'épopée des barons du royaume.

La diffusion d'une œuvre n'était pas, au Moyen Âge, aussi rapide qu'aujourd'hui. Un quart de siècle s'écoula avant que l'histoire de Primat ne commençât à être lue par des lecteurs venus à Saint-Denis, ou copiée. Elle fut une première fois copiée vers 1300[24], une deuxième fois vers 1320[25]; quelques fois encore. Mais il arriva en réalité très rarement qu'elle fût recopiée seule, car on pensait au Moyen Âge qu'une histoire n'était jamais achevée et qu'elle devait, comme le temps passait, être continuée. Or, après l'effacement de Primat, l'école historique de Saint-Denis avait continué de fleurir. Au commencement du règne de Philippe le Bel, peu après 1285, un moine avait composé en latin une brève vie de Louis VIII. Surtout Guillaume de Nangis, archiviste de monastère de 1285 à 1300, eut une activité historiographique fébrile. Outre une chronique universelle, il composa en latin une vie de Saint Louis, une vie de Philippe III, et une chronique abrégée des rois de France. Il suffisait, pour continuer l'œuvre de Primat, de traduire ces productions dionysiennes.

La vie de Louis VIII fut d'abord traduite et quelques rares manuscrits donnent ainsi une histoire de France des origines à 1226[26]. Puis fut traduite dès avant la fin du XIIIe siècle la vie de Saint Louis de Guillaume de Nangis. Mais à la vérité un seul manuscrit, dans les premières années du XIVe siècle, ajoute au texte de Primat cette traduction de la vie de Saint Louis de Guillaume de Nangis[27]. Car l'œuvre de Primat fut bientôt continuée par une autre voie. Comme il avait écrit sa chronique abrégée des rois de France pour l'instruction de ceux qui venaient, à Saint-Denis, visiter les tombes royales, Guillaume de Nangis en avait vite donné lui-même une traduction française.

C'est cette chronique abrégée qui fut connue, qui fut continuée et, tandis que le *scriptorium* de Saint-Denis, s'assoupissant, perdant de vue l'œuvre de Primat, se bornait à suivre l'actualité en rédigeant de brèves annales latines, des libraires parisiens diffusaient une *Chronique des rois de France* des origines à leurs jours qui n'était que l'œuvre de Primat suivie de la chronique abrégée de Guillaume de Nangis elle-même continuée. Ainsi sont composées les *Croniques des roys de France* que «Pierre Honnorez du Neufchastel en Normandie fist escrire et ordener en la maniere que elles sont selonc l'ordenance des croniques de Saint Denis à mestre Thommas de Maubuege demorant en Rue Nueve Notre Dame de Paris l'an de grace Nostre Seigneur mil CCC et XVIII[28]». Ainsi sont composés trois autres manuscrits copiés dans le deuxième quart du XIVe siècle, deux d'entre eux probablement à Paris[29] et le troisième dans le nord de la France[30].

Lorsque s'achevait la première moitié du XIVe siècle, la diffusion de l'œuvre de Primat avait depuis quelques décennies échappé à l'initiative de Saint-Denis, mais elle était restée modeste. Il ne subsiste, en tout et pour tout, de ce temps, qu'une dizaine de manuscrits. De ces manuscrits écrits pour la plupart à Paris, mais un aussi dans le nord de la France et un autre en Brabant [31], les quelques possesseurs connus sont bien divers : il y a un roi (de France), un comte, un évêque (de Cambrai), et ce Pierre Honoré dont on sait simplement qu'il était de Neufchâtel-en-Bray. Mais, autant qu'on sache, après trois quarts de siècle, l'histoire de Primat n'a pas débordé d'une région limitée à Paris, le nord de la Normandie, le nord de la France et le Brabant.

Tout jeune encore, Richard Lescot devint moine à l'abbaye de Saint-Denis en 1329. Pendant plus de trente ans, il déploya, comme copiste et historien, une activité prodigieuse, qui nous paraîtrait même plus prodigieuse si tous les manuscrits qu'il a copiés avaient été identifiés et si la plus grande partie des œuvres historiques qu'il a écrites n'avait pas été perdue. Ce qui est sûr, c'est que le jeune Richard Lescot, devenu moine à Saint-Denis, participa d'abord à l'œuvre collective à laquelle se consacrait toujours le scriptorium dionysien et rendit compte en latin des événements des années 1328 à 1344. Après quoi, il abandonna sa tâche d'annaliste pour se consacrer à des travaux plus érudits qui aboutirent, entre autres, à la révision et à la mise à jour de l'œuvre de Primat. C'est entre 1340 à 1360, en effet, qu'on observe à Saint-Denis toute une série d'initiatives dont il n'y a pas lieu de douter que Richard Lescot fut le maître d'œuvre.

Pour continuer le récit de Primat après la mort de Philippe Auguste, la vie de Louis VIII qui avait été ajoutée dès avant la fin du XIIIe siècle fut conservée, mais, au-delà de 1226, la chronique abrégée des rois de France de Guillaume de Nangis fut abandonnée, et la traduction de la vie de Saint Louis du même Guillaume de Nangis, qui avait, elle aussi, été écrite avant 1300, fut reprise.

Après quoi, l'utilisation de nombreux récits, surtout des récits hagiographiques, trouvés dans les bibliothèques de diverses églises du royaume, permit de nombreuses additions. Le texte auquel aboutit cette première révision fut copié dans un luxueux manuscrit offert à Jean, duc de Normandie, avant que, en 1350, il ne devînt roi de France[32].

C'est au même moment qu'intervint une modification dont l'initiative fut probablement royale mais dont la réalisation fut cependant dionysienne. La traduction de la vie de Saint Louis de Guillaume de Nangis faisait décidément la part trop belle à Saint-Denis. Une deuxième traduction en fut préparée, où toutes les mentions relatives au rôle joué par l'abbaye de Saint-Denis en plusieurs circonstances furent supprimées ou très réduites. C'est cette deuxième version qui fut copiée, à la suite de l'œuvre de Primat, dans le manuscrit que Primat lui-même avait offert à Philippe le Hardi et qui était conservé à la librairie royale. C'est cette deuxième version qui s'imposa à Saint-Denis même, où la première ne fut plus jamais reprise.

C'est alors que vinrent les sombres années de la Peste noire (1348-1350), du désastre de Poitiers où le roi Jean fut fait prisonnier (1356), de la révolution parisienne, de la Jacquerie (1358). Pour aider à soutenir un trône ébranlé et un pays chancelant, Richard Lescot redoubla d'érudite activité. Il écrivit d'abord une brève généalogie des rois de France dans laquelle il fut le premier à invoquer, pour justifier la montée sur le trône, en 1328, de Philippe de Valois, la loi salique. Puis, en un temps où on demandait à une traduction une plus rigoureuse exactitude qu'il n'était de mise au XIIIe siècle, il révisa le texte de Primat en le comparant aux sources latines que Primat lui-même avait utilisées. Comme Primat avait omis de nombreux passages, ce travail de révision aboutit à de nombreuses additions qui sont consignées dans les marges du manuscrit préparé pour Jean de Normandie. À la vérité, ces notes marginales ne furent jamais incorporées dans le texte ; ce travail fut perdu. Par contre, une autre initiative fut décisive : celle de poursuivre le récit jusqu'à la mort du dernier roi disparu, Philippe VI de Valois (1350). Pour ce faire, furent mis à contribution des historiens comme Bernard Gui ou Jean de Saint-Victor. Mais, tout naturellement, on eut surtout recours à la production dionysienne ; on traduisit la chronique universelle de Guillaume de Nangis qui permit d'atteindre 1300 ; certaines des continuations latines, dont la continuation écrite par Richard Lescot lui-même, qui permirent de pousser le récit jusqu'à 1344 ; à quoi fut ajouté, pour les dernières années du règne de Philippe VI, un texte français original qui n'avait pu s'appuyer sur aucun modèle latin.

L'histoire ainsi revue et mise à jour ne baignait pas tout à fait dans la même atmosphère que l'œuvre de Primat. Elle était d'inspiration moins dionysienne. Elle était tout aussi royale. Elle restait aussi discrètement et fermement baroniale, disant par exemple d'emblée comment, à la mort de Charles

IV, en 1328, «furent assemblez les barons et les nobles à traictier du gouvernement du royaume[33]». Elle restait tout aussi chrétienne, marquant bien pour finir «comment le bon roy Phelippe fu vray catholique» et comment ses échecs, tout autant que pour Philippe Auguste ses succès, étaient la preuve de la faveur divine: «Pourquoy Nostre Seigneur voult que il eust paine et tribulacion en ce monde, afin qu'il peust avecques lui regner après la mort pardurablement. Amen[34].» Mais elle se voulait surtout décidément plus française. Ce que traduit bien le nouveau titre de l'œuvre. Primat avait parlé dans son texte de *«geste des rois»*, de *«roman des rois»*, mais il ne s'était pas soucié de lui donner précisément un titre. D'ailleurs, beaucoup de manuscrits, aux XIVe et XVe siècles, n'eurent pas de titre. Lorsque les manuscrits de la première moitié du XIVe siècle en eurent un, ils insistèrent toujours, comme Primat, sur les rois: c'étaient les *Croniques des roys de France*[35], ou les *Croniques de tous les roys de France crestiens et sarasins et toz leur fais*[36]. Mais, lorsqu'elle porte un titre, la nouvelle édition de l'atelier dionysien n'est plus intitulée que *Croniques de France.* Du *Roman des rois* aux *Chroniques de France*, l'accent s'est bien, en un siècle, déplacé. Mais ce titre si vague couvre des œuvres si diverses qu'un manuscrit, un seul il est vrai, parle de *Grans Croniques de France*[37], et que plusieurs autres précisent bien qu'il s'agit de l'œuvre dionysienne: *Croniques de France selon ce qu'elles sont composées en l'église de Saint Denis en France*[38].

Richard Lescot vit jusqu'à l'extrême fin du XIVe siècle. L'école historique de Saint-Denis n'a pas fini de produire des œuvres importantes. Mais les *Chroniques de France* parfaites au monastère vers 1360 quittent alors définitivement, quant à elles, leur berceau dionysien. Ce n'est pas que leur succès, sous cette forme, fût considérable. Elles ne connurent qu'une faible diffusion dont témoignent quatre manuscrits subsistant encore aujourd'hui[39]. Mais le destin des *Chroniques de France* fut bientôt transformé par la volonté de Charles V.

Le sage roi savait l'importance de l'épée, mais aussi celle de la parole, et de la plume. Il voulait que fussent écrites sous ses yeux l'histoire du règne de son père Jean le Bon, pendant lequel il avait joué un si grand rôle, et celle du sien propre. Mais il rompit avec la tradition. Il ne confia pas la tâche aux moines de Saint-Denis où pourtant Richard Lescot avait toutes les compétences requises, mais à son chancelier Pierre d'Orgemont. C'est que, au service du roi, les laïcs, et d'abord les juristes, avaient maintenant pris une place primordiale. Et Charles V lui-même avait l'esprit trop juriste pour ne pas préférer leur manière d'écrire. L'œuvre de son chancelier combla ses vœux. Au lieu d'une épopée nationale et chrétienne, ce fut une sorte de froid journal officiel où étaient soigneusement notés les événements de la cour, les combats des armées et les démarches diplomatiques, un long plaidoyer où tous les faits rappelés, tous les documents publiés soulignaient le bon droit du roi, où tout était mis en œuvre pour convaincre le lecteur que le roi était, en son royaume, seigneur souverain.

Or, en 1375, Charles V fit recopier par son copiste Henri du Trévou le texte des *Chroniques de France* qu'il fit enrichir de nombreuses illustrations. Ce texte était celui qu'avait établi la dernière révision dionysienne, à quelques variantes près destinées à mieux mettre en évidence la vassalité des rois d'Angleterre, ducs de Guyenne, à l'égard des rois de France, vassalité que plusieurs des miniatures faisaient, elles aussi, éclater aux yeux. Et au volume de cette histoire de France qui menait le récit des origines à 1350, le roi fit ajouter un autre volume copié par son copiste Raoulet d'Orléans et lui aussi richement illustré qui contenait l'œuvre composée par Pierre d'Orgemont. Ainsi était réalisée une histoire de France des origines au jour présent, que Charles V fit relier en 1377: «Pour les hez et chemises des Croniques de France et de celles que a faittes nostre amé et feal chancellier, pour deux volumes pour nous, une piece de baudequin, XXVI franz[40].» Après quoi, sur quelques feuillets laissés en blanc, le récit fut continué jusqu'en avril 1379, date à laquelle il est définitivement arrêté.

Copié (du moins en partie) par le même copiste Raoulet d'Orléans, décoré du même cycle d'illustrations, un autre manuscrit du même ensemble était exécuté au même moment, sans doute pour un membre de la famille royale[41]. Mais surtout, quelques années plus tard, après la mort de Charles V (1380), le texte venait aux mains de libraires parisiens qui y ajoutaient quelques chapitres pour mener le récit jusqu'à la mort de Charles V et la décision des ducs, frères du roi défunt, de sacrer et couronner le tout jeune Charles VI[42]. Quelques manuscrits sortirent de ce moule mais deux nouveaux chapitres furent encore ajoutés[43] qui dirent «Comment le roy Charles six fu couronné» et «Comment les juifs furent pilliés», ce bref chapitre se terminant sur une chevauchée des Anglais en France, et leur échec devant Nantes[44].

Avec ou sans ces deux chapitres, l'œuvre qui disait ainsi l'histoire de France des origines à 1380 ne porta, le plus souvent, pas de titre. Lorsqu'elle en porta un, celui-ci reprit parfois le titre de jadis: *Croniques des roys de France, Gestes des roys de France, Genealogie des roys de France.* Mais, le plus fréquemment, l'ensemble de l'œuvre reçut le titre qui avait d'abord désigné sa partie dionysienne, jusqu'en 1350: *Croniques de France*, parfois, exceptionnellement, *Grans Croniques de France*[45].

Le succès des *Chroniques de France* fut immédiat et considérable. Alors qu'il ne subsiste pas aujourd'hui vingt manuscrits de l'œuvre de Primat et de ses avatars successifs pendant un siècle, jusqu'en 1375, l'édition de 1380 a été reproduite en quelque quarante ans, sous le règne de Charles VI, dans une cinquantaine de manuscrits qui survivent encore aujourd'hui. Tous ces manuscrits, sauf exceptions, ont des traits communs précis. Ils sont le produit d'ateliers parisiens. C'est une production soignée, sur parchemin, donnant un texte en général correct. Pour une œuvre aussi énorme, couvrant les deux faces de quelque cinq cents feuillets de grand ou très grand format souvent reliés en deux ou trois volumes, on ne peut parler d'exemplaires bon marché. Il y a simplement des manuscrits moins coûteux, qui n'offrent que le texte. Mais ces manuscrits plus simples et déjà coûteux ne représentent qu'une minorité de la production parisienne, un manuscrit subsistant sur cinq. Les quatre autres sont des ouvrages de grand luxe, ornés de nombreuses et souvent fort belles miniatures.

C'est que cette production parisienne s'adressait à une clientèle très précise : le roi, les princes, les riches serviteurs nobles du roi et des princes. Un beau manuscrit des *Chroniques de France* était un cadeau apprécié que, à l'occasion d'étrennes par exemple, un riche familier donnait volontiers à son prince, et un prince à son fidèle serviteur. C'est pourquoi le duc de Berry, le duc de Bourgogne, la duchesse d'Orléans, la comtesse d'Armagnac, Aimeri de Rochechouart, seigneur de Mortemart, conseiller et chambellan du roi, sénéchal de Limousin[46], Regnault d'Angennes, chambellan du roi[47], d'autres encore, furent les heureux possesseurs d'un manuscrit des *Chroniques de France*. Il est possible que les *Chroniques de France* soient sorties de ce cercle étroit des princes et de leurs familiers. Leurs possesseurs étaient en tout cas des nobles dont les armes étaient peintes au premier feuillet du manuscrit[48], et les libraires parisiens étaient si sûrs de la qualité de leurs ordinaires clients qu'un blanc était laissé en première page, prêt à recevoir les armes du futur acheteur[49].

Mais, dira-t-on, pourquoi ne pas supposer que les manuscrits dont on ne sait rien appartenaient à des possesseurs d'un autre type ? Raisonnement dangereux, et que rien n'autorise. Au contraire. Car de nombreux inventaires de bibliothèques subsistent. Ils permettent d'affirmer que pas un conseiller au Parlement de Paris n'avait, dans sa bibliothèque, les *Chroniques de France* ; pas un universitaire n'avait dans sa bibliothèque les *Chroniques de France*. Et les seules bibliothèques ecclésiastiques, comme le chapitre cathédral de Chartres, le chapitre cathédral de Reims et l'abbaye de Saint-Bertin, dont on pourrait croire d'abord qu'elles possédaient, vers 1400, ces chroniques, avaient en réalité un manuscrit copié, à un moment quelconque du XIVe siècle, sur un vieux manuscrit ne comportant que l'œuvre de Primat et, en addition, la vie de Louis VIII, à quoi chacun avait ajouté sa propre continuation[50]. L'histoire de Primat continuée jusqu'en 1226 avait eu, au XIVe siècle, quelque diffusion dans les établissements ecclésiastiques. Mais les *Chroniques de France*, dans leur édition de 1380, n'en eurent aucune. Il n'est même pas évident que Saint-Denis en ait eu un exemplaire. Tout confirme donc que, sous Charles VI, la possession des *Chroniques de France* fut le privilège presque exclusif des nobles fortunés.

C'est trop vite dit que ces nobles se contentèrent d'en regarder les belles images. Ce serait d'ailleurs beaucoup, car ces images ne sont jamais innocentes. Mais en réalité il faut bien convenir que ces nobles savaient lire, qu'ils prenaient le temps de lire, et que si les *Chroniques de France* eurent auprès d'eux un tel succès, c'est que le texte en répondait à leurs goûts et à leurs sentiments. Les *Chroniques* permettent donc de mieux saisir les traits de cette culture nobiliaire, si distincte de la culture des clercs ou de la culture des juristes. Ce public aime d'abord passionnément l'histoire, que l'Université prise si peu. Et lorsque des esprits formés à l'université aiment l'histoire, c'est vers l'histoire universelle, ou l'histoire ancienne, qu'ils se tournent. Tandis que les nobles, sans négliger les faits des Romains, s'attachent avant tout à leur histoire nationale. Le sentiment national qui, tout au long des XIVe et XVe siècles, a soutenu la France dans ses tribulations n'est certes pas l'apanage des nobles, mais il est sûr que les nobles eurent un vigoureux sentiment national, peu ou prou appuyé sur la connaissance de leur histoire nationale. Histoire nationale, mais aussi histoire résolument royale, et l'image du sacre royal, si souvent répétée, parfois à chaque début d'un nouveau règne, accentue encore ce caractère royal dont le texte, dans toutes ses parties, est déjà lui-même si fort marqué. Mais le sacre montre aussi presque toujours le roi entouré de prélats et barons ; il montre parfois même un prélat et un baron soutenant sa couronne. Les titres des chapitres, qui ne sont pas toujours exactement ceux de Primat et marquent bien où les copistes et leurs lecteurs portaient leur attention, ne manquaient pas une occasion de souligner comment le roi de France avait dû sa couronne aux barons de France, qui lui prêtaient hommage et en recevaient « grands dons [51] ». Les images, les titres et le texte des *Chroniques de France* disaient avec insistance que le roi de France n'était rien sans les barons de France. L'œuvre avait bien trouvé le public qu'elle cherchait, ces « vaillanz gens » [52] pour lesquels, déjà, Primat avait écrit.

Il n'est pas toujours facile de préciser où ces nobles, riches de tant de seigneuries dispersées, conservaient leurs livres. Mais, autant qu'on sache, sous Charles VI, les *Chroniques de France* ne furent guère, simplement plus denses, que là où elles étaient déjà auparavant, c'est-à-dire dans la région parisienne, et dans le nord de la France où le texte de l'édition de 1380 était même recopié, sur papier, vers 1410[53]. Au-delà, il est sûr qu'il y eut deux exemplaires en Bourgogne[54]. Il y en eut peut-être un à Chaumont-sur-Loire, si du moins Anne de Bueil, mariée à Pierre d'Amboise, seigneur de Chaumont, a bien conservé là celui qui fut le sien[55]. Il y en eut peut-être deux autres à Moulins, si du moins les manuscrits du duc et de la duchesse de Bourbon furent bien conservés là[56]. Et c'est tout. Et si le succès des *Chroniques de France* fut, sous Charles VI, considérable, leur diffusion géographique fut en définitive aussi limitée que leur diffusion sociale.

Les malheurs des temps expliquent assez que le deuxième quart du XVe siècle fut, dans l'histoire des *Chroniques de France*, un blanc total. Et puis, avec Charles VII rentré à Paris, la monarchie victorieuse et la paix restaurée, le succès des *Chroniques* reprit, et même s'amplifia. Car, à près de soixante-dix exemplaires déjà copiés et toujours lus nous avons la certitude que vinrent s'ajouter, dans la seconde moitié du XVe siècle, une trentaine de manuscrits nouveaux. Auxquels il faut sans doute joindre une demi-douzaine de manuscrits que les inventaires disent du XVe siècle, dont il ne m'a pas été possible de vérifier la date précise, mais dont toutes les caractéristiques m'inclinent à croire qu'ils sont eux aussi de la seconde moitié du XVe siècle. En outre, le premier ouvrage imprimé à Paris le fut en janvier 1477 par Pasquier Bonhomme, et ce furent, en trois volumes, les *Chroniques de France*, dont Antoine Vérard donnait en 1493, en trois volumes également, une deuxième édition. On ignore quel fut le tirage de ces deux éditions incunables. Quatorze exemplaires de chacune, en tout cas, subsistent dans les bibliothèques françaises. Mais il n'est pas vraisemblable que chacune ait été tirée à moins d'une centaine d'exemplaires. Au total, en cinquante ans, imprimées ou manuscrites, les *Chroniques de France* ont touché un public bien plus vaste que dans les soixante-quinze premières années de leur existence.

Dans ce public, princes et nobles tenaient encore leur place. Des manuscrits subsistant, plus de dix sont sur vélin ou parchemin et la plupart d'entre eux, ornés de nombreuses miniatures d'excellents artistes comme, précisément, Jean Fouquet, sont de coûteuses productions destinées à ce même genre de clientèle qui avait, sous Charles VI, fait le succès des *Chroniques*. Même, des exemplaires sur papier, certains, avec leur grande miniature en frontispice, attendaient de nobles et riches acheteurs. Et même les beaux exemplaires des éditions Bonhomme et Vérard, parfois rehaussés de miniatures sur parchemin, purent être l'orgueil de bibliothèques princières et nobiliaires. Le grand seigneur bibliophile qu'était Jean de Derval avait les trois volumes de l'édition Bonhomme[57]. La petite bibliothèque des Molé, nobles aisés des environs de Troyes, avait les trois volumes de l'édition Vérard[58].

Mais ces princes et ces nobles n'étaient plus, parmi les possesseurs des Chroniques de France, qu'une minorité. Car la plupart des manuscrits de cette période, écrits sur papier, offrant un texte plus rapidement copié, parfois même abrégé, qu'aucune image ne venait égayer, s'adressaient à une clientèle de moindres moyens, ou plus intellectuelle et moins amoureuse des beaux livres. Et des manuscrits plus anciens ou plus récents des *Chroniques de France* se trouvèrent ainsi entre les mains de gens de plume, de gens de robe, de gens de marchandise qui, cinquante ans plus tôt, ne les auraient ni lus ni possédés. C'est Robert, abbé du Mont-Saint-Michel, ancien chancelier du duc de Bedford, qui en achetait à Paris, en 1438, un manuscrit copié dans cette même ville au début du xve siècle[59]. C'est Pierre de Taise, qui devait devenir notaire et secrétaire du roi Louis XI, qui copiait tout le texte des *Chroniques* lorsqu'il était, sans doute bien désœuvré, en 1460, à Genappe, aux côtés du dauphin Louis[60]. C'est l'historien Nicole Gilles, lui aussi notaire et secrétaire du roi, qui comptait, en 1499, parmi les soixante-trois livres de valeur de sa bibliothèque, un exemplaire de l'édition des *Chroniques* de Bonhomme[61]. Jean de Courcelles, conseiller du roi au Parlement de 1439 à 1495[62], Jean Le Féron, avocat au Parlement encore en 1548[63], Jean Blondeau, procureur au Parlement[64], Étienne Le Boucherat, marchand à Troyes en 1485[65], voilà quelques-uns de ceux qui eurent alors, dans leur bibliothèque, les *Chroniques de France.*

Plus large diffusion sociale, mais aussi plus large diffusion géographique. Sans doute un grand nombre d'exemplaires était-il entre les mains de Parisiens. Et beaucoup devaient d'ailleurs avoir été écrits à Paris. Mais la production des *Chroniques de France* n'était plus alors le monopole quasi exclusif d'ateliers parisiens. Copistes professionnels ou amateurs en reproduisaient le texte en Flandre ou en Hainaut vers 1455[66], à Genappe en Brabant en 1460[67], à Callac en Bretagne en 1467[68], à Calais en 1487[69], ailleurs encore. Et cette dispersion de la production était conséquence et cause d'un succès plus largement étalé. Les exemplaires des *Chroniques de France* étaient alors nombreux dans le nord du royaume et dans les Pays-Bas. Leur densité était moindre mais il y en avait aussi dans toute la moitié septentrionale du royaume, au nord de la Loire, de la Normandie à la Champagne et de la Bourgogne à la Bretagne. Il y en avait même deux ou trois exemplaires au sud de la Loire. Et il y en avait à Londres. Sans doute ne faut-il point commettre le péché de généralisation intempestive et dire que les *Chroniques de France* étaient partout. Autant qu'on sache, elles n'ont pratiquement pas été diffusées au sud de la Loire ; et même au nord, il est sûr par exemple qu'elles ne furent dans aucune bibliothèque amiénoise. Il reste qu'on peut parler, à l'échelle du temps, d'un grand succès largement étalé.

Quelques-uns de ces manuscrits copiés dans la seconde moitié du xve siècle reproduisaient le texte de manuscrits antérieurs à 1380. Par exemple Guillaume Fillastre, évêque de Toul, abbé de Saint-Bertin, fit copier vers 1455 le manuscrit des *Chroniques* qui se trouvait dans la bibliothèque de son abbaye de Saint-Bertin, puis il le fit richement enluminer et l'offrit à son maître Philippe le Bon, duc de Bourgogne. C'est pourquoi ce manuscrit des *Chroniques* donne l'œuvre de Primat jusqu'en 1223, suivie de la vie de Louis VIII, suivie de la première traduction de la vie de Saint Louis de Guillaume de Nangis, suivie de l'*Istoire et chronique de Flandre* grâce à laquelle, à la fin du xive siècle, le compilateur du manuscrit de Saint-Bertin avait pu pousser son récit jusqu'à 1370[70]. Ces quelques exceptions mises à part, de nombreux manuscrits copiés dans la seconde moitié du xve siècle reproduisirent purement et simplement l'édition de 1380. Mais, vers la fin du règne de Charles VII, il parut impossible à certains que le récit ne fût pas continué au-delà de la mort de Charles V. Aussi, s'aidant de plusieurs chroniques, un manuscrit pousse-t-il jusqu'en 1453[71], deux autres jusqu'en 1458[72], d'autres encore jusqu'à la mort de Charles VII, en 1461[73]. C'est un de ces manuscrits continués jusqu'en 1461 que reproduisit Pasquier Bonhomme dans son édition de 1477 qui offrait ainsi, après le texte des *Chroniques de France* dans leur édition de 1380, le texte de la chronique de Jean Jouvenel des Ursins pour les années 1380-1402, le texte de la chronique de Gilles de Bouvier, dit le Héraut Berry, pour les années 1402-1422, à quoi était ajoutée l'histoire du règne de Charles VII (1422-1461) écrite par Jean Chartier, religieux et chantre de Saint-Denis, chroniqueur de France, qui fut la dernière production de l'école historiographique dionysienne. Antoine Vérard ne fit que reproduire, en l'améliorant, l'édition de Pasquier Bonhomme. Lequel Bonhomme avait maintenu le titre de *Chroniques de France.* Vérard, lui, dit aussi *Chroniques de France* dans sa page de titre. Mais dans son prologue et dans le titre du premier chapitre il retrouva un titre enflé que seuls quelques rares manuscrits avaient utilisé, et dit *Grandes Chroniques de France.* Et ce titre rare et tardif fut malencontreusement adopté par les éditeurs modernes des *Chroniques de France.* Il faut bien le conserver aujourd'hui, pour éviter toute ambiguïté.

Dans le temps même où les *Chroniques de France* touchaient leur plus vaste public, leur texte commençait à ne plus satisfaire l'érudition moderne. Il ne parlait pas de la loi salique dont il était désormais couramment admis qu'elle justifiait l'exclusion des femmes de la couronne de France. Il disait l'origine troyenne des Francs dont plusieurs historiens doutaient maintenant. Mieux même. Lorsque, au début du XVIe siècle, un Molé lut dans les Grandes *Chroniques* éditées par Vérard le passage interpolé par Primat où il peignait, au tout début de leur histoire, les Français vivant simplement, sans roi, faisant ce que bon leur semblait, ce lecteur attentif nota dans la marge: « Cecy est faulx[74]. » Au début du XVIe siècle, il était évident, même aux yeux de lecteurs dont l'érudition n'était pas le métier, que les *Grandes Chroniques de France* étaient dépassées. D'autres histoires de France correspondaient mieux aux optiques nouvelles. Aussi, en 1513, puis en 1518, deux éditions parisiennes offrirent encore, complété et continué, le vieux texte. Puis il tomba dans l'oubli.

Cent six manuscrits subsistant, plusieurs abrégés, de nombreux extraits, il est juste de dire que les *Chroniques de France* eurent au Moyen Âge un succès considérable. Encore convient-il de bien situer ce succès. Entre le IVe et le VIIIe siècle furent écrites quelques œuvres historiques majeures qui donnaient à l'histoire du monde, de Rome ou des nouvelles nations un éclairage chrétien. Ces œuvres eurent un long et durable succès et furent pendant un millénaire le fonds commun de la culture historique de tout l'Occident médiéval. Le nombre des manuscrits qui en subsiste est bien supérieur à celui des *Chroniques de France*: près de deux cent cinquante pour l'*Histoire* d'Orose; bien plus de cent cinquante pour l'*Histoire ecclésiastique du peuple anglais* de Bède. Au VIe siècle, Grégoire de Tours avait bien écrit son *Histoire des Francs*. Mais le succès en resta toujours très limité. De même que resta très limité le succès des autres histoires de France qui furent écrites par la suite dans quelques grandes abbayes bénédictines du royaume. En somme, au XIIIe siècle, et cette situation reflétait bien une unité politique trop jeune et trop fragile encore, il n'y avait pas en France une histoire nationale qui eût une audience nationale. C'est cette lacune que l'œuvre de Primat vint combler.

L'histoire du moine dionysien ne fut pas la seule synthèse de ce temps. Le XIIe siècle avait été, pour la science historique, un moment de grands progrès, où l'acquis du travail historique avait été considérable. À ce temps de la recherche succéda, au XIIIe siècle, le temps de la synthèse, des encyclopédies et des manuels. L'énorme *Miroir* de Vincent de Beauvais précède de quelques années l'histoire de Primat; la rapide *Chronique* de Martin le Polonais est son exacte contemporaine. Le *Miroir* de Vincent, la *Chronique* de Martin, l'histoire de Primat sont de ces synthèses qui ont, aux côtés des grandes œuvres des IVe-VIIIe siècles dont le succès ne se démentait pas, marqué la culture historique des XIVe et XVe siècles. Mais Vincent et Martin avaient écrit en latin des histoires générales qui eurent une audience internationale et un succès bien plus considérable que les *Grandes Chroniques de France*. Il subsiste, de l'énorme Miroir de Vincent de Beauvais, plus de cent cinquante manuscrits. Enfin, le succès d'Orose, de Bède, de Vincent de Beauvais, de Martin le Polonais dépassa largement 1500, tandis que l'histoire de France de Robert Gaguin, les *Annales et Chroniques de France* de Nicole Gilles, s'inspirant d'ailleurs pour une large part des *Grandes Chroniques* mais les reprenant dans un esprit et un style un peu plus «modernes», laissant tomber quelques vieilles erreurs, accueillant quelques vérités nouvelles, en firent dès le début du XVIe siècle une œuvre caduque et dépassée. L'histoire des *Grandes Chroniques de France* tient tout entière en deux cent cinquante ans.

Certes, elles dominent, pendant cette période, l'histoire de France. Mais il serait imprudent d'affirmer que, même pendant cette période, leur succès fut exclusif, que les *Chroniques de France* y furent «comme la Bible de la France[75]», et que «les copies manuscrites en sont innombrables[76]». Car, à voir les choses de près, on est surtout frappé des limites de leur diffusion. Cette œuvre écrite en 1274 dut attendre plus d'un siècle et subir bien des avatars pour trouver le vrai succès. La diffusion «massive» des *Chroniques de France* ne commença qu'à la fin du XIVe siècle et s'acheva dès le début du XVIe Histoire de France écrite en français, elle n'est pratiquement sortie du royaume que pour être lue et copiée en Brabant et en Hainaut. Production parisienne, elle s'est «massivement» implantée à Paris et dans le nord de la France, sa diffusion a été ailleurs plus tardive et moins dense, et elle n'a, de toute façon, pratiquement pas dépassé la Loire. Au nord de la Loire même, les *Chroniques de France* ne furent jamais lues à l'université, les clercs l'ignorèrent quasiment puisqu'une seule bibliothèque monastique et trois bibliothèques cathédrales seulement en accueillirent une version d'ailleurs très ancienne. Le premier public des *Chroniques* fut constitué de princes et de nobles dont elles flattaient les goûts et les opinions, auxquels vint se joindre plus tard un public plus vaste d'hommes de plume, de robe et de marchandise qui avaient le temps de lire et les moyens d'acquérir cette œuvre énorme et de toute façon coûteuse. Ce n'est pas à dire que les autres Français se désintéressaient de l'histoire de France. Mais ils avaient, pour l'apprendre, nombre d'autres œuvres. Les hommes d'Église lisaient encore les histoires latines dont Primat avait offert la traduction, ou Vincent de Beauvais, ou Guillaume de Nangis, ou Bernard Gui. Aux autres, qui ignoraient le latin ou préféraient lire le français, s'offraient d'innombrables ouvrages, longues histoires ou abrégés, catalogues plus ou moins illustrés, livres ou rouleaux, où chacun pouvait apprendre l'histoire de son pays selon le temps et l'argent dont il disposait. Et toutes ces œuvres n'étaient pas forcément l'émanation des *Chroniques;* leur esprit n'était pas forcément tout à fait le même.

Dans le développement du sentiment national français à la fin du Moyen Âge, la connaissance du passé français a joué un rôle fondamental. Le sentiment national français a une composante historique qui est essentielle. Les *Chroniques de France* ont assurément été l'histoire de France la plus élaborée, la plus prestigieuse et peut-être la plus diffusée. Mais d'autres histoires, d'autres manuels, d'autres catalogues permirent aux Français de connaître et d'aimer l'histoire de leur pays. Dans l'écheveau si enchevêtré, et d'ailleurs si mal connu encore, qu'est l'histoire de France à la fin du Moyen Âge, les *Chroniques de France* sont sans doute le fil le plus voyant, mais ce n'est qu'un fil d'un puissant écheveau.

1. Paris, Bibl. Sainte-Geneviève, 782, f° 326 v°.

2. *Les Grandes Chroniques de France* ont été, depuis deux siècles, l'objet d'excellents travaux érudits. L'étude définitive de leur construction et de leur diffusion demandera cependant encore de nombreuses années de travail. L'essai qu'on va lire, fruit de quelques mois de recherches, n'est qu'une première esquisse où erreurs et hypothèses abondent.
Au cours de cette enquête, j'ai mis à contribution la science et l'obligeance de Bernard Bligny, Raymond Cazelles, Henri Dubois, Marc Du Pouget, Sylvette Guilbert, Michael Jones, Gillette Labory, Michel Pastoureau et, surtout, François Avril. Je leur suis profondément reconnaissant. Il m'a paru impossible de donner ici le détail de toutes les preuves sur lesquelles je m'appuie.

Il m'a paru, par contre, indispensable de toujours donner la référence des citations et préciser les manuscrits auxquels mon texte faisait allusion.

3. Paris, Bibl. nat., lat. 12710.

4. Vatican, Reg. lat. 550.

5. Paris, Bibl. nat., lat. 5925.

6. *G.C.F.*, I, 2 (voir ci-dessous, «Orientation bibliographique»).

7. *G.C.F.*, I, 3.

8. *G.C.F.*, I, 104.

9. *G.C.F.*, I, 3.

10. *G.C.F.*, I, 1.

11. *G.C.F.*, I, 3.

12. *G.C.F.*, V, 1-2.

13. *G.C.F.*, I, 69.

14. *G.C.F.*, I, 66.

15. *G.C.F.*, V, 238, 240, 241.

16. *G.C.F.*, I, 67.

17. *G.C.F.*, V, 237.

18. *G.C.F.*, VI, 89-91.

19. *G.C.F.*, I, 18-19.

20. *G.C.F.*, II, 184-185.

21. *G.C.F.*, IV, 260.

22. *G.C.F.*, IV, 285.

23. *G.C.F.*, V, 145.

24. Londres, British Library, Add. 38128.

25. Bruxelles, Bibl. roy., 4.

26. Cambrai, Bibl. mun., 682.

27. Paris, Bibl. nat., fr. 2615.

28. Paris, Bibl. nat., fr. 10132.

29. Bruxelles, Bibl. roy., 5; Paris, Bibl. nat., fr. 2600.

30. Bruxelles, Bibl. roy., 14561-14564.

31. Bruxelles, Bibl. roy., 5.

32. Londres, British Library, Reg. 16 G VI.

33. *G.C.F.*, IX, 71-72.

34. *G.C.F.*, IX, 329.

35. Paris, Bibl. nat., fr. 10132.

36. Paris, Bibl. nat., fr. 2600.

37. Paris, Bibl. nat., fr. 23140.

38. Lyon, Bibl. mun., 880; Paris, Bibl. nat., fr. 10135.

39. Grenoble, Bibl. mun., 1004; Lyon, Bibl. mun., 880; Paris, Bibl. nat., fr. 17270 et 23140.

40. *Chronique des règnes de Jean II et de Charles V*, Delachenal, éd., p. XIII. Les deux volumes de Charles V n'en forment aujourd'hui plus qu'un: Paris, Bibl. nat., fr. 2813.

41. Grande-Bretagne, coll. particulière; *cf. La Librairie de Charles V*, n° 196 (voir ci-dessous, «Orientation bibliographique»).

42. Fin du texte: «Le quel advis fu reporté aus diz ducs, les quielx le consentirent et l'orent agreable.»

43. Lyon, Bibl. du palais des Arts, 30.

44. Fin du texte: «Mais finalement il s'en partirent sans y aucune chose prouffiter, et y mourut grant foison de leur gens et de leur chevaux. Et s'en alerent aucuns et en menerent grant foison de biens.» Variante: «grant foison de prisonniers». Quatre manuscrits, ne sachant quel parti prendre, s'achèvent sur «grant foison», ou «grant foison de».

45. Chantilly, Musée Condé, 867; Londres, British Library, Sloane 2433.

46. Paris, Bibl. nat., fr. 2608.

47. Paris, Bibl. Sainte-Geneviève, 783.

48. Armes non identifiées: Paris, Bibl. Arsenal, 5223; Bibl. Mazarine, 2028.

49. Bruxelles, Bibl. roy., 1.

50. Chartres, Bibl. mun., 271; Reims, Bibl. mun., 1469; Saint-Omer, Bibl. mun., 707.

51. Paris, Bibl. nat., fr. 6466, f° 200 v°.

52. *G.C.F.*, I, 3.

53. Paris, Bibl. nat., fr. nouv. acquis. 6225.

54. Bruxelles, Bibl. roy., 4; Leningrad, Bibl. publ., F v. IV 1.

55. Paris, Bibl. nat., fr. 10132.

56. Paris, Bibl. nat., fr. 2608; Bibl. de l'Institut, 324.

57. Paris, Bibl. de l'Arsenal, Hist. 1582; Rouen, Bibl. mun., 7.

58. Paris, Bibl. Sainte-Geneviève, OE XV 468.

59. Paris, Bibl. nat., fr. 73.

60. Paris, Bibl. nat., fr. 4955; Aix-en-Provence, Bibl. Méjanes, 426.

61. R. Doucet, *Les Bibliothèques parisiennes au XVIe siècle*, Paris, 1956, p. 83.

62. Vatican, Reg. 744.

63. Paris, Bibl. nat., fr. 4956. R. Doucet, *op. cit.*, p. 129.

64. Paris, Bibl. nat., fr. 2611-2612.

65. Vatican, Reg. 725.

66. Leningrad, Bibl. Saltykov Scedrin, Erm. fr. 88.

67. *Cf. supra*, n. 60.

68. Paris, Bibl. nat., fr. 4984.

69. Londres, British Library, Reg. 20 E I.

70. Leningrad, Bibl. Saltykov Scedrin, Erm. fr. 88.

71. Glasgow, Hunterian Museum Library, 203.

72. Madrid, Bibl. nat., Vitr. 24-12 (E 242); Paris, Bibl. nat., fr. 2611-2612.

73. Dijon, Bibl. mun., 288; Paris, Bibl. nat., fr. 20355.

74. Paris, Bibl. Sainte-Geneviève, OE XV 468.

75. *G.C.F.*, I, XXXII.

76. A. Molinier, *Les Sources de l'histoire de France des origines aux guerres d'Italie (1494)*, Paris, 1903, n° 2530.

ORIENTATION BIBLIOGRAPHIQUE

Études de manuscrits et éditions modernes.

Les Grandes Chroniques de France, selon que elles sont conservées en l'église de Saint-Denis en France, P. Paris, éd., 6 vol., Paris, 1836-1838.

Les Grandes Chroniques de France, J. Viard, éd., 10 vol., Paris, 1920-1953 (ici citées *G.C.F.*).

Les Grandes Chroniques de France. Chronique des règnes de Jean II et de Charles V, R. Delachenal, éd., 4 vol., Paris, 1910-1920.

Chronique de Richard Lescot, religieux de Saint-Denis (1328-1344) suivie de la continuation de cette chronique (1344-1364), J. Lemoine, éd., Paris, 1896.

S. Reinach
Un manuscrit de la bibliothèque de Philippe le Bon à Saint-Pétersbourg, Paris, Fondation Eugène Piot. Monuments et mémoires publiés par l'Académie des inscriptions et belles-lettres, t. XI, 1904.

Travaux récents.

J.-P. Bodmer
« Die Französische Historiographie des Spätmittelalters und die Franken. Ein Beitrag zur Kenntnis des französischen Geschichtsdenkens », *Archiv für Kulturgeschichte*, n° 45, 1963, pp. 91-118.

L. Capo
« Da Andrea Ungaro a Guillaume de Nangis : Un'ipotesi sui rapporti tra Carlo I d'Angio e il regno di Francia », *Mélanges de l'École française de Rome. Moyen Âge-Temps modernes*, n° 89, 1977, pp. 811-888.

M. Du Pouget
« Recherches sur les chroniques latines de Saint-Denis. Édition critique et commentaire de la *Descriptio clavi et corone Domini* et de deux séries de textes relatifs à la légende carolingienne », *Positions des thèses de l'École nationale des chartes*, Paris, 1978, pp. 41-46.

A. Erlande-Brandenburg
Le Roi est mort, Étude sur les funérailles, les sépultures et les tombeaux des rois de France jusqu'à la fin du XIIIe siècle, Paris, 1975.

B. Guenée
– « État et nation en France au Moyen Âge », *Revue historique*, n° 481, 1967, pp. 17-30.
– « La culture historique des nobles : le succès des Faits des Romains (XIIIe-XVe siècles) », *La Noblesse au Moyen Âge, XIe-XVe siècles. Essais à la mémoire de Robert Boutruche réunis par Philippe Contamine*, Paris, 1976, pp. 261-288.
– « Les généalogies entre l'histoire et la politique : la fierté d'être capétien, en France, au Moyen Âge », *Annales, Économies, Sociétés, Civilisations*, 1978, pp. 450-477.
La Librairie de Charles V, Notices du catalogue rédigées par Fr. Avril et J. Lafaurie, Bibl. nat., Paris, 1968.

G. M. Spiegel
The Chronicle Tradition of Saint-Denis : A Survey, Brookline, Mass., et Leyde, 1978.

CORRADO VIVANTI

« Les Recherches de la France » d'Étienne Pasquier

L'invention des Gaulois

Dans le *Tableau des choses de la France*, rédigé vers 1512, Machiavel, envoyé plus d'une fois par la république de Florence à la cour du roi très chrétien, remarquait que « la Couronne et les rois de France sont aujourd'hui plus gaillards, riches et puissants qu'ils ne le furent jamais[1] ». Et il en donnait trois raisons : le domaine royal s'était accru à la suite de différentes successions ; l'autorité du roi n'était plus contestée par de puissants « barons », comme dans le passé ; les ennemis de la France ne pouvaient plus compter sur des appuis parmi les grands seigneurs féodaux, comme cela arrivait quand il y avait un duc de Bretagne, de Bourgogne ou de Guyenne. Un demi-siècle plus tard les choses avaient bien changé : 1559 avait été pour la France une année noire. La mort accidentelle d'Henri II et les débuts d'une régence qui, de fait ou de droit, était destinée à se prolonger longtemps, marquèrent le commencement de la crise intérieure qui aboutira aux guerres de religion. Mais avant cela, la paix de Cateau-Cambrésis avait été conclue, d'après les Français, « *con gran vantaja* » de l'Espagne « *y vergonçosa a ellos*[2] ». La perte de toutes les conquêtes d'Italie donnait la mesure d'une défaite historique, tandis que l'Espagne, en s'assurant la prépondérance sur la péninsule, affirmait son hégémonie en Europe. Encore cinquante années plus tard, l'historien Jacques-Auguste de Thou déplorera les « conditions iniques » de cette paix[3]. Un désarroi profond va s'emparer des Français : les grands « barons » réapparaissent avec leurs prétentions et se partagent des provinces entières, en recherchant souvent l'appui de Philippe II d'Espagne ; la monarchie, confiée à la régente italienne et à ses enfants, est faible au point que l'unité même du royaume est menacée, et la maison de Guise a la hardiesse d'opposer à la race capétienne sa propre descendance de Charlemagne. De plus, le schisme religieux divise les consciences des Français, quand il ne les range pas les uns contre les autres.

C'est dans cette situation qu'Étienne Pasquier choisit de faire paraître *Les Recherches de la France*, ou tout au moins un avant-goût de l'ouvrage : le premier livre, en effet, sort en 1560, mais l'auteur est déjà à même de tracer au premier chapitre le projet général. La France, en ces années de troubles, on doit la rechercher : c'est signe qu'elle existe. Son unité, sa personnalité ne peuvent pas dépendre de motifs politiques susceptibles de variations : elles sont dans son passé, qui se perd dans des temps très reculés. Parler des Gaulois comme des ancêtres des Français n'était pas une nouveauté absolue, mais dans *Les Recherches* cet héritage est revendiqué avec une assurance totale, n'admettant pas de discussion. C'est donc la nation française, depuis des siècles, qui est le garant de sa propre existence, en dépit des vicissitudes accidentelles, des secousses qui ne peuvent être que passagères.

Ainsi, le patrimoine à défendre, c'est d'abord la mémoire historique, et, dès le premier chapitre, Pasquier souligne la nécessité de « recommander par escrits » les actions vertueuses d'un peuple « à la postérité ». L'option entre la tradition orale ou la parole écrite est posée en ces termes : « S'il estoit plus requis pour l'utilité du public communiquer ses conceptions par escripture au peuple, ou bien, sans les communiquer, les donner à ses successeurs de bouche à bouche à entendre[4]. » Il ne s'agit pas seulement de transmettre la réminiscence du passé : il faut aussi établir que le savoir doit être divulgué, et non pas gardé comme *arcana imperii*, instrument de pouvoir, par les savants. En se prononçant carrément pour la première option, Pasquier montre sa confiance dans les vertus d'une instruction aussi répandue que possible, conformément aux principes des courants les plus ouverts de l'humanisme.

La conséquence immédiate est le choix linguistique : c'est en français que Pasquier a décidé d'écrire son ouvrage. Du moment que la mémoire historique ne doit pas s'enfermer dans le cercle privilégié des savants, il ne faut pas se servir du latin, qui n'assure pas la pénétration des écrits parmi des couches assez vastes du public. « De ma part – déclare-t-il à l'un de ses amis (II, 3 B) – escrivant en mon vulgaire, pour le moins escry-je au langage auquel j'ay esté allaicté dès la mammelle de ma mère. » Le savant qui, dans le septième livre des *Recherches*, brosse un tableau général de la littérature française, en se proposant de relever la valeur de la grande poésie médiévale, tout en soulignant les progrès accomplis à son époque par la production littéraire, et conclut que la langue française est capable, autant que le latin ou l'italien, d'atteindre les sommets de la grande poésie, ne se fait aucun mythe des langues classiques : son goût de l'histoire lui fait comprendre que « le grec estoit le vulgaire à Hippocrate et Platon, le latin à Cicéron et à Pline » (II, 3 A). Et il a beau jeu de rappeler à Turnèbe, le grand hellénisant de la Sorbonne, qui lui avait déconseillé de « rédiger nos conceptions en nostre vulgaire » :

«Cela mesme que vous m'objectez aujourd'huy, fut autrefois proposé à Cicéron pour le destourner d'escrire en sa langue» (II, 3 BC).
Aussi, par son choix linguistique, Pasquier se propose-t-il d'affirmer l'identité nationale de la France, convaincu que «toute terre, ores que grasse, ne rapport aucun fruict, aussi ne fait une langue si elle n'est cultivée» (II, 5 C). Le recours au latin n'est plus, pour lui, qu'un résidu d'une époque révolue, celle de «ces grands personnages que les siècles passez ont portez, uns Valla, Politian, Picus Mirandula et, de nostre temps, Érasme, Budé, Alciat». Aspirant à une culture tout aussi noble, mais adaptée à son temps et aux besoins de la France, il déclare: «Nous ferons renaistre le siècle d'or lors que, laissans ces opinions bastardes d'affectionner choses estranges, nous userons de ce qui est naturel et croist entre nous sans mainmettre» *(ibid.)*. D'ailleurs, sa polémique contre le latin n'est qu'une conséquence de son attitude envers une certaine idée du classicisme, en vogue parmi ces courants italianisants qu'il considérait comme un obstacle à l'essor d'une culture nationale française[5].

L'intérêt de Pasquier pour l'histoire dérivait directement de sa formation intellectuelle, qui s'était accomplie dans les centres les plus avancés de la Renaissance française[6]: à l'école de juristes tels que Cujas, Baudoin, Hotman, Alciat, il avait appris à considérer le droit et les institutions politiques comme autant de produits du temps, strictement liés aux progrès de la société. Si nous examinons *Les Recherches* moins comme le travail d'un auteur particulier que comme l'ouvrage d'un représentant qualifié d'un groupe d'intellectuels, portés à s'interroger sur les destinées du pays, nous verrons que ce penchant pour l'histoire ne dérivait pas du désir de s'évader du présent orageux pour se réfugier dans la contemplation nostalgique du passé. Encore moins était-il le reflet d'une mentalité livresque ou académique. Récupérer la mémoire collective en tant que mémoire historique signifiait enraciner les structures politiques de la monarchie française dans la vie nationale. Ainsi, au-delà de la «grande histoire», Pasquier élargit-il le domaine de l'historien – ce que nous verrons mieux par la suite – aux traditions populaires, à l'histoire de la langue, aux expressions proverbiales et aux dictons. On a remarqué que «les phénomènes de la mémoire, aussi bien dans leurs aspects biologiques que psychologiques, ne sont que le résultat de systèmes dynamiques d'organisation[7]». S'il est permis d'extrapoler ce principe aux phénomènes de la mémoire collective, nous arriverons à mieux comprendre la vitalité de ce «système dynamique d'organisation» qu'a été la société civile française au XVIe siècle, malgré les luttes intestines et la défaite essuyée dans le duel prolongé contre la maison des Habsbourg.
Il faut d'ailleurs rappeler que le déplacement des grands axes de la vie politique et économique de la Méditerranée vers le nord de l'Europe donnera aux

pertes françaises une bien moindre importance que celle que les contemporains leur attribuèrent : si, au cours des quarante ans qui suivirent la paix de Cateau-Cambrésis, le royaume des derniers Valois ne fut plus actif sur la scène internationale, ce fut moins une conséquence de l'« iniquité » de ce traité que des guerres civiles qui le déchirèrent. Sa reprise soudaine après l'accession au trône d'Henri IV et le rétablissement de la paix intérieure nous révèle la vigueur de ses structures. De cette situation, on a conscience à l'époque : de la solidité du royaume – remarquait un historien au plus fort des guerres civiles – « le meilleur tesmoignage et la plus seure preuve de ce qu'il a esté si bien estably est la ruine présente : car encore qu'il y ait longtemps que noz malheurs prouvenans de noz opinions et divisions fassent tout ce qu'ils peuvent pour ruiner et demollir son édifice [...] si est-ce que telle est sa structure, la matière de ses loix est si forte, le cyment de sa police est si dur et le fondement de ses belles ordonnances et constitutions est si bon, qu'on n'en peult venir à bout[8] ».

Or, c'est la solidité de la société civile française qui peut expliquer cette sorte de compensation historique grâce à laquelle la France, précisément à l'époque la plus trouble, connut une floraison culturelle qui en fit l'un des centres majeurs de la Renaissance. En effet, c'est une grande saison de la vie intellectuelle qui va s'ouvrir alors : après Rabelais, dont Pasquier admirait l'invention romanesque, Ronsard et la Pléiade – dont il fut l'ami et le disciple – donneront la mesure de leur art nouveau ; Montaigne et Bodin renouvellent la pensée morale et politique ; enfin, « *quasi Musarum secessus*[9] », la recherche philologique et historique paraît abandonner l'Italie, tandis que la France, grâce à Budé et à ses disciples, devient l'héritière de la grande leçon humaniste. « Le premier qui ouvrit le pas fut Budé – rappellera Pasquier à la fin de ses *Recherches,* en évoquant les débuts du nouveau savoir en France – en ses Annotations sur les Pandectes [...] en l'année 1508. » C'est lui qui introduisit en France « le beau latin, parsemé de belles fleures d'histoires et sentences » et qui flétrit « la barbarie des anciens docteurs de droict ». Après lui, ce fut le tour de l'Italien André Alciat, qui enseigna à Avignon et à Bourges. Mais « les choses ne luy succédèrent pas grandement à propos entre les siens – c'est la remarque de Pasquier lui-même – car je ne voy point que les Italiens, qui le survesquirent, ayent esté grandement soucieux de se rendre, comme luy, humanistes ». Et il ajoute à ce propos un souvenir de sa jeunesse : « M'estant acheminé de la ville de Tholose au pays d'Italie, pour y parachéver mes estudes de droict, j'oüys trois ou quatre de ses leçons [d'Alciat] dedans la ville de Pavie. De là m'estant transporté en la ville de Boulogne, où lisoit Marianus Socinus, neveu de Bartholomaeus, tous les escoliers italiens faisoient beaucoup plus de compte de cestuy que de l'autre [...] pour ceste seule considération – disoient-ils – que jamais il n'avoit perdu le temps en l'estude des

lettres humaines, comme Alciat.» Tout à fait différent le succès de «nostre Budé dedans nostre France», souligne avec orgueil Pasquier, qui mentionne l'«infinité de bons esprits qui se mirent sous son regiment, tant en nos Universités de droict, que ès Cours souveraines et autres Cours inférieures»: Corras, Du Ferrier et Forcatel à Toulouse, Ferret à Valence, Govéan à Cahors, Jean Robert et Guillaume Fournier à Orléans, et enfin Grégoire de Toulouse et Godefroy de Paris, dont les «escrits semblent estre la closture de ceste nouvelle jurisprudence». Mais, surtout, il tient à rappeler que l'université de Bourges a vu «dans nostre siècle sept grands personnages qui ont fait reluire la lecture du droict civil chez elle: Alciat, Baron, Duaren, Balduin, Hotoman, le Comte et, entre tous, le grand Cujas». En même temps il rappelle les éminents juristes «qu'il me plaist de nommer humanistes»: Budé lui-même, en tant que maître de requêtes, François Connan, Charles du Moulin, Pierre Pithou, Pierre du Favre, Louis le Charond, Guy Coquille, etc.
Dans un contexte culturel profondément engagé dans la vie nationale, la nouvelle doctrine s'enrichit de contenus et d'objectifs très proches de la sensibilité politique de l'époque. «La force intellectuelle de l'humanisme français – a remarqué Marc Fumaroli[10] – [...] c'était, dans la mouvance de Guillaume Budé, le *mos gallicus*, la méthode française d'interprétation du droit, éclairée par la philologie et par l'histoire.» La critique historique, en mettant en lumière les stratifications de l'héritage juridique, arriva à approfondir la connaissance des liens entre droit et société. Peu nous importe, ici, de souligner les différences, par rapport aux origines du droit français, entre la thèse «romaniste» de Budé et d'Alciat, la «germanique» de du Moulin et de Hotman, ou la «gauloise» de François Connan: ce qui nous intéresse, c'est justement la méthode de recherche commune, qui, dans le droit, comme dans l'histoire, sut explorer les sources littéraires et les inscriptions, la numismatique et les données archéologiques, afin de saisir le passé dans sa globalité et d'élargir le terrain d'observation au-delà de l'Antiquité classique, aux siècles du Bas-Empire et de Byzance et jusqu'au Moyen Âge.
Les centres de rayonnement de ce savoir furent – on vient de le dire – les universités de Bourges, de Toulouse, d'Orléans et de Valence – que Pasquier fréquenta: une «nouvelle histoire» naît alors de «l'alliance entre histoire du droit, histoire des institutions et philologie humaniste[11]». À tous ceux qui, dans cette période d'adversité, cherchaient pour le royaume des assises moins passagères que la figure d'un souverain, l'histoire montrait l'héritage complexe transmis par un passé reculé, en mesure d'indiquer les liens profonds entre la nation et l'État. Aux époques de crise, quand l'avenir immédiat révèle de sombres inconnues, l'analyse de l'entité collective dont on fait partie permet d'en mieux saisir les particularités, les dispositions, les antécédents et d'avoir ainsi une vision plus large et détachée du présent. Sous ce

rapport, il est possible d'apercevoir une attitude commune aussi bien aux grands historiens de l'Italie de l'époque – Machiavel et Guichardin – qu'à ceux qui, en France, ont donné vie aux nouvelles études du passé. Mais avec cette différence : par leurs ouvrages, les uns ont recherché surtout les causes du mal du présent, en s'efforçant d'envisager les potentialités d'une Italie qui n'existait pas encore ; les autres voulaient faire ressortir la consistance de l'héritage national, abordant dans leurs travaux les différentes réalités d'un État qui était là depuis des siècles[12].

C'est justement cette particularité de la recherche savante française qui est à l'origine des contributions les plus importantes du XVIe siècle, même si elle a été généralement sous-estimée : on a prêté souvent plus d'attention aux grands ouvrages de signification politique immédiate – la *Franco-Gallia d*e Hotman, la *République* de Bodin – qu'à ces apports culturels qui portaient témoignage sur certains aspects de la société civile et d'un pays en train de se transformer. D'autre part, on n'a considéré comme œuvres d'histoire que celles des auteurs les plus traditionalistes : ainsi, le manuel classique d'histoire de l'historiographie d'Edouard Fueter ne mentionne-t-il – en parlant de la production humaniste française – que Paul Émile, Le Feron, Du Haillan : bref, les annalistes. Des préjugés semblables ont vicié la considération de cette production culturelle, en négligeant qu'à cette époque l'histoire élargit ses frontières dans l'espace comme dans le temps, et arrive à englober la géographie, le droit, la théorie politique, qui « se soudent avec elle, parfois d'une manière décousue, toujours d'une façon naturelle, nécessaire et vitale[13] ». C'est dans ce bouleversement de la conception même de l'histoire que nous pouvons discerner l'un des traits originaux de la culture française de l'époque et repérer les racines de la réflexion critique qui finira par effriter les modèles de pensée surannés : le fait que la restauration de l'aristotélisme – tellement éloigné de tout raisonnement historique – ne connut pas en France à la fin du XVIe siècle la fortune qu'elle eut dans d'autres pays n'est pas dû au hasard. En effet, ce qui a poussé l'histoire au-delà de la narration pragmatique et l'a amenée à devenir en quelque sorte une manière de penser qui saisissait les institutions et les mœurs, bref, la vie de la société, a été – il est bon de le répéter – l'appel pressant de la situation intérieure de la France.
Il est vrai que, dans la vaste production historique de l'époque, c'est l'histoire traditionnelle qui se taille la part du lion. Sur les plus de deux cent soixante-dix livres d'histoire parus en première édition entre 1550 et 1610, soixante-dix traitent d'histoire générale, une cinquantaine d'histoire locale et il y en a autant qui abordent les biographies et les généalogies royales ou les récits de hauts faits[14]. En face, il y a quand même une cinquantaine d'ouvrages plus originaux sur l'histoire des magistratures, des offices, des institutions poli-

tiques et civiles, et le décalage croissant des rééditions par rapport aux livres de première parution témoigne également du penchant des lecteurs pour cette « nouvelle histoire ». Si la vigueur des cadres régionaux se manifeste par la publication d'ouvrages consacrés à l'histoire des villes et des provinces, il faut dire que ce particularisme local n'arrive pas à menacer l'unité du royaume, et toute la production historique paraît marquée par une prise de conscience nationale : à preuve, toutes ces histoires de la France rythmées sur la succession royale, ces biographies de souverains, ces chroniques groupant les règnes des différents Charles, Henri, François, autour desquelles se construit la notion même de patrie.
On l'a déjà dit : nous assistons à la formation d'une mémoire collective, renouvelant la vision et le jugement que la société française donne de son passé et d'elle-même. Mais alors, il ne sera pas inutile de remarquer que, sur les trois cent dix-neuf auteurs mentionnés par La Croix du Maine dans sa Bibliothèque Françoise pour la période 1540-1589, dont on connaît la profession, George Huppert a calculé que cent soixante-dix-huit au moins étaient magistrats, juges ou avocats, et ce nombre s'accroîtrait encore en prenant en considération la position sociale de la famille de nombreux autres écrivains[15]. Comment ne pas se souvenir, en ce cas, des vers cités par Lucien Febvre à propos de la fortune de la grande bourgeoisie comtoise, issue des offices ?

Vive la plume magnifique.
Le papier et le parchemin[16]...

Ces gens de robe, forts de leur savoir et de leur prestige économique et social, jouant un rôle de charnière entre la monarchie et les couches élevées du tiers état, s'efforçaient de trouver un espace de plus en plus vaste dans la société française : le livre, la parole imprimée, permettant d'arriver à tous les détenteurs de culture, leur donnaient la possibilité de se poser presque comme interprètes des groupes sociaux qui aspiraient à intervenir dans la vie politique du royaume. Ainsi ces juristes, à qui la fortune de leur classe avait assigné une position de relief, arrivaient à prendre une part active, dirigeante, à la lutte qui devait décider du sort de leur pays. L'histoire des magistratures et des institutions valorisait leur rôle dans la monarchie française et en justifiait les ambitions politiques. Il est peut-être un peu simpliste de penser que le choix historiographique de ces savants ait été suggéré par l'intérêt de classe, qui les aurait poussés à privilégier la recherche sur les structures politiques et administratives du royaume, au lieu de suivre le chemin de la « vieille » histoire. Le récit traditionnel des batailles, généalogies et miracles n'aurait eu pour eux aucun intérêt, parce que « ces magistrats puissants et riches n'étaient ni des guerriers ni des prêtres» et «ils auraient cherché en vain la mention d'un de leurs ancêtres dans les *Grandes Chroniques*[17]». Il est néanmoins vrai que leurs ouvrages étaient souvent animés par le mécontentement de l'état des choses existant et par la conscience de la nécessité de soutenir, par leurs travaux savants, une action politique et religieuse visant à la restauration de la paix civile et à la réformation de l'État. Déjà Henri Hauser avait remarqué que «le talent et le sens historique» appartiennent à cette époque surtout au parti de ces «politiques» qui, en recherchant les principes capables de réformer et de pacifier la France, surent exprimer non seulement les exigences de leur pays, mais celles de toute la *respublica litterarum* européenne[18].

Dans le tableau d'ensemble qu'on a essayé de brosser, l'ouvrage de Pasquier ressort par son originalité. À commencer par son titre. *Recherches:* c'est un mot inusité à l'époque pour un livre d'histoire et, dans sa modernité frappante, il révèle un programme de travail et, en même temps, une vision nouvelle de l'histoire. «Pensez-vous que ce sont belles histoires - écrit Pasquier dans le *Pour-parler du prince*, paru avec le premier livre des *Recherches* en 1560 - que toutes les Annales de France, esquelles vous apprénez qu'un tel ou tel fit telle chose? Mais comment, ny par quel moyen il parvint, songez-le, si bon vous semble» (I. 1035 A). Il faut alors s'engager dans un travail critique de longue haleine, se traduisant dans une forme d'histoire que personne n'avait essayée jusque-là. Nul récit continu, en effet, ne permet de le saisir. Ainsi les chapitres de cet ouvrage, tout en étant en général groupés par sujet selon les différents livres, nous apparaissent comme une succession d'essais composant, comme dans une grande mosaïque, une histoire mouvementée et inédite.

Pasquier se détache tout de suite des modèles traditionnels. Il est l'auteur de lettres assez originales, souvent spirituelles, sur des sujets variés - questions de droit, vie culturelle, événements politiques, vicissitudes des guerres civiles - et il les recueille et publie pour donner «un tableau de tous mes aages». Dans ses *Recherches* aussi il éprouve le besoin de quitter les formes trop définies, systématiques, et adopte une écriture fréquemment interrompue où, sur le récit linéaire prévaut le raisonnement critique. Au nouveau savoir doit correspondre une manière nouvelle de s'exprimer: «*Nova res novum vocabulum flagitat*», avait déjà remarqué le grand humaniste Lorenzo Valla[19]. À une période où l'ouverture d'horizons jusque-là inconnus renouvelait les connaissances des hommes et même leur vision du monde, tandis que se développait une élaboration nouvelle du savoir, une forme expressive appropriée s'impose qui rompt avec les grands traitements exhaustifs ou soi-disant tels: le fond engage la forme et, de ce point de vue, Pasquier ne nous paraît pas si éloigné de Montaigne, dont il appréciait les *Essais* au point d'écrire: «Je n'ay livre entre les mains que j'aye tant caressé que celuy-là» (II. 577 C).

Conscient de la nouveauté de son entreprise, il souligne que c'est avant tout par les thèmes de sa recherche qu'il se distingue de «la plus part de ceux qui ont par le passé employé leur entendement à escrire», n'ayant «autre sujet de leur éloquence que l'histoire des Grecs ou Romains, ne jettans les yeux sur la nostre» (II. 28 A). D'entrée de jeu, c'est la polémique envers la culture traditionaliste qui se poursuit dans son attitude critique par rapport aux formes de style de son exposé. En remarquant «par occasion, non par vanterie [...] d'avoir esté le premier des nostres [...] qui ayt défriché plusieurs anciennetez obscures de cette France» (I. 2 A), il justifie par cette nouveauté l'usage qu'il fait de ses sources et leur choix même. Plusieurs de ses amis, en alléguant des raisons de style, lui avaient déconseillé d'insérer de longues citations de documents ; il les juge au contraire indispensables pour prouver le bien-fondé de ses arguments : il faut «ne rien dire qui importe, sans en faire la preuve», même au risque d'alourdir l'exposé par des textes de «mauvaise grâce».

Il est bon de remarquer aussi que cet usage des sources est tout à fait novateur : d'habitude, les textes et les documents n'étaient exploités que pour en tirer des renseignements et il n'était pas dans l'usage de rapporter des passages et de citer de longs morceaux, qui par surcroît n'avaient aucune qualité littéraire. Nous pouvons donc comprendre la perplexité des amis de Pasquier devant cette infraction aux règles rhétoriques de la tradition humaniste. «Escrivant icy pour ma France, et non pour moy», répliquait-il, il ne voulait pas être gêné par des normes qui lui semblaient de véritables entraves, ne lui permettant pas de documenter ses recherches. De plus, «si ceux qui viendront après moy, voguent en mesme eau (comme il sera fort aisé de le faire, la première glace estant rompue), et me font cet honneur de reconnoistre tenir quelque chose de moy, je la leur donne bien de bon cœur et veux qu'elle soit estimée leur appartenir» (I. 3 A). La générosité du savant n'est que proportionnelle à la conscience orgueilleuse de sa propre valeur.

Mais il faut faire aussi une autre remarque. Déjà, le premier livre des *Recherches,* publié longtemps avant les autres[20], nous apparaît comme une vue d'ensemble de la formation de la France, qui remonte jusqu'aux antiquités gauloises, mais tient compte aussi des apports successifs d'autres peuples, arrivés aux temps des invasions germaniques : les Francs, les Burgondes, les Bretons, les Normands, etc. Or, l'usage des sources était fonctionnel à la méthode inaugurée par Pasquier : les textes historiques et littéraires, non seulement de l'âge classique, mais aussi du Bas-Empire, ou les témoignages des Pères de l'Église, ainsi que les chartes et les diplômes, les chroniques et les mémoires du Moyen Âge lui donnaient le moyen de relier entre elles, de toute évidence et presque physiquement, les différentes stratifications du passé et d'offrir à ses contemporains une idée nouvelle de la France. Dans le but de réduire la cassure entre les temps d'avant la conquête de César et l'époque qui suivit les invasions, il ne suffisait pas de sous-estimer l'héritage de Rome : il fallait exalter la civilisation gauloise – démentant « nos modernes Italiens, lesquels se pensent advantager grandement en réputation [...] lorsqu'ils nous appellent Barbares » (I. 5-6 D) – et en même temps donner des raisons valables pour l'établissement des Francs. D'autres historiens avaient évoqué l'origine celtique qui – d'après la tradition classique, jusqu'à César – aurait été commune aux Gaulois et aux Germains, et ils étaient arrivés à parler d'une conquête de l'Allemagne par les Gaulois, qui seraient revenus après, sous le nom de Francs, dans leur ancienne patrie. Mais Pasquier était trop bon historien pour se repaître de ces légendes. Il s'en tenait aux *Commentaires* de Jules César, la source la plus digne de foi et la plus riche en détails, où le conquérant de la Gaule avait distingué, le premier, les Gaulois des Germains, célébrant la « *virtus* » et la « *magnitudo animi* » des uns, blâmant la « *feritas* » des autres. La conquête germanique devait être considérée plutôt comme un exemple des hauts et des bas dans la vie des nations : Pasquier ne voyait aucune raison pour s'avilir si des peuples qui avaient donné « mille algarades aux Romains » (I. 28 A), étaient parvenus à arracher la Gaule aux dominateurs du monde. Sur les traces de Machiavel – qu'il connaissait bien, tout en le condamnant pour sa « scélératesse » (II. 231 D) – il pensait que les royaumes et les hommes sont soumis à la « fortune » et au « conseil », et il expliquait par ce binôme le passé de la France dans des pages qui sont parmi les plus éminentes de son œuvre comme profondeur de conception et passion patriotique (I. 43-46).

Certes, dans la mémoire historique des Français, les Gaulois avaient été depuis longtemps présents en tant qu'ancêtres. Pour ne rappeler que quelques ouvrages de l'époque, l'année précédant la parution du premier livre des *Recherches,* Pierre de La Ramée avait publié un *Liber de moribus veterum Gallorum,* traduit en français aussitôt après, et, peu d'années avant, Guillaume Postel avait fait paraître. *L'Histoire mémorable des expéditions depuys le déluge faictes par les Gaulois ou François depuys la France jusques en Asie*... De la part de ces deux grands intellectuels, l'un et l'autre engagés dans une réflexion originale dans des domaines très différents, il s'agissait d'ouvrages témoignant du besoin répandu de lier la France à une forte tradition nationale. Mais, dans ces livres, l'intérêt érudit et la volonté apologétique l'emportaient sur la compréhension critique de la continuité qu'il était possible de montrer entre ces temps révolus et l'histoire de France. Pasquier, par contre, en instituant ce lien étroit entre « l'ancienne Gaule et nostre nouvelle France », établit sans cesse une confrontation précise entre passé et présent. L'Antiquité et le Moyen Âge ne sont pas conçus comme des époques en quelque sorte révolues, et il arrive ainsi à mettre en valeur ce qui vivait tou-

jours des temps les plus lointains: les institutions, les traditions, les lois, les mœurs, qu'il est donc nécessaire d'illustrer et de connaître pour découvrir les caractères originaux de l'histoire de France.
Les récits traditionnels, eux, se fondant sur des reconstructions plus ou moins fantaisistes, remontaient aux origines par la succession des souverains, toujours en quête du premier roi de France. D'où la légende, qui s'était imposée déjà au VIIe siècle, du prince troyen Francus ou Francion, débarqué en Gaule après la destruction de sa patrie par les Grecs, à l'imitation d'Énée[21], ou bien l'arrivée d'Hercule au cours de ses péripéties méditerranéennes[22]. Aux temps de Pasquier, la légende troyenne jouissait encore d'une excellente santé dans les ouvrages soi-disant historiques, tandis que le mythe d'Hercule restait plutôt relégué aux contes épiques et à l'apologie monarchiste. De son côté, sPasquier consacre tout un chapitre, vers la fin du premier livre, à ce que «nos autheurs rapportent l'origine des François aux Troyens» (I. 39-40). Non sans scepticisme et ironie, il rappelle les hauts faits des héros mythiques, en remarquant que «de disputer de la vieille origine des nations c'est chose fort chatouilleuse, parce qu'elles ont esté de leur premier advenement si petites que les vieux autheurs n'estoient soucieux d'employer le temps à la déduction d'icelles, tellement que petit à petit la mémoire s'en est du tout esvanouye ou convertie en belles fables et frivoles». D'ailleurs, il avait déjà déclaré qu'il n'avait aucune intention d'«aller chercher d'une longue trainée ny les Troyens, ny les Sicambriens dedans les paluz Méotides, dont nous ne sçaurions avoir autheur certain ny asseuré, fors quelques moines» (I. 19 C). Il préférait se tenir aux faits: bien plus que les généalogies des souverains ou la série, légendaire elle aussi, des exploits héroïques, l'«ancienneté de nostre France», dans sa longue durée et sa continuité, donnait un sens suffisant à l'image de la nation française.
C'est cette même «ancienneté» qui lui permet de parler de la France indépendamment de l'existence des dynasties royales, aux temps de la «république gauloise». Bien entendu, le mot «république» n'a ici que le sens latin d'État, *res publica*; mais par cette expression, Pasquier peut souligner le fait qu'il y avait en France un système politique, une «police», sans que cela présupposât nécessairement la présence d'une monarchie; car «il n'y eut oncques défaut de police bien ordonnée entre nos anciens Gaulois» (I, 10 A). Tout bon royaliste qu'il est, son souci primordial est celui d'établir l'identité nationale, hors de tous les faits contingents. Encore faut-il ajouter que, fondant «sa» France bien avant Clovis, il finit par n'attribuer que peu d'importance au rôle traditionnel de «fille aînée de l'Église», exploité par tant de partisans du conflit religieux dans le but de justifier la lutte contre les réformés. Il détestait la division religieuse et il en faisait grief aux protestants; mais il tenait aussi à distinguer la religion de la politique, et il l'affirmait par

une allusion directe à la situation de son temps quand, en parlant de la décadence de l'Empire romain et des prétextes religieux avancés par les différents prétendants, il écrivait que Dieu, « désirant estre adoré par un zèle intérieur de vraye foy, et non pas par discours politiques, tenoit nud entre ses mains le glaive de vengeance sur eux » (I. 25 A). Et il manifestait ses convictions encore plus fermement en parlant des « fruits si fascheux » des Croisades : « Je ne me puis persuader – déclarait-il – qu'il faille advancer nostre religion par les armes : celle de Moïse fut destinée à tel effet, celle de Jésus-Christ au contraire s'est accreue par prières, exhortations, jeusnes, pauvreté et obéissance. » Ainsi, ayant évoqué plusieurs exemples, quand il arrive à parler des guerres de religion en France, il remarque : « Je ne voy point que nous en ayons rapporté autre chose qu'un athéisme et contemnement [mépris] de l'une et de l'autre religion » (I. 618 B).

Mais l'ampleur du passé que *Les Recherches* établissaient pour l'histoire de la France montrait aussi sous une lumière particulière les rapports avec l'Église. Cette institution qui, par son caractère sacré, tendait à se considérer hors du temps des hommes était ramenée dans l'histoire où, par rapport à l'antiquité gauloise, elle ne pouvait vanter un âge aussi vénérable. Ainsi la vie des institutions ecclésiastiques et leur entrelacement dans le système politique et civil du royaume pouvaient être considérés à mesure que de nouvelles situations s'étaient présentées et imposées, et il en résultait la possibilité de confirmer largement la validité des principes gallicans, auxquels tout un livre des *Recherches,* le troisième, est consacré. Pasquier revendiquait ainsi l'autonomie du royaume par rapport à l'autorité du pape juste à l'époque où la conclusion du Concile de Trente (1563) venait de l'exalter dans des formes presque totalitaires[23], que les partisans de la Sainte Ligue paraissaient prêts à accepter.

Du moment que la monarchie n'était pas la seule force de cohésion nationale et que l'unité de la France était également assurée par d'autres structures, la spécificité constitutionnelle du royaume posait la question du droit comme un point de repère central. Conformément à son interprétation du passé français, Pasquier ne pouvait pas accepter la prééminence du droit romain, « ceste folle appréhension qui occupe nos esprits – écrivait-il dans une de ses lettres, qui est un véritable essai de science juridique (II. 221-27) – par laquelle, mettans sous pieds ce qui est du vray et naïf droit de la France, réduisons tous nos jugemens aux jugemens des Romains ». Le droit romain – remarque-t-il – n'est point applicable aux Français, si différents des Romains par « mœurs, nature et complexion », ainsi que par tous les aspects de leur civilisation. « Sur deux divers fondemens le Romain et le François semblent avoir estably leurs loix : celuy-là sur une considération plus œconomique, pour la conservation des volontez de chascun en particulier, cestuy sur une plus politique, pour l’entretenement des familles en leur entier.» Il en résulte ainsi une interprétation anthropologique de deux sociétés, qui éclaire les différentes conceptions de l’État et du droit. Il serait hors de propos d’établir ici dans quelle mesure cette interprétation correspond à notre jugement historique: ce qui importe, c’est l’effort déployé par Pasquier pour saisir le noyau d’une civilisation et en comprendre ainsi ses manifestations et ses besoins. Il est erroné, pour lui, de vouloir évaluer la bonté du droit français en le confrontant avec le droit romain, vu leur différence intrinsèque; de même est-il impossible de remplacer par des normes juridiques romaines «les cas indécis par nos coustumes», car «ce seroit faire tort à nostre patrie», d’autant plus qu’«il n’y a province en France qui n’ait ses coustumes, et cela nous tenons d’une bien longue ancienneté, comme nous apprenons des mémoires de Jules César». Encore dans le dernier livre des *Recherches,* traçant la division historique de la France en «pays coustumier et de droict escrit» (I. 1001-1002), il répétera que «Jules César, sur le commencement de ses mémoires de la Gaule, nous tesmoigne que de son temps il y avoit autant de diversité de coustumes que de provinces». Grâce à sa considération des Gaulois, «après les avoir subjuguez et avoir acquis sur eux le haut point de la souveraineté pour sa république, il les laissa vivre en leurs anciennes coustumes». La même attitude fut adoptée par les rois francs et cet «usage s’est depuis continué de main en main soubs le nom de bailliages et sénéchaussées jusques à nous». Ayant élucidé que l’origine du droit écrit dans le Midi ne date que des temps des invasions germaniques, il affirme que c’est «une maxime très certaine que ne suivons le droict des Romains sinon de tant en tant qu’il se conforme à une raison générale et naturelle» (I. 1008 A).

Pasquier ne s’est intéressé qu’incidemment – à la différence d’autres juristes de son temps, et en particulier François Hotman par son *Antitribonian* – au problème de l’historicité du droit romain, transmis par le *Corpus juris* avec toute une série de stratifications, dues à l’évolution de la société romaine au cours des siècles[24]. En refusant en bloc le droit romain en tant que fondement des lois françaises, il ne veut que souligner la particularité des traditions nationales, telle qu’elle se manifeste dans la «police» de la France. De là vient son effort de repousser dans le temps, aussi loin que possible, les institutions françaises, en négligeant et presque en anéantissant dans sa reconstruction historique l’époque de la domination romaine, qui fut possible uniquement parce que «la Gaule fut bigarrée en factions et puissances, comme nous voyons maintenant l’Italie (qui fut véritablement le premier défaut de leur république et pour lequel finalement ils se ruinèrent)» (I. 8 A). Où, par le trait décoché à l’Italie «bigarrée» – qui lui permet de polémiquer contre l’«Italien», qui doit «entendre que nous ne sommes à luy inférieurs» (I. 12 A)

–, il souligne que la fin de la liberté de la Gaule coïncida avec la fin de la liberté de Rome, l'une et l'autre assujetties par César.

La civilisation originale des Gaulois, fortifiée par l'apport des Francs, peut donc être reconnue comme le présupposé et le fondement des institutions successives. Si le souci national est toujours très vif, aussi bien pour nier la barbarie des Gaulois que pour expliquer la conquête de César ou l'invasion des Francs, de même son propos est évident lorsqu'il met en lumière l'originalité de deux institutions essentielles du royaume : les fiefs, liés à l'ordre nobiliaire, et les parlements.

Des fiefs, Pasquier – en se différenciant d'une tradition d'études qui comptait des savants tels que Charles Du Moulin[25] – nie qu'ils dérivent du droit de conquête des Francs, parce qu'il y aurait eu toujours, par conséquent, entre nobles et peuple, un rapport de vainqueurs et de vaincus. Il croit, par contre, retrouver dans les lois et coutumes des Gaulois, et même des Romains, les éléments avant-coureurs de cette institution, qui a surtout le rôle de protéger et défendre le commun du peuple. Bien que parfaitement conscient de sa condition sociale, Pasquier reconnaît le bien-fondé des prérogatives nobiliaires par rapport aux roturiers. Ce n'est pas qu'il veuille « vilipender les estats de ceux qui suivent la robbe longue » ; mais l'ordre de la société exige des hiérarchies. « Aussi sçay-je bien que tout homme, en tout estat, qui fait profession de vertue et de vie sans reproche est noble, sans exception », remarque-t-il en rappelant un principe social novateur de l'humanisme. « Toutes-fois si en une république c'est chose du tout nécessaire de faire degrez des ordres, et mesmement qu'il soit requis de gratifier d'avantage aux hommes qui se rendent plus méritoires à fin qu'à leur exemple chascun soit induit à bien faire, je ne seray jamais jaloux ny marry qu'à ceux qui exposent leur vie pour le salut de nous tous soit attribué le titre de noble, plustost qu'à ceux qui, dedans leur palais, à leurs aises, se disent vacquer au bien des affaires d'une justice » (I. 135 C).

En tout cas, Pasquier n'accueille pas passivement la tripartition de la société entre guerriers, prêtres et travailleurs, même si par la suite il rappelle les « trois manières de personnes » qui forment l'« Estat de France » : roturiers, nobles et ecclésiastiques (I. 376 C). Les gens de robe tirent avantage en effet de la comparaison entre leur rôle et celui de la noblesse, qui finit par en résulter amoindri, limité qu'il est à la tâche de la défense du pays, tâche désormais discutable dans les années des guerres civiles. Et à ce propos il vaut la peine de remarquer, en passant, que dans *Les Recherches* – pourtant si attentives à tant de détails, même menus, de la vie et de la société française – il n'est pas fait mention d'organisation militaire ou de techniques de guerre (sauf l'invention de l'artillerie). En remarquant une analogie possible entre nobles et parlementaires, Pasquier favorise donc le groupe social d'où devait sortir, dans la nouvelle réalité de l’État moderne, le corps administratif du royaume. Ainsi, dans le dernier livre des *Recherches,* il rappelle que « sous le règne de François premier de ce nom, un Villanovanus[26] fit un commentaire sur Ptolomée, dedans lequel il disoit qu’en ceste France il y avoit plus de gens de robbe longue qu’en toute l’Allemagne, l’Italie et l’Espagne », prévoyant que cet état de choses « prendra plus longue et favorable traite » (I. 998 B). C’est en effet un service d’un nouveau genre, au bénéfice de la société tout entière (qui a « banny la barbarie d’antan »), que les gens de robe sont appelés maintenant à remplir grâce à leur savoir. Dans les mêmes années un diplomate anglais à la cour d’Henri IV est surpris par le fait « incroyable que dans un beau pays et plein de noblesse, l’État soit gouverné et toutes les affaires conduites par ceux de la robe longue des avocats, des procureurs et des gentilshommes de plume et d’encre[27] ». De son côté, Pasquier ne voit, dans les plus hauts titres de noblesse, qu’« images de ceux qui estoient du temps de Hugues Capet » (I. 116 A), et il réfute leurs prétentions juridictionnelles, qui ne seraient que des usurpations au détriment de souverains trop faibles. N’oublions pas qu’ailleurs, en parlant de « l’estat et conditions des personnes de nostre France » (I. 373-380), Pasquier ouvre un chapitre par une affirmation assez saisissante. Comme il n’était pas possible, à son avis, d’aborder le problème « sans en outrepasser les limites », c’est-à-dire en remontant aux époques les plus révolues de l’histoire de l’humanité, il déclarait que « du droict primitif et originaire de nature, toutes personnes naissoient libres ». Ce n’a été que « par succession de temps » que « s’engendra dedans leur simplicité l’envie de s’accroître en grandeur », jusqu’à ce que les conflits et les guerres aient provoqué l’institution du servage. On se retiendra d’évoquer ici la grande ombre de Jean-Jacques, puisque le droit naturel envisageait déjà cette hypothèse ; il faut néanmoins remarquer qu’après un assez long préambule (« quelqu’un dira que les faux-bourgs de ce chapitre sont beaucoup plus grands que la ville »), Pasquier, revenant à « nostre France », soutient que dans ce royaume « il faut tenir pour proposition indubitable que toutes personnes naissent libres ». Si des « coustumes particulières » subsistent en quelques provinces (« celles de Meaux, Troyes, Chaumont en Bassigny, Bourgogne, Nivernois, la Marche »), où « les servitudes foncières ont encore lieu », il tient à souligner que ce sont des exceptions. Il est inutile de remarquer qu’ici le principe de « liberté » est moins en rapport avec une société d’égaux qu’avec une condition juridique ; et, tout de même, quelle différence entre cette affirmation et celle de Bossuet, plus d’un siècle après, pour qui « tout l’État est en la personne du prince » et « tous les hommes naissent sujets[28] » !

Pour revenir aux parlements, leur autorité est célébrée dans *Les Recherches* au-delà même de ce qu’était en principe la position de ces organismes institutionnels dans le royaume. «Tous ceux qui ont voulu fonder la liberté d'une république bien ordonnée – c'est le début solennel du chapitre consacré à l'origine du parlement (I. 45 C) – ont estimé que c'estoit lors que l'opinion du souverain magistrat estoit attrempée par les remonstrances de plusieurs personnes d'honneur, estant constituées en estat pour cet effect.» Tel est le rôle du parlement, «qui est la cause pour laquelle quelques estrangers, discourans dessus nostre république, ont estimé que de cette commune police, qui estoit comme métoyenne entre le roy et le peuple, dépendoit toute la grandeur de la France». Encore, ici, une allusion à Machiavel, qui avait fait plusieurs fois l'éloge, dans ses écrits, des parlements de France en des termes qu'évidemment Pasquier avait appréciés[29].

Les origines des parlements se rattachent directement aux Champs de Mai, les assemblées annuelles que les maires de palais, «voulans unir en leurs personnes toute l'authorité du royaume», introduisirent «pour ne se mettre en haine des grands seigneurs et potentats», avec qui ils partagèrent ainsi les décisions suprêmes. C'est là une remarque qui permet à Pasquier d'anoblir l'institution parlementaire en soulignant que Pépin et ses fils agirent «comme si, avec la monarchie, ils eussent voulu entremesler l'ordre d'une aristocratie» (I. 46 A), et en expliquant en quoi le royaume de France était une «police métoyenne». Depuis Charlemagne et Louis le Débonnaire, les Champs de Mai s'étaient transformés en assemblées régulières, «où se vuidoient ordinairement les affaires». Hugues Capet arriva par la suite à unir sous son autorité le royaume – où «il n'y avoit presque ville de laquelle quelque gentilhomme de marque ne fust en seigneurie» – grâce au «corps général de tous les princes et gouverneurs, par l'advis desquels se vuideroient non seulement les différends qui se présenteroient entre le roy et eux, mais entre le roy et ses subjects». Ce fut ainsi que le parlement devint l'institution capable de «contenir la France en union» et de maîtriser les prétentions des ducs et des comtes, «qui amoindrissoient l'authorité du roy» (I. 47-48).

Le rôle du parlement, auquel «après plusieurs guerroyemens chascun se submettoit», se rattachait directement à «l'usance observée par les anciens Gaulois, lesquels, combien qu'ils fussent partialisez en ligues, si avoient-ils tous ensemble un général ressort de justice»: les assemblées annuelles des druides. «Et à l'exemple des druydes, qui s'assembloient tous les ans en certains lieux pour quelque temps pour rendre droit aux parties, nous avons presque introduit en nos parlemens les grands jours» (I. 9 B), c'est-à-dire les sessions tenues par des délégations du parlement dans les provinces. Rien d'étonnant, alors, si c'est au parlement – issu de l'ordre qui administrait chez les Gaulois la religion et la justice – que fut confiée la sauvegarde des libertés gallicanes, en lui attribuant un pouvoir arbitral dans la politique ecclésiastique.

Par conséquent, l'histoire du parlement s'identifie avec l'histoire de la France

et, dans cette esquisse de l'évolution de l'État féodal à la monarchie moderne, la prééminence du parlement est théorisée en tant qu'institution capable de repousser le penchant de la noblesse à la désagrégation du royaume : c'est une allusion ouverte à l'état des choses dans les années où Pasquier écrivait son ouvrage. Encore ne faut-il pas négliger que, s'il parle souvent de parlements au pluriel, c'est le parlement de Paris qui a été, pour lui, « de toute ancienneté, la pierre fondamentale de la conservation de nostre Estat » (I. 237 B).
Il y a, dans cette reconstitution historique, une rigueur et une cohérence qui donnent une plate-forme idéale à l'élite du tiers état, visant à consolider sa promotion sociale sur le plan politique par le soutien donné à la monarchie. Toutefois, par son attitude modérée, Pasquier montre qu'il préfère l'intégration des gens de robe dans l'ordre nobiliaire, plutôt que de songer à un bouleversement ou même à une modification des hiérarchies traditionnelles. Certes, il se proposait de renforcer la position du parlement en tant que *Curia regis*, où, mieux que dans les États généraux, il voyait représentées les classes dirigeantes du royaume. « C'est une vieille folie qui court l'esprit des plus sages Français – confiait-il à un ami dans une lettre où il le renseignait sur les États tenus à Orléans en 1560 – qu'il n'y a rien qui puisse tant soulager le peuple que telles assemblées ; au contraire, il n'y a rien qui luy procure plus de tort » (II. 84 CD). Par contre, dans une autre de ses lettres, il dit du parlement : « Si jamais ordre politic fut sainement et sainctement observé en quelque république que ce soit, je puis dire franchement et est vray que c'est en nostre Monarchie : car nos anciens recognoissans que combien qu'entre les trois premières espèces de république [monarchie, aristocratie, démocratie] il n'y en ait point de plus digne et excellente que la royauté [...] toutesfois parce qu'il peut quelquefois advenir que la couronne tombe ès mains d'un prince foible et imbécille, ils establirent un perpétuel et général Conseil par la France, que l'on appella parlement. » Et ils « l'establirent non seulement dans Paris, ville capitale de France, mais, qui plus est, dans le Palais, séjour ancien de nos roys, pour monstrer combien les effects de ceste compagnie estoient augustes, sacrez et vénérables ». Ainsi les rois, « reduisans par ce moyen leur puissance absolue sous la civilité de la loy, se sont garentis de l'envie publique [...] se rendans par ce moyen aimez de leurs sujets sur tous les princes de l'Europe » (I. 146 A-C).

Mais la France, pour Pasquier, n'était pas à rechercher uniquement dans l'histoire de ses institutions ou dans les rapports entre les différents pouvoirs – roi, seigneurs, parlements, Église – qui en avaient déterminé la vie politique. Toute une série d'aspects et de phénomènes concernant la vie de la société se présentaient comme indispensables pour saisir la réalité d'un pays vieux de tant de siècles. Déjà en 1560, au début du livre premier,

Pasquier avait prévu qu'il consacrerait la suite de son ouvrage «à quelques anciennetez qui ne concernent tant l'estat du public, que des personnes privées», à «la commémoration de quelques notables exemples que je voy n'estre déduites par le commun de noz chroniqueurs, ou passez si légèrement qu'elles sont à plusieurs incogneues», et encore à «l'explication de quelques proverbes antiques [...] estendant quelquefois mes propos mesme à l'origine et usage de quelque parolle de marque[30]». Plus tard ce projet se sera élargi et les cinq livres prévus à l'origine (mais le deuxième se dédoublera) se seront accrus jusqu'à neuf, dont l'un consacré à l'histoire de la poésie, un autre à celle de la langue et le dernier à l'histoire de la culture, des universités et du droit. Au début du livre septième Pasquier expliquera: «Après avoir par les six livres précedens discouru plusieurs particularitez concernans nos anciens Gaulois et François, les polices, tant séculières qu'ecclésiastiques et à leur suite quelques anciennetez qui ne regardent l'Estat en son général», c'était le moment d'étudier l'«origine, ancienneté et progrez» de la vie littéraire. De même, l'histoire ne pouvait pas ignorer l'évolution de la langue française, provoquée par les changements qui, «selon la diversité des temps», entraînent toute chose humaine, «les habits des magistrats voire les républiques».
Personne n'avait encore conçu une œuvre de la sorte, élargissant le domaine de la recherche à des problèmes aussi nouveaux, d'une curiosité inépuisable. Il est vrai que, de cette façon, l'ouvrage paraissait moins ordonné et cohérent, plus fragmentaire: Pasquier lui-même s'en excusait au début d'un chapitre: «Ce sont icy des meslanges» (I. 671 C). D'ailleurs, ajoutait-il, «il n'est pas dit qu'une prairie diversifiée d'une infinité de fleurs, que nature produit sans ordre, ne soit aussi agréable à l'œil que les parterres artistement élabourez par les jardiniers». Nous trouvons ainsi des chapitres sur des sujets qu'on appellerait aujourd'hui folkloriques: par exemple l'usage des «anciens François» de faire recours aux livres des Saintes Écritures «pour s'informer des choses qui leur estoient à venir»; les premiers témoignages sur l'arrivée en France «de gens vagabonds, que les aucuns nomment Égyptiens, les autres Bohémiens», ou bien l'usage des «gens de robbe longue» de porter des «grands chapperons sur leur teste». Les vêtements et la mode ont aussi leur histoire, et Pasquier rappelle: «Encore de ma jeunesse les plus vieux théologiens, prenans à religion de ne rien changer de vieilles coustumes, en portoient; et y avoit un petit monde de peuple qu'en vivoit en cette grande rue des Cordeliers aux faux-bourgs Saint-Marceau» (I. 396 C-D). D'autres développements concernent l'histoire de mots: assassin, compagnon, gêne, tintamarre, voleur, etc.; d'autres encore les inventions et les techniques: l'imprimerie, le «quadran des mariniers», l'artillerie; ou «quelques secrets de nature dont il est malaisé de rendre la raison»; à remarquer aussi une his-

toire des maladies, «dont les aucunes furent autrefois inconnues»: parmi celles-ci, naturellement, la syphilis.

L'explication de proverbes et dictons s'inspire évidemment des *Adagia* d'Érasme, offrant à Pasquier l'occasion de développer ses réflexions sur des sujets divers en forme d'essai. Mais tandis que le grand humaniste était parti de mots célèbres grecs ou latins, l'historien de la France s'inspire des dictons de son pays: «Je veux qu'on me tond», «Faire la barbe à quelqu'un», «Entre chien et loup», ou encore les proverbes «tirez de monnoyes», etc. Prenons le chapitre consacré au dicton: «Laisser le monstier [monastère] où il est» (I. 783-786). Il lui permet de parler de la nécessité d'éviter les innovations dangereuses. De la part d'un esprit si curieux et ouvert, nous ne nous attendrions pas à des expressions de conservatisme comme celle qui ouvre ce chapitre: «Il n'y a rien qu'il faille tant craindre en une république que la nouveauté.» Mais c'est une attitude que les troubles du temps et les guerres de religion peuvent bien justifier; n'oublions pas, d'autre part, qu'à l'époque l'autorité c'est la tradition, l'Antiquité, et ce que c'est que la tradition relève d'un jugement subjectif: les grands réformateurs du XVIe siècle n'avaient-ils pas déclaré qu'ils ne se proposaient que de restaurer l'ancienne pureté de la foi et des mœurs? Il va sans dire que Pasquier connaît bien la nécessité des changements, et il rappelle Aristote qui, «au second de ses *Politiques*, discourt le pour et le contre» du problème. «Pour le party du changement, il dict que si en toutes sciences on voit les opinions se changer, selon la diversité des rencontres, à plus forte raison doit-on faire le semblable en une discipline politique.» En paraphrasant à sa façon les mots de l'ancien philosophe, Pasquier affirme que «les loix estoient anciennement barbares et conformes aux mœurs du vieux temps [...] Ces vieux pitaux [hommes grossiers] [...] furent esloignés de toute civilité». Ce ne serait qu'une absurdité, «les mœurs ayans receu polissure avec le temps, de s'arrester aux vieilles loix». Cependant, celles-ci peuvent être «tournées en coustumes» et presque «en nature»: d'où la nécessité d'agir avec circonspection dans les changements. Mais si cela est vrai «pour la loy commune», d'autant plus «elle est requise en ce qui concerne la vénérable religion». Il est à noter que la polémique contre les «novateurs en la religion» n'est pas dirigée seulement contre les réformés: elle touchait aussi de près ceux parmi les catholiques qui voulaient introduire en France les «nouveautés» du Concile de Trente. Comme beaucoup d'autres parlementaires, Pasquier voyait dans cette démarche une atteinte à la tradition gallicane: ce n'est pas par hasard qu'il est aussi l'auteur du *Plaidoyé contre les jésuites*, qui contribua à donner gain de cause à la Sorbonne contre la Compagnie de Jésus qui voulait créer dans la capitale l'un de ses collèges[31].

Les Recherches de Pasquier marquèrent un moment central dans l'historiographie du XVIᵉ siècle : appréciées aussitôt comme un ouvrage capital, elles contribuèrent à propager une vision particulière du passé, de même que toute une série de *loci communes,* transmis par la suite dans les manuels scolaires et dans les ouvrages de vulgarisation[32]. Mais ce qu'encore une fois il est bon de souligner, c'est que cette œuvre n'est pas isolée dans le contexte culturel de l'époque ; elle arrive dans un monde intellectuel favorable, passionné d'histoire. Comme nous l'avons dit, l'étude du passé valorise une organisation plus articulée de la vie politique dans une société où des groupes sociaux émergents s'efforcent de trouver leur place. Si l'histoire est en mesure de « conjoindre ensemble, par la mémoire, les siècles passez avecques les présens », elle donne une cohésion plus forte au pays et, par la connaissance de la tradition nationale – « voir les commencements, les institutions, les accroissemens » du royaume[33] – fournit la raison d'être et la conscience du présent.

Dans l'impossibilité d'évoquer la vaste production historique de l'époque, bornons-nous à l'illustrer par deux exemples d'auteurs qui, par des écrits de méthode, arrivent à proposer des perspectives nouvelles à la recherche. Le premier, c'est Jean Bodin, qui en arrive à s'intéresser à l'histoire, poussé lui aussi par ses études de droit. Sa *Methodus ad facilem historiarum cognitionem* (1566) est rédigée dans la conviction que « le meilleur du droit universel se cache bien dans l'histoire », car celle-ci offre une juste « appréciation des lois » en transmettant à la postérité la connaissance des mœurs des peuples[34]. L'histoire, nous révélant « l'origine, l'accroissement, le fonctionnement, les transformations et la fin de toutes les affaires publiques », est la clef de « l'état des républiques » : « C'est grâce à l'histoire que le présent s'explique aisément, que le futur se pénètre. » Instrument pour l'agir politique, elle donne la compréhension du destin des hommes, du moment qu'elle ne peut être vraiment saisie qu'en tant qu'histoire universelle. « Ceux qui croient comprendre les histoires particulières avant d'avoir étudié [...] l'ordre et la succession de l'histoire universelle à travers tous les siècles » commettent la même erreur que ceux qui dressent la carte d'une région « avant que de connaître l'explication de l'univers et la cohésion de ses diverses parties[35] ».

S'étant approché de l'histoire afin de repérer les matériaux pour son enquête qui aboutira à la *République,* Bodin s'efforce de maîtriser l'ensemble des données empiriques en perçant les structures temporelles et naturelles du déroulement historique. Toutefois, il ne veut pas déduire de lois à partir de principes universels : l'histoire des hommes – le sens de leurs actions – a sa propre autonomie, car « la volonté est maîtresse des actions humaines[36] ». Il se dit convaincu qu'« aucune influence, aussi bien des lieux que des corps célestes, n'implique une nécessité absolue », car les hommes peuvent « surmonter la loi de nature [...] par un long effort méthodique ».

Certes, la tentation naturaliste est toujours forte pour tous ces savants. En s'inspirant de l'anthropomorphisme politique, qui avait déjà suggéré plus d'une réflexion à Machiavel et que nous retrouverons dans Bodin, Pasquier avait écrit: «Les républiques symbolisent en cecy avecques les corps humains, lesquels, bien qu'ils rendent l'âme en certain temps, toutesfois ce définement leur advient par les humeurs peccantes en tout ordre politique, lequel ayant commencement et promotions favorables, vient après à défaillir par certains accidens, desquels on peut infailliblement présagir sa fin par démonstrations politiques, qui ne sont pas moins palpables que celles de mathématique à ceux qui en font profession» (I. 23 B). Ce naturalisme nous apparaît donc comme une démarche vers une compréhension scientifique des actions des hommes: l'esprit nouveau, qui anime la révolution scientifique de l'époque, agit de manière que cette connaissance soit poursuivie non pas par des principes universels abstraits, mais par l'expérience, qui est, en l'espèce, la leçon du passé que nous apprend l'histoire.

De ce point de vue, nous trouvons une expression saisissante dans l'autre auteur que nous voulons rappeler ici, Henri de La Popelinière. Dans une lettre envoyée en 1604 au grand philologue de Leyde, d'origine italienne, Joseph Juste Scaliger, il le mettait au courant de son projet: «Afin de nous approcher de la perfection de l'histoire», il se proposait de «solider» ses connaissances par «le voyage et soigneuse remarque des pays estrangers[37]». Surtout par l'observation directe des différents pays d'outre-mer, il pensait arriver à comprendre comment «les hommes, de sauvages et retirez particuliers qu'on dict avoir esté, se sont peu à peu faict sociaux et unis par divers liens de police humaine». La formation des premiers noyaux d'une civilisation et par la suite l'épanouissement des sociétés pleinement évoluées – il croyait pouvoir les suivre sur le vif par un voyage au-delà des mers, dans les terres sauvages et dans les empires de l'Orient. C'était peut-être une vision assez simpliste des progrès de la civilisation, mais il partait de la conviction que les races humaines sont égales et que seules les vicissitudes de l'histoire avaient diversifié la vie des peuples. Il se proposait, partant, une étude comparée des mœurs et des institutions des «peuples civilisez et [de] ceux qu'on appelle, assez improprement, sauvages». Comme Bodin, qui a été considéré comme l'un des pères de la sociologie moderne, le but de La Popelinière était de «rendre l'histoire, de particulière, générale sur les plus notables choses tant humaines que naturelles».

Celui qui écrivait ainsi n'était d'ailleurs pas sans expérience directe du métier d'historien. En 1599 il avait publié un livre fort original, *L'Histoire des histoires, avec l'idée de l'histoire accomplie*, où il avait dressé le bilan de l'historiographie depuis ses débuts, afin d'arriver à esquisser «le dessein de l'histoire nouvelle». Il avait exprimé sa passion de savant en affirmant la nécessité d'être tout à fait détaché de son propre sujet: «Le but de l'historien n'est autre que de réciter les choses telles qu'ils les voit advenir»; il doit donc se dépouiller de toute attitude sentimentale vers son sujet, car il ne peut pas l'étudier vraiment «s'il craint, s'il hait ou aime celui duquel il parle». L'autorité, le pouvoir, ainsi que les vicissitudes des luttes intestines peuvent gêner son «labeur», qu'il doit pourtant «vouer et consacrer à la vérité», songeant «non au respect des présens, mais de la postérité». C'étaient là des principes qui lui avaient déjà fait avoir des ennuis sérieux de la part de ses coreligionnaires réformés, qui avaient censuré son *Histoire de ces derniers troubles* (1571), écrite – d'après le Synode des Églises protestantes – «au préjudice de la Vérité de Dieu[38]»: théologiens et historiens, évidemment, n'avaient pas la même notion de la vérité. Et, néanmoins, La Popelinière s'obstinait, prescrivant à l'historien: «Qu'il ne sçache que c'est de crainte, ny d'espoir [...] Roide, constant et sans fléchir», il doit vivre «sous ses loix et forain chez tous». Lui aussi, comme Pasquier, se méfiait des récits traditionnels et légendaires, et affirmait: «Rien n'est si malséant à l'historien que le faux et la fable» (p. 48). D'ailleurs, «pour droitement exprimer toute la substance de l'histoire, sans nous arrester aux accidens d'icelle, qui sont innumérables», il faut éviter de «tomber en un labyrinthe infini, qui ne reçoit point de science, mais seulement s'arrester aux différences essentielles et formelles» (pp. 35-36). C'est vraiment le dessein d'une histoire nouvelle qu'il poursuit, convaincu que «sçavoir est cognoistre par les causes» (p. 110): dans les mœurs et dans les institutions des peuples – qui vivent bien plus longtemps que les individus – il est possible de trouver «l'origine, progrez et changement des plus notables choses» (p. 83). Par conséquent, il faut étudier l'histoire de la France en remontant aux origines, «cognoistre les pays desquels les François sont sortis, les mœurs, loix, police» qu'ils avaient, et «s'ils ont conservé leurs anciens mœurs, langues, habits, armes, justice, religion et autres formes de vivre» (p. 111). C'est le programme que Pasquier s'était efforcé de remplir. Pour sa part, La Popelinière croit que l'histoire ne peut pas «buter à la considération des particuliers», mais ne doit «chercher pour narré que les choses qui concernent l'Estat». En tout cas, son objectif est universel: «Ce seroit bestise de restraindre la capacité de l'histoire, qu'on appelle le mirouer du monde, aux affaires d'une seule vacation.»

Dans un autre de ses livres, *Les Trois Mondes* (1582), il avait exprimé déjà sa soif de connaître, son ardeur pour la recherche, son esprit critique, ouvert à toutes les nouveautés de l'époque. Ouvrage de géographie et d'histoire, ce livre se proposait d'illustrer le vieux continent et le nouveau, ainsi que le continent austral, estimé beaucoup plus étendu qu'il ne l'est, et dont La Popelinière souhaitait la colonisation de la part des Français. En conjuguant les découvertes géographiques et la connaissance du passé, La Popelinière se proposait d’arriver à une vision du monde unitaire et affranchie des vieux schémas théologiques et philosophiques. Certes, il y avait aussi un dessein politique : il voulait montrer les possibilités de briser l’hégémonie espagnole, dominant l’Europe grâce aux trésors d’Amérique. « La terre est estrangement grande », s’écrie-t-il presque ému, et de nouveaux horizons s’ouvrent, qui peuvent offrir aux hommes et aux peuples des rapports différents. Il remarque ainsi que les pays de l’Asie étaient « tellement bien policez, pourveuz et aguerris de tous temps [...] que les Portugais furent forcez de practiquer un autre expédient que l’effort de leurs armes » pour « continuer leur trafic en ces pays[39] ». Comme il ressort aussi de l’éloge de l’imprimerie, qu’il fera dans *L’Histoire accomplie* (p. 15), la « police », la « civilité », bref, ce que nous appelons la civilisation est, à son avis, un facteur de force et de cohésion, qui permet d’envisager un univers où des réseaux de relations, d’échanges, de connaissances donneront aux peuples un niveau plus élevé de vie commune.

Il est à remarquer que, surtout dans la seconde moitié du XVIe siècle, les contrecoups des grandes découvertes déclenchèrent en France une fièvre de curiosité à l’égard des terres nouvelles et toute une série de réflexions sur les possibilités qu’elles allaient offrir. Il est vrai qu’en voyant souvent rangés côte à côte, dans les bibliothèques des grands bourgeois de l’époque, ouvrages d’histoire ancienne, livres de voyages, romans d’aventure et poèmes chevaleresques, nous pouvons penser que les vicissitudes tragiques de ces années n’ont pas été étrangères à la fortune de telles lectures, qui permettaient de franchir – l’imaginaire aidant – les frontières ensanglantées du royaume[40]. Nous avons déjà souligné le sens des recherches sur l’Antiquité ; or, dans toute cette littérature de voyages, il y a beaucoup plus qu’une curiosité à la mode ou le désir de s’évader : s’y trouvent des nouvelles et des remarques qui travailleront en profondeur dans les consciences, contribuant à transformer non seulement les connaissances géographiques ou les traditions culturelles, mais l’outillage mental, la problématique religieuse, les fondements mêmes de la morale et de la vie civile. Le monde méditerranéen paraît petit désormais – comme La Popelinière le remarquait – par rapport aux immenses étendues des terres et des mers découvertes, au moment où les équilibres de l’ancienne *Respublica christiana* sont rompus non seulement par les luttes religieuses, mais aussi par la prise de conscience des causes qui sont à l’origine de la puissance espagnole. De nouveaux mondes se présentent à l’esprit des lecteurs de ces livres : ils découvrent l’Orient lointain, des civilisations très anciennes et parfaitement policées, d’autres religions et surtout la coexistence sans conflits de fidèles de confessions différentes, ce qui prendra la valeur de mythe dans la formation de l’idée de tolérance à l’âge des Lumières.

Il sera long le chemin qui mènera aux changements profonds de la vision du monde, dont Paul Hazard a parlé dans sa *Crise de la conscience européenne.* De cette crise nous trouvons pourtant les fondements lointains dans les ouvrages du XVIe siècle qu'on vient d'évoquer. En effet, les grandes transformations des sentiments et des croyances requièrent toute une stratification de connaissances, d'expériences, de réflexions, qui ne connaissent pas seulement des circonstances favorables et des élans vers l'avenir, mais aussi des moments de stagnation et même de reflux. Le passage du conservatisme à l'innovation, remarqué par Hazard entre le XVIIe siècle finissant et les débuts du XVIIIe, avait été aussi brusque, mais en sens inverse, un siècle auparavant. Si une quarantaine d'années avaient suffi pour qu'une façon jusque-là inédite de considérer le rapport entre son propre pays et le temps, bref, une vision nouvelle de l'histoire s'affirme au XVIe, se proposant de fondre en une seule perspective le passé des hommes et les mondes nouveaux, la vie morale et la nature, dès les débuts du siècle suivant, la réflexion sur le passé ainsi que les intérêts concernant l'État et la société changent de signe. L'alerte et savante curiosité envers tout ce qu'un vivant rapport entre passé et présent offre de sens à l'histoire, perd en intensité. L'histoire revient au récit annaliste, la recherche érudite est une fin en soi, l'analyse philologique n'a plus la même ardeur novatrice ; ce n'est que dans le domaine de l'Antiquité ecclésiastique et religieuse que l'on creuse à fond la tradition et les origines des institutions et des croyances, mais cela est dicté d'abord par les exigences de la controverse.

Il n'est pas de notre propos, ici, de chercher à pénétrer ce changement de climat culturel et intellectuel ; il est clair, néanmoins, que la « nouvelle histoire » n'a plus sa place dans la France réorganisée par la monarchie des Bourbons. Malgré la crise politique, la société française au XVIe siècle avait été ouverte et dynamique et les possibilités de transformation, unies à la recherche d'une identité nationale, avaient stimulé la construction d'une mémoire historique vaste et complexe. Par contre, des structures sociales plus figées contribuèrent à isoler le présent dans la France du XVIIe siècle, qui ne paraît plus si soucieuse de voir dans le passé les scansions d'un procès temporel ininterrompu, projeté vers des objectifs novateurs. D'ailleurs, l'intérêt pour les institutions, qui avait poussé Pasquier dans ses *Recherches* et, comme lui, d'autres historiens, ne peut plus alimenter le travail des savants, du moment que la personne du monarque, exaltée et presque divinisée, doit apparaître, sans alternative aucune, comme l'image et le garant de la continuité de la nation en tant qu'ensemble politique. Et alors, c'est au narré de ses hauts faits qu'il faut revenir, au récit des guerres que le roi conduit, à l'illustration de ses actes politiques et de ses décisions souveraines. En même temps, le rôle que la noblesse joue à la cour requiert le retour aux généalogies, aux évocations des exploits accomplis par les grands personnages du passé. Et les mœurs,

qui ne concernent que le populaire, ne peuvent avoir qu'un mince intérêt pour ceux qui – comme Bossuet, et à la différence de Pasquier – estiment que tous les hommes naissent sujets.
Il faut ajouter qu'un changement important survient aussi dans les milieux intellectuels : parmi les gens de robe, le lien entre engagement politique et effort culturel n'est plus le même. À partir des premières années du XVIIe siècle, ils cherchent, ils trouvent d'autres chemins pour consolider leur position dans le royaume, et ces moyens concernent moins les avantages de leur ordre que leurs aspirations de particuliers. Il ne s'agit plus d'affirmer le rôle central du parlement dans la monarchie, comme l'avait fait Pasquier : les grandes familles de l'élite du tiers état multiplient les alliances avec la noblesse, grâce à la vénalité des offices et à l'achat de la terre noble, ce qui finit par offusquer le sens de solidarité que nous trouvons attesté dans tant d'ouvrages et de correspondances du XVIe siècle, montrant les intérêts communs de la vie sociale et intellectuelle.
Mais ce ne sont pas seulement les changements d'attitudes mentales qui nous révèlent le déclin des problématiques de la « nouvelle histoire ». Pour revenir à Pasquier, l'histoire des éditions de ses *Recherches* est déjà par elle-même significative : contre la chaîne presque ininterrompue de leurs rééditions, se poursuivant encore pendant la première décennie du XVIIe siècle, à partir de 1621 le livre ne reparaît plus que trois fois, à la distance de douze, dix et vingt ans. S'il faut bien prendre en compte le vieillissement naturel de l'ouvrage, il faut aussi remarquer que nulle entreprise comparable n'en prendra la place. Après 1665, seule l'érudition du XVIIIe siècle se proposera, à sa façon, de poursuivre l'œuvre dont le grand historien était si fier, sachant y avoir recueilli

> *ce que j'ay veu par ma France passer*
> *pour l'engraver au temple de la mémoire* (II. 876 C).

1. Nicolas Machiavel, *Œuvres complètes*, texte présenté, établi et annoté par E. Barincou, Paris, Gallimard, Bibl. de la Pléiade, 1952, p. 135. La date de rédaction de cet écrit n'est pas sûre : je suis l'opinion de Jean-Jacques Marchand, *Niccolo Machiavelli : i primi scritti politici (1499-1512)*, Padoue, Antenore, 1975, p. 247.

2. Lettre du duc d'Albe à Philippe II d'Espagne, envoyée de Paris le 8 juillet 1559 (citée par R. Romano, « La pace di Cateau-Cambrésis e l'equilibrio europeo a metà del secolo XVI », *Rivista storica italiana*, 1949, p. 539).

3. *Jacobi Augusti Thuani Historiarum sui temporis pars prima*, Paris, Veuve de Mamert Patisson, 1604 (mais je cite d'après l'édition de Francfort, Kopff, 1614, t. Ier, p. 1010).

4. *Les Recherches de la France*, chap. Ier (I, 3B) : les écrits de Pasquier sont cités d'après

Les Œuvres d'Estienne Pasquier..., publiées à Amsterdam, aux dépens de la Compagnie des Libraires Associez, 1723 (réimpression anastatique par Slatkine Reprints, Genève, 1971). Le chiffre romain entre parenthèses indique le volume, l'arabe la colonne; les lettres de A à D indiquent la position dans la colonne du passage cité.

5. La question « transmission orale/parole écrite », se rattache à cette époque au problème de l'art de la mémoire et à la philosophie hermétique (en faveur à la cour des derniers Valois, surtout parmi les milieux italianisants), *cf.* Frances A. Yates, *The Art of Memory*, Londres, Routledge and Kegan Paul, 1966; et de la même historienne, *French Academies of the XVIth Century*, Londres, Warburg Institute, 1947 (Kraus Reprint, 1973); *Giordano Bruno and the Hermetic Tradition*, Londres, Routledge and Kegan Paul, 1964; *Lull and Bruno. Collected Essays*, Londres, Routledge and Kegan Paul, 1982.

6. Étienne Pasquier, né à Paris dans une famille de juristes et d'avocats, fut destiné dès sa première jeunesse à la carrière du barreau, et fréquenta plusieurs universités de droit en France et en Italie. Avocat en 1549, il se fit une renommée surtout grâce à son *Plaidoyé contre les Jésuites* de 1564. Avocat général à la Chambre des comptes en 1585, il renonça à la charge d'avocat du roi en faveur d'un de ses fils en 1603. Il mourut à Paris en 1615. *Cf.* Clark L. Keating, *Étienne Pasquier*, New York, 1972; Paul Bouteiller, *Un historien du XVI*e *siècle: Étienne Pasquier*, Abbeville, 1945; Robert Bütler, *Nationales und universales Denken im Werke Étienne Pasquier*, Bâle, 1948, et Margaret J. Moore, *Étienne Pasquier historien de la poésie et de la langue françaises*, Poitiers, 1934.

7. Jacques Le Goff, « Memoria », *Enciclopedia Einaudi*, t. VIII, p. 1069.

8. Bernard de Girard Du Haillan, *De l'estat et succez des affaires de France*..., Paris, Olivier de l'Huillier, 1570, Préface. Sur les conséquences de la paix de Cateau-Cambrésis, moins graves que les Français de l'époque ne l'avaient cru, et sur les nouveaux équilibres politiques et économiques de l'Europe dans la seconde moitié du XVIe siècle, il sera superflu de renvoyer aux pages, désormais classiques, de *La Méditerranée et le monde méditerranéen à l'époque de Philippe II*, de Fernand Braudel (Paris, Armand Colin, 1949 et 1966).

9. Petrus Crinitus, *De honesta disciplina*, éd. par C. Angeleri, Rome, 1955, p. 317: *cf.* Donald R. Kelley, *Foundations of Modern Historical Scholarship. Language, Law and History in the French Renaissance*, Columbia U.P., 1970, p. 12.

10. Marc Fumaroli, « Aux origines de la connaissance historique au Moyen Âge: Humanisme, Réforme et Gallicanisme au XVIe siècle », *XVIIe siècle*, 1977, n° 114-115, p. 15.

11. Id., *ibid.*, p. 16.

12. Donald Kelley, *Foundations*..., *op. cit.*, p. 12.

13. Alberto Tenenti, « La storiografia in Europa dal Quattro al Seicento », *Nuove Questioni di Storia Moderna*, Milan, Marzorati, 1963, p. 5 du tiré à part et plus généralement, Claude-Gilbert Dubois, *La Conception de l'histoire en France au XVIe siècle*, 1560-1610, Paris, Nizet, 1977.

14. Pour toutes ces données je renvoie à mon article, « "Paulus Aemilius Gallis condidit historias" ? » *Annales E.S.C.*, 1964, pp. 1117-1124.

15. *Cf.* George Huppert, *L'Idée de l'histoire parfaite*, Paris, Flammarion, 1973, pp. 193-195. La *Bibliothèque Françoise* de François La Croix du Maine fut éditée par Abel l'Angelier à Paris en 1584.

16. Lucien Febvre, *Philippe II et la Franche-Comté*, Paris, H. Champion, 1912, p. 351.

17. *Cf.* G. Huppert, *L'Idée de l'histoire parfaite, op. cit.*, pp. 40-41.

18. *Cf.* la préface d'Henri Hauser aux *Sources de l'histoire de France*, Paris A. Picard, 1912. Sur ces problèmes voir aussi mon livre, *Lotta politica e pace religiosa in Francia fra Cinque e Seicento*, Turin, Einaudi, 1974[2] (en particulier p. 139 *sq.)*.

19. Lorenzo Valla, *Recriminationes in Facium*, cité par D. R. Kelley, *Foundations..., op. cit.*, p. 78.

20. L'histoire des éditions des *Recherches de la France* n'est pas simple, et il manque encore une édition critique de l'ouvrage. En 1560, Pasquier publia le premier livre chez V. Sertenas à Paris, et dans le même volume parut *Le Pour-parler du prince*. Il y eut une deuxième édition en 1567 chez P. Trepperel d'Orléans, qui, dans la même année, publia aussi le «Second Livre». Deux ans après P. l'Huillier fit paraître les «Livres Ier et IInd». Plusieurs éditions suivirent, toujours accrues de nouveaux chapitres ou de nouveaux livres, mais ce ne fut qu'en 1607 que Pasquier publia l'ouvrage en sept livres. Les deux derniers livres des *Recherches* ne parurent qu'après la mort de l'auteur, mais dans les éditions qui suivirent l'organisation des livres ajoutés n'est pas toujours la même. Deux volumes d'œuvres choisies (d'après l'édition d'Amsterdam) furent publiés par Léon Feugère chez Firmin-Didot, a Paris, en 1849.

21. *Cf.* Colette Beaune, *Naissance de la nation France*, Paris, Gallimard, 1985, p. 19 *sq.*

22. *Cf.* Marc-René Jung, *Hercule dans la littérature française du* XVIe *siècle*, Genève, Droz, 1966.

23. Les sectateurs du pape - écrivait Paolo Sarpi, l'historien du Concile de Trente, à l'un de ses amis français, le parlementaire Jacques Gillot, le 15 septembre 1609 - «maintenant n'aspirent plus seulement à sa primauté, mais ils songent à un "totat" [totatus dans l'original latin], s'il est permis de créer un mot nouveau pour définir une situation où, tout ordre légal supprimé, tout le pouvoir est confié à une seule personne» *(cf.* Paolo Sarpi, *Lettere ai gallicani*, éd. par B. Ulianich, Wiesbaden, 1961, p. 134).

24. Sur ce problème Pasquier ne s'arrête qu'une seule fois, dans une lettre à Pierre Robert: II. 575-582 (en particulier 580-581).

25. Charles Du Moulin, *Commentarii in Consuetudines Parisienses...*, Paris, M. Somnium 1576, p. 2: «*Merito priore loco ponitur hic materiae feudalis titulus, quum feuda sint proprium et peculiare inventum veterum Francorum.*»

26. Il s'agit du célèbre hérétique antitrinitaire Michel Servet, brûlé sur le bûcher à Genève en 1553, qui, en 1535, avait publié à Lyon, chez les frères Trechsel, l'ouvrage de Ptolémée, *Geographicae enarrationis libri octo* (une autre édition en 1541).

27. Robert Dallington, *The view of Fraunce* [sic!]. *Un aperçu de la France telle qu'elle était vers l'an 1592*, traduit de l'anglais par É. Émérique, Versailles, Cerf et C., 1892, p. 167.

28. Jacques-Bénigne Bossuet, *Politique tirée des propres paroles de l'Écriture Sainte*, Paris, Cot, 1709, p. 248 et *cf.* 1. Ier, art. Ier *sq.*

29. Le fait que Pasquier ait fait appel encore une fois aux pages du «républicain» Machiavel pour chanter les louanges des institutions de son propre pays - a remarqué G. Procacci - ne doit pas nous étonner. Sa familiarité avec les écrits du secrétaire florentin était très grande et - malgré les invectives habituelles contre son impiété - il éprouvait pour lui une admiration profonde. (*Cf.* Giuliano Procacci, *Studi sulla fortuna del Machiavelli*, Roma, Istituto Storico Italiano per l'Età Moderna e Contemporanea, 1965, p. 118.) Pasquier fait allusion ici en particulier au chapitre XIX du Prince (*cf.* Machiavel, *Œuvres complètes, op. cit.*, p. 346).

30. Je cite d'après l'édition des *Recherches* (livre premier et second) publiée par Claude Micard en 1571, p. 8 r°.

31. La polémique entre Pasquier et les jésuites se poursuivra longtemps et dégénérera en véritable guerre de plume de la part de la Compagnie. Dans le recueil de ses lettres, Pasquier a publié la réponse qu'il avait adressée au général de la Compagnie, le père Acquaviva; entre autres choses il précisait qu'«en nostre France» il faut dire: «Il est vray catholique françois, doncques ennemy des jésuites» (II. 637 B).

32. L'histoire de la fortune des *Recherches de la France* est encore à faire. On peut lire dans une biographie de Pasquier que «tout cela est devenu vulgaire à force d'avoir été copié dans tous les livres qu'on a faits depuis», et en effet par les témoignages des amis et des

correspondants de Pasquier nous pouvons nous rendre compte que les premiers livres eurent un grand écho dans le monde culturel, tellement qu'après leur publication les ouvrages sur les antiquités de la Gaule vont se multiplier. La légende troyenne disparaît des ouvrages d'histoire, tandis que l'origine gauloise des Français apparaît, dès lors, comme un fait indiscutable. Il faut remarquer également qu'Hercule aussi devient maintenant «gaulois»: le récit de Lucien sur cette particulière figuration du héros grec faite par les Gaulois, en tant que symbole de la persuasion, avait été traduit par Budé en 1508, mais il connaît une grande diffusion surtout dans la propagande monarchiste de la seconde moitié du XVIe siècle (*cf.* mon article, «Henry IV, the Gallic Hercules», *Journal of the Warburg and Courtauld Institute,* 1967, pp. 176-197, et le livre cité de M. – R. Jung). Un jour, les manuels scolaires parleront tout naturellement de «nos ancêtres, les Gaulois». Difficile de dire si Pasquier est aussi la source directe d'Uderzo, dont les héros gaulois ne craignent qu'une chose: que le ciel ne leur tombe sur la tête, justement d'après la réponse que les Gaulois avaient donnée à une légendaire ambassade envoyée par Alexandre le Grand, dont on parle au début des *Recherches* (I, 7 A).

33. Bernard Du Haillan, *De l'estat et succez des affaires de France, op. cit.*

34. Jean Bodin, *Methodus ad facilem historiarum cognitionem in Œuvres philosophiques,* texte établi, traduit et publié, par P. Mesnard, Paris, Presses universitaires de France, 1951, p. 276 B.

35. Id., *ibid.,* p. 178 A.

36. *Ibid.,* p. 287 B.

37. *Cf. Épistres françoises de personnages illustres et doctes à M. Joseph Juste de la Scala,* publiées par Jacques de Reves, Harderwyck, Veuve de Thomas Henry, Amsterdam, 1623, pp. 303-307. La lettre, que j'avais reproduite dans l'appendice de mon article, «Alle origini dell'idea di civiltà. Le scoperte geografiche e gli scritti di Henri de La Popelinière», *Rivista storica italiana,* 1962, pp. 23-25 du tiré à part, a été republiée par G. Huppert dans l'appendice de son livre cité.

38. *Cf.* Jean Aymon, *Tous les Synodes nationaux des Églises Réformées de France…,* La Haye, 1710, t. Ier, IIe partie, p. 151 *sq.*: XIe Synode […] La Rochelle, 28 juin 1581.

39. Henri de La Popelinière, *Les Trois Mondes…,* Paris, Pierre l'Huillier, 1582, Ire partie, f° 53.

40. *Cf.* Geoffroy Atkinson, *Les Nouveaux Horizons de la Renaissance française,* Paris, Droz, 1935. *Cf.* aussi Alphonse Dupront, «Espace et humanisme», *Bibliothèque d'humanisme et Renaissance,* VIII, 1946.

MARCEL GAUCHET

Les "Lettres sur l'histoire de France" d'Augustin Thierry

« L'alliance austère du patriotisme et de la science »

« Pendant quelque quarante ans, depuis qu'Augustin Thierry, par ses premières lettres insérées dans un recueil périodique, a appelé l'attention publique sur les origines de la patrie, notre vieille société a été soumise à un travail analogue à celui que la géologie fait subir à la terre que nous habitons. De la surface visible, où la vie fleurit et s'agite dans toute sa puissance, on a pénétré dans les débris que recèlent les entrailles ; et comme on remonte de couche en couche aux premiers temps du globe, on a exploré de siècle en siècle les moments superposés de notre histoire. » Voici, parmi bien d'autres attestations possibles, les termes dans lesquels Rémusat salue en 1860 le caractère inaugural des dix *Lettres sur l'histoire de France* parues en 1820 dans le *Courrier français*[1]. Avec elles commence l'exploration en profondeur du passé national : tel est l'événement dont elles cristallisent la mémoire. Elles fournissent le repère auquel rattacher « la révolution qui depuis 1820 a changé complètement la face des études historiques ou, pour mieux dire, qui a fondé l'histoire parmi nous », comme dira Renan dans *L'Avenir de la science*[2]. La formule de Renan décalque au demeurant celle même qu'emploie Thierry en 1827, lors de la reprise et de la refonte en volume de ses premiers manifestes, à propos des ouvrages qui ont marqué, dans l'entre-temps, « une véritable révolution dans la manière d'écrire l'histoire de France », ceux de Sismondi, de Guizot, de Barante[3]. C'est cette révolution historique des années 1820, si vivement sentie par ses acteurs et ses contemporains – « nous sommes les premiers qui ayons compris le passé », dira carrément l'un d'eux[4] –, encore mémorable et nette pour ceux, comme Renan, venus immédiatement après, et quelque peu brouillée, voire recouverte par les généalogies ultérieures de la discipline, à laquelle nous voudrions en somme rendre justice. Car, pour une fois, au rebours de sa pente disqualificatrice ordinaire, la tâche de l'historien est bel et bien de re-qualifier et de justifier le point de vue des participants et témoins de l'événement contre une postérité qui a perdu peu à peu le sens de leur initiative. Il s'est opéré entre 1820 et 1830 une transformation du rapport au passé qui a créé les conditions de l'investigation historique «scientifique» telle que nous continuons de la pratiquer – sous des formes, il est vrai, qui aujourd'hui nous déroutent et avec des limites qui nous masquent l'acquis de fond en ne nous laissant plus voir que l'approximation ou l'errement du discours. Nous avons à en ressaisir le tranchant et la portée. Il s'agit, au prix d'une traversée des apparences, de regagner la signification de cette rupture féconde.

1.

Rémusat, en même temps qu'il balise la mémoire d'un commencement, nous indique le chemin par lequel s'est opéré son recouvrement: sa réduction politique, pour le dire d'un mot. D'où est-ce qu'est venu cet intérêt intense, impérieux, pour les annales de la nation? De la nécessité de trouver une réponse à la question: «Pourquoi la Révolution française est-elle arrivée?» Je n'ai jamais conçu, dit Rémusat, qu'«on pût lire l'histoire de France sans constamment penser à la Révolution française». Et le grand fruit, «la vive lumière» qu'il voit découler du patient labeur de fouille des «habiles historiens de notre temps», c'est qu'au bout de leurs enquêtes la Révolution «est devenue le dénouement naturel d'un drame de dix ou onze siècles[5]».
Ce n'est pas que le propos soit faux. Sans parler même des livres retentissants consacrés au sujet (Thiers, 1823; Mignet, 1824), l'ombre gigantesque de 89 et de 93 domine la période. La nécessite de se situer par rapport à l'héritage et aux résultats de l'événement révolutionnaire est incontournable; elle est dans le contexte de la Restauration la condition de base qui définit une attitude politique. Avec le régime napoléonien, on demeurait enfermé dans les suites de l'événement, sans distance réfléchie avec lui. L'effet immédiat de son effondrement, conjoint à l'ambition de renouer la continuité monarchique par-dessus un quart de siècle incomparablement rempli, a été de libérer le problème de la Révolution, de le poser dans toute sa fraîcheur et son acuité, le phénomène devenant d'un coup à concevoir dans l'ampleur de son déroulement et à juger dans l'étendue de ses conséquences. Thierry exprime bien, au détour d'un article de 1820, ce que fut cet effet d'ouverture, qu'il assimile significativement à une résurgence: «... dans l'année 1814, se réveilla tout à coup la Révolution française. Sortie du bourbier de l'empire, la France libérale reparut aux yeux, brillante et jeune, comme ces villes que nous retrouvons intactes après des siècles, quand nous avons brisé la couche de lave qui les couvrait[6].» Et il est vrai, sur un plan plus proprement intellectuel,

que l'élucidation de la fracture de 89 à la lumière de sa réinscription dans la continuité d'une longue suite de siècles a été l'exercice type au travers duquel une neuve conscience de la profondeur et de la puissance du temps historique s'est assurée d'elle-même. Du Guizot de 1820 évoquant en des phrases fameuses la «bataille décisive» qu'a été la Révolution dans la lutte menée «depuis plus de treize siècles» par le peuple vaincu «pour secouer le joug du peuple vainqueur[7]», au Thierry de 1827 saluant dans «les révolutions municipales du moyen-âge» la préfiguration des «révolutions constitutionnelles des temps modernes[8]», les exemples abondent de cette quête d'une intelligence et d'une légitimation du mouvement présent par son rattachement à une poussée venue du fond des âges. Reste que c'est par le biais de cette association de la réforme des études historiques à l'objet et à la cause révolutionnaires que le principe de la découverte du passé qui s'est jouée à ce moment-là a disparu de la vue. Lorsque les progrès de l'érudition et les exigences de la critique positiviste ont rendu criantes les faiblesses de notre historiographie libérale et romantique, on n'a plus voulu retenir de leur entreprise que son côté politique.

Les auteurs, il faut le dire, avaient fourni l'arsenal de citations propre à nourrir un tel cliché. À commencer par Thierry lorsqu'il relate avec une admirable candeur les origines utilitaires de sa vocation. «En 1817, rapporte-t-il dans l'Avertissement des *Lettres*, préoccupé d'un vif désir de contribuer pour ma part au triomphe des opinions constitutionnelles, je me mis à chercher dans les livres d'histoire des preuves et des arguments à l'appui de mes croyances politiques[8].» Les lignes qui suivent ont beau préciser comment de là il est venu à la passion pour l'histoire en elle-même, le soupçon est resté, sur la foi de mâles propos de cet ordre, que le souci de la juste cause l'avait emporté, en ce premier moment, sur la préoccupation savante. «Rendons la justice aux historiens de 1820, écrira Camille Jullian dans un élan sympathique, qu'ils ont fait tout ce qu'ils ont pu pour ne point subordonner la vérité à la liberté[9].» Il est des façons de justifier qui chargent un peu plus l'accusation! Ainsi est-il demeuré, de cette phalange d'historiens militants de la Restauration, l'image d'une avant-garde bourgeoise attachée à pourvoir son parti et sa classe d'une conscience plus ferme d'elle-même, de ses origines et de sa mission. Cela avant que l'histoire ne devienne vraiment science, après 1830, grâce, pour partie, aux heureux effets de la «Révolution des historiens» dont la carrière et l'œuvre de Guizot à la tête des affaires constituent l'éclatante illustration (*cf.* ci-après l'étude de Laurent Theis, «Guizot et les institutions de mémoire»). De la collecte méthodique des documents à l'histoire à la fois pleinement nationale et réellement archivistique à la Michelet, en passant par l'essor de l'érudition chartiste, nous devons à la monarchie de Juillet l'authentique épanouissement d'une connaissance positive du passé dont le romantisme combattant des Thierry, Barante ou Mignet ne nous livrerait que d'incertaines ou sentimentales prémisses – l'affirmation d'un besoin social, en somme, et la sensibilisation de l'esprit public, l'un et l'autre satisfaits plus tard et mieux par d'autres.

À ce troc du crédit savant contre un rôle idéologique et politique, aux yeux de sa postérité, nos auteurs n'ont pas tout perdu. Ils ont même gagné un titre de gloire parmi les plus éminents, celui d'inventeurs de la lutte des classes, décerné par les fondateurs en personne du matérialisme dialectique. Marx a mis son point d'honneur à souligner combien il était redevable sur ce point aux descriptions des historiens bourgeois, Thierry et Guizot en tout premier lieu; Engels a renchéri sur le rôle crucial de cet emprunt à l'école française de la Restauration; les disciples n'ont pas manqué de suivre[10]. Nous devons à cette tradition de piété filiale envers les découvreurs de la compréhension conflictuelle du développement historique le seul ouvrage d'ensemble récent sur la période, celui, soviétique, de B. Reizov, *L'Historiographie romantique française, 1815-1830*[11]. Point trop de sûreté philologique, peut-être, donc, chez ces précurseurs, mais un rôle de premier plan dans la formation des instruments intellectuels de l'analyse matérialiste et scientifique du devenir social. Même ceux qui consentent à créditer l'œuvre des historiens libéraux d'un apport significatif dans la gestation sinon de la science, du moins de la conscience historique moderne, se croient obligés de le minimiser en le ramenant au contrecoup, toujours, de la Révolution. Événement culturel il y aurait eu, en effet, mais comme simple prolongement, comme traduction de l'événement politique. «Les perturbations de la Révolution et de l'Empire, écrit par exemple Philippe Ariès, en faisant table nette du passé avaient interrompu le cours régulier de l'histoire. Il y eut désormais un avant et un après[12].» À la faveur de cette fracture majeure, apparaît une nouvelle sensibilité au devenir, marquée par la distance et la discontinuité. Dans le sillage de la béance ainsi créée, s'opère la découverte «des différences de la couleur humaine dans le temps». Ce dont atteste la recherche plus ou moins maladroite de la «couleur locale», la quête du détail distanciateur (comme chez Thierry la restitution aventureuse «des noms franks, d'après l'orthographe teutonique»), le souci de la narration animée. Toutes préoccupations par lesquelles l'entreprise historienne participe directement de la mutation esthétique du romantisme. «J'avais l'ambition de faire de l'art en même temps que de la science», dira Thierry plus tard à propos de son premier livre, *L'Histoire de la conquête de l'Angleterre par les Normands* (1825)[13]. Disons que les ressources de l'art ont permis de suppléer aux lacunes d'une érudition approximative. «Le souci du dépaysement qui orientait désormais l'historien vers le tableau vivant, dit Ariès, était tout juste un sens rudimentaire de la différence des temps[14].» Nous aurions ainsi affaire, avec ce romantisme historien et ses peintures naïvement dramatiques, à une *transition littéraire* entre deux âges de la conscience historique. Le principe de discontinuité introduit par le séisme révolutionnaire s’y serait exprimé sur un mode poétique, faute d’autres moyens, avant que le recours systématique aux sources et la critique du document n’en viennent à fonder une réelle maîtrise cognitive de la distance du passé.

Ici encore, d’ailleurs, l’interprétation a pour elle de rejoindre le sentiment des contemporains. Eux aussi ont été tentés de lire les transformations culturelles auxquelles ils assistaient dans les termes de la rupture entre toutes exemplaire, la rupture révolutionnaire. Stendhal, par exemple, en 1825: «D’ici la fin des deux ou trois années qui vont venir, toutes les vieilles absurdités littéraires périront donc dans une Saint-Barthélemy générale. La Révolution va produire son effet sur la littérature[15].» Et que n’ont-ils dit sur leur supériorité d’hommes du XIXe siècle, «forts de cette expérience de la vie politique qui est un des privilèges de notre époque si remplie de grands événements», par rapport aux meilleurs esprits mêmes de l’Ancien Régime. «Il n’est personne parmi nous, assure ainsi froidement Thierry, qui n’en sache plus que Velly ou Mably, plus que Voltaire lui-même sur les rébellions et les conquêtes, le démembrement des empires, la chute et la restauration des dynasties, les révolutions démocratiques et les réactions en sens contraire[16].» Comment la nouveauté des temps eût-elle pu n’être pas conçue par ses agents à la lumière de l’immense ébranlement qu’ils venaient de traverser?

À nous, peut-être, en revanche, de la comprendre autrement. Il paraît difficile de révoquer en doute l’importance de la rupture révolutionnaire, que ce soit au titre de ses conséquences de fait ou en tant que problème désormais incontournable pour l’intelligence, en France et au-delà des frontières françaises. Faut-il pour autant réduire la mutation du sens du passé qu’on observe dans les années 1820 aux seules incidences de la coupure effective avec le passé créée par la chute de l’Ancien Régime? Nous ne le pensons pas. Ce qui incite à le faire, c’est la précarité des bases savantes de cette histoire nouvelle. Elle accrédite l’idée qu’on est en présence d’un phénomène de sensibilité porté par l’époque plutôt que d’une authentique démarche de connaissance, guidée par un dessein réfléchi et maîtresse de ses instruments. Mais ne peut-on vraiment concevoir l’établissement de la démarche de connaissance sur un autre patron? Cela nous semble, dans le cas, indispensable. Le moment fécond, décisif, n’est-ce pas celui de la cristallisation du système de présupposés qui vont à la fois ouvrir un nouvel accès empirique à l’objet et fonder de nouvelles conditions d’intelligibilité? Dans l’idéal, sans doute, et dans les faits, le plus souvent, la mise en place de pareille organisation épistémique nouvelle ne se laisse pas séparer de la mise en œuvre des moyens techniques exigés par sa réalisation. Les choses sont susceptibles toutefois de se passer différemment – nous en avons ici le parfait exemple. En matière historique, du reste, les chemins de la constitution de la discipline en science cadrent mal, de façon générale, avec les termes de ce schéma classique. On a vu se former, fin XVIIe-début XVIIIe siècle, les moyens érudits et critiques d'une restitution exacte des données du passé, indépendamment d'un projet d'intelligibilité globale du continent de la sorte appréhendé pour la première fois dans sa véracité factuelle[17]. On a eu, en somme, le matériel sans son exploitation (voire même sans les moyens de son exposition, l'ordre alphabétique du glossaire ou du dictionnaire venant suppléer à l'incapacité d'en produire une présentation organiquement liée). On a affaire ici au mouvement exactement inverse : à l'émergence dans l'abstrait, en quelque sorte, c'est-à-dire sur un mode littéraire ou philosophique relativement découplé du travail sur les sources, de l'ensemble des schèmes qui vont sous-tendre et commander jusqu'à nous la compréhension et l'exposition du passé. Une exploitation prématurée des connaissances disponibles, pourrait-on dire pour la symétrie, sans véritable assise matérielle.

Les raisons de ce décalage sont à chercher dans les particularités du contexte français. L'interruption révolutionnaire et des lacunes anciennes y combinent leurs effets pour élargir un fossé ailleurs moins sensible, singulièrement en Allemagne – mais aussi pour rendre manifeste, ce faisant, un ordre des facteurs intellectuels qu'une alliance plus étroite de la formation érudite et de l'ambition restitutive eût dissimulé et dissimule ailleurs. Le mouvement est d'origine essentiellement extra-académique, et il n'y a pas d'institution académique en état d'exercer à son égard une fonction d'information ou de contrôle : ainsi pourrait-on ramasser les données du problème. Camille Jullian force le trait lorsqu'il écrit : « L'histoire naquit à nouveau, non pas du paisible travail de cabinet, mais de la lutte des partis[18] », mais il pointe justement l'une des caractéristiques frappantes de cette renaissance, son extériorité vis-à-vis du « milieu naturel » des études historiques. Aucun de nos auteurs qui ne soit un autodidacte, techniquement parlant. Tous sont venus à l'histoire de leur mouvement propre, sur la base, sans doute, d'une solide éducation classique, voire d'une remarquable culture cosmopolite, comme chez Guizot, mais en l'absence d'une quelconque initiation à la pratique du document et aux acquis de la tradition antiquaire. Chez tous, au départ, de Thierry à Michelet en passant par Barante ou Mignet, le détour savant est second et subordonné par rapport à une impulsion d'un autre ordre dont il devient l'instrument obligé, qu'il soit politique, philosophique ou esthétique. Quand Guizot est nommé à la Sorbonne en 1812, il lui faut commencer par apprendre pour une bonne part cette histoire moderne qu'il a charge d'enseigner. Or, ce bagage qu'ils n'ont pas reçu, il n'y a plus guère, dans la France de la Restauration, de relais pour le transmettre. Comme le constate Dacier en 1808 : « L'histoire du moyen-âge et la diplomatique sont, de toutes les branches de la littérature, celles qui devoient le plus souffrir des ravages de la révolution[19].» «La suppression des ordres monastiques et des académies», explique-t-il, a mis en sommeil les deux foyers vivants autour desquels se concentrait «l'étude des anciennes chartes et des manuscrits des différents siècles»: les congrégations bénédictines de Saint-Maur et de Saint-Vanne et l'Académie des inscriptions et belles-lettres. Ce ne sont pas les timides continuations de leurs grandes entreprises amorcées sous l'Empire qui suffisaient à combler le vide.

L'École des chartes a beau avoir été créée en 1821, elle n'aura d'existence effective et de rendement qu'après 1830. Il y a bien l'enseignement d'un Daunou au Collège de France à partir de 1819[20]. Ancien oratorien, l'ex-conventionnel possède, lui, la tradition des érudits monastiques (il est parmi les continuateurs de leurs collections monumentales; il contribue à *L'Histoire littéraire de la France* et au *Recueil des historiens*). Son cas est intéressant, il mériterait un examen approfondi. Il est doublement révélateur. Il relativise à lui seul, pour commencer, une égalité trop facile entre libéralisme et histoire nouvelle. Daunou a plus que des opinions: il sera à deux reprises, en 1819 et en 1828, député de l'opposition libérale; il n'en est pas moins hostile sur toute la ligne, intellectuellement, aux innovations des auteurs plus jeunes dont il est proche politiquement. La confrontation des deux générations fait d'autre part ressortir, en regard des exigences qui animent les cadets, l'archaïsme et l'étroitesse des perspectives historiques auxquelles reste liée la tradition savante dont l'aîné est le représentant attardé (Daunou a cinquante-huit ans lorsqu'il prend sa chaire en 1819, Thierry en a alors vingt-quatre, Guizot en a trente-deux, Mignet vingt-trois, Michelet vingt et un). On comprend vite, à se plonger dans les vingt volumes du majestueux *Cours d'études historiques*, les raisons du peu d'influence d'un enseignement qui va se déployer pourtant en pleine vogue ascensionnelle du genre. Il y est question d'une autre histoire, à la lettre, que celle qui s'écrit au même moment en réponse directe aux inquiétudes et aux intérêts de l'esprit du temps. Où l'on devine qu'il y va de plus dans notre affaire que du défaut d'une discipline érudite suffisamment constituée et institutionnalisée pour donner l'exemple et imposer ses normes. Il y va de la réinvention des raisons d'être et des bases mêmes de l'érudition.

Or, en la matière, la France est restée par ailleurs en dehors de la rénovation des méthodes qui conduit en Allemagne, début XIXe siècle, à l'épanouissement triomphal de la discipline philologique. Dans le temps où s'affirme la «science de l'Antiquité», où paraissent les travaux des Wolf, des Niebuhr, des Boeckh, les études grecques et romaines sont réduites en France aux plus humbles proportions[21]. Et l'on sait le rôle de modèle matriciel que joueront le «séminaire» et la technique du document des philologues pour le champ tout entier de l'histoire. Niebuhr sera un maître pour Ranke. Ni liens solides maintenus avec l'ancienne érudition ni contacts étroits noués avec la nouvelle : cette apesanteur initiale laissera une empreinte durable sur la science historique à la française, pour laquelle, même lorsqu'elle sera devenue universitaire et chartiste, la conquête de l'impeccabilité critique restera un programme régulièrement invoqué, jusqu'à Gabriel Monod et l'école positiviste. En 1820, presque tout est à créer ou à recréer. L'entreprise réformatrice démarre à peu près dans le vide. De là les naïvetés qui vont grever ses premiers efforts. Car c'est le drapeau de la remontée à la vérité sévère des sources contre les légendes entretenues par une littérature de fantaisie que brandissent ses initiateurs. Ils sont convaincus d'atteindre enfin, dans la « poussière des chroniques », le substrat authentique de cette histoire nationale jusqu'alors masquée par des « compilations inexactes ».

Thierry a relaté en termes touchants le trajet initiatique que fut pour lui la traversée des différentes strates du travail historique accumulé depuis le XVIe siècle sur « l'ancienne monarchie française et sur les institutions du moyen-âge », jusqu'au contact électrisant avec les « documents originaux ». Dans les premiers mois de 1820, raconte-t-il, après avoir parcouru « le cercle entier des ouvrages de seconde main », de Fauchet et Pasquier à Montlosier en passant par Mably, « j'avais commencé à lire la grande collection des historiens originaux de la France et des Gaules. À mesure que j'avançais dans cette lecture, à la vive impression du plaisir que me causait la peinture contemporaine des hommes et des choses de notre vieille histoire se joignait un sourd mouvement de colère contre les écrivains modernes, qui, loin de reproduire fidèlement ce spectacle, avaient travesti les faits, dénaturé les caractères, imposé à tout une couleur fausse ou indécise. Mon indignation augmentait à chaque nouveau rapprochement qu'il m'arrivait de faire entre la véritable histoire de France, telle que je la voyais face à face dans les documents originaux et les plates compilations qui en avaient usurpé le titre[22] ». C'est fort de cette découverte qu'il allait dérouler l'éclatant constat de carence de ses dix premières *Lettres* – « nous n'avons point encore d'histoire de France[23] ». À ce réquisitoire irrésistible prononçant l'acte de décès d'une tradition allait rester attaché le souvenir d'une révélation : celle de la précieuse matière première de la mémoire nationale, trésor méconnu attendant d'être ressaisi par ses héritiers. Aussi bien est-ce dans la béance de la sorte dévoilée – nous étions riches et nous ne le savions pas – qu'allait s'engouffrer la marée de publications destinées à offrir les « monuments originaux » du passé français à une réappropriation directe.

Gigantesque exhumation – de 1820 à 1840, ce sont quelque cinq cents volumes que les diverses collections de Mémoires et de chroniques vont mettre en circulation (*cf.* ci-après « Les Mémoires d'État » par Pierre Nora) –

qui donne la mesure d’un appel et d’une avidité. Il y a simplement que cette enthousiaste invention des sources où s’assurer des origines authentiques de la nation laisse à désirer du point de vue de la science. La «vérité de l’histoire» ici ardemment revendiquée s’accommode d’une redoutable équivoque. Elle renvoie davantage à la restitution vivante qu’à la vérification scrupuleuse; elle est surtout de l’ordre de cette «prodigieuse intelligence du passé» que Thierry oppose chez Walter Scott à «la mesquine et terne érudition des historiens modernes les plus célèbreS[24]». D’où le privilège accordé au type de document supposé rendre le mieux la «couleur locale» et l’épaisseur pittoresque des temps anciens. Ainsi que l’écrit Petitot, le pionnier d’entre les éditeurs des grandes séries documentaires de la Restauration, en tête de sa *Collection:* «On se plaint de la sécheresse de l’histoire de France, et c’est ce qui donne tant d’attrait aux mémoires où se trouvent les détails qu’on regrette. Nos historiens ont malheureusement moins puisé dans cette source précieuse que dans les chartes, ordonnances et diplômes qui constatent les grands événements, mais qui n’en développent pas les causes[25].» D’où, aussi, sous l’empire de cet appétit d’une vérité plus poétique que factuelle, une ignorance certaine des problèmes posés par l’exploitation critique des matériaux de la sorte mobilisés. Elle s’exprime au mieux dans le dessein, alors répandu, de laisser parler directement les auteurs du temps, comme si l’on touchait au travers du propos des narrateurs-témoins la réalité brute de leur siècle. Il est au principe de l’*Histoire des ducs de Bourgogne* de Barante; il a suscité chez Thierry, de concert avec son frère Amédée et Mignet, un projet de «grande chronique de France» qui n’a pas abouti, mais dont la présentation qui nous reste dit bien l’illusoire ambition: obtenir, par une suite de «dépositions naïves, que n’interrompraient aucune réflexion philosophique, aucune addition moderne [...] la *représentation immédiate* du passé qui nous a produits, nous, nos habitudes, nos mœurs et notre civilisation[26]». Comme si un contact immédiat avec le passé était possible, indépendamment de ces opérations reconstructrices qui constituent le nerf de la critique historique.

Faute d’autres moyens, le souci de rendre la différence des temps conduit à s’aligner sur les voix venues du passé dont on attend qu’elles suscitent, de par leur saveur archaïque, l’effet d’éloignement recherché – «Quant au récit, tient encore de même à préciser Thierry dans l’Introduction à *L’Histoire de la conquête de l’Angleterre*, je me suis tenu aussi près qu’il m’a été possible du langage des anciens historiens, soit contemporains des faits, soit voisins de l’époque où ils ont eu lieu[27]». Par un renversement remarquable, ce sentiment nouveau de la différence des temps mène à restaurer, du moins au titre de l’art, le privilège de l’attestation quasi oculaire des événements, privilège qui, dans l’ancienne historiographie, découlait logiquement d’une épistémologie de la connaissance directe, avec sa vue foncièrement continuitiste du temps. Connaître un événement, c'est en quelque sorte le revoir par les yeux de celui qui en a été témoin, étant implicitement entendu que l'acteur de connaissance se situe à l'intérieur de la même sphère temporelle que le témoin – il faut cette co-appartenance pour que l'identification à son point de vue soit possible et pour que son attestation conserve à distance une portée intacte[28]. Ici, le recours au même procédé est inspiré par des raisons exactement inverses. On attend du détour par le langage des contemporains qu'il fasse saillir l'écart qui nous sépare d'eux. Lequel, en bonne logique, conduit à penser qu'il n'est de connaissance du passé qu'indirecte, que résultant exclusivement du travail de reconstruction auquel se livre l'historien à partir des monuments et documents contemporains, tenus non pas pour des fragments de vérité, mais considérés uniquement sous l'angle de leur valeur indicielle, c'est-à-dire comme muets par eux-mêmes, et expressifs seulement au titre des inférences que leur traitement approprié autorise. C'est dire la contradiction en laquelle s'enferrent nos historiens : leur manière naïve de manier les sources va au rebours de ce que le sens de l'étrangeté du passé qui les guide devrait impliquer.

La contradiction sera vite sentie et progressivement corrigée[29]. Le traitement technique des matériaux de l'histoire s'alignera peu à peu sur les normes appelées par la mise à distance du passé. L'originalité française restera dans ce parcours fondateur où la science est sortie de la poésie. En 1835 encore, Augustin Thierry salue en Walter Scott, « le plus grand maître qu'il y ait jamais eu en fait de divination historique[30] ». L'anecdote veut que Ranke ait senti, lui, sa vocation s'éveiller à la suite de sa lecture de *Quentin Durward* du même Walter Scott, mais sur la base d'un sentiment tout différent, mêlant l'indignation devant les libertés prises par le poète avec les faits et la foi dans la supériorité des résultats de la science sur le produit de l'art, du point de vue même de la satisfaction du désir de dépaysement. S'agissant d'exemplifier la divergence des deux traditions, le parallèle en vaut d'autres. Plus sérieusement, l'écart se mesure à leur différence d'attitude, d'emblée, dans le rapport aux documents originaux. Quand Thierry tient en 1825 les propos que nous avons rapportés, au sujet de sa manière d'user des anciens historiens, Ranke a publié l'année précédente, à côté de son premier livre, *Geschichten der romanischen und germanischen Volker von 1494 bis 1514*, un appendice technique à celui-ci, intitulé *Zur Kritik neuerer Geschichtsschreiber*, où, pour la première fois, les principes de la critique philologique à la Niebuhr sont appliqués à des sources modernes, aux textes des historiens de l'époque considérés comme sources[31]. Aussi bien est-ce le même écart en fait d'exigences techniques et systématiques qu'on retrouve entre les grandes collections documentaires publiées en France sous la Restauration et le modèle que vont imposer les *Monumenta Germaniae Historica* dont le premier volume paraît en 1826.

Pour partie, du reste, les acquis de l'érudition du XVIIe siècle fonctionnent comme un leurre auprès des militants de la cause historique et nationale de la Restauration. Ils autorisent, ils alimentent leur inconséquence. S'ils n'ont pas reçu, en effet, ses méthodes et ses instruments, ils bénéficient de ses produits. On ne saurait trop souligner combien ils en sont les héritiers. Sans cette accumulation préalable, leur propre travail n'eût pas été possible. Ce qu'il y a de solide dans leur appréciation de tel ou tel point y est puisé. Ce qu'ils appellent retourner aux sources consiste en réalité à ressaisir les matériaux exhumés et publiés par leurs savants prédécesseurs. Ce ne sont pas les manuscrits des plus anciennes chroniques médiévales qu'affronte Thierry en 1820. Il peut dévorer les textes dûment édités dans le *Recueil des historiens* de Dom Bouquet. De même Barante peut-il asseoir sa propre *Histoire* sur l'*Histoire générale et particulière de Bourgogne* entreprise par Dom Plancher dans le cadre de l'histoire bénédictine des provinces[32]. Passé l'enivrement de la redécouverte, les limites d'une démarche consistant à exploiter le trésor d'une science à laquelle on n'ajoute guère et dans les bornes de laquelle par conséquent on s'enferme, ne pouvaient que rapidement apparaître. Que ce soit ainsi au titre des méthodes et de l'antinomie interne entre le but poursuivi et les moyens mis en œuvre, ou bien au titre du support documentaire et du fatal sentiment de son insuffisance, on voit vers la fin des années vingt la première vague de l'histoire libérale et romantique à la française arriver au bout de ses ressources de mouvement et de sa confiance en elle-même.
Aussi ne nous y trompons pas, quand, en 1829, Benjamin Guérard, future âme de l'École des chartes, formule, à propos du cours de Guizot, une critique virulente de la production historique récente dans son ensemble, ses attaques sont faites, si sévères soient-elles, pour être entendues par les auteurs qu'elles mettent en cause. C'est précisément à leur incuriosité en fait de sources nouvelles que s'en prend, à bon droit, Guérard. «Depuis que les travaux des bénédictins ont cessé, constate-t-il durement, il n'a paru, je crois, aucun ouvrage véritablement *progressif* pour l'histoire de notre pays. Abandonnant la route pénible et sûre que ces savants religieux avaient suivie, les historiens qui sont venus après eux, au lieu de se porter en avant, se sont jetés à droite et à gauche, ou repliés en arrière, et n'ont rien découvert, rien conquis sur le passé: ils se sont contentés des richesses qu'avaient accumulées pendant un siècle et demi, les illustres congrégations de Saint-Maur et de Saint-Vanne, et sans prétendre à leur succéder dans la tâche immense qu'elles s'étaient imposée et qu'elles ont laissée imparfaite, ils n'ont fait que remuer et retourner d'anciens matériaux[33].» L'objection arrive tellement à point, elle rencontre à ce degré les difficultés sur lesquelles en est à buter le développement de la «réforme historique» qu'on pourrait presque la tenir pour une objection interne.

Survient là-dessus la révolution de Juillet. Elle va tout résoudre et tout changer, en créant les conditions d'emploi de ce besoin d'enracinement et d'élargissement scientifiques devenu irrécusable et pressant. Guérard est nommé en 1831 à l'École des chartes, repartie depuis 1829, mais à laquelle il va donner sa véritable impulsion. Mais Mignet et Michelet sont devenus archivistes dès 1830. Et puis c'est à partir de 1832 l'œuvre déterminante de Guizot, depuis son ministère de l'Instruction publique. Barante devient président de la Société de l'histoire de France à sa fondation. On retrouve au Comité des travaux historiques créé en 1834, avec pour mission de rechercher et de publier les « documents inédits relatifs à l'histoire de France », à côté de noms déjà croisés comme ceux de Daunou, Guérard et Mignet, d'autres personnalités marquantes du renouveau historique de la décennie précédente, personnalités inspiratrices, comme Fauriel, ou popularisatrices, comme Villemain[34]. C'est dans le cadre des travaux du Comité que Thierry, nommé en novembre à la tête de la Collection des Chartes, allait, aveugle, diriger de l'oreille et de la voix l'édition du *Recueil des monuments inédits de l'histoire du Tiers État,* entreprise étroitement associée à l'élaboration de son dernier livre, l'*Essai sur l'histoire de la formation et des progrès du Tiers État* de 1853[35]. Mais c'est Mignet qui avait inauguré la série des publications du Comité en faisant paraître dès 1835 les *Négociations relatives à la succession d'Espagne sous Louis XIV.* De près ou de loin, directement ou indirectement, décideurs ou exécutants, ainsi, tous les protagonistes du mouvement des années vingt se retrouvent au sein du réseau d'institutions qui vont former la base de l'histoire-science.

C'est au nom de cette seconde vague et de son œuvre d'affermissement professionnel qu'on a généralement relégué la première au rang de phase préparatoire plus ou moins inavouable en ses trop voyantes incertitudes. Nombre de propos d'acteurs, du reste, ont contribué à asseoir cette vue. En première ligne, il faut placer le plus grand, Michelet, dont la préface de 1869 à l'*Histoire de France* a pesé lourd dans la fixation de la généalogie. Ordonné à la redéfinition rétrospective de sa propre entreprise comme commencement – «… J'aperçus la France […] le premier, je la vis comme une âme et une personne » –, le partage qu'il prononce entre un avant et un après est devenu repère canonique : «… jusqu'en 1830 (même jusqu'en 1836) aucun des historiens remarquables de cette époque n'avait senti encore le besoin de chercher les faits hors des livres imprimés, aux sources primitives, la plupart inédites alors, aux manuscrits de nos bibliothèques, aux documents de nos archives[36]. » Ce que dissimule pareille reconstruction, c'est le caractère général, unanime, de cette conversion à la quête des « sources primitives » dont celle de Michelet n'est qu'une parmi d'autres (et destinée à rester marquée, on peut le dire, des mêmes carences que celles des autres). La rupture de

1830 n'est pas douteuse. Encore est-il indispensable pour pleinement la comprendre de la réinsérer dans la continuité d'un processus, continuité biographique d'une génération qui, en se vouant à l'enquête érudite, achève sa conversion à l'histoire, continuité intellectuelle d'une démarche rencontrant du dedans de son développement la nécessité d'une appropriation plus exacte et plus étendue des faits.

La transformation des publicistes en savants ne tombe pas du ciel; elle n'est pas simplement dictée par de nouvelles urgences politiques ou une soudaine inflexion de l'esprit du temps; elle ne tient pas qu'à la soumission à des contraintes exercées du dehors, exemple de l'étranger ou rappel des normes arrêtées par une vénérable tradition. Elle est aussi l'aboutissement interne d'un approfondissement autodidacte dont les tâtonnements techniques et les errances spéculatives n'ont pas servi qu'à préparer la restauration solennelle du programme et des règles d'une saine critique. Car, à ce détour libéral et romantique, l'érudition a gagné un renouvellement radical de son optique. Si ses pionniers sévères du XVIIe siècle en ont déterminé les principes, il revient à ces convertis tardifs et quelque peu approximatifs du XIXe siècle d'en avoir incomparablement élargi le champ. C'est en ce point que les reproches d'un Guérard, pour fondés qu'ils soient, trouvent leurs limites. Il ne s'est pas agi autour de 1830 que du retour à une discipline oubliée, que d'un renouement de continuité par-dessus une funeste interruption. La ressaisie des instruments de la critique n'y a de sens qu'en fonction de l'ouverture d'un domaine d'application dont c'est l'apport spécifique des jeunes gens en colère de 1820 que d'avoir défini les lignes de force et les contours.

Thierry s'en est fort bien expliqué lui-même dans les *Considérations sur l'histoire de France*, adjointes en 1840 à ses *Récits des temps mérovingiens* et qui constituent comme le double et le complément des *Lettres* de 1820-1827. La cause est gagnée, en 1840, l'heure n'est plus à la polémique politique, l'histoire narrative des siècles classiques qui conservait la faveur du public en 1820 est passée de mode. Délaissant la diatribe contre le genre le plus populaire, c'est à un bilan serein des «théories fondamentales, des grands systèmes de l'histoire de France» que se livre Thierry – bilan assez remarquable en sa solidité systématique pour qu'on puisse le tenir pour fondateur dans son ordre: le premier véritable essai d'histoire de l'histoire de France[37]. Il souligne avec force, au passage, la dette immense des écrivains de la «nouvelle école historique» et la sienne propre envers «la grande école d'érudits antérieure à la Révolution». Il est ainsi conduit à caractériser l'écart des points de vue, qu'il rapporte, selon une idée qui lui est chère «aux prodigieuses mutations du pouvoir et de la société qui se sont opérées sous nos yeux». «Ce sont les événements jusque-là inouïs des cinquante dernières années, dit-il, qui nous ont appris à voir le fond des choses sous la lettre des chroniques, à tirer des écrits des Bénédictins ce que ces savants hommes n'avaient point vu, ce qu'ils avaient vu d'une façon partielle et incomplète, sans en rien conclure, sans en mesurer la portée. Il leur manquait l'intelligence et le sentiment des grandes transformations sociales. Ils ont étudié curieusement les lois, les actes publics, les formules judiciaires, les contrats privés ; ils ont discuté, classé, analysé les textes, fait dans les actes le partage du vrai et du faux avec une étonnante sagacité ; mais le sens politique de tout cela, mais ce qu'il y a de vivant pour l'imagination sous cette écriture morte, mais la vue de la société elle-même et de ses éléments divers [...] leur échappe, et de là résultent les vides et l'insuffisance de leurs travaux[38]. » L'argument est celui-là même que Renan reprendra pour défendre Thierry contre les attaques dirigées contre sa manière par des personnes « exclusivement préoccupées de la recherche des sources historiques ». Il n'y a pas que la publication des textes, observe en substance Renan, il y a aussi les enseignements qu'on sait en dégager. « Reconnaître la valeur d'un texte est en un sens le découvrir. Des témoignages sur lesquels l'ancienne critique avait passé avec indifférence sont devenus des traits de lumière. Une foule de renseignements que le XVIIe et le XVIIIe siècle avaient jugés secondaires ont pris, aux yeux d'une critique plus éclairée un sens inattendu. » Arrive la flèche du Parthe en direction de Guérard et de ses émules chartistes : « Comment se fait-il par exemple que les érudits de Saint-Germain-des-Prés, qui ont publié tant de textes de médiocre utilité, aient laissé à un académicien de nos jours [Guérard lui-même] le soin d'éditer un des monuments les plus précieux pour les antiquités franques, le *Polyptique* d'Irminon, qu'ils avaient dans leur bibliothèque et dont ils ont fort bien connu l'existence ? » Et Renan de conclure d'une formule qui ramasse l'essentiel de notre sujet : « Ouvrir une nouvelle série d'aperçus historiques, c'est presque toujours créer une série de documents négligés jusque-là, ou montrer dans ceux qui étaient déjà connus ce qu'on n'avait pas su y voir[39]. »

Les données du problème sont ici comprises et condensées avec toute la netteté désirable. Sans doute les historiens plus ou moins improvisés de 1820 n'ont-ils guère fait avancer la connaissance exacte du passé par l'exhumation des sources ; mais ils ont élaboré le programme intellectuel sur la base duquel l'analyse des sources a pris ensuite un essor sans commune mesure avec les réalisations de sa phase inaugurale – et cela jusqu'à nous, car on s'avancera jusqu'à suggérer que les révolutions ultérieures de la science historique ont en fait procédé par appel aux schèmes programmatiques d'origine contre des façons d'en comprendre l'exécution jugées à leur aune incomplètes et insatisfaisantes. Quant à cet égard un auteur comme Michelet, faisant retour sur son itinéraire, date son presque commencement de la mise en œuvre archivistique de son programme, nous avons à ne pas nous laisser abuser. Le commencement est un aboutissement. À nous de reconstituer les conditions de gestation de cette découverte de la France qui l'a jeté dans les archives. Pourquoi Cousin ? Pourquoi Vico ? Qu'est-ce qui conduit à passer à un moment de la philosophie de l'histoire au travail historiographique ? Qu'apprend-on de l'histoire au contact des nécessités de sa mise en ordre didactique ? Comment, en quel sens, devient-on historien en rédigeant un modeste *Précis d'histoire moderne* à l'usage des écoles ? Entre déclenchement théorique et retombées pédagogiques, le parcours est doublement exemplaire. Il est on ne peut mieux représentatif de ce phénomène global de conversion qui a conduit une génération à la pratique des faits par la logique du sentiment et de l'idée.

Là réside l'originalité de ces « dix années telles que la France n'en avait jamais vu de pareilles », comme dit Thierry. Elle tient toute dans ce décalage circonstanciel entre le registre du traitement technique de l'histoire et le registre de la compréhension historique. Grâce à cet écart, nous avons le corpus unique d'un prélude à l'histoire-science, révélant, en quelque sorte à nu, les conditions intellectuelles de formation du mode de saisie du passé que nous continuons de supposer. C'est la mémoire de ce mouvement dans son ensemble qu'il convient d'attacher aux *Lettres* de Thierry. Parce qu'elles en donnent le coup d'envoi dans l'été 1820 – à la fin de l'année, Guizot commence à l'université le cours sur les origines du gouvernement représentatif qui marque ses vrais débuts d'historien ; l'année suivante paraissent les trois premiers volumes de l'*Histoire des Français* de Sismondi ; la machine à remémorer est lancée. Parce qu'elles restent le manifeste qui explicite les intentions et les enjeux du mouvement. Parce qu'elles portent l'accent sur le phénomène central de cette mutation épistémique, qui se trouve être en même temps son paradoxe principal : la subordination des perspectives au schème national, avec l'association apparemment contre nature du « patriotisme et de la science » qui en résulte – car tel est le problème auquel nous confronte l'affirmation de l'histoire-science tout au long du XIXe siècle : l'ascèse critique et la quête de l'exactitude positive, loin d'être portées par le seul amour désintéressé du vrai, y sont au contraire inextricablement liées aux passions de l'esprit de nationalité ; la science se conquiert ici contre le souci même qui la sous-tend et la fait exister. Parce que Thierry, enfin, s'est fait lui-même l'homme-mémoire du mouvement auquel il a le premier prêté sa voix. De la préface de *Dix ans d'études historiques* aux *Considérations sur l'histoire de France*, il s'est constitué l'historien de cette mémorable conquête de la clef du passé. Mais autant il est légitime, à ces divers titres, de regarder son livre comme le monument emblématique d'un moment fécond dans l'histoire de l'histoire, autant il serait absurde de le considérer isolément. Il ne prend sens qu'inséré dans une vaste séquence d'œuvres dont la clôture et le point d'orgue nous semblent fournis par l'*Introduction à l'histoire universelle* que produit

Michelet au lendemain de la révolution de Juillet. La révélation de la nation, amorcée en 1814, opérée en 1820, trouve là, en 1831, dans cette célébration échevelée de notre «glorieuse patrie» devenue «pilote du vaisseau de l'humanité», sa forme finale et son complet épanouissement spéculatif. Avec l'entier développement de l'idée d'individualité, de personnalité nationale s'achève la phase des travaux préparatoires. Le dispositif est en place qui permet d'articuler de manière pleinement efficace le «récit» et le «système», comme s'exprime la Préface de 1833 à l'*Histoire de France*. La synthèse opérationnelle rendant désormais organiquement inséparables les trois dimensions de l'établissement des faits, de leur présentation et de leur compréhension est à son terme. C'est en cette conjonction fondamentale que se concrétise et s'assoit la nouvelle appréhension du passé. Elle s'effectue grâce au principe totalisant offert par le schème subjectif de la nation. Le livre de Thierry reste la meilleure attestation de ce bouillonnement où se sont peu à peu fondus en un seul corps de discours et de démarche les apports de la littérature, les nécessités de l'érudition, les ressources de la philosophie et les enseignements de la politique. Il ne représente qu'un maillon dans une chaîne, mais le maillon solide avec lequel la chaîne vient toute. Au travers de ces vingt-cinq lettres *pour servir d'introduction à l'histoire de France*, comme le précise le sous-titre, c'est l'ensemble du processus que nous voudrions considérer. À une extrémité, le renouvellement des puissances du récit par le roman historique ; à l'autre extrémité, le renouvellement du point de vue critique par la philosophie de l'histoire ; entre les deux, condition de leur intégration mutuelle, l'avènement d'une forme nouvelle de présentation de l'englobant collectif, avènement commandé par les circonstances, mais produisant au jour le cadre symbolique durable dont continuent de dépendre, de concert et indissolublement, notre vision de la légitimité politique et notre intelligence du devenir : telles sont les lignes de force du champ à parcourir.

De l'émergence de l'idée d'histoire totale – car c'est l'autre nom sous lequel on peut désigner cette histoire écrite au point de vue national – on ne peut rendre compte qu'en termes d'une histoire véritablement totale, sachant à un bout saisir le déplacement de la structure sous le mouvement social et politique et sachant à l'autre bout inclure les productions les plus élaborées de l'esprit dans l'épaisseur du processus collectif. Nous sommes à tel point les héritiers de ce qui s'est produit durant ces dix années fertiles que nous ne pouvons nous en expliquer qu'en réinventant pour le leur appliquer le schéma interprétatif qu'elles ont vu surgir. La clef, aujourd'hui, de l'histoire totale est politique – politique redécouverte, au rebours de l'écume des événements où l'on croyait devoir la cantonner pour la congédier, comme le niveau d'organisation le plus profond des communautés humaines. Le cœur du processus dont nos historiens sont partie prenante, c'est le triomphe irrésistible et l'installation définitive de la forme nationale comme fondement et cadre du fonctionnement des sociétés démocratiques – forme à partir de laquelle va se déployer au long du siècle l'irréversible accomplissement de la conquête démocratique. L'Avertissement de l'*Introduction à l'histoire universelle* est daté du 1er avril 1831. C'est le même mois que Tocqueville s'embarque pour l'Amérique, fort de la conviction du caractère inéluctable de la marche à l'égalité des conditions. Et, en effet, quelque chose s'est produit, une transformation capitale, qu'il n'est pas possible de ramener à l'ordre des événements sensibles, pas même à la révolution de Juillet qui pour les contemporains constitue l'irrécusable attestation du changement. Il y a eu parachèvement de la recomposition des repères symboliques de l'identité politique entamée en 1789. À ce titre, une étape décisive de l'enracinement du phénomène démocratique a bien été franchie. Car la forme précède et détermine le fonctionnement. Une fois acquise l'évidence tacite de la structuration subjective de l'englobant social, l'essentiel de la lutte politique consistera à aligner, de manière laborieuse et tâtonnante mais invincible, les règles explicites de l'existence collective sur leur fondement caché. C'est lorsque ce point focal a été bien identifié qu'il devient possible d'éclairer de la façon la plus directe, sans la moindre réduction d'un niveau à l'autre, la genèse du dispositif de sens qui a révolutionné le rapport au passé, qu'il s'agisse de sa perception (et de sa conservation) au travers des monuments et des documents qui l'attestent, qu'il s'agisse de la reconstruction critique de sa réalité ou de son évocation-restitution dans un discours approprié. Création de l'archive dans l'acception contemporaine du terme, constitution du monument historique, invention d'un nouveau style de déchiffrement, mise en place d'un mode nouveau d'exposition vont rigoureusement de pair. Elles sont intimement liées – ni conséquences ni causes, autres facettes dans un autre registre d'un seul et même phénomène – à la mutation politique à la fois souterraine et centrale des années 1820-1830, l'advenue du corps social à sa ferme et complète représentation de lui-même sous les espèces de la nation. Voilà le nœud originel de l'histoire savante telle que nous la pratiquons et le nœud de mémoire que le nom et l'œuvre de Thierry nous offrent à démêler.

2.

1820: Thierry à vingt-cinq ans. Ce trait de jeunesse mérite d'être relevé. La réforme historique a quelque chose d'un phénomène d'irruption générationnelle. Thierry appartient à la strate la plus juvénile, celle des gens nés au décours ou au lendemain de la Révolution (Mignet, 1796, Thiers 1797, Michelet, 1798, Quinet, 1803) par opposition aux aînés doctrinaires nés avant la Révolution, Barante en 1782, Guizot en 1787 (le Genevois Sismondi, «précurseur» destiné à demeurer un peu marginal, est, lui, plus âgé: il est né en 1773). Les deux futurs grands hommes, avec Guizot, de la fameuse année universitaire 1828, le littéraire Villemain et le philosophe Cousin, font la charnière entre les deux groupes (Villemain est né en 1790, Cousin en 1792). Une part de leur faculté de rupture découle certainement de la liberté que l'âge leur prête à l'égard de l'obsédant événement-source: ils sont les premiers à pouvoir regarder la Révolution et ses suites à distance, à pouvoir se situer en purs héritiers vis-à-vis de son inspiration et de ses résultats.

Thierry, en 1820, est publiciste indépendant depuis trois ans, depuis qu'il a pris ses distances avec le comte de Saint-Simon dont il a été le secrétaire et le collaborateur depuis 1814, jusqu'à se voir gratifier par lui du titre de «fils adoptif[40]». Frais émoulu de la licence de lettres, il venait d'être nommé à la rentrée 1813 professeur de cinquième à Compiègne. La filière méritocratique de l'École normale, alors à ses débuts (Thierry appartient à la deuxième promotion, tandis que Cousin, le normalien éponyme, est premier de la première promotion, celle de 1810), avait permis au brillant rejeton d'une minuscule bourgeoisie provinciale d'accéder à la formation universitaire[41]. Sur l'apport de ses travaux en commun avec le singulier prophète de l'industrie, Thierry est resté rigoureusement muet par la suite. Il importe toutefois de les prendre en compte afin de corriger les images trop univoques de l'homme du récit et de l'historien pittoresque. L'intérêt pour l'histoire, chez Thierry, est primitivement sorti de la philosophie de l'histoire, de ces spéculations sur le destin de la société européenne, sur la «direction si manifestement marquée dans le cours des choses depuis six siècles» et son aboutissement dans un nouveau «système d'ordre», caractérisé par le «gouvernement commercial[42]». On lui impute communément, d'ailleurs, d'être à l'origine du virage de l'auteur du *Mémoire sur la science de l'homme* à l'économisme, avec l'orientation libérale qui s'y rattache. Et il est de fait que ses écrits de la période portent nettement l'empreinte des données de la réflexion économique, puisées en particulier chez Jean-Baptiste Say[43]. Elle aussi sera entièrement effacée par la suite. Elle est fort instructive pourtant quant aux parentés conceptuelles de l'histoire nouvelle. L'une des originalités majeures de celle-ci tient à la vision de la productivité du devenir qu'elle suppose. Elle la saisit en termes de «mouvement spontané», c'est-à-dire «dont le principe réside dans la masse qui se meut librement et de son impulsion propre», comme dit Thierry dans un article de *L'Industrie*[44]. À ce titre, elle est essentiellement liée au renversement libéral en matière de conception de la société. Ce que Thierry a appris lors de cette initiation intellectuelle au contact de l'Utopie sociale, il ne l'a certes pas oublié en devenant le peintre des luttes de «la partie la plus nombreuse et la plus oubliée de la nation» pour la liberté.

S’il rompt avec Saint-Simon, il reste dans un milieu proche en rejoignant la rédaction du *Censeur européen*, organe très en vue d’une opposition libérale et industrialiste aux démêlés tumultueux avec la censure et les autorités[45]. Thierry a pu y croiser Auguste Comte, son successeur auprès de Saint-Simon, qui a fait partie de l’équipe du journal lors de son passage à la formule quotidienne en 1819. C’est là que, dès 1817, il publie son premier essai historique, on ne peut plus typique des curiosités de la Restauration: *Vue des révolutions d’Angleterre*. Il a d’original le dessein de démystifier l’exemple anglais, le «gouvernement mixte», fort vanté par nombre d’auteurs qui essayaient de faire prévaloir une lecture libérale, «à l’anglaise», de la monarchie selon la Charte. Thierry rapporte en effet qu’il éprouvait «un certain dégoût pour les institutions anglaises, qui [lui] semblaient alors contenir plus d’aristocratie que de liberté[46]». Ce pourquoi il prend la peine, simultanément, en 1835, de se défendre du soupçon rétrospectif de républicanisme. Il se dit «sans aucun parti pris pour une forme quelconque de gouvernement». Ses sentiments politiques: «... l’aversion du régime militaire, jointe à la haine des prétentions aristocratiques, sans aucune tendance précisément révolutionnaire. J’aspirais avec enthousiasme vers un avenir, je ne savais pas trop lequel, vers une liberté dont la formule, si je lui en donnais une, était celle-ci: gouvernement quelconque, avec la plus grande somme possible de garanties individuelles et le moins possible d’action administrative[47].» Un libéralisme à la fois extrême et prudent sur le chapitre constitutionnel, en somme, qui le classe chez les «La Fayettistes», à gauche des doctrinaires et de Guizot, avec lequel la politique a failli le brouiller, paraît-il[48]. D’entrée de jeu, il tient ainsi l’un de ses domaines favoris d’étude: l’histoire anglaise, et l’un de ses grands thèmes, le thème séminal de son œuvre historique: la conquête. Car c’est là l’idée qui lui fournit son instrument critique contre les admirateurs du système d’équilibre de la constitution anglaise. Il n’est pas le fruit d’un savant calcul politique. Il est la résultante des longues luttes consécutives à un fait primitif: la prise de possession de la terre et des hommes au XIe siècle par les Normands.

L’idée vient du bord le plus opposé; elle est prise chez le comte de Montlosier, figure originale de batailleur indépendant, dont le propos féodal sans fard, réactivant et ramenant au centre du débat public la vieille thématique des invasions et des conquêtes, aura eu pour effet paradoxal de procurer au parti libéral l’un de ses principaux outils polémiques. À nombre d’égards, on peut soutenir que la somme ultra-réactionnaire que constitue cette *Monarchie française* de 1814 marque le coup d’envoi de la rénovation historique sous la Restauration[49]. Thierry a de belles pages, dans ses *Considérations* de 1840, sur le mécanisme d’appropriation qui, dans le contexte répressif de 1816, imposa, comme naturellement et de toutes parts, la référence aux formules impitoyables où Montlosier dressait l'un contre l'autre l'ancien et le nouveau peuple. « On voyait se refléter là, de siècle en siècle, la division actuelle des partis [...] cette vue de la France, condamnée par sa propre histoire à former deux camps rivaux et inconciliables, parut aux imaginations quelque chose de grave et de prophétique. La théorie de la dualité nationale fournit alors à chacun des partis opposés, au parti de la révolution et de la charte, comme à celui de la contre-révolution, des allusions et des formules[50]. » Les lignes directrices de l'œuvre de Thierry sont toutes en germe chez ce non-conformiste du parti de la tradition, puisant, dans l'extrémité même de sa haine envers la société moderne, une intelligence hallucinée de ses origines et de ses composantes qui l'arrache aux étroitesses de sa famille d'esprit : non seulement, donc, la pensée de l'histoire en termes d'antagonismes sociaux eux-mêmes enracinés dans des oppositions ethniques, mais aussi l'importance accordée à l'affranchissement des communes, où Montlosier situe le nœud de son histoire, mais encore, de façon générale, le rôle axial conféré à l'élévation continue du tiers état. « Le premier, résume Thierry, il a senti vivement d'où procède l'ordre social moderne, et assigné au XIIe siècle son véritable caractère, en y plaçant une révolution mère de toutes celles qui sont venues depuis[51]. » À l'épreuve de 1789, Montlosier est conduit à radicaliser le sentiment de ses devanciers en matière de réaction aristocratique, en particulier Boulainvilliers. Il ne se contente pas d'incriminer avec vigueur l'œuvre de nivellement menée par la monarchie ; il établit formellement sa responsabilité dans la genèse de la Révolution. « Le peuple souverain, écrit-il par exemple, qu'on ne le blâme pas avec trop d'amertume : il n'a fait que consommer l'œuvre des souverains ses prédécesseurs. Il a suivi de point en point la route qui lui était tracée depuis deux siècles par les rois, par les parlements, par les hommes de loi[52]... » Ainsi introduit-il un thème, celui du caractère intrinsèquement révolutionnaire de l'entreprise absolutiste, qu'on voit courir au long des deux restaurations et qui recevra chez Tocqueville le couronnement que l'on sait[53].

Mais ce qui chez Montlosier est écrit et conçu dans la langue et l'esprit du XVIIIe siècle est passé chez Thierry au filtre de la perception nouvelle du dynamisme social qu'il doit à sa formation libérale. Là où son aristocratique initiateur et adversaire relate du dehors une guerre de plusieurs siècles selon une formule fixe qui en explique les avatars, lui cherche en tâtonnant, dans la lutte des conquérants et des assujettis, le principe interne de production de la nouveauté historique. Cette quête est ce qui donne leur couleur aux études de la même veine qui prolongent sa première tentative. Elle lui inspire des jugements significatifs à propos, par exemple, du problème clef du grand homme, lorsqu'il rend compte du *Cromwell* de Villemain. Il saisit l'occasion offerte par la défense et illustration de l'ouvrage pour s'en prendre de manière parlante aux amateurs de «grandes figures», aux pleureurs des «infortunes royales» et autres célébrants du génie des «fondateurs d'empire». «Ce n'est point de Charles Stuart et d'Olivier Cromwell qu'il s'est agi dans la révolution d'Angleterre, écrit-il, c'est du peuple anglais et de la liberté [...] les misères personnelles de Charles Stuart, que sont-elles devant les misères collectives du peuple anglais? Qu'est-ce que l'astuce de Cromwell, devant la grande idée de la liberté[54]?» «Cromwell, dit-il encore, n'est point le héros de sa propre histoire[55]...» C'est l'histoire qui fait les grands acteurs, en d'autres termes, et non les grands acteurs qui font l'histoire. Il réaffirmera en 1820 la nécessité du renversement avec une pleine conscience de sa portée de rupture: «C'est une chose bien singulière que l'obstination des historiens à n'attribuer jamais aucune spontanéité, aucune conception aux masses d'hommes. Si tout un peuple émigre et se fait un nouveau domicile, c'est, au dire des annalistes et des poètes, quelque héros qui, pour illustrer son nom, s'avise de fonder un empire; si de nouvelles coutumes s'établissent, c'est quelque législateur qui les imagine et les impose; si une cité s'organise, c'est quelque prince qui lui donne l'être: et toujours le peuple et les citoyens sont de l'étoffe pour la pensée d'un seul homme[56].» À l'idéalisation des origines, substituons le point de vue réaliste de l'intérêt: «Voulez-vous savoir au juste qui a créé une institution, qui a conçu une entreprise sociale? Cherchez quels sont ceux qui en ont un véritable besoin.» Au lieu de s'en remettre aux présumés desseins d'un seul homme, cherchons dans les profondeurs du mouvement des masses d'hommes. L'intérêt politique rejoint la nécessité intellectuelle dans ce programme. Rendre le devenir intelligible est en même temps donner des ancêtres à la roture et faire revivre dans l'histoire «la partie la plus nombreuse et la plus oubliée de la nation», ainsi que s'exprimera la première *Lettre* au *Courrier français.*

Où l'on discerne à quel point la nouvelle conscience historique appartient au phénomène libéral-démocrate, entendu non comme valeur d'un parti, mais comme dynamique effective, comme axe du mouvement réel des sociétés modernes. Car c'est du passage d'un système de pensée à un autre qu'il y va dans ce retournement intéressé du regard savant du haut vers le bas, passage lui-même inséparable d'un changement d'état social. Le rattachement de l'innovation, par principe, au dessein d'un être d'exception ne relève pas que du préjugé de caste, de la convention poétique ou de la naïveté mythique; il répond à la logique d'une compréhension et d'une organisation du monde, où le principe d'ordre vient du dehors et du dessus de la volonté des hommes – il est dicté par les dieux, il est incarné dans une tradition, il est arrêté dans une nature. Cela veut dire au plan politique que l'identité collective se concentre toute idéalement dans la personne de pouvoir, unissant en son corps la légitimité invisible et la puissance visible et faisant ainsi participer la chaîne des vivants à la sage volonté du ciel au travers de son commandement. Ce qui veut dire, au plan de la conception du cours des choses, qu'il n'y a pas d'histoire, au sens où il n'y a pas de production par les hommes des articulations de leur monde, mais que lorsqu'il y a des événements notables qui affectent la face des empires – entendons : des vicissitudes qui, à l'intérieur d'un ordre inaltéré des choses, en modifient ou en déplacent la configuration sensible –, ces événements ne sont intelligibles qu'une fois qu'ils ont été rapportés de part en part à l'intention et à l'action d'une individualité fondatrice, initiatrice ou législatrice. Dans un univers que l'action des hommes n'engendre ni ne modifie en son économie substantielle, le changement n'est pensable que comme le produit de la volonté d'hommes-causes, à part du commun des hommes.

Voilà le principe originel de cohérence de cette fameuse histoire événementielle focalisée sur les entreprises des grands que, depuis les années 1820, les réformateurs successifs de la science historique ne se lassent pas d'exorciser. À juste titre, puisque l'héritage de son modèle continuera de peser bien au-delà de la subversion de ses bases dans la révolution démocratique. Ne faisons pas, d'ailleurs, de celle-ci un commencement pur. Depuis le XVIe siècle, on pourrait suivre les ébranlements qui ont fissuré les uns après les autres ce mode de compréhension de la temporalité des affaires humaines et qui ont contraint à l'enrichir d'apports de plus en plus contradictoires avec son économie fondamentale. Il y a bel et bien renversement, néanmoins, lorsque, à l'idée d'un pouvoir clef de voûte de la société, maintenant celle-ci en union intime avec son intangible principe d'ordre, se substitue irréversiblement dans les mentalités l'idée d'un pouvoir incarnation et instrument d'une société elle-même de toutes parts en quête de son progrès. La révolution politique consacrant le triomphe dans les esprits de la légitimité représentative ne peut que se prolonger tôt ou tard en révolution historique rétrospective – celle-là même dont nous appréhendons les prémisses chez Thierry. Ce qu'on saisit en haut procède en vérité d'en bas et en exprime les tendances. Le grand homme, loin d'être une source, est un aboutissement ; il est le représentant par excellence de son temps et de son peuple. À côté de l'action politique mûrement délibérée, il y a toute l'action menée dans les profondeurs de la société civile et résultant de la composition des initiatives privées. L'œuvre du devenir ne se réduit pas aux transformations explicitement poursuivies dans le registre et la souveraineté publique ; il est au moins autant et sans doute davantage le fruit de cette humble et lente gestation à laquelle il n'est personne qui ne conspire.

On aperçoit l'ampleur de l'élargissement et de l'approfondissement de l'investigation historique qui sont en germe dans cette modification de l'optique politique. Elle est demeurée jusqu'à nous le ferment d'une relance régulière de la connaissance du passé. Les historiens bourgeois de la Restauration, tout à leur célébration de l'épopée des classes moyennes, n'exploiteront que superficiellement, en fait, la mine qu'il leur restera d'avoir ouvert. Leurs critiques contre l'étroitesse de vue de leurs prédécesseurs leur seront retournées par leurs successeurs. Appel sera fait à leurs propres intuitions de départ pour embrasser plus large que le théâtre trop éclairé de la vie politique, pour pénétrer plus avant dans l'épaisseur de la vie matérielle des peuples, pour descendre jusqu'au niveau le plus obscur des évolutions à la fois les plus lourdes et les plus insensibles, pour prendre en compte, très au-delà de l'élite de «l'industrie et du talent» que revendiquait Thierry, les acteurs les plus oubliés et les plus négligés, voire les rejetés. Il faut bien voir que ces reformulations du programme de l'historien, dont rien ne dit que nous avons épuisé le cours, correspondent au déploiement du schéma libéral-représentatif dont nous discernons les premiers et timides effets autour de 1820, en liaison avec les avancées de la traduction dans la réalité du nouveau rapport entre pouvoir et société. Sous leurs grandes lignes, elles lui procurent une concrétisation chaque fois mieux opératoire : saisie de la société dans sa puissance productive à la fois la plus globale et la plus secrète, intégration du plus grand nombre d'acteurs possible parmi les acteurs historiques de plein exercice. Il y a en d'autres termes une dynamique de l'élargissement de l'objet historique qui participe intimement à la dynamique démocratique. Elle est portée par elle et elle y contribue en retour.

Mais le renversement libéral, si fécond soit-il par ses conséquences, ne suffit pas à lui seul à créer un nouveau type d'histoire. Il transforme la façon d'en comprendre les ressorts ; il ne change pas la façon de l'écrire, non plus qu'il n'a d'incidences directes quant à la façon de l'établir. Il reste compatible, au moins dans ses premiers développements, avec une manière classiquement philosophique, consistant à «abstraire du récit un corps de preuves et d'arguments systématiques, pour démontrer sommairement et non pour raconter avec détail[57]». Et l'emprise du modèle d'exposition philosophique est frappante, en effet, dans la vague initiale de la réforme historique, chez un Sismondi ou un Guizot. C'est, au demeurant, comme complément à la réédition d'un des classiques du genre, les *Observations sur l'histoire de France*, de Mably, que Guizot publie dans un premier moment ses propres *Essais sur l'histoire de France*, en 1823. Et il s'agit de dissertations dont le tour démonstratif laisse peu de place à la couleur locale. L'esprit des analyses participe pleinement, en revanche, du nouveau cours. Il est même d'une netteté incomparable sur le point central : la tâche de l'historien est d'expliquer les institutions par l'état de la société dont elles procèdent et non d'expliquer la société par les institutions supposées la constituer. «L'étude de l'état des terres, écrit Guizot, doit donc précéder celle de l'état des personnes. Pour comprendre les institutions politiques, il faut connaître les diverses conditions sociales et leurs rapports. Pour comprendre les diverses conditions sociales, il faut connaître la nature et les relations des propriétés[58].» On ne peut en dire tout à fait autant de Sismondi, chez lequel la pesanteur de l'héritage philosophique est sensiblement plus marquée, jusque dans la conception de la société. Ce qu'il y a de neuf dans son livre, c'est le projet même d'une histoire *des Français,* visant l'ensemble des composantes de la nation, au-delà des seuls «rois, seigneurs et prélats» que faisait défiler la narration traditionnelle, et s'efforçant d'en dégager l'unité, le «principe de vie» rattachant les faits les uns aux autres[59]. En même temps, malgré cette visée, il demeure entièrement et étroitement tributaire du cadre politique qu'il comprend dans un sens transformé, mais auquel il demeure fidèle pour un motif de fond parfaitement classique: c'est qu'il continue de croire que «la condition des peuples» est «le grand résultat des institutions publiques[60]». Ambiguïtés remarquables, qui font l'intérêt de son cas comme figure de transition et qui éclairent les enjeux intellectuels d'un passage.

Le facteur supplémentaire qu'il a fallu pour que cristallise chez Thierry le projet militant d'une refonte d'ensemble du travail historique, à la fois dans sa conception, son objet, son écriture, c'est ce qu'on appellera, faute d'une meilleure expression, la découverte du passé comme passé. Découverte double, par l'érudition et par la fiction: découverte, côté science, de la poésie des sources, et découverte, côté art, de la vérité du récit. C'est dans les premiers mois de 1820, selon son dire, on s'en souvient, que Thierry prend contact avec les grandes collections bénédictines. On en a la vérification avec la neuve érudition dont s'ornent ses articles de l'époque. Dans la bataille politique, la fortune du thème de «l'antagonisme social des Francs et des Gaulois» est à son zénith. Guizot en donnera cette même année 1820 l'une des plus brillantes orchestrations avec son manifeste d'opposition, *Du gouvernement de la France depuis la restauration et du ministère actuel*[61]. Et l'on discerne plus complètement à présent les motifs forts qui pouvaient déterminer des «plébéiens défenseurs des droits populaires», comme dit Thierry, à ressaisir pour leur compte la thèse ultra-aristocratique des deux peuples, version Boulainvilliers ou version Montlosier (passons sur ce qui les sépare). Face à une représentation statiquement hiérarchique du lien de domination, faisant régner des maîtres seuls pourvus d'un nom sur une foule mélangée, confuse et indifférente de gens serviles, la thèse de l'asservissement par la conquête permet de reconnaître aux vaincus non seulement la dignité d'un peuple de plein droit, mais encore et surtout la cohérence, le dynamisme, la spontanéité de masse d'un acteur historique capable de soutenir une lutte de plusieurs siècles. La théorie des deux nations ne fait pas que répondre au besoin de figurer intelligiblement le conflit politique en le lestant d'une consistance et d'une nécessité puisées aux origines mêmes de la Nation, elle fournit l'un des moyens éminents de penser le mouvement de la société à partir de l'action autonome, de la force propre et des intérêts spécifiques de ses parties.

C'est en cherchant à enrichir sa panoplie d'arguments polémiques, donc, que Thierry est conduit à remonter des historiens classiques aux documents primaires. Et l'on voit apparaître à l'appui, par exemple, d'une allégorique «Histoire de Jacques Bonhomme» qu'il publie au printemps 1820 une série de références qui attestent de ce labeur d'approfondissement, au *Glossaire de* Du Cange, au *Recueil des historiens* de Dom Bouquet, au Recueil des chartes et diplômes de Bréquigny[62]. Sa curiosité est en phase avec un intérêt en train de se déclarer dans le public, puisque au même moment la collection Petitot commence à mettre en circulation la traduction d'une part de ces textes que lui va chercher dans les éditions bénédictines. Mais le progrès dans la science change radicalement l'optique du néophyte; il conduit à une conversion. Thierry découvre sa vocation d'historien en découvrant la différence du passé, l'intérêt qu'il présente pour lui-même sous la totalité de ses aspects, indépendamment des inductions qu'on peut en tirer, et le plaisir intrinsèque qui s'attache à la mesure de son étrangeté.

D'autant plus ce sentiment né du commerce avec les monuments originaux, et donc passif, est-il efficace qu'il reçoit simultanément la caution d'une écriture capable de restituer activement l'écart perçu. Ce que les sources suggèrent, le roman historique révèle que la technique existe qui permet de l'explorer. L'«Histoire véritable de Jacques Bonhomme», allégorie de la conquête, paraît dans *Le Censeur européen* le 12 mai 1820; le compte rendu enthousiaste du roman de la conquête, *Ivanhoé,* lui fait immédiatement suite, le 27 mai: «Un homme de génie, Walter Scott, vient de présenter une vue réelle de ces événements si défigurés par la phraséologie moderne [...] C'est dans un roman qu'il a entrepris d'éclairer ce grand point d'histoire et de présenter vivante et nue cette conquête normande, que les narrateurs philosophes du dernier siècle, plus faux que les chroniqueurs illettrés du moyen-âge, ont élégamment ensevelie sous les formules banales de *successions,* de *gouvernement,* de *mesure* d'État, de *conspirations réprimées,* de *pouvoir* et de *soumission sociale*[63].» Toute une série de romans de Walter Scott avaient été traduits depuis 1816; mais c'est avec *Ivanhoé* qu'il devient l'auteur à la mode, entraînant dans le sillage de son succès une vogue prolifique du roman historique qui culminera, nous dit son principal historien, en 1827, l'année où le projet des *Lettres sur l'histoire de France* trouvera son complet aboutissement[64]. Notons le parallélisme des trajectoires, sans lui prêter plus de sens qu'il n'en recèle. Il est de fait que l'accréditation de science du passé auprès d'un large public ne se sépare pas durant la période de la fascination avide suscitée par l'évocation littéraire du passé. L'histoire bonne à connaître est d'abord une histoire bonne à imaginer.

C'est l'aspect par lequel la réforme des études historiques est étroitement solidaire de la mutation esthétique du romantisme (pour le déclenchement de laquelle, d'ailleurs, cette même année 1820 fournit un autre repère éclatant dans un registre différent, avec la publication en mars des *Méditations poétiques* de Lamartine). Sur un plan plus intellectuel, il ne serait pas absurde de soutenir que le roman « scottien » a été le vecteur par lequel le courant traditionaliste a discrètement marqué une historiographie libérale peu disposée à l'accueillir de manière explicite et mal au fait de ses développements savants, comme dans le romantisme juridique allemand[65]. Influence ou pas, du reste, l'important est dans la convergence de sensibilités que révèle la capacité d'admirer sans réserve un romancier pour lequel la résurrection du passé est le moyen de rendre sensible, contre la froideur mortelle de la géométrie démocratique, la continuité féconde de la durée, « le prix et la beauté d'un ensemble organique de traditions », la vitalité foisonnante et géniale du mouvement spontané des peuples à travers les siècles, qui s'exprime justement dans les aspects irréguliers et pittoresques de l'histoire[66]. Ce qui, dans le contexte français n'a de sens que comme appel subversif au peuple contre un pouvoir qui ne lui correspond pas, passe ailleurs par la revendication de la coïncidence séculaire d'un peuple avec son droit et ses traditions contre une volonté codificatrice ou transformatrice imposée du dehors (ce sera typiquement le cas en Allemagne). Il s'agit de deux versions du même renversement, faisant passer en bas, dans les profondeurs du peuple, le principe de la création historique, et faisant dépendre la légitimité politique de l'expression du peuple par le pouvoir. Un même schéma abstrait, susceptible d'incarnations relativement opposées en pratique et qui va être à l'origine de deux concepts divergents de la nation, l'un libéral et progressiste, portant l'accent sur la différence de droit entre pouvoir et société et sur l'adéquation représentative à réaliser et approfondir entre peuple et gouvernement, l'autre conservateur et historiciste, appuyant ensemble sur la continuité de développement à préserver de la tradition et sur l'union organique à renforcer entre le souverain et son peuple[67]. Il faut avoir en vue cette communauté de fondement cachée sous l'antagonisme des traductions idéologiques si l'on veut comprendre comment des milieux culturels d'orientation contradictoire produisent néanmoins au même moment des œuvres semblables et, par exemple, le même type d'histoire. La divergence des idéaux politiques n'empêche pas la convergence des entreprises intellectuelles. D'où ces croisements étranges, ces méprises mutuelles, des réceptions à contresens, de part et d'autre, ces usages à fronts renversés des mêmes thèmes. Quand Fauriel, l'intime ami de Thierry, et certainement l'un des hommes les mieux au fait des développements de la philologie allemande dans la France de la Restauration, célèbre au travers des *Chants populaires de la Grèce* une poésie « qui vit dans le peuple lui-même et de toute la vie du peuple », qui constitue une « expression directe et vraie du caractère et de l’esprit national », il retourne dans un sens libéral et philhellène un thème typique du romantisme contre-révolutionnaire[68]. L’observation vaut pour l’usage que fait Guizot de l’*Histoire du droit romain pendant le moyen-âge* de Savigny[69]. Mais Michelet ne se livrera pas à une opération très différente lorsqu’il reprendra au compte de sa propre vision des puissances symboliques du peuple les peu progressistes *Antiquités du droit allemand*[70]. De ce singulier phénomène de double entente où chacun vise l’inverse en parlant de la même chose, la passion unanime des jeunes patriotes de 1820 pour l’auteur d’*Ivanhoé* offre une illustration saisissante : eux espèrent du passé des armes contre un régime prétendant ancrer sa légitimité dans la tradition, lui cultive les richesses de la tradition, en digne émule de Burke, au titre de la résistance à l’égalité et à la démocratie. S’il s’intéresse aux petits, c’est comme à « ceux qui ne changent pas », et s’il met en scène des foules, c’est à dessein d’y noyer les prétentions abusives des individus ; tandis que ses admirateurs parisiens y trouvent la réhabilitation de la roture et la reconnaissance du rôle des masses. Mais en dépit de ces discordances, c’est bien du même changement des paramètres présidant à la perception et à la compréhension du passé qu’ils participent.

Dans le cas de Thierry, outre les motifs de l’adhésion générale, le transport que lui cause l’art du romancier répond à des raisons à la fois intimes et techniques. L’offre du poète rencontre la demande de l’historien. Le discours de fiction présente tout montés les moyens littéraires d’une résurrection du passé au moment même où le publiciste en passe de se convertir à l’érudition entrevoit la vivante vérité attendant de sortir du tombeau des vieux textes. Car une chose est de deviner, autre chose est de restituer, de *montrer* ces « masses d’hommes » et ces « existences distinctes », de *faire voir* les caractères d’une époque et d’en faire parler les détails. Scott achève de révéler Thierry à lui-même en lui dévoilant l’existence d’un mode d’exposition adapté simultanément aux impératifs de sa représentation collective de la production du devenir et à sa toute fraîche exigence d’une figuration de la distance des temps. Au travers du croisement dramatique d’une série de destins individuels, le roman historique parvient à mettre en scène un jeu de forces collectives. Dans *Ivanhoé,* ainsi, Cedric de Rotherwood est le « représentant de la liberté saxonne », tandis que d’autres personnages nous figurent les vainqueurs, et que d’autres encore, à côté des caractères inspirés par l’état politique du pays, « décrivent des opinions du siècle[71] ». Parallèlement à cette faculté de faire lire le général dans le particulier, la dramatisation permet de faire vivre le tableau d’ensemble à partir du détail exemplaire.

L'essentiel, ici, est probablement moins le roman historique en tant que tel que l'économie générale de la signification et la technique connexe de discours qui émergent au travers de lui. Ce qui apparaît, dans le registre de la fiction et à propos de l'histoire, mais qui signale une transformation bien plus vaste, c'est un mode de discours à base d'exemplarité ou de représentativité de l'individuel – qu'il s'agisse d'un fait matériel ou d'un épisode, d'une trajectoire biographique ou du destin d'une nation particulière : tous sont susceptibles, à leur niveau, de revêtir une portée signifiante et universelle. L'universel, en matière humaine, ne naît plus de la décantation et du filtrage des particularités : il reste attaché à elles, il s'expose en elles. Les conditions de toute exposition ou narration en sortent radicalement modifiées. L'apparition du roman historique aura été le phénomène avant-coureur d'une mutation du régime de symbolicité qui a globalement changé les rapports entre discours et réalité. Et un phénomène de transition, dont les deux branches se sont disjointes. Le roman historique s'est défait en engendrant un nouveau type d'exposition romanesque d'un côté, un nouveau type d'exposition historique de l'autre. Son ambiguïté constituante et créatrice, évoquer le vrai du passé au moyen d'une fiction, « représenter, comme dit Manzoni, au moyen d'une action inventée, l'état de l'humanité à une époque passée et historique[72] », s'est résolue en séparation de la fiction avouée et de la vérité du passé poursuivie pour elle-même. Mais c'est au travers de l'effort pour restituer la chair authentique du passé que se sont élaborées ces techniques d'évocation du réel capables de nous intéresser à l'inventaire infini des localités et des existences du grand roman à la Balzac. Mais c'est de l'intérieur de la fiction et en fonction du souci tout artistique de parler à l'imagination que s'est monté le dispositif de discours capable d'accueillir l'interminable recension au fil de laquelle s'objective et se précise chaque jour un peu plus notre regard sur le passé. D'indissoluble manière en la circonstance, le sentiment et l'ambition du vrai ont suscité une poétique et l'invention dans l'ordre de la poétique a autorisé la saisie du vrai.

Il ne s'agit pas de tirer argument de cet échange séminal entre poésie et vérité dans un sens sceptique. La mise en lumière des assises rhétoriques du propos savant ne porte pas par elle-même mise en cause de l'objectivité historique. L'accointance d'origine, indiscutable, entre l'élaboration des effets et procédés du roman réaliste et la réinvention du récit d'histoire n'autorise en rien à réduire ce dernier à une variante de fiction dont la ruse suprême serait de se dire « vraie », au lieu de se contenter du vraisemblable comme son homologue romanesque[73]. Il ne s'agit pas de soutenir, pour commencer, que l'historien « emprunte » les modalités de son discours au romancier et fait donc du « roman », à son insu et au nôtre. Il rencontre sous les espèces du roman historique une forme neuve de récit, elle-même simple expression avancée d'une mutation générale de l'articulation des signes aux choses, qui lui offre l'exemple à blanc, en quelque sorte, d'une mise en scène à la fois concrète et organisée de ce qu'il connaît en désordre – les données brutes et ponctuelles qui attestent de la différence des temps –, de ce qu'il conçoit dans l'abstrait – l'impersonnalité des forces à l'œuvre au sein du devenir – qui lui fait miroiter la perspective d'une exploitation à la fois incomparablement plus ample et incomparablement plus parlante de ce qu'il sait ou peut savoir, et qui le met de la sorte en demeure de créer l'instrument d'exposition capable d'élargir le domaine de la science aux proportions promises par le possible ouvert dans l'art. Car il n'y a pas plate transposition d'un domaine à l'autre, même si les développements restent suffisamment parallèles pour qu'en 1824, encore Thierry, alors presque au bout de sa *Conquête de l'Angleterre*, s'enquière de l'avancement des *Fiancés* de Manzoni auprès de leur commun ami Fauriel en auteur qui se tâte sur la suite de ses travaux: «Dites-lui de ma part, écrit-il, que je désire singulièrement voir son ouvrage pour me décider sur la question du roman historique et peut-être essayer moi-même quelque composition de ce genre[74]...» Il y a refonte du discours historique sous l'ensemble de ses formes, et pas seulement dans sa branche expressément narrative, à la lumière des pouvoirs de signification révélés par cet autre discours et sa double puissance d'évocation – de la distance du présent au passé, de la présence de la totalité d'une époque en ses enjeux généraux derrière chaque acteur, chaque comportement, chaque épisode de l'intrigue.

Le roman historique simule dans l'ordre esthétique la réconciliation du fait et de l'idée; à charge, ensuite, pour les spécialistes de négocier cet accord en pratique quand il s'agit d'établir les faits et de reconstituer le sens. C'est son modèle qui permet à Thierry d'écrire par exemple: «Tel événement particulier dont le caractère fut longtemps méconnu, présenté sous son véritable aspect, peut éclairer d'un jour nouveau l'histoire de plusieurs siècles [...] L'insurrection de Laon et les guerres civiles de Reims, naïvement racontées, en diront plus qu'une théorie savante sur l'origine de ce Tiers État que bien des gens croient sorti de dessous terre en 1789[75].» C'est le même dessein qu'on retrouve sous la plume du Michelet didactique du *Précis de l'histoire moderne*, lorsqu'il expose dans sa préface les moyens exigés par un but qui, pour demeurer humblement pédagogique, n'en porte pas moins innovation fondamentale dans l'écriture de l'histoire: «... premièrement marquer, dans une discussion large et simple, l'unité dramatique de l'histoire des trois derniers siècles; ensuite représenter toutes les idées intermédiaires, non par des expressions abstraites, mais par des faits caractéristiques qui puissent saisir les jeunes imaginations. Il les eût fallu peu nombreux, mais aussi bien choisis pour servir de symboles à tous les autres, de sorte que les mêmes faits présentassent à l'enfant une suite d'images, à l'homme mûr une chaîne d'idées[76]. » Et dieu sait que la mise au point de l'instrument d'expression susceptible de rendre de manière équilibrée cet ancrage de la signification d'ensemble dans la singularité factuelle a été laborieuse et tâtonnante. Il serait excessif de parler à son propos d'une bataille du récit, mais elle a été l'une des principales sources de clivage entre les historiens des années 1820. Les noms de Thierry et de Michelet pourraient d'ailleurs servir de « symboles » pour repérer les deux pôles entre lesquels la divergence la plus révélatrice s'est déclarée : d'un côté, la tentation de la narration pure, où l'idée menace de se perdre dans le détail pittoresque et la restitution d'une couleur de vie en fin de compte superficielle ; de l'autre côté, la tentation de la symbolisation à outrance, où le fait succombe sous la charge de sens qu'on veut lui faire porter – la « psychomachie » consistant à voir « dans chaque fait le signe d'une idée » que Thierry reprochera précisément à Michelet[77]. L'écueil de l'insignifiance, l'écueil de la sur-signifiance. Ce n'est pas que le problème sera par la suite définitivement résolu : l'écriture de l'histoire continue de vivre de cette tension et de se déplacer en fonction d'elle. Mais un accord minimal s'imposera, tacitement, pour dépasser l'unilatéralité des options extrêmes du premier moment.

On reviendra sur les tenants et les aboutissants de cette mutation sémiotique qui, en investissant chaque singularité d'une signifiance potentielle, a transformé le statut et la portée, et du même coup la teneur et la forme, de toute exposition factuelle, quel qu'en soit le type et le projet, récit ou tableau, véridique ou fictive. Mais il faut insister dès à présent sur l'importance décisive de ce qui se joue au travers de cette modification parallèle du statut du fait et de la manière d'en exploiter le sens. Si l'on considère, comme l'accord des bons auteurs paraît l'imposer, que l'acte de naissance de la discipline historique telle que nous la connaissons réside dans la confluence des deux traditions jusqu'alors disjointes, celle de l'érudition antiquaire et celle de l'exposition narrative ou philosophique, on tient ici le point précis où ce mariage difficile parvient à s'opérer complètement et devient indissoluble. Ce qu'un Gibbon ou un Niebuhr n'étaient pas parvenus pleinement à réaliser, en dépit de leurs puissants efforts, pour ne pas parler de tentatives de rapprochement plus timides, la révolution des pouvoirs du signe et du récit initiée dans l'espace romanesque va permettre de l'obtenir. Pas de fait qui ne soit susceptible de prendre place dans le discours se proposant de restituer intelligiblement la substance du passé et d'y devenir expressif ou parlant. À l'historien de discerner ceux qui peuvent « servir de symboles à tous les autres », comme dirait Michelet. Mais c'est dans le champ de l'érudition tout entier qu'il opère, sans coupure de principe entre données précises bonnes pour les seuls savants et données générales seules intéressantes pour le public cultivé.

Cette inscription virtuelle de l'intégralité de ses résultats dans l'horizon d'une utilisation expressive modifie profondément les perspectives de l'érudition. Même lorsqu'elle entend se confiner dans des travaux techniques, comme l'édition de sources, elle est habitée par un souci même inconscient de leur exploitation possible qui bouscule les règles implicites qui hiérarchisaient auparavant ses curiosités et la faisaient se focaliser sur des points ou des documents jugés dignes d'étude, à l'exclusion des autres. Son domaine potentiel d'investigation s'en trouve prodigieusement dilaté. Mais du côté de celui qui écrit l'histoire, qui s'efforce d'en recomposer intelligiblement la réalité, le changement n'est pas moindre. Impossible désormais d'abandonner aux antiquaires le fatras de la connaissance détaillée des monuments d'une époque pour se concentrer sur ce qui y fait relief, grands événements, actions d'éclat, acteurs de premier plan, institutions générales, hauts faits propres à illustrer le progrès des mœurs et l'avancement de la civilisation. Hommes et choses qui apparaissent spontanément dans la lumière peuvent ne rien livrer au-delà d'eux-mêmes. Alors que tel trait discret, telle fine donnée dans l'ombre ou tel épisode apparemment marginal peuvent, en revanche, faire revivre à eux seuls, de par leur représentativité judicieusement éclairée, tout un pan de passé. Pas de « résurrection » sans « critique » pour reprendre les termes mêmes que Michelet associe. L'art chez l'historien suppose la science et passe dorénavant par elle. Plus son ambition est de rendre sensible la palpitation mouvante des époques révolues, plus elle exige de sa part la familiarité avec l'humble et quotidien détail où le sens d'ensemble se donne incarné.

D'où l'enjeu stratégique des problèmes relevant de la poétique de l'exposition à l'aube de l'histoire-science. La question apparemment secondaire du discours historique engage en réalité l'organisation de la discipline en son cœur, ses orientations fondamentales, la façon de la pratiquer sous toutes ses formes. Au travers de la « réforme dans la manière d'écrire l'histoire », il y va bel et bien d'une réforme générale « dans les études[78] ». On ne concevrait pas autrement l'impact et le retentissement dont a pu bénéficier une série d'articles de polémique contre les plus fameux historiens narrateurs des XVIIe et XVIIIe siècles, Mézeray et Velly, et leur principal continuateur au début du XIXe, Anquetil[79]. Comment une déclaration de guerre « aux écrivains sans érudition qui n'ont pas su voir et aux écrivains sans imagination qui n'ont pas su peindre[80] », car tel est l'essentiel de la première vague des *Lettres,* a-t-elle pu représenter pour les contemporains la promesse d'une réinvention de la connaissance historique dans sa nature et dans sa fonction ? Nous sommes tentés, rétrospectivement, de par le terrain sur lequel se situe la bataille, de réduire l'assaut à une querelle de littérateurs manifestant surtout un changement d'esthétique : la couleur locale des romantiques contre le style noble des classiques. C'est ne pas voir combien, en l'occurrence, l'innovation dans l'ordre du récit porte de rénovation dans l'ordre tant de la détermination du fait historique – quels sont les faits qui font sens ? – que de sa compréhension – sur quel mode chaque fait véhicule-t-il du sens ? Quand Thierry s'en prend à la séparation du récit et du commentaire chez les historiens de l'école philosophique (il nomme Robertson et Hume), à leurs « dissertations placées en appendice », à leurs « digressions sur le gouvernement, les mœurs, les arts, les habillements, les armes, etc. », pour prôner à l'inverse la réintégration de la somme de ces données dans le corps même du récit, il ne fait pas qu'obéir à un impératif de goût[81]. Il met en œuvre une exigence de liaison qui, en suspendant l'expression du sens à la précision du fait crée effectivement les conditions d'une science nouvelle – nouvelle par ce qu'elle retient comme faits, nouvelle par ce qu'elle demande aux faits. « C'est une fausse méthode, dit Thierry, que celle qui tend à isoler les faits de ce qui constitue leur couleur et leur physionomie individuelle, et il n'est pas possible qu'un historien puisse d'abord bien raconter sans peindre, et ensuite bien peindre sans raconter. Ceux qui ont adopté cette manière d'écrire ont presque toujours négligé le récit, qui est la partie essentielle de l'histoire, pour les commentaires ultérieurs qui doivent donner la clef du récit. Le commentaire arrive et n'éclaire rien, parce que le lecteur ne le rattache point au texte dont l'écrivain l'a séparé[82]. »

Au bout de la nouvelle manière de raconter, et indissociable d'elle, au bout de cette demande de rendre parlants les accidents du réel que relate et recense l'historien, il y a une formidable amplification de l'objet historique. Mais elle n'est pas davantage séparable, elle présuppose à sa base une entente entièrement changée de la nature et des voies du processus représenté par les données du récit. Sans doute est-il vrai que le souci de l'art l'a emporté chez nos auteurs sur les réalisations savantes. Cela ne doit pas nous empêcher de voir ce que l'effort de l'art a apporté de lumière à la science. L'avancée du savoir eût dû « normalement » précéder, ou du moins accompagner la formation de l'instrument capable d'en transmettre les résultats. Il se trouve qu'elle lui a succédé. Grâce à quoi nous sommes en mesure de discerner ce que l'émergence de la connaissance historique telle que nous la comprenons doit à la cristallisation d'un dispositif de discours opérant cette greffe de l'idéel sur le matériel où la saisie positive du passé a puisé une seconde vie. Et ne nous trompons pas sur la belle simplicité de l'instrument. Le sobrement nommé « récit » est un produit de synthèse hautement élaboré, fusionnant trois séries de composantes fort peu évidentes à marier : l'éclaircissement de l'histoire selon l'exactitude érudite et sa présentation à la fois dans un tableau d'ensemble et une narration continue, la relation des événements et des faits dans leur contingence et leur inscription dans une trame intelligible, une pensée de la production de l'histoire et la restitution des choses telles qu'elles sont réellement advenues.

3.

Ajoutons enfin la conjoncture politique à ce spectre de facteurs intellectuels, et nous aurons l'ensemble des éléments qui ont décidé de la vocation de Thierry et nourri, au-delà de son cas, dans leurs développements sur une décennie, la gestation de la nouvelle science historique. C'est sur fond de grand trouble politique que l'ardent rédacteur du *Censeur européen* poursuit ses travaux préliminaires. L'assassinat du duc de Berry le 13 février 1820 a suscité, avec le raidissement ultra-réactionnaire du pouvoir monarchique dans une Europe des princes enfiévrée par la rumeur et l'ombre d'une vaste conspiration contre les trônes, les conditions d'une polarisation irrémédiable et exacerbée des esprits. « L'année 1820, dira plus tard Thierry, vit finir l'espoir d'une transaction pacifique entre les deux partis que la révolution avait créés, [elle] remit tout aux chances plus ou moins prochaines, plus ou moins éloignées d'une crise sociale[83]. » Il est très directement atteint, puisque son journal, disparaît le 20 juin avec le rétablissement de la censure, au moment où l'agitation gagne la rue et où une partie des libéraux, dont son mentor La Fayette, pense à l'insurrection. C'est au milieu de cette ambiance effervescente qu'il demande l'hospitalité du *Courrier français*, préservé par sa ligne plus juste milieu, et publie du 23 juillet au 18 octobre, non sans se heurter à la censure et au tir de barrage de la presse ultra (rappelant l'embastillement de Fréret et requérant une « salutaire rigueur »), les neuf articles mémorables où se trouve ébauché son programme de « rénovation de l'histoire nationale[84] ». L'entreprise tourne court. S'il rencontre l'adhésion des bons esprits, il bute sur le désintérêt d'un public d'abonnés provinciaux rebelle à une science dont il ne saisit pas les enjeux patriotiques. La vogue de l'histoire n'en est encore qu'à ses débuts. Plutôt que d'en revenir à ses habitudes antérieures de publiciste couvrant une large gamme de sujets, comme l'y incitait la direction du *Courrier*, Thierry décide d'abandonner le journalisme. Il a « fait vœu de plus écrire que sur des matières historiques[85] ».

L'historien est né. Il va désormais se consacrer exclusivement à ses études. Fort de ses lumières nouvelles sur la méthode à suivre, il revient à son sujet d'origine ; il entame les dépouillements et les recherches qui vont aboutir, quatre ans plus tard, à l'*Histoire de la conquête de l'Angleterre*. Il court les bibliothèques et se pénètre de la magie évocatoire du document avec un bonheur qu'il racontera magnifiquement, grandi par la nostalgie stoïque de l'infirme, dans *Dix ans d'études historiques*. Mais il ne se détourne pas pour autant de l'action politique, au contraire. Il est activement de la Charbonnerie qui, passé l'échec des tentatives de l'été 1820, a tenté de procurer à l'opposition extra-légale le bras armé d'une puissante organisation secrète. Là aussi, l'entreprise tourne court. Le supplice des quatre sergents de La Rochelle, le 20 septembre 1822, crée d'inoubliables martyrs de la liberté, mais n'en coïncide pas moins avec un rapide reflux du mouvement. Les conditions d'un soulèvement victorieux ne sont pas mûres. Repli général de la jeunesse impatiente sur les études. La bataille politique, pour les exclus du pouvoir, va prendre le chemin de la diffusion des idées et de la formation de l'opinion. Les six ans du ministère Villèle (formé le 14 décembre 1821, il tombe le 5 janvier 1828) représenteront ainsi une phase féconde de latence politique et de maturation intellectuelle où les projets et les pensées surgis autour de 1820 s'épanouiront en fruits éclatants, gagneront le public, et recréeront à neuf, pour ainsi dire, l'esprit de la nation en dehors de la sphère d'influence du pouvoir. Dès l'été 1825, Stendhal note : « Le progrès de la France durant les quatre dernières années est immense. Plus d'un livre que l'on aurait rejeté en 1820, comme trop difficile à comprendre est maintenant méprisé comme superficiel. » Et il précise : « Nous devons ce changement à Sir Walter Scott, *Ivanhoé* a lancé la mode des livres comme ceux de Thierry et de Guizot et tout le monde rirait aujourd'hui de lire l'éloge du système féodal en jargon sentimental[86]. » En 1827, quand Thierry, porté par le succès de sa *Conquête,* reprend la controverse ébauchée sept ans plus tôt et mène le développement de son argumentation jusqu'au bout, la cause est gagnée. Il est assez reconnu, du reste, pour bénéficier d'une pension (depuis juillet 1826), non tant destinée à honorer l'historien qu'à soutenir l'aveugle qu'il est en train de devenir[87]. Il a eu une première attaque d'ataxie locomotrice à l'automne 1824, au moment où il achevait la rédaction de son livre. Il lui a fallu le concours d'un secrétaire pour le terminer. Il ne lira plus dorénavant que par les yeux d'autrui et devra dicter au lieu d'écrire. Il aura le temps de refondre une nouvelle fois ses *Lettres* dans l'année 1828, en pleine poussée libérale, au milieu du triomphe universitaire de ses amis et compagnons de lutte Cousin, Villemain et Guizot, rétablis dans leur enseignement par le nouveau ministère et plébiscités par un public accouru en foule. En septembre, son travail terminé, il est frappé de paralysie et sa cécité devient complète. L'histoire a désormais en lui « son Homère », comme Chateaubriand le saluera[88]. Les années victorieuses de la nouvelle école historique seront pour lui des années noires, avant que l'organisation scientifique impulsée par Guizot ne lui ouvre la possibilité d'une seconde carrière. Thierry a fort bien dépeint lui-même, plus tard, l'atmosphère de cette période de suspens germinatif, de sécession intellectuelle et d'approfondissement studieux devenus instruments du combat politique, « où le repos n'était pas de l'oppression, où la délivrance apparaissait comme certaine». «Ainsi il y eut pour les lettres, se souvient-il en 1840, une classe d'hommes jeunes et dévoués, dont l'ambition n'avait de chances que par elles; il y eut une passion de renouvellement littéraire associée par l'opinion aux honneurs et à la popularité de l'opposition politique. Le professorat s'éleva au rang de puissance sociale; il y avait pour lui des ovations et des couronnes civiques, et quelque chose qui peut-être ne se reverra plus, il y avait des salons où le succès était pour la parole la plus grave, sur les questions les plus élevées de la philosophie morale, de l'histoire et de l'esthétique. L'histoire surtout eut une large part dans ce travail des esprits et dans ces encouragements du monde. On avait soif d'apprendre sur ce passé dont l'ombre semblait encore menaçante, la vérité tout entière, et de là vinrent, spécialement pour les études historiques, dix années telles que la France n'en avait jamais vu de pareilles[89].»

Il ne s'agit pas là que de l'environnement de la réforme historique. Ce contexte exceptionnel ne fait pas qu'éclairer les conditions sociales de sa réussite. Il en intéresse directement la teneur. Le programme qui coagule chez Thierry dans l'été 1820 n'est pas concevable en dehors de la fracture qui se déclare entre pouvoir et société avec le tournant rétrograde des mois précédents et dont la béance ne cessera plus de s'élargir jusqu'au dénouement de l'antagonisme en juillet 1830. Si la révolution resurgit en 1814, c'est la nation qui apparaît en 1820. C'est elle qui fournit le schème intégrateur permettant d'articuler de manière dynamique les autres facteurs de changement dans la conception et dans l'écriture de l'histoire. C'est son affirmation qui sous-tend à la fois le déploiement divers des possibilités aperçues par Thierry dans un éclair inaugural et la pénétration du souci du passé dans les esprits, jusqu'à l'expression complète des virtualités de pensée inscrites en elle chez le Michelet de 1831, révélé à lui-même par l'illumination de juillet.

La Nation - entendons: ce réceptacle mystique de la souveraineté, cette entité invisible et perpétuelle au nom de laquelle s'exerce le pouvoir - entre en scène comme un acteur indépendant, si l'on peut dire, en 1789. Elle s'impose comme l'instance arbitrale. Elle devient la figure de l'au-delà du pouvoir, au-delà matérialisé dans la personne du roi qui en tire sa légitimité, mais assez distinct de lui pour qu'on puisse en appeler de cette source du pouvoir pour demander la réforme de ses modalités d'exercice. Création de la monarchie, lentement constitué en son sein, longtemps confondu avec elle, le principe national est en passe de lui échapper et de se retourner contre elle. Il finira par la décapiter.

On ne saurait s'aventurer sans s'y perdre à retracer, même de très haut et de très loin, un processus qui représente ni plus ni moins le concentré de ce que l'histoire occidentale a produit de plus original sur dix siècles. Il prend à revers les slogans mécaniques qui nous ont appris à identifier le politique et l'écume des choses, l'événementialité de surface dissimulant en sa mobilité chatoyante les évolutions lourdes à l'œuvre dans l'épaisseur matérielle des soubassements – slogans droit issus, remarquons-le quand même au passage, de l'amplification du renversement libéral, tel que nous le voyons timidement entrer dans la compréhension de l'histoire chez un Thierry. S'il est un phénomène de très longue durée et un phénomène intéressant les bases les plus profondes de la vie sociale, puisque consistant en une refonte de la forme même de l'être-ensemble, c'est bien la cristallisation pluri-séculaire des nations à partir de la consolidation des noyaux monarchiques de l'univers féodal. Il s'est joué là tôt une révolution insensible dont les révolutions politiques modernes (mais aussi bien la révolution de l'économie) constituent en vérité l'aboutissement. Force nous est de nous en tenir à son sujet aux quelques indications sommaires strictement indispensables à l'intelligence du moment qui nous intéresse. Car 1820 représente un moment fécond dans l'histoire longue de la nation. Il faut pour le concevoir disposer d'un minimum de données sur la nature du phénomène et sur les voies singulières de sa réalisation dans le cadre français. Le détour est plus indispensable encore si l'on veut comprendre les effets de connaissance attachés au jeu d'un schème politique. Si l'on ne discerne exactement l'articulation temporelle du schème national, on ne peut entendre les incidences déterminantes de sa libération sur la ressaisie du passé.

Pour résumer les choses d'une phrase, on pourrait hasarder la formule suivante : la Nation est la résultante et l'expression du passage d'une société structurée par l'assujettissement à un principe d'ordre externe à une société structurellement sujette d'elle-même, moyennant la confluence d'une révolution religieuse, d'une révolution de l'espace politique et d'une révolution du temps social. La racine de la transformation est religieuse ; elle repose sur l'exploitation d'une virtualité fondamentale du christianisme, à savoir le désemboîtement de l'ordre céleste et de l'ordre terrestre ; elle matérialise ce décrochage entre suffisance de l'ici-bas et dépendance envers l'au-delà au travers d'une redéfinition complète de l'essence idéale du pouvoir et du corps politique dans leurs rapports mutuels. Concrètement, la transformation se déploie selon deux grands axes : une logique spatiale et une dynamique temporelle ; c'est de là que surgit, sous deux visages différents, la forme subjective du social. Sur chacun de ces versants, la monarchie va mener un inexorable travail de sape à l'endroit de ses propres assises, en donnant peu à peu consistance, *via* l'enracinement dans l'espace et *via* l'installation dans la durée, aux deux figures du pouvoir *par représentation* destinées à subvertir conjointement toute espèce de pouvoir exercé en personne. L'histoire de la royauté classique est au fond l'histoire de la gestation d'un pouvoir impersonnel, de concert avec la forme nationale, au sein d'un pouvoir incarné – dans des conditions, celles créées par l’absolutisme français en sa teneur spéciale, qui ne sont pas sans expliquer non seulement l’aspect de rupture critique du dénouement, mais encore les difficultés persistantes de la suite à stabiliser le gouvernement représentatif dans le pays.

La Nation naît d’un côté d’une territorialisation du pouvoir qui en change la nature, les perspectives et les fins. D’une logique de l’expansion, visant à l’unification conquérante du monde, on passe à une logique de la circonscription territoriale; d’un pouvoir en extension, on passe à un pouvoir en profondeur où l’opération du souverain devient d’amener à l’intérieur de ses limites, le corps collectif à une pleine correspondance avec lui-même. La visée de la forme universelle du lien de société suppose les frontières du particulier pour se réaliser. C’est dans ce basculement que le pouvoir par représentation a sa prime origine: d’incarnateur symbolique de l’assujettissement à une loi extrinsèque, il se fait l’agent administratif d’une coïncidence interne de la communauté politique avec sa propre règle de constitution. C’est en ce point, autrement dit, que la monarchie bifurque, dans le développement même de son appareil, vers son propre désétablissement. Elle fait signe, du dedans de son action, vers une légitimité qui la conteste. Elle suscite, contre elle-même, les conditions d’une pensée radicale de la souveraineté collective, réclamant la résorption complète du principe du pouvoir dans le corps social et l’abolition du reste de dépendance envers une extériorité figuré en la personne du roi. De la Nation-territoire à la souveraineté nationale, le chemin est ainsi plus direct qu’il n’y paraît.

Mais il est une seconde source de la subjectivation de l’être ensemble, non moins décisive pour la constitution de la forme nationale et pour la redéfinition du pouvoir dans un sens représentatif: l’injection du temps du ciel dans les institutions terrestres. L’enracinement dans la permanence aura été à coup sûr l’un des facteurs les plus fondamentaux de la spécificité occidentale. Il est l’un de ceux en tout cas qui ont le plus activement contribué à modeler notre entente de la chose publique, et au-delà l’un de ceux qui ont le plus essentiellement pesé sur notre compréhension du fonctionnement collectif. Le secret de son efficacité réside dans une bizarre formule alchimique: le temps génère des personnes. La continuité indéfinie de la fonction par rapport aux personnes qui la remplissent successivement tend à faire de ladite fonction une entité subsistante par elle-même et plus réelle, à sa façon, que les individus qui la servent à titre précaire, secrètement frappés d’anonymat au milieu des honneurs de leur rôle. Comme la perpétuité d’un collectif par rapport aux individus qui le composent et qui, eux, naissent et meurent tend à le faire reconnaître comme une réalité transcendante, pourvue de consistance par elle-même. L’imputation de permanence aux rôles publics et aux corps sociaux conduit ainsi à voir dans les détenteurs du pouvoir ou de l’autorité des représentants ou des serviteurs d'entités qui leur sont supérieures, tout invisibles qu'elles soient, puisqu'elles détiennent le vrai et permanent ressort de la position qu'ils ne font que momentanément occuper. Le roi mortel n'est que l'incarnateur temporaire d'une dignité royale qui, elle, ne meurt jamais. Tandis, de même, que les membres périssables du corps politique apparaissent et disparaissent en un renouvellement ininterrompu, le corps politique comme tel persiste, lui, inaltéré en son invisible égalité à lui-même. Apparaissent de la sorte, au-delà des personnes de chair, des êtres angéliques ou angélomorphes, plutôt, l'État ou la Nation, qui sont des personnes virtuelles, puisque dotées de quasi-présence à soi par leur intangible identité au travers du devenir et qui s'affirment insensiblement comme les véritables propriétaires d'une légitimité que des êtres finis peuvent assumer par délégation mais en aucun cas posséder. La personnification de la puissance légitime au travers de sa perpétualisation opère en secret un transfert de pouvoir qui est l'autre grande origine du principe représentatif : le pouvoir est parmi les hommes quelque chose qui se peut anonymement exercer, mais pas individuellement détenir.

On retrouve sur le plan temporel la logique de l'auto-destitution intime qu'on dégageait à propos de la spatialisation symbolique du pouvoir. Se profile à l'intérieur du pouvoir par excellence personnifié, le pouvoir monarchique, la figure d'un pouvoir radicalement impersonnel, puisque exercé au nom de personnes transcendantes, l'État et la Nation qui en ont proprement la possession. Le roi incarne en son corps politique, autrement dit, ce qui le promet à la mort en tant qu'incarnateur. La révolution démocratique, c'est le triomphe de la personnification abstraite du collectif sur l'individualité singulière qui continuait de l'attacher à un corps concret. Ce n'est qu'alors que la Nation, en se désincarnant, en se détachant de tout titulaire personnellement légitime, acquiert la pleine transcendance subjective. C'est au travers du régicide que la personne perpétuelle de la Nation devient intégralement personnelle : elle cesse d'être appropriable ou incorporable pour n'être plus que représentable. La représentation de la communauté politique des vivants en sa volonté actuelle est simultanément représentation visible de la nation invisible et éternelle. Le pouvoir n'est pas simplement l'organe au travers duquel le corps politique dont il émane s'assure d'une prise globale et réfléchie sur lui-même. Il est aussi l'instrument par lequel cette personne nationale, dont les acteurs sociaux du moment ne sont eux-mêmes en leur ensemble que des espèces de représentants qui passent quand elle demeure, se manifeste et agit. Le règne de la nation effective ne va pas sans sa personnification fictive. Il y a là un aspect à la fois évident et mal éclairé, un visage spectral en quelque sorte de la souveraineté démocratique, inavoué en même temps que familier, hors desquels on ne saurait comprendre la fonction politique de l'histoire. Le secret de l'efficience du schème national en tant que schème cognitif gît dans son substrat temporel. Notre science du passé n'existerait pas sans cet étrange creuset où le roc d'une inaltérable permanence naît de l'universel changement, où le flux du devenir génère et sustente l'identité d'une subjectivité que nul n'a vue, mais qui ne nous en gouverne pas moins.

Par rapport à cette épure générale, reste à circonscrire les cheminements singuliers qui font que c'est autour de 1820 que la Nation libère un potentiel de sens et de science que trente années de mobilisation politique autour de son nom n'avaient pas permis de laisser jouer. Cela suppose de revenir sur l'originalité centrale que cette genèse a revêtue dans le contexte français: sa concentration exclusive autour de la figure du monarque. «La Nation ne fait pas corps en France. Elle réside toute entière dans la personne du roi[90]»: cette maxime louis-quatorzienne résume l'essentiel. Au lieu de s'effectuer par transition graduelle (même si violemment conflictuelle à des moments charnières), comme avec la continuité du Parlement à l'anglaise, le passage à la représentation au sens moderne s'est opéré en France moyennant la rupture de l'absolutisme, c'est-à-dire la réduction au silence de la représentation organique-hiérarchique à l'ancienne, de la «nation en corps», associant dans la souveraineté le roi et les grands (les supérieurs contenant et valant pour leurs inférieurs). La Révolution anglaise a paradoxalement produit de la continuité, pourrait-on se risquer à dire, en installant les développements modernes de l'expression du corps politique dans le prolongement de l'ancienne formule souveraine du «*King in Parliament*», sauvée contre la menace absolutiste. La Révolution française a hérité, en revanche, un siècle et demi plus tard, de la discontinuité majeure introduite par l'absolutisme victorieux. Elle a eu à tirer les conséquences de la transformation du principe de pouvoir qui s'est opérée à la faveur de la captation exclusive de la souveraineté par le monarque. La réinvention en profondeur de l'économie de la représentation s'est opérée, dans ce cadre, à la faveur de la relégation de ses formes anciennes. C'est, en France, au travers d'une individualisation exacerbée de l'absolu du pouvoir que s'est accomplie la restitution au corps politique de sa puissance constituante. Comme c'est au travers d'une personnification intense du rôle souverain que s'est accomplie l'entrée dans le règne de l'abstraction étatique et de l'impersonnalité nationale. D'où l'intensité des contradictions au dénouement et le caractère à peu près inéluctable de rupture en règle et de recommencement radical de celui-ci. D'où, comme on l'a suggéré, l'attraction exercée par la figure résolutoire du régicide et la pente symbolique qui conduisait à devoir se défaire d'un personnificateur aussi difficile à restreindre dans ses attributions. D'où aussi, à la sourde lumière de l'enjeu, le retentissement signifiant de cette mise à mort, sans commune mesure avec le précédent anglais (l'une signe la fin d'un monde quand l'autre représente une transgression autorisant, sinon appelant, le retour au bon ordre). D'où toute une série de conséquences qui, si elles n'expliquent rien à elles seules, à l'instar des considérations précédentes, jettent une lumière peut-être plus directe sur le processus politique de la Révolution et ses prolongements.

Pesanteur invincible des origines, la volonté d'instauration pure, de reconstruction *ex nihilo*, ne va pas empêcher le régime mort de poursuivre et d'obséder le vif. L'héritage fondateur de la monarchie va obérer de part en part les tentatives pour constituer ce gouvernement aux antipodes de son propre principe dont elle projetait l'ombre en avant d'elle-même, et durablement grever la stabilisation du régime représentatif en France. Comme si, sous l'emprise du modèle séminal de la personnification de l'impersonnel, de l'abstraction incorporée, la Nation souveraine ne parvenait pas à se désincorporer, à se libérer dans sa pleine différence invisible et personnelle. Là où l'écart maintenu de la nation en corps et du roi eût permis le jeu d'une distance entre pouvoir et société obligeant à concevoir et assurer leur adéquation représentative à partir de leur séparation même, l'image indépassable du roi concentrant en lui la nation tout entière va enfermer les représentations politiques dans le mythe actif d'une identification du pouvoir et de la société. En pratique, cette volonté d'indistinction de la nation et de son organe dirigeant se coulera dans deux grandes formules antagonistes, l'une parlementaire, l'autre autoritaire, dont ce qui les oppose ne doit pas masquer la commune racine imaginaire. Ou bien, contre la personnification monarchique, on entend installer la nation à la place du roi et réaliser rigoureusement l'impersonnalité du pouvoir; mais on n'en reprend pas moins, en décapitant la souveraineté royale, son idée organisatrice, à savoir que l'organe qui représente la collectivité *est* la collectivité même, qui n'existe politiquement, n'a de voix et de volonté que par lui. Il en découle une conséquence d'immense portée: l'aliénation virtuelle de la souveraineté ainsi déléguée, de par l'impossibilité d'une quelconque procédure de contrôle de la conformité des choix effectifs des représentants avec le vœu des représentés. Péril d'usurpation parlementaire dont la Révolution fera ressortir la multiple et permanente actualité (le phénomène admettant plusieurs versions, de l'usurpation au nom du peuple à l'usurpation au nom des Lumières et de la Raison, de la prétention à la démocratie directe au cynisme censitaire du gouvernement des élites: ici encore la diversité des expressions ne doit pas dissimuler la communauté d'inspiration). Ou bien, tout au rebours de cette voie républicaine, radicale ou modérée, et faute d'y trouver un mécanisme interne de stabilisation, on se résigne à une repersonnification du pouvoir, la seule façon de concrétiser efficacement la souveraineté du peuple, d'une manière

capable de la rendre pleinement identifiable et lisible dans son opération, paraissant être de la confier toute à l'autorité sans partage d'un dépositaire providentiel. En réaction contre la dérive acéphale et la soustraction à la prise collective du pouvoir d'assemblée, le règne d'une volonté rigoureusement individualisée semble la seule issue pour établir, sur le monde de la coïncidence coercitive, la correspondance explicite entre l'action du pouvoir et le vœu de la Nation. Par où le despotisme napoléonien appartient profondément au processus politique de la Révolution, entendu comme tentative pour donner corps, précisément à cette chose si parfaitement mystérieuse, en fait, et si mal contrôlable qu'est la souveraineté de la Nation. Il y aurait à montrer d'ailleurs comment la guerre d'expansion et l'impérialisme révolutionnaire participent d'un même déchaînement du principe national, principe de réalisation de l'universel dans le particulier, dévoyé en l'occurrence par le retour du vieux moyen de l'universel, le débordement conquérant hors du particulier, faute de trouver au-dedans sa juste assiette.
Usurpation représentative ou substitution autocratique, la Nation, en 1815, après un quart de siècle de batailles en son nom et d'efforts pour la faire être, n'a pas accédé à l'existence politique. Son déploiement reste arrêté par le poids d'une indivision contraignante du souverain et du peuple, de l'instance de pouvoir et du principe de pouvoir, qui interdit à la logique de la délégation d'aller vers une expression équilibrée et régulière. C'est par rapport à ce blocage central que le retour en arrière de la Restauration va avoir, paradoxalement, un effet libératoire. Il a été maintes fois et fort justement souligné combien la période, en faisant de l'héritage de 89 l'objet du débat public, en canalisant la lutte des partis dans les voies de la procédure parlementaire, avait au total, et en dépit de tout, représenté un moment fécond dans l'acculturation démocratique du pays. Les développements qui précèdent permettent d'en dire un peu plus. C'est que la dissociation entre pouvoir et société résultant du rétablissement de la monarchie par en haut, mais dissociation dans le cadre d'une légitimité faisant place malgré tout à l'exigence représentative en sus du renouement avec la tradition, va dégager l'affirmation du principe national des entraves qui la tenaient captive jusque-là et la laisser aller cette fois jusqu'au bout. Si la Révolution reparaît en 1814 et 1815, réveillée par l'interruption même de ses prolongements et de ses conséquences, la confrontation de la société nouvelle avec la prétention d'en revenir à une légitimité ancienne suscite la situation et la scène grâce auxquelles la cristallisation de la Nation dans son identité propre, à part du pouvoir, mais par rapport à lui, en fonction du pôle de réflexion qu'il devrait être et se trouve ne pas être, devient pleinement possible. La répétition emporte résolution. À cet égard, le tournant politique de 1820 marque le point d'inflexion. La réorientation rétrograde de la monarchie, après les lois libérales de 1818-

1819, l'incapacité définitive à absorber le mouvement et l'esprit du siècle en laquelle elle se mure, à un moment où ceux-ci se montrent particulièrement éloquents et pressants, font apparaître de manière irrécusable le divorce entre la réalité du fonctionnement social et l'image que s'en forme un gouvernement aveugle à l'évolution qui dissout ses bases. Enfermement dans l'illusion – «le pouvoir est souvent saisi d'une étrange erreur. Il croit qu'il se suffit à lui-même...» – dont les quatre grands ouvrages que Guizot publie coup sur coup d'octobre 1820 à juin 1822 établissent l'impitoyable diagnostic, avec une remarquable acuité dans le discernement de la nouveauté des temps et des transformations de l'état social[91].

Reste, et c'est l'originalité féconde de la situation, que l'antagonisme entre les deux forces marchant à contre-courant demeure suffisamment limité pour s'inscrire dans l'espace tacite d'une commune règle du jeu et emprunter les canaux de l'affrontement symbolique. Arbitraire rétrograde n'est pas despotisme, pour commencer, et les moyens que se donne le gouvernement de la réaction ne lui permettent pas plus de tuer dans l'œuf l'expression collective qu'elles ne ferment les voies légales de sa mise en cause. «Nous avions foi dans nos institutions», dira plus tard Guizot[92]. Sans qu'il soit besoin de supposer cette foi partagée par tout le monde, le propos livre une indication de portée générale : il reste possible d'en appeler des bases légales du pouvoir contre la manière dont il est exercé et d'opposer l'esprit des institutions à l'interprétation de fait qui en est donnée. Même purement tactique, l'invocation des principes de la Charte contre la conduite du gouvernement, l'un des leitmotive de la période, pose une règle de grande conséquence. Pour inexpiable qu'elle se donne, la «lutte des deux races» n'en admet pas moins implicitement un cadre commun de référence. D'où passée la flambée conspiratrice et pré-insurrectionnelle de 1820-1822, ce prodigieux mouvement de sécession culturelle de la société civile où l'étude, l'idée, le livre deviennent le véhicule privilégié de l'action publique, où la manifestation indépendante de la pensée acquiert portée d'instrument politique dans une bataille indirecte qui n'a pas immédiatement le pouvoir pour enjeu, mais les fondements de sa légitimité. Tout ce qui atteste l'écart ou la dissemblance de la Nation en regard du pouvoir vaut accusation et délégitimation de celui-ci, de son défaut de correspondance à la direction spontanément adoptée par le corps social. Ainsi prend consistance, dans le jeu de cette dissidence sur fond de demande de ressemblance, l'articulation centrale du mécanisme représentatif, à savoir la séparation de la Nation comme condition de son expression sur la scène distincte du pouvoir.

Dans ce processus, l'histoire est à la fois un agent et un produit. L'approfondissement et la diffusion de la conscience historique sont des vecteurs éminents de l'affirmation nationale. Ils contribuent de façon centrale à l'autonomisation concrète de ce collectif souverain transcendant l'œuvre des siècles et la concentrant en lui. En même temps, c'est le surgissement virtuel de cette entité distincte au-delà du peuple actuel qui ouvre un champ nouveau, immense, au travail de l'historien, et qui le pourvoit d'une pressante nécessité. Tout ce qu'il arrache au passé pèse au présent dans le sens du vrai droit public méconnu par les maîtres du pouvoir. Il constitue le sujet politique par l'amont, aux côtés de ceux qui s'efforcent d'en faire entendre la voix ici et maintenant. Mais surtout, au-delà de cette noble mission patriotique, la ressaisie du passé sous le jour et en vue de la personne nationale change entièrement la manière de le percevoir, de le traiter et de le restituer. L'avènement politique de la Nation ne se borne pas, dans les conditions singulières que lui ménage le contexte français, à investir l'historien de la charge civique de révéler à elle-même et à la face du monde la détentrice authentique de la souveraineté. Il l'établit en homme de science, indépendamment des circonstances, en recentrant son labeur sur un foyer organisateur doté d'un rayonnement intelligible de portée extra-temporelle, à partir duquel l'exhumation et la compréhension critiques des données du devenir vont prendre un essor sans précédent. L'histoire savante telle que nous l'entendons naît de l'imputation du passé en sa totalité à ce sujet virtuel ne cessant lui-même d'émerger comme foyer personnel du flux de ce qui passe et gouvernant sous le nom de Nation. La part la plus technique de ses opérations s'y alimente, comme les perspectives de sa mise en forme en dépendent, comme l'économie même du rapport au passé qu'elle présuppose y possède son fondement.

Telle est l'alliance du conjoncturel et de l'essentiel qui fait l'enseignement unique de ces dix années de combat pour l'histoire. C'est le degré d'imbrication du projet savant dans le processus politique qui les rend si éclairantes. Car le processus politique profond porte en l'occurrence un premier dénouement symbolique de la difficulté toute spéciale à faire s'incarner le gouvernement de la Nation dans la tradition française – difficulté qui n'en renaîtra pas moins au-delà de sa mince ébauche de résolution, mais sans qu'il soit jamais plus possible de revenir sur cet enracinement inaugural de la différence sans laquelle il n'est pas de correspondance représentative possible. Car, d'autre part, grâce à l'association intime du développement de la science avec le déploiement du principe national, il est possible de suivre, dans la diversité de ses cheminements, l'engendrement *ex nihilo* ou presque d'un système entier d'appropriation du passé à partir de l'impulsion communiquée par le schème subjectif en train lui-même de s'imposer dans l'ordre politique. Le lien congénital entre science du passé et science de la Nation restera patent tout au long du XIXe siècle et jusqu'en 1914 au moins. Jamais plus cependant il n'aura la clarté que lui confère la situation de naissance conjointe des années 1820-1830 – clarté décisive, puisque seule à permettre de faire la part du propos idéologique et du modèle structurel. Les naïvetés patriotiques dissipées, le support subjectif demeure. Très au-delà du culte de la Nation, le schème élaboré dans le cadre de la Nation garde sa fécondité. Ce par quoi nous avons bien affaire à un moment de fondation.

Ainsi les ébauches flamboyantes que commet Thierry dans l'été 1820 sont-elles à lire à deux niveaux : elles relèvent d'une polémique politique frontale, déplacée significativement sur le terrain de l'histoire ; elles témoignent simultanément d'une manière encore germinative, mais parlante, des effets réorganisateurs de la forme nationale sur le questionnement et l'exposition du passé. La monarchie restaurée appuie sa légitimité sur ses titres historiques et sur son enracinement traditionnel. La Charte constitutionnelle de 1814 parle explicitement de « renouer la chaîne des temps ». Et le souci de masquer derrière d'augustes précédents les concessions arrachées à la faveur de « funestes écarts », comme dit toujours le texte de la Charte, avait conduit ses rédacteurs à produire une « théorie de l'histoire de France » mêlant diverses réminiscences et opinions reçues au service de la bonne cause. « Les réticences et les méprises historiques tendent ici au même but, écrira plus tard Thierry : on veut prouver que la royauté fut de tout temps en France l'unique pouvoir constituant[93]. » Voilà donc l'enjeu et la cible. S'il y a lieu de s'en prendre aux auteurs du XVIIIe siècle, c'est non seulement parce qu'on retrouve l'empreinte des systèmes de Dubos ou de Mably dans le texte dont il s'agit de saper les bases, c'est plus profondément parce que les historiens classiques ont ce préjugé en commun avec les rédacteurs de l'acte constitutionnel qu'ils ne veulent voir paraître sur la scène historique que de grands personnages. Marquer chaque innovation législative du nom d'un roi n'est qu'une application particulière du principe général consistant à rapporter la marche des événements à l'entreprise de héros-sources. C'est au renversement de ce point de vue en général qu'il convient d'appeler. C'est une histoire fondée sur la prise en compte de la « masse entière de la nation », ordinairement dissimulée derrière les « manteaux de cour », qu'il s'agit d'exiger[94].

La Charte évoque « les anciennes assemblées des champs de Mars et de Mai » – allusion, *via* une vague réminiscence de Mably, selon Thierry, aux origines franques et aux prétendus quatorze siècles d'existence de la monarchie française. Contre cette légitimation légendaire, Thierry entreprend de soumettre à l'examen « la véritable époque de l'établissement de la monarchie ». Matière brûlante, puisqu'elle lui vaut d'être victime de « l'encre rouge de la censure[95] ». À titre d'exemple d'initiative « des rois nos prédécesseurs », la Charte cite enfin la création de municipalités libres : « Les communes ont dû leur affranchissement à Louis le Gros, la confirmation et l'extension de leurs droits à Saint Louis et Philippe le Bel[96]. » À quoi Thierry rétorque dans la lettre du 18 octobre

1820 qui sera la dernière de cette première série : « L'établissement des premières communes dans le nord de la France fut donc une conspiration heureuse [...] les plus anciennes et les plus considérables s'établirent spontanément, par insurrections contre le pouvoir seigneurial[97]. » Les trois grands thèmes qu'il réorchestrera en 1827 et au-delà sont en place : la critique des méthodes historiques reçues, la formation de la nation française et la révolution communale. Tous trois sortent droit du texte même de la Charte auquel ils entendaient apporter le contrepoint d'une réfutation en règle. Mais la grâce du moment change une polémique circonstancielle en réforme du cadre de pensée.

Ce n'est pas seulement que l'aiguillon de la lutte politique, par une sorte de ruse de la raison mobilisant les passions au service du vrai, conduit à établir des idées justes là où une incuriosité paresseuse laissait se perpétuer des opinions fausses. Il n'y a pas simple relève de thèses par d'autres, à l'intérieur et en fonction du même système de référence : il y a transformation du système de référence. Mably aussi se préoccupait des droits et des titres authentiques de la Nation ; cela ne l'empêchait pas de réfléchir et d'écrire dans le même esprit que les tenants de la prérogative monarchique. Ici, l'affrontement n'est pas que de contenu. Il est d'abord et surtout affrontement entre deux modes de saisie du passé. L'important, c'est que l'affirmation nationale au travers de l'histoire ne se dissocie pas de la refonte de l'histoire sous l'effet de la pénétration du schème national. Ce qui compte, ce n'est pas tant la démonstration de l'inanité de l'axiome qui voulait que Clovis eût fondé la monarchie française que le modèle sous-jacent qui permet de la conduire et qui suppose un changement complet dans la relation au passé.

Le système antérieur de légitimation par le passé relevait d'une économie d'une détermination par le dehors. Il demandait l'identification d'un commencement, d'autant plus valide que rapportable à l'acte pur d'une volonté individualisée modelant le cours des événements de l'extérieur, et d'autant meilleur qu'éloigné – commencement dont il ne s'agissait plus ensuite que d'observer la transmission à la fois inaltérée et ininterrompue. La mesure du poids du passé en vient ici à s'opérer à l'aune du développement interne d'une personne dont on essaie de situer le point de départ, depuis le présent, en vue de l'identifier par circonscription. Le problème n'est plus de rattacher l'origine de la monarchie française à l'action d'un lointain fondateur, il devient celui de « déterminer le point précis où l'histoire de France succède à l'histoire des rois franks[98] », la monarchie n'étant plus alors elle-même qu'une pièce dans le déploiement d'une individualité plus vaste. « Tout ce que nous avons lu et entendu, écrit Thierry à propos des avatars du titre de roi, nous porte à croire à des existences immémoriales toujours fixes, toujours égales à elles-mêmes. Cela n'est point, cela n'a pu être ; il n'y a rien qui soit vraiment antique: sous les vieux noms sont des choses neuves, et si la lettre demeure, l'esprit change[99].» Au point de vue de la continuité de transmission avec une origine immémoriale, se substitue le point de vue discontinuiste d'une genèse limitée – impliquant de séparer, donc, «l'histoire de France proprement dite de l'histoire de la Gaule franke» – et d'une mutabilité interne des termes, fût-ce le titre de roi, dont les conditions du contexte seules sont arbitres.

On retrouve naturellement en ce point les effets du renversement libéral en matière de pensée de la production du devenir, mais on les retrouve intégrés à l'intérieur d'un schème compréhensif de portée à la fois plus ample et plus précise qui en canalise et en intensifie les applications. Ils eussent pu s'insérer dans une histoire philosophique de facture très classiquement XVIIIe siècle, observions-nous sur la foi du témoignage même de Thierry. Nous tenons ici la clef de leur enrôlement au service de la découverte du passé en tant que tel. L'analyse de l'histoire par en bas, telle que résultant du jeu anonyme des forces collectives, prend son sens, désormais, dans l'horizon de la formation de cet englobant-sujet présent dans tous les accidents et dans toutes les particularités qu'il naît de transcender, et dont il s'agit précisément d'attester et de constituer l'imperturbable présence à soi au travers de la recension minutieuse de l'infinité des expressions et des incarnations par lesquelles il est passé. Où l'on entrevoit que l'histoire totale se trouve être simultanément l'histoire qui exige la plus rigoureuse exactitude du détail et de la restitution des choses du passé à leur place, dans leur couleur intrinsèque. Ce n'est pas seulement l'intelligence libérale du devenir que récupère à son compte le schème de la permanence nationale, c'est aussi bien l'impératif érudit et les puissances expressives du récit. Histoire totale il y a en ceci qu'il n'est rien parmi ces choses effectivement advenues, quel qu'en soit le registre, qui ne puisse et ne doive être compté au nombre des composantes qui ont concouru à la formation de cette personne transcendante d'autant plus ferme dans son identité à soi qu'elle est multiple dans ses sources. Cette totalité est donc par essence ouverte; elle est indéfiniment à compléter. Elle n'en comporte pas moins un principe de totalisation interne: l'ensemble des éléments qu'elle accueille, sans discrimination ni hiérarchie *a priori* est susceptible d'être ramené à l'unité, par des voies à définir. Mais ouverture ne signifie pas non plus indifférence à la nature des éléments qu'elle incorpore. L'inscription dans l'horizon de totalité implique au contraire une stricte exigence dans la définition des données: rien n'a de sens qu'établi dans son objectivité la plus concrète et que ressaisi dans sa vie même.

Ce n'est pas seulement ainsi un mode global d'appréhension du passé qu'introduit le schème cognitif de la nation. Ce sont également – et corrélativement – un principe de découpage du devenir fondé sur la cohérence interne des séquences et un support d'accueil neuf pour les données érudites. Toutes potentialités qu'on voit affleurer en germe dès les premières *Lettres* de Thierry, sur les flancs de l'idée directrice. Thierry voit bien, par exemple, comment le recours au schème de l'individualité – ce qu'il appelle en langage naïf «s'attacher à la destinée d'un peuple entier comme à la destinée d'un seul homme» – met en cause le principe d'ordre externe fourni communément par la succession des rois. «... Ce sentiment, qui est l'âme de l'histoire, écrit-il, a manqué aux écrivains qui jusqu'à ce jour ont essayé de traiter la nôtre. Ne trouvant pas en eux-mêmes le principe qui devait rallier à un intérêt unique les innombrables parties du tableau qu'ils se proposaient d'offrir, ils en ont cherché le lien au dehors, dans la continuité apparente de certaines existences politiques, dans la chimère de la transmission non interrompue d'un pouvoir toujours le même aux descendants d'une même famille[100].» Le coup d'envoi est donné d'une polémique destinée à durer. Car Dieu sait que l'identification des époques de l'histoire par règnes et leur unification grâce à la continuité dynastique auront la vie dure. C'est aussi que la mise en œuvre effective du principe organisateur constitué par le développement interne d'une unité personnelle s'avérera plus problématique que la belle candeur programmatique avec laquelle il est ici revendiqué ne le laissait supposer. Difficulté liée peut-être à la dynamique intrinsèque du schème de la sorte mobilisé, à sa capacité de dissémination et à ses effets multiplicateurs. Rien ne serait plus erroné que de l'assimiler à une exigence de coordination globale demandant qu'on subordonne les éléments à la loi du tout. Il est foncièrement anti-hiérarchique dans son fonctionnement, puisqu'il porte à dissoudre toute liaison imposéc artificiellement aux faits de l'extérieur pour faire surgir au contraire leur connexion par le dedans. Dans le même esprit, loin de conduire à négliger les détails au profit de la perspective d'ensemble, il porte décentralisation et multiplication des intérêts savants de l'historien en permettant de tenir les unités discrètes constituant le tout comme des réalités par elles-mêmes, comme des individualités. Ce qu'entrevoit Thierry lorsqu'il note que le changement dans la présentation globale du devenir de la Nation dont il forme le vœu ne transformerait pas moins la présentation de ses figures locales. «Dans cette histoire vraiment nationale, dit-il, s'il se trouvait une plume digne de l'écrire, la France figurerait avec ses cités et ses populations diverses, qui se présenteraient à nous comme autant d'êtres collectifs, doués de volonté et d'action[101].» Si le développement de la nation exige d'être saisi comme «la destinée d'un seul homme», le parcours de chacune de ses composantes ne demande pas moins d'être conçu comme les avatars d'une personne. C'est l'objet historique en général qui apparaît dans la lumière de l'individualité en fonction de la nouvelle façon de poser la totalité de référence. D'où, à la fois, la légitime particularisation érudite du regard historique et le légitime emploi du récit singulier, assuré que l'on est de l'enjeu général de l'examen des aspects ou des segments les plus spéciaux du devenir et de l'exemplarité virtuelle de l'épisode apparemment le plus original. Voilà qui scelle la surprenante alliance des études monastiques et de l'histoire pittoresque.

On a de la sorte l'analogue exact, chez notre historien néophyte et dans le registre politique, des idées que Humboldt développera dans le registre philosophique quelques mois plus tard, en avril 1821, devant l'Académie des sciences de Berlin. Là où les *Lettres sur l'histoire de France* invoquent l'identité de la nation tout entière, *La Tâche de l'historien* parle des «Idées qui, avec calme et grandeur, se déploient à travers la connexion même de ce qui advient dans le monde, sans pourtant lui appartenir[102]». Personnelle ou nationale, «chaque individualité humaine est une idée qui s'enracine dans le phénomène[103]». Les concepts sont d'une altitude et d'une dignité spéculative incomparables. Le schème intelligible, dans sa structure et dans ses effets opératoires, est rigoureusement le même. L'idée qui transcende le donné, tout en passant par lui, de sorte qu'il faut partir de l'examen du donné pour en faire surgir l'idée, sans jamais «plaquer sur la réalité des Idées arbitrairement forgées», de sorte encore qu'il s'agit de faire place à la profusion des données sans «sacrifier la moindre part de la vivante richesse du particulier[104]»: la Nation toujours égale à elle-même, au-delà de l'infinité des expressions concrètes au flux desquelles elle se ressource, ne joue pas un autre rôle. Dans des perspectives très différentes, les deux textes désignent semblablement le foyer d'une même transformation des conditions de la connaissance historique. Ils nomment parallèlement le principe qui a fait se rejoindre et s'interpénétrer établissement du fait et dégagement du sens, exploration objective des données prises en elles-mêmes et saisie de leur connexion intelligible, collecte sans limite des attestations du passé et analyse raisonnée des enchaînements du devenir. Il ne s'agit pas de faire du langage de l'un la vérité du langage de l'autre. Ils se complètent en témoignant chacun d'un aspect de l'émergence du dispositif intellectuel dont allait surgir au cours des années suivantes un autre savoir de l'histoire, sur la base d'un double mouvement dont ils livrent la clef: désenclavement d'une érudition bornée dans sa puissance de déchiffrement par les intérêts guidant sa recherche de l'authentique, disqualification d'une histoire philosophique limitée dans sa capacité d'accueil des faits par la rigidité de son projet de sens. Deux textes-annonces, dessinant à quelques mois d'intervalle, avec une vigueur anticipatrice, sinon divinatoire, qui n'est pas la moindre de leurs caractéristiques, le programme d'une science pour l'essentiel encore toute à venir.

Mise au point du récit, retour sur les voies de la production du devenir, ressaisie de la tradition des philosophies de l'histoire, déploiement de la forme nationale, redécouverte du métier d’érudit : il faudra dix ans de tentatives et de travaux dans toutes ces directions pour que les virtualités et les exigences aperçues en 1820 adviennent à une expression formée. À peine aperçu dans son unité, le programme éclate en accomplissements partiels. Thierry lui-même se retourne vers l’histoire d’Angleterre, terre d’élection pour illustrer sa grande idée de la lutte des races, mais à laquelle il va s’efforcer de communiquer cette fois l’exactitude de couleur et la vie de l’évocation narrative. Sa *Conquête* sera précédée dans cet ordre de l’histoire-récit par les *Ducs de Bourgogne* de Barante. Parallèlement, l’analyse du devenir du point de vue des nécessités ou des contradictions de l’état social, dessinée déjà par Sismondi et par Guizot, trouve avec le problème de la Révolution l’un de ses points spectaculaires d’application. Et puis, l’histoire nouvelle commençant à entrer dans les esprits, vient, autour de 1827, l’année de la republication en volume des *Lettres sur l’histoire de France,* vient une vague d’approfondissement philosophique. Vico, Herder, Hegel entrent dans le bagage de l’historien. C’est là-dessus, quand le triomphe politique est en vue, que se déclare la crise des fondements érudits de l’entreprise. La Nation victorieuse créera les institutions indispensables pour asseoir l’histoire-science, en même temps que l’épanouissement de la personne collective rassemblant la bigarrure des temps permettra de réaffirmer le lien nécessaire entre les différentes composantes de la nouvelle appréhension du passé. Chez Michelet les éléments – philosophie, récit, discernement des sources –, dont l’entrée en composition par la grâce de la Nation avait précipité chez Thierry le dessein grandiose d’une science à instaurer, se fondent sous une forme assurée, dans une synthèse stable, en fonction d’une individualisation pleinement aboutie de l’entité nationale.

4.

Comment saisir et rendre l’unité de l’histoire ? Tel est le problème qui obsède le jeune Michelet. En décembre 1825, il écrit dans son journal : « Prendre dans l’histoire du XVIe siècle une période très courte, de dix ans, ou même plus courte encore, et en faire la véritable histoire universelle (politique, littéraire, scientifique, de l’art, religieuse, etc.). Projet impraticable : pour une période très courte, point de liaison philosophique ; pour une période tant soit peu longue, ouvrage immense[105]. » La connaissance historique n’a d’intérêt que si elle vise l’âme de l’ensemble, que si elle se situe dans une perspective universelle. Mais comment surmonter alors la diversité et le disparate des matériaux à prendre en compte ? L’intérêt de Michelet a été éveillé par un petit texte de Victor Cousin, publié en 1823 en appendice à la traduction de l'*Histoire abrégée des sciences métaphysiques, morales et politiques* de Dugald Stewart[106]. Texte programmatique, ici encore, où Cousin dessine en quelques pages le profil de ce que pourrait être «la véritable histoire de l'humanité, son histoire intérieure». «Pourquoi, demande Cousin, comme on raconte les événements sans liaison nécessaire qui composent la vie extérieure du genre humain, ne rétablirait-on pas, entre ces événements arbitraires, l'ordre véritable qui les rapproche et les explique, en les rapportant au monde supérieur duquel ils participent véritablement? Ce serait là la science historique par excellence[107]...» Michelet a trouvé dans cette lecture une impulsion décisive – son chemin vers l'histoire, à partir de la philosophie. Il fait la connaissance de Cousin en avril 1824, et noue avec lui un commerce serré, interrogateur, au travers duquel il s'initie à la philosophie de l'histoire. Il lit en quelques mois Kant, Ferguson, Vico, Condorcet, Turgot. C'est dans ce cadre qu'il forme le projet de traduire la *Scienza nuova*[108]. Quand il publie son *Tableau chronologique de l'histoire moderne*, il sollicite l'indulgence de son mentor en des termes très révélateurs: «Au lieu de chercher la liaison intime de l'histoire dans la marche de la civilisation, je me contente de la marquer très superficiellement par les révolutions du système d'équilibre[109].» Car c'est là toute la difficulté, s'agissant de mettre en œuvre ce programme qu'il fait sien: comment marquer la *liaison intime* caractéristique de la «véritable histoire universelle» selon Cousin?

Très tôt, cette «unité de l'histoire du genre humain», Michelet va la chercher du côté de l'idée de personnalité. Ainsi, en 1825, reprend-il à Pascal l'image de la suite des hommes formant «un même homme qui subsiste toujours et qui apprend continuellement» – soit, par une rencontre lourde de sens, une image dérivée du schème corporationnel que la figure de la Nation porte à sa plus haute puissance. Mais il n'est pas question de particularité nationale, alors; c'est l'histoire de l'humanité tout entière que Michelet a en vue. «... Idée simple et sublime! s'écrie-t-il. [...] L'homme n'est plus un tout isolé, mais une partie de cet être collectif qu'on appelle humanité [...] L'individu apparaît un instant, s'unit à la pensée commune, la modifie et meurt; mais l'espèce qui ne meurt pas, recueille le fruit éternel de son existence éphémère[110].» En pratique, le *Précis de l'histoire moderne* de 1827 représente une avancée considérable vers la solution de la difficulté par rapport au *Tableau chronologique*. Le système d'équilibre demeure le cadre de référence. Mais il n'est plus là seulement pour «marquer superficiellement» la liaison de l'histoire. Il permet d'atteindre à l'«unité dramatique» des trois derniers siècles. Ses révolutions fournissent le principe d'une périodisation raisonnée faisant ressortir l'«unité d'action et d'intérêt» de chacun des moments. L'ensemble s'intègre dans une intrigue générale – la fusion du système des États du Nord avec le système des États de l'Occident et du Midi. La méthode de la caractérisation installe les événements dans la ferme perspective d'une ligne de force – «le caractère du XVIe siècle, ce qui le distingue profondément de ceux du moyen-âge, dit par exemple Michelet, c'est la puissance de l'opinion[111]». La méthode symbolique permet enfin de représenter les «idées intermédiaires», l'enchaînement interactif des phénomènes, «non par des expressions abstraites, mais par des faits caractéristiques[112]», restituant ainsi, grâce au tri judicieux des faits susceptibles de «servir de symboles à tous les autres», un fil conducteur vivant là où l'on risquait de se perdre dans la masse des données et le dédale des événements.

Parallèlement au pas considérable que représente le *Précis* en matière de présentation organique du passé, et dans le même temps – le *Vico* est lui aussi de 1827 –, la réflexion autour de la *Science nouvelle* offre à Michelet l'occasion d'un approfondissement du même ordre au plan spéculatif. Sa prédilection pour le précurseur napolitain, entre toutes pensées de la continuité et de l'unité du devenir, tient pour une bonne part, à y regarder de près, à son inachèvement même, à l'archaïsme théologique en lequel elle demeure prise. Le prix de Vico, aux yeux de Michelet, en fonction des préoccupations qui sont les siennes au moment où il le travaille, découle du caractère double de sa pensée. Il y a certes chez lui le fameux «principe héroïque»: «L'humanité est son œuvre à elle-même.» Mais cela à l'intérieur d'un cercle défini par la divinité: «Sans doute les hommes ont fait eux-mêmes le monde social, c'est le principe incontestable de la science nouvelle, commente Michelet; mais ce monde n'en est pas moins sorti d'une intelligence qui s'écarte souvent des fins particulières que les hommes s'étaient proposées, qui leur est quelquefois contraire et toujours supérieure[113].» D'où la clôture dans le cycle indéfini des trois âges, divin, héroïque et humain. C'est cette imputation à une personne transcendante d'une réalité qui n'en est pas moins intégralement le produit de l'action créatrice des hommes, de telle sorte que la sommation des œuvres de ceux-ci n'entame pas la permanence du principe organisateur caché au cœur du devenir, mais y contribue, qui retient et passionne Michelet. La contradiction de Vico est la solution presque trouvée de son propre problème. Il suffit de remplacer Dieu par la nation pour qu'elle soit complète.

Le 5 février 1826, il s'interroge dans une note: «De l'unité de l'histoire du genre humain. Si Dieu est infini, infiniment prévoyant, sage, l'histoire du monde est un système[114].» Mais s'il faut de la sorte une coordination à la fois englobante et intérieure à l'histoire pour atteindre à l'universalité systématique, comme eût dit Cousin, il faut aussi, il ne faut pas moins qu'elle soit vraiment histoire, c'est-à-dire parcours non écrit d'avance, effectivement engendré par le pouvoir des hommes, et qu'il y a de ce fait sens à raconter dans ses méandres. *La Science nouvelle* vaut légitimation de la poursuite simultanée de ces deux exigences, elle fournit un point d'équilibre momentané, à défaut d'issue entièrement convaincante à leur tension, jusqu'à ce que, révélée dans l'« éclair de juillet », la Nation autorise à les tenir pleinement ensemble en satisfaisant à chacune. L'histoire est l'histoire de la liberté, « récit de l'interminable lutte de l'homme contre la nature, de l'esprit contre la matière, de la liberté contre la fatalité[115] ». Mais ce combat à jamais ouvert entre soi et la fatalité n'en est pas moins le moteur d'une croissance et affirmation de l'homme qui se concrétise dans l'émergence d'une liberté collective, dans le développement d'un soi social. « ... Ce qu'il y a de moins simple, de moins naturel, de plus artificiel, c'est-à-dire de moins fatal, de plus humain et de plus libre dans le monde, c'est l'Europe ; de plus européen, c'est ma patrie, c'est la France[116]. » L'aboutissement de la liberté, c'est la capacité d'auto-constitution, l'intime unité, la puissance de réflexion de la personne nationale. « L'Allemagne n'a pas de centre, l'Italie n'en a plus. La France a un centre. Une et identique depuis plusieurs siècles, elle doit être considérée comme une personne qui vit et se meut. Le signe et la garantie de l'organisme vivant, la puissance de l'assimilation, se trouve ici au plus haut degré : la France française a su attirer, absorber, identifier les Frances anglaise, allemande, espagnole dont elle était environnée. Elle les a neutralisées l'une par l'autre et converties toutes à sa substance[117]. »

Le secret de l'universel est là, dans cette advenue de l'élément créateur de l'histoire à la forme subjective. C'est de son creuset que sortira dorénavant tout progrès décisif de l'humanité vers le parachèvement de la libre unité de son ordre. « L'ordre une fois senti dans la société limitée de la patrie, la même idée s'étendra à la société humaine, à la république du monde[118]. » Mais on connaît, aussi bien, les phrases fameuses par lesquelles Michelet introduit son *Introduction à l'histoire universelle :* « Ce petit livre pourrait aussi bien être intitulé : *Introduction à l'histoire de France* ; c'est à la France qu'il aboutit. Et le patriotisme n'est pour rien en cela. Dans sa profonde solitude, loin de toute influence d'école, de secte ou de parti, l'auteur arrivait, et par la logique et par l'histoire à une même conclusion : c'est que sa glorieuse patrie est désormais le pilote du vaisseau de l'humanité[119]. » Il n'est pas jusqu'à Dieu lui-même qui ne se voie réabsorbé au sein de cette subjectivité toute terrestre ramassant et concentrant en elle le travail millénaire d'arrachement à la nécessité. Définissant la « belle et terrible époque où notre vie s'est rencontrée », époque de destruction, de dissolution mais aussi époque de passage à une forme donnant davantage à l'esprit, Michelet va jusqu'à écrire : « Ce dernier pas loin de l'ordre fatal et naturel, loin du Dieu de l'Orient, en est un vers le Dieu social qui doit se révéler dans notre liberté même[120]. » Et de préciser comme il se doit : « L'organe de cette révélation nouvelle, l'interprète entre Dieu et l'homme doit être le peuple social entre tous. Le monde moral eut son verbe dans le christianisme, fils de la Judée et de la Grèce ; la France expliquera le verbe du monde social que nous voyons commencer[121].» La boucle est cette fois bouclée. La transformation du modèle emprunté à Vico est achevée. La réinvention philosophico-théologique du schème national à laquelle Michelet procède pour son propre compte au travers de la *Science nouvelle* est à son terme. Il tient désormais de quoi concilier intégralement le *récit* (de la liberté en son cours imprévisible et multiforme) et le *système* (la réunion cohérente des effets de la liberté au sein de la personne nationale, du sujet social-divin).

Double avantage du dispositif : d'une part, il s'accommode de la représentation d'un devenir entièrement ouvert ; d'autre part le sujet de sommation et de réflexion qu'il convoque reste un sujet virtuel qui non seulement ne se ferme jamais sur lui-même, mais qui vit du déplacement de ses limites. La personne nationale ne s'incarne pas, en d'autres termes, toute faite qu'elle soit du concret de l'action de ses membres ; elle fonctionne, en sa transcendance toujours renaissante, comme une idée régulatrice – mais pas n'importe quelle idée : celle d'une possible totalisation de l'intégralité des manifestations du devenir dans l'horizon inatteignable d'une conscience de soi. Nous avons ici, complètement développé par rapport aux formulations inaugurales d'un Humboldt, le principe théorique de la bifurcation en laquelle les sciences historiques se dégagent définitivement de la philosophie de l'histoire tout en intégrant ses élaborations les plus abouties. En l'occurrence, l'élément « hégélien » de la récapitulation consciente, soit ce qui différencie proprement l'idée contemporaine de l'histoire, telle qu'elle émerge quelque part dans la première décennie du XIXe siècle, quand s'ajoute à l'idée « objective » de progrès, façon XVIIIe siècle, l'idée d'un retournement réflexif sur soi au travers de l'accumulation des temps. Le progrès est d'abord progrès de la conscience de soi du genre humain. On voit comment la représentation de la Nation à la Michelet reprend cet élément, mais en le déprenant de ses traductions philosophiques en termes de fin de l'histoire, de savoir absolu, ou même de privilège du présent au nom de la prise de conscience d'un passé ignorant de lui-même dont il est le théâtre. On va vers plus de conscience rétrospective, mais sans que ce mouvement de retour sur soi puisse jamais s'achever.

C'est que le schème national dé-dogmatise nécessairement cette représentation d'un devenir générateur d'une personne toujours davantage en possession d'elle-même dont il accueille non moins nécessairement la pointe la plus accomplie. La Nation n'a jamais fini de se constituer ; elle ne s'achève pas plus qu'elle ne meurt ; la réalisation de sa pleine présence à elle-même recule idéalement du même pas qu'elle avance effectivement. Elle introduit par là un élément « kantien » de limitation au sein de la pensée de la totalisation subjective qu'elle mobilise par ailleurs. Les références philosophiques ne sont pas évoquées ici pour renvoyer à on ne sait quel jeu obscur d'influences ou autre labeur de synthèse dans l'abstrait, quand on vient de souligner à l'inverse le caractère autodidacte de la réappropriation de la personnification nationale chez un Michelet. Elles ne veulent que marquer et situer la puissance théorique du schème cognitif qui va servir de soubassement aux sciences historiques. Point ne leur sera besoin de le savoir pour en avoir l'usage. Elles pourront l'ignorer, l'oublier ou même le dénier : elles n'en puiseront pas moins à ses ressources opératoires. Ses expressions idéologiques agressivement patriotiques ne doivent pas tromper : non seulement il ne s'y réduit pas, mais il en est rigoureusement indépendant en son articulation intelligible, même s'il est susceptible de les porter. Le nationalisme n'est pas la vérité de la nation : il en est une expression historiquement cruciale, mais intellectuellement, du point de vue de la logique du schème social fondamental engagé dans l'affaire, tout à fait secondaire et relativement contingente. Aussi bien comprend-on à partir de là comment en ce domaine des œuvres mues par des motifs explicites idéologiquement aberrants peuvent demeurer scientifiquement impeccables. La démesure, pour ne pas dire la déraison lyrique de la patrie « pilote du vaisseau de l'humanité », n'a pas empêché Michelet d'être et de rester un historien génial – parce qu'il y a infiniment plus et surtout autre chose dans l'idée de la France en personne que cette dilatation poétique du particulier aux proportions de l'empire universel. Au-delà des divagations qu'il a pu en surface leur inspirer, le schème national a fourni aux sciences historiques à la fois un garant épistémologique implicite, mais très sûr, et une source inépuisable de renouvellement. Son efficience heuristique est liée à la forme de la totalité. Celle-ci n'implique pas que l'exigence, par elle-même féconde, d'une prise en compte toujours plus exhaustive des données et des dimensions de tous ordres du champ historique. Elle implique également un agnosticisme constructeur quant à la forme des rapports internes entre les éléments de la totalité. Ils peuvent être de détermination de l'un à l'égard des autres : l'économie, la démographie, l'écologie peuvent circonstanciellement peser d'un poids décisif. Mais ils peuvent être tout autres, sans que rien puisse permettre de les présupposer *a priori*. Ils peuvent être d'unité profonde, de correspondance essentielle, d'ajointement intime entre tous les aspects, matériels, géographiques, spirituels, d'une société, de telle sorte qu'il n'y ait plus de sens à faire jouer une partie comme raison du tout.

Ce que la science historique a produit de plus riche en fait de compréhension du devenir a son secret dans cette quête toujours à approfondir, portée par son schème de base, d'une solidarité fondamentale, d'une unité ultime des niveaux et des termes du processus collectif déjouant causalités simples et mécanismes réglés une fois pour toutes. On en a l'exemple avec l'histoire de ce siècle. Quand Vidal de La Blache pose le problème de la «personnalité géographique de la France», quand il demande comment s'est opérée la «mise en lumière de son individualité», comment l'action des hommes a établi «une connexion entre des traits épars» et substitué «un concours systématique de forces aux effets incohérents de circonstances locales», il lance une interrogation infiniment féconde non seulement parce qu'il incite à concevoir l'objet historique plus largement qu'on ne l'avait fait, mais surtout parce qu'il oblige à reprendre à zéro, en dehors de tout déterminisme direct et à un niveau de profondeur incomparable, la question des rapports internes et des articulations qui structurent une totalité historique[122]. Voilà pourquoi Michelet est resté, à travers les vicissitudes d'école et les métamorphoses du savoir, ce repère étrangement unanime et un auteur séminal. Il a le premier donné complètement à concevoir cette forme par laquelle tout se tient et dont la plus haute tâche de l'historien consiste à comprendre comment elle se tient. La tâche a plusieurs fois changé de voies et de visage. Elle en changera encore. Son initiateur restera une source.

Dès ce premier déploiement complet, le schème de la Nation-personne donne la mesure de son efficacité récapitulative et critique. Il permet à Michelet d'opérer la réunion et la somme des divers apports venus par vagues successives depuis 1820 concrétiser le grand œuvre de remémoration politique, d'institution de l'acteur national par l'exhumation du passé et l'intégration de sa puissance légitime dans la conscience publique. Avec son explicitation pleine et entière, arrive également à l'explicite l'idée-programme d'une nécessaire unité de ces axes de la ressaisie du passé dont le commencement de conjonction avait généré chez Thierry le dessein d'une histoire nouvelle, le récit et l'analyse philosophique, la «résurrection» et la «critique». Et, chez Michelet, la réaffirmation opératoire de cet indispensable mariage de l'érudition, de la compréhension et de la restitution trouve le langage d'une dénonciation de l'étroitesse ou de l'unilatéralité de l'optique de ses devanciers destinée à demeurer paradigmatique. Il fixe le modèle de ce que sera l'appel interne à l'idéal total de la discipline contre le caractère partiel ou borné de ses réalisations effectives. Ainsi retourne-t-il contre Thierry les protestations solennelles que celui-ci élevait contre une histoire exclusivement politique, dissimulant le sort de la plus grande masse de la nation derrière les péripéties de quelques existences en vue. Tout en saluant en lui le talent de l'artiste, et aussi l'homme qui eut «un jour d'audace, de haute invention, de génie[123]», il lui reproche d'être retombé dans le défaut de ses prédécesseurs et d'être resté à la surface des choses en ne faisant «entrer dans la narration que l'histoire politique[124]». «... L'école pittoresque a été superficielle; elle n'a rien dit de la vie intérieure, elle n'a point parlé de l'art, ni du droit, ni de la religion, pas même de la géographie qui était plus qu'aucune chose nécessaire à son point de vue[125].»

Plus instructif encore, du point de vue des ressources intelligibles inscrites dans le schème-support, Michelet critique le «fatalisme de race», le principe explicatif favori de Thierry, au nom du développement national. Dès l'*Introduction* de 1831, il parle de la «fusion intime des races [qui] constitue l'identité de notre nation, sa personnalité». «Le mélange, dit-il, imparfait dans l'Italie et l'Allemagne, inégal dans l'Espagne et dans l'Angleterre, est en France égal et parfait[126].» Le *Tableau de la France* place carrément le facteur de race à côté de l'enracinement terrien, dont justement la force de l'histoire dégage l'homme, en lui procurant peu à peu le sens d'une appartenance plus large, en lui donnant à concevoir «au lieu de son village natal, de sa ville, de sa province, une grande patrie, par laquelle il compte lui-même dans les destinées du monde[127]». Ce que méconnaît Thierry, en postulant la fixité d'une différence naturelle à travers le temps, c'est «le travail que fait sur soi toute société», à la faveur duquel «l'élément de race est de plus en plus secondaire, de plus en plus subordonné[128]». Ce qu'il ignore, en un mot, c'est la puissance propre du devenir, qui recrée et refond les données primitivement reçues en nature. S'agissant de produire une «formule de la France», comme s'exprime Michelet en 1833, il faut la considérer «d'une part dans sa diversité de races et de provinces, dans son extension géographique, d'autre part dans son développement chronologique, dans l'unité croissante du drame national[129]».

Indépendamment du problème précis des races, c'est le pouvoir critique du modèle à l'endroit d'un certain type de déterminisme qu'il est crucial de faire ressortir. Ce n'est pas seulement le refus d'envisager l'histoire par des «points de vue spéciaux», sans voir «combien ces choses s'isolent difficilement, combien chacune d'elles réagit sur les autres» qui est en jeu ici[130]; c'est beaucoup plus profondément une limitation de principe de toute espèce de «fatalité», comme on aimait tant à dire dans les années 1820.

Dans un cours de 1828-1829 à l'École normale, Michelet procédait à une critique révélatrice des idées de Thierry, une critique purement philosophique: «À côté du développement des races, il faut en placer un autre, je veux parler du développement des idées, où se manifeste la libre activité de l'homme [...] Nous tenons à la terre par la race, mais nous avons en nous un pouvoir de locomotion par lequel nous imprimons du mouvement à l'histoire. Voilà ce qu'a négligé M. Thierry[131].» L'historien reste fidèle à ce souci initial de sauvegarder une part de liberté à côté du poids des déterminations naturelles. Mais il n'a plus besoin d'y faire appel comme à un principe abstrait: elle est pièce intégrante du dispositif intellectuel au travers duquel il appréhende le passé. Dès qu'on raisonne en termes d'intégration des éléments de l'histoire dans une totalité unificatrice dotée de la puissance d'un «travail sur soi», on s'interdit de penser un enchaînement fatal du devenir ou sa soumission à des réseaux linéaires de causalité. S'il y a des déterminismes locaux, ils n'ont de sens que replacés dans un jeu global d'interrelations, lequel, de par la capacité de retour réflexif qui s'y trouve à l'œuvre, admet une part inéliminable d'ouverture qu'il faut bien appeler manifestation de la liberté collective dans le temps. Point de la plus haute importance pour le destin intellectuel des sciences historiques : elles comportent en elles, avec ce schème totalisateur et ses exigences de mise en relation, de quoi régler leur usage du principe de raison.

1. Charles de Rémusat, *Politique libérale*, Paris, 1860, pp. 3-4.

2. Ernest Renan, *L'Avenir de la science* (ouvrage rédigé en 1848 comme on sait), *Œuvres complètes*, Paris, 1949, t. III, p. 834.

3. Augustin Thierry, *Lettres sur l'histoire de France*, Paris, 1827, Avertissement, p. VIII.

4. Il s'agit d'Albertine de Broglie, dans une lettre de 1825 à Barante reproduite dans ses *Souvenirs*, Paris, 1890-1901, t. III, p. 248.

5. Ch. de Rémusat, *Politique libérale*, *op. cit.*, p. 4.

6. « Sur l'ancien esprit et sur l'esprit actuel des légistes français », *Le Censeur européen*, 1er mai 1820, repris dans *Dix ans d'études historiques*, que nous citons d'après l'édition des *Œuvres complètes*, Paris, 1859, t. III, p. 477.

7. François Guizot, *Du gouvernement de la France depuis la Restauration et du ministère actuel*, Paris, 1820, p. 2.

8. A. Thierry, *Lettres sur l'histoire de France*, *op. cit.*, p. 234.

9. Camille Jullian, *Introduction à ses Extraits des historiens français du XIXe siècle*, (elle a été republiée séparément sous le titre Notes sur l'histoire en France au XIXe siècle), Paris, 1897, p. XXXI. Du même, *cf.* également « Augustin Thierry et le mouvement historique sous la Restauration », *Revue de synthèse*, 13, 1906, pp. 129-142.

10. Les textes sont célèbres : c'est la lettre de Marx à J. Weydemeyer du 5 mars 1852, *Correspondance*, trad. franç., Paris, 1972, t. III, p. 78 ; c'est sa lettre à Engels du 27 juillet 1854 où il qualifie Thierry de « père de la lutte des classes dans l'historiograhie française », *Correspondance*, trad. franç., Paris, 1974, t. IV, p. 148 ; c'est la lettre d'Engels à G. Starkenburg, et son *Ludwig Feuerbach et la fin de la philosophie classique allemande*, trad. franç., Paris, 1976 : « Les historiens de l'époque de la Restauration, de Thierry à Guizot, Mignet et Thiers, le signalent partout [le fait de la lutte des classes] comme la clé qui permet de comprendre toute l'histoire de France depuis le Moyen Âge » (p. 71). Intronisation parachevée par G. V. Plekhanov, « Augustin Thierry et la conception matérialiste de l'histoire », *Les Questions fondamentales du marxisme*, Paris, 1947, pp. 179-195 ; « Les premières phases d'une théorie : la lutte des classes », *Œuvres philosophiques*, Moscou, 1965, t. II, pp. 483-538. Citons, à titre de curiosité, R. Fossaert, « La théorie des classes chez Guizot et Thierry », *La Pensée*, janvier-février 1955, pp. 59-69.

11. Éditions en langues étrangères, Moscou, s.d. Paraît, au moment de l'achèvement de ce texte, le livre de Jean Walch, *Les Maîtres de l'histoire*, 1815-1850, Paris, Genève, 1986, qui embrasse donc plus large chronologiquement, mais sans le caractère systématique et synthétique de l'ouvrage de Reizov, qui reste, dans le genre, irremplacé. Le livre de Stanley

Mellon, *The Political Uses of History: A Study of Historians in the French Restoration*, Stanford, 1958, en reste également à un angle de vue limité. *Cf.* en outre H. O. Sieburg, *Deutschland und Frankreich in der Geschichtsschreibung des 19. Jahrundert, 1815-1848*, Wiesbaden, 1954; P. Stadler, *Geschichte und Geschichtsschreiber im 19 Jahrundert*, 1789-1871, Zurich, 1958; St. Bann, *The Clothing of Clio. A Study in the representation of History in nineteenth century Britain and France*, Cambridge, 1984; à signaler enfin, sur une période particulièrement mal connue, le livre récent de J.K. Burton, *Napoleon and Clio. Historical writing, teaching and thinking during the first Empire*, Durham, 1979.

12. Philippe Ariès, *Le Temps de l'histoire*, Monaco, 1954, p. 265. Sismondi écrivait déjà dans l'*Introduction de l'histoire des Français*: «La Révolution, en interrompant la transmission des droits et des privilèges, a mis tous les siècles passés presque à une même distance de nous. Ils doivent tous servir à nous instruire; aucun ne nous gouverne plus par ses institutions» (1821, t. I, pp. XXIV-XXV).

13. Préface à *Dix ans d'études historiques, Œuvres complètes, op. cit.*, t. III, p. 307.

14. *Le Temps de l'histoire, op. cit.*, p. 263.

15. Stendhal, *Lettres de Paris, 1825*, Paris, 1983, p. 80. La même année, L. Vitet écrit dans un article fameux du *Globe*: «Le goût en France attend son 14-Juillet. Pour préparer cette nouvelle révolution de nouveaux encyclopédistes se sont élevés: on les appelle romantiques» («De l'indépendance en matière de goût», *Le Globe*, 23 avril 1825).

16. *Lettres sur l'histoire de France, op. cit.*, Avertissement, p. X.

17. L'ouvrage fondamental sur le sujet est celui de Krzysztof Pomian, *Le Passé comme objet de connaissance*. Je le remercie chaleureusement de m'avoir fait l'amitié d'en mettre une traduction encore inédite à ma disposition. On peut consulter, en français, «L'histoire de la science et l'histoire de l'histoire», *Annales E.S.C.*, 1975, pp. 935-952 et «Le passé: de la foi à la connaissance», *Le Débat*, n° 24, 1983, pp. 151-168.

18. Introduction aux *Extraits…, op. cit.*, p. XIV.

19. Dacier, *Rapport historique sur les progrès de l'histoire et de la littérature ancienne depuis 1789 et sur leur état actuel*, Paris, 1810, p. 182.

20. Thierry consacre un article dans *Le Censeur européen* du 5 juillet 1819 à l'ouverture de son cours (repris dans *Dix ans d'études historiques*). Il ne manque pas de saluer en lui «le savant et le patriote, reparu à la fois sur les bancs du représentant et à la tribune du professeur».

21. On peut citer à ce sujet le jugement de C. Jullian: «L'épigraphie romaine, qui commençait à passionner l'Allemagne, nous serait demeurée étrangère sans les mémoires de Letronne sur l'Égypte impériale; par une réaction toute naturelle, la Restauration est une des époques (en dépit des consciencieux travaux de Naudet) où la France a le moins étudié l'Antiquité romaine et nous n'avons jamais regagné l'avance que nous laissions prendre alors par nos rivaux. Letronne et Raoul Rochette maintenaient en revanche le goût de l'Antiquité grecque: mais déjà l'Allemagne nous avait atteints et dépassés» (Introduction aux *Extraits…, op. cit.*, p. XXXVI). Dans l'attente d'une histoire systématique de la philologie en France, resterait à analyser du moins ce phénomène par lequel, au moment où l'Allemagne va chercher en Grèce et à Rome le modèle de l'histoire, les curiosités françaises à partir de 1800 se détournent de l'Antiquité, au profit, par exemple, du mythe d'autochtonie celtique (*cf.* à ce sujet Mona Ozouf, «Le questionnaire de l'Académie celtique», *in L'École de la France*, Paris, 1984).

22. *Dix ans d'études historiques, op. cit.*, préface, p. 305.

23. «Première lettre sur l'histoire de France», *Le Censeur européen*, 23 juillet 1820, reproduite dans *Dix ans d'études historiques, op. cit.*, p. 502.

24. *Dix ans d'études historiques, op. cit.*, Préface, p. 304.

25. Petitot, *Collection complète des Mémoires…*, t. I, 1819, p. v, cité par L. Halphen, *L'Histoire en France depuis cent ans*, Paris, 1914, p. 48. Guizot ne dira guère autre chose pour justifier

sa propre *Collection*: elle doit remédier au défaut de vie des «ouvrages d'écrivains modernes, érudits plus ou moins recommandables, mais souvent préoccupés de vues étroites ou systématiques et qui n'ont presque jamais su reproduire les événements ni les hommes avec cette fidélité morale, cette simplicité naïve et animée qui font le charme et aussi la vérité de l'histoire» (cité par Halphen, ibid.).

26. Cité par Halphen, *op. cit.*, p. 52. C'est moi qui souligne. Le langage rétrospectif avec lequel il parle de son projet en 1835 n'est pas moins éloquent: «... Je croyais qu'il serait possible de joindre ensemble tous ces matériaux disparates en comblant les vides, en supprimant les redites, mais en conservant avec soin l'expression contemporaine des faits. Il me semblait que de ce travail, *où chaque siècle se raconterait pour ainsi dire lui-même, et parlerait par sa propre voix*, devrait résulter la véritable histoire de France» (Préface à *Dix ans d'études historiques, op. cit.*, p. 312. Je souligne).

27. *Histoire de la conquête de l'Angleterre, Œuvres complètes, op. cit.*, t. I, p. 6.

28. Pour tout ceci, *cf.* Kr. Pomian, «Le passé: de la foi à la connaissance», art. cit., et son livre sur l'histoire au Moyen Âge, *Le Passé comme objet de foi*, Varsovie, 1968, dont je le remercie là encore de m'avoir permis de consulter une traduction inédite.

29. Une étude systématique devrait engager ici le parallèle avec le roman historique des observations de Walter Scott jusqu'à l'autocritique de Manzoni dont on verra plus loin la signification stratégique.

30. Dans la préface à *Dix ans d'études historiques, op. cit.*, p. 305.

31. En particulier Machiavel et Guichardin. Les deux ouvrages constituent les tomes XXXIII et XXXXIV des *Sämmtliche Werke* de Ranke (Leipzig, 1873-1890).

32. *Le Recueil des historiens de la France et des Gaules* a commencé à paraître en 1738; il comprenait treize tomes en 1789. Dom Plancher, *Histoire générale et particulière de Bourgogne*, Dijon, 1739-1781, 4 vol.

33. Ses articles sont parus dans *L'Universel* des 15-19 octobre, 8 novembre, 5, 19 et 31 décembre 1829. Cité d'après Jean Le Pottier, *Histoire et érudition. Recherches et documents sur l'histoire et le rôle de l'érudition médiévale dans l'historiographie française au XIXe siècle*, thèse de l'École des chartes, 1979, p. 511.

34. Comme on sait, ce n'est en fait qu'en 1858 que ce comité a reçu sa dénomination de Comité des travaux historiques et que sous Jules Ferry qu'il est devenu le Comité des travaux historiques et scientifiques que nous connaissons aujourd'hui. En janvier 1835, un second comité est créé à côté du premier. Il comprend notamment Cousin, Mérimée, Hugo, Sainte-Beuve. *Cf.*, sur ce point, Robert-Henri Bautier, «L'Académie des inscriptions et belles-lettres et le Comité des travaux historiques sous la monarchie de Juillet» à paraître dans les Actes du colloque *Le Temps où l'histoire se fit science*, 1830-1848. Pour l'ensemble des documents, Xavier Charmes, *Le Comité des travaux historiques et scientifiques*, Paris, 1886, 3 vol.

35. Pour une idée précise de ce travail: R.-H. Bautier, «Le *Recueil des monuments de l'histoire du Tiers État* et l'utilisation des matériaux réunis par A. Thierry», *Annuaire-Bulletin de la Société de l'histoire de France*, 1944, pp. 89-118.

36. Michelet, *Œuvres complètes*, éd. par Paul Viallaneix, Paris, 1974, t. IV, p. 11.

37. Il faut ajouter à ce bilan les «Notes sur quatorze historiens antérieurs à Mézeray» qui figurent dans *Dix ans d'études historiques* pour avoir une vue complète de l'œuvre de Thierry comme historien de l'histoire de France.

38. *Considérations sur l'histoire de France, Œuvres complètes, op. cit.*, t. IV, pp. 121-122.

39. Renan, *Essais de morale et de critique, Œuvres complètes*, Paris, 1948, t. II, pp. 97-98.

40. Pour la collaboration avec Saint-Simon, Henri Gouhier, *La Jeunesse d'Auguste Comte et la formation du positivisme*, t. III, *Auguste Comte et Saint-Simon*, Paris, 2e éd., 1970, chap. I et II.

41. Thierry est né à Blois le 10 mai 1795. Son père était un petit employé à la préfecture. Pour la biographie : A. Augustin-Thierry, *Augustin Thierry d'après sa correspondance et ses papiers de famille*, Paris, 1922. Études récentes : R. N. Smithson, *Augustin Thierry: Social and Political Consciousness in the Evolution of a Historical Method*, Genève, 1973 ; Lionel Gossman, *Augustin Thierry and Liberal Historiography, History and Theory*, Beiheft 15, 1976.

42. Les expressions sont empruntées à la contribution de Thierry au premier volume de *L'Industrie*, « Des nations et leurs rapports mutuels », *Œuvres* de Saint-Simon, reprod. de l'éd. de 1868, Paris, 1966, t. I, pp. 111-112.

43. Dont le *Traité d'économie politique* venait de reparaître en 1814.

44. « Des nations et de leurs rapports mutuels », *op. cit.*, t. I, p. 106.

45. Le titre, ses évolutions et ses mésaventures ont fait l'objet de trois études d'Éphraïm Harpaz, « *Le Censeur*, histoire d'un journal libéral », *Revue des sciences humaines*, 92, 1958, pp. 483-511, « *Le Censeur européen*, histoire d'un journal industrialiste », *Revue d'histoire économique et sociale*, 37, 1959, pp. 185-218 et pp. 328-357, « *Le Censeur européen*, histoire d'un journal quotidien », *Revue des sciences humaines*, 114, 1964, pp. 137-259.

46. *Dix ans d'études historiques, op. cit.*, p. 299. Seul le premier des quatre longs articles intitulés « Vue des révolutions d'Angleterre » est repris dans le recueil de 1835. Les trois autres figurent aux tomes V (1817), VIII (1818) et XI (1819) du *Censeur européen.*

47. *Dix ans d'études historiques, op. cit.*, p. 303.

48. La chose est rapportée par son frère Amédée. A. Augustin-Thierry, *op. cit.*, p. 63.

49. *De la monarchie française depuis son établissement jusqu'à nos jours*, Paris, 1814, 3 vol. Montlosier s'illustrera, comme on sait, par un autre coup d'éclat en 1826 : sa dénonciation de l'influence des jésuites sur le gouvernement, dans la meilleur veine de la tradition gallicane *(Mémoire à consulter sur un système religieux et politique tendant à renverser la religion, la société et le trône).*

50. *Considérations sur l'histoire de France, op. cit.*, p. 117.

51. *Ibid.*, pp. 116-117.

52. *De la monarchie française..., op. cit.*, t. II, p. 209.

53. Parmi ceux-ci, un texte peu connu, puisque inédit, du jeune Michelet : « Le XVIIe siècle en France est une révolution, une révolution paisible opérée par le Roi. Richelieu fait démolir par une ordonnance toutes les forteresses qui ne dépendent pas du Roi et qui ne sont pas sur les frontières. C'est une révolution. Le peuple, las des guerres civiles, laissa faire l'autorité royale et fit fort bien. Combien grande fut cette révolution en apparence imperceptible ! [...] Si nous examinons le droit civil, c'est là que nous serons frappés de la Révolution. Comparons : le droit civil sous Henri III et Louis XIV, le code des Basiliques et les trois grandes ordonnances de Louis XIV sont de la plus haute importance ; la France a fait un pas immense. La Révolution qui se fait en Angleterre par le peuple se fait en France par le Roi. La Révolution anglaise est plus favorable à la liberté politique ; la Révolution française à la liberté civile. C'est le commencement de l'égalité en France. Quand les Anglais disaient : "les États despotiques comme la Turquie et la France", il y avait quelque chose de vrai : la France tendait moins à la liberté qu'à l'égalité. » *Petites Leçons*, École normale, 1829-1832. Je cite d'après la transcription dactylographiée des cours de Michelet réalisée par François Berriot. M. Paul Viallaneix a eu la grande gentillesse de la mettre à ma disposition. Je l'en remercie très vivement.

54. *Dix ans d'études historiques, op. cit.*, p. 358.

55. *Ibid.*, p. 350.

56. *Ibid.*, p. 314.

57. *Ibid.*, p. 303.

58. *Essais sur l'histoire de France*, je cite d'après la 13e édition, Paris, 1872, pp. 75-76. Cette

idée lui est expressément reprochée par Daunou, dont la critique fait ressortir de la façon la plus frappante la prégnance du mythe du législateur-cause : le but de l'histoire n'est pas d'expliquer les institutions par la société, mais d'expliquer au contraire la société par les institutions (*Journal des savants*, décembre 1823, pp. 703-712).

59. *Histoire des Français*, Paris, 1821, t. I, Introduction, p. III.

60. *Ibid.*, p. XXVI. Même idée dans l'*Histoire des républiques italiennes du Moyen-Âge* (Zurich, puis Paris, 1807-1818) : « L'une des plus importantes conclusions que l'on puisse tirer de l'étude de l'histoire, c'est que le gouvernement est la plus efficace entre les causes du caractère des peuples » (t. I, Introduction, p. I).

61. Paris, 1820. Le livre est publié en octobre. Guizot perd toute fonction officielle dans la réaction consécutive de l'assassinat du duc de Berry : au ministère de l'Intérieur, dès février, au Conseil d'État en juillet.

62. « Histoire véritable de Jacques Bonhomme, d'après les documents authentiques », *Le Censeur européen*, 12 mai 1820. Texte reproduit dans *Dix ans d'études historiques, op. cit.*

63. « Sur la conquête de l'Angleterre par les Normands. À propos du roman d'Ivanhoé », *Dix ans d'études historiques, op. cit.*

64. Le premier roman de Walter Scott traduit en français est *Guy Mannering*, en 1816. Suivent, en 1817, *Les Puritains* et *L'Antiquaire*, en 1818, *La prison d'Édimbourg*, en 1819, *Waverley*, *l'Officier de fortune*, *La Fiancée de Lammermoor* (rappelons que le premier roman de Scott dans sa langue originale, *Waverley*, est paru en juillet 1814). À sa mort, l'éditeur Gosselin évaluera à un million cinq cent mille le nombre de volumes imprimés à Paris dans la traduction Defauconpret. Sur la fortune de Scott en France : Klaus Masmann : *Die Rezeption der historichen Romane sir Walter Scotts in Frankreich (1816-1832)*, Heidelberg, Carl Winter Universitäts-Verlag (*Studia romanica*, 24 Heft), 1972. Louis Maigron ratifie le jugement des *Mémoires* de Pontmartin (« cette vogue dont l'année 1827 marqua l'apogée ») dans son étude classique, *Le Roman historique à l'époque romantique*, Paris, 1898.

65. En dépit des efforts de *La Thémis*, récemment remis en lumière par l'ouvrage de Donald Kelley, *Historians and the Law in Post Revolutionary France*, Princeton, 1984. Encore faudrait-il faire une exception pour Guizot, lecteur et admirateur de Savigny (mais plus sensible, semble-t-il, aux résultats de sa science qu'à ses idées inspiratrices). *Cf.*, plus loin, n. 69.

66. Cette idéologie est bien située par l'abbé Bremond, « Walter Scott », *in Pour le romantisme*, Paris, 1923. Commentaires éclairants dans Jean Molino, « Qu'est-ce que le roman historique ? », *Revue d'histoire littéraire de la France*, 75e année, n° 2-3, mars-juin 1975, pp. 195-234. À signaler dans le même numéro un autre article important de Claude Duchet, « L'illusion historique. L'enseignement des préfaces (1815-1832) », pp. 245-267.

67. Est-il besoin de dire que nous ne prétendons évoquer dans ces quelques lignes que la logique de types idéaux ? Sur le sujet, *cf.*, par exemple, Jacques Droz, « Concept français et concept allemand de l'idée de nationalité », *in Europa und der Nationalismus*, Baden-Baden, 1950, pp. 111-127.

68. Claude Fauriel, *Les Chants populaires de la Grèce moderne*, Paris, 1824-1925, 2 vol., *Discours préliminaire*, t. I, p. XXV. Se référant explicitement à Fauriel, Thierry écrit dans l'Introduction de l'*Histoire de la conquête de l'Angleterre par les Normands* : « La résurrection de la nation grecque prouve que l'on s'abuse étrangement en prenant l'histoire des rois ou même des peuples conquérants pour celle de tout le pays sur lequel ils dominent. Le regret patriotique vit encore au fond des cœurs longtemps après qu'il n'y a plus d'espérance de relever l'ancienne patrie [...] Voilà ce que des travaux récents nous ont appris pour la nation grecque, et ce que j'ai trouvé pour la race anglo-saxonne, en recueillant son histoire où personne ne l'avait cherchée, dans les légendes, les traditions et les poésies populaires » (*Œuvres complètes, op. cit.*, t. I, pp. 8-9).

69. Guizot salue dans le livre de Savigny, qu'il met abondamment à contribution, «le plus bel ouvrage peut-être qu'aient produit de nos jours les progrès de la critique historique», *Essais sur l'histoire de France, op. cit.*, p. 199.

70. Il est fait allusion, bien entendu, aux *Origines du droit français cherchées dans les symboles et les formules du droit universel*, 1837, *Œuvres complètes*, Paris, 1973, t. III.

71. *Dix ans d'études historiques, op. cit.*, pp. 395-396.

72. Alessandro Manzoni, *Du roman historique*, traduit par René Guise avec sa réédition des *Fiancés*, Paris, 1968, p. 327.

73. Dans cette veine, l'auteur le plus représentatif reste Roland Barthes, «Le discours de l'histoire», *Information sur les sciences sociales*, 6, n° 4, 1967, pp. 65-75.

74. Lettre à Fauriel de l'automne 1824, citée par Jean-Baptiste Galley, *Claude Fauriel, membre de l'Institut*, 1772-1843, Saint-Étienne, 1909, p. 302.

75. *Lettres sur l'histoire de France, op. cit.*, Avertissement, pp. X-XI.

76. *Précis de l'histoire moderne, Œuvres complètes, op. cit.*, t. II, p. 24.

77. *Considérations sur l'histoire de France, op. cit.*, p. 135.

78. *Dix ans d'études historiques, op. cit.*, p. 305.

79. Voici comment Anquetil, en 1805, présente sa démarche en tête de son livre, après avoir rapporté comment Napoléon l'avait engagé à produire «une histoire dégagée des détails et des accessoires qui rendent celle de France si volumineuse»: «J'ai adopté pour guide les quatre historiens généraux, Dupleix, Mézeray, Daniel et Velly. D'abord, je me suis convaincu par mes réminiscences que rien de ce qui offre quelque intérêt dans l'histoire de France n'a été oublié par ces quatre écrivains, ou que du moins si l'on omet une chose, l'autre la restitue; qu'ils ont bien pesé leurs autorités, et que par conséquent mettre leur nom à la marge, c'est comme citer la preuve. Ensuite, quand j'ai eu à traiter un sujet, j'ai examiné lequel des quatre l'a le mieux présenté, et j'ai pris son récit pour base du mien; puis j'ai ajouté, d'après les trois autres, ce que j'ai cru manquer à la narration du préféré», *Histoire de France*, Paris, t. I, Préface, p. VII.

80. *Dix ans d'études historiques, op. cit.*, p. 305.

81. «Sur les trois grandes méthodes historiques en usage depuis le seizième siècle», *Lettres sur l'histoire de France, op. cit.*, pp. 56-57.

82. *Ibid.*

83. *Considérations sur l'histoire de France, op. cit.*, p. 119.

84. La dixième des *Lettres* de 1820 reproduites en 1827 est en fait un article paru dans *Le Censeur*, le 21 février, «Sur quelques erreurs de nos historiens modernes. À propos d'une histoire de France à l'usage des collèges». Une onzième lettre, «Épisode de l'histoire de Bretagne», est parue un peu plus tard, en décembre, dans le *Courrier français*.
Le Drapeau blanc écrit à propos de la première lettre: «C'est là une des plus coupables tentatives de l'esprit d'opposition, c'est porter une criminelle atteinte à la virginité sacrée du trône en lui retranchant cinq siècles d'existence, c'est prêcher la guerre civile, chercher à armer les Français les uns contre les autres. Pour beaucoup moins, Fréret a été mis à la Bastille; nous requérons une salutaire rigueur» (cité par A. Augustin-Thierry, *op. cit.*, p. 71).

85. *Dix ans d'études historiques, op. cit.*, p. 307.

86. Stendhal, *Lettres de Paris, 1825*, Paris, 1983, p. 213. Stendhal fait allusion au projet d'histoire de France de Chateaubriand qui «aurait décrit dans le style le plus élégant les huit cents années de félicité dont a joui la France après la conquête de Clovis».

87. Smithson date de là le changement d'attitude politique de Thierry et son glissement du républicanisme au monarchisme libéral et constitutionnel.

88. Dans la Préface aux *Études historiques (1831)*: «On ne saurait trop déplorer l’excès de travail qui a privé M. Thierry de la vue. Espérons qu’il dictera longtemps à ses amis, pour ses admirateurs (au nombre desquels je demande la première place), les pages de nos Annales: l’histoire aura son Homère comme la poésie», éd. de Paris, 1838, p. 37.

89. *Considérations sur l’histoire de France, op. cit.*, p. 120.

90. Sous cette forme, la maxime nous est connue par P.-E. Lemontey, *Essai sur l’établissement monarchique de Louis XIV*, Paris, 1818, p. 327. (Il cite le manuscrit d’un cours de droit public pour l’instruction du duc de Bourgogne.) La charte de 1814 dit encore: «Nous avons considéré, bien que l’autorité tout entière résidât en France dans la personne du roi...»

91. *Du gouvernement de la France depuis la Restauration et du ministère actuel*, octobre 1820, *Des moyens de gouvernement et d’opposition dans l’état actuel de la France*, octobre 1821, *Des conspirations et de la justice politique*, janvier 1822, *De la peine de mort en matière politique*, juin 1822. La phrase citée est extraite de *Des moyens de gouvernement, op. cit.*, p. 128.

92. *Histoire des origines du gouvernement représentatif en Europe*, Paris, 1851, t. I, Préface, p. III.

93. *Considérations sur l’histoire de France, op. cit.*, p. 107.

94. *Lettres sur l’histoire de France, op. cit.*, p. 4.

95. *Dix ans d’études historiques, op. cit.*, p. 107.

96. Texte, par exemple, dans le recueil de L. Duguit et H. Monnier, *Les Constitutions et les principales lois politiques de la France*, Paris, 1925, p. 183.

97. *Dix ans d’études historiques, op. cit.*, pp. 516-517.

98. *Lettres sur l’histoire de France, op. cit.*, Avertissement, p. I.

99. *Ibid.*, p. 61.

100. *Dix ans d’études historiques, op. cit.*, p. 502.

101. *Ibid.*, p. 501.

102. G. de Humboldt, *La Tâche de l’historien*, trad. franç. par A. Disselkamp et A. Laks, Lille, 1885, p. 86.

103. *Ibid.*, p. 85.

104. *Ibid.*, p. 87.

105. Michelet, *Écrits de jeunesse*, éd. Paul Viallaneix, Paris, 1954, p. 236.

106. Dugald Stewart, *Histoire abrégée des sciences métaphysiques, morales et politiques*, trad. franç. par J. A. Buchon, Paris, 1820-1923, 3 vol. Le texte de Cousin figure au *Supplément*, dans le t. III, «De la philosophie de l’histoire», pp. 327-336. Il est reproduit, légèrement augmenté dans les *Fragmens philosophiques* de Cousin, Paris, 1826. Sur les rapports de Cousin avec la philosophie écossaise, *cf.* les Actes du colloque *Victor Cousin, les idéologues et les écossais*, Paris, 1985.

107. «De la philosophie de l’histoire», *in* D. Stewart, *op. cit.*, t. III, p. 333.

108. Nous avons le dossier de cet échange passionnant. *Cf.* Michelet, *Écrits de jeunesse*, *op. cit.*, pp. 408-410.

109. *Ibid.*, p. 410.

110. *Discours sur l’unité de la science, Œuvres complètes, op. cit.*, t. I, p. 250.

111. *Précis de l’histoire moderne, Œuvres complètes, op. cit.*, t. II, p. 71.

112. *Ibid.*, p. 24.

113. *Œuvres complètes, op. cit.*, t. I p. 592.

114. *Écrits de jeunesse, op. cit.*, p. 237.

115. Introduction à l'histoire universelle, Œuvres complètes, op. cit., t. III, p. 229.

116. *Ibid.*, p. 247.

117. *Ibid.*, p. 247. *Cf. Le Tableau de la France*: «Le peuple le plus centralisé est aussi celui qui par son exemple a le plus avancé la centralisation du monde.» *Œuvres complètes, op. cit.*, t. IV, p. 383.

118. *Ibid.*, p. 256.

119. *Ibid.*, Avertissement, p. 227.

120. *Ibid.*, p. 255.

121. *Ibid.*, p. 256.

122. Paul Vidal de La Blache, *Tableau de la géographie de la France*, dans l'*Histoire de France* d'Ernest Lavisse, 2e éd., t. I, 1e partie, «Personnalité géographique de la France», pp. 7-8.

123. Michelet, préface de 1866 à l'*Histoire romaine de 1831, Œuvres complètes, op. cit.*, t. II, p. 335.

124. Réponse à Sainte-Beuve, 1837, citée par Paul Viallaneix, *La Voie royale, essai sur l'idée de peuple dans l'œuvre de Michelet*, Paris, 1959, p. 216. Nous avons choisi à dessein les attestations les plus précoces de propos qu'on retrouve tels quels dans des préfaces ultérieures.

125. *Lettre à Lenormand*, 1833, citée par P. Viallaneix, *op. cit.*, pp. 190-191.

126. Introduction à l'histoire universelle, *Œuvres complètes, op. cit.*, t. III, pp. 247-248.

127. *Tableau de la France, in Histoire de France, Œuvres complètes, op. cit.*, t. IV, p. 384.

128. Préface de 1866 à l'*Histoire romaine, Œuvres complètes, op. cit.*, t. II, p. 335.

129. Préface de 1833 à l'*Histoire de France, Œuvres complètes, op. cit.*, t. IV, p. 626.

130. Préface de 1869 à l'*Histoire de France, ibid.*, p. 11.

131. Cours de 1828-1829 à l'École normale, cité par P. Viallaneix, *op. cit.*, p. 265.

PIERRE NORA

L'"Histoire de France" de Lavisse

Pietas erga patriam

I. Histoire et Nation

L'avènement de la nouvelle Sorbonne

Un lieu, la Sorbonne; un nom, Lavisse; un monument, l'Histoire de France en vingt-sept volumes: à eux trois, ils incarnent, au tournant du siècle, l'hégémonie nationale de l'histoire.

Dans la construction rapide et récente du haut enseignement supérieur, l'histoire s'est en effet taillé, en vingt-cinq ans, la part du lion[1]. On ne la professe pas seulement dans les facultés des lettres – où, en vingt ans, de 1888 à 1908, les étudiants sont passés de moins dc dcux mille cinq cents à près de quarante mille; pas seulement à l'École normale supérieure, au Collège de France et à l'École des chartes; mais dans des institutions toutes récentes et qui jouissent déjà d'un prestige confirmé: l'École pratique des hautes études, fondée en 1868, la jeune École libre des sciences politiques qui date de 1872, la plus jeune encore École du Louvre, née en 1881. Poussée spectaculaire, qui frappe par exemple ce jeune universitaire belge, Paul Fredericq, qui visite Paris au début des années 1880: «L'École des chartes m'a paru une institution hors de pair. C'est avec l'École pratique des hautes études ce que l'enseignement historique offre de plus solide, de plus complet, de plus vraiment scientifique à Paris[2].» Aucune autre discipline ne dispose d'une pareille surface. Elle plonge ses racines dans le socle de l'enseignement primaire, dont elle imprègne l'esprit tout entier[3]. Elle s'épanouit, à l'extérieur, dans une série d'instituts de recherche organisés plus ou moins sur le modèle de l'École d'Athènes (fondée en 1846): Rome en 1876, Le Caire en 1890, l'École française d'Extrême-Orient, ouverte à Hanoi en 1901, Florence (1908), l'École des hautes études hispaniques de Madrid (1909), l'Institut de Saint-Pétersbourg (1912), de

Londres (1913). Elle se ramifie, à l'intérieur, par la floraison, à côté des compagnies savantes traditionnelles, d'une génération nouvelle de sociétés savantes, nées de la spécialisation de la recherche, consacrées les unes à des périodes, comme la Société de l'histoire de la Révolution française (1888) et la Société d'Histoire moderne (1901) ; les autres à un ensemble de problèmes, telles la Société d'histoire de l'art français (fondée en 1876, réorganisée en 1906), la Société d'Histoire du droit (1913), la Société d'histoire ecclésiastique de la France (1914) ; mais aussi – signe d'une spécialisation supplémentaire – consacrées à un homme, comme la Société des études robespierristes (1907). Encore cette énumération, nullement exhaustive, ne tient-elle pas compte du vaste réseau des sociétés savantes locales, en pleine expansion, d'un esprit tout différent (voir plus bas « Arcisse de Caumont et les sociétés savantes »), souvent méprisées par les historiens universitaires, mais dont certaines, comme la Société de l'histoire de Normandie (1869), la Société des archives historiques du Poitou (1871), de la Saintonge et de l'Aunis (1874), de Paris et de l'Île-de-France (1874) ont publié des collections de haute valeur, disposé, elles aussi, de leurs revues et constitué à l'histoire nationale une caisse de résonance et une réserve de bonnes volontés régionales d'une richesse inépuisable[4].

L'insertion nationale de l'histoire ne tient cependant pas tant à sa couverture institutionnelle qu'à ses toutes neuves vertus internes. La maîtrise des textes a beau n'avoir pas, en soi, de valeur patriotique, le lien est étroit entre la philologie et le sentiment national. Non seulement parce que la philologie à l'allemande a fourni à l'histoire le modèle d'une vraie science, mais, beaucoup plus profondément, par l'austérité morale et l'ascétisme intellectuel qu'elle implique. Dans le cloître des bibliothèques nouvelles, que hantent les fantômes récemment réveillés des grands savants de la Renaissance et des bénédictins de Saint-Maur, un monachisme laïque a récupéré l'érudition cléricale au bénéfice du service républicain et de sa réforme intellectuelle et morale. Promotion éthique du document : elle compte sans doute autant que sa promotion scientifique. « Le véritable historien est un philologue », professe hautement Lavisse aux étudiants de Sorbonne pour la première fois rassemblés[5]. « L'histoire se fait avec des documents » : c'est la première phrase de ce bréviaire qu'est l'*Introduction aux études historiques* de Langlois et Seignobos (1898). Et Julien Benda, quand il évoquera plus tard les raisons de sa mobilisation en faveur de Dreyfus, l'imputera à son « culte de la méthode, tel que me l'avaient inculqué la mathématique et la discipline historique[6] ».

Méthode : le maître mot de la nouvelle école commande toutes les formes de sa propre constitution. Il s'est traduit par une organisation quadrillée de la recherche, par l'encadrement des étudiants dans le cursus des examens, par la création des associations d'étudiants, précisément patronnées par les grands augures de l'histoire, et dont un malheureux bal à Bullier, qui dégénère en divertissement, suffit en 1893 à provoquer la démission outragée de Monod[7]. Il s'est traduit par la constitution d'un corps professoral, accessible seulement par l'épreuve initiatique de la thèse qui prend alors son étoffe et son poids ; corps traversé par une hiérarchie des carrières et des postes, dont le nombre double, de cinq cents en 1880 à plus de mille en 1909. Méthode : le mot engage beaucoup plus qu'une règle de travail, beaucoup plus qu'un répertoire de textes, beaucoup plus qu'une habitude intellectuelle. Il s'est formé à cette époque une culture d'historien, avec son outillage matériel et mental, ses espaces de travail, ses cadres définitifs de pensée et de réflexes, sa sociabilité, son échelle de valeurs, son vocabulaire et son éthique du métier, tout empreinte d'un esprit militaire et quasi sacrificiel. Quand il veut rendre hommage aux grands prédécesseurs, Thierry, Taine ou Fustel, Camille Jullian déclare qu'ils ont rendu service à la patrie « autant que le soldat mutilé sur le champ de bataille ». Et quand il fait le bilan :

> Il n'est aucun pays du monde, aucune époque de l'histoire qui n'aient été abordés depuis vingt-cinq ans ; la spécialisation a fait de tels progrès que chaque partie de notre histoire, chaque région de l'empire romain ou du monde hellénique sont devenues une province historique ayant son personnel, ses légats et sa loi, c'est-à-dire un maître, ses disciples, sa méthode[8].

Mais – peut-être parce que la corporation était celle d'historiens – cet immense effort national, où la France a trouvé sa guerre et sa revanche, s'est immédiatement accompagné de sa propre histoire, comme si l'exploration enfin scientifique de nos origines s'était doublée de la célébration de ses propres origines. Aucun des ténors n'a échappé à cette auto-histoire. Une sorte de saga de la régénération historique et de son accession à la dignité scientifique s'est rapidement solidifiée. On en saisirait encore l'écho affaibli, et pourtant exemplaire, dans cette introduction de Louis Halphen à *Histoire et historiens depuis cinquante ans*, et qui date de 1927 :

> La guerre de 1870-1871, qui amena de si grands désastres, fut pour la France vaincue un stimulant. Il fallait réparer les ruines, reconquérir par le travail le temps perdu, déployer dans tous les domaines une activité et une énergie plus soutenues. Les sciences reçurent une nouvelle impulsion et parmi elles l'histoire. Puis la France, qui avait rejeté l'Empire le 4 septembre 1870, repoussa toute tentative de restauration monarchique et se donna en 1875 des lois constitutionnelles où était reconnue la forme républicaine.

> Le moment n'était-il pas venu de créer une *Revue historique* qui enregistrerait et précipiterait cette renaissance de l'histoire et qui, tout en laissant à ses collaborateurs pleine liberté de jugement, se déclarerait indépendante de toute doctrine religieuse et animée d'un esprit libéral ? Un homme le pensa et, par sa ténacité, mena l'entreprise à bonne fin. Gabriel Monod, né au Havre le 7 mars 1844, était entré à l'École Normale à l'âge de 18 ans[9]...

Peu importe ici le ton platement hagiographique. Plus ou moins discret, plus ou moins lyrique, plus ou moins argumenté, ce refrain patriotico-universitaire traverse et marque l'époque du réseau serré d'une énorme littérature d'hommages, d'évocations, de souvenirs biographiques et de notices nécrologiques, genre mineur, mais genre historique par excellence. Incessant rappel de mémoire, qui fait la musique de fond des vingt-cinq ans d'édification collective de l'appareil d'enseignement supérieur. Elle a ses dates clefs, comme la fondation des Hautes Études et de la *Revue historique*, ses épisodes marquants, comme la lutte pour la création des universités. Elle a ses héros bâtisseurs, de Duruy à Liard, d'Albert Dumont à Octave Gréard. Elle a ses lieux communs, comme la comparaison devenue rituelle des universités françaises et allemandes, ou de l'ancienne et de la nouvelle Sorbonne. Elle a sa liturgie, de soutenance de thèse en départ à la retraite, scandée par les allocutions des rentrées universitaires. Elle a ses points d'orgue, comme l'inauguration des nouveaux bâtiments de la Sorbonne, en 1889, dont les fresques et les tableaux, en une vaste inscription murale de la mémoire, mêlent aux portraits des grands ancêtres, Ambroise Paré et Robert de Sorbon, les notables de la nouvelle culture universitaire, Claude Bernard, Émile Boutroux, René Goblet ou Ernest Lavisse[10]. C'est d'ailleurs lui qui en parraine les fêtes, s'enivrant, dans un adieu aux étudiants étrangers, « des bérets de velours, des bonnets frangés d'argent, des barrettes de satin rouge, des casquettes à gland noir, des toques à aigrettes blanches, des écharpes de toutes les couleurs, des bannières antiques, et de ce millier de jeunes visages, marqués des caractères des grandes races humaines[11] ». Discours aux accents étonnamment boulangistes et qui porte sa date, mais dans lequel il n'est pas exagéré, cependant, de lire sa profession de foi la plus sincère et le fond même de sa pensée :

> Dans la grande incertitude où nous laissent la science et la philosophie sur toutes les questions vitales, l'activité humaine risquerait de dépérir si elle n'avait un objet immédiat, visible, tangible. Je sais bien que si je retirais de moi-même certains sentiments et certaines idées, l'amour du sol natal, le long souvenir des ancêtres, la joie de retrouver mon âme dans leurs pensées et leurs actions, dans leur histoire et

dans leur légende; si je ne me sentais pas partie d'un tout dont l'origine est perdue dans la brume et dont l'avenir est indéfini; si je ne tressaillais pas au chant d'un hymne national; si je n'avais pas pour le drapeau le culte d'un païen pour une idole, qui veut de l'encens, et à de certains jours, des hécatombes; si l'oubli se faisait en moi de nos douleurs nationales, vraiment je ne saurais plus ce que je suis et ce que je fais en ce monde. Je perdrais la principale raison de vivre.

La centralité lavissienne

Lavisse le patron: la comparaison avec Gabriel Monod[12], son *alter ego* de la nouvelle histoire, est ici éclairante pour mesurer la place exacte de Lavisse, et son rôle stratégique. Ils sont côte à côte sur la ligne de départ de l'agrégation en 1865, encore que Monod soit premier, Lavisse deuxième. Mais leurs vies, si proches et si différentes, illustrent bien les deux pôles de cette conquête universitaire de la IIIe République. Lavisse n'a pas directement participé à la régénération scientifique de l'histoire, il n'a jamais fréquenté l'École des chartes ou les Hautes Études. Dans la *Revue historique*, il n'a publié qu'un seul article en 1884, sur le pouvoir royal au temps de Charles V. Son terrain de chasse est aux marges de l'université, de la politique, de l'édition et de la bonne société. À Monod la *Revue historique*, dont il reste seul directeur après la rupture avec Fagniez, les Hautes Études dont il est, avec Alfred Rambaud[13], le premier des répétiteurs et où il officiera pendant trente-cinq ans, l'École des chartes et pour finir, le Collège de France où en 1906, à sa retraite, on crée pour lui, à la place d'une chaire d'Histoire et de Morale, une chaire d'«Histoire générale et de méthode historique[14]». Les fiefs de Lavisse sont ailleurs: la Sorbonne, l'École normale, l'Académie française et la *Revue de Paris;* les deux sachems se sont partagé le terrain. Monod, l'érudit-né, l'homme de séminaire à la réputation de professeur d'un ennui mortel, mais l'introducteur vrai de la révolution scientifique de l'histoire; ce qui ne l'a pas empêché d'entretenir toute sa vie le rapport le plus intense et le plus vrai à Michelet, qu'il a bien connu, et dont il gardait les papiers[15]. Lavisse, le professeur qui subjuguait les auditoires, l'homme des ministères et du Conseil supérieur de l'Instruction publique, du rapport généreux mais générique avec la jeunesse, «cette personne dans la nation», et dont le jubilé sera solennellement présidé en 1913 par Poincaré en personne.

Mais, contrairement à ce que pourraient faire croire leurs carrières, le besogneux c'est Lavisse, paysan parvenu qui a épousé Marie Longuet, l'amie d'enfance du Nouvion-en-Thiérache, et qui doit tout à une bourse d'étude et à la promotion sociale de Normale et de l'université. Dès le départ, l'horizon de Gabriel Monod est beaucoup plus ouvert. Fils d'un négociant aisé du Havre, descendant d'une longue lignée de pasteurs, il n'est pas encore à Normale que les Pressenssé, chez qui il vit à Paris, lui ont fait connaître Charles Gide et Paul Meyer, Ferdinand Buisson, Eugène d'Eichtal et Anatole Leroy-Beaulieu. À peine a-t-il passé l'agrégation qu'au cours d'un séjour à Florence il tombe amoureux d'Olga Herzen, la fille de l'écrivain révolutionnaire russe, qu'il finira par épouser quand aura donné son accord sa mère adoptive, la baronne Malwida de Meysenbourg, qui l'introduit, avant même son séjour à Berlin et à Göttingen, dans toute l'intelligentsia allemande et la société wagnérienne ; c'est Nietzsche en personne qui lui offrira pour son mariage une composition pour piano à deux mains. Toute sa vie, ce protestant libéral restera un esprit cosmopolite et européen, le prototype de ce qui va devenir, à travers l'Affaire Dreyfus où il s'engage très tôt et à fond, le grand « intellectuel de gauche ». Lavisse a géré sa carrière avec une prudence de paysan. Il a fort bien réussi à faire oublier son embardée bonapartiste de jeunesse pour devenir le chantre de la République, et son attentisme de l'Affaire Dreyfus ne l'a pas empêché d'avoir l'affection de ce personnage central de la gauche intellectuelle qu'était devenu Lucien Herr[16]. Mais son pouvoir, son prestige et son autorité morale, il ne les tire ni vraiment de la science ni vraiment de la politique, mais de son identification tenace, vitale, obsessionnelle, à la régénération de la pédagogie nationale. C'est ce qui fait son magistère à la fois plus banal et plus fondamentalement représentatif. Car Lavisse a traversé, d'une manière presque exemplaire, toutes les expériences existentielles de sa génération universitaire. Plus longtemps même et complètement que tous les autres, puisque, de ses quatre contemporains capitaux, Vidal de La Blache (1845-1918), Gaston Paris (1839-1904)[17], Alfred Rambaud (1862-1905) et Gabriel Monod (1844-1912), il aura vu la disparition successive ; et que ces quatre ans de sursis après l'Armistice, en lui permettant de voir, avant sa mort, la publication en rafale des neuf volumes de l'*Histoire de France contemporaine*, boucleront, avec le dernier volume sur *La Grande Guerre*, le cycle national qu'il incarne tout entier. Ses racines plongent dans la France profonde, et son histoire, en cette terre picarde labourée du souvenir des invasions, passe par la chair avant de passer par la science. À vingt-trois ans, attaché à Victor Duruy auquel l'avait présenté Albert, le fils du ministre libéral et son camarade d'École, il est au cœur du premier élan réformateur. Expérience décisive : elle lui fait connaître, par exemple, de près, le *Rapport au ministre sur les études historiques* (1867), de Geoffroy, Zeller et Thienot, que sa seule phrase initiale rendrait digne de la postérité : « Il n'est d'histoire que du passé ; le présent appartient à la politique et l'avenir à Dieu », ou l'*Enquête* de 1867 révélatrice de la grande misère de l'enseignement supérieur, ainsi que la situation exacte des universités allemandes. Entre autres documents, cette lettre, dans ses archives[18], d'un étudiant français retour de Heidelberg et qui porte, soulignés de sa main, les mots clefs qui seront le leitmotiv de son action: «intimité des relations avec les maîtres», «le cours n'est qu'accessoire, c'est au laboratoire que l'élève se forme», «profonde expérience pratique», «science des détails», «examen des faits eux-mêmes», «sous les yeux du professeur», «méthode, recherche, expérimentation». Allemagne où l'a précédé Monod, et qu'il lui faudra, à lui, le choc de la défaite pour visiter. Mais pas en pèlerinage intellectuel, comme tant d'autres[19]; en professionnel, pour en rapporter sa thèse, que suivront plusieurs ouvrages sur la Prusse, dont il passera pour le spécialiste jusqu'à la fondation, avec Charles Andler, d'une germanistique française[20].

Quand il revient d'Allemagne, en 1875, l'affermissement de la République après la crise du 16 mai, qui a fait de lui un républicain confirmé, va permettre, en quinze ans, de passer des projets aux réalisations. À chaque étape, Lavisse est là. L'arrêté de 1877 qui créait des bourses de licence prévoyait en même temps des maîtres de conférences chargés de les encadrer; Lavisse l'est depuis un an à l'École normale. En 1878, un groupe de réformateurs fonde la Société de l'enseignement supérieur, qui devait, avec son organe, la *Revue internationale de l'enseignement*, devenir un actif groupe de pression: Lavisse en fait partie, à côté de Renan, Émile Boutmy, Pasteur, Paul Bert et Marcelin Berthelot. En 1880, on passe de la licence indifférenciée à la licence à options; c'est lui qui en a présenté le rapport, l'année où il entre en Sorbonne comme suppléant de Fustel de Coulanges – ce qui n'est pas rien –, pour devenir en 1883 directeur des études d'histoire. Un an avant, pour la première fois, l'affiche des cours de Sorbonne a employé le mot «étudiant» et mentionné après certains cours: «cours fermé». «L'histoire réclame un très grand nombre de travailleurs, il faut que nous les lui donnions et quc nous les lui cherchions[21].» Dans le baraquement en bois de l'annexe Gerson, bientôt légendaire, il comptabilise les étudiants comme un avare son trésor: cent cinquante-deux en 1882, cent soixante-treize en 1883! Dans cette Sorbonne qu'il ne quittera plus que pour la direction de l'École normale en 1904, chaque bataille est la sienne. Bataille pour les étudiants[22], bataille pour la réforme de l'agrégation[23], qui trouve en 1885 son statut moderne, avec ses compositions de quatre ou sept heures, ses explications de textes et sa double admissibilité. Bataille pour la création du diplôme d'études supérieures, en 1886, dont Lavisse voulait faire le test à «faire du nouveau» et qui est exigé de tous les candidats à l'agrégation en 1894. Il faut lire les allocutions adressées par Lavisse à chacune des rentrées universitaires et pieusement recueillies par lui à fin de publication[24] pour apprécier l'art dramatique avec lequel, dans ces ordres du jour du Bonaparte universitaire à l'armée étudiante, font leur apparition les innovations pédagogiques qui prennent la dimension d'un événement national: «Messieurs, en vertu d'une décision ministérielle récente, l'année que nous inaugurons sera marquée pour ceux d'entre vous qui se destinent à l'enseignement par une innovation.» Il s'agit du

D.E.S.: «Je dois aux historiens le témoignage qu'ils ne se contentent pas (je parle toujours des meilleurs) de préparer leur thèse d'agrégation, cette épreuve excellente; ils choisissent ou reçoivent de nous des sujets de mémoires courts sur des questions intéressantes et les traitent quelquefois de telle façon que nous sommes assurés de leur avenir: ceux-là ne s'endormiront jamais.»
À peine si, dans ce combat d'une seule pièce, on peut dater la genèse du projet d'une histoire de France. Il apparaît tout armé dès sa première allocution à la Faculté des lettres, à l'ouverture du cours d'histoire du Moyen Âge en décembre 1881: «L'histoire de la France est à faire, et ne sera faite que lorsque des escouades d'ouvriers munis de bons instruments auront défriché toutes les parties du champ.» De ce long discours-programme[25], on ne retiendra qu'un élément, parce qu'il est capital à la future réalisation: les causes de «l'intérêt presque nul pour l'histoire ancienne de notre pays», Lavisse les voit, plus encore que dans l'absence de bras et dans l'usage polémique de l'histoire, dans la Révolution, qui a coupé la France d'un passé qui ne se comprenait que par son histoire:

> La Révolution n'a laissé subsister chez nous aucun des monuments d'autrefois; j'entends ces monuments vivants qui durent en d'autres pays: royauté, sacerdoce, classes ou corporations, villes et pays privilégiés, dont les privilèges, contraires à la raison, sont fondés en histoire. Il suffit d'un monument de pierre, église, manoir ou maison de village pour arrêter même le voyageur ignorant et provoquer ses questions.

Du coup, la mémoire aujourd'hui passe par l'histoire:

> Certes, notre passé vit au fond de notre être pour former notre tempérament national; mais il n'a pas laissé de traces visibles. C'est affaire d'érudition de reconstituer l'ancienne société française, comme d'étudier les sociétés grecque ou romaine [...] Il faut à des Français plus d'efforts qu'à d'autres hommes pour se reconnaître au milieu de ces vieux édifices de tous styles, où les annexes s'enchevêtrent autour du corps principal et brisent leurs lignes les unes contre les autres, parce qu'elles ont été bâties sans ordre préalable, au cours de la longue vie d'un peuple.

Poésie du passé, érudition scientifique, inspiration patriotique ne font qu'un:

> On dira qu'il est dangereux d'assigner une fin à un travail intellectuel qui doit toujours être désintéressé. Mais dans les pays où la science est la plus honorée, elle est employée à l'éducation nationale [...] Quelle

> devise ont donc gravée au frontispice de leur œuvre ces hommes d'État et ces savants qui se sont entendus pour croire qu'il fallait relever l'Allemagne humiliée en répandant la connaissance et l'amour de la patrie, puisée aux sources mêmes de l'histoire d'Allemagne ? C'est la devise *Sanctus amor patriae dat animum*; elle est à la première page des in-folio des *Monumenta Germaniae*, entourée d'une couronne de feuilles de chêne [...] Il est donc légitime de convier à l'avance la future légion des historiens à interroger tous les témoins connus ou inconnus de notre passé, à discuter et à bien comprendre leurs témoignages, pour qu'il soit possible de donner aux enfants de la France cette *pietas erga patriam* qui suppose la connaissance de la patrie.

On voit donc bien de quel recentrement l'*Histoire de France* est le fruit, et Lavisse le grand opérateur : recentrement institutionnel sur l'université comme moteur principal du développement historique, et non plus des institutions périphériques comme le Collège de France, d'où prophétisait Michelet, l'École des chartes, héritière de la tradition érudite et académique, ou les Hautes Études, laboratoire trop récent. Recentrement politique sur la République qui, au lendemain de l'Affaire Dreyfus, paraîtra avoir définitivement triomphé du péril contre-révolutionnaire sans être encore menacée par une forme nouvelle de révolution. Recentrement fonctionnel sur l'enseignement, usine à fabriquer des citoyens, des historiens et des patriotes. Recentrement professionnel sur le corps professoral des historiens spécialisés. Recentrement méthodologique sur le chef-d'œuvre artisanal du diplôme et de la thèse, entre l'archive et la rhétorique. Recentrement intellectuel sur la « Science » et sur la « Vérité », qui confèrent l'indépendance à l'intérieur d'un système désormais tout entier dans la dépendance de l'État. Recentrement idéologique, enfin, et surtout, sur la Nation, cadre œcuménique d'accueil « aux légitimités successives de la vie d'un peuple », qui fait pénétrer « cette idée juste que les choses d'autrefois ont eu leur raison d'être », et qu'on peut aimer toute la France sans manquer à ses obligations envers la République. L'*Histoire de France* sera celle de la nation « accomplie[26] ».

La nation réalisée

Par rapport à la cristallisation historique de l'idée nationale du premier tiers du siècle (voir, plus haut, « Les *Lettres sur l'histoire de France* d'Augustin Thierry »), on mesure la transformation, et ce qu'elle représente d'appauvrissement théorique, intellectuel et littéraire en même temps que d'accomplissement politique. L'historien n'est plus seul, démiurge de l'identité nationale, la faisant elle-même surgir par son récit ou par son analyse, dominant de son regard solitaire l'ensemble de l'évolution, inspiré par un souffle religieux et patriotique, chantre d'une nation théophanique, annonciateur d'un nouvel évangile où ne font plus qu'un, comme chez Michelet, le principe christique, le symbole incarnateur et la terre nourricière. Un universitaire, parmi des universitaires qui se donnent les instruments de leur commun métier. De la génération romantique à la génération positiviste, tout a changé en fonction du moment national : la nature de l'entreprise, le souffle qui l'inspire, l'historien qui la réalise, le style dans lequel il écrit. L'historien n'est plus la nation incarnée, c'est la nation elle-même qui s'est incarnée. Reste à la mettre en fiches ; et, dans un passage touchant de l'*Introduction aux études historiques*, Langlois et Seignobos expliquent comment les établir, sur quel format, de quel papier, en combien d'exemplaires, et quelles « précautions très simples permettent de réduire au minimum les inconvénients du système[27] ». L'histoire méthodique et critique a brutalement inauguré l'âge de l'effacement de l'historien devant ses documents et le retour à ce que les historiens de l'« histoire parfaite » appelaient déjà, au XVIe siècle, le « style moyen », par rapport au style de l'Épopée, de l'Éloquence ou de la Poésie. « L'histoire la plus séduisante, dit Camille Jullian, sera peut-être celle où l'historien apparaîtra le moins et où le lecteur sera plus directement frappé par l'expression de la vérité[28]. » De Michelet, on sait tout, à commencer par ses fantasmes nocturnes. De Lavisse ou d'un quelconque de ses collaborateurs, on ne sache pas qu'ils aient laissé un journal intime ni qu'on ait besoin de le lire pour mieux comprendre l'*Histoire de France*. Elle est, en revanche, totalement inséparable du moment de son élaboration et des paramètres qui la dominent, l'Allemagne et l'enracinement en profondeur de la démocratie républicaine[29].

La guerre de 1870 a, en effet, radicalement transformé le rôle de l'Allemagne dans la conscience française et la définition de son identité. Ce n'est plus l'Allemagne inspiratrice des grands ancêtres, celle que chantaient Michelet (« Mon Allemagne qui m'a fait seule pousser à fond les questions »), le Taine et le Renan du second Empire, ou la *Revue germanique* de 1858 par où s'infiltrait déjà, avec l'appui de Littré, « le mouvement scientifique et philologique ». Sans doute restera-t-elle le principal facteur de l'émulation intellectuelle. C'est l'Allemagne de la guerre et de l'annexion de l'Alsace-Lorraine, qui n'ont pas provoqué seulement une revitalisation affective du sentiment de la patrie, mais déterminé, en profondeur, une redéfinition de la nation elle-même. Pour n'être pas radicalement nouvelle, elle n'en constitue pas moins un corps de doctrine organique, porteur d'un nouveau regard de la nation sur son histoire. Il apparaît clairement dans la réponse de Fustel à Mommsen à la question : « L'Alsace est-elle allemande ou française ? » (1870), ou dans la fameuse conférence de Renan sur « Qu'est-ce qu'une nation ? » (1882) :

> Une nation est une âme, un principe spirituel. Deux choses qui, à vrai dire, n'en font qu'une, constituent cette âme, ce principe spirituel. L'une est dans le passé, l'autre dans le présent. L'une est la possession en commun d'un riche legs de souvenirs; l'autre est le consentement actuel, le désir de vivre ensemble, la volonté de continuer à faire valoir l'héritage qu'on a reçu indivis. L'homme, messieurs, ne s'improvise pas. La nation, comme l'individu, est l'aboutissement d'un long passé d'efforts, de sacrifices et de dévouement. Le culte des ancêtres est de tous le plus légitime; les ancêtres nous ont faits ce que nous sommes. Un passé héroïque, de grands hommes, de la gloire (j'entends de la véritable), voilà le capital social sur lequel on assied une idée nationale[30].

Définition à bien des égards micheletienne, mais dont changent le sens et la portée sa date et son accent prébarrésien. Si la nation ne tient plus son identité que des «complications profondes de son histoire», comme dit Renan, et non de l'appartenance formelle que peuvent conférer la langue, la race, les intérêts, les affinités religieuses et les nécessités militaires, c'est l'histoire tout entière qui a droit à l'amour et à la connaissance, et non plus une partie de cette histoire, celle qui commencerait avec la Révolution. Dans l'effort de tout le XIXe pour expliciter le traumatisme révolutionnaire, l'Allemagne introduit un élément choc: elle déplace de façon décisive les frontières de l'identité légitime de la nation. La coupure fondatrice ne passe plus, par principe, à l'intérieur de la nation, mais à l'extérieur. Plus à l'intérieur de son histoire, entre un Ancien Régime réprouvé et une France moderne assumée, mais à l'extérieur, entre un type de nation fondé sur sa propre genèse et un type de nation fondé sur l'appartenance de fait et de force. Le passé en son entier s'en trouve réhabilité. Pour dire brutalement les choses, l'Allemagne a contribué à sacraliser la frontière géographique et à lever la malédiction qui pesait sur la frontière historique.

C'est ce déplacement que traduit nettement le plan général de Lavisse (voir Annexe I, le plan de l'*Histoire de France*), dont il faut rappeler que la première série (1901-1911), la seule initialement prévue, va «des origines à la Révolution». Et qu'expriment, plus nettement encore, les deux temps forts qu'il a choisis pour marquer, au début et à la fin, les images les plus intenses de l'identification nationale: le *Tableau de la géographie de la France* et son propre *Louis XIV*[31]. Référence à Michelet? À coup sûr. Mais il ne faut pas oublier que, son *Tableau de la France*, Michelet le situe au livre III, soit aux alentours de l'an mil, après l'avènement de Hugues Capet. Comment dire plus clairement qu'auparavant la France, pour lui, n'a pas d'unité organique? *Le Tableau de la géographie* qu'il demande à Vidal de La Blache (voir plus bas), le seul collaborateur de sa propre stature intellectuelle, Lavisse le place en introduction et lui consacre un volume entier : la France existe avant la France. Certitude encore confirmée par le deuxième volume, sur la Gaule, que Michelet avait expédiée en un chapitre. Sans doute était-ce faire droit à la promotion des Gaulois dans l'imagination nationale depuis l'ouvrage d'Amédée Thierry, le frère d'Augustin (1828), et à la forte affirmation de Vercingétorix incorporé par la République au rang des héros fondateurs[32]. Sans doute, aussi, l'érudition allemande s'étant emparée de la Gaule, s'agissait-il de récupérer à l'érudition française une pièce maîtresse de l'identité nationale. Sans doute, enfin, l'exploitation archéologique de la Gaule était-elle scientifiquement inscrite dans l'héritage de Fustel, comme allait le montrer l'œuvre de Camille Jullian[33]. La juxtaposition du *Tableau de la géographie* et de *La Gaule* n'en donne pas moins une forte base de départ à l'identité nationale : la France est là dès le départ, avant l'histoire, dans ses contours, son territoire, son caractère. Le providentialisme est comme rejeté dans son programme génétique avant d'être projeté dans son histoire.

Le *Louis XIV* représente l'autre pôle et, chose curieuse, le pendant historique du *Tableau*. La courbe de l'histoire elle-même s'immobilise. Après un début très narratif, presque journalistique, qui mène le héros jusqu'à son installation au pouvoir, en 1661, commence, sur près de deux volumes, une vaste fresque divisée en « gouvernement de l'économie », « gouvernement de la politique », « gouvernement de la société », « gouvernement de la religion », « gouvernement de l'intelligence ». Le parallèle n'est pas de pure forme. Une même tension anime les deux morceaux. Tension entre l'individualité géographique et les divisions régionales chez l'un ; tension, chez l'autre, entre l'admiration profonde pour la grandeur du personnage et de l'époque, dans laquelle il se sent visiblement à son aise et se projette secrètement, et la condamnation portée sur un monarque dont le plus clair succès a été d'obtenir l'obéissance politique. Il n'en demeure pas moins hautement significatif que Lavisse se soit réservé la monarchie classique dans tout son éclat. Et point la fin du règne, dont il laisse les guerres et la politique étrangère à A. de Saint-Léger, l'histoire économique à Ph. Sagnac, et les affaires religieuses et intellectuelles à A. Rebelliau (tome VIII, 1). Non, ce qui l'attache et le fascine, c'est la grande période qui va de 1661 à 1685, le contraste entre le monarque en gloire et le monarque en lutte : violent jeu de lumière entre l'homme qui, en 1668, « pouvait croire qu'il avait répondu à l'attente du monde », et celui qui, en 1685, au prix d'une France épuisée, « pouvait croire avoir vaincu l'Europe par la trêve de Ratisbonne et l'hérésie calviniste par la révocation de l'édit de Nantes ». C'est à ce Louis XIV-là qu'il confie l'incarnation majeure de la France, dont il n'arrête pas de retoucher le portrait, et qu'au moment de quitter il ne peut pas quitter :

> À la raison qui découvre «le fond destructif» de ce règne, l'imagination résiste, séduite par «l'écorce brillante». Elle se plaît au souvenir de cet homme, qui ne fut point un méchant homme, qui eut des qualités, même des vertus, de la beauté, de la grâce, et le don de si bien dire; qui au moment où brilla la France, la représenta brillamment, et refusa d'en confesser «l'accablement» lorsqu'elle fut accablée, qui soutint son grand rôle, depuis le lever de rideau splendide jusqu'aux sombres scènes du dernier acte, dans un décor de féerie, ces palais bâtis en des lieux inconnus et sur terres ingrates, ces fontaines qui jaillissent d'un sol sans eau, ces arbres apportés de Fontainebleau ou de Compiègne, ce cortège d'hommes et de femmes déracinés aussi, transplantés là pour figurer le chœur d'une tragédie si lointaine à nos yeux, deshabitués de ces spectacles et de ces mœurs, qu'elle prend quelque chose du charme et de la grandeur d'une antiquité.

Le «grand Lavisse», c'est bien Lavisse le Grand. Rapprochés du *Tableau de la géographie*, les deux morceaux expriment le plein d'une conscience nationale dilatée aux dimensions de la terre et de son histoire, le plein d'un moment national.
Moment décisif, où l'histoire conquiert, dans l'élan d'une même régénération, sa légitimité scientifique, sa légitimité professionnelle et sa légitimité nationale. C'est celui de l'*Histoire de France*, puissamment datée, mais encore singulièrement représentative, au croisement de l'histoire critique et de la mémoire républicaine. Dans sa genèse comme dans son esprit, elle s'étend des lendemains d'une défaite aux lendemains d'une victoire. Ce qui la distingue foncièrement du flot continu des histoires de France pour faire de ses vingt-sept volumes un lieu de mémoire, c'est cette interpénétration de la positivité scientifique et du culte obsessionnel de la patrie. Creuset où se sont momentanément fondues deux vérités qui nous paraissent aujourd'hui sans rapport, mais que l'époque avait rendues indissolublement complémentaires: la vérité universelle de l'archive et la vérité particulière de la nation.

II. Archive et Nation

La mémoire documentaire

Ce moment, tous les contemporains en célèbrent le début avec la *Revue historique* en 1876, et dans l'éditorial de Gabriel Monod, l'acte de naissance officiel[34]. Texte majeur, dont l'un des intérêts est de se présenter lui-même comme une histoire, celle du «Progrès des études historiques» confondu avec celui de l'érudition, dont, en héritier qui reprend le flambeau, Monod exhume précisément la mémoire et situe les chaînons: les précurseurs du XVIe siècle, fondateurs d'une méthode critique comme Claude Vignier dans sa *Bibliothèque historiale* ou Claude Fauchet «qui soumettait le premier à une critique impartiale les Antiquités gauloises et françaises». Puis les érudits de mouvance monarchique, André Duchesne, «au premier rang des éditeurs du XVIIe», Du Cange, «le premier à donner aux historiens les instruments indispensables à la connaissance scientifique du Moyen Âge», et «à qui Louis XIV voulait confier la direction d'une grande collection des historiens de la France». À côté de cette historiographie royale, l'historiographie ecclésiastique des jésuites, des oratoriens, et surtout des bénédictins de Saint-Maur à l'égard de qui «nous ne saurions avoir trop de reconnaissance» pour «ce mélange de piété respectueuse et de ferme indépendance d'esprit qui donne à tous leurs travaux tant de gravité et tant d'autorité». Dernière étape de la filiation: l'Académie des inscriptions et belles-lettres, qui aboutit à Bréquigny «sur qui reposait presque seul tout le travail de la collection des ordonnances, de la Table générale des chartes et des diplômes». Ainsi débouche-t-on sur Guizot et la collection des documents inédits de la Société d'histoire de France, où Monod distingue l'exceptionnelle qualité du travail de Guérard, l'éditeur des cartulaires et des polyptyques. Trois principes sont ainsi fortement liés dans la démonstration: l'idée, affirmée dès le titre, que «ce n'est qu'avec la Renaissance que commencent à proprement parler les études historiques»; l'affirmation que «le malheur dont la science historique a eu le plus à souffrir en France, c'est la séparation, ou pour mieux dire, l'antagonisme qu'on a longtemps voulu établir entre la littérature et l'érudition»; la certitude enfin que le retard est «la conséquence fatale de l'absence d'un enseignement supérieur bien organisé, où la jeunesse viendrait puiser à la fois une culture générale et des habitudes de méthode, de critique et de sévère discipline intellectuelle».

À partir de là se sont donc opérées, ou accélérées, à la fois de la part des chartistes et des historiens confondus, la construction et l'organisation de cette mémoire documentaire, sur laquelle nous vivons encore, et dont on ne peut, ici, qu'indiquer sommairement les lignes de force. Il y a d'abord les grandes séries de publications documentaires, immense et souvent interminable labeur poursuivi, en particulier, dans le cadre du Comité des travaux historiques et scientifiques et de la Société d'histoire de France et qui, du recueil des chartes et diplômes de Giry, par exemple, aux procès-verbaux du Comité de salut public et du Comité d'instruction publique, ont véritablement constitué le matériel de base. Il y a, d'autre part, le travail de catalogue et de bibliographie proprement dite, défrichement préalable à toute exploitation possible, galeries de soutènement de la mine documentaire, auquel se sont attelés prioritairement, non les tâcherons, mais les ténors de l'archivistique et de l'historiographie. Énormité de la tâche, simultanéité des accomplissements. C'est en 1886, par exemple, au moment où débute un *Annuaire des bibliothèques et des archives de France* que commence à paraître, selon le plan et les vues de Léopold Delisle, le *Catalogue général des manuscrits des bibliothèques publiques de France*; en 1895, que la Bibliothèque nationale commence à faire paraître son catalogue de livres imprimés et ses catalogues usuels du Département des manuscrits. En 1888, premier modèle du genre: Gabriel Monod lui-même publie une *Bibliographie de l'histoire de France* de quatre mille cinq cent quarante-deux titres, destinée à fournir «aux travailleurs et surtout aux étudiants» un répertoire analogue à celui que, outre-Rhin, son maître Waitz avait remanié à partir de la *Bibliographie* de Dahlmann. C'est le point de départ de la collection, toujours indispensable et bien connue des historiens, les *Sources de l'histoire de France*, systématiquement poursuivie par Auguste Molinier[35], des origines aux guerres d'Italie (cinq volumes de 1901 à 1906), par Henri Hauser pour le XVIe siècle (deux volumes, 1906), par Émile Bourgeois et Louis André pour le XVIIe siècle (huit volumes, 1913). À ce type de bibliographie se rattache également la *Bibliographie générale des travaux des sociétés savantes*, neuf volumes publiés de 1880 à 1907 par Robert de Lasteyrie et ses collaborateurs, ou le *Répertoire méthodique de l'histoire moderne et contemporaine de la France* (1899) de Georges Brière et Pierre Caron, lequel rappelait, dans son important *Rapport sur l'état actuel des études d'histoire moderne en France* rédigé avec Philippe Sagnac en 1902, que «la simple possibilité de travaux sur des sujets quelconques d'histoire moderne est en rapport direct avec l'état du classement des fonds d'archives et de manuscrits». À ce balisage purement opératoire du terrain, encore conviendrait-il d'ajouter, l'éclairant dans sa profondeur, et en permettant l'accès aux utilisateurs, la bibliographie proprement historique, répertoire des répertoires et science des instruments de la recherche. On la trouverait largement développée, par exemple, par Charles V. Langlois, dans ses *Archives de France* (1891), en collaboration avec Henri Stein, ou dans son Manuel de bibliographie historique (deux volumes, 1896 et 1904)[36]; ou par Xavier Charmes dans son ouvrage sur *Le Comité des travaux historiques et scientifiques* (1886); ou par Auguste Molinier dans les deux cents pages d'introduction à ses *Sources de l'histoire de France*, rédigées deux mois avant sa mort et placées, en fait, au début de son dernier volume.

Travail de soutier, mais sur lequel il est ici important de braquer le projecteur. D'abord parce que sa simple évocation suffit pour mettre en lumière la nouveauté de pans entiers de l'*Histoire de France*, où Lavisse, notamment dans son propre tableau du règne de Louis XIV, paru avant le travail de Bourgeois et André, pouvait à bon droit faire remarquer: «Il n'existe pas, pour la période moderne de notre histoire, de manuels scientifiques qui soient des guides dans l'étude des institutions et des mœurs, comme on en trouve pour l'histoire de l'Antiquité et du Moyen Âge.» Surtout parce que l'histoire critique, si elle s'est donné les moyens de son travail à usage interne, tout professionnel et presque initiatique, a, par définition, exclu de son champ l'historique de ses propres conditions de possibilité. L'histoire de la Cour a exclu l'histoire du côté jardin. L'intérêt pour la constitution des archives, des collections, des bibliothèques au même titre que celle des musées est demeuré une spécialité d'érudits de l'érudition, qu'une histoire de la mémoire, telle qu'elle se met en place aujourd'hui, ici même, en particulier, ne peut que chercher à ramener dans les allées centrales de l'historiographie. La mémoire archivistique a pesé d'un poids trop lourd sur la constitution même de l'histoire-science pour qu'on puisse ne pas tenir compte des circonstances particulières de leur union.

La mémoire archivistique d'État

L'archive a rendu, en effet, l'historien tributaire de son mouvement propre, plus sensible à la conservation qu'à l'exploitation, et qui, surtout, dans son essence comme dans son esprit, ne relève pas de la curiosité historienne, mais du pouvoir d'État[37]. La rencontre de l'historien et des archives est donc, en fait, l'histoire d'une conjonction lente, fortuite, toujours piégée et à sens unique. Il est vrai que l'expansion archivistique s'est faite parallèlement à celle de l'histoire, et qu'elle a commencé, elle aussi, aux lendemains de 1830 pour affecter l'Europe entière en vingt ans: c'est la fondation des Archives de Bucarest en 1831, celles de Belgique avec Gachard en 1835, le Public Record Act anglais en 1838, le début de la publication des Documentos ineditos de l'archiviste Bofarull à Barcelone, la fondation, capitale, de l'Institut für Osterreichische Geschichtsforschung à Vienne en 1854, et, simultanément, l'institution des écoles de paléographie et d'archivistique de Madrid et de Florence[38]. En France, c'est à la fondation de l'École des chartes[39], en 1821, ou plutôt à sa réorganisation en 1829 et aux activités de Guizot (voir, plus bas, «Guizot et les institutions de mémoire») que revient l'initiative de départ[40]. Mais la simultanéité des mouvements n'empêche pas que l'archivistique et l'histoire relèvent de deux traditions profondément différentes. Si important qu'ait pu être l'effort des feudistes, des historiographes royaux et des bénédictins, si profondes qu'aient pu être les préoccupations historiennes des grands archivistes comme Muratori, les archives demeuraient la propriété privée des princes et des rois qui les réservaient à un usage strictement utilitaire. Il s'agissait de préserver les actes de leur autorité et de leur administration, de se munir des titres juridiques de leurs pouvoirs et de leurs droits. Tous les puissants auraient pu faire leur la boutade attribuée à Napoléon, lequel s'était lancé dans l'entreprise extravagante de réunir à Paris les archives complètes de plusieurs États annexés ou occupés: «Un bon archiviste est plus utile à l'État qu'un bon général d'artillerie.» L'utilisation, jalousement contrôlée, demeurait la garde des conservateurs. Les archives étaient des armes «secrètes», de vraies machines de guerre dont on se disputait parfois âprement la possession, et les archivistes, si indépendants qu'ils se voulussent, n'étaient que des auxiliaires fidèles du pouvoir, des stipendiés de la politique et de la diplomatie.

La notion d'archives *publiques* ne doit pas tromper, et son développement l'indique clairement. Elle ne renvoie pas à une utilisation publique des documents, mais à une bureaucratisation de la monarchie depuis Philippe le Bel jusqu'au couronnement centralisateur de Napoléon, dont on ne peut ici que rappeler les grandes dates et les grands axes. L'Espagne en avait fourni, au milieu du XVIe siècle, le premier modèle quand Charles Quint avait, en 1545, commencé le transfert de son trésor des chartes de Castille dans la célèbre forteresse de Simancas. Semblablement, en France, cessait en 1568 l'enregistrement dans le registre du Trésor des chartes. On s'acheminait vers la conservation des archives à la chancellerie même et dans les secrétariats d'État, habitude qui devait se généraliser sous Richelieu. C'est bien alors, avec la puissance de l'administration monarchique d'État, que la notion d'archives publiques reçoit ses premières extensions importantes. À partir de 1670, et non sans irrégularités multiples et éclatantes exceptions, la royauté commença à saisir les archives de tous les grands serviteurs de l'État à leur disparition. Le milieu du XVIIIe siècle marque une nouvelle phase de concentration: en 1769, Marie-Thérèse crée à Vienne le dépôt central de la monarchie des Habsbourg, le Haus-Hof-und Staatsarchiv qui devait servir de modèle à toute l'Europe des Lumières. La Révolution française et l'Empire napoléonien allaient contribuer à leur tour à une troisième vague de dépôts concentrés: les Archives nationales, primitivement formées autour du noyau des papiers de l'Assemblée constituante à l'hôtel de Soubise, réunirent, sous l'autorité de Camus, non seulement l'ensemble des archives des conseils et des grandes administrations de l'Ancien Régime, mais les archives des abbayes, chapitres et églises de Paris comme celles des particuliers émigrés ou condamnés. Un tri devait en être fait: les titres «historiques» seraient destinés à la Bibliothèque nationale; les pièces utiles à l'administration et au contentieux des domaines nationaux seraient conservées; tandis que les papiers «inutiles» seraient vendus et que les «titres de la tyrannie et de la superstition» seraient solennellement brûlés. L'opposition tenace de Camus limita la ségrégation, et le Bureau du triage, qui fonctionna pendant six ans, aux mains de savants compétents, limita heureusement les dégâts.

La contribution de la Révolution à l'archivistique publique est donc profondément ambiguë. En un sens, elle est absolument capitale. C'est la Révolution qui a fondé la notion même d'archives. Une société d'Ancien Régime ne pouvait la connaître par définition, aucun papier ne s'y trouvant périmé. Ce n'était pas son authenticité qui fondait son autorité, puisqu'elle était garantie par l'autorité de l'institution détentrice, mais son antiquité. Sans doute, les érudits et les savants se communiquaient-ils, entre eux, les documents arrachés à l'ombre de l'Église et de l'État. Il n'en demeurait pas moins que la communication de sources était considérée, dans la France classique, dans le meilleur des cas comme une faveur accordée à un particulier au terme de démarches extrêmement longues et le plus souvent infructueuses[41]. Mabillon lui-même n'avait parfois pas réussi à obtenir des couvents les documents dont il avait besoin. Théoriquement, donc, l'Ancien Régime ne pouvait connaître que des dépôts d'actes, comme, au mieux, celui qu'avait réalisé Jacob-Nicolas Moreau[42]. Il ne peut y avoir d'archives que lorsque l'autorité cesse d'en avoir besoin. Pas d'archives donc, sans nuit du 4 Août. C'était la première fois, en fait, qu'un plan aussi considérable s'étendait aux archives de tout un régime politique, féodal et religieux et dépassait, d'un coup, la notion même d'archives d'État vers celle d'archives de la « Nation ». L'ampleur et le caractère systématique de la récolte positiviste seraient inintelligibles sans cette énorme concentration matérielle, qui mettait fin à une dispersion et à un désordre inimaginables pour constituer un véritable capital archivistique. D'autant qu'outre les Archives nationales à Paris la Révolution avait institué un dépôt d'archives dans chaque département et dans chaque commune ; mesure sans laquelle, dans la foulée de l'élan donné par Guizot, les lois de 1838 et 1841 sur l'organisation des archives départementales (et, partant, le formidable inventaire des collections dont la publication devait commencer en 1854) seraient sans objet. Enfin, et surtout, la Révolution avait proclamé un principe fondamental : les archives, appartenant à la Nation, devaient être mises à la disposition de tous les citoyens. Principe qui, même s'il devait se heurter à des restrictions d'application et de communication – une salle de consultation ne commence à être installée aux Archives que vers 1840 –, pouvait virtuellement rendre possible la professionnalisation de la discipline et la constitution d'une histoire scientifique.

Mais seulement virtuellement. Car, Robert-Henri Bautier l'a fait justement remarquer, la Révolution ne constitue nullement la coupure décisive avec la conception traditionnelle des archives, elle en représente même, au contraire, le couronnement[43]. Le principe de la publicité des archives était dans la droite ligne du passage de la légitimité monarchique à la souveraineté nationale ; elle ne signifiait nullement l'abandon de la prérogative d'État. Les rédacteurs de la loi du 7 messidor an II (25 juin 1794) s'adressaient aux citoyens, ils étaient à mille lieues de penser aux historiens. Les archives, en trouvant leur statut, demeuraient cependant ce qu'elles avaient toujours été, un symbole de continuité, de centralisation et de légitimité. Un droit théorique et un stock de matériel pratique. En veut-on la confirmation ? On la trouverait inscrite dans la nomenclature même de la structure archivistique, qui a consacré vingt-quatre lettres de l'alphabet à l'Ancien Régime, et une seule, la fameuse lettre *F*, à tout le fonds gouvernemental des cinquante dernières années. L'idée d'un caractère mobile des structures n'a pas effleuré les dépositaires de la mémoire, empreints d'une vision purement conservatoire et fort peu prospective de ce qu'il sied d'appeler, avec la solennité qui convient, un héritage. C'est précisément à partir de 1840, et sous la poussée historienne venue d'ailleurs que, progressivement, partiellement, jamais complètement, la brèche s'est faite pour s'élargir brusquement avec l'histoire dite positiviste. Il est vrai qu'en vingt ans, pour reprendre la formule de R.-H. Bautier, « d'arsenal de l'autorité les archives sont devenues le laboratoire de l'histoire ». Il a fallu que la stabilité politique de la France rejoigne la stabilité de son patrimoine administratif pour que la mémoire active de la nation se nourrisse de la mémoire passive du document archivistique. L'osmose, alors, a commencé ; pas la symbiose.

L'effet archive

Le mariage de l'histoire et de l'archive n'en a pas moins été assez intime pour imposer son modèle à tout le développement de l'historiographie critique.

Le poids de la mémoire documentaire a eu, d'abord, pour effet premier de violemment déplacer vers l'amont le centre de gravité de la chronologie nationale ; et la tendance a perduré aussi longtemps que ce type d'historiographie. C'est ce que Marc Bloch appelait la « hantise des origines ». L'affirmation de la méthode, la suprématie du texte, le réflexe philosophique, l'influence germanique, tout a contribué à hypostasier le Moyen Âge. La problématique la plus contemporaine s'est ancrée dans le matériel archivistique le plus ancien. Des conditions même de sa naissance, l'histoire critique a conservé longtemps – s'en est-elle même affranchie de nos jours ? – un complexe de chartiste. « À l'École des chartes, en ces âges lointains – c'est-à-dire vers 1880 –, raconte Charles Braibant, dont l'activité archivistique se déploya pourtant si efficacement au service des historiens, le médiéviste éprouvait pour le moderniste quelque chose comme le sentiment du cavalier pour le fantassin. Il n'aurait pas fait bon venir me raconter qu'un historien occupé d'événements postérieurs à 1453 pouvait être autre chose qu'un assez pauvre homme[44]. » La plupart des fondateurs de l'histoire nationale moderne avaient fait leurs premières armes dans le Moyen Âge. Rambaud est venu de Byzance au Xe siècle, Lavisse a commencé par *La Marche de Brandebourg sous la dynastie ascanienne ;* Émile Bourgeois, pionnier de l'histoire diplomatique du XIXe siècle, y est arrivé par l'aristocratie française dix siècles auparavant, et Seignobos qui, dans l'*Histoire de France contemporaine*, s'est chargé de toute la période depuis 1848 a débuté par une thèse sur le régime féodal en Bourgogne ! Il faut attendre 1880 pour qu'une thèse de l'École des chartes ose dépasser la date fatidique de 1500 et qu'un début modeste d'enseignement d'histoire moderne – deux conférences sur quarante[45] - soit tenté à l'École des hautes études. Sur les dix-sept volumes proprement dits de l'*Histoire de France*, six sont encore consacrés au Moyen Âge – soit plus du tiers.

Le lien entre l'archive et le Moyen Âge n'est pas seulement d'ordre pratique. Il engage bien davantage qu'une épistémologie qui rattache au plus proche le plus lointain, à la fois à titre de cause et de commencement. Il dépasse l'obsession embryogénique naturelle à toute préoccupation d'exégète. Marc Bloch y dénonçait déjà la philosophie finaliste qui se dissimulait derrière cette pure ivresse de l'érudition lointaine :

> Une histoire centrée sur les naissances fut mise au service de l'appréciation des valeurs [...] Qu'il s'agisse des invasions germaniques ou de la conquête normande de l'Angleterre, le passé ne fut employé si activement à expliquer le présent que dans le dessein de mieux le justifier ou le condamner. De sorte qu'en bien des cas, le démon des origines ne fut qu'un avatar de cet autre satanique ennemi de la véritable histoire : la manie de jugement[46].

On peut aller plus loin. Dans cette « manie », savamment masquée par la science du texte, la soumission au document, la discipline de l'archive à quoi les positivistes ont souvent fini par croire que l'histoire se réduisait, il faut voir la clef de la constitution de l'histoire en discipline corporative et le nerf de son autorité. Que les plus grands des chartistes et des médiévistes aient été, de tous les historiens, les premiers à se lancer dans l'Affaire Dreyfus est profondément révélateur[47]. Paul Meyer, Gaston Paris, Gabriel Monod, tant d'autres, ont envahi momentanément l'actualité journalistique et judiciaire comme experts et comme autorités morales. Au lendemain de l'acquittement d'Esterhazy, *Le Siècle* titre sur toute sa première page : « Un historien témoigne ». Arthur Giry, membre de l'Institut, s'appuie sur la technique la plus éprouvée de la critique des textes pour dénoncer le faux Henry le jour même où le colonel passe aux aveux. Il dépose au premier procès Zola, avec le directeur de l'École des chartes et Auguste Molinier, dont le dernier écrit, avant sa mort, est un *Examen critique du bordereau.* Comment séparer leur engagement idéologique du type de leur compétence professionnelle ? Comment ne pas l'opposer à l'attentisme rassembleur de Lavisse généraliste ? Le maniement de la charte, du diplôme et du cartulaire est pour longtemps le cœur du « capital symbolique » de l'historien. L'archive n'a pas imposé seulement une « hantise des origines », mais un usage métonymique de la « source ».

L'effet majeur de l'archive n'est pourtant pas là, mais dans la dilatation brutale qu'elle a provoquée, pour ne pas dire l'explosion immédiate de la production historienne. S'appuyer aveuglément sur Grégoire de Tours pour raconter Clovis et les Mérovingiens, comme l'avaient fait Fauriel et Pétigny, en y ajoutant de surcroît des écrits nettement postérieurs comme ceux du pseudo-Frédégaire ou le *Liber historiae Francorum* est une chose – et le recours aux témoignages directs ou que l'on croyait tels, le contact avec les narrateurs, les chroniqueurs et les mémorialistes avaient déjà considérablement rafraîchi le récit et élargi l'horizon historique (voir, plus bas, « Les Mémoires d'État »). Mais montrer le crédit qu'on peut ou ne peut pas accorder à Grégoire de Tours, chroniqueur personnel et passionné qui écrit son *Historia Francorum* soixante ans après la mort du roi et rétablir la transcription exacte du manuscrit de Frédégaire pour montrer qu'en dérivent tous ceux qui s'en sont ensuite inspirés, comme l'a fait par exemple Monod en 1872, est un exercice de nature radicalement différente[48]. Et qui implique un seuil décisif. Dans un cas, même en allant à la « source », on ne fait que reconduire la mémoire de la tradition. Dans l'autre, en suspectant la source et en s'installant délibérément dans la reconstruction, on est entré dans le domaine critique et scientifique. Toute l'histoire dite « positiviste » a consisté dans le passage de l'une à l'autre, c'est-à-dire, en fait, dans la distinction entre la source narrative et le document d'archive. Dans la pratique, la distinction a été longue à s'établir et peut-être ne l'a-t-elle jamais été complètement. Lavisse, et bien d'autres après lui, ne se refusera pas le secours des Mémoires pour évoquer Versailles et Louis XIV. Mais, dans la théorie, et c'est elle qui compte le plus ici, le partage apparaît nettement formulé. Par exemple, dès l'introduction aux *Archives de France* (1891), où Langlois et Stein écrivent : « Nous entendons par « archives de l'histoire de France » la collection de tous les *documents d'archives* relatifs à l'histoire de France, c'est-à-dire les pièces officielles de toute espèce : chartes, comptes, enquêtes, etc., et les correspondances politiques ou privées. Cette définition n'exclut, en somme, qu'une seule catégorie de documents anciens : les œuvres historiques, scientifiques et littéraires qui ont leur place non dans les archives, mais dans les bibliothèques. » Il est encore, *a contrario*, parfaitement défini par Auguste Molinier, quand, dans son introduction aux sources médiévales de l'histoire de France, il écrit : « L'étude méthodique et complète des *sources narratives* de notre histoire du Moyen Âge n'a pas encore donné lieu à des travaux généraux. »

Le simple passage de la source narrative au document d'archive a, *ipso facto*, ouvert à l'histoire une diversification pratiquement infinie. On ne peut comparer la différence des régimes qu'à une mutation brutale d'un système d'énergie, au passage du moulin à eau au moulin à vapeur, au coup de sonde d'où jaillit tout à coup le pétrole. Quelques chiffres, parmi bien d'autres possibles, permettent d'en prendre la mesure. Dans le catalogue des thèses, un volume unique de quatre cent cinquante pages suffit à A. Mourier et F. Deltour pour répertorier celles qui ont été soutenues de 1800 à 1870; un autre de six cents pages pour les quinze années suivantes (1880-1895); mais de 1895 à 1902, un troisième aussi gros est nécessaire, soit autant en sept ans qu'auparavant en soixante-dix; après quoi il faut passer au volume annuel[49].

Encore le changement d'échelle quantitatif n'est-il que le signe extérieur de la dilatation de l'histoire imposée et autorisée par l'archive, qui s'est offerte en son état, et de tout son long. Si vaste et interminable a été le discours des archives qu'il n'y a rien d'étonnant à ce que les historiens se soient longtemps contentés de lui faire dire ce qu'explicitement il disait. D'où le type même de leur histoire. Si les historiens de la génération nationale positiviste se sont d'abord tournés vers une histoire politique, administrative, militaire, diplomatique et biographique, est-il déraisonnable de penser que ce n'est pas seulement par besoin idéologique d'élucider les origines de la nation? En prenant tout à coup le chemin des archives, ils retrouvaient, en France plus encore que dans tout le reste de l'Europe, le lit bien établi des archives centrales de l'État. Il faut regarder de près – comme l'a fait par exemple Christian Amalvi dans un article original[50] – le *Catalogue de l'histoire de France*, tel qu'il a été constitué par Jules Taschereau et Léopold Delisle, pour voir à quelle profondeur de cadres et de nomenclature un certain type d'histoire s'est sédimenté dans les instruments bibliographiques de base, pré-inscrit dans des sources matérielles aux apparences neutres, engravé dans les innocentes catégories de la recherche avant d'être pétri par le levain des historiens. Le caractère monarchique de la perception du passé éclate dans l'inscription des rois qui n'ont pas régné; mais on ne trouvera pas dans la nomenclature la présence nominative de la Révolution! Coagulation rapide de l'histoire nationale d'un côté, retrouvailles d'un héritage de longue durée de l'autre: c'est au confluent de ces deux phénomènes que s'est forgée l'*Histoire de France*. La guerre de 1870 et la rivalité franco-allemande, la construction d'un appareil d'enseignement supérieur moderne et démocratique, l'enracinement volontaire de l'idéologie républicaine ont précipité le besoin d'une histoire nationale. Mais si le type d'histoire réalisé, et qui a paru si pauvre aux générations suivantes, s'est pourtant trouvé investi d'une aussi forte charge de représentativité nationale, il le doit aux deux faits majeurs de la tradition archivistique française: l'ancienneté de la centralisation monarchique et l'ampleur, comme la radicalité, des réformes révolutionnaires. Les archives du pouvoir dessinaient une histoire du pouvoir, les archives d'État préfiguraient une histoire de l'État.

C'est dans cette rencontre que résident à la fois, pour cette historiographie fin de siècle, son principe de rupture et sa continuité. L'historiographie nationale positiviste est fille du plus vieux des États-nations, fille et servante. En fondant l'histoire-science sur la clef de voûte du document, en érigeant la pièce d'archive en garante de la vérité et en critère de la scientificité, en lui conférant, enfin, la dignité définitive de la preuve, la génération des «positivistes» ne faisait, après tout, rien d'autre que fournir à la nation, démocratique, bourgeoise et libérale, les titres de sa légitimité et reprendre à son bénéfice la fonction servile et prestigieuse qu'avaient exercée avant eux, mais pour les puissants de la terre, les feudistes et les historiographes d'Ancien Régime. L'archive, en revanche, a fourni à l'histoire la condition première de sa constitution et l'instrument indispensable de son dynamisme, en mettant définitivement fin au double monologue du discours et de l'érudition, et en permettant leur réunion. Une histoire sans autre source que les textes des historiens est potentiellement universelle dans son discours, mais forcément limitée dans ses objets. Une érudition sans autre horizon que sa propre curiosité est illimitée dans ses objets, mais enfermée dans l'arbitraire de sa propre curiosité. En les unifiant sous l'horizon national, l'archive a délivré l'une de sa frivolité et l'autre de son bavardage. Elle a fait de l'histoire positiviste le moment d'une conjonction unique : celui où l'immense capital d'une mémoire traditionnelle allait pouvoir «méthodiquement» passer au crible, à la fois destructeur et confirmatoire, de la mémoire savante. Les conditions étaient réunies pour qu'une histoire nécessaire de la France devienne une histoire possible.

III. Mémoire critique et nation républicaine

*L'historique de l'*Histoire de France

De cette *Histoire de France*, il y a, certainement, une histoire intérieure et une histoire extérieure qui ne coïncident pas. La première présente une belle unité de façade. La seconde, qui comprend encore bien des points obscurs et d'éclaircissement difficile, la contredirait largement.

L'aventure se déroule, en effet, sur dix ans, de la date de parution des premiers volumes (Luchaire et Langlois, tome II, 2 et tome III, 1901) à la publication générale illustrée, avec ses tables analytiques, en 1911. Sur vingt ans, si l'on part du contrat de Lavisse, qui date de mars 1892[51], lequel prévoyait alors avec optimisme une publication de quinze volumes en quatre ans, de 1894 à 1898. Sur trente ans, si l'on y inclut l'*Histoire de France contemporaine*. Cette deuxième série nous paraît aujourd'hui complètement liée à la première, et l'impression d'ensemble serait très différente si manquait la Révolution, et si le dernier volume n'éclairait pas le panorama tout entier de la lumière héroïque de la Grande Guerre. Elle n'était cependant pas prévue ; il y a donc comme deux lectures possibles de cette *Histoire*. C'est sur le succès de la première lancée que les associés de Hachette décident, en novembre 1904, de la prolonger avec l'idée de se tourner vers Albert Sorel si Lavisse n'acceptait pas[52]. Quand Lavisse, après trois mois de réflexion, donne son accord, son contrat du 4 août 1905[53] prévoit à nouveau, avec le même optimisme, une publication en huit volumes de 1907 à 1909. Avec les retards et l'interruption de la guerre, ils ne paraîtront que de 1920 à 1922. Mais les conditions ne sont plus les mêmes: il faut, en panique, prévoir le volume sur la guerre et adjoindre à Seignobos deux spécialistes: Auguste Gauvain, qui dirigeait la politique étrangère au *Journal des débats,* autrefois rédacteur en chef de *La Vie politique à l'étranger,* publication annuelle des années 1890 que dirigeait Lavisse, et Henri Bidou, également rédacteur au *Journal des débats* et à qui Lavisse avait autrefois fait passer son D.E.S. Il faut aussi refaire les volumes sur la Révolution. Pariset ne rend pas sa copie; en décembre 1919, l'éditeur conseille la rupture avec ce «terrible homme[54]». Sagnac était plus compréhensif des urgences, mais ayant écrit l'essentiel du livre entre 1906 et 1909, il s'était lancé entre-temps dans *Le Rhin français pendant la Révolution et l'Empire* (1917), et se voyait obligé à une refonte générale. «Vous savez que mon volume est fondé en partie sur documents inédits – quelques-uns de ces documents ont été édités dernièrement [...] Je me propose de faire encore quelques sondages dans une ou deux séries des archives nationales, pour répondre à des demandes de M. Lavisse» (9 décembre 1917). Enfin, et surtout, Lavisse vieillit, et l'essentiel de l'entreprise repose sur trois personnes: Seignobos, toujours un peu fantaisiste et individualiste, mais qui, au total, aura écrit près de la moitié des neuf tomes; Guillaume Bréton, qui s'en occupe quotidiennement; et surtout Lucien Herr, associé à l'entreprise dès 1912, et qui en porte pratiquement le poids à partir de 1917[55]. C'est lui l'animateur, l'intermédiaire entre Lavisse, les auteurs et l'éditeur; c'est lui qui corrige et révise, avec une intelligence dont les auteurs lui sont reconnaissants. Seuls les arbitrages de plan vont jusqu'à Lavisse[56], souffrant, déclinant, à qui l'éditeur demande une conclusion «résolument optimiste», qui pour le vieux maître est devenue «un cauchemar». L'éditeur aurait voulu un volume indépendant, il se contentera d'«une trentaine de pages».

L'historique de cette vaste entreprise, analogue pourtant à des quantités d'autres de la même époque, déplacerait donc le projecteur, non seulement à la fin, mais dès le début pour la mettre dans sa vraie lumière d'entreprise éditoriale. En particulier dans la rivalité Colin-Hachette qui se partagent alors le gros du marché universitaire et scolaire de l'histoire[57]. Colin édite la *Revue internationale de l'enseignement* (1881), où se retrouvent déjà plusieurs des futurs collaborateurs, et, après les manuels d'enseignement secondaire et primaire, dont ceux de Lavisse depuis 1876, s'est lancé dans l'édition universitaire et grand public, notamment L'*Histoire générale du IV*^e^ *siècle à nos jours* qui paraît de 1890 à 1901. Douze volumes de mille pages et soixante-dix collaborateurs très mêlés où l'on retrouve déjà le noyau lavissien (Bayet, Coville, Langlois, Luchaire, Mariéjol, Seignobos), mais aussi, à côté d'Émile Faguet pour la littérature et d'Albert Sorel pour la politique étrangère, déjà loin de Lavisse par l'esprit et que l'Affaire Dreyfus éloignera plus encore, Aulard et Levasseur, Albert Malet et Arthur Giry. Des deux-directeurs, seul Rambaud est actif[58], avec dix-sept grosses contributions sur le monde slave, asiatique, colonial. Lavisse a même laissé Louis XIV à Lacour-Gayet, et l'étrangeté du seul article signé de lui suggère plutôt une de ces défaillances de dernière heure qui obligent les directeurs d'ouvrages collectifs à monter eux-mêmes au créneau, fût-ce sur «La formation du pouvoir pontifical: l'Italie byzantine, lombarde, papale (395-756)». Déjà l'esprit collectif, comme la *Cambridge Ancient and Modern History*, mais une présentation encore à l'ancienne, avec une bibliographie finale d'ouvrages de seconde main. Colin réitère sur le même modèle avec l'*Histoire de la langue et de la littérature françaises* sous la direction de Petit de Julleville (1896) et l'*Histoire de l'art* avec André Michel (1905). Entre ces entreprises à caractère encyclopédique, où chaque spécialiste se charge d'un chapitre, et les synthèses individuelles comme, par exemple, l'*Histoire des peuples de l'Orient classique* de Gaston Maspero qui paraît en même temps (1892-1900), l'*Histoire de France* que commande Hachette à Lavisse, au moment où il va être élu à l'Académie française, représente un type mixte: formée de volumes indépendants, mais subordonnée à une pensée directrice et agencée en une suite ininterrompue. Mais si la direction intellectuelle lui appartient, la conception éditoriale et la politique de lancement reviennent à Hachette, et singulièrement à Guillaume Bréton, qui a succédé à son père en 1883, mais que Lavisse avait eu pour normalien en 1877 – et c'est lui qui donne véritablement sa marque à l'entreprise: essentiellement destinée aux étudiants qui ne disposaient pas, à l'époque, d'autres manuels supérieurs, elle sortait, à partir de 1901, à raison de huit fascicules par tome, soit quatre livraisons par volume, et par an; mais le tirage initial de sept mille cinq cents par fascicule (onze mille pour le *Louis XIV* de Lavisse) et qui, en livre, relié et illustré, atteindra entre dix-sept et vingt-cinq mille lors de la réédition générale de 1923, trouve un public plus élargi[59]. Ce mode de lancement est loin d'être secondaire, car il commande, en fait, toute la répartition de la matière et son ordonnancement. Neuf tomes divisés chacun en deux volumes, divisés en régiments de trois à cinq «livres», subdivisés en bataillons de trois à cinq chapitres et en escadrons d'autant de sous-chapitres, les paragraphes s'individualisant nettement par leurs titres marginaux. Et pour l'*Histoire contemporaine*, à nouveau neuf volumes, soit la moitié de l'*Histoire de France*. Le tout dans une maquette intérieure aérée, à la typographie d'une clarté très étudiée. D'où cette régularité parfaite, d'un

impeccable classicisme et d'une belle modernité; et cette frappe extérieure identique de l'âge de la pierre à l'âge des tranchées, qui n'a certainement pas peu contribué, avec ses vingt-quatre planches d'une illustration forte et simple, à redoubler l'unité intérieure du propos, qui doit s'y soumettre, malgré les gémissements des auteurs. «Mon travail ne dépassera pas les 480 pages d'impression que vous me fixez comme limite extrême, écrit docilement Henri Carré à Bréton, et je le disposerai en livres, chapitres et paragraphes selon les spécimens que vous m'avez fait parvenir[60].»
Toute l'architecture de l'œuvre et sa nouveauté reposent sur le contraste entre l'appareil critique, accroché en pied de page aux chapitres et sous-chapitres, nettement séparé entre les «sources» et les «ouvrages à consulter», et le texte, qui doit intégrer toutes les données dans un récit linéaire et concret. D'un côté, une histoire à chaud, constamment débordée par l'actualité, et que les retards d'impression vieillissent rapidement, à l'effroi des auteurs. De l'autre, un texte auquel Lavisse attache la plus grande importance, qu'il suit de très près, corrige ligne à ligne et modifie toujours pour le rendre plus simple, plus clair, plus vivant et plus définitif. Pas de notes donc; la note, c'est le repentir, l'arrière-pensée, la nuance, la précision supplémentaire, le risque de la double lecture. Lavisse les refuse, toute son histoire est affirmative et autoritaire, et ferme la porte au doute, à la problématique, à la curiosité latérale, à l'état de la question, à l'historiographie d'un problème. L'œuvre entière porte la marque de cette tension, entre un savoir en plein remaniement et un texte qui doit ne laisser place à aucune interprétation, parce que destiné au grand public.

> Je désire vivement terminer mon travail, écrit par exemple Langlois [le 27 janvier 1897]. La raison qui m'en a empêché jusqu'ici est que sur les points *capitaux,* l'histoire de la période que je dois raconter devait être renouvelée de fond en comble par des travaux que je savais en préparation, si bien que c'eût été me condamner à un travail stérile que d'écrire sans les avoir consultés. Si j'avais écrit certains chapitres de mon livre, je serais maintenant en quelques mois obligé de les réécrire[61].

Et Luchaire:

> J'ai fait, comme vous le dites, un très gros effort pour rompre avec le genre de composition historique auquel je suis habitué. Il a fallu que je sortisse de moi-même, et je ne suis pas étonné de n'y avoir pas partout réussi. Vous êtes sans doute plus compétent que moi pour savoir ce qu'il faut dire au grand public auquel s'adresse l'*Histoire de France*, car vous le connaissez beaucoup mieux que moi et si je savais lui par-

> ler comme vous, je serais à l'Académie française. Vous pouvez donc me faire, sur ce terrain, les observations que vous jugerez utiles au succès de l'entreprise commune, sans crainte de me froisser. Vous avez pu voir que j'ai déjà beaucoup sacrifié de mes habitudes d'historien érudit. Je suis tout disposé à faire encore d'autres sacrifices et désire pour moi comme pour tous que tout dans mon œuvre soit mis à profit, avec la certitude que nous sommes d'accord sur les idées et que, pour la question de forme, vous ne me demanderez rien que je ne puisse faire et qui soit de nature à me diminuer auprès des lecteurs sérieux de la France et de l'étranger[62].

Déclaration de bonne volonté dont le directeur de l'entreprise a dû profiter pour, inflexible, renvoyer son collègue à sa copie, puisque celui-ci écrira à Bréton :

> En ce qui touche le manuscrit de mon tome I, vous savez que je l'ai remis à M. Lavisse au terme prescrit par notre traité. Je lui ai fait subir une refonte totale sur les indications du directeur et le lui ai renvoyé. Mais l'impression ne pouvant alors commencer pour des raisons indépendantes de ma volonté, j'ai dû le reprendre, afin de mettre l'ouvrage au courant des publications scientifiques de la France et de l'étranger [...] et qui se trouvent, par malheur, être très importantes pour le sujet traité. D'où une seconde refonte qui n'est pas terminée[63].

C'est même la possibilité d'entretenir avec ses auteurs des rapports de cordiale autorité qui dicte à Lavisse le choix de ses collaborateurs, dont le réseau se laisse aisément reconstituer (voir Annexe II, les collaborateurs de l'*Histoire de France*). Lavisse ne s'est adressé qu'à deux de ses contemporains d'âge : Vidal de La Blache, le géographe qui s'imposait ; et pour la Renaissance et les guerres d'Italie, son vieil ami Henry Lemonnier, condisciple du lycée Charlemagne, qui l'avait suppléé à la Sorbonne en 1889 et qu'il avait fait nommer professeur d'histoire de l'art. Mais le gros de la troupe, douze sur vingt, est passé directement par ses mains : soit en tant que normaliens quand il était maître de conférences à l'E.N.S. (de 1876 à 1880), comme Seignobos, Rebelliau ou Pfister ; soit comme agrégatifs, qu'ils fussent simples étudiants, comme Pariset (mais premier à l'agrégation), ou venus des Chartes, comme Langlois, Petit-Dutaillis, Coville, ou encore des Hautes Études, comme Charléty. Avec certains, même séparés de près d'une génération, comme Seignobos (promotion 1874) et Sagnac (promotion 1891), le ton de la correspondance prouve l'affection constante et presque paternelle d'un homme sans enfant. Lavisse a fait leur carrière. Mais ils sont loin d'être les seuls. De tous il a suivi la thèse – sauf d'A. de Saint-Léger, professeur à l'école de commerce de Lille et qu'il ne connaissait pas[64]; mais c'est l'exception. Leur thèse préfigure souvent leur contribution à l'*Histoire de France:* celle de Pfister sur Robert le Pieux (1885) est, en fait, une étude des origines de la maison de France; celle de Langlois sur Philippe III le Hardi (1887) le situait entre Louis IX et Philippe le Bel; celle de Coville sur les cabochiens et l'ordonnance de 1413 (1889) est une étude de Charles VI et des états généraux; celle de Rebelliau sur Bossuet historien du protestantisme (1892) en a fait un spécialiste des problèmes religieux sous Louis XIV; la thèse de Petit-Dutaillis sur Louis VIII (1895) est, en réalité, une étude sur la monarchie capétienne au début du XIIIe siècle; celle de Sagnac (1898) porte sur la législation civile de la Révolution française.

Restaient les périodes qu'il connaissait peu, ou pas du tout, et pour lesquelles il s'est adressé à des spécialistes en place, de cinq ou six ans ses cadets: pour la Gaule, Gustave Bloch, le père de Marc Bloch, «romain» d'origine et de vocation, avec une thèse sur *Les Origines du Sénat romain* (1884) et à l'époque maître de conférences à Normale; Charles Bayet, ancien collègue de Bloch à Lyon, à l'époque recteur de Lille et bientôt directeur de l'Enseignement primaire, à qui Lavisse avait d'abord songé à confier tout le haut Moyen Âge pour ensuite lui adjoindre Pfister et Kleinsclausz[65]; et pour le Moyen Âge, Achille Luchaire, venu de Bordeaux remplacer Fustel de Coulanges à Paris. Des spécialistes, donc, mais toujours contrôlables et le plus souvent des seconds couteaux. C'est ce qui explique, tant pour l'*Histoire de France* que pour la *France contemporaine*, à dix ans d'intervalle et pour les deux secteurs pourtant en plein renouvellement, l'absence de Camille Jullian qu'on voit d'ailleurs vers 1895 refuser toutes les besognes de commande pour se consacrer à son *Histoire de la Gaule* en huit volumes[66]; et celle d'Aulard, probablement trop militant, et à l'époque fortement engagé dans sa polémique avec Mathiez. Lavisse lui préférera deux de ses créatures, le fidèle Sagnac, déjà éprouvé[67], et Pariset[68], peu orienté vers la Révolution, mais dont il avait directement inspiré la thèse sur la Prusse sous Frédéric-Guillaume Ier. Ses choix, Lavisse les a parfois payés très cher. Même de Sagnac, qu'il trouve sur le fond excellent, le volume sur la Révolution, dont nous possédons les épreuves corrigées par Lavisse, porte à chaque page, à chaque ligne, des corrections et des annotations qui mériteraient une étude approfondie. Mais d'autres le mettent au bord du désespoir et du renoncement. Témoin cette lettre à Guillaume Bréton (1908 [?]), qu'on n'hésite pas à citer tout entière:

> Mon cher Guillaume, je me plains, mais je ne récrimine pas. Ce qui arrive, c'est de ma faute. Vous savez que je n'ai pu trouver que Carré pour l'histoire du XVIIIe siècle. Je ne pouvais me douter qu'il fût si inca-

pable de l'écrire et que je mettrais à le corriger plus de deux ans de ma pauvre vie finissante. Alors, j'ai des moments très durs. Je ne sais plus ce qu'est le repos. Je néglige toutes mes affaires. Je manque à des devoirs. Je ne fais rien de bon. Je voudrais faire telle ou telle chose, en profitant de mon reste. Impossible! Les épreuves sont là, je lis, je relis. Avec toute la peine que je me donne, je suis troublé par la certitude que ces deux volumes garderont la trace du péché initial. Tout cela est très dur. Mais vous n'en êtes pas responsable. Vous êtes un éditeur très généreux, comme il n'y en a pas beaucoup. La seule chose que je vous demande, c'est de m'exempter de continuer ce métier pour l'histoire contemporaine. Je ne le pourrais pas. Achevons l'autre histoire et j'irai planter mes champs[69].

Une mémoire nationale authentifiée

La voici terminée. Ce qui en fait la force d'ensemble et lui donne les vertus d'une «histoire-mémoire», c'est d'avoir été le simple approfondissement critique de la mémoire traditionnelle.

Son criticisme même ne concerne que l'établissement de l'authenticité documentaire, en aucun cas l'invention de sources nouvelles. On écarte les légendes, on rectifie les faits. Mais rien en profondeur n'est changé du cadre chronologique ni du type de récit les plus ordinaires. Le plan par règnes, par dynasties (voir Annexe I), et que l'*Histoire contemporaine* prendra en relais avec les régimes, relève du plus archaïque des découpages, et plonge même, par-delà l'historiographie romantique et classique, jusqu'aux plus vieilles de nos chroniques médiévales. Rien dans la structure d'ensemble qui violente les articulations spontanées de la mémoire. Le contraste éclate avec Michelet. Des analogies de surface, la poursuite du mouvement national de fond engagé depuis la Restauration, la fixation de la subjectivité nationale sur la volonté nationale, dont Lavisse aimait les grands sursauts, sont autant d'éléments qui peuvent, et doivent, favoriser le rapprochement des deux *Histoires*. Mais on se tromperait lourdement en ne voyant dans celle de Lavisse que la retombée scientifique de celle de Michelet. L'obsession de l'unité chez tous deux est la même, mais ce n'est pas la même unité. Celle de Michelet est organique; celle de Lavisse est panoramique. L'une oblige à des choix violents, l'autre à une vision d'exhaustivité. Michelet procède par périodes – Moyen Âge, Réforme, Renaissance –, qu'il construit par effort intellectuel, avec lesquelles il entretient des rapports passionnels, et qu'il incarne en symboles contrastés, selon l'humeur du moment et l'évolution de ses opinions politiques. Il court d'agonies en résurrections, passe de la danse macabre du cimetière des Innocents, image pour lui du Moyen Âge finissant, à la figure rédemptrice de Jeanne d'Arc. «J'ai besoin de me prouver à moi-même, à cette humanité dont j'exprime les apparitions éphémères, qu'on ne meurt pas, qu'on renaît. J'en ai besoin, me sentant mourir[70].» Il s'interrompt soudain après Louis XI, se lance dans la Révolution, qui constitue le point d'aboutissement ultime et, en un sens, l'épuisement de l'histoire de France, pour revenir à la Renaissance. L'Histoire de Lavisse est de plus en plus happée par le contemporain, d'où il reconstruit et ordonne toute la rétrospective. Le rapport de Michelet aux archives est d'une complexité infinie; et si l'on sait que, sur certaines périodes, il en a consulté plus que l'on ne pourrait croire, il ne cite pas ses sources; Aulard le lui a assez reproché. En revanche, quand, à la fin du livre IV, soit à la mort de Saint Louis, il veut montrer que ce volume sort «en grande partie» des Archives nationales, c'est-à-dire du Trésor des chartes, c'est pour une visite hallucinée «dans ces catacombes manuscrites, dans cette nécropole des monuments nationaux» où les morts sortent du sépulcre «qui la main, qui la tête, comme dans le Jugement dernier de Michel-Ange» pour danser autour de lui «leur danse galvanique[71]». Michelet devine, invente, pressent, corrige, et, quand il manque de sources, s'offre à les remplacer: «Vivant esprit de la France, où te saisirai-je, sinon en moi[72]?»

Lavisse, au contraire, ne modifie rien des hiérarchies traditionnelles. Ni de l'importance des institutions politiques et des priorités d'État – même s'il s'intéresse à l'économie, à la société, aux lettres et aux arts, sagement relégués dans les dernières pages de chaque volume. Ni de l'importance relative des événements, qui laisse place aux individus, décrits en pied, aux batailles, qui, d'Azincourt à Waterloo, de Valmy à Verdun, finissent par se ressembler toutes, tant elles paraissent sorties d'une explication d'état-major. Ces quatre cent quatre-vingts pages vingt-sept fois recommencées sont comme cette fameuse «minute de synthèse» où Fustel voyait le couronnement de plusieurs années d'analyse.

Récitatif puissamment homogène, donc, qui tient son unité de la coalescence naturelle entre le type des sources officielles et la philosophie sous-jacente de la continuité de l'État. L'historiographie positiviste a été l'âge d'or de la source *directe*, c'est-à-dire celle à laquelle on ne fait rien dire d'autre que ce qu'elle dit explicitement, à charge seulement pour l'historien d'être sûr qu'elle le dit bien: charte, diplôme, cartulaire, traité, testament, rescrit, tous textes publics chargés d'une intention de mémoire et faits pour l'enregistrement. Dans leur *Introduction aux études historiques* (1898), tout entière consacrée aux «opérations analytiques» et aux «opérations synthétiques», Langlois et Seignobos décrivent avec un luxe de détails qui nous paraît aujourd'hui légèrement désuet comment établir un fait d'après des documents; mais pas une seule fois ils n'évoquent la possibilité de sources *indirectes,* à savoir celles, pratiquement infinies, qui permettent de tirer d'un document autre chose que ce qu'il entend lui-même signifier. À elles revient pourtant la possibilité d'un renouvellement de la problématique. Entre l'époque de la priorité des sources narratives, qu'a représentée l'historiographie romantique, et l'« heure des Annales » (voir plus bas) qui a dilaté la notion même de sources pour les faire travailler dans tous les sens, l'*Histoire de France* représente le moment d'une adéquation parfaite du sens et du fait, puisqu'il faut, mais qu'il suffit de correctement établir l'un pour que l'autre se dégage de lui-même.

Exemple type : Bouvines (1214), un des événements fondateurs de l'identité nationale, bataille clef qui véhicule parmi les plus lourds bagages du légendaire et de l'imagination patriotiques. Henri Martin, dont la populaire *Histoire de France* a longtemps fait autorité avec celle de Michelet, s'appuie sur les trois principales sources, à caractère tout narratif[73] : la chronique de Reims, rédigée cinquante ans après la bataille, et Guillaume le Breton, qui a vécu la bataille derrière Philippe Auguste et dont on possède deux versions : la *Philippide*, en vers, et la chronique, en prose. Entre ces sources, il fait la différence et préfère la dernière. « La chronique de Reims, précise-t-il, est un monument de beaucoup d'intérêt, moins pour les faits historiques qui y sont presque toujours gravement altérés que pour les traditions et les sentiments populaires qui y sont vivement et fidèlement exprimés. » Mais son choix fait, il raconte la bataille à coups de citations ou paraphrase le chapelain du roi, tout heureux de la célébrer avec lui « comme un barde de l'ancienne Gaule ». Et d'avouer franchement à la fin : « Ce récit est presque entièrement tiré de la chronique en prose de Guillaume le Breton, comparée avec les livres X et XI de sa *Philippide.* » À l'autre bout de la chaîne, *Le Dimanche de Bouvines*, où Georges Duby[74], en anthropologue de la bataille et de la mémoire, saisit l'événement à l'envers, tel qu'il a été construit par l'ensemble des traces qu'il a laissées, pour se livrer à trois opérations convergentes : reconstituer le milieu de culture où sont nés tous les témoignages ; esquisser une sociologie de la guerre ; traquer, au long de la suite de ses commémorations, « le destin d'un souvenir au sein d'un ensemble mouvant de représentations mentales ». Travail d'une tout autre nature sur de tout autres sources. Il n'aboutit pas seulement à un complet renouvellement de l'intelligence de l'événement ; il permet de situer exactement le traitement de la bataille par Luchaire dans l'*Histoire de France* et son résultat : décisif et limité.

Décisif, parce que Luchaire a répertorié tous les documents, vu tous les travaux, dont d'essentiels, en Allemagne, venaient de paraître. Sur la douzaine de titres de sa bibliographie, plus de la moitié avaient paru dans les dix années précédentes. Décisif, parce que « tel un juge d'instruction », il a dépisté les mensonges, confronté les témoignages, trié les hypothèses. Bref, il n'a rien négligé pour reconstituer « ce qui s'était vraiment passé », selon la célèbre formule de Ranke, dans la plaine de Bouvines, le 27 juillet 1214, entre midi et cinq heures de l'après-midi; et pour restituer la journée dans l'enchaînement de ses «causes», et de ses «conséquences». Travail indispensable, indépassable, sauf improbables découvertes – et pourtant illusoire, sinon vain. D'abord parce que, dans sa réalité vécue, cette vérité est inaccessible et déborde de toute part la plage de certitudes où l'on peut la réduire. Ensuite parce que cette reconstitution, explique Duby, n'est possible qu'au prix d'un anachronisme de principe «qui inclinait inconsciemment à voir un peu Philippe Auguste comme Corneille voyait Pompée, c'est-à-dire comme un désir, une volonté affrontés à d'autres volontés et à d'autres désirs dans l'immutabilité de la "nature humaine"».

Cette critique, éloquente et généralisable, désigne avec précision le type de mémoire enregistrée par l'*Histoire de France.* «Bouvines, comme dit encore Duby, s'inscrivait expressément dans la dynamique d'une histoire du pouvoir. La journée formait comme un nœud, plus volumineux que d'autres, sur une chaîne continue de décisions, de tentatives, d'hésitations, de succès ou d'échecs, tous alignés sur un seul vecteur, celui de l'évolution des États européens.»

Il serait pourtant inexact de n'y voir que la mise à jour d'un gigantesque récit. Les parties de l'œuvre où les auteurs s'en sont contentés sont précisément les plus caduques: soit qu'ils aient été limités par leur manque de talent ou leur tempérament d'archiviste (Coville, Petit-Dutaillis); soit qu'ils aient eu à traiter des périodes trop contemporaines, comme Charléty et Seignobos; soit qu'ils n'aient pas mis dans cet ouvrage de commande le meilleur d'eux-mêmes, ce qui semblerait le cas de Langlois. Sans doute, pour sa part, Lavisse est passé à côté du renouvellement intellectuel qui s'opérait au moment de la publication de son *Histoire,* entre la naissance de l'*Année sociologique* de Durkheim (1896) et la *Revue de synthèse historique* d'Henri Berr (1900). Mais il est au moins trois morceaux qui échappent à la règle et s'individualisent encore puissamment. D'abord le *Tableau* de Vidal de La Blache, qui occupe une place intellectuelle charnière: pressant rappel du Michelet des années 1830, signe de l'association en train de s'établir entre l'histoire et la géographie dans la pédagogie nationale, il est en même temps porteur du mouvement de la géographie humaine qui aura tant d'influence sur la naissance de l'histoire-*Annales.* Ensuite le *Louis XIV*[75], parce que les vingt-cinq ans que Lavisse raconte sont en fait une anatomie du «siècle» et la description d'un type de régime, l'absolutisme. Enfin *Le Moyen Âge* de Luchaire, dont le cas est moins évident.

Les titres de ces deux volumes annoncent en effet une chronologie pure: *Les Premiers Capétiens (987-1137)* et *Louis VII, Philippe Auguste, Louis VIII (1137-1226).* Mais à consulter la table des matières, on s'aperçoit que les «quatre premiers Capétiens» sont relégués en un chapitre de trente pages (livre I,

LIVRE II

L'INSTALLATION DU ROI

CHAPITRE PREMIER

LE ROI[1]

I. LA PERSONNE. — II. L'ÉDUCATION. — III. LE « MOI » DU ROI.

I. — LA PERSONNE DU ROI

LOUIS XIV avait vingt-deux ans et demi à la mort de Mazarin. Tout le monde le trouvait très beau. Un léger retrait du front, le nez long d'ossature ferme, la rondeur de la joue, la courbe du menton sous l'avancée de la lèvre, dessinaient un profil net, un peu lourd. La douceur se mêlait dans les yeux bruns à la gravité, comme la grâce à la majesté dans la démarche. Une belle prestance et l'air de grandeur haussaient la taille qui était ordinaire. Toute cette personne avait un charme qui attirait et un sérieux qui tenait à distance. Les contemporains pensaient qu'elle révélait le Roi :

En quelque obscurité que le sort l'eût fait naître,
Le monde, en le voyant, eût reconnu son maître,

1. SOURCES. Les *Œuvres de Louis XIV*, Paris, 1806, 6 vol.. *Mémoires de Louis XIV pour l'instruction du Dauphin*, édit. Ch. Dreyss, 2 vol., Paris, 1860. Colbert, *Journal fait par chacune semaine de ce qui s'est passé pour servir à l'histoire du Roi*, au tome VI des *Lettres*,... éditées par P. Clément. Lettres du P. Paulin, confesseur du Roi, au cardinal Mazarin, dans le P. Chérot, *La Première jeunesse de Louis XIV* (1649-1653), Lille, 1892. Les Mémoires du temps, notamment ceux de Madame de Motteville, de Mademoiselle de Montpensier. *Journal de la santé du Roi Louis XIV* (1647-1711) *écrit par Vallot, d'Aquin et Fagon*, édité par J.-A. Le Roi, Paris, 1862. *Médailles sur les principaux événements du règne de Louis le Grand*, ouvrage publié par l'Académie des Médailles et Inscriptions, Paris, 1702. Saint-Simon, *Parallèle des trois premiers rois Bourbons*, Les Relations des ambassadeurs vénitiens Giovanni Battista Nani (août 1660), Alvise Grimani (1660-64), Alvise Sagredo (1664-65), au t. III des *Relazioni*...

OUVRAGES A CONSULTER. Outre ceux du P. Chérot et de Lacour-Gayet : Sainte-Beuve, *Les œuvres de Louis XIV*, Causeries du lundi, t. V, p. 313; *Le Journal de la santé du Roi*, Nouveaux lundis, t. II, p. 360. A. Pératé, *Les portraits de Louis XIV au musée de Versailles*, Versailles, 1896.

‹ 119 ›

ERNEST LAVISSE, LOUIS XIV, PAGE 119 :
UNE DISPOSITION TYPOGRAPHIQUE ÉLOQUENTE.

chapitre v), et que la lutte contre les Plantagenêts, Richard Cœur de Lion, le pape Innocent III n'occupent pas la moitié du second volume. Le pavillon politique couvre une tout autre marchandise, en fait un vaste tableau de la formation de la féodalité du xe au xiiie siècle. C'est le fruit du renouvellement fustélien, la seule vraie nouveauté historiographique dont l'*Histoire de France* porte la trace. En reléguant au second rang la part des invasions, de la conquête, des luttes de races qui avait dominé l'historiographie nationale depuis le xvie siècle, l'*Histoire des institutions politiques de l'ancienne France* avait brutalement transformé un conflit ethnico-racial en une lente genèse du régime féodal. Achille Luchaire est un fustélien de stricte obédience et l'influence de Fustel se fait immédiatement sentir sur l'ouvrage, qui s'ouvre sur un large tableau du régime féodal. Dès les premières pages, le ton tranche :

> À l'intérieur du royaume français, une révolution dynastique venait de s'accomplir (987). Elle n'a point inauguré, à proprement parler, une ère nouvelle. L'autorité royale était depuis longtemps ruinée ; l'Église et la Féodalité, toutes-puissantes [...] Le travail qui, depuis plusieurs siècles, s'accomplissait dans les profondeurs, achevait de changer l'état social et économique du pays. Les hommes ont fini par se répartir en catégories devenues à peu près fixes [...] Le système féodal, issu du patronage public et privé, a tout englobé, tout pénétré, et menace de tout conquérir.

D'où la substitution, au Moyen Âge à vocation « totale » de Michelet, à vocation romanesque d'Augustin Thierry, et même à vocation épique d'Henri Martin, d'un Moyen Âge purement social qui sera celui d'un Marc Bloch et que ne considèrent pas comme négligeable les médiévistes d'aujourd'hui. Sous l'uniforme d'une mémoire essentiellement politique, l'*Histoire de France* fait ainsi cohabiter, dans ses meilleurs moments, deux types d'histoire.

La républicanisation de la mémoire

Si la disposition générale de l'*Histoire de France* et les procédures de l'historiographie positiviste conspirent au respect d'une mémoire spontanément orientée vers la politique et l'État, sa républicanisation autoritaire porte, elle, la marque personnelle du directeur de l'entreprise. À trois reprises, en effet, dans cette œuvre sans introduction, ses intentions se trouvent répétées, pour ne pas dire martelées, dans les conclusions sur le règne de Louis XIV (tome VIII, 1), sur les règnes de Louis XV et de Louis XVI (tome IX), et dans la conclusion générale de la *France contemporaine* (tome IX) qui, même de circonstance, n'en est pas moins son testament d'historien.

Ce qui frappe, dans leur rapprochement, c'est la reconstruction systématique de l'Ancien Régime en fonction de l'avènement de la République et des thèmes les plus constitutifs de l'identité républicaine : insistance sur les frontières, dans un pays obsédé par l'Alsace-Lorraine ; sur la vocation maritime manquée de la France royale, en plein moment de l'expansion coloniale ; sur les mauvaises finances du royaume, dans cette France de l'épargne et du franc-or ; sur le manque d'unité intérieure au moment où se fait si pressant le besoin d'intégration des masses ; sur l'absence de participation populaire à la Nation, à l'époque de l'éducation politique par le suffrage universel et la formation des partis. C'est en fonction de ces critères exclusifs que Lavisse instruit le procès final de la monarchie et prononce une condamnation où il n'est pas si facile de faire la part de la nature même du régime et de sa dégénérescence, de sa mauvaiseté intrinsèque ou de la « nullité » du roi. Mais réquisitoire dans lequel, en revanche, il n'est pas difficile de déceler toutes les valeurs de la petite bourgeoisie libérale et méritante des années 1900. Manque d'autorité : « Le roi semble n'être plus maître du choix de ses ministres », dans les nominations desquels on voit intervenir les dévôts, les philosophes, les financiers, les coteries de cour, les caprices des femmes, de la Pompadour, de la du Barry, de Marie-Antoinette :

> Louis XVI, pour contenter tout le monde, fait des ministères de concentration, comme on dirait aujourd'hui. Pour beaucoup de ministres, on ne découvre pas les titres qu'ils avaient à leur fonction. Pourquoi Amelot de Chaillou et d'Aiguillon deviennent-ils ministres des Affaires étrangères, qu'ils ignoraient l'un et l'autre ? Et le lieutenant de police Bertin, contrôleur général, et le lieutenant de police Berryer, ministre de la Marine ? C'est un étrange cumul que celui des Sceaux et du Contrôle général, ou celui des Sceaux et de la Marine dans les mains de Machault. Quelquefois des portefeuilles s'interchangent et l'on ne voit pas que cette opération soit faite pour le bien de l'État.

C'est surtout la mauvaise économie domestique qui provoque étonnement et scandale :

> Le Roi ne s'inquiétait pas de l'équilibre de ses finances. Il n'avait pas, déclara un jour le comte d'Artois au Parlement, à régler ses dépenses sur les recettes ; c'était au contraire les recettes qu'il fallait régler sur ses dépenses. Or depuis le XVIe siècle, les dépenses de la Cour s'ajoutant à celles de la guerre, les unes et les autres s'accroissant toujours, les dettes s'accumulèrent et la magnifique royauté française fut perpétuellement gênée.

Gêne qu'il aurait été pourtant possible de dissiper :

> Par ces réformes, le Roi aurait accru son autorité et diminué les maux de ses peuples ; pour les accomplir aurait suffi simplement le prix que coûtèrent l'exagération du luxe royal, les maîtresses, le château de Versailles et les guerres inutiles.

De l'économie, on passe à l'abandon de la centralisation, responsable de l'« inachèvement du royaume » :

> Il semble que le gouvernement royal aurait dû continuer l'effort commencé au temps de Richelieu pour introduire dans les provinces une administration qui rendît partout présente et efficace l'autorité du Roi [...] Cette administration, par une conduite suivie, serait certainement arrivée, sinon à supprimer les diversités, ce qui n'était ni possible ni désirable, du moins à user les principaux obstacles qui s'opposaient à la réalisation de l'unité française [...]
> Le Roi n'a donc pas « naturalisé les provinces du royaume » selon le mot de Calonne ; il ne les a pas naturalisées françaises. Le royaume n'est encore, comme l'a dit Mirabeau, qu'une « agrégation inconstituée de peuples désunis ». C'est la Révolution qui fera la France « une et indivisible », patrie du Marseillais comme du Dunkerquois, du Bordelais comme du Strasbourgeois.

Dernier chef d'accusation, mais le plus grave, « la puissance française diminuait ».

> Le souvenir ne s'effaça point de la paix « bête » d'Aix-la-Chapelle, de la paix honteuse de Paris ; de quinze ans de guerre – les guerres de la Succession d'Autriche et de Sept Ans –, sans acquisition d'une once de territoire ; de la perte de nos colonies devenues populaires grâce à l'héroïsme de quelques officiers ; des opérations mal conduites par des officiers de Cour ; de la honteuse fuite devant les Prussiens parvenus. La journée de Fontenoy fut glorieuse ; mais cette journée-là, où le Roi, d'ailleurs, fit belle figure, un Allemand, le maréchal de Saxe, commandait. Dans le discrédit de la royauté, il faut compter pour beaucoup l'humiliation dont souffrit la France, qui aime la gloire.

Des changements de l'Europe au XVIIIe siècle, le roi n'est pas responsable. « Mais il est pleinement responsable du désordre du royaume, et de l'inachèvement de l'ordre monarchique. » Un roi auquel Lavisse, interprète à coup sûr du sentiment populaire, reproche à la fois d'être trop roi et pas assez; inaccessible aux conseils des réformateurs, enfermé dans la toute-puissance où «il ne fait plus que jouir de la haute fortune, dans la maison qu'il s'était fait bâtir à Versailles, après cette fortune faite». Versailles qui concentre la haine, fausse capitale devenue «l'endroit où le Roi mange le royaume». Et Lavisse de conclure que «parmi les causes de la Révolution française, il faut mettre la crainte de Paris et la pensée d'orgueil qui conduisit Louis XIV à vouloir faire d'un château qui avait été, à l'origine, un rendez-vous de chasse en un lieu écarté, la capitale de la France».

C'est ce heurt entre les valeurs de la petite bourgeoisie de la Belle Époque et la monarchie dans son plus haut éclat qui donne à la rencontre personnelle de Lavisse avec Louis XIV, pour ne pas dire le corps à corps, son intérêt stratégique et son piquant. Elle n'a pas la même tonalité dans la description et le jugement final; différence qui s'explique sans doute par le choix de la période dont il s'est personnellement chargé. Les deux volumes – qui mériteraient une étude en soi, dans l'ampleur exceptionnelle et la richesse de leur développement – épousent la majesté royale avec trop de bonheur dans l'expression pour que l'on n'y voie pas une délectation personnelle et presque une affinité du tempérament. Lavisse aura passé vingt ans dans l'intimité de Louis XIV. «Il aimait les drames de la volonté, dit Philippe Sagnac, et se plaisait à étudier les États au moment où ils se forment. Ils lui apparaissaient comme des forces qui, une fois créées, se déploient librement jusqu'à ce qu'elles entrent en conflit avec d'autres, cèdent ou l'emportent. Après Frédéric II, vrai créateur de l'État prussien, comment n'aurait-il pas aimé ce Louis XIV en lutte tant de forces intérieures et avec l'Europe entière[76]?» Mais la sentence finale du démocrate est d'une hauteur plus sévère:

> Ce qu'on appellera bientôt «l'Ancien Régime», ce composé de vieilleries inutiles ou funestes, de décors en lambeaux, de droits sans devoirs devenus des abus, ces ruines d'un long passé au-dessus desquelles se dresse solitaire une toute-puissance, qui se refuse à préparer un avenir, il ne serait pas juste de l'imputer au seul Louis XIV; mais il l'a porté au plus haut degré d'imperfection et marqué pour la mort.

Jugement partagé, qui fait de ce long règne le pivot de toute l'histoire de France, son sommet et le début de son retournement.

> Le plus clair succès de Louis XIV a été d'obtenir l'obéissance politique. Ce ne fut pas sans quelque peine. Chaque année eut ses révoltes, dont quelques-unes très graves. Il faudra faire l'histoire exacte de ces insurrections, des motifs invoqués, des injures et des

> menaces qu'on y a criées, si l'on veut clairement connaître les prodromes de la Révolution.

Il est vrai qu'il a reculé les frontières du royaume, conquis la Franche-Comté, une partie de la Flandre, une partie du Hainaut, le Cambrésis, Strasbourg. Mais tout considérables que soient ces résultats territoriaux, la force de la France de 1661 et la faiblesse de l'Europe poussent Lavisse à penser qu'on pouvait espérer bien davantage :

> Il faut rappeler ici de quel prix aurait été pour la France l'acquisition des Pays-Bas espagnols qui eût fait de Paris, trop proche de la frontière, le centre du royaume, équilibré dans l'unité nationale les génies et les tempéraments du Nord et du Midi, étendu son littoral jusqu'aux bouches de l'Escaut, ajouté Anvers à Dunkerque, à Bordeaux, à Marseille [...]
> Il faut répéter aussi que la France de Colbert et de Seignelay, la France de Dunkerque, de Brest, de Rochefort, de Bordeaux et de Marseille, colonisatrice du Canada, de la Louisiane et des Antilles pouvait devenir autant que « puissante sur la mer » « forte sur la terre », comme disait Colbert...

Possibilités extérieures en fait toutes gâchées par « cette politique à intentions diverses et contradictoires groupées autour d'une idée fixe qui était de se procurer de la gloire par les humiliations d'autrui ; mélange de prudence, de rouerie, et de coups d'orgueil qui détruisaient en un moment tout un long artifice ; par qui tout le monde fut violenté, insulté ou dupé, si bien que les coalitions allèrent s'élargissant toujours et finirent par comprendre l'Europe entière ; politique de guerres perpétuelles conduites par un homme qui avait les qualités d'un bon “officier d'état-major”, mais ni la tête d'un général, ni le cœur d'un soldat ».
Son dialogue impossible avec Louis XIV, Lavisse, étrangement, le mène à travers Colbert interposé. Colbert, « le grand avertisseur », à qui Lavisse ne cesse de revenir, qu'il charge de tout l'amour et de toute l'attention que l'*Histoire de France* entière ne cesse de porter à la grande lignée des ministres réformateurs, Sully, Richelieu, Turgot ; dont il décrit longuement les « idées révolutionnaires », et qu'il dresse en précurseur de la politique douanière et coloniale de la République, entre l'expédition du Tonkin et les lois Méline. C'est « L'offre de Colbert », chapitre subtilement serti entre l'installation au pouvoir de 1661 et les débuts du pouvoir personnel. « À ce moment unique et fugitif, Colbert conseilla une grande nouveauté qui était que le Roi et la France se proposassent comme la chose essentielle de gagner de l'argent. » Et Lavisse de développer « la France idéale de Colbert » :

Personne ne désavoua alors les « septembriseurs ». Danton se serait plutôt vanté de les avoir commandés. Robespierre, l'homme de la légalité, alors tout-puissant à la Commune, ne s'interposa point; il dira plus tard que l'état de l'esprit public à Paris ne le permettait pas — et certes le mouvement du début avait été en partie spontané. Cinq ou six sections de Paris, le Comité de surveillance de la Commune surtout, Marat Sergent et Panis, au premier rang; au second plan, Robespierre et enfin Danton, tous étaient plus ou moins complices : les uns avaient ordonné et organisé, et les autres, laissé faire. En creusant un fossé de sang entre l'aristocratie des nobles et des prêtres et la Révolution, en montrant à l'Étranger de quelles fureurs Paris était capable, à l'approche de l'invasion, ils empêchaient les Girondins, âmes sensibles, de songer à maintenir la royauté, terrorisaient les électeurs, à Paris surtout, et précipitaient brutalement le pays vers la République. Le sort en était jeté. Et déjà un des journaux directeurs de l'opinion, les *Révolutions de Paris*, écrivait qu'il restait « encore une prison à vider. » Mais, pour celle-là, le peuple en « appelait à la Convention ».

(409)

Les épreuves de l'Histoire de la Révolution de Sagnac corrigées par Lavisse : fin du chapitre sur les massacres de Septembre.

> Il imaginait une France toute différente, fermée à l'étranger, unifiée par le renversement des barrières intérieures et par l'établissement d'une même loi, d'un même poids et d'une même mesure, allégée du fardeau des contributions «par un choix plus judicieux et une répartition plus juste...», produisant et fabriquant pour les besoins et pour la vente au-dehors, organisée pour ce travail et pour cette vente, couvrant les mers de sa marine marchande que protégerait une grande et belle marine militaire, et demandant à des colonies toutes les matières qui lui manquent, les produits du Tropique et ceux du Nord; une France enfin abrégé de l'Univers, qui se suffît à elle-même, s'imposât aux étrangers, s'enrichît par l'afflux de l'or, et, victorieuse dans la guerre d'argent soutenue contre tous les peuples, s'élevât superbement parmi la ruine des autres.

France idéale qui supposait un «roi idéal», c'est-à-dire économe et «ami des marchands», un roi militaire et justicier, et, par-dessus tout, un «roi parisien». Passage étonnant par les intentions dont Lavisse le charge, et qui fait presque tourner sur ce «moment unique et fugitif» le destin tout entier de la France. «Comment la France et comment le Roi accueillirent l'offre de Colbert, conclut Lavisse lapidaire, c'est la question capitale du règne de Louis XIV.»

Louis XIV-Colbert: on est là au sommet de deux lignes de pente, au cœur de la dynamique nationale. L'une remonte au-delà des grands incarnateurs de l'unité nationale, au-delà de Henri IV et Charles VI, de Louis XI et Saint Louis, jusqu'aux grands fondateurs; non Charlemagne – ce Rhénan qui rêvait d'Empire et «qui nous reste, pour ainsi dire, extérieur» –, mais Hugues Capet, «duc de France, comte de Paris, celui-ci était de chez nous [...] Il représentait, au-dessus des divisions et des subdivisions de notre sol, l'ensemble. En lui résidait l'*unité* de la France». Mais cette royauté, pleine d'héroïcité sacrale, qui ne cesse d'arracher à Lavisse des déclarations d'amour et des cris d'admiration, va se perdre après Louis XIV, qui «a usé la monarchie», dans les «formes vides» qu'elle a laissé partout subsister, dans le chaos des législations contradictoires, dans l'arbitraire et la futilité; car «la cause principale de la ruine de la royauté, ce fut le manque de roi». L'autre instance, celle qu'incarne Colbert, représentant de la mauvaise conscience des princes et de l'intérêt général, fragile et cependant lourde de la volonté populaire, elle mène tout droit à la fête de la Fédération. «La Nation consentie, voulue par elle-même, est une idée de la France. Le 14 juillet 1790, à l'unité monarchique, a succédé l'unité nationale, qui s'est révélée indestructible.»

Cette violente identification de la Révolution à la Nation, de la Nation à la République, et de la République à «un régime que l'on peut croire définitif» n'est pas sans ménager de redoutables difficultés. Aucune histoire n'a, sans doute, fait un pareil effort pour souder le passé monarchique au présent républicain; pour donner à l'aventure nationale sa cohérence et sa portée exemplaire. Pour la dynamiser dans ses profondeurs et la figer dans son actualité. La chance a voulu qu'elle puisse culminer sur la tragédie de la guerre, le plus grand effort sur elle-même que la nation ait eu à consentir. Victorieuse, mais épuisée, saignée, divisée, déprimée. Or, c'est à ce moment-là que Lavisse doit livrer sa conclusion récapitulative. La fameuse «solidité» française est ébranlée, l'inflation a commencé, le parlement est grippé, le parti communiste est né, le monde colonial a bougé. La place de la France a brutalement changé, dans une Europe déchirée. Et Lavisse est au bord de la tombe[77]. «Les raisons de confiance dans l'avenir», qu'il doit s'arracher, sonnent étrangement creux. Irréelle, sa confiance dans la fermeté de la démocratie. Utopique, l'aptitude de la France à la propagande internationale pacifique. Et pathétique, cette volonté d'un rapprochement social qui lui inspire cette ultime formule qui résonne comme un soupir: «La France va-t-elle donc s'embourgeoiser? S'il en était ainsi, il n'y aurait plus à proprement parler de bourgeoisie: il y aurait la nation, complète enfin.»

C'est l'*Histoire de France*, et non ce message, qui s'est chargée d'inscrire Lavisse dans la mémoire des Français. D'abord en faisant de ce grand manuel l'étage supérieur du petit, infiniment plus répandu. De l'un à l'autre, il y a un effet de grossissement réciproque. Les deux, qui ont chanté le même air, se sont servis mutuellement, le «petit Lavisse» soulignant avec énergie la philosophie politique implicite dans l'autre, le «grand» remplaçant la logique d'expression et la rapidité de la sentence par l'*ultima ratio* de la source et du document. La continuité de l'histoire trouve sa preuve dans la continuité d'un enseignement par lequel des millions d'enfants commençaient, et une phalange d'historiens terminait.

Mais l'*Histoire de France* représente surtout dans l'histoire même de la République, et de la France, un rare moment d'équilibre. Équilibre entre la recherche et l'enseignement, qui donne au magistère historien la direction de la conscience nationale et fait de lui l'interprète et le garant du mythe. Équilibre d'une France qui a mis un siècle à faire entrer dans les mœurs une Révolution qui n'est pas encore relayée par les menaces d'une autre. Équilibre, enfin, entre un demi-siècle consacré, du La Fayette de 1830 au Gambetta des années 1880, à débattre de la République et le déchaînement d'un demi-siècle, de Maurras à Brasillach et à Bainville, consacré à l'abattre. Lavisse n'a rien bouleversé du paysage national traditionnel. Mais en regroupant les faits dont se dégage un sens, il a fixé les images fortes et tendu, définitif, le miroir où la France n'a plus cessé de se reconnaître.

Trois personnes m'ont été utiles: Alice Gérard, qui m'a signalé plusieurs références des archives Lucien Herr et notamment les épreuves de *La Révolution* de Sagnac corrigées de la main de Lavisse; Christophe Charle, qui a mis à ma disposition le second volume, inédit, de son *Dictionnaire biographique des professeurs de la Faculté des lettres de Paris* ainsi qu'une quinzaine de lettres de Lavisse à Sagnac; et Victor Karady, qui m'a ouvert son fichier prosopographique de *L'Élite universitaire littéraire au* XIXe *siècle.* Aux amicaux remerciements que je leur adresse, j'associe M. Lanthoinette, responsable de la conservation des archives du fonds Hachette.

1. Pour la mise en œuvre de l'enseignement supérieur, on partira d'Antoine Prost, *L'Enseignement en France, 1800-1967*, Paris, Armand Colin, 1968, et de l'*Histoire générale de l'enseignement et de l'éducation,* sous la direction de Louis-Henri Parias, t. III, *De la Révolution à l'école républicaine 1789-1930,* par Françoise Mayeur, Paris, *Nouvelle Librairie de France,* 1981. À compléter par William R. Keylor, *Academy and Community, the Foundation of the French Historical Profession,* Cambridge, Harvard University Press, 1975. Sans oublier Louis Liard, *L'Enseignement supérieur en France, 1789-1893,* Paris, Armand Colin, 1894, vol. II.

2. Paul Fredericq, *L'Enseignement supérieur de l'histoire: notes et impressions de voyage,* Paris, Alcan, 1899.

3. *Cf.,* en particulier, *La République,* «Lavisse, instituteur national», qui analyse le «petit Lavisse» et fait une présentation générale du personnage. J'y renvoie une fois pour toutes.

4. *Cf.* les introductions de la *Bibliographie générale des travaux historiques et archéologiques publiés par les sociétés savantes de la France,* par R. de Lasteyrie, avec la collaboration d'E. Lefèvre-Pontalis et d'A. Vidier, 6 vol., 1886-1904, complétés par les trois volumes, 1901-1907.

5. *Leçon d'ouverture au cours d'histoire du Moyen Âge à la Faculté des lettres de Paris,* décembre 1881.

6. Julien Benda, *La Jeunesse d'un clerc,* Paris, Bernard Grasset, 1931, p. 196.

7. Voir sa lettre de démission *in* A. Prost, *op. cit.*, p. 242. «Vous ne paraissez pas vous douter qu'en agissant ainsi, vous fournissez des armes aux ennemis de l'Université et de la République...»

8. Camille Jullian, «Notes sur l'histoire de France au XIXe siècle», introduction aux *Extraits des historiens français du* XIXe *siècle* publiés dans les classiques Hachette (1897) et republiée indépendamment en 1979 (Genève, Slatkine Reprints).

9. Louis Halphen, *Histoire et historiens depuis cinquante ans, à l'occasion du cinquantenaire de la Revue historique.* Du même, très utile *L'Histoire en France depuis cent ans,* Paris, Armand Colin, 1913.

10. *Cf.* Pascal Ory, «La Sorbonne, cathédrale de la science républicaine», *L'Histoire,* n° 12, mais 1979, pp. 50-58.

11. Ernest Lavisse, «Les fêtes de 1884», *in Études et étudiants,* Paris, Armand Colin, 1895.

12. Sur Gabriel Monod, nécrologie de Charles Bémont, «Gabriel Monod», *Annuaire* 1912-1913, École pratique des hautes études, pp. 5-27; Charles Bémont et Christian Pfister, «Gabriel Monod», *Revue historique,* n° 110, mai-août 1912; Albert Delatour, *Notice sur la vie et les travaux de M. Gabriel Monod,* Institut de France, Académie des sciences morales et politiques, 1915. *Cf.* également Martin Siegel, *Science and the Historical Imagination: Patterns of French Historical Thought,* 1866-1914, Ph. D., Columbia University, 1965; et le chapitre que lui consacre Charles-Olivier Carbonell, *Histoire et historiens, une mutation idéologique des historiens français,* 1865-1885, Toulouse, Privat, 1976, pp. 409-453. Je n'ai pu consulter la thèse inédite de Benjamin Harrison, *Gabriel Monod and the Professionalization of History in France,* 1844-1912, Ph. D., University of Wisconsin, 1972.

13. Sur Alfred Rambaud, *cf.* Paul Vidal de La Blache, *Notice sur la vie et les œuvres de M. Alfred Rambaud,* Mémoires de l'Académie des sciences morales et politiques de l'Institut de France,

vol. XXVII, 1910; ainsi que Gabriel Monod, notice nécrologique, *Revue historique*, janvier-février 1906.

14. *Cf.* Gabriel Monod, *La Chaire d'histoire au Collège de France leçon d'ouverture*, Éditions de la *Revue politique et littéraire* et de la *Revue scientifique (Revue Bleue)*, 1906.

15. *Cf.* Gabriel Monod, *La Vie et la pensée de Jules Michelet*, cours professé au Collège de France, Paris, Champion, 1923.

16. *Cf.* Charles Andler, *Vie de Lucien Herr*, Paris, 1932, ainsi que Daniel Lindenberg, *Le Marxisme introuvable*, Paris, Calmann-Lévy, 1975.

17. Sur Gaston Paris, Maurice Croiset, «Notice sur la vie et les travaux de M. Gaston Paris», *Bibliothèque de l'École des chartes*, 65 (1904), pp. 141-173; et Gabriel Monod, *Gaston Paris*, 1903.

18. Papiers Lavisse, Bibl. nat. - N.a.f. 25 165 à 25 172, lettre de Millardet à Du Mesnil, chef de division du ministère de l'*Instruction publique*, N.a.f. 25 171 2, f° 325.

19. *Cf.* Claude Digeon, *La Crise allemande de la pensée française*, 1870-1914, Paris, P.U.F., 1959, en particulier le chap. VII, «La nouvelle université et l'Allemagne (1870-1890)».

20. *Cf.*, la comparaison de Lavisse et de von Harnack à laquelle Robert Minder a consacré en partie son intéressante «Leçon terminale» au Collège de France, le 19 mai 1973.

21. Papiers Lavisse, Bibl. nat., N.a.f. 25 171[1], ff[os] 11-19.

22. La moyenne quinquennale (établie par Antoine Prost, *op. cit.*) des licences de lettres, qui n'était que de 296 entre 1891 et 1895, passe à 412 entre 1896 et 1900.

23. *Cf.* E. Lavisse, «Le concours pour l'agrégation d'histoire», *Revue internationale de l'enseignement*, 15 février 1881, p. 146, ainsi que «Pourquoi il fallait réformer l'agrégation d'histoire», *in À propos de nos écoles*, Paris, Armand Colin, 1895.

24. De cinq ans en cinq ans, Lavisse a publié chez Armand Colin ses principales allocutions, toutes à lire: *Questions d'enseignement national*, 1885, *Études et étudiants*, 1890, et *À propos de nos écoles*, 1895.

25. «L'enseignement historique en Sorbonne et l'éducation nationale», initialement publié dans la *Revue des Deux Mondes*, 15 février 1882, et repris dans *Questions d'enseignement national*.

26. Par analogie avec le titre de *La Popelinière, Le Dessein de l'histoire accomplie*, qui a donné son nom à l'école de l'«histoire accomplie» ou de l'«histoire parfaite» de la seconde moitié du XVIe siècle. *Cf.* Georges Huppert, *L'Idée de l'histoire parfaite*, 1970, trad. franç., Paris, Flammarion, 1973. Voir aussi plus haut «Les Recherches de la France d'Étienne Pasquier».

27. Charles V. Langlois et Charles Seignobos, *Introduction aux études historiques*, Paris, Hachette, 1898, p. 81 *sq.*

28. Camille Jullian, *op. cit.*, p. CXXVIII.

29. *Cf.* en particulier, la série de conférences de l'*École des hautes études sociales sur L'Éducation de la démocratie*, par Lavisse, Alfred Croiset, Seignobos, Malapert, Lanson, Hademard, Paris, Alcan, 1907.

30. Ernest Renan, «Qu'est-ce qu'une nation?», conférence faite en Sorbonne, le 11 mars 1882, *in Œuvres complètes*, Paris, Calmann-Lévy, 1947, t. I, pp. 887-907.

31. Le *Tableau de la géographie de la France et le Louis XIV* ont fait l'objet d'une réédition indépendante chez Tallandier, le premier en 1979 avec une introduction de Paul Claval, le second en 1978 avec une introduction de Roland Mousnier.

32. *Cf.* Paul Viallaneix et Jean Ehrard, éd., *Nos ancêtres les Gaulois, actes du Colloque international de Clermont-Ferrand*, 1982, ainsi que les deux comptes rendus de Mona Ozouf, «Les Gaulois à Clermont-Ferrand», *Le Débat*, n° 6, novembre 1980, et Jean-Pierre Rioux «Autopsie de Nos ancêtres les Gaulois», *L'Histoire*, n° 27, octobre 1980; *cf.* également Karl-Ferdinand Werner, «Les Origines», *in Histoire de France*, sous la direction de Jean Favier, Paris, Fayard, 1981, t. I, chap. VI, et Christian Amalvi, «De Vercingétorix à Astérix, de

la Gaule à de Gaulle, ou les métamorphoses idéologiques et culturelles de nos origines nationales», *Dialogues d'histoire ancienne*, C.N.R.S., 1984, pp. 285-318.

33. *Cf.* Albert Grenier, *Camille Jullian, un demi-siècle de science historique et de progrès français*, 1880-1930, Paris, Albin Michel, 1944.

34. *L'éditorial* de Gabriel Monod a été réimprimé dans le numéro du centenaire de la *Revue historique*, n° 518, avril-juin 1976.

35. *Cf.* Gabriel Monod et Charles Bémont, *Auguste Molinier*, 1904.

36. *Le Manuel de bibliographie historique* de Ch. V. Langlois et H. Stein couvre les principaux pays. Pour la France seule, Gabriel Monod avait livré un travail analogue, «Les études historiques en France», dans la *Revue internationale de l'enseignement*, 1889, t. II, pp. 587-599.

37. *Cf.* Jean Favier, *Les Archives*, Paris, P.U.F., coll. «Que sais-je?», 1959, éd. remaniée, 1976.

38. *Cf.* Robert-Henri Bautier, «Les Archives», *in L'Histoire et ses méthodes*, Paris, Gallimard, *Encyclopédie de la Pléiade*, 1961, pp. 1120-1166, ainsi qu'Ad. Brenneke, *Archivkunde*, 1953. On y ajoutera le rapport de L. Sandri, «La Storia degli Archivi», *Archivum*, t. XVIII 1968, pp. 101-113.

39. *Cf. L'École des chartes, le livre du centenaire*, Paris, 1929, 2 vol. Ainsi que la thèse (inédite) de Jean Le Pottier, *Histoire et érudition, recherches et documents sur l'histoire et le rôle de l'érudition médiévale dans l'historiographie française du* XIXe *siècle*, thèse de l'École des chartes, 1979. *Cf.* également Louis Halphen, *op. cit.*, chap. IV, «La chasse aux documents», et Xavier Charmes, *Le Comité des Travaux historiques et scientifiques, histoire et documents*, coll. des Documents inédits pour l'histoire de France, 1886, 3 vol.

40. *Cf. Le Temps où l'histoire se fit science*, 1830-1848, colloque international organisé à l'occasion du cent-cinquantenaire du *Comité français des sciences historiques*, Paris, *Institut de France*, 17-20 décembre 1985. Cet important colloque, dont les actes sont à paraître dans la revue *Storia della storiografia*, a eu lieu trop tard pour qu'on puisse en intégrer ici tous les résultats. Je remercie M. Robert-Henri Bautier de m'avoir en particulier communiqué son introduction, «La renaissance de l'histoire comme science».

41. *Cf.* Krzysztof Pomian, «Les historiens et les archives dans la France du XVIIe siècle», *Acta Poloniae historica*, n° 26, 1972.

42. *Cf.* Dieter Gembicki, *Histoire et politique à la fin de l'Ancien Régime, Jacob-Nicolas Moreau (1717-1803)*, Paris, Nizet, 1979.

43. *Cf.* Robert-Henri Bautier, «La phase crucial de l'histoire des archives: la constitution des dépôts d'archives et la naissance de l'archivistique (XVIe-début du XIXe siècle)», Archivum, t. XVIII, 1968, pp. 139-149.

44. Charles Braibant, «Souvenirs sur Georges Bourgin», *Revue historique*, CCXXI 1959.

45. Encore s'agissait-il de «L'histoire des idées au XVIe siècle» par Abel Lefranc et de «L'Alsace sous l'Ancien Régime» par R. Reuss.

46. Marc Bloch, *Apologie pour l'histoire et le métier d'historien*, Paris, Armand Colin, 1959, p. 7. L'ouvrage a été réédité avec une introduction de Georges Duby, 1980.

47. *Cf.* la riche étude de Madeleine Rebérioux, «Histoire, historiens et dreyfusisme» dans le numéro du centenaire de la *Revue historique*, *op. cit.*, pp. 407-432.

48. Gabriel Monod, *Études critiques sur les sources de l'histoire mérovingienne*, Bibliothèque de l'École des hautes études, fasc. VIII.

49. *Cf.* Albert Maire, *Répertoire alphabétique des thèses de doctorat ès lettres des universités françaises*, 1903, ainsi qu'A. Mourier et F. Deltour, *Catalogue des thèses françaises et latines pour le doctorat ès lettres*, 1903. La courbe serait parallèle si l'on prenait la Bibliographie générale des travaux [...] des sociétés savantes..., de Robert de Lasteyrie, *op. cit.* Le premier volume paraît en 1886, le quatrième en 1904: cette série repère 83 792 titres. Deux volumes

de suppléments s'avèrent nécessaires pour combler la lacune entre 1886 et 1900 : ils comptabilisent 51 586 titres, soit, en quatorze ans, plus de la moitié de l'ensemble précédent. Puis les tables annuelles, de 1901 à 1907 : 30 000 titres environ en sept ans. Cette courbe serait confirmée par un autre indice : la *Bibliographie des travaux publiés de 1866 à 1897 sur l'histoire de la France de 1500 à 1789*, par E. Saulnier et A. Martin, Paris, P.U.F., Rieder, 1932-1938, et sur l'histoire de la France depuis 1789, par Pierre Caron, 1912, aboutit à 30 796 titres. *Le Répertoire annuel de l'histoire moderne et contemporaine* de Brière et Caron arrive au chiffre de 30 028 pour les années 1898-1906 : soit autant en huit ans qu'auparavant en trente.

50. *Cf.* Christian Amalvi, « Catalogues historiques et conceptions de l'histoire », *Storia della storiografia*, 1982, 2, pp. 77-101.

51. Ce contrat Lavisse de 1892 annule un premier traité de juillet 1888 qui prévoyait déjà une « nouvelle histoire de France, richement et scientifiquement illustrée, à partir de documents contemporains ». Fonds Hachette.

52. Jean Mistler, *Histoire de la Librairie Hachette*, Paris, Hachette, 1954, p. 286. L'auteur tire le renseignement des registres de délibérations des associés.

53. Ce contrat figure dans les Papiers Lavisse. Bibl. nat., N.a.f. 25 170, f° 243. Prévoit des droits de 7,5 % pour l'auteur, 2,5 % pour Lavisse et, pour chaque volume de quatre cents pages, une avance de dix mille francs.

54. L'écho de cette bagarre apparaît dans la correspondance de Guillaume Bréton avec Lucien Herr, voir note suivante.

55. Philippe Sagnac à Lucien Herr, 12 décembre 1912 : « Je savais par Bréton que Lavisse, Seignobos et vous deviez vous occuper de l'histoire contemporaine. »
Les archives Lucien Herr, déposées à l'Institut d'études politiques de Paris, comportent un dossier concernant l'*Histoire contemporaine* : une trentaine de lettres de Guillaume Bréton à Lucien Herr, de nombreux billets de Lavisse d'une écriture déjà altérée, six lettres de Sagnac, cinq de Seignobos, une d'Esmonin, chargé de l'illustration.
L'ensemble est très vivant. Il fait apparaître un Sagnac consciencieux et profondément engagé dans son entreprise, un Lavisse pressé d'en finir, mais prêt à relire « tout Seignobos, au moins dans ses parties délicates ». Et un Seignobos inattendu, prolongeant l'été 1917 à Ploubazlanec, avec sa compagne, Mme Marillier, et tout occupé à faire du bateau à voile : « Moi je ne sais plus si c'est bon, c'est très difficile de rédiger un résumé sur des matières si abondantes. Pas besoin de prendre des précautions oratoires pour les corrections de forme, j'accepte tout ce que vous jugerez utile. Quant à commencer mes phrases autrement que par le sujet, je ne sais pas si ce sera possible. Coupez tout ce qui ne vous paraît nécessaire » (19 septembre). Et encore, le 23 octobre : « Ne soyez pas trop fâché de ma paresse. Nous sommes ici au milieu des fleurs, fuchsias, roses, œillets, géraniums, dahlias, balsamines, valérianes, chèvrefeuilles, héliotropes, pois de senteur, mimosas, et il y a encore des framboises, mais les fraises vertes ne parviennent pas à murir [...] Il est donc superflu d'ajouter que je n'ai pas corrigé d'épreuves, aucune depuis que je suis ici... »

56. Guillaume Bréton à Lucien Herr, 25 février 1920 : « Je voudrais causer avec vous [...] Je ne vois pas bien les conclusions de Seignobos sur l'histoire de France jusqu'en 1914 (transformations sociales, évolution des mœurs, de la culture, des arts et des sciences) placées après l'histoire de la guerre. À cette place on ne pourrait donner que le résultat en 1920 et il n'est vraiment pas assez brillant pour que nous puissions finir là-dessus.
« Mon avis serait de trouver le moyen de rédiger ce résumé d'une façon beaucoup plus courte, en trente ou quarante pages tout au plus, et de le placer à la fin du dernier volume Seignobos, qui serait – exceptionnellement – plus long. Le volume sur la guerre comprendrait en outre une vingtaine de pages de Lavisse : conclusion, les raisons d'espérer en l'avenir malgré le cataclysme dont nous sortons, et ce serait tout. Le dernier volume ne renfermerait pas de texte, et serait entièrement consacré aux Tables. Vous voyez que cela vaut la peine que nous en causions... »

Il y revient le 4 mars. « Dites-moi si vous ne jugez pas convenable que nous allions en causer contradictoirement avec M. Lavisse pour obtenir, le plus tôt possible, une décision définitive. »
À quoi semble répondre un billet (non daté, « mercredi cinq heures ») de Lavisse, qui donne le ton : « J'ai convoqué Bidou et Gauvain pour mercredi. Seignobos aussi est nécessaire. Je vous convoque. J'avertirai Bréton. Tâchez de venir causer un moment dimanche après-midi. Je ne sortirai pas. »

57. *Cf. in Histoire de l'édition française*, t. III, *Le Temps des éditeurs,* sous la direction d'Henri-Jean Martin et de Roger Chartier, Paris, Éd. Promodis, 1985, « L'édition universitaire », par Valérie Tesnière, pp. 217-227.

58. Lavisse précise, dans sa notice nécrologique de Rambaud, que l'idée leur avait été commune, mais que « la réalisation est tout à l'honneur de Rambaud, qui l'a vraiment dirigée », lui-même ayant voulu s'en retirer après 1891 pour se consacrer à l'*Histoire de France (Bulletin de l'Association amicale des anciens élèves de l'E.N.S.,* 1906).

59. Chiffres communiqués par M. Lanthoinette. L'*Histoire contemporaine* a eu un tirage initial de dix mille exemplaires, et des rééditions, entre 1949 et 1956, de deux mille à trois mille cinq cents.

60. Sans date. Fonds Hachette.

61. Fonds Hachette.

62. Papiers Lavisse, Bibl. nat., N.a.f. 25 168, f° 195.

63. Fonds Hachette.

64. À Sagnac, professeur à Lille, Lavisse écrit en effet, le 30 juillet 1900, quelques mois après l'avoir sollicité lui-même : « Je vous suis très obligé de la peine que vous avez prise à me chercher des collaborateurs. J'accepte bien volontiers les deux que vous me proposez. Voulez-vous vous charger d'arranger les choses avec M. de Saint-Léger, qui prendrait la période qui s'étend de la paix de Ryswick à la paix d'Utrecht ? [...] qu'il me dise comment il entendrait ce travail et s'il a sous la main les livres nécessaires » (collection Christophe Charle). A. de Saint-Léger, ancien élève de l'université de Lille, a soutenu en 1900 une thèse sur *La Flandre maritime et Dunkerque sous la domination française* (1659-1789).

65. Le contrat aux trois noms de mars 1902 fait allusion à un contrat de 1892 au nom de Bayet seul. Papiers Lavisse, Bibl. nat., N.a.f. 25 170, f° 245.

66. C'est le sentiment, du moins, d'Olivier Motte qui a travaillé sur les papiers Jullian, à l'Institut, pour son ouvrage *Camille Jullian, les années de formation,* Presses de l'École française de Rome.

67. Les termes de la proposition de Lavisse à Sagnac en avril 1900 (?) ne sont pas inintéressants : « Vous savez sans doute que j'ai entrepris, en collaboration avec un certain nombre de nos collègues, la publication, chez Hachette, d'une histoire de France avant la Révolution. Je me suis chargé des deux volumes sur Louis XIV. Le premier est à peu près prêt. Mais pour arriver à temps avec le second, j'ai besoin d'être aidé. Rebelliau s'est chargé déjà de traiter les chapitres d'histoire religieuse, morale, littéraire.
Voulez-vous prendre l'histoire administrative – politique et économique – pendant cette même période (de la mort de Colbert à la mort de Louis XIV) ? Il me semble que cette partie entre bien dans l'ordre de vos travaux. Vous y rencontrerez les antécédents des questions qui vous intéressent. Et puis il vous sera sans doute agréable de collaborer à une œuvre qui aura son utilité et d'ajouter votre nom aux nôtres. » À cette époque, Lavisse excluait le recours aux archives, puisqu'il ajoutait : « Il est entendu que, nous proposons de donner un état des connaissances actuelles sur l'histoire de France, nous n'employons que les documents publiés. Vous n'aurez donc pas à faire de recherches d'archives » (collection Christophe Charle).

68. Sur Georges Pariset, *cf.* la notice nécrologique de Ch. Bémont dans la *Revue historique*, novembre-décembre 1927, p. 442, et la biographie de Christian Pfister, en tête du recueil d'articles posthume, *Essais d'histoire moderne et révolutionnaire*, 1932.

69. Fonds Hachette.

70. Jules Michelet, *Journal*, Paris, Gallimard, 1959, t. I, année 1841, p. 359.

71. Id., *Œuvres complètes*, éditées par Paul Viallaneix, Paris, Flammarion, t. IV, *Histoire de France*, I, 1974, p. 611 *sq. Cf.* l'introduction de Jacques Le Goff, «Michelet et le Moyen Âge, aujourd'hui».

72. Id., préface de 1847 à l'*Histoire de la Révolution*, Paris, Gallimard, Bibliothèque de la Pléiade, 1952, p. 2.

73. Henri Martin, *Histoire de France*, Paris, Furne, 1844, t. IV, pp. 78-87.

74. Georges Duby, *Le Dimanche de Bouvines, 27 juillet 1214*, Paris, Gallimard, coll. «Les trente journées qui ont fait la France», 1973, p. 12; rééd. Folio, 1985.

75. *Louis XIV* auquel il convient d'associer Edmond Esmonin, responsable d'une partie importante, mais difficile à préciser, de la documentation. Edmond Esmonin est l'auteur d'une thèse sur *La Taille en Normandie au temps de Colbert* (1661-1683). Professeur à la Faculté de Grenoble, il a réuni à sa retraite ses contributions dispersées, *Études sur la France des XVII*e *et XVIII*e *siècles*, Paris, P.U.F., 1964.

76. Ph. Sagnac, «Ernest Lavisse», dans le journal *Le Flambeau*, mars 1922.

77. Les mots griffonnés sont devenus poignants. Sa femme s'était fait opérer, il s'inquiète «jusqu'à l'angoisse». «Ma tête va bien, mais mes jambes refusent de plus en plus de la porter.» «Je travaille fort peu, parce que ma tête après une heure ou deux refuse de continuer. Je ne marche pas, mes jambes sont toujours très faibles.» Et voici les appels au secours. À Lucien Herr: «Jeudi 24. Mes forces sont anéanties. Ce n'est pas sans grande difficulté que je me couche et me relève. Il faut m'aider. Il m'a fallu suspendre tout travail. L'idée d'écrire me répugne.» À Sagnac, le 11 juillet 1921: «J'ai un grand service à vous demander. Je suis en train d'écrire une conclusion de l'histoire contemporaine. Ce sera, pour partie, un résumé des volumes. Voudriez-vous revoir la partie qui vous concerne?... Excusez-moi, je répète que vous me rendriez un grand service.» (Collection Christophe Charle.) Et encore à Lucien Herr, le 29 septembre: «Je retombe en neurasthénie. Je ne suis bon à rien et je sens que cet état est définitif. Aussi je pense avec terreur à la conclusion. Je vous embrasse tous les cinq.»

Annexe I

PLAN DE L'« HISTOIRE DE FRANCE »

Histoire de France des origines à la Révolution

I. 1. P. Vidal de La Blache : *Tableau de la géographie de la France*, 1903.
2. G. Bloch : *Les Origines, la Gaule indépendante et la Gaule romaine*, 1903.

II. 1. C. Bayet, C. Pfister, A. Kleinclausz : *Le Christianisme, les Barbares, les Mérovingiens et les Carolingiens*, 1903.
2. A. Luchaire : *Les Premiers Capétiens 987-1137*, 1901.

III. 1. A. Luchaire : *Louis VII, Philippe Auguste et Louis VIII (1137-1226)*, 1901.
2. Ch. V. Langlois : *Saint Louis, Philippe le Bel et les derniers Capétiens (1226-1328)*, 1901.

IV. 1. A. Coville : *Les Premiers Valois et la guerre de Cent Ans (1328-1422)*, 1902.
2. Ch. Petit-Dutaillis : *Charles VII, Louis XI, Charles VIII (1422-1492)*, 1902.

V. 1. H. Lemonnier : *Charles VIII, Louis XII et François Ier. Les guerres d'Italie (1492-1547)*, 1903.
2. H. Lemonnier : *La Lutte contre la Maison d'Autriche. La France sous François Ier et Henri II (1519-1559)*, 1904.

VI. 1. J. Mariéjol : *La Réforme, la Ligue et l'édit de Nantes (1559-1598)*, 1904.
2. J. Mariéjol : *Henri IV et Louis XIII (1598-1643)*, 1905.

VII. 1. E. Lavisse : *Louis XIV, la Fronde, le Roi, Colbert (1643-1685)*, 1905.
2. E. Lavisse : *Louis XIV, la religion, les lettres et les arts, la guerre (1643-1685)*, 1906.

VIII. 1. A. de Saint-Léger, A. Rebelliau, Ph. Sagnac, E. Lavisse : *Louis XIV et la fin du règne (1685-1715)*, 1908.
2. H. Carré : *La Régence et le règne de Louis XV (1715-1774)*, 1909.

IX. 1. H. Carré, Ph. Sagnac, E. Lavisse : *Le Règne de Louis XVI (1774-1789)*, 1911.
2. *Tables analytiques*, 1911.

Histoire de France contemporaine depuis la Révolution jusqu'à la paix de 1919

I. Ph. Sagnac : *La Révolution (1789-1792)*, 1920.
II. G. Pariset : *La Révolution (1792-1799)*, 1920.
III. G. Pariset : *Le Consulat et l'Empire (1799-1815)*, 1921.
IV. S. Charléty : *La Restauration (1815-1830)*, 1921.
V. S. Charléty : *La Monarchie de Juillet (1830-1848)*, 1921.
VI. Ch. Seignobos : *La Révolution de 1848 et les débuts du second Empire (1848-1859)*, 1921.
VII. Ch. Seignobos : *Le Déclin de l'Empire et l'établissement de la Troisième République (1859-1875)*, 1921.
VIII. Ch. Seignobos : *L'Évolution de la Troisième République (1875-1914)*, 1921.
IX. H. Bidou, H. Gauvain, Ch. Seignobos : *La Grande Guerre (1914-1918)*, 1922.

Annexe II
LES COLLABORATEURS DE L'« HISTOIRE DE FRANCE »

On a exclu de cette liste signalétique Lavisse lui-même ainsi que les trois collaborateurs occasionnels et non universitaires, Henri Bidou, Auguste Gauvain et Alexandre de Saint-Léger, sur lesquels les principales informations ont été données dans le texte. Pour les professeurs à la Sorbonne, on trouvera davantage de renseignements dans le dictionnaire biographique de Christophe Charle, *Les Professeurs de la Faculté des lettres de Paris*, Éditions N.R.P.-C.N.R.S., volume I, *1809-1908*. On s'est ici contenté d'indiquer les origines et les études, la carrière et les principales œuvres.

Bayet, Charles, 1849-1918. - Né à Liège, mort à Toulon.
E.N.S., 1868; agrégé, 1872 (2e); docteur, 1879: *Recherches pour servir à l'histoire de la peinture et de la sculpture chrétiennes en Orient avant la querelle des Iconoclastes.*
Écoles de Rome et d'Athènes, 1874-1876. - Chargé de cours, 1876, puis professeur d'histoire du Moyen Âge à Lyon, 1881; doyen, 1886. - Recteur de l'Académie de Lille, 1891. - Directeur de l'Enseignement primaire, 1896, puis de l'Enseignement supérieur en remplacement de Louis Liard, 1902-1914.
L'Art byzantin, 1883; *Les Derniers Carolingiens*, 877-987, 1884; *Précis d'histoire de l'art*, 1886; Giotto, 1907.

Bloch, Gustave, 1848-1923. - Né à Fegersheim (Bas-Rhin), mort à Marlotte (Seine-et-Marne).
Père: directeur d'école primaire à Strasbourg.
E.N.S., 1868; agrégé, 1872 (1er); docteur, 1884: *Les Origines du Sénat romain.*
École de Rome, 1873. - Chargé de cours d'antiquités grecques et latines à Lyon, 1876. - Maître de conférences à l'E.N.S., 1887. - Professeur d'histoire romaine à la Sorbonne, 1904.
La République romaine, 1900; *L'Empire romain*, 1911; *La République romaine de 146 à 44 av. J.-C.* (terminé par J. Carcopino dans l'*Histoire générale* de Glotz).

Carré, Henri, 1850-1939. - Né à Favier (Indre-et-Loire).
Père: greffier.
E.N.S., 1870; agrégé, 1881; docteur, 1888: *Essai sur le parlement de Bretagne après la Ligue.*
Professeur aux lycées d'Alençon, 1877, de Carcassonne, de Rennes. - Maître de conférences à Rennes, 1886. - Professeur à la faculté ce Poitiers, 1889.
L'Administration municipale de Rennes au temps d'Henri IV, 1889; *La France sous Louis XV*, 1892; *Histoire d'une lettre de cachet et d'un aventurier poitevin*, 1895; édition de la *Correspondance du constituant Thibaud*, 1898.

Charléty, Sébastien, 1867-1945. - Né à Chambéry.
Père: employé des douanes.
E.P.H.E., 1889; agrégé, 1890; docteur, 1896: *Essai sur l'histoire du saint-simonisme.*
Professeur au lycée de Lyon, 1840. - Chargé de conférences à Lyon sur l'histoire de Lyon, professeur, 1901. - Détaché auprès du gouvernement tunisien, 1908. - Recteur de l'Académie de Strasbourg, 1919, puis de l'Académie de Paris.
Bibliographie critique de l'histoire de Lyon, 1902; *Histoire de l'enseignement secondaire dans le Rhône depuis 1784*, 1901; *Histoire de Lyon*, 1903; *Le Lyonnais*, 1904, coll. «Les Régions de France» de la *Revue de synthèse historique*, 1904; *Documents relatifs à la vente des biens nationaux dans le département du Rhône*, 1906; édition des *Ordonnances des Rois de France, règne de François Ier*, tome III d'une collection en sept volumes dirigée par Charléty à partir de 1934; nombreuses préfaces.

Coville, Alfred, 1860-1942. - Né à Versailles.
E.P.H.E., 1882; agrégé, 1883; École des chartes, 1885; docteur, 1889: *Les Cabochiens et l'ordonnance de 1413.*

Maître de conférences à Dijon, 1884, à Caen, 1885. – Chargé de cours à Lyon, 1889, puis professeur, 1891. – Recteur de l'Académie de Clermont, 1904. – Inspecteur général de l'Instruction publique. – Directeur de l'Enseignement secondaire, puis de l'Enseignement supérieur.
Recherches sur l'histoire de Lyon du V*e* *au* IX*e* *siècle*, 1928; *Jean Petit, la question du tyrannicide au commencement du* XV*e* *siècle*, 1932; *Gontier et Pierre Col et l'humanisme en France au temps de Charles VI*, 1934; *Recherches sur quelques écrivains du* XIV*e* *et* XV*e* *siècle*, 1935; *La Vie intellectuelle dans les domaines d'Anjou-Provence de 1380 à 1435*, 1941; *Histoire du Moyen Âge, l'Europe occidentale de 1270 à 1380*, IIe partie, 1328 à 1380, dans l'*Histoire générale* de G. Glotz, 1941.

Kleinclausz, Arthur, 1869-1947. – Né à Auxonne (Côte-d'Or).
Agrégé, 1891 (3e); docteur, 1902: *L'Empire carolingien, ses origines et ses transformations.*
Chargé de cours à Dijon, 1897, puis à Paris, 1902. – Professeur d'histoire du Moyen Âge à Lyon, 1904. – Assesseur du doyen, 1924, puis doyen, 1931. – Directeur de l'École nationale des beaux-arts de Lyon, 1928.
Les Carolingiens, 1903; *Claus Sluter et la sculpture bourguignonne au* XV*e* *siècle*, 1905; *Les Villes d'art célèbres: Dijon et Beaune*, 1907; *Histoire de Bourgogne*, 1909; *Lyon, des origines à nos jours*, 1925; *Les Pays d'art: la Bourgogne*, 1929; *La Provence*, 1930.

Langlois, Charles V., 1863-1929. – Né à Rouen, mort à Paris.
Père: avoué.
E.P.H.E., IVe section, 1882; agrégé, 1884 (1er); École des chartes, 1885 (1er); docteur, 1887: *Le règne de Philippe III le Hardi.*
Maître de conférences à Douai, 1885. – Chargé de cours à Montpellier, 1886. – Chargé de cours à Paris, 1888; professeur adjoint, 1901, professeur de sciences auxiliaires de l'histoire, 1906; professeur d'histoire du Moyen Âge, 1909. – Directeur des Archives nationales, 1913.
Les Archives de l'histoire de France, avec H. Stein, 1891; *Manuel de bibliographie historique*, I, 1896, II, 1904; *Introduction aux études historiques*, avec Ch. Seignobos, 1898; *Histoire du Moyen Âge*, 1901; *L'Inquisition*, 1902; *Questions d'histoire et d'enseignement*, 1902; *La Société française au* XIII*e* *siècle*, 1903; *Histoire de l'écriture en France*, 1905; *La Connaissance de la nature en France au Moyen Âge*, 1911; *Registres perdus des archives de la chambre des comptes de Paris*, 1917; *La Vie en France au Moyen Âge*, I, 1908, II, 1924, III, 1925.

Lemonnier, Henry, 1842-1936. – Né à Saint-Prix (Seine-et-Oise).
Père: ancien secrétaire de l'École de Rome.
École des chartes, 1865 (2e); docteur en droit, 1866; agrégé, 1872 (1er); docteur, 1887: *Étude sur la condition privée des affranchis sous l'Empire romain.*
Avocat, 1864. – Chargé de cours au lycée Louis-le-Grand, 1873; professeur délégué au lycée Henri-IV, 1874; suppléant au lycée Saint-Louis, 1875, Louis-le-Grand, 1881. – Professeur à l'École des beaux-arts, 1874; maître de conférences à l'E.N.S. de Sèvres, 1884; suppléant de Lavisse à la Sorbonne, 1889; chargé de cours, puis professeur d'histoire de l'art, 1893.
L'Art français au temps de Richelieu et de Mazarin, 1893; *Gros, biographie critique*, 1907; *L'Art français au temps de Louis XIV*, 1911; *L'Art moderne, 1500-1800*, 1912; édition des Procès verbaux de l'Académie royale d'architecture, 1911-1924, 8 volumes.

Luchaire, Achille, 1846-1902. – Né et mort à Paris.
Père: chef de bureau au ministère de l'Intérieur.
E.N.S., 1866; agrégé, 1869; docteur, 1877: *Alain le Grand, sire d'Albret, l'administration royale et la féodalité du Midi.*
Lycée de Pau, 1869, et de Bordeaux, 1874. – Maître de conférences d'histoire et de langue du midi de la France à Bordeaux, 1877, puis professeur de géographie, 1879. – Chargé de cours à Paris sur les sciences auxiliaires de l'histoire, 1885; sur le Moyen Âge, 1888. – Professeur d'histoire du Moyen Âge, 1889, en remplacement de Fustel de Coulanges.

Histoire des institutions monarchiques de la France sous les premiers Capétiens, 1883; *Étude sur les actes de Louis VII*, 1885, prix Gobert; *Louis VI le Gros, annales de sa vie et de son règne*, 1889; *Les Communes françaises à l'époque des Capétiens directs*, 1892; *Innocent III*, 1904-1907, 4 volumes.

MARIÉJOL, Jean-Hippolyte, 1855-1934. - Né à Antibes.
Père: «marin classé».
Agrégé, 1882 (5e); docteur, 1887: *Un lettré italien à la Cour d'Espagne: Pierre Martyr d'Anghera*, 1488-1526.
Professeur au lycée de Lyon, 1882. - Maître de conférences à Dijon, 1885, chargé de cours, 1890; chargé de cours à Rennes puis à Lyon, 1893, et professeur d'histoire contemporaine jusqu'en 1925. - Chargé de cours en Sorbonne, 1911-1912.
L'Espagne sous Ferdinand et Isabelle, 1892; *Catherine de Médicis*, 1920; *La Vie de Marguerite de Valois*, 1928.

PARISET, Georges, 1865-1927. - Né à Audincourt (Doubs), mort à Strasbourg.
Famille alsacienne.
École alsacienne, 1874-1882. - Agrégé 1888 (1er); docteur, 1897: *L'État et les Églises en Prusse sous Frédéric-Guillaume Ier*, 1713-1740.
Maître auxiliaire au lycée Henri-IV, 1885. - Détaché du lycée de Nevers pour séjour à Berlin, 1888-1892. - Chargé de cours d'histoire moderne et contemporaine à Nancy, 1892, puis professeur adjoint, 1897, et professeur, 1901. - Membre de l'université populaire pendant l'Affaire Dreyfus. - Professeur à Strasbourg, 1919.
Éditeur, avec Georges Vallée, du *Carnet d'étapes du dragon Marquant; Études d'histoire moderne et contemporaine*, Strasbourg, 1929.

PETIT-DUTAILLIS, Charles, 1868-1947. - Né à Saint-Nazaire.
Père: médecin-chef de la marine.
E.P.H.E., 1887; École des chartes et agrégation, 1890 (2e et 3e); docteur, 1895: *Étude sur la vie et le règne de Louis VIII, 1187-1226.*
Professeur au lycée de Troyes, 1891; professeur suppléant d'histoire du Moyen Âge à Lille, 1896. - Directeur de l'École supérieure de commerce de Lille, 1899. - Recteur de l'Académie de Grenoble, 1908. - Président de la Société de l'École des chartes, 1925.
Le Déshéritement de Jean sans Terre et le meurtre d'Arthur de Bretagne, 1925; *La Monarchie féodale en France et en Angleterre, Xe-XIIIe siècle*, 1933; *Histoire du Moyen Âge*, tome IV, 2e partie, *L'Essor des États d'Occident*, avec P. Guinard, dans l'*Histoire générale* de G. Glotz, 1937 et 1944; *Recueil des actes de Philippe Auguste* sous la direction de Clovis Brunel, avec H.-Fr. Delaborde, 1943; *Le Roi Jean et Shakespeare*, 1944; *Les Communes françaises*, 1947.

PFISTER, Christian, 1857-1933. - Né et mort à Beblenheim (Haut-Rhin).
Père: appariteur de mairie.
E.N.S., 1878 (5e); agrégé, 1881 (2e); docteur, 1885: *Étude sur le règne de Robert le Pieux*, 996-1031.
Nancy: maître de conférences, 1884; chargé de cours, 1885; professeur, 1842; assesseur du doyen, 1899. - Paris: maître de conférences suppléant à l'E.N.S., 1902-1904; professeur suppléant à la Sorbonne, 1904-1906; professeur d'histoire du Moyen Âge, 1906-1909. - Strasbourg: professeur, 1919-1927, puis recteur de l'Académie de Strasbourg, 1927-1931. - Directeur de la *Revue historique* depuis 1912.
Le Duché mérovingien d'Alsace et la légende de sainte Odile, 1892; *Les Manuscrits allemands de la Bibliothèque nationale relatifs à l'histoire de l'Alsace*, 1843; *Histoire de Nancy*, 1902-1909, 3 volumes; *Rapport sur l'université de Strasbourg*, 1917; *Histoire du Moyen Âge*, t. I, avec F. Lot et A. Ganshof, dans l'*Histoire générale de Glotz*, 1928, 1934; *Pages alsaciennes*, 1927.

Rebelliau, Alfred, 1858-1934. – Né à Nantes.
Père : commis principal des Postes.
E.N.S., 1877 ; agrégé, 1880 (1er) ; docteur, 1892 : *Bossuet, historien du protestantisme.*
Bibliothécaire suppléant à l'E.N.S., 1880. – Maître de conférences à Rennes. – Chargé de cours d'histoire des idées et de la littérature religieuse à la Sorbonne.
Éditions de Bossuet, Chénier, La Bruyère, Voltaire.

Sagnac, Philippe, 1868-1954. – Né à Périgueux, mort à l'hospice de Luynes (Indre-et-Loire).
Père : agent d'affaires.
E.N.S., 1891 ; agrégé, 1894 (3e) ; docteur, 1898 : *La Législation civile de la Révolution française.*
Lille : chargé de cours, 1899 ; professeur adjoint, 1903, professeur d'histoire moderne et contemporaine. – Professeur d'histoire de la Révolution française à la Sorbonne, 1923. – Directeur de la *Revue d'histoire moderne et contemporaine*, 1849-1914. – Directeur avec Louis Halphen de la collection « Peuples et civilisations », 22 volumes.
La Chute de la royauté, la révolution du 10 août 1792, 1909 ; *Le Rhin français pendant la Révolution et l'Empire*, 1917 ; *Louis XIV, la prépondérance française*, 1935 (éd. refondue 1944) ; *La Révolution française*, avec G. Lefebvre et R. Guyot, 1930 ; *La Fin de l'Ancien Régime et la révolution américaine*, 1941, grand prix Gobert ; édition des *Cahiers de la Flandre maritime en 1784* avec A. de Saint-Léger, 1906, 2 volumes.

Seignobos, Charles, 1854-1952. – Né à Lamastre (Ardèche), mort à Ploubazlanec (Côtes-du-Nord).
Père : avocat.
E.N.S., 1974 (3e) ; agrégé, 1877 (1er ; docteur, 1882 : *Le Régime féodal en Bourgogne.*
Maître de conférences à Dijon, 1879. – En congé à partir de 1883 ; chargé d'un cours libre sur les institutions européennes à la Sorbonne. – Maître de conférences de pédagogie à la Sorbonne, 1890 ; chargé d'un cours d'histoire moderne, 1898, puis d'un cours d'histoire générale, 1904. – Professeur adjoint, 1904, puis professeur d'histoire politique des Temps modernes et contemporaine, 1921.
Abrégé de l'histoire de la civilisation, 1887 ; *Histoire narrative et descriptive des anciens peuples de l'Orient*, 1890 ; *Histoire politique de l'Europe contemporaine*, 1847 ; *Introduction aux études historiques*, avec Ch. V. Langlois, 1898 ; *La Méthode historique appliquée aux sciences sociales*, 1901 ; *Histoire de Russie*, avec P. Milioukov et K. Eisenmann, 1932, 3 volumes ; *Histoire sincère de la nation française*, 1933 ; *Histoire comparée des peuples de l'Europe*, 1938 ; manuels de l'enseignement secondaire.

Vidal de La Blache, Paul, 1845-1918. – Né à Pézenas (Hérault), mort à Tamaris (Var).
Père : professeur de philosophie, inspecteur d'Académie.
E.N.S., 1863 (1er) ; agrégé d'histoire, 1866 (1er) ; docteur, 1870 : *Hérode Atticus.*
École d'Athènes, 1866-1867. – Professeur d'histoire au lycée d'Angers, 1871. – Chargé de cours à Nancy, 1872. – Voyages et missions : Gotha, Berlin, Suisse, Italie, Espagne, Angleterre, Algérie. – Maître de conférences à l'E.N.S., 1877 ; sous-directeur à l'E.N.S., 1881. – Professeur de géographie à la Sorbonne, 1898. – Fondateur des *Annales de géographie.*
La Terre, géographie physique et économique, 1883 ; *États et nations de l'Europe autour de la France*, 1884 ; *Atlas général*, 1894 ; *La France de l'Est*, 1917 ; *Principes de géographie humaine*, publiés par E. de Maitouse, 1922 ; éditeur, avec L. Gallois, de la *Géographie universelle* en 23 volumes.

KRZYSZTOF POMIAN

L'heure des "Annales"

La terre – les hommes – le monde

L'histoire reconstruit le passé par l'intermédiaire des sources ; et il n'est de sources qu'écrites. Mis en pratique dès le XVIe siècle, bien avant d'avoir été énoncé, ce dogme fondamental de l'histoire savante moderne a introduit une première coupure avec la mémoire nationale, tributaire de traditions orales et de reliques. La traduisent les migrations de l'histoire : de la cour royale, en passant par la congrégation de Saint-Maur, à l'université où, au XIXe siècle, elle parachève sa mue en discipline spécialisée. La traduisent aussi les controverses autour du statut et du rôle de l'histoire, qui accompagnent les changements concomitants de son lieu social et de ses traits constitutifs, sans toutefois remettre en cause le dogme lui-même. Or, c'est ce dogme qui détermine désormais les frontières aussi bien que l'horizon temporel, l'extension spatiale et le contenu de l'histoire ; et cela d'une façon d'autant plus contraignante qu'à la notion de « source écrite » se substitue, en théorie et en pratique, celle de « texte ».

« L'histoire, disait Fustel, se fait avec des textes. » Dans cette acception, les textes sont essentiellement des documents publics, voire officiels, au sens où ils émanent d'une autorité reconnue. Une fois l'authenticité d'un document établie, l'historien en étudie le contenu explicite qu'il confronte à celui de documents proches dans le temps et dans l'espace, pour en évaluer le degré de crédibilité. Sans nécessairement le faire sien, il reste néanmoins dépendant de ce contenu explicite. Car les procédés de reconstruction qu'il met en œuvre se réduisent, à peu de chose près, à une lecture qui vise à le restituer dans son intégralité et qui, partant, est attentive au sens des mots, à la destination du texte, aux circonstances où il a vu le jour, etc. Décrit à partir d'une telle reconstruction, le passé s'identifie donc pour l'historien à l'ensemble d'objets et de changements consciemment perçus par ceux dont ce passé fut le présent, de problèmes qu'ils s'efforçaient délibérément de résoudre, de fins qu'ils voulaient atteindre. Quant aux forces dont les acteurs de l'histoire étaient supposés avoir été inconscients, les historiens qui les invoquaient en puisaient la connaissance non dans leurs sources mais dans les œuvres des philosophes et des théologiens.

Le dogme fondamental détermine ainsi pour une part prépondérante le contenu de l'histoire. Et il l'enferme dans un horizon temporel à rayon court: tout ce qui précède l'apparition des sources écrites est abandonné à la préhistoire dont la différence d'avec l'histoire est, non de degré, mais de nature; le présent, lui, est laissé aux mémorialistes et aux journalistes, en attendant qu'il s'objective en un passé défini, le jour où les archives seront ouvertes qui permettront de le reconstruire. Le même critère délimite l'extension spatiale de l'histoire: en relèvent seulement les peuples ayant maîtrisé l'écriture; tous les autres n'intéressent que l'ethnologie. Les frontières de la discipline historique, enfin, sont fixées de manière à en exclure les antiquaires-archéologues qui étudient les vestiges matériels du passé, et les folkloristes qui consignent les traditions orales.

De même, c'est parce qu'ils adhèrent au dogme fondamental que les historiens privilégient, en toute innocence, les catégories sociales dont les membres ont produit des écrits et celles dont sont préservés les faits et les gestes. Essayent-ils, tel Michelet, de quitter les fêtes bariolées des ducs de Bourgogne pour sonder «les caves où fermente la Flandre»? Les textes mêmes qu'ils utilisent détournent constamment leur attention vers la politique, la diplomatie, la guerre et ceux qui s'y sont illustrés. Limités à ce qu'ils peuvent en lire, même les historiens de la «classe agricole» ou des «classes ouvrières» et de l'industrie n'en donnent que des images purement livresques qui s'inspirent souvent des prescriptions juridiques comme si elles décrivaient le réel, et dont est absent, naturellement, tout ce sur quoi la lecture ne renseigne pas: le travail, les techniques, la vie quotidienne et son environnement.

Plus généralement échappe aux historiens ce qui, invariable, dure pendant très longtemps ou change si lentement qu'on ne s'en aperçoit guère; et ce qui paraît aux contemporains banal au point où l'idée ne les effleure même pas de l'enregistrer. Leur adhésion au dogme fondamental les oriente, avant même qu'ils y réfléchissent, vers le temps court, vers les changements rapides et spectaculaires qui, ayant frappé de nombreux témoins, laissent derrière eux une traînée d'écrits: vers les événements. D'où la prégnance du cadre chronologique, le mieux approprié à présenter leur succession et qui, bien plus qu'un artifice d'écriture, est une manière, en apparence naturelle, de penser l'histoire, d'en organiser le contenu, d'y découvrir un ordre.

Tout cela apparaît de nos jours très clairement grâce au contraste entre l'histoire que nous pratiquons et celle d'il y a un siècle. Une véritable révolution épistémologique, nullement limitée à la France, a détruit, en effet, avec la validité du vieux dogme fondamental, l'idée que l'on se faisait de l'histoire savante en tant que discipline universitaire, vision du monde et branche de la littérature. S'il reste vrai, sans conteste, que l'histoire – l'histoire savante, en tout cas – reconstruit le passé par l'intermédiaire des sources, il n'est plus exigé que celles-ci soient nécessairement écrites. De l'ensemble extrêmement diversifié d'objets qui servent de sources aux historiens d'aujourd'hui, les écrits ne forment qu'une partie. Toujours importante, souvent irremplaçable; mais qui ne suffit plus à elle seule à satisfaire leur curiosité.

Au XIXe siècle, la mémoire nationale célébrait principalement les grands événements et les grands hommes: capitaines et politiques, artistes, savants, écrivains et bienfaiteurs. Elle en formait une hiérarchie selon le mérite dont on les créditait, et la déployait dans l'ordre chronologique. Après une période où elles étaient séparées, la mémoire nationale et l'histoire savante avaient de nouveau, pour l'essentiel, le même contenu et la même organisation interne. Du moins était-ce vrai de la mémoire officiellement homologuée, protégée et surveillée par l'État, et que les individus intériorisaient à l'école, au cours du service militaire, pendant les fêtes et les commémorations, en visitant les monuments et les musées. Les traditions et les productions artistiques «populaires», les souvenirs transmis oralement, les savoir-faire – toutes choses auxquelles on reconnaissait au plus une importance locale ou régionale – restaient en dehors de cette mémoire dont les frontières recouvraient donc celles de l'histoire savante complétée par l'histoire de l'art et des lettres et par l'étude des antiquités nationales. Mais, dans ce trio, c'était l'histoire savante qui s'arrogeait le premier rôle: celui de gardienne de la mémoire de la nation et de l'État, chargée de la préserver de toute contamination par la légende.

Révocation du privilège exclusif de l'écrit et, *a fortiori*, du texte, la révolution épistémologique qui, en France, a bouleversé l'histoire dans la première moitié de notre siècle a contribué à modifier l'orientation générale des historiens et tous les aspects de leur travail. En nombre croissant, ils se tournent désormais vers des sources non écrites, cependant que, dans les écrits mêmes, ils s'intéressent, plus qu'au contenu explicite, aux traces des faits dont les hommes du passé ne se rendaient pas compte. Et ils en viennent, ceci expliquant peut-être cela, à négliger les grands hommes et les événements, à dévaloriser l'étude de la politique, de la diplomatie, de la guerre, à abandonner le cadre chronologique. Autant dire: à abolir les trois «idoles» de leur tribu dénoncées par Simiand, en 1903, dans un article resté célèbre[1]. Or, ce faisant, ils introduisent une coupure entre la nouvelle histoire savante et la mémoire nationale car la première se voit dotée par leurs soins d'un contenu et d'une structure différents du contenu et de la structure de la seconde. C'est ce qui engendre les conflits internes à l'histoire savante, tiraillée entre ses aspirations cognitives et son rôle social, et provoque le divorce entre une partie des historiens professionnels et le grand public fidèle à une histoire traditionnelle.

Mais l'onde de choc suscitée par l'élargissement du dogme fondamental de l'histoire savante n'a pas seulement recomposé le paysage de celle-ci. Le contenu et l'organisation interne de la mémoire nationale même diffèrent aujourd'hui à plusieurs égards de ceux d'il y a un siècle. Et ces différences ne sont pas insignifiantes. À preuve l'apparition des musées de caractère jusqu'alors inconnu ou n'ayant qu'un intérêt purement local : musées des arts et des traditions populaires, musées des techniques, écomusées. À preuve aussi l'apparition d'un nouveau type de monuments protégés : paysages et sites érigés en parcs nationaux, vestiges d'anciennes industries, y compris les usines du siècle passé, gares, halles, habitations paysannes… À preuve, enfin, tous ces textes récents qui ont intégré à la mémoire nationale les traditions orales des régions et des groupes jadis marginalisés. Les souvenirs qu'elle véhicule ne portent donc plus exclusivement sur les hommes illustres, les grands événements politiques et militaires ou les œuvres de la haute culture. Et son organisation interne combine le principe chronologique avec les critères géographiques et sociaux.

Aussi assiste-t-on, depuis quelque temps, à une réconciliation de l'histoire savante et de la mémoire nationale. À l'intérieur de la première, le clivage entre les traditionnalistes qui ont assimilé nombre d'innovations et les novateurs qui ont beaucoup vieilli n'est certainement plus aussi tranché qu'il y a, mettons, quarante ans. D'autre part, fait encore plus éloquent, l'histoire ci-devant nouvelle retrouve maintenant le grand public : les livres réservés autrefois à une poignée de spécialistes sont republiés, parfois tels quels, dans les collections de poche, voire, comme *La Méditerranée* de Fernand Braudel, deviennent des best-sellers à retardement. Une période se termine visiblement, ou, peut-être, a-t-elle déjà pris fin : celle de la discordance entre une certaine histoire savante et la mémoire nationale, qui, l'une et l'autre, étaient en train de se transformer – et dans le même sens – mais dont les rythmes ne s'accordaient guère. On en revient à la stabilité et à l'harmonie. En attendant de nouveaux orages.

De ce sujet énorme et complexe que sont les rapports entre l'histoire savante et la mémoire nationale de la fin du XIXe siècle à nos jours, seul un fragment sera traité ici : l'histoire savante novatrice, sinon avant-gardiste, en France, dans sa période de débats et combats. Plus exactement : l'histoire telle que la préconisait et la pratiquait le milieu réuni autour des *Annales* pendant les quatre premières décennies de leur existence, de 1929 à 1968, et dont les racines plongent dans la géographie humaine de la fin du siècle passé. Au demeurant, cette histoire même ne sera abordée que sous un de ses aspects.

Les *Annales,* revue et milieu, nous intéressent dans cet essai seulement pour autant qu'elles se sont attachées à modifier le contenu de la mémoire nationale française et, en particulier, l'idée que l'on se faisait de l'histoire de France. Quelles étaient leurs propositions dans ce domaine? Ont-elles formulé un nouveau questionnaire de l'histoire de France et, dans l'affirmative, en quoi consiste-t-il, quels arguments sont censés le justifier et dans quelle mesure a-t-il été réalisé par les historiens des *Annales*? Telles sont les questions auxquelles nous essayerons de répondre dans ce qui suit.

Une revue, un milieu

Au moment de la parution du premier numéro des *Annales,* la *Revue historique* était plus que quinquagénaire. Les *Annales de géographie* approchaient de leurs quarante ans. *L'Année sociologique* et la *Revue de synthèse historique* qui allait devenir bientôt la *Revue de synthèse,* en avaient trente; et vingt, la *Revue d'histoire économique et sociale.* Les habitués de toutes ces revues pouvaient reconnaître sans peine à la nouvelle venue un air de famille dû notamment à la présence ici et là d'un certain nombre de mêmes auteurs. Mais ils devaient être encore plus frappés par ce qu'elle apportait de neuf. Un ton, d'abord, très personnel, souvent polémique, toujours allègre. Le sentiment de l'importance de ce qu'on fait non seulement pour une discipline universitaire parmi d'autres mais pour le monde en crise où l'historien doit «tenter d'être utile». Une ouverture sur l'étranger. Le désir d'en finir avec le divorce entre les historiens penchés sur les «documents du passé» et tous ceux qui «de plus en plus nombreux consacrent [...] leur activité à l'étude des sociétés et des économies contemporaines». Et l'exigence d'abattre, enfin, entre les historiens eux-mêmes, ces murs «si hauts que souvent ils bouchent la vue[2]».
Cette originalité des *Annales,* leur caractère contestataire, hétérodoxe et juvénile, étonne d'autant plus que les fondateurs n'étaient pas de jeunes gens cherchant à s'affirmer aux dépens de leurs aînés. En 1929, Lucien Febvre (1878-1956) et Marc Bloch (1886-1944) étaient depuis dix ans professeurs à l'université de Strasbourg qu'ils devaient quitter quelques années plus tard, le premier pour le Collège de France (1933), le second pour la Sorbonne (1936). L'un et l'autre, malgré plus de quatre années de guerre passées au front, avaient derrière eux une œuvre considérable. En plus de sa thèse, *Philippe II et la Franche-Comté* (1911) et de trois autres ouvrages sur l'histoire de cette province (1905, 1911, 1912), Lucien Febvre était l'auteur de *La Terre et l'évolution humaine* (1922), d'une vie de Luther (1928) et d'un très grand nombre d'articles, comptes rendus et notes de lecture, dont manque toujours une bibliographie complète. Marc Bloch, pour sa part, avait publié une bonne

centaine d'articles, comptes rendus et notes de lecture, qui se joignaient à sa thèse, *Rois et serfs* (1920), et aux deux livres : *Île-de-France (Les pays autour de Paris)* (1913) et *Les Rois thaumaturges* (1924). C'est donc à un travail en plein essor, et dont sont issus leurs grands livres parus dans les années trente et quarante, que Marc Bloch et Lucien Febvre ajoutèrent la direction des *Annales* où, de surcroît, ils ont eux-mêmes écrit presque la moitié de tous les textes publiés pendant les vingt premières années (environ mille huit cents sur trois mille six cent soixante-treize)[3]. Et auxquelles ils ont imprimé de la sorte un ton et un style, qui en faisaient une exception parmi les revues universitaires de l'époque.

Mais la nouveauté radicale des *Annales* ne s'est dévoilée pleinement qu'au bout de dix ans de parution, quand il était devenu clair que leur effort visait à modifier l'idée même de l'histoire et la manière dont on la pratique. En témoignait d'abord un intérêt passionné et intense pour l'actualité, étonnant en apparence dans une revue conjointement dirigée par un médiéviste et un seiziémiste. Une analyse du contenu des *Annales* montre que les articles consacrés à l'histoire contemporaine (lisez : postérieure à 1815) y occupaient en moyenne chaque année, de 1929 à 1941, près de la moitié du total des pages avec des pointes dépassant 60 %[4]. Il résulterait certainement d'une étude plus fine que ces articles traitaient en majorité non des années 1815-1918 mais de celles que les auteurs et les lecteurs des *Annales* étaient en train de vivre. On y parlait, en effet, de la conjoncture économique et de la crise, du chômage, du taylorisme et de la rationalisation, de l'automobile et de l'aviation, de la Société des nations et du Bureau international du travail, du socialisme, des syndicats, du plan quinquennal soviétique, du *New Deal*, du nazisme, des idées de Marx, Lénine et Staline, et même, une fois, de la haute couture ; cette énumération n'étant nullement limitative. Pendant les dix premières années de leur existence, les *Annales* ont été pour une large part une revue du temps présent, portée par l'ambition d'atteindre à « la juste intelligence des faits qui demain seront l'histoire ».

C'est pour préparer dès aujourd'hui cette histoire de demain que les *Annales* préconisent, tout au long de cette période, une coopération active entre l'histoire et les sciences sociales, « non pas à coup d'articles de méthode, de dissertations théoriques. Par l'exemple et par le fait[5] ». La tâche de la promouvoir incombe au comité de rédaction composé de quatre historiens, de deux géographes dont l'un s'était orienté vers la science politique, d'un économiste et d'un sociologue. Le nombre d'articles qui relèvent de leurs disciplines et de comptes rendus des publications qui en émanent est effectivement impressionnant. Difficilement chiffrable, il est en tout cas beaucoup plus grand que ce que la table analytique des *Annales*, au demeurant irremplaçable, enregistre dans les rubriques : économie politique, sociologie, psychologie, géographie, archéologie. Peu importent, d'ailleurs, les pourcentages tant il est évident que les *Annales* adhèrent à une idée de l'histoire, qui y voit une discipline obligée, par sa nature même, de faire appel à toutes les sciences de l'homme pour être en mesure de résoudre les problèmes qu'elle rencontre. Et que c'est cette idée de l'histoire qu'elles mettent en œuvre dans chacun de leurs numéros.

Or, cela suppose une rupture avec la conviction profondément enracinée que les seules sources de l'histoire sont les sources écrites et que les savoir-faire nécessaires à un historien se réduisent par conséquent au seul savoir-lire, même si celui-ci exige une bonne connaissance de la paléographie. De cette rupture dont il sera abondamment question plus loin, les signes se laissent facilement repérer. Dès la première année, Marc Bloch et Lucien Febvre inaugurent une rubrique dont l'intitulé – «Iconographie de l'histoire économique et sociale» – deviendra plus tard «Musées. Expositions. Iconographie économique». Elle n'a été, il est vrai, ni la plus durable ni la mieux approvisionnée. Mais elle éclaire une orientation des directeurs de la revue, celle-là même qui s'exprime dans l'enquête collective sur les plans parcellaires et, plus généralement, dans l'intérêt porté aux cartes, atlas, plans, photographies aériennes. Un indice encore dans la même direction: l'importance accordée, d'une part, à tout ce qui concerne les paysages et, de l'autre, aux habitations, aux outils – parmi les projets d'enquêtes collectives possibles figure le recensement des formes des charrues –, à l'alimentation enfin. Les *Annales* s'efforcent ainsi d'apprendre aux historiens à regarder et à voir. Elles leur montrent comment se mettre au contact des choses visibles et palpables, de manière à pouvoir substituer aux mots des sources écrites, des gestes, des usages, des manipulations, afin d'être à même de reconstruire les dimensions constitutives de la vie des époques révolues, qui autrement resteraient hors d'atteinte.

Derrière les mots – retrouver les choses au sens le plus commun, nullement durkheimien de ce terme. L'attitude des *Annales* à l'égard des sciences sociales procède tout entière de cette aspiration; on le verra mieux par la suite. Qu'il suffise pour l'instant de remarquer que la différence épistémologique essentielle entre les sciences sociales et l'histoire tient au fait que ce qu'elles étudient leur est donné *aussi* autrement que par l'intermédiaire des sources. Un sociologue produit ses sources lui-même, en demandant à un groupe de remplir un questionnaire, mais il peut par ailleurs pratiquer l'observation participante ou faire des interviews; dans tous ces cas, il entre en rapport avec les hommes et non seulement avec les papiers, parchemins ou papyrus. Un économiste a affaire à des entreprises, aux banques, à la bourse, aux ministères, douanes, services fiscaux, marchés, corporations, syndicats; même s'il est obligé, tout comme le sociologue au demeurant, d'étudier les statistiques, les cartes, les documents, il entre néanmoins en rapport avec les hommes, les produits, les matières premières, l'argent. Et il en est semblablement du géographe. Seul l'historien reconstruit son objet *uniquement* par l'intermédiaire des sources qui s'y rapportent et qui sont pour lui la seule réalité tangible.

Les *Annales* sont toujours restées très exigeantes sur les critères auxquels toute recherche historique doit satisfaire pour que ses résultats soient recevables, notamment s'agissant de l'utilisation des sources, de la constitution d'un corpus approprié et de la critique qui doit lui être appliquée. Mais elles ont aussi essayé, dès le début, de mettre à profit toutes les sciences sociales pour apprendre à lire d'un œil neuf, guidé par de nouvelles questions, les sources déjà connues, et surtout pour en élargir le répertoire, pour faire parler tous ces témoins du passé, qui jusqu'alors restaient muets non parce qu'ils n'avaient rien à dire mais parce que les historiens ne savaient pas comprendre leur langage et ne croyaient même pas qu'il valût la peine d'être appris.

Derrière les mots – retrouver les choses. Et, les ayant retrouvées, en comparer celles qui semblent appartenir à une même catégorie ou n'être que diverses variantes d'un même type. Présentée par Henri Pirenne (1862-1935) en avril 1923, au Ve Congrès international des sciences historiques, l'idée de l'histoire comparée a trouvé chez Marc Bloch et Lucien Febvre des auditeurs qui l'ont mise en application eux-mêmes et s'en sont faits les propagateurs. Pirenne qui, parmi les historiens vivants, semble avoir exercé la plus forte influence sur les fondateurs des *Annales*[6], est d'ailleurs entré au comité de rédaction de la revue où il a publié deux articles et où chacun de ses travaux faisait l'objet d'un compte rendu, voire d'un débat. Plus importante que les références explicites aux idées de Pirenne ou les articles dont les titres mêmes contiennent l'expression « histoire comparée », est toutefois l'imprégnation de la revue entière par l'esprit comparatif. On le voit le mieux s'agissant de certains thèmes, tels ceux de la féodalité, des origines du capitalisme, des structures agraires. Mais, en fait, presque chaque thème dont traitaient les *Annales* apparaissait, au fil des années, dans divers contextes spatiaux et temporels, et sous diverses formes, si bien que les articles, comptes rendus et notes de lecture consacrés à un même objet formaient ensemble une introduction à son étude comparative.

À côté de ces comparaisons laissées, au moins pour une part, au hasard des curiosités des collaborateurs et des occasions que leur offraient les publications nouvelles, les directeurs ont entrepris aussi des tentatives pour organiser un travail comparatif programmé. C'était là le but des enquêtes ou des projets d'enquêtes sur les plans parcellaires, la genèse de la seigneurie, les noblesses, les prix. Dès le premier numéro, Marc Bloch et Lucien Febvre ont essayé ainsi de faire des *Annales* autre chose qu'une de ces revues-boîtes-aux-lettres où «des auteurs que rien ne rapproche glissent des manuscrits sans unité»: une «revue-levier. Celle qui soulève pour les jeter à bas les vieilles cloisons désuètes, les amas babyloniens de préjugés, de routines, d'erreurs de conception et de compréhension[7]». Ils ont voulu que les *Annales* soient le centre d'un travail collectif orienté dans une même direction. Et un réseau intégré non par une communauté de présupposés méthodologiques, philosophiques ou idéologiques mais par une complémentarité d'intérêts et une similarité d'attitudes, fondées, l'une et l'autre, sur le refus de toute doctrine convaincue de disposer des solutions préfabriquées, et sur l'adhésion à l'idée d'un monde social intrinsèquement problématique, où rien ne va de soi et dont aucun élément, aucun aspect ne saurait être compris sans qu'on fasse de son présent et de son passé l'objet d'une recherche.

Au cœur de ce réseau, les deux directeurs de la revue étaient assistés de cinq membres du comité de rédaction, qui contribuaient effectivement à en façonner le caractère: un géographe, Albert Demangeon (1872-1940), un sociologue, Maurice Halbwachs (1877-1945), et trois historiens: André Piganiol (1883-1968) qui représentait l'histoire ancienne, George Espinas (1869-1948), collaborateur de Pirenne et spécialiste de l'histoire urbaine du Moyen Âge, Henri Hauser (1866-1946), titulaire de la chaire d'histoire économique à la Sorbonne. Le rôle d'Henri Pirenne, de Charles Rist (1874-1955), l'économiste, et d'André Siegfried (1875-1959), géographe et politologue, semble avoir été principalement honorifique. Mais c'est tout un milieu, français et international, qui s'est reconnu très vite dans les *Annales* et leur a fourni des collaborateurs permanents et occasionnels représentant toutes les disciplines des sciences sociales.

Le noyau de ce milieu est formé par seize personnes qui, dans les années 1929-1948, ont, chacune, publié dans les *Annales* plus de vingt textes et, ensemble, environ un tiers de tous ceux qui y ont paru durant cette période. La première place y revient à Paul Leuilliot (né en 1897), historien de l'Alsace du XIXe siècle, responsable à lui seul des 8 % du total. Le suivent à distance Maurice Halbwachs, Albert Demangeon. Georges Espinas, Georges Lefebvre (1874-1959), historien de la Révolution française, André Piganiol, Maurice Baumont (1892-1981), spécialiste du XIXe siècle, notamment de l'Allemagne et des relations internationales, Jacques Houdaille, un économiste, Georges Bourgin (1879-1958), historien du XIXe siècle lui aussi, entre autres de la Commune, Charles-Edmond Perrin (1887-1974), médiéviste, Georges Méquet, spécialiste de la Russie et de l'U.R.S.S, un géographe, Jules Sion (1878-1940), André E. Sayous, historien du commerce et des banques, Henri Brunschwig (né en 1904), germaniste, Henri Baulig (1877-1962), géographe, et Henri Hauser.

Les auteurs les plus assidus des *Annales* se recrutent donc, pour la plupart, dans la même tranche d'âge que les directeurs, avec, au début, une nette domination des quinquagénaires. Majoritairement historiens, ils travaillent sur toutes les époques, y compris le XIXe siècle et la Révolution française; les plus nombreux s'orientent en priorité vers l'histoire économique et sociale. On trouve aussi dans ce groupe au moins trois géographes, un sociologue intéressé surtout par les questions économiques et démographiques et un économiste. Enfin, parmi les pays qui attirent l'attention, France mise à part, la première place appartient sans conteste à l'Allemagne; viennent ensuite l'Angleterre, l'Italie, les États-Unis et la Russie devenue Union soviétique.

Après la guerre, les *Annales* changent de titre. Pour la quatrième fois. Au départ, *Annales d'histoire économique et sociale*, elles étaient devenues *Annales d'histoire sociale* en 1939-1941, *Mélanges d'histoire sociale* en 1942-1944 et, en 1945, de nouveau *Annales d'histoire sociale*, hommage à Marc Bloch qui, grand résistant, a été fusillé par les Allemands un an plus tôt. À partir de 1946, la revue s'appelle donc *Annales. Économies. Sociétés. Civilisations.* Ce furent, paraît-il, des «raisons purement contingentes» qui conduisirent à éliminer du titre, en 1939, l'épithète «économique». Et les conditions de parution dans Paris occupé expliquent aisément l'abandon temporaire du titre original pour celui de *Mélanges.* Le dernier changement traduit en revanche un renouvellement de l'orientation. Les *Annales* cessent désormais de postuler dans leur titre même une histoire unifiée, unidirectionnelle, uniforme. Elles affichent leur intention de prendre en compte toute une multiplicité d'«économies, sociétés, civilisations» distribuées dans l'espace et dans le temps, mis sur pied d'égalité. «En clair, l'Espace: disons la géographie. Le Temps: disons l'histoire[8]», précisait le directeur de la revue dans le manifeste qui en inaugurait la nouvelle période. Si le mot «histoire» disparaît du titre, l'histoire, elle, reste donc plus que jamais au cœur même des préoccupations. Mais c'est une histoire qui s'affirme spatialisée et, de ce fait, plurielle.

Avec le titre et l'orientation, change aussi la direction des Annales. En 1946, resté seul, Lucien Febvre s'adjoint pour le seconder dans cette tâche Fernand Braudel (1902-1985), Georges Friedmann (1902-1977), Charles Morazé (né en 1913) et Paul Leuilliot. Dix ans plus tard, les Annales publient la notice nécrologique de Lucien Febvre; dorénavant et jusqu'à 1968, elles seront dirigées par Fernand Braudel. Les auteurs, cependant, se renouvellent et rajeunissent, même si les anciens restent présents; ainsi Georges Bourgin, Henri Brunschwig, Georges Lefebvre, Jean Lestocquoy, Paul Leuilliot, Robert Schnerb (1900-1962), pour ne mentionner que ceux dont les noms apparaissent le plus souvent entre 1949 et 1968. Parmi les nouvelles signatures, après celle de Fernand Braudel, on rencontre, dans l'ordre décroissant de fréquence, celles de François Crouzet, Abel Chatelain, Pierre Chaunu, Jean-Jacques Hémardinquer, Ruggiero Romano, Georges Duby, Robert Mandrou, André Chastagnol, Émile James, Jean Sigmann, Marcel Émerit. Anciens et nouveaux, tous les auteurs qui ont publié pendant cette période plus de vingt textes n'ont fourni toutefois, pris ensemble, que la moitié du total ; autant que Marc Bloch et Lucien Febvre pendant les deux décennies précédentes. Les collaborateurs des *Annales* sont maintenant plus nombreux qu'autrefois, mais la revue a perdu ce style personnel qui la caractérisait alors et qui faisait son charme.

D'autre part elle n'a plus à être un centre d'organisation du travail collectif car, à partir de 1946, il en existe un : la VIe section de l'École pratique des hautes études, qui traduit les idées des *Annales* en programmes de recherche et d'enseignement. Parallèlement, les « débats et combats » se font de plus en plus rares à mesure que ceux qui, hier, passaient sinon pour des hérétiques du moins pour d'inquiétants novateurs doublent leur autorité intellectuelle d'un pouvoir légitime à l'intérieur de l'institution universitaire. Mais, pour l'essentiel, la continuité est préservée. Effort soutenu en vue de décloisonner l'histoire même, coopération entre l'histoire et les sciences sociales, valorisation des sources non écrites et des nouvelles techniques au service de la recherche historique, désir d'aller aux choses mêmes, recours à la démarche comparative lié à l'ouverture sur l'étranger, méfiance à l'égard des doctrines qui, faisant semblant d'orienter la recherche, imposent des affirmations dogmatiques : les caractères distinctifs des premières *Annales* se sont maintenus dans la deuxième moitié de leur existence.

Il sera donc question ici des quarante ans d'histoire produits dans le milieu intellectuel dont les *Annales* étaient le centre, c'est-à-dire d'au moins trois générations d'historiens – et pas seulement d'historiens. De celle de Marc Bloch et de Lucien Febvre, qui a fait ses débuts avant 1914 et qui a fourni la grande majorité d'auteurs aux premières *Annales.* De celle, ensuite, de Fernand Braudel, qui entre en scène dans les années vingt et trente, pour s'épanouir, avec un retard dû à la Deuxième Guerre mondiale, après 1945 ; en font partie : Henri Brunschwig, Paul Leuilliot, Charles Morazé, Robert Schnerb ainsi que les auteurs qui, pour avoir moins écrit dans les *Annales,* n'en étaient pas moins liés à la revue d'abord et, plus tard, à la VIe section de l'E.P.H.E. : Roger Dion (1896-1981), Ernest Labrousse (né en 1895), Maurice Lombard (1904-1964), Jean Meuvret (1901-1971), Yves Renouard (1908-1965), Philippe Wolff (né en 1913). De celle, enfin, qui se manifeste à partir des années quarante et dont nous avons déjà mentionné plusieurs représentants auxquels il convient d'ajouter, parmi les auteurs des Annales, René Baehrel, Marc Bouloiseau, Jean Bouvier, Pierre Deyon, José Gentil da Silva, Pierre Goubert, Pierre Jeannin, Étienne Juilliard, Henri Lapeyre, Jacques Le

Goff, Emmanuel Le Roy Ladurie, Frédéric Mauro, Pierre Souyri, Alberto Tenenti. Un cas à part : celui de Philippe Ariès (1914-1984), absent de la revue et de la VIe section, mais proche de ceux qui les animaient dans sa pratique d'historien.

La géographie et l'histoire

Dans le couple formé par l'histoire et la géographie, la seconde faisait pendant longtemps figure de servante appelée au besoin pour répondre aux questions de sa maîtresse. Celles-ci, assez monotones, portaient essentiellement sur deux sujets : les limites des anciennes divisions politiques, ecclésiastiques ou administratives ; les voyages et les explorations d'autrefois et les idées géographiques d'anciens auteurs. Cette « géographie difficile, celle qui se sert des textes », pratiquée sans qu'on manifestât la moindre curiosité pour les réalités spatiales[9], professait donc, tout comme l'histoire, une fidélité sans faille au dogme fondamental.

L'œuvre de Vidal de La Blache procède tout entière d'une volonté d'émanciper la géographie du culte de l'écrit pour en faire une science des choses vues sur le terrain, fondée sur le regard substitué à la lecture en tant qu'instrument privilégié d'acquisition des connaissances. Il ne s'agit pas toutefois d'un regard naïf. Aidé par les cartes, orienté par une terminologie lui permettant de décrire les objets qu'il appréhende, préparé par un apprentissage méthodique, le regard tel que Vidal l'exerce et l'enseigne sait reconnaître les formes, en inventorier les caractères distinctifs, repérer les traces de leurs états antérieurs et les symptômes de leurs déterminations sous-jacentes. Ces données du regard, matériau de base d'un géographe, reçoivent leur intelligibilité d'une enquête parmi les habitants de la contrée étudiée, d'une recherche dans les archives et de l'observation, qui, ensemble, convertissent les accidents visibles du terrain en signes de ses vicissitudes passées et, ce faisant, intègrent les apparences présentes dans un temps long. Les pierres et les sols d'un côté, les hommes de l'autre : la géographie vidalienne s'installe au point de jonction de la géologie avec l'ethnographie, la linguistique et l'histoire agissant de concert. Science à la fois naturelle et humaine, elle maintient un équilibre instable, menacé par des tendances opposées contre lesquelles elle doit constamment défendre sa spécificité.

Le chef-d'œuvre de Vidal, *Tableau de la géographie de la France* (voir plus bas le chapitre qui lui est consacré), a été lu, médité et assimilé non seulement par les géographes mais aussi par nombre d'historiens ; parmi ces derniers, se trouvent tant les fondateurs des *Annales* que leurs successeurs immédiats. Le livre ouvrait en effet de nouvelles perspectives à l'histoire. Il montrait, avec un art consommé, que le paysage, pour qui sait le regarder et le lire, est une source historique aussi importante – parfois même plus importante – que les textes. Il enseignait comment identifier les éléments du paysage qui sont les signes d'une frontière entre deux régions naturelles ou deux zones de peuplement. Et il introduisait le germe d'une distinction appelée à un grand avenir: celle du temps court et de la longue durée.

Certes, cette distinction, Vidal ne la thématise pas en tant que celle de deux dimensions ou de deux strates d'un même temps de l'histoire. Il l'insère dans le cadre de l'opposition entre les activités qui dépendent des hommes mêmes et celles qui leur sont imposées par les contraintes naturelles. Traduit en termes disciplinaires, cela donne l'opposition entre l'histoire et la géographie physique, ce qui suppose une idée de l'histoire conforme, au demeurant, à ce qu'elle était à l'époque: c'est une histoire préoccupée surtout par les événements et enfermée dans le temps court. L'originalité et la fécondité de la position vidalienne tiennent à l'introduction entre une telle histoire et la géographie physique dont le temps – long – est celui de la géologie, d'un troisième terme qu'est la géographie humaine chargée du rôle d'intermédiaire entre les deux, du fait de son intérêt préférentiel pour ce qui reste constant dans l'histoire. Et, partant, pour un temps long, mais long à l'échelle de l'homme, non à celle de la terre. Sans être un temps de l'histoire qui n'était pas encore prête à l'accueillir, ce temps n'est plus celui de la géologie[10].

La géographie humaine de Vidal proposait aux géographes d'étudier, tout en restant des géographes, une longue histoire de la population, de l'économie, de l'habitat, des techniques, voire de la politique et du mouvement des idées pour autant que tout cela influence l'utilisation par les hommes des énergies que recèle la nature. Sous peine de sombrer dans des généralités vagues, un tel travail, synthèse de la géographie physique et de l'histoire, devait se faire dans un cadre régional bien circonscrit. Comme toute synthèse, celle-ci n'allait pas sans difficultés, certains auteurs cédant à un déterminisme naturaliste tandis que d'autres insistaient plutôt sur le rôle des hommes; Vidal lui-même n'a jamais clarifié sa position sur ce chapitre, qui semble d'ailleurs avoir évolué. Toujours est-il que les monographies régionales de l'école géographique française définissent en général leur cadre en se référant à la fois aux conditions naturelles et à l'apport humain, censés imposer ensemble à une région les caractères qui lui sont propres.

Innovation essentielle dont les effets se font sentir jusqu'aujourd'hui dans les sciences sociales françaises, l'apparition de la monographie géographique régionale était tout aussi importante pour la connaissance de la France tant par les géographes mêmes que par les historiens et le grand public. En effet, les régions qui la composent n'ont jamais auparavant été décrites de manière aussi méthodique que dans les thèses de géographie humaine dont une bonne quarantaine paraît entre 1905 et la fin des années soixante. Elles résultent, chacune, de plusieurs années de recherches sur le terrain parcouru dans tous les sens et pendant toutes les saisons, pour en saisir les aspects variables tels qu'ils s'offrent à un regard attentif et que fixe l'appareil photographique. Ces excursions s'accompagnent d'une analyse de cartes, plans parcellaires, photographies aériennes dès qu'elles deviennent disponibles, images de toute sorte – ainsi que des observations du milieu physique, dont les résultats occupent souvent une partie importante de la monographie. Viennent alors les chapitres consacrés aux hommes. Le regard qui permet de se faire une impression générale de leur apparence externe et de leur mode de vie est complété ici par l'exploitation des statistiques officielles et surtout par une collecte systématique de renseignements avec l'aide des correspondants sur le terrain auxquels on demande de remplir des questionnaires. Issus de l'enseignement de Vidal de La Blache et de Gallois, ceux-ci, avant 1914, semblent avoir tous comporté les mêmes rubriques adaptées par chaque auteur aux particularités de sa région. L'agriculture : paysages agraires, organisation des champs, types de propriété foncière, techniques agricoles, prairies, utilisation des forêts, landes et marais, élevage ; les industries rurales : leurs sources d'énergie, approvisionnement en matière première, organisation, débouchés ; le commerce et les voies de communication ; l'habitat : villages groupés ou fermes isolées, aménagement des maisons ; la population : peuplement, dynamique démographique, mouvements migratoires ; les divisions de la région et ses limites.

Tous ces éléments du milieu humain sont étudiés non seulement dans leur état présent mais aussi tels qu'ils furent dans un passé plus ou moins lointain. Sans nécessairement partager l'intérêt pour les archives d'un Albert Demangeon ou d'un Max Sorre ou la curiosité historique d'un André Allix qui a complété sa thèse sur l'Oisans par un livre sur ce pays au Moyen Âge, tous les géographes remontent, s'agissant du peuplement, jusqu'à ses traces les plus anciennes et pour le reste, souvent jusqu'au Moyen Âge, toujours jusqu'au XVIIe siècle. Or, la confrontation de deux coupes faites, dans une même région, à plus d'un siècle d'intervalle conférait déjà à la description géographique une dimension temporelle car elle mettait en lumière les variations et les permanences. Il en était de même, à plus forte raison, quand on comparait, avec Jules Sion, l'état des lieux aux XIIIe, XVIIIe et au début du XXe siècle, ou quand on suivait l'évolution de certaines composantes du milieu humain jusqu'au XVIe siècle, voire au-delà. Il est vrai que conformément à l'enseignement de Vidal les variations étaient mises au compte de l'histoire, tandis que les permanences appartenaient à la géographie. Une telle manière de concevoir leurs rapports, bien qu'implicitement contestée dès les années trente, n'a été remise ouvertement en question que plus tard, par Roger Dion du côté des géographes et par Fernand Braudel du côté des historiens. Reste que les adeptes de la géographie humaine, avec leurs monographies, donnaient, dès le début du siècle, des exemples de travaux qui étaient incontestablement des contributions à l'histoire mais qui, sans pour autant négliger les textes, procédaient de la pratique du regard et faisaient massivement appel à des sources non écrites. La démarche s'avérait féconde. Rien d'étonnant donc qu'à la suite des géographes les historiens se soient mis petit à petit à l'appliquer dans leurs recherches[11].

En octobre 1901, la Société d'histoire moderne a entendu une communication de Camille Bloch sur *L'Organisation des études d'histoire locale en France* et, en mai 1902, le rapport de Pierre Caron sur *L'Organisation des études locales d'histoire moderne*; en février 1903, Gustave Lanson y a présenté son *Programme d'études sur l'histoire provinciale de la vie littéraire en France.* Pour sa part, la *Revue de synthèse historique* d'Henri Berr a manifesté un vif intérêt pour l'étude des régions et pays de France : dès le premier numéro en traitaient deux articles programmatiques, du directeur lui-même et de Pierre Foncin, collaborateur des *Annales de géographie* et un des porte-parole du mouvement régionaliste très actif à l'époque et que des liens directs unissaient à l'école vidalienne. En 1903, Henri Berr expose son idée de *La Synthèse des études relatives aux régions de la France.* L'historique qu'il en fait souligne le rôle des géographes et notamment de Vidal dont il loue le *Tableau* récemment paru, pour aboutir au programme « de rendre scientifique la psychologie des peuples par des études de psychologie régionale[12] ». Quel que soit le jugement qu'on porte sur ce projet, les moyens choisis par Berr pour y arriver avaient heureusement une valeur intrinsèque. Il a décidé en effet de publier une série de monographies historiques consacrées aux Régions de la France. La première en a paru la même année, avec l'article de Berr en guise d'introduction générale à la collection[13].

Voilà qui augurait très bien des perspectives d'une collaboration de l'histoire avec la géographie humaine. La réalisation inspire toutefois des sentiments plus nuancés. Sur dix opuscules publiés, sept n'étaient que des exemples de l'introduction bibliographique la plus traditionnelle à l'étude de l'histoire d'une province, fidèles à l'idée qu'une telle étude se fait exclusivement avec des textes, parmi lesquels les travaux des géographes ne figurent même pas. La différence est flagrante avec trois autres titres, premiers livres de jeunes auteurs : *La Franche-Comté* de Lucien Febvre, *Le Velay*, de L. Villat et *L'Île-de-France* de Marc Bloch. Tous s'intéressent aux paysages des provinces dont ils traitent, à leur sol, leur géologie, leur hydrographie. Tous se réfèrent à des cartes et connaissent bien la littérature géographique, notamment le *Tableau* dont l'influence est perceptible même dans les passages où il n'est pas explicitement cité. Tous sont allés sur le terrain et y ont exercé leur regard[14].

Or, de nos trois auteurs, le premier, disciple de Gabriel Monod et, par son intermédiaire, de Michelet dont il était par ailleurs imprégné depuis l'enfance, a suivi aussi l'enseignement de Vidal de La Blache. Et c'est encore Vidal qui a été un des maîtres du troisième avec Ferdinand Lot, Christian Pfister et Lucien Gallois, géographe et auteur du livre remarquable *Régions naturelles et noms de pays* (1908). À la différence de leurs aînés, Lucien Febvre et Marc Bloch étaient donc non seulement des agrégés d'histoire et de géographie mais vraiment des historiens-géographes ou, mieux, des historiens marqués en tant qu'historiens par leur rencontre avec la géographie. Toute la suite de leur carrière devait montrer avec éclat combien profondément ils ont été, l'un et l'autre, influencés par cette «discipline nourricière» qui, comme en témoigne des années plus tard Lucien Febvre, a donné aux jeunes Français de sa génération, avec bien d'autres choses, «le goût du réel mordant sur l'abstrait[15]».

On le voit dans sa thèse – premier exemple d'une monographie régionale semblable à celles que rédigeaient les géographes de l'école vidalienne mais œuvre d'historien, consacrée à des faits d'il y a plusieurs siècles. Car personne, semble-t-il, n'a traité auparavant une province comme une individualité à la fois géographique et politique, «résultat d'une collaboration étroite de forces naturelles et de forces humaines» où, toutefois, «la part de l'homme restait prépondérante[16]», pour étudier dans un tel cadre le déroulement d'une crise politique, religieuse et sociale.

Description du pays et de ses divisions naturelles; influences du dehors; facteurs de cohésion: gouvernement, prospérité agricole et industrielle, croissance démographique, formation d'un «sentiment national». Après avoir montré tout cela, Lucien Febvre introduit l'événement qui frappe de l'extérieur la Comté et y déclenche la crise – abdication de Charles Quint au profit de Philippe II – pour en étudier l'inscription, à travers une rivalité de personnes, dans un conflit entre la noblesse et la bourgeoisie. Et c'est seulement dans les troisième et quatrième parties consacrées aux incidences, dans la Comté, de la révolution des Pays-Bas et aux progrès de l'absolutisme, que la narration devient chronologique: elle présente, à mesure qu'ils se manifestent, les effets du jeu de tous les facteurs dont l'action conjointe, bien que discordante, déterminait le parcours de la crise comtoise.

Febvre met ainsi en œuvre le schéma conceptuel des géographes avec sa distinction des milieux physique et humain et, dans ce dernier, des changements lents et des variations rapides. Il fait donc un pas important vers l'intégration dans l'histoire de ce qui, trente-cinq ans plus tard, recevra de Fernand Braudel le nom de «longue durée». Mais l'inspiration géographique est visible aussi dans un autre trait de sa démarche, dont on ne saurait surestimer l'importance pour l'histoire: la tentative pour suppléer à l'impossibilité où est l'historien de voir et de faire voir ce dont il parle, à l'exception du paysage, s'il ne change pas.

En voici un exemple. Après avoir étudié la fortune des nobles et des bourgeois, sa nature, les revenus qu'elle procure et leur dynamique – descendante dans un cas, ascendante dans l'autre –, l'auteur conclut :

> Ce qui sépare, ce qui oppose nobles et bourgeois, ce n'est pas un conflit économique seulement : c'est un conflit d'idées encore, et de sentiments. Par leur genre de vie, par leur éducation, par leur conception générale du monde et de l'action, deux classes s'affrontent durement ; et il nous faut décrire ce genre de vie, analyser ces conceptions rivales, si nous voulons en sentir le conflit dans toute son acuité[17].

Viennent deux chapitres sur la vie noble et la vie bourgeoise présentées à partir des actes de famille, des testaments, des inventaires. Les deux « genres de vie » – terme vidalien – sont donc saisis ici de l'intérieur, tels que les vivent les intéressés mêmes, ce qui permet de ne pas les réduire au rôle des forces économiques et de conférer au conflit d'intérêts une dimension passionnelle, susceptible d'affecter le lecteur comme un spectacle affecte celui qui le regarde.

Parallèlement à la rédaction de sa thèse, Lucien Febvre suit attentivement les publications géographiques ; il le fera jusqu'à la fin de ses jours. Des comptes rendus et des notes disséminées dans les revues gardent la trace de ces lectures. Et aussi *La Terre et l'évolution humaine* publiée avec un long retard dû à la guerre. Livre polémique : défense de la géographie humaine contre la morphologie sociale d'obédience durkheimienne ; critique du déterminisme géographique et notamment de l'interprétation déterministe de la pensée de Vidal. Livre programmatique : plaidoyer pour le « possibilisme » et pour la reconnaissance dans l'homme d'un agent géographique. Constat, enfin, d'une « double révolution » qui consiste en un « élargissement de l'histoire » et un « développement de la géographie » et qui aboutit à une nouvelle conception de l'histoire même :

> Ce n'est plus seulement l'armature politique, juridique et constitutionnelle des peuples d'autrefois, ni leurs vicissitudes militaires et diplomatiques que nous nous efforçons de restituer patiemment. C'est toute leur vie, c'est toute leur civilisation matérielle et morale, c'est toute l'évolution de leurs sciences, de leurs arts, de leurs religions, de leurs techniques et de leurs échanges, de leurs classes et de leurs groupements sociaux. La seule histoire de l'agriculture et des classes rurales dans leurs efforts d'adaptation au sol, dans leur long travail

discontinu de défrichement, de déforestation, d'assèchement, de peuplement – que de problèmes ne soulève-t-elle pas, dont la solution dépend, en partie, d'études géographiques[18] ?

Lucien Febvre était donc pleinement conscient de l'ampleur du bouleversement provoqué dans l'histoire par la remise en question du vieux dogme fondamental sous l'influence, pour une part considérable, de la géographie humaine. Et Marc Bloch en était conscient lui aussi, qui a fait d'ailleurs une analyse de *La Terre* à l'usage des historiens. Rien d'étonnant que, une fois conçu leur projet de revue, parmi les modèles invoqués figurât comme le plus récent celui des *Annales de géographie*[19]. Et que la géographie ait occupé dans les *Annales* plus de place qu'aucune autre discipline, en dehors, évidemment, de l'histoire même. Les deux directeurs, en effet, ont non seulement multiplié les comptes rendus et les notes de lecture des publications géographiques : atlas, cartes, plans, livres, articles, éditions illustrées, ils ont aussi réuni autour d'eux une équipe de géographes, au moins une dizaine de noms, qui ont beaucoup écrit dans la revue. Les deux traditions furent préservées au temps de Fernand Braudel.

En 1931, Marc Bloch et Lucien Febvre ont publié, chacun, un livre. Dans le cas du second, c'était *Le Problème historique du Rhin* dont nous reparlerons. Le livre du premier exige, par contre, qu'on s'y arrête dès maintenant. Car, vingt ans après la thèse de Febvre, *Les Caractères originaux de l'histoire rurale française* constitue une deuxième application à la recherche historique de l'heuristique mise au point par les géographes de l'école vidalienne et une illustration de sa fécondité. L'ont suivi à brève échéance l'*Histoire de la campagne française* de Gaston Roupnel, un historien imprégné comme Marc Bloch d'esprit géographique et proche des *Annales,* bien qu'il n'y ait rien publié, et l'*Essai sur la formation du paysage rural français* de Roger Dion. Ces livres, surtout ceux de Bloch et de Dion, sont à l'origine de tout un courant de recherches sur les structures agraires et les paysages ruraux, qui, pendant un quart de siècle, aura vu les géographes et les historiens coopérer – et s'affronter à l'occasion – autour de quelques grands problèmes de l'histoire de France[20].

Les livres de Bloch et de Roupnel ne demandent qu'à être mis en parallèle, même si le premier a influencé le second et si l'un est un travail d'historien tandis que l'autre, à la fois œuvre littéraire et manifeste idéologique, exprime une mystique de la terre, en glorifiant la civilisation rurale, la campagne française et l'âme paysanne. Marc Bloch consacre, d'autre part, presque la moitié de son livre à l'histoire de la seigneurie et de la propriété foncière depuis le haut Moyen Âge, qui est aussi celle des conflits sociaux. Gaston Roupnel réserve à ces sujets une place marginale. Sa France est un pays des

villages et des paysans, où les châteaux et les grandes propriétés n'ont pas de place. Marc Bloch met en garde contre une pareille image: «Il ne faut pas dire, comme on l'a fait parfois, qu'elle [la France] est un pays de petite propriété, mais plutôt que, selon une proportion qui, de province en province, varie fortement, grande et petite propriété y vivent côte à côte[21].»
Reste que ce qui rapproche les deux livres est d'abord l'utilisation qu'ils font de travaux des géographes. Et plus encore le rôle que, dans l'un et dans l'autre, joue le regard. Pour Roupnel, il est presque exclusif; son livre, dans ses parties centrales, est une lecture des choses: des traces d'anciennes lisières des forêts, des chemins primitifs, des villages disparus, des forêts, champs, chemins, vignes et villages d'aujourd'hui. «Toute cette campagne, écrit-il, est un livre ouvert sous nos yeux[22].» Ce côté promenade champêtre est absent du livre de Marc Bloch. Mais lui aussi, quand il contraste les régimes agraires, fait appel au regard, en proposant au lecteur de se figurer une agglomération rurale ou de porter les yeux sur les labours. Il en complète toutefois les données par celles d'une analyse des sources et d'une enquête portant sur la répartition en France des instruments du labour; la frontière s'estompe ici entre le travail d'historien et celui de géographe. Ajoutons que Roupnel demande qu'on étudie les cartes et que Bloch fonde sa démonstration sur une étude des plans parcellaires.
Qui dit regard dit présent. En effet, c'est à partir de l'état présent des campagnes française que Roupnel remonte dans le passé, empreint au demeurant de couleurs mythiques. Et c'est l'état présent de ces campagnes que Bloch s'applique à rendre intelligible. «Car il n'est presque pas un trait de la physionomie rurale de la France d'aujourd'hui dont l'explication ne doive être cherchée dans une évolution dont les racines plongent dans la nuit des temps[23].» Dans les deux cas, le passé, fût-il très lointain, n'est pas tenu pour disparu, effacé, aboli. Il se prolonge dans le présent. À l'intérieur de l'histoire, des choses apparaissent ainsi qui durent – et très longtemps. Implicite chez Roupnel, cette idée est énoncée par Bloch: «Dans ce continu qu'est l'évolution des sociétés humaines, les vibrations, de molécule à molécule, se propagent à si longue distance que jamais l'intelligence d'un instant, quel qu'il soit, pris dans le cours du développement ne s'atteint par le seul examen du moment immédiatement précédent[24].» Ainsi s'éclaire le titre du livre de Marc Bloch: les «caractères originaux» sont, certes, ceux qui distinguent l'«histoire rurale française» de celle des autres pays; mais ce sont aussi ceux qui, depuis des siècles, sinon des millénaires, fournissent le cadre à l'intérieur duquel elle se déploie.
Or, selon Marc Bloch, ce cadre consiste, en France, en une coexistence de trois régimes agraires: celui de l'occupation lâche du sol et des champs clos et ceux des champs ouverts, dont l'un, le «septentrional», a inventé la char-

rue et imposé à des communautés villageoises une cohésion particulièrement forte, et l'autre, le «méridional», utilise l'araire et manifeste un esprit communautaire moins contraignant. Sans rejeter ces conclusions, Roupnel, pour sa part, insiste surtout sur l'opposition entre le Midi et le Nord, qui, selon lui, ne se limite nullement à celle des régimes agraires : «Dans le Midi, la communauté humaine est intéressée, urbaine, citadine. Elle a l'âme animée des rues. Dans le Nord, elle est extérieure, rurale, champêtre. Elle déroule son thème sur le silence des champs et autour du pain quotidien. Elle sent le froment et l'air vif[25].» Nous sommes ici tout près de Michelet.

La découverte en France de différents paysages agraires n'est pas l'œuvre de Marc Bloch. Elle remonte à Arthur Young, voyageur-agronome britannique de la fin du XVIIIe siècle, avant lui aux physiocrates et – pourquoi pas ? – beaucoup plus loin encore, à l'auteur du *Roman de Rou*, qui, vers 1170, parlait d'un rassemblement en Normandie auquel sont venus «Li paisan et li vilain/Cil des bocages et cil des plains» – citation rituellement invoquée par quiconque traite de ce sujet. L'apport du livre de Marc Bloch, c'est d'abord la notion même de régime agraire, intégration des faits dont la dépendance réciproque n'a été perçue avant lui ni par les historiens ni par les géographes, bien qu'elle n'ait pas échappé à des praticiens et des administrateurs de l'Ancien Régime. C'est ensuite la mise en évidence des liens entre les régimes agraires, les transformations de la seigneurie et l'organisation de la communauté paysanne avec ses divisions internes, jusqu'à ce que la révolution agricole bouleverse, au XIXe siècle, la vie des campagnes. Et c'est enfin la promotion de l'enclos, auparavant élément de paysage parmi d'autres, au rang du signe d'une différence de civilisation. La coexistence des régimes agraires, caractéristique, selon Marc Bloch, du territoire rural français, apparaît ainsi comme le problème numéro un qu'il faut résoudre pour reconstruire l'histoire du peuplement de la France et rendre intelligibles les paysages contrastés de ses campagnes.

Auteur d'une thèse sur le Val de Loire, qui, double chef-d'œuvre, appartient à la fois à la géographie et à l'histoire, Roger Dion ne pouvait pas, l'eût-il voulu, contourner ce problème. Car, la frontière entre les pays d'openfield et les pays d'enclos, il l'a découverte sur le terrain à travers les différences de l'aménagement des maisons paysannes, de la forme des champs labourés, des coutumes rurales, de l'organisation de la vie agricole, de la répartition de l'habitat, etc. – et en lisant de vieux auteurs[26]. Ces différences entre les faits humains répondent-elles à des différences entre les faits naturels ? Marc Bloch était enclin à le penser. Roger Dion, au contraire, montre «à quel point l'influence de la tradition, dans ces vieux systèmes agricoles, l'emporte sur celle du sol[27]». Plus tard, tout en éliminant sans bruit la distinction entre le bocage de l'Ouest et le régime «méridional» de Marc Bloch, les deux n'étant que des variantes d'une même agriculture d'enclos, Roger Dion étend sa démonstration, limitée à l'origine au Val de Loire, à l'ensemble du Bassin parisien, voire de la France.

> Hors des hautes montagnes, les paysages ruraux français se ramènent à deux types fondamentaux : un type septentrional caractérisé par la rase campagne et par le groupement des arbres en massifs forestiers compacts ; un type méridional caractérisé par l'émiettement des forêts et la diffusion des arbres au milieu des terroirs agricoles. Nous sommes invinciblement entraînés vers l'Est, vers les grandes plaines du Nord de l'Europe, lorsque nous cherchons à observer les formes les plus parfaites ou à discerner les origines du type septentrional ; vers Rome, lorsque nous cherchons à expliquer les principes qui ont présidé à l'élaboration du type méridional[28].

La question posée par Marc Bloch serait donc résolue, si seulement la frontière qui, dans la France du XVIIIe siècle, séparait les contraintes collectives d'origine germanique de la liberté agraire d'origine romaine, passait aussi entre deux types de paysages et deux types d'habitat rural « partout aggloméré au Nord et à l'Est de cette ligne, partout dispersé au Sud et à l'Ouest[29] ». La réalité, toutefois, n'est pas aussi simple. Sans une explication de tous les cas aberrants, la thèse générale selon laquelle deux civilisations ou économies rurales se partageaient la France risque donc de voir s'émousser son tranchant pour satisfaire à des exceptions. Aussi, dès 1934, Roger Dion a-t-il entamé l'étude des variations régionales de ces deux économies rurales. Mais c'est seulement douze ans plus tard qu'il a publié sur ce sujet un article fondamental au titre significatif : « La part de la géographie et celle de l'histoire dans l'explication de l'habitat rural du Bassin parisien[30] ».

Selon cet article, les villages à champs assolés ont commencé à se former à partir du XIe siècle sous l'impulsion des maîtres de la terre qui concédaient la réserve seigneuriale à de petits tenanciers, tout en leur imposant la rotation triennale et le groupement des habitations rurales en agglomérations. Toutefois, dans les régions restées longtemps incultes ou forestières, la nature du sol empêchait le plein développement de ce système. D'où l'apparition, aux XIe, XIIe et XIIIe siècles, en pays forestier, non de villages mais de hameaux. Plus tard, à la faveur du passage des terrains restés disponibles entre les mains des bourgeois qui les rachètent aux seigneurs, se propagent les fermes isolées. On les verra proliférer pendant la dernière grande période des défrichements, de la fin du XVIIIe siècle aux années 1875-1880, dont proviennent les établissements agricoles aux noms caractéristiques : ferme Moscou ; fermes Alger, Constantine, Mazagran ; fermes Sébastopol, Malakoff, Magenta, Solferino.

L'article dont on vient d'évoquer quelques thèmes ne termine nullement l'histoire des études sur les régimes agraires et les paysages ruraux. La continuent de nombreux travaux dont nous ne mentionnerons que *La Grande Limagne* de Max Derruau, comparable à tous égards à la thèse de Roger Dion. Pour étayer, fût-ce un peu, ce jugement, rappelons l'explication qu'on y trouve de plusieurs traits du dessin parcellaire et de la structure agraire sous-jacente par le conflit entre la paysannerie et la bourgeoisie terrienne, dont les empreintes à la surface du sol sont fonction des aptitudes naturelles de différents sites. Et aussi la mise en évidence du contraste entre le nord et le sud de la Limagne, qui affecte l'habitat, l'inclinaison des toits et la forme des tuiles, les dimensions des parcelles, le taux de mercantilisation de l'économie, la langue même[31]. Et qui renvoie aux temps où la Limagne, isolée par les forêts du nord de la France, n'était en relation qu'avec le Midi méditerranéen, avant que les grands défrichements du XIe siècle ne l'ouvrent à un peuplement venu du nord et à l'influence croissante de Paris, expression de la montée en puissance des Capétiens[32].

Histoire de France : patrie et nation

Arrivée aujourd'hui à sa onzième édition et traduite en plusieurs langues, l'*Histoire de la civilisation française* de Georges Duby et Robert Mandrou (1958) reste le seul exemple d'une histoire de France issue du milieu des *Annales,* avant celle de Fernand Braudel ; encore ne commence-t-elle qu'au XIe siècle, après les grandes invasions, et ne s'attache-t-elle de préférence qu'à certains aspects du passé. Se tromperait, toutefois, quiconque, dans cette absence d'histoires de France, aurait vu la preuve qu'une règle tacitement admise dans le milieu des *Annales* frappe d'interdit l'idée même d'en écrire une. En 1933, déjà, Lucien Febvre déplorait le renoncement de l'historiographie française aux sujets « qui dépassent le cadre étroit de la monographie » et notamment à l'histoire de France, et énonçait quelques principes qu'il faut suivre en travaillant sur une telle histoire, pour qu'elle satisfasse à de nouvelles exigences[33].

Six ans plus tard, pour tirer profit des loisirs forcés de la « drôle de guerre », Marc Bloch a commencé à rédiger, dans un cahier d'écolier, une *Histoire de la société française dans le cadre de la Civilisation européenne*, dont seul fut écrit le premier chapitre : « Naissance de la France et de l'Europe[34] ». De son côté, Lucien Febvre a consacré, en 1940-1941, ses cours au Collège de France à analyser les grands problèmes de l'histoire de France abordés à travers une étude de l'historiographie ; en 1943-1944, il a traité de Michelet, historien de la France, et en 1946 et 1947, toujours dans la perspective d'une histoire de

France, du sentiment de l'Honneur et de l'idée de Patrie[35]. D'autres textes encore de Lucien Febvre et de Marc Bloch clarifient leurs opinions sur l'histoire de France en tant que genre qui a ses problèmes et ses difficultés propres; les complètent leurs présentations de certaines périodes de l'histoire de France: des derniers Capétiens, de la première Renaissance ou encore du long XVIe siècle, objet des cours de Fernand Braudel en 1953-1954 et 1954-1955[36]. Tout cela n'autorise certes pas à imputer aux fondateurs des *Annales* et à leurs successeurs une sorte de projet ou de programme de l'histoire de France, qui n'aurait besoin que des exécutants pour s'incarner. Ce qu'on est néanmoins en droit d'expliciter à partir de textes disponibles, c'est l'idée qu'ils se faisaient d'une telle histoire, de ses chapitres essentiels et de son organisation d'ensemble.

Telle que la conçoivent Marc Bloch et Lucien Febvre, tous les deux admirateurs de Camille Jullian, l'histoire de France doit commencer avec les premiers habitants du territoire et pleinement avec la Gaule. Et elle doit être poursuivie jusqu'à nos jours, au lieu de se voir arrêtée il y a plus d'un siècle, en invoquant l'argument fallacieux que la période contemporaine relève non de l'histoire, mais de la politique. Quant à l'intervalle qui sépare du présent le passé le plus reculé, il reçoit son contenu de l'autoconstitution bimillénaire de la France, territoire et peuple. Car la France n'est pas un donné tout fait; elle est un problème. Problème que Vidal de La Blache a énoncé jadis dans le *Tableau* et que voici dans la paraphrase de Lucien Febvre:

> Rechercher *comment* et pourquoi des contrées hétérogènes, qu'aucun décret nominatif de la Providence ne désignait pour s'unir dans un certain ensemble, ont fini par former cet ensemble: celui, en l'espèce, que pour la première fois nous saisissons dans les textes de César dessinant par ses «limites naturelles» une Gaule, préfiguration approximative de notre France [...] Comment, pourquoi, malgré [...] tant d'essais ratés de nations franco-anglaises, ou franco-ibériques, ou franco-lombardes, ou franco-rhénanes, entrevues comme possibles ou, parfois, temporairement réalisées dans les faits – comment, pourquoi la formation Gallia, après maintes tourmentes, a-t-elle toujours réussi à reparaître et à rattrouper autour d'un germe [...] les *membra disjecta* que des événements [...] avaient temporairement dissociés de l'ensemble[37]?

Le même problème se laisse énoncer autrement: rechercher comment et pourquoi les ethnies différentes et hostiles, les communautés linguistiques incapables de se comprendre mutuellement, les catégories différenciées par leurs statuts juridiques et notamment par l'esclavage ou le servage des uns opposés à la liberté des autres, les classes sociales en conflit, le plus souvent latent mais parfois prenant des tournures violentes - comment et pourquoi tous ces groupes, au départ hétérogènes, ont fini par former une nation, la nation française, dont la cohésion s'est avérée suffisamment forte pour résister victorieusement aux guerres de religion, aux affrontements politiques, aux luttes internes, aux agressions étrangères?

Pour Marc Bloch comme pour Lucien Febvre, l'histoire de France depuis la Gaule jusqu'aujourd'hui est celle des solutions successives qu'a reçues le double problème de la France, patrie et nation, posé à chaque époque en des termes qui lui étaient propres, par les uns sans même le savoir, par d'autres semi-consciemment ou en toute lucidité, selon les cas. Quatre épisodes majeurs marquent les points d'inflexion de cette continuité plus que deux fois millénaire: la conquête romaine; les grandes invasions dont est issue la société féodale; la Renaissance et la Réforme saisies dans leur relation, à la fois irréductible et difficile à définir, avec l'avènement du capitalisme et de la civilisation moderne; la Révolution, enfin, qui, ayant changé les sujets en citoyens, a instauré à terme de nouveaux rapports entre la Nation et l'État.

Parmi les problèmes généraux de l'histoire de France, qui ont attiré l'attention de Lucien Febvre, une place de choix revient à celui, posé par Vidal de La Blache, de l'individualisation du territoire français. Dès 1908 et pendant presque quarante ans, il s'intéresse à la question des frontières. Le sujet est présent dans sa thèse qui se laisse lire entre autres comme une mise en lumière des facteurs dont le jeu a rendu «possible, facile et désirable» la conquête française de la Franche-Comté et, avec elle, la stabilisation d'un segment important de la frontière Est de la France. Et il est présent dans ses travaux des années vingt qui montrent que l'histoire des frontières coïncide avec celle de la formation de l'unité française, étudiée dans ses dimensions politique, économique et psychologique, et en prenant appui sur les données de la géographie[38].

Aboutissement de ces travaux: le livre sur le Rhin ou, conformément au titre de la première édition, sur le problème historique du Rhin. D'un côté, le fleuve, constante naturelle, même si son unité est l'œuvre des hommes qui, jadis, ont étendu le nom de *Renos* à certains cours d'eau choisis, en amont de Bâle, de manière à identifier le fil conducteur le plus direct entre la plaine du Pô et les pays du Nord. De l'autre côté, les fonctions et les significations variables, dont le fleuve fut investi par ses riverains successifs, et qui ont exercé une influence sur son aspect visible même. Telles sont les données du problème qui se laisse énoncer sous forme d'une question: comment le Rhin qui, dans son histoire la plus ancienne, est une route commerciale, route d'ambre et de sel attestée par les trouvailles des archéologues, par la toponymie, par les textes, est-il devenu aussi, sur une petite partie de son parcours, une frontière entre deux nations, dont l'importance est sans commune mesure avec sa longueur ?

Durant l'Antiquité et le haut Moyen Âge, trois ferments – Rome, le germanisme, l'Église – ont agi à tour de rôle sur les rives du Rhin. Des traces s'en sont superposées dans des villes qui s'égrènent tout au long du fleuve, de Bâle à Utrecht, et qui renaissent à partir du Xe siècle non de la mort, peut-être, mais de leur léthargie. Les anciennes cités épiscopales avec leurs adjonctions nouvelles, des bourgs marchands, forment les villes médiévales, ancêtres des nôtres, libérées, après des luttes, violentes parfois, de vieilles servitudes domaniales et devenues « creusets d'un droit nouveau, d'une moralité et d'une mentalité nouvelles ».

Or, « ces villes rhénanes ne sont pas *dans* des États. Elles sont elles-mêmes leurs propres États. Le Bâlois est bâlois, colonais le Colonais[39] ». Si elles se rattachent à une formation politique supérieure, c'est bien au Saint Empire romain germanique. Mais les unit et leur assure une place à part leur participation à une civilisation commune : la civilisation rhénane, originale malgré les emprunts à l'Angleterre, à l'Italie et à la France, et dont le rayonnement s'exerce grâce à ses universités, à sa peinture, à ses élans mystiques, à ses sectes et communautés religieuses – grâce à l'imprimerie, enfin, et au livre, qui assurent aux Rhénans, pour un temps, une place dominante sur le marché intellectuel du monde.

Civilisation insulaire, la Rhénanie des villes est entourée, toutefois, par une mer paysanne, apanage de la Rhénanie des princes, tout aussi morcelée et particulariste. À l'une et à l'autre, la Réforme apportera des divisions supplémentaires avant de provoquer, vers les bouches du fleuve, la séparation entre « l'unité catholique de ce qui sera l'État belge [et] l'unité calviniste de l'État néerlandais », cependant que, cette fois du côté des sources, « la Suisse s'achève, s'oppose de plus en plus à tout ce qui n'est pas elle[40] ». Des limites de la Suisse à celles des Pays-Bas, l'axe rhénan apparaît ainsi en tant que ligne de partage entre la France et les Allemagnes. Entre une nation organisée en État et une mosaïque de formations politiques gouvernées par des dynastes qui importent de France les modèles de leurs jardins et de leurs palais, leurs habits et leur argenterie, leurs maîtresses, leurs perruquiers, leurs officiers, leur langue et leurs mœurs.

C'est en réponse à l'implantation outre-Rhin de la civilisation française avec son caractère cosmopolite et ses prétentions à portée universelle, qu'« à la fin du XVIIIe siècle surgit le mythe glorieux d'un germanisme créateur, à la fois, du moyen âge (féodalité, chevalerie et gothique) – et du monde moderne (Luther, la Réforme, les droits de la conscience[41]) ». Et que se forme, aidé par un luthéranisme coloré de sentimentalité piétiste, le sentiment national allemand. France et Allemagne : sur les bords du Rhin, ce sont désormais deux nations qui se font face et deux cultures (voir ici même, «Une mémoire-frontière: l'Alsace»).

Au XVIIIe siècle encore, le Rhin n'était pas une frontière. Car «il n'y a pas frontière quand deux dynastes, campés sur des terrains qu'ils exploitent, plantent à frais communs quelques bornes armoriées au long d'un champ, ou tracent au milieu d'un fleuve une ligne idéale de séparation. Il y a frontière quand, passée cette ligne, on se trouve en présence d'un monde différent, d'un complexe d'idées, de sentiments, d'enthousiasmes qui surprennent et déconcertent l'étranger. Une frontière en d'autres termes – ce qui l'"engrave" puissamment dans la terre, ce ne sont ni des gendarmes, ni des douaniers, ni des canons derrière des remparts. Des sentiments, oui; des passions exaltées – et des haines[42]».

On les verra s'accumuler au XIXe siècle, suite, d'abord, à la Révolution française puis, après 1815, à l'arrivée sur le Rhin de la Prusse, porteuse de l'idée que, fleuve allemand, il ne saurait être une frontière de l'Allemagne; suite, plus tard, à la découverte d'un bassin houiller qui allait donner naissance à la plus forte agglomération industrielle de l'Europe centrale, et au changement de l'état d'esprit des habitants de la Rhénanie, qui, tout en restant des Rhénans, s'imprègnent de plus en plus du patriotisme allemand et tirent un nouvel orgueil de l'expansion économique de leur région et de sa prospérité croissante. C'est donc seulement au cours du XIXe siècle que le Rhin devient une frontière au sens plein de ce terme, pour cesser de l'être après 1870 et retrouver ce rôle après 1918.

Jamais réédité depuis plus d'un demi-siècle, introuvable et injustement oublié, *Le Problème historique du Rhin* avait besoin qu'on en rappelât les grandes lignes, pour montrer comment Lucien Febvre a démythifié un sujet brûlant, en opposant les données de l'histoire à l'image d'un Rhin, frontière naturelle, lieu prédestiné d'une lutte millénaire entre une France et une Allemagne éternellement hostiles. Mais la pointe polémique du livre est dirigée non seulement contre la projection dans le passé des réalités et des conflits d'aujourd'hui. Y est visée aussi une façon de pratiquer l'histoire politique qui la réduit à un récitatif d'opérations militaires et de tractations diplomatiques, qui en fait «une histoire sans problèmes, partant sans obscurités». L'intérêt de Lucien Febvre va, en revanche, aux liens qui assurent la cohésion des sociétés et aux relations qu'elles entretiennent les unes avec les autres. Ce qu'il veut saisir et décrire, mesurer et cartographier, ce sont les sentiments des populations, leur attachement aux traditions, leurs manières de se définir à travers leur comportement quotidien même, et de vivre les conflits internes à leurs sociétés et les affrontements avec des étrangers. À la recherche de ces attitudes profondes, rarement explicitées, attitudes non des individus mais des peuples, Lucien Febvre adopte la démarche du géographe qui s'appuie non seulement sur les textes mais aussi sur le regard qui sait lire la diversité des spectacles et des images – et sur la démarche de l'archéologue qui fait parler les vestiges de la culture matérielle. Aussi élargit-il grandement le répertoire de sources utilisables par l'histoire politique, en traduisant en termes d'une psychologie collective rétrospective les pièces réunies dans les musées, les tableaux et notamment les portraits, les monuments d'architecture et les paysages.

La même approche se retrouve dans le livre de Roger Dion consacré aux frontières de la France et tout aussi injustement oublié que le *Rhin* de Lucien Febvre. Limites primitives, frontières ethniques, frontières politiques : ces trois types de séparations, apparus en des périodes différentes, ont laissé des traces dans le paysage français. Ainsi ces forêts, jadis zones frontières entre les tribus gauloises, trouées de clairières, lieux de rencontres et d'échanges ; des toponymes désignent toujours des localités où se tenaient des assemblées ou des assises judiciaires. Ainsi des colonnes, mégalithes, arbres, fossés ou bornes, dont quelques spécimens ont survécu, ici ou là, à la destruction. Ainsi, enfin, des traces facilement perceptibles dans un milieu naturel homogène, laissées par l'existence pluriséculaire d'une frontière artificielle, de part et d'autre, par exemple, de la frontière septentrionale de la France, qui traverse la Flandre depuis le traité d'Utrecht, ou entre l'Alsace et le Palatinat rhénan, « profondément coupés l'une de l'autre malgré l'unité des aspects naturels, la similitude des productions et la communauté du langage[43] ».

À partir de sa typologie des frontières, Roger Dion montre d'abord le travail visant à substituer des limites précises aux marches forestières, commencé par l'administration romaine, poursuivi durant le haut Moyen Âge par les évêques et contrecarré par les féodaux qui ont introduit, dans les divisions territoriales de la France, une imprécision intentionnelle venue s'ajouter à une imprécision primitive, résultat d'une incomplète occupation du sol. Il explique ensuite les circonstances qui ont stabilisé la frontière ethnique de la Gaule sur les Alpes et les Pyrénées et celles qui ont conféré au Rhin les rôles contradictoires qu'il a joués au long des siècles. Vient enfin l'histoire des frontières politiques de la France depuis le traité de Verdun, en passant par la limite des « Quatre Rivières » (Escaut, Meuse, Saône, Rhône), jusqu'aux frontières modernes fondées sur la recherche des avantages militaires.

Ces limites linéaires, toutes conventionnelles et artificielles qu'elles paraissent, sont « devenues, à la longue, des séparations vraies et, dans certains cas même, d'infranchissables barrières. Le phénomène s'est accentué au fur et à mesure que l'action des gouvernements s'est fait sentir plus complètement et plus fortement sur toutes les formes de la vie économique et sociale ». Or, par le biais de l'action des gouvernements, ce sont des idéologies qui manifestent leur influence et leur capacité de diviser les hommes, bien plus que la diversité de genres de vie: «La ligne séparant, à travers une plaine tout unie, un pays démocratique d'avec un pays totalitaire peut être, en 1940, plus difficile à franchir qu'une formidable barrière de montagnes[44].» Pour Roger Dion comme pour Lucien Febvre la frontière ne devient intelligible qu'à la lumière d'une psychologie collective rétrospective.

Rois et serfs: le titre même de la thèse de Marc Bloch annonce les deux directions qu'il a explorées, avec une intensité inégale, pendant les trois décennies à peine que l'histoire de son temps lui a laissées pour étudier celle du passé. Si la formation de la France intéressait Lucien Febvre ou Roger Dion principalement dans sa dimension territoriale, Marc Bloch, pour sa part y voit surtout une suite de changements sociaux qui aboutissent à la constitution de la nation française. Sa thèse, certes, ne se donne que pour «un chapitre [...] de l'histoire financière des Capétiens[45]». Et elle montre en effet, comment, une fois constaté le mauvais rendement de la perception des droits serviles (mainmorte, formariage), la nécessité de parer aux déficits du Trésor poussa la monarchie à vendre aux serfs leur liberté, au point de faire de l'affranchissement, sous Philippe le Bel, «un expédient fiscal courant[46]». Histoire financière, donc, mais qui est à la fois celle du rôle de la royauté dans la disparition des différences de statut juridique entre divers groupes composant la population française du XIIe au début du XIVe siècle.

Ce n'est là qu'un fragment des recherches poursuivies par Marc Bloch, depuis l'article sur «Blanche de Castille et les serfs du chapitre de Paris» (1911) jusqu'à celui, posthume, sur la fin de l'esclavage antique (1947), et qui portent sur l'histoire de l'égalisation des conditions juridiques des Français au cours de quelque douze siècles: des Grandes Invasions à la Révolution. Plusieurs travaux dont, notamment, *La Société féodale* (1939-1940) étudient la destruction de l'organisation sociale ancienne sous les coups des invasions et l'apparition, durant le haut Moyen Âge, d'une multiplicité de statuts juridiques hiérarchisés qui, aux XIIe-XIIIe siècles, finissent par se répartir entre des classes héréditaires: la noblesse, primitivement divisée en plusieurs catégories, la bourgeoisie, les vilains, cependant que se parachève l'édification parallèle d'une hiérarchie cléricale dont les membres se recrutent parmi les hommes libres, toutes classes confondues.

Un deuxième groupe de travaux traite de la décomposition de ce système. Disparition de l'esclavage à des rythmes différents selon les conditions locales; disparition du servage, jamais menée à son terme, les serfs subsistant jusqu'au XVIIIe siècle même en France et même sur les terres du roi; dissolution du lien vassalique; révolution communale: tels sont les moments saillants du remplacement progressif et inachevé d'une bigarrure de statuts par la division des laïcs en nobles et roturiers, abolie à son tour par la Révolution française, coup dont elle ne se remettra plus. Dans cet avènement, en France, de l'égalité juridique, divers facteurs ont joué un rôle : l'Église, par sa condamnation de l'esclavage des chrétiens ; la monarchie, par sa politique fiscale qui a contribué à l'érosion du servage tant dans le domaine royal même qu'au-dehors ; les bourgeoisies qui, après s'être fait reconnaître une place dans la société, ont renforcé dans le plat pays la tendance à affranchir les serfs contre de l'argent et racheté massivement les seigneuries pendant la crise des XIVe et XVe siècles[47].

L'égalisation des conditions juridiques va donc de pair avec les progrès de la liberté individuelle dans les hautes couches de la société, évidemment, mais aussi tout en bas de la hiérarchie. Il est vrai que la « réaction féodale » a réussi à arrêter « le lent glissement par où, peu à peu, les classes paysannes semblaient échapper à l'emprise seigneuriale[48] ». Le pouvoir des seigneurs sur les paysans a été toutefois limité par la royauté dont le représentant dans chaque province se trouve, par nécessité même de sa fonction, « en rivalité perpétuelle avec la magistrature d'offices », émanation de la « classe seigneuriale », et avec les seigneurs pris en particulier, dont il doit « protéger les communautés rurales, matière imposable, s'il en fut[49] ». D'autre part, la révolution agricole, objet d'un article admirable, « La lutte pour l'individualisme agraire dans la France du XVIIIe siècle » (1930), a sinon aboli, du moins grandement affaibli les servitudes collectives, la soumission de chaque individu à la communauté villageoise, très contraignante en pays d'openfield. De ce fait, elle a renforcé davantage les inégalités économiques à l'intérieur de la paysannerie, dont l'importance allait croissant à mesure que s'égalisaient les conditions juridiques.

La lente gestation des nations modernes trouve son aboutissement quand le lien fondé sur la naissance à l'intérieur d'une même communauté de langage et de tradition, et qui occupe le même territoire, se voit conférer la primauté par rapport à tout autre. Quand il est assimilé aux liens de sang. Quand, avec ces derniers, il est le seul dont la loi reconnaît le caractère héréditaire. De ce point de vue, l'opposition est radicale entre la différence des statuts juridiques et l'inégalité économique. Posée comme héréditaire, la différence des statuts juridiques s'identifie, en effet, à la division de la société en groupes où l'appartenance détermine l'identité sociale des individus, ce qui ralentit, voire empêche, la propagation du sentiment national dans la population entière. Cela étant, les travaux de Marc Bloch consacrés à l'histoire sociale, pour autant qu'ils décrivent l'égalisation des conditions juridiques, le passage au premier plan des inégalités économiques et l'avènement de la liberté individuelle, se laissent lire, entre autres, comme des contributions à une histoire de la formation de la nation française à partir de groupes que presque tout distinguait, opposait même, au départ, et dont la dissolution, étendue sur plusieurs siècles, rendait possible une cristallisation concomitante du sentiment d'appartenance à une même communauté de langage, de tradition et de territoire, parmi les citadins et les ruraux, parmi les riches et les pauvres.

Dans l'œuvre de Marc Bloch, les rois occupent beaucoup moins de place que les serfs. Un seul livre leur est consacré qui fait l'histoire d'une composante importante du paysage politique français (et anglais) durant plusieurs siècles : la croyance dans leur pouvoir miraculeux de guérir les écrouelles. Or, ce pouvoir n'est qu'une manifestation spectaculaire du caractère surnaturel attribué traditionnellement à la royauté ; les vicissitudes de celle-ci se laissent donc reconstruire en étudiant les variations de celui-là. Mais l'histoire que Marc Bloch pratique dans *Les Rois thaumaturges* n'est ni celle des idées ni celle d'une liturgie. Elle choisit pour objet un comportement collectif de longue durée, qui nous paraît aberrant, et en établit la réalité spatiale et temporelle, pour essayer ensuite de l'expliquer. La démarche de Marc Bloch est ici anthropologique[50], son anthropologie, placée sous le signe de Frazer et de Lévi-Bruhl, étant une variante de la psychologie collective rétrospective.

Marc Bloch fait donc, dans *Les Rois thaumaturges*, une histoire anthropologico-psychologique de la monarchie française depuis le haut Moyen Âge jusqu'au règne de Charles X, dernier roi de France à avoir touché les scrofuleux. Une histoire de la monarchie française telle qu'elle était perçue et vécue par ses sujets dans la longue durée, abstraction faite des fluctuations conjoncturelles. Au départ, le roi n'est pas un homme comme les autres ; il diffère de ses sujets par la puissance surnaturelle qui l'habite. Et ce caractère sacré reconnu à sa personne est, surtout sous les premiers Capétiens, plus important que le pouvoir réel de la royauté, le vrai facteur qui lui permet de préserver le premier rang pour s'affirmer plus tard, les circonstances étant devenues propices, comme une grande puissance.

Rayonnante aux derniers siècles du Moyen Âge, la « foi monarchique », la « religion royale », commence petit à petit à décliner à partir de la Renaissance. « Apparentée à toute une conception de l'univers », elle subit le contre-coup de sa désintégration progressive et, surtout, de l'élimination du surnaturel. De plus, au XVIIIe siècle, « les “philosophes”, habituant l'opinion à ne plus considérer les souverains que comme des représentants héréditaires de l'État, la désaccoutumèrent en même temps de chercher en eux et, par conséquent, de trouver quoi que ce soit de merveilleux. On demande volontiers des miracles à un chef de droit divin, dont le pouvoir même a ses racines dans une sorte de sublime mystère ; on n'en demande pas à un fonctionnaire, si élevé que soit son rang et si indispensable que puisse paraître son rôle dans la chose publique[51] ».

L'histoire du pouvoir thaumaturgique attribué aux rois se trouve ainsi décrire un fait qui, en apparence marginal et anecdotique, est en réalité un aspect essentiel de l'égalisation des statuts juridiques : l'effacement du caractère surnaturel de la royauté. Or, privé de ce caractère, le roi n'est plus ce que furent ses ancêtres car, s'il occupe toujours le sommet de la hiérarchie politique, il ne la transcende pas ; la différence entre lui et ses sujets est désormais de degré seulement, non de nature. C'est pourquoi l'histoire du pouvoir thaumaturgique des rois décrit aussi une transformation très profonde des rapports entre le roi et la nation, du lien national et de la manière même de penser la nation et de la vivre.

Initialement, elle est unifiée par la royauté et c'est à la royauté – une royauté sacrée – qu'elle croit être redevable de son existence. Dans une société composée de groupes hétérogènes, le roi est à lui seul un tel groupe, différent essentiellement de tous les autres et, de ce fait, capable de les maintenir ensemble. À la fois laïc et prêtre, la liturgie du sacre ayant rassemblé « tout ce qui pouvait favoriser la confusion entre les deux rites presque semblables qui donnaient accès l'un à la prêtrise et l'autre à la royauté[52] », oint de l'huile de la sainte ampoule, avec son écusson aux fleurs de lis apportés du ciel et l'oriflamme lui aussi d'origine céleste, le roi de France assure l'intégrité et la prospérité, corporelle et spirituelle, de la nation française comme Dieu assure l'intégrité du monde créé. La nation française, c'est donc alors, tout naturellement, l'ensemble de ceux qui, sujets du roi de France, bénéficient à un titre éminent de sa puissance temporelle et surnaturelle, aussi différents soient-ils sous d'autres aspects – accidentels – les uns par rapport aux autres. Au terme de l'égalisation séculaire des statuts juridiques et de la désintégration de l'ensemble de croyances dont la royauté faisait l'objet, la nation française apparaît susceptible de contenir en elle-même le principe de sa cohésion et de sa stabilité. Elle est maintenant composée de tous ceux qui sont nés Français, ce qui veut dire qu'ils sont héréditairement liés, non à la monarchie mais, en priorité, à la langue française, à un ensemble déterminé de traditions, au territoire de la France et à l'État chargé d'en défendre l'intégrité et d'y maintenir l'ordre ; c'est grâce au consentement des Français que le roi est roi, qu'il les représente et les personnifie. Bref, au départ, la nation dépend du roi pour exister. À la veille de la Révolution, en revanche, c'est le roi qui dépend de la nation. Aussi n'est-il plus investi du pouvoir guérisseur. Le miracle royal est mort, avec la foi monarchique[53].

Apparemment isolé dans l'œuvre de Marc Bloch, le livre sur les rois thaumaturges s'inscrit en fait dans le droit-fil de ses recherches sur la formation de la nation française ou, pour reprendre ses propres termes, sur « l'histoire de la société française dans le cadre de la civilisation européenne ». Et il a des équivalents chez d'autres auteurs de la première génération des *Annales*. En 1932, Georges Lefebvre publie *La Grande Peur de 1789*. Quatre ans plus tard, Lucien Febvre intitule ses cours : *Croyance et incrédulité au* XVI*e siècle : la religion de Rabelais et de quelques autres*[54] ; ils seront à l'origine de trois livres, centrés respectivement autour de Rabelais, de Des Périers et de Marguerite de Navarre, mais qui évoquent aussi Guillaume Briçonnet, Étienne Dolet, Érasme, Luther et plusieurs personnages de moindre envergure[55]. Dans tous ces travaux, comme dans celui de Marc Bloch, au départ de la recherche il y a le constat de l'inintelligibilité d'un comportement collectif passé, si l'on impute aux acteurs une psychologie telle que la nôtre. Ainsi en est-il du recours auprès du roi de France (ou d'Angleterre) pour se faire guérir des écrouelles; des émeutes, révoltes paysannes et paniques, qui ont secoué la France en 1789; de la coexistence d'attitudes pour nous incompatibles à l'égard du sacré et du profane chez plusieurs écrivains français du XVIe siècle, dont on ne sait s'ils étaient «plaisantins ou mystiques, évangélistes ou libertins, déistes ou athées[56]».

Tous ces livres décrivent un comportement supposé aberrant, en déterminent les limites temporelles et l'extension spatiale, en montrent les variations en fonction des circonstances, en identifient socialement et géographiquement les acteurs. Tous explicitent la croyance qu'il exprime et que nous avons peine à comprendre, qu'il s'agisse du pouvoir guérisseur des rois, des brigands répandus dans les campagnes ou du complot aristocratique, ou encore de la vérité de l'enseignement du christianisme et plus particulièrement de l'Église catholique. Tous, enfin, essayent d'expliquer les comportements et les croyances, en les intégrant dans un cadre mental d'ensemble et dans des situations vécues. Ce faisant, ils leur confèrent un sens, comme on en confère un aux éléments d'un paysage quand on les replace dans l'histoire dont ils sont les vestiges. La psychologie collective rétrospective de la première génération des *Annales* est une géographie historique de l'esprit humain.

L'Ancien Régime : économie et population

Les fondateurs des *Annales* s'intéressaient principalement à l'histoire des sociétés et des civilisations. Même quand ils se tournaient vers l'histoire économique proprement dite – dans leurs travaux mineurs, en général –, ils demandaient l'explication des faits à la psychologie collective rétrospective qui, pour eux, comme pour nombre d'historiens de leur génération et de leur milieu, avait la vocation de rendre le passé intelligible. D'autres attribuaient, toutefois, ce rôle non à la psychologie mais à l'économie rétrospective; il est vrai que les considérations psychologiques n'en étaient pas absentes. Ainsi François Simiand (1873-1935) dont les travaux, au demeurant, ont été recommandés aux lecteurs des *Annales* par Lucien Febvre et à ceux de la *Revue historique* par Marc Bloch[57].

Ce fut toutefois le livre d'Ernest Labrousse, intitulé modestement *Esquisse du mouvement des prix et des revenus en France au XVIIIe siècle*, qui a exercé une forte impression sur les historiens, en particulier de la troisième génération des *Annales*. Placée sous l'invocation de Simiand, l'*Esquisse* était non seulement plus abordable que les travaux de ce dernier, réputés pour leur difficulté, elle avait aussi le mérite de montrer que l'étude du mouvement des prix et des revenus éclaire plusieurs aspects de l'histoire de France. S'y trouve posée, en effet, la question de l'influence de ce mouvement sur les doctrines économiques, les institutions et les événements, et notamment sur le déclenchement et le rythme de la Révolution française. Rien d'étonnant, donc, que le compte rendu de cet ouvrage – et de trois livres de Simiand, par la même occasion – porte dans les *Annales* le titre: «Le mouvement des prix et les origines de la Révolution française»; il était signé Georges Lefebvre[58]. Mais Labrousse ne se limite pas à poser la question. Il donne aussi une réponse qui, résumée d'une phrase, constate: «La conjoncture économique a créé pour une large part la conjoncture révolutionnaire[59].» La réserve introduite dans cette phrase témoigne du désir de Labrousse d'éviter une explication unilatéralement économique de la Révolution. Il n'en reste pas moins que celle-ci, pour devenir intelligible, doit, selon lui, être reconduite principalement à l'économie où s'opère la reproduction de la vie matérielle des hommes et où, pour cette raison, le conflit des classes se manifeste avec une acuité particulière. Or, l'intensité de ce conflit entre les classes sociales définies par leur revenu, subit des variations concomitantes à celles des prix, rentes et salaires, qui font s'appauvrir certaines classes et s'enrichir d'autres, et s'exprime à son tour dans les changements des opinions, attitudes et comportements politiques. Trois mouvements qui, conjointement, mais en ordre dispersé, affectent les prix et les revenus – mouvement de longue durée, oscillations cycliques, variations saisonnières –, s'affaiblissent parfois réciproquement ou se neutralisent. Mais lorsqu'ils atteignent leurs maxima à peu près à la même date, il en résulte quasi inéluctablement une crise sociale majeure qui devient une crise politique; ainsi en 1789. C'est un tel raisonnement, réduit ici à l'état de schéma, qui aboutit à la conclusion qu'on vient d'évoquer.

Onze ans après l'*Esquisse*, Labrousse publie un livre dont le titre même associe les deux termes: «crise» et «Révolution[60]». Salué dans les *Annales* par un compte rendu enthousiaste de Lucien Febvre[61], ce livre a profondément influencé l'orientation future des recherches non seulement s'agissant de l'histoire du XVIIIe siècle mais de celle de la période entière comprise entre la fin du XVe et le début du XIXe. Faisant la synthèse des observations consignées dans l'*Esquisse* à propos, notamment, du mouvement cyclique du salaire, Labrousse introduit, en effet, dans son nouveau livre un concept qui s'est avéré d'une très grande fécondité: celui de la «crise économique de l'ancien type».

Dans une économie « essentiellement caractérisée par le coût élevé des transports, la prédominance du secteur rural, l'inélasticité générale de la production et la part énorme du pain dans les dépenses populaires », une mauvaise récolte entraîne toute une cascade de conséquences : effondrement de la production destinée à la vente, chute des revenus des agriculteurs et flambée des prix céréaliers, qui, elle, confère à la crise une portée générale car elle atteint l'ensemble des revenus dans le milieu rural. D'où une contraction du débouché que sont les campagnes pour les produits de la ville et une surproduction industrielle relative, surtout dans le textile, avec la baisse des prix, l'écroulement des profits et des salaires, la montée du chômage. Conséquences : réduction de la consommation des produits industriels dans le milieu urbain même, croissance du nombre de mendiants et de vagabonds, ralentissement de la construction. Le recul économique affecte ainsi tous les secteurs de la production et se répercute sur le niveau de vie de la population à la seule exception des privilégiés[62].

L'économie que caractérisent les traits énumérés par Labrousse a existé pendant des siècles. Et c'est pendant des siècles que se répétaient, à des intervalles irréguliers, les crises économiques de type ancien. Or, de tels phénomènes de longue durée que les historiens ne savaient pas traiter et auxquels, en général, ils n'étaient même pas sensibles entrent avec éclat dans leur champ de vision à partir de la publication, en 1949, de la thèse de Fernand Braudel. Parallèlement à Dion qui, à la même époque, conduit à son terme l'intégration de l'histoire à la géographie, en ressuscitant une géographie historique complètement renouvelée par rapport à ce qu'elle fut au XIXe siècle, Braudel, lui, parachève l'intégration de la géographie à l'histoire, commencée par les fondateurs des *Annales*. Pleinement conscient de l'originalité de sa démarche, il a forgé pour la capter un néologisme, le mot « géohistoire », abandonné depuis, mais qui a frappé ses premiers lecteurs au point d'être repris dans les titres de plusieurs comptes rendus de *La Méditerranée*[63]

> De la traditionnelle géographie historique à la Longnon, vouée presque uniquement à l'étude des frontières d'états et de circonscriptions administratives sans souci de la terre elle-même, du climat, du sol, des plantes et des bêtes, des genres de vie et des activités ouvrières, faire si l'on veut [...] une véritable géographie humaine rétrospective ; obliger ainsi les géographes (ce qui serait relativement facile) à prêter plus d'attention au temps et les historiens (ce qui serait plus malaisé) à s'inquiéter davantage de l'espace et de ce qu'il supporte, de ce qu'il engendre, de ce qu'il facilite et de ce qu'il contrarie – d'un mot les amener à tenir un compte suffisant de sa formidable permanence : telle serait l'ambition de cette *géohistoire* dont nous

osons à peine prononcer le nom; telle est l'ambition certaine de ce livre et, à nos yeux, sa raison d'être véritable, la justification de son action en faveur d'une convergence des deux sciences sociales, l'histoire et la géographie, qu'il n'y a aucun avantage à séparer l'une de l'autre[64].

«Formidable permanence»: jusqu'à la révolution industrielle des XVIIIe - XIXe siècles, l'environnement ne changeait presque pas à l'échelle du temps des hommes. Soumis pour leur part à un rythme rapide, les événements semblaient donc n'avoir aucun lien avec les qualités de l'espace où ils se produisaient. Les tableaux géographiques ou les introductions géographiques à l'histoire ne faisaient ainsi que décrire la scène qui ne fournissait qu'un cadre neutre au déroulement de la pièce. Ce problème, que Febvre a abordé dans sa thèse, sans toutefois l'énoncer clairement et sans le résoudre, n'est pas revenu par la suite car les événements étaient absents des *Caractères originaux* de Bloch. Mais était-il possible de les passer sous silence, en parlant de la Méditerranée au XVIe siècle et plus particulièrement dans sa seconde moitié? Pouvait-on ne pas évoquer les négociations et les batailles, et notamment celle de Lépante, qui sont une composante essentielle de la vie méditerranéenne durant cette époque? Il fallait donc leur faire leur part, tout en dégageant leurs liens avec l'espace qui les voyait se produire. Bref, parachever l'intégration de la géographie à l'histoire signifiait en termes pratiques: trouver un moyen de faire tenir ensemble la quasi-invariance de l'une et la précipitation de l'autre.
La solution de Braudel consiste d'abord à traiter le milieu naturel comme un partenaire des activités humaines et à voir dans le caractère répétitif de celles-ci l'expression de l'invariance tant de ce milieu même que de l'outillage matériel et mental mis en œuvre par les hommes pour l'adapter à leurs besoins et s'adapter à ses contraintes. Mais, pour répétitives qu'elles soient, ces activités qui permettent aux hommes d'exister et de se reproduire ne sauraient être maintenues en dehors de l'histoire, dût-on, pour les y introduire, en modifier l'idée même. C'est ce que Braudel n'hésite pas à faire, en introduisant dès la préface de son livre, la notion d'«une histoire quasi immobile, celle de l'homme dans ses rapports avec le milieu qui l'entoure; une histoire lente à couler, à se transformer, faite souvent de retours insistants, de cycles sans cesse recommencés».
Mais le problème initial n'est pas résolu pour autant, même si les deux termes n'en sont plus aussi éloignés qu'au départ. Et c'est en ce point qu'entrent en scène la démographie, l'économie, la sociologie. Car, entre l'immobile et l'événementiel, le rôle du moyen terme est conféré par Braudel aux populations divisées, d'une part, en groupes qui produisent, consomment et

échangent, et, de l'autre, en hiérarchies diverses, tout en étant réparties entre multiples communautés linguistiques ou religieuses, unités territoriales, organisations politiques. Leurs conflits participent de l'« histoire lentement rythmée », domaine des oscillations irrégulières, en général pluriannuelles voire pluridécennales, des flux et reflux démographiques, des montées et descentes des indicateurs d'activités économiques. Et ils participent aussi de l'« histoire traditionnelle [...] à la dimension non de l'homme mais de l'individu » qui laisse toujours sur les choses une empreinte caractéristique de lui seul. De l'« histoire événementielle[65] ».

En proposant à Braudel d'abandonner son sujet de thèse : *La Politique méditerranéenne de Philippe II,* au profit d'un « sujet autrement grand » : *La Méditerranée et Philippe II,* Lucien Febvre énonçait, sous une forme non encore explicitée, le problème de l'intégration de la géographie à l'histoire, de la coordination d'une durée et d'une suite d'événements[66]. Braudel le résout moyennant « une décomposition de l'histoire en plans étagés. Ou, si l'on veut, [...] la distinction, dans le temps de l'histoire, d'un temps géographique, d'un temps social, d'un temps individuel[67] ». C'était là le point de départ d'un approfondissement de la réflexion sur l'histoire, qui devait aboutir à séparer une « histoire structurale » d'une « histoire conjoncturelle » et les deux d'une « histoire événementielle ». Dès 1950, dans le cours qu'il fait au Collège de France, Braudel introduit tous ces termes et pose la question des méthodes et des procédés, qui permettent de « dessiner la conjoncture, puis au-delà atteindre les structures[68] ». Et, à partir de 1952, ses cours prennent pour thème les « résultats et méthodes de l'économie historique » qu'il s'agit de constituer, en appliquant au passé les démarches, « valables surtout dans l'actuel », de la démographie et de l'économie[69].

L'influence conjointe de Labrousse et de Braudel déplace l'intérêt des historiens vers les structures et les conjonctures – vers ces dernières, surtout, auxquelles l'enseignement des deux maîtres attribue un rôle médiateur entre les structures et l'événementiel. Et elle la déplace de ce fait vers l'économie et la démographie historiques appelées à jeter un pont entre, d'un côté, la géographie – de l'espace physique ou de l'esprit humain –, et, de l'autre, la culture et la politique. S'ensuit un renouvellement du répertoire de questions avec lesquelles on aborde l'histoire de France. Elles portent maintenant sur les faits mis en lumière par le concept de la crise économique de type ancien, sur lequel se greffe la distinction entre structure et conjoncture.

Selon Labrousse, une telle crise commence toujours par une chute brutale de l'offre des céréales, composante essentielle de l'alimentation populaire, cependant que la demande croît encore ou reste constante. L'offre est déterminée par la production qui dépend à son tour de l'état des techniques agricoles et des conditions climatiques ; là où la production ne couvre pas les besoins locaux, l'offre dépend aussi des moyens de combler le déficit (capitaux, routes ou voies d'eau, transports, etc.). Quant à la demande effective, elle dépend du nombre d'hommes, de la structure démographique, des habitudes alimentaires ; dans certains cas, aussi, du pouvoir d'achat, tributaire entre autres de la disponibilité des moyens de paiement. En mettant en lumière le jeu des facteurs dont il suffit qu'un seul soit perturbé pour que se produise une rupture de l'équilibre, toujours fragile, entre l'offre et la demande des biens de subsistance, le concept de la crise de type ancien fonctionne comme une sorte de programme de recherches en histoire économique de la France.

Ce programme a été rapidement étendu à l'histoire de la population, un lien ayant été établi dès 1944 entre les « hausses brutales de prix » et « une augmentation des décès et simultanément [...] une baisse des conceptions, c'est-à-dire des naissances décalées de neuf mois[70] ». Or, la répétition de tels accidents est symptomatique d'une structure. Elle caractérise l'Ancien Régime économique et démographique. Aussi faut-il, pour la comprendre, reconnaître en priorité les barrières de toute nature, qui, pendant des siècles, ont imposé à la croissance de la production agricole un plafond qu'elle ne parvenait pas à franchir et laissaient, partant, l'équilibre entre l'offre et la demande des céréales à la merci des circonstances, fluctuations climatiques ou guerres, qui suffisaient à déclencher des crises. Derrière les conjonctures, on retrouve ainsi les structures ; derrière les oscillations périodiques, les faits de longue durée.

Le programme issu des enseignements de Labrousse et de Braudel conduit ainsi à s'intéresser en tout premier lieu à la production agricole, variable cruciale, et à identifier tous les facteurs qui la déterminent. C'est à quoi s'est appliqué Jean Meuvret dans son travail exemplaire sur le problème des subsistances à l'époque de Louis XIV. Il y étudie les aspects techniques de la production des céréales : l'outillage aratoire et les façons culturales, les engrais et les amendements, les semailles, les moissons. Un deuxième livre, toujours inédit, traite de la production des céréales dans ses rapports avec la société rurale, du poids des privilèges, de la répartition sociale des terres arables, des entreprises agricoles, de différents modes d'exploitation et de différents types d'exploitants. Jean Meuvret a abordé aussi dans ses recherches le commerce des grains et le mouvement des prix des céréales – c'est dans ce contexte qu'il s'occupe des crises de subsistance – et il a envisagé de couronner son travail par une partie consacrée à la police des grains et à l'administration monarchique[71].

Parallèlement à ce travail pionnier, paru longtemps après la mort de l'auteur mais connu dans ses grandes lignes bien avant, d'autres recherches ont porté sur la production agricole. Ainsi, une vaste enquête a eu pour objet les fluctuations du produit de la dîme, censées permettre, moyennant une analyse critique, d'évaluer celles de la production agricole même[72]. Ainsi, encore, le travail d'Hugues Neveu sur les grains du Cambrésis, inspiré à la fois par Meuvret et par Braudel, et qui a consisté à dégager les tendances longues de la production des céréales à partir des données décimales[73]. On s'est intéressé aussi aux défrichements, au déboisement, aux pâturages et à l'élevage, source principale d'engrais et à ce titre facteur essentiel de rendements agricoles, à la forêt, enfin, si importante pour l'ancienne économie ; en témoignent plusieurs volumes de la collection « Les hommes et la terre » publiée par le Centre de recherches historiques de la VIe section de l'E.P.H.E.[74].

Si Jean Meuvret était l'homme du blé, Roger Dion, lui, est devenu l'homme du vin. Pas le seul, certes, le sujet ayant été traité, pour le XVIIIe siècle, par Ernest Labrousse et ayant suscité nombre de contributions de moindre envergure. Mais Roger Dion a porté l'histoire du vin à un niveau qu'elle n'avait pas auparavant. Comme toujours, la démarche de l'auteur est celle d'un géographe-historien. Aussi son livre commence-t-il par une introduction à la géographie viticole de la France. La suivent trois parties. La première traite de la vigne et du vin dans la Gaule jusqu'aux Grandes Invasions et de la survie de la viticulture, après l'arrivée des Germains, sous la triple protection des évêques, des moines et des princes. La deuxième étudie, un par un, les grands vignobles commerciaux du Moyen Âge ; y sont pris en compte les aspects politiques de la viticulture, les aspects techniques de la production et du commerce du vin et les aspects culturels de la consommation. Enfin, la troisième partie décrit l'adaptation de la production vinicole aux besoins de la société moderne. Cette histoire de la vigne et du vin, qui en met en jeu toutes les dimensions, est à sa manière une histoire de France ou, mieux, une histoire des Français en tant que producteurs, vendeurs et buveurs du vin, avec les divisions sociales spécifiques qu'il suscite et qui s'inscrivent dans l'espace, les habitudes qu'il crée, la sociabilité qu'il induit, les rituels auxquels il donne naissance et les influences qu'il exerce sur presque tous les domaines de la vie du pays[75].

Déjà terminées ou commencées seulement entre 1945 et la fin des années soixante, toutes ces recherches sur la production agricole et vinicole vont de pair avec celles, plus rares, qui ont pour objet l'industrie et celles, très nombreuses, en revanche, qui portent sur les entreprises commerciales, les foires, le crédit et les banques, en reconstruisant les flux des échanges à partir des lettres marchandes, des registres portuaires, des documents notariaux, des comptabilités des péages et des octrois. Les résultats en remplissent plusieurs dizaines de volumes publiés dans les collections de l'E.P.H.E. : « Affaires et gens d'affaires », « Ports-Routes-Trafics », « Monnaie-Prix-Conjoncture. »

Parmi ces travaux, une place à part revient à l'œuvre de Pierre Chaunu consacrée aux structures et aux conjonctures de l'Atlantique espagnol et hispano-américain ; encore un exemple de la double influence de Braudel et de Labrousse. Les sources, ici, sont sévillanes. Les renseignements qu'elles fournissent portent sur le mouvement des navires espagnols. Mais les conclusions concernent l'histoire de France. Le livre montre en effet que le trafic dans l'Atlantique espagnol joue pour l'économie européenne le rôle de « secteur dominant » dont les fluctuations se répercutent partout ailleurs. En particulier, c'est le déclin du trafic dans l'Atlantique qui explique le renversement de la direction du *trend* séculaire : passage d'une hausse des prix, caractéristique du XVIe siècle, à une longue baisse qui remplit le XVIIe[76]. Le tournant que d'autres historiens des *Annales* constatent alors en France se trouve ainsi résulter d'une onde de choc, qui traverse l'Europe entière. Le même problème de l'intégration de l'économie française dans l'économie mondiale et de l'influence de celle-ci sur celle-là est abordé aussi par Frank C. Spooner à travers une étude des frappes monétaires de 1493 à 1680[77].

Les thèmes qu'on vient de passer en revue ont été étudiés chacun à part. Mais ils se rencontraient aussi et s'articulaient l'un sur l'autre dans les monographies régionales où apparaît mieux le rôle du concept de la crise de type ancien et de la distinction entre structure et conjoncture. Ainsi, la thèse de René Baehrel sur la Basse-Provence part des mouvements longs des prix, de l'alternance des hausses et des baisses, des symptômes. Ceux-ci décrits, il s'agit de proposer un diagnostic. Première question : qu'en est-il de la production agricole : des récoltes de blé, de vin, d'huile, des superficies cultivées, de l'élevage ? Deuxième question : qu'en est-il du nombre d'hommes ? Était-il soumis à des fluctuations et, dans l'affirmative, concordaient-elles avec celles des prix ou avec celles de la production, si les deux étaient discordantes ? Troisième question : qu'en est-il des trésoreries des communautés et des particuliers, c'est-à-dire du niveau de l'épargne, qui détermine le pouvoir d'achat et les capacités d'investir ?

Après les trois questions sur les conjonctures de l'offre et de la demande, la quatrième porte sur les structures : sont-elles bien restées les mêmes tout au long de deux siècles pris en considération ? Il s'agit des structures géographiques : ouverture vers le continent ou vers la mer ; des structures démographiques : pyramide d'âge, mortalité, migrations ; des structures économiques : moyens de production, régimes de propriété ; des structures sociales : répartition en catégories sociales, leur richesse respective ; des structures institutionnelles et d'abord de la seigneurie ; des structures mentales, enfin, telles que la foi monarchique, fondement des impôts, la foi en Dieu, fondement de la dîme et les attitudes à l'égard de la hiérarchie sociale[78].

Parue un an avant la thèse de René Baehrel, celle de Pierre Goubert montre une réalisation différente du même programme: l'accent tombe ici non sur l'« économie historique statistique » mais sur la démographie. « Véritable préface à la connaissance des hommes du Beauvaisis, elle introduit aux problèmes économiques et aux problèmes sociaux [...] elle pourrait aussi introduire aux problèmes de mentalité et même de piété [...][79]. » En un mot, sa position est centrale. Au point de départ de l'histoire de Pierre Goubert se trouve donc le contraste entre l'état « naturel » de la population et les crises extrêmement violentes dont elle est victime, caractéristique de l'ancien régime démographique. En appliquant aux registres paroissiaux la méthode de reconstitution des familles, œuvre de Louis Henry[80], il établit le coefficient de fécondité, celui de mortalité infantile et juvénile et le taux de remplacement des générations, ce qui met en évidence la fragilité de l'équilibre démographique. Celui-ci s'écroule pendant les bouffées de mortalité, qu'accompagne la chute du nombre de mariages et de « conceptions » (naissances décalées de neuf mois), et qui affectent surtout les enfants et les jeunes. Tous ces traits de la structure démographique de type ancien, révélés par un fait de conjoncture – par les crises démographiques, effets des crises économiques de type ancien – s'estompent après 1740, laissant place à une structure démographique nouvelle.

C'est donc tout naturellement, les crises assurant la jonction, que Pierre Goubert passe des structures démographiques aux structures économiques: communications, production agricole, manufacture textile, paiements et place de la monnaie. Vient alors une analyse détaillée des structures sociales, rurales et urbaines, appréhendées sous leur aspect quantitatif et en tant que hiérarchies. Après la description des structures qui occupe plus de la moitié du livre, le moment vient de se tourner vers les fluctuations conjoncturelles des prix confrontées avec les mouvements de la rente, des salaires, de la production textile urbaine et de l'emploi. Le livre se termine par une esquisse de la conjoncture démographique.

Le premier, Emmanuel Le Roy Ladurie a réussi une synthèse, du point de vue démographique et du point de vue économique, de Goubert et de Baehrel dont il a mis en lumière l'importance et l'originalité[81]. Cela grâce à une triple généralisation du concept labroussien de la crise de type ancien, revu au préalable par Meuvret. Le Roy tient compte, en effet, non seulement de la production des grains mais de l'ensemble de la production agricole, « pondérée et corrigée de façon à indiquer le *trend* du revenu agricole réel [...] intégrant tous les types de producteurs et toutes les catégories de la production ». Il prend en considération, en deuxième lieu, non seulement le secteur commercialisé de l'économie rurale mais l'ensemble de celle-ci, en y incluant les unités autoconsommatrices, « les grands domaines, les lopins indépendants ou d'appoint, les domestiques payés en nature ». Et, en troisième lieu, il étudie le jeu de l'offre et de la demande et leur résultante: la consommation, avec ses incidences sur la santé et la reproduction, non dans le temps court mais à l'échelle d'un cycle multiséculaire[82].

Ce n'est pas là, tant s'en faut, le seul apport de *Paysans de Languedoc*. Le Roy commence en effet par le climat, objet d'une recherche très poussée et sans précédent, qui lui fournit la matière d'un volume à part[83]. Il passe ensuite aux plantes et aux techniques, enfin aux hommes dont les migrations sont à l'origine des brassages génétiques et culturels. Toute la première partie du livre se concentre donc sur l'articulation du donné climatique et biologique et de l'apport de l'histoire, sur les actions et les réactions des forces qui impriment à l'espace languedocien ses caractères propres. Étudiées dans cet espace, les fluctuations longues du produit brut et de la population, entre la seconde moitié du XIVe et la fin du XVIIe siècle, sont cependant constamment replacées dans l'environnement français et international. Chose rendue possible par les travaux cités ou évoqués ici et dont Le Roy intègre les résultats dans sa synthèse.

Il y insiste, de plus, non seulement sur les changements provoqués par les fluctuations économiques dans la vie de différentes catégories sociales, mais encore, et c'est une grande nouveauté, sur la prise de conscience par les «classes inférieures» de leur situation et sur les conflits qui les opposent aux bénéficiaires de la rente, de la dîme et du profit. Dans ce contexte, Le Roy prend en considération les facteurs religieux et culturels: la pénétration de l'écriture, la propagation de la Réforme, les coutumes locales, les croyances populaires, les comportements traditionnels. Au questionnaire braudélo-labroussien se superposent donc ici les intérêts éveillés par le marxisme découvert au P.C.F., chez Labrousse et dans le livre de Porchnev[84] ainsi que les curiosités suscitées par les idées de Lévi-Strauss. Le titre du livre l'indique déjà à travers l'allusion qu'il comporte aux travaux de Jules Sion et de Georges Lefebvre: la synthèse des points de vue démographique et économique se fait ici sous le triple patronage de la géographie, d'une sociologie mettant au centre les classes sociales et d'une ethnologie à tendance structuraliste. C'est la promotion des deux dernières au rang occupé jusqu'alors par l'économie qui devait contribuer, dans les années soixante-dix, à un renouvellement du questionnaire des historiens.

Natalité et mentalité. Le Moyen Âge

Sous l'influence convergente de Braudel et de Labrousse, les historiens de la troisième génération des *Annales* ont orienté, en majorité, leurs recherches vers l'ancien régime démographique et économique du XVe au XVIIIe siècle.

Entre la fin de la guerre et la fin des années soixante, il a fait objet de leur part d'un grand nombre de publications, plus grand probablement que toute autre formation historique. Et d'un nombre impressionnant de thèses. Il a aussi donné lieu à quelques soutenances retentissantes, véritables événements culturels, depuis celle de Braudel, en passant par celles de Chaunu et de Goubert, jusqu'à celle de Le Roy Ladurie. Le cliché n'en est pas moins doublement faux qui identifie l'histoire pratiquée dans le milieu des *Annales* après la guerre à celle des structures et des conjonctures économiques, démographiques et sociales des trois derniers siècles de l'Ancien Régime. D'une part, en effet, on n'y a jamais complètement abandonné la psychologie collective rétrospective. Et, de l'autre, on n'a pas cessé de s'intéresser au Moyen Âge et au XIXe siècle. Dans l'impossibilité de faire une histoire plus détaillée de ces recherches, limitons-nous à en évoquer les principaux auteurs et les travaux les plus significatifs.

« La natalité exprime la mentalité[85]. » L'affaiblissement de la France, que traduit, entre autres, sa « fécondité régressive » doit donc être reconduit au développement d'une certaine mentalité – en l'occurrence de la mentalité bourgeoise, caractérisée par le refus de la modernité. Ces idées, que Charles Morazé expose dès 1946 et qu'il approfondit dans ses travaux ultérieurs sur l'histoire de la bourgeoisie française au XIXe siècle, procèdent de la conviction que c'est la psychologie collective rétrospective qui a vocation à rendre l'histoire intelligible. Il y sera rejoint par Robert Mandrou, plus jeune et travaillant sur l'histoire des mentalités et des sentiments du XVIe et du XVIIe siècle. L'*Introduction à la France moderne* de Mandrou essaie ainsi de décrire les structures et les conjonctures mentales de cette période, en partant, comme *La France bourgeoise* de Morazé, d'une analyse de l'« homme physique » (alimentation, environnement, santé, maladie, démographie) et de l'« homme psychique » (sens, sensations, émotions, passions, outillage mental et attitudes fondamentales), pour passer ensuite aux milieux sociaux et aux types d'activités humaines[86]. *Magistrats et sorciers* étudie la révolution mentale qui, après l'épidémie de la sorcellerie au XVIe siècle et quelques causes célèbres du début du XVIIe, a abouti à l'abandon des poursuites judiciaires contre les sorciers[87]. Complète ces travaux une mise en lumière des caractères de la culture populaire française des XVIe et XVIIe siècles, telle qu'elle se laisse lire dans la littérature de colportage, ce qui permet de mesurer la distance entre cette culture et la culture savante de la même époque[88].

« La natalité exprime la mentalité. » Lecteur de *La France bourgeoise*, Philippe Ariès reprend ce postulat à son compte : « Les statistiques démographiques nous éclairent sur la manière de vivre des hommes, la conception qu'ils ont d'eux-mêmes, de leur propre corps, de leur existence familière : *leur attitude devant la vie*[89]. » Le livre qui, tout entier, illustre ces paroles programmatiques, fut passé sous silence par les *Annales*. Il a fallu attendre 1961 pour les voir s'intéresser à son auteur[90]. Mais l'intérêt de Philippe Ariès pour l'histoire pratiquée par Marc Bloch et Lucien Febvre remonte aux premières années de la guerre ; ses travaux et ses souvenirs montrent qu'il ne s'est jamais démenti par la suite[91]. Sans avoir fait partie du milieu des *Annales*, Ariès en était très proche dans sa démarche d'historien. Et on peut d'autant moins l'en isoler qu'il a exercé sur les historiens des Annales une influence comparable seulement à celle qu'a eue dans son temps l'enseignement de Braudel et celui de Labrousse.

Ce furent en effet les travaux d'Ariès qui ouvrirent tout un domaine où le biologique et le socioculturel s'interpénètrent et interagissent. Et qui montrèrent comment étudier les pratiques sexuelles, les stades du développement individuel, la vie familiale, la mort[92]. Il est vrai que Lucien Febvre attirait l'attention sur ces objets et qu'il a inspiré les recherches sur la mort d'Alberto Tenenti[93]. Mais c'est seulement à partir des publications d'Ariès – on en entend des échos notamment chez Goubert et chez Le Roy Ladurie – qu'on peut dater l'apparition d'un courant dont les représentants ont mis la démographie historique au service d'une psychologie collective rétrospective et, ce faisant, ont renouvelé, à la suite d'Ariès lui-même, les contenus et les méthodes de cette dernière. Marginal au départ, ce courant s'affirme dès la seconde moitié des années soixante. En témoignent les volumes des *Annales de démographie historique* et les travaux de Michel Vovelle sur la piété et sur la mort[94], de François Lebrun aussi sur la mort[95] ou de Jean-Louis Flandrin sur la famille, la sexualité, la contraception[96].

Passons vite sur les XIXe et XXe siècles, relativement peu fréquentés par les historiens de la troisième génération des *Annales*, de même que sur la Révolution française ; plus qu'ailleurs, ils s'écartaient, dans ce domaine, de leurs prédécesseurs ; à cet égard, un Jean Bouvier, un François Crouzet ou un François Furet, par exemple, faisaient plutôt figure d'exceptions. Dans les études médiévales, en revanche, la continuité était préservée, non sans déplacements, toutefois. Les médiévistes de la deuxième génération des *Annales* s'intéressaient en effet prioritairement à l'histoire économique : à la vie rurale, comme André Déléage, un élève de Marc Bloch, prématurément disparu[97], mais surtout à l'économie marchande. Ainsi Philippe Wolff met au centre de ses recherches les commerces et les marchands, les foires, la fiscalité et l'économie urbaine[98], l'œuvre d'Yves Renouard traite pour l'essentiel des grandes compagnies commerciales et bancaires, des hommes d'affaires, des vins et des vignobles[99], tandis que les travaux de Maurice Lombard sont consacrés aux routes, aux matières premières – bois, métaux –, aux produits tels que les tissus, à la monnaie[100].

Or, contrairement à leurs aînés, les médiévistes de la troisième génération des *Annales* semblent avoir délaissé l'économie pour la société et, plus encore, pour la civilisation. C'est ce qu'illustrent deux trajets parallèles, bien que légèrement décalés dans le temps: celui de Georges Duby et celui de Jacques Le Goff. Le premier commence par une monographie: *La Société aux XIe et XIIe siècles dans la région mâconnaise* (1953), exemple type d'une sociologie rétrospective dans la tradition de Marc Bloch. Puis, tout en poursuivant les recherches sur l'économie rurale et la vie des campagnes[101], Georges Duby s'oriente de plus en plus vers une histoire qui, aux renseignements tirés des sources documentaires, ajoute ceux des monuments d'art, figurés et écrits, en intégrant, dans une étude d'ensemble des transformations de la société médiévale, les images que les hommes se font d'eux-même et des autres[102]. Jacques Le Goff, pour sa part, après s'être intéressé aux groupes les plus novateurs de la société urbaine du Moyen Âge, aux marchands, aux banquiers, aux intellectuels[103], consacre l'essentiel de ses travaux à la civilisation médiévale appréhendée à partir des œuvres qui expriment les mentalités, les croyances, les sentiments de cette époque[104].

Au début des années soixante, le Centre de recherches historiques de la VIe section de l'E.P.H.E. a organisé une enquête sur les villages désertés, dont les résultats ont paru en 1965 et en 1970. Ces volumes austères montrent bien la persistance de plusieurs traits symptomatiques, on l'a vu, de ce qu'il est permis d'appeler l'esprit des *Annales*: recours à un travail collectif et programmé, conduit non seulement en France mais à l'échelle internationale, de façon à obtenir des résultats comparables; intérêt pour les nouvelles techniques: photographie aérienne, fouilles de sites datant du Moyen Âge; approche pluridisciplinaire, les villages désertés ayant été étudiés dans la perspective de la démographie, de la géographie, de l'histoire rurale et de celle de la culture matérielle; décloisonnement de l'histoire même du fait de la coopération des médiévistes avec les historiens de l'époque moderne sur une période comprise entre le XIe et le XVIIIe siècle[105]. Mais c'est son objet même – ensemble de villages désertés – qui rend cette enquête emblématique de l'approche de l'histoire en général et de celle de la France en particulier, propre au milieu des *Annales* pendant les quatre décennies dont il vient d'être question.
Cette approche consistait, en effet, à se détourner des objets – événements, institutions, individus – dont le souvenir reste vif dans la mémoire nationale, pour partir à la recherche de ceux qui ont été oubliés et surtout de ceux qui n'ont même pas pu l'être car, dans leur temps, personne n'en a pris conscience. Les villages désertés, réduits à des traces non identifiables en tant que telles si l'on ne sait pas les lire, mais, une fois reconnues, comptées, cartographiées,

fouillées, livrant quantité de renseignements introuvables ailleurs sur la vie d'autrefois, sont donc un symbole adéquat de tout ce passé éliminé de la mémoire nationale ou qu'elle n'a jamais recueilli. Et qui a attiré les historiens des *Annales*, formés à l'école de la géographie vidalienne. Légitimation et promotion des sources non écrites et, parmi les sources écrites, de celles dont on ne savait jusqu'alors tirer profit, changement d'attitude aussi à l'égard des textes de type traditionnel – la rupture avec le dogme fondamental établissait précisément de nouveaux rapports entre l'histoire savante qui l'opérait et la mémoire nationale, en situant celle-là à l'extérieur de celle-ci.

Abordée avec des questions puisées non dans le sens commun mais dans les sciences sociales et qui obligeaient à trouver de nouvelles sources et de nouvelles techniques pour ouvrir l'accès à de nouveaux objets, l'histoire de France reconstruite par les historiens des *Annales* se présentait sous des aspects inédits. Rien n'y était naturel. Tout était problème, y compris ce qui semblait depuis toujours aller de soi : le tracé des frontières et l'existence même de la nation telle qu'elle est. Mais si Marc Bloch et Lucien Febvre s'écartaient déjà du droit chemin de la tradition, les travaux consacrés aux thèmes censés faire partie de l'histoire de France et produits dans le sillage de Fernand Braudel et d'Ernest Labrousse ne pouvaient provoquer chez l'honnête homme, amateur du passé, que le sentiment de dépaysement parmi les courbes et les graphiques, les structures, les conjonctures et les modèles. La distance entre l'histoire des *Annales* et la mémoire nationale a atteint alors son maximum.

Nous savons maintenant que c'était là le prix – probablement excessif, mais pouvait-on le savoir à l'avancc ? – payé pour un prodigieux enrichissement non seulement de l'histoire savante, mais de la mémoire nationale qui en a grandement bénéficié, elle aussi. L'image du passé que désormais elle véhicule n'est plus celle de quelques individus exceptionnels. Ni celle, contraire, dont ils étaient bannis. C'est celle de Louis XIV, certes, mais avec les vingt millions de Français – pour reprendre un titre de Pierre Goubert –, corporels et sexués, avec leurs façons de naître, de vivre et de mourir, leur environnement familial et familier, leur pain quotidien et leur vin de fête, leurs croyances, leurs espoirs, leurs angoisses. Et ce n'est plus l'image de quelques dizaines d'événements spectaculaires mais d'abord – ce qui ne veut pas dire exclusivement – celle de travaux et de jours avec tout ce qu'ils comportent d'invariable, de répétitif, de monotone. Que les temps soient propices aux synthèses, c'est ce qu'atteste la prolifération imminente d'histoires de France où les résultats des historiens des *Annales* sont mis à la portée du grand public.

Mais toute synthèse est provisoire, à moins que l'histoire soit finie. Et, dans l'ombre, des innovations se préparent peut-être qui, un jour, de nouveau, remettront tout en cause. Pourquoi pas ici-même ?

1. *Cf.* François Simiand, «Méthode historique et science sociale. Étude critique d'après les ouvrages récents de M. Lacombe et de M. Seignobos», *Revue de synthèse historique,* t. VI 1903, pp. 1-22 et 129-157.

2. Marc Bloch et Lucien Febvre, «À nos lecteurs», *Annales,* t. I, 1929, pp. 1-2.

3. Calculé d'après Maurice-A. Arnould, Vingt années d'histoire économique et sociale. *Table analytique des Annales fondées* par Marc Bloch et Lucien Febvre (1929-1948), Paris, Association Marc-Bloch, 1953.

4. Henk L. Wesseling, «The *Annales* School and the Writing of Contemporary History», *Review,* vol. I, n° 3/4, 1978, pp. 185-194.

5. M. Bloch et L. Febvre, *op. cit.*

6. *Cf.* L. Febvre, «Henri Pirenne à travers deux de ses œuvres» (1927) *in* Id., *Combats pour l'histoire,* Paris, Armand Colin, 1965, pp. 357-369. M. Bloch, «Henri Pirenne, historien de la Belgique», *Annales,* t. IV, 1932, pp. 478-481.

7. L. Febvre, «Albert Mathiez, un tempérament, une éducation» (1932) *in* Id., *Combats pour l'histoire, op. cit.,* p. 343.

8. L. Febvre, «Face au vent. Manifeste des Annales Nouvelles» (1946), *ibid.,* p. 38.

9. Paul Vidal de La Blache, «La conception actuelle de l'enseignement de la géographie» *in* Le Dantec et al., *L'Enseignement des sciences naturelles et de la géographie, Conférences du Musée pédagogique,* 1905, Paris, 1905, p. 117.

10. *Cf.* P. Vidal de La Blache, *Tableau de la géographie de la France (*1903), Paris, Tallandier, 1979, plus particulièrement pp. 93-94.

11. *Cf.* Albert Demangeon, *Les Sources de la géographie de la France aux Archives nationales,* Paris, 1905. Max Sorre, *Étude critique des sources de l'histoire de la viticulture et du commerce des vins et eaux-de-vie en Bas-Languedoc au XVIII*e *siècle,* Paris, 1913. André Allix, *Un pays de haute montagne. L'Oisans,* Paris, 1929 et Id., *L'Oisans au Moyen Âge,* Paris, 1922. Jules Sion, *Les paysans de la Normandie orientale,* Paris, 1909.

12. *Cf.* Henri Berr, «La synthèse des études relatives aux régions de la France», *Revue de synthèse historique,* t. VI, 1903, pp. 166-181.

13. *Cf.* L. Barrau-Dihigo, *La Gascogne,* Paris, Éd. du Cerf, 1903.

14. *Cf.* L. Febvre, *La Franche-Comté,* Paris, Éd. du Cerf, 1905. Louis Villat, Le Velay, Paris, Éd. du Cerf, 1908. M. Bloch, *L'Île-de-France (les pays autour de Paris),* Paris, Éd. du Cerf, 1913.

15. L. Febvre, «Marc Bloch et Strasbourg» (1945) *in* Id., *Combats pour l'histoire, op. cit.,* p. 394.

16. Id., *Philippe II et la Franche-Comté* (1912), Paris, Flammarion, 1970, pp. 13, 30-31.

17. *Ibid.,* p. 198.

18. Id., *La Terre et l'évolution humaine (*1922), Paris, 1970, Albin Michel, p. 69.

19. *Cf.* le brouillon d'une lettre de Lucien Febvre à la maison Armand Colin, Strasbourg, 29 février 1928, cité *in* Lucien Febvre 1878-1956, *Catalogue de l'exposition,* Bibliothèque nationale, Paris, 1978, p. 27, n° 39.

20. *Cf.* Étienne Juilliard, André Meynier, Xavier de Planhol, Gilles Sautter, *Structures agraires et paysages ruraux. Un quart de siècle de recherches françaises,* Nancy, 1957 (*Annales de l'Est,* mémoire n° 17).

21. M. Bloch, *Les Caractères originaux de l'histoire rurale française* (1931), Paris, Armand Colin, 1976, p. 154.

22. Gaston Roupnel, *Histoire de la campagne française,* Paris, Grasset, 1932, p. 106.

23. M. Bloch, *Les Caractères originaux..., op. cit.,* p. 250.

24. Id., *ibid.,* p. 251.

25. G. Roupnel, *op. cit.*, p. 314.

26. *Cf.* Roger Dion, *Le Val de Loire. Étude de géographie régionale*, Tours, Arrault, 1933, p. 457 *sq.*

27. Id., *ibid.*, p. 490.

28. Id., *Essai sur la formation du paysage rural français* (1934), Paris, Éd. Guy Surrier, 1981, pp. 92-93.

29. *Ibid.*, p. 93.

30. Paru dans *Publications de la Société de géographie de Lille*, 1946, pp. 6-80.

31. *Cf.* Max Derruau, *La Grande Limagne auvergnate et bourbonnaise. Étude géographique, Clermont-Ferrand*, 1949, en particulier p. 405.

32. *Cf.* L. Febvre, «Cadre et substance en géographie», *Annales*, t. V, 1950, pp. 539-541. R. Dion, «Réflexions de méthode à propos de La Grande Limagne de Max Derruau», *Annales de géographie*, t. LX, 1951, pp. 25-33.

33. *Cf.* L. Febvre, «Ni Histoire à Thèse ni Histoire-Manuel. Entre Benda et Seignobos» (1933) *in* Id., *Combats pour l'histoire, op. cit.*, pp. 82-89.

34. *Cf.* M. Bloch, *Apologie pour l'histoire ou le métier d'historien*, Paris, 1964 5, Armand Colin, p. 101 (note de L. Febvre).

35. *Cf. Annuaire du Collège de France*, 1943 (en fait 1940-1941), pp. 105-108; 1945, pp. 125-131; 1946, p. 151; 1947, pp. 167-168.

36. *Cf.* M. Bloch, *La France sous les derniers Capétiens, 1223-1328* (1937-1938), Paris, Armand Colin, 1964. L. Febvre, «Les principaux aspects d'une civilisation. La première Renaissance française: quatre prises de vue» (1925) *in* Id., *Pour une Histoire à part entière*, Paris, S.E.V.P.E.N., 1962, pp. 529-603. Fernand Braudel *in Annuaire du Collège de France*, 1954, pp. 282-283; 1955, pp. 274-276.

37. L. Febvre, «Ni Histoire à Thèse ni Histoire-Manuel», *op. cit.*, pp. 97-98.

38. *Cf.* Id., «Frontière: limites et divisions territoriales de la France en 1789» (1908) et «Frontière: le mot et la notion» (1928) *in*, *Pour une Histoire à part entière, op. cit.*, p. 11 *sq.* Id., *La Terre et l'évolution humaine, op. cit.*, p. 323 sq.

39. A. Demangeon et L. Febvre, *Le Rhin. Problèmes d'histoire et d'économie*, Paris, Armand Colin, 1935, p. 81.

40. Id., *ibid.*, p. 113.

41. *Ibid.*, p. 123.

42. *Ibid.*, p. 129.

43. R. Dion, *Les Frontières de la France*, Paris, Hachette, 1947, fig. 17 et pp. 102-104, 105.

44. Id., *ibid.*, pp. 105-106.

45. M. Bloch, *Rois et serfs. Un chapitre d'histoire capétienne*, Paris, 1920, p. 10.

46. Id., *ibid.*, p. 113.

47. *Cf.* Id., *Les Caractères originaux…, op. cit.*, surtout p. 107 *sq.* et les articles réunis *in* Id., *Mélanges historiques*, Paris, S.E.V.P.E.N., 1963, IVe partie: «Le servage dans la société européenne», p. 261 *sq.* et VIe partie: «Vie rurale», p. 565 *sq.*

48. Id., *Les Caractères originaux…, op. cit.*, p. 153.

49. *Ibid.*, p. 139.

50. *Cf.* la préface de Jacques Le Goff à la réédition de M. Bloch, *Les Rois thaumaturges. Étude sur le caractère surnaturel attribué à la puissance royale particulièrement en France et en Angleterre* (1924), Paris, Gallimard, 1983, surtout p. XXXIV *sq.*

51. Id., *ibid.*, p. 359.

52. *Ibid.*, p. 72.

53. *Ibid.*, p. 401-402.

54. *Cf. Annuaire du Collège de France*, 1937, pp. 137-140 ; 1938, pp. 143-144.

55. *Cf.* L. Febvre, *Le Problème de l'incroyance au* XVI*e* *siècle. La religion de Rabelais*, Paris, Albin Michel, 1942 ; Id., *Origène et des Périers ou l'énigme du Cymbalum Mundi*, Paris, Droz, 1942 ; Id., *Autour de l'Heptaméron. Amour sacré, amour profane*, Paris, Gallimard, 1944.

56. Id., *in Annuaire du Collège de France*, 1937, p. 138.

57. *Cf.* Id., « Pour les historiens un livre de chevet : le cours d'économie politique de Simiand » (1930-1933) *in Pour une Histoire à part entière, op. cit.*, pp. 185-203 ; M. Bloch, « Le salaire et les fluctuations économiques à longue période » (1934) *in Mélanges historiques, op. cit.*, pp. 890-914.

58. *Cf. Annales*, t. IX, 1938, pp. 139-170.

59. Ernest Labrousse, *Esquisse du mouvement des prix et des revenus en France au* XVIII*e* *siècle*, Paris, Dalloz, 1932, p. 640.

60. *Cf.* Id., *La Crise de l'économie française à la fin de l'Ancien Régime et au début de la Révolution*, Paris, 1944.

61. *Cf.* L. Febvre, « Vignes, vins et vignerons » (1947) *in Pour une Histoire à part entière, op. cit.*, pp. 255-264.

62. *Cf.* E. Labrousse, *Esquisse…, op. cit.*, p. 513 *sq.* et *La Crise…, op. cit.*, pp. 173-181.

63. *Cf.* Ruggiero Romano, *Tra storici ed economisti*, Turin, Einaudi, 1982, pp. 53-56.

64. F. Braudel, *La Méditerranée et le monde méditerranéen à l'époque de Philippe II*, Paris, Armand Colin, 1949, p. 296.

65. Id., *ibid.*, p. XIII.

66. *Cf.* L. Febvre, « La Méditerranée et le monde méditerranéen à l'époque de Philippe II » (1950) *in Pour une Histoire à part entière, op. cit.*, pp. 167-179.

67. F. Braudel, *La Méditerranée…, op. cit.*, p. XIV.

68. *Annuaire du Collège de France*, 1951, p. 238.

69. *Ibid.*, 1953, p. 251.

70. Jean Meuvret, « Les mouvements des prix de 1661 à 1715 et leurs répercussions » (1944) *in* Id., *Études d'histoire économique*, Paris, Armand Colin, 1971, p. 95.

71. *Cf.* Id., *Le Problème des subsistances à l'époque de Louis XIV*, Paris, E.H.E.S.S. et Mouton, 1977, 2 vol.

72. *Cf.* Joseph Goy et Emmanuel Le Roy Ladurie, éd., *Les Fluctuations du produit de la dîme. Conjoncture décimale et domaniale de la fin du Moyen Âge au* XVIII*e* *siècle*, Paris, Mouton, 1972.

73. *Cf.* Hugues Neveux, *Vie et déclin d'une structure économique. Les grains du Cambrésis (fin du* XIV*e* *– début du* XVII*e* *siècle)*, Paris, E.H.E.S.S., 1980.

74. *Cf.* Éditions de l'École des hautes études en sciences sociales, *Catalogue d'ouvrages 1986*, pp. 48-49.

75. *Cf.* R. Dion, *Histoire de la vigne et du vin en France des origines au* XIX*e* *siècle*, Paris, 1959 ; Georges Duby, « Une synthèse : le vignoble français », *Annales*, t. XVI, 1961, pp. 122-126

76. *Cf.* Pierre Chaunu, *Séville et l'Atlantique* (1504-1650), IIe partie : *Structures et conjonctures de l'Atlantique espagnol et hispano-américain* (1504-1650), Paris, S.E.V.P.E.N., 1959, 3 vol. ; t. VIII, 2, 1 (de l'ensemble), pp. 19-20, VIII, 2, 2, p. 1566 *sq.*

77. *Cf.* Frank C. Spooner, *L'Économie mondiale et les frappes monétaires en France* (1493-1680), Paris, S.E.V.P.E.N., 1956.

78. *Cf.* René Baehrel, *Une croissance: La Basse-Provence rurale (fin du XVIe siècle-1789)*, Paris, S.E.V.P.E.N., 1961.

79. Pierre Goubert, Beauvais et le Beauvaisis de 1600 à 1730, contribution à l'histoire sociale de la France du XVIIe siècle, Paris, S.E.V.P.E.N., 1960 (cité d'après l'édition abrégée: *Cent mille provinciaux au XVIIe siècle*, Paris, Flammarion, coll. «Champs», 1968, pp. 104-105).

80. *Cf.* Louis Henry et Michel Fleury, *Des registres paroissiaux à l'histoire de la population. Manuel de dépouillement et d'exploitation de l'état civil ancien*, Paris, 1956; L. Henry et Étienne Gautier, *La Population de Crulai, paroisse normande. Étude historique*, Paris, 1958.

81. *Cf.* E. Le Roy Ladurie, «Voies nouvelles pour l'histoire rurale: XVIe-XVIIIe siècles», *Annales*, t. XX, 1965, pp. 1268-1280.

82. Id., *Les Paysans de Languedoc (1960)*, Paris, Mouton, 1966; ici t. I pp. 548-549.

83. Id., *Histoire du climat depuis l'an mil*, Paris, Flammarion, 1967.

84. *Cf.* Id., *Paris-Montpellier*, Paris, Gallimard, 1982.

85. Charles Morazé, *La France bourgeoise XVIIIe-XXe siècles*, Paris, Armand Colin, 1952, p. 113.

86. *Cf.* Robert Mandrou, Introduction à la France moderne (1500-1640). *Essai de psychologie historique*, Paris, Albin Michel, 1961.

87. *Cf.* Id., *Magistrats et sorciers en France au XVIIe siècle. Une analyse de psychologie historique*, Paris, Plon, 1968.

88. *Cf.* Id., *De la culture populaire aux XVIIe et XVIIIe siècles.* La Bibliothèque bleue de Troyes, Paris, Plon, 1964.

89. Philippe Ariès, *Histoire des populations françaises et de leurs attitudes devant la vie depuis le XVIIIe siècle*, (1948), Paris, Éd. du Seuil, 1971, p. 15.

90. *Cf.* Alain Besançon, «Histoire et psychanalyse» et Jean-Louis Flandrin, «Enfance et société», *Annales*, t. XIX, 1964, pp. 237-249 et 322-329.

91. *Cf.* Ph. Ariès, *Les Traditions sociales dans les pays de France*, Paris, 1943; Id., *Un historien du dimanche*, Paris, Éd. du Seuil, 1980.

92. *Cf.* Id., *L'Enfant et la vie familiale sous l'Ancien Régime*, Paris, Plon, 1960; Id., *Essais sur l'histoire de la mort en Occident du Moyen Âge à nos jours*, Paris, Éd. du Seuil, 1975; Id., *L'Homme devant la mort*, Paris, Éd. du Seuil, 1977.

93. *Cf.* Alberto Tenenti, *La Vie et la mort à travers l'art du XVe siècle*, Paris, Armand Colin, 1952; Id., *Il senso della morte e l'amore della vita nel Rinascimento* (Francia e Italia), Turin, Einaudi, 1957.

94. *Cf.* Michel Vovelle, *Piété baroque et déchristianisation: les attitudes devant la mort en Provence au XVIIIe siècle*, Paris, Plon, 1973; id., *Mourir autrefois, les attitudes devant la mort aux XVIIe et XVIIIe siècles*, Paris, Gallimard, Julliard, coll. «Archives», 1974.

95. *Cf.* François Lebrun, *Les Hommes et la mort en Anjou aux XVIIe et XVIIIe siècles. Essai de démographie et psychologie historiques*, Paris-La Haye, Mouton, 1971.

96. *Cf.* J.-L. Flandrin, *L'Église et le contrôle des naissances*, Paris, 1970; Id., *Les Amours paysannes. Amour et sexualité dans les campagnes de l'Ancienne France (XVIe-XIXe siècles)*, Paris, Gallimard, Julliard, coll. «Archives», 1975; Id., *Familles. Parenté, maison, sexualité dans l'ancienne société*, Paris, Hachette, 1976.

97. *Cf.* André Déléage, *La Vie rurale en Bourgogne jusqu'au début du XIe siècle*, Mâcon, 1941, 3 vol.

98. *Cf.* Philippe Wolff, *Commerce et marchands de Toulouse (vers 1350-vers 1450)*, Paris, Plon, 1954.

99. *Cf.* Yves Renouard, *Études d'histoire médiévale*, Paris, S.E.V.P.E.N., 1968; sa bibliographie s'y trouve p. 1121 *sq.*

100. *Cf.* J. Le Goff, «Maurice Lombard: le maître», *Annales,* t. XXI, 1966, pp. 714-716 et Maurice Lombard, *Études d'économie médiévale,* Paris-La Haye, E.H.E.S.S. et Mouton, 1971-1978, 3 vol.

101. *Cf.* G. Duby, *L'Économie rurale et la vie des campagnes dans l'Occident médiéval,* Paris, Aubier, 1962, 2 vol.

102. *Cf.* Id., *Adolescence de la chrétienté,* Genève, Skira, 1966; Id., *L'Europe des cathédrales,* 1966,; Id., *Fondements d'un nouvel humanisme,* 1967.

103. *Cf.* J. Le Goff, *Marchands et banquiers au Moyen Âge,* Paris, 1956; Id., *Les Intellectuels au Moyen Âge,* Paris, Éd. du Seuil, coll. «Le temps qui court», 1957.

104. *Cf.* Id., *La Civilisation de l'Occident médiéval,* Paris, Arthaud, 1965 et les articles réunis *in Pour un autre Moyen Âge,* Paris, Gallimard, 1977.

105. *Cf. Villages désertés et histoire économique. XIe-XVIIIe siècle,* Paris, S.E.V.P.E.N., 1965. *Archéologie du village déserté,* Paris, S.E.V.P.E.N., 1970, 2 vol.

LA NATION

1. L'IMMATÉRIEL

Paysages

Le paysage, ce « monument historique », selon la formule d'un prisonnier de l'archéologie aérienne (René Agache), à quoi l'on doit qu'un champ celtique ou un village gaulois réapparaissent à la surface visible du XXe siècle. Le plus moderne restituant le plus archaïque…
Mais à qui appartient le paysage, cet espace élaboré par les forces conjuguées de la nature, de l'homme et du temps ? Au géographe, qui se tourne vers l'historien ? Au voyageur ? À l'arpenteur, au photographe, à l'écrivain ?
Le paysage appartient aux sens, donc peut-être d'abord à celui qui le regarde et le traduit, le peintre, auquel on a le moins pensé. Mais, dans cette France de toutes les couleurs, y a-t-il un paysage « national » ? Le *Tableau de la France* de Michelet a-t-il eu ses tableaux de la France ? La réponse n'est pas simple ni univoquc ; cllc méritait d'être posée.
Cette évidence des formes les plus communes de la connaissance est pourtant, à l'autre bout du spectre, le fruit inconscient de tous les savoirs qui s'y nouent : savoirs statistique, topographique, cartographique, géologique, historique. Il n'est de paysage qu'à travers sa propre critique.
Le peintre et le savant : leur découverte simultanée d'un paysage national est contemporaine de l'essor du rail et du tourisme. D'où ces Guides-Joanne, qui ont tant fait au XIXe siècle pour la conscience charnelle de la France, pour l'enracinement des lieux dans leurs histoire, pour le découpage de l'espace en régions fortement individualisées.
Diversité naturelle contre unité, unité nationale *parce que* diversité ? Vidal de la Blache est au cœur de cette problématique essentielle. Homme charnière qui tient de Michelet la perception organique de la France, il fonde la géographie humaine du XXe siècle. Et son *Tableau de la géographie de la France* est tout entier tendu par cette question insoluble et féconde : comment fait-on de l'un et de l'indivisible à partir du multiple et du fragmenté ?

Pierre Nora 1986

F R A N Ç O I S E   C A C H I N

Le paysage du peintre

Fermons les yeux. Évoquons le paysage français. Les images passent : souvenirs privés, séquences de films, tableaux. Défilent au hasard des champs de blé, des bords de rivières, une vache près d'une mare, un canal où passe une péniche, un carré de choux, une route bordée d'arbres, un clocher à travers des branches, une falaise à Étretat, Antibes dans la brume. Images confusément nourries de tableaux de Sisley, Cézanne, Pissarro, Corot, Courbet, Monet, de films de Jean Vigo ou de souvenirs de vacances. Pas d'images archétypes. Pourtant, si on resserre un peu le kaléidoscope de la mémoire autour de l'idée de « typiquement français », une sorte de cliché se forme : un paysage légèrement vallonné où serpente une route, un clocher de village dans le fond, et un pré derrière un rideau d'arbres à demi tiré. Image qui peut se situer n'importe où, dans les deux tiers de la France, au Nord ou dans le Sud-Ouest. Dans sa résonance terrienne et rassurante, l'inconscient collectif peut trouver un symbole de rassemblement paisible, le décor de la tradition. Image édifiante, image électorale : ce n'est pas un hasard si ce fut celle de l'affiche du vainqueur des élections présidentielles de 1981[1]. Elle appelle d'autres clichés, verbaux, comme « bien de chez nous », « la terre ne ment pas », « la France à l'heure de son clocher », au fumet pétainiste et comme digestif. Ce sont d'ailleurs les associations d'idées que veulent susciter les publicités télévisées en faisant onduler les champs de blé et mugir quelques bestiaux, pour vendre fromages ou saucissons, ou promouvoir un appareil électroménager par la mère Denis. Plus le produit est industriel, plus l'image est archaïsante.

Dans la mémoire collective d'un peuple autrefois et longtemps majoritairement rural, aujourd'hui urbanisé, le paysage peint fait appel à un lointain passé familial. Nombreux parmi nous, même après plusieurs générations citadines, ceux qui ont entendu parler d'une aïeule mythique, si vaillante qu'elle n'accouchait qu'une fois son champ de trèfle coupé ou sa vache traite.

« Suivez-moi ! gardez votre confiance dans la France éternelle », Philippe Pétain, 1940. Affiche de Villemot.

«La force tranquille, François Mitterrand président», 1981. Affiche de l'agence Roux-Séguéla.

Dans les chansons et locutions populaires, le paysage est le lieu de la sieste amoureuse «couchés dans le foin/avec le soleil pour témoin», comme du repos définitif: le dernier regard de Mandrin sur le point d'être pendu, c'est «du haut de ma potence/je regardais la France». Enfin, notre paysage nous recouvre définitivement quand on «mange les pissenlits par la racine»!
Toutes ces images en appellent évidemment à un passé rural, lorsque celui-ci n'est plus, précisément, qu'un lieu de mémoire; la popularité immense du paysage peint coïncide avec l'urbanisation massive, tout au long du XIXe siècle. Le triomphe des paysagistes de Barbizon, puis, dans le dernier tiers du siècle, l'omniprésence du thème chez les impressionnistes sont contemporains des premières grandes vagues de l'exode rural et du développement du chemin de fer. L'engouement pour le paysage peint paraît évidemment lié à un double mouvement: celui des campagnes vers les cités, dans un sens, et, dans l'autre, le développement du tourisme, la facilité des transports.
L'émergence et le succès des représentations du paysage français recoupent également la progression des mouvements régionalistes, lancés en littérature par George Sand, et qui s'exprimeront dans toutes les provinces dans le dernier tiers du siècle, du félibrige de Mistral aux sabots bretonnants de Gauguin – mouvements institutionnalisés par le premier congrès régionaliste en 1883.
Or, la question clé consiste à se demander pourquoi, précisément en France, il a fallu attendre si longtemps pour que le paysage national, sous sa forme peinte, pénètre véritablement la sensibilité bien après ses voisins, en particulier nordiques. Deux raisons paraissent évidentes. Tout d'abord, une nation de si longue tradition paysanne, immergée dans la réalité quotidienne de la campagne, ne pouvait concevoir un paysage emblématique; et d'autant moins que l'extrême diversité du paysage français permet, *a priori*, difficilement à une image unique de symboliser le pays. L'image mentale de la France est d'abord abstraite, historique, allégorique. Après tout, la carte coloriée, aux contours relativement peu changeants au cours du temps, a été le visage de la France pour des générations d'écoliers. Elle offre une forme convaincante, unifiant toutes les différences: de climat, de végétation, de types physiques, de langage, de mentalités, de couleur du ciel – dans un contour à la forme géométrique, équilibrée, satisfaisante pour l'esprit dans sa concentration qui n'exclut pas quelques découpages agités et facétieux au nord-ouest, et fermée comme un poing qui contiendrait ses déconcertantes variétés. L'hexagone des géographes recoupe heureusement une exigence d'unité.
Les images peintes du paysage français prendront lentement leur identité, se chargeront de signaux de reconnaissance seulement lorsque, en rayonnant peu à peu autour du cœur centralisateur, de Paris et de l'Île-de-France, et,

plus largement, de la Loire à la Manche, elles pourront proposer une image unificatrice, à travers les visions concrètes du pays. Tout se passe comme si le paysage le plus représentatif était le décor garant d'une durée, d'un enracinement chronologique sur les lieux mêmes du foyer central de l'histoire nationale, où se mêlent la nature et les marques du temps.

Or, cette cristallisation du paysage français intervient très tard en Europe : il y avait un paysage allemand dès le XVe siècle – la forêt –, hollandais, dès le XVIe siècle – une route, un moulin, une marine, sous un même immense ciel ; il y a aussi un paysage anglais de sensibilité nationale : grands arbres au-dessus d'une herbe au vert inimitable, nature travaillée pour sa beauté et non pour son rendement, vue par l'œil du squire et non celui du paysan. La raison en est-elle qu'il s'agissait de nations de bourgeois, de marchands, de navigateurs, ou de nobles terriens, alors que l'ordre classique et le pouvoir royal impriment en France, de la Renaissance à la fin du XVIIIe siècle leur modèle centralisateur et idéal, pénétré d'Antiquité ? Une esthétique de cour et de sociabilité privilégie la peinture de portrait et d'histoire. Le paysage-miroir d'un pays ne pouvait, comme aux Pays-Bas et en Angleterre, se concevoir que dans un univers plus démocratique, plus homogène ethniquement et géographiquement, et moins lié à l'idéal de la raison. La nature et les origines divisent, individualisent ; le modèle moral et esthétique français se construit depuis la Renaissance sur tout ce qui transcende les différences, et rayonne à partir de la cour.

En France longtemps la nature ne sera tolérée qu'idéalisée, épurée par la distance ou le temps, les paysagistes français classiques, comme Poussin ou le Lorrain, peignent l'Italie ou un paysage idéal inspiré de la nature romaine. Le triomphe de ce paysage raisonné, c'est le parc de Versailles, où l'ordre divin, la mythologie imagée et symbolique organisent une nature contrôlée, civilisée, véritablement régentée.

Le paysage français en peinture apparaît très précisément au moment où disparaît ce jardin « à la française », qui imposait un ordre à la nature. C'est à la fin du XVIIIe siècle, au moment où l'Angleterre nous transmet le goût du parc « naturel », qu'apparaît une nouvelle image idyllique et « sensible » de la campagne : ce n'est plus l'endroit où s'attache au sol le travail paysan ni le décor forestier où passent les chasses, mais une campagne « à rêver », la campagne d'un tiers état éclairé, à mi-chemin entre l'univers rustique du cultivateur et le cosmos idéal du parc à la Le Nôtre. Cette manière de « recyclage » sociologique de la campagne française, qui produira la grande époque de la peinture du paysage national, s'épanouira au début du XIXe siècle, quand, dans la sensibilité, la culture du Nord prendra le pas sur celle de l'Italie et du modèle antique, et l'idéal démocratique sur le modèle royal.

En effet, la peinture française de paysage ne prendra sa place prépondérante dans l'histoire de l'art qu'avec le mouvement «réaliste» et l'esthétique démocratique du XIXe siècle, au moment même où se développe une histoire nationale qui se veut plus celle d'un peuple et d'un lieu que celle du roi et du ciel. Son essor est lié de très près au mouvement des idées contemporaines, quand la volonté de peindre un paysage réel, à la fois miroir du quotidien et lieu d'enracinement, se substitue progressivement – de la fin du XVIIIe siècle aux années 1830 – au modèle idéalisé, «historique», au cadre métaphorique d'une scène biblique ou mythologique. Désenchanté, le paysage devenait environnement naturel, en lui-même motif de lyrisme et de méditation, école de vérité, de modestie, et décor où se ressource la permanence nationale. Barbizon avait remplacé Versailles.

Le lien est essentiel, structurel, entre l'identité nationale et l'art du paysage, pendant un temps relativement court, disons de l'école de Barbizon à Bonnard, avec une pointe aux beaux moments de l'impressionnisme et du postimpressionnisme – *grosso modo* des années trente-quarante du siècle précédent aux débuts du nôtre. Or, cette chronologie correspond à un moment clé de la cristallisation d'une identité. Le mouvement pictural contemporain en est une des formes, et pas seulement, comme on le voit traditionnellement, de Barbizon aux impressionnistes, une transcription impulsive du réel par des sensibilités individuelles.

Ce lien, certainement vécu en toute innocence par les artistes, n'est pas le seul qu'ils entretiennent avec l'histoire. Si, même provisoirement incompris, ils sont «en phase» avec les grands mouvements d'idées de leur temps, tout comme ceux-ci, ils ne sont pas nés d'une génération spontanée comme la critique romantique et le culte moderne de l'Artiste pourraient tendre à le faire croire. Ils sont également rattachés, dans le rejet comme dans l'héritage, à une tradition. Fût-elle à éclipse.

Le paysage français, apparition et éclipse

Dans la France médiévale il n'y eut sans doute longtemps que deux images du paysage : le lieu où l'on vivait, et qui vous faisait vivre – le pays de subsistance ; et puis un paysage transcendé, image d'une nature idéale avec laquelle on ne lutte plus – le paradis terrestre.

On trouve alors, bien sûr, des images de la nature, mais ce sont des décors : forêts de chasse[2], jardins clos où faire sa cour, ou paysages métaphoriques qui situent des scènes bibliques. Longtemps dans la miniature comme dans les mystères médiévaux, le réel était codé : un rocher voulait dire la montagne, un arbre, la campagne, deux, la forêt. Et c'est grâce à des artistes du Nord qu'apparaît un instant, pour s'effacer en partie pour trois siècles, le paysage français.

Les circonstances sont particulières, et uniques. Le paysage national naît, au début du XVe siècle, de la rencontre de praticiens nordiques et de grandes commandes aristocratiques. Chronologiquement, le premier paysage français réel apparaît, semble-t-il, dans les Heures du maréchal de Boucicaut (1405-1408)[3]. Quelques années plus tard, les frères Limbourg sont chargés par leur mécène, le duc de Berry, qui multipliait les commandes narcissiques de ses portraits et de ses possessions – y compris ses chiens et sa vaisselle –, d'illustrer, dans son livre d'heures, ses châteaux entourés de ses terres : il demande aux frères Limbourg la galerie de portraits de ses demeures. Première commande topographique des pouvoirs centraux, glorifiante et didactique, dont on suit au fil du temps la longue série qui nous mènera à celle des ports de France par le marquis de Marigny au XVIIIe siècle, ou aux reportages photographiques suscités par des grandes compagnies du XIXe siècle, celui par exemple du nouveau paysage français transformé par l'architecture ferroviaire, commandé en 1855 par les Chemins de Fer du Nord[4].

Ces miniatures, comme les *Heures d'Étienne Chevalier*, de Fouquet, quarante ans plus tard, réunissent d'emblée des thèmes qui auront chacun leur destinée propre dans la peinture française : une scène biblique (développée dans la peinture d'histoire), une construction récente – château, église ou ville fortifiée (dont la destinée est la peinture topographique) –, une image de la saison (sous sa forme historique, qui conduit à Poussin, sous sa forme naturaliste, à l'impressionnisme) et une image du travail rural, dont les rejetons tardifs seront Millet, Jules Breton, Bastien Lepage, ou même Van Gogh. Avant que chaque « genre » pictural soit fixé, tout est concentré ici, avec génie et naïveté ; tentative naturaliste qui va bientôt être pulvérisée par la Renaissance, l'humanisme, la codification des genres et la suprématie italienne, coïncidant avec l'avènement de la société de cour et de la monarchie centralisatrice.

Il est intéressant de voir à ce propos combien l'historiographie de l'art français sous la IIIe République a souligné le caractère national de Fouquet et du Maître de Moulins en face de peintres du Nord comme les Limbourg ou Van Eyck, et voulu trouver des origines autochtones au paysage français : « Fouquet se contentera d'un paysage du Cher avec sa petite vallée modeste, sa rivière calme », alors que chez les Limbourg, Flamands, « nulle émotion sincère en face de la vérité toute simple, naïve, aucun accent de respect en présence d'un coin de nature comme chez ce Maître de Moulins réservé, contenu, modeste, et pour ainsi dire humilié devant le moindre brin d'herbe [...] On sent que les Français ont été pénétrés profondément par des recettes imaginées chez eux et répondant aux besoins de calme, de tact, de bon goût qui les dirigent[5]. » En somme, c'est, autour de 1900, Fouquet et le Maître de Moulins vus comme le « bonhomme Corot ». Nous ne discuterons pas la véracité stylistique et historique de ces remarques: Fouquet était passé par l'Italie, et ce que l'auteur décrit pourrait s'appliquer aux images peintes par les frères Limbourg, Flamands, même si elles sont encore teintées de goût gothique. Mais elles témoignent de la canonisation républicaine des paysagistes du XVe siècle par des sensibilités du XIXe.

D'ailleurs, quelles que soient leurs sources, les miniatures des *Très Riches Heures* exercent toujours leur fascination. D'abord par le charme que peut procurer un reportage historique ingénu et précis, sur les bords de la Loire ou dans l'Île-de-France, où sont présentés seigneurs et serfs côte à côte, modèles des diverses visions de l'histoire, celles des rois et des événements; celles des obscurs et des mentalités. Ancêtres peints de surcroît sous la même lumière que la nôtre, et dans des sites, changés, certes, mais familiers, dominés par «nos» châteaux et «nos» cathédrales. Ces miniatures suscitent un sentiment délicieux, à la fois d'éloignement chronologique et de pérennité, donnant une perspective visuelle à notre appartenance historique au territoire. Voici les travaux saisonniers des champs - labours, semailles, vendanges, moissons - décrits sans commentaires édifiants sous-jacents comme dans les représentations du monde paysan au XIXe siècle. Notre propre passé paysan s'y retrouve, mais nimbé d'une sorte de grâce sereine, au sein d'un cosmos dont la partie supérieure - le calendrier cosmique - assure l'éternité. Les vendanges qui produiront «notre» vin de Saumur sont peintes devant le château (reconstruit d'ailleurs en partie en 1932 précisément grâce à cette miniature)[6]. L'on fauche un pré devant l'île de la Cité, face à une Sainte-Chapelle inchangée[7]. Les lieux du patrimoine national sont aussi placés dans l'éternité de la religion: saint Michel lutte avec le dragon devant le Mont-Saint-Michel, le Job de Fouquet a installé son fumier devant le donjon de Vincennes, son saint Martin, devant le pont de Notre-Dame et les rois mages des frères Limbourg se rencontrent sur son parvis[8]. D'autres miniaturistes situent leurs scènes symboliques dans des paysages toujours familiers, comme ce chemin villageois où se croisent à cheval «Cœur» et «Humble Requête» chez le Maître du *Cœur d'amour épris*[9].

Faisant appel à une mémoire collective associant le passé paysan, les croyances religieuses et les lieux toujours visibles de notre histoire, rien d'étonnant à ce que ces miniatures aient conservé, en dehors de toute considération artistique, une place particulière dans notre imagerie, d'ailleurs ravivée par les reconstitutions cinématographiques, comme *Les visiteurs du soir* ou l'*Henri V* de Laurence Olivier.

Et puis, ces peintures seront fort longtemps les seules à nous proposer une image de notre pays. En effet, le paysage «français», image d'identité et de mémoire nationale, disparaît ensuite pendant près de trois siècles. La suprématie du modèle artistique établi par la Renaissance italienne, qui va dominer le goût français dès le début du XVe siècle, relègue très bas le paysage dans la hiérarchie des genres. Rappelons l'écrasante ironie de Michel-Ange, à propos des peintures flamandes de paysage : ce « n'est que chiffons, masures, verdures de champs, ombres d'arbres, et ponts, et rivières, qu'ils nomment paysages, et maintes figures par-ci, et maintes figures par-là...[10] ». Et quand, après les Carrache, le paysage idéal sera établi dans toute sa grandeur par les Français Poussin et le Lorrain, il s'agit de Français de Rome et de paysages « romains » recomposés, idéalisés. Le paysage sera bientôt codifié en deux grands genres, le style héroïque et le style champêtre ou pastoral. Roger de Piles définit très clairement les données du paysage classique à l'usage des peintres français : dans le style héroïque, « si la nature n'est pas exprimée comme le hasard nous le fait voir tous les jours, elle y est du moins représentée comme on s'imagine qu'elle devrait l'être », dans le style champêtre, « la représentation des païs qui paraissent bien moins cultivés qu'abandonnés à la bizarrerie de la seule nature[11] ». D'un genre ou de l'autre, le paysage doit se subordonner à la représentation des figures, le style champêtre au style héroïque, le coloris au dessin, et la peinture de paysage à la peinture d'histoire. Bref, le réel à l'idée. Toute l'histoire postérieure du paysage français national se fera en grande partie contre ces définitions, quand la vision de la vérité, précisément celle du hasard et de la bizarrerie, prendra le pas sur un ordre imposé au monde.

Quand on avait besoin d'un paysagiste pour peindre « des fonds » ou des décors de bataille, on faisait appel aux Flamands, comme Van der Meulen. Et quand Poussin peint *L'Été* (Louvre), c'est un champ divinisé, où des modèles costumés aux beaux gestes s'inscrivent dans un paysage idéal et géométrique, image d'un ordre supérieur qui s'applique et renvoie à la grandeur divine : arbres de paradis, constructions antiques, « fabriques » qui situent dans l'intemporel une moisson métaphorique.

Les paysages de Poussin et du Lorrain vont, jusqu'à la moitié du XVIIIe siècle, imposer leur modèle. Enseigné à l'École des beaux-arts, le paysage historique va se poursuivre sous leur signe tout au long du XIXe siècle, en résistant au courant réaliste. Le modèle était si puissant qu'à leur suite on inventa des procédés techniques destinés à aider les paysagistes à imposer leur vision idéale à leur regard : la fameuse « lunette du Lorrain » permettant de voir un paysage sous les vernis dorés de Claude, puis une boîte utilisée par le peintre pour cadrer dans la campagne une section qui puisse se conformer au modèle idéal, celui du paysage romain[12]. Ce canon de paysage n'était, au XIXe siècle, plus qu'un poncif académique et il faudra attendre la fin du siècle pour que l'« avant-garde » – en particulier Seurat et Cézanne – sache retrouver la spiritualité des compositions de Poussin dans le paysage français observé. C'est en effet à Poussin et à la grande tradition qu'ils se réfèrent, quand, après le réalisme concret des artistes de Barbizon ou des impressionnistes, ils voudront retrouver une grandeur conceptuelle que la simple imitation maintenait au ras des sensations. Le génie de Cézanne tient à ce qu'il saura concilier les images très fidèles de son pays à une reconstruction idéale – qui chez lui ne passera plus par des transformations imposées à la réalité naturelle, mais par sa façon d'en montrer la structure « cosmique » et abstraite –, l'essence idéale en quelque sorte. D'ailleurs, son propos était de « faire du Poussin sur nature », et de l'impressionnisme « quelque chose de solide comme l'art des musées[13] ». C'est, par d'autres moyens, également l'ambition « scientifique » et métaphysique des paysages de Seurat. Dans chaque cas – la campagne aixoise de l'un ou les ports de la Manche de l'autre – la fidélité au lieu, quasi obsessionnelle, est saisissante pour le regard d'aujourd'hui. La transfiguration n'en est que plus sensible. L'image métaphysique n'a plus besoin d'Église ou de paraboles : la nature même devient le spirituel et l'expression d'une éternité.

Nature et histoire nationales

Ce que le paysage peint sera au XIXe siècle en France, le roman l'annonce au début du XVIIe siècle, et dans des circonstances qui suggèrent des analogies. En effet, *L'Astrée* associe un paysage français précis – le Forez – à l'identité nationale, dans un moment où le pouvoir royal – Henri IV – entreprend de faire l'union du pays. Comme avec l'école de Barbizon au XIXe siècle, la campagne est proposée en antidote à la vie corruptrice de la ville et de la cour, et comme le territoire privilégié des racines historiques. Le lieu clos où se déroule le roman, dans une Gaule mythique, a permis de résister à « l'extrême tyrannie des Romains, non seulement sur les biens, mais sur les âmes[14] ». Le recours aux origines et l'identité nationale passent par la fidélité à un lieu et le refus de l'italianité, comme, sous une autre forme, dans l'histoire de la peinture deux siècles plus tard.

On retrouve, en effet, ces mêmes idées au milieu du XIXe siècle, par exemple lorsque les Goncourt font de la peinture de paysage l'exemple du ressourcement national : « Le paysage est la victoire de l'art moderne, il est l'honneur de la peinture du XIXe siècle [...] oui, le Vieux Monde se retourne vers son enfance, vers le berceau vert et bleu où vagit son âme héroïque. Chargé de siècles, il revient à toutes ces belles choses, à ce théâtre divin où se joue [...] le poème épique de sa jeunesse nomade, agricole et guerrière [...] alors que le sentier de la prairie était la route départementale [...] que Dieu était le conservateur général des forêts[15]. »

Certes, entre Honoré d'Urfé et les Goncourt, l'image du territoire national

Pol de Limbourg, xve siècle. Très Riches Heures du duc de Berry.
Le château de Saumur.

avait eu le temps d'apparaître – très progressivement – dans l'art français, et de donner ses titres de noblesse à l'observation de la nature.
L'intitulé des paysages exposés dans les Salons depuis leur origine est à cet égard fort intéressant, et le fameux *Impression, soleil levant* de Monet, qui a donné son nom de baptême au mouvement « impressionniste » en 1874, n'est qu'une forme nouvelle des titres traditionnels des livrets de salons, quand le sujet n'est plus, comme dans le paysage historique, la scène biblique ou mythologique qui s'y tient. Dès le XVIIIe siècle, apparaît le sous-titre *peint d'après nature*[16]. Bientôt on précise le moment : par exemple *La Nuit par un clair de lune*[17] ou même *L'Heure du jour est le matin*[18]. Puis arrivent les « effets », à la fin du siècle, au temps d'une nature sensible et préromantique. Aux précisions locales, horaires ou météorologiques, on ajoute bientôt *étude d'après nature*[19], avant que la chose n'aille de soi. Il est, en effet, évident que les paysagistes peignent d'après nature, même si, jusqu'au milieu du siècle, le tableau final est fait en atelier. Dès le premier quart du XIXe siècle apparaissent au Salon des paysages intitulés *Souvenirs* de tel ou tel lieu[20], indiquant le travail de reconstruction d'après des notations sur le vif. Corot va faire, un peu plus tard, de ces paysages observés puis recréés par la mémoire, des archétypes comme le fameux *Souvenirs de Mortefontaine* du Louvre, qui est une rêverie synthétique de l'Île-de-France. Les titres du Salon révèlent assez clairement l'attitude vis-à-vis du paysage, le moment où il cesse d'être un décor, un « pays de fantaisie », pour devenir un lieu déterminé, une partie du monde vécu. Par un mouvement lent qui durera un siècle et demi, le paysage français deviendra un motif dont la définition grandit (*vue de*), puis s'estompe au profit de celle de l'artiste, qui en transmet les effets sur sa sensibilité (*effets*), sa mémoire *(souvenir)*, puis sa sensation *(impression)*.
Rappelons brièvement quelques jalons qui ont marqué les changements successifs de la sensibilité, du goût et de la mémoire des Français dans la vision de leurs paysages, de la deuxième moitié du XVIIIe siècle aux années clés de cristallisation, 1820-1830.
Même si la majorité des paysages ressortissent du genre « historique », « héroïque » ou « idéal » jusque vers 1830, on remarque une augmentation spectaculaire de ce sujet dès la deuxième moitié du XVIIIe siècle. Les statistiques du Salon de 1759 à 1781[21] montrent que, pour un nombre total à peu près doublé en vingt ans d'œuvres exposées (124 à 232), la peinture d'histoire augmente en proportion (34 à 83), le portrait (41 à 37) et la nature morte (16 à 12) diminuent, alors que les paysages passent de 11 à 68. Multiplication spectaculaire, dont la courbe sera ascendante pendant la Révolution et sous l'Empire, malgré l'idéologie néo-classique officielle[22]. La peinture ne faisait là que suivre le mouvement général de la sensibilité du XVIIIe siècle dont Jean-Jacques Rousseau avait été l'expression triomphante. Le paysage, littéraire

ou peint, incarne alors l'état naturel du monde, le décor privilégié des émotions. Comme l'enfant ou le bon sauvage, le paysage est évidemment la bonne nature contre la *mauvaise* culture, qui permet par osmose et effusion un ressourcement intérieur[23].

C'est le paysage état d'âme cher à Diderot, à Rousseau et, d'une certaine façon, à Chateaubriand qui sera le premier à transcrire en littérature des paysages peints : dans les *Mémoires d'outre-tombe*, les images d'océan breton pleines de son moi ou du rivage méditerranéen hanté par Napoléon sont des tableaux de Joseph Vernet.

Mais au XVIIIe siècle il est un autre type de paysage que celui où l'on rêve, où l'on herborise, où l'on se retrempe dans l'enfance du monde. C'est, au temps de l'*Encyclopédie*, celui de la connaissance, des repères et des voyages, et en particulier à l'intérieur de l'Hexagone. Déjà toute une rhétorique poétique inspirée de l'Angleterre de Thomson et de Young chante la nature nationale : *Les Géorgiques françaises* de Bernis, *Les Jardins* et *Les Saisons* de Delille et de Saint-Lambert[24]. Bientôt se prépare à la fin du siècle un véritable répertoire topographique de la France ; les premières publications systématiques des *Voyages pittoresques*, « tableaux hydrographiques, pittoresques, physiques, historiques, moraux, politiques, littéraires », sont mises en route par Jean-Joseph de Laborde, premier « valet de chambre » de Louis XV. Après un projet sur l'Italie, il entreprend le *Voyage pittoresque de la France, ouvrage national dédié au roi* dont quatre volumes, illustrés par des artistes topographiques régionaux, paraissent sur les douze annoncés (1780-1792), entreprise interrompue par la Révolution.

Joseph Vernet et Hubert Robert expriment dans leurs paysages ce double courant. On y trouve, d'une part, la peinture d'une nature « rousseauiste », d'autre part le paysage inventaire spatial et historique de la France, tantôt dans des tableaux différents, destinés à un marché spécifique – mais parfois sur une même toile. Par exemple, un paysage de ruines est à la fois un lieu précis et la matière d'une rêverie.

Dans la catégorie « inventaire de la France », on peut classer au premier chef la série des ports de France (1754-1765), commandée par le marquis de Marigny à Joseph Vernet, reportage glorifiant les activités du royaume. C'est le portrait d'une France maritime, dont la composition et le groupement des personnages indiquent le calme, la prospérité, l'activité économique et la force stratégique. Ces paysages portuaires sont rien moins que pris sur le vif, et offrent l'image d'une variété soigneusement détaillée (costumes régionaux, activités particulières de chaque port), mais unifiée dans des compositions assez analogues, décrivant des lieux et des moments liés à la grandeur d'une France ouverte au grand large.

Or, ce qui n'eût pu être qu'une œuvre de commande monarchique devient aussitôt un grand succès public. En effet, elle fut diffusée abondamment par la gravure dans la seconde moitié du XVIIIe siècle[25] et régulièrement, depuis, par la chalcographie du Louvre, dont les impressions, indéfiniment reprises, ornent depuis un siècle – et encore aujourd'hui – les murs de nombreuses résidences secondaires, comme les « portraits de famille » d'un passé commun topographique. Quelque peu dédaignés par les critiques et les théoriciens, de Roger de Piles au début du XVIIIe siècle à Diderot plus tard, de nombreux peintres régionaux reflètent un intérêt et un marché locaux pour la « peinture de vue », équivalents français des *vedutisti* italiens comme Guardi ou Panini. Citons par exemple Boissieu, à Aix, Lacroix, à Marseille, etc.

Le réalisme de la vision est de plus en plus apprécié ; Diderot s'enchante d'une peinture illusionniste : « Regardez [...] avec une lunette qui exclut la bordure [le cadre] et oubliant tout à coup que vous examinez un morceau de peinture, vous vous écriez, comme si vous étiez placés en haut d'une montagne, spectateurs de la nature même : Ô le beau point de vue[26] ! » Ce goût du pittoresque restitué demandait bien évidemment une observation sur place, des croquis d'après nature, ce qui n'était pas chose nouvelle ; de Poussin à Watteau, du Lorrain à Boucher, tous ont travaillé ainsi. « Les dimanches et fêtes, témoigne un contemporain de Boucher, son principal amusement était d'aller dans la forêt de Saint-Germain, à Chantilly, au bois de Boulogne, étudier le paysage, des troncs d'arbres, des plantes, des ciels d'orage, des horizons[27]. » Le spectacle atmosphérique enchante cette deuxième moitié du siècle en France, goût venu des Flandres et des Pays-Bas, et même exporté de France en Angleterre puisque Loutherbourg, un des paysagistes vedettes des Salons de Diderot, va à Londres dans les années 1770 et y fonde « un petit théâtre sans acteurs qu'il appelle Eidophusikon [spectacle de la nature] où étaient représentés des paysages mis en marche mécaniquement. Le but de l'opération était de montrer sur scène des transformations atmosphériques de la nature », procédé qui fit sensation à Londres et fut imité par Gainsborough[28]. Il est d'ailleurs piquant que la mode des « merveilleux nuages » et des ciels changeants ait repassé le Channel au début du siècle suivant, avec la vogue de Bonington à Paris vers 1824-1826, pour s'épanouir avec Boudin et Monet.

Mais, au XVIIIe siècle et au début du XIXe siècle, ces croquis sur le vif d'arbres et de ciels n'étaient bien évidemment que des bases de travail pour la composition finale. Valenciennes, paysagiste historique, encourageait dans son fameux manuel du paysage, paru en l'an VIII, toutes les études sur le vif, répertoire pour l'atelier. Tous, alors, même les plus traditionalistes, poussent les étudiants de l'École des beaux-arts à l'étude de la nature : « Qu'ils prennent leur besace, un bâton et une boîte de couleurs, et après avoir bien secoué la poussière blanche et aride de l'École de la rue des Petits-Augustins, qu'ils parcourent la France et l'Italie en travaillant[29]... »

La «note préparatoire» va peu à peu monter dans la hiérarchie du goût, jusqu'à l'impressionnisme, dont une thèse récente, typique d'un mouvement révisionniste de l'histoire de l'art actuelle tendant à réévaluer l'art académique, suggère qu'il n'est que la transposition au tableau «fini» de l'esquisse ou l'ébauche des paysagistes formés par l'École[30]. En somme, le «brouillon» serait devenu l'œuvre, à la suite d'une évolution souterraine.

La réforme du concours de Rome prouve une évolution des structures mêmes de l'Académie, répondant à un intérêt grandissant pour le paysage: on instaure en 1817 un grand prix de Rome pour le paysage historique, puis, à partir de 1821, un nouveau concours (tous les quatre ans), le «concours d'esquisse en paysage» décomposé en deux temps, le «concours de l'arbre», et le «concours d'esquisse en paysage[31]». Malgré ces efforts, la médiocrité des lauréats du prix de Rome est de plus en plus sensible, au point que l'on supprime le concours d'esquisse en 1863. Les paysagistes de talent, on va le voir, étaient alors ailleurs.

La pression du goût ambiant est bientôt telle que même les plus fidèles tenants du paysage historique cèdent: l'ingriste Paul Flandrin avait montré au Salon de 1839 un paysage «à la Poussin»: *Adieux d'un proscrit à sa famille;* il le réexpose tel quel en 1852 (tournant le règlement du Salon qui n'acceptait pas plusieurs fois la même œuvre) en l'intitulant, cette fois; *Les Montagnes de la Sabine*, transformant une image antique en simple paysage de la campagne de Rome[32]. Que s'était-il passé dans l'art français pendant cette période, pour que même un Flandrin redescendît du pays des dieux à celui du touriste?

Nord contre Sud

En même temps que le paysage, fût-il «historique», prenait de plus en plus de place dans l'enseignement de l'École des beaux-arts, formant des générations (Aligny, Desgoffes, Paul Flandrin, Français, Michallon, etc.) dont Musset disait qu'elles semblaient «avoir transporté dans le paysage, invention moderne, l'amour de la plastique cher à l'Antiquité[33]», se développait un courant du paysage à la fois romantique et réaliste, issu des diverses tendances du XVIIIe siècle.

On retrouve dans cette dichotomie entre paysagistes historiques et paysagistes réalistes quelque chose de la querelle des «homéristes et des shakespeariens» du mouvement littéraire contemporain. Dans cette opposition, il n'y a pas seulement un clivage entre anciens et modernes, mais aussi entre culture du Sud et culture du Nord. Il est incontestable que, peu à peu au début du siècle, après le mouvement néo-classique, la chute de l'Empire et le retour des relations pacifiques entre l'Angleterre et la France, le climat artistique change, non seulement du côté de Delacroix, qui choisit ses thèmes chez Byron et Shakespeare, mais du côté de ces nouveaux paysagistes français que, par commodité, on appelle «romantiques» puis «réalistes», et qui se caractérisent par l'attachement à la nature et au territoire.

L'apprentissage de ces jeunes artistes ne passe plus obligatoirement par Rome, et leurs admirations sont de plus en plus tournées vers les modèles du paysage nordique, ceux, historiques, des Flamands et des Hollandais, puis ceux, contemporains, de l'Angleterre, qui tous conduisent à l'observation de la nature sans passer par un poncif.

Quelques faits bien connus jalonnent cette nouvelle orientation vers l'art nordique. À Paris même, la tradition des artistes topographiques anglais était entretenue par leurs *travel books*, et leurs estampes représentant des sites français, vendus et répandus dans les ateliers[34]. Et le plus grand programme d'édition illustrée de l'époque est celui des *Voyages pittoresques et romantiques dans l'ancienne France* – qui publie près de trois mille lithographies entre les années 1820 et 1878 – dont le titre montre à quel point le développement du tourisme national et la quête du passé sont intimement liés à l'époque. L'entreprise est en quelque sorte franco-anglaise, puisque l'éditeur en est le fameux baron Taylor, Anglais de Paris, ami de toute la génération romantique[35]. Tous les noms célèbres du romantisme ont participé à ces reportages illustrés, Français et Anglais mêlés, Isabey, Eugène Lami, et en particulier le jeune paysagiste Bonington, dont le travail joua un grand rôle auprès des artistes français des années 1820, préparant le succès immense des paysages de Constable au Salon de 1824, qui oriente définitivement l'intérêt des jeunes paysagistes de la génération romantique pour ce qui en était sa propre source : le paysage flamand et hollandais.

À vrai dire, l'influence des grands paysagistes de ces écoles du Nord du XVIIe siècle était sous-jacente dès le XVIIIe siècle. Dans la représentation d'une scène champêtre, fût-elle localisée, le modèle et même le procédé et l'arrangement des divers éléments iconographiques sont de convention nordique : *La Ferme* d'Oudry était sous-titrée *dans le goût flamand.* Pillement et Loutherbourg imitaient Berghem et Dujardin, et les paysages de Fragonard vers 1770-1780 étaient clairement inspirés de Ruysdael, la gravure diffusant abondamment depuis longtemps la reproduction des œuvres nordiques[36]. Au début du XIXe siècle, non seulement ce fonds des gravures était toujours disponible, et circulait abondamment dans les ateliers et chez les amateurs, mais les circonstances historiques ont amené un renouvellement d'intérêt pour ces spécialités de l'art du Nord que sont les scènes de genre et les paysages. Rappelons en particulier la présence à Paris, de 1793 à 1813, du Musée Napoléon, produit des pillages par les troupes impériales des collections d'Anvers, de Bruxelles, de Berlin, de Potsdam, Cassel, de celle du stadhouder de Hollande, etc., qui seront toutes restituées en 1815[37]. Toute une génération d'artistes en avait ressenti le choc, et l'influence de cet art « nordique » réaliste était entretenue depuis par d'innombrables reproductions gravées, et des manuels pédagogiques d'études de paysages, proposant autour de Paris des motifs « à la hollandaise[38] ».

Deux artistes, formés à la fin du XVIIIe siècle, vont transporter en France les conceptions hollandaises et flamandes du paysage et être les précurseurs d'une nouvelle vision, Demarne et Georges Michel, aujourd'hui relativement oubliés. Aucun des deux ne suit le cursus de l'Académie, mais si Demarne propose des images variées du territoire national, toujours animées par une scène de genre d'inspiration nordique, Georges Michel consacre sa vie à représenter ce qui était l'immédiat environnement de Paris, Montmartre, la plaine Saint-Denis, etc., lieux modestes et dépourvus de pittoresque, dont précisément à la même époque Gérard de Nerval chante les beautés[39].

Comme Renoir à la fin du siècle, se moquant de Gauguin partant pour Tahiti : « On peint si bien aux Batignolles ! », Georges Michel avait trouvé, dans un lieu limité de l'Île-de-France, dans ses carrières, ses terrains vagues, ses buttes mornes ponctuées de moulins, une traduction nationale du paysage hollandais de Ruysdael et Rembrandt, et fait sa théorie de l'enracinement local : « Celui qui ne peut pas peindre pendant toute sa vie sur quatre lieues d'espace, n'est qu'un maladroit qui cherche la mandragore et qui ne trouvera jamais que le vide[40]. » Attitude à la fois modeste et ambitieuse qui sera, tout compte fait, celle de Corot, de Pissarro, de Cézanne, et même de Bonnard au XXe siècle. Les critiques romantiques sentaient parfaitement que l'image nationale passait par le modèle nordique : « Il ne faut pas renoncer à l'histoire, mais il est certain que *nous n'aurons tout notre génie* qu'en peignant le genre[41] » c'est-à-dire en particulier le paysage. Le critique Thoré, patriote, républicain, défenseur des paysagistes de Barbizon, propose le modèle nordique *contre* le modèle italien : « Les plus grands peintres de tous les temps et de tous les pays sont justement ceux qui n'ont jamais été en Italie [...] l'imitation de l'Italie a toujours été funeste à toutes les œuvres étrangères. Elle a tué partout l'inspiration originale, le sentiment poétique, le style individuel [...] il est bon d'être français en France, allemand en Allemagne, etc.[42]. »

Ainsi, c'est sur le modèle nordique que, dès avant 1830, toute une nouvelle génération de jeunes artistes va trouver l'inspiration autour de Paris, à Saint-Cloud, à Sèvres et surtout à Fontainebleau : Corot, avant son séjour à Rome (c'est d'ailleurs, avec Daubigny, un des rares paysagistes de cette génération pour qui la campagne italienne comptera, mais dans une vision réaliste), Huet, Diaz, Barye, Dupré, Charles Jacques, Théodore Rousseau.

Paysage, lieu de mémoire

Ces années autour de 1830, où s'affirme pour la première fois avec force le paysage autochtone français, correspondent au développement du «dimanche à la campagne» démocratique, ainsi qu'au tourisme sentimental du romantisme. Pensons aux escapades amoureuses de George Sand et Musset dans les rochers de Fontainebleau, ou à Rosanette et Frédéric, dans *L'Éducation sentimentale*, à Marlotte. Fontainebleau offre alors le lieu accessible où la bohème parisienne peut s'épanouir «au naturel», et un décor propice aux exaltations comme aux mélancolies. Ces retraites d'amour sont comme la réalisation des effusions de Diderot, pour qui les paysages, ces «miroirs magiques», invitaient non seulement à rêver au cours du temps mais à l'amour absent: «Pourquoi suis-je seul ici? Pourquoi personne ne partage-t-il pas avec moi le charme, la beauté de ce site?» s'était-il écrié devant les scènes bucoliques de Vernet[43].

Les rêveries dans la nature du premier romantisme français – Chateaubriand, Amiel ou Senancour – en sont un écho. Mais si Fontainebleau, cet «assemblage trivial et muet de petites plaines de bruyère, de petits ravins et de rochers mesquins[44]», ne pouvait être le lieu d'élection de ces amateurs de torrents furieux et de promontoires exaltés, c'est précisément sa simplicité, son éloquence plus secrète qui allaient permettre aux peintres des années trente d'en extraire une image du pays qu'on peut commencer à appeler «nationale».

En effet, lieu de goguette pour une bohème romantique dont les douces rêveries de Diderot sont «passées aux actes», Fontainebleau fut plus essentiel pour les fondateurs du paysage français des années 1820-1830: un lieu de mémoire. Huet, peintre des tempêtes, paysagiste du *Sturm und Drang* français, exprime – avec un immense succès à l'époque – les grands mouvements de l'émotion humaine. En revanche, les peintres de Barbizon peignent, eux, des paysages imprégnés d'émotion historique. La nature française qu'ils ont choisi de représenter, moins proche de Paris que celle de Georges Michel, est celle, plus «primitive», des forêts, des landes, des marais, celle d'une «France profonde», d'une Gaule forestière. Nous sommes subitement loin du pittoresque rustique de la fin du XVIIIe siècle, mais en singulière résonance avec les idées contemporaines.

Prenons le cas de Théodore Rousseau, sans doute le meilleur exemple, et le plus grand de tous. Son cursus est assez exemplaire de celui des grands paysagistes du XIXe siècle: origine relativement modeste, début d'études chez un paysagiste académique vite abandonnées, copies de Hollandais, errances exaltées dans les forêts des environs de Paris. Puis, en 1830, il séjourne en haute Auvergne «pays réputé sauvage, authentique des Arvernes [...] où la nature bouleversée est

Joseph Vernet, 1714-1789. Le Port de La Rochelle, 1763.

encore ce qu'elle fut aux premiers jours du monde[45]». Cet ami de Gérard de Nerval et de George Sand sera toujours attiré par une nature qui est comme la mémoire des origines du monde, une France d'avant la France. D'ailleurs, l'époque est fascinée par les lieux naturels évocateurs d'un passé lointain: sa fameuse *Allée de châtaigniers* est vue par les critiques, tantôt comme un «temple druidique», tantôt - après Chateaubriand - comme une voûte gothique[46], en tout cas une allusion au passé national, qu'il soit gaulois ou médiéval. Quand il peint un village, Théodore Rousseau est lui-même conscient qu'il veut faire un «tableau des mœurs primitives[47].» La forêt de Fontainebleau permettait, près de Paris, de proposer une nature farouche qui évoquait la terre ancestrale d'avant les grands défrichements et l'occupation romaine. C'est cette France des origines, «celtique» et gauloise, que précisément à la même époque les historiens cherchaient à connaître et à valoriser[48], qu'il s'agisse des frères Thierry (en particulier Amédée dont l'*Histoire des Gaulois* eut un succès immense en 1828) ou, naturellement, du jeune Michelet.

Aucun texte précis ne peut le montrer (on ne sait malheureusement que peu de chose sur les lectures des artistes de ce groupe) mais il est évident que les peintres dits de l'«école de Barbizon» cherchent à exprimer une nature habitée par le temps, et à opposer une nouvelle grandeur, naturelle et nationale, à la noblesse idéale du «paysage historique».

Il est saisissant le chassé-croisé de sensibilités qui s'opère dans ces années 1820-1830, où la peinture s'enracine dans un paysage habité par le temps, tandis que l'histoire, avec Michelet, devient visualisation de l'espace français et description picturale. Son *Tableau de la France* est une vue panoramique et tourbillonnante des variétés du paysage national, «l'histoire est avant tout géographique», dont une sorte d'atterrissage en vol plané aboutit à la fin du chapitre, au nord de la France, là où est «la vie forte [...] là où s'est opéré le grand mouvement des nations[49]».

Cette convergence se retrouve, ailleurs au même moment, quand Delecluze, défenseur du paysage historique, propose en 1829 aux élèves de l'École des beaux-arts un nouveau moyen d'élever l'art d'observation à la dignité de la peinture d'histoire: «*La nature entière est le lieu de l'histoire* [...] les plaines de Tours, de Poitiers, le champ d'Azincourt, les villages de Marengo, de Waterloo[50]...»

Ce ne sont pourtant pas les champs de bataille qui encouragèrent les rêveries historiques des grands paysagistes de l'époque, mais plutôt des lieux «hantés» par une mythologie ancestrale et une tradition antérieure même à la culture gréco-romano-italienne de l'Académie.

Les paysages de Millet, lui-même paysan normand, et non formé par Rome, associé au groupe de Barbizon dans les années quarante, sont habités par des paysans contemporains. Mais il les dépouille de tout folklore qui aurait fait de ses tableaux de simples scènes de genre datées, et leur confère quelque chose d'immémorial. Ce sont les silhouettes, au visage généralement caché, du paysan français éternel, moins individualisé même que celui de Le Nain, qui fait partie du paysage et du temps. Il n'est que de comparer avec les autres scènes rustiques contemporaines en Allemagne, en Italie et même en Russie, ou avec celles, si populaires en leur temps, d'autres peintres français de la vie rurale du XIXe siècle (Rosa Bonheur, puis Jules Breton, Lhermitte, etc.) pour sentir chez Millet cette iconographie « du fond des âges ».

À leur façon, les paysages de Courbet plongent aussi dans le temps. Sa série des *Grandes Vagues* (1869, Louvre ; 1870, Berlin) peut être mise en perspective avec les écrits contemporains de Michelet et de Hugo (*La Mer*, 1861, *Les Travailleurs de la mer*, 1866). Le paysage marin devient un spectacle dont le lyrisme, nouveau dans la peinture, nous entraîne non seulement dans la sauvagerie des éléments, mais dans leur archaïsme : « sa marée vient du fond des âges » sentira justement Cézanne[51]. Ses accumulations de rochers des environs d'Ornans en appellent à une permanence géologique, et son *Chêne de Flagey* ou *Chêne de Vercingétorix* (Philadelphie) illustre un folklore qui est, en ce même milieu du XIXe siècle, en train de devenir national[52]. Ses oppressants sous-bois montrent une nature envahissante, sans commune mesure avec la vision traditionnelle. La distance s'abolit entre le peintre et la portion de nature qu'il découpe de son regard : plus de perspective, plus de « point de vue » ; il s'y plonge, elle est lui, elle exprime son formidable « moi ». Il n'est pas indifférent que le centre même de la grande composition allégorique de Courbet, *L'Atelier*, soit un paysage d'Ornans qu'il est en train de peindre d'un pinceau pointé comme le doigt de Dieu ou la baguette de la fée ; c'est en effet ici le cœur du tableau : à la fois manifeste des racines de l'artiste et icône du paysage réaliste triomphant.

Au milieu du siècle, en effet, la peinture-portrait du terroir est devenue en France un genre majeur au Salon. Un des meilleurs critiques du temps, Castagnary, propose en 1857 une explication historique à ce succès envahissant : « Les églogues et les idylles ont presque toujours été le contrecoup d'agitations sociales [...] la résurrection du paysage tient en grande partie à cette cause. Courant d'idées auquel nous devons *La Mare au Diable, Jeanne, Les Paysans* ; dans l'art : Rousseau, Troyon, Daubigny, Rosa Bonheur. Il semble que, saturée d'émotions violentes, dégoûtée de sa propre corruption, la société ait fait un immense retour vers le vrai [...] elle a entrevu, loin des villes infectes [...], la vie rurale, ses travaux, ses plaisirs... Elle s'est souvenue du sentier perdu dans les blés, du moulin qui tourne sous le vent[53]. » Ou comment les moutons de Troyon et de Charles Jacque annoncent les troupeaux consolateurs des communautés cévenoles d'après 1968...

Plus amers, certains critiques voient précisément dans le succès du paysage au milieu du siècle - peu avant l'impressionnisme - un signe de la décadence de l'art français : « Comment veut-on qu'une époque rétrécie, positive, toute aux appétits, sans virilité, sans passion, sans croyances, produise un art puissant, capable d'émouvoir les âmes ! [...] aujourd'hui le ciel est vide [...] Dieu lui-même s'est fait homme [...] Jupiter est en fuite [...], tout se tient, tout s'enchaîne ; petits citoyens, petite littérature, petits appartements, petits tableaux. Nous ne croyons plus aux dieux, aux martyrs, aux héros, mais nous prenons encore plaisir à voir couler l'eau claire sous les saules et nous regardons volontiers rentrer les vaches à l'étable. Voilà la peinture qui nous convient[54]. »

L'allusion aux « petits appartements » évoque irrésistiblement des scènes comme celle où *Bel-Ami*, au début de son ascension sociale, va dîner chez son patron : celui-ci « ayant levé par désœuvrement les yeux vers le mur, M. Walter lui dit de loin, avec un désir visible de faire valoir son bien : "Vous regardez *mes* tableaux !" [...] "Je vais vous les montrer." Et il prit une lampe, pour qu'on pût distinguer tous les détails. - Ici les paysages, dit-il[55]. »

Il y a dans cet immense succès du paysage français dans la société du XIXe siècle, bien évidemment, un effet du goût « bourgeois » et démocratique, à rapprocher de la faveur dont jouissait le paysage dans les intérieurs hollandais du XVIIe siècle. On retrouve, comme alors, dans ces mares, ces coups de vent, ces marines, ces bords de fleuve, un peu de ses racines et de son identité. Cette France profonde et variée, on la possède, on l'apprivoise dans ces compartiments de nature emprisonnée dans de lourds cadres à « pâtisserie » dorés, placés à touche touche. À cet égard, des collections de la fin du siècle dernier, comme celles de Chauchard et Thomy-Thiery, léguées dans leur ensemble au Louvre, et accrochées sur plusieurs rangs, sont très révélatrices du goût de l'époque pour ces sortes de bibliothèques visuelles, de machines à rêver son pays à l'état de nature sur les murs calfeutrés des appartements. On peut s'étonner aujourd'hui que les grands collectionneurs de cette bourgeoisie éclairée et cossue aient résisté jusqu'à la fin du siècle à l'impressionnisme, dont les thèmes, tout compte fait analogues à ceux d'un Boudin ou d'un Corot, correspondaient parfaitement à leurs aspirations. C'est oublier la nouveauté alors choquante de sa technique, et les circuits parallèles par lesquels les impressionnistes se faisaient connaître, hors du Salon. Mais c'est pourtant le même milieu qui, en Europe et outre-Atlantique, fera son succès dans les générations suivantes. En dehors du fait que leurs prix invraisemblables leur confèrent valeur de relique, les paysages impressionnistes prennent au XXe siècle la place qu'avaient jusqu'au XIXe siècle les tableaux religieux ou les paraboles historiques. Un glissement des valeurs fait que le sacré passe par la nature ; les papillotements de Renoir, les structures implacables de Cézanne ou les nymphéas hallucinés de Monet proposent une nouvelle forme, vague et panthéiste, aux aspirations métaphysiques, aux méditations sur les mystères du monde et du temps.

Paysage et temps qui passe

Au XIXe siècle, on passe progressivement du point de vue scénographique, à l'intérieur même du paysage ; on entre dans le décor. Les arbres qui étaient depuis le XVIIe siècle placés de part et d'autre de la vue, comme deux portants de théâtre, deviennent familiers. Ils sont là, ils font partie du paysage, ils ne le portent plus. Ils agissent comme un rideau entre nous et l'arrière-plan, proche ou lointain : un village, une église, les nuages qui passent, qu'il s'agisse de l'*Église de Marissol* de Corot (1866, Louvre), des *Toits rouges* de Pissarro (Orsay), du *Printemps à travers les branches* de Monet (1858, Marmottan), etc. Ce sont les portions de campagne saisies par un promeneur qui avance et non plus des « points de vue » pittoresques offerts au voyageur arrêté. On ne fait plus que passer, et même de plus en plus vite avec l'impressionnisme, les sens plus en alerte, quand s'ajoutent à la vue des sensations nouvelles : le vent est rendu sensible, voire l'odeur, dans ses marines scintillantes et ses jardins touffus.

Toute l'historiographie de la IIIe République a fait de Corot, peintre clé pour notre propos, le plus « français » des peintres, s'il faut considérer comme nationales les qualités de mesure, d'équilibre, de « bon sens ». Il peint une France modeste, apaisée, digne, retenue. Sa vision est celle d'un paysan-bourgeois qui contemple avec une sérénité rêveuse son bien sur la terre où toujours quelque chose en appelle à son passé, à son passage. Corot, c'est la grandeur de « France la douce », la terrienne, l'habitée, et si Baudelaire trouvait qu'« il n'a pas assez souvent le diable au corps », c'est-à-dire pas assez d'imagination, il lui reconnaît « un son de voix clair, mais modeste et harmonieux[56] », une naïveté, un amour de la nature, qui en font le chantre parfait de la campagne du nord de la France, celle précisément où l'harmonie se fait tout naturellement, sous une lumière à la fois subtile et précise, entre le passé et le présent. Regardons par exemple *La Cathédrale de Chartres* (Louvre). La façade s'inscrit calmement et sans hiérarchie, à côté de deux arbres un peu maigres, et derrière un talus et un tas de pierres signalant des travaux en cours. Tout est sur le même plan, l'immémorial et le provisoire, dans la totale unité, de ce qu'il appelait lui-même sa « petite musique[57] ». Chez Corot, comme chez tous les meilleurs paysagistes français du siècle, y compris les impressionnistes, il y a coïncidence entre la prise sur le vif, dans une technique qui sera de plus en plus simplifiée et allusive, une modernité de la

Camille Corot, La Cathédrale de Chartres.

vision et, disons, le « rendu » de quelque chose d'immémorial. Leurs paysages expriment à la fois l'éternel et le familier, ces deux aspects inspirant à qui les contemple aujourd'hui des sentiments mêlés d'appartenance et de mélancolie. Et plus l'instant est précis – un certain éclairage, telle direction du vent, telle température évoquée –, plus la scène fait appel à l'éternel retour des heures et des saisons, plus il nous rend sensible notre attachement aux lieux décrits et rend ces instantanés rassurants. Cette vision d'un coup de vent sur la mer de Monet, du taillis modeste de Pissarro, du coucher de soleil un peu lugubre de Dupré ou de Rousseau, d'un rideau d'arbres de Corot, ou d'une Sainte-Victoire de Cézanne : nous l'avons ressentie, c'est un peu nous, c'est « chez nous ». Nous avons retrouvé ces lieux et ces moments grâce à eux, et en même temps, nous *voyons* notre paysage à travers l'image qu'ils nous en ont donnée : c'était ainsi il y a un siècle, ces instants ont survécu au peintre, et nous survivront. Mais cette impression rassurante peut aussi provoquer un malaise. « Vanitas à ciel ouvert[58] » les paysages sont des *memento mori* implacables, d'autant plus qu'il s'agit d'un univers familier.

Le XIXe siècle n'a plus besoin de ruines pour évoquer la fuite du temps. Au XVIIIe siècle, quand Hubert Robert peignait les arènes de Nîmes ou le pont du Gard, c'était à la fois une image nationale et celle de son passé historique. On sait le succès de cette « poétique » des ruines sur la sensibilité du temps : « Cela se détruit, cela passe, cela sera bientôt passé [...] nous anticipons sur les ravages du temps, et notre imagination disperse sur la terre les édifices mêmes que nous habitons [...] nous restons seuls de toute une nation qui n'est plus[59]. » Au temps de Diderot, les paysages de ruines provoquent la rêverie philosophique, mais n'inspirent ni amertume ni angoisse. Or, c'est parfois la verte nature elle-même qui deviendra, au milieu du XIXe siècle, un lieu mortel et stérile, où poussent les « stupides végétaux » de Baudelaire : « Nous allons à la campagne avec Saint-Victor, comme des commis de magasins, écrivent les Goncourt, nous avons marché le long de la Seine, à Bougival [...] nous avons enfin trouvé un coin où il n'y a ni paysagiste assis qui peignait, ni côte de melon oubliée... La nature pour moi est ennemie ; la campagne me semble mortuaire. Cette terre verte me semble un grand cimetière qui attend. Cette herbe paît l'homme [...] Arbres, ciel, eau, tout cela me fait l'effet d'une concession pour dix ans[60]. »

Lieu de songerie amère ou apaisante, le paysage français est précisément, en particulier avec l'impressionnisme et sa suite, la sublimation de cette nature des environs de Paris que, de Bougival à Asnières, hantent les « commis de magasins », les employés de Maupassant et les petits bourgeois de Labiche.

Portraits de la France, images populaires

Mais qu'y a-t-il de si français dans un paysage français ?
Si on essaie d'en faire un portrait robot, en superposant les éléments communs de tableaux représentatifs de la fin du XVIIIe siècle au dernier tiers du XIXe siècle, disons de Boucher ou d'Oudry à Monet et Cézanne, en passant par l'école de Barbizon, Courbet et Corot, on arrive à quelques éléments répétitifs qui peuvent aider à définir ce qu'a de spécifique le paysage national, peint dans quelque côté de l'Hexagone.
Voyons d'abord ce qu'il n'est pas. Il n'est pas sublime, il n'est pas pittoresque. La nature ne s'y met pas en scène, ce n'est pas un grand opéra, c'est une petite chanson. Il n'inspire pas d'émotions sublimes comme le font les montagnes, les chutes d'eaux, les curiosités naturelles, les sites grandioses. Après tout, il aurait pu immortaliser « nos » Alpes, « nos » Pyrénées : il ne l'a pas fait. Ailleurs, également au XIXe siècle, le nationalisme aime se représenter sous forme spatiale, par exemple au Danemark dès le début du siècle, ou en Russie, où les paysagistes sont précisément liés au mouvement national vieux-russe. Mais les deux nations qui ont produit une image « sublime » de leur pays au XIXe siècle sont le plus petit et le plus grand : la Suisse et les États-Unis, lieux en eux-mêmes lyriques – conquête du ciel et conquête de l'Ouest. Rien de tel en France. Le paysage est depuis longtemps domestiqué ; sa spécificité est précisément d'offrir un mélange harmonieux et indissociable de culture et de nature. Certains clichés d'images « naturelles » sont même piégés, et l'apparente nature n'est en fait qu'une culture, que ce soit la forêt de la ligne bleue des Vosges de Barrès, en fait plantée à la fin du XVe siècle, ou le cyprès, flamme naturelle du paysage arlésien de Van Gogh, planté au second Empire[61].
Le paysage français implique aussi une modestie, une clôture confortable de la vision. Cette petitesse se retrouve également dans les formats. Il est difficile de faire la part, dans cette prédilection pour les toiles réduites, de l'adéquation au sujet, et de la réponse à la demande du marché : de Barbizon aux impressionnistes c'est une peinture destinée aux appartements, plus aux châteaux ou aux églises, et pas encore directement aux musées.
Le paysage « archétypal » est villageois, cultivé, planté, habité du son des cloches, de pas, bientôt de l'écho d'un chemin de fer. « Ah, mon ami, que la nature est belle dans ce petit canton ! » s'écriait déjà Diderot[62]. C'est toujours la *nature employée* de l'*Encyclopédie*, soumise et transformée par l'industrie humaine. Des restes de « nature naturelle » sont canalisés, humanisés, habités, hantés, et même la nature « brute » des peintres de Barbizon n'est pas innocente et renvoie à un lointain passé culturel. Le paysage français perpétue l'image d'un monde ancien, mais travaillé, où chacun peut retrouver des

souvenirs visuels et son décor héréditaire. Que la singularité et la grandeur du paysage français tiennent à ce qu'il exprime, dans ses limites mêmes, un principe de réalité, de durabilité, est ressenti peut-être de la façon plus aiguë par un voyageur étranger. Ainsi Scott Fitzgerald, opposant avec nostalgie, devant les Alpes suisses, «l'impression de fini que lui avait donnée la campagne française, l'impression qu'il n'y a jamais rien au-delà [...] Ici rien n'a l'air d'être vraiment *là* alors qu'en France on sent que le plant de vigne est enraciné très profondément dans le sol[63]».

Ce sentiment d'appartenance et de pérennité, on le trouve sous un mode mineur mais significatif dans l'imagerie populaire, telle qu'on peut la suivre depuis la fin du XVIIIe siècle dans les images des almanachs, dits de cabinets, puis des Postes, puis calendrier des Postes – dans les illustrations des vignettes gravées, des chromos, puis des photographies accompagnant l'éphéméride. En dehors de quelques années où les événements ou la mode suscitent provisoirement un nouveau sujet (par exemple un troubadour en 1824, le chemin de fer Paris-Versailles en 1847, ou des scènes de guerre en 14-18), il existe une constante dans l'imagerie, depuis le tout début du XIXe siècle à la fin de nos années 1960, où le paysage fait alors place aux animaux dans les calendriers[64]. Il semble que le retour au paysage soit tout récent, et passe par la peinture: puisqu'il réapparaît en 1985 dans la reproduction d'un tableau de Sisley.

Au XIXe siècle, ces images montrent de façon répétitive des scènes agrestes, travaux des champs, promenades sentimentales, passage de cavaliers, chasseurs ou pêcheurs. On trouve d'ailleurs les mêmes vignettes et bergerades dans la production industrielle, comme celle des tissus de toile de Jouy, des décors de porcelaine, des papiers peints. Tout au long du siècle, ces images bucoliques sont encadrées par de grands arbres, réduction populaire des mises en page des paysages classiques, avec une permanence de collines douces, de chemins au premier plan, de moulins ou d'églises dans le fond du paysage. Cette image de bocage est traditionnelle jusque vers 1835, parfois avec des maisons de campagne aux murs clos, des parcs «à l'anglaise».

Ces calendriers romantiques montrent la nature qui vous entoure et celle qu'on possède, le parc clos étant la nature domestiquée du riche. Balzac a fort bien décrit au même moment dans *Les Paysans* cet en dehors et cet en dedans du paysage, la campagne et le parc; même nature, autres usages.

Au début des années 1850, les paysages des calendriers deviennent plus précis et topographiques, et montrent des «vues» des villes de France et d'Europe. Désormais, on voyage, le train ouvre le monde. Imagerie semblable à la même époque sur les feuilles d'Épinal, avec essentiellement quatre scènes répétitives: la partie de campagne, le bateau remorqué, la chasse au marais, la fête au village. On retrouve à peu de choses près les mêmes motifs dans les images

GUSTAVE COURBET, 1819-1877. L'ATELIER DU PEINTRE, 1855 (DÉTAIL).

François Millet, 1814-1875. L'Angélus, 1859 (détail).

chromolithographiques et les photographies des calendriers du début du XXe siècle, avec une volonté de particularisme plus que d'unité. La campagne française s'offre alors dans sa diversité et son folklore ; depuis nos années trente, beaucoup de Bretonnes en coiffe et de remparts de Carcassonne. La continuité se fait dans l'imagerie populaire, comme un siècle plus tôt, par la chasse et la pêche ; le thème est obsédant des années vingt aux années soixante, reprenant en gros plan et en costumes modernes et bottes de caoutchouc les petits personnages des anciens almanachs : ce ne sont que pêcheurs aux aguets dans un torrent, patients dans des barques, sur des pontons, que chasseurs à l'affût, ou triomphants avec leur butin. Des tapisseries médiévales aux calendriers des Postes, l'unité du paysage français semble de façon immémoriale passer par la chasse et la pêche.

On pourrait faire des remarques analogues sur une période plus courte, à propos des cartes postales. Images modestes et souvent naïves, mais dont la large circulation a certainement joué un rôle dans une prise de conscience de l'identité nationale, dans sa variété. Elles sont généralement composées comme des tableaux, à cette réserve près qu'elles montrent des sites régionaux célèbres, précisément ceux qu'en général le peintre de paysage répugnera à peindre au XIXe siècle. Ce sont presque toujours des paysages urbains même dans leur majorité, où le décor civique – mairie, hôtel de ville, monument aux morts – est très présent. Elles font bien partie, elles aussi, du répertoire collectif de la mémoire et offrent aujourd'hui aux collectionneurs français plus modestes que ceux de la peinture des témoignages *in situ* d'un passé proche.

Ces images populaires du paysage français, dans les calendriers ou les cartes postales, marquées par l'odeur du temps de la IIIe République, amènent à se poser quelques questions sur les relations entretenues par les paysagistes français avec la République. Même si ces liens ont été plus évoqués par la critique que par les peintres eux-mêmes, sauf bien sûr, Courbet, et Pissarro.

Paysage, République, nation

Sous la Restauration et le second Empire, nous dit Philippe Burty, « la qualification de réaliste se confondait avec celle de républicain[65] ». Peintre réaliste alors s'opposait à peintre d'histoire, peintre d'idées ; bien évidemment, les paysagistes étaient classés sous cette première étiquette. Et, de fait, ils étaient alors ressentis comme les peintres d'une sensibilité démocratique, tant dans leur inspiration qu'à travers le succès remporté surtout auprès d'un public non aristocratique.

Il est d'ailleurs fort significatif que les engouements successifs en France pour le paysage soient le fait du « tiers état » urbain : déjà au XVIIIe siècle, période du triomphe officiel de la peinture religieuse et d'histoire, «les inventaires après décès montrent, dans les intérieurs bourgeois, des petits tableaux de paysage de plus en plus nombreux[66]», surtout, sans doute, d'importation ou d'inspiration flamande et hollandaise, et qui témoignent peut-être du goût de la ville face à celui de la cour.

On retrouve au XIXe siècle sous des formes diverses ce fil continu qui oppose l'art réaliste - scène de genre et paysage - au grand genre, celui de la peinture d'histoire ou d'idées - soutenu par des critiques comme Delecluze - ou de la peinture d'imagination ou du merveilleux moderne, défendue par Baudelaire, que le paysage inspirait médiocrement, tout comme les grands ténors du siècle, Ingres et Delacroix. Le paysage, miroir de la réalité française, a été soutenu et même orienté par des critiques qui avaient tous en commun d'être républicains, quarante-huitards, puis opposants à l'Empire comme Burty, Champfleury, Castagnary, Planche ou Thoré.

Rien d'étonnant à ce que les paysagistes réalistes (ceux de Barbizon, ou Courbet) soient particulièrement soutenus par les Républiques successives. Celle de 1848, qui passe commande de grands paysages aux refusés du Salon sous Louis-Philippe et, sous l'impulsion de Charles Blanc, fait entrer dans les collections nationales les paysages de grand format comme la *Forêt de Fontainebleau* de Rousseau, le *Labourage nivernais* de Rosa Bonheur, ou *Les Bords de Seine* de Daubigny[67].

Le gouvernement de la IIIe République, qui ne soutint pas particulièrement les impressionnistes, associait pourtant la peinture de paysage, et spécialement de plein air, à une liberté conquise où il voyait des analogies avec la nouvelle liberté politique[68]. Dans son manifeste sur les rapports du gouvernement républicain et des beaux-arts en 1879, Jules Ferry loue, à titre posthume, il est vrai, Théodore Rousseau, et dans l'école nouvelle, «toute une génération d'artistes [qui] poursuit une vérité plus fugitive mais aussi plus intime, plus difficile à saisir, mais par là même plus saisissante, ce qu'on appelle aujourd'hui la vérité du plein air[69]».

Les années 1880-1900 vont être celles de grandes commandes d'État ou municipales, de décoration de gares, de mairies, où les représentations de paysages locaux vont se multiplier à côté des allégories et des sujets historiques[70]. Malheureusement, ces commandes ont été faites assez systématiquement à des peintres semi-officiels, ou du «juste milieu», ceux-là même qui adoptaient les trouvailles de la peinture impressionniste et postimpressionniste à des formules plus académiques, comme Gervex, Henri Martin ou Albert Besnard: ceux qui «volent de nos propres ailes» comme disait Degas. Bien sûr, quelques-unes de ces décorations où apparaît un paysage localisé sont de grande qualité - comme celles de Puvis de Chavannes sur Paris, dans son cycle consacré à sainte Geneviève, au Panthéon. Mais, en 1879, Manet

Claude Monet, 1840-1926. Le Printemps à travers les branches, 1878.

Pierre Bonnard, 1867-1947. La Salle à manger à la campagne, 1913.

aura proposé en vain de décorer le nouvel Hôtel de Ville de scènes « représentant, pour me servir d'une expression [...] qui peint bien ma pensée : "le ventre de Paris", avec ses diverses corporations se mouvant dans leur milieu, la vie publique et commerciale de nos jours. J'aurais Paris-Halles, Paris-Chemins de fer, Paris-Port, Paris-Souterrains, Paris-Courses et Jardins[71] ». La majorité des décors de bâtiments officiels de la IIIe République sont historiques et allégoriques, le paysage topographique apparaît peu à peu dans les mairies dans les quinze dernières années du siècle. C'est l'époque où le plafond peint du restaurant de la gare de Lyon déploie les paysages urbains et maritimes des lieux desservis par la ligne Paris-Lyon-Marseille, répondant au programme régionaliste de la IIIe République dont témoigne l'éloquence parlementaire de l'époque, au style « moustachu » : « Quelle est au monde la contrée qui, par les souvenirs historiques, par les traces vivantes du passé, par les monuments de tous les styles, est plus digne que la France de l'admiration des véritables artistes, et quelle est la terre favorisée qui offre les spectacles de la nature les plus charmants et les plus grandioses, au même degré que notre vieille Gaule, où, des collines brumeuses de l'Armorique aux montagnes ensoleillées de la Provence, des Vosges aux Pyrénées et des Pyrénées aux Alpes, se rencontrent les climats les plus différents, les aspects les plus divers, les sites les plus caractéristiques, les colorations les plus variées. Faisons connaître et apprécier notre chère patrie, non seulement aux étrangers, pour lesquels Paris semble être l'unique attraction, mais aux nombreux Français qui la connaissent mal ou ne l'apprécient pas assez[72]. »

Ce programme patriotique d'une France des « coteaux modérés » bientôt chère à Albert Thibaudet, cadre idéal d'une mythologie radicale, trouve ses racines dans l'idéologie réaliste du milieu du XIXe siècle. La volonté de peindre et de glorifier son pays était très consciente chez certains artistes comme Courbet, s'écriant à propos des peintres orientalistes : « Ils n'ont donc pas de pays ces gens-là ? [...] Pour peindre un pays il faut le connaître. Moi je connais mon pays, je le peins [...] allez-y voir, vous reconnaîtrez tous mes tableaux[73]. » Les critiques théorisaient au même moment ce patriotisme artistique : « Par le paysage, l'art devient national [...] il prend possession de la France, du sol, de l'air, du ciel, du paysage français. Cette terre qui nous a portés, cette atmosphère que nous respirons, tout cet ensemble harmonieux et doux qui constitue comme le visage de la mère patrie, nous le portons dans notre âme[74]. » Plus : non seulement le paysagiste exprime une vérité nationale, mais il travaille pour la mémoire nationale : « Peindre ce qui est, au moment où vous le percevez, ce n'est pas seulement satisfaire aux exigences esthétiques des contemporains, *c'est encore écrire de l'histoire pour la postérité à venir*[75]. »

Disparition et triomphe du paysage français

Ce texte de 1867, qui concernait en fait les peintres de Barbizon, est prémonitoire de l'immense succès que fait notre temps à la peinture de la génération suivante, l'impressionnisme. Ce succès, accru aujourd'hui depuis quelques années, coïncide avec une nouvelle approche plus sociologique de Monet, Sisley, Pissarro, etc., telle qu'elle est définie, après Meyer Schapiro, par les historiens anglo-saxons actuels de l'impressionnisme[76]. Au-delà des nouveautés techniques et des expressions de l'individualité, qui ont créé le scandale à l'époque, puis le succès du mouvement à la fin du siècle dernier et jusque dans nos années soixante-dix, la perspective actuelle tend à les traiter en témoins plus qu'en révolutionnaires, en faiseurs d'images plus qu'en créateurs de formes et de style. Tout se passe comme si, le temps passant, les audaces techniques picturales étant totalement digérées, recouvertes par toutes les autres inventions stylistiques des avant-gardes successives, on s'attache plus aujourd'hui à l'iconographie de ces œuvres qui ont formé notre vision, au point que tel bord de Seine de l'Île-de-France, telle vue de la côte normande ou telle vue plongeante de boulevard parisien sous une certaine lumière ont créé des archétypes, en surimpression derrière la vision que nous avons aujourd'hui des lieux mêmes.

L'impressionnisme est notre meilleur ambassadeur : « Le monde en sait plus sur la France à travers leur vision qu'il n'en sait d'expérience de ce pays. Les paysages impressionnistes sont devenus la pierre de touche universelle du goût du grand public, supplantant l'œuvre de Raphaël, de Léonard et de Michel-Ange dans l'imaginaire collectif universel[77]. »

En France même, le paysage peint au siècle dernier prend place peu à peu au cours du XXe siècle dans l'imagerie nationale, alors qu'il disparaît progressivement de l'art vivant. Une tradition du paysage français se perpétue entre les deux guerres, avec des artistes d'inégale qualité, comme les ex-fauves, Derain, Vlaminck, ou les plus jeunes, les « montparnos » du terroir, comme La Patellière, Lhote, Segonzac, etc., qui contentent un goût dominant nationaliste et régionaliste, dans les années vingt-trente, d'inspiration souvent assez rétrograde. Nous sommes alors en plein *retour à l'ordre*, repli chauvin dû à la guerre, après les élans internationalistes de l'art du début du siècle. Ce populisme régional en peinture a trouvé dans le paysage l'expression d'une certaine « qualité France », tournée vers la tradition. Derain se voulant héritier de Corot, de Courbet et des paysagistes du XVIIe siècle, Vlaminck peignant indéfiniment son stéréotype de rue de village sous l'orage ou sous la neige, Utrillo, ses ruelles ; les plus jeunes comme La Patellière, Lhote, La Fresnaye infléchissant et adoucissant les formules cubistes dans des effigies villageoises; tous participant du même mouvement. L'étude de leurs leitmotive, de leurs succès commerciaux, des critiques exaltant leurs qualités françaises, leur mise en relation avec le contexte socioculturel de l'époque, la littérature, etc., pourront apporter beaucoup sur l'histoire des mentalités nationales de l'entre-deux-guerres[78]. Il n'en reste pas moins que ce succès fut éphémère, lié à l'actualité, et n'a pas marqué la mémoire collective.

Rares, au même moment, parmi les «phares» de l'histoire de l'art, ceux qui s'intéressent au paysage français. Et, s'ils le font, soit ils développent une iconographie et des formules qui découlent de l'impressionnisme (Dufy dans ses vues de plages, Marquet et Signac dans les ports de France ou les vues de Paris), soit, et c'est le cas chez les plus grands créateurs, le paysage est soumis à leur propre vision, et comme tenu à distance. Les paysages de Bonnard, de Vernonnet ou du Cannet, sont vus d'une terrasse ou d'une fenêtre; les jardins méditerranéens de Matisse entrevus d'une fenêtre, entre des persiennes, filtrés par des rideaux. Chez l'un comme chez l'autre, il est significatif que la nature soit prise d'un intérieur, comme si le paysage n'existait plus par lui-même, s'il n'était plus qu'un prétexte à peindre, une plongée à partir d'un atelier, d'une ouverture. La fenêtre découpe un «paysage encadré», déjà objet de peinture. L'univers extérieur est à nouveau vu de l'atelier, où, après une escapade d'à peine plus d'un demi-siècle, on est définitivement rentré.

En fait, le paysage comme genre national disparaît après la guerre de 14 dans l'art moderne. Au moment où, d'une part, celui-ci devient un style international, et, d'autre part, le réel auquel on peut s'intéresser n'est plus le simple spectacle de la nature, mais son mouvement (les futuristes), sa structure (les cubistes), son mystère infinitésimal (Klee), ou ce qu'il y a derrière l'apparence (surréalisme), etc., sans même parler de l'art abstrait, qui n'a pris une importance nationale en France qu'après la Seconde Guerre mondiale.

Mais alors même que le paysage français est un genre moribond dans l'art vivant, ses images pénètrent le goût et la mémoire collective, avec déjà une sensibilité au passé et une diffusion en écho de formules mortes. D'innombrables artistes plus ou moins obscurs et peintres du dimanche persévèrent dans la représentation du paysage de plein air, «des légions de chevalets hérissent les bois et les campagnes, des ombrelles fleurissent sur tous les champs, le mistral a beau souffler [...] les chevalets tiennent bon [...] ni la poussière dans les yeux ni la réverbération cruelle ne détournent des milliers de Français de leur besogne attendrissante: tapoter du pinceau sur une toile tendue comme un piège à images[79]».

La peinture de plein air comme sport national, analogue à la pêche à la ligne, fait appel à un besoin de racines et de plaisirs simples, auquel répond aujourd'hui la popularité des expositions ou des multiples publications illustrées sur l'impressionnisme. Ce paysage français peint, dont on a vu les limites chronologiques et les liens puissants qu'il a entretenus avec l'histoire du pays, paraît n'être plus, depuis près d'un demi-siècle, qu'un objet de mémoire, et non plus un motif de création et d'identification. Et c'est à juste titre qu'on a interprété le succès des expositions sur le *Centenaire de l'impressionnisme*, en 1974, ou, dix ans plus tard, sur *L'Impressionnisme et le paysage français*, en grande partie par un effet de nostalgie, où l'écologie prend sa part, au pouvoir évocateur d'images montrant des lieux à la fois familiers et lointains, au décor d'un paradis perdu qui serait notre propre jardin national. Les visiteurs piétinaient des heures pour pouvoir feuilleter l'album de famille de la mémoire collective, redécouvrir notre paysage habité par le temps et, sous les frondaisons, un peu de leur histoire.

1. Ainsi que l'une de celles de Giscard d'Estaing, au même motif, n'ayant finalement pas été retenue. C'était déjà le même schéma dans l'affiche de Pétain sur fond de village en 1940 : « Suivez-moi, gardez votre confiance en la France éternelle. »

2. Par exemple, la fresque des Oiseleurs (vers 1343) du palais des Papes d'Avignon, ou toutes les tapisseries à « mille fleurs » ou à fond de paysage des siècles suivants.

3. Au musée Jacquemart-André. Voir Millard Meiss, *French Painting on the Time of Jean de Berri*, t. I, *The Boucicaut Master*, Londres, Phaidon, 1974, p. XX.

4. Françoise Heilbrun, « Le paysage dans la photographie française au XIXe siècle » *in* catalogue de l'exposition *L'Impressionnisme et le paysage français*, Paris, 1985, p. 373.

5. Henri Bouchot, « Le paysage chez les primitifs », conférence à l'École des hautes études, 1905-1906, *in* Henri Marcel *et al.*, *Histoire du paysage en France*, Paris, 1908, p. 120.

6. Paul de Limbourg et Jean Colombe, *Septembre*, dans les *Très Riches Heures du duc de Berry*, musée de Chantilly, n° 547.

7. Paul de Limbourg, *Juin*, *op. cit.*, n° 544.

8. Jean de Limbourg, *Très Riches Heures…*, *op. cit.*, n° 597 ; Fouquet, *Heures d'Étienne Chevalier*; *Très Riches Heures du duc de Berry*, *op. cit.*, f° 51 v°.

9. Maître du *Cœur d'amour épris*. Vienne, Bibliothèque, cod. 2597, f° 31 v°.

10. Témoignage de Francisco de Hollanda, *Quatre dialogues sur la peinture*, Paris, 1911, pp. 28-30.

11. Roger de Piles, *Cours de peinture par principe*, 1708. Souvent cité, en particulier par Henri Marcel, *in Histoire du paysage en France*, *op. cit.*, p. 140.

12. Kenneth Clark, *Le Paysage, Paris, Julliard*, 1962, p. 108.

13. *Conversation avec Cézanne*, cité par Gasquet, reproduit *in* P.-M. Doran, *Conversations avec Cézanne*, Paris, Macula, 1978, p. 122 ; deuxième citation rapportée par Maurice Denis *in Théories*, Paris, 1912, p. 242.

14. Honoré d'Urfé, *L'Astrée*, présentation de Jean Lafond, Paris, Gallimard, coll. Folio, 1984, p. 25.

15. Jean et Edmond de Goncourt, *La Peinture à l'Exposition universelle de 1855*, repris *in L'Art du XVIIIe siècle* (présentation de J.-P. Bouillon), Paris, Hermann, 1967, p. 214.

16. Oudry : *Un petit paysage où apparaît une grosse tour, d'après nature (1737)*, coll. privée, catalogue de l'exposition Oudry, Paris, 1982-1983, n° 89 ; Boucher : *Un paysage d'après nature des environs de Beauvais*, (Salon de 1742).

17. Vernet, 1762, Versailles, musée national du Château.

18. Loutherbourg : *Paysage avec figure et animaux*, 1763, Liverpool, musée.

19. Mongin, *Le Curieux*, étude d'après nature, catalogue de l'exposition *De David à Delacroix*, Paris, 1974, n° 132.

20. Je n'ai pu remonter qu'en 1824, avec le *Souvenir des bords de l'Isère*, de Bidauld (n° 144) ; mais une recherche approfondie sur l'intitulé des œuvres reste un riche champ d'investigation, à ma connaissance inexploité.

21. V. Van de Sandt, « Le Salon de l'Académie de 1759 à 1781 » *in* catalogue de l'exposition *Diderot et l'art de Boucher à David*, 1985, p. 83.

22. Antoine Schnapper *in* catalogue de l'exposition *De David à Delacroix*, 1974-1975, pp. 113-114.

23. Voir D.-G. Charlton, *New Images of the Natural in France*, Londres, Cambridge University Press, 1984.

24. Cardinal de Bernis, *Les Géorgiques françaises*, 1763 ; abbé Delille, *Les Jardins*, 1767 ; Jean-François de Saint-Lambert, *Les Saisons*, 1767.

25. Par Cochin et Lebas.

26. Salon de 1763, cité *in* catalogue de l'exposition *Diderot…, op. cit.*, p. 300.

27. Gougenot, *Mémoires inédits*, 1761, t. II, p. 365, cité par L. Deshairs, « Le paysage en France après Watteau », *in Histoire du paysage en France, op. cit.*, pp. 155-156.

28. Rüdigger Joppien, notice Loutherbourg, *in* catalogue de l'exposition *Diderot…, op. cit.*, p. 314.

29. Delecluze, *Salon de 1825*, cité *in* Philippe Grunchec, *Le Grand Prix de peinture* ; les concours de Rome de 1797 à 1863, Paris, E.N.B.-A., 1984, p. 380.

30. Albert Boime, *The Academy and French Painting, in the Nineteenth Century*, New York, Oxford, Phaidon, 1971, p. 121.

31. Ph. Grunchec, *op. cit.*, p. 98.

32. Geneviève Lacambre, catalogue de l'exposition *Le Musée du Luxembourg en 1874*, 1974, n° 82.

33. Alfred de Musset, compte rendu du Salon de 1836, *Revue des Deux Mondes*, 15 avril 1836, p. 151.

34. Par Girtin en 1803, Cotman Pugin et Gendall en 1821, Hardity et Burnet en 1835 et, bien sûr, Turner en 1837. *Cf.* Robert Herbert, *Barbizon revisited*, Boston, Museum of Boston, 1962, pp. 16-17.

35. Sur les éditions illustrées du baron Taylor, voir Michel Melot, *L'Illustration*, Genève, Skira, 1984, p. 136.

36. Voir Jacques Foucart, *Les Paysagistes de la première moitié du XIXe siècle et l'art néerlandais*, D.E.S. inédit, 1963 ; et Petra ten Doeschate Chu, *French Realism and the Dutch Masters*, Utrecht, 1974.

37. H. Van Der Tuin, *Les Vieux Peintres des Pays-Bas et la critique artistique en France de la première moitié du XIXe siècle*, Paris, Vrin, 1948, pp. 12-16.

38. Sept cent vingt planches des œuvres du Musée Napoléon, reproduites dans l'album de Filhol ; ou les quelque dix mille planches de cuivre constamment retirées chez la marchande de gravures veuve Jean ; *Manuel* des époux Marchand, 1813 ; *cf.* J. Foucard *op. cit.*, p. 38 *sq.*

39. Gérard de Nerval, *Promenades et souvenirs*, Paris, Gallimard, Bibl. de la Pléiade, p. 122 *sq.*

40. Cité par Alfred Sencier, *Georges Michel*, Paris, 1873, p. 21.

41. Article anonyme du *Globe*, 17 novembre 1824, cité par Van der Tuin, *op. cit.*, p. 61.

42. Thoré, *Le Magasin pittoresque*, 1847-1848, t. XI, pp. 214-216, cité par Van der Tuin, *op. cit.*, p. 85.

43. Diderot, à propos de Vernet, *La Source abondante*, etc., *in* catalogue de l'exposition *Diderot…*, *op. cit.*, p. 408.

44. Senancour, *Oberman*, lettre XXV (*cf.* les plus belles pages de Senancour, présentées par Jean Grenier, Paris, Mercure de France, 1968, p. 122).

45. Alfred Sencier, *Théodore Rousseau*, Paris, 1872, p. 18.

46. Id., *ibid.*, p. 153.

47. Lettre de Th. Rousseau citée par Sencier, *ibid.*, p. 277.

48. Voir *Nos ancêtres les Gaulois*, actes du colloque international de Clermont-Ferrand, présentés par Paul Viallaneix et A. Ehrard, Clermont-Ferrand, 1982.

49. Jules Michelet, *Tableau de la France*, *in Œuvres complètes*, Paris, Flammarion, 1974, t. IV, pp. 332-333.

50. Delecluze, *Salon de 1829*, cité par Grunchec, *op. cit.*, p. 384.

51. Cézanne à Gasquet *in Conversations avec Cézanne*, Paris, Macula, 1978, p. 144.

52. *Cf.* Hélène Toussaint, *in* catalogue de l'exposition *Gustave Courbet*, Paris, 1977, n° 76 ; Linda Nochlin, citée par Gabriel Weisberg, *The Realist Tradition*, Cleveland, The Cleveland Museum of Art, 1980, p. 182.

53. Castagnary, « Philosophie du Salon de 1857 » *in Salons*, Paris, 1892.

54. Henri de La Madelène, « Les beaux-arts à l'Exposition universelle », *Paris-guide 1867*, pp. 2031-2032.

55. Guy de Maupassant, *Bel-Ami*, Paris, Gallimard, coll. Folio, 1973, p. 161.

56. Charles Baudelaire, « Salon de 1859 », *in Œuvres complètes*, t. II, Paris, Gallimard, Bibl. de la Pléiade, 1976, p. 663.

57. Alfred Sencier, *Corot*, Paris, 1871.

58. Jean Starobinski, *in* catalogue de l'exposition *Diderot…*, *op. cit.*, p. 20.

59. Denis Diderot, *Salon de 1767*, à propos d'Hubert Robert *in Salons*, Paris, 1983, pp. 118, 227.

60. J. et Ed. de Goncourt, dimanche 8 juin 1862, *Journal*, t. I, Paris 1970, p. 1085.

61. Jean-Robert Pitte, *Histoire du paysage français*, Paris, Tallandier, 1984, t. I, p. 110, et t. II, p. 89.

62. Salon de 1763 (sur Loutherbourg).

63. Scott Fitzgerald, *Tendre est la nuit*, trad. franç., Paris, Belfond, 1985, p. 153.

64. C'est en 1806 précisément que commence, en tout cas, la collection conservée au musée des Arts et Traditions populaires. Pour nos années soixante, l'imagerie des calendriers reflète en fait fidèlement la progression constante des animaux familiers chez les français (trente-trois millions selon les statistiques), *plus* que chez tous les autres Européens. Comme si l'approche de la *nature* passait plus désormais par les bêtes domestiquées que par la vision du paysage.

65. Ph. Burty, *in Léon Bonvin, l'aquarelliste*, cité par Pierre Vaisse, *op. cit.*, *infra* n° 70, p. 153.

66. Jacques Thuillier, « Le paysage dans la peinture française du XVIIe siècle », *Cahiers de l'Association internationale d'études françaises*, n° 29, 1977, p. 50.

67. Voir Robert Herbert, *Barbizon revisited*, *op. cit.*, p. 39 ; sur la politique artistique, voir Timothy Clark, *The Absolute Bourgeois*, Londres, Thames and Hudson, 1973, chap. II.

68. Discours de la remise des prix du Salon de 1879, publié dans le Salon de 1880, p. VI.

69. *Ibid.*, pp. VI et VII.

70. Voir Pierre Vaisse, *La IIIe République et les peintres*, thèse d'État, Université de Paris IV, 1980 et Thérèse Burollet, F. Folliot, Daniel Imbert, *Grands Décors parisiens (Hôtel de Ville, mairies)*, 1870-1914, catalogue de l'exposition du Petit-Palais en préparation.

71. Lettre publiée dans Bazire, *Édouard Manet*, Paris, 1884, p. 142, *cf.* catalogue de l'exposition Manet, 1983, p. 516.

72. Maurice Faure, discours à l'Assemblée, 1898, cité par P. Vaisse, *op. cit.*, p. 156.

73. Cité par André Fermigier, *Courbet*, Genève, Skira, 1971, p. 16.

74. Castagnary, «Salon de 1867» *in Salons, op. cit.*, p. 235.

75. Id., *ibid.*, p. 242.

76. *Cf.* Meyer Schapiro, «Nature of abstract art», *Marxist Quarterly*, janvier-mars 1937; trad. franç., *Cahiers du musée national d'Art moderne*, n° 4, 1980. Robert Herbert, *The Social Iconography of Impressionnism*, Slades Lectures, Oxford, 1978, à paraître; Paul H. Tucker, *Monet at Argenteuil*, New Haven, Yale University Press; R. Brettel, S. Schaeffer et S. Patin *in* catalogue de l'exposition *L'impressionnisme et le paysage français*, etc.

77. R. Brettel et S. Schaeffer, *ibid.*, p. 15.

78. Romy Golan, *The National Idea in French Art between the Two World Wars*, thèse du Courtauld Institute, à paraître en 1986.

79. André Lhote, *Traité du paysage*, Paris, 1939, p. 12.

MARCEL RONCAYOLO

Le paysage du savant

La mémoire des lieux et des paysages fait assurément partie des mémoires de la nation. Elle en cultive les points de repère physiques : la psychologie classique accorde, on le sait, à ces signes matériels la capacité de fixer la localisation des souvenirs et d'en aider la mobilisation. Cette mémoire agit donc en plusieurs sens : en premier lieu, l'appropriation collective, par l'image et les représentations, d'un ensemble géographique qui dépasse les expériences individuelles. Le paysage est alors objet de mémoire, carte mentale. En un autre sens, il devient source de connaissances, archive vivante ou matérielle : les aménagements et les dispositifs territoriaux recèlent la trace d'une histoire plus ou moins lointaine ou mouvementée, qu'elle soit à l'échelle des temps géologiques ou des sociétés : patrimoine à découvrir, remuer, fouiller quand il ne se déploie pas plus directement au regard de l'observateur averti. Ainsi, que l'on cherche dans le paysage et le sol des richesses à extraire ou des usages productifs, les preuves d'une évolution ou des valeurs et des attaches symboliques, la connaissance du territoire dans ses formes concrètes, lieux et non délimitations arbitraires, accompagne l'histoire nationale ou même le développement du pays. Aux États-Unis, l'exploration photographique et scientifique de l'Ouest est un épisode clef de la formation de la nation. En France, les coïncidences sont précises : l'épreuve de 1870 déclenche la renaissance d'un enseignement de la géographie, qui devient sous peu une pièce maîtresse de la pédagogie républicaine[1]. Connaissance du territoire et connaissance de l'histoire nationale paraissent s'allier et culminer tout à la fois dans l'œuvre monumentale, à laquelle le géographe Vidal de La Blache prête son concours : l'*Histoire de France* d'Ernest Lavisse, (voir, plus haut, l'article qui lui est consacré) qui ouvre le XXe siècle[2].

Il va sans dire que tout ne relève pas du savoir scientifique dans cet apprentissage du paysage national. Représentations, moyens de diffusion répondent souvent à de moindres exigences. Mais la lecture scientifique des lieux pénètre et modifie les formes les plus communes de la connaissance. La conscience et l'appréciation du territoire passent donc par des épreuves plus sophistiquées, la mise au point de techniques, la constitution des disciplines et la division du savoir. D'autre part, ce travail épistémologique ne s'accomplit pas à travers la seule étude du terrain national. Ce sont au contraire les missions de découverte à travers la planète et, dans certains cas, l'entreprise de colonisation et de pénétration qui finissent par donner à la géographie sa valeur d'universalité. Le XIXe siècle est aussi celui des Géographies universelles; si l'on s'en tient à l'édition française, le genre conduit de Malte-Brun, dont le *Précis* est publié pour la première fois en 1810-1811[3], à Élisée Reclus[4] (le premier tome de sa *Géographie universelle*, dite nouvelle, sort en 1876) et au projet lancé quelques décennies plus tard par l'équipe vidalienne. Les géographies nationales ne sont souvent qu'un retour sur soi, affiné, enrichi, distancié. Après l'expérience des grands voyageurs (comme Humboldt), l'aventure coloniale est à cet égard décisive et nourrit le débat épistémologique.

La lecture savante ne s'inscrit pas, d'autre part, hors de la société. Passé et présent, formes et événements, paysages et mouvements de l'histoire se renvoient leurs reflets, comme un jeu de miroirs. Il faut donc aller au-delà des divisions disciplinaires. La manière de concevoir les acteurs historiques ou le travail d'une société sur elle-même (Michelet évoque «le puissant travail de soi sur soi, où la France par son propre progrès va transformer tous ses éléments bruts») a nécessairement des implications idéologiques. Naturalisation des rapports sociaux ou historicité sont sans cesse en question, dans l'interprétation que l'on donne des formes physiques et des paysages. Si l'on s'attache en particulier à la notion de paysage, elle paraît flotter entre des catégories multiples: la lecture savante n'est pas étrangère à l'esthétique, aux stéréotypes du voyage ou de la découverte exotique, à l'élaboration du paysage en spectacle ou objet de consommation. Elle ne l'est pas, non plus, aux manières de percevoir et à la fabrication des images: essor de la photographie puis des prises de vue aériennes, usage de la photogrammétrie, messages des satellites, avec l'ambition ranimée, grâce à la puissance de l'outil, de saisir des totalités. Elle n'est pas étrangère, enfin, aux inquiétudes plus contemporaines sur l'environnement. L'*Essai sur la formation du paysage rural français* de Roger Dion (1934) est réédité cinquante ans plus tard sous les auspices de la Direction de l'urbanisme et des paysages.

Cet écheveau, qui va de l'épistémologie à l'histoire du goût et des sensibilités et à la représentation de la société ne peut être débrouillé facilement. Si l'on cherche simplement à mettre en valeur les changements qui s'opèrent dans le déchiffrement des paysages (la notion d'espace est encore plus large et s'applique à des réalités totalement différentes), sans doute vaut-il mieux insister sur trois temps forts. À l'issue de l'encyclopédisme du XVIIIe siècle, dans son héritage, le premier moment instruit une division partielle, sectorielle, inachevée, des regards scientifiques : ainsi sont placées et définies comme branches du savoir, la statistique, la cartographie, la géologie – et dans une certaine mesure l'histoire, si l'on entend l'appel de Jules Michelet : autant de « disciplines » du paysage, mais qui sont loin de recouvrir tout le champ. L'appropriation de l'image du territoire s'accomplit parallèlement, hors de règles strictes, à travers une littérature hétéroclite. Le deuxième moment, qui ne remonte pas en deçà des années 1870, correspond à la mise en place de la géographie vidalienne : elle n'éclate pas comme un « coup de tonnerre » ; elle se compose, au contraire, de multiples sources, avec l'objectif désormais affirmé de fonder une science des lieux et des paysages : mais tout en affichant la nécessité d'intégrer dans l'explication nature et histoire, elle côtoie sans cesse le risque du naturalisme. Le troisième moment voit se constituer à travers le *paysage rural*, notion particulière et exemplaire à la fois, un objet scientifique offert à l'historien comme au géographe, mais qui aboutit, en fait, à une première « décomposition » du paysage, la science précédant ou soulignant l'évolution même de la société. C'est cette sorte de courbe que l'on voudrait décrire, étant bien entendu que les habitudes intellectuelles et à plus forte raison leur diffusion et leur enseignement ne sont ni acquis d'emblée ni aisément abandonnés.

I. De l'encyclopédie à la division des disciplines : morcellement du savoir sur le paysage

La nébuleuse encyclopédique

Les héritages et les expériences, il faut les chercher hors d'une littérature spécifique et parfois hors du territoire français. D'abord les récits de voyage et les guides, dont les amateurs du Grand Tour d'Italie, ont été à la fois les initiateurs, les premiers utilisateurs et ont diffusé le modèle. Si l'on fait le bilan de cette tradition, aux confins des XVIIe et XVIIIe siècles, on doit déjà distinguer des types de voyages et des types d'intérêts. Mais à cette étape l'emporte surtout une curiosité encyclopédique qui additionne le respect des antiques, la connaissance des monuments et des lieux marqués par l'histoire, le goût des merveilles de la nature ou des paysages impressionnants, enfin l'histoire naturelle. Ainsi s'établit un inventaire sans frontières des choses à voir. Description ponctuelle, d'autre part, attachée à chaque parcelle de curiosité et qui délaisse la saisie générale de la physionomie d'une contrée : la toile de fond est rarement en pleine lumière ; elle fournit souvent un cadre pour les personnages et actions du passé ou du présent – tout comme la peinture ; elle est reléguée dans une certaine ombre, un espace presque neutre à parcourir entre des lieux d'exception.

Jean-Claude Perrot[5] a montré comment, parallèlement à cette curiosité générale et parfois directement accrochée à elle, se développe, dans la seconde moitié du XVIIIe siècle, la statistique, inspirée par le goût du savoir et la mesure de l'intérêt public (y compris orientée vers le grand débat sur la réforme de l'impôt, que l'on pense d'abord comme *territorial*). Le titre d'un ouvrage de l'époque, écrit par un inspecteur des Ponts et Chaussées et portant sur l'Angoumois, résume les cibles multiples de ces mémoires : *Essai d'une méthode générale propre à étendre les connaissances des voyageurs, ou Recueil d'observations relatives à la répartition des impôts, au commerce, aux sciences et aux arts et à la culture des terres : le tout appuyé sur des faits exacts et enrichi d'expériences utiles* (1777). La topographie, la description géographique, l'histoire naturelle et souvent l'histoire la plus anecdotique se trouvent ainsi côtoyer la statistique. Celle-ci hésite, d'autre part, entre une arithmétique plus abstraite, portant sur la population et les ressources, et la description chiffrée. L'éclosion de ces mémoires constitue donc, par fragments géographiques, un premier regard porté sur le territoire et mobilise les connaissances, parfois naïves, d'une élite locale. D'autres incitations viennent de groupes professionnels plus précis : les médecins surtout. Dans la perspective d'une discipline médicale convertie au néo-hippocratisme (c'est-à-dire au rôle décisif de l'environnement), l'enquête sur le milieu est au cœur des préoccupations. Un nouveau genre naît : la topographie médicale, qui, pendant quelques décennies, s'étend de l'étude des provinces à celle des villes. L'encouragement officiel vient de la Société royale de médecine, qui, en 1776, lance un grand projet-questionnaire de description du Royaume.

Le voyage des agronomes revêt une autre dimension : plus fermement orienté vers son objet, en dépit des compétences très inégales chez les auteurs. La physiocratie est sur ce point ambiguë : respectueuse des phénomènes naturels et soucieuse d'un accroissement des ressources, que seule l'amélioration des techniques et de l'économie agricole peut obtenir. Si l'on cherche une origine à la lecture scientifique du paysage, y compris dans les deux interprétations parfois conflictuelles qui la divisent, les agronomes en préforment sans doute le dessin. Dans son *Essai*, passant sur les critiques adressées à Arthur Young[6], Roger Dion rappelle l'intérêt du constat, étayé par les enquêtes que l'Ancien Régime finissant lance sur les droits de vaine pâture et la clôture des terres. « Le texte d'Arthur Young n'en prend que plus de valeur à nos yeux. Il nous révèle, dans sa simplicité schématique, des réalités primitives que l'aspect actuel du paysage ne laisse plus aussi clairement

Image visuelle et simplifiée du paysage : Montaigut-le-Blanc (Puy-de-Dôme). Armorial de Guillaume Revel, seconde moitié du XVe siècle. Représentés en perspective, les signes distinctifs d'un paysage : le village fortifié, dominé par un donjon, la fondation religieuse, les hameaux avec enclos et bergerie ; le dessin du relief, des pâtures et des champs, çà et là plantés d'arbres. Une description « qualitative » plus qu'un tableau complet.

percevoir que de son temps.» Insistons surtout sur la valeur du témoignage d'Arthur Young: plus vrai que nature, parce que appuyé sur des aspects choisis, triés – le champ ouvert ou la clôture, la densité et les formes du couvert, l'opposition entre grande culture et petite culture – et rapportés plus ou moins explicitement à des pratiques agricoles. Ce témoignage, selon Roger Dion, en vient à se substituer, dans la recherche du passé et la détection des grandes divisions du paysage français, à l'observation directe d'un panorama plus brouillé. C'est bien à travers des textes de cet ordre que le paysage, confronté non seulement aux conditions offertes par la nature mais aux formes de production, aux types de travaux et d'outillage, à l'aménagement du sol par les groupes sociaux, prend une autre force.

Des statistiques à la Statistique

Les «statistiques» commandées par les administrations du Directoire et de l'Empire s'inspirent de cet héritage. Véritable état des lieux, comparant la situation avant et après les événements et les changements révolutionnaires, elles répondent, dans un premier temps, à la fois à la curiosité «encyclopédique», à l'enquête globale sur les conditions naturelles, topographiques et humaines de la vie et de l'activité dans les nouveaux départements, au souci plus précis de «chiffrer» les données de la population et de la production et d'établir des «interconnexions». Un état de la richesse, replacée dans son milieu et de ce fait très sensible aux diversités géographiques. Cette ambition n'aboutit que partiellement à des travaux lourds, hétéroclites et inégalement sûrs, malgré la collaboration des cercles éclairés de province. À partir de 1806, le Bureau de la statistique élague dans le lot des curiosités, tend à concentrer sa demande sur la construction de données quantitatives, plus solides, établies avec plus de régularité, mais aussi d'une manière sectorielle. Du tableau géographique, on passe au tableau de bord. Ainsi se marque dès la fin de l'Empire une demande plus spécifique des administrations centrales (le Bureau de statistique, trop autonome, éclate en 1811), mais aussi la définition d'une branche particulière du savoir: la statistique quantitative, plus rigoureuse, mieux orientée vers l'arithmétique de l'économie et la construction de séries régulières. Spécialisation assurément efficace, déjà amorcée par certains travaux du XVIIIe siècle: elle annonce la création de la Statistique générale de la France dans les années 1830[7].

Il reste que le détachement d'un rameau destiné à croître ne bénéficie pas nécessairement à l'ensemble. Le regard sur l'économie territoriale en souffre, tout au long du XIXe siècle; la nébuleuse des descriptions «encyclopédiques» ne parvient pas à s'ordonner et à se couper de la tradition anecdotique; le paysage risque de perdre sa relation avec la production et les pratiques sociales. La rédaction des « statistiques » tardives exprime, à la fois, ce regret et cette difficulté. Prenons l'exemple d'une des plus riches d'entre elles, la statistique dite de Villeneuve, portant sur le département des Bouches-du-Rhône[8], source encore digne d'un très grand intérêt. Cette statistique critique, dans la littérature descriptive déjà acquise et les dossiers préparés à l'époque de Chaptal, « des détails trop pressés et trop minutieux, et de l'autre des vides qu'il a fallu remplir par des dissertations qui se ressentaient plus ou moins des vues particulières de l'auteur[9] ». À cette fantaisie dans l'information, l'auteur prétend opposer la rigueur de l'observation. Cette description attentive qui mobilise sources écrites, informations orales et travail de terrain se résume dans le mot clef de topographie. Les deux premiers livres de l'ouvrage portent ce titre. « La topographie physique, qui fait le sujet du premier livre, aura fait connaître les lieux ; la topographie administrative nous décrira les habitations. Ainsi on verra d'abord se développer une contrée que la nature seule a pris soin d'embellir ; ensuite cette même contrée se présentera couverte de villes, de bourgs, de villages et de hameaux[10]. » L'histoire même se lit à travers une topographie des établissements et des restes monumentaux. La topographie, plus que le paysage ? Elle prétend à plus d'objectivité, à des règles ; elle correspond à un métier, à un ensemble de techniques. Elle est étroitement associée à la cartographie, plus qu'au coup d'œil. Le paysage va aux artistes ; la topographie aux ingénieurs et aux savants.

Les « statistiques » sont confirmées dans cette voie par l'objectif qu'elles héritent de la physiocratie, des voyages des agronomes, de l'économie politique : les connaissances ne sont réunies que pour en « déduire, en un mot, des faits qui puissent propager les moyens de tout améliorer[11] ». La description de la nature ou de l'état social de la contrée vise le progrès des méthodes et des ressources. « Faire connaître la nature et les besoins des différentes contrées des départements, discuter les difficultés et les avantages des travaux proposés, c'est aussi indiquer aux capitalistes un emploi également honorable et utile de leurs fonds et, en même temps, attirer sur un pays tous les bienfaits dont il peut être susceptible[12]. » La statistique se transforme ainsi en une sorte de guide pour l'aménagement, orienté vers l'investissement et la production, agriculture en tête. Cette priorité aboutit à quelque déséquilibre : malgré le soin rare apporté par les auteurs de cette statistique à tenir selon un compte égal les apports de l'histoire naturelle et ceux des hommes (on ne trouvera ailleurs que très exceptionnellement un tel intérêt porté aux systèmes de culture, aux outils et aux pratiques agricoles, à l'état social de la terre et même aux conditions de diffusion du progrès agricole), le milieu physique prend une valeur explicative particulière. « Nous avons donné, dans le tome Ier de cet ouvrage, des détails très circonstanciés sur la nature du sol des différentes vallées, plaines et bassins, sur les eaux qui y coulent, sur les résultats météorologiques qui s'y manifestent [...] nous n'avons plus, dans les livres suivants, que *des conséquences à déduire pour en rendre l'application utile à la prospérité du pays*[13].»

L'exemple de cette «statistique départementale» fournit quelques sujets de méditation: la rhétorique camoufle sans doute la fragilité du raisonnement scientifique, souvent limité à un environnementalisme banal. Mais le lecteur d'aujourd'hui est plus sensible à la qualité descriptive du détail (les paysages urbains, les sols, les eaux, la couverture végétale) et à l'intérêt porté aux techniques: richesse ethnographique certaine, alors que l'anthropologie physique reste à un état anecdotique. On voit par là ce que l'épuisement du genre entraîne: ainsi sont renvoyés aux magasins du pittoresque, de l'érudition locale ou de la curiosité folklorique de véritables inventaires. La dimension technique et ethnographique ne trouve place d'emblée dans aucune des «spécialités» qui s'affirment: la cartographie, la géologie et même l'histoire; l'économie et la statistique générale sont laissées en tête à tête. Au total le paysage se déshumanise.

Une cartographie scientifique et codifiée

La topographie[14] se détache donc, comme branche particulière, à travers la rédaction des cartes et notamment des cartes à échelle moyenne. Depuis longtemps, on reconnaît à l'Ancien Régime finissant le mérite d'avoir apporté à la France la magnifique collection des cartes de Cassini au 1/86 400e. Longtemps attribuée à quelque caprice monarchique, la rédaction de cette carte paraît s'inscrire dans le mouvement plus général de reconnaissance du territoire que l'on vient de décrire. La qualité et la précocité du travail ne peuvent en cacher les limites certaines: œuvre née d'une dynastie d'astronomes (les Cassini) et d'un souci de géographie «mathématique» (le calcul de la méridienne de Paris et l'essai de triangulation du territoire qui suit en sont le fondement scientifique), cette carte fixe les lieux plus qu'elle ne les décrit. Établie à partir de 1750 (la carte des triangles est achevée en 1744), la carte est pratiquement terminée en 1789 – levés et dessin. Les événements révolutionnaires et peut-être la prudence militaire retardent la publication des dernières feuilles jusqu'au retour à la paix, en 1815. Ce travail souffre sans doute de l'archaïsme des appareils, de l'incertitude des mesures, de l'ignorance encore grande dans laquelle on est, au XVIIIe siècle, de la topographie du pays. Un nouveau coup d'œil sur la *Statistique des Bouches-du-Rhône* nous révèle comment, autour de 1810, la reconnaissance du terrain est entreprise: points géodésiques, nivellement, raccords locaux aux triangles de Cassini. D'autre part, les instruments et les méthodes de mesure ont évolué: l'expérience réunie par les officiers du génie et les ingénieurs géographes de la fin du XVIIIe siècle puis des années révolu-

tionnaires et impériales est considérable; les pays conquis et occupés fournissent de bons terrains d'exercice. Ajoutons à cette incitation militaire celle, d'une autre nature, qui vient du cadastre. La fixation de l'état physique et des limites de la propriété fonctionne comme l'un des mythes fondateurs de la société issue de la Révolution. On souhaite donc replacer les levés des arpenteurs et des géomètres à grande échelle dans des ensembles plus vastes et coordonnés. Les bases et les principes de la carte de Cassini sont donc à revoir. Dès 1802, le Dépôt de la guerre envisage l'idée de rédiger une nouvelle carte topographique et définit les règles majeures de cet art – véritable entreprise de codification: séparation absolue des vues cavalières et des projections géométrales, rapports d'échelles, systèmes de signes, expression du relief (courbes de niveau et hachures). C'est seulement au cours de longues discussions plus tardives, de 1817 à 1824, que le projet est mis au point: la division est maintenue entre opérations cadastrales et cartes topographiques (victoire du particularisme des administrations), l'adoption du 1/80 000e pour la carte, du 1/20 000e et du 1/40 000e pour les levés, celle des hachures pour indiquer les pentes sont arrêtées. Le Dépôt de la guerre reçoit la charge de l'exécution.
Les travaux s'étalent sur une quarantaine d'années et prennent difficilement place dans l'ordre des priorités. La suppression du corps des ingénieurs-géographes en 1831 illustre ces incertitudes. Mais les besoins exprimés par le lancement des grands travaux (canaux, puis chemins de fer), par le tourisme ensuite soutiennent la publication. Il faut attendre toutefois les lendemains de 1870 pour que celle-ci parvienne à son terme, en un moment où les plus anciennes cartes, sorties sous la monarchie de Juillet, méritent révision. La cartographie expérimente ainsi avant la lettre ce débat stabilité/changement qui sera au centre des difficultés de la géographie paysagique du second XIXe siècle. Émile Levasseur insiste sur la faiblesse de la diffusion et, somme toute, l'aspect «confidentiel» de cette découverte du paysage à travers la carte: «La carte elle-même a été fort peu employée par les officiers qui la trouvaient d'un prix trop élevé, fort peu par les cartographes qui reculaient devant le pénible travail de la simplification[15].»

Géologie et naturalisme

La carte au 1/80 000e servira, assez tard il est vrai, après 1870, pour établir la carte géologique de la France.
Le mouvement se déclenche pourtant avec les premiers travaux de détection et de levés géologiques. Curiosité pour les sciences naturelles, volonté de dresser l'inventaire des ressources nationales convergent dès la Révolution et l'Empire et le corps des ingénieurs des Mines vient appuyer les efforts de savants «amateurs», dans la ligne de l'encyclopédisme[16]. Si bien que l'éta-

blissement de la carte géologique s'inscrit dans une idéologie de la bonification, de l'aménagement et de l'exploitation des réserves naturelles. On doit à Lucien Gallois, dans son travail critique sur *Régions naturelles et noms de pays*[17], d'avoir analysé ce courant et montré comment, passant de la description topographique à la considération des affleurements géologiques et à la définition des milieux physiques, il constitue une nouvelle forme d'accès à l'explication du paysage français. Que l'on considère les premiers travaux d'établissement d'une carte géologique entrepris vers 1810 par d'Omalius d'Halloy, jeune géologue belge recruté par le comité des Mines, ceux de Caumont ou d'Antoine Passy, enfin les commentaires écrits par les ingénieurs Dufrénoy et Élie de Beaumont en marge de la carte au 1/500 000e (1840)[18], le paysage devient façade, manifestation des dispositions du sous-sol et de la qualité des roches. « Peut-il voyager avec fruit celui qui ne possède pas quelques notions de géologie ? Qu'il parcoure la Suisse, l'Auvergne, la Normandie ou tout autre pays : il verra bien des montagnes, des plaines, des sites variés, mais dans tout cet assemblage il ne distinguera que des pierres confusément entassées, de l'aspect desquelles il ne pourra que jouir machinalement. Que de circonstances inaperçues viendront au contraire le charmer, s'il peut reconnaître la nature des terrains et fixer leur niveau géologique ! Il verra chaque butte, chaque vallée, avec un plaisir qui ne peut être bien conçu que par ceux qui l'ont éprouvé[19]. » Cette réconciliation de l'esthétique, de l'intelligence des choses, l'histoire naturelle, elle-même transformée, en donne la clef. La géologie ne constitue pas seulement une « lecture scientifique » du paysage, mais la lecture par excellence. À la topographie et aux divisions administratives, jugées arbitraires, se substitue l'idée de définir comme principe d'analyse de la réalité géographique, des *régions naturelles* : « Ces différences minéralogiques, comme on disait alors, ou géologiques ont pour corollaires des changements dans l'aspect du pays, dans la végétation, dans sa culture, dans la forme des habitations, leur disposition isolée ou par groupes, et c'est à ces distinctions qu'on a donné le nom de régions naturelles[20]. » C'est donc une filière assez générale d'interprétation, qui est définie ici et commande la compréhension du paysage naturel mais aussi des produits du sol et de la culture matérielle. Le quadrillage en « régions naturelles » s'organise en « niveaux » emboîtés, plus ou moins clairement définis, des grands ensembles aux unités élémentaires, aux « pays », qui vont devenir l'un des objets de la curiosité géographique. C'est d'ailleurs à l'échelle des pays que la méthode trouve une sorte de légitimité dans le consensus populaire. La toponymie confirmerait que ces unités ne sont pas seulement les créations d'une science extérieure, mais perçues par la société, ou plus concrètement les sociétés paysannes. C'est encore Antoine Passy qui exprime le mieux cette justification :

> Nous devons caractériser géologiquement et agricolement les divisions physiques de notre territoire, plus anciennes que les divisions admises par les Romains et le Moyen Âge. Ces dénominations ne répondent pas aux divisions ecclésiastiques, féodales, juridiques ou administratives qui ont prévalu dans le monde officiel: elles sont demeurées inébranlables à travers les siècles dans le langage usuel des habitants [...] D'après leur caractère physique et leur aspect individuel, les diverses parties de notre territoire ont reçu chacune un nom spécifique et ce nom se joint habituellement à celui des communes qui y sont comprises, pour les distinguer de leurs homonymes situés dans une autre région[21].

Sans doute, cette version des paysages dégage le regard savant des pratiques purement archivistiques de la géographie historique, du primat de l'institution; on devine le long terme et le temps des sociétés rurales, la fonction archéologique du paysage, appuyé plus ou moins sur la toponymie et la mémoire ancestrale des peuples. Mais en télescopant la géographie naturelle et la perception qu'ont les habitants de leur milieu de vie, l'action des sociétés disparaît. La géologie devient facteur de transparence. La «naturalisation» ne provient pas de l'importance attachée au sol ou au climat mais de la négation implicite de l'histoire par la découverte d'un ordre «éternel» des champs et d'une sagesse paysanne, toujours identique à elle-même. L'apport décisif des géologues lègue à la géographie cette ambiguïté. Déformation culturelle et professionnelle, sans doute, au départ – mais dont le succès mérite d'être autrement expliqué. Levasseur transfère, d'ailleurs, cette leçon non critique sur les noms de pays, dans son programme de 1872[22].
La génération de Vidal de La Blache est sans doute confrontée à un mouvement international qui touche la discipline: le sens des paysages végétaux que Humboldt a enseigné ou la version philosophique des rapports homme-nature qu'inspire Ritter. Mais les écrits multiples des géologues, qui guident sur le terrain les tenants d'une discipline renouvelée, ont exercé plus discrètement leur rôle pédagogique. Il est curieux que cette histoire de la discipline n'ait été traitée que par Lucien Gallois et à propos d'une critique de la toponymie, aux objectifs pourtant limités. Comme si la science nouvelle venue jetait quelques voiles sur ses origines.

La Terre et l'histoire

Avec d'autres intentions, l'histoire nationale s'inspire des mêmes sources: le *Tableau* [...] *de la France* de Jules Michelet[23], débordant de formules éclatantes, va chercher dans la diversité du sol français et ses régions le principe de l'unité, de la réussite et jusqu'à une satisfaction esthétique: «La force et la beauté de l'ensemble coexistent dans la réciprocité des secours, dans la solidarité des parties, dans la distribution des fonctions, dans la division du travail social.» À la leçon d'Augustin Thierry, il reproche d'être à la fois trop peu spirituelle et trop peu matérielle. «Le matériel, la race, le peuple qui la continue me paraissaient avoir besoin qu'on mît dessus une bonne forte base, la terre qui les portât et les nourrît. Sans une base géographique, le peuple, l'acteur historique, semble marcher en l'air comme dans les peintures chinoises, où le sol manque.» Ce texte précoce (1833) associe une certaine naïveté avec des vues plus profondes sur l'action de la société, dans ses différences géographiques. Naïveté? Une conciliation excessive, en deçà de la prudence des agronomes ou des géologues, entre les divisions physiques et celles de l'histoire. «La variété infinie du monde féodal, la multiplicité d'objets par laquelle il fatigue d'abord la vue et l'attention, n'en est pas moins la révélation de la France. Pour la première fois, elle se produit dans sa forme géographique [...] Les divisions politiques répondent ici aux divisions physiques.» Mais le postulat écologique qui, fort répandu à cette époque, sert ici de référence, introduit plus directement la part de l'histoire. «Mais il ne suffit pas de tracer la forme géographique de ces diverses contrées, c'est surtout par leurs fruits qu'elles s'expliquent, je veux dire par les hommes et les événements que doit offrir leur histoire.» Lieux et hommes paraissent se répondre par une sorte d'écho, d'identité que l'art même de Michelet suggère, lorsqu'il mêle à propos d'un pays l'épithète morale et physique et invoque le génie des lieux. Si bien que ce tableau de la France est, tout autant qu'une vaste description géographique, l'évocation de paysages moraux. Après tout, on est alors tout proche du constat établi par la commission municipale de Paris, chargée d'étudier l'épidémie de choléra: «C'est une vérité de tous les temps, de tous les lieux, une vérité qu'il faut redire sans cesse parce que sans cesse on l'oublie: il existe entre l'homme et tout ce qui l'entoure, de secrets liens, de mystérieux rapports dont l'influence est sur lui continuelle et profonde.» Le milieu et le métier sont invoqués aussi, pour expliquer *a contrario* le mysticisme des grandes cités industrielles. Mais l'action historique retrouve plus clairement sa place et son autonomie, quand il est question de villes chez Michelet, et surtout de la centralité parisienne. La conscience nationale ne naît pas du paysage mais des épreuves: «Les époques barbares ne présentent presque rien que de local, de particulier, de matériel. L'homme tient encore au sol, il y est engagé, il semble en faire partie. L'histoire alors regarde la terre, et la race elle-même, si puissamment influencée par la terre. Peu à peu la force propre qui est en l'homme le dégagera, le déracinera de cette terre.»

Les intuitions et le lyrisme de Michelet ne suffisent pas à créer une science historique du paysage. Mais ils invitent à méditer sur cette possibilité, surtout lorsqu'on les compare aux hésitations d'une géographie romantique[24], peu sûre de ses règles. À côté des filières spécialisées, savantes, de diffusion plutôt restreinte que l'on vient de recenser, celle-ci reconstitue (ou s'efforce de reconstituer) une vue globale des paysages. On renoue en réalité avec l'hétéroclite, sans que l'on vise des objectifs d'aménagement et d'intérêt public aussi clairement qu'à l'époque des «statistiques» impériales. Retour au passé comme tel, sentiment de la nature, résurrection des hauts faits et des hommes célèbres se mêlent dans ce bric-à-brac romantique. *Les Voyages pittoresques et romantiques de l'ancienne France*, réunis à partir de 1820 par Charles Nodier, Taylor et de Cailleux et publiés en 1833, n'échappent pas au regard nostalgique; mais ils s'accompagnent d'une génération nouvelle de récits et d'impressions de voyage, qui recueillent les meilleurs signatures, Stendhal, Théophile Gautier ou même Alexandre Dumas. Les textes sont eux-mêmes supportés par une illustration plus riche et moins chère: la lithographie vient à l'appui des ouvrages de grande diffusion et d'édition populaire. La photographie naissante intervient enfin, à partir de 1830-1840, portant son propre témoignage de vérité. La technique reste difficile, puisque les photographies ne sont pas immédiatement reproductibles. Il faut utiliser successivement le dessin, la gravure, enfin l'héliogravure qui simplifie le circuit pour transmettre l'image[25]. Autour de 1880, la *Géographie universelle* de Reclus est encore illustrée de dessins et de gravures sur bois, d'après des photographies, dans la plupart des cas. Mais, dès 1850 et les débuts de la photogravure, les paysages ont été l'objet de missions systématiques de photographes (Blanquart-Évrard, par exemple). Une génération d'atlas naît enfin de l'hétéroclite. Les séries[26], fondées le plus souvent sur le découpage départemental, combinent, autour des cartes du relief et de la toponymie, les représentations symboliques, les vues architecturales ou paysagiques, les commentaires et les indications statistiques, et par ce mariage de l'illustration et du texte, en un jeu d'images condensé, résument la connaissance d'un espace. Enfin, des ouvrages plus ambitieux renouvellent l'association du pittoresque, de la topographie et de la statistique[27]. Les monographies départementales publiées par Adolphe Joanne, au lendemain de la guerre de 1870, s'inscrivent, à peu de choses près dans cette perspective, dans des documents pédagogiques mais mal rattachés à une discipline. Ainsi se composent chaotiquement des éléments du savoir; ils bénéficient d'une large diffusion et participent à la formation des représentations, à l'échelle de la collectivité nationale – et, de ce fait, à la construction des stéréotypes.

II. Une science des lieux et du paysage ? L'école vidalienne

La maturation de la géographie n'est donc pas celle d'une discipline, le résultat d'une logique interne. Mais son renouvellement ou sa fondation (à neuf) sont portés par des tendances fortes du premier XIXe siècle, annoncés dans les progrès et la spécialisation du travail scientifique comme dans l'idéologie (postulat écologique ou conscience nationale). C'est la combinaison de ces strates qui explique, sans doute, qu'à côté du développement de la géographie allemande, la géographie française se constitue presque, malgré Humboldt, malgré Ritter, en discipline nationale, qu'elle se définisse comme manifestation culturelle plus que comme une science imposant partout des règles identiques. Mais, en même temps, elle hérite d'intérêts multiples, de lignes d'interprétations concurrentes, de pratiques, elles-mêmes contraignantes. Dans cet héritage, elle reçoit le *paysage,* notion peu définie, parce que subordonnée, sous son apparente «réalité», à des démarches différentes. Tantôt collection d'objets, de formes ou de traces matérielles, entre lesquels le savant choisit les matériaux d'une reconstruction du passé ou d'une démonstration; tantôt vue d'ensemble, mais dont le sens ne peut être immédiat et implique l'appel à des sciences particulières. Une synthèse qui n'est jamais possible et risque, au contraire, de se confondre avec un jeu d'échos ou d'analogies, établissant mal la distinction entre l'histoire naturelle et les conduites ou créations humaines, elles-mêmes plus ou moins naturalisées. Cette situation n'entache pas la réussite de fait de la géographie vidalienne, en particulier à l'égard de la géographie historique, trop exclusivement orientée vers la reconstitution des circonscriptions politiques, juridiques ou ecclésiastiques et à l'égard d'une histoire centrée sur les institutions et les événements politiques. On comprend aussi l'opposition entre l'interprétation allemande et l'interprétation française de la discipline: dans un pays à la recherche de son unité politique comme l'Allemagne, la géographie tend à lier dans sa démarche l'État et le sol. Dans un pays dont l'unité s'est affirmée à travers la nation, et dont l'existence politique (sauf à travers le problème des frontières) n'est pas en question, la géographie tend à découvrir, derrière la façade de l'institution et l'histoire des gouvernements et des princes, les conditions concrètes de la culture matérielle ou nationale. Autre forme de légitimation ou autre horizon de la société, dans ses rapports avec la terre?

Vidal de La Blache apporte à cette tâche son talent et la diversité de sa formation: à la fois remarquable manieur de la langue (la formation classique), archéologue plus qu'historien (l'école d'Athènes), soucieux de fonder le caractère scientifique de la géographie sur l'histoire naturelle. Le paysage est partout présent dans ses écrits: qu'il décrive la diversité du pays (le *Tableau de la géographie de la France*) ou s'interroge sur les inégalités de peuplement et de densité (les *membra disjecta* réunis en *Principes de géographie humaine*, après sa mort). On s'étonnera davantage, chez un auteur qui tente de combiner l'évocation, la recherche des traces et l'interprétation globale, que le paysage ne fasse jamais l'objet d'une réflexion méthodologique. L'originalité de la géographie face, par exemple, à la morphologie sociale, est de refuser une trop grande attention à l'épistémologie. Cela n'interdit pas un discours justificatif, «philosophique» sur les rapports de l'homme et de la nature, du milieu géographique et des sociétés, sur les genres de vie, notion clef, médiation principale de la pensée vidalienne. Mais sur le paysage, moyen d'approche constamment pratiqué, peu de choses. Le mot même ne s'impose pas : paysage, pays, physionomie (qui vient de la botanique), la langue hésite. Même dans cet article tardif, au cours duquel Vidal dessine plus clairement, à partir de la considération de l'habitat, la définition des paysages ruraux : «Le village est un organisme bien défini, distinct, ayant sa vie propre et une personnalité qui s'exprime dans le paysage[28]» – le paysage n'est pas construit, il est considéré comme donnée immédiate, matériau à rapporter à l'interrogation principale de Vidal, qui conserve son incertitude : «Une ville, un village, des maisons sont un élément descriptif, soit que l'on considère leur forme et leurs matériaux, leur adaptation à un genre de vie, rural ou urbain, agricole ou herbager, ils jettent un jour sur les rapports de l'homme et du sol[29].» Ainsi la démonstration repose nécessairement sur la collection des exemples, plus que sur l'identification rigoureuse de la nature des phénomènes. Sur ce point, Vidal ramène parfois aux indécisions presque mythiques du postulat écologique. Ainsi en est-il des *pays* : «L'expression de pays a cela de caractéristique qu'elle s'applique aux habitants presque autant qu'au sol.»

Bien entendu, il serait absurde de transformer une pensée en corps rigide et de nier toutes les nuances, tous les repentirs, les variations d'éclairage dont l'œuvre de Vidal s'enrichit. Mais je n'opposerai pas, comme d'autres commentateurs, un Vidal-Jekyll à un Vidal-Hyde, chacun choisissant lequel est le bon. La contradiction permanente de l'œuvre, de ses présupposés, vient sans doute de la difficulté à distinguer l'histoire naturelle et les faits sociaux, difficultés inscrites dans les origines et les raisons mêmes du succès de cette géographie. Le Vidal des «agglomérations humaines» est sans doute plus proche de la morphologie sociale que les représentants des deux courants ne le pensent. Le Vidal du *Tableau* obéit plus facilement à cette plus grande pente que représente l'interprétation naturaliste.

C'est d'abord une règle du genre : Jules Michelet, avec plus d'audace, avait situé *historiquement* son tableau de la France au début de l'ère féodale. Le *Tableau* de Vidal se place, en quelque sorte, *avant l'histoire*, pour en décrire le lieu et les conditions. Le naturalisme ne tient pas, pourtant, à ce choix, à cette place nécessairement accordée aux éléments physiques, le relief, le climat, les eaux, à la situation géographique, quitte à étendre l'inventaire et l'analyse des mouvements à la végétation et aux peuples. Il ne suffit pas de constater que «l'homme a été chez nous le disciple longtemps fidèle du sol» et que «l'étude de ce sol contribuera donc à nous éclairer sur le caractère, les mœurs et les tendances des habitants[30]». On reconnaît là l'expression du postulat classique. Ce qu'apporte Vidal, c'est un point de vue nouveau sur la relation entre les commencements de l'histoire. L'important, dans cette nouvelle forme de naturalisme, ce n'est pas l'intérêt porté à la géologie ou à la botanique, perçues à travers le paysage. C'est l'analogie avec les êtres vivants ou l'image du germe. Par là, le lieu devient en quelque sorte acteur historique : ferments, germes sont inscrits sur le sol et guident l'histoire, par leur propre développement. Nature et passé lointains se confondent alors. À propos de Paris, Vidal définit ainsi la fonction du tableau : «Nous n'avons pas à le suivre dans son développement historique [...] La géographie ne s'en désintéresse plus assurément, mais elle n'a plus le premier rôle. Il nous suffit d'avoir étudié où et comment se déposa le *germe* de l'être futur, comment grandit une *plante vivace* qu'aucun vent de tempête ne put *déraciner* et d'avoir montré que dans cette *vitalité* se fait sentir une *sève* puissante qui vient du *sol* et un entrelacement de *racines* qui ont si bien poussé en tous sens qu'on ne peut les extirper ni les couper toutes[31].» Le rôle archéologique du paysage est dépassé : c'est un principe d'explication, non des traces matérielles, que le géographe va chercher par cette remontée dans un temps plus ou moins indéterminé. Le réseau urbain des Flandres donne à Vidal l'occasion de reprendre l'image du germe : «Il y avait en effet dans la réciprocité des besoins et des facilités de circulation le germe d'un riche développement de vie urbaine. Mais les racines dont naquit cette féconde et exubérante frondaison urbaine plongent plus loin dans le passé[32].» Le site, la situation ne sont plus des occasions, mais des facteurs d'explication prépondérants – à l'origine et dans le long terme. Dans les paysages urbains (les commentaires de photographies le soulignent), l'enracinement se lit dans la position topographique, les matériaux, etc. Ainsi, une véritable «transparence» s'établit entre un paysage saisi dans une très longue durée, à partir de signes encore actuels, et l'interprétation que l'on en donne. À la différence de Michelet, toujours «démiurge», Vidal ne parvient pas à échapper à cette illusion de la lisibilité : le regard porté vers le long terme et la culture matérielle – enrichissement évident – aboutit à quelque négation de l'histoire et de la nature des faits sociaux. Le prestige du style vient souvent combler le déficit de l'analyse. Substituer le matériau «physique» à l'archive constitue une avance incontestable, dont toute l'histoire, comme science et comme mémoire, se félicite aujourd'hui. Mais il s'agit d'un matériau brut et trop souvent insuffisamment frotté à la critique des autres sources.

Caprice vidalien ? Il s'inscrit en tout cas dans une conjoncture intellectuelle et sociale. Le terreau n'est pas négligeable, et les correspondances sont multiples. D'abord le succès de l'histoire naturelle et de la recherche expérimentale en cette fin du XIXe siècle place la réflexion dans une série de débats, aux échos idéologiques puissants[33]. La révolution pastorienne et la lutte académique (et presque politique) autour de la génération spontanée et de la fermentation ; le darwinisme, ensuite ; la renaissance du vitalisme, enfin, serait-ce sous la forme philosophique que lui donne Bergson. Des tendances qui ne sont pas exactement contemporaines l'une de l'autre. Si elles affleurent dans la pensée vidalienne, ce n'est pas seulement pour des raisons locales ou accidentelles (filiations ou compagnonnages normaliens). Vidal ne tente pas, d'autre part, de les reconstruire de manière cohérente. Jeu d'images et d'analogies, véritable « collage », renvoyant d'un aspect des sciences naturelles à l'autre, comme la phrase sur Paris en donne l'illustration. Le procédé aboutit à une langue composite et riche plus qu'à une leçon de méthode.

Cette vue sur le paysage français s'accorde avec d'autres mouvements de la société, plus autonomes à l'égard du scrupule académique ou scientifique. Récits de voyage et guides, d'une part. Le genre se modifie en fonction de la clientèle : des touristes moins soucieux de savoir encyclopédique et d'utilité sociale que friands d'exotisme, de regards, de spectacle. Le paysage-consommation se dessine dans la seconde moitié du XIXe siècle, valorisant le parcours, l'homogénéité, l'image de marque de toute une contrée. Jean-Claude Chamboredon a étudié cette « création », cette « invention » du paysage provençal, destinée à des usages sociaux qui s'écartent de la production et de ses réalités sociales. Une image du paysage *naturel* se généralise comme physionomie générale du pays : « Dans ce paysage la végétation, dans sa luxuriance et son étrangeté, exprime les qualités physiques d'un pays [...] les descriptions géographiques à propos des Maures expriment ce nouveau statut du paysage[34]. » Si tant est que le paysage ait existé en relation avec les formes de production, autrement que pour un observateur extérieur, le paysage change de fonction. « Sa *naturalisation,* notamment parce qu'elle efface l'image d'une emprise d'usages productifs invétérés, rend plus faciles aussi bien l'appropriation spéculative des espaces de loisir (lotissements) que la muséification des espaces naturels (réserves, parcs)[35]. » Peinture, d'autre part : le même auteur avait montré comment la description du paysan se transforme, à travers l'œuvre de Jean-François Millet. « De façon paradoxale, c'est une utopie paysanne inventée par Millet qui allait fournir l'image de la morale des humbles : aux nouvelles classes urbaines et à une paysannerie fort diversifiée, on propose la morale d'une ancienne paysannerie indépendante ; au moment de l'industrialisation, on offre l'image du travail comme labeur éternel et immuable, au temps du machinisme les techniques et les outils ancestraux, objets d'un usage quasi rituel[36].» Une certaine folklorisation du paysan double la naturalisation du paysage et l'inscrit comme personnage inchangé dans le tableau.

La géographie croise donc ces mouvements, qui se nourrissent de l'histoire économique et sociale du pays, plus ou moins transposée en sensibilité ou en stratégie. Comment s'étonner alors que les productions – et plus encore les usages (et les partages) sociaux – du sol s'estompent dans le *Tableau* qui ouvre l'histoire, pourtant républicaine et progressiste, d'Ernest Lavisse? Les campagnes françaises paraissent toucher, dans ce dernier tiers du XIXe siècle, à une sorte d'état stationnaire. Politiquement, elles ne sont plus le lieu des fortes agitations des partageux; les luttes sociales ne s'animent, en fonction de nouveaux enjeux, que dans le Midi viticole et au début de ce siècle. L'analyse, menée par Marx dans *Le 18 Brumaire de Louis-Napoléon,* se révèle encore plus juste, après coup, après les lendemains de 1871. La grande dépression qui atteint particulièrement les produits agricoles reporte l'éclairage sur le monde des petits producteurs. Paradoxalement, pendant vingt ans environ, l'émigration rurale se ralentit. Les grandes ponctions ont dégorgé les campagnes d'une population excédentaire de journaliers et de brassiers et surtout des artisans et ouvriers à domicile, à temps complet ou partiel. Campagnes allégées, épurées, refermées en partie sur le monde paysan des exploitants et des propriétaires. Cette simplification sociale, les grands travaux géographiques des années 1900 – Jules Sion ou Albert Demangeon – en ont saisi l'évolution[37]. À l'opposé, l'agriculture, dit-on, manque désormais de bras. Le capitalisme agricole – encore dépendant de la main-d'œuvre et de cette réserve de journaliers ou de saisonniers – ressent comme telle la situation démographique et, réagissant mal à celle-ci comme à la chute des prix, laisse retomber la pression qu'il avait exercée, en de nombreuses régions, depuis le début du siècle. L'idéologie de mise en valeur et de bonification en est atteinte. Il semble donc qu'on s'approche *réellement* de cette utopie paysanne, fondée sur la petite ou moyenne propriété. L'état stationnaire exprimerait avant tout une stabilité sociale. Point d'orgue? La paysannerie comme le paysage paraissent retrouver ou trouver une *vérité* – celle d'un équilibre à long terme, entre les bouleversements que charrie encore la première partie de ce siècle et les besoins de modernisation qui restent encore incertains. Bien entendu, il s'agit d'une image – et les géographes se font un malin plaisir de mesurer les écarts, d'une région à l'autre, ou les évolutions contraires; mais l'étalon est donné. Après tout, c'est bien cette paysannerie qui est disputée, dans le cadre d'une république plus généralement acceptée, entre les conservateurs et les progressistes.

La tendance à la folklorisation englobe rivalités et politique globale de défense. Le régionalisme conservateur, animé par exemple par la Société des agriculteurs de France, ne diffère pas essentiellement, de ce point de vue, du «progressisme» qui inspire les monographies communales des instituteurs. La géographie, souvent engagée du côté des républicains, souvent héritière d'une culture d'instituteurs, ne reproduit pas mécaniquement tous ces phénomènes sociaux et ces stratégies. Mais une logique «synchronique» renforce ses propres choix et leur donne une résonance idéologique, dont le *paysage* neutre et apparemment objectif fournit la justification. À cela s'ajoute, dans les années 1890-1900, le sentiment d'une évolution asymptotique. Comme si approcher des 50/50 de population rurale et de population urbaine constituait à la fois le terme d'une histoire et permettait de joindre un état d'équilibre idéal.

Il ne faut pas se représenter l'école vidalienne comme le temps d'un dogme. L'absence de règles, au sens durkheimien du terme, le goût du terrain alimentent chez les élèves les plus proches des argumentations, qui, en d'autres occasions, auraient pu être interprétées comme des critiques percutantes. J'en vois trois qui portent principalement sur les risques majeurs de naturalisation. La première vient de Lucien Gallois, à l'esprit plus analytique, plus rigoureux. Gallois reconnaît l'existence de régions naturelles, de «pays», et même la vocation de la géographie de s'attacher à leur détection. Mais, préoccupé de divisions territoriales plus que de paysages, il se refuse à confondre ce qui revient aux conditions naturelles et ce qui revient aux hommes. «Comment discerner ce qui est le fait de l'homme de ce qui est le fait de la nature, si l'on commence par confondre dans les mêmes cadres l'œuvre des hommes et des conditions naturelles[38].» La meilleure démonstration consiste à faire éclater cette correspondance admise entre la géographie naturelle et la conscience paysanne, telle qu'elle était résumée dans les noms dc pays. Gallois, grâce à une critique de la toponymie, qui marie habilement les pratiques traditionnelles de la géographie historique et le sens du terrain, dénonce l'hétérogénéité de cette prétendue classe de noms. Jules Sion participe à ce travail critique, en étudiant les noms de pays en Normandie orientale, mais il va plus loin; il fait basculer le sens des paysages du domaine naturel aux aménagements humains. La structure des exploitations, les pratiques culturales, la présence ou non d'industries domestiques font l'originalité des pays et sous-tendent la conscience qu'en ont les habitants: «Aujourd'hui, le laboureur remarque surtout l'étendue des exploitations qui réunissent parfois cent et deux cents hectares sous la direction des "gros messieurs". Grandeur des fermes, fécondité du sol: tels sont pour lui les caractères essentiels du Vexin[39].» Ce qui distingue la Normandie de la Picardie, ce n'est pas le paysage naturel, «ce n'est pas ou ce n'est plus sa culture; c'est mieux encore que son langage, son état social[40]». Du coté picard, la «multitude des ménagers», une «forte démocratie rurale»; du côté normand, les «manoirs». Febvre reprend plus généralement cette idée dans *La Terre et l'évolution humaine*. Livre difficile, souvent mal interprété: les affinités profondes et le refus des systèmes font de cet arbitrage entre géographie vidalienne, géographie allemande, morphologie sociale, une défense et illustration de la première; mais en même temps l'historien refuse la naturalisation des faits sociaux et sans doute définit une nouvelle orientation de la géographie et de l'analyse des paysages dans ce paragraphe quelque peu oublié; lequel contourne le postulat écologique par la même occasion: «Qui étudie l'action des conditions géographiques sur la structure des groupes sociaux court le risque de se perdre [...] Il risque d'y voir "la cause" d'une certaine structure sociale, dont il semble ignorer l'ubiquité. Mais qui renverse les termes et se demande [...] *quels traits d'un paysage donné,* d'un ensemble géographique directement saisi ou historiquement reconstitué, s'expliquent ou peuvent s'expliquer par l'*action continue positive ou négative, d'un certain groupe ou d'une certaine forme d'organisation sociale* [...] Celui-là, s'il est prudent, ne risque ni erreur, ni confusion, ni généralisation abusive[41].» On ne saurait mieux exprimer l'idée que le paysage, s'il est retenu comme objet de la recherche, doit être construit et que ses manifestations sont le produit de l'action des hommes plus qu'une sorte d'antécédent. On pourrait donc observer, à travers ces lignes, une orientation de la géographie vers une géographie sociale qui prendrait le contre-pied de la «naturalisation». Mais, en même temps, l'ancienneté de certains aménagements perçus ou détectés risque de ramener vers des temps immémoriaux l'origine des contrastes les plus significatifs. Le retour à l'histoire ne s'accomplit pas d'emblée. Quand il réédite l'*Essai* de 1934, Roger Dion en reprend l'idée principale: «Cette opposition entre deux modes de paysage rural n'est pas un effet nécessaire de la constitution du sol. Elle est un fait purement humain et qui remonte à des temps antérieurs à l'histoire. Quand survint la révolution agricole du XIXe siècle, qui fut marquée par la substitution des cultures fourragères aux anciennes jachères, rien n'avait encore porté atteinte à ce primitif contraste, dont nous observons encore aujourd'hui de frappantes survivances dans le mode de répartition des habitations rurales et dans l'aspect des terroirs cultivés eux-mêmes[42].»

III. La part de la géographie et la part de l'histoire : l'analyse critique du paysage

C'est à travers les recherches sur le *Paysage rural* que la décantation s'opère en effet[43]. Elle ne s'accomplit pas d'emblée. Ces études ne prennent une vigueur particulière en France que dans les années 1930, où convergent l'histoire économique et l'histoire sociale, renouvelées dans leurs thèmes et dans leurs sources, et un retour plus critique de la géographie sur elle-même. L'intervention parallèle de Marc Bloch (*Les Caractères originaux de l'histoire rurale française*, 1931) et de Roger Dion (l'*Essai* de 1934) ranime des débats sur l'histoire rurale et les civilisations traditionnelles, peu répandus jusque-là en France. Meitzen avait rapproché les oppositions entre les régimes agraires des «races» qui se partagent l'Europe. Marc Bloch considère cette phase «initiatrice» comme une étape. «C'est bien plus haut, jusqu'aux populations anonymes de la préhistoire, créatrices de nos terroirs, qu'il faudrait *pouvoir* remonter. Mais ne parlons ni de race ni de peuple; rien de plus obscur que la notion ethnographique. Mieux vaut dire: types de civilisations[44].» Sur des objets plus modestes, une grande partie de la littérature géographique française s'était attachée à rapporter les formes de peuplement, le groupement ou la dispersion de l'habitat, aux conditions naturelles et notamment à la perméabilité ou non du sous-sol. Là aussi l'échec est certain. Mais des deux côtés, le jeu des hypothèses (et de leur destruction) est lancé. C'est ainsi que se dégage la *notion de paysage rural*: fort distincte de celle, ambiguë, de paysage, puisqu'elle n'en exprime ni la totalité ni l'autonomie. C'est entre *certains éléments répétés du paysage*, le groupement de l'habitat, le dessin et la délimitation des champs, la disposition des bois et des forêts, le rôle de la jachère, que les «inventeurs» du paysage rural établissent un système de relations, plus ou moins stable. Ce paysage décomposé, analysé, trié est lui-même confronté aux techniques culturales, aux outils employés, à la manière de nourrir les animaux, qui ne laissent pas toujours des traces immédiatement lisibles dans le paysage; à l'organisation sociale, à l'existence ou non de pratiques collectives, aux *coutumes* qui sont de l'ordre des relations entre les hommes. Même si la réflexion part de données concrètes et reste soumise à de multiples tests de cohérence à partir du terrain, il s'agit bien de la construction d'un *objet scientifique* qui ne se préoccupe ni du découpage traditionnel des domaines et des sources de l'histoire ni de la division entre le visible et le non-visible. Roger Dion qualifie bien cet effort, dans l'édition de 1981 de l'*Essai*: «Ces faits ne sont pas de ceux qui se perçoivent immédiatement. Il nous faut, pour en prendre conscience, faire abstraction des vues rapprochées et des aspects de détail qui, dans tout paysage, fixent et retiennent d'abord l'attention[45].» Le paysage du savant est alors un *autre* paysage.

Le progrès consiste à décomposer et recomposer le jouet. Marc Bloch et Roger Dion sont les premiers critiques des thèses qu'ils ont exposées dans toute leur ampleur, leur généralité. À savoir qu'il y a bien deux types de civilisation rurale qui s'affrontent, à travers le contraste de ces aménagements: l'économie rurale du Nord avec ses usages communautaires; l'économie rurale du Sud, avec sa liberté de clore et de planter; le pays d'openfield et le pays des champs enclos, le domaine de la charrue et celui de l'araire.

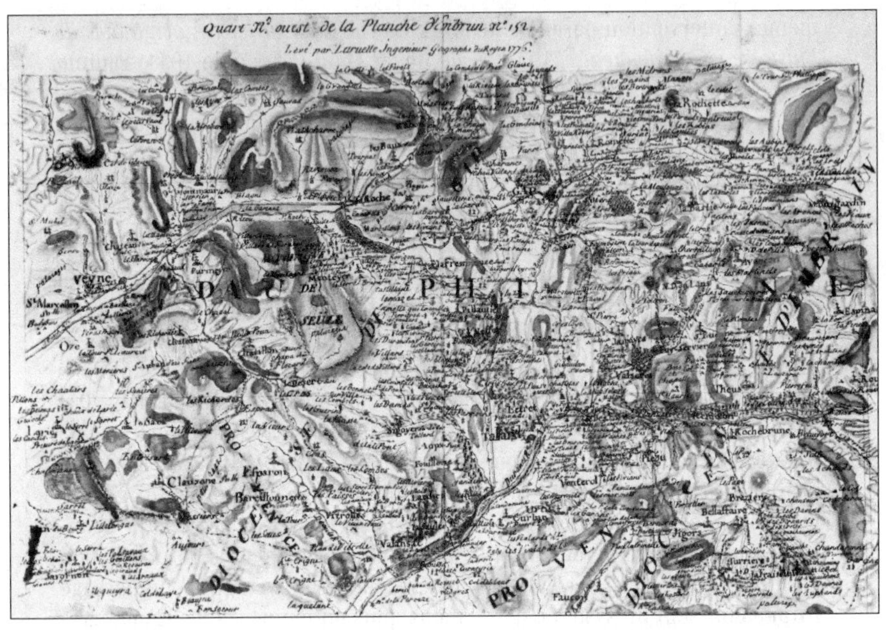

La carte de Cassini : extrait des Minutes de la carte d'Embrun, levée en 1776. Dressée au 1/86 400ᵉ, la carte de Cassini, première couverture complète du territoire français, mêle encore des techniques et des modes de représentation. Le relief et la topographie sont indiqués de manière « expressive » plus qu'exacte. « Ces belles cartes ne sont [...] que "géométriques" [...] elles ne reposent sur aucune mesure d'altitude et ne cherchent pas à représenter les formes réelles du terrain... » (Dictionnaire du géographe, 1970).

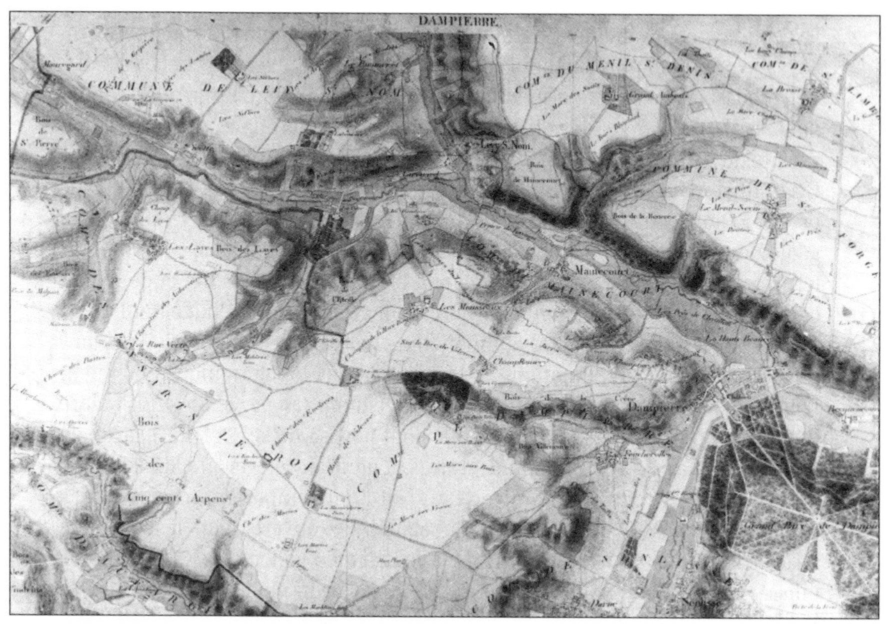

La mémoire cartographique de la France : la carte de l'État-major.
Préparation de la première série de cartes, dont Paris, Melun et Beauvais (1818-1823).
Les levés dessinés au 1/100 000e représentent les objets selon leur forme et
leurs dimensions «vraies». Le travail de topographie (reliefs figurés en hachures)
et de planimétrie est accompli à la plume et rehaussé de couleurs.
Minutes de la carte de Melun, réduite au 1/80 000e.

Exceptions, contradictions ou simplement décalages entre les éléments du paysage prennent plus ou moins de valeur selon l'échelle. Les enclaves à distance laissent davantage à méditer, surtout si l'on reconnaît qu'elles coïncident seulement avec des différences partielles d'outillage, d'organisation sociale ou de formes d'habitat.

C'est ainsi qu'à l'échelle de la France tout entière, mais aussi de l'Europe proche, Dion peut écarter la vieille problématique des pays et remettre la géologie ou, mieux, les affleurements des roches à leur place, celle de l'interprétation du détail. Mais il admet que les contrastes de relief et de climat confortent plus généralement la progression du mode d'aménagement « nordique » sur les plaines fertiles et limoneuses de la France septentrionale, tandis que l'irrégularité climatique et les oppositions topographiques facilitent l'individualisme agraire et la distinction du champ *(l'ager)* et du *saltus.* Marc Bloch nuance d'ailleurs la dichotomie, dont part sa thèse : si l'on regarde de plus près le paysage et le régime agraires, il faudrait relever une division tripartite : champs réguliers et ouverts au Nord, où l'emportent les servitudes collectives et l'assolement triennal ; irréguliers et ouverts dans les zones de forte occupation agricole du Sud (les contraintes collectives y sont moins puissantes et les assolements plus variés, à partir du modèle « biennal ») ; les zones d'enclos l'emporteraient au contraire dans les régions moins attractives, en raison de la discontinuité du sol arable, de l'ampleur des bois et des landes, de l'âge du peuplement et des défrichements, du contexte social de cette conquête. C'est bien cette articulation de la géographie naturelle et de l'histoire que retrouve Roger Dion, entreprenant de prolonger l'*Essai* par une étude plus affinée de l'« habitat rural » (notion toujours préférée à celle de paysage) du Bassin parisien[46].

Cette sensibilité plus aiguisée aux différences géographiques ne doit pas cacher la tendance principale, qui est un retour à l'histoire et glisse d'une anthropologie relativement incertaine à une analyse plus précise des conditions et des acteurs de chaque temps. Le retour à l'histoire s'appuie sur de multiples constatations : la principale tient sans doute à cette remarque éminemment critique que le système qui intègre l'organisation sociale et les paysages ne s'est pas construit en une fois, que l'on arrive à distinguer des phases. Même si l'on admet que les pratiques collectives, la division en champs allongés, la redistribution annuelle des terres existent depuis longtemps, le regroupement de l'habitat, le renforcement de la communauté villageoise, les coutumes contraignantes n'ont pris leur caractère systématique que tardivement, à partir du XIIe et XIIIe siècle. Reprenant Marc Bloch, Dion explique comment la villa-domaine du haut Moyen Âge devient « terroir villageois » ; parallèlement se renforcent les contraintes collectives (contrainte de sole dans l'assolement triennal, qui progresse sur les vieilles terres de culture du Nord) et l'agglomération du village. «Le grand propriétaire, qui était autrefois un chef d'exploitation en quête de main d'œuvre, devient un rentier et quête de revenue et l'importance de ceux-ci croît avec le nombre des hommes qui lui paient redevance[47].» C'est le mode d'accensement, puis les règles de fonctionnement de la communauté agricole qui font en quelque sorte le paysage rural. De même qu'à partir du XVe siècle, sur les terres moins peuplées et sous l'effet des mutations économiques (le produit devient plus intéressant que le cens), le domaine redevient attractif pour les seigneurs, puis pour les bourgeois-citadins. Renversement de courant en faveur d'une autre forme d'individualisme agraire, mais contesté, bien entendu, par les paysanneries les plus fortes. Passons sur les débats de détail que cette remise en question soulève. De toute façon, le paysage rural n'apparaît plus comme figé dans ses commencements; il est posé comme problème historique, même si les qualités naturelles des sols ou du climat font que ces actions et leur impact se différencient géographiquement. Les médiations sont alors multiples, qu'il s'agisse de la résistance et de la fragilité du peuplement, de la possibilité ou non de modifier les techniques agricoles et d'investir dans le changement de techniques agricoles ou d'outillage. Par-delà Vidal, le raisonnement «savant» rejoint celui des statistiques de l'Empire et des agronomes.

Ce retour à l'histoire – et plus précisément à une histoire des rapports sociaux et des luttes qui en dérivent –, Roger Dion, qui ne part certes pas d'un présupposé marxiste, l'expose clairement en 1951, quand il dresse le bilan d'une génération de travaux (et notamment de l'un de ses acquis les plus récents, l'étude de Derruau sur *La Grande Limagne*). «On est ainsi amené à reconnaître que, dans ce dessin, bien des traits, la plupart peut-être, n'ont ni la haute antiquité ni la fixité qu'on leur avait tout d'abord prêtées, et on se trouve en présence de ce fait que, dans l'histoire des aménagements agraires, la période moderne et contemporaine, celle que nous voyons le mieux, est dominée par un antagonisme qui n'est point certes celui de deux civilisations, encore moins celui de deux races, mais, plus modestement, celui de deux classes sociales: paysannerie d'une part, bourgeoisie terrienne de l'autre. L'emprise paysanne et l'emprise bourgeoise, sur la terre cultivée, s'expriment en des dessins parcellaires différents, dont l'extension respective croît ou décroît au gré des circonstances économiques, démographiques ou politiques. L'explication d'un paysage rural ou, mieux, de la structure agraire dont ce paysage est l'expression pittoresque, doit être ainsi demandée, dans une large mesure, à l'histoire des classes sociales auxquelles appartiennent les détenteurs actuels de la terre[48].» Comme contrepartie, Roger Dion rappelle «les excès d'une conception opposée qui, dans l'interprétation de ce même paysage, dénie toute efficience aux traditions, ainsi que, d'une manière générale, aux attitudes collectives indépendantes des nécessités économiques immédiates». Tirons les conséquences de ce retour à l'histoire et aux rapports sociaux. La transparence et la cohérence des paysages n'en sortent pas renforcées. Le problème n'est plus, en sollicitant quelques évidences, de retrouver la nature ou l'homme. Dialectique artificielle, le cas échéant, ou trop globale. Le problème est ailleurs: identifier des expériences, au cours desquelles les données naturelles peuvent intervenir comme facteur. Ces expériences successives laissent dans le paysage, à des degrés variables, des traces – les unes «vivantes», les autres gommées ou fossiles; en un sens, on ne peut guère accorder d'importance à la frontière indécise, entre ce que le paysage révèle et ce qu'il recèle. Entre l'œil avisé du spécialiste (ou l'habilité du traitement chimique) qui donne l'alerte sur telle forme, telle répartition, tel alignement indiqués par la photo aérienne et le travail du chantier, la fouille, la technique prend la place principale. N'oublions pas aussi que constater ou situer n'est pas expliquer: les formes, les dessins acquis peuvent conserver une utilité ou une valeur sociale ou symbolique (parcellaire, limite de champ, tracé de voie) alors que les raisons de leur établissement ont disparu. Par exemple, parcellaire rural et division de la propriété ne coïncident pas obligatoirement en un moment déterminé. L'image des champs, telle qu'elle apparaît sur les photographies, par des couleurs ou des grisés qui évoquent la nature différente des plantes et l'avancement varié des travaux agricoles, ne reproduit pas fidèlement le cadastre.

Le paysage doit être interprété comme un «palimpseste». Les commentateurs de l'haussmannisation (le travail de destruction est propre à la révélation d'anciennes structures) avaient emprunté cette comparaison. L'idée s'applique aussi aux paysages ruraux. Sur ce point, la curiosité britannique a précédé de loin la «science» française. De l'historien à l'archéologue du dimanche, on a cherché, au début de ce siècle, sous le paysage des enclosures, les structures des villages d'openfield qui précédaient cette puissante révolution agraire, enclenchée au XVe-XVIe siècle. On a trouvé, au-dessous de l'openfield, les signes d'aménagements antérieurs, quadrillage de fossés et de talus révélant des «terroirs cloisonnés» ressemblant à ceux de la Cornouaille ou du pays de Galles. Dans l'*Essai* de 1934, Roger Dion, encore fidèle à la thèse ethnique, marque un intérêt pour ces découvertes archéologiques: «La Beauce, quoique soumise aux contraintes collectives qui caractérisent le milieu agricole septentrional, contient, au moins dans sa partie sud, plus de hameaux que de gros villages; et c'est précisément dans une commune de cette région, Villexanton (Loir-et-Cher), qu'un archéologue, à qui nous devons déjà l'explication des "rideaux" de la Picardie, à tout récemment reconnu un réseau de minces parcelles agraires suivant l'usage du Nord, les vestiges d'une première division en champs plus vastes et surtout moins étroits[49].» En Lorraine et en Cambrésis, ces régions qui portent un habitat groupé caractéristique des pays d'openfield, les fouilles ont mis à jour les traces de champs, bordés de levées de terre, et une dispersion ancienne de l'habitat, attestée au moins jusqu'à la fin de l'époque gallo-romaine. Recouvrement des civilisations ou des groupes ethniques? L'image du front ou de la frontière, variant selon le flux ou le reflux des peuples, est-elle toujours convaincante en pareil cas? L'ethnographie risque de «naturaliser» à son tour les aménagements agraires, par des oppositions globales ou excessives. Sans doute faut-il chercher l'explication dans l'emprise plus ou moins forte, plus ou moins stable des hommes, variant selon la densité, la pression démographique, la capacité des groupes ou des maîtres du sol à ordonner l'occupation du sol.

La représentation que l'on donne maintenant du paysage rural du haut Moyen Âge[50] (que l'on s'occupe des civilisations méridionales ou nordiques) se distingue de l'image classique de la villa mérovingienne et de la communauté villageoise, maîtrisant son espace. La continuité des sites habités est remise en question. On décrit au contraire ces périodes reculées comme celles où le vêtement territorial flotte, trop ample. La population paysanne vit souvent en hameaux chétifs, construits en matériaux légers, que l'on peut abandonner au gré de la mise en culture de nouvelles terres. Car l'occupation du sol n'aboutit pas à diviser *ager* et *saltus,* mais plutôt à déplacer les champs, selon des pratiques itinérantes ou temporaires, délaissant ceux qui ont perdu leur fertilité. Des images plus proches de l'agriculture africaine que de cet ordre immémorial que l'on prêtait jadis ou naguère à nos campagnes. L'organisation des terroirs en cellules fixes, la distinction de l'*ager* et du *saltus,* la construction de l'habitat en «dur», l'organisation de la communauté villageoise et de la paroisse sont des éléments plus tardifs; quand on réfléchit à cette mutation, l'importance attachée par Pierre Gourou à la combinaison des techniques culturales et des techniques d'encadrement territorial (et d'encadrement des hommes) paraît éclairante: elle s'applique en tout cas au rôle historique de la seigneurie. Cela va de pair, dans les siècles qui suivent et correspondent aux grands défrichements, avec une autre mobilité de l'habitat. Des hameaux ou de nouvelles communautés, plus fragiles, moins peuplés, participent à la mise en valeur des aires marginales ou des no man's land forestiers; ils ne sont pas tous destinés à résister à la rationalisation des terroirs, aux crises du XIVe siècle, ou plus simplement aux accidents de la vie agricole, sur des terres dont le rendement est incertain. Si, à la manière d'un film, on accélère les images de cette histoire rurale, le paysage rural paraît obéir à des palpitations. La représentation «fixiste» du paysage, la référence à une dichotomie des civilisations rurales risquent, si elles ne sont pas soumises à la critique, d'être des pièges.

Le paysage rural vu d'avion, commune de Ouarville (Eure), en 1964. Qu'il y ait une correspondance chronologique entre l'emploi de la photographie aérienne et l'avancement des recherches sur le paysage rural ne paraît plus un fait accidentel. La vue méridienne révèle des ordres et des arrangements peu visibles depuis le sol. Un parcellaire dont on saisit mieux les usages et l'évolution à plus ou moins long terme.

De même, la notion de «lecture», toujours un peu passive. En admettant que le paysage, regardé, observé ou traité par l'intermédiaire de moyens techniques révèle des signes, suggère des hypothèses, toute tentative d'explication – et d'abord de reconstitution de son histoire – doit mobiliser d'autres outils, une batterie de «grilles». L'archéologie, d'abord: c'est elle qui, après la détection de quelques sites, a permis de donner un sens au *Wüstungen* (villages désertés)[51] et compromis les apparentes continuités et les thèses fixistes. L'étude de la végétation ensuite. La réflexion sur les limites forestières avait été entreprise par Vidal de La Blache, Camille Jullian ou Roger Dion. Il fallait aller plus loin, juger des formations végétales par rapport à cette histoire du tapis végétal et de l'agriculture, trouver la trace de défrichements plus anciens. La végétation a aussi son archéologie, mais qui n'est pas donnée sans médiation, à partir des sols, des restes de végétation fossile (troncs d'arbres calcinés, par exemple). Bref ce sont des grilles de plus en plus «sophistiquées» que l'on applique à l'analyse d'objets de moins en moins visibles du paysage. Tout comme le traitement chimique des vues aériennes, les messages lancés par les satellites et traduits sous forme de chiffres ou de couleurs construisent de véritables interprétations, plus que des «lectures».

Si l'on change de point de vue et si l'on cherche ce qui, dans l'histoire des campagnes et de la société françaises, explique ce jeu de questions sur le paysage rural et la rupture (que l'on peut apprécier après coup) entre la génération de Vidal et celle de Dion, les hypothèses viennent rapidement à l'esprit, trop facilement peut-être. L'impression d'un équilibre, les tendances à la restructuration et à la folklorisation des campagnes sont évidemment en partie brisées par la remise en mouvement de la société rurale. En termes négatifs, d'abord: jusqu'en 1900, on pouvait penser que le monde agricole se découvrait à lui-même, débarrassé de ses adjuvants et de ses scories, des groupes multiples qui s'étaient accumulés dans les campagnes, à la marge des travaux agricoles. Tel qu'en lui-même, enfin... La guerre, plus que tout autre événement, creusant des vides dans la population active, la reconstruction, entraînant quelques tentatives de remembrement des parcellaires, les accidents économiques qui ébranlent les marchés avant même les années 1930, l'exode rural amplifié jusqu'à la crise replacent ce monde dans une histoire plus discontinue, plus menaçante. La «palpitation» fait partie, presque à court terme, de l'expérience de la période jusqu'aux bouleversements plus sérieux et peut-être plus positifs qui suivent la Seconde Guerre mondiale. La folklorisation, dans une période où l'on pourrait déjà déceler les lignes d'une «déstructuration», prend trop aisément l'allure de l'idéologie du refus ou de l'ignorance. Dans des conditions qui resteraient à préciser, l'épistémologie rencontre une nouvelle fois l'histoire sociale.

Hypothèse trop marquée par le « sociologisme ». Elle doit inspirer la critique. Mais lisons encore Roger Dion et sa conclusion de l'article de 1946 ; il s'achève sur une prévision sans doute erronée dans son contenu, mais qui confirme l'hypothèse ; la réflexion sur l'aménagement accompagne le retour à l'histoire.

> Cet individualisme agraire auquel l'élite de la société rurale aspira si ardemment, durant le siècle qui va de 1750 à 1850, s'efface de plus en plus sous la pression des nécessités du machinisme. Avant dix ans, la nécessité se sera fait sentir de donner aux pièces de terre arable des dimensions répondant aux exigences de ces machines, et dès maintenant nos services agricoles étudient les moyens de contraindre les exploitants de petites fermes familiales à grouper leurs tenures pour former les grands quartiers de terre requis pour ce mode de labour. Nous verrons alors réapparaître sous une forme nouvelle, des disciplines d'assolement ou des servitudes communautaires[52].

Pour cette période, un autre constat devrait prêter à quelque méditation. La notion de paysage rural, exprimant une certaine tension entre les thèses fixistes et le sens des mutations agricoles, se développe au moment où le paysage urbain, qui n'était guère sorti des phases de simple description et de quelques rappels « naturalistes » de l'époque vidalienne, s'efface, la ville apparaissant, sans doute, comme le lieu particulier des changements et du caprice. Raoul Blanchard plaçait l'explication du paysage urbain dans le site et la situation, plus que dans les articulations de la morphologie bâtie et de la société. Le progrès de ces études s'identifie d'abord à la démographie, aux données économiques, à la définition des fonctions et à leurs éventuels glissements. Le paysage s'établit comme médiation, dans l'intelligence des campagnes. Il balance toujours entre le jugement esthétique et le simple tableau, dans l'approche de la ville. La géographie glisse en ce domaine vers l'économie ; l'histoire urbaine, celle que soutient l'Institut d'urbanisme de Paris, autour de Marcel Poële et de Henri Lavedan, s'intéresse trop exclusivement aux formes, retrouve la pente d'un certain naturalisme de la croissance (proche de celui de Vidal), flotte entre les disciplines. C'est pourtant à travers cette histoire, et plus encore les critiques qu'elle a suscitées, qu'une certaine idée du paysage urbain se bâtit, comme en mineur.

Ce texte n'a pas cherché à dresser une histoire complète du paysage, qui devrait surtout s'appuyer sur les représentations sociales et la sensibilité ; ni même un tableau complet de la manière dont les disciplines scientifiques ont utilisé le paysage. Il s'agit encore moins d'un état de questions sur les tendances actuelles de cette étude. On a surtout essayé d'établir dans quelles conditions cette notion, fort confuse au départ et toujours riche en ambiguïtés, a pu correspondre à des objets scientifiques. Une histoire conjoncturelle de la notion, si l'on veut, des statistiques impériales (l'époque des *topographies*) à l'histoire agraire ou à la géographie héritières de Marc Bloch et de Roger Dion.

Il est clair que la vérité du paysage n'est pas dans le paysage. Comme dans l'œuvre d'art ou la contemplation du spectacle naturel, le coup d'œil de l'observateur fait tout et donne un sens aux relations que l'on essaie d'établir entre la nature, l'histoire, les aménagements. Simplement l'observateur est ici armé, qu'il le dise ou non, d'hypothèses, d'instruments de détection et soucieux d'apporter des vérifications. D'où la place curieuse de Vidal de La Blache : celui-ci vient après toute une série d'études qui ont posé analytiquement les rapports de la nature et les aménagements humains (notamment les travaux des géologues), mais à l'origine d'un mouvement qui par le biais de la notion de civilisation agricole réintroduit prudemment les faits sociaux ou l'histoire comme facteurs explicatifs. Pour des raisons de formation, de contexte et même de conjoncture nationale, le naturalisme reste majoritaire, dans l'expression, dans l'approche et dans le raisonnement, quitte à naturaliser les hommes à travers les ethnies et le folklore. C'est la notion de *paysage rural* qui constitue l'élaboration la plus achevée, la plus capable, par les critiques successives qu'elle entraîne, de prendre un aspect *cumulatif;* c'est le moment le plus riche de cette aventure. Riche, sur une vision volontairement partielle du paysage. Mais cet épisode confirme ce que l'on savait déjà et que Pierre Gourou rappelle énergiquement :

> Pour raisonner utilement sur un si vaste sujet, il semble bon de rappeler que le paysage total n'est pas un système structuré. Certes, le paysage physique est dans une large mesure structuré (dans une large mesure, mais pas entièrement) [...] Mais les éléments physiques et les éléments humains des paysages ne forment pas un ensemble vraiment structuré. À l'intérieur du paysage, les éléments humains ne sont pas fortement liés les uns aux autres ; pour trouver un système structuré, il faut remonter à la civilisation [...] Encore faut-il ne rien exagérer ; s'il existe, au niveau de la civilisation une certaine interdépendance des techniques, elle n'est pas rigoureuse[53]...

Vue partielle et partialisante. On s'étonne moins que des géographes contemporains, formés à l'écologie, considèrent que « la tradition inaugurée par P. Vidal de La Blache » ait été « vite perdue de vue ». Nouvelle phase au cours de laquelle l'homme ou les sociétés sont replacés dans la nature et non distingués par une analyse de facteurs. Le paysage devient de nouveau synthèse.

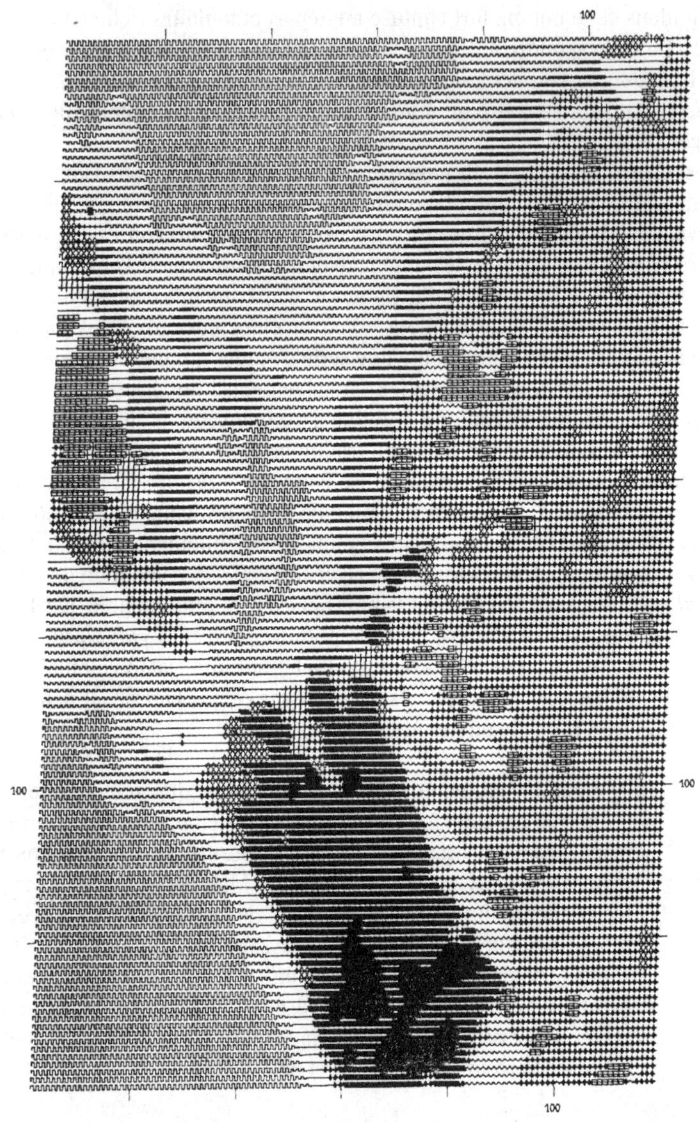

Une lecture abstraite du paysage : région de Fromentine d'après les données numériques du satellite Landsat 1. Grâce aux techniques de la télédétection, les instruments enregistrent des phénomènes physiques, notamment l'énergie que les objets réfléchissent. Les informations numériques sont traduites en cartes automatiques et en « fausses » couleurs. Il faut ensuite retrouver le sens des formes et des structures.

Les progrès de l'instrumentation (les vues aériennes puis les photos de satellites, les informations traitées par la chimie et l'ordinateur) promettent sans doute non seulement de saisir des ensembles, des structures, de les organiser par réseaux. De même, il est possible, à la suite de travaux d'écologie historique, de mieux saisir des modèles définissant les relations entre données physiques et données humaines. Les notions de *charge* rappellent les vieux débats du XVIIIe siècle, avec des variables en principe plus précises. Cette méthode rend-elle compte, pour autant, de la diversité des aménagements et de la capacité des sociétés à maîtriser leur territoire ? Le paysage sans véritable acteur pose toujours problème, même si l'on arrive à affiner l'appréhension théorique ou numérique des interactions entre phénomènes. Tranchons net : cette méthode a réussi jusqu'à maintenant à proposer des classifications et une description conceptualisée. Mais, dans telle ou telle interprétation concrète, se référant à la succession des types d'exploitation et des conditions sociales de la mise en valeur, la méthode ne paraît pas apporter – en dehors du langage – beaucoup de nouveautés par rapport, par exemple, au Roger Dion de 1946. Question ouverte.

Autre question ouverte : le retour de l'intérêt vers le paysage subjectif, rentré, tout à fait normalement, dans le giron des lectures scientifiques. Le temps est favorable à la psychanalyse, avec en permanence les ambiguïtés possibles entre les archétypes (mais qui relèvent malgré tout de l'individu) et une psychanalyse « sociale » plus confuse. Le temps et les sollicitations du présent, si l'on admet que la crise urbaine actuelle, par destruction des paysages habitués, diffusion de la laideur ou de l'angoisse, renvoie d'abord au paysage. La remise en question de l'urbanisme passe en tout cas par ce nouveau regard sur la physionomie des villes ou des campagnes. Les paysages hérités deviennent donc patrimoine et la mode est à la conservation. Sur ce point (et sur ce point seul), la leçon donnée par les études du paysage rural permet de prendre quelques distances. Conserver des types d'aménagement, des savoir-faire, admettre que ces savoir-faire répondaient à une sagesse et à une connaissance profonde des conditions du milieu, voilà une tâche qui paraît indispensable, noble, utile. On sait les désagréments collectifs et les déséquilibres biologiques que la destruction du bocage breton a entraînés. Soit. Mais à partir du moment où le paysage cache des successions d'aménagements, à partir du moment où la meilleure voie n'est pas nécessairement indiquée dans la physionomie des choses ? Est-ce le paysage que l'on doit conserver ou telle forme d'aménagement, mieux ajustée à nos connaissances biologiques, techniques et sociales, et aux objectifs fixés ? Sinon, on risque d'hésiter, sans cesse, entre une conservation arbitraire de l'existant (au nom d'arguments « fixistes ») et la transformation du paysage en musée, collectionnant pour l'instruction des jeunes populations les images des divers aménagements –

la hutte gauloise, la villa, le hameau du haut Moyen Âge, le village. Conserver un patrimoine n'est pas redevenir victime de la lecture immédiate des paysages, de leur transparence, dont on a essayé d'établir la fragilité. La première règle d'une politique souhaitable de conservation est de respecter la multiplicité de l'histoire. Il n'est pas étonnant que la valeur-spectacle et rassurante du paysage reprenne alors tous ses droits et qu'en fin de compte le jugement esthétique (plus qu'une nécessité biologique) l'emporte dans la sélection. «Dans nos ravissants paysages ruraux d'Europe occidentale, il est permis d'espérer que seront conservés les paysages de bocage et polyculture, qui sont particulièrement attachants. Il s'agit bien de conserver des paysages humains et non pas des paysages naturels [...] J'aimerais, personnellement, conserver ce dernier paysage, le plus menacé (et pratiquement disparu en France). Mais ai-je raison? Et d'autres ne sont-ils pas d'un avis différent[54]?» La lecture «savante» n'a-t-elle alors été qu'une transition? Et n'est-ce pas le signe d'une société entièrement «urbanisée», même si elle cultive le charme de la résidence «champêtre»?

Par rapport au lot hétéroclite d'impressions, d'informations et de récits plus ou moins fondés, la géographie vidalienne a laissé une description épurée et efficace des paysages et du territoire français. Les réflexions sur la diversité originelle du pays ont évité l'excès de finalisme. Les images ont pris une consistance sociale indiscutable, à travers les enseignements et les lectures de géographie, au point que l'on a pu s'interroger sur la véritable nature de cette discipline: science ou pédagogie? Mais, en même temps, cette «lecture» n'a pas éliminé les présupposés, hérités d'ailleurs de la philosophie des Lumières et, au-delà, de la sagesse des nations, en particulier le postulat écologique. Si l'on distingue donc toute une série de démarches scientifiques qui ont apporté à la connaissance du paysage et de l'espace national plus de rigueur et des fragments d'explication, l'hiatus demeure: la leçon des recherches sur le *paysage rural* montre qu'au-delà des connaissances factuelles et des représentations nécessaires il est indispensable de définir un objet scientifique. Le paysage ne devient cet objet que lorsqu'il est mis en accusation.

1. Émile Levasseur, *L'Étude et l'enseignement de la géographie*, Paris, 1872.

2. Tableau de la géographie de la France, tome I de l'*Histoire de France* dirigée par E. Lavisse, publié en 1903, réédité en ouvrage séparé, Paris, 1908.

3. Konrad Malte-Brun, *Précis de géographie universelle*, 1re édition, 1810-1811, rééd. 1841, 1852.

4. Élisée Reclus, *Géographie universelle*, éditée à partir de 1876; le tome consacré à la France date de 1881.

5. Jean-Claude Perrot, *L'Âge d'or de la statistique régionale française (an IV-1804)*, Paris, Société des études robespierristes, 1977.

6. Arthur Young, *Voyages en France en 1787, 1788 et 1789*, trad. franç. H. Sée, Paris, 1931.

7. Voir Jean-Claude Perrot, *op. cit.*, et Stuart Woolf, « Contribution à l'histoire des origines de la statistique: France, 1789-1815 », *in La Statistique en France à l'époque napoléonienne*, Bruxelles, 1981.
J. Peuchet et P.-G. Chanlaine ont dressé en 1810 une synthèse de la première génération des mémoires: *Description topographique et statistique de la France...*, Paris, 1810, 3 vol.

8. De Villeneuve, *Statistique du département des Bouches-du-Rhône*, Marseille, 1821-1829, 4 vol.

9. Id., *Ibid.*, *Discours préliminaire*, t. I, p. XV.

10. *Ibid.*, pp. LXIII, LXXIII.

11. *Ibid.*, p. XXV.

12. *Ibid.*, p. XXXIII.

13. *Ibid.*, tome IV, p. 39.

14. Sur la carte de Cassini et les origines de la carte au 1/80 000e, dite de l'*État-major*, *cf.* Colonel Berthaut, *La Carte de France 1750-1898*, Paris, 1898, 2 vol. F. de Dainville, *Le Langage des géographes*, Paris, A. et J. Picard, 1964 et le catalogue *Cartes et figures de la Terre*, Centre Georges-Pompidou, Paris, 1980.

15. É. Levasseur, *op. cit.*, p. 4.

16. *Le Journal des Mines* est créé en 1794, sous la direction de Coquebert de Montbret, diplomate et savant, qui, d'autre part, dirige le *Bureau de la statistique* de 1803 à 1806. L'inspiration commune est sensible entre les projets de « statistique » et les premiers travaux de géologie appliquée, publiés dans le *Journal*.

17. Lucien Gallois, *Régions naturelles et noms de pays*, Paris, 1908.

18. Dufrénoy et Élie de Beaumont ont préparé vers 1830 (achevé en 1835) une « carte géologique de la France » au 1/500 000e; elle ne fut gravée qu'en 1840. En 1841, ils ont commencé à publier les trois tomes de l'*Explication de la carte géologique de la France*, Paris, 1841-1873. Lucien Gallois rappelle que la décision d'établir une carte géologique au 1/80 000e fut prise en 1868, commencée en 1870 et achevée au début de ce siècle.

19. De Caumont, *Essai sur la topographie géognostique du département du Calvados*, Caen, 1828, cité par Gallois, *op. cit.*, pp. 23-24.

20. Antoine Passy, *Description géologique du département de la Seine-Inférieure*, Rouen, 1832, cité par Gallois, *op. cit.*, p. 25.

21. Antoine Passy, *Essai sur les contrées naturelles de la France*, 1857, cité par Gallois, *op. cit.*, p. 47.

22. É. Levasseur, *op. cit.*, p. 27. « MM. Dufrénoy et Élie de Beaumont ont fait remarquer l'étroite relation qui existe entre les couches géologiques de notre France et les pays tels que Beauce, Brie, Vexin, Bray, Sologne: ces pays n'ont jamais été des divisions administratives, et cependant leurs noms ont survécu, dans le langage des campagnes, à tous nos changements de circonscriptions, parce qu'ils sont en général fondés sur la nature des cultures, lesquelles sont elles-mêmes une conséquence de la nature des terrains. »

23. Jules Michelet, *Histoire de France*, t. II, pp. 1-83 (éd. de 1876). Le texte date de 1833.

24. Un excellent travail de maîtrise d'Alain Delissen (Paris IV, 1985) met en valeur cette *Géographie romantique: la cartographie illustrée de la France au* XIXe *siècle*.

25. Jean-François Chevrier, «La photographie dans la culture du paysage», supplément à la revue *Photographies*, bull. n° 2, Mission photographique de la D.A.T.A.R. L'importance de la Mission héliographique de 1851 y est commentée.

26. Étudiés par A. Delissen, *op. cit.*: l'*Atlas national* illustré par V. Levasseur et A.M. Perrot (éd. de 1842, 1854, 1861); le *Nouvel Atlas* illustré par A. Vuillemin (éd. de 1844, 1855, 1874). Ajoutons les dictionnaires populaires, par exemple le *Dictionnaire populaire illustré d'histoire et de géographie* (par Décembre-Allonier, Paris, 1864).

27. Dans un esprit encore proche des statistiques départementales, notons, en 1835, sous la signature d'A. Hugo, ancien officier d'état-major, *La France pittoresque ou description pittoresque, topographique et statistique des départements et colonies de la France*, accompagné, en effet, des données existantes de la *Statistique générale de la France*, dans le domaine économique mais aussi judiciaire, moral, médical.

28. Paul Vidal de La Blache, *Principes de géographie humaine*, Paris, 1921.

29. Id., *ibid.*, p. 182.

30. Id., *Tableau géographique…*, *op. cit.*, Introduction.

31. *Ibid.*, p. 133.

32. *Ibid.*, p. 70.

33. On doit rappeler ici quelques éléments de chronologie. Paul Vidal de La Blache est élève de l'École normale supérieure de 1863 à 1867. Au tournant des années 1860 (1857-1866), Pasteur est «directeur des Études scientifiques» dans cette école. Les principaux travaux sur la fermentation datent de 1863-1868, le grand débat académique et idéologique sur la génération spontanée de 1860 à 1865 (Pasteur, *Mémoire sur les corpuscules organisés qui existent dans l'atmosphère*, 1861), Bergson est élève de l'École normale, alors que Vidal de La Blache exerce les fonctions de sous-directeur (promotion 1878). Il publie *Matière et mémoire* en 1896 et *L'Évolution créatrice* en 1907.

34. Jean-Claude Chamboredon et Annie Méjean, à paraître, *Territoires*, n° 2, P.E.N.S., 1986, Paris.

35. Id., *Ibid.*, p. 57.

36. Jean-Claude Chamboredon, «Peinture des rapports sociaux et invention de l'éternel paysan: les deux manières de Jean-François Millet», *Actes de la recherche*, n° 17/18, Paris, 1977, p. 28.

37. Dans leur thèse, Albert Demangeon, *La Plaine picarde*, Paris, 1905, et Jules Sion, *Les Paysans de la Normandie orientale*, Paris, 1908, attachent une grande importance à l'industrie domestique rurale. Voir aussi *Histoire de la France rurale* (t. III, dirigé par Maurice Agulhon). Sur l'idéologie «paysanne», Francine Muel, «Les instituteurs, les paysans et l'ordre républicain», *Actes de la recherche*, n° 17/18, p. 37 *sq.*

38. L. Gallois, *op. cit.*, p. 224.

39. J. Sion, *op. cit.*, p. 9.

40. Id., *ibid.*, p. 14.

41. Lucien Febvre, *La Terre et l'évolution humaine*, Paris, 1922, pp. 76-77.

42. Roger Dion, *Essai sur la formation du paysage rural* (1934), Paris, rééd. de 1981, texte de présentation.

43. Voici, dans une autre perspective, la synthèse récente de Jean-Robert Pitte, *Histoire du paysage français*, Paris, Tallandier, 1983, 2 vol.

44. Marc Bloch, *Les Caractères originaux de l'histoire rurale française*, Paris, 1931, rééd. 1952, p. 64.

45. R. Dion, loc. cit. (1981).

46. Id., « La part de la géographie et celle de l'histoire dans l'explication de l'habitat rural du Bassin parisien », publ. de la *Société de géographie de Lille,* 1946.

47. *Ibid.,* p. 26.

48. Id., « Réflexions de méthode, à propos de La Grande Limagne de Max Derruau », *Annales de géographie,* janvier-février 1951, pp. 27 et 31.

49. Id., *Essai, op. cit.* (1934), pp. 150-151.

50. J. Chapelot et Robert Fossier, *Le Village et la maison au Moyen Âge,* Paris, Hachette, 1980, et Robert Fossier, *Enfance de l'Europe. Aspects économiques et sociaux,* Paris, P.U.F., 1982, 2 vol., permettent de mieux suivre, dans des régions variées, les caractères de cette « révolution de l'an 1000 ».

51. Ouvrage collectif, *Villages désertés et histoire économique, XIe-XVIIIe siècle,* Paris, S.E.V.P.E.N., 1965.

52. Roger Dion, article cité, 1946, p. 80.

53. Pierre Gourou, *Pour une géographie humaine,* Paris, pp. 362-363.

54. Id., *ibid.,* p. 374.

DANIEL NORDMAN

Les Guides-Joanne

Ancêtres des Guides Bleus

> *M. de Montaigne trouvait à dire trois choses en son voyage : l'une qu'il n'eût mené un cuisinier pour l'instruire de leurs façons et en pouvoir un jour faire la preuve chez lui ; l'autre qu'il n'avait mené un valet allemand ou n'avait cherché la compagnie de quelque gentilhomme du pays : car de vivre à la merci d'un bélître de guide, il y sentait une grande incommodité ;* la tierce, qu'avant faire le voyage, il n'avait vu les livres qui le pouvaient avertir des choses rares et remarquables de chaque lieu, ou n'avait un Munster ou quelque autre dans ses coffres[1].

Il est déjà remarquable que cette page du *Journal de voyage* de Montaigne juxtapose les diverses préoccupations qui peuvent être celles du « touriste » en pays étranger : intérêt pour les usages en matière culinaire, recours nécessaire à des guides, regret enfin de n'avoir pu ou su suivre suffisamment les indications de la *Cosmographie* de Sébastien Munster, publiée en allemand, à Bâle en 1544. Ce sont exactement toutes ces précisions qui figurent plus tard, à des degrés divers, et sous un format maniable, dans les guides touristiques. Pour désigner ce volume, le *Journal* usait déjà du nom comme d'un nom commun : plus tard, l'habitude en effet se répand de confondre, dans le guide – comme il advient aussi des dictionnaires, des encyclopédies –, l'auteur, le texte et l'objet, au point même que sera souvent oubliée l'identité du premier. Les voyageurs parlent ainsi de leur Wyttenbach (auteur d'un guide des Alpes du canton de Berne, paru en 1777[2], de leur Baedeker (le terme peut désigner, en 1900, n'importe quel guide touristique)[3], ou de leur Guide-Joanne. Dernière remarque enfin : cette page a été écrite à Lindau, sur le lac de Constance, soit au cours de la partie suisse et germanique de l'itinéraire de Montaigne.

Ce sont précisément ces quelques lignes que cite Adolphe Joanne lorsqu'il présente, en 1841, son *Itinéraire... de la Suisse, du Jura français.* Comme tant d'autres ouvrages de ce genre, ce guide est donc né de la montagne. Ce n'était sans doute que hasard si le Montaigne qui tirait quelques enseignements de son voyage venait de parcourir la Suisse, se dirigeait vers Augsbourg et se proposait ensuite de traverser les Alpes. Mais la montagne, alpine ou pyrénéenne, est à la mode, depuis Rousseau, Saussure, Ramond: les monts «affreux» ne sont plus; grâce à la clientèle anglaise particulièrement, la marche à travers les glaciers, le contact avec la nature, puis l'alpinisme traduisent un goût nouveau pour les sommets. La réputation de Chamonix date du XVIIIe siècle[4]. Le romantisme ne fait qu'accentuer le mouvement. Ont été ainsi recensés, pour les années 1828-1891, plus de cinquante livres à grand succès consacrés aux Alpes[5]: c'est probablement un minimum. Adolphe Joanne, précisément, traduit l'un d'entre eux (les *Escalades dans les Alpes,* d'Edward Whymper). On constate du reste que le terme de «Suisse» peut désigner alors, *grosso modo,* toutes les Alpes: au début du XXe siècle encore, le mont Blanc, pour certains, se situe en Suisse[6]. Les titres, néanmoins, peuvent être plus exacts: l'*Itinéraire... de la Suisse...* de 1841 décrit aussi la Forêt-Noire, le Jura français et la Savoie. L'unité du livre tient à la montagne, plus qu'à telle ou telle localisation particulière.

L'*Itinéraire... de la Suisse...* s'inscrit donc dans un courant. Sur un point important, toutefois, Joanne entend se distinguer d'un de ses prédécesseurs immédiats, comme il l'indique dans son importante préface. Les ouvrages alors en usage sont celui de l'éditeur anglais John Murray, qui publie son guide de la Suisse et des Alpes, à Londres en 1839, et le guide d'Ebel traduit de l'allemand en français dès 1795 [2, 3 et 4][7]. Joanne déclare excellent le plan adopté par Murray; il veut en revanche rompre avec l'ordre alphabétique qu'Ebel avait retenu – de Aarau à Zweisimmen – «pour rendre, écrivait ce dernier, les lieux et les objets qu'on veut connoître, plus faciles à trouver» [2, t. II, p. 1]. Or Joanne estime que cet ordre «nécessite des recherches continuelles et force le voyageur à avoir sans cesse une carte à la main» [7, p. XII]. Là réside bien, en effet, la différence fondamentale. L'ordre alphabétique, qui rassemble, comme dans un dictionnaire, une succession de notices, est bien tout le contraire de la description géographique: les lieux ne sont que des entités isolées, et d'autant plus isolées que le guide de 1795 ne comporte pas de cartes (mais seulement des vues panoramiques). L'*Itinéraire... de la Suisse...*, au contraire, est *déjà* un substitut de la carte; et il préfigure la carte, cette carte routière qui est précisément jointe au guide de 1841. L'intérêt de ce choix peut paraître évident. Il semble pourtant que l'idée selon laquelle l'ordre alphabétique demeure préférable n'ait pas totalement disparu: le manuel d'Ebel, dans la première moitié du XIXe siècle, est à plusieurs reprises réédité; certains, d'autre part, «persistent à regretter la méthode alphabétique», écrit Joanne dans la première édition de l'*Allemagne du Nord* (1854) [9, p. XI, préf. de la 1re éd.]. L'ordre alphabétique, avec Joanne, est et sera donc réservé à l'index général de chaque volume.

En 1841, Joanne a conscience qu'il manque encore en France un «itinéraire de la Suisse» que l'on puisse comparer à ceux d'Ebel et de Murray. Or, la Suisse, les Alpes ne sont qu'un point de départ: en quelques années, ou quelques dizaines d'années, c'est à des centaines d'éditions, rééditions ou réimpressions que le nom de Joanne se trouvera associé, pour des ouvrages – itinéraires ou monographies – portant sur la France, l'Europe entière, l'Orient même. Succès fulgurant, massif.

1.

De ce succès de librairie, il importe de rappeler brièvement les raisons. Il est lié, comme on le verra, à l'essor des chemins de fer et au tourisme ferroviaire. Il est aussi lié aux initiatives de la maison Hachette et à la création puis à la multiplication des bibliothèques de chemins de fer. Prenant modèle sur un libraire anglais, William Henry Smith, qui avait ouvert dans les gares des comptoirs de journaux et de livres, Louis Hachette définit les lignes d'une opération de librairie «aussi utile qu'agréable au public» et singulièrement à ce voyageur «condamné au désœuvrement dès qu'il entre dans les wagons[8]». En France même un imprimeur, Napoléon Chaix, avait déjà entrevu l'importance de ce marché; dans un ouvrage très précieux qui paraît sans doute en 1854, Chaix expose l'intérêt des *Guides descriptifs et pittoresques,* publiés dans la Bibliothèque du voyageur et complétés par des Atlas, pour chaque ligne de chemin de fer: ces ouvrages «doivent monter avec le touriste dans les wagons, et répondre à tout ce qui leur est demandé sur les stations, sur le paysage, les villes, les fleuves, les châteaux et les monuments. Ils doivent donner l'histoire pittoresque et animée, mais toujours vraie, de tout ce qui intéresse le voyageur. Ici, un drame de deuil et de sang; là, un souvenir de fête et de splendeur; dans ce château, une conquête de suzeraineté féodale; plus loin, un grand acte de royauté, une mystérieuse légende d'abbaye, une ville avec les grandes luttes de sa charte et de sa commune jurée; plus loin, une idylle, une douce expansion du cœur». La Bibliothèque comprend d'autres publications: l'*Indicateur,* hebdomadaire, qui s'adresse au simple voyageur en France; le *Livret-Chaix,* mensuel, qui décrit aussi les lignes étrangères et celles des bateaux à vapeur, plutôt destiné aux ministères, aux administrations, aux grandes maisons commerciales; l'*Almanach officiel des chemins de fer, des bateaux à vapeur et de la télégraphie électrique.* Et, en dehors même de cette

ADOLPHE JOANNE
GÉOGRAPHIE
DE
LA MARNE
11 gravures et une carte
HACHETTE ET Cie

Ay et la Montagne de Reims.

Adolphe Joanne, Géographie de la Marne.

Bibliothèque, la maison Chaix publie d'autres ouvrages pratiques (comme l'*Annuaire officiel des chemins de fer*) [1, pp. X-XVI].

C'est ce même public de voyageurs que compte conquérir Hachette. Et c'est pour ce marché que Chaix et lui s'opposent en une longue polémique. Le programme de Louis Hachette paraît, seulement, plus ambitieux encore puisque, dans un prospectus de 1852 qui trace le plan de la Bibliothèque des chemins de fer, il annonce, outre des ouvrages *pratiques,* d'intérêt spécifique, destinés aux voyageurs (guides, itinéraires, guides-interprètes, indicateurs d'horaires), des publications *de toute nature* prévues pour l'instruction ou la récréation de ces mêmes voyageurs: histoire et voyages, littérature française classique et moderne, littératures anciennes et étrangères, agriculture et industrie, livres pour enfants. À ce fonds s'ajoutent les ouvrages d'autres éditeurs[9]. Dans les années 1852-1855, Hachette passe donc des conventions avec les compagnies de chemins de fer qui lui concèdent des points de vente dans les gares de leurs réseaux respectifs. En juillet 1853, les bibliothèques de chemins de fer sont au nombre de quarante-trois; à la fin du siècle et au début du XXe siècle, le chiffre oscillera entre mille et mille deux cents environ[10]. Très vite un personnage nouveau et familier a fait son entrée dans les gares: dans *Les Chemins de fer*, Labiche met en scène la marchande de journaux et son éventaire ambulant où figurent non seulement la presse mais le *Livret-Chaix* et l'*Indicateur des chemins de fer*[11]; avant de partir pour Genève (où il doit quitter le chemin de fer pour gagner par la route Chamonix et la mer de Glace), M. Perrichon est en quête, pour sa femme et sa fille, à la gare de Lyon, d'«un livre qui ne parle ni de galanterie, ni d'argent, ni de politique, ni de mariage, ni de mort»: c'est bien un guide alors qu'il achète, «un livre avec des images», *Les Bords de la Saône*, qu'en cours de route il échange contre un journal[12].

Au moment même où il négocie avec les compagnies de chemins de fer, Hachette rassemble une première collection de guides, constituée de trois fonds d'origines diverses. Au propre fonds Hachette (parmi lequel figure, inclassable, le *Voyage aux Pyrénées* de Taine, dont une seconde édition paraît en 1858), il ajoute des séries qu'il rachète à deux éditeurs, à Ernest Bourdin en 1853, puis, en 1855, à Louis Maison, l'éditeur des Guides Richard, qui cède ainsi un lot d'une cinquantaine de titres parus ou à paraître[13]. Et c'est en 1855 encore que Joanne, alors collaborateur de Maison, entre chez Hachette. Désormais, comme il a été dit, son nom sera inséparable de l'immense collection qui suivra. Joanne s'entoure seulement pour cette tâche de très nombreux collaborateurs.

La façon dont cette équipe travaille, depuis les campagnes sur le terrain jusqu'à la rédaction définitive, la mise à jour des anciens guides et les rééditions, n'est pas parfaitement claire. Les préfaces énumèrent consciencieusement

les différents collaborateurs, mais la part respective des uns et des autres n'apparaît pas distinctement. Il faut, d'une part, tenir compte d'un très long travail de *recherches livresques*, très minutieux si l'on en juge d'après les bibliographies qui figurent dans les premières éditions ; ces travaux – monographies, guides, etc. – sont effectivement utilisés dans le corps du volume, en particulier pour les notices historiques. Les préfaces, d'autre part, saluent, un peu rituellement, les *collaborateurs occasionnels*, notables de province généralement, médecins, ecclésiastiques, érudits locaux, qui adressent à Joanne quelque étude ou renseignement manuscrit. Il existe, enfin, des collaborateurs immédiats, permanents, considérés par Joanne comme ses *collaborateurs principaux*, qui réapparaissent d'un guide à l'autre, et qui sont des hommes de terrain et de plume.
Si l'on s'en tient à l'équipe de base, aux collaborateurs tels qu'ils sont mentionnés dans les préfaces ou sur la page, bien officielle, et peut-être trompeuse, du titre, l'on pourrait peut-être discerner, par exemple dans les guides du second Empire, quatre variétés d'« auteurs ». Certains – comme Eugène Pénel, Pol de Courcy pour la *Bretagne* [12, p. IX], Pénel et Anthyme Saint-Paul, Élisée et Onésime Reclus pour *La Loire et le Centre* [14, p. XV], Pénel encore et Auguste Morel pour *Le Nord* [15, p. VIII] – sont, en quelque sorte, des rédacteurs. Parmi eux, quelques-uns, incontestablement, percent. C'est le cas d'Élisée Reclus, qui est entré chez Hachette à la fin de 1858, comme géographe, et qui collabore à la collection Joanne probablement pour des raisons strictement matérielles. Il n'est alors que collaborateur secondaire dans *La Loire et le Centre*, où il décrit seulement, ainsi que son frère, certaines routes parcourues par eux, dans le *Réseau du chemin de fer de Paris à Lyon et à la Méditerranée* [19, p. XVI], ou encore dans le *Guide du voyageur en Europe*... de 1860, pour lequel il résume des ouvrages sur la Scandinavie [8, Avertissement]. Mais il est très tôt remarqué par Joanne et sa participation devient essentielle dans les guides de montagne. Non seulement il collabore à la rédaction du volume, par exemple à celle de l'*Itinéraire... du Dauphiné* après avoir exploré les Alpes au cours de deux années consécutives [13, p. XIII], revoit une nouvelle édition des Pyrénées [23, p. XIV] ou de l'Allemagne du Nord [9, p. XIII], mais surtout il lui revient de rédiger lui-même et d'augmenter (particulièrement dans l'édition de 1862 les développements consacrés au peuplement) les successives introductions de l'itinéraire pyrénéen [21, p. XVII, n. ; 22, p. XIV] : il accède bien par là à une sorte de dignité d'auteur. De la même manière, il écrit la partie géographique de l'introduction à la Savoie [24, p. V]. Ainsi le géographe commence-t-il sa carrière (en même temps qu'il publie d'autres travaux sous forme d'articles) : par un contact direct et physique, systématique et continu, avec la montagne, que ce « voyageur par goût, par contrainte et par métier[14] », qui connaît déjà l'Allemagne, l'Irlande et

l'Amérique, arpente et escalade avec passion. Mais il est remarquable que, quelle que soit la collaboration de Reclus, son nom ne soit pas cité dans le titre de l'ouvrage: Joanne se présente encore comme l'auteur. Paraissent cependant, dès le second Empire, des volumes qui sont dus à des rédacteurs différents, ceux-ci mentionnés avec les titres: Du Pays pour l'Italie, Germond de La Vigne pour l'Espagne, Louis Piesse pour l'Algérie, Élisée Reclus pour *Londres illustré*: tous ces auteurs travaillent dans un même esprit – y compris Reclus, dont la production, ici, est de facture très conventionnelle – sous la houlette de Joanne, directeur et inspirateur de la collection.
Lui-même, enfin, intervient constamment, mais à des degrés différents, très souvent comme auteur, et toujours comme maître d'œuvre. Mais ce que l'on sait de Joanne se réduit finalement à quelques éléments épars, en dehors de ses collections de guides. Ce Dijonnais de naissance (il est né en 1813), juriste et avocat de formation (il s'inscrit au barreau de Paris), journaliste à ses débuts (il collabore à divers journaux ou revues, *Le National, Le Siècle, Le Droit,* fonde, en 1843, *L'Illustration,* avec Paulin et Charton), a déjà parcouru la montagne suisse pendant sept étés consécutifs, de 1834 à 1840, pour préparer son premier guide. Il voyage continuellement, de 1833 à 1860, visitant en détail, et à plusieurs reprises, la Suisse, la France, le Piémont, la Savoie, l'Allemagne, la Belgique, l'Angleterre, l'Algérie même. Il est et restera un passionné de la montagne: son itinéraire du Dauphiné, qu'il achève après quinze années d'excursions périodiques, est, comme il l'écrit lui-même, après celui de la Suisse, son livre de prédilection [13, pp. XII-XIII]. Il est adhérent de la Société de géographie de Paris en 1871, mais il paraît beaucoup plus actif, fait significatif, au Club alpin français (fondé en 1874) dont il est le troisième président[15]. À la tête des Guides lui succèdent, à sa mort en 1881, son fils Paul, qu'il s'est adjoint en 1871, puis en 1911 Marcel Monmarché. C'est en 1910 qu'apparaît le Guide Bleu[16], du nom de la couverture qui datait déjà du second Empire[17].

2.

Le Guide-Joanne se propose d'instruire et de séduire. Instruire et séduire le lecteur qui prépare son voyage, qui a pris place dans le train et voit défiler les villes et leurs gares, qui peut se rappeler, longtemps après, grâce à un volume annoté par lui-même, les lieux visités. Au début du XXe siècle, l'on voit apparaître même des feuilles détachables destinés aux observations et corrections des «collaborateurs volontaires». Mais une question demeurera sans doute ici sans réponse précise. À quel public exactement s'est adressée cette *géographie particulière*, qui est une *géographie touristique de la France*?

Voyageurs et/ou touristes ? Dans les faits, évidemment, les deux groupes ne coïncident pas. Le tourisme est une forme spécifique du voyage, un voyage, à l'origine, de loisir – bien que l'on ait pu, et sans doute légitimement, multiplier les définitions. Le guide, lui, ne distingue guère et emploie volontiers les mots de « touriste » et de « voyageur » l'un pour l'autre[18]. Il contribue donc à faire passer dans la langue usuelle cet anglicisme – lui-même issu du vieux mot français « tour » – qui dérive au XVIIIe siècle du Grand Tour effectué en Europe par les jeunes Anglais de bonne famille[19], un mot qui est définitivement acclimaté en France grâce à Stendhal (*Mémoires d'un touriste*, 1838), Hugo (*Le Rhin*, 1842) et quelques autres, cependant que Taine, habile à disséquer l'espèce des touristes et passant du mot au genre, distingue, parmi six variétés, celle des touristes « dociles » :

> La seconde variété comprend des êtres réfléchis, méthodiques, ordinairement portant lunettes, doués d'une confiance passionnée en la lettre imprimée. On les reconnaît au manuel-guide, qu'ils ont toujours à la main. Ce livre est pour eux la loi et les prophètes. Ils mangent des truites au lieu qu'indique le livre, font scrupuleusement toutes les stations que conseille le livre, se disputent avec l'aubergiste lorsqu'il leur demande plus que ne marque le livre. On les voit aux sites remarquables, les yeux fixés sur le livre, se pénétrant la description et s'informant au juste du genre d'émotion qu'il convient d'éprouver. [...] Ont-ils un goût ? On n'en sait rien : le livre et l'opinion publique ont pensé et décidé pour eux[20].

Beau portrait, impitoyable.

Les guides sont effectivement utilisés, par ces Américains, de passage à Paris, qui sont munis de l'ouvrage publié par Galignani[21], ou, beaucoup moins assidûment, par M. Perrichon, ce bourgeois de Paris parti pour la mer de Glace. Divers témoignages semblent montrer que les Guides-Joanne sont appréciés de l'élite des voyageurs : Töpffer – abondamment cité en tête de chaque édition –, les recommande au même titre qu'Ebel et Murray[22]. Les plus grands éloges viennent de George Sand qui a très tôt à sa disposition l'*Allemagne du Nord* et l'*Italie*. « Ces ouvrages, peut-on lire au sujet des itinéraires dans *La Daniella* ("un voyage pendant un roman" ou "un roman durant un voyage"), se font généralement à coups de ciseaux, vu que le rédacteur ne peut aller *partout* lui-même. Il le ferait en vain. L'aspect des lieux change d'une année à l'autre. [...] Parmi les meilleurs guides, je recommande ceux de messieurs Adolphe Joanne et A.-J. Dupays, en Suisse et en Italie. Ce sont de véritables manuels d'art et de savoir encyclopédique, sous une forme excellente[23]. » Dans une lettre à Joanne, elle le remercie encore de l'aide que lui a apportée le guide au cours de son voyage en Italie de 1855. «Vos *Histoires de l'art*, ajoute-t-elle, sont admirablement bien faites; voilà une chose qui manquait! ne craignez pas d'étendre un peu, quand vous y êtes, la partie géologique, minéralogique, botanique, etc. Cela intéresse même ceux qui ne sont pas savants, et leur apprend à observer.» Quelque temps plus tard elle propose à Joanne de lui lire son propre journal de voyage en Auvergne de mai-juin 1859 et le reçoit à Nohant[24]. De fait, en 1865, Joanne compte George Sand parmi ses collaborateurs: elle lui aura «libéralement ouvert les trésors de ses notes et souvenirs de voyages dans l'Auvergne, le Velay et le midi de la France, notes et souvenirs d'où sont sortis déjà tant de chefs-d'œuvre» [20, pp. XVI-XVII]. Dernier témoignage enfin, sans doute parmi beaucoup d'autres: l'écrivain Henry James, visitant la France, utilise concurremment le Murray et le Joanne qu'il juge «excellent», lorsqu'il passe à Langeais et à Bourges[25].

Mais quelques textes ne permettent pas de suggérer une réponse à la question précédemment posée. Il faudrait tout d'abord connaître les tirages. Quel chiffre, même approximatif, correspond aux cinq cent mille exemplaires auxquels a été publié, avant 1914, en trente-deux éditions, le *Voyage le long du Rhin de Strasbourg à Rotterdam*, de Karl Baedeker, ce volume qui a été aux Baedeker ce que l'*Itinéraire... de la Suisse...* a peut-être été aux Joanne, le «joyau» de la collection[26]? Le touriste du XIXe siècle, d'autre part, n'est pas suffisamment connu: les hivernants de Hyères, Nice, Menton, à la fin du XIXe siècle, sont, à concurrence de 82 à 96 %, des rentiers, des propriétaires fonciers[27]. Mais de la même façon que tout voyageur n'est pas nécessairement un touriste, un hivernant de Nice, un habitué de Nice, étranger (Anglais, Allemand, Américain...) ou français, n'est pas nécessairement un voyageur consommateur de guide ou un résident utilisant sur place un guide.
Seuls pour le moment des éléments contenus dans le guide même permettraient peut-être de discerner le public auquel la maison Hachette et le directeur de la collection *le destinent.* Chaque volume comporte un long chapitre préliminaire, «Avis et conseils aux voyageurs» ou «Renseignements généraux», qui regroupe un certain nombre de précisions d'ordre pratique. On pourrait les classer sous diverses rubriques: les conditions générales du voyage et du transport (les compagnies de chemins de fer, leurs administrations et les stations; les conditions spéciales réservées aux enfants, aux militaires ou aux marins; les bagages, les excédents et l'enregistrement); puis les modalités du voyage proprement dit (compartiments spéciaux pour dames et fumeurs, coupés-lits de luxe, coupés-lits ordinaires, wagons-lits); les prix (prix des places par billet d'aller et retour, dans les différentes classes; billets à prix réduits, billets de trains de plaisir, carnets individuels et carnets de famille...); des modèles de voyages circulaires durant, de Paris à Paris, huit

jours, quinze jours, un mois, par exemple, avec itinéraire et programme quotidiens ; une série de conseils pratiques, enfin, sur l'utilisation des voitures de correspondance, sur le voyage à pied, le vêtement (ces derniers paragraphes étant particulièrement développés, et parfois inspirés d'Ebel et de Murray, dans les guides pyrénéens ou alpins, car ils énumèrent toutes les recommandations indispensables qui s'adressent à l'amateur de courses en montagne). Le cas échéant, le volume donne encore quelques indications sur le cours des monnaies étrangères, les douanes, et un bref lexique de mots usuels. Il arrive que l'introduction géographique et historique soit absente. Ce n'est jamais le cas de ce chapitre des conseils.

D'autres précisions, enfin, sont propres à chaque ville. Dans les premiers guides – ceux du second Empire – chaque notice s'ouvre aussi par une série de « renseignements généraux » : buffet de la gare, hôtels, restaurants, cafés, spécialités gastronomiques, poste aux lettres, télégraphe électrique, journaux, libraires… Très tôt, cependant, ces renseignements, d'abord dispersés, sont rassemblés dans l'index alphabétique[28], à la fin ou en tête du volume. L'innovation est importante, car il est alors possible de mettre à jour l'index (c'est-à-dire la partie hôtelière, les prix, certains horaires) en principe à chaque réimpression, sans modifier nécessairement le corps de la description. À cela s'ajoutent les appendices publicitaires de chaque volume, où sont évidemment nombreuses les pages réservées aux chemins de fer, aux compagnies maritimes, aux hôtels.

Deux ou trois préoccupations essentielles paraissent se dégager de ces descriptions pratiques : tout voyage requiert un *budget* et un *programme*. Certains voyages demandent même des valeurs de prudence, ne serait-ce que dans les déplacements en montagne, où il faut savoir, comme l'écrit déjà le guide de 1841, monter lentement pour arriver plus vite au sommet[29]. Le voyageur doit donc, comme il doit régler sa marche, régler son « budget de voyage » (le terme est celui du guide) ; son premier « devoir » est de « préparer son itinéraire » (ce sont là, aussi, des expressions du guide), dans l'espace et dans le temps. Les guides antérieurs au XIXe siècle s'adressaient plutôt à des voyageurs déterminés, pèlerins, marchands, érudits – des voyageurs que l'on peut définir du reste moins par leur statut social précis que par le but de leur voyage, pèlerinage, commerce, études… Les conseils que dispense le Guide-Joanne sont essentiellement des normes. D'une part, parce qu'il n'évoque jamais les finalités spécifiques du voyage, voyage d'affaires, d'études, etc., le déplacement étant toujours présenté, *a priori*, comme un voyage d'agrément. D'autre part, parce qu'il a pour objet de diffuser, à travers tout le corps social, indépendamment de groupes sociaux déterminés, des valeurs réputées communes, et très bourgeoises. En ce sens, les curiosités du voyageur, celles qui sont proposées à son attention, constituent peut-être un *supplément*. C'est probablement par là que le voyageur *devient* touriste, en reconnaissant des valeurs consacrées que le guide prétend uniformiser et en acceptant cette économie multiple de l'argent, du temps, des moyens et du savoir. Mais cet objet reste évidemment fictif, illusoire : même si le guide offre une large gamme (des hôtels de « premier ordre » aux hôtels « modestes », par exemple) le tourisme, le séjour dans un hôtel demeurent réservés à une élite sociale[30].

3.

À la date de 1914, le volume des titres de la collection reprise et développée par Joanne – ou plutôt des collections Joanne – est déjà impressionnant : on compte plus de deux mille ouvrages, *éditions, rééditions, réimpressions*[31]. On peut exclure d'emblée quelques œuvres diverses, des répertoires géographiques comme le *Dictionnaire des communes* et surtout environ sept cents *Géographies départementales*, minces plaquettes illustrées, au plan stéréotypé, destinées à l'usage scolaire, dont les premières paraissent à la fin du second Empire et qui seront continuellement rééditées sous la IIIe République : il reste alors la masse des guides, itinéraires et monographies. Dans cet immense ensemble intégralement, ou à peu près, géographique, se distinguent donc déjà plusieurs fortes séries.

Pour tenter une approche plus précise, il convient évidemment de restreindre le corpus ou plutôt de constituer un corpus maniable, cohérent et surtout complet : on peut alors écarter les *monographies,* six cents environ (du type : « Vichy », « Gorges du Tarn », « Châteaux de la Loire », « Versailles », etc.), dont le nombre peut *indéfiniment* croître et les titres varier en fonction des choix d'un éditeur, des vagues de visiteurs, c'est-à-dire, à la limite, de simples modes touristiques. Il subsiste encore des centaines de guides.

Parmi eux, les Guides-Diamant. En 1841 Joanne, déjà, voulait publier un guide « portatif » [7, p. XII] : il peut paraître encore trop lourd pour un touriste pressé. Hachette alors lance en 1867 une collection auxiliaire, comprenant des livres au format plus réduit (in-32 au lieu d'in-16), épais et courts volumes vert foncé, au papier léger et solide. C'est très exactement une collection de livres de *poche* (le guide « peut tenir sans peine dans la poche la plus petite »)[32], qui couvre bientôt la France et une partie de l'Europe et qui, pour cette raison, pourrait retenir l'attention.

La collection originelle demeure cependant la série fondamentale, qui suffit, à elle seule, à constituer un ensemble. À partir des années 1850 – d'abord sous forme de volumes isolés –, elle s'étend à l'Europe occidentale (Grande-Bretagne en 1853, Allemagne en 1854 et 1855, Espagne en 1859, Belgique en 1860), comporte un volume consacré à l'Orient (dès 1861), puis elle reprend

la Grèce en 1888-1891 et l'Égypte en 1900 : soit quatre-vingts ou quatre-vingt-dix guides de l'étranger. Il reste alors, pour le territoire de la France, plus de deux cents volumes : encore faut-il, ultime distinction, mais essentielle, car elle touche à la nature même de l'entreprise, faire la part des itinéraires divers (c'est la minorité, mais les titres peuvent varier, se renouveler, etc.) et de tous ceux et de ceux seulement qui constituent une série aux contours définis, l'*Itinéraire général de la France* (moins de deux cents volumes).
Les Guides-Joanne de l'Itinéraire s'agencent les uns par rapport aux autres et recomposent le territoire. C'est bien *une certaine géographie de la France* que leur ensemble dessine ; ce sont des *régions* que les uns et les autres présentent. Or, cette description, remarquons-le d'emblée, est antérieure ou en tout cas extérieure aux exposés de la science géographique universitaire. Les Joanne n'ont pas entretenu de liens avec l'école géographique française en dehors de quelques géographes, eux-mêmes fortement marginalisés par rapport au système universitaire, qu'ils pouvaient rencontrer chez Hachette, Élisée Reclus d'abord mais aussi Franz Schrader, parent des Reclus ; celui-ci, à la direction du Bureau cartographique de la librairie, achève l'*Atlas universel de géographie* entrepris par Vivien de Saint-Martin et destiné à rivaliser avec la cartographie allemande ; il enseigne à l'École d'anthropologie de Paris (un établissement privé) et retrouve les Joanne au Club alpin français[33]. Il faudra attendre l'entre-deux-guerres pour que les Guides Bleus confient systématiquement aux universitaires la rédaction de longs aperçus historiques et géographiques par lesquels s'ouvrent les volumes.
C'est à la fin du second Empire que cette géographie de la France, en une première collection, est achevée. Si l'on fait abstraction du volume qui traite des Pyrénées, rédigé à l'origine comme un guide isolé (1858), indépendamment d'un plan d'ensemble, les volumes qui suivent entrent bien dans un projet global, conçu dans les années 1860 et rappelé à l'occasion de chaque publication. Dans l'ordre chronologique paraissent donc successivement, en dehors des volumes consacrés à *Paris illustré* et aux *Environs de Paris illustrés* (respectivement 1863 et 1868 [2e éd.]), le *Réseau du chemin de fer de Paris à Lyon et à la Méditerranée…* (Ire partie, 1861), *Les Pyrénées…* (1862), la deuxième partie de *De Paris à la Méditerranée…* (1865), la *Normandie* (1866), la *Bretagne* (1867), *Vosges et Ardennes* et *La Loire et le Centre* (1868), *Le Nord* enfin (1869). La France est donc partagée en huit régions.

Il faut entendre au sens strict le titre de la collection. La notion d'*Itinéraire* renvoie d'abord à toute une série, particulièrement nombreuse, de volumes, antérieurs ou contemporains, qui se définissent par une succession d'étapes décrites de proche en proche dans l'ordre où elles se présentent le long d'une voie de circulation. C'est le principe qui inspire les descriptions anciennes du territoire, depuis les plus célèbres, celle de Charles Estienne par exemple au XVIe siècle. Avant d'être appréhendée comme une aire pourvue de multiples dimensions, la France entière, dans les vieux guides, est perçue comme une suite de lieux disposés d'étapes en étapes avec indication de distances, selon les axes parcourus par le voyageur, marchand ou pèlerin. À l'origine, donc, le territoire est longiligne : il est celui que décrit l'effort physique de la marche. Or, quatre siècles plus tard, la « révolution » des chemins de fer a maintenu intacts les modes anciens de la description. On peut en juger aisément, à partir de n'importe quel Guide-Joanne. Soit le volume *De Paris à Lyon*, qui énumère soixante-douze stations, chacune d'entre elles étant exactement située, avec mention des distances, par rapport à la station précédente, par rapport à Paris et par rapport à Lyon [10]. La description n'a guère que trois objets : elle *s'élargit*, d'une part, jusqu'à comprendre l'intégralité des villes importantes, jugées dignes d'intérêt (le touriste est alors censé faire halte à Sens, à Dijon, par exemple) ; elle *se réduit* aux paysages vus ou plutôt entrevus depuis le train : le touriste alors, qui ne fait point halte, *aperçoit* villages, campagnes ou monuments défiler sur ses côtés.

> Varennes-le-Grand (1402 hab.) est situé à la gauche du chemin de fer, à 3 kil. environ de la Saône, au-delà d'une longue tranchée. De magnifiques prairies s'étendent des deux côtés de la voie. À g., au delà de la Saône qu'on ne voit pas – elle est éloignée de 4 kil. –, s'étend une vaste plaine agréablement boisée et terminée par la ligne bleuâtre du Jura. Sur la droite apparaît au loin la *côte châlonnaise*. On laisse à dr. *Saint-Ambreuil* [10, p. 251].

Mais c'est cette relative myopie qui permet au guide d'introduire un troisième objet, qui se développe le long des lignes : les embarcadères (c'est le terme en usage)[34], les ouvrages d'art, ponts, viaducs et tunnels. On citera un exemple, l'« admirable » tunnel de Blaisy, non loin de Dijon.

> Une tranchée, longue de 650 mèt., haute de 12,82 mèt., à son point le plus élevé, précède l'entrée du souterrain de Blaisy, par lequel on passe du bassin de la Seine dans celui du Rhône. Ce tunnel a une longueur totale de 4100 mètres. Il a été percé en ligne droite. De l'une de ses extrémités, on aperçoit à l'autre extrémité un petit point blanchâtre. Sa largeur est de 8 mèt. ; sa hauteur, des rails à la clef de voûte, de 7 mèt., 50 c. On a dû le maçonner sur toute son étendue, car il a été ouvert dans des marnes si dures qu'on ne peut les attaquer qu'à la mine, mais qui deviennent promptement friables et qui perdent leur adhérence dès qu'elles sont exposées à l'air. Vingt-un puits circulaires

> d'un diamètre intérieur de 3 mèt., revêtus presque tous d'une enveloppe de maçonnerie, offrant une longueur développée de 2458 mèt. et espacés entre eux d'environ 200 mèt., ont été creusés pour permettre d'en attaquer simultanément, sur un grand nombre de points, le déblaiement. Six de ces puits ont été comblés, et quinze seulement sont conservés pour l'aérage. Deux ont une hauteur de 200 mèt. Commencés en 1846, les travaux furent terminés en 1849. Le tunnel proprement dit a coûté 1900 fr. par mètre, soit 7 790 000 fr. Les puits ont coûté plus de 2 millions. La dépense totale s'est donc élevée à plus de 10 millions (2 240 fr. par mètre) [10, p. 158].

Méticuleuse description qui, sous le détail un peu vain des chiffres, traduit une sorte de ferveur ferroviaire : cet hommage rendu à la civilisation moderne et à l'art industriel, tant de fois répété d'un point à l'autre de la ligne et d'une ligne à l'autre, plus tard peut-être se perdra.

Or, voici que le mot même d'itinéraire, qui, en dehors de toute collection définie, désignait un seul parcours, est désormais utilisé comme titre d'un ensemble. L'*itinéraire*, qui évoquait d'abord une *ligne* singulière, locale, reliant un point à un autre, est maintenant un terme large, et de valeur générique, appliqué à la masse d'un territoire : à travers lui se déploie un pays tout entier. Les itinéraires de Paris à Lyon, *de* Paris *à* Strasbourg, *de* Strasbourg *à* Bâle et beaucoup d'autres sont rassemblés en un itinéraire général *de la France.*

La description proprement dite de chaque ligne peut entrer dans l'*Itinéraire général* sans modification *substantielle.* L'axe de circulation demeure, tout au long duquel sont signalées et, le cas échéant, présentées dans le détail les étapes qui se succèdent, villes traversées, prés et champs côtoyés, ruines remarquables, châteaux fugitifs. Le même goût pour les ouvrages d'art se retrouve. La description du souterrain de Blaisy est enrichie de quelques détails supplémentaires [19, p. 32]. Mais en même temps les lignes, d'abord isolées et dispersées, s'organisent entre elles et se rassemblent en réseaux. Des régions de circulation apparaissent[35], en nombre strictement défini.

Joanne, dès le début de l'entreprise, pose exactement la question. Il est indiscutable que pour lui le plan de la publication implique une division de l'espace. Celle-ci est fondée sur la voie ferrée.

L'époque est en effet celle où, jusqu'à toutes les frontières, s'est tissée la toile des voies ferrées, où ce réseau passe de trois mille cinq cents kilomètres en 1852 à plus de dix-sept mille kilomètres en 1869 ; c'est l'époque encore où les multiples réseaux ont été regroupés en six grandes compagnies (ainsi le Grand Central, né en 1853, disparaît dès 1857 ; tandis que Paris-Lyon et la

Méditerranée fusionnent pour constituer le P.L.M., les dépouilles du Grand Central reviennent aux P.O. et P.L.M., etc.)[36]. C'est cette œuvre de réorganisation générale du réseau que Joanne entend reproduire dans ses guides.

> Le plan est fort simple. Dans l'état actuel des voies de communication, je ne devais pas songer à partager la France d'après un système géographique ou scientifique quelconque; mettre, par exemple, dans le même volume le bassin de la Seine desservi par deux compagnies, qui n'ont entre elles d'autre lien que le chemin de fer de ceinture. Aucun touriste n'ira jamais directement des sources de la Seine au Havre; s'il entreprenait une pareille expédition, il repasserait d'ailleurs par Paris, point de départ forcé de tous les voyages en France. Or, à quoi lui servirait, sur le chemin de fer de Paris à Lyon et à la Méditerranée, l'itinéraire des chemins de fer de l'Ouest, ou, sur les chemins de fer de l'Ouest, l'itinéraire du chemin de fer de Paris à Lyon et à la Méditerranée? La division de l'itinéraire de la France par les réseaux des grandes compagnies était donc une division forcée, rationnelle d'ailleurs [19, p. XIV].

Les nécessités de la circulation imposent donc, à elles seules, le découpage du territoire. Il reste que, dans la préface de chaque volume, l'auteur, en annonçant la partie proprement descriptive, historique et artistique du guide, a recours à deux autres déterminations plus conventionnelles, plus traditionnelles: la définition par la province et la définition par le département (les bibliographies, par exemple, sont classées par département). Ces deux spécifications, historique pour l'une, plus institutionnelle et administrative pour l'autre, demeurent sans doute secondaires: ce ne sont que les aires géographiques traversées par le tracé de la voie. Mais elles peuvent se combiner avec le principe de base. Ainsi s'explique-t-on que la collection passe de six réseaux à huit guides. Comme le précise, toujours en 1861, Joanne, le réseau du P.L.M. est trop vaste pour ne pas mériter deux volumes; quant aux chemins de fer de l'Ouest, ils desservent deux provinces aux personnalités bien distinctes [19, p. XV]. Compte tenu de ces différents critères, il est possible de classer les guides du second Empire en fonction de l'homogénéité de la région qu'ils décrivent.

– *Les Pyrénées* constituent un cas particulier. Sans doute le guide se définit-il par le réseau des chemins de fer du Midi, et par des références simultanées (on le voit au plan de l'ouvrage, aux rubriques internes) à des termes historique (Navarre), anthropologique (Pays basque), géographique (pays d'Aran), mais surtout à des cadres départementaux (Basses-Pyrénées, Hautes-Pyrénées, Ariège, etc.). L'unité tient, bien entendu, à la montagne, aimée de Joanne et de Reclus: pour une fois, quoi qu'en dise Joanne, c'est le «système

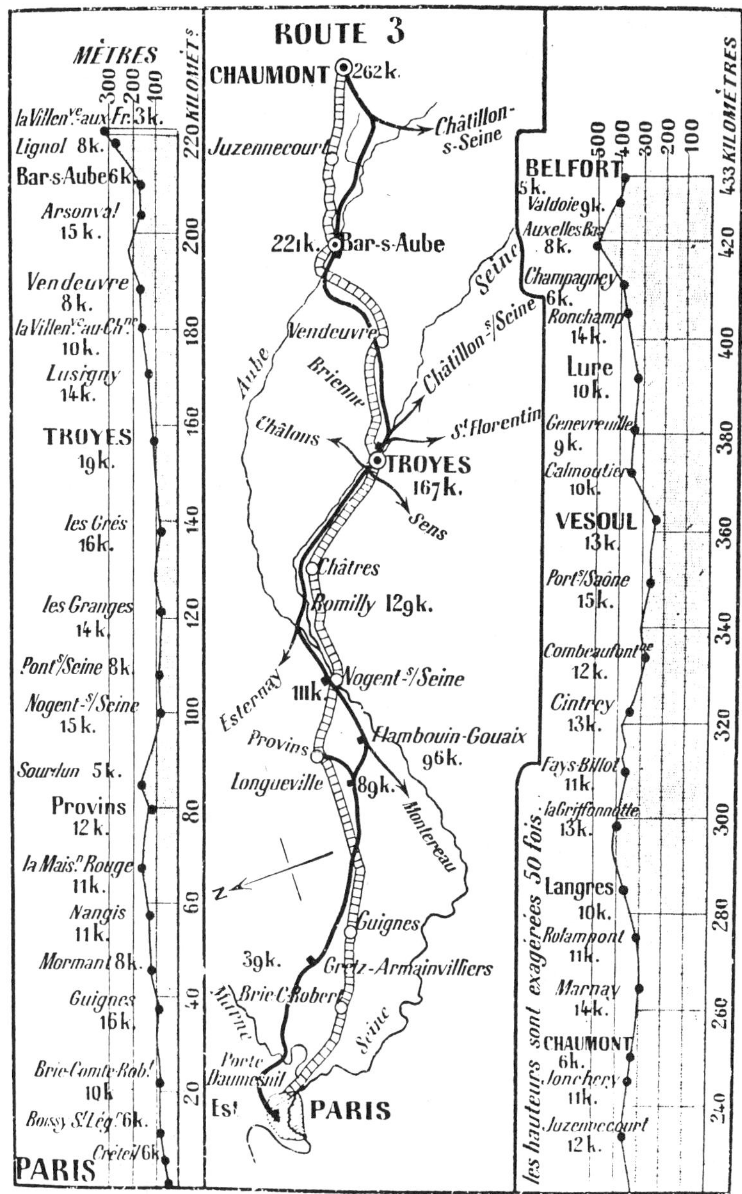

Le Nord, la Champagne et l'Ardenne.
Itinéraire général de la France, par Paul Joanne, 1907 : route 3, de Paris à Chaumont.

géographique» qui compte. Quelques détails soulignent une évidence: les auteurs s'adressent à des touristes piétons. Sur les deux cent dix routes que recense (non compris les variantes) l'itinéraire de 1868, une vingtaine seulement, soit moins d'un dixième, peuvent être intégralement parcourues par chemin de fer (comme Bordeaux-Toulouse, Bayonne-Hendaye, etc.) [23, p. I, n.]. Le terme, général, de «route» qui désignera longtemps – en tout cas jusqu'en 1914 – les itinéraires par voie ferrée[37] s'applique aussi ici aux chemins et sentiers. Les auteurs proposent, d'autre part, des modèles d'excursions particulièrement longues, pour personnes à cheval ou en voiture (un mois) ou pour piétons (plus de deux mois) [22, pp. LXIX-LXXI]. On ne compte, enfin, dans l'édition de 1862, que quatre cartes départementales (avec routes et voies ferrées) sur seize illustrations (dont neuf panoramas).

– Ailleurs, les déterminations sont simples et le découpage régional est à la fois aisé et durable: c'est le cas de la Normandie et de la Bretagne. Les critères coïncident: le réseau de chemin de fer (même si le réseau de l'Ouest irrigue les deux régions), la province historique, l'ensemble de départements. Le département, d'autre part, est le cadre essentiel, sinon unique, de la cartographie (en dehors de la carte générale des chemins de fer de l'Ouest et des plans de villes). Sur les neuf cartes de l'itinéraire breton [12] et les six cartes de l'itinéraire normand [16] figurent à la fois les routes et les chemins de fer.

– Dans le Nord et l'Est la distribution géographique semble encore facile. Elle correspond aux réseaux des grandes compagnies du Nord et de l'Est. Mais cette simplicité n'est peut-être, déjà, qu'apparence. Au Nord correspondent en effet *plusieurs* provinces (Île-de-France, Picardie, Artois, Flandre) et des *fractions* de départements (de l'Aisne) lui échappent [15]. La brièveté du titre, d'autre part, des *Vosges et Ardennes* – un libellé très géographique – fait illusion: le volume recouvre l'Alsace, la Lorraine, la Champagne, une partie de la Franche-Comté et de l'Île-de-France [25, p. VII]. On reviendra sur ce point.

– Les trois autres volumes, enfin, de la collection, sont des regroupements parfaitement artificiels: le principe est purement ferroviaire. *La Loire et le Centre*, au titre si indécis, renferme la description du réseau d'Orléans, des lignes des Charentes et de Vendée et quelques lignes du réseau du Midi au nord de Bordeaux-Cette, soit une quinzaine de provinces ou parties de provinces (Touraine, Bretagne, Berry, Limousin, Poitou, Guyenne, Quercy, Languedoc, etc.) et vingt-quatre départements (du Loiret à la Loire-Inférieure et au Tarn...) [14]. Encore plus complexes sont les deux volumes consacrés au P.L.M. Les sous-titres, sorte de commentaire désormais nécessaire, énumèrent longuement les provinces ou les régions géographiques (les unes et les autres sont utilisées concurremment): au nord, de la Bourgogne à la Savoie [19]; au sud, de l'Auvergne et du Dauphiné à la Corse (soit, au total, trente-trois départements, plus du tiers de la France) [20].

L'omnipotence de la voie ferrée dans ce premier découpage régional du territoire s'exprime par une autre constante: comme les réseaux des compagnies, l'itinéraire part de Paris. De même les modèles de voyages: le touriste est censé quitter Paris (et revenir à Paris). Cette modalité fondamentale de la description est un trait de chaque guide, y compris celui des Pyrénées. Ou bien le volume décrit effectivement la première étape: c'est le cas de Paris-Bordeaux, parcours auquel l'édition de 1858 consacre une trentaine de pages. Ou bien l'itinéraire se borne, comme en 1862, à rappeler, très brièvement, et pour ce même parcours, les jalons (noms, distances), invitant le lecteur à se reporter à un autre volume de la collection ou à un autre guide; mais la mention de la route, même réduite à une sèche énumération, ne fait jamais défaut [21, pp. 1-29; 22, pp. 1-2]. De même dans l'itinéraire breton: les cinq premières routes sont désignées comme partant de Paris, même si chacune d'entre elles renvoie, par un simple rappel, à la description que développe celle qui précède. Ainsi comprend-on que Chartres et Le Mans soient longuement décrits [12, pp. 20-40 et 52-65]; que les cartes et la bibliographie portent sur neuf départements. Sous sa forme développée, la description est évidemment liée aux seules nécessités de la circulation. Mais le simple rappel, la redondance systématique, sont autrement significatifs, puisqu'ils traduisent une nécessité de *structure,* une conception ancienne et forte du territoire et de la centralisation (visible déjà dans *La Guide des chemins de France* de Charles Estienne)[38]. La moindre étape est digne d'intérêt, même au début d'un voyage. Mais l'explication peut être plus concrète et tenir non seulement à l'organisation et aux représentations du territoire, mais aux modalités mêmes du voyage. Il n'est pas certain que, pour le XIXe siècle, on puisse vraiment distinguer, comme il est usuel aujourd'hui, un déplacement de longue portée qui amène le touriste, d'une seule traite, jusqu'à la région qu'il désire visiter et les voyages ou excursions effectués à l'intérieur de la région choisie. Les premiers touristes, comme autrefois Montaigne, étaient contraints de multiplier les étapes. Au commencement de son voyage, qui devait le conduire en Italie, Montaigne passa par Meaux, Épernay, Vitry-le-François. Combien de voyageurs, partant pour l'Italie, ne visitaient-ils pas Fontainebleau et Lyon[39]? Au temps des premiers chemins de fer, il est possible qu'ait prévalu, comme à l'époque des longs voyages par route, cette humeur libre et vagabonde – encore que les guides aient eu précisément pour objet de fixer des délais et d'organiser la durée. Un exemple, tardif: à son retour, Henry James, nullement pressé d'arriver à Paris, s'attarde; il prend le train à Orange, mais fait halte à Mâcon, gagne Bourg-en-Bresse et visite l'église de Brou, s'arrête encore à Beaune et à Dijon[40]. Par courtes étapes, il flâne, guide en main.

Dès les premières années de la IIIe République, Hachette publie des éditions révisées. Les années 1873 et suivantes renouvellent déjà l'*Itinéraire général.* Il n'est pas facile de suivre, dans le détail, toutes les modifications dont la série est l'objet. Modifications dans le contenu, sans doute, mais que seule une lecture attentive permet de déceler. Modifications matérielles, ensuite, plus évidentes. Le texte sur deux colonnes, en dehors des textes comme les préfaces, et à la différence de volumes n'appartenant pas à l'*Itinéraire général,* était caractéristique des premières éditions ; à la fin du siècle, cette disposition disparaît. En même temps, le format est légèrement diminué. L'époque des tâtonnements est révolue : le Guide Joanne – puis Guide Bleu – prend sa forme définitive. Autres modifications encore : les volumes s'alourdissent ; le nombre des cartes et des plans s'accroît et de même, en dehors du volume, les appendices publicitaires.

D'édition en édition, c'est en réalité chaque volume de la collection qui est remanié. Ici, l'ordre des itinéraires est altéré, ainsi que leur nombre (qu'il augmente ou diminue) et le nombre des variantes ou excursions. Là, dans les modèles d'itinéraires, qui subsistent, apparaissent quelques rectifications liées à l'évolution des possibilités de circulation. Le guide des *Vosges* de 1887 indique par exemple que le touriste voyage en voiture de Saint-Dié à Provenchères, Saales, Fouday et Rothau. Avec le guide de 1900, il peut effectuer en train le parcours de Saales à Rothau. Même lorsque la part de la route (de terre) est grande, les modifications consistent à substituer la voie ferrée, dès qu'elle existe, à la route, pour l'organisation des circuits [42, pp. 334-339 ; 43, pp. 345-346]. Le chemin de fer continue donc à orienter les déplacements. Nombreuses et infimes à la fois – mais importantes sur le plan local –, ces mises à jour, qu'on les saisisse dans les Vosges ou ailleurs, ne modifient pas encore le principe du guide.

Advient cependant l'automobile. Auparavant, et dès les débuts, l'utilisation de la voiture (pour routes de terre) a été considérée par le guide comme un recours possible, permettant de compléter un réseau ferré inachevé. Mais alors le guide n'a que mépris pour ces « voitures de correspondance », « indignes du nom de diligences », étroites et inconfortables, lentes, mal entretenues[41]. Ces critiques accompagnent l'hymne aux chemins de fer. Lorsque l'automobile devient à son tour un mode de transport utile, un développement lui est consacré (ainsi qu'aux « cycles ») dans le chapitre des « Renseignements généraux ». De nouveaux symboles apparaissent, représentant garages et routes de voitures. Sur les cartes dites routières figurent désormais routes nationales et chemins vicinaux (de même que les voies ferrées). Pour les Vosges, ces diverses modifications datent de 1905 [44]. Le nombre des cartes s'accroît, parce qu'il inclut désormais des cartes et profils (souvent une trentaine ou une quarantaine par volume) qui sont plutôt des cartons longilignes, d'orientation variée, simple succession de points et de distances, avec routes et chemins de fer. Dans les années qui précèdent la guerre, chaque itinéraire commence avec des indications de distances par train (en tête) et par route (ou par l'un des deux seulement). Incontestablement, le guide, sur ce point, évolue, lentement, de même que l'usage du mot «route».

Mais la mutation principale, celle du moins qui frappe d'emblée, est plus visible encore. C'est, du reste, la première en date : le nombre de volumes de l'*Itinéraire général* augmente. Très tôt donc, le principe originel de la distribution géographique est altéré, et il ne cessera de l'être. On observe alors toutes sortes d'hésitations, de transferts ; par des migrations inattendues des régions passent d'un volume à l'autre, et ces remaniements sont continuels. En 1887 l'*Itinéraire général* compte dix-sept volumes ; en 1900, dix-neuf. Ces chiffres sont sans doute moins sûrs qu'il ne paraît, car ils peuvent ne pas tenir compte d'éditions encore disponibles ou de flottements dans les titres. L'esprit d'unité est sans doute moins rigoureux que dans les années 1860. Quoi qu'il en soit, pour le territoire de la France, le nombre de volumes a à peu près doublé.

Quelques volumes, du point de vue de la conception d'ensemble, restent, dans une large mesure, intacts. On pourrait reprendre le classement, par ordre de complexité croissante, proposé plus haut. La *Bretagne* n'est pas substantiellement modifiée. Dans l'édition de 1873, «complètement revue et corrigée», sous la direction de Joanne, par Anthyme Saint-Paul, on observe sans doute quelques modifications *internes :* dans le nombre des routes (quatre-vingt-seize contre cent quatre dans l'édition de 1867) ou dans leur succession (en 1873, Saint-Malo est un des termes de la route 4 – de Paris à Saint-Malo et à Dinard, par Rennes –, tandis qu'en 1867 Saint-Malo est décrit sur une route 39 – de Rennes à Saint-Malo – et Dinard reporté à la route suivante) ; la progression du chemin de fer explique encore que La Flèche est accessible en train par Le Mans et Aubigné, tandis que quelques années plus tôt il faut quitter le train à Noyen entre Le Mans et Angers et par la «route de voitures» gagner La Flèche par le nord et Malicorne [12, pp. 376-389 et 544-549 ; 29, pp. 163-176 et 356-361], etc. Mais l'essentiel demeure : même aire géographique, mêmes cartes et plans, mêmes départements.

À l'inverse, certains guides manifestent une refonte totale de l'*Itinéraire.* L'ensemble factice, lié à l'existence du P.L.M. et qui réunissait la Bourgogne à la Savoie et l'Auvergne à la Provence, littéralement, éclate. La deuxième édition est en effet bien celle du démantèlement. À la précédente ligne de partage qui regroupait les régions du Nord et celles du Sud succède un autre principe de division : d'un côté, à l'ouest, une partie de la Bourgogne, le Morvan, une partie du Bourbonnais et du Lyonnais, l'Auvergne, le Forez et le Vivarais ; à l'est, la Bourgogne, la Franche-Comté, la Savoie, le Dauphiné, la

Provence. Comme l'indique nettement Joanne, c'est – plus que jamais – l'axe du P.L.M. qui oriente la répartition [26, pp. IX-X]. C'est encore l'itinéraire du touriste qui constitue l'unité.
Dans un troisième temps, enfin, qui correspond en gros aux deux dernières décennies du siècle, le découpage échappe au strict déterminisme de la voie ferrée. De part et d'autre, les morceaux réunis se disjoignent. À l'effet unificateur de la ligne s'oppose désormais le fait de la province. Car c'est précisément la vieille province qui tend – en dépit de quelques exceptions, *De la Loire à la Gironde, les Cévennes* – à constituer le cadre et le titre de chaque volume. Parfois le titre demeure mixte, mi-historique, mi-géographique. Ainsi en est-il de *Franche-Comté et Jura.* Parce que le guide est construit sur un « ensemble géographique » – le livre précisément s'ouvre sur un exposé de géographie physique – il empiète sur la Suisse [30, p. XIII]. Ailleurs, la coïncidence, du moins approximative, des définitions géographique et historique permet de réduire le titre à un seul nom : *Provence* [33]. L'on remarquera en même temps que les anciennes unités historiques sont toujours converties, ne serait-ce qu'à travers les bibliographies, en départements. Mais jamais le découpage du guide ne s'inscrit, de divisions en subdivisions, dans le cadre des départements. Non que la monographie départementale n'existât point : elle constitue alors, au contraire, de Victor-Adolphe Malte-Brun à Jules Verne[42] et à Joanne lui-même, un genre géographique. Mais alors que, dans les Guides-Joanne, la circulation, le voyage sont la justification même du livre et le principe de la description, les développements consacrés aux voies de communication, routes et chemins de fer, ne sont que des développements internes, isolés parmi d'autres, dans les monographies départementales.
Le processus de simplification laisse cependant subsister des incertitudes. Diverses combinaisons restent possibles. En certains cas, le divorce est net entre les entités historiques et les regroupements géographiques. Le Massif central est bien un concept diffus et confus. Il est d'abord un lieu de contact entre différentes compagnies : après le Grand Central, le P.O. à l'ouest, le P.L.M. à l'est, le Midi[43]. Leurs territoires qui se juxtaposent soulignent la diversité de l'ensemble. Sans doute, en 1874, un premier pas est accompli, dans le sens d'une plus grande unité qui se resserre sur le centre de ce Centre, flanqué, du Morvan aux Cévennes, d'une longue bordure orientale. Par l'est alors le Massif central se précise, se ramasse. Mais l'Ouest, le Limousin entre autres, échappe au volume. Et surtout le mot n'existe pas. Les Joanne lui préfèrent le terme de « Centre », accolé à la Loire en 1868, à l'Auvergne même en 1886. L'Auvergne seule n'apparaîtra dans le titre qu'en 1909.
Lente et difficile naissance que celle du *Massif central,* conglomérat de terres diverses, rassemblant sans les unifier de multiples provinces. Le concept et le mot sont récents, introduits, à l'origine, par les géologues. Ceux-ci, dans la

première moitié du XIXe siècle, parlent de «plateau central». Le terme définitif de «Massif central», mieux adapté à la variété des formes topographiques, n'apparaît qu'en 1852, dans une étude d'Élie de Beaumont. Emprunté par les géographes aux travaux des géologues, le vocabulaire demeure indécis. Reclus traite encore du plateau central – dans une approche qui est du reste géographique et historique –, tandis que Vidal de La Blache consacre le «Massif central». L'histoire des guides confirme bien cette évolution marquée d'hésitations. *L'Auvergne et Centre* de 1886 est amputé de ses confins orientaux (les Cévennes, qui forment un guide à part en 1884, le Morvan qui sera rattaché à la Bourgogne); il se consolide en revanche vers le nord, l'ouest et le sud-ouest, englobant le *Centre* qui n'est pas l'Auvergne, c'est-à-dire le Berry, le Limousin, le Rouergue. Le terme alors de massif central apparaît (mais comme un nom commun), concurremment avec celui de plateau central. Le mot paraît d'ailleurs plutôt comprendre les seuls monts de l'Auvergne. La partie historique de l'introduction, enfin, privilégie l'Auvergne des origines (celle de Vercingétorix), renonce à entrer dans le détail de l'«émiettement» féodal et s'arrête brusquement aux Grands Jours d'Auvergne. En dehors de quelques temps forts, l'histoire du Massif central demeure donc insaisissable[44].

4.

Hésitations et flottements: au moins autant que dans la France du centre, ils sont patents pour le Nord et l'Est. En cela une présentation des Guides-Joanne peut s'achever sur celle des volumes rédigés à l'intention des touristes de passage à Sedan, à Metz ou à Strasbourg. De ce point de vue l'exemple du Nord et de l'Est demeure un cas semblable à d'autres.
Mais, de part et d'autre de 1870-1871, l'autre raison de ce choix est évidente. L'Ardenne, la Lorraine, l'Alsace ne peuvent alors témoigner pour le reste de la France ni pour le reste de la collection. Le cas extrême permet de comprendre comment l'histoire récente entretient, paradoxalement peut-être, l'indétermination.

L'examen des titres est, ici encore, assez révélateur. De la fin du second Empire à 1914, ces titres sont en effet continuellement modifiés. Les changements s'expliquent soit parce que les regroupements varient (une région passe d'un volume à un autre), soit parce que, selon des choix qui sont rarement fortuits, les titres correspondent plus ou moins exactement à un contenu qui demeure identique (ou à peu près identique). Bien entendu, les deux raisons peuvent se combiner.

De 1868 à 1914, pour la partie de la France qui s'étend de la mer du Nord au Rhin, on ne compte pas moins d'une quinzaine de guides, que l'on peut *en gros* classer en cinq ensembles différents et mouvants : Vosges et Ardennes [25], Vosges et Alsace [43] (puis Vosges, Lorraine et Alsace [48]), Nord [38], Champagne et Ardennes [36], Nord et Ardenne [41]. Le fait majeur, ici, c'est l'interminable errance de l'Ardenne, tantôt décrite dans le volume des Vosges, tantôt liée à la Champagne, tantôt rattachée au guide du Nord. Sans doute l'éditeur précise-t-il, dans les guides du début du XXe siècle, que l'utilisateur peut détacher à son gré les diverses sections d'un même volume à l'aide d'un canif, et reconstruire ainsi, s'il le désire, son propre exemplaire. Mais pendant longtemps les tentatives de classification et d'organisation régionale ont buté sur la question du Nord et de l'Est. L'intérêt géographique des *Mémoires d'un touriste* (1838), par exemple, a déjà été signalé[45]. Stendhal s'y emploie à partager la France en « sept ou huit grandes divisions ». Or, lorsqu'il se résume et reprend « les cinq divisions du nord », il énumère « la généreuse Alsace » (à laquelle il a associé, quelques lignes plus haut, la Lorraine), Paris au centre d'un cercle de quatre-vingts lieues de diamètre, la Bretagne « dévote et courageuse », la Normandie « civilisée ». Compte étrange : quelque chose *manque*, le Nord, sans lieu ni nom[46]. Et entre l'Est et le Nord, c'est l'Ardenne qui, sans trêve, bascule. L'Ardenne est bien un entre-deux du point de vue de la circulation ferroviaire : sous le second Empire se rencontrent là déjà les compagnies du Nord et de l'Est pour la construction du chemin des Ardennes ; c'est à Liart que s'interrompra le réseau du Nord, relayé jusqu'à Mézières par la compagnie de l'Est[47]. L'Ardenne comme confins : ce devient bientôt l'argument de tout exposé chez les géographes français de la IIIe République. Elle est, pour Élisée Reclus, une frontière militaire, une frontière « ethnologique », un front de langue française[48]. Vidal de La Blache voit en elle un « môle » autour duquel se dispersent climats et populations, un môle grâce auquel les langues romanes atteignent leur extension maximale[49]. Mais Reclus rapproche l'Ardenne des Vosges, tandis que Vidal regroupe Ardenne et Flandre. Longtemps sans doute ces fluctuations subsistent : on les perçoit en tout cas dans les manuels scolaires de géographie des années 1960. L'Ardenne de Joanne aura subi le même traitement. Est-ce un hasard, du reste, si les guides, nés de la montagne, n'ont pas su trancher, s'agissant des massifs (du Centre comme de l'Ardenne) ?

Pour un contenu à peu près constant, les titres peuvent aussi être l'objet de modifications significatives. En un premier temps, le volume décrit nettement plus qu'il n'annonce. Les *Vosges et Ardennes* de 1868 recouvrent, entre autres, l'Alsace et la Lorraine (Haut-Rhin, Bas-Rhin, Moselle, Meurthe, Vosges, Meuse). Le nom demeure résolument géographique. Deuxième étape : en 1887, le volume perd l'Ardenne et dans une large mesure la

Champagne (les plans de Reims, Châlons-sur-Marne, Troyes disparaissent). Le guide se fixe, se concentre, sans que la préface, très courte, contienne la moindre profession de foi (elle se borne à circonscrire la région décrite, sur la frontière de l'Est, entre Metz et Belfort) [25, p. VII; 42, p. XIX]. Comme elles le font, une quinzaine d'années plus tard, dans la France de Vidal de La Blache, les provinces perdues figurent dans l'*Itinéraire général* et un volume entier – c'est une discrète nouveauté – leur est exclusivement réservé. Mais le titre n'est pas plus explicite.

Troisième étape, celle-ci décisive. Le volume prend un autre nom : *Les Vosges et l'Alsace.* Le titre, là encore, choisit et ce choix est expressif, tant par ce qu'il tait que par ce qu'il désigne. Par ce qu'il tait : la Lorraine n'est point citée. Bien que la Lorraine, à l'égal de l'Alsace, soit l'objet de l'introduction historique, elle ne peut séduire autant que les Vosges ou l'Alsace. Les Vosges retiennent le touriste par des « curiosités naturelles », lacs, forêts, rivières, vallées, sommets ; l'Alsace et elles, inséparables sur le plan touristique, « méritent une longue exploration ». La Lorraine n'a point autant de charme. « La Lorraine, sans avoir tous les attraits pittoresques de l'Allemagne et des Vosges [*sic*, en 1887, coquille – ou curieux lapsus ? – rectifiée en 1900 : il s'agit de l'Alsace et des Vosges] mérite aussi à certains égards la visite des touristes » [42, p. XXXV ; 43, p. XXIX]. Sa valeur touristique n'est point telle qu'elle puisse figurer dans le titre. Mais celui-ci est aussi significatif par ce qu'il désigne : l'Alsace, à ce moment, entre dans le titre. Pour des raisons touristiques, sans doute, mais aussi pour d'autres. Car la question s'est posée : un Français *peut*-il visiter l'Alsace-Lorraine ? En face de ce dilemme (boycott ou politique de présence ?), Paul Joanne s'explique :

> Beaucoup de touristes, mus par un sentiment respectable, ne veulent pas franchir la frontière d'Alsace-Lorraine, ni voyager dans les provinces annexées, qui évoquent en eux des souvenirs trop pénibles. Quelques-uns craignent d'avoir des désagréments avec les autorités allemandes. Que les uns et les autres me permettent de leur dire qu'ils ont tort. L'Alsace-Lorraine est parcourue chaque été par des milliers de touristes allemands : il serait bon, il serait consolant pour les annexés de voir aussi que les Français ne se désintéressent pas de leur beau pays. D'autant plus qu'on peut toujours parcourir toute l'Alsace-Lorraine sans savoir un mot d'allemand. Un Français est sûr de rencontrer chez les hôteliers et les commerçants l'accueil le plus empressé et le plus sympathique. Enfin il n'y a absolument rien à redouter des autorités allemandes quand on ne commet pas de délit, nous pouvons l'affirmer par expérience. Il n'y a plus de passe-port à la frontière ; on peut toujours se faire comprendre en français des employés des diverses administrations, qui ne sont ni plus ni moins

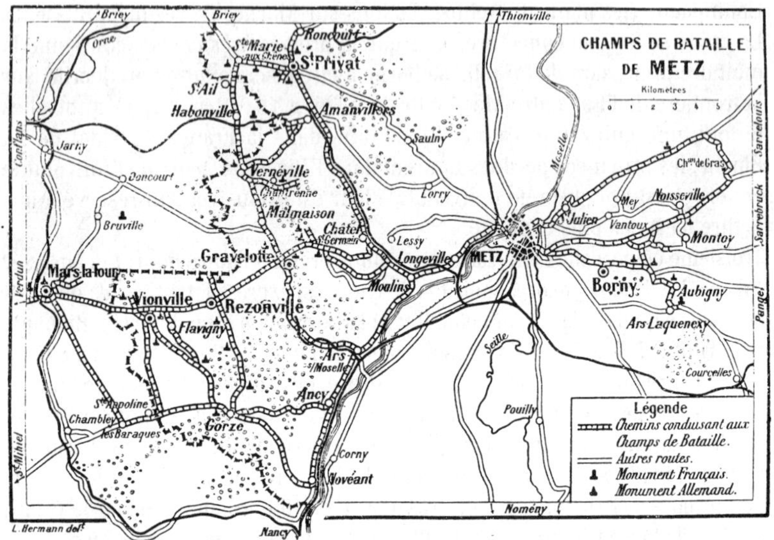

Les champs de bataille de Metz.

> aimables que partout ailleurs. Les appareils photographiques même ne sont l'objet d'aucune difficulté ; il suffit de ne pas s'en servir aux abords des ouvrages militaires [43, pp. X-XI].

Joanne se borne donc à mettre en valeur le nom de l'ancienne province d'Alsace, comme par une suggestion prudente. Pour le reste, l'auteur cultive la mesure, évoquant sans insister la situation de fait. Il lui arrive de distinguer l'Alsace et la *France* [43, p. XVII]. Mais le guide, plus concrètement, informe le touriste des conditions du voyage : décalage horaire, régime des passeports, douane, monnaies... Ce ne sont qu'indications, froides et neutres. La part de la revendication est faible : tout au plus l'orthographe française est-elle maintenue (mais l'orthographe allemande est donnée entre parenthèses) [43, p. XII]. Le guide de 1900, finalement, compose pour trouver l'équilibre entre des exigences contradictoires, l'intérêt (ou l'absence d'intérêt) touristique, le sort de l'Alsace-Lorraine, et peut-être une volonté, mais très discrète, de témoignage.

Il suffit que l'auteur veuille souligner ces directions pour qu'apparaissent encore, avant 1914, d'ultimes flottements. Ou bien le guide se définit par une certaine unité géographique (et touristique). *La Champagne et l'Ardenne* de 1895 inclut alors l'Ardenne belge et le grand-duché de Luxembourg, « en dehors de toute préoccupation de nationalité et à un point de vue purement géographique » [37, p. VII]. De même les Vosges et Alsace de 1905-1907 s'unissent à la Forêt-Noire, « cette région si pittoresque » [44, p. V]. Le circuit touristique abolit les frontières. Ou bien il s'inscrit dans un cadre plus national, mieux centré sur les anciennes provinces de l'Est, Alsace et *Lorraine* (toujours décrite, mais jamais encore nommée, avant 1913) [48, 49].

Il arrive enfin que, par un transfert inattendu, les notices développées, qui devaient normalement prendre place dans un volume, passent dans un autre. En 1887 et en 1900, la visite de Metz n'est dans Les *Vosges* [*et l'Alsace*] qu'une sèche énumération de lieux [42, pp. 151-152 ; 43, pp. 79-80]. Toute la substance d'un article figure, curieusement, dans un volume *Champagne et Ardennes*, dont l'introduction inclut la Lorraine. Or, le ton ici se fait plus incisif, plus acéré : le guide s'exprime à découvert. La vallée de la Moselle, « la plus importante de l'ancienne Lorraine, est remarquable par sa fertilité, par ses vignobles et par la beauté des sites ; mais depuis 1871 elle a cessé en grande partie d'être terre française. Toul forme aujourd'hui sur la Moselle, comme Verdun sur la Meuse, la sentinelle avancée de la France contre une nouvelle invasion. Metz, l'ancienne ville impériale, qui pendant cinq siècles rivalisa de puissance, de richesse et d'éclat avec Francfort, Augsbourg et Aix-la-Chapelle et qui était devenue ensuite une ville si française, Metz est aujourd'hui sous le joug du vainqueur » [36, pp. XVII-XVIII ; texte écourté in 48, p. XV].

La frontière s'est déplacée vers l'ouest, mais le thème n'en est jamais évoqué avec autant de netteté, de virulence que dans un itinéraire extérieur à l'Alsace-Lorraine. Vieux stratagème que celui de la prudence. Il permet ici de concilier l'idée de revanche et la diffusion des guides.

Que treize pages environ – mesure d'un long article – soient incluses, pour la description de Metz, dans un volume *Champagne et Ardennes,* le fait est significatif. Il permet de mieux saisir quelles sont à travers les Guides-Joanne les relations entre espace et temps. L'histoire, nul ne l'ignore, est omniprésente dans les notices : le passé de chaque ville est retracé, depuis les origines, à travers les sites, les monuments, les églises, les musées, à travers autant de lieux qui sont dépositaires d'une mémoire. Mais c'est la géographie, incontestablement, qui commande : une géographie (quel autre terme utiliser ?) passablement arbitraire, liée à l'origine aux seules possibilités de circulation et non aux régions naturelles, mais une géographie qui, tant bien que mal, tend à s'affranchir de ces premiers cloisonnements.
La géographie détermine, et l'histoire suit. À différents niveaux. Au niveau des grandes masses régionales. Dans le *Tableau de la géographie de la France* de Vidal de La Blache, la part des différents ensembles varie en fonction du poids du passé : plus de la moitié de l'ouvrage traite de la seule France du Nord (de la Flandre à l'Alsace), tandis que le Midi (méditerranéen, pyrénéen, océanique) ne compte guère[50]. Les volumes Joanne, au contraire, découpent des régions, des ensembles géographiques égaux en poids et en intérêt et chacun d'eux comprend *a priori* quatre cents ou cinq cents pages. Le Nord et la Provence sont d'une même valeur. Au niveau, d'autre part, des villes et villages et des excursions secondaires. Alors qu'une monographie isole une ville (pour sa cathédrale, ses musées, ses eaux), le Guide-Joanne relie ces points touristiques par le fil d'un voyage. Et c'est au rythme des étapes que surgit le passé. Au niveau enfin de l'itinéraire à l'intérieur d'une ville. Le voyageur arrive par la gare : c'est par ce monument moderne de la civilisation industrielle que la visite commence régulièrement et c'est de là que le touriste quitte le présent pour remonter dans l'histoire. On constate aussi qu'en dehors même de ces guides la voie ferrée est censée ordonner toute forme de déplacements, y compris, en Alsace-Lorraine, si l'on en croit Barrès, ceux des occupants : « Dans ces communes placées en dehors du *chemin de fer* et qui n'ont pas de douaniers ni d'employés de gare, c'est absolument comme si l'annexion n'existait pas. À Gorze, l'*église,* les tilleuls, les maisons et les gens sont d'*autrefois,* bien à la française[51]. » Partis de Metz en train jusqu'à la frontière, Asmus, le professeur allemand, et les dames Baudoche ont pris, à Novéant, le courrier pour ce bourg de Gorze ; et c'est là que le professeur décrit, « d'après son guide », le palais abbatial du XVIIIe siècle, l'abbaye

primitive, l'église... Le voyage se prolonge dans le passé. Remarquons-le encore: la description de Metz, dans *Colette Baudoche*, débute par la gare neuve et colossale («une tourte»); le livre et l'histoire s'achèvent dans la cathédrale, ce lieu de la mémoire.

Avec les guides, l'itinéraire du touriste, brusquement, se fractionne, alors qu'il était continu. À chacun de ces instants prend place le passé. Dans l'espace, la visite s'interrompt, ou plutôt se condense en un point exigu, où affleurent, en longues parenthèses isolées, les marques de l'autrefois. Mais de quel passé alors le Guide-Joanne est-il le bréviaire? C'est une autre étude, à un échelle différente, qu'il faudrait ici entreprendre, qui s'appuierait moins sur quelques régions dont l'assemblage compose le territoire national que sur la somme immense, qui ne sera jamais achevée, de ses lieux.

Il faudra se borner à quelques remarques. Le Guide-Joanne, tout d'abord, est conservateur. Politiquement conservateur: le ou les auteurs n'ont pas de sympathie pour les mouvements sociaux, séditions anciennes («les Rustauds disent qu'ils combattent pour l'Évangile, mais en réalité pour rendre pauvre celui qui est riche et riche celui qui est pauvre») [43, p. XXV, entre autres éditions] ou manifestations ouvrières contemporaines (dans le Nord, où vit «un peuple de mineurs, que l'on juge généralement d'après ses grèves», sans apprécier «l'énergie, la bravoure, l'abnégation, le désintéressement de la portion la plus estimable de la classe ouvrière») [39, p. XI]. Dans le passé, d'autre part, les auteurs choisissent: le déséquilibre est net entre l'Antiquité, et surtout le Moyen Âge, la Renaissance, voire les XVIIe et XVIIIe siècles d'un côté, et l'histoire récente de l'autre. Il n'est pas rare qu'après la Révolution, plutôt jugée destructrice d'ailleurs, les rappels historiques tournent court. L'introduction au volume *Les Vosges et l'Alsace* de 1900 ne signale rien entre 1798 (date citée pour Mulhouse) et 1871. Les guides, enfin, choisissent dans l'épaisseur de l'histoire, qui demeure à peu près exclusivement militaire, politique, biographique (chaque notice est accompagnée de la liste des célébrités locales) et surtout artistique, aux dépens, évidemment, des faits d'histoire économique ou autre.

À travers les Guides-Joanne du Nord et du Nord-Est, on perçoit nettement constantes et évolution. Il suffit de comparer, par quelques exemples de villes, les éditions. C'est une évidence, tout d'abord, que le guide est dès le début spécialisé dans l'inventaire monumental et artistique et qu'il l'est resté. En 1868 les deux tiers environ de la notice consacrée à Metz (treize pages sur dix-neuf) décrivent successivement établissements militaires, monuments religieux, édifices civils, places, statues, musée, etc. [25, pp. 549-568]. En 1913 ces visites occupent quatre pages sur six [48, pp. 74-80]. À l'origine, la proportion est à peu près la même pour Strasbourg (plus de treize pages sur vingt et une, dont près de quatre pour la cathédrale, en 1868) [25, pp. 91-111];

la partie monumentale et ornementale tend à s'accroître : près de douze pages sur quinze en 1913 (dont deux ou trois pour la cathédrale) [48, pp. 326-341]. Grâce au guide, les voyageurs « auront chance de ne pas laisser de côté tel monument, ou tel site, qu'il faut avoir vu » [48, p. XXXV ; *cf.* déjà 42, p. XXXV] – c'est-à-dire, bien souvent, tel site qu'il est possible de contempler du haut d'un monument. Car ce sont les pierres qui disent l'histoire. À l'opposé, l'on constate que l'intérêt porté aux activités commerciales, industrielles, dans l'ensemble, diminue. Les paragraphes, brefs mais précis, qui traitaient en 1868 de la vie économique strasbourgeoise (transactions, productions) ou messine ont disparu en 1913 [25, pp. 110-111 et 568]. Il n'est plus guère question que des spécialités gastronomiques de Strasbourg (citées dans l'inventaire des renseignements pratiques). En 1868 un long exposé présentait les draps de Sedan, l'histoire de la fabrication, les activités contemporaines (un peu moins d'une page sur deux et demie) [25, pp. 678-681] ; ces développements, en 1914, sont réduits à quelques lignes, à une rapide énumération [41, pp. 447-451].
Mais dans l'intervalle un objet nouveau se dessine. Il surgit dès les années 1880, ne cesse de s'amplifier, d'envahir les notices, jusqu'à la démesure. C'est un retour à l'histoire, à l'histoire très récente : la guerre franco-allemande est décrite avec une extraordinaire minutie, bataille par bataille, mouvement de troupes par mouvement de troupes. En 1885, dans la notice sur Metz (plus de treize pages), cinq pages et demie, en petits caractères, rappellent le siège de la ville, racontent chaque bataille (Borny, Rezonville, etc.), tandis que cinq pages et demie seulement (en caractères ordinaires) sont attribuées aux « monuments et curiosités » [36, pp. 75-88]. Cette prolifération du récit militaire est absolument générale dans tous les guides du Nord et du Nord-Est. On la retrouve aussi bien dans les guides des provinces annexées que dans les autres, pour peu que ces derniers décrivent des événements de la guerre. Soit, dans le premier cas, les deux exemples déjà cités de Metz et de Strasbourg. Deux mille ans d'histoire de Metz sont retracés en quelques lignes (la mention la plus importance étant évidemment celle de la conquête par Henri II) ; or les combats sous Metz, en 1870, sont relatés jour par jour, en une page (à peu près trois fois plus). De la même manière le passé de Strasbourg (dont la réunion à la France) est évoqué en un court paragraphe, tandis que le siège de 1870 est raconté dans le détail : ce seul développement constitue deux tiers de la notice historique. En dehors de l'Alsace-Lorraine, l'histoire de Sedan est principalement représentée par le récit du désastre militaire ; la visite de la ville peut être complétée par une « excursion recommandée » à Bazeilles, ce bourg proche rendu célèbre aussi par les événements de 1870 : la mémoire de la bataille y est entretenue par un musée, un ossuaire, un monument funéraire. Un plan du champ de bataille indique l'iti-

bases suivantes : par kilomètre, 1re cl., 7 pfennigs; 2e cl., 4 pf. 1/2; 3e cl., 3 pf.; 4e cl., 2 pf.

En sus du prix du billet, il sera perçu sur les lignes de ch. de fer de l'Union allemande et comme *impôt de l'Empire* pour un billet de :

M. pf. M.	1re cl. M. pf.	2e cl. M. pf.	3e cl. M. pf.	M. pf. M.	1re cl. M. pf.	2e cl. M. pf.	3e cl. M. pf.
» 60 à 2......	» 20	» 10	» 05	20 01 à 30......	2 40	1 20	0 60
2 01 à 5......	» 40	» 20	» 10	30 01 à 40......	3 60	1 80	0 90
5 01 à 10......	» 80	» 40	» 20	40 01 à 50......	5 40	2 70	1 40
10 01 à 20......	1 »	» 80	» 40	50 01 et plus...	8 »	4 »	2 »

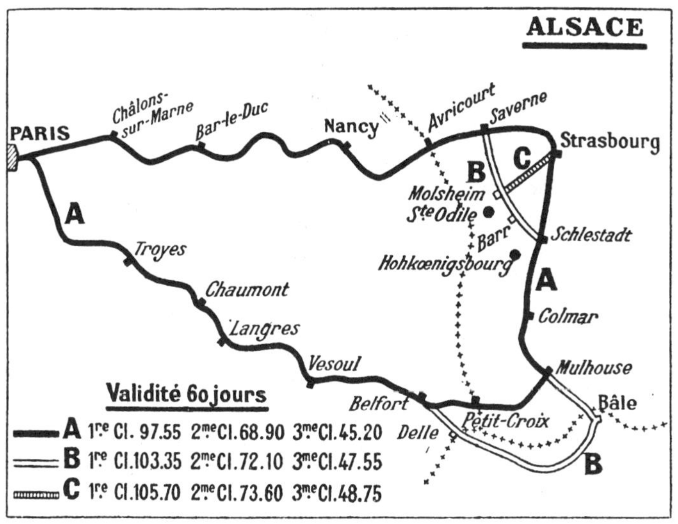

N. B. — Les *dimanches et jours fériés* il est délivré pour certains parcours (s'informer aux guichets des gares) des *billets d'aller et retour*, dits *Sonntags-Rückfahrkarten* (billets de dimanche) donnant droit au voyage d'aller et de retour (le jour même), au *prix d'un billet d'aller simple*.

Tarif des commissionnaires aux gares importantes de l'Alsace-Lorraine. — Pour un colis à transporter de la ville à la gare ou *vice versa* : 50 pf.; — pour 2 à 4 inclusivement : 50 pf. (que le commissionnaire emploie une brouette ou non); — pour chaque colis en sus : 10 pf.; — pour porter un ou deux colis de la voiture arrêtée devant la gare à la salle des bagages et *vice versa*, ou bien pour prendre ou changer des billets de bagages et transporter les bagages d'un bureau dans un autre : 10 pf.; pour 3 ou 4 colis : 20 pf.; pour chaque colis en sus : 5 pf.

Guide-Joanne. L'Alsace, par Adolphe Joanne, 1881 : voyage circulaire en chemin de fer.

néraire de la visite dans les environs de Sedan [48, pp. 75-76, 328-329; 41, pp. 447-451]. Il y aurait, enfin, une troisième série de hauts lieux dans le Nord: tous ceux qui, antérieurs à 1870, rappellent que ce sont là des zones de frontière, depuis toujours marquées par les heurts d'armées ennemies. Or, sur ce point, on constate que les souvenirs militaires cessent de remonter vers le passé. La commémoration se fixe sur l'année 1870 exclusivement, le champ profond de la mémoire s'altère. D'une édition à l'autre, en effet, la part du passé s'effrite. Déjà de 1878 à 1890, les notices rédigées pour Bouvines et Crécy diminuent. D'autres, pratiquement, disparaissent dans le même temps: c'est vrai, par exemple, d'Azincourt qui n'est plus, en 1914, qu'un «village célèbre par la victoire décisive remportée par les Anglais sur les Français». Pour Corbie, l'année 1636, mentionnée en 1878, n'existe plus en 1914 (alors qu'est citée la bataille de Pont-Noyelles du 23 décembre 1870). La «célèbre bataille» révolutionnaire de Wattignies, bien développée en 1878, a cessé de figurer dans l'index de 1914; une allusion à l'événement est perdue dans la notice sur Maubeuge [38, pp. 368, 248-249, 250-251, 93-95, 430-431; 39, pp. 322, 209; 41, pp. 147, 152-153, 154, 342]. Sans doute le seul volume des articles et leur typographie ne sont-ils que des indices. Mais ils tendent à montrer nettement que la part de l'histoire lointaine se restreint au profit des préoccupations du présent.

Entre des régions ferroviaires disposées en étoile autour de Paris et des régions touristiques instables, le lien est patent, et aussi la contradiction. Car les itinéraires centrifuges font et défont ces régions. Les préfaces des guides attestent bien qu'en deçà de toute formulation savante et universitaire le Guide-Joanne veut proposer à son lecteur une région – c'est le terme qu'il utilise couramment – définie à la fois par sa relation à la capitale et loin du centre, par sa cohésion spatiale dont les commodités de la circulation sont garantes. À l'intérieur même de cette région, d'autre part, ce sont les itinéraires encore qui imposent la succession des lieux. Mais l'on peut constater alors que les contraintes du transport et du voyage sont autrement plus fortes, en 1914 encore, que le souci d'une partition solidement liée à des critères géographiques, historiques ou politiques. Ainsi s'explique-t-on que le sort même de l'Alsace-Lorraine n'ait point suffi à fixer des lignes décisoires pour une description historico-géographique du territoire national.

Il est possible cependant que le tourisme des champs de bataille – ce fait nouveau, et dont le développement se manifeste au lendemain de la Première Guerre mondiale par la multiplication des guides illustrés – ait contribué à répondre, d'une certaine façon, à ces contradictions. Les champs de bataille permettent de redécouvrir la fonction de frontière, de régions frontières, en Alsace-Lorraine et hors de l'Alsace-Lorraine *simultanément,* de la France de l'Est et du Nord. Ils valorisent la Lorraine, dont l'intérêt est réputé secondaire sur le plan des richesses touristiques; ils *valorisent* aussi le Nord, que de vastes plaines, monotones, usinières, ont voué à l'« ostracisme[52] ». À une interminable paléohistoire de monuments, qui tient lieu d'histoire, et qui s'arrête brutalement au XVIIIe siècle, ils ajoutent, après la parenthèse sans vie du XIXe siècle, le point douloureux de la guerre franco-allemande, introduisant enfin, dans la mémoire collective, les faits et gestes des soldats – les seuls hommes qui, hormis les princes et les rois, apparaissent dans le guide. Ils fixent la mémoire du visiteur au sol, à la terre, invitant par exemple le promeneur à marquer de son itinéraire la *proximité* des terres demeurées françaises et des provinces perdues. Ainsi, par-delà l'indifférence de fait, ou de façade, aux divisions régionales, c'est à une prudente réannexion au territoire national que l'itinéraire conduit.

1. Michel de Montaigne, *Journal de voyage en Italie,* édition présentée, établie et annotée par Pierre Michel, Paris, Le livre de poche, 1974, p. 92; cité in 7, p. XI (voir ci-dessous, « Sources »). C'est moi qui souligne.

2. Numa Broc, *Les Montagnes vues par les géographes et les naturalistes de langue française au XVIIIe siècle. Contribution à l'histoire de la géographie,* préf. de François de Dainville, Paris, Bibliothèque nationale, 1969 (Mémoires de la section de géographie, 4), *cf.* p. 252.

3. « Le collectionneur de Bædeker... Dr G. Dohrn-Van Rossum » *in Une histoire du Rhin,* sous la direction de Pierre Ayçoberry et Marc Ferro, Paris, Éd. Ramsay, 1981, *cf.* p. 198.

4. Jean Ginier, *Les Touristes étrangers en France pendant l'été,* Paris, Éd. Génin, Librairies techniques, 1969, *cf.* pp. 522-523.

5. Id., *ibid.,* p. 523.

6. *Ibid.,* pp. 521, 524.

7. Les références entre crochets renvoient aux « Sources », ci-dessous, pp. 562-565.

8. Je suis ici Jean Mistler, *La Librairie Hachette de 1826 à nos jours,* Paris, Hachette, 1964, *cf.* pp. 121-136; texte cité p. 123.

9. J. Mistler, *op. cit.,* pp. 124, 133-134.

10. Id., *ibid.,* pp. 131, 311, 313.

11. Labiche, Delacour et Choler, *Les Chemins de fer,* comédie-vaudeville en cinq actes, 1867, acte II, sc. III.

12. Labiche et Martin, *Le Voyage de Monsieur Perrichon,* comédie, 1860, acte I, sc. IX; acte II, sc. I.

13. Sur ces opérations et les débuts de Joanne, *cf.* Mistler, *op. cit.,* bien informé, pp. 257-260.

14. Selon l'expression de Béatrice Giblin, « Élisée Reclus, 1830-1905 », *Hérodote,* 3e trimestre 1981 (n° spécial sur Reclus), pp. 6-13; *cf.* Élisée Reclus, *L'Homme et la terre,* introduction et choix des textes par B. Giblin, Paris, Maspero, 1982, t. I, pp. 27-28; quelques rares indications sur la préparation du guide des Pyrénées dans É. Reclus, *Correspondance,* t. I, décembre 1850-mai 1870, Paris, Schleicher frères, 1911, lettres à Élie, Figueras, 5 septembre 1861, p. 211 et à sa mère, Paris, 1862, p. 217.

15. Franz Schrader, «Adolphe Joanne», *Annuaire du Club alpin français*, n° 7, 1880 (1881), pp. XIII-XVIII; Xavier Blanc, «Discours prononcé, le 3 mars 1881, sur la tombe de M. Adolphe Joanne, président honoraire du Club alpin français...», *ibid.*, pp. XIX-XXIV; *Inauguration de la plaque commémorative de la naissance d'Adolphe Joanne à Dijon le 8 mars 1890*, Paris, Typ. G. Chamerot.

16. Marc Boyer, *Le Tourisme*, Paris, Éd. du Seuil, 1982, *cf.* p. 279.

17. J. Mistler, *op. cit.*, pp. 257-258, 261-262.

18. *Cf.* le texte du *Guide-Chaix*, cité supra, p. 1041.

19. J. Ginier, *op. cit.*, p. 25; M. Boyer, *op. cit.*, pp. 7-8.

20. 6, pp. 283-284 (voir ci-dessous, «Sources»); *cf.* René Duchet, *Le Tourisme à travers les âges. Sa place dans la vie moderne*, Paris, Vigot frères, 1949, pp. 13-14.

21. Guillaume de Bertier de Sauvigny, *La France et les Français vus par les voyageurs américains 1814-1848*, [Paris], Flammarion, 1982, [t. I], *cf.* p. 250.

22. J. Mistler, *op. cit.*, p. 260.

23. George Sand, *La Daniella*, Paris, Librairie nouvelle, 1857, 2 vol., *cf.* t. I, pp. 1, 154, n.

24. Id., *Correspondance*, textes réunis, classés et annotés par Georges Lubin, Paris, Éd. Garnier Frères, t. XIV (juillet 1856-juin 1858), 1979, lettre à Adolphe Joanne, Nohant, 8 février 1857, pp. 220-221; t. XV (juillet 1858-juin 1860), 1981 [Nohant, 17 avril 1860], pp. 774-775.

25. Henry James, *A Little Tour in France*, with ninety-four illustrations by Joseph Pennell, Londres, W. Heinemann, 1900, *cf.* pp. 70, 81, 245, 246, 257; *cf.* J. Ginier, *op. cit.*, p. 444.

26. «Le collectionneur de Bædeker...», article cité, pp. 199-200.

27. Marc Boyer, «Le caractère saisonnier du phénomène touristique à l'époque aristocratique et ses conséquences économiques», *in Le Caractère saisonnier du phénomène touristique: ses conséquences économiques*, Aix-en-Provence, *La Pensée universitaire*, 1963, pp. 27-51 (*cf.* pp. 38-39); du même auteur, *Le Tourisme*, *op. cit.*, pp. 134-135.

28. *Notice sur la librairie de MM. Hachette et Cie*, Paris, Impr. S. Raçon, juin 1873, *cf.* p. 34.

29. 7, p. 26 (voir ci-dessus, «Sources»); dans un même ordre d'idées, *cf.* Paul Veyne, «L'alpinisme: une invention de la bourgeoisie», *L'Histoire*, n° 11, avril 1979, pp. 41-49; sur les alpinistes, *cf.* également Dominique Lejeune, «Histoire sociale et alpinisme en France à la fin du XIXe et au début du XXe siècle», *Revue d'histoire moderne et contemporaine*, n° 25, janvier-mars 1978, pp. 111-128.

30. Sur les différences entre guides anciens et guides du XIXe siècle, *cf.* «Le collectionneur de Bædeker...», article cité, p. 201. *Pour une définition sociale des touristes*, *cf.* également Theodore Zeldin, *Histoire des passions françaises 1848-1945*, t. II, *Orgueil et intelligence*, Paris, Éd. du Seuil, trad. franç., 1980, p. 111; Catherine Bertho, «L'invention de la Bretagne. Genèse sociale d'un stéréotype», *Actes de la recherche en sciences sociales*, n° 35, novembre 1980 (*L'identité*), pp. 45-62 (*cf.* pp. 61-62).

31. D'après le catalogue de la Bibliothèque nationale: la collection est particulièrement riche et le classement des titres pertinent. Je m'appuie sur ce catalogue pour la description qui suit et les évaluations chiffrées, qui demeurent approximatives.

32. *Notice sur la librairie...*, *loc. cit.*

33. Numa Broc, «Pour le cinquantenaire de la mort de Franz Schrader (1844-1924)», *Revue géographique des Pyrénées et du Sud-Ouest*, n° 45, 1974, pp. 5-16; Vincent Berdoulay, *La Formation de l'école française de géographie* (1870-1914), Paris, Bibliothèque nationale, 1981 (Mémoires de la section de géographie, 11), *cf.* pp. 29-30, 144, 171-172; *cf.* supra, n. 15.

34. Peter J. Wexler, *La Formation du vocabulaire des chemins de fer en France* (1778-1842), Genève, E. Droz/Lille, Giard, 1955, *cf.* p. 89. Le terme de gare appartenait, lui aussi, au

vocabulaire fluvial (René Clozier, La Gare du Nord, Paris, J.-B. Baillière et fils, 1940, *cf.* p. 15, n.).

35. *Cf.* Raymonde Caralp-Landon, *Les Chemins de fer dans le Massif Central. Étude des voies ferrées régionales* [Paris], Imprimerie nationale, 1959, p. 15.

36. Louis Girard, *La Politique des travaux publics du second Empire*, Paris, A. Colin, 1952, cf. pp. 181-186; R. Caralp-Landon, *op. cit.*, pp. 26-31.

37 P. J. Wexler, *op. cit.*, pp. 42, 45 («route ferrée»).

38 Serge Bonin et Robert Mandrou, «La France de Charles Estienne», *Annales E.S.C.*, 1961, pp. 1121-1130, cf. p. 1127.

39. Maurice Wolkowitsch, «Tourisme et transports», *in Géographie et tourisme*, Paris, Centre d'Études supérieures du tourisme de la faculté des lettres et sciences humaines de l'Université de Paris, 1964, pp. 65-68.

40. H. James, *op. cit.*, pp. 249, 252-270.

41. *Cf.* par exemple ci-dessus, «Sources», 12, pp. XX-XXI ou 25, pp. XLII-XLIII.

42. Jules Verne, *Géographie illustrée de la France et de ses colonies précédée d'une Étude sur la géographie générale de la France* par Théophile Lavallée, Paris, J. Hetzel, s.d. [1867].

43. R. Caralp-Landon, *op. cit.*, pp. 22 (carte), 42.

44. 14; 27, pp. XV, XX, XXIII (voir ci-dessus, «Sources»). *L'histoire du concept de Massif Central* est retracée par Frédéric Buffin, «Une réussite géographique: le Massif Central ou Petite histoire de la naissance d'une région géographique», *Histoire et épistémologie de la géographie, Bulletin de la section de géographie*, n° 84, 1979 (1981), pp. 173-186.

45. Étienne Juillard, «L'aménagement du territoire français... en 1837, d'après Stendhal» [1969], *in* La «Région». *Contributions à une géographie générale des espaces régionaux*, Paris, Éd. Ophrys, 1974, pp. 63-75.

46. Stendhal, *Mémoires d'un touriste*, introduction et notes de V. Del Litto, Paris, Maspero, 1981, I, pp. 100-101.

47. L. Girard, *op. cit.*, p. 140; François Caron, *Histoire de l'exploitation d'un grand réseau. La Compagnie du chemin de fer du Nord 1846 1937*, Paris/La Haye, Mouton, 1973, carte pp. 590-591; 41, p. 365 (voir ci-dessous, «Sources»).

48. Cité *in* 36, pp. XVI-XVII (reprend et abrège *Nouvelle Géographie universelle. La terre et les hommes*, II, *La France...*, 1877, pp. 823-824); cet extrait disparaît in 37 (voir ci-dessous, «Sources»).

49. Paul Vidal de La Blache, *Tableau de la géographie de la France*, Paris, Hachette, 1903, p. 70.

50. André Zysberg, «Une certaine idée de la France», *H. Histoire*, n° 5, juin 1980 *(Les Nostalgies des Français)*, pp. 19-35 (*cf.* p. 28).

51. Maurice Barrès, *Les Bastions de l'Est. Colette Baudoche. Histoire d'une jeune fille de Metz*, Paris, Plon, éd. 1938, pp. 189-190. C'est moi qui souligne.

52. 39, p. XI (voir ci-dessus, «Sources»). Pour une étude, qui n'a pas été entreprise ici, du contenu des guides, on utilisera: Roland Barthes, *Mythologies*, Paris, Éd. du Seuil, 1957; Jules Gritti, «Les contenus culturels du Guide Bleu: monuments et sites "à voir"», *Communications*, n° 10, 1967, pp. 51-64; Bernard Lerivray, *Guides Bleus, Guides Verts et lunettes roses*, Paris, Éd. du Cerf, 1975; C. Bertho, article cité, p. 61. Sur le tourisme, *cf.* également Paul Gerbod, «Les touristes français à l'étranger (1870-1914)», *Revue d'histoire moderne et contemporaine*, n° 30, avril-juin 1983, pp. 283-297.

SOURCES

L'éditeur est Hachette, sauf indication contraire.

Premiers guides, guides divers.

1. Guide-Chaix. *Bibliothèque du voyageur. Conseils aux voyageurs en chemins de fer, en bateaux à vapeur et en diligence, orné d'une carte et de 10 gravures.* Paris, Impr. et libr. centrales des chemins de fer de Napoléon Chaix, s.d. [1854], 323 p.

2. Ebel (Johann Gottfried). *Instructions pour un voyageur qui se propose de parcourir la Suisse de la manière la plus utile et la plus propre à lui procurer toutes les jouissances dont cette contrée abonde. Traduit de l'allemand [...] par le Traducteur du Socrate rustique, avec un grand nombre de corrections et d'additions importantes. Avec figures.* Bâle, Impr. de J. J. Tourneisen, 1795, 2 vol., XX + 294 + 372 p., pl.

3. [Murray (John)]. *The Hand-Book for Travellers in Switzerland and the Alps of Savoy and Piedmont, including the protestant valleys of the Waldenses. New edition enlarged with Keller's Map corrected.* Londres, J. Murray/Paris, Maison, 1839, c + 520 p., ill.

4. [Murray (John)]. *Manuel du voyageur en Suisse, et dans les Alpes de la Savoie et du Piémont, comprenant* [...]. Traduit du *Hand-Book*, de Murray, par Quétin. *Avec un grand nombre de documents nouveaux sur les montagnes des Grisons.* Paris, L. Maison, 1843, LXXII + 586 p.

5. [Murray (John)]. *A Handbook for Travellers in France: being a guide to Normandy, Brittany; the rivers Seine, Loire, Rhône, and Garonne; the French Alps, Dauphiné, Provence, and the Pyrenees; the railways and roads. With maps.* Londres, J. Murray/Paris, A. et W. Galignani, 1854, XL + 575 p.

6. Taine (Hippolyte). *Voyage aux Pyrénées,* 2e éd., 1858, VI + 350 p.

7. Joanne (Adolphe). *Itinéraire descriptif et historique de la Suisse, du Jura français, de Baden-Baden et de la Forêt-Noire; de la Chartreuse de Grenoble et des Eaux d'Aix; du Mont-Blanc, de la vallée de Chamouni, du Grand-Saint-Bernard et du Mont-Rose; avec une Carte routière imprimée sur toile...*, Paris, Paulin, 1841, XII + 635 p.

8. Joanne (Adolphe). *Guide du voyageur en Europe. France – Belgique – Hollande – Îles Britanniques – Allemagne – Danemark – Suède – Norvège – Russie – Suisse – Savoie – Italie – Malte – Grèce – Turquie d'Europe – Espagne – Portugal.* Ouvrage entièrement nouveau... Paris/Londres/Leipzig [1860], X + 1119 + XXV p., carte.

9. Joanne (Adolphe) [Gustave Hickel et Élisée Reclus]. *Itinéraire descriptif et historique de l'Allemagne..., Allemagne du Nord avec une carte routière générale, quatorze cartes spéciales et treize plans de villes,* 2e éd. entièrement refondue, 1862, CXI + 717 p.

10. Joanne (Adolphe). *De Paris à Lyon,* 3e éd. entièrement revue contenant une carte et deux plans et 100 vignettes dessinées d'après nature..., 1866, IV + 385 p. (réimpr. fac-similé).

11. Reclus (Élisée). *Londres illustré,* 1865, VIII + 216 p., ill. (réimpr. fac-similé).

Itinéraire général de la France (principalement). Second Empire.

12. Joanne (Adolphe) [Pénel (Eugène), Pol de Courcy]. *Bretagne,* avec 10 cartes et 7 plans, 1867, XXXII + 620 p.

13. Joanne (Adolphe) [Reclus (Élisée)]. *Itinéraire descriptif et historique du Dauphiné.* IIe partie. *La Drôme – Le Pelvoux – Le Viso – Les vallées vaudoises,* avec 3 cartes et 8 profils de montagnes, 1863, XII + 473 p.

14. Joanne (Adolphe) [Pénel (Eugène), Saint-Paul (Anthyme)]. *La Loire et le Centre,* avec 26 cartes et 10 plans, 1868, XXXX + 689 p.

15. Joanne (Adolphe) [Morel (Auguste), Pénel (Eugène)]. *Le Nord*, avec 7 cartes et 8 plans, 1869, XXIV + 420 p.

16. Joanne (Adolphe). *Normandie*, avec 7 cartes et 4 plans, 1866, XL + 580 p.

17. Joanne (Adolphe). *Paris illustré, nouveau guide de l'étranger et du Parisien*, 1863, CVII + 1029 p., fig. et plans.

18. Joanne (Adolphe). *Les Environs de Paris illustrés*, 2e éd. 1868, XXVIII + 662 p., fig., cartes, plans.

19. Joanne (Adolphe) [Pénel (Eugène)]. *Réseau du chemin de fer de Paris à Lyon et à la Méditerranée.* Ire partie. *Bourgogne, Franche-Comté, Nivernais, Morvan, Bourbonnais, Jura, Beaujolais, Bresse, Bugey, Lyonnais, Savoie*, avec 11 cartes, 5 plans de villes et 1 panorama, 1861, LXXII + 513 p.

20. Joanne (Adolphe) [Pénel (Eugène)]. *De Paris à la Méditerranée.* IIe partie. *Auvergne, Dauphiné, Provence, Alpes-Maritimes, Corse, etc.*, contenant 12 cartes, 11 plans et 1 panorama, 1865, XXVIII + 863 p.

21. Joanne (Adolphe) [Reclus (Élisée)]. *Itinéraire descriptif et historique des Pyrénées, de l'Océan à la Méditerranée*, contenant 9 panoramas [...], 6 cartes et 2 plans de ville [1858], XLVIII + 683 p.

22. Joanne (Adolphe) [Reclus (Élisée)]. *Les Pyrénées et le réseau des chemins de fer du Midi et des Pyrénées*, avec 6 cartes, 1 plan et 9 panoramas, 1862, LXXII + 767 p.

23. Joanne (Adolphe) [Reclus (Élisée)]. *Les Pyrénées*, avec 7 cartes, 1 plan, 9 panoramas et une projection de la chaîne des Pyrénées, 3e éd., 1868, LXXVI + 704 p.

24. Joanne (Adolphe) [Reclus (Élisée)]. *Itinéraire descriptif et historique de la Savoie*, ouvrage contenant un panorama et de la chaîne du Mont-Blanc et 6 cartes [1860], XCIX + 279 p.

25. Joanne (Adolphe). *Vosges et Ardennes*, avec 14 cartes et 7 plans, 1868, LII + 712 p.

Itinéraire général de la France. Éditions suivantes.

26. Joanne (Adolphe) [Monnier (Jules), Saint-Paul (Anthyme)]. *Auvergne – Morvan – Velay – Cévennes*, avec 17 cartes et 4 plans, 1874, XXXVI + 512 p.

27. Joanne (Paul), éd. [Lequeutre (A.)]. *Auvergne et Centre*, 9 cartes et 5 plans, 1886, XXXX + 352 p.

28. Joanne (Paul), éd. [Lequeutre (A.)]. *Bourgogne et Morvan*, 4 cartes et 5 plans, 1889, XXXIV + 375 p.

29. Joanne (Adolphe) [Pénel (Eugène), Pol de Courcy, Saint-Paul (Anthyme)]. *Bretagne*, avec 10 cartes et 7 plans, 1873, XXXII + 640 p.

30. Joanne (Paul), éd. [Lequeutre (A.)]. *Franche-Comté et Jura*, 5 cartes et 3 plans, 1888, renseignements pratiques 1891, XLVII + 384 p.

31. Joanne (Adolphe) [Monnier (Jules), Raymond (Charles de), Saint-Paul (Anthyme)]. *Jura et Alpes françaises*, avec 21 cartes, 4 plans et 2 panoramas, 1877, LVI + 1088 p.

32. Joanne (Adolphe) [Joanne (Paul), Monnier (Jules), Raymond (Charles de), Saint-Paul (Anthyme)]. *Provence, Alpes Maritimes, Corse*, avec 15 cartes et 6 plans, 1877, XXXVI + 590 p.

33. Joanne (Paul) [Ferrand, Monnier (Jules), Nicolas]. *Provence*, 9 cartes et 14 plans, 1888, XXXII + 420 p.

34. Monmarché (Marcel), éd. [Gavet (Jules)]. *Provence*, 1 tableau, 51 cartes et 23 plans, 1911, 80 + XXII + 438 p.

35. Joanne (Adolphe) [Lequeutre (A.)]. *Les Pyrénées*, 10 cartes, 1 plan, 8 panoramas et une projection de la chaîne des Pyrénées, 5e éd., 1879, XCVIII + 815 P.

Itinéraire général de la France. La France du Nord et de l'Est.

36. Joanne (Paul) [Monnier (Jules)]. *Champagne et Ardennes,* 4 cartes et 9 plans, 1885, XXXII + 238 p.

37. Joanne (Paul), éd. [Boland (Henri), Monmarché (Marcel), Saint-Paul (Anthyme)]. *La Champagne et l'Ardenne,* 6 cartes et 10 plans, 1895, 32 + XXII + 281 p.

38. Joanne (Adolphe). *Le Nord,* avec 7 cartes et 11 plans, 1878, XXVIII + 484 p.

39. Joanne (Paul), éd. [Monnier (Jules)]. *Le Nord,* 1 carte et 21 plans, 1890, XXX + 431 p.

40. Joanne (Paul). *Le Nord, la Champagne et l'Ardenne,* 53 cartes et 36 plans, 1907, 57 + VIII + 456 p.

41. Monmarché (Marcel), éd. *Le Nord, Picardie, Artois, Flandre, Ardenne,* 55 cartes et 38 plans, 1914, XX + 480 p.

42. Joanne (Paul) [Lequeutre (A.)]. *Les Vosges,* 12 cartes et 7 plans, 1887, liv + 512 p.

43. Joanne (Paul), éd. [Monmarché (Marcel), Saint-Paul (Anthyme) et al.]. *Les Vosges et l'Alsace,* 11 cartes et 10 plans, 1900, 46 + XLIV + 417 p.

44. Joanne (Paul), éd. [Franco (Ernest), Saint-Paul (Anthyme)]. *Vosges, Alsace et Forêt-Noire,* 63 cartes et 14 plans, 1905, 45 + XXXI + 396 p.

45. Joanne (Paul) [Franco (Ernest), Saint-Paul (Anthyme)]. *Vosges, Alsace et Forêt-Noire,* 63 cartes et 14 plans, 1907, 48 + XXXII + 396 p.

46. Même édition, avec renseignements pratiques mis au courant pour 1908 et « Petit interprète français-allemand contenant les mots et les phrases les plus utiles en voyage » (30 p.)

47. Joanne (Paul) [Sixemonts (Pierre)]. *Vosges et Alsace,* 70 cartes et 16 plans, 1910, 49 + XXXII + 396 p.

48. Monmarché (Marcel), éd. [Sixemonts (Pierre)]. *Les Vosges, Lorraine-Alsace,* 87 cartes et 23 plans, 1913, XLVIII + 532 p.

49. Même guide, 1914, éd. réimprimée en 1920.

JEAN-YVES GUIOMAR

Le "Tableau de la géographie de la France" de Vidal de La Blache

Le *Tableau de la géographie de la France*[1] de Paul Vidal de La Blache[2], paru en 1903, est un de ces textes fondamentaux qui depuis la grande cassure de 1789 remettent sans cesse en chantier le problème: «Qu'est-ce que la France?», et, par-delà: «Qu'est-ce qu'une nation?» Ce chef-d'œuvre participe des institutions nationales. Il est impossible de comprendre le souffle qui anime une œuvre comme les *Mémoires* de De Gaulle sans avoir lu le *Tableau,* puisque d'emblée la question à laquelle veut répondre l'ouvrage est la suivante: «Comment un fragment de surface terrestre qui n'est ni péninsule ni île, et que la géographie physique ne saurait considérer proprement comme un tout, s'est-il élevé à l'état de contrée politique, et est-il devenu enfin une patrie ?»(8)[3].

La géographie vidalienne, comme toute la géographie française, procède de la géographie allemande[4], à laquelle Humboldt et Ritter avaient donné ses lettres de noblesse dans la première partie du siècle. Mais cette géographie manquait de solidité dans le fondement de son déterminisme, jusqu'à ce que l'influence de Darwin, en faisant de la durée un élément clé d'explication de la vie, fournisse à la géographie l'unité qui lui manquait[5].

Ratzel, influencé par Haeckel et auteur en 1869 d'un ouvrage darwinien (*Sein und Werden der organischen Welt*) est le créateur de l'écologie, qui installe au cœur de la géographie la notion de milieu stable, évoluant lentement selon de puissantes et constantes déterminations. L'influence des géographes allemands n'est pas, loin de là, la seule que Vidal ait reçue – et il saura l'enrichir, la nuancer et s'en démarquer à certains égards[6] –, mais elle est capitale chez lui. Le milieu détermine le *genre de vie,* expression des permanences de la vie locale: telle est l'idée centrale qui donne au *Tableau* son unité organique. Le milieu est le produit des déterminations internes et externes et de leurs rapports. Il en découle un principe fondamental de la géographie générale vidalienne: une contrée ne peut être comprise que dans et par son environnement. C'est pourquoi la première partie de l'ouvrage («Personnalité géographique de la France») est consacrée à l'analyse des rapports entre la France et son environnement européen. Vidal la situe comme un espace «où les lignes qui encadrent la plus vaste masse continentale se rapprochent, convergent presque, de façon à dessiner une sorte de pont entre la Méditerranée et l'Océan» (9). C'est cette position qui détermine l'«être géographique» (22) qu'est la France, et qui le définit en même temps : elle est «la contrée sise au rapprochement des deux mers» (10). Nouvelle formulation de l'idée chère à tout le XIXe siècle, et à Michelet en particulier[7], d'une France carrefour des peuples civilisés.

Toutefois, on repère vite un problème, car, en réalité, les influences extérieures que traite effectivement Vidal, ce ne sont pas les deux mers, mais la Méditerranée d'un côté, et le continent de l'autre. De toute évidence, Vidal, qui possédait parfaitement l'allemand et voyagea beaucoup outre-Rhin, visitant nombre de ses collègues, donne à la soudure de la France à la masse continentale par le Nord et l'Est un effet structurel beaucoup plus important que la liaison des deux mers. Cela se traduit bien dans le plan de l'analyse régionale qui occupe la seconde partie de l'ouvrage : d'abord la France du Nord et de l'Est (livre premier), qui s'origine en Flandre, et dans l'Ardenne ; puis la France entre les Alpes et l'Océan (livre deuxième), mais où la façade atlantique est à peine esquissée ; l'Ouest ; enfin le Midi (livre quatrième).

Le décalage entre le principe – la France trait d'union entre les deux mers – et la réalité étudiée – la France soudée au continent – a des conséquences importantes. Notamment le fait que l'Ouest et toute la façade atlantique sont maltraités par Vidal. On a l'impression qu'il ne savait où placer l'Ouest, qui fait l'objet d'une trentaine de pages très insatisfaisantes, faute de pouvoir lui assigner une place organique dans l'ensemble français. Il dira d'ailleurs en 1905, au cours d'un débat avec Émile Durckheim : «Je croirais volontiers que l'Ouest est chez nous ce qu'il y a de plus tranché[8].»

Mais étant donné les relations millénaires entre l'Ouest et les îles Britanniques, on est tenté de se demander si le médiocre traitement de cette partie de la France ne serait pas à lier à l'appréciation négative que porte Vidal sur l'archipel anglo-saxon. On s'étonne en effet de la quasi-absence, dans l'exposé de l'environnement de la France, des îles Britanniques. Petite énigme qui s'éclaire lorsque nous lisons page 59 une charge quelque peu agressive – trait insolite dans un ouvrage si serein – contre «une forme nouvelle de germanisme, la plus envahissante de toutes, le germanisme maritime et insulaire», suivie un peu plus loin de ces lignes sur la formation de l'Angleterre : «Des germes déposés le long des côtes naquit donc un État, l'Angleterre : et ce fut, à la place du celtisme refoulé, le germanisme que la France vit s'établir sur la côte qui lui fait face» (59). Cette appréciation est une constante de la pensée de Vidal ; on la retrouve dans le chapitre sur l'Angleterre des *États et nations de l'Europe* (1886), où, tout en reconnaissant la personnalité vigoureuse et originale du peuple anglais, il n'en relève pas moins sa « physionomie germanique » et en stigmatise fortement l'égoïsme. Il semble qu'il y ait là un ensemble de positions qui lui ont rendu difficile l'analyse de l'ouverture de la France sur l'Océan et la mer du Nord, capitale pour comprendre l'Ouest.

Dernier trait qui contredit le plan de l'ouvrage : on s'attend à ce qu'une place importante soit faite au Midi. Or, cette région est elle-même bien rapidement traitée, et en englobant dans un même ensemble Midi océanique et Midi méditerranéen. Marseille, qui eût dû apparaître dans tout son éclat d'ouverture sur le *Mare nostrum*, est quasiment inexistante. Vidal, au fond, est un homme de la terre et non de la mer. En fait, pour lui, la Méditerranée et le Nord ne sont pas dans une relation symétrique : « La Méditerranée a éclairé nos origines ; mais c'est dans le Nord que s'est formé l'État français », écrit-il page 57. Est-ce une réminiscence de sa formation d'historien, un écho de son séjour à l'école française d'Athènes ? En tout cas, le *Tableau* s'ouvre par une définition de la France à la pointe de l'Europe dont il apparaît clairement qu'elle n'est pas tout entière d'origine géographique.

L'analyse de la liaison ainsi posée entre la France et son entourage conduit Vidal à un énoncé capital de cette première partie : le rejet de toute idée d'une inscription *a priori* de la France, en tant qu'ensemble, dans la nature. Ni par le climat, la flore ou la faune, ni par la géologie, la France ne forme un tout individualisé. Refus donc de la théorie des climats, certes, mais aussi de la séduisante théorie des frontières naturelles si dominante tout au long du XIXe siècle. C'est là un acquis majeur et durable du *Tableau*. Au point de vue de la géographie humaine, pas davantage d'unité de principe : « Rien ne s'accorde avec l'idée d'un foyer de répartition situé dans l'intérieur de la France » (7). Rien donc qui serait comme un chef d'orchestre que Michelet, évidemment, situait à Paris.

Pourtant Vidal, immédiatement après, s'accorde avec le même Michelet pour définir la France comme « une personne », et il souligne que « personnalité » est un terme qui appartient au domaine et au vocabulaire de la géographie. Dans ces conditions, comment donc entend-il montrer qu'il existe quelque chose sur la surface terrestre qui peut être distingué et spécifié en tant que France ?

La réponse est à chercher à partir de la façon dont Vidal de La Blache applique à l'analyse de la France ses principes de géographie générale. C'est la diversité même de la France, explique-t-il, qui a créé son unité. Il applique là un principe ratzélien, qu'il exposait dans son article fondamental des

Annales de géographie en 1896, «Le principe de la géographie générale»: les diverses parties d'un ensemble sont «un foyer réciproque de forces agissantes[9]», et tout contraste fait mouvement; une *Ausgleichung* (équilibre ou, mieux, péréquation) se produit entre zones physiquement différentes, par les échanges de productions et de populations que déterminent ces contrastes physiques. «Aucune contrée civilisée, écrit-il avec force dans le *Tableau*, n'est l'artisan exclusif de sa propre civilisation» (17).
Or, la France a une «physionomie unique en Europe» (41), par une «richesse de gammes qu'on ne trouve pas [...] ailleurs» (49). Sur une étendue relativement restreinte, l'évolution géomorphologique a créé une diversité extrême de conditions de vie qui par interactions produisent l'existence nationale. De là découle l'écriture même du *Tableau* et l'enchantement que procure sa lecture: tout est mise en contact, peinture minutieuse des contrastes tant horizontaux que verticaux, d'un pays au voisin, d'une vallée aux plateaux. Un peuple se constitue par les mille liens répétés de la vie quotidienne, enrichis au fil des siècles de possibilités nouvelles de rapports. Le peuple français est donc la résultante des «offices d'un mutuel voisinage» (15). Pointe là une véritable morale sociale[10]: la nation est un lieu d'exercice des solidarités, une mise en œuvre des complémentarités.
L'environnementalisme ratzélien se transforme chez Vidal en ce que, à la suite de Lucien Febvre, on nomme parfois le possibilisme. Le mot n'est pas dans Vidal, il force sa pensée en la réduisant à une doctrine[11]; or, rien n'est plus éloigné de celui dont la règle, comme la rappelle Paul Claval, est: «Décrire d'abord, puis définir et expliquer[12].» Pourtant, il correspond à quelque chose, car, pour Vidal, «une contrée est un réservoir dont la nature a déposé le germe, mais dont l'emploi dépend de l'homme. C'est lui qui, en la pliant à son usage, met en lumière son individualité. Il établit une connexion entre des traits épars; aux effets incohérents des circonstances locales, il substitue un concours systématique de forces» (8). Le vocabulaire doit ici retenir l'attention: connexion, concours de forces, comme plus haut «foyer réciproque de forces agissantes». Ce n'est pas seulement aux pensées de la contingence qu'il faudrait faire appel pour comprendre Vidal, mais aussi par référence à la physique de son temps, que l'on retrouve – plus systématiquement – chez ses élèves tels Camille Vallaux ou Jean Brunhes.
Le passage que nous venons de citer est un énoncé clé qui féconde toute l'analyse régionale. Ainsi écrit-il au début du chapitre sur Paris: «Il fut facile ensuite, aux populations qui s'y établirent, de tirer parti peu à peu des avantages variés que recelait la région où elles avaient élu domicile. Dans les sinuosités des rivières, les ciselures des coteaux, les éclaircies des forêts, une foule de combinaisons nouvelles s'ouvrirent à leur ingéniosité et à leur choix» (139). Cette succession de possibilités entraîne naturellement la per-

manence de l'habitat et son ancrage dans le sol. Plus nette encore est l'application de cet énoncé à l'analyse des facteurs de création des villes : celles-ci se sont développées non dans des lieux abrités, mais dans les zones de passage, de rencontre d'influences diverses qui ont densifié au fil du temps des noyaux très anciens. De même, les régions les plus vivantes sont les plus largement ouvertes sur l'extérieur : le Nord, la région lyonnaise, et surtout la Touraine et la partie méridionale du Bassin parisien qui font l'objet du chapitre le plus long et sont les pages les plus éblouissantes de l'ouvrage.
À toutes les « diversités qui l'assiègent et la pénètrent », la France a opposé « sa force d'assimilation » grâce à sa variété qui fait qu'« elle transforme ce qu'elle reçoit » (40). De sorte que, en une de ces formules frappantes qui jalonnent le Tableau, Vidal voit la France comme « une terre qui semble faite pour absorber en grande partie sa propre émigration » (15).
Tout cela forme un ensemble de positions fortement articulées, où les éléments et le tout français sont organiquement liés, visant à rendre compte de la nature de l'être français et de sa personnalité. Incontestablement, c'est une rupture avec la tradition historico-géographique du XIXe siècle[13]. Il est donc intéressant d'esquisser une comparaison entre le *Tableau* de Vidal et celui de Michelet puisque, par le choix de son titre, Vidal reconnaît sa filiation par rapport à Michelet mais, en ajoutant « de la géographie », il marque toute sa différence.
Le Tableau de la France[14] de Michelet, paru en décembre 1833 en tête du tome II de son *Histoire de France*, est destiné à faire la liaison entre le tome I, qui traite de la France des origines au Xe siècle, et où les races constitutives du peuple français occupaient le devant de la scène, et la suite. Or, sur la question des races, Michelet se démarquait d'Augustin Thierry, si bien que, comme le note Paul Viallaneix, « en devenant géographe, Michelet achèvera de démontrer l'insuffisance de la théorie des races[15] ». En effet, abordant l'histoire d'une France qui va dépasser ses constituants ethniques pour créer le peuple français, Michelet recourt à l'assise matérielle de la nation et lui assigne une fonction de synthèse.
Mais s'agit-il véritablement d'une étude géographique ? Michelet fait un tour de France. Il part de la Bretagne, descend le long de la façade atlantique, des Pyrénées il rejoint la Provence en passant par le Languedoc, remonte vers les pays du Rhône et de la Meuse, parcourt le Nord puis le Centre et termine par Paris. Rien dans ce choix n'obéit à des considérations géographiques (même si l'on se réfère aux ouvrages de l'époque, ceux de Malte-Brun par exemple). Au contraire : il commence par la Bretagne, terre celtique des origines demeurée vierge, « l'aînée de la monarchie », pour aborder ensuite les pays mêlés par les conquêtes romaine et germanique. Il peut donc écrire : « Nous aurons étudié la géographie dans l'ordre chronologique, et voyagé à la fois

dans l'espace et dans le temps[16].» Eu égard à l'organisation de son étude, nous sommes donc très éloignés de la méthode vidalienne, avec laquelle il ne s'accorde que sur un point, quand il souligne que «la vie forte est au Nord[17]».

Ce n'est pas davantage à des raisons géographiques qu'il fait appel pour marquer les liaisons entre les provinces. La transition entre l'Ouest armoricain et les pays du sud de la Loire est marquée par trois éléments chronologiques: les ardoisières d'Angers, limite géologique de la Bretagne; le grand monument «druidique» de Saumur; Tours, métropole ecclésiastique de la Bretagne au Moyen Âge. Plus loin, il écrit tranquillement: «Je pourrais entrer dans le Rouergue par la grande vallée du Midi [...], mais j'aime mieux entrer par Cahors[18].» Propos de voyageur plus que d'analyste. Là encore, on trouve cependant une convergence avec Vidal, lorsqu'il signale que «la France n'a pas d'élément plus liant que la Bourgogne, plus capable de réconcilier le Nord et le Midi[19]». Mais ce type de notation est exceptionnel.

En fait, chez Michelet, les unités provinciales sont compactes, juxtaposées plutôt que liées. Chaque province est décrite comme si Michelet voulait y entasser le maximum de significations historiques. Les trois pages sur Lyon en sont un bel exemple. Cet entassement (Hugo pratique de même dans *Le Rhin*, qui date de 1842) vise à exprimer dans le temps le génie de chaque province, à en extraire la substance et à en peindre la vitalité qui caractérise l'être français. Mais celui-ci, comme totalité, ne résulte pas des liaisons entre ses éléments constituants, il est le fruit de leur dépassement en son centre, l'Île-de-France, «le noyau autour duquel tout devait s'agréger[20]». Et là, encore une fois, c'est l'histoire qui l'emporte: «Pour le centre du centre, Paris, l'Île-de-France, il n'est qu'une manière de les faire connaître, c'est de raconter l'histoire de la monarchie[21]», position dont on verra combien Vidal est éloigné.

Toute la suite du texte, dès lors, est dans ce flot de formules célèbres et sublimes: «Le centre se sait lui-même et sait tout le reste», «Les provinces se regardent en lui; en lui elles s'aiment et s'admirent sous une forme supérieure[22]»... À travers cet hymne, Michelet résout à sa manière la question des rapports entre la vie locale et la nation comme ensemble. «Diminuer, sans la détruire, la vie locale, particulière, au profit de la vie générale et commune[23]...» Certes, mais que vaut cette phrase face à ce qu'il écrit à la page suivante: «L'esprit local a disparu chaque jour; l'influence du sol, du climat, de la race a cédé à l'action sociale et politique. La fatalité des lieux a été vaincue; l'homme a échappé à la tyrannie des circonstances matérielles[24].» Ces phrases vont loin. Elles expriment la passion nationale de Michelet, passion que l'on retrouve chez Vidal et qui fait d'eux de grands initiateurs. Mais Vidal ne peut pas parler de la tyrannie des circonstances particulières, il en montre aussi la richesse et la diversité, leur caractère non fatal. Et, surtout, il propose pour la France non pas une vision hiérarchisée, où les constituants seraient transcendés par un

centre, mais au contraire une vision résolument égalitaire. Ce n'est pas par hasard qu'il a été, avec son ami Pierre Foncin, un ardent défenseur des idées régionalistes et qu'il a inspiré certains projets de loi en ce sens[25].
L'humanisme de Michelet est passé chez Vidal, formé par les élèves du grand historien. Les Tableaux que tous deux ont produits étaient des parties d'une *Histoire de France*, qui s'en sont détachées au point de devenir par elles-mêmes des chefs-d'œuvre. On pourrait sur bien des points les faire dialoguer. Mais Michelet est un homme de synthèse, Vidal un homme d'analyse, où la synthèse n'est qu'en pointillé.

Au tournant du XXe siècle, la question de la relation toujours problématique entre histoire et géographie donne lieu, de la part de la nouvelle école française, à une solution qui constitue pour cette discipline une conquête épistémologique majeure, et dont le *Tableau de la géographie de la France* est la formulation la plus éclatante. Camille Jullian saura s'en souvenir qui, au tome I de son *Histoire de la Gaule* (1908), se réfère au *Tableau* de Vidal et écrit que «les contours définitifs d'une nation sont des compromis entre les avis donnés par la nature et les résultats des faits produits par les hommes[26]» Le passage le plus significatif du *Tableau*, à cet égard, est la troisième partie du livre premier, «La région rhénane», où Vidal, incluant sans commentaire dans son ouvrage l'analyse des régions devenues allemandes en 1871, montre parfaitement que rien de naturel ni de nécessaire ne présidait là à l'arrêt de la France au milieu de la plaine du Rhin.

Examinons en détail comment ces éléments structurants organisent l'analyse régionale.
Avec la souplesse d'écriture de Vidal, il y a des nuances, mais on peut distinguer un schéma constant[27], perceptible dès la première région étudiée, la Flandre: d'abord une description générale de la région, où l'élément visuel joue un grand rôle (des expressions telles que «on voit» [61], «nous avons sous les yeux» [62], «l'œil cherche instinctivement» [128] reviennent constamment), puis une transition marquée par un: «Mais le présent ne doit pas absorber entièrement la pensée du géographe» (72). Vient alors l'étude de la structure, où l'accent est mis sur la géologie plus que sur la tectonique. Après quoi, il analyse la diversité des terrains et des paysages, la répartition et les formes de l'habitat, la situation des villes, et termine parfois par des notations psychologiques sur le caractère régional.
Dans tout cela, le modelé occupe une place centrale. Or, pour Vidal, le modelé est, au moins autant que le produit des grandes forces tectoniques, le résultat du travail des eaux.

L'ARGONNE

Celle-ci est un pays de même nature. Si, au lieu d'être déprimé, il s'élève en saillie, c'est qu'un mélange de silice a rendu l'argile dont il est constitué assez résistante pour former, sous le nom de gaize, *une sorte de banc glaiseux et compact. À l'est, les dômes qui surmontent la petite ville de Clermont ont, par exception, des silhouettes assez vives; le modelé est en général informe. Les versants, boisés comme les sommets, s'élèvent d'un jet. Les eaux ont isolé ce pâté d'argile, en ont pétri les contours, mais n'ont pas réussi à en entamer l'intérieur. Rares sont les brèches qui le traversent. Le défilé des Islettes coupe un long couloir, qu'aucune autre ouverture, pendant cinq lieues, ne dégage. On y chemine entre un double rideau de forêts sur des sentiers gluants et blanchâtres. Des maisons en torchis et poutres croisées, dont les toits en forte saillie ne sont que trop justifiés par le ciel pluvieux, font penser aux* loges *qu'élevaient les «compagnons des bois»: charbonniers, tourneurs, forgerons, briquetiers, potiers. On s'imagine volontiers ces figures hirsutes à physionomies un peu narquoises, un peu étranges, telles que Lenain, dans* La Forge, *les représente, si différentes de ses paysans. Il y avait en effet entre ces hôtes de l'Argonne et les paysans voisins une vieille antipathie nourrie de méfiance. Encore aujourd'hui l'habitant de l'Argonne a conservé l'humeur vagabonde, errante: il circule, émigre en été, exerce des métiers roulants, va louer ses bras au-dehors.*

L'Argonne nous fournit à l'échelle d'une microrégion un bon modèle de la méthode d'analyse régionale suivie dans le Tableau *(pp. 120-121).*

Les eaux, et non pas l'hydrographie (et pas davantage la climatologie), alors que les éléments, appelés à devenir classiques, du vocabulaire de W. M. Morris étaient en train de s'introduire en France grâce entre autres à Emmanuel de Margerie[28] : cycle d'érosion, niveau de base et profil d'équilibre, position des rivières par rapport à la structure, etc. Vidal n'ignore évidemment rien de tout cela mais, outre qu'il écrit pour un public de non-spécialistes, ce qui l'enchante, lui, ce sont d'abord les innombrables manifestations des eaux courantes à la surface du sol et dans le sous-sol. La Somme : « une des rivières dont l'existence remonte le plus haut dans l'histoire du sol » (96) ; Paris : « Le fleuve fut l'âme de la ville grandissante », il « trace à travers la ville un grand courant d'air et de lumière » (141) ; les rivières du Berry sont « rares mais pures et herbeuses » (155), « le Berry calcaire, comme tous les pays qu'ont affectionnés les Gaulois, a des sources rares mais fortes » (156) ; et encore, dans le Poitou calcaire, « des cavernes engendrant de belles sources, des dives aux eaux claires » (315)...

Mais il faut surtout citer le merveilleux passage où Vidal s'interroge sur la primauté donnée à la Seine dans la hiérarchie du réseau fluvial du sud-est du Bassin parisien : « Les hommes ne se guident pas, dans ces attributions hiérarchiques, par des considérations d'ingénieurs et d'hydrauliciens. Les eaux dont ils commémorent de préférence le souvenir sont ou bien celles qui les ont guidés dans leurs migrations, ou plutôt encore celles qui, par le mystère ou la beauté de leurs sources, ont frappé leur imagination. Telle est sans doute la raison qui a donné la primauté à la Seine. Elle est, non loin des passages, la première rivière permanente qui sorte d'une belle source, nourrie aux réservoirs souterrains du sol. Cette première *douix*[29] de la Seine est une surprise pour l'œil dans l'étroit repli des plateaux qui l'encaissent. Entre ces solitudes, elle est le seul élément de vie ; auprès d'elle se rangent moulins, villages, abbayes et forges, s'allongent de belles prairies. Les affluents lui manquent, il est vrai ; quelques-uns défaillent en route ; mais voici qu'au pied du roc de Châtillon une douix magnifique vient encore subitement la réconforter. Lentement d'abord, comme un gonflement des eaux intérieures, elle sort, pure et profonde, de la vasque qui l'encadre ; puis à travers les prairies et les arbres s'accélère la Seine, comme pour lui communiquer la consécration divine que lui attribuait le culte naturaliste de nos aïeux » (116-117).

Si les sources ont toute sa tendresse, le réseau fluvial est bien plus qu'un sujet d'émotion, il est le lieu où la géographie vidalienne s'incarne le mieux : à l'exacte intersection de la géographie physique – par les effets de la structure et du travail différentiel de l'érosion sur les couches dures et tendres – et de la géographie humaine, en tant qu'agent essentiel de la distribution des habitats et des échanges. Il le dit dès l'abord de l'Ardenne : « Il fallait s'arrêter sur cette forme d'énergie fluviale : car c'est d'elle que dépend le site des cultures et des établissements humains dans l'étroitesse des vallées» (66). Parfois même, le réseau fluvial lui sert de plan d'exposition d'une région; c'est le cas pour le Bassin parisien dont le chapitre iii s'intitule: «Le Bassin parisien en amont de Paris.» Et le chapitre suivant commence ainsi: «Nous voici ramenés par le cours des rivières à la région où s'est formé Paris» (124). Vidal a certes rompu avec la théorie des bassins formulée au XVIIIe siècle par Philippe Buache, il n'en demeure pas moins captivé, fasciné même, par les bassins fluviaux.

Si tous les fleuves sont «commémorés» par Vidal, il n'en est aucun qui le soit avec autant de respect et d'amour que la Loire. On sent bien qu'il en a longé à pied le cours sur de longues distances. Quelle science du voir et du faire voir, lorsqu'il la montre à chaque instant de son parcours sollicitée, par les déformations de la structure à l'ère tertiaire, de quitter sa direction nord pour s'en aller vers l'ouest, se reprendre sans jamais dévier vers l'est, puis, enfin, à une époque géologique récente, négocier son majestueux virage qui lui fait abandonner son ancienne jonction avec le bassin de la Seine. Il raconte là une histoire, celle du «divorce accompli tardivement entre le faisceau fluvial de la Seine et celui de la Loire», d'où il découle que «les influences de l'Ouest et du Sud le disputent à celles du Nord» (152). On sent bien que là le retient un problème majeur, une complication dans le nœud des rencontres entre l'histoire géologique et celle du peuple et de la nation, une difficulté à vaincre pour l'unité de celle-ci; c'est un problème sur lequel il revient souvent, car il engage la fameuse liaison entre France du Nord et France du Midi. La maladresse du traitement de l'Ouest dans le *Tableau* n'est peut-être pas étrangère à ce problème du cours de la Loire; on dirait qu'elle est la conséquence d'une analyse que Vidal n'aurait pas menée jusqu'au bout, dans sa «lecture» de la France.

La France – la surface française – est donc le produit du travail des eaux. Car, étant donné la variété des terrains et la complexité de l'histoire géologique, l'érosion a créé des contrastes – en altitude et au même niveau – dans la nature des sols, ce qui donne une variété d'exploitation agricole, engendre des complémentarités, donne matière aux échanges et à la vie. Vidal insiste beaucoup sur la présence ou l'absence de ces lignes de villages à flanc de vallée, accrochés aux sources qui sortent au niveau d'une couche imperméable. Traitant la Normandie, il note que «c'est par les vallées que la Normandie est devenue industrielle» (175). «Il n'y a sur les versants ni niveau de source, ni inflexion de relief pouvant faciliter à mi-côte l'établissement de villages. C'est donc presque l'isolement entre vallées et plateaux» (176). D'où la division entre l'élément novateur venu par les vallées – les Normands – et les populations conservatrices plus anciennement installées sur les plateaux. Il note que «l'antagonisme des influences internes et externes ne s'est posé nulle part avec autant de netteté qu'en Normandie» (179). «La perspective change, dès qu'on part de la mer» (179). Le pays de Caux est distinct du reste, «et le paysan le sait» (174); le Cauchois «est étranger dans les vallées» (174). Bel exemple d'analyse serrée, combinant la position, la structure, les influences du réseau fluvial et le genre de vie.

Une conséquence majeure de tout ce qui précède à propos de l'analyse régionale, c'est que le *Tableau* est fondamentalement une peinture de la France des *pays*, autrement dit de la France rurale. Ou plus exactement des lieux de vie de cette France, et de ses paysages[30]. Les eaux ont la prééminence, mais Vidal traite également, en des pages somptueuses, les forêts et leur faune. En revanche, les productions agricoles sont traitées comme en passant, on est loin d'un manuel énumérant les tonnes de blé ou les hectolitres de vin. (Les chiffres sont d'ailleurs rares dans tout l'ouvrage.) Lorsqu'il parle du vin, c'est pour noter – en Touraine par exemple – la «vie joyeuse des vignerons auprès desquels les gens des Gâtines et plateaux semblent de pauvres hères» (168). Toujours les contrastes.

On a remarqué que dans le *Tableau* les villes sont sacrifiées. Si Paris et Lyon ont droit à une esquisse d'analyse urbaine, Lille, Marseille, Nantes, Toulouse, Clermont-Ferrand, Rouen, etc., ne bénéficient que de quelques lignes sur leur site et les conditions de leur création. Même pour Lyon, bien qu'il signale son rôle de place financière et commerciale internationale, la conclusion est que, dans la vie de cette ville, «la part principale en revient aux Alpes» (253). Même Paris, «autrefois comme aujourd'hui, fut surtout une capitale intérieure» (143). Les attaches locales des villes sont ici la seule préoccupation de Vidal.

Le peu de place donné aux activités industrielles est un autre trait bien connu du livre, en rapport avec le précédent. Dans la préface qu'il donne à la réimpression de l'ouvrage, Paul Claval l'attribue à ce que l'auteur s'en tient strictement à ce que Lavisse lui a demandé dès 1894 : une introduction à l'*Histoire de France* (qui selon le plan primitif devait s'arrêter à la Révolution). Vidal n'aurait donc pas voulu empiéter sur le domaine de ses collègues historiens. C'est vrai.

Il est vrai aussi que géographies économique, urbaine, politique ne prendront leur essor – grâce aux élèves de Vidal et en particulier Albert Demangeon[31] – qu'après la Première Guerre mondiale. Vrai encore qu'il faudra attendre notre époque pour qu'on prenne conscience que les clivages sociaux et les lois de l'économie libérale jouent dans la vie régionale et nationale un rôle bien plus important que les prétendus faits de nature[32]. Cependant, même sans aborder la révolution industrielle, Vidal avait la possibilité de traiter amplement des foires et routes commerciales, des mines, des grands travaux de la monarchie (routes, canaux, ports...) qui ont aussi contribué à façonner le paysage français. Il parle d'ailleurs souvent des voies romaines. Si bien qu'on ne peut se défendre de l'idée que cette faiblesse de l'étude urbaine et économique correspond, au moins autant qu'à la place de l'ouvrage dans la collection, à un choix intime de l'auteur.

Tout d'abord, il lui arrive de laisser voir ses sentiments pour l'industrie moderne: «La redoutable force de l'industrie moderne, avec les habitudes qu'elle semble trop généralement entraîner, portera peut-être le dernier coup à ces survivants» (193) – à savoir les débris épars, dans quelques vallées des Vosges, des descendants des populations qui ont primitivement habité la région. Toujours pour les Vosges, il écrit: «Grâce aux mines autrefois importantes, une colonisation artificielle y assemble comme une marqueterie d'habitants tirés du dehors» (196). Ainsi, lorsqu'il s'agit d'industrie, les mouvements de population nés d'une potentialité du sol à un moment donné mise en valeur n'obéissent plus aux «lois» qu'il a lui-même dégagées: ils deviennent «artificiels». Cette agressivité va du reste au-delà de l'industrie pour toucher toute la vie productive, y compris la vie agricole. À propos des châtaigniers du Massif central, il qualifie l'homme de «grand destructeur de forêts» (281), créateur de «ravages» «dus aux abus de la culture et du pâturage» (281). Ainsi s'éclaire le dessein annoncé dès l'avant-propos: peindre en la France une «contrée profondément humanisée, mais non abâtardie par les œuvres de la civilisation» (4).

Alors, si même la vie agricole et minière – source d'échanges anciens et permanents – n'est pas ce qui retient vraiment l'intérêt de Vidal de la Blache, quelle est donc la substance du *Tableau*? Elle tient en cette notion qu'il n'a pas inventée, qu'il mettait déjà en œuvre en 1880 dans son *Marco Polo*, et dont Lucien Febvre essaiera de faire à sa suite la théorie: le *genre de vie*[33].

Si, chez Lucien Febvre, la notion est fortement investie par l'économique, ce n'est pas le cas chez Vidal. Pour celui-ci, le genre de vie est exprimé par la façon dont les hommes se placent dans un site, par leur mode d'habitat, la forme de leurs maisons, le tout compris comme expression directe de la nature du sol. Avec la représentation de la structure, les cartes (en noir et blanc) concernent pour l'essentiel la répartition de l'habitat. Vidal frôle ici la sociologie[34], et, pour élaborer sa notion de genre de vie, il s'est fortement intéressé à l'ethnologie, dans les années de la composition du *Tableau* précisément. Ce qu'il aime montrer, c'est par exemple qu'on vit en villageois ou en paysan, c'est-à-dire dans un habitat plus groupé ou plus isolé. Dans ce dernier cas, le marché n'en a que plus d'importance. «En Lorraine, en Bourgogne, en Champagne, en Picardie, l'habitant de la campagne est surtout un villageois; dans l'Ouest, c'est un paysan» (311). Partout, il illustre fortement la séquence sol-culture-occupation des lieux-habitations-traits psycho-

logiques, tout en rappelant que cette série ne procède pas d'une nécessité absolue, qu'elle n'est pas fixée une fois pour toutes dans ses modalités spécifiques (en revanche, quelles que soient ces modalités, il y a toujours la série elle-même). Si bien que le géographe, explique-t-il en 1904 dans une conférence[35] à la Société d'économie sociale, fondée par Frédéric Le Play (cité dans le *Tableau*), est là pour aider à comprendre les proportions de permanent et de changeant et pour rassurer «les esprits foncièrement attachés au sol français avec les idées, les souvenirs, les impressions qu'il évoque».
Vidal de La Blache a consacré un article aux «Genres de vie dans la géographie humaine», qui date de 1911 mais correspond bien à ce qu'illustre de bout en bout le *Tableau*. Le passage clé est celui-ci: «L'agriculture nous montre donc un des modes par lesquels l'homme s'est enraciné au sol, y a enfoncé sa trace: l'incorporation à une partie de la terre, l'*Einwürzelung*, qu'ont si bien décrite Peschel et Ratzel. La persistance des domaines ruraux est un fait qu'on peut observer chez nous au moyen des anciennes cartes[36].» Il ajoute aussitôt, pour balancer sa proposition: «Mais les lois de l'évolution dominent tout et sont capables de donner une entorse aux jugements et aux aphorismes qui semblent le mieux établis.» De toute évidence, la contre-proposition, ici comme ailleurs, est chez Vidal beaucoup plus théorique que le principe lui-même qui est, lui, au cœur de sa pratique. La nécessité de corriger en permanence des propositions au déterminisme trop strict correspond du reste à ce qu'en définitive il n'a pas résolu de façon vraiment satisfaisante ce problème du déterminisme en géographie, et qu'il demeure tributaire – tout en en voyant les insuffisances et les dangers – de conceptions du XIXe siècle. Ses écrits de 1910 à sa mort (*La France de l'Est*, 1917, ses *Principes de géographie humaine* publiés en 1922 par son gendre de Martonne) montrent chez lui une prise de distance plus nette, par rapport au déterminisme ratzélien, que les écrits de l'époque du *Tableau*.

La peinture fouillée de la vie locale conduit Vidal à porter un intérêt poussé aux formes de conscience que les habitants ont de leur pays. C'est ainsi qu'il attache une grande importance aux dénominations populaires[37] des régions et formes de paysage. Il ne manque pas une occasion de les signaler, en les faisant ressortir par l'emploi de l'italique. «Dans la région que les géographes appellent *Faucilles* et les paysans la *Vôge...*» (237); ces «traits que le langage populaire a exprimés en donnant le nom de *Bocage...*» (307). Il note aussi les noms qui ne proviennent pas de la relation intime sol-habitants: «Massif central, de création savante comme la plupart des vocables génériques» (276).
Ce n'est pas l'un des moindres attraits de l'ouvrage que cette attention toute moderne portée à la conscience que les habitants ont de leurs lieux de vie. Et

plus encore qu'aux dénominations, il fait place à l'imaginaire du peuple, qui nourrit le monde des rêves et des légendes, et aborde même (mais sans recourir à ce langage) ce qu'on appellerait aujourd'hui une approche des mécanismes de formation des idéologies. En voici un bel exemple : « Le vocabulaire géographique de notre peuple autrefois était restreint ; il se composait des noms que répétaient les marchands et les pèlerins [...] C'étaient les points brillants dans l'obscurité qui enveloppait le monde extérieur. La légende travaillait sur cette géographie populaire. Elle matérialisait ses souvenirs dans un objet, un édifice ; et partout où pénétraient les routes, pénétrait aussi le renom du lieu consacré [...] Il n'est pas étonnant que, dans cet état d'esprit, de nombreux pèlerins s'acheminassent des points les plus éloignés pour participer aux bienfaits de la sainteté du lieu. Telle fut longtemps la cause du renom de Tours, et de la basilique de Saint-Martin, lieu entre tous auguste, dont la sainteté se communiquait aux pactes jurés à son autel. C'était donc une possession enviable que celle du vénéré sanctuaire. Celui qui se rendait maître de Tours et des lieux fameux dont s'entretenaient les imaginations populaires se mettait par là hors de pair. À Tours, comme à Reims, comme au Mont-Saint-Michel, où Philippe Auguste s'empressa si habilement d'imprimer le sceau de la royauté française, résidait une de ces puissances d'opinion qu'il était facile de traduire en instrument de puissance politique. Dans l'idée qu'évoquait alors le mot « roi de France » entraient les souvenirs de ce qu'offrait de plus sacré la vieille terre des Gaules » (169-170).

Que ce passage où le christianisme est évoqué se termine par une référence à la Gaule n'est en rien fortuit. Nous avons déjà vu çà et là des allusions aux cultes préchrétiens, le livre en est rempli. Par exemple, à propos du puy de Dôme, il écrit : « Ce sommet fut un endroit sacré de la vieille Gaule, un de ces points connus et célèbres, dans lesquels l'imagination résume l'idée d'un pays entier » (299). Mais c'est avec la Bretagne que le propos est le plus net : « Ce ne sont pas les parties riantes, mais les sources des hauts lieux, les rocs, les blocs isolés et les landes qu'il [le peuple] recherche pour les assemblées où il semble périodiquement se retremper dans la conscience de son pays. Dans ces contrées où l'horloge du temps retarde, c'est encore pour lui une manière inconsciente de pratiquer les vieux cultes, et de revenir aux anciens dieux » (333). Passage étonnant, où Vidal ignore résolument le caractère chrétien des pardons bretons. Dans sa thèse sur la basse Bretagne soutenue en 1906[38], Camille Vallaux, élève de Vidal, portera lui aussi une grande attention au paganisme sous-jacent en Armorique, mais sans minimiser le rôle de la religion catholique. Il est vrai qu'il y a chez Vidal une certaine agressivité (qui toutefois ne s'étend pas aux abbayes, enracinées dans la vie locale) à l'égard de celle-ci : ne parle-t-il pas de la poussée de la « propagande chrétienne » (58) vers la Flandre à partir du nord du Bassin parisien ?

Cette référence aux cultes antiques, très fréquente dans le *Tableau*, est au cœur du naturalisme profond de Paul Vidal de La Blache. C'est là un trait qui apparente son chef-d'œuvre à celui de Michelet: la recherche du génie de la nation. Mais là où Michelet, voyageur pressé (parfois de nuit) délivrait de très haut ses significations pour exalter l'être divin de la France, Vidal ne se départit jamais d'une attitude d'analyste minutieux, qui se laisse envahir par les multiples messages issus du sol et de ses habitants, et en jouit lorsqu'il en est empli. On dirait que c'est en pensant à lui que Julien Gracq a écrit: « Tout grand paysage est une invitation à le posséder par la marche; le genre d'enthousiasme qu'il communique est une ivresse du parcours[39]. »
Si des écrivains, comme George Sand, par exemple, ont pu contribuer à la géographie, le *Tableau* nous offre le cas unique d'un géographe, savant à part entière, s'avançant dans des domaines de la sensibilité à la nature qui sont plutôt l'apanage des écrivains et des artistes. Qui sait si le *Tableau* n'a pas nourri en quelque façon un Genevoix, un Giono, le Marcel Aymé de *La Vouivre*?
C'est sur le terrain du naturalisme, en tout cas, que l'hymne aux belles sources et aux pures rivières prend son véritable sens. On comprend dès lors pourquoi le *Tableau* insiste si peu sur les productions et la vie économique même ancienne: celle-ci vit au rythme du temps; Vidal, lui, se fond dans la durée.

Nous avons cherché à saisir la richesse de cet ouvrage dans ce qu'il a de plus intime, dans cette description toujours fine des articulations du sol et de ceux qui en vivent, du lieu et de la population qui l'occupe et le nomme. Il nous faut maintenant examiner de façon plus synthétique quelle conception globale de la France émerge du *Tableau*.

Tout d'abord, qu'est-ce que la France? C'est reprendre la question de la première partie: comment un être géographique est-il devenu une patrie? Une patrie, mais aussi une nation et un État. Vidal ne fournit pas de réponse globale et synthétique, mais l'étude régionale lui fournit de nombreuses occasions de discuter, à l'échelle de zones restreintes, le problème de la formation des ensembles politiques. La Bourgogne est « au plus haut degré une contrée politique » (245), mais il lui manqua toujours « une base territoriale en rapport avec l'étendue des relations qui s'y croisent. La position est propre à inspirer des tentations illimitées d'accroissement et de grandeur [...] Mais il y a dans la structure géographique un principe de faiblesse interne pour les dominations qui essayèrent d'y prendre leur point d'appui » (246). À travers de telles analyses, nombreuses, se dessine une géopolitique qui cherche à montrer comment une formation politique peut se constituer là où il y a une zone, ouverte certes, mais où les conditions géographiques permettent une sédimentation qui fixe un lieu de pouvoir.

Aucune région ou *pays* n'ayant produit une construction politique durable, il faut bien expliquer en quoi l'espace français dans son ensemble répondait seul, en définitive, aux conditions requises. C'est là que revient le problème de la Loire, qui court comme un fil rouge à travers le volume. Car le point capital pour Vidal, c'est que dans la vallée de la Loire, après son infléchissement définitif vers l'ouest, l'attraction de la Normandie n'a pas prévalu sur la région de passage au sud du fleuve, le fameux seuil du Poitou. «La soudure des deux fleuves qui se rapprochent entre Paris et Orléans, résultat qui n'a pas été atteint sans effort, a dirigé vers Paris les routes du Centre et du Sud de la France. Rien n'a plus contribué à *méridionaliser* Paris» (149). (C'est Vidal qui souligne.) Et plus loin: «Le site d'Orléans, par les rapports généraux qui s'y croisent, est une des attaches historiques du sol français» (162), de sorte que lorsque la royauté s'en fut emparée, «Paris fut dès lors irrévocablement lié au Midi de la France» (163). Le cours de la Loire cristallise et rassemble donc toutes les raisons géographiques qui ont imposé leur vérité au fil du temps, et qui ont «cimenté les deux parties principales de la France» (236): le Nord, où l'État naît, et le Midi, berceau de la civilisation. C'est pourquoi, en ce nœud, se trouve la Touraine, dont l'analyse livre la quintessence de la France.

Pourtant, on ne peut s'empêcher de penser que Vidal de La Blache n'a pas répondu à la question de savoir pourquoi, dans et par son être physique, la France est la France. N'a-t-il pas pu, ou n'a-t-il pas voulu? Nous penchons pour la seconde hypothèse (bien qu'il n'ait sans doute pas posé aussi clairement le problème). Car, au fond, cette question lourde, à laquelle tout le XIXe siècle a essayé de répondre sur le plan scientifique – en croyant parfois y réussir –, c'est une question métaphysique. Et Vidal n'est pas un métaphysicien.

Plus encore, pour répondre, il eût fallu faire appel aux données sociales et politiques, pour montrer pleinement en quoi les déterminations géographiques n'étaient pas fatales. Or il faut attendre la page 98 pour voir, en passant, mentionner la monarchie française, fort peu présente dans tout le volume. Il est douteux qu'il s'agisse du désir de ne pas vouloir parler à la place des historiens, car lorsqu'on le voit évoquer les grandes forêts autour de Paris, «conservées pour la chasse et la vie seigneuriale» (128) – comme s'il pouvait ignorer la magnifique *Carte des chasses du roi*, élaborée et gravée de 1767 à 1807 –, et parler, pour le Val de Loire, de «la vie seigneuriale et princière [qui] y dressa des châteaux» (150-151), on est bien obligé de se dire que sa plume est singulièrement rétive à tracer les mots de royauté ou de monarchie. Mais il y a davantage. On n'en finirait pas, en effet, d'énumérer les passages où Vidal campe sur des hauteurs peu aimables châteaux féodaux et cathédrales, comme autant de constructions dominant, certes, la vie locale, mais surtout s'en isolant. «Cinq rivières se rencontrent au pied de la légère éminence que surmonte la cathédrale de Bourges, et l'enlacent presque de leurs marécages et de leurs bras morts» (156). (Les eaux dormantes sont l'objet d'un dégoût total chez Vidal.) Et plus clairement encore, à propos des tentatives de formations politiques dans les Alpes: «Seul le Briançonnais, maître, comme Uri, d'un des principaux passages, s'en est approché» (265), mais «ce qui l'emporte définitivement, ce fut la forteresse féodale, le château qu'on voit encore, debout ou en ruines, dressé sur son roc et barrant la route» (265). Il y a un passage, donc, selon la théorie vidalienne, une zone propice à une *nodalité* (comme il écrira dans les *Principes de géographie humaine*), mais le château féodal barre la route: tout est là.

Donc, la monarchie est quasi inexistante; les châteaux féodaux, les cathédrales dominent le paysage mais ne l'ont point fécondé. La vie politique et militaire, ancienne ou plus récente, est au-dessus et, en fait, en dehors de la «vraie vie». Où donc est celle-ci? Elle est dans le peuple rural, où s'incarne le «*genius loci* qui a préparé notre existence nationale», ce «je ne sais quoi qui flotte au-dessus des différences régionales» (51).

Mais ce *genius loci*, qui semble faire écho aux schémas téléologiques du XIXe siècle et évoquer un *deus ex machina*, exprime en fait tout le contraire: le rejet par Vidal (et par son époque) de toute recherche d'une «explication scientifique» de la France, c'est-à-dire la découverte d'un principe nécessaire, inscrit dans les choses, qui au fil du temps aurait prouvé que la France ne pouvait pas ne pas être ce qu'elle est.

C'est si vrai que Vidal exprime une vision, *a priori* étonnante, de la place de certaines régions dans l'ensemble français. Concernant la Normandie, il écrit qu'«un être nouveau se greffa sur la France du Nord. Et cette formation vigoureuse se superposa aux divisions préexistantes, sans toutefois en détruire le cadre» (181). Des vallées alpines, il dit que «si exiguës qu'elles paraissent, elles ajoutent un trait à la physionomie de la France» (266). Et encore, à propos du Midi: «Telles sont les contrées qu'il nous reste à examiner; elles ajoutent bien des éléments de variété à l'ensemble de la physionomie de la France» (339). *Superposer, ajouter*: rien donc qui fût nécessaire, mais un surcroît venant enrichir, comme par reconnaissance de sa *bonté*, le noyau central formé du Nord et des pays drainés par la Loire.

Cette notion de surcroît, de don gratuit est une idée chère à Vidal. On la retrouve régulièrement, magnifiquement exprimée par exemple à propos de la Bourgogne: «On s'explique comment la Côte d'Or est devenue comme le point lumineux où s'est manifesté le génie bourguignon. Là se trouvait mieux qu'une aisance moyenne: quelque chose de ce superflu qui est nécessaire pour l'épanouissement d'un génie local» (242). *Un superflu qui est nécessaire:* mieux que partout ailleurs dans le texte, Vidal exprime ici sa pensée ultime sur le déterminisme. Il salue la vie dans ses plus généreuses manifestations, dans sa libéralité créatrice de liberté. Ici, dans le rapport des circonstances locales et de la liberté, Vidal prolonge Michelet; mais, en fait, il le dépasse.

S'il minimise ou dévalorise la monarchie, la féodalité, la vie urbaine et même économique, c'est que ces sphères sont régies par un principe d'orientation, de direction, de domination venant de l'extérieur. Or, Vidal rejette tout ce qui vient contraindre, infléchir les liaisons intimes, locales, du sol et de ses habitants, tout ce qui vient ordonner et hiérarchiser les libres agrégations qui ont fait la France (au détriment de certaines leçons que l'histoire apporte sur la construction de la France). Vidal, au fond, n'aime pas généraliser. Il n'aime pas non plus ce qui arrête; c'est pourquoi, à bien regarder, aucune analyse des régions frontalières ne cherche vraiment à rendre compte de ce qui les définit comme régions limites.

Comme on comprend alors cet éloge de la France qu'il prononce d'entrée: «C'est l'abondance des "biens de la terre", suivant l'expression chère aux vieilles gens, qui pour eux s'identifie avec ce nom [la France]. L'Allemagne représente surtout pour l'Allemand une idée ethnique. Ce que le Français distingue dans la France, comme le prouvent ses regrets quand il s'en éloigne, c'est la bonté du sol, le plaisir d'y vivre. Elle est pour lui le pays par excellence, c'est-à-dire quelque chose d'intimement lié à l'idéal instinctif qu'il se fait de la vie» (50). Est-il plus éloquente proclamation naturaliste?

Mais qu'exprime en définitive cette proclamation, sinon l'idée, venue de 1789, que la nation est le produit de la volonté de vivre ensemble de ses habitants, face à la conception déterministe qui prévaut en Allemagne? C'est donc l'affirmation par un géographe de ce que la nation française en tant qu'ensemble transcende la géographie qui l'investit dans toutes ses localités. Belle et subtile leçon de l'esprit de finesse. La fidélité au déterminisme ratzélien demeure grande dans l'analyse locale, mais Vidal s'en sépare totalement au niveau de l'espace national dans son ensemble.

Il y a là une vision que Vidal de La Blache veut transmettre aux générations à venir. Car dans sa conclusion, il ne se leurre guère: «Ni le sol ni le climat n'ont changé; pourquoi cependant ce tableau paraît-il suranné? Pourquoi ne répond-il plus à la réalité présente?» (385). C'est là, ajoute-t-il, une question qu'il ne veut ni ne doit aborder. Il ne le doit pas, certes, en raison de la place de l'ouvrage dans la collection de Lavisse, mais il ne le veut pas, parce que s'il perçoit bien les effets des «grandes révolutions économiques» (385) issues du XIXe siècle industriel et commercial il n'en demeure pas moins que «nous pensons aussi que les grands changements dont nous sommes témoins n'atteindront pas foncièrement ce qu'il y a d'essentiel dans notre tempérament national. La robuste constitution rurale que donnent à notre pays le climat et le sol est un fait cimenté par la nature et le temps. Il s'exprime par un nombre de propriétaires qui n'est égalé nulle part» (385-386). D'où la dernière phrase du livre: «L'étude attentive de ce qui est fixe et permanent dans les conditions géographiques de la France doit être ou devenir plus que jamais notre guide» (386).

«Fixe et permanent», «être ou devenir»: ces deux expressions dessinent un devenir de la France inscrit dans quelque chose de quasiment éternel.

L'avenir lui a-t-il donné raison? Sur le plan de la géographie en tant que discipline scientifique, le débat est ouvert, car malgré le prestige et la fécondité de l'école géographique française dont il fut l'inspirateur, bien des approches, économiques, sociales, urbaines, sont venues modifier profondément l'analyse des rapports de l'homme et du sol. Son déterminisme, même assorti de toutes les nuances qu'il y a introduites, peut apparaître comme trop tributaire du XIXe siècle et de ses tentatives d'explication totalisantes. Son *Tableau* est plus proche de celui de Michelet que d'un ouvrage géographique actuel sur la France.

Le *Tableau de la géographie de la France* résume et clôt magnifiquement la tradition française du XIXe siècle. Il reprend et renouvelle l'idée de la France de 1789 consciente de son unité voulue et non subie; il reformule la grande vision de la France carrefour des civilisations (sans verser dans le triomphalisme de la France synthèse des civilisations); en remontant au-delà du XIXe siècle, il renouvelle l'idée des bassins fluviaux, en la débarrassant de tout schématisme, par l'importance qu'il attache à l'hydrographie.

Mais le *Tableau* de Vidal de La Blache ne peut être apprécié seulement dans une stricte perspective géographique. Les six réimpressions entre 1905 et 1979, plus la somptueuse édition illustrée de 1908, montrent que l'ouvrage s'est détaché de l'*Histoire de France* dont il formait l'introduction, pour prendre sa place comme une œuvre en soi. Il faudrait pouvoir apprécier quel fut exactement son rayonnement, on peut en tout cas affirmer qu'il dépasse largement les cercles de géographes.

On sait l'importance du *Tableau* et de toute l'œuvre de Vidal pour Lucien Febvre, qui élabora sa propre réflexion et pensa le rapport synchronie/diachronie à travers une lecture de Vidal. Le *Tableau* est l'une des sources de l'école des *Annales*. Deux témoignages: Fernand Braudel d'abord, qui écrit: «Je dirais volontiers que le *Tableau de la géographie de la France*, paru en 1903, au seuil de la grande *Histoire de France* d'Ernest Lavisse, est l'une des œuvres majeures non seulement de l'école géographique, mais aussi de l'école historique française[40].» Et Georges Duby, qui confie à Guy Lardreau à propos des *Annales*: «Ce ne sont pas mes maîtres en histoire qui me l'ont fait

découvrir, alors que j'étudiais à l'université de Lyon, ce sont mes maîtres en géographie [...] parce que, en ces temps déjà anciens, l'école géographique française était à l'avant-garde de toutes les sciences humaines[41]. »
Georges Duby ajoute que cette position dominante fut perdue à cause de la scission progressive entre géographie physique et géographie humaine. Le « miracle » d'écriture du *Tableau* tient précisément à l'alliance intime entre les deux branches, et illustre le triomphe de la géographie française au début du siècle. Cela tient à ce que Vidal avait parfaitement vu l'importance de l'ethnologie et que sa visée est au premier chef anthropologique, fût-ce au prix d'un naturalisme aujourd'hui dépassé. Si l'histoire et toute la pensée contemporaines n'ont cessé de faire une place croissante aux puissances matérielles ou mentales qui agissent dans la longue durée, et dévalorisent le jeu des individualités héroïques et des forces politiques autonomes ou l'empire de l'esprit souverain, c'est bien à des hommes comme Vidal de La Blache que nous le devons.
C'est dans cette perspective de la longue durée que sa lecture est si passionnante, c'est là que prend tout son sens son va-et-vient constant du donné géographique à la façon dont les hommes s'en arrangent. Écoutons-le encore une fois, lorsqu'il décrit la Beauce : « La vie de plaine y existe seule, à l'exclusion de la variété qu'amène toujours la vie de vallée. Elle se concentre en de gros villages, agglomérés autour de puits qui n'atteignent l'eau qu'à une grande profondeur, dépourvus de cet entourage d'arbres et de jardins dans lequel s'épanouit le village picard. Le calcaire, toujours voisin de la surface, fournit de bons matériaux, soit pour la construction des maisons, soit pour l'empierrement des routes. Le fermier beauceron, largement logé, circule en carriole sur les longues routes qui s'enfilent vers l'horizon. L'idée d'une vie abondante et plantureuse s'associe au pays qu'il habite, entre dans ses habitudes et ses besoins » (147).
Admirable sobriété pour combiner fortement tant d'éléments : la nature du sol ; la structure du sous-sol, évoquée par ses effets sur les eaux ; le modelé et le type de paysage ; son humanisation par l'habitat et les routes ; l'opulence paysanne dominante ; la création d'un rythme d'existence et d'un mode de pensée. Mais c'est en vain que l'on tenterait d'insérer dans cette trame serrée de quoi rendre compte des autoroutes, des zones industrielles et des Z.U.P. Car c'est – et c'est seulement, contre son projet défini par la dernière phrase du livre – de la France d'avant 1914 que Vidal nous a laissé un irremplaçable portrait.
On connaît son environnement intellectuel et politique. Dans ces bastions de la République que sont l'École normale et la Sorbonne, il est le tout proche collègue de Lavisse, Rambaud, Langlois, Seignobos... Bien qu'il ne se fût guère engagé, son dreyfusisme est certain. Et si Armand Colin est l'éditeur de

ses principaux ouvrages, ce n'est pas un hasard: Colin est républicain, tandis que Delagrave publie des libéraux plus conservateurs et Mame le courant catholique. Quant à Hachette, autre grand éditeur de géographie, il n'est guère marqué politiquement. La pensée vidalienne s'étendra également à cette autre grande institution de la IIIe République qu'est l'École libre des sciences politiques, où Vidal enseigne à partir de 1909, et où son disciple André Siegfried sera chargé de la géographie[42].

Cependant, ses relations avec les disciples de Frédéric Le Play, son intérêt pour les questions coloniales[43], et surtout pour les possibilités solidaristes exprimées dans le régionalisme, dans les associations de toute sorte (par exemple les fruitières du Jura) nous peignent un homme soucieux de dépasser les clivages politiques stricts pour rejoindre une position proprement nationale. N'en est-il pas de même pour Lavisse[44], haï mais aussi reconnu par les maurrassiens?

La géographie de Vidal de La Blache participe de la pensée et de la pratique républicaines des sciences de l'homme dans ce qu'elles ont alors de plus urgent: fonder le patriotisme[45]. Il y a un accord profond entre le *Tableau* et l'ardente pensée nationale qui inspire toute l'œuvre d'Ernest Lavisse, même s'il y a chez Vidal plus de souplesse, plus d'amour de la nuance que chez son collègue historien. En tout cas, le *Tableau de la géographie de la France* est une œuvre plus politiquement engagée qu'il n'y paraît à première vue.

C'est l'expression d'une pensée foncièrement spiritualiste, partie prenante du grand courant qui depuis le milieu du XIXe siècle tente d'édifier face au catholicisme une morale, voire une religion naturelle. C'est là que prend son sens le recours de Vidal à la pensée de la contingence et à ses fondements néokantiens, comme le montre Vincent Berdoulay dans sa thèse[46].

C'est sur la base du principe de contingence que Vidal et son école, proches de Cournot et d'Henri Poincaré, ont répondu à la question posée par François Simiand: comment inscrire dans une série causale et explicative un événement unique et singulier, telles une région ou une nation[47]? Les vidaliens répondent en combinant la spécificité du lieu et les expressions de l'universalité – en combinant géographie régionale et géographie générale – et ils posent une série de phénomènes liés par des enchaînements qui se nouent en fonction des circonstances: «Les influences du milieu, écrit Vidal, ne se révèlent à nous qu'à travers une masse de contingences historiques qui les voilent[48].» Le *Tableau* est à coup sûr le texte de Vidal où cette épistémologie est le plus fortement mise à l'épreuve de l'expérience.

Vincent Berdoulay note l'accord entre cette philosophie de la contingence et la politique opportuniste de Gambetta et Ferry. Faut-il chercher là la source d'une certaine faiblesse du *Tableau* et de toute la pensée vidalienne, un certain flou artistique que lui reprochait son disciple dissident Camille Vallaux, et qu'il attribuait à une trop forte influence de la pensée allemande? Nous verrions plutôt chez Vidal la perception aiguë de la fragilité des bases conceptuelles de la géographie, perpétuellement déchirée par le problème de son unité entre disciplines physiques et sociales.

Mais, surtout, aucune position philosophique ou politique ne rend compte de l'inspiration proprement vidalienne et de ce qui à chaque phrase éclate dans le *Tableau:* un sens de la plénitude concrète des choses, de leur densité, un souffle virgilien, la recherche d'un accord avec la vie profonde de la France rurale, la France des *pays* que tant d'hommes politiques, du radical Édouard Herriot à la droite la plus conservatrice, s'efforcèrent de protéger des bouleversements du XXe siècle.

bibliographe succincte

Outre les articles et ouvrages cités dans les notes, on peut consulter:

Sur Paul Vidal de La Blache: Notice sur la vie et les travaux de M. Paul Vidal de La Blache, par Léon Bourgeois, séance du 27 novembre 1920 de l'Académie des sciences morales et politiques; Lucien Gallois, «Paul Vidal de La Blache», Annales de géographie, 15 mai 1918; «Pour le cinquantenaire de la mort de Paul Vidal de La Blache», par Paul Claval et Jean-Pierre Nardy, Cahiers de géographie de Besançon, 16, Les Belles Lettres, Paris, 1968. En outre, la réédition du Tableau par Paul Claval comprend une biographie de Vidal de La Blache et une bibliographie exhaustive de ses œuvres.

Le manuel d'enseignement intitulé La France et publié en 1897 par Vidal de La Blache et Camena d'Almeida (professeur à la faculté des lettres de Caen) contient un texte capital de Vidal de La Blache, «Les divisions fondamentales du sol français». Il y pose les fondements scientifiques de l'étude régionale de la France.

Sur le Tableau de la géographie de la France et les questions qu'il soulève: Jean Canu, «Les Tableaux de la France, premiers essais: Michelet, Reclus, Vidal de La Blache, Jean Brunhes», Publications of the Modern Language Association, 46, 1931, pp. 554-604; pour comparaison avec l'ouvrage de Vidal, voir la Géographie humaine de la France, volume d'introduction de Jean Brunhes à l'Histoire de la nation française publiée par Gabriel Hanoteaux, Paris, 1920. Élève de Vidal, le catholique libéral Jean Brunhes y développe une vision riche et ample mais peut-être moins rigoureuse que celle de son maître; Géographie générale, sous la direction d'André Journaux, Pierre Deffontaines et Mariel Jean-Brunhes Delamarre, Paris, Gallimard, Encyclopédie de la Pléiade, 1966.

1. Premier tome de l'*Histoire de France* dirigée par Ernest Lavisse et publiée par Hachette (9 tomes en 19 volumes, 1900-1911), le *Tableau* n'est cependant pas le premier volume paru puisqu'en 1902, 7 volumes étaient déjà sortis, allant des origines au XVe siècle. Le *Tableau* (395 pages in-4°, 63 cartes et figures dans le texte) a connu plusieurs réimpressions *ne varietur:* 1905, 1908, 1913, 1930 (avec 24 planches de photos), une réimpression sans date, plus une édition en Grand in-8° en 1908, avec trois cent deux gravures et cartes, sous le titre *La France. Tableau géographique.* Le texte est à peu de chose près le même (à part quelques détails dus au fait que ce volume n'est plus inséré dans une collection), avec en plus un avertissement (voir ci-dessous, note 26).
Toutes ces éditions ont une carte en couleurs de la France et de l'Europe « pour servir à l'histoire de l'occupation du sol ». Cette carte hors-texte est omise dans la réimpression photo mécanique de l'édition de 1903 publiée en 1979 par la Librairie Jules Tallandier avec une préface et des annexes dues à Paul Claval. C'est à cette édition que renvoient nos références de pagination.

2. Né en 1845 à Pézenas. Premier au concours d'entrée à Normale en 1863. Premier à l'agrégation d'histoire, il est envoyé par Duruy à l'école française d'Athènes de 1867 à 1870. Sa thèse, soutenue en 1872, est encore, selon la tradition, une thèse d'histoire, mais, traumatisé par la défaite, il fut probablement sensible au rapport que publie alors Émile Levasseur (géographe qui précéda Vidal sur de nombreux points) pour montrer les conséquences catastrophiques de la faible place de la géographie dans l'enseignement français, contrairement à la place qu'elle occupait en Allemagne. Entrant en 1873 dans la chaire d'histoire occupée par Fustel de Coulanges à Strasbourg et transférée à Nancy, Vidal décide de s'y consacrer entièrement à la géographie, ce qu'il fait jusqu'en 1877 où il est nommé à l'École normale dont il deviendra le sous-directeur. C'est là que, en vingt ans, il va créer la nouvelle école française de géographie. En 1898, la retraite d'Auguste Himly, obstinément resté fidèle à l'ancienne géographie historique selon la tradition issue du XVIIe siècle, lui ouvre les portes de la Sorbonne, où il fait triompher ses conceptions et forme ses élèves jusqu'à sa retraite en 1908. Jusqu'à sa mort en avril 1918, Vidal de La Blache continue de dominer la géographie française. Outre son *Tableau,* il se rend célèbre par son *Atlas* (1894) et ses fameuses cartes murales, et par des ouvrages comme *La France de l'Est* (1917). Ses multiples conférences et articles des *Annales de géographie,* fondées par lui en 1891 avec Lucien Gallois, ont également un grand retentissement.

3. Les chiffres entre parenthèses renvoient à la pagination du *Tableau* de l'édition Tallandier, Paris, 1979.

4. Numa Broc, « La géographie française face à la science allemande, 1870-1914 », *Annales de géographie,* 86, 1977. Voir aussi l'article « Ratzel » de l'*Encyclopaedia Britannica.*

5. Paul Claval, *Essai sur l'évolution de la géographie humaine,* Cahiers de géographie de Besançon, 12, Paris, Les Belles Lettres, 1964.

6. L'influence du déterminisme ratzélien sur Vidal de La Blache est une question complexe, dont nous essayons dans la suite du texte de faire le bilan. On ne peut accepter pour Vidal l'opinion de Mariel Jean-Brunhes Delamarre, qui écrit que « Paul Vidal de La Blache ainsi que Jean Brunhes, qui fut son élève, réagirent vivement contre le déterminisme ratzélien » (chapitre « Géographie humaine et ethnologie » de l'*Ethnologie générale,* sous la direction de Jean Poirier, Paris, Gallimard, Encyclopédie de la Pléiade, 1968, p. 1477). Il faut distinguer les niveaux : il est certain que pour ce qui concerne les écrits de Ratzel qui nourrirent (en forçant d'ailleurs sa pensée) les spéculations sur le « *Lebensraum* », Vidal a pris ses distances, et l'étude du *Tableau* le montre bien. Mais Vidal n'a jamais cessé de se référer à Ratzel et il publie en 1898 dans les *Annales de géographie* un article intitulé « La géographie politique à propos des écrits de M. Frédéric Ratzel », où on peut certes lire entre les lignes une discrète mise en garde contre une « forme dogmatique peu en rapport avec la relativité des phénomènes » (99), mais où Vidal renvoie chaleureusement ses lecteurs et élèves aux ouvrages du grand géographe allemand qui donne « une conception de la géographie

politique répondant à l'état présent de la science» (111). L'article montre bien que Vidal a des conceptions plus affinées que celles de Ratzel sur la géopolitique, mais qu'il n'en apprécie pas moins la richesse de l'œuvre de son collègue.

7. Jules Michelet, *Introduction à l'histoire universelle.*

8. «Débat sur le nationalisme et le patriotisme» (1905), Émile Durkheim, *Textes*, III, Paris, Éd. de Minuit, 1975, p. 180.

9. *Annales de géographie*, 5, 15 janvier 1896, p. 138.

10. Sur les rapports de la morale et de la géographie, voir la thèse de Vincent Berdoulay, *La Formation de l'école française de géographie (1870-1914)*, Paris, Comité des travaux historiques et scientifiques, Bibliothèque nationale, 1982.

11. Voir à ce sujet le chapitre de Philippe Pinchemel sur Vidal de La Blache dans *Les Géographes français, Bulletin de la section de géographie du Comité des travaux historiques*, tome LXXXI, Paris, Bibliothèque nationale, 1975, pp. 9-23.

12. Paul Claval, *op. cit.*, p. 48.

13. Voir Jean-Yves Guiomar, «Le désir d'un tableau», *Le Débat*, 24, mars 1983, pp. 90-106.

14. Nous citons d'après l'édition présentée par Charles Morazé, Paris, Bibliothèque de Cluny, Armand Colin, 1962, p. 82 à 161.

15. Paul Viallaneix, *La Voie royale*, Paris, Flammarion, 1971, p. 256.

16. J. Michelet, *Tableau de la France, op. cit.*, p. 85.

17. Id., *Ibid.*, p. 82.

18. *Ibid.*, p. 104.

19. *Ibid.*, p. 138.

20. *Ibid.*, p. 151.

21. *Ibid.*, p. 155.

22. *Ibid.*, pp. 156-157.

23. *Ibid.*, p. 159.

24. *Ibid.*, p. 160.

25. Vincent Berdoulay, *op. cit.*, chap. IV. Vidal de La Blache a consacré au régionalisme un important article, «Les régions françaises», dans la *Revue de Paris* du 15 décembre 1910. Sur Pierre Foncin, voir sa biographie par J.-B. Duthil, dans la *Revue de géographie commerciale de Bordeaux*, 1925-1926.

26. Chapitre II du tome I, «Situation de la Gaule dans le monde ancien», pp. 40-56.

27. Voir encadré: «L'Argonne».

28. Sur le progrès de la géographie physique en France entre 1890 et 1914, voir André Meynier, *Histoire de la pensée géographique en France*, Paris, 1969, et Numa Broc, «Les débuts de la géomorphologie en France: le tournant des années 1890», *Revue d'histoire des sciences*, 28, 1975.

29. Nom donné en Bourgogne aux sources jaillissantes.

30. Le paysage pour le géographe synthétise toutes les données physiques et humaines. L'édition de 1908 en Grand in-8° parue chez Hachette sous le titre *La France. Tableau géographique* comprend un avertissement consacré à l'illustration photographique abondante du volume. «Un paysage terrestre est un ensemble complexe, pour ne parler d'abord que des formes, entre des éléments d'âge et de conformations différents.» Les photographies illustrent la qualité du regard géographique sur le paysage. «Le plaisir de philosopher se mêle à celui de voir. Un regard averti saura ainsi trouver de l'intérêt dans des paysages qui paraîtraient peut-être insignifiants ou médiocres à un touriste ou même à un artiste», mais il

faut que la photographie «soit pratiquée dans un esprit géographique, par des personnes sachant épier la nature».

31. Albert Demangeon évoluera beaucoup, lui dont la thèse de 1905 sur la Picardie est étroitement vidalienne. Le chapitre XV étudie, dans une continuité significative, «Les établissements humains. Les maisons. Les villages. Les bourgs et les villes.» Déjà avec Camille Vallaux, dans sa thèse de 1906 sur la basse Bretagne, un changement est amorcé : le chapitre XI s'intitule «Les villes, les routes, les échanges». Mais Vallaux est un futur dissident.

32. Voir Michel Denis, «La géographie et les origines des déséquilibres régionaux en France», *La Pensée géographique française contemporaine (Mélanges offerts à André Meynier)*, Saint-Brieuc, Presses Universitaires de Bretagne, 1972, pp. 683-691.

33. Lucien Febvre, *La Terre et l'évolution humaine*, 1922, rééd., Paris, Albin Michel, 1970, IIIe partie.

34. Voir les articles de Vidal de La Blache : «Les conditions géographiques des faits sociaux», *Annales de géographie*, 11, 1902, et «Rapports de la sociologie avec la géographie», *Revue internationale de sociologie*, 12, mai 1904.

35. «Les pays de France», paru dans *La Réforme sociale* des 1er-16 septembre 1904.

36. *Annales de géographie*, 20, 1911, p. 297.

37. Son ami et collaborateur Lucien Gallois publiera en 1908 un important travail sur les *Régions naturelles et noms de pays*, dont Vidal rendra compte dans le *Journal des Savants* de septembre-octobre 1909.

38. *La Basse Bretagne, étude de géographie humaine*, parue en 1906. Vallaux est professeur à l'École navale.

39. Julien Gracq, *En lisant, en écrivant*, Paris, José Corti, 1981, p. 87. Faut-il rappeler que Julien Gracq fut professeur d'histoire et de géographie ?

40. Fernand Braudel, *Écrits sur l'histoire*, Paris, Flammarion, 1969, p. 31.

41. Georges Duby et Guy Lardreau, *Dialogues*, Paris, Flammarion, 1980, p. 95.

42. Sur tous ces points, voir les développements substantiels de Vincent Berdoulay, *op. cit.*, chap. III, IV et V.

43. Id., *ibid.*, chap. II.

44. Pierre Nora, «Lavisse, instituteur national», dans *Les Lieux de mémoire*, I, *La République*, pp. 285-286.

45. Numa Broc, «Histoire de la géographie et nationalisme en France sous la IIIe République, 1871-1914», *L'Information historique*, 32, 1970.

46. V. Berdoulay, *op. cit.*, chap. VI.

47. Tout cela serait à lier au fameux affrontement entre géographes vidaliens et sociologues durkheimiens au début du siècle, sur les fondements, les méthodes et l'objet de la géographie.

48. Vidal de La Blache, «Des caractères distinctifs de la géographie», *Annales de géographie*, 23, 1913, cité par V. Berdoulay, *op. cit.*, p. 211.

BIBLIOGRAPHE SUCCINCTE

Outre les articles et ouvrages cités dans les notes, on peut consulter :
Sur Paul Vidal de La Blache : *Notice sur la vie et les travaux de M. Paul Vidal de La Blache*, par Léon Bourgeois, séance du 27 novembre 1920 de l'Académie des sciences morales et politiques ; Lucien Gallois, «Paul Vidal de La Blache», *Annales de géographie*, 15 mai 1918 ;

«Pour le cinquantenaire de la mort de Paul Vidal de La Blache», par Paul Claval et Jean-Pierre Nardy, *Cahiers de géographie de Besançon*, 16, Les Belles Lettres, Paris, 1968. En outre, la réédition du *Tableau* par Paul Claval comprend une biographie de Vidal de La Blache et une bibliographie exhaustive de ses œuvres.
Le manuel d'enseignement intitulé *La France* et publié en 1897 par Vidal de La Blache et Camena d'Almeida (professeur à la faculté des lettres de Caen) contient un texte capital de Vidal de La Blache, «Les divisions fondamentales du sol français». Il y pose les fondements scientifiques de l'étude régionale de la France.
Sur le *Tableau de la géographie de la France* et les questions qu'il soulève: Jean Canu, «Les Tableaux de la France, premiers essais: Michelet, Reclus, Vidal de La Blache, Jean Brunhes», *Publications of the Modern Language Association*, 46, 1931, pp. 554-604; pour comparaison avec l'ouvrage de Vidal, voir la *Géographie humaine de la France*, volume d'introduction de Jean Brunhes à l'*Histoire de la nation française* publiée par Gabriel Hanoteaux, Paris, 1920. Élève de Vidal, le catholique libéral Jean Brunhes y développe une vision riche et ample mais peut-être moins rigoureuse que celle de son maître; *Géographie générale*, sous la direction d'André Journaux, Pierre Deffontaines et Mariel Jean-Brunhes Delamarre, Paris, Gallimard, Encyclopédie de la Pléiade, 1966.

2. Le matériel

Le territoire

Qui dit nation dit conscience des limites, enracinement dans la continuité d'un territoire, donc mémoire. Spécialement en France.

La France, en effet, qui, de tous les vieux États-nations de l'Europe, a eu le plus de kilomètres à défendre, a toujours lié sa définition nationale, qu'elle soit monarchique, révolutionnaire ou républicaine, à la délimitation précise de son territoire de souveraineté. Un territoire fondé sur des représentations historiques : le souvenir de la Gaule ; géométriques : le carré, le rond, l'octogone, avant l'hexagone ; ou naturelles : autant dire providentielles.

Par l'appel à quelle mémoire le pouvoir a-t-il marqué son territoire ? Celle des habitants du lieu ? des documents d'archives ? des agents de l'État ? Fixation, perception des frontières : la question est en plein renouvellement ; et, plutôt que sur la succession classique des types de frontières, dont le souvenir ne s'est jamais perdu depuis le partage de Verdun en 843, c'est sur elles qu'on a concentré l'attention. Non sans faire un sort à une autre forme de rapport de la frontière à la mémoire, celle d'une région frontalière. En l'occurrence l'Alsace, la plus lourde de poids symbolique et national.

Mais il y a les frontières politiques, et celles, héritage d'une longue sédimentation, qui la fragmentent au-dedans d'elle-même. Ce n'est pas seulement l'habit d'Arlequin de son espace géographique, le maillage ultra-fin de ses parcelles et lieux-dits, c'est tout son territoire culturel, mental et politique qu'on pourrait reconstruire sur la notion de partage : la cour et la ville, la coutume et l'écrit, Paris et la province, la droite et la gauche. Partage, le lieu de mémoire par excellence des réalités nationales. De ces dichotomies fondatrices et qu'on pourrait multiplier à l'infini, la coupure majeure reste celle des deux France : Nord-Sud.

Pierre Nora 1986

BERNARD GUENÉE

Des limites féodales aux frontières politiques

Les limites féodales ont longtemps désespéré les médiévistes. Ils les voyaient si mouvantes, si complexes, si imprécises qu'ils refusaient même de les décrire et de les dessiner. Il leur semblait que les seigneurs et leurs hommes avaient vécu dans un monde flou[1].

Cependant, depuis bientôt quarante ans, se poursuit une lente révision de ces idées trop sombres et trop générales. L'érudition découvrit sans peine, dans le nord de la France, en Normandie ou en Bourgogne, des limites précises, linéaires, et si stables qu'on les retrouvait, par exemple, au XIIe siècle, telles que trois siècles plus tôt. L'État carolingien en effet était divisé, sur le plan civil, en *pagi* qu'administrait un comte, et, sur le plan ecclésiastique, en diocèses à la tête desquels était un évêque. Comme un diocèse était formé d'un ou plusieurs *pagi*, les limites civiles et religieuses carolingiennes coïncidaient, et ce sont ces limites administratives précises et linéaires qui se maintinrent parfois à travers les siècles.

Il fallait pourtant à ce maintien au moins deux conditions. Il fallait d'abord que la région fût assez peuplée pour que des limites précises y fussent nécessaires et que la mémoire pût, d'une génération à l'autre, s'en conserver. Il fallait aussi qu'un pouvoir fort fût capable de maintenir les structures carolingiennes dont ces limites précises et linéaires n'étaient qu'un des reflets.

Or, si tel fut bien parfois le cas, souvent le lent effacement de toute distinction entre public et privé, la construction des pouvoirs sur la possession du sol ou des liens d'homme à homme livraient le tracé des limites politiques au hasard des achats, des héritages et des hommages. Un comte mettait-il la main sur telle terre sise dans le comté voisin mais proche de son propre comté; recevait-il l'hommage d'un seigneur qui, jusqu'alors, avait été vassal du comte voisin; ce domaine et ce fief faisaient bientôt partie de son propre comté, dont les limites devenaient par là instables et, à la longue, singulière-

ment complexes. Aux temps féodaux, au XIe ou au XIIe siècle, surgissent ainsi de la pénombre documentaire des limites qui n'ont plus ni la valeur ni le tracé des limites carolingiennes. Elles sont pourtant précises là où il y avait des hommes. Car les villageois devaient savoir jusqu'où mener paître leurs troupeaux, les seigneurs quelles redevances exiger, les curés quelles dîmes lever. Il n'y a pas de vie possible sans limites précises.
Là où l'homme était quasiment absent, par contre, là où il y avait marais, forêts ou «déserts», qui aurait pu dire jusqu'où précisément allait la justice des seigneurs qui dominaient, de part et d'autre, leurs bords? Au XIIe siècle, dans le Lassois, le voyageur qui prenait, dans les vallées, une des trois routes possibles, savait fort bien où il quittait la Bourgogne et entrait en Champagne, mais sur les plateaux les hommes, leurs animaux étaient trop rares pour avoir pu figer des limites précises[2]. Et il y avait ainsi parfois, au XIIe siècle encore, des zones quasi désertiques, des marches forestières où n'existait nulle limite précise, où des villages neufs et des pouvoirs forts n'allaient fixer un tracé précis que dans le cours du XIIe siècle, ou au XIIIe siècle, comme en Champagne par exemple[3], et plus tard même dans des pays montagneux comme le Béarn ou la Savoie[4].
Ainsi les limites politiques étaient-elles, dans la France du XIIe siècle, de types différents. Ici, c'était des limites précises et linéaires héritées des temps carolingiens; là, c'était des limites précises encore, mais complexes, tout récemment issues des conflits féodaux; là enfin, c'était des marches indécises. Toutes ces limites avaient en commun qu'elles étaient contestées, qu'elles donnaient lieu à conflits. Et le constant souci des princes fut de contenir les pouvoirs voisins, d'affirmer le leur. Et de même qu'un seigneur foncier consciencieux prenait soin de marquer au sol et noter par écrit les limites de sa seigneurie[5], de même un consciencieux détenteur de pouvoir veillait-il à ce que sa terre fût bornée, et à conserver par écrit la mémoire de ces limites précises. Ainsi les limites du comté de Verdun étaient-elles enregistrées dès le XIe siècle[6]. Ainsi les gens du comte de Champagne, en 1270, notaient-ils avec précision la limite qui, selon eux, séparait le comté de Champagne de la châtellenie de Melun et que les gens du roi, eux, contestaient: cette limite partait de la croix située au carrefour de la voie qui séparait les terres de l'abbaye Sainte-Colombe de Sens du terroir de Villeneuve-le-Comte, puis, sautant de borne en puits, d'arbre en fontaine, coupant des rivières, longeant chemins ou ruisseaux, elle aboutissait enfin aux haies de Nangis, qu'elle suivait très exactement[7].
Toutes sortes de repères étaient donc possibles. C'était parfois des haies. Haies de houx, de sureau, et surtout d'épines[8]. C'était souvent des arbres. Parfois des chênes[9], presque toujours des ormes. En 1270, tandis que les gens du roi prétendaient que la châtellenie de Melun allait, entre autres, jusqu'aux ormes de

Lizines, les gens du comte de Champagne décrivaient une limite qui passait, entre autres, «pres dou Chesne de la Devise», «as ormes de Codroi», «à l'orme qui est entre Vienne et Pont Hannois[10]». Les eaux étaient des repères encore plus évidents. Ainsi les puits, les fontaines, les étangs et surtout toutes eaux courantes, des plus importantes aux plus modestes: les fleuves, les rivières, les ruisseaux, les rus et même de simples filets d'eau; la limite entre la Champagne et le Barrois passait dans le village même de Domremy, où elle suivait, à un moment, «ung petit ruiceau sur lequel a une grosse pierre plate[11]». Les routes aussi, vieilles chaussées romaines ou plus modestes voies, pouvaient être de commodes repères. Les limites les suivaient souvent, et s'accrochaient plus particulièrement aux points remarquables qu'étaient les ponts, où les chemins coupaient les rivières, et les carrefours, où, souvent, des croix avaient été dressées, qui marquaient mieux encore la limite.

Les arbres, les rivières et les routes ne manquaient pas. Ils ne suffisaient pourtant pas à marquer une limite précise et continue. Très tôt, et en tout cas au XIIe siècle, des hommes soucieux de précision surent ajouter aux repères qui leur étaient donnés des repères conventionnels. Ce furent parfois des fossés, qui permettaient de matérialiser une limite linéaire. Ainsi, en Champagne, en 1185, dans une forêt indécise, une commission paritaire présida au creusement d'un fossé-limite[12]. De tels fossés furent au total rares, et l'on utilisera le plus souvent des repères ponctuels: d'abord de simples bâtons coiffés à leur sommet d'un bouchon de paille ou de foin qu'on appelait, du moins dans le nord de la France, des «escouves[13]»; bientôt des repères moins fragiles, des bornes et des croix. Par exemple, au traité du Goulet, en 1200, Jean sans Terre abandonnait à Philippe Auguste une large partie de l'Évrecin. Pour matérialiser le territoire qui appartenait désormais au roi de France, une borne fut posée sur la route d'Évreux au Neubourg, juste à mi-chemin. Du Neubourg à la borne, le pays restait normand; de la borne à Évreux, Philippe Auguste en était maître[14]. Ces bornes dont on eut, à partir du XIIe siècle, si souvent besoin, il ne fut même pas toujours nécessaire de les tailler. Pendant le Haut-Empire, au deuxième siècle de notre ère, avaient été placées sur la route de Langres des bornes milliaires où l'on pouvait lire le chiffre de la distance jusqu'à Langres, par exemple, sur l'une, M. P. XIII (*Milia Passuum* XIII, c'est-à-dire treize milliers de pas, c'est-à-dire treize milles) et, sur l'autre, M. P. XII. Au XIIe siècle, quelques-uns de ces lourds blocs de pierre (deux mètres cinquante de long et soixante centimètres de diamètre) furent déplacés et allèrent marquer, dans les bois, une limite indécise d'une seigneurie de l'évêque de Langres[15]. En 1389, Gaston Fébus imposait à un voisin plus faible une rectification de frontière favorable au Béarn: les commissaires béarnais partirent accomplir leur mission avec deux chars pleins de longues pierres et de croix[16].

Dès le XIIe siècle, des limites continues sont donc courantes. Elles sont bientôt la norme. Mais pour les fixer au sol dans leur complexité il y faut des repères en nombre infini. Et la mémoire des limites est forcément fragile. Une borne arrachée[17], un orme déraciné[18], un ruisseau détourné[19], des repères oubliés, et voilà le tracé d'une limite fixée à grand-peine à nouveau brouillé ou contesté. De plus, fixer de telles limites au sol est une chose déjà difficile. Les décrire sans s'aider encore, bien entendu, de croquis ou de cartes en est une autre, encore plus ardue. De ces descriptions minutieuses ont été ici ou là tentées, et plus ou moins réussies, nous l'avons vu. Elles restent au total, par la force des choses, fort rares. Les princes savaient leurs archives incapables de leur conserver la mémoire des limites de leurs terres[20].

Au reste, la mémoire précise d'une limite continue n'était pas, au XIIe ou au XIIIe siècle, le souci majeur des princes et de leurs hommes. Cette mémoire était d'autant plus fragile que, dans le concret de la vie quotidienne, elle n'était pas l'essentiel. Certes, il était important de savoir où passait la limite puisqu'elle pouvait séparer deux ressorts de justice ou de coutumes[21]. Mais, pour l'essentiel, cette limite précise, loin de séparer deux mondes distincts et étrangers, était au contraire l'épine dorsale d'une zone plus large qui s'étendait de part et d'autre de la limite, qu'on appelait la «marche[22]», qui avait sa vie et ses problèmes propres, distincts de ceux que vivaient et connaissaient en leur centre les pouvoirs qui s'y retrouvaient, ou s'y heurtaient. Car ces marches étaient d'abord des lieux de conflits, mais peut-être surtout des lieux de rencontres. En ces «terres de débat[23]» où s'enchevêtraient les droits et les prétentions contradictoires surgissaient les forteresses menaçantes[24] et s'affrontaient les armées hostiles. Et, tout naturellement, «ces simulacres de batailles[25]», ces «véritables batailles dont l'Église avait peine à adoucir la dureté primitive[26]» que furent les grands tournois du XIIe et du début du XIIIe siècle eurent lieu, presque toujours, en marche. Et c'est de même en marche, en «lieu neutre» comme on dira parfois plus tard[27], que les seigneurs se rencontraient pour se jurer la paix, pour prêter ou recevoir un hommage[28]. C'est encore en marche que se tenaient les plaids où des commissions mixtes jugeaient les différends nés entre les maîtres ou les hommes des seigneuries voisines. Comme une rencontre s'appelait souvent «estal[29]», ces plaids particuliers, du moins en Lorraine, portaient le nom d'«estaus» ou de «marches d'estaulx[30]», on appelait «lesdites journees les journees des estaus[31]». La vie judiciaire d'une marche ne se réduisait d'ailleurs pas à ces «estaus». Elle était plus intense. Car souvent les seigneurs, au lieu de tenir leur cour au cœur de leur domaine, préféraient, pour bien marquer leur territoire, manifester leur justice à ses limites. Là se tenaient leurs plaids. Là se dressaient leurs fourches patibulaires. Là aussi se payait, du moins à partir du XIIe siècle, le péage grâce auquel marchands et voyageurs pouvaient espérer traverser en toute sécurité la seigneurie, grâce auquel le seigneur les prenait sous sa protection, leur octroyait son «conduit», leur assurait un «sauf-conduit[32]». Ainsi la vie de la marche était-elle marquée par des obligations, rythmée par des rencontres qui faisaient sa singularité.

Mais ces gestes traditionnels, ces rencontres coutumières étaient liés à des lieux précis. La route de Châtillon à Troyes coupe à un moment le minuscule ru d'Augustines. C'est ce ru qui séparait Bourgogne et Champagne. C'est là que, en 1143, le duc de Bourgogne et le comte de Champagne se rencontrèrent et que le second prêta «en marche» l'hommage qu'il devait au premier pour les terres qu'il tenait de lui. C'est là aussi que le duc de Bourgogne prenait les voyageurs sous la protection de son conduit[33]. Le roi d'Angleterre Henri II et le roi de France Philippe Auguste se rencontrèrent souvent dans les années 1180, soit que le Plantagenêt dût prêter hommage pour le duché de Normandie, soit que les deux princes voulussent parler d'une paix toujours recommencée. De nombreuses entrevues eurent lieu sur la route de Gisors à Trie, non pas d'ailleurs sur l'Epte, à la limite exacte des deux territoires, mais sous un orme situé sur la rive française de l'Epte, en un lieu appelé l'Ormeteau-Ferré[34]. Le 16 septembre 1267, Thibaut V, comte de Champagne, vint solennellement rendre hommage à l'évêque de Langres, en marche, dans la vallée de la Marne, entre Chaumont et Luzy-sur-Marne, en un lieu de rencontre si traditionnel qu'on l'appelait «Les Étaux[35]». L'ancienne voie romaine de Reims à Verdun, qu'on appelait au Moyen Âge le «chemin Verdunois», franchissait la Biesme sur un pont dit le «pont Verdunois». La Biesme séparait les terres du comte de Champagne et celles de l'évêque de Verdun. «Et a-t-on tous jours tenu les plais et les estaus sus le dit ru, au pont c'on dit Verdenois, des entreprises qui ont estei faites de ces qui sont par desai le dit ru... et de ces qui sont par delai le dit ru», déclarait, en 1288, un témoin[36]. Ainsi le rituel de la vie en marche s'organise-t-il autour de quelques points forts: un arbre, un pont, une croix, une borne, sur une route.

Et autant est fragile la mémoire d'une limite dans sa complexe continuité, autant est vivace celle de ces lieux privilégiés. Les terres de l'abbaye de Pontigny allaient jusqu'à un pont qui n'était pas un pont quelconque. Ce pont était à l'intersection des trois diocèses d'Auxerre, de Sens et de Langres; il était aussi à l'intersection des trois comtés d'Auxerre, de Tonnerre et de Champagne. C'était un vieux dicton que trois comtes, trois évêques et un abbé pouvaient dîner sur le pont de Pontigny en restant chacun sur sa terre[37]. Dans l'hiver 1388-1389, Jean Froissart faisait son célèbre voyage dans le Midi pyrénéen. Il avait pour guide Espan du Lion. Il venait de Bigorre, se rendait en Béarn, et traversait une étendue de landes planes et désolées. À un moment, les deux hommes arrivèrent à un carrefour, «sur ung chemin croisié», et «là s'arresta le chevalier sur les champs et dist: "Vecy Berne"[38]». Il y avait dans le village de Fontaine-Française et séparait, par là même, le comté de Champagne (dans le royaume de France) et la Franche-Comté (dans l'Empire). En 1452, un témoin se rappelait «avoir veu par plusieurs et diverses fois feue dame Henriote de Vergey [c'était la dame de Fontaine-Française morte en 1427]... assise devant l'ostel de feu Humbelot, maire de Galardon, soubz un orme qui là estoit oudit Fontaine, laquelle dame ainsi assise il a oy dire plusieurs fois: Je suis assise ou royaume, et quant je me dresse et metz mes piedz à terre, je suis ou conté de Bourgongne[39]». À un arbre, un pont, un carrefour, à d'autres tels repères s'accrochait ainsi la mémoire vivace d'une limite.

Mémoire si vivace que le lieu même en tirait son nom. Le «Mont de l'Escouffle» est un lieu-dit de Cassel où, à la limite de la seigneurie, se trouvaient les bois de justice, c'est-à-dire les fourches patibulaires[40]. Le lieu-dit la «fontaine des Trois-Évêques» fut dès le XIe siècle et pendant des siècles un repère des plus connus, lieu de rencontre des diocèses de Verdun, de Toul et de Châlons, où se touchaient aussi les comtés de Champagne et de Verdun[41]. La limite du Verdunois était aussi marquée par le lieu-dit *«Ad Ulmos»*, «Les Ormes[42]», et nombreux sont, en Lorraine comme en Champagne, en Île-de-France comme en Normandie, et ailleurs, les lieux-dits «Les Ormes» qui rappellent, aujourd'hui encore, le point fort d'une limite médiévale[43]. Les lieux-dits «Les Étaux» sont plus rares[44], mais ils rappellent encore plus nettement un lieu de rencontre en marche.

À ces repères essentiels s'accrochaient un sens si lourd, une mémoire si tenace que l'ambition des uns fut parfois de les renforcer, celle des autres de les détruire. L'orme où, sur la route de Gisors à Trie, Henri II et Philippe Auguste se rencontrèrent souvent avait une rare particularité. Il était bien en marche, mais il n'était pas à la limite même des terres des deux seigneurs. C'était l'Epte, du moins au XIIe siècle, qui séparait la Normandie de l'Île-de-France. Le fait est que les deux princes se réunissaient non pas sur le pont mais sous un orme qui était sur la rive française de l'Epte. La chose était lourde de conséquences possibles, heureuses pour le Plantagenêt, dangereuses pour le Capétien. Aussi Henri II attachait-il la plus grande importance à cet orme. Il le fit, nous dit-on, entourer de fer. Surtout, lors de l'entrevue d'août 1188, Henri II s'installa confortablement sous l'orme, à l'ombre, comme chez lui, laissant le roi de France au soleil. C'est du moins ce que certains racontent. Toujours est-il que, après l'échec des conversations, peut-être pour effacer l'humiliation que certains disaient, plus sûrement pour détruire un repère ambigu et contesté, les Français abattirent l'arbre. L'affaire fit grand bruit. Mais plus jamais les deux princes ni leurs successeurs ne se réunirent au champ de l'Ormeteau-Ferré dont seul le nom disait, encore au XIXe siècle, l'importance qu'il avait eue jadis[45].

Ainsi, à l'intérieur du royaume de France, aux limites des grandes seigneuries, la vie en marche avait été, au XIIe siècle, au début du XIIIe siècle encore, intense. Par la suite perdura la mémoire des lieux traditionnels qui avaient été le théâtre de tant de rencontres. L'importance de ces repères essentiels diminua pourtant. Les grands tournois en marche disparurent, quasiment, dans la première moitié du XIIIe siècle. Les hommages en marche se firent, au cours du XIIIe siècle, de plus en plus rares. Les hommages qui auraient dû avoir lieu en marche et étaient l'objet de lettres de non-préjudice furent bientôt beaucoup plus nombreux que les hommages véritablement prêtés en marche[46]. La vie en marche s'affaissait car les pouvoirs qui s'y rencontraient s'affaissaient. Vers 1300, les limites féodales cessaient d'être des limites politiques. Elles ne subsistaient plus que comme limites administratives, judiciaires ou coutumières[47]. Et une limite qui n'avait été, depuis des siècles, tant le pouvoir royal était faible, qu'une limite parmi d'autres, devenait, vers la fin du XIIIe siècle, aux yeux du roi et de ses sujets, la seule limite désormais importante. C'était les frontières du royaume.

En 843, après trois années de combats et de négociations, les trois fils de Louis le Pieux se partagèrent son empire. Ce n'était qu'un partage parmi tant d'autres partages mérovingiens et carolingiens qui l'avaient précédé ou qui devaient le suivre. Mais le fait est que celui-là eut des conséquences qui s'avérèrent durables. Charles le Chauve y reçut un royaume qui allait peu à peu devenir la France. Et les limites de la France suivirent pendant des siècles les limites qu'avait reçues le royaume de Charles au traité de Verdun.

Non pas exactement toutefois. À grossièrement parler, la limite orientale du royaume de Charles s'accrochait à quatre « rivières », le Rhône, la Saône, la Meuse et enfin l'Escaut. Mais, à précisément parler, elle suivait rarement le cours même du fleuve. Elle le suivait à quelque distance, sur une rive ou sur l'autre, traversant des hauteurs ou des forêts peu peuplées qui étaient, dans l'esprit d'hommes du IXe siècle, des séparations plus naturelles que le lit d'un fleuve. Le royaume de Charles s'étendait donc parfois au-delà des quatre rivières, les suivait ou les coupait parfois, mais, le plus souvent, ne les atteignait pas. Par exemple, il touchait rarement la Meuse, et toute une série de *pagi* situés sur la rive gauche du fleuve (Porcien, Verdunois, Barrois, etc.) n'était pas dans le royaume[48]. Ainsi, à la hauteur de Verdun, la limite du royaume n'était pas la Meuse, mais, plus à l'ouest, le massif de l'Argonne et, dans ce massif, la minuscule rivière de Biesme[49].

Au fil des siècles, les limites du traité de Verdun évoluèrent d'abord en ceci que l'affaiblissement du pouvoir royal en fit des limites ni plus ni moins importantes, de même nature que tant de limites féodales à l'intérieur du royaume. Et le jeu des alliances familiales, des héritages et des hommages tordit et compliqua les limites du royaume en ses marches comme il le fit aux marches de quelconques principautés. Si bien que, sur place, s'il l'avait fallu (mais, grâce à Dieu, un roi trop lointain et trop faible ne s'en souciait guère), les gens des marches auraient eu parfois quelque peine à suivre, dans ses contours et ses enclaves, la limite du royaume.

Mais dans le même temps où, sur place, le tracé de cette limite se faisait plus complexe et plus pâle, l'idée qu'en avaient de loin les savants se faisait plus claire et plus simple. Le continuateur des annales royales carolingiennes avait bien précisé, au IXe siècle, que le royaume de Lothaire allait du Rhin à la Meuse mais englobait les comtés qui jouxtaient, sur sa rive occidentale, ce dernier fleuve. Mais à la fin du XIe siècle, pour faire bref, Marianus Scotus, dans sa chronique universelle, écrivait simplement que le royaume de Charles allait jusqu'à la Meuse. Et, au début du XIIe siècle, Sigebert de Gembloux reprenait le texte même de Marianus Scotus[50]. Et le succès de la chronique universelle de Sigebert de Gembloux fut immense. Et tous ceux qui, au XIIe ou au XIIIe siècle, avaient quelque culture historique ne doutaient pas que ce royaume de Charles que la France, en leur temps, continuait, fût allé jusqu'à la Meuse.

D'ailleurs, lorsque, au XIe, au XIIe ou au XIIIe siècle, le roi de France eut à rencontrer l'empereur, soit commodité ou volonté politique, le fait est qu'il le fit toujours sur les bords de la Meuse. L'entrevue de 1006 entre Henri II et Robert le Pieux eut lieu sur les bords de la Meuse, sans qu'on puisse préciser davantage. Mais on sait que les deux mêmes souverains se rencontrèrent en 1023 sur les bords de la Chiers, sur la rive droite de la Meuse, non loin de Mouzon[51]. Mouzon était un lieu de rencontre idéal. C'était à Mouzon que la grande voie romaine de Reims à Trèves franchissait la Meuse. Vers 498, Clovis avait donné Mouzon à saint Remi, archevêque de Reims, pour lui et ses successeurs, en franc-alleu. Dans ce franc-alleu, une grande abbaye s'était développée. Si bien qu'au début du XIe siècle les terres de l'abbaye de Mouzon se trouvaient sur une route importante, à la limite du royaume et de l'Empire, mais ne faisaient partie ni de l'un ni de l'autre et dépendaient, au spirituel comme au temporel, du seul archevêque de Reims[52]. C'était le lieu neutre rêvé. L'empereur Henri III et le roi Henri Ier se rencontrèrent deux fois, en 1049 et en 1056, et ce fut chaque fois à Yvoix, ou Ivoy, aujourd'hui Carignan, la première étape, après Mouzon, sur la route de Trèves, sur la rive droite de la Meuse, du côté de l'Empire[53]. Lorsque, dans l'hiver 1187-1188, Philippe Auguste et Frédéric Ier Barberousse se rencontrèrent pour régler différents problèmes et préparer leur croisade, ce fut, cette fois, à Mouzon même[54].

Mais, en 1212, un terrible incendie ravagea le monastère et la plus grande partie de la ville de Mouzon. Le roi et sa suite n'y pouvaient plus, pour un temps, loger[55]. Est-ce cela qui détourna les souverains d'un lieu depuis longtemps traditionnel? N'est-ce pas aussi le fait qu'un roi aussi puissant que l'était maintenant Philippe Auguste pouvait imposer à un prince encore mal assuré un lieu de rencontre encore plus favorable à la France que Mouzon? Toujours est-il que lorsque, en cette même année 1212, le prince Louis, le fils de Philippe Auguste, rencontra le jeune Frédéric II Hohenstaufen, l'entrevue eut lieu, nous dit-on, à Vaucouleurs[56]. Vaucouleurs était fort bien choisie. La ville touchait presque la rive gauche de la Meuse, dont elle n'était qu'à huit cents mètres; et elle relevait du royaume. Ce choix était peut-être plus avisé encore qu'il n'y paraît. Car nous ne savons pas où, précisément, à Vaucouleurs ou dans ses environs, eut lieu l'entrevue. Peut-être fut-ce déjà au lieu où se réunirent douze ans plus tard en 1224, le roi de France Louis VIII et le jeune Henri, fils aîné de Frédéric II maintenant empereur. Louis et Henri, en effet, se réunirent tout près de Vaucouleurs, mais nous savons cette fois que ce fut précisément sur la rive droite de la Meuse, au pied même des Côtes de Meuse, près du village de Rigny qui, bien que sur la rive droite de la Meuse, dépendait de la châtellenie champenoise de Joinville, dans la prairie de Quatrevaux où se tenaient traditionnellement les marches d'estaux entre la France et l'Empire[57]. Les choix de Mouzon ou de Vaucouleurs, mieux encore, les choix, près de Mouzon ou de Vaucouleurs, de lieux précis situés sur la rive droite de la Meuse, étaient lourds de sens. Les premiers Capétiens rappelaient ainsi, par des gestes symboliques propres à marquer les mémoires, malgré leur faiblesse et leur éloignement, malgré la complexité des limites réelles, que leur royaume allait jusqu'à la Meuse.

Un jour vint où la royauté capétienne fut si forte qu'elle eut mieux que quelques rencontres pour rappeler jusqu'où allait son pouvoir. Vers la fin du XIIIe siècle, la puissance royale commença d'être partout et constamment présente sur les marches du royaume. Et pour les gens de ces marches, dans leur vie quotidienne, la limite du royaume prenait une importance nouvelle. Qu'on habitât d'un côté ou de l'autre de cette limite, tout était déjà différent, et allait l'être de plus en plus. Un clerc avait des raisons particulières de savoir s'il était du royaume ou d'Empire. Si l'interdit était jeté sur le royaume, devait-il cesser de célébrer le divin office[58]? Si une décime était levée dans le royaume, devait-il la payer[59]? Si un concile était convoqué, en France ou en Allemagne, auquel devait-il aller[60]? Mais, clerc ou laïque, tout habitant des marches était de plus en plus pressé de savoir s'il était du royaume ou non. Parce que le pouvoir législatif du roi s'était développé et qu'il fallait bien savoir, par exemple, jusqu'où valait la prohibition des tournois que plusieurs, Capétiens avaient édictée[61]. Parce que la justice du roi s'était imposée et qu'il fallait bien savoir si, d'appel en appel, un procès pouvait aboutir, ou non, au Parlement de Paris[62]. Parce que la politique douanière de Philippe le Bel rendait urgent de savoir où passait la limite du royaume[63]. Parce que le souci du roi de protéger son royaume sur ses limites mêmes, de faire front, de «faire frontière», pour employer l'expression médiévale, dès sa limite même, d'y multiplier les places fortifiées qu'on appela bientôt des «frontières[64]» donna aux limites du royaume une importance militaire qu'elles n'avaient pas encore et en fit des «frontières». *«In frontariam Aragonie»* dit, vers 1312, un texte dont le souci majeur est la sécurité du royaume dans le Val d'Aran. C'est, à ma connaissance, le premier emploi du mot frontière dans son sens actuel qui permet, dès lors, de parler des frontières de la France[65]. Et plus le temps passa, plus les progrès de la justice royale, de la fiscalité royale et des armées royales donnèrent aux frontières du royaume une importance accrue. Il fallait bien savoir qui précisément pouvait faire appel au roi, implorer sa grâce[66], qui devait être convoqué aux états[67], qui était soumis à la gabelle[68], qui devait payer aides et tailles[69], qui devait fournir des francs archers au roi, qui pouvait être convoqué à son arrière-ban[70], où devaient circuler les monnaies du royaume[71]. Les marches du royaume avaient longtemps été un lieu de rencontre. Les frontières du royaume étaient maintenant un lieu hostile où se heurtaient deux mondes de plus en plus différents.

Rien donc d'étonnant si le tracé de frontières si importantes donna lieu, à partir, précisément, de la fin du XIIIe siècle, à de nombreux débats. Philippe le Bel était à peine roi que des contestations s'élevaient en Franche-Comté (1287)[72], en Hainaut (1287)[73], dans l'Argonne (1288)[74] et, bientôt, dans le Val d'Aran[75]. Par la suite et pendant des siècles, enquêtes et procès ne cessèrent jamais. Les débats, ici assoupis, se rallumaient là.

Dans ces multiples débats, sous la diversité des situations, sous la profusion des mots et des arguments, les principes qui guidaient chacun étaient, au fond, assez simples. Les adversaires du roi de France, c'est-à-dire le comte de Hainaut, le comte de Bar, le comte de Bourgogne ou d'autres encore, étaient satisfaits de la frontière dont les vicissitudes de l'histoire avaient fixé le cours tourmenté et dont la mémoire des hommes des marches pouvait aujourd'hui témoigner. Mais leur puissant adversaire, le roi de France, ne pouvait accepter les témoignages de cette mémoire vivante, ne pouvait se contenter de ces limites pourtant avérées. Elles étaient trop complexes, difficiles à surveiller, difficiles à défendre, difficiles à décrire. Un État plus fort, une bureaucratie plus pointilleuse avaient besoin de frontières plus simples, linéaires. Or, la culture historique de nos hommes d'État leur suggérait de telles limites. C'était les quatre rivières, le Rhône, la Saône, la Meuse et l'Escaut jusqu'où Sigebert de Gembloux leur disait qu'allait jadis le royaume de Charles le Chauve. Et ces quatre rivières ne donnaient pas simplement au royaume de claires limites linéaires. Elles avaient l'autre avantage de le pousser un peu plus loin vers l'est qu'il n'allait en fait. C'est la Biesme, disait la mémoire vivante, qui sépare, à la hauteur de Verdun, le royaume de l'Empire. Et elle avait raison. Mais la mémoire savante répondait que non, que la frontière était plus à l'est, sur la Meuse. Et ainsi y avait-il entre la Biesme et la Meuse, ou ailleurs, une zone indécise, une terre de débat où l'enchevêtrement des hommages, la présence de francs-alleux, de villes souveraines, de terres en fait indépendantes entretenaient une incertitude durable.

Incertitude d'autant plus durable que les populations n'en souffraient pas toujours. Certes, les passions étaient parfois vives, qui profitaient au roi, ou à ses adversaires. Ainsi le roi de France pouvait être sûr de Neufchâteau et de ses habitants; le duc de Lorraine «ne pouvait rien faire contre eux qu'ils n'eussent un roy au cueur[76]». Inversement, dans le Clermontois, les gens du duc de Lorraine «se dient nuement de l'Empire, ont en abomination le roy de France et ses officiers, et journellement font nouvelles entreprises sur la souveraineté du roy, laquelle et ses ordonnances, stats et coutumes ils méprisent, réputent et mettent jusques à la fange[77]». Les princes pouvaient donc jouer, parfois, des passions. Mais à la vérité les intérêts, souvent, tempéraient les passions et guidaient la mémoire. Et les habitants des marches profitaient de l'incertitude pour plaider où ils voulaient, pour payer des impôts à qui ils voulaient, ou, mieux encore, pour n'en pas payer du tout. Les habitants de Clinchamp, disait, en 1500, un témoin, «n'ont jamais payé d'impôts au roi»; quand les élus de Langres ont voulu les y contraindre, ils ont refusé, disant qu'ils n'étaient pas du royaume, mais du duché de Bar; d'autre part, quand on a tenté de les soumettre aux aides établies par le duc de Bar, ils ont encore refusé, disant qu'ils étaient du royaume de France, «et par ces moyens, demouroient francz et sans riens payer, ne des aydes de France, ne des aydes dudict duché de Bar, et est, comme luy semble, la fin là où ilz tendent et ont tendu[78]». Un seigneur comme Jean de Vienne ne pensait pas autrement que les paysans de Clinchamp. Comme la dame de Fontaine-Française, sa femme, se posait des questions sur la situation réelle de Fontaine-Française entre le royaume et la Franche-Comté, et ne voulait pas en avoir la conscience chargée, son mari l'apaisa: «Ne vous chaille, bonne femme. Nous sumes en bon point, nulz ne nous demande riens. Laissez en debatre les princes[79].»

Et, de fait, les princes en débattaient. Le 8 décembre 1299, le roi de France Philippe le Bel rencontra le roi des Romains Albert d'Autriche au lieu même où, en 1224, Louis VIII avait rencontré le fils de Frédéric II, c'est-à-dire entre Vaucouleurs (où logeait le roi de France) et Toul (où logeait le roi des Romains), au Val de Losne, tout près du village de Rigny, dans la prairie de Quatrevaux. L'entrevue fut solennelle mais, en marge des fêtes, prirent place d'importantes conversations et, parmi les sujets abordés, le problème des frontières ne fut pas le moindre. L'ennui est que les décisions prises sur ce point le 8 décembre 1299 ne nous sont pas connues. Certains prétendirent que le roi des Romains avait donné au roi de France le droit de s'étendre sur toute la rive gauche du Rhin. La chose est invraisemblable. Par contre, il est tout à fait vraisemblable qu'Albert d'Autriche reconnut l'importance qu'avait, aux yeux de Philippe le Bel, la Meuse, et lui laissa le champ libre pour pousser jusque-là la frontière du royaume. Le roi de France continua donc en toute quiétude d'user des vieux moyens et, en acceptant des hommages, en concluant des pariages, en prenant en garde villes et églises, de grappiller dans les marches. Son plus gros succès fut d'imposer au comte de Bar, en 1301, de lui prêter hommage pour toutes les terres qu'il possédait en franc-alleu ou qu'on tenait de lui sur la rive gauche de la Meuse[80]. Ainsi naissait le Barrois mouvant, conséquence spectaculaire des accords discrets de 1299.

Les deux souverains firent-ils plus à Rigny ? Décidèrent-ils, pour bien marquer la limite du royaume et de l'Empire, de planter des bornes ? Par la suite, en tout cas, personne ne les vit jamais, mais tout le monde y croyait. On ne doutait pas qu'avaient été « mises bornes de coyvre[81] » ou d'airain[82], qu'avaient « esté plantées bornes de cuivre ou aultre métail[83] », sur lesquelles étaient « empraintes les armes de France », « les armes de France d'un cousté et celles de l'Empire d'aultre[84] ». Ces précieuses bornes avaient été plantées de Rigny à Verdun[85] en certains lieux, sur la rive droite de la Meuse, ou bien, plus symbolique encore, dans la Meuse même, au milieu de son lit.

Deux nouvelles enquêtes, en 1387 et 1390, nous montrent combien était encore vivace dans le pays, près d'un siècle plus tard, le souvenir de l'entrevue de 1299. Une vieille femme de quatre-vingt-quatre ans, Isabelle la Bossue, déposait en 1390 qu'elle avait ouï dire à son père et sa mère que « le bel roi Philippe de France, qui estoit un grand homme, et l'empereur estoient venu à Val dict le Val de Lone... et que le père d'elle qui parle les avoit veus ensemble. Et furent à tout grand quantité de seigneurs d'une part et d'autre... Et... son dict père et sa mère luy avoient dict par plusieurs fois » que « l'empereur et le roy » avaient été en l'église Saint-Martin de Rigny « ouyr messe. En laquelle église l'on pourtray l'image du roy Philippe afin d'en avoir memoyre, laquelle image y est encore en un mur par devers le royaume. Et la monstra la dicte femme qui parle et les autres habitants de la ville » aux enquêteurs[86].

Isabelle savait aussi qu'à cette occasion « furent mises bonnes illec pour séparer et diviser le royaume de France et l'Empire. Et disoit son père que les bonnes estoient fichées dedans terre bien en parfond, et en avoit depuis veu dehors ce que dehors la terre avoit laissié ; mais elle qui parle ne les veist onques[87] ». En 1387, à Saint-Mihiel, d'autres témoins n'avaient pas davantage douté de l'existence de bornes qu'ils n'avaient, eux non plus, pas vues. Un témoin de trente-cinq ans rapporte qu'il « a oÿ dire au dict Colleçon, qui fut une fois à icelle ville de Sainct Michel et avoit veu sur la dicte rivière de

Meuse plusieurs chevaliers et escuiers qui estoient sur la rivière et disoient en cette manière : "Icy doibvent estre les bonnes qui départent le Royaume et l'Empire"[88] ». Un autre témoin de quatre-vingts ans ou environ déclare que « de tout le temps qu'il a mémoire il a toujours oÿ dire et tenir communément que depuis la rivière de Meuse en en çà est du Royaume et a veu plusieurs personnes des noms desquieux il n'est recors auxquieux il a ouy dire qu'ilz avoient certaines bornes de cuivre veu, en la rivière de Meuze, près de Haudainville, qui divisoient le Royaume de l'Empire[89] ».

À la fin du XIIIe siècle, les choses étaient claires. La « coumune renoumee et coumune voix[90] » savait que la Biesme était la limite du royaume et de l'Empire. La mémoire savante disait bien que c'était la Meuse ; cette approximation d'historien, fût-elle reprise, à Paris, par les gens du roi, ne pouvait rien contre les faits. Mais, en 1299, le roi de France fut assez fort pour imposer aux faits les erreurs de l'histoire. Et, dès lors, même s'il y eut encore, des siècles plus tard, des villages en « grant quantité au deça ladicte Meuze qui sont notoirement tenuz en Empire et non de France[91] » ; même si l'idée persista, au XVIe siècle, qu'« y a ung ruisseau appelé communément le ruisseau de Byemme, lequel ruisseau fait la séparation et lymites du royaulme de France et du duchié de Bar[92] » ; même si, en 1910, les gens du pays disaient encore qu'ils allaient en France lorsqu'ils passaient sur la rive gauche de la Biesme[93] ; une autre « commune renommeie[94] » se construisit et se fortifia dès le XIVe siècle qui faisait de la Meuse la limite du royaume et de l'Empire et appuyait sa conviction sur de prestigieuses mais invisibles bornes.

Chose frappante, une évolution tout à fait parallèle se produisit un peu plus tard, plus au sud, sur la Saône, à la limite du royaume et de la Franche-Comté. De même que le comté de Bar mordait sur la rive gauche de la Meuse, le comté de Bourgogne mordait sur la rive occidentale de la Saône. La limite entre les terres de l'évêque de Langres et la Franche-Comté, c'est-à-dire entre le royaume et l'Empire, était jalonnée, à quelques kilomètres à l'ouest du fleuve, par ces vieilles bornes milliaires dont nous avons vu qu'elles avaient été arrachées à la route de Langres et plantées là[95]. On croyait au XVe siècle qu'elles avaient été plantées en 1063 (M. L. XIII) parce qu'on lisait mal l'inscription que portait l'une d'elles (M. P. XIII)[96]. Elles avaient été plus vraisemblablement plantées au XIIe siècle. Toujours est-il que la mémoire de ce que disaient ces vénérables pierres passait d'une génération à l'autre. « Souventes fois les anciens du lieu, quant ilz trouvoient les petis enfens près de ladite bonne, leur disoyent : "Enffenz, souvienne vous que c'est la bonne qui fait séparacion du royaulme et de la Franche comté[97]." » Ainsi déposait un témoin, en 1444, à propos d'une de ces bornes. Et à propos d'une autre borne, en 1452, un autre témoin disait : « Sont environ LX ans, feux Berthelemot de Montvaudon et Nicolas son filz, lors grangiers et demourans en la grange de

Montvaudon près de ladite bonne clinée, menèrent lui qui parle et deux ou trois petits enfans qui estoient avec lui gardans les bestes près de ladite grange veoir ladite bonne clinée, et fist ledit Berthelemot mettre la main droicte de lui qui parle sur ladicte bonne clinée, et le frappa d'un petit baston sur ladicte main en lui disant: "Voy tu bien; ceste bonne separe le royaume de France et le conté de Bourgogne[98]." »

Mais, au milieu du XVe siècle, les gens du roi contestaient cette vieille limite et prétendaient que la véritable séparation était la Saône même. Et ils appuyaient leurs dires sur l'existence de précieuses bornes de cuivre que personne, d'ailleurs, n'avait jamais vues. Un témoin, en 1452, « a oy dire, puis cinquante ans en ça, qu'il avoit en la rivière de Soone certaines bonnes de cuyvre qui séparoient les seignouries du royaume de France au conté de Bourgoingne... et oncques ne vit lesdites bonnes[99] ». Faut-il vraiment considérer ces bornes de cuivre comme un pur mythe? Peut-être pas. Car un témoin, un seul, a pu en voir une: « Dit qu'il vit une bonne, laquelle il dit qu'estoit de cuyvre, estant comme au milieu de ladicte rivière de Soone... entre ledit Rigney et le Pont Regnard... Icelle bonne estoit aussi grosse comme ung homme pourroit embrasser à ung bras, et estoit toute quarrée à quatre quarres, et povoit avoir ladicte bonne X ou XII piedz de hault, et estoit plantée toute droicte deans ladicte Soone... Et quant ladicte Soone estoit basse, l'on veoit le chief de ladicte bonne d'environ ung pied ou demi pied hors de l'eaue, et dit lui qui dépose que feue ladicte dame de Rigney disoit que ladicte bonne separoit les seignories du royaume et dudit conté, et qu'en icelle bonne du cousté dudit Rigney estoit une fleur de liz, et du cousté devers Gray ung lyon (mais il ne vit onques lesdictes enseignes) et disoit ladite dame de Rigney à lui qui parle et à autres que quant ilz aloient peschier en ladicte rivière de Soone, qu'ilz ne passoient point ladicte bonne, car s'ilz la passoient ilz seroient prins par la justice de Gray[100]. »

Mythiques ou réelles, ces bornes qu'on croyait de cuivre ou d'airain marquaient bien ce qu'avaient d'unique les limites de la France. Elles n'étaient pas comme de quelconques limites à l'intérieur du royaume. Elles étaient la limite d'une souveraineté. Comme le dit, en 1561, « Maistre Claude Sanson, licentié ez loix, advocat..., aagé de cinquantes ans ou environ » : « Bien scet que tout ce qui est par deçà ladicte Meuse... est de la souveraineté du roy, et que pour en faire séparation y ont plantées bornes de cuivre ou aultre métail au dedans du fleuve et rivière de Meuze[101]. »

Cette limite de souveraineté que sont les frontières de la France est confirmée « par les anciens du pays[102] ». Elle est surtout confirmée par l'histoire. « La mer océane, rivière de Meuze et monts Pirénées... furent baillez pour limites et bornes insignes dudict Royaulme » au fameux partage qui eut lieu sous Charles le Chauve[103]. Les Pyrénées séparaient même la France et l'Espagne bien avant le IXe siècle[104]. Et, suivant le développement de la culture historique, comme on invoquait vers 1300 Isidore de Séville, les antiques chroniques[105] et les chroniques de Saint-Denis[106], on invoque au XVIe siècle « les anciennes chroniques, histoires et annales de France, mesmement ceulx qui modernement les ont compilées, entre lesquelz sont Gaguin, Paule Émile, et Me Nicole Gilles qui a recueilly les annales de France » « ensemble les extraits de plusieurs vieilles et anciennes croniques escriptes à la main, que nous avons trouvés en la librairie St Victor et aultres de ce royaulme[107] », on invoque l'autorité de tous ces vieux textes pour prouver combien sont antiques les limites du royaume, *antiqui limites regni*[108].

Les antiques limites fixées par l'histoire, ces limites qu'on sait être, de toute ancienneté, celles du royaume, ce sont ses limites « naturelles », celles à l'intérieur desquelles les « vrays subjectz naturelz du roy », les « subjectz naturelz du royaulme » obéissent tout naturellement à leur « souverain et naturel seigneur[109] ».

Et ces anciennes et insignes limites naturelles sont imprescriptibles[110]. En vain les adversaires du roi veulent-ils prétendre que les royaumes n'ont pas leurs limites à toujours, *« non semper tenent suos limites regna[111] »*, que des traités et des concessions ont pu les changer[112]. En vain veulent-ils opposer mouvance à souveraineté, faire croire que du jeu des hommages auraient pu naître des enclaves, qu'une terre pourrait être à l'intérieur des limites du royaume et cependant exempte de sa souveraineté, qu'elle pourrait être *dans* le royaume et non *du* royaume. À tous ces arguments (qui nous paraissent à nous, aujourd'hui, pourtant indiscutables), les gens du roi répondent alors que non. Une terre qui est *dans* le royaume est forcément *du* royaume[113]. Les frontières du royaume sont « imprescriptibles », « inaliénables », « inabdicables », fût-ce par le roi[114]. « Concessions », « rebellions », « entreprises », « usurpations » ou « joyssances indeues » n'y peuvent rien. « Aucune possession ny prescription » ne peut rien à l'encontre du souverain seigneur qu'est le roi[115]. Aucune prescription ne peut valoir contre les antiques limites du royaume *(contra antiquos limites regni)*. Même si, de fait *(de facto)*, quelque malheur *(calamitas)* a mutilé le royaume, le pays qui en a été séparé doit revenir, le moment venu, « à sa nature, c'est-à-dire au royaume de France » *(ad suam naturam, scilicet ad regnum Francie)*[116].

Ces frontières naturelles du royaume, les plus éclairés des Français les savaient donc déjà, au temps de Philippe le Bel, imprescriptibles. Au milieu du XVIe siècle, poussés par un sentiment national plus fort, nourris d'une plus riche culture antique, ils les voulaient inviolables et sacrées[117]. Ainsi Me Jacques Cappel, avocat général du roi, rappelait-il aux membres du conseil privé cette histoire bien connue dans l'Antiquité, et qu'il avait lue dans Sabellicus : les Carthaginois et les Cyréniens décidèrent un jour de fixer « les limites et finaige de leurs seigneuries» dans «une grande contrée ou plaine sablonneuse». Pour ce faire, il «fut accordé que à ung certain jour, d'une part et d'aultre, partiroient certains ambassadeurs ou depputez, et que, où ilz s'entrerencontreroient, seroient leurs bornes de l'ung et l'aultre desdictz peuples». Il se trouva que les deux Carthaginois, deux «frères, nommez Philènes», allèrent beaucoup plus vite que les Cyréniens. Une contestation s'éleva. Et pour finir les Cyréniens proposèrent aux deux Carthaginois d'«estre enterrez audict lieu et ès fins qu'ilz voulloient acquérir à leur peuple et jusques ausquelz ilz estoient venuz, et là seroient et s'estendroient lesdictes bornes et limites de la seigneurie de leur nation». «Lesdictz Philènes optèrent et choisirent d'estre enterrez audict lieu jusques auquel ilz estoient venuz, et de faict le furent; en mémoire de quoy le peuple des Cartaginiens leur consacra audict lieu deux beaulx sépulcres et autelz… Et là furent constituez les limites de la seigneurie des Cartaginiens du cousté des Ciréniens.» Et Me Jacques Cappel de conclure: «Ne debvons avoir moindre cueur que lesditcts Philènes frères et debvons myeulx aymer, comme à la vérité nous aymerions mieulx mourir et estre enterrez sur le fossé, limitte et lizière de son dict royaulme que de souffrir ou dissimuler aucune usurpacion et enjambement sur iceulx[118].»

Quelques années après que Me Jacques Cappel eut prononcé sa harangue, en janvier 1564, le roi Charles IX et la reine mère Catherine de Médicis entamaient un voyage qui devait durer plus de deux ans. Ce voyage eut d'autres buts. Mais l'un des principaux fut de visiter «toutes les frontières» du «royaume», de passer «le long de la frontière», d'approcher «si près de la frontière». Remontant la Meuse, descendant la Saône et le Rhône, touchant aux Pyrénées, multipliant les étapes frontalières et les entrevues aux frontières, le roi, «désireux de voir les loingtaines marches de son royaulme», côtoya «le plus qu'il pouvoit les frontières de son royaume par où il passoit[119]». Avec ce voyage hautement symbolique s'achevait une évolution majeure. En trois siècles, les limites du royaume, qui jouaient encore, au temps de Saint Louis, un rôle si effacé, étaient devenues les frontières de la France, imprescriptibles, inviolables et sacrées, enjeu fondamental de la politique du roi, objet essentiel des passions de ses sujets.

Arrêtons-nous ici. Le dessin de la frontière française n'est pas encore fixé. Mais son image est bien là, parfaite. Par la suite, c'est le Rhin, et non plus la Meuse, qui va devenir la frontière naturelle de la France. Le souvenir de Clovis va fixer au Rhin la frontière naturelle que la mémoire de Charles le Chauve avait accrochée à la Meuse[120]. Mais dès le XVIe siècle, l'État souverain, l'État national, en se forgeant, avait forgé l'image de cette frontière inviolable et sacrée pour laquelle tant de Français, comme les Philènes, allaient un jour mourir.

1. Guenée, «La Géographie administrative...», pp. 293-296.

2. Richard, «Le “conduit”...», pp. 100-101.

3. Hubert, «La frontière occidentale...», pp. 23-24. Wilsdorf-Colin, «À la frontière...», pp. 180-184.

4. Tucoo-Chala, «Principautés...», p. 123. Demotz, «La frontière...», pp. 102-104.

5. Par exemple A. Bruel, *Recueil des chartes de l'abbaye de Cluny...*, t. III, Paris, 1844, pp. 40, 80-81, 96, etc.

6. Aimond, *Les Relations...*, p. 4, n. 1.

7. Longnon, *Documents...*, II, pp. 507-509. Hubert, «La frontière occidentale...», p. 16.

8. Turpin, «Essai...».

9. Aimond, *Les Relations...*, p. 8. Hubert, «La frontière occidentale...», p. 16, n. 1.

10. Longnon, *Documents...*, t. II, pp. 507-508.

11. Petit-Dutaillis, «Une question...», p. 6.

12. Lemarignier, *Recherches...*, pp. 141-142.

13. Turpin, «L'“escoive”...».

14. F. M. Powicke, *The Loss of Normandy (1189-1204). Studies in the History of the Angevin Empire*, Manchester, 1913, pp. 250-253. Lemarignier, *Recherches...*, pp. 55-56.

15. Richard, «Les débats», pp. 122-132.

16. Tucoo-Chala, «Principautés...», p. 123.

17. Turpin, «L'“escoive”...», p. 205.

18. Demotz, «La frontière...», p. 105.

19. Petit-Dutaillis, «Une question...», p. 8.

20. É. Berger, *Layettes du Trésor des Chartes*, t. IV, Paris, 1902, n° 5439, p. 302.

21. Lemarignier, *Recherches...*, pp. 19, 22. Wilsdorf-Colin, «À la frontière...», p. 193.

22. Havet, «La frontière...», p. 26. Zeller, *La Réunion...*, p. 31, n. 1. Richard, «“Enclaves”...», p. 101. Ganshof, *Le Moyen Âge*, p. 140.

23. Bonenfant, «À propos...», p. 75.

24. Lemarignier, *Recherches...*, pp. 43-47. Hubert, «La frontière occidentale...», pp. 26-27.

25. Duby, *Guillaume le Maréchal...*, pp. 112-115.

26. Lemarignier, *Recherches...*, pp. 160-162.

27. 1487; Duvernoy, «Un règlement...», p. 21, et Petit-Dutaillis, «Une question...», p. 10. 1512; Stein-Le Grand, *La Frontière...*, p. 117.

28. Lemarignier, *Recherches...*

29. Fr. Godefroy, *Dictionnaire de l'ancienne langue française*, t. III, Paris, 1884, pp. 593-594.

30. Havet, «La frontière...», p. 19. Aimond, Les Relations..., p. 76.

31. Stein-Le Grand, *La Frontière...*, p. 9, n. 2.

32. Richard, «Le “conduit”...», pp. 86-89.

33. Id., «Le “conduit”...».

34. Lemarignier, *Recherches...*, p. 103.

35. Wilsdorf-Colin, «À la frontière...», pp. 169, 186.

36. Havet, «La frontière...», pp. 19-20. Stein-Le Grand, *La Frontière...*, p. 8.

37. Lemarignier, *Recherches...*, p. 139.

38. *Chroniques de Jean Froissart*, L. Mirot, éd., t. XII, *1356-1388*, Paris, 1931, p. 63. Tucoo-Chala, «Principautés...», p. 124.

39. Richard, «Les débats...», p. 123.

40. Turpin, «L'"escoive"...», p. 212.

41. Aimond, *Les Relations*..., p. 11.

42. *Ibid.*, Stein-Le Grand, *Frontière*..., pp. 5-6.

43. Hubert, «La frontière occidentale...», p. 17. Lemarignier, *Recherches*..., p. 103.

44. Wilsdorf-Colin, «À la frontière...», p. 169.

45. Lemarignier, *Recherches*..., pp. 101-105.

46. *Ibid.*, pp. 173-174.

47. *Ibid.*, p. 176.

48. Stein-Le Grand, *La Frontière*..., p. 4.

49. Aimond, *Les Relations*, p. 12.

50. Stein-Le Grand, *La Frontière*..., p. 4.

51. Leroux, *Recherches*..., pp. 24, 287.

52. Fr. Souchal, «L'Abbatiale de Mouzon», Charleville-Mézières, *Les Cahiers d'études ardennaises*, 6, 1967, p. 16 et suiv.

53. Leroux, *Recherches*..., pp. 27, 287.

54. *Ibid.*, pp. 36-37.

55. Souchal, *L'Abbatiale*..., pp. 24-25.

56. Aimond, *Les Relations*..., p. 35.

57. *Ibid.*, p. 76.

58. Havet, «La frontière...», pp. 11, 26.

59. *Ibid.*, pp. 11, 15, 25-27, 30. Viard, «L'Ostrevant...», p. 329.

60. Havet, «La frontière...», pp. 16, 41.

61. Ibid., p. 20.

62. Guenée, «Les limites...», p. 56.

63. Havet, «La frontière...», p. 38. Guenée, «Les limites...», p. 60.

64. Guenée, «Les limites...», p. 61.

65. Lauer, «Une enquête...», p. 27.

66. Stein-Le Grand, *La Frontière*..., p. 174. Rigault, «La frontière...», p. 83.

67. Duvernoy, «Un règlement...», p. 13. Stein-Le Grand, *La Frontière*..., p. 261.

68. Duvernoy, «Un règlement...», p. 14. Richard, «Les débats...», p. 121, 125. Richard, «Problèmes...», pp. 225.

69. Duvernoy, «Un règlement...», p. 14. Richard, «Les Débats...», p. 121. Richard, «Problèmes...», pp. 220-226.

70. Duvernoy, «Un règlement...», pp. 9, 14.

71. *Ibid.*, pp. 9, 20. Gauvard, «L'opinion publique...», pp. 133-134.

72. Richard, «Les débats...», p. 113.

73. Delcambre, «Recueil...», pp. 16-24.

74. Havet, «La frontière...».

75. Lauer, «Une enquête...».

76. Gauvard, « L'opinion publique... », p. 151.

77. Stein-Le Grand, *La Frontière...*, pp. 76, 260.

78. Duvernoy, « Un règlement... », pp. 13-14.

79. Richard, « Problèmes... », p. 227.

80. Leroux, *Recherches...*, p. 103 et suiv. Aimond, *Les Relations...*, p. 76 et suiv. Grosdidier de Matons, *Le Comté de Bar...*, p. 494 et suiv.

81. Aimond, *Les Relations...*, p. 77.

82. Stein-Le Grand, *La Frontière...*, p. 151.

83. *Ibid.*, p. 259.

84. *Ibid.*, pp. 151, 195.

85. Aimond, *Les Relations...*, p. 77.

86. Leroux, *Nouvelles Recherches...*, pp. 74-75.

87. *Ibid.*

88. Aimond, *Les Relations...*, p. 455.

89. *Ibid.*, p. 461.

90. Havet, « La frontière... », pp. 27, 29.

91. Stein-Le Grand, *La Frontière...*, p. 169.

92. *Ibid.*, p. 25.

93. Aimond, *Les Relations...*, p. 12, n. 4.

94. *Ibid.*, p. 77.

95. *Cf. supra*, n. 15.

96. Richard, « Les débats... », p. 130.

97. Id., « Problèmes... », p. 222, n. 7.

98. Id., « Les débats... », pp. 125-126.

99. *Ibid.*, p. 127.

100. *Ibid.*, p. 129.

101. Stein-Le Grand, *La Frontière...*, pp. 258-259.

102. *Ibid.*, pp. 261, 262.

103. *Ibid.*, p. 151.

104. Lauer, « Une enquête... », p. 29.

105. *Ibid.*

106. Delcambre, « Recueil... », p. 24.

107. Stein-Le Grand, *La Frontière...*, pp. 151, 194.

108. Lauer, « Une enquête... », p. 31.

109. Stein-Le Grand, *La Frontière...*, pp. 155, 156, 173.

110. *Ibid.*, pp. 152, 156.

111. *Ibid.*, p. 169.

112. Lauer, « Une enquête... », p. 30. Stein-Le Grand, *La Frontière...*, p. 209.

113. Lauer, « Une enquête... », p. 29. « Combien que pour monstrer qu'elle soit de la souveraineté du roy et que l'empire ne autres quelconques ne se peuvent dire souverains d'icelle chastellenie, suffist monstrer qu'elle est dedans les fins et limites du royaulme », Stein-Le Grand, *La Frontière...*, p. 132. Également, *ibid.*, p. 213.

114. Stein-Le Grand, *La Frontière*..., pp. 156, 209, 216.

115. Lauer, «Une enquête...», p. 31. Stein-Le Grand, *La Frontière*..., pp. 169, 170, 209.

116. Lauer, «Une enquête...», p. 31.

117. Stein-Le Grand, *La Frontière*..., p. 216.

118. *Ibid.*, pp. 189-192.

119. Boutier-Dewerpe-Nordman, *Un tour de France*..., pp. 71-72.

120. Leroux, *Recherches*..., pp. 106-107. Stein-Le Grand, *La Frontière*..., p. 194. Zeller, *La Réunion*..., pp. 37-39.

Bibliographie

Charles Aimond
Les Relations de la France et du Verdunois de 1270 à 1552..., Paris, 1910.

Paul Bonenfant
«À propos des limites médiévales», *Hommage à Lucien Febvre. Éventail de l'histoire vivante*..., t. II, Paris, 1953, pp. 73-79.

Jean Boutier, Dewerpe (A.), Nordman (D.)
Un tour de France royal. Le voyage de Charles IX (1564-1566), Paris, 1984.

Étienne Delcambre
– «L'Ostrevent du IXe au XIIIe siècle», *Le Moyen Âge*, 1927, pp. 241-279.
– «Recueil de documents relatifs aux relations du Hainaut et de la France de 1280 à 1297», *Bulletin de la Commission royale d'histoire*, 92 (1928), pp. 1-163.

Bernard Demotz
«La frontière au Moyen Âge d'après l'exemple du comté de Savoie (début XIIIe – début XVe siècle)», *Les Principautés au Moyen Âge* (Actes des Congrès de la Société des historiens médiévistes de l'enseignement supérieur public. Communications du Congrès de Bordeaux en 1973), Bordeaux, 1979, pp. 95-116.

Roger Dion
Les Frontières de la France, Paris, 1947.

Georges Duby
Guillaume le Maréchal ou le meilleur chevalier du monde, Paris, 1984.

Émile Duvernoy
«Un règlement de frontières entre la France et le Barrois en 1500», *Annales de l'Est*, 1888, pp. 543-565.

François-L. Ganshof
Le Moyen Âge, Paris, 1953 (*Histoire des relations internationales*, publiée sous la direction de P. Renouvin, t. I).

Claude Gauvard
«L'opinion publique aux confins des États et des principautés au début du XVe siècle», *Les Principautés au Moyen Âge*, Bordeaux, 1979, pp. 127-152.

Marcel Grosdidier de Matons
Le Comté de Bar des origines au traité de Bruges (vers 950-1301), Bar-le-Duc, 1922.

Bernard Guenée
«La géographie administrative de la France à la fin du Moyen Âge: élections et bailliages», *Le Moyen Âge*, 1961, pp. 293-323. Réimpr. *in* Guenée (B.), *Politique et histoire au Moyen Âge. Recueil d'articles sur l'histoire politique et l'historiographie médiévale (1956-1981)*, Paris, 1981, pp. 41-71.

Bernard Guenée
«Les limites de la France», *La France et les Français*, M. François, éd., Paris, 1972 (Encyclopédie de la Pléiade), pp. 50-69. Réimpr. *in* Guenée (B.), *Politique et histoire au Moyen Âge*..., pp. 73-92.

Julien Havet
«La frontière d'Empire dans l'Argonne. Enquête faite par ordre de Rodolphe de Habsbourg à Verdun, en mai 1288», *Bibliothèque de l'École des chartes*, 42 (1881), pp. 383-428.

Jean Hubert
«La frontière occidentale du comté de Champagne du XIe au XIIIe siècle», *Recueil de travaux offerts à M. Clovis Brunel*..., t. II, Paris, 1955, pp. 14-30.

Philippe Lauer
«Une enquête au sujet de la frontière française dans le Val d'Aran sous Philippe le Bel», *Comité des travaux historiques et scientifiques. Bulletin de la section de géographie*, 35 (1920), pp. 17-38.

Jean-François Lemarignier
Recherches sur l'hommage en marche et les frontières féodales, Lille, 1945.

Alfred Leroux
– *Recherches critiques sur les relations politiques de la France avec l'Allemagne, de 1292 à 1378*, Paris, 1882.
– *Nouvelles Recherches critiques sur les relations politiques de la France avec l'Allemagne, de 1378 à 1461*, Paris, 1892.

Auguste Longnon
Documents relatifs au comté de Champagne et de Brie, 1172-1361, t. II, Paris, 1904.

Charles Petit-Dutaillis
«Une question de frontière au XVe siècle», *Le Moyen Âge*, 1897, tiré à part, Paris, 1897, pp. 1-13.

Jean Richard
– «Problèmes de circonscriptions et de ressorts. "Enclaves" royales et limites des provinces. Les élections bourguignonnes», *Annales de Bourgogne*, 20 (1948), pp. 89-113.
– «Le "conduit" des routes et la fixation des limites entre mouvances féodales. La frontière bourguignonnes dans le comté de Bar-sur-Seine (XIe-XIIIe siècles)», *Annales de Bourgogne*, 24 (1952), pp. 85-101.
– «Les débats entre le roi de France et le duc de Bourgogne sur la frontière du royaume à l'ouest de la Saône: l'enquête de 1452», *Bulletin philologique et historique (jusqu'à 1610) du Comité des travaux historiques et scientifiques, année 1964. Actes du 89e Congrès national des Sociétés savantes tenu à Lyon*, Paris, 1967, pp. 113-132.
– «Problèmes de ressort au XVe siècle: l'enquête de 1451-1452 sur la situation de Fontaine-Française», *Mémoires de la Société pour l'histoire du droit et des institutions des anciens pays bourguignons, comtois et romands*, 26 (1965), pp. 217-227.

Jean Rigault
«La frontière de la Meuse. L'utilisation des sources historiques dans un procès devant le Parlement de Paris en 1535», *Bibliothèque de l'École des chartes*, 106 (1945-1946), pp. 80-99.

Henri Stein et Le Grand (L.)
La Frontière d'Argonne (843-1561). Procès de Claude de La Vallée (1535-1561), Paris, 1905.

Pierre Tucoo-Chala
«Principautés et frontières. Le cas du Béarn», *Les Principautés au Moyen Âge*, Bordeaux, 1979, pp. 117-126.

P. Turpin
«Essai sur le rôle de l'épine utilisée comme limite de juridiction et comme symbole de la justice», *Revue du Nord*, 17 (1931), pp. 306-307.

P. TURPIN
«L'"escoive" ou "escouve" dans la langue juridique et la toponymie du nord de la France», *Revue du Nord*, 22 (1936), pp. 204-216.

JULES VIARD
«L'Ostrevant. Enquête au sujet de la frontière française sous Philippe de Valois», *Bibliothèque de l'École des chartes*, 82 (1921), pp. 316-329.

ODILE WILSDORF-COLIN
«À la frontière de l'évêché de Langres et du comté de Champagne: la formation de la châtellenie langroise de Luzy (vers 1200-1334)», *Comité des travaux historiques et scientifiques. Actes du 103e Congrès national des Sociétés savantes, Nancy-Metz, 1978. Philologie et histoire jusqu'à 1610. Principautés et territoires et Études d'histoire lorraine*, Paris, 1979, pp. 169-193.

GASTON ZELLER
La Réunion de Metz à la France (1552-1648), t. I, Paris, 1926.

DANIEL NORDMAN

Des limites d'État aux frontières nationales

1.

Vers 1550-1560, la longue et lente genèse des limites, pour la France, est à peu près achevée. Non dans les faits, sans doute, mais dans les images et les représentations. D'innombrables différends locaux peuvent subsister, continuellement ravivés, d'année en année, parfois de siècle en siècle, ici pour la possession d'un bois ou d'un pâturage, là pour un village ou une place forte. Il n'empêche que des figures d'ensemble s'imposent avec netteté et constance. De multiples signes convergent: le concept de limite n'est pas une illusion, ni des historiens ni des contemporains.

À la Renaissance, portés et multipliés par l'élan de l'imprimerie, les géographes constituent les meilleurs guides. Or il suffit de parcourir les énormes in-folio dans lesquels ils présentent le monde, l'Europe et la France pour constater à quel point, s'agissant de cette dernière, la mention des limites est devenue un rite. La France est alors, d'emblée, identifiée à la Gaule. C'est déjà le cas chez Sebastian Münster, ce Strabon de l'Allemagne, en qui on a voulu voir un des représentants les plus caractéristiques de la géographie descriptive et régionale et qui fut l'auteur d'une somme considérable, publiée à Bâle, en allemand, en 1544, et continuellement rééditée, en six langues, pendant un siècle.

> La Belgicque [écrit-il à propos d'une des trois régions de la Gaule], fut ainsi nommee a cause du roy Belgius, qui dominoit en icelle, a son estendue jusques au Rhein selon la description des anciens et pour la plus grand part elle use de la langue Teuthonicque [...] Jadis les regions estoyens bornees de montaignes et fleuves: et pour ceste cause la Gaule a eu son estendue jusques au Rhein, lequel separoit les Gaulois de Germains ou Allemans, mais aujourdhuy les languages et seigneuries divisent une region de l'autre, et autant s'estend une chas-

> cune region, que le language du peuple d'icelle dure. Par ce moyen Alsace, Vuesterich, Brabant, Gueldres, Holande et autres nations Teuthoniques ne sont point mises au reng des nations Francoises, mais Allemandes[1].

La question, pourtant, du découpage régional est délicate. Münster, quelques pages plus loin, doit s'en expliquer :

> Combien que la province de Flandre fut anciennement et encore est aujourdhuy conjoincte avec la basse Allemaigne, toutesfois je l'ay mise avec la Gaule, pource que la situation d'icelle est en la terre de Gaule, et quelle use pour la plus grand part du langage Francois, et principalement sur les lieux de frontiere, pource aussi quelle estoit jadiz soubz la jurisdition des roys de France[2].

Géographie incertaine encore, et contradictoire : l'auteur, semble-t-il, hésite entre deux principes, le premier s'inspirant de l'exposé, inlassablement reproduit, de César, le second de la répartition actuelle des langues. Un fait est remarquable : le deuxième critère, nettement perceptible chez quelques écrivains du XVIe siècle, finira, pour longtemps, par s'atténuer ; en revanche les cadres fixistes hérités de l'Antiquité continueront de marquer les discours de la géographie politique.

Témoin les deux cosmographies universelles concurrentes qui paraissent en 1575. L'une d'elles est due à François de Belleforest, écrivain polygraphe qui procure une édition augmentée et enrichie du livre de Münster. Il reconnaît que les régions furent jadis séparées par les montagnes et les rivières, tandis que les royaumes, de son temps, le sont désormais par les langues, si bien que toutes les régions qui sont de langue allemande sont réputées d'Allemagne (au-delà, celle-ci s'étend jusqu'à la Meuse, « et mesme passe outre[3] »). Mais c'est pour mieux rappeler que le « pays Belgique » était limité par la Seine, la mer Océane et le Rhin, et ailleurs encore que le Rhin séparait la Germanie des Gaules, « en sorte que Basle, Strasbourg, Spire, Mayence, et les autres villes qui sont de ce costé du Rhin, estoyent en la Gaule plustost qu'en la Germanie [...] ».

> Or les Alemans garnis de force corporelle, et duits aux armes plus que les autres, ne se contentans point de leurs bornes et limites, passerent outre [...] Aussi presque toute la nation des Belges, qui estoyent anciennement soubs la jurisdiction de la Gaule, et tout le Rhin est aujourd'huy de l'Alemagne ou Germanie, et use du langage d'icelle, en sorte qu'ils ne sçavent pas s'ils ont esté Gaulois, et s'ils oyent qu'on

> les appelle ainsi, ils se courroucent. Les Suysses aussi ont acquis par succession de temps le nom, et langage des Alemans. Par ainsi la Germanie s'est usurpé une grande partie de la Gaule[4].

Ainsi, reprenant, ou retournant, des thèmes contenus dans le livre de Münster, qui lui sert en quelque sorte de matrice, Belleforest leur donne une pointe plus nette, plus offensive, «nationaliste» si l'on veut. En glissant du monde germanique en France, la description des pays s'est transformée en revendication. L'autre ouvrage - qui est d'André Thevet, cosmographe du roi - exprime une idée comparable:

> Or estoit la France, ou Gaule, lors qu'elle commença d'estre occupee par noz Rois, une Province des mieux bornees qui fust soubz le ciel, à raison que le pied des monts Pyrenees, deux ou trois lieuës pardelà la riviere de Saulces, du costé de Parpignan tirant à l'Ouest, et tout le reste du mont jusques à la Biscaye, et vers l'Italie les Alpes, et vers le Nort la mer, et au Païs-bas la riviere du Rhein, luy servoient de limites: lesquels elle a presque encores tous retenus, excepté ledit Rhein, et ce à l'occasion que les apennages des maisons ont esgaré une partie de la Belgique de la Couronne de France[5].

L'essentiel de la démonstration, dans ces textes et d'autres encore, pourrait se résumer ainsi, avec quelques inflexions différentes d'un auteur à l'autre: glorification de la Gaule, discrédit des démembrements médiévaux - et du Moyen Âge en général[6] -, révisionnisme, enfin, souvent à peine perceptible. On objectera, probablement avec raison, que ces compilations sont trop lourdes et trop savantes pour représenter une opinion autre que celle des élites politiques, et particulièrement celle des cours, qui parfois les suscitent, et toujours en usent. Mais voici, à l'opposé, d'autres volumes, de format réduit, consultés, cette fois, par les voyageurs, marchands ou pèlerins. *La Guide*, bien connue, de Charles Estienne est un ensemble d'itinéraires ramifiés, mais la continuité des lignes n'exclut nullement les marques de rupture, entre autres la mention des seuils et des passages, d'une province à l'autre ou d'une province de la France vers l'étranger: une forêt et de grandes pierres armoriées séparent la Bourgogne et la Franche-Comté; une rivière, le Dauphiné et la Savoie. Le livret même s'ouvre par un inventaire des limites: le Rhône, la Saône, la Meuse et l'Escaut, soit les quatre fleuves du partage de Verdun[7]. Limites historiques, mais prudentes. Or, quelques dizaines d'années plus tard, un autre ouvrage n'a pas cette réserve. La Guide de Théodore de Mayerne-Turquet - moins célèbre que la précédente, que, par ailleurs, elle plagie -, un petit in-douze que piétons et cavaliers peuvent, sans encombrement, emporter, comme un simple livre de poche, avec eux, martèle la description classique, et sur la première page, qui est celle que tous lisent :

> Le Royaume de France d'aujourd'huy n'est qu'une portion des conquestes que les Anciens François ont faites aux Gaules, jadis limitees par le traict du Rhin [...] et le mont Appennin [...] Les premiers exploits des François, et pour premier establissement aux Gaules, fut aux environs de Treves, et Cologne, et aux embouscheures du Rhin [...] Mais les princes par mauvais advis [...] ont plusieurs fois party et divisé [le Royaume] entr'eux en plusieurs estats souverains.

Il est remarquable ici que même le détour par l'histoire des Francs contribue à fixer l'attention sur le Rhin et que la décadence soit liée au démembrement du *Regnum Francorum* en Austrasie, Neustrie, Aquitaine et Bourgogne[8]. Du reste, quand, par un rappel des origines gauloises, historiens et érudits du XVIe siècle en France célèbrent les fondements – que l'on pourra dire, par commodité, « nationaux » – de la monarchie, ils conçoivent très bien, comme un Guillaume Postel, que Charlemagne lui-même ait dû sa légitimité aux mérites dont il fit preuve comme « Roy de la Gaule et aydé du peuple Gallique aisné du monde[9] ». La diversité des mythologies nationales laisse donc intacte la distribution géographique des États territoriaux.
Ce sont cependant les images superposées de la Gaule et de la France qui s'imposent avec le plus d'évidence. Et surtout, à travers elles, la figure d'une France antique et vénérable, mais aussi géométrique et idéale, *se diffuse* – en même temps que l'idée du Rhin frontière, fût-elle passéiste ou irréaliste, devient plus familière – bien au-delà des cercles étroits des cours et des gouvernants. Ici, ce sont les abrégés d'histoire et de géographie, rédigés pour les collèges des jésuites au XVIIe siècle, qui reproduisent, à satiété, ces images de la France. Un ouvrage comme *La Géographie royalle...* de Philippe Labbe, publié en 1646, connaît au moins dix éditions jusqu'en 1681. Parmi tant d'autres, il déclare que les bornes de la Gaule furent, à l'est, le Rhin, une partie des Alpes et le Var. « Regardons l'Allemagne, le Rhin nous obéit, nostre frontière s'avance tousjours de ce costé-là », s'exclame, dans son *Tacite François*, René de Ceriziers, qui fut aumônier du roi et proche de Richelieu. Et il écrit encore de la Gaule :

> Cette partie de l'Europe que les Alpes et les Pyrénées, les deux Mers et le Rhin séparent du reste du Monde fust autrefois le Païs de ces Peuples que l'histoire nomme Celtes et Gaulois. La Nature l'avoit ainsi bornée pour opposer des défenses à l'avarice de leurs voisins, ou pour mettre des limites à leur propre courage[10].

La *nature*, providentialiste : le terme, dans ce texte, est net. Peut-être, sur ce thème précis, les manuels des jésuites ne sont-ils pas tous aussi explicites. Mais ces ouvrages sont, pour certains, plus de vingt fois réédités et l'on peut dénombrer, au total, plus d'une centaine d'éditions et cent cinquante mille à deux cent mille exemplaires : combien, parmi les quarante mille élèves des jésuites - sans compter les autres -, peuvent, au temps du Cardinal, rêver à cette limite prestigieuse perdue.

Vieux débat que celui de la politique dite des frontières naturelles, attribuée à Richelieu. Il y a un demi-siècle, il fut tranché par la négative : pareille doctrine ne se rencontrait, écrivait-on, que chez quelques rares auteurs, du XVIe siècle au XVIIIe siècle[11]. Mais c'était là restreindre les perspectives, et ramener des images tenaces à la seule politique de guerre (par exemple celle des têtes de pont). Il est évident que les objectifs rhénans de Richelieu ne se sont pas exprimés en un programme clair de limite définitive[12], qu'ils étaient liés à des préoccupations de pure opportunité, que ces buts mêmes changèrent. Mais des chimères existent, elles font aussi l'histoire. L'idée de limite naturelle est bien antérieure à Richelieu. Elle court à travers de vastes littératures, savantes, pédagogiques, et atteint de larges publics. C'est un phénomène d'opinion, enfin, qui survit au grand ministre.

Mais à ces structures des représentations géographiques il faut aussi confronter les politiques, apparemment plus complexes, du pouvoir monarchique. En certaines circonstances, celui-ci s'en tient à une règle stricte, l'observation des limites.

Rien ne montre mieux l'existence des limites et leur emplacement exact que l'acte par lequel la personne du roi les désigne au cours de ses voyages. Les pérégrinations monarchiques qui portent continuellement le roi, des siècles durant et jusqu'à l'installation à Versailles, de toutes parts à travers le territoire, ne l'entraînent guère au-delà des frontières - hormis, bien entendu, le cas particulier de l'*expédition militaire*. Visitant la France, le roi s'arrête près des limites. Parfois, même, il arrive qu'il en suive les sinuosités, décrivant ainsi l'espace à l'intérieur duquel ses pouvoirs s'exercent. Aux XVIe et XVIIe siècles, à l'époque où la Cour est encore itinérante, les exemples de cette pratique ne manquent pas. Très significatif est l'immense circuit des années 1564-1566, pendant lesquelles le jeune Charles IX, conduit par sa mère Catherine de Médicis, parcourt son royaume, entre deux flambées de guerres civiles. L'itinéraire révèle les limites, en même temps qu'il les consacre, aussi bien dans les *zones* où subsiste - comme entre Bourgogne et Franche-Comté espagnole - un certain nombre de villages d'obédience incertaine, ou prétendant l'être, que dans les régions où se côtoient et s'affrontent, de part et d'autre d'une *ligne* simple et précise (la Bidassoa), deux des plus formidables puissances de ce temps. Il suffit, du reste, de comparer, dans le détail, les va-et-vient du jeune roi et ceux de son entourage immédiat pour que soient mieux soulignées les limites, que, à la différence de la reine mère, Charles ne franchit jamais. Catherine, en effet, s'aventure, en janvier 1565, jusqu'aux abords de Salses, qui est alors forteresse espagnole, à la frontière du Roussillon. Et quelques mois plus tard, elle passe sur le sol de l'Espagne, lors de sa rencontre avec sa fille Élisabeth, femme de Philippe II. Le roi, lui, ne quitte pas son territoire[13]. Quand, en 1573, Catherine accompagne son fils Henri, qui doit prendre possession du royaume de Pologne, elle s'achemine jusqu'à Nancy et à Blâmont (où elle a une entrevue avec des princes allemands) ; Charles IX est alors malade mais il paraît peu probable, à la lecture des témoignages de l'époque, que, se rendant à la frontière de la France et de la Lorraine, il ait vraiment eu l'intention de marcher au-delà. Exceptionnellement même, le roi, en quelque sorte, se dédouble. En 1570, Charles IX se rend à Mézières, pour accueillir Élisabeth d'Autriche qu'il doit épouser ; celle-ci est arrivée à Sedan, principauté jalouse de son indépendance. Le roi, impatient, gagne Sedan *incognito*, mais les textes qui racontent cette escapade disent qu'il s'est, pour la circonstance, *déguisé* : il a donc, pour ainsi dire, échappé à son corps royal[14]. L'anecdote, ainsi, confirme la règle. Il est utile, enfin, de comparer les itinéraires royaux, lorsque les limites anciennes ont été modifiées et d'autres acceptées. Moins d'un siècle après le long voyage de Charles IX, Perpignan, naguère assiégé par Louis XIII, conquis en 1642, reçoit la visite, au lendemain de la paix des Pyrénées, du jeune Louis XIV, alors en route pour Saint-Jean-de-Luz où il doit rejoindre sa future épouse. « [Sa Majesté] visita toutes les fortifications vieilles et nouvelles, dont elle receut une entiere satisfaction, estant des fortes places de l'Europe[15]. » La présence du roi en terre de Roussillon, peu après la réunion, est évidemment le rite, le plus manifeste, d'une prise de possession.

Nombre de lieux frontaliers sont riches d'histoire et détiennent de fortes charges symboliques. Aucun d'eux, peut-être, entre la France et l'Espagne, n'a été autant habité de ces signes par lesquels s'accomplissent les gestes de souveraineté que la Bidassoa, cette modeste rivière promue au rang de fleuve frontière. C'est un lieu de rencontre et d'échange s'il en fut. Là se voient et s'entretiennent des rois, en 1463 (Louis XI et Henri IV de Castille), en 1565, en 1660, là sont rendus des prisonniers (en 1526, François Ier, contre deux enfants royaux remis en otages, et en 1530 ces princes – accompagnés d'Éléonore, future épouse de François Ier – contre une énorme rançon). De tels précédents manquent souvent de lustre, mais c'est aussi sur cette frontière, et plus précisément dans l'île des Faisans, lieu propice situé entre les deux royaumes, que se rencontrent, et négocient âprement, d'août à novembre 1659, Mazarin et don Luis de Haro. Les deux protagonistes peuvent se rejoindre sans traverser la terre étrangère mais, pour tenir compte des susceptibilités et résoudre les conflits d'étiquette, il faut au préalable aménager l'île, pourvue d'une salle de conférence et de deux appartements égaux. Quelques mois plus tard, l'île «Fortunée», «veritable Terre de promission des François[16]», comme l'appelle un contemporain, reçoit d'augustes visiteurs: deux rois et deux reines. Philippe IV y retrouve Anne d'Autriche, sa sœur, et son neveu Louis XIV; les deux rois, ayant chacun pris un crucifix dans une main et mis l'autre sur l'Évangile, jurent d'observer les articles de la paix[17]. Marie-Thérèse et Louis XIV, au terme de leurs itinéraires respectifs, se rencontrent aussi dans l'île, et leur mariage est célébré à Saint-Jean-de-Luz. Conférence internationale, entrevue de monarques, mariage royal: des moments graves, et des sites minutieusement préparés. Dans ces relations de circonstance où les contemporains curieux, enthousiastes et éblouis, décrivent les cortèges et les décors, mais aussi s'efforcent de saisir les gestes et les émotions, ils associent toujours le nom de l'île à la célébration de la paix, à l'éclat d'une entrevue qui réunit «toute la Beauté, la Puissance et la Majesté de l'Europe» et «les deux plus grands Potentats de la terre[18]».

En s'avançant le plus loin qu'il leur est possible jusqu'aux extrémités du territoire, Charles IX, Catherine de Médicis et leur suite effectuent un «tour», une «ronde», un «circuit», selon les expressions du temps. L'image est significative, non seulement d'un voyage exceptionnel, mais de la forme même de la France qu'il est déjà d'usage d'inscrire dans des figures géométriques parfaites, les plus simples qui soient, les plus régulières. C'est ainsi qu'on voit la forme de la France: ronde ou, plus souvent, en carré ou en losange. «La forme est aucunement quarree tenant de la Lozange[19].» La complexité, hexagonale ou autre, est postérieure. Les historiens ont-ils suffisamment remarqué à quel point, pour peu que l'on considère une cartographie à petite échelle, la France est, même au temps de Louis XIV, continue, homogène et massive[20], à quel point la plénitude de la concentration géographique, qui alors distingue le royaume de tant d'autres États, est plus forte que l'incertitude, le flou supposés de ses marges? Les voyages royaux soulignent cette compacité. Celle-ci finirait-elle alors, avec le temps et les réunions successives de provinces, par s'altérer? Et la figure géomérique par se compliquer? Les vicissitudes politiques et territoriales, quoi qu'il en soit, n'obscurcissent pas totalement l'image, harmonieuse et prestigieuse, qui subsiste à travers les textes. C'est une mémoire savante, scolaire, écrite, continuellement fortifiée par l'autorité de la géographie antique, qui maintient la présence, dans les esprits, d'une France archaïque et idéale. C'est la mémoire, aussi, de la plus longue durée. La convergence est, à ce titre, étonnante, entre la vastitude du modèle géographique et sa survie après tant de siècles. Les fractures et les partages médiévaux n'auront fait, en définitive, qu'accentuer, par contraste, la fonction de norme. Et rien n'est moins fossilisé que cette image ancestrale, puisque les rois de France, avec quelque prudence lorsque les circonstances l'exigent, s'emploient à la marquer dans leurs itinéraires, du moins au pied des Pyrénées, faisant coïncider la mémoire des livres et une mémoire physique et visuelle des lieux. Cette mémoire alors s'actualise, se réalise dans l'espace.

2.

C'est aussi pendant le long siècle de Louis XIV – à partir du traité de Münster de 1648 – que s'édifie peu à peu le territoire français. Les agrandissements sont alors plus nombreux, plus amples qu'ils ne le sont au XVIe siècle (avec l'occupation de Metz, Toul et Verdun en 1552, la reconquête du Calaisis en 1558, l'acquisition de la Bresse et du Bugey en 1601) ou qu'ils ne le seront au XVIIIe siècle avec le rattachement de la Lorraine (1766), de la Dombes (1762) et de la Corse (1768). Ce sont, rappelons-le, l'Alsace (1648, 1697) et Strasbourg (1681), l'Artois et le Roussillon (1659), la Franche-Comté (1678)... Énoncé bien illusoire : il ne traduit pas vraiment la complexité territoriale propre à la politique dite de réunion, le nombre et la succession des traités de limites (pour le nord de la France par exemple), la lenteur, voire le piétinement, des opérations conduites sur le terrain. Dans son aspect tangible, la figure territoriale gagne des côtés, des angles. Que l'on change d'*échelle*, que l'on cite, comme ne cessaient de le faire les contemporains, les « droits » du roi : ce sont des mosaïques, des enclaves, des indentations multiples qui surgissent. Il est bon, ici, de prendre un exemple qui serve à confirmer – mais aussi à nuancer.

Des traditions livresques et scolaires veulent donc que l'Artois et le Roussillon soient passés, en bloc, à la France. Cette façon de relater est une approximation, qui ne rend pas exactement compte des difficultés du moment, des situations locales, juridiques, politiques, territoriales. La lettre du traité des Pyrénées, en effet, est moins simple : ce sont des « places, villes, pays et chasteaux, Domaines, Terres et Seigneuries », qui sont, pour certains d'entre eux, l'un après l'autre, cités. C'est ainsi que le roi très chrétien « demeurera saisi, et jouira effectivement » « premierement, dans le Comté d'Artois, de la ville et cité d'Arras, sa gouvernance et Bailliage, de Hesdin et son Bailliage, de Bapaume et son Bailliage [...] : comme aussy de tous les autres bailliages et chastellenies dudit Artois, quelz qu'ilz puissent estre, encore qu'ilz ne soient pas icy particulierement énoncez et nommez : à la reserve seulement des villes et bailliages ou chastellenie et gouvernances d'Aire et de Saint-Omer, et de leurs appartenances, dépendances et annexes, qui demeureront toutes à S. M[té] Catholique ». Il en est de même pour les provinces et comtés de Flandre, de Hainaut, pour le duché de Luxembourg. Les articles, on le voit, énumèrent: une province conquise est avant tout un *ensemble* de lieux, de places, de dépendances, et lorsque l'article, pour conclure plus vite, abrège l'énoncé des bailliages d'Artois – ou même lorsqu'un autre attribue à la France «tout le Comté et Viguerie de Roussillon», «le Comté et Viguerie de Conflans, pays, villes, places et chasteaux, bourgs, villages, et lieux qui composent lesdits Comtez et viguerie de Roussillon et de Conflans», du côté français des Pyrénées[21] –, le traité n'en désigne pas moins la structure composite du territoire. En conséquence de la paix, trente-trois villages de la Cerdagne sont attribués à la France: Llivia, considérée comme une ville, n'est point de ce nombre. De là l'enclave espagnole, pittoresque, mais surtout significative, qui indique une référence – alors même que d'interminables débats porteront sur le tracé d'une limite naturelle fixée par les géographes anciens à la ligne de faîte des Pyrénées – à un tissu de communautés humaines.

Mais les négociations que conduisent ministres et diplomates ne suffisent pas. Il faut trancher sur le terrain, à travers les circonscriptions et les communautés villageoises, à travers les paysages. Les plénipotentiaires ont prévu ces compléments d'information. À des commissaires nommés de part et d'autre est laissé le soin de vérifier, sur place, les «preuves» et les «titres» écrits, de prendre connaissance des traditions et des usages locaux en faisant appel aux témoignages des populations. De ces laborieux pourparlers il subsiste à peu près toujours des traces, correspondances, rapports isolés, ou longs procès-verbaux. Pour le Nord, les négociations sont continuelles: elles sont indéfiniment renouvelées pendant deux ou trois siècles. Seuls varient l'assiette, l'objet des conférences, en fonction du tracé fixé par les traités. Mais, en Artois, en Hainaut, au Luxembourg, aux confins de la Lorraine, comme le montrent les procès-verbaux de limites rédigés au XVIIe siècle, les principes et les enseignements que l'on peut tirer de ces corpus demeurent. Ce sont essentiellement des *villages* qui constituent l'élément de base. Les droits invoqués, qui tiennent à des notions de mouvance, de justice, d'impôt, peuvent peser, assurément, d'autant plus qu'ils sont souvent gonflés pour les démonstrations. Mais les arguments liés au sol, au *territoire* (contiguïté, distances, «enclavements», dimensions, chemins, etc.) ne sont nullement absents. Faut-il enfin ajouter que les droits eux-mêmes s'exercent sur des lieux, sur des villages? Il importe donc de distinguer les fluctuations géographiques des limites (qui en douterait? Le royaume était perçu comme inachevé) et le *concept* même de limite, net et précis, et d'autant plus net et précis qu'il reconnaît l'existence des communautés villageoises et leurs attaches à la terre. Les variations indiquent des rapports de forces – et non la confusion des choses ou la confusion dans les esprits.

Au XVIIIe siècle, cependant, l'ère des réunions, à quelques exceptions près – elles ont déjà été signalées –, est close. Les conventions de limites, en revanche, se multiplient. L'effort est général en Europe : un certain nombre d'États s'emploient à régulariser leurs confins. La France, de son côté, ne cesse de négocier. Elle passe des accords avec tous les États voisins, du nord au sud, Pays-Bas autrichiens, Liège, Trèves, principauté épiscopale de Bâle, États sardes, Espagne… Ces traités témoignent de préoccupations bien différentes de celles qui prévalaient un siècle plus tôt : à l'époque de Louis XIV, les négociations suivaient des opérations militaires et elles avaient pour objet de fixer le contenu de lourdes cessions, compactes et massives. Il est, désormais, question de préciser l'appartenance de quelques villages que l'on croyait, à tort ou à raison, de souveraineté encore indéterminée, de pratiquer une politique d'échange, dans un esprit de conciliation d'autant plus remarquable qu'elle associe des États de taille et de puissance dissemblables, dont le plus fort accepte, malgré d'inévitables frictions ou des lenteurs calculées, le principe d'égalité. Le compromis, la volonté de paix l'emportent. Des enquêtes préliminaires aux opérations de bornage, cette politique de rectification territoriale suscite d'immenses corpus de textes, de statistiques et de cartes, où la part de l'argumentation juridique et historique cède la place aux exigences de type géographique.

En cela, pourtant, les conventions n'innovent pas entièrement. Voici, par exemple, entre la Moselle et la Sarre, une région dont la géographie politique paraît bien incertaine : une espèce de trapèze, dit un mémoire de 1737, cent vingt-deux bourgs ou villages de différentes dominations (vingt-sept relevant de la principauté de Trêves, vingt-neuf de la France *et* de la Lorraine, dix-huit de la France *et* du duché de Luxembourg, seize de la Lorraine *et* de Trèves, etc.). « Pays indivis », marges indéterminées, *res nullius* si l'on veut ? Mais les contemporains savent aussi, exactement, dénombrer et localiser, autour d'un village, tous les villages avoisinants : ce sont, pour Nittel, à quatre lieues de Trèves, quatorze villages dont l'appartenance est parfaitement connue. Des villages mi-partis, tripartis ? Mais ces communautés comprennent des maisons, des sujets qui dépendent chacun d'une souveraineté distincte, clairement désignée, dans le détail. Il n'y a pas là absence de limites. En d'autres termes, la limite n'est pas confuse, mais complexe.

Trop complexe sans doute. D'où les ajustements. Les opérations, systématiques, de régularisation visent à échanger les villages, à faire disparaître les enclaves, à introduire plus de continuité dans les voies de communication. Ces ultimes efforts, dans l'édification du territoire, s'appuient sur deux principes. L'un s'attache à tenir compte, le plus qu'il est possible, des situations locales qui rendent possibles les échanges : il faut, de part et d'autre, que les villages ou les sommes de villages soient comparables – par le nombre des feux, la superficie des terres, leur qualité et leurs revenus (ce genre de préoccupation est courant, à la frontière des Pays-Bas autrichiens) ; il faut aussi que cessent les batailles sur les titres (les contestations qui exaltent les droits historiques ne peuvent avoir de fin : les responsables qui négocient, en 1748, à la frontière franco-genevoise en conviennent). La spatialisation du territoire en est accrue. L'autre principe fait revivre un concept tenace, que la géographie imprégnée de réminiscences antiques a continuellement véhiculé. Les montagnes, les fleuves sont encore les limites les plus naturelles. Entre le Rhin, qui a longtemps hanté l'imaginaire géographique, et les infimes réajustements locaux qui sont à l'échelle de quelques paroisses, il y a place, au XVIIIe siècle, pour des rivières frontalières qui perpétuent la notion : la Lys, la Sarre, le Doubs, le Var, entre la France et, respectivement, les Pays-Bas autrichiens, les possessions de l'électeur de Trèves, celles de la principauté épiscopale de Bâle et les terres de la maison de Savoie[22].

C'est bien sur une autre forme de mémoire que se fondent, du XVIe au XVIIIe siècle, les prétentions et les efforts de conciliation : une mémoire empirique, orale, « populaire » même (dans une acception très large du terme), puisque des villageois – les principaux d'entre eux –, parfois des gentilshommes de campagne, la disent et la reproduisent à travers leurs témoignages, l'inscrivent dans le sol familier. Voilà une mémoire spécifique, par la double échelle qui la définit. Le temps d'abord : c'est celui des souvenirs de la communauté, qui remontent à quelques dizaines d'années en général ; c'est celui de deux générations, ou de trois au maximum. L'espace ensuite : il est propre au terroir, à la ville ou à la place forte proches ; les distances, les chemins, les usages sont bien connus de ceux qui parlent. Lorsque l'on en vient, au XVIIIe siècle, pour hâter la conclusion des compromis, à reléguer au second plan les interminables discussions sur les titres, le territoire, curieusement, reçoit l'empreinte de toute une mémoire spatiale : la durée, même récente, portée par les revendications de droits, paraît s'atténuer, tandis que la mémoire des gestes, des habitudes, des travaux et des déplacements quotidiens compose la rationalité des nouvelles limites. En réalité, l'histoire cessant d'être en quelque sorte extériorisée par rapport à ses objets spatiaux – dans des distorsions entretenues par les conflits de preuves – informe désormais le tracé des limites, s'enveloppe dans des données sensibles, comme ce serait le cas pour n'importe quel autre paysage.

Sans doute, les deux mémoires, celle que transmettent les textes et celle qui s'exprime dans des déclarations de témoins, ne s'emboîtent guère. L'une ne contient pas l'autre. Elles sont d'un ordre différent et si, parfois, elles se superposent, ce n'est qu'en discordance. Il arrive pourtant, au XVIIIe siècle, que l'argument de la limite historique et naturelle, ce concept savant, et les traditions et les habitudes locales convergent, sur la ligne des rivières, par exemple sur le Var et de part et d'autre de ce fleuve.

3.

Des générations de lycéens auront retenu, à propos de la France de 1789, une leçon simple : ses limites sont généralement incertaines, mouvantes, insaisissables en un mot. Des études ont montré, cependant, qu'il n'en est rien. Grâce à une longue politique de régularisation, le tracé de la limite septentrionale est clair et précis. Au lendemain du traité des Pyrénées, de la mer à la Meuse, il existait quelque trois cent cinquante terres contentieuses ; à la veille de la Révolution, il ne subsisterait plus qu'une médiocre enclave autrichienne en territoire français, et les trois enclaves, mieux connues, de Barbençon, Philippeville, Marienbourg, détenues par la France en terre étrangère[23]. À l'est, de la Lorraine à l'Alsace et à Montbéliard, la situation paraît plus complexe. Mais elle n'est nullement inextricable : même pour les confins de l'Alsace ou de la Lorraine, il était possible, en 1793, en 1917, de dresser une liste à peu près exacte des enclaves allemandes.

Pourtant, l'historiographie en a décidé autrement. Les questions de limites s'encombrent facilement de sentiments et de mythes. Les faits s'obscurcissent. Peut-être sont-ils parfois difficiles à établir. Mais l'idée a finalement prévalu, au XIXe siècle, et pendant une grande partie du XXe siècle, que les limites d'Ancien Régime étaient instables et enchevêtrées, qu'il eût été vain de vouloir en présenter une cartographie exacte. Des historiens, de Dupont-Ferrier à Armand Brette, pour la fin du Moyen Âge[24] comme pour le tableau de la France en 1789, pour les circonscriptions intérieures comme pour les limites extérieures, conclurent dans ce sens. D'autres savants, et non des moindres, ont défendu la même idée, pour la frontière du Nord-Est, vers la fin de la Première Guerre mondiale. Le vague supposé des limites, rétrospectif, a ici une signification. Il n'est pas seulement une affirmation, neutre et discutable ; il a une vertu propre, offensive. La notion de frontière, alors, est entrée dans une autre phase, celle des passions et des revendications, qui font suite aux volontés de compromis du XVIIIe siècle. On peut penser, en particulier, que le concept de souveraineté commune ou partagée, de territoires indivis est devenu, qu'on le voulût ou non, une arme. Armand Brette, déjà, en 1907, exagérait l'importance des contestations en 1789. Cette notion de frange indécise, entre la France et les pays allemands, est reprise en 1917, dans certains des rapports présentés et discutés lors des séances tenues par le « comité d'études », formé en février pour préparer le dossier des futures négociations et comprenant une quinzaine d'universitaires de renom (dont Lavisse, président, Vidal de La Blache, vice-président, et Aulard, Gallois, Jullian, de Martonne, Seignobos...). Plus de vingt études, historiques, géographiques, économiques, sont consacrées à la frontière du Nord-Est, présentant, pour la partie historique, à la fois un état des connaissances du moment sur la question des limites, de l'Ancien Régime au XIXe siècle, un témoignage sur les propositions géopolitiques à l'époque de la Première Guerre mondiale et un bon exemple du concept de frontière, caractéristique du XIXe siècle, tel qu'il s'exprimait alors – ou ne pouvait pas ne pas s'exprimer. Or, un Vidal de La Blache n'hésite pas à déclarer que la convention passée à la fin de l'Ancien Régime entre la monarchie et l'électeur de Trèves a mis fin au «singulier régime de souveraineté commun auquel était soumis le pays de *Merzig*, dans la plaine en aval de Sarrelouis[25]». Lucien Gallois écrit de son côté: «La question de souveraineté n'était pas toujours résolue. Il y avait même des territoires dont la souveraineté était partagée. C'était là un reste du régime féodal. Dans le détail, l'enchevêtrement est parfois extrême.» Gallois reconnaît pourtant que les choses peuvent être plus simples[26] – et qu'il n'est pas impossible d'exposer les situations territoriales pour 1789. Une étude de Maurice Fallex s'efforce de montrer que les contestations portant sur les limites septentrionales de la Basse-Alsace ont été résolues par des conventions qui, conclues avec des princes d'Empire, laissaient espérer à la France la limite de la Queich[27]: l'incertitude est seulement reportée en arrière, et écartée dès qu'elle n'est plus favorable à une éventuelle progression. Au XIXe siècle, l'idée est communément exprimée que les frontières sont passées de la marche fluctuante à la ligne précise, selon une évolution continue et irréversible. Mais l'histoire ne prouve pas une telle régularité. L'accent est, d'autre part, plus volontiers mis sur l'indécision et l'indivision: en ce domaine – comme on le voit pour les frontières coloniales – le flou est profitable.

Sur un autre point, dans les questions de langue, des innovations, plus que jamais, importent. Jusqu'alors, le lexique géopolitique comprend, principalement, deux termes, dont les emplois sont distincts. La *frontière* désigne une zone qui peut se rétracter, s'élargir ou se déplacer au gré des modifications territoriales. Le mot est généralement utilisé dans un contexte militaire (des provinces sont garnies de forteresses frontières). Quand bien même le bruit des armes se serait atténué, l'idée d'hostilités et de danger, ou simplement de rapports de forces, est proche. Le terme de *limite* est fort différent, d'abord parce qu'il peut relever de la langue figurée, abstraite, ensuite parce qu'il implique d'ordinaire une ligne géographique plus précise: une limite de pouvoir, de souveraineté, acceptée d'un commun accord, au terme de négociations parfois difficiles mais qui finissent par imposer un compromis. Si la *frontière* appartient au registre de l'agression, la *limite* appartient à celui de la paix. Du XVIe au XVIIIe siècle, *un* État repousse ses *frontières* (aux dépens d'une principauté ou d'un État voisins). Mais *deux* États fixent, entre eux, leurs *limites*. Lorsque les mots apparaissent dans une même page, la distinction est parfaitement nette: ainsi, au XVIIe siècle, au lendemain d'un conflit militaire, des commissaires sont nommés pour se rendre sur la *frontière* et y déterminer les *limites* (de l'Artois par exemple) : des limites qui, lorsqu'elles ne sont pas dites *naturelles* (c'est-à-dire voulues par la Providence ou par la nature dans quelque acception que ce soit) sont au moins choisies pour être *définitives* (à la différence des mouvantes *frontières*). Cette spécificité est si forte qu'elle se perpétue alors que les circonstances politiques, militaires, évoluent. Le terme de *frontière* conserve son sens premier, par exemple, chez les orateurs de l'époque révolutionnaire (Vergniaud, Robespierre, Saint-Just), pour des raisons évidentes (la *défense des frontières* ou l'*offensive aux frontières*) ou encore chez les historiens du XIXe siècle. Mais c'est encore le terme de *limite* – de limite naturelle – qui demeure en usage lorsqu'il est question d'inscrire le territoire national dans un espace déterminé. « Les limites de la France sont marquées par la nature », s'écrie Danton le 31 janvier 1793 dans une intervention célèbre si souvent rappelée au XIXe siècle. « Les limites anciennes et naturelles de la France, déclare Carnot le 14 février suivant, sont le Rhin, les Alpes et les Pyrénées. Les parties qui en ont été démembrées ne l'ont été que par usurpation. » Curieux écho, à travers les siècles (« mais ces prétentions diplomatiques, fondées sur les possessions anciennes, rectifie l'orateur, sont nulles à nos yeux comme à ceux de la raison » : les peuples seuls sont souverains)[28] ! Dans l'été de l'année 1795 est ouvert un concours sur la question de savoir s'il est « de l'intérêt de la République française de reculer ses limites jusqu'aux bords du Rhin ». Les réponses se réfèrent souvent à l'histoire, à la Gaule, à César, à Richelieu même. Mais elles parlent encore de *limite*, celle du Rhin opposée aux « anciennes limites » : « La France deviendra très-forte de ce côté, ayant la même défense que les Gaulois ont opposée aux invasions des Romains. En effet, le Rhin paroît une des limites naturelles de la France » (Dorsch). « Où sont posées les bornes de la Hollande, là doivent commencer les limites de l'Empire Français : ces limites sont l'ouvrage de la nature » (J.-J. Derché). Une autre dissertation déclare que « pour se convaincre que le Rhin est la limite naturelle de la France, il suffit presque de jetter les yeux sur une carte géographique » (un concurrent, ingénieur)[29]. C'est aussi comme limite que, partisan convaincu de l'annexion de la Rhénanie, l'Alsacien Reubell désigne la rive gauche du Rhin[30], et c'est encore ce terme qui figure dans le titre de mémoires composés en l'an V et remis au Directeur[31]. On peut donc considérer que si les *frontières* sont des zones militaires soumises aux aléas des armes, les *limites*, dans l'ensemble – même s'il faut les conquérir, même si la politique rhénane peut s'inspirer aussi, comme on le voit chez Reubell, de préoccupations stratégiques et économiques[32] –, s'imposent comme un droit et comme un dû, intangibles.

Mais les mots évoluent, lentement, très lentement, et l'écart qui subsiste entre *frontière* et *limite* tend à s'atténuer, jusqu'au moment où, dans certains cas au moins, la synonymie est à peu près complète. Ces inflexions, dans l'emploi des termes, sont infiniment lourdes de sens. *Frontière* comme *limite*, d'abord : c'est une première étape, qui se dessine dès le XVIIIe siècle, et particulièrement sur le terrain des rectifications territoriales dans les années 1770. Alors que l'on ne parlait auparavant que de la *démarcation de la limite*, ou de *règlement des limites*, l'on commence à négocier la *démarcation de la frontière*, la *délimitation des frontières*, comme si la frontière devait cesser de se déplacer, comme si elle s'assagissait, se pacifiait. C'est le signe peut-être que, par certains au moins, l'édification territoriale est désormais ressentie, dans le bonheur des traités, comme achevée. *Frontière naturelle :* l'expression est extrêmement rare, jusqu'au XVIIIe siècle inclusivement, apparaissant ici comme un calque du latin, là sous forme de périphrase. Elle est en revanche d'emploi courant dans la seconde moitié du XIXe siècle et au XXe siècle, et elle est alors utilisée rétroactivement par les historiens dans leurs études sur l'Ancien Régime et la Révolution. Quand entre-t-elle, de façon significative, dans la langue ? Le moment est incertain : peut-être dès l'époque des guerres révolutionnaires, en tout cas dans les années qui suivent les traités de 1814-1815.

> En roulant dans le Palatinat cis-rhénan [écrit Chateaubriand, en 1833] je songeais que ce pays formait naguère un département de la France, que la Blanche Gaule était ceinte de l'écharpe *bleue* de la Germanie, le Rhin. Napoléon, et la République avant lui, avaient réalisé le rêve de plusieurs de nos rois et surtout de Louis XIV : tant que nous n'occuperons pas nos frontières naturelles, il y aura guerre en Europe parce que l'intérêt de la conservation pousse la France à saisir les limites nécessaires à son indépendance nationale. Ici nous avons planté des trophées pour réclamer en temps et lieu[33].

Vers 1840, l'expression paraît avoir été adoptée dans la presse et la littérature polémique. « Le préjugé français des soi-disant “frontières naturelles de la France” » se répand, déclare Jacob Venedey, émigré de Cologne et patriote allemand[34]. Comment s'en étonner ? L'heure est celle de la crise franco-allemande, dont l'enjeu se fixe sur la ligne du Rhin. L'amertume née des traités de 1814-1815 suscite des revendications, ouvre de nouveau un front en direction de l'espace rhénan perdu. La frontière, parfois encore sous différents mots, se fait, la nature aidant, offensive, agressive, à l'inverse de la limite fixée lors de la pause du XVIIIe siècle monarchique finissant. *Frontière linguistique*, enfin. L'expression est, également, tardive. « Frontière des races et des langues européennes », écrit Michelet dans son *Tableau de la France* (1833) à propos de la Flandre[35]. La *frontière linguistique* proprement dite est postérieure encore : elle n'apparaît peut-être qu'à l'époque du second Empire. Pareille lenteur dans la diffusion de ce concept mérite d'être soulignée. L'idée qu'une nation ou qu'un État doivent strictement coïncider avec l'aire d'une langue n'est peut-être qu'une idée récente. Des prescriptions imposant sous l'Ancien Régime l'emploi du français s'appliquaient, sans doute, aux provinces annexées. Mais, en dehors de polémiques propres à la Renaissance, on ne voit pas que l'argument linguistique, quoi qu'en aient dit les historiens du XIXe siècle à partir de quelques textes mal interprétés ou isolés, ait vraiment servi à appuyer des prétentions territoriales dans les relations internationales. Comment en aurait-il été autrement, à partir du moment où le même argument, manié par exemple pour l'Alsace, pouvait se retourner sans peine contre les revendications françaises ? Sur le plan conceptuel finalement, les limites entre les langues, du XVIe siècle au XVIIIe siècle, sont beaucoup moins perçues comme des lignes géographiques que sous forme de distinctions entre groupes sociaux, voire entre membres d'une même famille. Sous la Révolution encore, la politique rhénane d'un Reubell est indifférente à la question de la langue et aux problèmes d'assimilation[36]. Il semble bien alors que, lorsque Michelet fait de la langue, dans les premières lignes du *Tableau de la France*, « le signe principal d'une nationalité », remontant, pour mieux le prouver, au serment de Strasbourg (842), il crée en quelque sorte des effets de *mémoire* sans rendre compte des rapports qui se sont exactement noués, dans l'*histoire*, entre langue et nation.

Mais d'autres valeurs se sont fait jour, ignorant pratiquement les usages linguistiques et bientôt, peu à peu, mettant en cause explicitement les constructions idéologiques et historiques fondées sur ce type de critère. Avec la Révolution, tout d'abord, les limites séparent désormais les peuples, et surtout ceux qui sont devenus libres de ceux qui ne le sont pas encore. « Passans cette terre est libre » porte l'arbre de la liberté (avec bonnet phrygien et pancarte bordée des trois couleurs) qu'en 1792, sur la Moselle, près de la frontière française, peint Goethe lui-même (qui, par ailleurs, n'aime guère les bouleversements révolutionnaires). En rupture complète avec les pratiques internationales traditionnelles, mais préparés par la philosophie du XVIIIe siècle et l'exemple américain, la souveraineté populaire, le droit des peuples à disposer d'eux-mêmes deviennent les principes essentiels de l'idéologie révolutionnaire, au nom desquels sont confirmées ou consacrées les acquisitions mêmes de la monarchie (la Corse par un décret de 1789, l'Alsace, la Lorraine et la Franche-Comté par le serment que prêtent en juin 1790, à Strasbourg, les délégués des gardes nationales de ces trois anciennes provinces), réunies des assemblées en Belgique, en Rhénanie (la convention rhénane de Mayence) ou dans le comté de Nice, annexés vieilles enclaves (Avignon et le comtat Venaissin en 1791, Montbéliard en 1793) et territoires frontaliers (de la Savoie et de Nice à la Belgique et au Rhin, sous la Convention), inventé enfin le concept de *limites constitutionnelles* qui a cours

sous le Directoire[37]. Il n'y a pas lieu de discuter ici de ce que furent ou ne furent pas les consultations et les vœux exacts de populations, qui, hormis certaines comme à Avignon, ne voulaient guère de l'annexion.
Mais le concept est né, bien proche de celui de frontière nationale, sans l'expression. Ou, plutôt, il continue de se préciser, de s'affermir. D'une part, les frontières naturelles, entendues au sens historique et géographique, peuvent n'être plus ressenties que comme un cadre fictif si elles ne s'appuient pas sur une volonté d'unité nationale. Significatives sont de ce point de vue les conclusions d'un article de la *Revue des Deux Mondes*, de 1842 : il est fort douteux que les provinces rhénanes puissent accepter leur réunion à la France. «Les vraies limites naturelles ne sont pas déterminées par les montagnes et les rivières, mais bien plutôt par la langue, les mœurs, les souvenirs, par tout ce qui distingue une nation d'une autre nation[38].» Perdue pour la France en 1814-1815, la Savoie illustre ce glissement et cet enrichissement conceptuels. Napoléon III n'ignore pas, il est vrai, la fonction instrumentale de la frontière naturelle, ni son rôle stratégique et militaire (de la même façon il espère, en 1866, obtenir des agrandissements territoriaux sur la frontière septentrionale, avec une partie de la Rhénanie, le Luxembourg, la Belgique). «L'opinion générale en France se montrerait défavorable à la formation d'un grand État aux pieds des Alpes si nous n'obtenions de ce côté nos frontières naturelles [...] Les deux idées sont à mes yeux absolument et indissolublement corrélatives», transmet Édouard Thouvenel, ministre des Affaires étrangères[39]. Mais la politique officielle, publiquement défendue, est celle des nationalités. La réunion de la Savoie est préparée par des campagnes d'opinion, des comités et des pétitions (prosuisses et profrançais), par une délégation de notables à Paris ; elle est conclue par un traité, mais sanctionnée, comme pour le comté de Nice, par un plébiscite[40]. Dans l'acquisition de la Savoie et de Nice, il n'est évidemment pas possible de minimiser la part du réalisme politique et des intérêts d'États, surtout dans la recherche de compensations (celles-ci rappelant ce qui avait été la pratique internationale pendant des siècles)[41]. Il n'empêche que, désormais, le vœu des populations, sollicité, consulté (et même déclaré, de façon excessive, entaché de falsifications lors du plébiscite savoyard, par des journaux suisses, belges, britanniques)[42], est à la fois un enjeu et un symbole. Mais, d'autre part, à l'épreuve des faits se développe peu à peu une version française de l'idée et de la frontière nationales, distincte de l'interprétation germanique telle que celle-ci s'affirme au XIXe siècle, après que les Cisrhénans comme Joseph Görres, d'abord séduits par la justification des limites naturelles (le Rhin, les Alpes, les Pyrénées pour la France) et par une théorie de l'appartenance nationale librement et collectivement choisie, se rallient à une définition fondée sur les traditions et la langue[43]. Symétriquement, il arrive qu'en France même l'argument linguistique ait été

invoqué, par moments, soit que, sous la Révolution, l'emploi des langues étrangères ait été combattu, soit que, plus tard, la langue figurât encore dans des formulations complexes et indécises (comme celle de Cazalès, précédemment citée), soit enfin que, par exception, une situation locale de plurilinguisme (caractéristique du comté de Nice, où se côtoient, en 1860, trois langues, le dialecte niçois, l'italien et le français) pût se durcir en conflit (« quelle est la preuve la plus forte de la nationalité d'un peuple ? demande Cavour. C'est le langage. Or, l'idiome parlé à Nice n'a qu'une analogie très éloignée avec l'italien »)[44]. Dans les grandes lignes, pourtant, les positions sont arrêtées, après 1840-1860 : le critère de la langue entre dans la définition allemande de la nationalité et il est largement absent des conceptions françaises du territoire, de la nation – et de la frontière.

La guerre et la raison d'État, le traité de Francfort et la blessure nationale rassemblent et ravivent bientôt les thèmes de la frontière. Avec le drame vécu par la communauté, les concepts et les sentiments prennent une intensité nouvelle. L'histoire est invoquée pour expliquer et réfuter le présent. Mais avec ce regain de force, les rapports entre le temps et l'espace modifient peut-être, à leur tour, les mots et les signes.

Sur le plan géographique, l'harmonie hexagonale est ébréchée et la figure de l'ensemble altérée. Mais les représentations de la frontière elle-même se transforment. Limites entre États et frontière nationale avaient fini par coïncider, sur le Rhin, et même dans les Alpes. Or, une dizaine d'années après l'achèvement d'une entreprise multiséculaire, la géographie politique fait éclater l'unité de la frontière, qui s'effiloche au moins en trois lignes distinctes. C'est d'abord la ligne, inventée par le traité, qui court, par exemple dans les Vosges, du ballon d'Alsace au Donon : limites d'États, où se fixent les postes de douane, ligne bleue des sommets, vers laquelle se porte la pensée des vaincus, fracture réelle entre territoires réorientés (puisque, dans les Vosges, les voies ferrées, qui proviennent des deux côtés, ne se raccordent pas, alors que sont établis des axes de communication longitudinaux, voies d'eau ou de chemin de fer, à l'ouest des régions annexées). En deçà, la frontière, au sens originel du terme, s'érige en un nouveau système défensif, constitué par une double ligne de fortifications (la première de Verdun à Toul et d'Épinal à Belfort ; la seconde, en arrière, avec les places de La Fère, Laon, Reims, Langres et Dijon). Au-delà, le Rhin, frontière naturelle et historique, mais fleuve allemand désormais, est pour cette raison devenu, plus que jamais, le symbole de la plénitude nationale jadis atteinte puis perdue. En dissociant ainsi limite politique et frontière historique, le présent met en valeur l'intervalle, c'est-à-dire les territoires annexés, si bien que lorsque les textes évoquent le Rhin, c'est moins probablement au fleuve proprement dit qu'ils se rapportent qu'à la province qu'il borde, moins à la partie qu'au tout.

Il revient alors à la mémoire, aux leçons de l'histoire, de fonder, contre les incertitudes du présent, l'identité de l'Alsace et de la Lorraine. Et sur ce point, en face des démonstrations et des prétentions allemandes, le propos est clair : la langue importe peu. Dans sa réponse à Mommsen, Fustel de Coulanges l'affirme dès octobre 1870 : « Ce qui distingue les nations, ce n'est ni la race, ni la langue. Les hommes sentent dans leur cœur qu'ils sont un même peuple lorsqu'ils ont une communauté d'idées, d'intérêts, d'affections, de souvenirs et d'espérances[45]. » L'idée n'est pas moins nettement affirmée dans les *Travaux du Comité d'Études* : « Il faut en finir, écrivent Lavisse et Pfister, à propos de la Lorraine, avec le sophisme qui fait de la langue le facteur essentiel de la patrie. La patrie, ce sont les souvenirs communs [...] La frontière entre la Lorraine demeurée à la France et la Lorraine arrachée par l'Allemagne a été tracée au mépris de toute l'histoire[46]. » Quant à Vidal de La Blache, il en vient à souligner, non sans une part de bon sens, l'« indifférence » de l'Ancien Régime vis à vis du problème des langues. « L'État n'estimait point que la question fût de son domaine. L'idée aujourd'hui régnante, aussi bien en Amérique qu'en Europe, que la langue nationale est un patrimoine commun auquel tous doivent participer, n'était pas entrée dans l'esprit du temps[47]. »

Dans la reconstruction de la mémoire, c'est la libre adhésion des populations de la frontière qui est, avec force, proclamée. Quelques images, ou quelques thèmes, contribuent à cette reproduction du passé. *Personnification* des provinces et des lieux : sous l'Ancien Régime, « l'Alsace se laissa gagner par le charme de la civilisation française » ; en 1798, « Mulhouse se donne à la France[48] » ; après 1815, « la patrie de Ney [Sarrelouis] resta longtemps inconsolable[49] ». *Ancienneté*, ensuite, des choix, qui peuvent être antérieurs à l'expression formelle due à la Révolution : les bourgeois de Metz, en 1552, prêtent « de bon gré » serment au roi de France[50] ; les Trévires eux-mêmes, au temps de César, « firent toujours partie des ligues gauloises » et ont recherché, sous l'Empire, l'appui des Celtes de la Gaule[51]. *Survivance*, enfin, bien au-delà des territoires perdus en 1871, de la « mémoire des Français [qui] n'a pas complètement disparu à Mayence, à Worms, à Coblence et à Trèves[52] », et pas davantage à Landau ou à Sarrelouis[53]. On voit ainsi comment, provoqué par le bouleversement des données contemporaines de l'espace frontalier, l'appel à la mémoire suscite à nouveau, vers la fin de la guerre, la question des rapports entre limites étatiques et frontières nationales.

La revanche est là : dans la langue et les mots, dans les thèmes et les exemples de la démonstration historique. La *frontière*, cette notion et ce terme classiques, qui portait en elle des images de forteresses et de conflits, avait bien pu quelque temps s'édulcorer, quand, dans la seconde moitié du XVIIIe siècle, les États abandonnaient des prétentions territoriales excessives pour se limiter à des horizons proches et pacifiques. Mais la *frontière natio-*

nale, au XIXe siècle et au début du XXe siècle, reprend en charge cette vigueur latente accumulée, se concentre sur l'objectif du moment, élargit ses assises par l'assimilation d'un principe d'inspiration révolutionnaire et, surtout, régresse à travers les siècles de la très longue durée. De la Convention à Richelieu, à Henri II et à César, elle investit le passé.

1. Sebastian Münster, *La cosmographie universelle, contenant la situation de toutes les parties du monde, avec leurs propriétés et appartenances...* [Bâle], H. Pierre, 1565, pièces limin. + 1337 p., cartes, ill., pp. 79-80.

2. Id., *Ibid.*, p. 117.

3. François de Belleforest, *La cosmographie universelle de tout le monde...*, auteur en partie Munster, mais beaucoup plus augmentée, ornée et enrichie, par François de Belleforest, Comingeois [...], Paris, M. Sonnius, 1575, 2 vol., cartes, t. I, col. 887.

4. Id., *Ibid.*, p. 165, col. 884-885.

5. André Thevet, *La cosmographie universelle d'André Thevet cosmographe du roy, illustree de diverses figures...*, Paris, P. L'Huillier, 1575, 4 t. en 2 vol., t. III, f° 506 v°.

6. Bernard Guenée, *Histoire et culture historique dans l'Occident médiéval*, Paris, Aubier Montaigne, 447 p., cartes, pp. 9-10.

7. Numa Broc, *La Géographie de la Renaissance (1420-1620)*, Paris, Bibliothèque nationale, 1980, 263 p., p. 104.

8. Théodore de Mayerne-Turquet, *Sommaire description de la France, Allemagne, Italie et Espagne. Avec la Guide des chemins pour aller et venir par les provinces et aux villes plus renommees de ces quatre regions...*, Rouen, Cl. Le Villain, 1615, 288 p., pp. 1-2.

9. Cité par Claude-Gilbert Dubois, *Celtes et Gaulois au XVIe siècle. Le développement littéraire d'un mythe nationaliste avec l'édition critique d'un traité inédit de Guillaume Postel* « De ce qui est premier pour reformer le monde », Paris, Librairie philosophique J. Vrin, 1972, 207 p., p. 67.

10. Jean Lecuir, « À la découverte de la France dans les abrégés d'histoire et de géographie des collèges jésuites du XVIIe siècle », *in La Découverte de la France au XVIIe siècle*, 9e colloque de Marseille organisé par le Centre méridional de rencontres sur le XVIIe siècle, 25-28 janvier 1979, Paris, Éd. du C.N.R.S., 1980, pp. 299-317.

11. *Cf.* les travaux de Gaston Zeller et, entre autres, « La monarchie d'Ancien Régime et les frontières naturelles », *Revue d'histoire moderne*, 8, 1933, pp. 305-333.

12. Parmi les travaux de Hermann Weber, « Richelieu et le Rhin », *Revue historique*, 92 (239), 1968, pp. 265-280.

13. Jean Boutier, Alain Dewerpe, Daniel Nordman, *Un tour de France royal. Le voyage de Charles IX (1564-1566)*, Paris, Aubier Montaigne, 1984, 409 p., chap. V et VI.

14. Daniel Nordman, « Charles IX à Mézières : mariage, limites et territoire », *Cahiers Charles V*, 4, *Littérature britannique. Marches, bordures, limites, confins...*, Paris, Institut d'anglais Charles V – Université Paris VII, mars 1983, pp. 7-19.

15. *La suite du voyage des deux roys de France et d'Espagne et leur rendez-vous dans l'Isle de la Conference. Pour l'accomplissement du mariage de Sa Majeste. Ensemble leur route et les grands preparatifs pour iceluy...*, Paris, J. Brunet, 1660, 8 p., p. 4.

16. *Ibid.*, p. 6.

17. *La pompe et magnificence faite au mariage du roy et de l'infante d'Espagne. Ensemble les entretiens qui ont esté faits entre les deux Roys, et les deux Reynes, dans l'Isle de la Conference...*, Paris, J. Promé, 1660, 15 p., p. 5.

18. *La suite du voyage..., op, cit.*, p. 7.

19. Th. de Mayerne-Turquet, *op. cit.*, p. 33.

20. Alphonse Dupront, *Europe et chrétienté dans la seconde moitié du XVIIe siècle*, «Les cours de Sorbonne», Paris, Centre de documentation universitaire, 1958, 222 + II p., pp. 124-125.

21. Texte *in* Henri Vast, éd., *Les Grands Traités du règne de Louis XIV publiés par...*, t. I, *Traité de Münster. – Ligue du Rhin. – Traité des Pyrénées (1648-1659)*, Paris, A. Picard et fils, 1893, XIV + 189 p.

22. Jean-François Noël, «Les problèmes de frontières entre la France et l'Empire dans la seconde moitié du XVIIIe siècle», *Revue historique*, 90 (235), 1966, pp. 333-346.

23. Nelly Girard d'Albissin, *Genèse de la frontière franco-belge. Les variations des limites septentrionales de la France de 1659 à 1789*, Paris, A. et J. Picard, 1970, 435 p., cartes, pp. 97, 359-360, 397.

24. Bernard Guenée, «La géographie administrative de la France à la fin du Moyen Âge: élections et bailliages», *Le Moyen Âge*, 1961, pp. 293-323, repris *in Politique et histoire au Moyen Âge. Recueil d'articles sur l'histoire politique et l'historiographie médiévale (1956-1981)*, Paris, Publications de la Sorbonne, 1981.

25. Paul Vidal de La Blache, «La frontière de la Sarre d'après les traités de 1814 et de 1815» (Rapport présenté à la séance du 19 mars 1917), suivi d'une «Note sur la carte à 1/200 000e de la frontière lorraine en 1814 et 1815», par Emmanuel de Martonne, cartes, *in L'Alsace-Lorraine et la frontière du Nord-Est* (Travaux du Comité d'Études), Paris, Imprimerie nationale, 1918, I, pp. 77-101, p. 84.

26. Lucien Gallois, «Les variations de la frontière française du Nord et du Nord-Est depuis 1789», suivi d'une «Note sur la carte des frontières françaises du Nord et du Nord-Est à 1/600 000e», *in ibid.*, pp. 41-56, p. 54.

27. Maurice Fallex, «La question de la Queich et la frontière de la Basse-Alsace au XVIIIe siècle d'après des documents inédits», *in ibid.*, Supplément, 31 p., cartes.

28. *Réimpression de l'ancien Moniteur depuis la réunion des États-Généraux jusqu'au Consulat (mai 1789-novembre 1799)* avec des notes explicatives par M. Léonard Gallois, Paris, Au Bureau Central, t. XV, 1840, 1er février 1793, p. 323; 17 février 1793, p. 455.

29. Georges-Guillaume Boehmer, éd., *La rive gauche du Rhin, limite de la République française, ou Recueil de plusieurs dissertations, jugées dignes des prix proposés par un négociant de la rive gauche du Rhin...*, Paris, Desenne, Louvet et Devaux, an IV, XII + 218 + VIII p., ill., pp. 66, 151, 174.

30. Albert Sorel, «Le Comité de salut public et la question de la rive gauche du Rhin en 1795», *Revue historique*, 7 (18), janvier-avril 1882, pp. 273-322 (lettre du 2 fructidor an III [19 août 1795], pp. 307-309).

31. Jean-René Suratteau, «Reubell et la frontière du Rhin», *Annales historiques de la Révolution française*, 40, 1668, pp. 553-556.

32. Jacques Godechot, *La Grande Nation. L'expansion révolutionnaire de la France dans le monde de 1789 à 1799*, Paris, Aubier Montaigne, 2e éd. entièrement refondue, 1983, 544 p., p. 81.

33. *Mémoires d'outre-tombe*, Édition du Centenaire... établie par Maurice Levaillant, Paris, Flammarion, 2e éd. revue et corrigée, 1964, 4e partie, livre V[e], chap. IX, p. 303.

34. Jacob Venedey, *La France, l'Allemagne et la sainte alliance des peuples*, Paris, Dauvin et Fontaine, 1841, VII + 60 p., p. I; *cf.* Id., *La France, l'Allemagne et les provinces rhénanes*, Paris, A. Le Gallois, 1840, 48 p., pp. 43-44.

35. *Histoire de France*, livre III, *Tableau de la France*, *in Œuvres complètes*, éd. Paul Viallaneix, t. IV, préface par Jacques Le Goff, Examen des remaniements... par Robert Casanova, Paris, Flammarion, 1974, p. 375.

36. J. Godechot, *op. cit.*, *loc. cit.*

37. Id., *ibid.*, pp. 67-81.

38. Edmond de Cazalès, «Études historiques et politiques sur l'Allemagne», *Revue des Deux Mondes*, 4e série, t. XXIX, 1842, p. 79, cité par Klaus Wenger, «Le Rhin, enjeu d'un siècle», *in Une histoire du Rhin*, sous la direction de Pierre Ayçoberry et Marc Ferro, Paris, Éd. Ramsay, 1981, pp. 255-291, p. 264.

39. Lettre du 2 février 1860, citée *in* Lynn M. Case, *Édouard Thouvenel et la diplomatie du second Empire*, trad. franç. par Guillaume de Bertier de Sauvigny, Paris, A. Pedone, 1976, 459 p., pp. 153-154.

40. Paul Guichonnet, *Histoire de l'annexion de la Savoie à la France et ses dossiers secrets*, préface par Henri Baud, Thonon, «Le Messager»/Roanne, Horvath, [1982], [VI] + 357 p., ill.

41. Id., «Théorie des frontières naturelles et principe des nationalités dans l'annexion de la Savoie à la France (1858-1860)», *Revue des travaux de l'Académie des sciences morales et politiques et comptes rendus de ses séances*, 2e semestre 1960, pp. 19-32.

42. Id., *Histoire de l'annexion...*, *op. cit.*, pp. 243-246.

43. Jacques Droz, *La Pensée politique et morale des Cisrhénans*, Paris, F. Sorlot, 1940, VIII + 79 p., pp. 15-24; *cf.* T. C. W. Blanning, *The French Revolution in Germany. Occupation and Resistance in the Rhineland, 1792-1802*, Oxford, Clarendon Press, 1983, VIII + 353 p., pp. 283-284.

44. P. Guichonnet, *Histoire de l'annexion...*, *op. cit.*, pp. 323-325.

45. Numa Denis Fustel de Coulanges, «L'Alsace est-elle allemande ou française? Réponse à M. Mommsen, professeur à Berlin», *in Questions historiques revues et complétées d'après les notes de l'auteur* par Camille Jullian, Paris, Hachette, 1893, pp. 505-512.

46. Ernest Lavisse et Christian Pfister, «La formation de l'Alsace-Lorraine», *in L'Alsace-Lorraine et la frontière du Nord-Est*, *op. cit.*, pp. 5-40, pp. 26-27.

47. Paul Vidal de La Blache, *La France de l'Est (Lorraine-Alsace)*, Paris, A. Colin, 1917, X + 280 p., cartes hors-texte, pp. 53-54.

48. E. Lavisse et Chr. Pfister, *op. cit.*, pp. 23, 28.

49. P. Vidal de La Blache, «La frontière de la Sarre...», *op. cit.*, p. 96.

50. E. Lavisse et Chr. Pfister, *op. cit.*, p. 7.

51. Camille Jullian, «Les populations rhénanes dans l'Antiquité» (Rapport présenté à la séance du 19 mars 1917), in *L'Alsace-Lorraine et la frontière du Nord-Est*, *op. cit.*, pp. 343-354, p. 346.

52. Philippe Sagnac, *Le Rhin français pendant la Révolution et l'Empire*, Paris, F. Alcan, 1917, 391 p., carte, p. 356.

53. P. Vidal de La Blache, «Persistance du sentiment français à Landau», in *L'Alsace-Lorraine et la frontière du Nord-Est*, *op. cit.*, p. 75; Alphonse Aulard, «Un témoignage sur la persistance du sentiment français à Sarrelouis (1815-1880)», *ibid.*, pp. 141-149. Voir, pour une vue d'ensemble de la question, Werner Kern, *Die Rheintheorie der historisch-politischen Literatur Frankreichs im ersten Weltkrieg*, Sarrebruck, Université de la Sarre, 1973, multigr. [VI] + 629 p.

JEAN-MARIE MAYEUR

Une mémoire-frontière: L'Alsace

Une enquête publiée par l'hebdomadaire *Le Point* en février 1985 illustre bien la place, à plusieurs égards exceptionnelle, de l'Alsace parmi d'autres régions françaises. En réponse à une question sur la force du sentiment d'identité régionale, 92,3 % des habitants de la région Alsace considèrent que celui-ci est intense. Si la réponse est de 85,8 % pour la Bretagne, et de 64,4 % pour le Limousin, elle est inférieure à 50 % pour la majorité des autres régions françaises. Cette conscience d'une puissante individualité de l'Alsace, autant dire d'une mémoire différente de celle de la France «de l'intérieur», malgré tout ce qu'elles ont en commun l'une et l'autre, renvoie, en premier lieu, à des caractères qui ne manquent pas de frapper le visiteur le moins attentif. Coexistence de deux langues d'abord, du français et d'un dialecte germanique qu'on entend parler dans les rues des villes et plus encore à la campagne, et qui fleurit sur les enseignes des débits de vin. Coexistence de plusieurs communautés religieuses ensuite. Le catholicisme a ici en face de lui un protestantisme avant tout luthérien dont la carte s'est maintenue sans discontinuité depuis le milieu du XVIe siècle. D'autre part, les traces visibles de l'implantation du judaïsme sont, en Alsace, plus anciennes que dans la plupart des régions françaises. Coexistence, enfin – mais on pourrait continuer –, des vignobles venus jadis de la Méditerranée et des brasseries enracinées dans le plus profond du passé local, de la moutarde et du cumin, du «bifteck» et de la choucroute.

Faut-il ajouter à ces traits massifs des données moins évidemment perceptibles? La longue persistance d'un droit local qui, notamment en matière sociale, avait conservé les apports de l'Empire bismarckien, le maintien, en matière de relations entre les Églises et l'État, du régime défini par le Concordat et les «articles organiques», le maintien, en matière scolaire, de l'école primaire publique confessionnelle ou interconfessionnelle, selon la loi Falloux de 1850.

À travers ses paysages et son climat moral particulier, l'Alsace se montre au premier regard comme habitée par les souvenirs d'une histoire ballottée entre la France et l'Allemagne, par une mémoire-frontière qui reflète les grandes heures et les malheurs de toute l'histoire européenne depuis le Moyen Âge. Le paradoxe est bien que cette terre qui doit tant à la culture germanique ait affirmé son attachement à la France avec une telle intensité. Autre paradoxe : alors que, depuis une quinzaine d'années, certaines provinces françaises ont connu l'affirmation de revendications régionalistes, qui ont pu aller jusqu'à la mise en cause de l'appartenance à la nation, prenant, au moins un temps, une certaine ampleur, l'Alsace n'a pas connu de semblable mouvement. Non que le régionalisme y manque de vitalité ; mais, sauf courants marginaux, il n'a pas pris de formes radicales.

Ces paradoxes ne sont-ils pas ceux d'une « mémoire-frontière », qui oblige à reproduire constamment, sous peine de la voir se désintégrer, le lien entre sa composante spécifiquement alsacienne et sa composante française, présentes ensemble dans les hauts lieux de son histoire comme dans les complexités de sa mémoire politique, et dont les tensions expliquent assez la charge symbolique exceptionnelle que lui reconnaît l'imaginaire national ?

I. La mémoire historique

Strasbourg : le promeneur qui découvre la ville a, en peu d'instants, la révélation de toute la sédimentation de cette longue mémoire visible dans la pierre.

Et d'abord la cathédrale édifiée sur les ruines du sanctuaire qui occupait le centre du *castellum* romain. Peu de monuments en Europe cristallisent le souvenir de passions religieuses et nationales aussi intenses que celles qu'a suscitées cet édifice de grès rose venu des carrières de Kronthal, entre Marlenheim et Wasselonne, avec sa rosace ajourée, œuvre d'Erwin[1], et sa flèche unique, achevée en 1439 qui, selon Énée Piccolomini, le futur pape Pie II, « cache sa tête dans les nuages ». La nef est « marquée par le génie rémois » (Hans Haug). Un atelier chartrain décore le pilier des Anges. Mais le souvenir du Saint Empire romain germanique demeure à jamais dans les verrières du bas-côté nord. En tunique et manteau, portant sceptre et globe, les empereurs « dardent sur les fidèles leur regard d'icône[2] » : les empereurs de la dynastie ottonienne qui unirent si étroitement le spirituel et le temporel et Frédéric Barberousse, l'empereur Staufen, incarnation de l'idéal chevaleresque, qui reçut à Strasbourg en décembre 1187 les légats de Grégoire VIII chargés de recruter les croisés. De 1524, quand une messe en langue vulgaire y a été dite pour la première fois, témoignant de la rupture de la ville avec l'Église romaine, jusqu'à l'annexion de Strasbourg par Louis XIV en 1681, la cathédrale est un lieu de culte protestant. Lorsque le roi très chrétien entre à Strasbourg le 23 octobre 1681, un *Te Deum* est célébré dans la cathédrale rendue au culte catholique. En 1771, un visiteur admiratif, le jeune Goethe, y découvre un exemple de l'« art gothique et allemand », élevé dans les temps vraiment allemands, par un maître dont le nom dit les origines allemandes. Consignée dans un opuscule au titre significatif, *Über die deutsche Baukunst*, la leçon de patriotisme allemand tirée par Goethe de ses visites à la cathédrale ne sera entendue par ses compatriotes qu'au début du XIXe siècle. Mais elle aura alors une durable influence.

Pendant l'annexion nazie, la cathédrale perd toute affectation religieuse. Hitler la visite à l'été 1940 : le monument laïcisé est présenté par les actualités cinématographiques comme un haut lieu du germanisme[3], cependant qu'en sourdine retentit un des airs les plus connus du Volkslied, cher aux autonomistes alsaciens : *« O Strassburg, Strassburg, du wunderschöne Stadt »*... Quelques mois plus tard, dans l'oasis de Koufra, au plus profond du désert de Libye, Leclerc fait prêter serment à ses hommes de « ne déposer les armes que lorsque nos couleurs, nos belles couleurs, flotteront sur la cathédrale de Strasbourg ». La « Proclamation aux habitants de Strasbourg » que le commandant de la 2e D.B. fait apposer au lendemain de la libération de la ville, le 23 novembre 1944, affirme : « Pendant la lutte gigantesque de quatre années menée derrière le général de Gaulle, la flèche de notre cathédrale est demeurée notre obsession. » Bien d'autres résistants, d'origine alsacienne ou non, auraient pu porter le même témoignage.

Inséparable du sentiment national français tout au long des deux annexions, la cathédrale retrouve, à l'heure de la réconciliation franco-allemande, sa dimension de haut lieu de la Chrétienté, comme l'atteste le vitrail de Max Ingrand offert en 1956 par les nations du Conseil de l'Europe : une Vierge aux bras étendus.

Deux pas, et c'est, à droite de la cathédrale, la façade au contraire classique du lycée Fustel-de-Coulanges, ancien collège jésuite, œuvre de Joseph Massol. Il porte le nom de l'historien qui enseigna à Strasbourg jusqu'en 1870 et lança à Mommsen : « Il se peut que l'Alsace soit allemande par la race et le langage. Mais par la nationalité et le sentiment de la patrie, elle est française. » À droite du lycée, voici le palais des Rohan, œuvre encore de Joseph Massol. Il « crie la France » (Lucien Febvre)[4], comme les hôtels du XVIIIe siècle qui bordent la place Broglie.

Traversons le bras de l'Ill. Voici la place de la République, héritage de l'urbanisme du temps de l'annexion. Le palais du Rhin est l'ancien palais impérial, en imitation du palais de Mantoue. En face, les deux édifices néo-classiques de la Bibliothèque universitaire et du Conservatoire. Le second fut, à partir de 1911 et jusqu'en 1918, le siège du Landtag d'Alsace-Lorraine, lorsque l'Empire allemand octroya une manière d'autonomie du Reichsland. Sur la place s'élevait une statue de Guillaume II. Dans son roman largement autobiographique *Bourgeois et soldats (novembre 1918)*, écrit dans l'émigration en France, en 1937, Alfred Döblin, médecin militaire à Strasbourg en 1918, décrit la foule qui met à bas la statue, lors des heures révolutionnaires de novembre 1918.

Reprenons l'ample perspective qui part de la place de la République. Voici, sur la place de l'Université, la statue de Goethe, le plus illustre sans doute des étudiants de l'université du XVIIIe siècle. La façade du palais de l'Université porte des médaillons qui honorent les grandes figures de l'Humanisme, de la Renaissance, de la Réforme. Plusieurs d'entre elles séjournèrent ou vécurent à Strasbourg. Dans ce bâtiment, fruit là encore de l'urbanisme et des ambitions culturelles du deuxième Reich, enseignèrent des maîtres éminents[5] ; le juriste Paul Laband, le sociologue Gregor Simmel, l'historien Friedrich Meinecke. Après 1918 vinrent Lucien Febvre et Marc Bloch, auxquels bien sûr chacun songe, mais aussi le sociologue Maurice Halbwachs, l'historien du droit et canoniste Gabriel Le Bras, les juristes Marcel Prélot, Raymond Carré de Malberg, René Capitant.

Suivons à nouveau le cours de l'Ill pour revenir vers la vieille ville. Le quai des Bateliers et le quai des Pêcheurs disent l'une des raisons de la fortune de la cité née de la rencontre de l'Ill et du Rhin au point, comme l'observait Vidal de La Blache, où le Rhin, de torrent sauvage, devient navigable. Au-delà de la place du Corbeau, voici le Musée alsacien, qui, bien plus qu'un admirable musée d'arts et de traditions populaires, récapitule toute une histoire. Un peu plus loin, se dresse la masse austère de l'église Saint-Thomas, haut lieu du luthéranisme alsacien : la Réforme a trouvé ici l'un de ses lieux d'élection. Mais, dans ses traditions religieuses, l'Alsace n'est pas seulement catholique et protestante : quelques salles du Musée alsacien, parmi les plus émouvantes, et les noms de certaines vieilles rues rappellent que le judaïsme a sa place dans son histoire pluriconfessionnelle.

D'autres villes que Strasbourg auraient pu servir d'introductrices à la compréhension de l'Alsace. Wissembourg, inséparable des souvenirs des guerres de la Révolution et des défaites de 1870 : Hoche au Geisberg, criant « Landau ou la mort », les turcos en déroute le 4 août 1870, la mort du général Douay. Colmar, siège du musée d'Unterlinden et du retable de Mathias Grünewald, chef-d'œuvre de la peinture rhénane à l'automne du Moyen Âge peint pour le couvent des Antonins d'Issenheim. Sélestat, dont la bibliothèque dans l'ancienne Halle aux Blés conserve, presque intacte, la bibliothèque de l'école humaniste, la première de l'Allemagne du Sud et qui eut parmi ses élèves Wimpheling, Beatus Rhenanus, l'ami d'Érasme, de Martin Luther.

Mais il est aussi un autre introducteur à la mémoire de l'Alsace, beaucoup plus vieux que les villes fondées souvent à l'époque romaine : le Rhin, dont le nom même renvoie à un passé préhistorique et dont les bords portent les traces des aménagements qui se sont succédé au long des siècles. Le Rhin, jalonné de trouvailles archéologiques : liaison la plus courte entre la plaine du Pô et les pays du Nord, mais aussi, selon César exprimant, semble-t-il, les opinions des Gaulois eux-mêmes, frontière de la Gaule, défendue contre la Germanie par la ligne des *castra* édifiés par les légions. Le Rhin, tantôt, en temps de paix, trait d'union entre ses deux rives, tantôt, en temps de guerre, fossé qu'on s'applique à rendre infranchissable. Le Rhin tenu en France pendant des siècles par certains théoriciens pour une « frontière naturelle » qu'il faut atteindre pour garantir la sécurité du royaume. L'idée est fondée sur des arguments puisés chez les auteurs anciens qui, « avec toute la fermeté et la netteté désirables, assignaient le Rhin pour limite à la Gaule. César et Strabon définissaient l'objectif en même temps qu'ils le légitimaient » (Roger Dion). La théorie des « frontières naturelles » n'explique certes pas la politique de la monarchie. Gaston Zeller et Georges Pagès[6] ont fait justice de cette idée. Richelieu avait, avant tout, des préoccupations défensives, et voulait donner à la monarchie des « portes », « s'avancer jusqu'à Strasbourg, s'il est possible, pour acquérir une entrée dans l'Allemagne » (*Avis au roi*, janvier 1629) ; les circonstances expliquent ses entreprises, puis celles d'abord défensives de Mazarin, en Alsace.

Il reste que la théorie servit ensuite de justification. La médaille frappée en 1683 après la « capitulation » de Strasbourg et l'édification de la citadelle par Vauban proclame : *« clausa Germanis Gallia »*. Nourris de culture classique, les hommes de la Révolution française adhéraient à ces conceptions… « C'est en vain, s'écrie Danton, qu'on veut nous faire craindre de donner trop d'étendue à la République. Ses limites sont marquées par la nature. Nous les atteindrons dans les quatre coins de l'horizon, du côté du Rhin, du côté de l'Océan, du côté des Pyrénées, du côtés des Alpes. Là sont les bornes de la France ; nulle puissance humaine ne pourra nous empêcher de les atteindre, aucun pouvoir ne pourra nous engager à la franchir[7]. »

Dès le début du XIXe siècle, les romantiques allemands contestent l'idée française de Rhin frontière. *Le Rhin fleuve de l'Allemagne et non frontière de l'Allemagne* affirme dans son titre même une brochure célèbre d'un professeur poméranien, Ernst Moritz Arndt, lors des « guerres de libération » en 1813. « J'entends par ce titre, explique l'auteur, que les deux rives du Rhin et les pays environnants doivent être obligatoirement allemands comme ils l'étaient autrefois et qu'il faut reconquérir pour la patrie ces pays et ces hommes qui nous été enlevés. Sans le Rhin, la liberté allemande ne saurait exister[8]. » En 1840, quand s'enfièvrent les passions nationales, un greffier de

Cologne, Nicolas Becker, s'exclame dans son *Rheinlied*, à l'intention des Français :

> *Ils ne l'auront pas,*
> *Le libre Rhin allemand,*
> *Jusqu'à ce que les flots aient enseveli*
> *Les ossements du dernier homme.*

À quoi réplique Alfred de Musset :

> *Nous l'avons eu, votre Rhin allemand,*
> *Il a tenu dans notre verre.*

Nombre d'auteurs, y compris le jeune Engels, reviennent sur le thème du Rhin allemand : autour de lui se cristallise une nouvelle idée de l'Allemagne, intégrée au sein d'un État dont les frontières doivent coïncider avec celles des dialectes germaniques.

Fantastique et pittoresque, le Rhin a nourri l'imagination des romantiques français, de Nerval à Hugo, aux gravures de Gustave Doré et aux contes d'Erckmann-Chatrian. Mais il n'est pas devenu en France « comme en Allemagne, un mythe pour la masse[9] ». Il est matière à un pittoresque d'importation. Il est « prétexte à de romantiques récits de voyage [...] thème littéraire pour initiés ». Mais le Rhin n'a pas tenu la place dans la sensibilité nationale française qu'il a tenue en Allemagne. En outre, ce Rhin des romantiques français, des voyageurs et des touristes (le premier Baedeker est de 1832, le Guide-Joanne consacré aux bords du Rhin date de 1863), est, avant tout, le Rhin de la « trouée héroïque » dans le massif schisteux rhénan, non le Rhin de Bâle à Wissembourg, torrent alpestre bordé de forêts malsaines, zone longtemps répulsive, infestée de moustiques.

Les Vosges alsaciennes participent cependant par leurs forêts sombres, leurs lacs profonds, leurs ruines, aux mythes romantiques allemands, mais leurs burgs ne se reflètent pas dans le Rhin. Les géants du château de Nideck, immortalisés par la poésie de Chamisso, l'ondine dans les vapeurs de la cascade, les gnomes des mines, les chevaliers dormants, tel Barberousse à l'Ochsenfeld[10], tout ce folklore que fit connaître un Auguste Stoeber autour des années 1840 est largement influencé par les frères Grimm, et insère le légendaire alsacien dans le légendaire germanique.

Bien peu sans doute des passants de la place de la République à Strasbourg savent que le palais du Rhin est affecté depuis 1919 à la commission centrale de Navigation du Rhin et que celle-ci constitue la plus ancienne des instances européennes actuellement existantes. Elle est issue du « magistrat du Rhin »,

installé par Napoléon à Strasbourg en 1808 pour connaître des problèmes relatifs à la navigation sur le fleuve. Après le traité de Vienne, cette instance siégea à Mayence puis à Mannheim. Elle présida en 1868 à l'introduction de la liberté de navigation sur le Rhin[11].
Le choix de Strasbourg comme siège de la commission est, bien entendu, la conséquence de la victoire de la France sur l'Allemagne en 1918. Il consacre aussi une évolution qui va rendre à Strasbourg une place importante dans le commerce rhénan. Ville des routes, à l'écart du fleuve, sur un tertre entre deux bras de l'Ill, elle est aussi depuis le Moyen Âge un centre de la batellerie rhénane. La fortune de la corporation des bateliers, au XIVe et au XVe siècle, comme l'épisode de la marmite de bouillie chaude apportée le 20 juin 1576 par les Zurichois en bateau illustrent cette histoire. Encore faut-il observer qu'à partir du XVIIe siècle le commerce rhénan entre dans des temps médiocres, à cause de la multiplication des péages, de la concurrence de la voie maritime et du roulage.
Le *Strombau*, l'aménagement du fleuve désormais enserré de digues, à partir du milieu du XIXe siècle, rend beaucoup plus difficile la navigation en amont de Karlsruhe. Il fallut la régularisation du fleuve en aval de Strasbourg, entreprise au début du siècle et qui se termina en 1924, il fallut surtout la construction du canal d'Alsace de 1928 à 1977, liée à la construction de barrages hydroélectriques, pour que le trafic du port de Strasbourg devienne considérable et pour que la navigation puisse remonter jusqu'à Bâle. Dès lors, la tradition médiévale retrouvait vie.

Les villes, le fleuve, mais aussi le temps : de l'histoire antérieure au XIXe siècle demeurent des réalités dont le souvenir ne s'est pas aboli jusqu'à l'époque contemporaine. La terre aussi a sa mémoire. L'étendue des champs est régulièrement ondulée par les *Ackerberge*, « crêtes de labour » (Étienne Juillard), qui sont le témoignage plus que millénaire d'un travail constant des araires et des charrues sur le sol si fertile du loess. Le nom même de l'Alsace, apparu au VIIe siècle, préserve le souvenir du duché créé à la même époque. Entre haute et basse Alsace, Haut-Rhin et Bas-Rhin, la limite présente suit le *Landgraben*. Cette frontière entre Sélestat et Colmar remonte aux temps néolithiques et séparait, à la période carolingienne, les deux comtés du Nordgau et du Sundgau.
Après la désintégration du duché, l'Alsace est, pour des siècles, une « expression géographique », un ensemble de principautés, de seigneuries, de villes libres, appartenant au Saint Empire romain germanique. La puissance des bourgeoisies urbaines interdit aux évêques de Strasbourg de fonder un État ecclésiastique, comme à Trêves, à Mayence, ou Cologne[12]. Foyer actif de l'humanisme rhénan et de la Réforme, l'Alsace devient, au terme des luttes religieuses du XVIe siècle, une mosaïque confessionnelle, selon la formule *« cujus regio, ejus religio »*.

À la fin du XVIe siècle, deux Alsaces s'opposent, dont les limites retrouvent une frontière très ancienne. La basse Alsace, au nord, est profondément marquée par le luthéranisme. Les régions catholiques subissent fortement l'influence du catholicisme rhénan. Hormis l'îlot réformé de Mulhouse, l'Alsace du Sud est à dominante catholique. Le catholicisme y prend un visage baroque, dont les formes de religiosité font songer à l'Allemagne méridionale ou à la haute Autriche[13].

À partir de 1648, l'Alsace passe sous l'obédience du royaume de France. La monarchie en fait, peu à peu, une province unifiée. La formule d'Ernest Lavisse garde sa valeur : l'Alsace « était avant nous un lieu géographique aussi désordonné que l'était la vieille Allemagne ; nous l'avons constituée en pays ». Au XVIIIe siècle, les élites subissent l'influence croissante de la culture française ; en témoignent les portraits d'époque et l'architecture.

Survient la Révolution, dont les conséquences sont profondes. Rouget de Lisle, composant le *Chant de guerre de l'armée du Rhin* dans le salon du maire Dietrich, l'inscription apposée par les révolutionnaires à l'entrée du pont de Kehl, « Ici commence le pays de la liberté », autant d'images profondément gravées dans la mémoire nationale, mais qui masquent sans doute une réalité plus partagée, attestée par l'hostilité portée à la Terreur déchristianisatrice, le soutien donné aux prêtres « réfractaires ». Reste qu'avec la Révolution s'affirment tout particulièrement dans les villes et les bourgs un véritable patriotisme populaire, une volonté de vivre au sein de la nation française.

La création des deux départements du Bas-Rhin et du Haut-Rhin apporte l'unification administrative. La frontière douanière est reportée sur le Rhin. La ville libre de Mulhouse entre dans la République française. Œuvre de paix religieuse, le Concordat simplifie, d'autre part, la géographie ecclésiastique. Le diocèse de Strasbourg correspond aux deux départements. Jusque-là, Wissembourg relevait du diocèse de Spire, la haute Alsace du diocèse de Bâle et le diocèse de Strasbourg s'étendait sur la rive droite du Rhin.

L'Empire, garantie d'autorité et d'ordre, dans le respect des principes de 1789 et la prospérité de l'économie, trouve un accueil favorable dans la population alsacienne. La part des soldats et officiers alsaciens, pas moins de soixante-dix généraux, dans l'épopée napoléonienne, occasion de promotion sociale et de gloire, donne au patriotisme alsacien une coloration militaire durable, en même temps qu'elle fait de la légende napoléonienne une composante de la mémoire alsacienne. Dès lors, le second Empire trouva sans peine la sympathie populaire. Insensiblement, la connaissance du français s'étendait, à la faveur de la politique persévérante des administrations, depuis le début du siècle, mais surtout de l'intégration croissante à la vie nationale.

Cette intégration laissait intacte la mémoire religieuse de la région. De ce point de vue, l'Alsace aura été une exceptionnelle terre de contacts. Lucien Febvre disait de Maître Eckhart, le mystique rhénan du début du XIVe siècle: «Un Thuringien qui a fait ses études à Paris, prêché à Strasbourg, professé à Cologne», et il ajoutait de son élève le dominicain Tauler: «Un Strasbourgeois qui prêche à Cologne et meurt à Strasbourg[14].» Un demi-millénaire plus tard, l'Alsace joue encore un rôle de trait d'union en matière religieuse entre la France et l'Allemagne. Un Alsacien, Mgr Colmar, est le premier titulaire du siège de Mayence après la Révolution. Il fonde un grand séminaire où enseigne de 1811 à 1830 le futur Mgr Raess, évêque de Strasbourg de 1842 à 1887. Raess fonde à Mayence la revue *Der Katholik* qui fait connaître au public germanique Maistre et Lamennais. L'école de Mayence devait, on le sait[15], jouer un rôle important dans le renouveau religieux en Allemagne dans la première moitié du XIXe siècle. Veut-on d'autres exemples, pris dans l'histoire du protestantisme? Qu'il suffise d'évoquer la carrière d'Édouard Reuss, docteur à Göttingen, qui enseigne pendant trente-six ans à la faculté de théologie protestante de Strasbourg, et la fondation à Strasbourg en 1850 de la *Revue de théologie et de philosophie chrétienne*, qui fait connaître en France l'exégèse et la théologie protestantes libérales allemandes.

Profondément inséré depuis le Moyen Âge dans l'histoire de l'Alsace, tantôt toléré, tantôt victime de fièvres antisémites, le judaïsme alsacien d'avant l'émancipation[16] évoque le shtetl de l'Europe centrale et orientale. Il appartient au monde du judaïsme rhénan, dont le rayon d'influence va jusqu'à Prague et Varsovie, jusqu'à la Lituanie et la Galicie. Prodigieux intermédiaire culturel, le judaïsme alsacien porte des traits spécifiques: un sens des réalités qui ne pousse pas à la mystique, un patriotisme exacerbé, reconnaissance à la «Grande Nation émancipatrice». Nul n'a mieux fait revivre une figure de rabbin du premier XIXe siècle qu'Erckmann-Chatrian[17], avec le vieux Reb de *L'Ami Fritz*, dont l'arrière-grand-père de Robert Debré aurait donné le modèle. On pourrait aisément montrer que le rabbinat, comme, du reste, le pastorat dans le monde protestant, fut une étape ouvrant la voie vers une carrière intellectuelle: Robert Debré est fils de rabbin comme Georges Weill, l'historien du parti républicain, né en 1865 à Sélestat. Ces exemples suggèrent l'importance dans l'histoire de la France contemporaine de l'émigration juive venue de l'Alsace et de la Lorraine annexées.

II. La mémoire politique

Le temps de l'annexion

La guerre de 1870 ramène les spectacles tragiques de la guerre, jamais disparus des souvenirs, de la guerre des Paysans au début de la Réforme à la guerre de Trente Ans, aux guerres de Louis XIV, à l'invasion de 1814. Annexion, retour à la France, nouvelle annexion de fait en 1940 : un octogénaire de 1945, né sous le second Empire, a été ballotté à quatre reprises d'un pays à l'autre au cours de son existence. L'Alsace est redevenue un enjeu. Il n'est pas indispensable de retracer cette histoire bien connue[18]. En revanche, des débats et des réflexions innombrables qu'a suscités le sort de l'Alsace, il importe de dégager les conceptions diverses de son destin et les lectures de sa mémoire politique.

Seules des personnalités isolées évoquèrent la perspective d'une autonomie qui mènerait à la naissance d'un État tampon, embryon de quelque nouvelle Austrasie, entre la France et l'Allemagne. Ce ne fut qu'une hypothèse d'école, formulée pourtant dès 1870 par Agénor de Gasparin et appelée à renaître en maintes circonstances, à la fin de la Première Guerre mondiale, entre les deux guerres, pendant la Deuxième Guerre même : Joseph Rossé, l'un des chefs de l'aile autonomisante de l'Union populaire républicaine, le parti catholique, reprit cette idée dans ses contacts avec la résistance allemande et Roosevelt.

Au début du siècle, après l'abandon de la « protestation », une quasi-unanimité se prononça pour le statut d'État confédéré au sein de l'Empire allemand, formule imposée par la nécessité née du traité de Francfort. Par-delà les controverses politiques, les conceptions de l'autonomie des uns et des autres doivent être mises en lumière. Un certain consensus existe pour voir dans l'autonomie le point de départ d'un rapprochement franco-allemand. Tous affirment leur loyalisme envers l'Allemagne et les « nationalistes » (c'est ainsi que sont désignés les milieux ardemment francophiles) ne font pas exception. Mais tous ou presque affirment un « sentiment de piété » envers la France, selon la formule d'un universitaire allemand, professeur d'économie politique à Strasbourg, Werner Wittich. Il serait inexact de croire que cet attachement est le fait des seuls « nationalistes ». En fait, nombre d'adversaires de ceux-ci, des centristes catholiques, des démocrates, des socialistes, comme Georges Weill ou Jacques Peirotes, affirment leur attachement à la culture et aux traditions françaises. Les sœurs de Georges Weill sont professeurs en France. Le typographe Peirotes est l'arrière-petit-fils d'un soldat de la Grande Armée…

L'autonomie, vœu quasi général en ce début du XXe siècle, est, en fait, une notion ambiguë. Pour les uns, elle est la « forme légale de la protestation », une dernière ligne de défense. Elle est enveloppée d'un halo protestataire. Elle est « à base française », selon le mot de Pierre Bucher, le directeur de la *Revue alsacienne illustrée*, qui fit tant à partir du début du siècle pour affirmer les traditions françaises en Alsace. Les dirigeants de l'Union nationale, de l'abbé Wetterlé au démocrate colmarien Blumenthal, professent cette conception de l'autonomie.

Ils sont une minorité, à laquelle s'oppose une autre minorité, pour qui l'autonomie est la condition préalable à une acceptation progressive des « faits accomplis » en 1871, pour qui de l'attachement à la petite patrie alsacienne, la *Heimat*, naîtra un certain attachement à l'Empire allemand. Cette attitude est présente dans une fraction du monde luthérien, qui regarde vers Wittenberg, Leipzig, Berlin, Tübingen. Le jeune Albert Schweitzer, étudiant en théologie, fait partie de ce monde.

La même conception de l'autonomie, envisagée comme une étape vers une intégration progressive, l'emporte dans cette fraction du clergé et des militants catholiques qui regarde vers Mönchen-Gladbach la centrale du Volksverein, l'Association populaire catholique, vers Cologne, siège du grand journal du centre, la *Kölnische Volkszeitung*, ou vers les facultés de théologie de Würzbourg ou Munich.

Pour le plus grand nombre, pourtant, l'autonomie est tout au plus une « hypothèse », imposée par le traité de Francfort, la formule qui permet, sans préjuger de l'avenir, et sans rien sacrifier des fidélités et des traditions, de sortir d'un état d'exception, en refusant le « tout ou rien » et en acceptant l'état de fait.

Ainsi, l'autonomie, revendication politique, renvoie-t-elle à des conceptions différentes des relations de l'Alsace avec la France et l'Allemagne, et surtout à des visions différentes du particularisme alsacien. Celui-ci s'alimente à des sources culturelles diverses et porte en lui plusieurs mémoires. Certains évoquent volontiers l'Alsace du Moyen Âge et de la Réforme. Les catholiques ont la nostalgie du Saint Empire romain germanique, de l'harmonie organique de la chrétienté médiévale. Les luthériens sont nourris de l'histoire de la Réformation. Les uns et les autres sont porteurs d'une mémoire qui renvoie aux siècles où l'Alsace était liée aux destinées du monde germanique. Du reste, les monuments qu'édifie alors l'Empire allemand en Alsace, de la gare de Colmar à la poste de Strasbourg et à la reconstruction sous Guillaume II du château du Haut-Kœnigsbourg, visent à rendre vie à ces souvenirs du Moyen Âge.

Une autre partie des élites alsaciennes privilégie le patrimoine culturel français, les souvenirs de l'Alsace du XVIIIe siècle et des Lumières, ceux de la Révolution et de l'épopée napoléonienne. Le docteur Pierre Bucher, ami de Maurice Barrès, à qui il fournit le modèle du héros d'*Au service de l'Allemagne*, veut affirmer la fidélité de l'Alsace « à la terre et aux morts ». Il s'en prend aux « déracinés » qui, « faisant de nécessité vertu, se posent en contempteurs des temps écoulés ». Visant les Hohenstaufen qui avaient fait de Haguenau un de leurs séjours de prédilection, il estime que « les gestes d'une dynastie éteinte au XIIIe siècle après Jésus-Christ exercent aujourd'hui sur notre mentalité une influence moins forte que l'action de l'"Ancien Régime", qui a parfait l'unité de l'Alsace, et de la Révolution qui a révélé aux Alsaciens leurs vraies affinités politiques et sociales[19] ». Ce texte illustre la sélection de la mémoire, qui, d'une part, occulte et, de l'autre, privilégie tel aspect du passé.

La lecture que fait de l'histoire de l'Alsace le dessinateur colmarien Hansi[20] offre les mêmes caractéristiques. Elle oppose au pangermanisme éternel, déjà fustigé sous les traits du *Professor Knatschke*[21], la France révolutionnaire messagère de la liberté, pays de la douceur de vivre et des valeurs traditionnelles, opposé à l'Allemagne brutale gagnée par l'industrialisme. Mais sans doute le meilleur témoignage de cette mémoire francophile est-il le monument érigé le 17 octobre 1909, à Wissembourg, à l'initiative d'Auguste Spinner, avec le concours du « Souvenir français », à la mémoire des soldats français morts sur les champs de bataille de Wissembourg : l'obélisque est orné de médaillons qui évoquent les guerres de l'Ancien Régime, de la Révolution et de l'Empire et le conflit de 1870.

Il est enfin un particularisme alsacien qui trouve en lui-même son propre fondement. La « petite patrie » ne renvoie pas à une « grande patrie », France ou Allemagne, elle est la patrie même. À partir des valeurs religieuses et culturelles de l'Alsace doit peu à peu s'affirmer un véritable sentiment national alsacien. Une fraction de la génération qui accède à la vie politique et intellectuelle au début du siècle est très représentative de cet état d'esprit. Une personnalité comme celle de l'abbé Haegy, dont le rôle fut si considérable dans le catholicisme alsacien, incarne cette conception du particularisme, qui est exaltation de l'*Elsässertum*. Dans l'association étroite qu'il établit entre la petite patrie et la religion catholique, il évoque d'autres prêtres qui, dans les mêmes décennies, de la Slovaquie à la Flandre et au Pays basque, affirment, face à l'État national, les droits d'un « peuple » dont le destin est inséparable de celui de l'Église. L'autonomisme alsacien à base cléricale de l'entre-deux-guerres porte en lui cette image de l'Alsace qu'exprime la revue fondée par l'abbé Haegy en 1921, la *Heimat*. Haegy se définissait un jour comme « catholique d'abord et alsacien ensuite ». Il avait « défendu les intérêts de Dieu, de l'Église et du peuple chrétien d'Alsace dans le cadre de l'État allemand et vis-à-vis de l'État ». Il s'efforçait, « vis-à-vis de l'État français », de rendre le même service à la « petite patrie alsacienne[22] ».

Autonomisme et régionalisme entre les deux guerres

On sait la genèse du « malaise alsacien[23] » et de la crise autonomiste des années vingt et suivantes. Un climat d'enthousiasme patriotique, attesté par d'innombrables témoignages, accompagne le retour à la mère patrie. Mais très vite apparaissent les problèmes économiques et administratifs nés de la réintégration à la France. Maladresses psychologiques, d'une part, insertion difficile, d'autre part, dans un univers idéologique et culturel auquel l'Alsace a été étrangère pendant un demi-siècle. L'image que chaque partenaire découvre de l'autre n'est pas tout à fait conforme à celle dont il avait rêvé. En 1924, la volonté du cartel des gauches, par assimilationnisme laïque, d'abolir le statut religieux et scolaire des départements recouvrés met le feu aux poudres. Face à une tempête de protestations, le projet est abandonné, mais, à cette occasion, s'affirme un mouvement autonomiste. Le 8 juin 1926, le manifeste du Heimatbund réclame, afin d'assurer la défense des droits du « peuple alsacien-lorrain », que celui-ci obtienne « comme minorité nationale l'autonomie complète dans le cadre de la France ».

L'appellation d'autonomistes recouvre en fait des réalités diverses. Autonomisme clérical d'un Rossé ou d'un Haegy, autonomisme laïque, et dans la tradition démocrate, d'un Dahlet, autonomisme communiste qui, au nom de l'internationalisme prolétarien, dénonce l'impérialisme français, et trouve jusqu'en 1934 l'appui du parti communiste français. Comme avant 1914, mais dans une situation inversée, il importe d'esquisser une échelle d'attitudes, et, au travers de celles-ci, de discerner des images différentes du destin de l'Alsace.

Une frange très minoritaire de l'autonomisme est faite de germanophiles, pour qui l'autonomie n'est qu'un expédient préalable à un retour à l'Allemagne, à la culture de laquelle l'Alsace participe au plus profond. Ces hommes sont en relation avec des Alsaciens, profondément intégrés à la culture allemande, et qui en 1918 ont gagné l'Allemagne, en même temps qu'étaient expulsés les immigrés. Tel le théologien catholique Joseph Schmidlin, professeur d'histoire de l'Église et de missiologie à Mönchen-Gladbach[24]. Tels un certain nombre de pasteurs protestants, ainsi Gustav-Adolf Anrich, fils de pasteur, professeur de théologie à Bonn puis à Tübingen, qui préside à partir de 1924 le Wissenschaftliches Institut der Elsass-Lothringer im Reich. Tel Robert Ernst[25], fils d'un pasteur alsacien, officier pendant la Première Guerre. Il est, dans les années de la République de Weimar, le principal animateur des organisations irrédentistes alsaciennes en Allemagne et préside à l'aide apportée à certains mouvements autonomistes alsaciens, à des fins présentées comme culturelles. La seule organisation politique proprement germanophile, l'Autonomistische Landespartei, devenu l'Unabhängige Landespartei, dirigé par Karl Roos[26], connut des succès très modestes, notamment dans certains milieux luthériens de l'Alsace du Nord. La mythologie nazie du « sang » et du « sol » exerça sa séduction dans ces milieux proprement « séparatistes ».

Les véritables autonomistes, un Ricklin, un Rossé, un Dahlet, tous trois parlementaires, issus les deux premiers du parti catholique, le dernier du radicalisme démocratique, tournent leur regard d'abord vers l'Alsace, non vers l'Allemagne ou la France. Ils affirment leur loyalisme envers celle-ci de même qu'avait été affirmé avant 1914 le loyalisme envers le Reich. Cet autonomisme, dont l'abbé Haegy fut le maître à penser, eut un rayonnement direct, et plus encore diffus, appréciable. Aussi bien put-il, à certains moments, exercer une surenchère sur l'Union populaire républicaine (U.P.R.), le parti catholique.

Le rappel d'une histoire politique aujourd'hui bien lointaine alors qu'elle suscita tant de passions est ici indispensable pour éclairer les mentalités. Au sein de l'U.P.R. dominent en fait les régionalistes, autour d'un Michel Walter, d'un Thomas Seltz, d'un Henri Meck qui fut parlementaire sous trois Républiques. Ils associent l'attachement à la patrie française et à la personnalité alsacienne. Ils sont très représentatifs de ce christianisme populaire et social issu de la greffe du centre allemand et du Volksverein, qui sut trouver une structure d'accueil dans les institutions du catholicisme social français, et auquel Henri Meck, encore sous la Ve République, faisait référence. Selon les hommes et les moments, l'U.P.R. mettait davantage l'accent sur l'un ou l'autre pôle de cette double fidélité, le pôle national ou le pôle régional.

Les catholiques qui n'approuvaient pas ce qu'ils jugeaient le manque de fermeté de l'U.P.R. vis-à-vis des autonomistes fondèrent en 1926 l'A.P.N.A., l'Action populaire nationale d'Alsace. Les hommes de l'A.P.N.A. se veulent attachés au régime religieux et scolaire de l'Alsace et à son originalité régionale, mais leur patriotisme prend une coloration nationaliste. Ils sont très représentatifs d'un patriotisme alsacien, nourri de souvenirs militaires, d'autant plus ardent qu'il est celui d'une province frontière. Si l'on excepte la minorité autonomisante, les chrétiens populaires de l'U.P.R. ne sont pas moins patriotes, mais ils le sont autrement, affirmant avec plus de vigueur leur spécificité alsacienne. Faut-il ajouter que les catholiques nationaux de l'A.P.N.A. sont des conservateurs libéraux, avec une pointe de gallicanisme. L'U.P.R. est faite de catholiques ultramontains, sociaux. Ils plongent au plus profond de la tradition d'un catholicisme alsacien qui, depuis le début du XIXe siècle, a le regard fixé sur Rome.

Le poids de la Deuxième Guerre mondiale

La Deuxième Guerre mondiale est la dernière épreuve du drame ouvert en 1870. Ses souvenirs tragiques pèsent encore aujourd'hui dans les mémoires. Défaite brutale de la France, annexion de fait à l'Allemagne, sentiment d'un abandon de la part du gouvernement de Vichy, nazification, encadrement totalitaire. En pleine occupation, le cahier du *Témoignage chrétien, Alsace et Lorraine terres françaises,* préparé par le professeur de philosophie Émile

Baas et l'abbé Pierre Bockel, futur archiprêtre de la cathédrale, décrit la mécanique de ce système. Une nouvelle fois, des choix tragiques s'offrent aux Alsaciens, une nouvelle fois, des Alsaciens portent des uniformes opposés : incorporés de force dans l'armée allemande, qui combattirent avant tout sur le front russe, volontaires des Forces françaises libres ou de la brigade Alsace-Lorraine formée dans le Sud-Ouest qui participa aux luttes de la Résistance et de la Libération, sous les ordres du colonel Berger, André Malraux.
Les conséquences du conflit sur la conscience alsacienne sont considérables. Une part du souvenir fut sans doute refoulée, qu'il s'agisse du drame de l'incorporation de force[27], ou de l'expérience, véritablement inouïe, d'un régime totalitaire. Certains dirigeants autonomistes, l'ancien communiste J.-P. Mourer, ou l'ancien responsable de l'organisation de jeunesse de l'Unabhängige Landespartei, H. Bickler, firent cause commune avec les nazis. Des personnalités de l'aile autonomisante de l'U.P.R. : Rossé, Keppi, Stürmel, incarcérés au début de la guerre par les autorités françaises, signèrent en juin 1940, sous la pression de Robert Ernst, le manifeste des Trois Épis, par lequel ils demandaient l'intégration au Reich. Sans doute, fidèles à leur ligne constante, espéraient-ils ainsi préserver l'originalité de l'Alsace et les libertés de l'Église dans l'Allemagne victorieuse.
Double illusion. Hitler rattacha l'Alsace au Gau Oberrhein, la Moselle, avec la Sarre et le Palatinat, forma le Gau Westmark, dont la capitale était Sarrebruck. C'en est bien fini du mythe de l'Alsace-Lorraine. Hitler veut détruire tout particularisme marqué d'influence *« welche »*. Loin d'être une étape sur la voie de la germanisation, le particularisme alsacien est considéré comme une barrière à abolir. Les nazis se défient des autonomistes cléricaux, dont certains, tel Rossé, vont prendre des contacts avec la résistance allemande.
Cependant, la population, assommée par la défaite, partagée dans les premières semaines entre l'attentisme, la résignation hostile, le refus, évolue très vite vers une hostilité de plus en plus résolue. Dans un rapport fort sévère sur la politique menée par le Gauleiter, le bourgmestre de Stuttgart, en juillet 1943, cite une boutade répandue en Alsace : « Ce que les Français n'avaient pas réussi en vingt ans, faire de nous des Français, les Allemands sont en train de le réaliser[28]. » Face à l'oppression nazie, les travers de la République jacobine semblent mineurs. L'idée non de régionalisme, mais d'autonomie, est durablement frappée par la collusion profonde ou occasionnelle des chefs autonomistes avec le nazisme. Là réside bien la raison première de l'absence de résurgence de l'autonomisme alsacien depuis 1945.
Sans doute le drame de la conscience alsacienne n'était-il pas pour autant exorcisé, comme l'atteste la fièvre brutale, mais brève, que suscita, huit ans après la guerre, l'affaire d'Oradour. En janvier 1953, treize incorporés de force, impliqués dans le massacre d'Oradour-sur-Glane, furent traduits

devant le tribunal militaire de Bordeaux, avec d'autres membres de la division S.S. Das Reich. Les Alsaciens furent condamnés à des peines allant de cinq ans d'emprisonnement à huit ans de travaux forcés.

La nouvelle provoqua « stupeur douloureuse chez les uns, indignation véhémente chez les autres », selon l'analyse de celui qui fut un des plus pénétrants observateurs de l'Alsace, Émile Baas[29]. L'opinion fut « soulevée par une véritable lame de fond » : drapeaux en berne, sonneries de cloches, monuments aux morts voilés de crêpe, renvoi solennel de décorations, démission d'officiers de réserve, protestation des conseils municipaux. Le 16 février, le général de Gaulle prenait position : « Quel Français ne comprendra la douleur irritée de l'Alsace ? Brutalement annexée par l'ennemi à la suite de la capitulation de Vichy, ayant subi l'affreuse épreuve de voir beaucoup de ses jeunes gens incorporés de force dans les rangs allemands, son sentiment repousse à présent la conclusion d'une procédure dont les conditions lui paraissent outrageantes. » Deux jours plus tard, à l'invite du président du Conseil René Pleven, l'Assemblée nationale votait une loi d'amnistie, qui entraîna un rapide retour au calme.

L'opinion s'était dressée contre l'incompréhension manifestée vis-à-vis du drame de l'incorporation de force. Un complexe d'affectivité blessée avait explosé au grand jour. Il est remarquable, comme le notait Émile Baas, que les éléments les plus patriotes de la population aient donné le départ de la protestation. Tout se passe comme si, par le procès, un soupçon avait été porté au patriotisme alsacien pendant l'annexion. L'humiliation de l'incorporation de force était remontée au grand jour et, au-delà, la place de l'Alsace dans la communauté française avait été remise en cause. L'intensité de la réaction révélait, enfouis au profond de la conscience, des souvenirs que seul le temps pouvait rendre moins sensibles. Elle rappelait cette vieille leçon d'un administrateur de l'Ancien Régime qu'il ne fallait pas « toucher aux usages de l'Alsace ».

III. La mémoire symbolique

De toutes les régions frontières, aucune sans doute n'a pris une telle dimension dans l'imaginaire national, depuis plus d'un siècle, que l'Alsace. L'annexion de 1870 associe dans un même destin les deux départements alsaciens, moins Belfort, et une partie des deux départements de la Meurthe et de la Moselle[30] : ils constituent la terre d'Empire d'Alsace-Lorraine. Désormais, l'Alsace et la Lorraine ne forment qu'un pour des décennies dans la mémoire nationale. Le drame de la défaite et de l'amputation territoriale conduit le nationalisme français à réaffirmer ses fondements, l'Alsace devient le cœur de la France.

Il faut revenir à ce moment symbolique qu'est la «déclaration de Bordeaux». À l'Assemblée nationale, le 1er mars 1871, après la ratification des préliminaires de Francfort et l'acceptation de l'annexion, le député du Haut-Rhin, Grosjean, lut la protestation des députés alsaciens et lorrains. Gambetta, élu du Bas-Rhin, en était un des principaux auteurs.

> Livrés, au mépris de toute justice et par un odieux abus de la force, à la domination de l'étranger, nous avons un dernier devoir à remplir.
> Nous déclarons encore une fois nul et non avenu un pacte qui dispose de nous sans notre consentement.
> La revendication de nos droits demeure à jamais ouverte, à tous et à chacun dans la forme que notre conscience nous dictera.

La formule finale due à Frédéric Hartmann, industriel, maire de Munster, réservait la liberté d'action des intéressés pour l'avenir. L'important est l'affirmation de principe qui pose une thématique destinée à être indéfiniment reprise: opposition du droit à la contrainte, proclamation solennelle de ce que seul le consentement fonde la nationalité, comme Fustel et Renan le répondirent aux historiens allemands, conviction que la blessure ne saurait se refermer, quelles que soient les formes d'une protestation destinée à se faire entendre sans fin.
La déclaration de Bordeaux se terminait sur une double affirmation de la foi dans le destin de la Grande Nation et de la fidélité à la mère patrie.

> Nous attendons, avec une confiance entière dans l'avenir, que la France régénérée reprenne le cours de sa grande destinée.
> Vos frères d'Alsace-Lorraine, séparés en ce moment de la famille commune, conserveront à la France, absente de leurs foyers, une affection filiale, jusqu'au moment où elle viendra y prendre sa place.

Désormais, le nationalisme français, plus précisément le patriotisme républicain, est inséparable du souvenir des provinces perdues. Le tableau de Jean-Jacques Henner offert par les femmes d'Alsace à Gambetta en 1871 représente l'Alsacienne songeuse, coiffée d'un nœud noir avec une petite cocarde tricolore: *Elle attend.*
Il n'est pas indispensable ici de reprendre une histoire que ponctuent tant de traits qui font partie de la légende républicaine. Faut-il citer Gambetta: «Pensez-y toujours, n'en parlez jamais», ou Ferry, lycéen à Strasbourg dans sa jeunesse, uni par tant de liens, et d'abord par son mariage, à l'Alsace, qui désirait reposer, comme le dit son testament rédigé en 1890, face à «cette ligne bleue des Vosges d'où monte jusqu'à mon cœur fidèle la plainte touchante des vaincus».

Qu'il suffise aussi de dire le succès prolongé, porté par les manuels scolaires, de «La dernière classe, récit d'un petit Alsacien», extrait des *Contes du lundi* d'Alphonse Daudet en 1873. combien gardèrent toute leur vie le souvenir de l'image représentant le vieil instituteur écrivant silencieusement au tableau noir: «France-Alsace – Alsace-France», ou celui des jeunes héros du *Tour de la France par deux enfants*, quittant Phalsbourg et traversant clandestinement la frontière des Vosges.

Phalsbourg, petite place forte de la Lorraine annexée, à proximité de l'Alsace, grâce à l'œuvre, commencée dès la fin du second Empire, d'Erckmann et Chatrian, devient une manière de symbole de l'Alsace-Lorraine. L'extraordinaire succès populaire des «romans nationaux», *Le Conscrit de 1813, L'Invasion, Waterloo*, contribue à associer l'image de l'Alsace-Lorraine, le sentiment patriotique et l'idée républicaine. Toute une littérature romanesque, dont *Les Oberlé* de René Bazin constitue un des exemples les plus remarquables, concourt à raviver le souvenir des provinces perdues, de même que les enquêtes ou les récits de voyage dans les pays annexés. Écrites après 1871, les œuvres d'Erckmann-Chatrian, *Le Brigadier Frédéric* ou *Le Banni*, évoquent le sort tragique des exilés.

L'émigration alsacienne et lorraine dans les années qui suivent la défaite a été importante. Prévue par les dispositions du traité de Francfort, l'option touche près de quarante mille personnes dans le Bas-Rhin, quatre-vingt-treize mille dans le Haut-Rhin. Mais un filet d'émigration se poursuit par la suite, alimenté notamment par les jeunes gens qui ne veulent pas remplir leurs obligations militaires en Allemagne. Cette émigration est bien souvent le fait d'une élite[31]: universitaires[32], hauts fonctionnaires, officiers, parfois membres des professions libérales et industriels.

Les «optants» contribuèrent à perpétuer au sein des Sociétés d'Alsaciens-Lorrains le souvenir des pays annexés. Fils d'un optant qui fut élève de l'école rabbinique transférée en 1870 de Metz à la rue Vauquelin à Paris, Robert Debré a évoqué l'arbre de Noël traditionnel des Alsaciens-Lorrains, au cirque d'Hiver, en présence de Mme Jules Ferry. Sur des paroles d'Émile Erckmann retentit l'air: *Dis-moi quel est ton pays*, et l'assistance reprend le refrain: «C'est la vieille et loyale Alsace.»

Née en octobre 1873 du souci de réforme pédagogique issu de la défaite, l'École alsacienne[33] est due à l'initiative de plusieurs personnalités formées au gymnase protestant de Strasbourg, fondé en 1538 par l'humaniste Jean Sturm. La liste des actionnaires, celle des professeurs, la personnalité de celui qui fut directeur de 1874 à 1891, Frédéric Rieder, fils d'un pasteur au Temple-Neuf de Strasbourg, ancien professeur au lycée de Strasbourg, l'esprit même de l'établissement attestent que l'école libre du 92, rue d'Assas est profondément marquée par la présence de l'Alsace.

Sans doute cette mémoire et cette présence de l'Alsace, qui brillent dans la conscience française avec une intensité inégale entre l'annexion et la veille de la guerre, conduisent-elles à une vision de l'Alsace en partie inexacte. Elle n'intègre pas les mutations que connaît le Reichland. Dans cette discordance entre l'image française de l'Alsace et la réalité propre de l'Alsace résident bien des malentendus et une part des raisons du «malaise» alsacien entre les deux guerres. L'Alsace «retrouvée» en 1918 ne s'identifie pas pleinement au souvenir de la «vieille» Alsace. Le germaniste Charles Andler, fils du fondateur de la pharmacie de l'Homme de fer, place Kléber, né à Strasbourg en 1866, a bien dit cette distance dans sa biographie de Lucien Herr, le célèbre bibliothécaire de l'École normale qui joua un rôle si important dans l'Affaire Dreyfus et la formation du socialisme français, un Alsacien lui aussi, né dans le Sundgau, à Altkirch. L'Alsace libérale d'Erckmann-Chatrian était devenue à leurs yeux une Alsace «cléricale» qui regardait vers la Rhénanie, la «rue aux prêtres».

Nombre d'essais sur l'Alsace, comme cette *Psychanalyse de l'Alsace* de Frédéric Hoffet qui fit quelque bruit après la Seconde Guerre, sont dominés par l'image d'une Alsace ballottée entre deux mondes, vouée à l'écartèlement, toujours incertaine et insatisfaite de son destin. Le mythe de *Hans im Schnogeloch* (Jean dans son trou de moustique)[34], jamais heureux de son sort, aspirant à autre chose, sert de principe d'explication à toute la psychologie de l'Alsace. Pendant des années, les spectacles de cabaret bilingues offerts aux Alsaciens par le chansonnier Germain Müller leur renvoyèrent d'eux-mêmes semblables visions. Image qui porte une part de vérité, mais qui est sans doute de moins en moins fidèle à la réalité. En fait, une évolution considérable dont, comme il arrive, les contemporains n'eurent pas d'emblée conscience, a modifié insensiblement la situation de l'Alsace, atténuant les contradictions latentes de sa mémoire politique et culturelle. Cette évolution tient à la rencontre de deux séries de phénomènes : l'intégration croissante de l'Alsace à la communauté française dans le respect des particularités régionales et le rapprochement franco-allemand.

La prudence des gouvernants d'après 1945, l'essor de l'économie contrastant avec la stagnation de l'entre-deux-guerres, l'uniformisation des modes de vie et des mentalités ont eu leur importance. Il faut insister sur le rôle du Mouvement républicain populaire et du gaullisme dans l'intégration de l'Alsace à la culture politique nationale. Les dirigeants de la formation d'inspiration démocrate-chrétienne née à la Libération avaient des amis en Alsace, désireux d'éviter la reconstitution d'un parti régional, comme entre les deux guerres. Ils parvinrent en 1945 à imposer leurs vues aux anciens dirigeants de l'U.P.R. qui acceptèrent l'intégration dans une formation nationale. Le M.R.P. s'engagea à défendre à Paris les particularités alsaciennes. Un de ses dirigeants, un des espoirs du mouvement catholique mosellan avant 1914, Robert Schuman, ne prenait-il pas un rôle de premier plan dans la politique de la IVe République et la conduite des affaires étrangères ? Un jeune député M.R.P. du Bas-Rhin, Pierre Pflimlin, ne devenait-il pas très vite ministre ? Dans la France nouvelle née de la Libération, la tradition chrétienne populaire, si puissante dans l'Alsace-Lorraine d'avant 1914, trouvait ainsi à s'insérer dans un grand parti national, affirmant sa continuité dans les changements.

Le gaullisme joua, lui aussi, un puissant rôle intégrateur. Faut-il rappeler que le chef de la France libre et les libérateurs de 1944-1945, au lendemain de la dernière offensive d'Alsace, ne tardèrent pas à rejoindre dans le panthéon du patriotisme alsacien d'autres gloires militaires : Rapp, Kléber, les libérateurs de 1918 ? Les portraits du général de Gaulle, de Leclerc, de De Lattre furent, pendant des années, l'ornement des boutiques et des intérieurs alsaciens.

Lorsque le général de Gaulle, le 7 avril 1947, deuxième anniversaire de la libération complète de l'Alsace, choisit Strasbourg pour annoncer, du balcon de l'hôtel de ville, la fondation du Rassemblement du peuple français, il rencontra chez nombre d'Alsaciens, attachés à la fois à l'autorité et à la démocratie, un succès considérable. Il toucha la sensibilité patriotique défiante vis-à-vis du retour de quelque autonomisme. L'Alsace servait, une fois de plus, à raviver, dans une visée nationaliste, une mémoire à la fois nationale et régionale. Après le retour au pouvoir du général de Gaulle et la Ve République, l'Alsace devint, pour des années, un bastion du gaullisme. Pour qui gardait en mémoire le paysage politique du demi-siècle précédent, la culture politique alsacienne avait bien perdu de sa spécificité.

Le rapprochement franco-allemand acheva de modifier les données du problème alsacien. D'espace disputé dans l'Europe des antagonistes nationaux, de glacis et de frontière contestée, l'Alsace se faisait gloire de devenir un pont, un carrefour, comme elle l'avait été en plusieurs temps de son histoire. Le Rhin pouvait « redevenir un lien occidental », selon les mots de Charles de Gaulle, alors à la tête du gouvernement provisoire, à Strasbourg le 5 octobre 1945. La charge symbolique de Strasbourg n'a pas diminué d'intensité, mais elle a changé de sens. La ville qui avait incarné l'affrontement de la France et de l'Allemagne, et dont la flèche de la cathédrale symbolisait à elle seule l'humiliation de 1871, était choisie d'un commun accord comme siège du Parlement européen. Elle redevenait la ville des routes qui se croisent et des cultures qui se rencontrent, sous le signe du « génie du Rhin », ainsi que l'avait rêvé le dernier Barrès. La mémoire brisée de l'Alsace retrouve son entière dimension en même temps qu'elle renoue avec toute son histoire.

Une histoire que pourrait symboliser le mont Sainte-Odile, ce promontoire qui domine directement la plaine. Le « mur païen », reste d'une forteresse celtique, atteste en ce site privilégié l'ancienneté de l'établissement humain. C'est là qu'au VIIe siècle Odile, la fille du duc d'Alsace, Adalric, ou Éticho, fonda le monastère de Hohenburg. Là qu'au temps des Staufen, au XIIe siècle, l'abbesse Herrade compose l'*Hortus deliciarum*, le *Jardin des délices*, manuscrit enluminé que détruisit l'incendie de la bibliothèque de Strasbourg, pendant le siège de 1870. L'abbaye que protège sainte Odile est un pèlerinage célèbre dans tout l'Empire. L'empereur Charles IV se fait remettre en 1354 une relique, l'os de l'avant-bras de la sainte, pour la donner à la cathédrale de Prague[35].

Cœur de l'Alsace catholique, ce lieu sacré incarne après 1871 le double attachement à l'Église et à la France. C'est là qu'aux heures les plus difficiles de 1968 de Gaulle envisage de se recueillir et de rencontrer les chefs de l'armée d'Allemagne. Un autre lieu l'avait tenté, à la frontière de l'Alsace et de la Lorraine, le rocher de Dabo, cette cathédrale de grès au-dessus du moutonnement des sapins, dominée par la petite chapelle vouée à la mémoire de Bruno d'Eguisheim, Léon IX, le seul pape alsacien, précurseur de la réforme grégorienne au milieu du XIe siècle. C'est en ce haut lieu que le chancelier Kohl, ce Rhénan, souhaita voici quelques années rencontrer le président de la Ve République...

1. Que les hommes du XVIe siècle vont appeler Erwin von Steinbach, et dont les romantiques feront le seul constructeur. Son rôle effectivement considérable, mais non unique, s'étend de 1284 à 1318. Son fils lui succède de 1318 à 1339. *Cf.* Hans Haug *et al.*, *La Cathédrale de Strasbourg*, Strasbourg, *Dernières Nouvelles d'Alsace*, 1957.

2. Francis Rapp, *Route des prêtres, route des empereurs. Une histoire du Rhin*, Paris, Ramsay, 1981.

3. Cet extrait révélateur des actualités nazies figure dans le film *Le Chagrin et la pitié*.

4. Dans Lucien Febvre et Albert Demangeon, *Le Rhin. Problèmes d'histoire et d'économie*, Paris, Armand Colin, 1935.

5. *Cf.* sous la direction de Charles-Oliver Carbonell et Georges Livet, *Au berceau des* Annales, Toulouse, Presses de l'I.E.P., 1983, et John Craig, *Scholarship and Nation Building: the Universities of Strasbourg and Alsatian Society*, Chicago, 1984.

6. *Cf.* Georges Pagès, *La Guerre de Trente Ans*, Paris, Payot, 1939.
Le jésuite Pierre Labbé, dans le *Testamentum politicum* qu'il prête à Richelieu, fait dire au cardinal qu'il veut « *restituere Galliae limites quos natura proefixit* » (cité par Louis André dans son introduction à l'édition critique du véritable *Testament politique du cardinal de Richelieu*, Paris, Robert Laffont, 1947, p. 66).

7. Danton, discours à la Convention, 31 janvier 1793.

8. E.M. Arndt, *Der Rhein Deutschlands Strom aber nicht Deutschlands Grenze*, 1913. Alfred Fierro-Domenech, dans son intéressant ouvrage, *Le Pré carré, géographie historique de la*

France, Paris, Robert Laffont, 1986, p. 24, indique que l'idée se trouvait déjà exprimée par le célèbre géographe allemand Sebastian Münster, dans la version française de sa *Cosmographie*, 1552, mais que l'absence d'État allemand a empêché la prise en compte de ce point de vue jusqu'à l'aube du XIXe siècle.

9. Robert Minder, *Allemagne et Allemands*, Paris, Éd. du Seuil, 1948, p. 172.

10. *Cf.* l'introduction de Pierre Schmitt aux *Histoires et légendes de l'Alsace mystérieuse*, Paris, Tchou, 1969.

11. *Cf.* Jean-Claude Ailleret, «La liberté de navigation» *in Une histoire du Rhin*, *op. cit.*, pp. 375-383.

12. Dans un livre oublié, riche de culture, Jean de Pange y insistait *in Les Libertés rhénanes. Pays rhénans, Sarre, Alsace*, Paris, Perrin, 1922, p. 22 *sq.*

13. On reprend ici les conclusions de Louis Châtellier, *Histoire du diocèse de Strasbourg*, Paris, Beauchesne, 1982.

14. L. Febvre, *op. cit.*, p. 93.

15. Renvoyons aux livres classiques de Georges Goyau sur l'*Allemagne religieuse.*

16. *Cf.* Freddy Raphaël et Robert Weyl, *Juifs en Alsace, culture, société, histoire*, Toulouse, Privat, 1977.

17. *Cf.* Freddy Raphaël, «Présence du juif dans l'œuvre d'Erckmann-Chatrian», *Revue des sciences sociales de la France de l'Est*, n° 5, 1976, pp. 81-142.

18. Outre les synthèses - F.-G. Dreyfus, *Histoire de l'Alsace*, Paris, Hachette, 1979, l'ouvrage collectif dirigé par Philippe Dollinger, Toulouse, Privat, 1970 et, chez le même éditeur, *L'Histoire de l'Alsace depuis 1900* –, on renverra à Christian Baechler, *Le Parti catholique alsacien*, Université de Strasbourg, 1982, à François-Georges Dreyfus, *La Vie politique en Alsace*, Paris, F.N.S.P., 1969, et à Jean-Marie Mayeur, *Autonomie et politique en Alsace. La Constitution de 1911*, Paris, Armand Colin, 1970.

19. *Cahiers alsaciens*, janvier 1912.

20. Dans ses albums, *Histoire d'Alsace*, 1912, *Mon village*, 1913.

21. En 1909.

22. *Cf.* Christian Baechler, «L'abbé Haegy (1870-1932). Une politique au service de l'Église et du peuple alsacien», *Archives de l'Église d'Alsace*, 1984, pp. 287-339. La lettre est citée page 327.

23. C'est le titre d'un livre de l'essayiste René Gillouin en 1929.

24. Victime des nazis, il mourut en déportation au camp de Struthof.

25. Sur lui notamment Lothar Kettenacker, «La politique de nazification en Alsace», *Saisons d'Alsace*, 1978.

26. Convaincu d'espionnage, il fut fusillé à Nancy à l'automne de 1939.

27. *Cf.* Geneviève Herberich-Marx et Freddy Raphaël, «Les incorporés de force alsaciens. Déni, convocation et provocation de la mémoire», *Vingtième siècle*, avril 1985, et la mise au point de Pierre Barral, «La tragédie des "malgré-nous"», *L'Histoire*, n° 80, 1985.

28. Cité par Fernand L'Huillier, *Libération de l'Alsace*, Paris, Hachette, 1975, p. 32.

29. *Saisons d'Alsace*, Strasbourg, 1953, pp. 69-72. Émile Baas publia à la Libération une *Situation de l'Alsace*, rédigée pendant la guerre. Le procès d'Oradour a suscité récemment un article de Jean-Pierre Rioux, *L'Histoire*, février 1984.

30. Respectivement les arrondissements de Château-Salins et Sarrebourg pour la Meurthe, de Metz, Sarreguemines et Thionville pour la Moselle.

31. Alfred Wahl a montré dans sa thèse de troisième cycle que les chiffres très supérieurs donnés par Paris prennent en compte les Alsaciens et Lorrains établis dans la France de l'intérieur avant 1870 et qui choisissent la nationalité française.

32. Christophe Charle, dans sa thèse sur *Intellectuels et élites en France (1880-1900)*, marque le poids des Alsaciens d'origine dans l'enseignement supérieur et la haute fonction publique.

33. *Cf.* Georges Hacquard, *Histoire d'une institution française : l'École alsacienne. Naissance d'une école libre (1871-1891)*, Paris, J.-J. Pauvert et Garnier, 1982.

34. À la fin de *Bourgeois et soldats*, Döblin évoque en témoin la foule sur la place Broglie qui, alors que s'effondre la domination allemande, chante le *Hans im Schnogeloch* joué par l'orchestre des pompiers.

35. Christian Pfister, *Pages alsaciennes*, Strasbourg, 1927, p. 111.

EUGEN WEBER

L'hexagone

Il y a quelques années, j'ai été invité à participer à un congrès de chercheurs qui se réunissaient pour commémorer la coïncidence du cent cinquantième anniversaire de la naissance de Jules Ferry avec le centenaire de ses réformes éducatives. On m'avait demandé de faire un exposé sur «la formation de l'hexagone républicain», sujet que je comprenais comme la création d'un certain état d'esprit ou, si l'on préfère, l'histoire d'une réformation à la fois culturelle et idéologique dont la réalisation avait pris appui, pour l'essentiel, sur des moyens didactiques. Tel était le champ que je me proposais de couvrir. Mais au préalable, j'eus l'idée de regarder l'image qu'évoquait le titre de ma communication, cet espace clairement défini que la doctrine républicaine devait conquérir : l'hexagone. Ce que je vis me surprit beaucoup ; je découvris en effet qu'à l'époque de Jules Ferry, soit cent ans avant notre congrès, cette image de l'hexagone qui nous est si familière n'existait pas ; je découvris aussi que, si elle existait dans les années trente – à l'époque où j'étudiais la géographie de la France – elle n'était alors nullement référée au synonyme dont l'utilisation courante avait sans doute conduit l'organisateur du congrès à parler d'«hexagone républicain» comme il aurait parlé de «France républicaine».

Comme tant de conventions immémoriales, le trope que nous avions l'un et l'autre traité comme un lieu commun se révélait être, en fait, une innovation, de même que l'utilisation métaphorique d'une configuration symétrique pour suggérer à la fois la réalité et la personnalité du pays.

Quelques recherches eurent tôt fait de montrer jusqu'à quel point l'hexagone constituait une innovation. Au XIXe siècle, le terme est mentionné une ou deux fois, en particulier dans une grande *Géographie illustrée de la France et de ses colonies* publiée par Jules Verne en 1868 ; mais ce qu'on y lit n'est guère encourageant. Théodore Lavallée, qui a rédigé la section consacrée à la géographie de la France, déplore que l'hexagone, par ailleurs irrégulier, définisse des limites conventionnelles «brisées, morcelées, absurdes, [qui] ont nui à la grandeur et à la prospérité de la France». L'hexagone n'est jamais qu'un pis-aller et il n'y a pas lieu d'en être fier. De plus la carte de France, telle que la reproduit Lavallée, n'a dans sa configuration générale rien d'hexagonal[1].

La même image peu satisfaisante, encore qu'elle ne soit pas assortie d'insinuations plaintives, réapparaît dans un manuel des années 1880, publié par un Français qui enseigne en Amérique; celui-ci informe ses lecteurs que le territoire français constitue «une sorte d'hexagone irrégulier[2]». Il faut attendre 1894 pour trouver une référence clairement positive à la configuration hexagonale de la France; celle-ci est décrite, dans sa morphologie générale, comme «symétrique, proportionnée et régulière[3]». L'auteur, Pierre Foncin, nous est présenté comme un inspecteur général de l'Enseignement secondaire et il y a là, sinon une explication, du moins une coïncidence. En 1887, Ferdinand Buisson, grand pontife de l'institution scolaire de l'époque, avait publié le second volume de son grand *Dictionnaire de pédagogie et d'instruction primaire*; il expliquait dans la préface qu'il ne s'agissait pas là d'un dictionnaire de *mots*, mais d'un dictionnaire de *leçons*, «conçu pour fournir à l'enseignant l'essence des leçons ou du cours qu'il doit consacrer» aux sujets figurant au programme. Si l'on suit cette indication, on découvre que l'article intitulé «France (Géographie)» s'ouvre sur une référence à l'hexagone «qui circonscrit à peu près entièrement le territoire national», et recommande au professeur d'indiquer, dès la première leçon, ses sommets: Dunkerque, la pointe Saint-Mathieu près de Brest, l'embouchure de la Bidassoa, le cap Cerbère, l'embouchure de la Roya près de Menton et le mont Donon dans les Vosges[4].

On reconnaît ici d'emblée la source de cette image qui allait devenir un lieu commun, et que présente l'une des bibles de l'école républicaine à l'époque même où l'instruction publique est sur le point de devenir véritablement universelle. Des milliers d'élèves professeurs et des millions d'écoliers entendront désormais la leçon prescrite par le *Dictionnaire* de Buisson, visualiseront la forme qu'il décrit et assimileront l'image d'une France «symétrique, proportionnée et régulière».

Mais, curieusement, c'est là un point de vue que certains des plus grands géographes français n'ont pas l'air de partager. Élisée Reclus, qui admire aussi «l'équilibre et l'élégance» de la forme du pays, la réfère à un grand octogone. Tout en admettant avec une équanimité admirable que certains voient la France comme un pentagone et d'autres comme un hexagone, Vivien de Saint-Martin préfère également la forme octogonale[5]. Dans son manuel, Vidal de La Blache semble reprendre l'image de Reclus, mais sans lui associer une référence polygonale précise[6]; enfin, une honorable encyclopédie géographique de 1950 reprend ce point de vue: «La forme de la France, dit-elle, est presque géométrique : on peut y voir un octogone présentant quatre côtés de terres et quatre côtés de mer[7]. » Mais les divergences ne s'arrêtent pas là. Les cartes reproduites dans l'important *Manuel de géographie historique de la France* de Léon Mirot n'évoquent en rien une configuration hexagonale[8] ; Emmanuel de Martonne, quant à lui, préfère parler de la « forme grossièrement pentagonale » du pays[9], et pour les Anglais, la France ressemble « en gros à un carré[10] ». Voilà qui nous rappelle Vauban conseillant à Louis XIV de « faire son pré carré » et l'implorant : « Toujours la quadrature non pas du cercle, mais du pré[11]. » La France est même à l'occasion décrite comme un cercle, *L'Empire français divisé en cent onze départements* rayonnant à partir de son centre, Bourges, dans le Cher.

De tous ces points de vue divergents, le plus intéressant est celui de Vidal de La Blache, le plus influent des géographes français modernes, qui n'apprécie vraiment pas les jeux formalistes. Dans son classique *Tableau de la géographie de la France*, Vidal s'intéresse à l'identité géographique du pays, mais se détourne des questions de forme pour se concentrer sur la fonction. La France, dit-il, est l'extrémité resserrée d'un bloc de terre continental ; elle n'est pas tout à fait un isthme, mais un pont de terre entre deux mers et aussi entre l'Espagne et le reste de l'Europe. C'est un pays aux proportions équilibrées et harmonieuses, comme l'a remarqué Strabon bien avant nous ; mais, poursuit Vidal, si l'on cherche un mot qui résume la France, il ne faut pas se préoccuper de définir un contour, mais plutôt parler de *variété*. Dans son chapitre sur la « Physionomie d'ensemble de la France » (le quatrième), Vidal fait valoir que l'élément le plus frappant de l'aspect général du pays, c'est l'ampleur des différences[12]. L'ensemble est en fait un puzzle, et les cartes qu'on nous offre confirment bien cette idée. Elles ne suggèrent aucune forme clairement définie, mais évoquent la complexité et l'imbrication du territoire français dans un tout plus vaste.

Le refus de simplification dont témoigne Vidal, cette insistance à montrer que la réalité est complexe ne furent pas d'un grand secours à l'instruction primaire, qui recherche la simplification, ou aux vulgarisateurs qui se préoccupent de faire paraître faciles des questions difficiles. Un public d'école primaire a besoin de points de référence élémentaires qu'il puisse assimiler facilement. Une forme géométrique présentait l'avantage de rendre la physionomie du pays plus facile à imaginer, à mémoriser et à reproduire. Depuis le XVIIe siècle, c'est cette géométrie qu'on avait choisie et on continuerait à l'utiliser ; Nathaniel Smith a d'ailleurs illustré la diversité des figures mobilisées dans cet effort de simplification : depuis le cercle jusqu'au carré, en passant par toute une série de polygones[13].

Il reste que nombre d'ouvrages de référence évitaient de faire mention de ces figures. Ni le *Littré*, ni le *Larousse*, ni le *Robert* ne citent l'hexagone – ou tout autre polygone – comme synonyme de la France. Je n'en ai trouvé aucune mention dans le *Dictionnaire de la langue française* de Hatzfeld et Darmesteter – ni dans l'édition originale (1890-1893) ni dans l'édition corrigée de 1964 – ou dans le *Dictionnaire de l'Académie* (1935). L'édition de 1962 du *Grand Larousse encyclopédique* ignore cette acception du terme, qui apparaît pour la première fois dans le *Supplément* de 1969 sous cette définition: «La France limitée au territoire métropolitain.» En 1972, le *Dictionnaire du français vivant* reconnaît le terme comme assimilable à «la France continentale». En 1976, le *Grand Dictionnaire de la langue française* se montre plus spécifique: «La France, dans les limites toutefois du territoire métropolitain.» Et une année plus tard, le *Dictionnaire encyclopédique Quillet* (1977) donne une définition encore plus précise: «Depuis 1962, on utilise parfois le terme d'hexagone pour désigner la France: c'est une manière de comparer la France métropolitaine réduite à sa dimension européenne à la France d'avant la décolonisation, qui était à la tête d'un vaste empire colonial.»

J'ai commencé cet article en faisant état de la surprise qui fut la mienne au moment où j'ai découvert que ce que je considérais comme un lieu commun était en fait une innovation, et en me demandant comment s'était effectué le passage de l'un à l'autre. Maintenant que nous sommes sur le point de trouver une réponse, je voudrais m'arrêter et faire une parenthèse pour attirer l'attention du lecteur sur une autre nouveauté: les cartes. Ou du moins leur observation et leur utilisation par une minorité non négligeable.

De même que l'État-nation est un concept moderne, l'appréciation de ses limites officielles est assez récente. De tout temps, les limites ont été importantes à l'échelon local, dans les questions de propriété et de juridiction; celles-ci étaient connues, mémorisées, grâce à un cours d'eau, un clocher, ou tout autre point de référence; mais les limites ou les frontières d'entités plus vastes étaient relativement floues et laissées aux bons soins des administrateurs. Qu'on en prenne seulement à témoin la grande *Encyclopédie* qui, lorsqu'elle ne peut se référer à de vastes étendues d'eau pour définir les limites de la France, explique sans plus de détails que le pays s'arrête à la frontière d'un domaine limitrophe, comme la Savoie.

Bien sûr, les rois du Moyen Âge, tout comme leurs sujets, n'avaient jamais vu une carte de France (il semblerait que la première carte ait été dessinée en 1525); mais, contrairement à leurs sujets, les rois ne pouvaient pas ne pas se préoccuper de l'étendue réelle et des limites de leur royaume. Étant donné qu'en l'absence de cartes les frontières devaient être décrites verbalement, la précision et la simplicité se prononçaient en faveur de références incontestables, comme les rivières, par exemple, dont le rôle a été si important dans le traité de Verdun en 843. Par ailleurs, il est probable que la nécessité de renvoyer à des points de référence facilement identifiables constitue un élément essentiel du développement de la géographie diplomatique, et cela même à l'époque où les rivières (et encore plus les montagnes) étaient, on le sait, davantage un trait de liaison qu'un obstacle. Telle est, sans aucun doute, l'origine de la longue tradition qui culmine avec le célèbre discours prononcé par Danton en janvier 1793 ; celui-ci invoque les limites de la République telles qu'elles sont fixées par la nature : le Rhin, l'océan Atlantique, les Pyrénées, les Alpes, autant de voies facilement pénétrables et attrayantes, comme en témoignera n'importe quel touriste. C'est ainsi qu'une commodité d'ordre pratique s'est transformée en rhétorique, pour trouver son apogée dans la doctrine des frontières naturelles. Mais avant cela, il fallait que le tracé de ces frontières trouve une manière d'être attesté sur le papier ; et il est intéressant de voir qu'en France, au moins, le durcissement de l'État national a précédé la reproduction concrète et accessible de son image.

C'est pendant cette période opportunément vague que nous appelons la Renaissance que les cartes ont commencé leur double progression à travers l'histoire moderne : d'un côté comme élément de décoration, source d'émerveillement et de plaisir pour les gens cultivés, et de l'autre comme document utilitaire, indispensable aux transactions immobilières de toute sorte. Si les cartographes ont joué un rôle important dans ces opérations, celui des géomètres arpenteurs n'a pas été moindre : ce sont eux, en effet, qui constituaient la grande majorité des cartographes locaux à l'époque où la cartographie, chargée d'établir les levés de domaines privés, était essentiellement locale. Avec le temps, ces topographes ont bénéficié d'un outillage de plus en plus précis, tel que la table à dessiner circulaire et les premières versions du théodolite, ainsi que des progrès des mathématiques dont ils avaient besoin pour faire leur travail. Mais ceux qui regardaient leurs cartes, autrement que pour le plaisir, ne savaient pas toujours comment les lire ; ces cartographes étaient en fait davantage des chorographes (l'*Encyclopédie* préfère le terme « topographes »). L'unité de base dont ils faisaient le levé restait limitée : à cause des intérêts du client, mais aussi à cause des dimensions de la planche qu'il était possible de graver et d'imprimer et de la quantité de détails topographiques qu'on pouvait y comprimer sans craindre de rendre le résultat illisible[14].

Par conséquent, alors même que la Renaissance fournissait des cartes à quelques privilégiés, et avec elles une nouvelle image qu'ils pouvaient visualiser et méditer à loisir, les possibilités de ces cartes restaient limitées : plus l'échelle était petite et plus l'exactitude était réduite. Lorsque Alphonse Dupront déclare qu'au XVIe siècle « la France prend corps et âme[15] », on a envie d'ajouter que si le corps et l'âme étaient peut-être là (pour différents qu'ils fussent, à l'époque, de ce que nous imaginons aujourd'hui), l'image, elle, faisait nécessairement défaut, car celle qu'offraient les cartes du XVIe siècle n'était pas adéquate à la dimension du royaume. Un historien spécialiste des

débuts de la cartographie anglaise explique que les cartes militaires et utilitaires de l'époque étaient par nature fragmentaires et ne fournissaient pas une image du pays dans sa totalité[16]. De son côté, un historien spécialiste de la cartographie française fait une réflexion identique à propos du continent. Seule la triangulation générale, comme l'explique Henri Vayssière, allait permettre d'unifier « cet archipel cartographique qu'était la Carte de France de l'époque, composée toujours d'une multitude de lambeaux disparates[17] ».
La carte à grande échelle fait son apparition à la fin du XVIIIe siècle : avec Louis XIV qui, sur ses vieux jours, entreprend de « corriger le mépris de ses prédécesseurs pour la géographie française[18] », avec Colbert aussi, dont on peut dire qu'il fut son saint patron, et enfin avec le clan, en apparence infini, des Cassini qui, depuis les années 1670 jusqu'au début du XIXe siècle, va jouer un rôle très important dans la cartographie française. C'est au XVIIIe siècle, cependant, que les Cassini et la cartographie française en général connaissent leur heure de gloire ; cette époque voit les débuts de la cartographie scientifique à partir de l'observation exacte du terrain, et l'abandon progressif de cette cartographie spéculative où

> *Les géographes comblent les blancs*
> *De leurs cartes d'Afrique d'images de sauvages*
> *Et sur les collines bordées de marécages*
> *En guise de villes, placent des éléphants*[19].

De plus, « comme la France, remarque un commentateur admiratif, pendant cette période faste ne peut produire que ce qu'elle rehausse d'ornements, l'exactitude mathématique va de pair avec l'esthétique ». Des artistes comme François Boucher exercent leur talent à embellir ces cartes nouvellement à la mode, et lorsqu'en 1757 Gilles et Didier de Vaugondys, fils du Géographe du roi, publient l'*Atlas universel* de leur père, la gravure a été confiée à des artistes célèbres et « de ravissants cartouches rehaussent les cartes[20] ».
R. V. Tooley voit en cela un inconvénient, « la prédilection des Français pour les théories. Ceux-ci avaient horreur du vide et, donc, là où ils ne disposaient d'aucun savoir réel, ils comblaient leurs blancs de conceptions théoriques, de sorte que leurs cartes étaient en fait souvent plus confuses que celles de leurs prédécesseurs hollandais[21] ». Un autre inconvénient, c'est que de tels produits étaient très coûteux. La publication de l'*Atlas* de Vaugondys avait été financée par la Cour, sous l'égide de Mme de Pompadour. Six cents souscripteurs achetèrent les cent huit cartes que comportait l'*Atlas* au prix de cent vingt-six livres, et certains rajoutèrent douze livres pour une reliure en cuir de veau. Ces détails indiquent que non seulement les cartes continuaient à être rares – un produit destiné aux gens très riches – mais aussi multiples et disparates.

C'est en 1744 que les Cassini terminent le premier levé topographique national, qui se présente non pas en une seule feuille, mais en dix-huit. Le deuxième levé, dont les dernières feuilles ne sont publiées qu'en 1815, comporte cent quatre-vingts cartes. Comme pour confirmer la persistance d'un particularisme qui triomphe même des idées éclairées, le deuxième projet des Cassini est retardé par la résistance d'un grand nombre de provinces qui préfèrent avoir leurs propres cartes plutôt que de partager celle du territoire national[22]. Mais pour ce qui nous occupe ici, la chose la plus intéressante dans l'entreprise des Cassini est que la carte de 1744 s'intitule *Description géométrique de la France*, ce qui veut dire qu'elle est un travail scientifique basé sur la triangulation[23]. Et l'on est donc enclin à supposer que la carte géométrique suggère la métaphore géométrique d'où nous sommes partis. Non pas tant parce que l'observation a permis de mettre en évidence un contour de base qu'en raison, tout simplement, du prestige dont la géométrie, comme les autres sciences exactes, jouit en ces temps éclairés.

Mais c'est là pure spéculation. Il ne faudrait pas non plus en déduire, contrairement à ce que Bernard Guenée semble penser, que « les Français » avaient pris l'habitude de reconnaître leur pays sur une carte ; ni *a fortiori* qu'ils contemplaient tous des cartes « depuis leur enfance[24] ». Car, enfin, où les gens, à l'exception d'une minorité de privilégiés, auraient-ils pu trouver des cartes, et en particulier des cartes de France ? Les sources imprimées étaient rares et le sont restées jusqu'à la fin du siècle. Les magnifiques illustrations de la grande *Encyclopédie* de 1751 ne comportent pas une seule carte. Jusqu'à la fin de l'Ancien Régime, l'État n'a pas possédé une bonne bibliothèque de cartes ; quant au public, il n'a pas disposé de sources de référence avant 1924, date à laquelle les collections de cartes du château de Versailles furent transférées à la Bibliothèque nationale[25]. Prétendre qu'au XVIIIe siècle (on attribue au XVIIe les merveilles sus-citées), les Français ont pu avoir « une idée précise des limites du royaume[26] » est un anachronisme qui va à l'encontre de l'évidence. En 1789, les limites du territoire français sont loin d'être claires, tant dans la réalité que sur le papier. Évoquant la carte des Cassini, un chercheur remarque qu'il « serait impossible d'y reconnaître les limites du royaume de France[27] ». Une carte de l'*Empire* français sera finalement achevée en 1805 et vendue au public au prix de quatre francs la feuille. Mais lorsque, deux ans plus tard, un ingénieur géographe soumet aux autorités cette carte de France à échelle réduite qui deviendra bientôt l'*Atlas Napoléon*, elle se présente encore sous la forme d'une multitude de feuilles séparées[28].

Le XIXe siècle s'ouvre et les cartes – en particulier celles de France – continuent à être rares et à exiger de leurs lecteurs des compétences exceptionnelles. La rivalité entre le ministère des Finances, qui réclame des cadastres pour les besoins de la fiscalité, et le ministère de la Guerre, qui exige des cartes pour pouvoir planifier sa stratégie militaire, freine le développement de la cartographie à grande échelle. Lorsque finalement le ministère de la Guerre l'emporte, son projet avance avec beaucoup de lenteur : la carte de l'état-major, qui n'est pas tout à fait prête au moment où éclate la guerre franco-prussienne, est définitivement mise au point dans les années 1870 – un peu tard pour les soldats, certes, mais quelle aubaine pour le touriste consciencieux[29] ! Il n'en reste pas moins que l'image physique de la France et de ses contours continue à frapper les gens comme une nouveauté. Ce que Régine Pernoud décrit comme « ce visage familier de la France dont les contours nous semblent être tracés d'avance[30] » demeure quasi inconnu de la majorité des Français de l'époque.

L'histoire ne contribue guère à faciliter les choses. Dans son « Rapport sur l'enseignement de l'histoire » (1890), Ernest Lavisse insiste sur l'importance de l'imagination et regrette qu'on néglige à ce point les méthodes visuelles, ce qui a pour effet de rendre « la plupart des étudiants incapables d'interpréter une image ». Mais les supports pédagogiques recommandés par le « Rapport » restent exclusivement verbaux : il faut recourir aux livres et pratiquer l'interrogation[31]. L'histoire du XIXe siècle s'intéresse très peu aux images (exception faite des grandes figures historiques et des scènes romancées), et encore moins à cette catégorie d'images que sont les cartes. Cela est caractéristique de la profession. Dans le temple des Malatesta à Rimini, la Clio de Duccio tient un livre. Au palais de la Légion d'honneur, la Clio de Clodion tient un poinçon : près d'elle un chérubin, faisant office de secrétaire, est occupé à graver une tablette. Ni l'une ni l'autre n'ont besoin d'une carte : les mots suffisent.

La rhétorique historique préférait créer ses propres images verbales. L'histoire narrative, quant à elle, refusait les diversions susceptibles d'interrompre le cours du récit. Dans cette équipe officiellement inséparable que constituait à l'époque l'histoire-géographie des programmes universitaires, la géographie tenait le second rôle. Lorsque, à la fin du siècle, on réforme l'agrégation d'histoire-géographie, trois des quatre épreuves qu'elle comprend portent sur l'histoire. Certains livres de géographie continuent même à s'en remettre à la seule description verbale. En 1813, Joseph Gibrat réédite son *Traité de la géographie moderne*, décrivant ainsi ses qualités et vertus : « Édition entièrement refondue. Contenant un Abrégé de la Sphère et présentant, outre l'ancienne et la nouvelle Division de la France, le Tableau des divers changements politiques survenus depuis la Révolution Française dans le reste de l'Europe et dans les autres Parties du Monde. Avec une Table des Longitudes et Latitudes des principales villes ». Mais de carte, point[32].

La géographie, donc, est dans l'ensemble très négligée. Les diverses explorations et découvertes du XIXe siècle en ont développé le goût, mais même ici la

France est en retard sur ses voisins. Pierre Larousse demande qu'on développe davantage la vulgarisation et avant tout l'instruction «parmi les classes laborieuses», afin que personne en France ne soit privé d'une «connaissance suffisante de son pays[33]». Mais c'est là quelque chose qui se fera très lentement, même dans les écoles. Par une loi de 1850, la géographie était devenue une matière optionnelle dans le programme des classes primaires, et si une loi de 1867 la rend obligatoire, elle ne semble pas avoir eu beaucoup d'effets. Il ne faut pas se laisser induire en erreur par les gravures idéalisées qui illustrent «La dernière classe», d'Alphonse Daudet. Le maître d'école patriote ne disposait d'aucune carte à laquelle il pût renvoyer. C'est sur le tableau noir qu'il inscrivait ces mots de «Vive la France» tout en refoulant ses larmes. D'ailleurs, personne à l'époque ne se serait attendu à voir une carte figurer au mur d'une salle d'école primaire. Les témoignages dont nous disposons laissent entendre que, pendant toute la durée des années 1860, les écoliers «ne voient jamais de cartes, ne savent rien de leur département ou de leur patrie», «ignorent l'existence de leur département ou de la France[34]». En 1891, l'année même où Vidal de La Blache publie le premier numéro des *Annales de géographie*, la Sorbonne inaugure ce que Lavisse salue comme une innovation: un local pour son minuscule département de géographie. Comme l'a souligné Maurice Barrès, évoquant les années 1880 dans une conversation avec Jacques Millerand: «À ce moment-là, la France était bien floue.»

Publiée en 1882, la première partie du *Dictionnaire* de Buisson, qui bien sûr n'a rien à dire sur l'hexagone, fait référence à l'élan soudain donné à l'étude de la géographie par la guerre de 1870. Ce prétendu empressement, pourtant, reste tout relatif jusqu'au décret de Jules Ferry sur l'organisation des écoles normales (1881) et jusqu'à la loi de 1882; l'un et l'autre mentionnent, dans des termes similaires, l'obligation faite aux écoles primaires d'enseigner «la géographie, et en particulier celle de la France». C'est à cette époque également qu'un journaliste, dressant la liste des carrières ouvertes aux jeunes gens brillants, fait suivre «les arts, les lettres et la jurisprudence» de cette mention surprenante: «et les questions de géographie, si fascinantes de nos jours[35]».

C'est aussi l'époque où les écoles commencent à s'équiper du matériel essentiel qui leur avait fait défaut sous l'Empire: cartes murales et gravures représentant les différentes régions de France. Dès lors, il devient possible de se référer à une image cartographique de la patrie, ainsi qu'à ses paysages et à sa personnification sous la forme du buste de Marianne. Quand Gaston Bonheur entreprend de répertorier les diverses images qui couvrent les murs de son école de campagne, avant la Première Guerre mondiale, il peut commencer par la carte de France de Vidal-Lablache *(sic)*[36]. Et c'est très bien ainsi, car les autres cartes ne sont pas légion. Le célèbre *Tour de la France par deux enfants* de G. Bruno, par ailleurs abondamment illustré de cartes des différentes régions et de petites gravures, ne comporte pas de carte de France avant l'édition de 1905. Aucune carte d'ensemble ne figure dans l'édition de 1884. Le manuel de Vidal, *La France*, ne contient aucune carte de la France physique. Sur les trente-cinq cartes qui l'illustrent, quatre montrent bien le pays dans sa totalité, mais pour indiquer les différentes conditions climatiques, et cinq représentent des portions de l'Empire colonial français. Les vingt-six autres renvoient à des régions particulières. Pour un livre qui déclare, dans son introduction, chercher avant tout à « susciter le désir de voir[37] », le contenu visuel est maigre, témoignant d'une longue tradition verbale et des limitations persistantes de l'iconographie de l'époque.

Curieusement, les Français du XIXe siècle avaient été parmi les premiers à mettre au point une technique très élaborée d'établissement des cartes qui, déjà à l'époque, aurait pu facilement suggérer une quelconque configuration hexagonale ou octogonale. En 1830, le Frère de Montizon, « professeur de chimie, de physique et de mathématiques », publie une *Carte Philosophique de la Population Française* qui laisse apparaître uniquement la morphologie générale du pays et de ses départements, inventant ainsi ce que les géographes appellent la carte figurative thématique. Celle-ci allait être abondamment utilisée par Adolphe d'Angeville dans son *Essai sur la statistique de la population française* (1836), puis perfectionnée par un inspecteur général des Ponts-et-Chaussées devenu cartographe statistique, Charles-Joseph Minard (1781-1870), dont les premiers tableaux graphiques furent publiés en 1844[38]. En 1878, les cartes établies « selon le système de Minard » étaient devenues relativement courantes dans les bureaux de l'administration et très prônées des spécialistes de statistique[39]. Mais, apparemment, le partage était clair entre les administrateurs et les universitaires. Les géographes ignorèrent Minard et ses disciples, sans doute parce que leurs cartes prenaient de trop grandes libertés avec la position et l'échelle ; d'autre part, la technique thématique, si répandue aujourd'hui, est longtemps restée confidentielle. Une étude récente s'est interrogée sur « ce phénomène curieux qui veut que les travaux de Minard soient, dans une large mesure, demeurés inconnus des étudiants de l'histoire de la cartographie et de la géographie[40] ». Il en va de même du profil simplifié de la France qui n'a été popularisé qu'après la Seconde Guerre mondiale par les cartes sommaires qui illustrent, de manière classique, les *Cahiers de la Fondation nationale des sciences politiques*.

Une autre piste prometteuse reste à explorer : celle des voyages et du tourisme qui sont en plein essor au XIXe siècle. Le développement des chemins de fer après 1850 encourage la publication de guides touristiques : ceux, célèbres, d'Adolphe Joanne bien sûr, mais aussi des collections à bon marché comme *Les Chemins de fer illustrés* qu'on diffuse massivement à partir de 1858 au prix de vingt-cinq centimes le fascicule. Mais ces brochures utilisent des cartes schématisées qui ne figurent qu'une seule ligne à la fois – par exemple la ligne Paris-Fontainebleau –, disposant les différents arrêts le long d'une ligne droite. Et nombreux sont les guides qui ne comportent aucune carte, se contentant d'une image linéaire de l'itinéraire proposé, accompagnée de descriptions plus ou moins détaillées.

Il est intéressant de remarquer que le *Guide du voyageur en France* publié par John Murray en 1892 inclut une carte de France en couleurs au tracé très net. Ce n'est pas le cas des premières éditions du *Guide Michelin* (1900), qui n'offrent que des cartes schématiques et partielles, et aucune carte de France ; quant à l'*Annuaire de route de l'Automobile Club français*, dont les membres bénéficient à partir de 1900, il propose un certain nombre de plans par secteurs et une carte rudimentaire de l'Europe (incluant la France). Même les merveilleux volumes du *Voyage en France* d'Ardouin-Dumazet tardent à adopter des cartes. Les deux premiers volumes, publiés respectivement en 1893 et en 1894, n'en comportent aucune ; elles n'apparaissent qu'avec le troisième. Dans la troisième édition de 1910, on trouve des dépliants et une carte sommaire de la France. À cette époque, les cyclistes, automobilistes et autres voyageurs disposent déjà d'une assez grande variété de cartes qui, presque toutes, se présentent sous la forme de feuilles séparées. Mais les *Livrets Chaix* continuent à illustrer leurs horaires de plans du pays à la fois schématiques et partiels.

Il n'y a donc rien d'arbitraire dans le fait que certaines des premières figures de discours associées aux voyages en train paraissent linéaires. C'est ce qu'illustre bien Jules Claretie en 1865, quand il décrit la vision, non pas détaillée mais globale, qu'on a du paysage depuis le train – « ce bloc entier où s'agite la vie » ; et Claretie d'implorer : « Ne dénigrons pas la ligne droite [de la voie ferrée][41]. » Il se peut qu'on soit passé naturellement des trains et des voies droites aux plans touristiques et aux itinéraires linéaires, puis à des descriptions de totalités dotées d'une vie bien à elles, mais de telles relations sont purement spéculatives et sans rapport avec une plus vaste connaissance, par le public, des cartes à grande échelle.

Selon moi, l'observation des cartes, pour ne rien dire de leur lecture, n'a commencé à s'intégrer normalement à l'expérience française qu'avec la Première Guerre mondiale, dont tant de gens suivirent les opérations chez eux ou dans les journaux. Jusque-là, il serait prudent de dire que lorsque les enfants entonnaient « La République nous appelle », l'appel n'était pas une invitation à regarder une carte. Aucun mot historique français, comparable à celui de William Pitt[42] avant sa mort, ne fait référence aux cartes ; aucun poème à la gloire des écoles de la République (les seules, nous l'avons vu, à avoir accueilli ces merveilles modernes) ne concède une ligne aux cartes. Ils parlent de bancs, de tableau noir, de règle de trois, mais surtout ils parlent de lettres, de mots et de livres. Les républicains reconnaissaient, certes, la nécessité d'inculquer ou d'aiguiser un sentiment de cohésion nationale, de même qu'ils reconnaissaient l'importance d'allégories communes et de mots de passe nationaux capables de forger ou de renforcer l'identité – le drapeau, Marianne, la carte de France – mais leurs efforts dans ce sens demeuraient essentiellement verbaux.

Cela s'explique en partie par le fait que leur éducation et leur expérience leur avaient enseigné l'importance des mots : « Le Verbe, disait Victor Hugo, a tant d'importance pour le peuple. » À cela s'ajoute que, pendant la majeure partie du XIXe siècle, la culture populaire est restée une culture orale. Elle n'était pas encore cette culture d'images qu'elle allait devenir avec l'apparition de la lithographie et de la rotogravure, et ce, bien avant l'invention du cinéma et de la télévision. Parmi la population française, nombreux étaient ceux qui avaient à peine accès au mot imprimé. Les possibilités techniques de l'impression et de l'édition étaient telles qu'elles maintenaient la cherté, et donc la rareté, des images en tout genre. Dans cette quête de symboles nationaux, le drapeau était un emblème plus commode, car plus facile à voir, à *lire*, à assimiler. Et après le drapeau ou près de lui, ce qui était dit.

Mais il y avait également ce qui était écrit, et la « culture » était davantage une affaire de mots que d'images : parce que les mots se prêtaient non seulement à la (re)création d'images manquantes, mais aussi à l'abstraction, qui constituait le niveau de réalité le plus élevé. La hiérarchie du savoir, ou peut-être de la sagesse, était fondée sur les possibilités d'abstraction d'une discipline ; et sur l'échelle hiérarchique, la géographie occupait l'un des derniers rangs : une sorte de mécanique descriptive, et ce en dépit du fait qu'une carte est l'abstraction de faits physiques ordinaires. Mais une carte n'est pas aussi abstraite qu'un mot. Si intéressante fût-elle, et utile sans doute, la géographie n'était que le dessous, fruste et informe, de la civilisation. Comme l'a expliqué Michelet dans son *Tableau de la France*, l'essence nationale trouve son origine imparfaite dans la Géographie, mais c'est l'Histoire qui rend sa réalisation possible. Au commencement, « l'histoire est entièrement géographie », déterminée et imparfaite, attendant d'être modelée par la volonté, l'esprit, et la main de l'homme, jusqu'au moment où « l'histoire oblitère la géographie » et, s'étant libérée des intérêts particuliers et matériels (« les misères de l'existence locale »), elle peut tendre vers l'unité « supérieure et abstraite » de la patrie, « cette pure et noble généralisation de l'esprit moderne[43] ».

On pourrait être poussé ici à comparer l'évolution des intérêts locaux et particuliers vers une unité plus noble et plus abstraite, à l'évolution des cartes à l'époque moderne. Vidal protesterait, qui a trouvé plus intéressants, et plus proches de la réalité, leur diversité concrète et les rapports qui se jouent entre elles. Mais la tradition intellectuelle française s'est détournée du concret (et de la confusion) au profit de l'abstrait (et de la perfection). Michelet déjà avait montré que l'idée de patrie – la grande patrie qui existe au-delà de ces patries plus petites que sont le village ou la ville et les domine – est une idée abstraite ; Renan, se penchant sur la question, développe plus tard un concept similaire : une nation est un esprit, un principe spirituel. Cent ans après Renan, Alphonse Dupront semble partager ce point de vue[44].

Il serait tentant de conclure que la tendance à l'abstraction a conduit à renforcer le caractère abstrait des cartes françaises ; que la géométrie, qui, avec la trigonométrie, avait permis l'existence des cartes, a été chargée de leur donner une expression moins amorphe, plus parfaite : un degré supplémentaire d'abstraction dans l'abstraction. Un support plus parfait, des moyens techniques encore plus précis que ceux qui visaient seulement à reproduire l'apparence, exprimeraient la réalité de manière plus rationnelle, ou mieux encore, transcenderaient son désordre en comprimant l'espace géographique et historique à l'intérieur d'une forme géométrique – en l'occurrence, un hexagone. On pourrait évoquer à nouveau la tendance des cartographes français à perfectionner leurs cartes en fonction uniquement de leurs conceptions théoriques. Enfin, on pourrait parler de l'utilité de symboles schématiques – donc facilement identifiables – capables de faire apparaître clairement le lien entre les limites politiques et l'identité nationale.

Il y a sans doute quelque vérité dans tout cela, mais le processus que je discerne n'est pas aussi direct. Nous l'avons suivi dans ses phases successives : d'abord à l'époque, très longue, où la France n'avait aucune image d'elle-même (sauf celle que les mots pouvaient esquisser) ; puis pendant tout le temps où la cartographie, ou plutôt la chorographie, a fourni des images fragmentaires, qu'elles soient utilitaires ou décoratives ; jusqu'à l'époque enfin, assez récente, où les cartes de France – de toute la France – sont devenues accessibles et visibles à tous. Nous avons appris que les méthodes pédagogiques préconisaient la simplification géométrique comme un outil susceptible de faciliter l'apprentissage. Alors, comment se fait-il que l'hexagone – ou tout autre choix d'emblème – ne soit pas plus tôt passé de l'expérience généralisée dans le langage commun ? Entre 1900 et 1914, par exemple, il aurait pu fournir un argument supplémentaire à tous ceux qui étaient partisans d'un renouveau national et de la reconquête des provinces dont la perte avait déformé des contours manifestes, tant dans la destinée mathématique que dans la destinée historique. Après 1918, l'hexagone aurait pu témoigner de la victoire et justifier cette baisse des énergies nationales qui a marqué l'entre-deux-guerres.

Si l'hexagone n'a pas été utilisé ainsi, s'il n'est pas, à cette époque, devenu un lieu commun, c'est peut-être en partie parce que beaucoup des cartes publiées dans les manuels continuaient, comme il se doit, à donner une impression de confusion plutôt que de clarté, figurant non pas une France détachée, mais son intégration dans l'espace voisin, et décrivant, plutôt qu'une forme artificiellement isolée, un jeu de relations réciproques dans lequel les frontières ne jouaient pas un rôle essentiel. Ce type de traitement graphique – sinon prédominant, du moins assez répandu – reflétait les principes d'une géographie positiviste qui voulait fuir la suggestivité et essayait d'être à la fois plus critique et «incolore» – une tâche que l'information détaillée était mieux à même de remplir que la simplification. Par ailleurs, ce type de traitement se rapproche des tendances dominantes de la représentation graphique au tournant du siècle, dont les images tendent davantage à se confondre avec ce qui les entoure qu'à se détacher d'un fond différencié.

Mais il est un autre facteur, plus important, qui affecte la destinée de la carte de France: sa mise en circulation coïncide avec le moment où la République trouve à se consoler de la perte de l'Alsace et de la Lorraine et à compenser l'amputation de sa carte par l'acquisition d'un empire outre-mer, le dernier d'une longue série. En 1884, déjà, Vivien de Saint-Martin avait exprimé le sentiment qu'«en toute justice» les trois départements algériens, «simple prolongement transméditerranéen de la métropole», devaient être comptés comme faisant partie du territoire national. À partir de 1890, l'influence du parti colonial allait faire croître le nombre des manuels d'histoire et de géographie centrés sur les colonies françaises et multiplier les références aux colonies dans des textes plus généraux. Les possessions, la puissance quantitative et les richesses supposées compenseraient la diminution dans la métropole. «Une autre France» (Jean Jaurès, 1884) était née, qui constituait un vaste trésor humain dans lequel la métropole pouvait puiser pour subvenir à tous ses besoins (E. M. de Vogüé, 1899)[45]. La carte du nouvel Empire français, ou d'un monde sur lequel l'Empire s'étale, vaste et rassurant, accompagne désormais, et parfois éclipse, celle de la France diminuée.

On entend souvent parler, et avec juste raison, des cartes qui attestent la perte des deux provinces; moins souvent, en revanche, de la réticence probable qu'une perte si évidente a entraînée ou de l'empressement à insister plutôt sur le succès compensatoire des entreprises conduites outre-mer. Concluant cette vaste entreprise d'une *Histoire de la France contemporaine* en 1922, l'année même de sa mort, Ernest Lavisse est forcé d'admettre qu'après des années d'efforts la France n'a pas réussi à atteindre ses «frontières nationales». Sa consolation, c'est dans les succès coloniaux qu'elle doit la trouver: «Comparons l'insuccès de l'effort pour acquérir les frontières naturelles et les succès de notre politique coloniale. Jamais un pays n'a reçu une plus claire indication de la route à suivre.» Que les Français regardent vers la mer, et au-delà; qu'ils établissent une association avec leurs sujets d'autrefois et «il n'y aura qu'une France, une plus grande France[46]». Il n'a pas fallu vingt ans pour que, avec l'occupation et le démembrement de la métropole, les colonies non conquises aient l'air de prouver la sagesse des paroles de Lavisse. Cette «plus grande France» qui avait rehaussé l'image du pays a contribué à en préserver l'existence. Ne nous étonnons pas si, en 1944, le bureau de propagande nationale a reçu l'instruction de se concentrer sur la NOTION D'EMPIRE *(sic)*. La France, comme le rappelait le slogan, n'était pas un pays de quarante millions d'habitants, mais un Empire qui en dominait plus de cent millions[47].

En l'espace d'une année pourtant, l'«Empire» allait devenir une «Communauté»; vingt ans encore, et ce n'était plus un empire, mais «un tout petit hexagone»... En 1966, la «Lettre de Paris» du *New Yorker* cite l'hexagone, «nouvelle manière intellectualisée et familière de désigner la France» comme une nouveauté qui vaut la peine d'être mentionnée, tout en ajoutant «personne n'a jamais parlé de sa forme avant[48]». Nous avons vu qu'il s'agissait là d'une fausse impression, et Nathaniel Smith a dénombré très précisément les occurrences du mot dans le discours avant cette date. Mais il est vrai qu'en 1966 le terme est entré suffisamment dans l'usage commun pour être repris dans les titres de livres, les têtes de chapitres, voire même servir d'épithète méprisante aux Français d'Algérie pour désigner leurs «frères ennemis[49]» de la métropole. Avant la fin des années soixante, même les encyclopédies et les dictionnaires sérieux l'ont admis.

Cette fois, le triomphe tardif est clairement lié à la ruine de l'Empire. Lorsqu'en 1968 Jacques Madaule réfléchit à ce que la perte de l'Empire a pu représenter pour une France «depuis 1962 réduite à l'hexagone», il trouve «la situation tellement nouvelle que nous n'en avons pas encore mesuré toutes les conséquences[50]». Le temps allait révéler que celles-ci n'étaient pas toutes regrettables. L'existence de l'Empire «en tant qu'extension psychiquement naturelle» de la terre française et des hommes morts pour elle[51] avait certes élargi, mais aussi troublé et obscurci, l'image limpide de la patrie. En particulier l'Afrique du Nord, si proche des rivages de la métropole, pouvait aisément être considérée – et Lavisse en témoigne – non comme un simple «prolongement de la France», mais comme une partie intégrante du territoire français[52]. Cette «plus grande France», prospère dans les années cinquante et en faillite définitive dix ans plus tard, ne laisse que l'hexagone de la métropole, «d'une géométrie au demeurant parfaite – réduite», mais au moins «irrécusable[53]». On allait vite oublier les connotations péjoratives de l'hexagone pour conserver celles, réconfortantes, qui évoquent sa perfection: «Réduite désormais à elle-même, jusque dans les sarcasmes de ses pertes lorsque le langage moque l'hexagone, elle [la France] garde la perfection de sa figure physique, celle d'une géométrie solaire[54].»

Mais l'amputation de l'Empire ne peut constituer qu'une explication partielle. En effet, la «réduction» dont parle Dupront s'opérait juste au moment où la France se fondait à nouveau dans l'Europe, dont le développement de l'État-nation et la virulence des rivalités nationales l'avaient insularisée. En 1957, le traité de Rome établit une Communauté économique européenne à laquelle on travaille depuis 1948. De manière tout à fait suggestive, la première apparition du mot «hexagone» dans un titre remonte à un article de 1956, écrit pour montrer le caractère relatif des limites du pays[55].

Les frontières, comme le fait valoir Jacques Ancel dans son admirable étude sur la *Géographie des frontières*, ne figurent sur le papier qu'en tant que projection de préoccupations internes: «On ne révise pas les frontières - sauf si on y est contraint. On modifie les esprits[56].» Les esprits, jadis tournés vers les poteaux frontaliers, se préparent maintenant à les abandonner. Les frontières nationales perdent leur brève signification première et l'idéologie de l'État-nation (n'en déplaise aux efforts de De Gaulle pour la maintenir) est en train d'être dépassée par la réalité d'un tout plus vaste à l'intérieur duquel les échanges entre voisins deviennent plus importants que les lignes de partage. Au moment où la fascination pour les frontières identifiables - bref interlude entre l'impuissance technologique et la trancendance pratique - commence à diminuer, les politiciens et les spécialistes de droit international découvrent ce que l'*Encyclopédie* a reconnu avant eux: qu'une nation se définit non pas par ses frontières linéaires, mais par contraste avec ses voisins. Il n'est plus nécessaire désormais d'affirmer l'identité nationale: il suffit de la reconnaître; et pour cela, il suffit d'adopter un symbolisme qui ne diffère pas beaucoup de celui qu'on utilise dans la signalisation routière.

Je suis porté à croire qu'une des raisons pour lesquelles, pendant si longtemps, personne n'a parlé de la France en termes d'«hexagone» - comme on parle de «l'Élysée» pour désigner la présidence dans l'usage populaire - tient au fait que la figure ne paraissait pas assez noble. Les grandes notions appellent de grands mots - plus solennels toujours qu'une analogie de salle de classe; et l'utilisation de l'hexagone comme allégorie de la *France* et de la *patrie* pouvait facilement passer pour irrévérencieuse. Avant que le mot «hexagone» puisse entrer dans l'usage populaire, il fallait que les normes du discours public changent, et avec elles les associations exaltées qui s'attachent aux noms que ce nouveau terme allait venir remplacer.

Mais pour qu'une figure de discours puisse produire un effet, elle ne doit pas se contenter d'être culturellement acceptable. Il faut aussi qu'elle se fonde sur une figure de pensée particulièrement évocatrice. Alors même que l'école avait imprimé dans les esprits le contour géométrique de la carte de France, l'imagination graphique, elle, s'était cramponnée à cette idée traditionnelle qui veut que la représentation soit l'imitation: la vraisemblance. C'est seulement après la Seconde Guerre mondiale que le grand public et ses serviteurs les mieux à même de s'exprimer commencent à se familiariser avec des abstractions qui se passent du niveau médiateur de signes, disons, plus *descriptifs*. Or, dans les premiers temps de cette familiarisation, les abstractions ne sont guère perçues de manière positive. Il ne faut donc pas s'étonner si l'hexagone est entré dans le parler du «grand public» sous la forme d'un terme péjoratif – ou du moins dépréciatif – qui suggère davantage un vestige qu'une destinée. Pourtant, dès 1966, l'U.N.R. adopte le schéma hexagonal comme forme de base de ses affiches électorales, espérant communiquer ainsi un message subliminal positif.

Sur ce point, nous savons avec quelle rapidité les connotations péjoratives de certains mots tendent à s'oublier : c'est ce qui s'est passé pour les appellations «whigs» et «tories». Étienne de Silhouette était contrôleur général des Finances de Louis XIV pendant la guerre de Sept Ans. Lorsque ses ennemis politiques donnèrent son nom à des dessins qui le figuraient en quelques traits, ils cherchaient à symboliser la situation périlleuse à laquelle sa politique financière réduisait les contribuables français. Mais lorsque Silhouette mourut en 1767, son nom était devenu célèbre à cause des profils découpés auxquels il est resté, depuis lors, assimilé ; et les calculs physiognomoniques de Johann Caspar Lavater allaient être basés sur la silhouette, «dont on reconnut qu'elle possédait un statut épistémologique très différent de celui du portrait conventionnel[57]...»

Roland Bacri, lui-même réfugié de cette «plus grande France» qui pendant un moment éclipsa l'hexagone, nous donne à penser que la carrière de notre silhouette contemporaine se révélera peut-être aussi prometteuse : «L'Hexagone a ses régions, que la raison ne connaît pas hexagtement[58].»

Traduit de l'anglais par Fabienne Durand-Bogaert.

1. *Géographie illustrée de la France et de ses colonies*, par Jules Verne, précédée d'une étude sur la Géographie générale de la France par Théophile Lavallée, Paris, 1868, p. 11.

2. A. de Rougemont, *La France*, New York, 1886, p. 1.

3. Pierre Foncin, *La Patrie française*, Paris, 1894, p. 172. «La France a la forme d'un hexagone légèrement oblong dans le sens du méridien. Elle est, dans ses grandes lignes, symétrique, proportionnée et régulière.»

4. Ferdinand Buisson, *Dictionnaire de pédagogie et d'instruction primaire*, Paris, 1887.

5. *Nouvelle Géographie universelle*, II, *La France* (Paris, 1877), p. 5 ; Louis Vivien de Saint-Martin, *Nouveau Dictionnaire de géographie universelle*, Paris, 1884, t. II, p. 328.

6. Paul Vidal-de La Blache et Camena d'Almeida, *La France*, classe de première, Paris, 13e éd., 1915, p. 6.

7. René Ozouf et Maurice Rouable, éd., *Encyclopédie géographique du XXe siècle*, Paris, Nathan, 1950, p. 11.

8. Voir ses cartes de France en 1812, 1814-1815, au XIXe et au XXe siècle. L'étude remarquable de Roger Dion sur *Les Frontières de la France*, Paris, 1947, rééditée en 1979, ne fait aucune référence à l'hexagone. Les quatre cent soixante-dix-neuf pages des *Cartes et figures de la terre* publiées par le Centre Georges-Pompidou (1980) ne le mentionnent pas non plus. Voir pp. 361-362 et 466.

9. Emmanuel de Martonne, *Géographie universelle*, t. VI, *La France*, Paris, 1947, p. 4.

10. N. MacMunn et G. Coster, *Europe, A Regional Geography*, Oxford, 1924, p. 275; mais surtout *Encyclopaedia Britannica*, 7e éd., 1842, et 9e éd., 1879. La 11e éd., celle de 1920, admet le terme « hexagone ».

11. Cité par Bernard Guenée, « Les limites de la France », *in* Michel François, éd., *La France et les Français*, Paris, Gallimard, Bibliothèque de la Pléiade, 1972, p. 62.

12. Paul Vidal de La Blache, *Tableau...*, pp. 7, 40, 49. Voir aussi *La France, op. cit.*, pp. 1-3.

13. Nathaniel Smith, « The Idea of the French Hexagon », *French Historical Studies*, automne 1969, pp. 139-155. J'ignorais l'existence de cet excellent article jusqu'à ce que Pierre Nora me l'indique en 1982.

14. Victor Morgan, « The Cartographic Image of "The Country" in Early Modern England », *Transactions of the Royal Historical Society*, 5e série, vol. XXIX, Londres, 1979, pp. 129-154. Voir en particulier, pp. 134-138.

15. Alphonse Dupront, « Du sentiment national », *in La France et les Français, op. cit.*, p. 1459.

16. Victor Morgan, *op. cit.*, p. 153.

17. Henri Vayssière, *Cartes et figures de la terre*, p. 253.

18. Paul Geouffre de Lapradelle, *La Frontière*, Paris, 1928, pp. 42-43.

19. Jonathan Swift, *On Poetry*, Londres, 1733, v. 178-180.

20. Ronald Vere Tooley, *Maps and Map-makers*, Londres, 3e éd., 1962, pp. 42-43.

21. Id., *ibid.*, p. 42.

22. Josef Konvitz, « The National Map Survey in Eighteenth-Century France », *Government Publications Review*, X, 1983, p. 399. L'opération fut aussi retardée et sabotée par certains paysans qui l'associaient à la construction des routes, donc aux corvées, et à des pratiques obscurément néfastes qui exigeaient un exorcisme. Voir Henri Vayssière, *op. cit.*, pp. 257, 261.

23. Marc Duranthon, *La Carte de France*, Paris, 1978, p. 24.

24. Id., *ibid.*, p. 64.

25. Josef Konvitz, « The National Map Survey in Eighteenth-Century France », *op. cit.*, p. 401.

26. Bernard Guenée, « Les limites... », *op. cit.*, p. 64.

27. Armand Brette, *Les Limites et les divisions territoriales de la France en 1789*, Paris, 1907, t. I, p. 79. En fait, l'atlas de Cassini comprenait un *Tableau de la Carte générale de la France pour servir à l'assemblage des feuilles*, où le contour classique ressort très bien.

28. Colonel Berthaut, *Les Ingénieurs géographes militaires, 1624-1831*, Paris, 1902, t. II, pp. 2, 65; et *La Carte de France*, Paris, 1898, pp. 62-64.

29. Josef Konvitz, *op. cit.* Pourtant, la plupart des feuilles étaient disponibles dès 1870. Malheureusement, les cartes dont on avait doté les états-majors étaient des cartes de l'Allemagne, alors que les combats avaient lieu en France, *cf.* colonel Berthaut, *La Carte..., op. cit.*, p. 276.

30. Régine Pernoud, *La Formation de la France*, Paris, P.U.F., 1944, 3e éd., 1966, p. 5.

31. Ernest Lavisse, *À propos de nos écoles*, Paris, 1895, pp. 86, 101 *sq.*

32. Fr. J.-P. Gibrat avait publié la première édition de son *Traité* à Toulouse en 1787. L'édition révisée de 1813 fut imprimée à Avignon. Il vaut peut-être la peine de mentionner que dans l'*Encyclopédie ou Dictionnaire raisonné des sciences, des arts et des métiers*, Paris, 1751, t. II, pp. 706-711, 711-715, les quelque neuf colonnes de l'article sur les cartes («Carte») sont suivies de neuf colonnes consacrées aux cartes à jouer («Cartes [Jeux]»).

33. Pierre Larousse, *Dictionnaire universel du XIXe siècle*, Paris, 1872, t. VIII, p. 1184.

34. *Instruction primaire. État de l'instruction primaire en 1864, d'après les rapports officiels des inspecteurs d'académie*, Paris, 1866, t. I, pp. 125, 221. Voir aussi Lorain, *Tableau de l'instruction primaire en France*, Paris, 1837, pp. 117, 361, 377.

35. Octave Uzanne, *Le Miroir du monde*, Paris, 1888, p. 57.

36. Gaston Bonheur, *Qui a cassé le vase de Soissons?*, Paris, Laffont, 1963, pp. 30-31. Mais souvenons-nous que, même pendant les années 1890, la carte de France était loin d'être banalisée – surtout dans les écoles communales. Un homme né en 1833 se souvient d'avoir vu sur les murs de sa classe «une mappemonde et une carte de Judée». Jacques Ozouf, *Nous, les maîtres d'école*, Paris, Julliard, 1967, p. 97.

37. Paul Vidal de La Blache, *La France*, p. V.

38. Voir son ouvrage intitulé *Des tableaux graphiques et des cartes figuratives*, Paris, 1862.

39. E. J. Marey, *La Méthode graphique dans les sciences expérimentales et principalement en physiologie et en médecine*, Paris, 1878, p. 77.

40. Arthur H. Robinson, «The Thematic Maps of Charles-Joseph Minard», *Imago Mundi*, 21, 1967, pp. 95-108.

41. Jules Claretie, *Voyage d'un Parisien*, Paris, 1865, p. 316.

42. «Roulez la carte de l'Europe...» après Austerlitz, janvier 1806. Aucune figure majeure de la littérature française n'a parlé de parcourir «tout l'univers sur une carte, sans la dépense et la fatigue du voyage» comme Cervantès dans *Don Quichotte* (II, livre III, chap. VI).

43. Jules Michelet, *Tableau de la France*, Paris, 1834, pp. 4, 94.

44. Id., *ibid.*, p. 95; Alphonse Dupront, «Du sentiment national», *op. cit.*, p. 1440; voir aussi Ernest Lavisse, *À propos de nos écoles, op. cit.*, p. 198, qui approuve les mots de Renan dans un discours de 1891. Le but n'est pas de suggérer que le sentiment d'identité nationale lui-même est resté abstrait, mais seulement que le ton général du discours s'y rapportant tendait souvent à l'abstraction.

45. Louis Vivien de Saint-Martin, *Nouveau Dictionnaire de géographie universelle, op. cit.* Pour le discours de Jaurès à Albi et le roman de E. M. de Vogüé, voir Raoul Girardet, *Le Nationalisme français, 1871-1914*, Paris, A. Colin, 1966, pp. 95, 123.

46. Ernest Lavisse, *Histoire de la France contemporaine*, Paris, 1922, t. IX, pp. 534, 539, 541. *La France* de Vidal, *op. cit.*, p. 524, se termine aussi sur une référence à «la plus grande France».

47. Marcel-Edmond Naegelen, *Grandeur et solitude de la France*, Paris, 1956, p. 193; Louis Merlin, *France, ton passé f... le camp et ton avenir aussi...*, Paris, Éd. Planète, 1966, pp. 20-21.

48. Nathaniel Smith, «The Idea of the French Hexagon», *op. cit.*, p. 151 citant le *New Yorker*, 31 décembre 1966, p. 67.

49. Voir Laurence Wylie dans Stanley Hoffmann *et al.*, *In Search of France*, Cambridge, 1963, p. 227; trad. franç. *À la recherche de la France*, Paris, Éd. du Seuil, 1963.

50. Préface au livre de Robert Lafont, *Sur la France*, Paris, 1968, p. 20. Voir également Robert Lafont lui-même, *ibid.*, p. 257 et Marcel-Edmond Naegelen, *L'Hexagonie, Essai fantaisiste d'histoire contemporaine*, Paris, Les Presses du Mail, 1963, pp. 10, 150-151, 156, 219-220.

51. Alphonse Dupront, «Du sentiment national», *op. cit.*, p. 1433.
52. Ernest Lavisse, *Histoire de la France contemporaine, op. cit.*, t. IX, p. 541.
53. Alphonse Dupront, *op. cit.*, p. 1433.
54. Id., *ibid.*, p. 1471.
55. Pierre Gaxotte, «L'illusion de l'hexagone», *La Revue de Paris*, septembre 1956, pp. 3-15.
56. *Ibid.*, p. 2.
57. Stephen Bann, *The Clothing of Clio*, Cambridge, 1984, p. 15.
58. Roland Bacri, *Hexagoneries*, Paris, Seghers, 1976, p. 7.

Nord-Sud

Mémoire et science historique croisent volontiers leurs perspectives, sans les confondre, s'agissant de la bipartition Nord-Sud, géographique ou plutôt géo-historique, qui affecte le territoire français. Le tout-venant de nos concitoyens, alerté par les séjours balnéaires et par les cartes météo-télévisées, sait fort exactement qu'existent des zones climatiques dans l'Hexagone, en dégradé du tiède au frais, du Midi au Septentrion. Une minorité, ou même une majorité, de consciences historisées par l'école ou par d'autres voies, a même entendu parler d'une certaine oppression, réelle ou supposée, dont est censé souffrir le pays d'oc de la part du pays d'oïl : elle remonterait, selon certains (qui sont légion), à la croisade contre les albigeois. On accuse celle-ci d'avoir ployé les populations méridionales sous la rude poigne des barons chevaucheurs, venus du Bassin parisien. Quant à l'araignée des chemins de fer français, tissant sa toile autour de Paris, elle passe pour définir au-delà de la Loire, dès le XIXe siècle, les espaces en friche du désert français.

Ces vues roboratives disent les contenus, pas forcément sots, de la mémoire commune, autant qu'elles témoignent sur ses carences. Celle-ci se nourrit en effet d'un savoir vague et néanmoins pertinent : il s'est peu à peu assimilé, de façon pas toujours explicite, certaines données qui lui viennent de telle enquête, issue des statisticiens d'hier et d'aujourd'hui. Le baron Dupin, d'Angeville, puis Maggiolo, enfin Furet, Ozouf, Chartier et d'autres ont successivement souligné l'importance de la ligne Saint-Malo-Genève. Elle court au long d'une frontière imaginaire, assez rectiligne, depuis le Mont-Saint-Michel jusqu'à la pointe occidentale du lac Léman. Elle sépare les zones plus développées de la France d'oïl, ainsi la Normandie, la région parisienne ou la Picardie, de l'ensemble des provinces d'oc, et aussi de certaines aires d'oïl retardataires, situées « comme par hasard » au sud de la bordure stratégique en question : il peut s'agir, par exemple, de la Vendée, des pays berrichons, etc. Le critère retenu, pour la définition de ce pointillé cartographique, c'est la capacité à savoir lire, écrire et signer son nom au contrat de mariage. La ligne Saint-Malo-Genève, si l'on en croit les enquêtes des historiens précités, se trouve déjà en place aux années 1680; cela revient à dire qu'elle fut « construite » dès le premier XVIIe siècle, ou même auparavant (la Renaissance et l'essor concomitant de l'imprimerie, contemporain d'une vague initiale de scolarisation, stimulèrent vraisemblablement cette « construction »). Quoi qu'il en soit, vers 1680-1685, à l'heure où la France officielle s'engage dans une politique réactionnaire de Révocation antihuguenote, les progrès des Lumières, même tamisées, apparaissent effectifs, dans la France du Nord-Est. Ils répondent au triple souhait que formulent (en faveur de l'alphabétisation) les communautés municipales, l'Église et les familles de paysannerie aisée, de bourgeoisie... Pour les périodes ultérieures, notamment celles des années 1780, 1820, 1860, l'enquête Maggiolo confirme la prégnance du tracé Saint-Malo-Genève. Il ne s'effacera que peu à peu, au cours du dernier quart du XIXe siècle, avec la généralisation de l'enseignement obligatoire, par les soins de Jules Ferry. Cette vieille frontière, si longtemps coriace, signale en son temps (1680-1870) un dégradé nord-sud qu'on retrouve en bien d'autres secteurs. Ainsi d'Angeville, en 1836, a-t-il remarqué que les hommes de haute taille sont proportionnellement plus nombreux dans les zones du Nord-Est qui d'autre part brillent davantage dans le domaine de l'alphabétisation et de la scolarisation. Bien entendu, il n'est pas question d'expliquer ces statures élevées par quelque facteur « racial ». Elles sont à mettre en rapport, régionalement, avec une alimentation meilleure, elle-même fille de revenus régionaux *per capita* qui sont plus substantiels : ceux-ci ont incidemment financé, motivé, davantage qu'en aire pauvre, l'alphabétisation régionalement poussée dont il était question tout à l'heure. D'où la corrélation multiple entre ces phénomènes au premier abord hétérogènes. On peut quantifier aussi, en partant du même point de vue, les faits d'intégration nationale. La loyauté vis-à-vis de l'État, le paiement fidèle de l'impôt du fisc et de l'impôt du sang, l'occurrence plus fréquente de jeunes gens qui font partie des élites caractérisent en effet, selon d'Angeville, les populations « éclairées » du grand Nord-Est, tel qu'on vient de le délimiter. Par contraste, une vaste zone d'insoumission militaire et de résistance à l'impôt s'individualise dans le Sud « occitan », particulièrement dans les montagnes, et plus encore dans le Massif central. Ces mentalités, à tendance loyaliste dans les Ardennes et réfractaire en Corrèze, ne datent pas d'hier. Elles appartiennent aux données de la mémoire collective. Celle-ci inclut en outre, avant comme après la décennie révolutionnaire, les géographies du crime : la délinquance antipropriétaire des filous est plus répandue dans les aires développées, telles que Normandie, Île-de-France... L'assassinat, par contre, dans la lignée des modèles ibériques et méditerranéens, exprime un certain archaïsme méridional. Ces remarques, qui valent pour le meurtre, sont impertinentes, en revanche, ou plutôt inversées, dès lors qu'il s'agit des suicides : maux de civilisation, d'individualisme, ils frappent en priorité les hommes du Nord développé, au rebours des zones méridionales (et extrême-occidentales), qui sont heureusement plus conservatrices, et rebelles pour longtemps encore à l'autodestruction personnelle.

Allons plus loin : une enquête exhaustive de Michel Demonet (1985) repère et précise des partages similaires dans la paysannerie hexagonale, aux années 1850. Ils sont contemporains d'une statistique rurale, déjà fort détaillée, et néanmoins représentative, par chance, d'une société encore traditionnelle. L'opposition Nord-Sud, d'après Demonet, est toujours présente. Mais elle n'est plus sous-tendue, de façon rigide, par le tracé Saint-Malo-Genève. Elle implique simplement, au gré des latitudes, la coexistence de deux aires puissantes, dont le « nappé », pour nombre d'entre elles, ne fait guère de doute. Leurs contours respectifs peuvent légèrement trembler, se déplacer, selon la variable mise en cause. Leur commune frontière n'est pas nécessairement fixée une fois pour toutes. Indiquons brièvement, à ce sujet, quelques détails significatifs : le Nord a les régions les plus universellement labourées, et le plus fort rendement net en farine à l'hectare de froment. Il possède aussi l'essentiel du lin, plante des pourtours maritimes, du Finistère à la Flandre ; et presque toutes les cultures labourées non céréalières (betteraves à sucre, etc.) ; le négatif de celles-ci, au sud de la France, étant constitué par les vastes jachères improductives. Le Nord a aussi les vignes précieuses, le méteil, l'avoine (nourriture exclusive du « noble animal », destiné à la cavalerie militaire et aratoire). Ces équidés, si nombreux au nord d'une ligne Quimper-Colmar, correspondent, dans leur genre, aux zones ci-devant héroïques de la chevalerie médiévale. Il y a là comme une mémoire passéiste, imprévisiblement conservée grâce à l'élevage. Souvent castrés, « hongres » dans le Nord-Est et près des cités, ces bêtes à quatre pattes dessinent, par le seul fait de ce manque essentiel, la carte d'un certain apprivoisement chevalin. La castration, du reste, en divers secteurs de la production animale, est signe inattendu d'un développement : au nord d'une ligne Nantes-Mulhouse, on trouve davantage de bœufs, moins de taureaux que ce n'est le cas dans les espaces fortement taurins d'élevage des bêtes à corne, au Centre et accessoirement au Midi. Éduquées pour la viande, le beurre, le fromage, les vaches oisives du Nord, quant à elles, sont plus lourdes, plus abondamment laitières, par opposition aux vaches travailleuses de l'Occitanie, vraies carnes maigres, constamment attelées à l'araire, si différent de la grosse charrue hippique du Septentrion. Un contraste homologue se rencontre en matière d'élevage ovin et porcin : les mérinos issus des races perfectionnées de la bergerie modèle de Rambouillet améliorent les troupeaux septentrionaux. En revanche, des variétés de moutons moins distinguées interviennent sur les prairies naturelles du Massif central, ainsi que sur les garrigues, landes et pâtis du Midi et de l'extrême Sud. Les porcs du Nord, produits en vue d'un abattage rapide pour des marchés nerveux et spéculatifs, sont tués plus jeunes que les cochons du Midi vieux, gros, lourdauds. Plus généralement, les modèles de richesse diffèrent d'une zone à l'autre. L'incontestable prospérité septentrionale est liée à un système diversifié, équilibré, assez stable, de *mixed farming*, autrement dit «agriculture variée, plus élevage»: ainsi en Normandie, dans le département du Nord, en Alsace. La richesse du Sud, quand elle existe, est étroitement corrélée aux capricieuses et fragiles fortunes de la viticulture, indexée sur les prix si fluctuants du vin, en zone méditerranéenne, rhodanienne, girondine, ligérienne. La géographie de l'équipement dit elle aussi les supériorités ou en tout cas les différences du Nord: il y a là forte présence du cheval, déjà mentionnée, et de la charrue, de la charrette à quatre roues, du fléau; par opposition au bœuf et mulet de traction, à l'araire et au dépiquage traditionnel, dont la dominance débute, à frontières variées, au sud de la Loire. Enfin, au plan des structures sociales, les propriétaires fonciers non résidents sont proportionnellement plus nombreux et mieux possessionnés dans la France plus développée du Nord. Quant au fermage, massive contrepartie septentrionale de ces propriétaires non résidents, il n'est pas cause de retard, mais de progrès. Voyez l'Angleterre où l'agriculteur était par définition un *farmer*, autrement dit un locataire du sol, exactement comme l'est le fermier du Bassin parisien. Cartographiquement, nos «*farmers*-fermiers» de cette grande région et de ses alentours dessinent une sorte de «France à l'anglaise» du fermage prédominant, depuis les Charentes jusqu'à la Meuse, et jusqu'aux rives de la Manche et de la mer du Nord. Les baux longs, de neuf ans et davantage, y confèrent au fermier, *alias* preneur, la stabilité, une certaine sécurité de l'emploi et donc l'incitation positive à investir. Or, ils se rencontrent précisément au nord d'une ligne La Rochelle-Genève. Ils concernent ainsi, entre autres, toutes les régions de grande culture efficace et limoneuse qui furent si chères aux physiocrates, de la Somme au Loiret, et de l'Aisne à la Basse-Seine.

En contrepoint de ces blocs nordistes, la France du Sud et de l'extrême Ouest, vue également sous l'angle agricole, sera présentée ici, par nos soins, de façon d'abord schématique (on essaiera ensuite de faire le détail). On évoquera donc à son propos divers traits caractéristiques, tels que:

1) Les jachères persistantes, en assolement triennal, et bien davantage en biennal;

2) Les céréales de deuxième zone (sarrasin breton, seigle du Massif central, maïs aquitain) qui n'excluent pas, bien sûr, la présence du froment dans les zones méridionales les plus fécondes;

3) Les vignobles démocratiques, étalés en vastes surfaces à la languedocienne; leurs produits sont souvent médiocres et bon marché par opposition aux petits vignobles élitistes et superfins de Champagne ou Bourgogne;

4) Une arboriculture pauvre, enfin, concrétisée par les vastes châtaigneraies des terrains primaires, flanqués ailleurs d'un piquetage de vergers profi-

tables, au gré du soleil et de la géologie (noyers dauphinois, mûriers et oliviers du Sud-Est).
S'agissant maintenant de l'élevage, j'ai déjà évoqué, à défaut de bons chevaux, les mulets de Poitou, Languedoc, Provence. Ajoutons-leur les vaches étiques du Midi, qui égratignent le sol avec l'araire. Trop peu chevalin décidément, le Midi, par contre, est résolument caprin, au point que les intendants du XVIIIe siècle y firent de temps à autre la guerre aux chèvres, « bêtes méridionales de terroir pauvre », et déprédatrices des forêts, ou de ce qu'il en restait. La traînée continue des pays à chèvres court ainsi du Poitou-Limousin jusqu'à la Provence et au Dauphiné, sans oublier la Corse.
La géographie rurale des bipèdes rejoint par d'autres voies celle des quadrupèdes. Moins développé, le Sud détient, trait d'archaïsme typique, le plus fort pourcentage d'agriculteurs, au détriment des autres professions. C'est spécialement vrai en dessous d'une ligne La Rochelle-Genève. À côté des micropropriétaires, qui sont particulièrement nombreux en cette zone, il existe bien sûr des fermiers dans le Centre et dans le Midi ; mais ils ont la vie moins rose que leurs congénères aisés de Grande-Bretagne ou du nord de la France, et peuvent même s'estimer pressurés par la classe propriétaire qui fait « suer le burnous ». Ils versent à celle-ci une rente foncière dont le taux est spécialement élevé. Ainsi, le capital terrien est-il (relativement) bien rémunéré au sud d'une « ligne » Bordeaux-Pontarlier, mais on aura compris qu'il ne s'agit nullement d'un signe de santé économique, fort loin de là, car les salaires méridionaux sont souvent bas. On ne s'étonnera donc pas que les modèles de consommation, une fois de plus, défavorisent le Sud : le Nord-Ouest, plus moderne en cela, dépense davantage pour le chauffage et l'habitat. Le Sud, mal logé, se serre la ceinture pour payer l'impôt et pour s'habiller de façon quelque peu ostentatoire, manière comme une autre de masquer certaines déficiences, dans d'autres domaines, quant au niveau de vie.
Un triangle de pauvreté, notoire, s'inscrit dans l'aire sud occidentale (et même en deçà, puisqu'il inclut forte portion de la péninsule armoricaine). Il s'individualise au sein et sur les marges de la France majoritairement sous-développée. Ce croissant infertile de la nation, fer à cheval des terres marginales, forme zone plus ou moins discontinue, qui va de la Bretagne au Massif central et aux Landes. Il y a là comme un royaume du tiers exclu et des angles morts, un lieu de bas niveaux de vie, et de faibles salaires agricoles : les femmes employées aux travaux des champs et de la ferme y sont particulièrement mal payées ; la domesticité logée, notamment féminine, qui vit sous le joug d'une certaine servilité, y est particulièrement importante ; la fraction en nature, ou non monétarisée, des salaires, demeure substantielle ; ces pauvres gages, de toute façon, servent d'abord à l'obtention de nourriture et surtout de pain, pour l'usage des familles desdits prolétaires.

Ce triangle, bien localisé, à misérabilisme incisif, rappelle, du seul fait de son émergence, qu'il serait déraisonnable de présenter notre Sud *dans son ensemble* comme uniformément sous-développé. Bien loin de là ! L'opposition entre des nappes de développement (au nord-est) et de moindre développement (à l'extrême-ouest, au centre, et même au midi) demeure certes pertinente. Elle rejoint, de surcroît, à plus vaste échelle, le contraste connu entre une Europe septentrionale en proie au dynamisme modernisateur et une Europe méditerranéenne qui s'enfonce peu à peu dans l'archaïsme. Mais, ce point étant admis, la France méridionale n'est pas totalement mal lotie. Elle contient, en effet, sinon des nappes, du moins des filets et même des trames de développement, fort nettes sur la cartographie. La plus importante de ces « trames » borde et suit, largement dessinée, le val de Garonne, de Bordeaux à Toulouse ; puis elle bifurque par-dessus le seuil de Naurouze, vers le Languedoc et la Provence. Elle remonte en *Y* vers la vallée du Rhône et jusqu'aux foyers lyonnais et stéphanois. Une agriculture riche et productive, de grandes exploitations, un salariat agricole nombreux et relativement bien payé (ne serait-ce que par comparaison avec les zones authentiquement pauvres), de hauts revenus de la terre caractérisent éventuellement ce long filet d'« Occitanie heureuse », où fleurissent avec brio les formes baroques et décoratives de la sociabilité méridionale. Le contraste est net avec l'Occitanie montagneuse du Massif central (accessoirement des Alpes et des Pyrénées), souvent marquée, à des degrés divers, par les séquelles d'un certain paupérisme.

La géographie du développement dans la France traditionnelle est donc finement dessinée : nappes et trames ; grands espaces et filets. Néanmoins, le partage de base, doué de pertinence maximale, oppose par grandes masses un « Nord » à un « Sud », quitte à ce que par la suite on nuance ou raffine.

L'opposition cartographique – ainsi mise en place – septentrionale-méridionale est fortement datée, puisque aussi bien de nos jours, en France, le thème « richesse et pauvreté » se déclinera davantage d'est en ouest, et dorénavant à un moindre degré du nord au sud. La mémoire spatiale dont il est question dans le présent texte est donc d'autant plus vivace au niveau du souvenir historique qu'elle devient quelque peu fossile au plan des réalités contemporaines.

De fait, pendant des siècles et même des millénaires, la coupure Nord-Sud fut vivante, à des degrés variés. Remontons au déluge : l'agriculture première, dite « néolithique », débarque dans le Midi *via* la Méditerranée (depuis la Palestine, le Moyen-Orient et l'Asie Mineure) à partir du VIe millénaire avant notre ère. L'agriculture du Nord « français », mêlée d'élevage elle aussi, ne surgit, en revanche, que vers 4500 avant Jésus-Christ. Elle est importée « chez nous » au long d'une voie terrienne, et par l'intermédiaire des civilisations de la région du Danube. Le décalage est de quinze siècles en chiffres ronds.

L'ultime millénaire «avant zéro» est riche, lui aussi, de développements spécifiques, corrélés avec les latitudes: le Sud acquiert les privilèges premiers de l'hellénisme grâce aux fondations d'une colonie rhodienne à Marseille, et les privilèges de la romanité, du fait de la mise en place précoce d'une province «narbonnaise» viticole et oléicole, rattachée à la métropole italienne. Cette Narbonnaise a même le triste privilège d'être exploitée par des bureaucrates avides, venus de l'*Urbs* et dont Cicéron garde le souvenir intact en son célèbre *Pro Fonteio*. Aujourd'hui encore, la Maison carrée de Nîmes, les «Antiques» de Saint-Rémy-de-Provence, le Pont du Gard portent témoignage d'un «impérialisme», venu du sud, et qui fut spécialement poussé. L'étoile des voies romaines est centrée sur Lyon, dans la moitié méridionale de la Gaule. Les décalages géo-chronologiques persistent à se faire sentir, même s'ils comptent en siècles et non plus en milliers d'années. La vigne, par exemple, est cantonnée au sud d'une ligne Libourne-Genève, frontière qui ne sera franchie par la viticulture en marche triomphale vers le septentrion qu'à partir du IIIe siècle après Jésus-Christ. À la fin de ce même IIIe siècle, il y a deux Gaules administratives: celle de Trèves et celle d'Arles déjà séparées vraisemblablement par une certaine coupure linguistique. Viennent les invasions barbares: l'imprégnation des Francs, si marquée au nord, est infiniment moins forte au midi, où fleurissent, selon les époques, divers royaumes, wisigothiques et ostrogothiques. Leur fécondité culturelle n'est pas négligeable. L'invasion des Gascons (ou Vascons), venus d'Espagne et qui rayonnent autour de Toulouse, dès la fin du VIe siècle, ajoute à ce qui deviendra un jour l'Occitanie une touche d'originalité supplémentaire. Les conquêtes ou reconquêtes sudistes de Clovis n'empêchent pas, vers 670, l'émergence d'une Aquitaine derechef autonome. En pleine menace musulmane, au début du VIIIe siècle, l'idéal occitan paraît même s'être momentanément réalisé, dans les pires conditions il est vrai, avec la coexistence d'une Aquitaine, d'une Provence et d'un Languedoc qui, tous les trois, sur le mode provisoire, fonctionnent de façon indépendante! La montée vers le nord des musulmans, battus comme on sait à Poitiers en 732, déclenche par contrecoup de nouvelles avalanches franques. Elles préparent l'intégration de l'actuelle France du Sud et de la Catalogne dans les structures carolingiennes, celles-ci durables au plan de la culture, mais fragiles au niveau quotidien de l'administration.

Les vicissitudes politiques sont une chose: le Midi préchrétien, puis chrétien, on vient de le voir, tantôt est rattaché (A), tantôt détaché (B), vis-à-vis du Nord[1]. L'originalité culturelle, par contre, demeure et s'affirme, à l'époque barbare et mérovingienne: une importante intelligentsia, illustrée par des écrivains comme Ausone, Sidoine Apollinaire, Fortunat et l'Auvergnat Grégoire «de Tours», marque la précellence intellectuelle de la Gaule du Sud, entre Clermont et Bordeaux. La Provence de ce temps-là est un réservoir de moines et d'évêques. Le Midi, tenté par l'arianisme et l'adoptianisme, inaugure d'autre part une longue carrière de propension à l'hérésie.

L'avenir de la différence, pourtant, appartient aux faits du langage; notre français d'oïl est le fils bâtard des parlers latins, eux-mêmes hyperdéterminés en l'occurrence par un fort substrat celtique (antérieur) et par un puissant «superstrat» germanique (ultérieur). Au sud, en revanche, une autre pièce se joue par-delà le désert humain qui, après les invasions, s'intercale momentanément entre Loire et Garonne: de Gironde à Camargue, s'individualise, dès les IXe-Xe siècles, le faisceau préoccitan du «gallo-roman méridional». Dans ces régions, la langue vernaculaire des Romains, des légionnaires païens et des prédicateurs catholiques s'est mieux préservée, sous les auspices d'une pureté latine plus riche, plus authentique; les idiotismes des Celtes et puis des Germains y ont moins de part. Des phénomènes analogues d'excellente conservation du langage se sont du reste produits en Espagne et en Italie, mais il va de soi que les modalités dialectales n'y furent pas exactement les mêmes qu'au pays d'oc.

N'est jamais entièrement exorcisée, certes, la tentation des coupures en longitude, d'est en ouest. Au IXe siècle, la Lotharingie les personnifie dans l'inachèvement. Pourtant, quand approche l'an mil, la diversité Nord-Sud persiste à marquer sa prépondérance, de diverses façons. En secteur agraire et nobiliaire, le féodalisme et le servage se développent moins dans la moitié sud que ce n'est le cas entre Loire et Meuse. Les réserves seigneuriales, aïeules de nos grands domaines agricoles, sont plus menues en «Occitanie» qu'ailleurs, et ce trait, sous d'autres formes, persistera jusqu'au XIXe siècle, voire jusqu'à nos jours.

Le pays d'oc n'est pas incapable d'initiative, ni de création en matière institutionnelle: c'est de lui que va partir, aux Xe-XIe siècles, l'idée bientôt paneuropéenne de la trêve de Dieu. Mais les vouloirs centralisateurs font défaut: la tendance aux dispersions infrarégionales l'emporte, malgré les velléités d'unification, encore infantiles, qui balbutient autour de Toulouse. Il n'est rien qui soit comparable, entre Auvergne et Pyrénées, aux patients efforts de la coagulation capétienne, telle qu'elle sévit plus au nord à partir de 987 de notre ère, année symbolique. L'aristocratie méridionale, peu militaire, est affaiblie par les comportements mêmes qui la rendent sympathique, je veux dire par le «féminisme» modéré mais incontestable dont elle est habitée. Ses biens sont en effet dévitalisés par les constants partages successoraux, y compris au profit des filles. Cette aristocratie «sudiste» ne fera donc pas «le poids», au moment venu, confrontée à sa puissante consœur septentrionale, bardée de fer et d'idées rudes.

Une fois de plus (comme six ou sept siècles plus tôt, à l'époque d'Ausone, de Sidoine, de Grégoire), la création littéraire, orale, écrite, poétique, dès l'orée du Beau Moyen Âge, ouvre carrière aux talents particuliers du Midi. Les troubadours exaltent la langue d'oc au détriment du latin; ils soulignent les valeurs nobiliaires et dévalorisent le modèle clérical. Exaltée, la femme de haut lignage est sujette aux désirs brutaux ou courtois des amants-poètes. Le retour en force du droit romain, qu'on ramène d'Italie en France du Sud *via* la Provence, favorise aux XIIe-XIIIe siècles l'initiale prolifération des notaires, ces troubadours du Quotidien prosaïque. Les consulats, premiers organismes municipaux, plus vifs et plus actifs qu'en pays d'oïl, confèrent aux cités, puis aux communautés paysannes, un statut de personne morale. Ils donnent des pouvoirs, à la noblesse d'abord, puis à la bourgeoisie et même au peuple artisanal ou rural. Le municipalisme cellulaire, couplé à l'absence d'unité multirégionale, devient aspect essentiel de la vie politique en notre Midi : trois Puissances pour le moins, soit les Plantagenêts, illustrés par Aliénor d'Aquitaine, les comtes de Toulouse, et les souverains de Catalogne ou d'Aragon, tâchent de mettre un peu d'ordre, chacun tirant la couverture à soi, dans ce Sud extensif, situé en deçà des Pyrénées et qui n'est encore qu'une expression géographique. Trois larrons en foire, soit deux de trop. Un grand cycle d'art roman matérialise cependant sur le terrain l'originalité méridionale, aux antipodes d'un gothique ultérieur, qui tirera davantage son inspiration d'Île-de-France et de Normandie. Au cœur de la zone d'oc, et sans souci d'évanescentes frontières administratives, une aire géographique bien délimitée enfante, au-delà des dispersions dialectales, la langue commune aux poètes du *trobar* et aux chancelleries. Cette aire inclut, et bien au-delà, le sud du Massif central ; elle correspond *grosso modo* à nos anciennes provinces ou sous-provinces du Quercy, du Toulousain, de l'Albigeois, du Rouergue, du Gévaudan, du Narbonnais et du Nîmois. Les termes (que les historiens emploieront quelquefois) de langue et de poésie « provençales » ou « limousines » auront donc, en l'occurrence, peu d'exactitude. Les ordres militaro-religieux, hospitaliers de Saint-Jean ou templiers, jouent un rôle de premier plan, pour cette cristallisation d'un mode d'écrire et de parler en *oc*. La minuscule communauté de Sainte-Eulalie, en Rouergue, bien pourvue de moines chevaliers, a pesé plus lourdement dans ce processus que n'ont fait les vastes collectivités romanophones, à Limoges ou à Marseille.

Le rattachement « français » de la nébuleuse sudiste, définitivement captée par une galaxie capétienne, s'opère au XIIIe siècle à travers la croisade anti-albigeoise et l'annexion subséquente. Nous n'y insisterons pas : le problème global de « Montségur », en tant qu'événement qui symbolise et résume toute cette période « cathare », surgira dans le volume suivant de ces *Lieux de mémoire*. On notera simplement que ladite annexion, où n'ont pas manqué les actes sanguinaires, marque un basculement définitif du midi vers le nord, et comme un arrachement du Sud à ses vieux tropismes méditerranéens. La « France » en tire avantage pour refouler au-delà des Pyrénées l'État catalano-aragonais (quant à la possession disputée du Roussillon, ce « refoulement » ne prendra effet total et sans retour qu'en 1659). Mais sans attendre cette date

encore lointaine, il apparaît que le royaume français, dès le XIIIe siècle, tient l'Occitanie au cœur et au ventre par Auvergne et par Languedoc. L'incorporation des deux ailes est en chemin. L'aile provençale est pacifiquement digérée à partir de la décennie 1480; l'aile girondine et gasconne a perdu son autonomie dès 1453, lors de l'éviction des Anglais hors de Bordeaux.
Essayons, à ce propos, d'éviter l'anachronisme d'expressions telles que colonialisme ou génocide: l'Occitanie au moins dans ses portions languedociennes fut d'abord violée, c'est incontestable, par le pouvoir français. Mais, par la suite, comme il arrive souvent chez les vieux couples ou après les mariages forcés, elle s'est assez librement donnée à l'État du Nord. Car la royauté capétienne n'arrivait pas les mains vides. Elle avait de quoi gratifier les uns et les autres. Les clercs, à Toulouse ou à Carcassonne, lui étaient reconnaissants de ce qu'elle consolidait le monopole (bien oppressif) des croyances papistes. Elle légitimait aussi les structures municipales, dont s'enorgueillissait la bourgeoisie d'oc. Elle proposait, enfin, le minimum de justice, et le débouché dans les carrières militaires que souhaitaient respectivement la paysannerie et la noblesse. Il n'est pas question, bien sûr, de peindre en rose une union où ne manquaient justement ni les conflits, ni les scènes de ménage, parfois très violentes. Mais jamais on n'est allé, en bloc, jusqu'aux menaces officielles de divorce.
Les XIVe et XVe siècles, durement marqués par des crises graves (pestes, «guerre de cent ans», etc.), voient naître et se développer, *in situ*, de grandes entités régionales. Elles sont du reste souhaitées par la monarchie qui, dans l'état de petitesse institutionnelle auquel elle se trouve encore confinée, n'a ni les moyens ni le désir de pratiquer une politique massive d'administration directe; celle-ci, en l'occurrence, s'avérerait absurde. Parmi les fortes organisations locales qui vont faire ainsi la différence et la fierté du Sud, citons en premier lieu les États de Languedoc et le parlement de Toulouse.
Quoi qu'il en soit, à la fin du XVe siècle, après le rattachement définitif de la Provence et de Marseille (1481), l'«Occitanie», ou du moins l'expression géographique qu'on appellera quelquefois de ce nom, prend sa configuration quasi contemporaine. Seuls demeurent en dehors du système la région de Nice (jusqu'en 1860), le Comtat (qui reste papal pendant tout l'Ancien Régime) et le Béarn soumis pour plus d'un siècle encore à la dynastie pyrénéenne des Albret-Navarre (dont sortira Henri IV). Il devient possible, en cette conjoncture, de définir, ne serait-ce que de façon négative, ladite «Occitanie», déjà presque entièrement constituée: elle correspond, dans les faits, entre Alpes et Pyrénées, à la vaste zone des langues romanes («non d'oïl») que les Français ont réunie et qui, de ce fait, échappa définitivement aux mouvances italiennes, catalanes, ibériques. Après tout, en ce qui la concerne, ces trois-là eussent été parfaitement disponibles, mais l'histoire leur a fait échec. L'«accent méridional», qui est très divers en réalité, mais qui

semble unique ou unifié à l'aune d'une oreille parisienne, marquera jusqu'à nos jours, d'un sceau indélébile, la majorité des habitants, des « indigènes » de cet étrange pays qui n'en est pas un. Communauté de destin, s'il en fut jamais. Les cultures, à l'aube de la Renaissance, y deviennent fortement plurielles : la langue française d'oïl, grâce aux techniques de Gutenberg, effectue enfin, dans cette aire extensive, à partir de 1480-1490, une première percée. Des phénomènes de mécénat, dont sont heureusement responsables le bon roi René à Aix-en-Provence, les agents des papes en Avignon, le Gai Savoir et les jeux Floraux à Toulouse, accompagnent, ou sous-tendent localement, une créativité littéraire et artistique qui ne se ramène pas uniquement, tant s'en faut, aux modèles parisiens, ligériens ou lyonnais. Un théâtre dialectal, qui traite de sujets religieux, vient relayer, sur le mode provincialiste, la défunte créativité des troubadours. Plus concrètement, un régime relativement libéral, et même moderne, caractérise la tenure des terres : les alleux (propriétés roturières pleines et entières, sans ingérence seigneuriale) sont beaucoup plus nombreux au sud qu'au nord : cette fois-ci, l'archaïsme ne gît pas là où on l'attendrait ! Du reste, les paysans d'oc tiennent beaucoup à la maxime « ouverte » *Nul seigneur sans titre*, alors que ceux d'oïl doivent se résigner à la devise rigide *Nulle terre sans seigneur*. Aux latitudes de Languedoc et Provence, l'impôt est « réel », équitablement assis sur la surface et la qualité des champs ; dans le Bassin parisien, il est « personnel », frappant arbitrairement les humains, « à la tête du client ». Les populations méridionales sont théoriquement (donc effectivement) soumises au roi de France. Mais elles se gouvernent presque partout, au XVIe siècle encore, par assemblées représentatives des trois ordres ou états. La semi-démocratie communaliste qui caractérise dans ce pays le pouvoir local est ainsi doublée d'une semi-représentativité régionale, espèce de régime constitutionnel avant la lettre, à tendances fort oligarchiques il est vrai. Autres facteurs objectivement « démocratiques » au moins dans le long terme : les grands lignages princiers du Midi (Albret, Foix, Armagnac, etc.) sont voués à l'extinction, même glorieuse ; tout au plus sont-ils remplacés pour quelque temps, dans ce rôle de leadership, par leurs homologues plus puissants, venus du nord et « parachutés » vers le sud. Voyez à ce propos les Rohan (bretons) et les Montmorency (parisiens) qui prendront la tête des puissantes révoltes méridionales contre le pouvoir royal au XVIIe siècle. L'échec de ces leaders, à leur tour, facilitera la montée en puissance d'une bourgeoisie occitane.

Le particularisme du Sud s'affirme, d'autre part, grâce à l'adoption préférentielle du protestantisme, *hic et nunc*. On ne doit pas, certes, idéaliser ce processus : les adhésions huguenotes, au point de départ, se sont effectuées dans toute la France urbaine, à Meaux comme à Grenoble, et à Caen comme à Montpellier. La méridionalisation en ce qui les concerne fut, d'abord, le négatif d'un contrecoup ; elles furent en effet refoulées progressivement hors de

l'aire septentrionale, par la répression sévère qui émanait de l'État monarchique, des forces militaires et du Parlement de Paris. Or, ce «bras armé» catholique perdait de sa vigueur et s'amollissait au fur et à mesure qu'on s'éloignait des lieux géographiques ou sommets effectifs de la décision centralisée. Par simple effet de survie résiduelle, la mouvance protestante s'est donc décantée, cristallisée, solidifiée en arc de cercle, à distance respectueuse de la capitale, dans le croissant fertile ou croissant de lune huguenot qui va de La Rochelle à Nîmes et à Genève en passant par Agen, Montauban et Sommières. Subsistent néanmoins, dans le Midi et notamment dans le Massif central du Sud (Rouergue, Gévaudan), des blocs puissants de fidélité catholique.
L'originalité religieuse n'est pas tout. Le refus des impôts, lui aussi, dessine une cartographie concordante. L'allergie, plus forte qu'ailleurs, aux taxes fiscales incite en effet les populations du Midi, et principalement du Sud-Ouest, à multiplier outre mesure la rébellion petite ou grande contre les gabeleurs, les rats de cave et les receveurs des contributions (comme on dirait aujourd'hui). Ces agitations particulières, et souvent sanglantes, intéressent une longue période fertile en soulèvements: elle s'étend depuis la précoce révolte des Pitauts, en Bordelais et Angoumois (1548) jusqu'à l'ultime action des «Croquants tardifs» (1707). Dans le cadre restreint du présent texte, nous ne pouvons que constater, sans prétendre l'expliquer, cette spécificité contestataire, propre aux Aquitains. Elle peut aller brièvement, c'est vrai, jusqu'à la définition d'une autonomie multirégionale: l'étroite alliance, sur place, des protestants et des catholiques modérés aboutit à former, loin de Paris, la république très provisoire des Provinces-Unies du Midi. Entité archipélagique, elle est peau de léopard, qui recouvre en partie les terres irrédentes et souvent calvinistes de Languedoc et Gascogne. Elle connaît un bref apogée pendant la cruciale décennie 1580. Elle ne survivra pas au retour définitif de l'unité royale et nationale, mise en œuvre par Henri IV. Plus durable, en revanche, est le nouveau flux de production culturelle, ou strictement littéraire: dans un vaste Sud, où les élites entament enfin l'apprentissage du français, de grands écrivains francophones apparaissent localement, pour la première fois, entre 1550 et 1600. Montaigne, La Boétie, Monluc, Brantôme, voire d'Aubigné. L'envahissante forêt (d'oïl) ne doit pourtant pas cacher quelques beaux arbres (d'oc). À la fin du XVIe siècle, et pendant les deux premiers tiers du XVIIIe, une littérature strictement dialectale (qui, de surcroît, innove dans le sens picaresque, théâtral, baroque) fleurit à Aix, Avignon, Béziers, Agen: sous l'égide de Brueys, de Zerbin, de Cortète, de Michalhe et de quelques autres, elle n'est ni sans piquant ni sans attraits. De son côté, Nostradamus, prophète provençal, demeure jusqu'à aujourd'hui, et ce n'est pas rien, l'un des écrivains les plus populaires, sinon les plus lus de la littérature française, dès lors qu'on cesse d'envisager celle-ci au seul niveau de son «lectorat» distingué. Plus généralement, le sous-développement éco-

nomique dont il fut question au début de notre exposé n'empêche pas de remarquables réalisations, à l'âge classique et postclassique (XVIIe et XVIIIe siècle). Elles peuvent venir «d'en haut», autrement dit des autorités versaillaises ou montpelliéraines (canal du Midi, réseau routier créé par les États de Languedoc). Ou bien elles surgissent «d'en bas», si l'on peut dire, et par exemple des petits ou moyens patrons de la manufacture (draperie languedocienne ou carcassonnaise, exportant vers le Levant). Elles connotent un type de croissance méridionale qui n'est plus purement agricole. Peut-on parler dans ces conditions (comme le font souvent les occitanistes) d'un Midi qui serait d'ores et déjà marginalisé à partir du dernier siècle de l'Ancien Régime? L'évidence urbaine, en fait, contredit cette affirmation trop tranchante: les villes dynamiques par excellence, de Louis XIV à Louis XVI, dans l'Hexagone, s'appellent Lyon, Bordeaux et même Marseille (malgré la peste de 1720). Le retard persistant, mais qui de toute façon s'atténue, ne doit pas masquer les tentatives constantes et souvent réussies du rattrapage.

L'époque classique et les Lumières sont marquées, en tout état de cause, par un double mouvement: sur le premier versant, il y a progrès (bien connu) de la centralisation monarchique, telle que l'incarnent aux chefs-lieux régionaux (Aix, Bordeaux...), les intendants des généralités, venus de la technocratie parisienne, et soutenus par la hiérarchie catholique. Basville, intendant de Montpellier, persécuteur des protestants, administrateur de fort calibre, est le roi sans couronne du Languedoc, pendant la seconde partie de l'époque louis-quatorzienne. La Révocation (1685) fait de ce personnage, à tort ou à raison, avec Simon de Montfort, l'un des grands vilains de la dramaturgie historique du Languedoc. L'acte de 1685 marque bien la volonté versaillaise d'éclipser pour toujours le croissant de lune huguenot, au nom d'un centralisme sans entrailles... relayé sur le terrain par les évêques.

Simultanément, ô paradoxe, les institutions régionales conservent, et même, au temps des lumières, accroissent leur puissance, du moins dans les vastes provinces qui les ont par chance conservées. La contradiction vis-à-vis du processus centralisateur, qui fut précédemment décrit, est plus apparente que réelle: après tout, les États de Languedoc, si fiers de leur autonomie régionaliste, se laissent guider par les évêques du cru... qui sont les meilleurs agents du pouvoir national, en matière de répression anticalviniste! Synthèse dialectique et jésuitique entre le pour (royal) et le contre (local)... On ne s'étonnera donc pas que, dans ce Languedoc (ambigu), l'assemblée des États conserve la haute main sur la perception des impôts, et traite de puissance à puissance avec Louis XV, certes moins dominateur que ne l'était son arrière grand-père Louis XIV. À la fin du XVIIIe siècle, la synthèse (conflictuelle, certes) et le *connubium* entre les deux entités - centralisme et régionalisme - deviennent fort intimes, au moins dans quelques zones: on voit certains intendants, par exemple en Provence, qui carrément «passent à l'ennemi», et se font, auprès du Conseil du roi, les avocats tonitruants de leurs administrés.

La Révolution française, en fin de compte, va prendre à contre-pied l'Occitanie; celle-ci admet mal l'abolition des grandes institutions régionales, puis la déchristianisation, et enfin la crise économique, consécutive aux guerres et aux ruptures de divers courants commerciaux. En 1815, quand s'effacent Napoléon et les siens, ultimes avatars de la décennie révolutionnaire, le Midi tout à coup émerge brutalement pour ce qu'il est, en sa majorité, à l'époque: «ancien-régimiste», bourbonophile, furieux, revanchard, et responsable d'une Terreur blanche. La Restauration, avec Decazes et Villèle, met donc au pouvoir (serait-il central, parisien et suprême) les nobles ou notables méridionaux. Leurs esprits bien-pensants, empreints pourtant d'un libéralisme feutré, séduisent le bon Louis XVIII.
Une nouvelle mutation, dénuée d'unanimisme, fait surface dans le Midi (après 1830) à l'ombre du parapluie de Louis-Philippe, et puis au lendemain de la chute de ce souverain: elle est due, principalement, dans l'Occitanie heureuse (voir *supra*) à l'influence qu'exercent sur la classe inférieure les bourgeois et petits-bourgeois devenus républicains; la propagande des premiers socialistes a également joué, en l'occurrence, un certain rôle. On assiste donc, en 1849-1851, à l'émersion publique d'un «Midi rouge», au long de la côte languedocienne, et jusqu'en Limousin. À travers mainte vicissitude, ce particularisme de gauche, dans une grande région, est voué à l'enracinement séculaire. Il fournit, au fil du temps, la force d'appoint: elle consolide la IIIe République et les victoires des gauches, y compris en 1981, à l'époque du socialisme mitterrandien. Elle accentue, par sa différence, tel choix national, serait-il effectué contre le courant. L'Occitanie, pourtant, s'appelle diversité: elle garde suffisamment de blanc dans son rouge pour que le régime de Vichy puis la Résistance puisent largement au vivier d'oc, chacun pour soi, celui-là dans le Massif central du Sud; celle-ci en Limousin ou dans le Gard.
Méridionale ou non, l'option socialiste (Aude) puis communiste (Bouches-du-Rhône) est porteuse, en tout état de cause, d'un Signifié universel et non géographique *a priori*. Il était donc logique que, sur des terrains plus délimités, un choix «provençal» et ensuite «occitan» se fît connaître, à la fois modeste et vivace, groupusculaire et pervasif. Le félibrige mistralien est monarchiste et de droite, en rive est du Rhône, depuis les années 1850 jusqu'à la Seconde Guerre mondiale. L'occitanisme, en rive ouest, est de gauche, surtout après 1945: René Nelli, Robert Lafont, Yves Rouquette, aïeul, père et fils, sont animés, l'un envers l'autre de compétitions œdipiennes. Félibres et Occitans écrivent d'oc en deux orthographes divergentes. La bataille de l'*a* ou de l'*o* final fait couler plus d'encre que de sang.

Avec la victoire socialiste de 1981, encore elle, les militants de la gauche nationaliste, à Montpellier comme à Toulouse, sont privés d'un bouc émissaire commode, en la personne des droitiers septentrionaux giscardiens, désormais écartés du pouvoir, pour une législature au minimum. Mais l'avenir reste ouvert aux revendications régionalistes des Occitans, contrariés il est vrai par la surenchère patriotique et pro française que provoque parmi les électeurs languedociens ou provençaux un double flot d'immigrants venus d'Algérie : les pieds-noirs et les musulmans sont nombreux sur nos rivages méditerranéens, ils ne s'abreuvent pas mutuellement du lait de la tendresse humaine. Leurs piques réciproques contribuent aux succès locaux du Front national, cher aux ci-devant Français d'Algérie, et pour lequel l'occitanisme, c'est le moins qu'on puisse dire, est le cadet des soucis.

Nous ne voudrions pas en rester, néanmoins, dans la seconde partie de cet essai, à une vision anecdotique et momentanée des questions méridionales ; disons que l'exploration d'un long passé nous a permis de diagnostiquer les effets d'une quadruple hystérésis : 1) *rémanences huguenotes au sud*, le protestantisme ayant été progressivement chassé de la France du Nord ; 2) *rémanences d'un système décentralisé*, qui surgit derechef sous la forme des révoltes citadines et paysannes du Sud-Ouest à l'encontre des centralisations croissantes effectuées par la monarchie bourbonienne au XVIIe siècle ; 3) *rémanences d'un défunt Ancien Régime*, intervenues après la Révolution française et l'Empire (elles s'incarnent dans l'intermède de la Terreur blanche) ; 4) *rémanences, enfin, de la Révolution même*, ce grand événement jadis concentré sur une décennie à la fin du XVIIIe siècle n'ayant été tout à fait exporté vers le Midi qu'à partir des années 1840-1851 : ainsi naquit et survécut jusqu'à nos jours le Midi rouge. Les effets de « croissant de lune » méridional que nous avons notés à propos de la huguenoterie peuvent s'appliquer aussi à ces différents phénomènes, échelonnés sur des périodes de temps successives, bien différentes les unes des autres, du XVIe au XXe siècle.

Après l'économie rétrospective, et l'histoire comparée, nous envisagerons, pour finir, un troisième secteur quant au « partage Nord-Sud » : l'opposition Septentrion/Midi concernera maintenant le contraste classique entre coutumes et droit romain (*alias* droit écrit) ; bref, l'ethnographie juridique et géographique, où jouxtent deux blocs, une fois de plus, comme l'ardoise succède à la tuile.

L'implantation du droit romain, plus poussée dans le Midi, correspond en principe à des faits de culture. Le haut Moyen Âge, en cette région, avait quelque peu oublié l'ancien juridisme impérial, au profit de diverses lois, partiellement barbares, ou simplement nées des habitudes régionales. Mais, dès le XIIe siècle, les compilations de Justinien « atterrissent » sur le territoire qui deviendra la France de notre temps. Elles sont reçues avec une faveur particulière dans le Sud où les siècles noirs de la phase intermédiaire, en dépit de ce qui vient d'être dit, n'avaient jamais occulté complètement les restes du juridisme latin. Entre 1124 et 1190, les deux rives du Rhône, au sud de Valence, sont gagnées au droit romain de seconde origine. Une infrastructure professionnelle, peuplée de *notarii* (notaires), se met en place simultanément, dès 1125, en Bas-Languedoc et en Camargue. Aux XIIIe et XIVe siècles, ces tabellions qui, de toute manière, resteront beaucoup plus nombreux au sud qu'au nord figurent parmi les agents les plus actifs de la romanisation des usages. Paradoxalement, à partir du règne de Philippe Auguste, les autorités royales encouragent dans le Midi la diffusion du droit de Rome, considéré en l'occurrence comme un commode instrument de pouvoir; et cela, à la différence du Nord, où elles se satisfont de la coutume, qui leur paraît devoir faire échec aux prétentions de l'Empire, volontiers nanties d'arguments romanistes. En 1251 et 1278, les textes officiels, émanés de la monarchie parisienne, distinguent déjà la France de droit écrit (régions de Toulouse, Carcassonne, Beaucaire, Périgord, Rouergue, Quercy...) et le reste du royaume, qui n'obéit qu'à la coutume *(consuetudo)*. La frontière ainsi définie n'est pas sans ressemblances avec la barrière linguistique oc/oïl. Il ne s'agit nullement d'une cloison étanche: les coutumes septentrionales, elles aussi, notamment dans l'Orléanais, sont pénétrées, «noyautées» par certaines influences venues du droit savant; elles conservent néanmoins, malgré ces ajouts, leur irréductible originalité, leur goût de terroir.

Le droit romain, dans le Midi, s'est donc superposé de bonne heure aux coutumes locales, qui périssent de cette étreinte redoutable. Certaines d'entre elles, pourtant, survivent, sous forme de traces, encore vigoureuses et mal oblitérées, notamment dans les Pyrénées. Et puis, le droit romain lui-même, vu sous cet angle, n'est pas sans ambiguïté. Il privilégie constamment la volonté des pères de famille, soucieux d'avantager l'un des enfants qui leur succédera seul, ou presque seul, dans l'héritage. Ce faisant, il revivifie ou simplement maintient en existence, sous une dénomination différente, des habitudes beaucoup plus anciennes, et qui lui préexistaient largement. Le Midi, en effet, notamment dans les régions montagneuses, n'ignorait nullement la famille communautaire, plantée dans un tuf traditionnel, et qui s'efforçait, elle aussi, de favoriser successoralement l'un des fils pour qu'il assure, avec et après ses vieux parents, la pérennité de leur terre et de leur maison. Le droit romain se borne, pour la circonstance, à donner justification *a posteriori* à des arrangements d'héritage privilégié. Ils n'avaient pas eu besoin de lui pour inaugurer leur carrière. L'effet produit est à peu près le même.

Pendant la première moitié du XVe siècle, la création du parlement de Toulouse, nanti d'un vaste «ressort» géographique, marque une étape de plus, au plan méridional, dans les progrès continus du nouveau droit. Celle-ci est confortée,

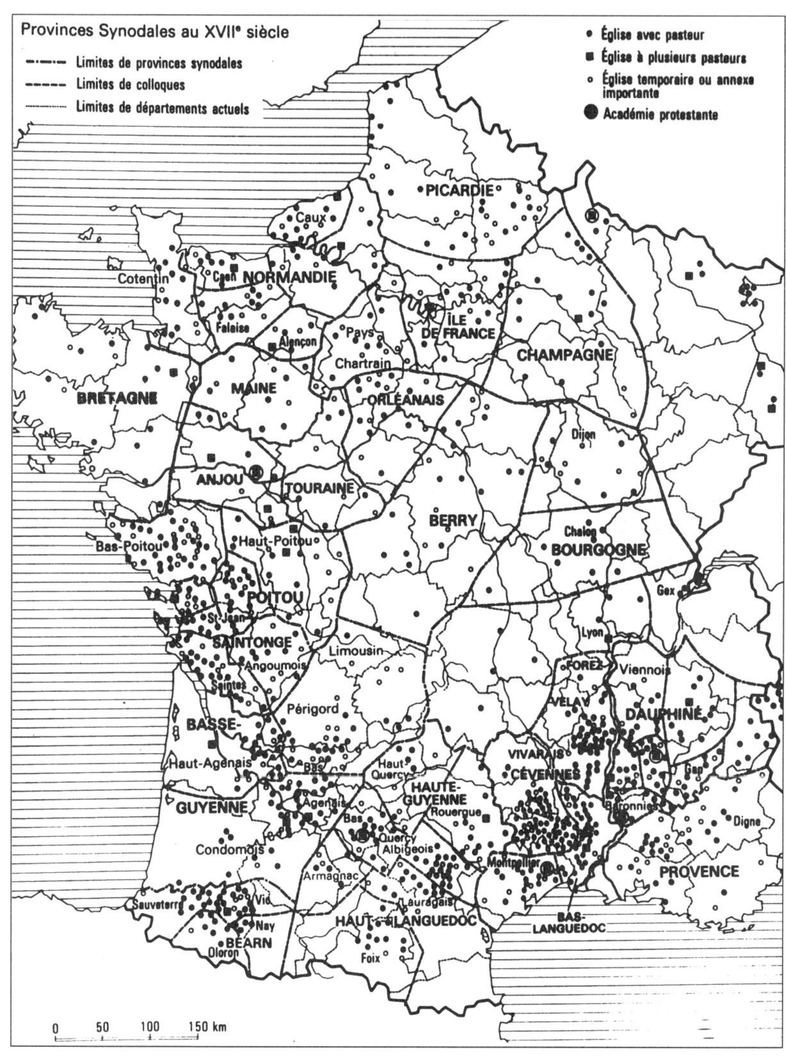

Le protestantisme en France au XVIIe siècle.

entre 1451 et 1477, par la mise en place d'autres parlements «sudistes» à Grenoble, Bordeaux, Aix-en-Provence, dont la pente est romaine, elle aussi.
Au centre du fait «romanisateur», stimulé, en outre, dès le XIVe siècle, par le rayonnement *ad hoc* des universités de Toulouse et de Montpellier, gît bien sûr la notion d'une propriété sans entraves, et d'une toute-puissance du Testament; elle donne au paterfamilias, avons-nous dit, la faculté d'instituer un seul héritier, et de destituer d'héritage ses autres enfants. De telles dispositions firent la fortune de la grande maison seigneuriale des Albret: ils pratiquèrent en effet de bonne heure une stricte aînesse à la romaine; et bien des non-nobles s'empressèrent de les imiter.
On se trouve donc en situation d'ambivalence: d'une part, l'omnipotence des habitudes romaines, dans le Midi, encourage *de facto* certaines tendances antiégalitaires, et pourquoi ne pas le dire réactionnaires, telles que l'aînesse en roture, dont la portée sociale est infiniment plus extensive que ne l'est le droit d'aînesse presque exclusivement noble dans la plupart des pays septentrionaux. À l'inverse du Sud, par contre, le Nord laisse un très large espace à l'égalité entre héritiers roturiers dès le début du XVIe siècle, voire auparavant. Ainsi se trouve égalitairement déterminée l'immense majorité des familles septentrionales, celles qui ne sont pas de sang bleu.
Mais le droit romain du Midi, d'autre part, exalte la liberté et l'esprit de responsabilité des individus. Il affirme la prépondérance d'une propriété quiritaire, sans limites; et cela par opposition aux diverses «saisines», aux faits de jouissance feuilletée et de polypossession dont un même bien se trouve frappé du fait de multiples personnages, comme c'est le cas dans les coutumes du Nord. Ajoutons enfin que le droit romain est tout entier du côté de la logique des contrats, celle-ci hostile aux liens familiaux et aux statuts pétrifiés; il est favorable à l'usage du commerce et de la monnaie.
Le tableau, cependant, est d'autant plus complexe que l'ambivalence se situe également dans la région septentrionale. Le mouvement de rédaction des coutumes au nord de la Loire culmine une première fois pendant la royauté de Louis XII, et une seconde fois, un peu plus tard, au cours de l'époque d'Henri II. Or, ce mouvement (sous l'un et l'autre monarque, le temps ne fait rien à l'affaire) est, si l'on peut dire, à double détente. D'une part, il consolide certains archaïsmes vieillots et coutumiers, du seul fait qu'ils sont désormais couchés noir sur blanc dans un registre. Mais, par ailleurs, les grands juristes parisiens, frottés de culture renaissante, ne se privent pas de romaniser en douceur certains articles de telle ou telle coutume régionale, avec le consentement volontaire ou forcé des élites du cru, lors des chevauchées ou tournées rédactionnelles auxquelles ils participent hors de la capitale.
Quoi qu'il en soit, les avantages «quiritaires» du Midi demeurent (en dépit d'aléas contradictoires, de part et d'autre). Depuis belle lurette, le Sud est

beaucoup mieux pourvu d'*alleux* (propriétés pleines et entières) que ne l'est le Nord. Est-ce pour cette raison, et pour quelques autres, liées en effet au droit écrit, qu'a prévalu dans les pays ensoleillés la maxime libérale et, pour tout dire, «progressiste»: *Nul seigneur sans titre* par opposition au «féodalisme» universel des zones septentrionales, caractérisées, elles, par la devise *Nulle terre sans seigneur*? Même équité, et ce n'est pas un hasard, dans le domaine de l'impôt direct, ou taille: le Languedoc, on l'a vu, verse la taille réelle honnêtement calculée sur les biens du propriétaire. Les provinces du Nord paient la taille personnelle, qui pèse simplement sur les chefs de ménage, et qui, trop souvent, est estimée «à la tête du client». S'agissant toujours des prétentions de l'État, dont l'impôt après tout n'est qu'un aspect, le Midi profite largement de ce que le droit romain qui réunifie la propriété quiritaire fait volontiers échec au seigneurialisme, lequel au contraire désarticule à son profit les droits des propriétaires. Donc, le Sud ne se gêne pas (encore une tendance «progressiste», au meilleur sens du terme) pour faire échec avec succès à la «directe universelle» du roi de France, autrement dit aux ambitions de Sa Majesté, désireuse de proclamer abusivement son titre seigneurial et nationalisateur sur toutes les terres du royaume, où qu'elles soient, quelles qu'elles soient. Dans le Midi, autre offensive des mentalités «quiritaires», encouragées par les parlements locaux, la «servitude» (de passage, de dépaissance), autrement dit l'usage mitoyen ou commun des limitations de propriétés, est sévèrement tenue à l'œil par la jurisprudence, qui ne l'admet qu'en cas de présomption immémoriale. Tant de sévérité choque les apôtres du droit coutumier pour qui tout passant (septentrional...) peut cueillir les fruits des haies; pour qui tout mur est *a priori* mitoyen. La prescription, quant à la plainte relative aux acquisitions d'immeubles, que le plaignant tient pour indues, est d'un an ou cinq ans parmi nos coutumes du Nord, mais de trente années dans le ressort toulousain! Car le juridisme de la ville rose observe un respect sourcilleux (romaniste...) vis-à-vis du droit de propriété: l'absentéisme des propriétaires qui cause éventuellement, à leur grand regret, la déshérence de leurs droits est proclamé à dix lieues d'éloignement du terrain ou du domicile mis en cause, ou simplement hors du bailliage, dans les coutumes du Nord. Mais le parlement de Toulouse, comme toujours plus attentif à l'esprit quiritaire, n'affirme l'absentéisme que si la personne en question a quitté le royaume. La libre aliénation des immeubles est normalement admise dans les pays provençaux et languedociens qui, sur ce point, sont une fois de plus bourgeoisement en avance (comme on est loin dans ce cas-là des indices, pourtant si réels, de sous-développement méridional qui furent évoqués, à propos d'un tout autre problème – économique, pour le coup – dans la première partie du présent texte). Par contre, au nord de la Loire, subsistent les traces très nombreuses du retrait lignager, au nom de quoi les familles peuvent s'opposer à la dissipation de l'héritage immobilier, effectuée par l'un des leurs, qui en principe est pourtant le propriétaire attitré. Cet « usage haineux » au gré du droit écrit, « ce reste honteux de la féodalité », cette formalité ridicule de la puissance lignagère ne sera abolie tout à fait qu'en 1790, avec la Révolution française. En matière de successions, le droit romain, en soi… et dans notre ancien Midi, est fort peu féministe (voyez à ce propos les constatations désabusées d'Alphonse Daudet, qui déplore dans *Numa Roumestan* le chauvinisme mâle de ses compatriotes provençaux). Ce droit donne toujours la préférence aux parentés paternelles ou *agnations* par rapport aux parentés maternelles. En revanche, les *coutumes* favorisent davantage, notamment dans l'Ouest, en Île-de-France et en Picardie-Wallonie, les successions au bénéfice des dames. Le père de famille romanisant choisit son héritier-successeur « à plaisir et à volonté », alors que les coutumes (rénovées) encouragent souvent l'égalité des héritiers, ou encore la représentation à l'infini des divers descendants du lignage ; ou bien elles lient la vocation successorale à l'habitation commune.

Dans le Midi, spécialement en Provence, on resta longtemps fidèle, en matière d'adoption, aux dispositions positives qui sont celles du droit romain classique. À l'encontre, bien sûr, du droit coutumier : il n'admet pas que l'intrusion d'un étranger porte atteinte aux prérogatives de la famille de sang. En matière d'émancipation des enfants par leur père, les coutumes, à partir du XVIe siècle, octroient de bonne grâce quelques facilités, cependant que dans le Midi romaniste, les formidables Pères conservent l'usufruit du bien de leur progéniture ; ils peuvent refuser de l'émanciper, même en cas de mariage ; ils gardent leur puissance, si possible, jusqu'à leurs petits-fils inclusivement.

Quant au régime dotal, les parlements du Midi préservent jalousement les règles romaines d'inaliénabilité des dots féminines, conçues à la fois comme garantie de subsistance pour les épouses, et comme sauvegarde pour les familles ; celles-ci étant assurées grâce à elles de disposer d'un fonds de secours en cas de détresse. Dans le Nord, la dot souvent fusionne avec, ou tombe dans la communauté conjugale de biens, dont le mari est maître et seigneur. Dira-t-on, en ce sens, qu'il y a revanche d'un certain féminisme méridional, lésé dans les successions, certes, mais bien mis en valeur à propos des dots ? L'essentiel demeure néanmoins, dans les deux cas, l'esprit ultra-propriétaire (donc moderniste et bourgeois) du droit romain ; il préserve les droits quiritaires des pères en tant que testateurs ; mais la même logique lui fait monter une garde vigilante sur la dot des épouses, originairement octroyée, du reste, par les pères, encore eux, desdites épouses.

Dans le Midi, le testament récuse l'égalité des partages ; il exclut les filles, qui, de toute manière, furent préalablement dotées ou mises au couvent ; il avantage l'aîné afin de mieux maintenir le rang (noble) ou l'exploitation agricole (roturière). Dès le XVIe siècle, par contre, les tendances égalitaires apparaissent autour de Paris. Dans l'Ouest, elles sont même attestées auparavant, à partir du Moyen Âge. À l'égard de ceux des membres d'une famille qui sont défavorisés par la succession d'un de leurs parents défunts, le Nord, en guise de consolation, prévoit une «*réserve* lignagère», à laquelle peut prétendre, le cas échéant tout lignager, même lointain. Le Midi, avec sa méfiance toute romaine envers le lignage extensif, met en œuvre, non pas une «réserve» mais une *«légitime»* qui ne concerne que les enfants, et exceptionnellement les frères et sœurs du *de cujus*. Les substitutions, d'autre part, expriment par excellence la liberté testamentaire qu'affectionnent les «romano-méridionaux», et la tendance qui leur est chère à l'institution d'héritier. Elles privilégient, de ce point de vue, la redondance; elles permettent au père de famille de désigner un héritier en second, si le premier ne vient pas à succession. En termes plus savants, elles correspondent «à la subrogation d'une autre personne pour recueillir le profit d'une disposition». On ne s'étonnera donc pas de les voir largement favorisées dans le Midi, en prolongement de ce que souhaitait Bartole, l'illustre romaniste des années 1340-1350: n'était-il pas l'auteur d'un arbre des substitutions, doté de cinq branchages majeurs, et de cinquante et un rameaux correspondant aux diverses formes d'icelles? Les substitutions, par contre, sont souvent mal vues ou carrément interdites par diverses coutumes septentrionales...

Sur ces divers points, le contraste Nord-Midi s'affirme avec éclat lors des premières assemblées révolutionnaires. Robespierre, enfant de l'extrême Nord, défend l'égalité absolue entre héritiers, alors que Cazalès, en sens contraire, «fait entendre la voix du Sud», toujours favorable à la liberté de disposer. De fait, au XIXe siècle, le partage inégal, avantageant par priorité l'un des enfants, sera toujours pratiqué officieusement dans de nombreuses régions du Midi, parmi les anciens pays de droit écrit. En revanche, la France septentrionale, malgré de vastes exceptions, se montrera plus égalitaire et se ralliera davantage à la division successorale, telle que la préconisait dorénavant la Révolution.

Cela dit, on aurait tort d'opposer comme deux blocs sans faille, un Sud de droit écrit, à un Nord de droit coutumier. Car le Nord des coutumes, à son tour, doit être décomposé pour le moins en deux groupes: les usages de l'Ouest, en matière de successions et dans bien d'autres domaines, privilégient le lignage; les usages de la région parisienne et de la Picardie-Wallonie (entre autres) s'intéressent plutôt au ménage. À l'arbre lignager des Normands s'opposent la table de cuisine, le pot et le feu ménager des Wallons, Picards, et autres «Franciens», faut-il dire le pot-au-feu? Compte tenu de ces nuances, qu'il n'est pas de notre sujet d'expliciter ici, le partage Nord-Sud au fil des latitudes, des limites linguistiques et des habitudes juridiques demeure un fait. La Révolution française – rouleau compresseur ou faux de l'égalité (nous n'avons que l'embarras des métaphores) – n'en triomphera qu'à retardement, et de façon incomplète.

Cette incursion vers le sud nous a donc conduits, en un itinéraire assez décousu, sur les voies de l'économie rétrospective, de l'histoire longue et du juridisme comparé. Le sous-développement méridional est incontestable, en société traditionnelle. Mais il ne saurait faire oublier l'authentique et originale fécondité des croissances du Midi, au fil de plusieurs millénaires ; ni la surprenante positivité (jusque dans la férocité inégalitaire, patriarcale, et volontiers antiféministe) des progrès au moins relatifs qu'entraînera en ces zones, par comparaison avec le Nord, l'adoption précoce du droit romain, zélateur de la propriété quiritaire et bientôt bourgeoise. Quelle que soit l'imprécision ou la variabilité des limites géographiques, le Sud est autre, et la France est duelle.

1. A : Galle celtique, Empire romain et postromain ; Gaule carolingienne.
B : Narbonnaise romaine préimpériale ; et périodes variées de l'autonomie aquitaine ou provençale, pendant la seconde moitié du Ier millénaire.

Note bibliographique

Pour la mise en évidence de la ligne Saint-Malo-Genève, on se reportera en particulier à

Emmanuel Le Roy Ladurie
« Un théoricien du développement : Adolphe d'Angeville », *in* *Le Territoire de l'historien*, Paris, Gallimard, 1973

François Furet et Jacques Ozouf
Lire et écrire, l'alphabétisation des Français de Calvin à Jules Ferry, Paris, Éd. de Minuit, 1977, t. I

Roger Chartier
« Les deux France, histoire d'une géographie », *Cahiers d'histoire*, 1979, pp. 393-415.

L'opposition Nord/Midi forme le sujet central ou marginal d'innombrables ouvrages, y compris des nôtres. Nous ne citerons ici que trois grands livres :

Michel Demonet
Thèse (encore inédite) sur *La Statistique agricole de la France vers 1850*, Paris I, 1985

Histoire de l'Occitanie, Paris, Hachette, 1979, dirigée par Robert Lafont et le regretté André Armengaud

Paul Ourliac et Jean-Louis Gazzaniga
Histoire du droit privé français, Paris, Albin Michel, 1985.

2. Le matériel

L'État

L'État: opérateur de l'identité nationale, instrument de la conscience et foyer de permanence de la nation. Mémoire de l'État: quelles représentations choisir de ce qui constitue par définition la continuité de la continuité?

On a fait droit, pour commencer, à la longue imprégnation de l'État monarchique. D'abord par l'étude, des premiers Valois jusqu'à Louis XIV, de ce que l'historien allemand Percy Ernst Schramm avait appelé autrefois la «symbolique de l'État»: l'analyse des signes – diadèmes et sceptres, vêtements et rites – par lesquels les princes ont rendu visible leur pouvoir; ici le coq, la salamandre, les lis et autres «armes de la couronne»... Ensuite, en insistant sur Versailles par deux approches complémentaires: le Versailles de l'iconographie où le monarque absolu a fait projeter les allégories de sa majesté; le Versailles qui, du pavillon de chasse au Sommet de 1982, des journées d'octobre 1789 au retour des Versaillais, a supporté tant de fonctions et tant de légendes.

De l'État révolutionnaire, la condensation la plus significative demeure le Code civil. Un grand juriste le sort de sa portée strictement juridique pour lui rendre sa place dans l'imagination et la réalité, socle et ciment de la communauté nationale. Il y a eu plusieurs constitutions politiques, il n'y a qu'un seul Code civil. N'est-ce pas la vraie constitution des Français?

Pour finir, deux lieux violemment contrastés de la mémoire d'État, et cependant rarement envisagés comme tels. Celui, tout économique et quantitatif, de l'accumulation difficile des chiffres, la lente et vaste entreprise qui, avant la comptabilité nationale, s'est donné le but ambitieux d'une statistique générale de la France. Celui, tout politique et qualitatif, qui, de Commynes à de Gaulle, compose l'imposante galerie des grands Mémoires d'État.

Pierre Nora 1986

ANNE-MARIE LECOQ

La symbolique de l'État

Les images de la monarchie des premiers Valois à Louis XIV

Dans un monde où l'acte symbolique a à peu près cessé d'être pratiqué et compris sinon par quelques artistes ou quelques *desperados*, c'est encore autour de l'État qu'on en trouve les traces ultimes, et comme exténuées : un président de la République remontant à pied les Champs-Élysées le jour de son investiture, un autre allant s'incliner devant trois tombes choisies du Panthéon. Actes symboliques parce que conçus comme signes d'autre chose, en l'occurrence le mélange de la simplicité sportive à l'héritage gaullien ou la soumission à la légitimité d'une grande tradition historique transcendant la personne de l'homme d'État. Mais aussi actes qui demandent, pour accéder pleinement à leur dignité de symboles, la présence de cameramen et de photographes chargés de les « cristalliser » en quelques images fortes, destinées à demeurer l'emblème d'un septennat.

Depuis la magistrale démonstration de P. E. Schramm[1], on sait que, « pour connaître la nature d'un État que le roi représente », il est nécessaire d'examiner, d'une part les « signes du pouvoir » – couronnes, sceptres, vêtements et autres attributs, qui rendent visible la souveraineté du roi et le séparent du reste des hommes –, d'autre part les « gestes et usages » par lesquels les rois « ont rendu sensible ce qu'ils étaient et voulaient être » et les sujets, en réponse, déclaré reconnaître le pouvoir des rois : sacre, entrée dans les villes, etc. Pour l'historien allemand, ces signes et ces gestes et usages constituaient la « symbolique de l'État ». Il nous paraît aujourd'hui impossible de ne pas y inclure un autre moyen d'expression utilisé par les rois et par leurs sujets : les images symboliques, dont l'essor a accompagné celui de l'État monarchique « moderne » – disons, en gros, à partir du XIVe siècle.

La philosophie des images énigmatiques

Prenant le terme au sens large, nous définirons simplement l'image «symbolique» par opposition à l'image «historique» qui se veut le reflet direct de la chose même: portrait de la personne physique ou représentation au premier degré de l'événement. Tandis que la seconde se lit immédiatement, la première exige une opération plus ou moins complexe de déchiffrement. On peut dès lors distinguer deux grandes catégories d'images symboliques de l'État. D'une part, une composition de type héraldique combinant couleurs et motifs stylisés: les armes de France, signe d'identité fixé une fois pour toutes. D'autre part, les images qui transposent, traduisent tel trait de la personnalité (vertu, dessein politique, règle de vie, déclaration de foi...) ou telle action du roi régnant, à travers des couleurs et des formes parlantes: badges et devises (figures symboliques employées isolément ou accompagnées d'une brève sentence), emblèmes (images allégoriques commentées à l'aide d'un texte plus ou moins long, généralement en vers)[2], scènes allégoriques de roman ou de théâtre combinant les personnifications, portraits du roi déguisé en quelqu'un d'autre...

Les rois ne furent ni les utilisateurs ni les bénéficiaires exclusifs de ce type d'images. On en faisait aussi pour la gloire de Dieu, les besoins des particuliers, ou l'éducation du public. Le goût, qui se vérifia sans faiblir pendant plusieurs siècles, en était général. C'était la forme alors prise par deux ressorts perpétuels de la créativité humaine: l'amour du jeu et le désir de faire montre de bel esprit. Lorsqu'on offre, par exemple, à Catherine de Médicis un recueil de soixante-trois devises tirées de Virgile pour représenter *Les Regrés et Dueil de la Reine Mère*[3], l'exercice intellectuel et érudit est évident. Mais un tel jeu avait aussi des justifications philosophiques et pratiques.

Justification philosophique: l'histoire moderne et le monde visible sont conçus comme répétition et comme reflet. Tout a déjà eu lieu exemplairement et le héros (le roi) ne peut que répéter. La gloire suprême consiste pour lui à réincarner une ou plusieurs figures de l'histoire antique, biblique, ou du très lointain passé national, ou encore à incarner une de ces figures de la fable inventées par les Anciens comme modèles idéaux, Mars ou Orphée. Et, bien entendu, elle consiste aussi à imiter, comme doit le faire tout chrétien, le Christ, les anges et les saints. Il est donc légitime de dresser le portrait moral du prince à travers ces figures. D'autre part, les objets de la nature (corps célestes, plantes, animaux, minéraux) reflètent l'immatériel: non seulement les réalités de l'au-delà, mais aussi le monde intérieur de l'homme, par un système de correspondances et d'analogies qu'il s'agit de retrouver. On peut donc traduire une idée ou un sentiment par la représentation de ces objets dont les propriétés «naturelles» ont été fixées par la tradition (l'histoire naturelle antique relayée par les bestiaires médiévaux, etc.)

Pour le Moyen Âge chrétien, si Dieu a laissé des «messages» partout dans sa Création, l'homme est fondé à reprendre le même langage symbolique. Pour en justifier l'utilisation, la Renaissance ajouta l'exemple des hiéroglyphes égyptiens. Le syncrétisme de l'époque faisait de l'Égypte une terre sacrée, un lieu de rencontre privilégié entre l'homme et le divin, et des Égyptiens les dépositaires d'une sagesse primordiale. On lisait dans Platon que l'écriture y avait été inventée par le dieu Thot. Le moment décisif fut la découverte en 1419 des *Hieroglyphica* d'Horapollon, composés au Ve siècle de notre ère par un Égyptien puis traduits en grec et complétés par des éléments de la symbolique gréco-romaine. C'était la preuve que l'écriture originelle procédait par images symboliques, imitant ainsi la démarche du Créateur. En même temps se répandait l'idée qu'une telle écriture était utilisée par les prêtres et les sages pour traiter des choses sacrées dont la connaissance doit être voilée à certains. Les hiéroglyphes des Égyptiens, écrit Jean Martin en 1543, ce sont «les figures par lesquelles ils escripvoient leurs mystères secrets et les choses saintes et divines[4]». Or, la très chrétienne monarchie de France fait indubitablement partie des «choses saintes et divines».

Mais l'emploi des images symboliques avait aussi un but pratique: c'était le moyen de rendre intéressant le message, souvent fort banal. Ce double aspect des «images énigmatiques[5]» – langage le plus propre à traiter du sacré, recette de pédagogues et de moralistes –, apparaît parfaitement sous la plume du jésuite Claude Ménestrier qui en fut un des grands pourvoyeurs sous Louis XIV. Dans *La Devise du Roy justifiée* (1679) – où le «mot» *(«Nec pluribus impar»)* n'est pas une seule fois traduit en clair –, après avoir loué la devise royale de posséder «quelque chose de cette obscurité mystérieuse, qui est inséparable de tout ce qu'il y a de grand dans la nature et dans la politique», il ajoute sans transition: «Parmy les jours et les lumières qui rehaussent et qui font paroître, il faut des ombres qui enfoncent. L'esprit n'auroit rien à faire si les choses se présentoient d'elles-mêmes. Il aime à chercher ce qui ne se produit pas d'abord. Il entre dans le fond des choses, il les creuse avec plaisir pour y trouver ce que l'on n'y découvre pas[6].» On pensait de même, au XVIe siècle, que le «voile» symbolique conduit l'esprit à «s'émerveiller, enquérir et vouloir savoir» et, mû par «la curiosité d'entendre l'obscur», à entreprendre une «profonde enquête» (Aneau, 1556)[7].

Or, un tel travail, conjuguant l'effort et le plaisir, passait aussi pour faciliter la mise en mémoire du message. Un très ancien lieu commun voulait que l'esprit humain oublie facilement ce qui s'entend, mais se rappelle bien ce qui se voit. Cet argument reparaît constamment, par exemple, dans les querelles successives qui divisèrent la chrétienté sur la question des images religieuses. Contrairement aux mots, l'image était créditée d'un rôle d'aide-mémoire. La mémoire était d'ailleurs conçue métaphoriquement comme un lieu (chambre, galerie, palais, théâtre) garni de peintures ou de bas-reliefs[8]. Mais une efficacité mnémonique supérieure était prêtée aux images symboliques. Si elles sont réussies, c'est-à-dire à la fois assez condensées et assez inhabituelles pour frapper, assez «percutantes», dirions-nous aujourd'hui, elles se «peignent» ou se «gravent» facilement et définitivement dans la mémoire et le message est retenu avec elles.

À condition toutefois que le lecteur soit capable de procéder à ce déchiffrement… La compréhension des «images énigmatiques» supposait une culture initiale, une connaissance suffisante des «principes et secrets de la natures des choses» (Dinet, 1614)[9]. Il risquait donc d'échapper à la plupart et pas seulement aux couches illettrées de la population. On prendra deux exemples particulièrement révélateurs. En 1389, Froissart lui-même, décrivant les scènes allégoriques jouées à Paris devant Isabeau de Bavière, se trahit: il ne comprend rien au spectacle devant le Châtelet. Il y reconnaît bien un «lit de justice» mais il croit voir sur ce «lit» «Madame Sainte Anne», alors qu'il s'agissait de toute évidence d'une personnification de la Justice. Et, visiblement, il ne comprend pas non plus qui étaient les «jeunes pucelles, environ douze» qui vinrent garder le lit de justice des attaques d'un lion et d'un aigle. En 1550, devant les spectacles rouennais offerts à Henri II, l'ambassadeur impérial est complètement désarmé: il ne reconnaît pas la déesse Fortune, il ne comprend rien à l'épisode d'Arion, il prend Hector pour Hercule, il ignore tout du «hiéroglyphe» du serpent qui se mord la queue et avoue ingénument à l'empereur (à qui il adresse son rapport): «je n'ai pas été capable d'interpréter le symbole[10]»… Si ces gens-là, n'étant pas dans le secret du programme, s'y perdent, de combien de Parisiens ou de Rouennais le message politique pouvait-il être compris? Et combien de fois est-il arrivé au roi lui-même (qui n'est pas un lettré) de ne rien comprendre à tel spectacle de rue lors d'une entrée, ou à telle image proposée pour orner le palais ou être frappée sur une médaille? Il y aurait là un beau sujet d'enquête. Les quelques éléments que nous avons déjà en notre possession permettent de répondre, en tout cas: souvent.

Les images symboliques sont du ressort des lettrés, c'est-à-dire essentiellement des littérateurs et des humanistes. Les artistes travaillent sur leurs suggestions, sauf dans les cas (assez rares) où ils sont eux-mêmes suffisamment érudits pour intervenir dans la conception. Les uns font partie de l'entourage immédiat du roi, ce sont ces littérateurs stipendiés que les princes ont pris l'habitude d'adjoindre à leur cour et qui y sont devenus indispensables dès le XVe siècle. Ils travaillent directement pour le roi et la famille royale ou encore à la demande d'un haut personnage de la cour qui cherche à faire un présent au souverain. Ce milieu est responsable du décor peint et sculpté des demeures royales, des manuscrits enluminés qui prendront place dans la bibliothèque, du programme, des décors et des costumes des fêtes de cour (banquets, ballets, théâtre), des médailles et des jetons. Les Mémoires de

Sully offrent un bon aperçu sur un des modes d'élaboration possibles. À partir de 1589, il offrit au roi, pour les étrennes du Jour de l'An, des jetons d'or et d'argent portant des devises imaginées par lui. Comme il était lui-même lettré, il jouait à la fois le rôle du grand qui offre au roi une image symbolique et celui de l'inventeur. Au matin du 1er janvier 1604, le roi lui dit :

> Rosny, vous serez-vous souvenu d'y approprier une devise sur le sujet que je vous dis en présence de Monsieur de Montpensier et du cardinal de Joyeuse, lors qu'ils me parloient des broüilleries de messieurs de Boüillon, de la Trimouille et de leur séquelle [...] et que je leur respondis que mes sujets avoient grand tort de vouloir ainsi traverser mon règne d'inquiétudes, veu que je n'avois nul plus grand désir que de leur faire du bien à tous et d'estre aussy aimé de tous, et vous ordonnay d'essayer de me faire une devise qui spécifiast tout cela[11] ?

Sully apportait justement les jetons, où le roi put voir une grenade ouverte, symbole d'union, avec le mot « *Tot vota meorum* », « Autant de vœux des miens » (que de grains dans la grenade, c'est-à-dire une quantité innombrable), ce qui illustrait le désir royal d'unité et d'amour. En même temps, il en profita pour raconter au roi un épisode obscur de la vie de Darius qui, tout en justifiant la présence de la grenade et en montrant l'érudition de l'inventeur, exaltait l'affection et la générosité des grands rois pour leurs fidèles serviteurs...

D'autres auteurs travaillent dans les bonnes villes, pour les municipalités. L'occasion leur en est fournie périodiquement par les fêtes célébratives, avant tout par les entrées solennelles des souverains. À partir du XVe siècle, en effet, la coutume se répand de présenter au roi des spectacles sur des théâtres dressés le long du parcours menant de la porte de la ville à la cathédrale. Au cours du siècle suivant, les « échafauds » seront peu à peu remplacés par des structures architecturales éphémères (arcs de triomphe, pyramides, etc.) et les tableaux vivants, par des statues, des bas-reliefs et des peintures. Pour les uns comme pour les autres, les autorités municipales et les représentants locaux du roi décident de l'importance et du coût de l'entreprise et chargent l'un d'entre eux de se mettre en rapport et d'arrêter le programme avec les hommes de l'art. À partir du XVIe siècle et tout au long du XVIIe, les villes donnent en outre des fêtes pour célébrer mariages et naissances dans la famille royale, ou traités de paix. On y dresse également des « pompes funèbres » pour la mort des rois. Toutes ces fêtes et cérémonies s'accompagnent d'un grand déploiement d'images symboliques. Aux théâtres et aux décorations s'ajoute aussi quelquefois la frappe de médailles commémoratives. Enfin, à côté des gens de la cour et des villes, il faut compter les auteurs isolés, qui offrent leurs trouvailles au roi, surtout sous la forme de livres manuscrits puis imprimés, souvent illustrés, éventuellement par l'entremise d'un personnage bien placé qui est leur protecteur, leur suzerain ou leur compatriote.

Le jeu se joue donc à deux : d'un côté le roi, de l'autre les sujets. On connaît plus ou moins, à Paris et en province, certains des thèmes symboliques en vogue autour de la famille royale, notamment les devises. On les reprend, et on les réinterprète éventuellement. La salamandre de François Ier, par exemple, jouait sur le thème du bon et du mauvais feu (*« Nutrisco al buono, stingo el reo »*, « Je me nourris au bon [feu], j'éteins le mauvais »), sans précision. Les sujets ne manquèrent pas de renvoyer l'image au roi, avec leurs propres commentaires. Pour les uns, lassés des guerres, le bon feu représentait la paix et le mauvais, « l'horrible feu de Mars ». Pour d'autres, l'un était celui de la charité et de l'amour, l'autre symbolisait les mauvaises « ardeurs » de la concupiscence. Certains poètes, enfin, quêtant des subsides, firent semblant d'avoir compris que la salamandre, c'est-à-dire le roi, avait à cœur de « nourrir », c'est-à-dire rétribuer, les bons (esprits) et de chasser les mauvais[12]...

Comme celle de l'énorme littérature politique à caractère non théorique produite sous la monarchie, l'étude des images symboliques a été longtemps négligée par les historiens. Une des raisons de cet ostracisme était sans aucun doute la tendance à ne voir là que flagornerie pure de la part des sujets et propagande éhontée de la part du roi et de son entourage. Les deux notions demandent pourtant à être sérieusement nuancées. En fait, il faut bien comprendre que le sermon a été longtemps étroitement mêlé à la flatterie. En lui montrant sans cesse sous des angles nouveaux l'image mirifique qu'ils prétendent se faire de lui, les sujets convient inlassablement le roi à ressembler au modèle. Les inventeurs d'images symboliques sont très souvent des maîtres d'école et des prêcheurs : régents de collège, moines, prêtres, chanoines, puis jésuites – et l'on connaît le rôle que ces derniers réservaient à l'image dans l'enseignement des sciences profanes comme dans les exercices spirituels. Nombreux sont, par exemple, les programmes d'entrée où la leçon de gouvernement, sur l'urgence de la paix, la nécessité de soulager le peuple de certains fardeaux, etc., est au moins aussi importante que l'exaltation des actions royales. Mais il est vrai que cet équilibre subtil, très bien gardé à l'époque des « rhétoriqueurs » (1450-1530 env.)[13], s'est trouvé peu à peu compromis vers la fin du XVIe siècle et s'est complètement rompu sous Louis XIV par l'excès de dithyrambes. D'autre part, la « propagande », au sens tristement célèbre du XXe siècle, suppose de vastes moyens de diffusion. Or, la monarchie a longtemps négligé les supports multipliables. Les images symboliques sont d'abord restées confinées dans les manuscrits enluminés de la bibliothèque et à l'intérieur des appartements royaux. Seules les devises étaient mieux connues à l'extérieur, car elles étaient brodées sur les costumes du roi et de ses gens et souvent sculptées sur les façades des demeures royales, comme les armoiries.

Les premières initiatives dans le domaine de la diffusion sont venues des sujets, avec la relation des entrées. Les responsables des festivités (édiles ou auteurs) ont vite éprouvé le besoin de conserver par écrit la mémoire des trouvailles éphémères élaborées dans ces occasions. La quasi-totalité de ces descriptions au XVe siècle, et beaucoup encore au XVIe, sont restées manuscrites. On les trouve dans les registres municipaux, les chroniques, les journaux tenus par les particuliers, la correspondance des observateurs étrangers, ou encore dans des volumes offerts en souvenir au roi et aux membres de la famille royale. Mais à la fin du XVe siècle apparaissent les premières relations imprimées, à Rouen (Charles VIII, 1485) et Paris (Anne de Bretagne, 1492; Louis XII, 1498). Elles allaient désormais se multiplier, aussi bien pour les fêtes de cour que pour les fêtes publiques. Curieusement, l'illustration ne suivit pas tout de suite. Les premières relations illustrées connues sont celles des entrées à Paris de Marie Tudor (1514) et de Claude de France (1517). Elles sont manuscrites. La première relation imprimée avec gravures sortit des presses parisiennes dès 1515, mais c'était celle de l'entrée de Charles d'Espagne à Bruges... Il fallut attendre l'entrée de la reine et du dauphin à Lyon en 1533 pour avoir quatre gravures et, dans la même ville, celle d'Henri II en 1548 fut la première entrée française accompagnée d'un livret imprimé complètement illustré.

Avec les feuilles gravées volantes, on a véritablement la preuve d'une certaine négligence française dans les possibilités de diffusion du message symbolique. Il suffit de comparer avec l'Allemagne. On ne trouve en France rien d'équivalent aux travaux de Dürer, de Burgkmair et d'autres pour Maximilien, ni à ceux de Heemskerck, par exemple, pour Charles Quint. Les feuilles gravées joueront un grand rôle dans l'exaltation (ou l'exécration) des rois de France à partir de la fin du XVIe siècle, dans la foulée des batailles d'images suscitées par les guerres de religion. Mais on ne peut guère citer pour la période antérieure que deux ou trois estampes de Jean Duvet. Il y eut bien un petit atelier de gravure installé au château de Fontainebleau entre 1542 et 1547 ou 48, qui, sous la direction du Primatice, fit paraître des reproductions du décor symbolique du château, de la galerie François-Ier notamment. Mais cette entreprise était fort peu commerciale et les tirages, réalisés en très petit nombre avec des moyens de fortune, semblent avoir été destinés avant tout à circuler parmi les artistes[14]. Ce n'est qu'avec Louis XIV que le décor de Versailles a été largement diffusé par la gravure.

En fait, les grands véhicules de l'imagerie symbolique en France furent, à partir de la Renaissance, les médailles et les jetons. Exécutée dans des matières nobles et indestructibles et tirant son prestige de l'usage antique, la médaille était considérée comme le meilleur moyen de conserver la mémoire des rois et des règnes. Les villes, ou même des particuliers comme le protestant Guillaume Dupré sous Henri IV, en offraient au roi et celui-ci en faisait fabriquer de son

côté pour lui-même et pour offrir à des souverains alliés, à de nobles étrangers ou à de grands serviteurs. Aux médailles (exécutées malgré tout en nombre assez restreint) vinrent s'ajouter, de plus en plus régulièrement et en nombre croissant à partir de François Ier et d'Henri II, les jetons émis par le roi et les administrations royales comme le Conseil d'État et les diverses Chambres[15]. Destinés d'abord à servir d'instruments de calcul, ils furent, à partir du XIVe siècle, distribués à titre de gratification ou en hommage, notamment au début de l'année comme étrennes, et fabriqués en quantités considérables. Comme les médailles, ils portent à l'avers l'effigie ou les emblèmes personnels du roi régnant, ou les armes de France, et au revers une composition symbolique évoquant la vie du royaume, qui change tous les ans et qui est sélectionnée parmi les projets d'un ou de plusieurs érudits. Voisines des jetons sont aussi les pièces «de largesse», distribuées au peuple lors des sacres et des entrées.
Dans ce domaine, le XVIIe siècle vit se produire une double évolution. Auparavant, l'avers des médailles était essentiellement une glose sur la personnalité du roi, l'aveu d'un grand dessein ou d'une règle de vie. Désormais, la médaille servit surtout d'instrument de commémoration des grands événements militaires, diplomatiques ou dynastiques. L'«histoire métallique» continue du règne, déjà projetée par Rascas de Bagarris pour Henri IV (1608)[16], fut finalement réalisée *in extremis* pour Louis XIV[17]. On possède même un projet d'histoire de France complète par la médaille dû à Jacques de Bie (1636), mais resté à l'état de recueil gravé[18]. D'autre part, en créant en 1663 la «Petite Académie» ou Académie des inscriptions, dont le premier rôle était d'élaborer images et inscriptions pour les médailles et les jetons, Louis XIV et Colbert centralisèrent et contrôlèrent complètement l'invention. C'est là qu'on peut parler de propagande au sens moderne du mot.
Des siècles durant, l'État monarchique a donc suscité une production continue d'images symboliques, qui est allée en s'accélérant. Les temps morts semblent avoir été rares. Le résultat est une masse énorme de documents, dont le simple repérage est loin d'être fait et dont il n'existe que des études partielles, mais aucune synthèse. Nous ne pouvons par conséquent nous livrer ici qu'à un survol et le classement que nous proposons est tout provisoire. D'autre part, nous avons laissé de côté la transcription symbolique des événements pour ne traiter que d'images illustrant les fondements mêmes de l'autorité royale et les grands principes d'action de l'État. C'est sur ces questions que nous avons le plus à apprendre des «images énigmatiques».

La symbolique du pacte

Les armes de France sont l'image symbolique par excellence de l'État monarchique. D'abord personnelles puis, très vite, familiales, elles devinrent la marque de la puissance publique dès le XIIIe siècle et surtout à partir du XIVe siècle[19]. Elles timbrent tout édifice habité par le roi, tout objet possédé par lui ou tout document émanant de lui; elles sont également utilisées par toute personne détenant par délégation une parcelle de l'autorité royale: juges, notaires, maîtres des corporations, etc. En même temps, les armes du roi devinrent peu à peu celles de la dignité royale conçue dans l'abstrait, les «armes de la Couronne». On dénia à un éventuel ennemi vainqueur du roi sur le champ de bataille le droit de les porter en trophée. On les dit inaliénables comme le royaume lui-même, et immortelles comme le roi qui «ne meurt jamais[20]». À la fin du XVe siècle, cette évolution est achevée: les fleurs de lis ne représentent plus désormais un individu ni une famille mais une entité: la France.

Or, il s'agit d'une image muette. À l'élément premier et central, l'écu d'azur à trois fleurs de lis d'or, on ajouta comme timbre une couronne, comme insignes de dignité les colliers des ordres royaux, comme tenants deux anges, ou deux animaux formant le corps d'une devise royale, mais on n'y joignit aucune sentence, aucun «mot». La lecture en resta toujours ouverte et, à partir du XIIIe siècle, des exégètes se chargèrent d'exposer ce que la vue des fleurs de lis devait rappeler aux Français. Parmi les *memorabilia* ainsi dégagés figuraient les structures mêmes du royaume, déduites de la forme de la fleur. Ce motif, dans sa forme héraldique bien connue, apparaît déjà au revers de certaines monnaies arvernes antérieures à Vercingétorix (Ier siècle av. J.-C.)[21]. Mais pour les auteurs des XIIIe et XIVe siècles, le dessin en est parlant et concerne le royaume: le grand pétale central en symbolise l'axe, le cœur, et les deux pétales latéraux représentent les deux supports indispensables. Selon les auteurs, cet axe central peut être la foi chrétienne *(Fides)*, défendue par la science-sagesse *(Sapientia)* et l'art de la guerre *(Militia)*, c'est-à-dire par les clercs et les chevaliers[22], ou bien la Noblesse, encadrée par ses deux protégés: le peuple (Labeur) et le clergé (Spirituelle Discipline)[23]. Un autre auteur fait du peuple un quatrième élément: tandis que le pétale central, de forme pointue, représente le roi porteur de l'épée de justice et que les pétales latéraux sont d'un côté les clercs et conseillers du roi, de l'autre les barons, le pied de la fleur symbolise le peuple, support de l'ensemble[24]. La fleur de lis pouvait donc fonctionner comme une image des «arts de mémoire», à trois ou à quatre «lieux» mnémoniques[25]. Mais cette utilisation est restée un peu marginale. En fait, les armes de France ont surtout passé, quelques siècles durant, pour rappeler un fait essentiel: l'alliance de Dieu avec le royaume «très chrétien», nouvelle alliance avec un nouveau peuple élu, un nouvel Israël[26].

Le lis a été considéré comme une fleur «royale» de toute antiquité, comme en témoignent aussi bien certains bas-reliefs assyriens du IIIe millénaire[27] que le fameux passage du Nouveau Testament sur les lis des champs, plus éclatants que Salomon en gloire. C'est pourquoi les Pères de l'Église firent du lis un symbole du Christ-roi et ce d'autant plus facilement que l'Époux du *Cantique des cantiques*, assimilé au Christ, est comparé au lis. Les Carolingiens et les Ottoniens connaissaient ce lis royal et christologique : « Les lis royaux dominent les sceptres brillants », écrit Sedulius Scottus[28], et il semble bien que des fleurons aient décoré leurs *regalia*, le sceptre de Charles le Chauve, par exemple[29]. « Hommes nouveaux », les Capétiens s'empressent de reprendre la tradition. À partir de Robert le Pieux (996-1031), ils se font représenter sur leurs sceaux avec une fleur de lis à la main ou tenant un sceptre surmonté d'un fleuron. Puis, à partir de Louis VI (1108-1137), le lis figure sur les monnaies royales[30]. À cette époque, il conservait encore sa signification christologique. Sur les deniers de Louis VII (1137-1180), où il occupe la place centrale, il est accompagné des mots : « *Christus vincit, Christus regnat, Christus imperat.* » Mais depuis le XIe siècle, le lis, en raison de ses propriétés naturelles (blancheur, parfum...), était devenu aussi et surtout le symbole majeur de la Vierge. Or, à partir de Louis VI précisément, les Capétiens témoignent d'une dévotion spéciale, marquée de toutes les façons possibles, envers celle-ci. L'apparition de la fleur de lis sur leurs monnaies est donc indéniablement liée à ce culte. Les rois de France ne font d'ailleurs qu'imiter les évêques des cathédrales dédiées à Notre-Dame (Reims, Meaux, etc.) qui avaient déjà associé sur leurs monnaies le lis et la croix exactement comme Louis VI et ses successeurs, eux aussi dévots et serviteurs de la Vierge. Lorsque se répandit dans la chevalerie l'usage des armoiries, à partir des années 1130-1140, c'est cette même fleur de lis que choisit Philippe Auguste (1180-1223) pour sa bannière et sans doute son écu. La première image conservée des armes royales date de 1211 : sur le sceau du fils de Philippe Auguste, le futur Louis VIII est représenté portant un écu semé de deux rangées de fleurs de lis. Celles-ci ont donc d'abord signifié à la fois la dignité royale du porteur et sa piété envers le Christ et la Vierge. Peut-être autorisaient-elles aussi certains parallèles entre l'action miséricordieuse prêtée à la Madone et le rôle du roi, conçu comme protecteur des humbles et des faibles[31].

Mais l'acte de dévotion initial envers le Christ et la Vierge fut perdu de vue et, du XIVe au XVIIe siècle, put être largement répandue et accréditée la fiction d'un geste du ciel, tout à l'honneur du royaume. À partir des années 1330, diverses légendes se répandent sur les origines de l'écu fleurdelisé. On commence d'abord par dire qu'il a été introduit en France par saint Denis. Mais cette solution n'est pas retenue et les autres auteurs, à la suite d'un moine de Joyenval, rattachent l'histoire des fleurs de lis au cycle de Clovis, dont la « religion royale » faisait alors le saint fondateur de la France très chrétienne[32]. Avec Clovis, en effet, la France tout entière a été baptisée dans la foi chrétienne. Or, le dogme trinitaire est au cœur de celle-ci et, au cours du XIIIe siècle, le nombre des fleurs avait été réduit à trois[33]. La composition héraldique apportée par

Les armes de France complètes, sous Louis XII (vers 1503), avec la couronne fermée et le collier de l'ordre de Saint-Michel (première manière). L'écu fleurdelisé est tenu par deux porcs-épics, emblème personnel de Louis XII.

l'ange à Clovis, à la veille d'une bataille contre les païens, n'était donc rien de moins que le symbole même de la Trinité et de la foi chrétienne.
La nouvelle signification des fleurs de lis s'est imposée sous les Valois. Leur légitimité pouvait être discutée. Mais si la Trinité avait pris le royaume de France en si singulière affection qu'elle lui avait confié ses propres armoiries, ce changement de dynastie ne pouvait s'être fait sans sa volonté expresse… Par ailleurs, à l'époque de la lutte contre les Anglais, il fallait convaincre les adversaires et les hésitants, et se convaincre soi-même, de la supériorité de la France, nation élue de Dieu parmi toutes les nations du monde. La formule *Domine elegisti lilium tibi*, constamment reprise, reparaîtra encore au revers du lis d'or émis par Louis XIV en 1656, autour de l'écu de France couronné soutenu par deux anges[34]. Cette élection donnait même au roi de France vocation à devenir le guide de toute la chrétienté, le défenseur agréé de l'Église, le chef de la croisade. Aussi voit-on les partisans de l'expansion française en Europe et en Orient faire figurer l'exégèse des armoiries aux lis parmi leurs arguments majeurs. Autour de 1500, deux traités leur sont ainsi consacrés par des Italiens. Le franciscain Giovanni-Angelo Terzone de Legonissa, après avoir, à l'intention de Charles VIII, rappelé leur divine origine et examiné toutes leurs significations possibles, conclut à leur immortalité et à leur avenir impérial : la victoire sur les Infidèles et la domination sur les trois parties du monde sont promises aux rois de France et l'écu apporté à Clovis en est la preuve[35]. Pour Louis XII, le dominicain Giovanni-Lodovico Vivaldi publie à Saluces tout un traité sur « la gloire et les triomphes des trois lis qui figurent sur l'écu du roi très chrétien[36] ». Symboles du Christ, de la Vierge et de ses vertus (clémence, miséricorde…) qui sont aussi celles du roi, de la Trinité, miraculeusement envoyés du ciel, ils sont le signe visible et le constant rappel de l'élection de Clovis et de l'alliance de Dieu avec la monarchie française.
Le traité de Vivaldi fut réimprimé à Paris en 1608. La légende du don de Dieu à Clovis fut reprise par des chroniqueurs et des héraldistes tout au long du XVIe siècle et encore dans la première moitié du XVIIe, notamment par des jésuites. Mais une réflexion nouvelle se développait chez des théologiens et des historiens. Pour Jean Thenaud, un franciscain qui joua un grand rôle auprès de François Ier, les armes envoyées à Clovis sont bien « l'escu de foy » qui donne à connaître « la vérité essencial de saincte Trinité », mais elles ne signifient nullement que le roi et le royaume, élus une fois pour toutes et quoi qu'il arrive, soient automatiquement assurés de la faveur céleste. L'écu fleurdelisé est, certes, un aide-mémoire, mais plutôt des devoirs à remplir que des droits acquis et des promesses divines. Il rappelle constamment au roi et au royaume qu'ils doivent tendre à une foi chrétienne parfaite et que la gloire finale, sur terre comme au ciel, ne leur sera donnée qu'à cette condition[37]. En 1536, onze ans après Pavie, il fut plus clair encore. Pour lui, les armes de

France sont bien au nombre des «signacles révélés» aux hommes par Dieu, caractères magiques à la signification mystérieuse et aux effets merveilleux. Comme le tétragramme à Judas Maccabée ou la croix à Constantin, les trois fleurs de lis d'or sur champ d'azur assureraient l'invincibilité aux Français, «si les Françoys en usoient sainctement[38]»… À peu près à cette époque, alors que l'essor de la Réforme inquiétait de plus en plus, un certain P. Cotereau adressa à François Ier un traité manuscrit, les *Mémoriales cédules de la céleste et divine investiture de France*[39], pour remettre dans la mémoire du roi quelques «vérités» fondamentales, au cas où il aurait été tenté de les oublier. Les armes de France sont le signe visible de la «divine investiture» du royaume. C'étaient celles de la Vierge elle-même, la «dame du lis», dont elles symbolisaient la foi en la Trinité. En concédant ses propres armes au roi de France – comme un souverain terrestre peut récompenser un allié ou un serviteur en l'autorisant à porter ses armes –, la mère de Dieu a révélé sa sollicitude particulière envers le royaume. Aussi le roi et sa noblesse doivent-ils se montrer dignes d'une telle grâce en obéissant à l'Église, en la protégeant des attaques luthériennes et en défendant le culte de la Vierge.

Avec la «nouvelle histoire» qui naît en France dans la seconde moitié du XVIe siècle[40], il ne s'agit plus de nuances dans l'exégèse du signe céleste mais de la mise en doute de la légende elle-même. En 1560, dans les *Recherches de la France*, Étienne Pasquier place «l'invention de nos fleurs de lis que nous attribuons à la Divinité» parmi les «histoires» non fondées sur des documents anciens, mais qui n'en sont pas moins tenues pour véritables et sacro-saintes «pour la majesté d'un Empire». Pour lui, la conversion de Clovis fut d'ailleurs bien moins le résultat d'une intervention divine que d'un calcul politique. La boucle fut bouclée en 1673 par un descendant spirituel de Pasquier, Scaevole de Sainte-Marthe, conseiller du roi et historiographe de France. Son *Traité historique des armes de France et de Navarre et de leur origine* défait une à une les affirmations erronées et fabuleuses et retrace l'histoire des lis à travers les sceaux et les monnaies, jusqu'à Louis VII et Philippe Auguste. Après quoi, il ne lui reste plus qu'à reprendre un argument déjà utilisé par certains héraldistes médiévaux[41] en soulignant la place particulière accordée au lis dans la symbolique religieuse et politique, à la fois chez les juifs et les chrétiens et chez les païens, et la dignité supérieure de l'or et de l'azur dans la hiérarchie des couleurs héraldiques. C'était le minimum exigé par «la majesté d'un Empire».

Autour de l'écu, les accessoires rappelaient les rapports directs existant entre le roi de France et Dieu, et la dignité conférée par ce pacte au royaume très chrétien parmi tous les royaumes du monde. Deux anges servent souvent de tenants à l'écu. Le public voit donc les armoiries comme Clovis ou l'ermite de Joyenval avaient dû les voir descendre du ciel, apportées par des anges. Toute la composition prend ainsi l'allure d'une «monstrance», l'écu remplaçant la relique ou l'objet miraculeux, le voile de Véronique par exemple, que les images de dévotion représentent souvent tenu par deux anges. À partir de Louis XI, un autre ange, du plus haut rang, figure aussi dans les armes de France complètes. L'archange Michel est, comme on sait, le plus puissant de tous les anges, le chef des armées célestes, celui qui a chassé du ciel les cohortes de Lucifer et qui vaincra pour finir l'Antéchrist[42]. Il est aussi le peseur d'âmes du Jugement dernier. En même temps, l'ordre des archanges étant chargé, selon les angélologues, des rapports du ciel avec les peuples, Michel passait pour avoir été le protecteur et le guide d'Israël. En créant l'ordre de Saint-Michel en 1469, Louis XI obéissait à des perspectives de politique intérieure qu'il ne nous appartient pas d'examiner ici, mais en même temps il plaçait officiellement le royaume sous une nouvelle protection, jugée sans doute plus efficace et plus prestigieuse que celle du vieux saint Denis[43]. Autour de l'écu de France figura désormais le collier de l'ordre, avec un pendentif montrant le combat de l'archange guerrier contre le dragon ou le mauvais ange, représentants du Mal.

La présence de saint Michel dans les armes de France était le rappel visible des nombreux miracles que l'archange passait pour avoir accomplis en faveur de Charles VII[44]. Celui-ci, dès l'âge de treize ans, étant dauphin, avait fait mettre sur ses étendards l'image de saint Michel terrassant le dragon et il était resté fidèle à cette dévotion qui avait trouvé sa récompense durant la phase ultime de la guerre contre les Anglais. On tenait en effet que la résistance héroïque du Mont, la victoire d'Orléans le jour de la Saint-Michel (8 mai), la reconquête du Poitou et de la Guyenne étaient dues à l'intervention de l'archange, dont on signalait de nombreuses apparitions, et l'on sait le rôle que lui conféra Jeanne d'Arc dans la définition et l'accomplissement de sa mission. L'image de saint Michel rappelait donc que l'ange gardien d'Israël était devenu, sans aucun doute possible, celui de la France. En outre, c'était une image symbolique du roi lui-même. Lorsque celui-ci combat les ennemis du royaume ou ceux de la foi, inspirés par Satan, l'archange guerrier et justicier est non seulement son modèle mais son alter ego. Pour l'entrée de François Ier à Angers en 1518, on mit en scène la France menacée par une hydre qui symbolisait la coalition vaincue à Marignan, et sauvée par un saint Michel portant le collier de l'ordre et un écu fleurdelisé, véritable double céleste du roi de France[45]. Selon une gravure de Jean Duvet, l'archange qui foule Satan aux pieds avec désinvolture, c'est le roi, couronné, encadré par deux acolytes portant l'écu fleurdelisé et l'oriflamme de Saint-Denis[46], et dominé par la colombe du Saint-Esprit. Le *H* et la devise au croissant l'identifient comme Henri II. En 1532, dans *L'Ordre saint Michel et du Roy*[47], un auteur anonyme affirme que le sacre fait du roi l'exact équivalent terrestre de l'archange. Michel est le « préfet » du paradis céleste, le roi, celui du paradis terrestre ; le

*Henri II en saint Michel vainqueur du mal,
entre deux acolytes portant l'écu fleurdelisé et l'oriflamme,
sous la colombe du Saint-Esprit, gravure de Jean Duvet.*

premier est le chef militaire de l'Église triomphante, le second, celui de l'Église militante; tous deux sont médiateurs entre Dieu et l'humanité, l'un descendant du ciel, l'autre montant de la terre; l'un pèse les âmes, l'autre juge les actes de ses sujets, etc. Et comme on est au moment de la première réaction catholique face au luthéranisme, l'auteur insiste sur les luttes contre Lucifer, les ennemis d'Israël, l'Antéchrist: œuvres archangéliques que les rois de France ont pour tâche de prolonger par l'extermination de tous les sectateurs du démon.

De 1469 à 1516, le collier de l'ordre fut constitué de douze coquilles d'or reliées par des «lacs» ou aiguillettes en forme de nœuds. Les coquilles étaient l'emblème du Mont (elles figuraient dans les armes de l'abbaye), mais le chiffre douze, hautement symbolique en soi (les douze Apôtres, les douze articles du Credo, les douze pairs de France...), ne paraît pas avoir représenté quelque chose de précis, le nombre des chevaliers n'ayant jamais été fixé à douze. Le nombre des coquilles devait d'ailleurs varier par la suite. Les «lacs» symbolisaient par métaphore les liens d'amitié et de solidarité unissant les membres de l'ordre. En 1516, François Ier les remplaça définitivement par une double cordelière d'or[48]. La cordelière était la devise des dévots de saint François. L'influence franciscaine était devenue très forte, notamment dans l'entourage royal, depuis le séjour en Touraine (1482-1507) de François de Paule (béatifié en 1513, canonisé en 1519). La reine Claude, comme sa mère Anne de Bretagne, et Louise de Savoie étaient elles-mêmes tertiaires franciscaines et les deux saints François étaient les patrons du roi, dont la naissance passait pour avoir été obtenue par leur intercession. Par son geste, François Ier acquérait donc au royaume deux protecteurs supplémentaires et les armes de France rappelèrent, à travers la cordelière du collier de l'ordre, que la nation «françoise» pouvait se prévaloir de l'attention particulière des deux saints, dont l'idéal de paix et de charité était approuvé par ses rois.

L'institution de l'ordre du Saint-Esprit en 1579 s'explique en grande partie par le mysticisme très réel d'Henri III[49]. Cette disposition, dont il avait fait preuve dès sa jeunesse, trouva aliment dans l'observation de deux «signes» de la Providence: il fut élu roi de Pologne le jour de la Pentecôte 1573 et accéda à la couronne de France à la Pentecôte de l'année suivante. L'ordre du Saint-Esprit fut officiellement créé en commémoration de cette coïncidence qui, pour un esprit religieux, ne pouvait être le fait du hasard et laissait présager une haute destinée. Sur les armes de France, le nouveau collier vint donc doubler à l'extérieur celui de Saint-Michel. Le pendentif montrait la colombe volant vers la terre, rayonnante, au centre d'une croix (du type de Malte). Henri III, en effet, avait d'abord songé à un ordre de la Passion et chaque nouveau chevalier se voyait ordonner d'avoir en «perpétuelle souvenance» la Passion du Christ et de porter une croix cousue sur ses habits. Le collier faisait alterner des trophées avec des fleurs de lis cantonnées de langues de feu symbolisant la descente du Saint-Esprit sur les Apôtres et «trois divers chiffres» (non précisés par les statuts) où le *H* d'Henri se mêlait à des lettres grecques: Λ (sans doute pour la reine Louise de Lorraine), Φ et Π[50]. Ces monogrammes semblent avoir constitué une énigme pour les contemporains eux-mêmes. Différentes hypothèses ont été proposées par les historiens[51] mais le plus important réside justement dans cet aspect volontairement énigmatique. Par ce moyen, qui correspond d'ailleurs à la vogue contemporaine des anagrammes, chiffres, formules magiques et exercices «kabbalistiques», était en quelque sorte signalée l'approche des mystères auxquels participait le roi de France. Henri IV préféra toutefois les supprimer et ne garda que les *H*. En 1619, il fut décidé de conserver ceux-ci définitivement, en mémoire des deux rois Henri[52], mais sous Louis XIV, on les voit souvent remplacés par des *L*.

Au-delà de l'histoire personnelle d'Henri III, l'image du Saint-Esprit rappelait le fondement essentiel de la religion royale: l'onction du roi avec le chrême contenu dans la sainte ampoule miraculeusement envoyée à saint Remi[53]. Selon la version la plus répandue de la fameuse légende, officialisée par l'archevêque Hincmar en 869, l'ampoule avait été apportée par le Saint-Esprit lui-même sous la forme d'une colombe et, du coup, le baptême de Clovis était devenu une répétition du baptême du Christ (au cours duquel la colombe était apparue dans le ciel). Sur les pièces d'or, médailles et jetons frappés à l'occasion du sacre[54], Charles IX, Henri III et Louis XIV choisirent de faire représenter le «hiéroglyphe[55]» de la sainte ampoule tenue dans le bec de la colombe – tandis qu'Henri II, François II et Louis XIII la préférèrent tenue par la main de Dieu sortant des nuages. On disait aussi la sainte ampoule apportée par un ange (tardivement identifié avec saint Michel). Mais, de toute façon, l'onction signifie, pour le christianisme, l'infusion du Saint-Esprit dont la vertu invisible est mêlée au chrême. Toute onction tient donc de la Pentecôte. Les chevaliers du Saint-Esprit jouaient un grand rôle dans le cérémonial du sacre. Sur la tapisserie de la série de l'*Histoire du Roi* dessinée par Lebrun, l'axe central de la scène du sacre est marqué par la croix de l'ordre avec la colombe rayonnante au centre. C'est l'image figurant sur la tenture derrière l'autel et c'est en même temps le symbole central de toute la cérémonie. L'oiseau pentecostal de l'ordre rappelle aussi la descente du Saint-Esprit sur Clovis le jour du baptême et sur les successeurs le jour du sacre. Les médailles commémorant le sacre de Louis XIV représentent le roi à genoux et la Foi et l'Espérance soutenant au-dessus de sa tête la couronne d'où la colombe descend vers le roi. Cette couronne est surmontée d'une flamme, langue de feu de la Pentecôte et symbole de la Charité: on lit sur le tapis du prie-Dieu royal: «*Charitas in corde diffusa per Spiritum Sanctum.*»

Comme celle des fleurs de lis, la légende de la sainte ampoule fit l'objet de sérieuses révisions au XVIIe siècle, surtout par l'érudit Jean-Jacques Chiflet, sujet franc-comtois du roi d'Espagne[56]. Mais elle resta officielle en France jusqu'à la fin de l'Ancien Régime. L'onction, non par « huile ou balme [baume] confit de main d'évesque ou d'apotiquère » mais par une « sainte liqueur célestièle », faisait du roi de France un personnage à part. Depuis le XIIIe siècle, il restait le seul à recevoir l'onction sur le front, comme un évêque. « Oint plus noblement et plus saintement que onques roy de la vieille loy ne de la nouvelle », il « ne recongnoist nul souverain temporel estre sur lui », écrit en 1372 le carme Jean Golein[57]. Cette position face aux autres puissances s'exprima dans l'image de la couronne timbrant les armes de France.

Un roi aussi imbu du pouvoir conféré par ses liens directs avec le ciel ne pouvait accepter le schéma médiéval traditionnel, maintes fois concrétisé en images symboliques, qui n'imaginait de dialogue qu'entre le pape et l'empereur et faisait des rois de simples assistants de ce dernier. Une solution consistait à évacuer l'empereur. Les rois de France furent candidats à l'Empire romain germanique[58] et espérèrent longtemps que l'« Empereur des derniers jours » prophétisé par la littérature eschatologique serait français[59]. Une autre solution était de remplacer le schéma binaire par un schéma trinaire. Selon une croyance fermement établie à la fin du Moyen Âge, trois institutions doivent durer jusqu'à la fin des temps : l'Église, l'Empire et la France. La première a eu souvent recours aux rois de France, dont les papes ont recherché la protection. Par ailleurs, certains auteurs entreprirent de démontrer la supériorité du titre de roi sur celui d'empereur : dans l'Écriture et chez les Pères, le Christ est appelé « roi » et non « empereur » et la Vierge est « reine » ; les Romains avaient davantage de considération pour la fonction législative du *rex* que pour la fonction militaire de l'*imperator*, simple chef de guerre paré des prestiges de la victoire[60], etc. Sur la page de titre de l'ouvrage de Terzone déjà cité, le roi de France est représenté debout entre le pape et l'empereur, soutenant la tiare de l'un et la couronne de l'autre.

La couronne aux fleurs de lis ne souffrait donc d'aucun complexe d'infériorité et cela explique sans doute la longue réticence des rois de France à adopter la couronne impériale. Celle-ci était connue sous deux formes : celle, symbolique et purement littéraire, d'une triple couronne, inspirée de la tiare pontificale à trois diadèmes[61], et celle, réelle ou dérivée de la réalité[62], d'une couronne « fermée », avec deux arceaux croisés au-dessus du bandeau. Au contraire, les couronnes portées par les rois de France avant 1547 étaient du type « ouvert », ainsi que celle figurant dans leurs armes. Mais dès la fin du XIVe siècle les rois d'Angleterre adoptèrent la couronne fermée et ceux de Hongrie, de Bohême et même d'Écosse (fin XVe siècle) en firent autant. Ces monarques manifestaient ainsi leur *imperium*, leur souveraineté et leur indépendance vis-à-vis de toute instance supérieure – que les rois de France proclamaient eux-mêmes depuis le XIIIe siècle. Par ailleurs, dans la seconde moitié du XVe siècle, les ducs de Bretagne et de Lorraine n'hésitèrent pas à orner leur couronne ducale de fleurons. Pris entre deux feux, les rois de France durent sauter le pas. Ils avaient, au reste, une raison supplémentaire de le faire : leur domination, réelle ou fictive, sur plusieurs États autrefois autonomes, royaumes de Naples et Sicile et de Jérusalem, duchés de Milan et de Bretagne[63]. Les premières images connues de la couronne de France à l'impériale datent du règne de Charles VIII. L'une, du type de la triple couronne, apparaît au-dessus de l'écu fleurdelisé sur la reliure d'un manuscrit, l'autre est un portrait du roi à cheval, armé, portant par-dessus son heaume une couronne fermée (1497 env.)[64]. Sous Louis XII, les images des armes de France timbrées de la couronne fermée commencent à se multiplier et les relations des fêtes marquant l'entrée du roi à Paris en 1498 mentionnent la présence d'une couronne à l'impériale sur le heaume royal exhibé dans le cortège et sur l'écu accroché à l'arbre d'honneur pendant le tournoi[65]. Le triomphe final de la couronne à l'impériale date d'Henri II[66]. En 1547 la nouvelle couronne utilisée pour le sacre est fermée. Une nouvelle matrice du sceau est gravée, avec la couronne fermée à l'avers et au revers. Désormais, les armes de France ainsi timbrées rappellent, selon les formules constamment répétées, que le roi « est empereur en son royaume » et ne le tient « fors de Dieu et de luy[67] ». Une saisissante illustration en fut réalisée en 1519 pour François Ier[68]. Elle montre le Christ en croix, tenant la couronne de France fermée et l'étendard rouge frappé d'une croix blanche adopté par les armées françaises depuis le XIVe siècle[69]. Le roi de France tient son pouvoir directement du Christ, seul empereur qu'il reconnaisse, et n'a même pas besoin de passer par le pape.

La symbolique de l'être

Pour l'entrée de Charles VIII à Rouen, le 14 avril 1485, l'« establie » dressée sur le parvis de la cathédrale présentait sur trois étages circulaires et tournants la vision de saint Jean, reproduction à l'aide de personnages vivants, de formes découpées et de machines, de l'image apocalyptique romane[70]. Au sommet, Dieu en majesté, dans la mandorle, était assis sur l'arc céleste, entouré des symboles des quatre évangélistes, avec l'agneau et le livre fermé des sept sceaux. Il était contemplé et acclamé par les vingt-quatre vieillards, assis à l'étage du dessous, éclairé par les sept lampes ardentes symbolisant les sept dons de l'Esprit. Saint Jean et l'ange figuraient à l'étage inférieur. Ce tableau vivant était intitulé « Ordre politique » et l'auteur de la relation imprimée en donne la clé: Les vingt-quatre sages vieillards représentaient les conseillers du roi à Rouen et les sept lampes, les sept évêques de Normandie. Les quatre symboles des évangélistes étaient aussi ceux des quatre «états» de la province (clergé, noblesse, bourgeoisie et commun). Et Dieu le Père représentait le roi lui-même.

On pourrait être tenté de voir là un exemple précoce des excès de l'adulation du monarque sous l'Ancien Régime. En fait, il s'agit de la traduction en image concrète d'une des formules les plus constantes dans les écrits traitant de la monarchie: «Le roi est l'image de Dieu.» D'Hugues de Fleury (sous Louis VI) à Ronsard, de Jean de Salisbury (1159) à Bossuet en passant par les juristes du règne d'Henri IV, tous l'ont répété: «*imago deitatis princeps*», «les Rois sont véritablement les images vives et animées de Dieu», le Seigneur «a fait dans le prince une image mortelle de son immortelle autorité[71]». D'abord – et dans une culture en grande partie dominée par le mode de pensée symbolique, on peut dire: tout simplement – le roi est l'image de Dieu car il est, comme Dieu dans l'univers, au sommet (ou au centre) d'un organisme vivant et hiérarchisé, le royaume, lui-même univers en petit, microcosme. Plus profondément, la définition du roi comme «image de Dieu» renvoie à la conception mystique de la monarchie française qui compare constamment le roi au Christ[72]. D'une part, il est, dans le monde de la Nouvelle Loi, l'équivalent des rois d'Israël, appelés eux-mêmes «christs» et préfigurant le Christ puisqu'ils étaient oints (l'araméen *meschikhâ* (messie), traduit en grec *kristos*, signifie «oint»). Jésus-Christ a été «oint du saint Esprit et de puissance» (Actes, X, 38), comme l'est le roi de France le jour du sacre. Ce jour-là, les rois «deviennent la figure et l'image du Christ», écrit en 1100 un auteur normand[73]. D'autre part, dans ses rapports avec la communauté nationale, le roi peut être dit semblable au Christ car il a, comme lui, un corps immatériel, moral, un «corps mystique[74]». Le corps mystique du Christ est formé par l'assemblée des fidèles, l'Église, celui du roi par la communauté nationale, la *respublica*. Autrement dit, le roi est l'«incarnation» de la nation. Cette théorie est encore derrière l'axiome du cours de droit public inspiré par Louis XIV: «La nation réside tout entière dans la personne du roi[75]», comme elle l'était derrière les mots de Louis XI: «Je suis la France[76].»

Le parallèle ainsi établi entre le roi et le Christ se traduit visiblement dans des gestes et des rites de répétition et des images symboliques fonctionnant sur une métaphore visuelle. Parmi les premiers, on citera certains actes isolés transmis ou imaginés par les chroniques: Philippe Auguste avant Bouvines, réunissant autour d'une collation les douze pairs «en souvenir des douze Apôtres» et prononçant des paroles calquées sur celles du Christ lors de la Cène[77]; ou encore Charles V à son lit de mort, se faisant apporter sa couronne et la relique de la couronne d'épines et établissant un parallèle entre les deux, également précieuses et viles et douloureuses à porter[78]. Parmi les rites, une place majeure doit être accordée au cérémonial de l'entrée royale. Jusqu'à la fin du premier tiers du XVIe siècle au moins, l'apparition du roi dans sa bonne ville est implicitement assimilée à l'épiphanie du Christ. Le peuple, par exemple, crie : « Noël ! » À Lyon pour l'entrée de François Ier en 1515[79], l'arrivée du roi fut présentée sur un théâtre de rue comme la « bonne nouvelle » annoncée aux bergers du « parc de France » et le connétable (qui marche devant le roi dans les cortèges et dirige l'avant-garde dans les batailles) fut explicitement comparé à saint Jean-Baptiste préparant les voies du Seigneur. Selon une tradition enracinée dans les Xe et XIe siècles, certains rites de l'entrée du roi faisaient écho à celle du Christ à Jérusalem – préfigurant elle-même l'entrée dans la Jérusalem céleste[80]. On chantait *« Benedictus qui venit in nomine Domini », « Filiae Sion in rege exultent »*, etc. En outre, l'assimilation de l'entrée royale et de la Fête-Dieu devint de plus en plus nette à partir du troisième quart du XIVe siècle[81]. Le roi était traité comme le saint sacrement, placé à l'entrée de la ville sur une estrade ou, plus tard, dans une loge architecturée, comme dans un reposoir, pour recevoir l'hommage des représentants de la cité, puis abrité sous un dais et conduit en cortège jusqu'à l'église à travers des rues décorées comme pour la Fête-Dieu. On connaît même un cas où le roi voulut rappeler sa qualité de vivante image du Christ par le choix d'un costume approprié : à Paris, en 1518, François Ier apparut vêtu d'une tunique blanche à plis serrés, « ayant la forme du vêtement du Christ », écrit un témoin italien[82].

Des images complétaient cet ensemble de rites. On en citera deux. Sous Charles VIII, une médaille fut frappée par la ville de Vienne en Dauphiné pour commémorer la naissance du dauphin Charles-Orland (1494)[83]. La reine Anne de Bretagne y est représentée sur le modèle de la Madone, en robe à larges plis, portant la couronne et le sceptre, assise de face sur un siège sans dossier, et le dauphin debout sur ses genoux joue le rôle de l'Enfant Jésus. La métaphore visuelle est complétée par la légende : *« Et nova progenies celo dimittitur alto »*, vers 7 de la IVe églogue de Virgile qui passait pour une prophétie de la naissance du Christ. Pour l'entrée d'Henri II à Rouen en 1550[84], sur un théâtre établi à la Crosse, on voyait apparaître le « simulacre » du roi. De son cœur sortaient des ceps de vigne portant des grappes dont le jus était exprimé et bu par une troupe de personnages respectueusement agenouillés, représentant les nations de la terre. Cette étonnante image était évidemment inspirée d'une composition allégorique célèbre depuis la fin du Moyen Âge, le « pressoir mystique » et le roi occupait tout simplement la place du Christ.

En 1611, parmi les devises figurant dans la pompe funèbre d'Henri IV organisée par les jésuites au collège de La Flèche, il y avait un pélican s'ouvrant la poitrine pour nourrir ses petits, avec la légende *«Pro lege et grege»*, pour la loi et pour le peuple[85] : symbole de la charité royale poussée jusqu'au sacrifice de la vie, directement emprunté à la symbolique du Christ[86]. On pourrait multiplier les exemples puisque, le roi étant l'image du Christ, tout symbole christologique pouvait légitimement lui être appliqué. Deux d'entre eux lui convenaient particulièrement : le cerf et le phénix. L'*Histoire naturelle* de Pline, relayée par les bestiaires médiévaux, faisait du cerf un destructeur des serpents et le dotait d'une fabuleuse longévité et même de la capacité de rajeunir ou de renaître périodiquement après s'être baigné dans une fontaine. Victorieux du mal (le serpent) et de la mort, il était tout naturellement devenu un symbole du Christ. Dans la *Queste del Saint Graal*, celui-ci apparaît à Perceval sous la forme d'un cerf blanc, portant un collier d'or, qui finit par s'envoler dans une lumière surnaturelle. Cette vision fournit à Charles VI, lecteur de la *Queste*, sa devise principale de 1381 à 1394 environ[87]. Puis, à partir de Charles VII et jusque vers 1520, le cerf-volant blanc au collier d'or en forme de couronne servit fréquemment de portant aux armes de France et fit un peu figure d'animal emblématique du roi et du royaume. On comprend aisément pourquoi. Comme le Christ, le roi est (ou doit être) l'ennemi et le destructeur du mal. Et, d'autre part, selon la doctrine des deux corps, s'il meurt en tant qu'individu, corps charnel, il est aussi l'incarnation de la dignité, de l'autorité royale qui, elle, « ne meurt jamais ». En 1429, la *Ballade du sacre de Reims* crée un parallèle entre le cerf-volant qui se régénère dans la fontaine et le roi qui meurt et renaît à chaque nouveau règne. En 1461, Henri Baude allégorise la mort de Charles VII et l'avènement de Louis XI en mystérieuse disparition du grand cerf ailé, remplacé par le jeune cerf en qui lui est promise la réincarnation[88]. Au siècle suivant, le cerf-volant céda la place au phénix. Cet oiseau, selon les auteurs antiques, n'existe qu'à un seul et unique exemplaire dans le monde et se survit sans trêve : périodiquement, le dieu qu'il adore, le soleil, allume un bûcher sur lequel il se fait consumer et, de ses cendres, renaît identique à lui-même et régénéré, trois jours après. Devenu pour les Pères le symbole même du sacrifice et de la résurrection du Christ[89], le phénix se devait d'être récupéré par l'imagerie monarchique[90]. Dans *L'Histoire et description du Phoenix* (Paris, 1550), poème adressé à Marguerite de France, sœur d'Henri II, par Guy de La Garde, le rapprochement est longuement explicité : il n'y a jamais qu'un seul roi de France à la fois, qui doit brûler du feu de la Charité (amour de Dieu et amour du peuple) et qui se succède sans cesse à lui-même à travers les âges. Ce symbole monarchique était bien connu en 1576 : Henri III entrant à Orléans fut présenté dans la harangue du délégué de la ville comme « un seul et unic Phénix [...] suscité des cendres de deffunct nostre bon Roy[91] ». À la fin de 1643, année de la mort de Louis XIII, en tête des devises soumises au choix du Conseil d'État pour les jetons du Jour de l'An

1644, figurait l'image du phénix sur son bûcher face au soleil, avec la légende virgilienne christianisée déjà rencontrée : « *Caelo demittitur alto.* » La proposition était soigneusement justifiée : « Le Phoenix naist et s'élève des cendres de son père par l'influence qui luy est envoyée du Ciel et du Soleil. Ainsy le Roy nous a esté miraculeusement donné d'en haut, et du lict funèbre de son père il s'élève à son lict de Justice[92]. »

La symbolique de l'action

Le succès du phénix comme symbole de la continuité de la monarchie s'explique sans aucun doute par sa qualité d'animal « solaire ». C'était aussi le cas du coq, emblème du peuple français par étymologie fantaisiste (*gallus* signifie à la fois coq et gaulois)[93], qui est alors utilisé comme image du roi, notamment sous François Ier. Or, le soleil tient une place de plus en plus importante dans la symbolique monarchique à partir du début du XVIe siècle.

Le soleil appartenait également à la symbolique du Christ[94]. Les très anciens cultes solaires du Proche-Orient (associés en Égypte à la théocratie pharaonique) ont un écho dans le langage à la fois cultuel et poétique des Écritures, où Yahvé apparaît comme *Sol Justitiae* (Psaume XIX, Malachie, IV, 2...) et le Christ comme le soleil levant descendu du ciel, *Oriens ex alto* (Luc, I, 78-79). Par ailleurs, les rois hellénistiques puis les empereurs romains organisèrent autour de leur personne un culte solaire où l'astre levant *(Sol oriens)* et « invaincu » *(Sol invictus)* était présenté comme leur double céleste, leur compagnon divin. À la suite de quoi, les auteurs chrétiens des premiers siècles déclarèrent le Christ seul véritable « *Sol invictus* » puisque, tel le soleil qui disparaît le soir pour reparaître au matin, il était descendu aux Enfers pour ressusciter plus brillant et plus beau. L'Empire chrétien et Byzance scellèrent l'alliance des deux traditions, impériale et christologique, comme en témoignent le cérémonial et les hymnes. En Occident, le legs byzantin (par Naples et la Sicile), la redécouverte de l'Antiquité et le néo-platonisme florentin (avec notamment le *De sole* de Marsile Ficin) favorisèrent l'application de l'imagerie solaire aux papes d'abord (XIVe siècle) puis aux empereurs et aux princes, à commencer par les Médicis. Mais le mouvement ne fut nulle part aussi fort ni aussi constant qu'en France.

Contrairement à une idée encore trop répandue, le thème du « roi-soleil » ne date aucunement de Louis XIV. Certes, à partir du carrousel de juin 1662 devant les Tuileries, celui-ci fit du soleil la devise officielle du règne, unique, omniprésente, à la fois fixée une fois pour toutes (avec le mot *« Nec pluribus impar »*) et source d'innombrables variations. Mais en cela comme en bien d'autres choses, le règne de Louis XIV ne représente que le point final, brillant et quelque peu pléthorique, d'une longue histoire. Sous Charles VI, dans les années 1380, un soleil figurait déjà parmi les devises royales[95] et sur les étendards de Charles VII, Louis XI et Charles VIII, des soleils d'or accompagnaient l'image de saint Michel[96]. Mais sans doute faut-il y voir plutôt des symboles de Dieu-*Sol Justitiae*, comme c'est encore le cas dans le portrait de Charles VIII à cheval, armé et couronné à l'impériale, vers 1497[97] : le soleil rayonnant au-dessus de lui représente la divinité qui, dit le poème ainsi illustré, confère au roi l'éclat d'une pierre précieuse ou d'un cristal. En 1514, en revanche, pour l'entrée de la reine Marie à Paris[98], le spectacle de rue, organisé par les officiers du Châtelet (c'est-à-dire les gens de justice) et dominé par les personnifications de la Vérité et de la Justice, offrit bel et bien l'image du roi sous les traits de « Phébus ». Quatre ans plus tard, lors de son entrée à Angers[99], François Ier fut explicitement qualifié de « vray Soleil de Justice » sur l'écriteau commentant un spectacle où la France apparaissait comme la femme de l'Apocalypse, « vêtue de soleil et ayant la lune sous ses pieds ». En 1532, pour l'entrée du roi, de la reine, du dauphin et des enfants de France à Caen[100], un théâtre de rue montra la ville soudainement illuminée par l'apparition du soleil et des six autres planètes, conjonction céleste symbolisant le rassemblement de la famille royale autour du roi, selon une formule destinée à un grand avenir.

Mais le thème solaire ne prit toute son importance dans l'imaginaire monarchique qu'à partir de Charles IX. Le roi lui-même lui donna alors une valeur officielle. Près d'un siècle avant Louis XIV, pour les fêtes du Carnaval de 1571, il apparut « habillé en forme de Soleil » et deux joueurs de lyre récitèrent à cette occasion une *Comparaison du Soleil et du Roy* composée par Ronsard. En 1581, pour les fêtes du mariage du duc de Joyeuse, on dressa dans la cour du Louvre un théâtre en rond « qui du ciel estoilé représentoit l'exemple ». Une machinerie y faisait mouvoir les lumières des planètes parmi les constellations du zodiaque. Henri III y fit son entrée sous l'aspect du Soleil conduisant son char[101]. Le mouvement conserva la même ampleur sous Henri IV. Antoine de Laval proposa même au roi de changer de devise (elle symbolisait l'union de la France et de la Navarre sous un même protecteur) et d'adopter le soleil, brillant au-dessus des *regalia* du sacre posés sur un autel, avec le mot « *Orbi lumen columenque suo* » (« Lumière et soutien de son univers »)[102]. Et en 1611, la médaille commémorant l'accession de Louis XIII au trône montrait le jeune prince en Soleil levant, sous les auspices de Minerve, déesse de la Paix (Marie de Médicis), avec la légende, directement empruntée à la symbolique impériale romaine : « *Oriens Augusti*[103] ».

Le soleil pouvait redevenir à tout moment ce qu'il était sous Charles VIII, l'image de la puissance divine. C'est ce dont témoigne le jeton de 1644, où le roi occupe la place du phénix. Mais lorsque le rôle solaire est joué par le roi, un glissement s'opère et c'est alors la France, la reine ou les princes du sang que représentent le phénix ou tout autre animal ou objet lié au soleil : aigle, héliotrope, miroir, cadran solaire, etc. Une importance particulière est évidemment accordée aux astres secondaires et aux phénomènes célestes brillant par réverbération de la lumière solaire : l'arc-en-ciel, la lune ou l'étoile de Vénus pourra représenter la reine, Castor et Pollux, les étoiles jumelles, seront les frères royaux, etc. Emblèmes et devises traduisent ainsi le double rôle de la famille royale : donner l'exemple d'un culte du roi, servir de relais aux rayons bienfaisants de l'astre royal.

Toute cette construction symbolique repose évidemment sur une métaphore traditionnelle et fondamentale. La chaleur et la lumière représentent la victoire sur l'erreur, la haine, le mal et la mort, domaine des ténèbres et du froid. Les images solaires, avec leurs mille variations, petits jeux et afféteries, ont finalement pour tâche de rappeler sans cesse l'action bienfaisante qu'exerce (ou doit exercer) le roi sur le royaume, représenté tantôt comme un jardin fertilisé par les rayons de l'astre[104], tantôt comme un navire guidé par la lumière du soleil et des autres astres royaux[105]. Ces images sont complétées par toute la symbolique du feu et de la lumière, que la royauté partage avec la divinité. La salamandre de François Ier ou la colonne de feu de Charles IX, par exemple, doivent être replacées dans cette perspective. De même, le flambeau et le phare, fréquemment utilisés comme images du Christ dans la littérature et l'art sacrés, symbolisent les « lumières » de la royauté, engagée dans une lutte sans trêve contre les « ténèbres » de l'ignorance et du crime et contre les « nuages » de toutes les « tempêtes » qui menacent le « navire » de l'État. En témoignent, par exemple, les deux chandeliers symboliques portant l'inscription *« Eramus olim tenebrae, nunc autem lux in Domino »*, offerts par la ville de Paris en 1531 à la reine Éléonore (qui avait pris le phénix pour devise)[106], la fresque du *Naufrage* dans la galerie François Ier à Fontainebleau[107], les jetons offerts au roi par Sully en 1594 et 1596, montrant un feu qui brille sur une montagne et au milieu de la mer, malgré les vents et les flots en fureur[108], et même un monument entier comme le phare de Cordouan, à l'embouchure de la Gironde, bâti autour de 1600[109].

De telles images suggèrent la toute-puissance de l'action royale. De même que la simple apparition du soleil suffit à vaincre la nuit et les intempéries, on rêve que la seule arrivée du roi, *Sol oriens*, est un gage suffisant de salut. Cette « présence efficace[110] » ne connaît ni hiatus ni fin : *Sol invictus*, le roi « ne meurt jamais ». Elle est aussi omniprésence. L'idée de justice n'est finalement jamais perdue de vue et l'une des lectures possibles du *« Nec pluribus impar »* de Louis XIV peut faire écho à l'échafaud parisien de 1514 où les officiers du Châtelet avaient assimilé le roi au *Sol Justitiae* : comme les rayons du soleil pénètrent partout et luisent sur toute la terre, l'action royale se fait sentir de la même façon en tous lieux[111]. En même temps, la nouvelle conception héliocentrique de l'univers faisait du soleil la parfaite image aussi bien du Dieu tout-puissant que du souverain absolu, individus uniques autour desquels tout s'organise, moteurs immobiles du mouvement général. En 1607, par exemple, un auteur évoqua à la fois l'exemple du soleil et celui du «roi» des abeilles pour prouver que, des astres aux insectes, tout démontre que la monarchie est la forme de gouvernement la plus conforme à l'ordre de la nature[112].

À l'image du soleil, centre de l'univers, est liée celle d'Apollon réglant sur sa lyre la musique des sphères célestes, symbole antique de l'harmonie et de la cohésion du cosmos. Or, le corps social est lui aussi divisé en «sphères», c'est-à-dire en ordres ou états, et des volontés diverses y exercent une action centrifuge. L'action royale doit donc consister à établir l'harmonie, l'équilibre, la concorde entre ces éléments[113]. Au XVIe siècle, l'étymologie de *«concordia»* (réunion des cœurs) fit imaginer de lui donner comme symbole un grand cœur contenant d'autres cœurs plus petits. Il apparaît, accompagné du mot *«Unitas»*, sur un jeton frappé en l'honneur d'un dauphin (sans doute le fils de François Ier)[114]. Le revers montre une colonne portant inscrit sur le socle: *«Plebs»*, sur le fût: *«Nobilitas»* et sur le chapiteau: *«Clerus»*, et un nœud, image du «lien» unissant les trois états, sur lequel on lit: *«Concordia.»* Dans un dessin de Godefroy le Batave commémorant la régence de Louise de Savoie, vers 1516[115], le même cœur en contenant trois petits figure à côté de la mère du roi, personnification de *«Concordia»*, qui tient dans ses mains les mains unies des représentants des trois états. Un autre symbole de la concorde était fourni par la grenade, ce fruit qui réunit dans une seule enveloppe une multitude de petits grains. C'est pourquoi François Ier tient ostensiblement une énorme grenade sur la fresque de l'*Unité de l'État* à la galerie de Fontainebleau et les états sont agglutinés autour de lui comme les grains dans la grenade[116]. L'essaim d'abeilles était aussi une belle image de l'union autour d'un roi «sans aiguillon», qui règne par l'amour et non par la crainte. Pour commémorer la guérison de Louis XIV après une grave maladie, il fut proposé au Conseil d'État de faire frapper pour 1648 un jeton avec «un roy des mousches à miel à l'entour duquel tout l'exaim se rejoint» et pour légende une citation de Virgile (*Géorgiques*, IV, 212): *«Rege incolumni mens omnibus una est»* («Tant que ce roi est sauf, elles n'ont toutes qu'une seule âme»)[117].

À la lecture d'autres images symboliques, l'œuvre royale de pacification et d'union semble conçue comme l'effet d'un irrésistible «charme». À partir du XVIe siècle, en effet, le roi est fréquemment imaginé sous les traits d'un de ces héros de la légende antique qui agissait sur les volontés et les cœurs par deux moyens apparentés à la magie: la musique et la parole. Pour la musique, outre Apollon lui-même, on pouvait évoquer Orphée, Amphion ou Cadmus.

Image du Christ dans l'art paléochrétien, Orphée charmant les bêtes sauvages et annihilant l'effort des monstres infernaux devint l'image du roi. Entrant à Rouen en 1550[118], Henri II put se voir représenté sous les traits du joueur de lyre, dirigeant le concert des Muses et apaisant de cette manière une tempête (un spectacle nautique) sur la Seine. En 1596, pour l'entrée d'Henri IV[119], les Rouennais préférèrent cette fois évoquer Amphion, le roi de Thèbes qui, par sa musique, attirait et assemblait même les pierres et aidait ainsi à construire les remparts de la ville. Ce symbole de l'union «constructive», repris pour Louis XIII à Aix en 1622[120], était déjà apparu en 1579 sur un jeton du Conseil d'État où Amphion, jouant tandis que les pierres s'assemblent, est accompagné de la légende: *«Concordia construit urbes*[121]*»*. Pour l'entrée de la reine Élisabeth à Paris en 1571, un banquet lui fut offert par la ville au palais épiscopal[122]. Le décor de la salle, dû au poète Dorat et aux peintres Niccolo et Camillo dell'Abate, avait pour thème le mythe de Cadmus, tiré d'un poème alexandrin du Ve siècle qui venait d'être redécouvert. Le héros représentait la musique sous tous ses aspects, pratiques, philosophiques et mystiques. Ayant permis de vaincre, par le charme de son art, les géants révoltés contre Jupiter et devenu ainsi le «sauveur de l'harmonie du monde», il obtint du roi des dieux la main de la princesse Harmonia et alla la chercher par mer jusqu'en Thrace. Cette histoire était représentée sur la frise courant autour de la salle. Au centre du plafond étaient figurés Cadmus et Harmonia, c'est-à-dire Charles IX et son épouse Élisabeth, voguant à bord du navire symbolisant le royaume en général et Paris en particulier. Aux angles du plafond étaient quatre autres navires, liés au vaisseau royal par quatre chaînes d'or et portant les quatre états de la ville (Religion, Justice, Noblesse et Marchandise).

Selon le poème alexandrin, Cadmus avait aussi découvert et enseigné aux Grecs les secrets du langage. Cela le rapproche d'un autre modèle du roi à la même époque, Hercule gaulois. Cette figure de la littérature grecque redécouverte par les humanistes incarnait à la Renaissance la vertu du *logos* et la force de l'éloquence nourrie par la sagesse et le savoir[123]. On le représentait tenant captifs, ou plutôt «captivés», ses auditeurs, enchaînés par les oreilles à sa langue, et les menant ainsi sur la route choisie par lui. Le roi, qui répond aux ambassadeurs étrangers, harangue les soldats, prêche le peuple, rend la justice, se devait d'avoir pour modèle ce héros de la parole persuasive. En 1532, dans le décor de l'entrée de la reine Éléonore à Rouen[124], figurait une statue de François Ier en Hercule gaulois, suivi par tout un peuple. L'image reparut au-dessus d'un arc de triomphe érigé pour l'entrée d'Henri II à Paris en 1549, Hercule gaulois, avec les traits de François Ier, tenait enchaînés à sa langue de beau parleur les représentants des quatre états, chacun, dit le livret, «contrainct de franche volonté[125]». Le thème devait être repris périodiquement

jusqu'au XVIIe siècle. Elle rappelait aussi le devoir royal de protection et de soutien matériel aux spécialistes de la littérature orale, orateurs (avocats, ambassadeurs...) et poètes. Les hommes du livre (sacré et profane) concoctèrent d'ailleurs eux aussi une image symbolique du roi, protecteur aussi bien des doctes que des guerriers, de *Sapientia* comme de *Militia*: le prince portant à la fois le livre et l'épée, tel qu'il apparaît, par exemple, sur la fresque de l'*Ignorance chassée* dans la galerie François Ier de Fontainebleau ou dans l'emblème «*Ex utroque Caesar*» de Claude Paradin et Gabriele Simeoni[126].
Apollon était aussi le dieu vainqueur du serpent Python et pouvait donc fournir un autre symbole du roi victorieux du Mal, en pendant du bon vieux saint Michel. C'est ainsi, par exemple, qu'une gravure d'almanach montre le jeune Louis XIII posant à côté du dragon percé de flèches qui pouvait symboliser à volonté tel ou tel ennemi extérieur ou intérieur, abattu pour le plus grand bien du royaume. Une autre image du roi protégeant la France contre les monstres, Persée et Andromède, fut particulièrement affectionnée sous Henri IV et Louis XIII[127]. Et bien entendu, les représentations de Jupiter foudroyant les géants et d'Hercule tuant les serpents, l'hydre de Lerne, Géryon, etc., furent largement utilisées aux XVIe et XVIIe siècles pour suggérer l'action libératrice et la toute-puissance du roi. Hercule finit d'ailleurs par devenir le modèle absolu du prince idéal, possédant toutes les vertus morales et en particulier la prudence, associées à la force nécessaire pour les faire triompher[128].

Malheureusement, Hercule était une figure trop connue. Le déchiffrement des images où il apparaissait dans un de ses «travaux» ou simplement debout, la massue à la main et la peau de lion sur le dos, était réduit à peu de chose et laissait donc peu de traces dans la mémoire. De plus, à partir d'Henri IV, il fut mis à toutes les sauces et servit à transcrire en langage symbolique à peu près n'importe quelle grande action royale. La succession monotone des mêmes figures, l'intervention de l'académisme dans la composition des images et des sentences eurent sans aucun doute leur rôle à jouer dans le déclin d'une pratique inaugurée dans la fantaisie du gothique international et poursuivie dans les curiosités multiples de la Renaissance.
Mais, surtout, les objets matériels avaient cessé d'être des reflets de l'immatériel et l'histoire, la répétition du passé mythique. N'étant plus nourri de justifications profondes, le jeu intellectuel était voué au dessèchement. Livrets d'entrées et de fêtes où sont décrits et éventuellement représentés les «tableaux» symboliques offerts à l'attention du roi, de la cour et de la rue, écrits politiques illustrés, gravures, peintures, sculptures, médailles, jetons sont aujourd'hui les lieux où se conserve la mémoire moins peut-être de telle personnalité ou de telle entreprise royale que de la vie et de la mort d'une «certaine idée» de la France dans une certaine philosophie du monde.

Nec pluribus impar, devise de Louis XIV, médaille.

1. P. E. Schramm, *Herrschaftszeichen und Staatsymbolik*, Stuttgart, 1954-1957, 3 vol. Voir présentation par Ph. Braunstein, *Le Débat*, n° 14, juillet-août 1981, pp. 166-192.

2. Sur ces catégories, deux publications récentes avec bibliographie : *Emblèmes et devises au temps de la Renaissance*, éd. M. T. Jones-Davies, Paris, 1981 ; *L'Emblème à la Renaissance*, éd. Y. Giraud, Paris, 1982.

3. Bibl. nat., ms. fr. 10451.

4. Jean Martin, *Orus Apollo, de Aegypte, de la signification des notes hiéroglyphiques des Aegyptiens...*, Paris, 1543.

5. Pour reprendre les termes du père Cl. F. Ménestrier, *La Philosophie des images énigmatiques*, Lyon, 1694.

6. Id., *La Devise du Roy justifiée* [...] *avec un recueil de cinq cens devises faites pour Sa Majesté et toute la maison royale*, Paris, 1679, p. 43.

7. Barthélemy Aneau, préface à la traduction des *Métamorphoses* d'Ovide par Cl. Marot, Lyon, 1556.

8. F. A. Yates, *The Art of Memory* (1966), trad. franç., *L'Art de la mémoire*, Paris, 1975.

9. P. Dinet, préface aux *Cinq Livres des hiéroglyphiques*, Paris, 1614.

10. Froissart, *Chroniques*, t. IV, chap. I, Rouen, 1550 : M. McGowan, « Form and themes in Henri II's entry into Rouen », in *Renaissance Drama*, t. 1 (1968), pp. 217 sq. Voir A.-M. Lecoq, « La "*Città festeggiante*". Les fêtes publiques aux XVe et XVIe siècles », *Revue de l'art*, n° 33, 1976, p. 91.

11. *Mémoires des Sages et Royales Oeconomies d'Estat*, cit. par A. de Longpérier, « Jetons composés par Sully », *Revue numismatique*, 1863, p. 439.

12. A.-M. Lecoq, « La salamandre royale dans les entrées de François Ier », in *Les Fêtes de la Renaissance III* (Colloque international, Tours, 1972), Paris, 1975, pp. 93-104 ; *François Ier imaginaire. Symbolique et politique à l'aube de la Renaissance française*, Paris, Éditions Macula, 1987, chap. I.

13. Suggestives indications de A.-M. Schmidt, « L'âge des rhétoriqueurs (1450-1530) », *in Histoire des littératures*, Encyclopédie de la Pléiade, vol. III, Paris, 1963, pp. 176 *sq.*

14. H. Zerner, *École de Fontainebleau. Gravures*, Paris, 1969, pp. XIII-XVI.

15. Ouvrages de base : F. Feuardent, *Jetons et méreaux*, Paris, Londres, 1904-1915, 3 vol. ; A. Blanchet, *Manuel de numismatique française, III, Médailles, jetons et méreaux*, Paris, 1930.

16. *Mémoires du Discours qui monstre la Nécessité de Restablir le Très-Ancien et Auguste Usage Public des Vrayes et parfaites Médailles...*, rédigés en 1608, publiés à Paris en 1611 sous le titre : *La Nécessité de l'Usage des Médailles dans les Monoyes.*

17. J. Jacquiot, *Médailles et jetons de Louis XIV d'après le manuscrit de Londres, Add. 31908*, Paris, 1968 et 1970, 4 vol.

18. *La France Métallique. Contenant les Actions Célèbres tant Publiques que Privées des Rois et des Reines...*, Paris, 1636. Sur cette entreprise : F. Bardon, *Le Portrait mythologique à la cour de France sous Henri IV et Louis XIII*, Paris, 1974, pp. 195-198.

19. C. Beaune, *Naissance de la nation France*, Paris, Gallimard, 1985, p. 239.

20. Id., *ibid.*, pp. 249-251 ; E. H. Kantorowicz, *The King's Two Bodies. A Study in Mediaeval Political Theology*, Princeton, 1957, pp. 383-450 (*Les Deux Corps du roi. Essai sur la théologie politique au Moyen Âge*, Paris, Gallimard, trad. 1989.

21. M. Pastoureau, « La fleur de lis, emblème royal, symbole marial ou thème graphique ? », *in La Monnaie miroir des rois*, exposition, Paris, hôtel de la Monnaie, 1978, pp. 252-253 et n° 1.

22. Guillaume de Nangis, *Vita Ludovici regis Francorum* et *Chronique abrégée* (fin XIIIe siècle). Voir S. Hindman et G. M. Spiegel, « The fleur-de-lis frontispieces to Guillaume de Nangis's "Chronique abrégée" : political iconography in late fifteenth century France », *Viator. Mediaeval and Renaissance Studies*, t. XII (1981), pp. 381-407.

23. P. Cotereau, *Mémoriales cédules de la céleste et divine investiture de France...* Bibl. nat., ms. fr. 5207.

24. Guillaume de Digueville ou Digulleville, *Dict de la fleur de lis* (1338). Voir A. Piaget, «Un poème inédit de Guillaume de Digulleville» *Romania*, 1936, pp. 317-358.

25. F. A. Yates, *op. cit.*

26. J. R. Strayer, «France: the Holy Land, the Chosen People and the Most Christian King», *in Action and Conviction in Early Modern Europe* (Mélanges E. H. Harbison), Princeton, 1969, pp. 3-16.

27. M. Pastoureau, *op. cit.*, p. 252.

28. *De rosae liliique certamine*, publié par H. Pirenne in *Mémoires couronnés de l'Académie royale de la Belgique*, t. XXXIII (1882), p. 41.

29. J. Van Malderghem, «Les fleurs de lis de l'ancienne monarchie française, leur origine, leur nature, leur symbolisme», *Annales de la Société d'archéologie de Bruxelles*, t. VIII (1895), p. 205; P. E. Schramm, *Der König von Frankreich*, Weimar, 1960, vol. I, p. 214.

30. M. Pastoureau, *op. cit.*, pp. 254 *sq.*

31. C. Beaune, *Naissance de la nation France, op. cit.*, pp. 243-246.

32. C. Beaune, «Saint Clovis: histoire, religion royale et sentiment national en France à la fin du Moyen Âge», *in Le Métier d'historien au Moyen Âge. Études sur l'historiographie médiévale*, éd. B. Guenée, Paris, 1977, pp. 139-156.

33. M. Prinet, «Les variations du nombre des fleurs de lis dans les armes de France», *Bulletin monumental*, t. LXXV (1911), pp. 469-488.

34. Ch. Beaussant, «Louis XIV-roi Soleil», *in La Monnaie miroir des rois, op. cit.*, p. 386, n° 27.

35. Giovanni-Angelo Terzone de Legonissa, *Opus christianissimum seu Davidicum*, Bibl. nat., ms. lat. 5971 A. Voir R. W. Scheller, «Imperial themes in art and literature of the early French Renaissance: the period of Charles VIII» *Simiolus*, t. XII (1981-1982), pp. 57-60.

36. Giovanni-Lodovico Vivaldi, «Tractatus de laudibus ac triumphis trium liliorum que in scuto regis christianissimi figurantur...», *in Opus regale...*, Saluces, 1507, Lyon, 1512.

37. *Traité de la cabale chrétienne* (vers 1520), Bibliothèque de l'Arsenal, ms. 5061. Voir A.-M. Lecoq, «Un portrait "kabbalistique" du roi de France vers 1520», *Bulletin de la Société de l'histoire de l'art français*, année 1981, Paris, 1983, pp. 15-20.

38. *Traité de la cabale chrétienne* (1536), Genève, Bibliothèque publique et universitaire, ms. fr. 167.

39. Voir ci-dessus, note 23.

40. G. Huppert, *The Idea of Perfect History* (1970), trad. franç., *L'Idée de l'histoire parfaite*, Paris, 1973.

41. C. Beaune, *Naissance de la nation France, op. cit.*, pp. 247-248.

42. Sur saint Michel et son culte en France, voir les articles réunis *in Millénaire monastique du Mont-Saint-Michel*, Paris, 1967.

43. Sur l'ordre de Saint-Michel: duc de Cossé-Brissac, «L'ordre de Saint-Michel», *in Amis du Mont-Saint-Michel*, 1968, pp. 7-13; *De l'ordre de Saint-Michel à la Légion d'honneur*, exposition, Amboise, Hôtel de Ville, 1970.

44. C. Beaune, *Naissance de la nation France, op. cit.*, pp. 194-196.

45. *Entrée du trescrestien et chevaleureux roy de France Françoys de Valloys premier de ce nom et de la tresnoble royne en leur bonne et notable ville et cité d'Angiers* [...] *le VI. jour de juing l'an mil V cens XVIII*, s.l.n.d.

46. Sur l'oriflamme: Ph. Contamine, *L'Oriflamme de Saint-Denis aux XIVe et XVe siècles* (extrait des *Annales de l'Est*, 1973), Nancy, 1975.

47. Bibl. nat., ms. fr. 5748.

48. *De l'ordre de Saint-Michel à la Légion d'honneur, op. cit.*, p. 29.

49. J. Boucher, «L'ordre du Saint-Esprit dans la pensée politique et religieuse d'Henri III», *Cahiers d'histoire*, t. XVIII (1973), pp. 129-142.

50. A Favyn, *Théâtre d'honneur et de chevalerie*, Paris, 1620, p. 645; A. du Chesne et J. Haudicquer, *Recherches historiques de l'ordre du Saint-Esprit*, Paris, 1695, vol. I, p. 73.

51. Voir en dernier lieu J. Boucher, *op. cit.*: «Henri et Louise, *Philoi Paracleton* (aimant le Paraclet)».

52. P. Helyot, *Histoire des ordres monastiques, religieux et militaires*, vol. VIII, Paris, 1719, pp. 414-415.

53. L'ouvrage de base reste celui de M. Bloch, *Les Rois thaumaturges*, Strasbourg, 1924, 2e éd., Paris, 1961, rééd. corrigée, Paris, 1983.

54. J.-A. Blanchet, «Médailles et jetons du sacre des rois de France», *Bulletin de numismatique et d'archéologie*, t. VI (1890), pp. 149-170, repris *in Études de numismatique*, vol. I. Paris, 1892, pp. 191-226.

55. Père Cl. F. Ménestrier, *La Philosophie des images énigmatiques, op. cit.*, p. 18: «La sainte ampoule est l'hiéroglyphe du sacre de nos rois dans leurs médailles.»

56. Jean-Jacques Chiflet, *De ampulla Remensis nova et accurata disquisitio ad dirimendam litem de praerogativa ordinis inter reges*, Anvers, 1651. Voir G. Tessier, *Le Baptême de Clovis*, Paris, 1964, pp. 138-140.

57. Jean Golein, *Traité du sacre*, inséré dans la trad. franç. du *Rational des Divins Offices* de Guillaume Durand, exécutée pour Charles V. Publié par M. Bloch, *op. cit.*, éd. 1983, p. 480.

58. G. Zeller, «Les rois de France candidats à l'Empire. Essai sur l'idéologie impériale en France», *Revue historique*, t. CLXXIII (1934), pp. 273-311 et 497-534; M. François, «L'idée d'Empire en France à l'époque de Charles Quint», *in Charles Quint et son temps* (colloque C.N.R.S. 1958), Paris, 1959, pp. 23-25.

59. M. Reeves, *The influence of Prophecy in the later Middle Ages. A Study in Joachimism*, Oxford, 1969.

60. Voir R. W. Scheller, *op. cit.*, p. 13.

61. Id., *Ibid.*, pp. 30-32.

62. P. E. Schramm, *op. cit.*

63. R. W. Scheller, «Ensigns of authority: French royal symbolism in the age of Louis XII», *Simiolus*, t. XIII (1983), pp. 104-111.

64. Bibl. nat., ms. fr. 5080; ms. fr. 2228, f° lr°. Voir R. W. Scheller, «Imperial themes in art and literature... Charles VIII...» *op. cit.*, fig. 11 et 22.

65. *L'entrée du roi de France trescrestien Loys douziesme de ce nom a sa bonne ville de Paris* [...] *faicte l'an mil CCCC IIII. XX et XVIII, le lundi II. jour de juillet*, rééd. par B. Guenée et F. Lehoux, *in Les Entrées royales françaises (1328-1515)*, Paris, 1968, pp. 126-135.

66. M. François, «Le pouvoir royal et l'introduction en France de la couronne fermée», *in Comptes rendus de l'Académie des inscriptions et belles-lettres*, 1962, pp. 404-413.

67. A. Bossuat, «La formule: "Le roi est empereur en son royaume"», *Revue historique de droit français et étranger*, t. XXXIX (1961), pp. 371-381; G. Post, «Public Law, The State and Nationalism», *in Studies in Mediaeval Legal Thought*, Princeton, 1964, pp. 453-481.

68. Bibl. nat., ms. fr. 13429, f° 20 v°.

69. Ph. Contamine, *Guerre, État et société à la fin du Moyen Âge. Études sur les armées des rois de France, 1337-1494*, Paris, La Haye, 1972, pp. 668-670.

70. Récit par Robinet Pinel, rééd. par B. Guenée et F. Lehoux, *op. cit.*, pp. 247-252.

71. Hugues de Fleury, *Tractatus de regia potestate* (premier tiers du XIIe siècle) ; Jean de Salisbury, *Policraticus*, éd. Anvers, 1595 ; Ronsard, *Panégyrique de la Renommée à Henri III Roy de France et de Pologne* (1579) ; Cl. Demorenne, *Oraison funèbre d'Henri III*, 21 août 1595 ; H. Du Boys, *De l'origine et autorité des Roys*, Paris, 1604 ; A. Du Chesne, *Les Antiquitez et recherches de la grandeur et majesté des Roys de France*, Paris, 1609 (ces trois derniers auteurs sont cités par R. Mousnier), *L'Assassinat d'Henri IV*, Paris, 1964, 1. III, chap. II ; Bossuet, *Sermon sur les devoirs des rois* (1662).

72. Voir notamment J. de Pange, *Le Roi très chrétien*, Paris, 1949.

73. E. H. Kantorowicz, « *Deus per naturam, Deus per gratiam.* A note on mediaeval political theology », *The Harvard theological Review*, t. XLV (1952), pp. 253-277, repris *in Selected Studies*, Locust Valley, N. Y., 1965, p. 123.

74. Id., *The King's Two Bodies...*, *Les Deux Corps du roi...*, *op. cit.* Voir aussi M. Gauchet, « Des deux corps du roi au pouvoir sans corps. Christianisme et politique », *Le Débat*, n° 14, juillet-août 1981, pp. 133-157.

75. P. E. Lemontey, *Essai sur l'établissement monarchique de Louis XIV*, Paris, 1818, p. 327 ; cité, mais mal compris, par J. de Pange, *op. cit.*, p. 383.

76. Cité par B. Guenée, « L'histoire de l'État en France à la fin du Moyen Âge », *Revue historique*, t. CCXXXII (1964), p. 357, n. 4, repris *in Politique et histoire au Moyen Âge*, Paris, 1981, p. 23, n. 4.

77. *Le Ménestrel de Reims* (vingt ans plus tard). Voir G. Duby, *Le Dimanche de Bouvines*, Paris, 1985, pp. 268-269.

78. J. de Pange, *op. cit.*, p. 416.

79. *L'Entrée de François premier roy de France en la cité de Lyon le 12 juillet 1515*, éd. G. Guigue, Lyon, 1899.

80. E. H. Kantorowicz, « The "King's Advent" and the enigmatic panels in the doors of Santa Sabina », *The Art Bulletin*, t. XXVI (1944), pp. 207-231, repris *in Selected Studies, op. cit.*, pp. 37-75.

81. B. Guenée et F. Lehoux, *op. cit.*, Introduction.

82. M. Sanudo, *I diarii*, Venise, 1899, t. XXVI, col. 351.

83. F. Mazerolle, *Les Médailleurs français du XVe au milieu du XVIIe siècle*, Paris, 1902, vol. I, pp. IX-X ; J. Babelon, « Monnaies et médailles d'Anne de Bretagne », *in Actes du 91e Congrès national des Sociétés savantes, Rennes, 1966, section d'archéologie*, Paris, 1978, pp. 383-387.

84. *C'est la déduction du sumptueux ordre, plaisantz spectacles et magnifiques théatres dressés et exhibés par les citoïens de Rouen ? [...] a [...] Henry second [...] et a [...] la Royne [...] es jours de mercredy et jeudy premier et second jours d'octobre mil cinq cens cinquante*, Rouen, 1551, rééd. Par M. McGowan, Amsterdam, New York, s. d.

85. R. Mousnier, *op. cit.*, pp. 234-235.

86. Sur le symbole du pélican : L. Portier, *Le Pélican, histoire d'un symbole*, Paris, 1984.

87. C. Beaune, « Costume et pouvoir en France à la fin du Moyen Âge : les devises royales vers 1400 », *Revue des sciences humaines*, t. LV (1981), pp. 125-146.

88. *Ballade du sacre de Reims*, publié par P. Champion, *Le Moyen Âge*, t. XXII (1909), pp. 371-377 ; H. Baude, *Vie de Charles VII*, Bibl. nat., ms. lat. 6222 C. Je dois ces références à l'amabilité de Colette Beaune.

89. Voir J. Hubaux et M. Leroy, *Le Mythe du Phénix*, Liège, Paris, 1939 ; R. Van den Broek, *The Myth of the Phoenix according to Classical and Early Christian Traditions*, Leyde, 1972.

90. Voir par exemple Jean de Terre Rouge, *Tractatus de jure futuri successoris...* (XVe siècle), cité par E. H. Kantorowicz, « Mysteries of State. An absolutist concept and its late mediaeval origins », *The Harvard Theological Review*, t. XLVIII (1955), repris *in Selected Studies, op. cit.*, n. 90.

91. *Entrée du Roy et de la Royne en la ville d'Orléans le quinziesme jour de novembre mil cinq cens soixante et seize*, Orléans, 1576.

92. W. Juren, « Les projets de Dubuisson-Aubenay » pour les jetons du Conseil d'État », *Revue numismatique*, t. XVIII (1976), pp. 164-166.

93. Sur cette question, voir notamment J. Poujol, « Étymologies légendaires des mots *France et Gaule* pendant la Renaissance », *Publications of the Modern Languages Association of America*, t. LXXII (1957), pp. 908-909.

94. L'article de base est celui d'E. H. Kantorowicz, « *Oriens Augusti*-Lever du roi », *in Dumbarton Oaks Papers*, t. XVII (1963), pp. 119-177 ; à compléter par C. Lord, « Solar imagery in Filarete's doors to St. Peter's », *Gazette des beaux-arts*, t. LXXXVII (1976), pp. 146 *sq.*

95. C. Beaune, « Costume et pouvoir... », *op. cit.*

96. Cet étendard est représenté dans la tapisserie des *Cerfs ailés* (Rouen, Musée départemental des antiquités de la Seine-Maritime) : voir J.-B. de Vaivre, « Les cerfs ailés et la tapisserie de Rouen », *Gazette des beaux-arts*, t. C (1982), pp. 95-108. Le même étendard était porté par le capitaine de la garde écossaise lors de l'entrée de Charles VIII à Troyes : voir B. Guenée et F. Lehoux, *op. cit.*, p. 275.

97. Bibl. nat., ms. fr. 2228. Voir ci-dessus, p. 172 et n. 64.

98. Ch. R. Baskerville, *Pierre Gringoire's Pageants for the Entry of Mary Tudor in Paris. An Unpublished Manuscript*, Chicago, 1934.

99. *Entrée du trescrestien et chevaleureux roy de France... op. cit.*

100. *L'Entrée triomphante du Roy François premier, faite en la ville et université de Caen en l'an mil cinq cens trente deux, avec l'ordre très-exquis en iceluy tenu*, extrait des *Recherches et antiquités* de Ch. de Bourgueville de Bras, rééd., Caen, 1883.

101. F. A. Yates, « The magnificiences for the marriage of the duc de Joyeuse, Paris, 1581 » (1954), repris *in Astrea. The Imperial Theme in the XVIth Century*, Londres, Boston, 1975, pp. 163 *sq.*

102. Antoine de Laval, « Des peintures convenables aux basiliques et palais du Roy. Mêmes à sa gallerie du Louvre à Paris », *in Desseins de professions nobles et publiques contenant plusieurs traités divers et rares...*, 2e éd., Paris, 1612.

103. E. H. Kantorowicz, « *Oriens Augusti*-Lever du roi », *op. cit.*, p. 167.

104. Sur la France comme jardin depuis le Moyen Âge, voir C. Beaune, *Naissance de la nation France, op. cit.*, 1. III, chap. XIII.

105. Sur la métaphore du navire de l'État (d'origine antique : Horace, etc.) et le thème de la navigation dans la symbolique politique, voir S. Pressouyre, « L'emblème du Naufrage à la galerie François Ier », *in L'Art de Fontainebleau* (Colloque international, Paris, 1972), Paris, 1975, pp. 127-139.

106. Guillaume Bochetel, *L'Entrée de la Royne en sa ville et Cité de Paris*, Paris, 1531.

107. S. Pressouyre, *op. cit.*

108. A. de Longpérier, *op. cit.*

109. J. Guillaume, « Le phare de Cordouan, "merveille du monde" et monument monarchique », *Revue de l'art*, n°8, 1970, pp. 33-52.

110. Sur la « mythologie de la présence efficace » et sa place dans la culture baroque, aperçu suggestif de J. Starobinski, *L'Œil vivant*, Paris, 1961, p. 32.

111. Louis XIV, *Mémoires de l'année 1662*, éd. J. Longnon, Paris, 1978, p. 136 : « ... par le partage égal et juste qu'il fait de cette même lumière à tous les divers climats du monde »...

112. Guy Coquille, *L'Institution au droit des Français*, Paris, 1607.

113. R. Mousnier, « Les concepts d'"ordres", d'"états", de "fidélité" et de "monarchie absolue" en France, de la fin du XVe siècle à la fin du XVIIIe », *Revue historique*, t. CCXLVII (1972), p. 294.

114. J. Roman, *Jetons du Dauphiné*, Grenoble, 1911, p. 22.

115. Bibl. nat., ms. fr. 2088, f° 10.

116. D. et E. Panofsky, « The iconography of the galerie François Ier at Fontainebleau », *Gazette des beaux-arts*, 1958, II, pp. 127-131.

117. J. Jacquiot, *op. cit.*

118. *C'est la déduction du sumptueux ordre...*, *op. cit.*

119. *Discours de la joyeuse et triomphante entrée de [...] Henry IIII de ce nom [...] faicte en sa ville de Rouen [...] le Mercredy saiziéme jour d'Octobre* [1596], Rouen, 1596.

120. J. de Galaup de Chasteuil, *Discours sur les Arcs triomphaux dressés en la ville d'Aix à l'heureuse arrivée de [...] Louys XIII*, Aix, 1624.

121. H. de La Tour, *Bibliothèque nationale. Catalogue de la collection Rouyer*, Paris, 1910, t. II, n° 2615.

122. F. A. Yates, « The Entry of Charles IX and his Queen into Paris, 1571 », *Astraea*, *op. cit.*, pp. 142-144 ; V. E. Graham et W. McAllister Johnson, *The Paris Entries of Charles IX and Elisabeth of Austria 1571*, Toronto et Buffalo, 1974, pp. 233-239.

123. Sur l'Hercule gaulois : R. E. Hallowell, « Ronsard and the Gallic Hercules Myth », *Studies in the Renaissance*, t. IX (1962), pp. 242-255 ; M. R. Jung, *Hercule dans la littérature française du* XVIe *siècle. De l'Hercule courtois à l'Hercule baroque*, Genève, 1966, pp. 73-94.

124. *Les Entrées de la Reyne et de monseigneur Daulphin [...] Faictes à Rouen en l'an mil cinq cents trente et ung*, Rouen, s.d., rééd., Rouen, 1866.

125. *C'est l'ordre qui a esté tenu a la nouvelle et joyeuse entrée que [...] le Roy treschrestien Henry deuzième de ce nom a faicte en sa bonne ville et cité de Paris [...] le sezième jour de Juin MDXLIX*, Paris, s.d. Sur cette entrée, voir notamment V. L. Saulnier, « Sébillet, Du Bellay, Ronsard. L'entrée d'Henri II à Paris et la révolution poétique de 1550 », in *Les Fêtes de la Renaissance I* (Journées internationales d'études, Royaumont, 1955), Paris, 1956, pp. 31-59.

126. *Symbola Heroica*, Anvers, 1583, p. 284.

127. Sur Apollon Pythien et Persée sous Henri IV et Louis XIII : F. Bardon, *op. cit.*, pp. 39-42.

128. Sur le thème d'Hercule en général : E. Panofsky, *Hercules am Scheidewege*, Leipzig, 1930 ; à compléter, pour la littérature française du XVIe siècle, par M. R. Jung, *op. cit.*

ÉDOUARD POMMIER

Versailles, l'image du souverain

Le « programme » de Louis XIV à Versailles, tel qu'il est exprimé dans la littérature officielle qu'il inspire, est d'une clarté limpide[1]. Deux textes de Charles Perrault traduisent avec éloquence la vision que le roi veut imposer de Versailles.

Dans son processus de création, Versailles est un miracle :

> À peine le prince, qui lui a donné l'être, eût dit qu'il soit fait un palais, qu'on vit sortir de terre un palais admirable… L'ouvrage d'un jour égale le travail de la nature pendant deux ou trois siècles[2].

Dans sa perfection achevée, Versailles est un abrégé de l'Univers :

> *Ce n'est pas un palais, c'est une ville entière,*
> *Superbe en sa grandeur, superbe en sa matière.*
> *Non c'est plutôt un monde, où du grand univers*
> *Se trouvent rassemblés les miracles divers*[3].

Et Racine rappelle que la demeure cosmique du pouvoir procède directement de l'image que le roi en a personnellement conçue : « La plupart des chefs-d'œuvre qu'on admire dans son palais doivent leur naissance aux idées qu'il en a fournies[4]. »

Diverses explications ont été alléguées de la « fixation » que Louis XIV opère sur Versailles dès le début de son règne personnel[5]. Peu importent les raisons. C'est la raison seule du roi qui compte. Versailles est le choix du roi. Que ce choix ait été celui du souvenir ou de la passion est au fond sans importance ; Versailles est l'invention du roi, au même titre que la décision du 10 mars 1661.

Versailles a une histoire, et qui pourrait s'écrire à deux niveaux. Celui d'une progressive conquête de l'étendue : de modeste rendez-vous de chasse à la demeure de l'État le plus puissant et le plus bureaucratique de l'Occident[6] ; et celui des significations : de la fête, éphémère dans son éblouissement, et de la fable, merveilleuse dans ses allusions, à l'ordre qui fige le pouvoir dans son éternité et à l'histoire, que le roi raconte à mesure qu'il l'impose.

Versailles est d'abord le lieu de la fête. Du 7 au 12 mai 1664, les *Plaisirs de l'île enchantée*, éblouissant festival, synthèse de toutes les formes du divertissement[7]. La fête de 1664 est la proclamation ludique du programme du règne qui vient de commencer. Devant la cour médusée, la succession étourdissante des spectacles les plus fascinants démontre le caractère magique du pouvoir royal. Mais la fête n'est qu'une éphémère relâche dans l'écoulement du temps. Le roi, pour rester le maître du temps, se fait l'ordonnateur de la mémoire : en 1673 est publiée la relation de la fête de 1664 ; Versailles entre dans l'histoire[8].

Le texte officiel est d'une parfaite justesse. « Le Roi [...] choisit Versailles. C'est un château qu'on peut nommer un palais enchanté, tant les ajustements de l'art ont bien secondé les soins que la nature a pris pour le rendre parfait. Il charme en toutes manières. Tout y rit dehors et dedans. L'or et le marbre y disputent de beauté et d'éclat[9]. » Félibien, historiographe de la fête[10], fixe en termes précis ce moment : celui où le château renvoie l'image passagère de la fête. C'est un « palais enchanté » comme l'île du même nom ; il « charme » et « rit » comme les décors et les comédies. Le château se met à ressembler à la fête ; il la fige dans l'éblouissement de ses matériaux colorés : c'est tout le sens des transformations apportées par Le Vau au pavillon de chasse de Louis XIII[11]. Versailles est la mémoire de la Fête.

Et aussi le lieu de la fable : celle d'Ovide[12] ; et de l'histoire : celle de l'Antiquité. Dans une culture fondée essentiellement sur des références au passé, les dieux et les héros de la mythologie et les grands hommes de l'histoire sont à la fois des exemples et des images : exemples de l'homme aux prises avec le destin ; images du prince – vainqueur ; législateur, bâtisseur, justicier.

Le décor des appartements du roi est conçu par Charles Le Brun à partir de 1670, même si la réalisation s'en prolonge jusqu'en 1678 au moins. Que la succession des sept salons évoque la ronde des sept planètes du système solaire, c'est un choix d'autant plus évident qu'il existe des précédents dans les demeures princières d'Italie[13]. Il faut relever l'insistance mise sur les rapports entre les héros, dont l'histoire est illustrée, et Louis XIV. Le roi lui-même avait montré la voie dès 1660 en demandant à Le Brun d'illustrer un épisode de l'histoire d'Alexandre[14].

La vertu d'Alexandre est son titre à la revendication de l'empire du monde. Mais Louis XIV n'est encore qu'un autre Alexandre : « Nous [...] reverrons peut-être [Votre Majesté] achever la comparaison qu'on peut faire d'elle et d'Alexandre, et ajouter le titre de conquérant à celui du plus sage roi de la terre[15].» Louis XIV reste «comparable»: les appartements de Versailles peuvent montrer les «rapports» dont parle Félibien[16].

Rapports à l'histoire. Et rapports aux mythes. En annonçant le prix royal pour 1663, l'Académie de peinture et de sculpture explicite son propos: «Quant au sujet proposé sur les actions héroïques du Roy, il a esté résolu que il sera exécuté et représenté sous la forme de Danaé, l'ajustant à l'histoire de la réduction de Dunkerque[17].»

L'utilisation des «rapports» est donc parfaitement maîtrisée lorsque commence la décoration des appartements du roi. Au salon de Diane, les quatre tableaux qui encadrent le motif central montrent: Cyrus attaquant un sanglier; Alexandre chassant le lion; César envoyant des colons à Carthage; Jason abordant à Colchos pour conquérir la Toison d'or. Ils montrent, c'est-à-dire ils démontrent: «De tels sujets ont été choisis par rapport au Roy [...] qui n'a pas plus tôt pris en main le gouvernement de son État, que pensant à tout ce qui pouvait contribuer à la félicité de ses peuples, S.M. commença d'établir le commerce dans les contrées les plus éloignées et envoya dès lors pour cet effet des colonies françaises à Madagascar et en divers autres lieux; car c'est là ce qui a véritablement donné lieu à ces peintures[18].»

Au salon de Mercure, quatre autres thèmes: Alexandre se fait livrer des animaux pour l'histoire naturelle d'Aristote; Ptolémée s'entretient avec des savants dans une bibliothèque; Alexandre accueille les philosophes des Indes; Auguste reçoit une ambassade des Indes. C'est «une idée des nations qu'on a vu venir des extrémités de la terre pour rendre hommage à la grandeur et aux vertus du Roy[19]». Quant à Aristote et à Ptolémée, la paraphrase est presque trop facile[20].

Enfin le salon d'Apollon, et de nouveau quatre thèmes: Auguste fait construire le port de Misène; Vespasien fait édifier le Colisée; Coriolan lève le siège de Rome; Alexandre et Porus. Et les rapports qui s'imposent: Auguste et Vespasien «ont rapport à la magnificence des bastiments de S.M., entre lesquels le port de Rochefort qu'on a voulu particulièrement désigner ici par celui de Misène surpasse ce que les Romains ont jamais fait de plus somptueux en ce genre». Coriolan et Alexandre, ou «les marques que le Roy donne si souvent de sa magnanimité[21]».

C'est un véritable manuel illustré et didactique des dix premières années du règne personnel de Louis XIV qui est déployé aux plafonds des appartements du roi: les vertus du monarque; les succès diplomatiques; le développement de la marine et du commerce; la protection accordée aux lettres et aux sciences; la politique des bâtiments. À l'histoire métallique du roi[22] fait pendant son histoire peinte d'après la fable et l'Antiquité. Louis XIV n'est pas encore le «seul»: il est un «autre» conquérant ou un «autre» héros; on peut parler de lui par allusion. Cette pratique ne pouvait conférer aucune exclusivité au roi qui avait recours à ces thèmes pour sa propagande ; en établissant ces « rapports », le pouvoir culturel parle un langage commun, de Rome à Londres et de Madrid à Vienne. Et elle ne donnait pas forcément des résultats évidents : les « rapports » ne s'imposent pas automatiquement. Le recours à la fable et à l'histoire appelle, même pour les contemporains, une exégèse ; d'où l'apparition d'une littérature de commentaires, dont les ouvrages de Félibien constituent sans doute le premier exemple[23].

Il est au moins un mythe qui paraît dépourvu d'ambiguïté et dont le roi a voulu, de toute sa force, se réserver le monopole : c'est le mythe d'Apollon, illustration du caractère solaire de la monarchie française, telle que Louis XIV a prétendu l'imposer au monde[24]. La littérature officielle est formelle à cet égard. Il faut partir du texte de Félibien[25], en 1674, repris presque textuellement dans l'*Avis au lecteur* de Combes, sept ans plus tard[26]. Le premier Versailles ou le palais du Soleil[27] ?

L'image du palais du Soleil est vraie pour l'essentiel : elle est présente dans ce mythe cosmique de la course du soleil, marquée par les deux « fabriques » les plus significatives du parc : le char d'Apollon et la grotte de Thétis. Dans ce parc conçu, comme tous les jardins « à la française », pour être vu du château, le regard est attiré, le long de l'axe directeur est-ouest, par le grandiose point final que constitue le merveilleux groupe de Tubi : Apollon, rayonnant de jeunesse et de beauté, assis sur son char, tenant fermement en main les rênes des chevaux, s'élance pour sa course glorieuse et bienfaisante autour du monde auquel il dispense la lumière de son pouvoir[28]. C'est l'image évidente du gouvernement personnel assumé par Louis XIV le 10 mars 1661, avec une volonté qui ne souffre ni partage ni limite. La médaille commémorative, dans l'histoire métallique, montre Louis XIV en Apollon, assis sur un globe fleurdelisé, tenant le gouvernail et la lyre, et promettant *Ordo et Felicitas* ; celle de l'« assiduité aux conseils » reprend le thème du char du soleil galopant au-dessus du monde[29]. Aboutissement d'une tradition impériale apparue en Occident avec l'*Oriens Augusti* d'Hadrien en 117, traduction plastique, avant le formalisme de l'étiquette, du rite du « lever du roi », le groupe de Tubi a sans doute aussi une signification politique précise : il marque la volonté d'effacer les prétentions de l'Espagne à la domination universelle[30].

La grotte de Thétis est le terme de la course commencée au bassin d'Apollon[31]. C'est un autre palais du Soleil à l'intérieur de Versailles, avec sa façade en arc de triomphe, son attique décoré du char du Soleil, ses grilles vertes portant des disques représentant les quatre continents et les deux régions polaires illuminés par des soleils d'or, son intérieur féerique, décoré de coquillages et de miroirs qui créent un espace de mystère et d'illusion[32], et, au fond, le groupe de Girardon, *Apollon servi par les nymphes*, et les deux groupes, par Guérin et les frères Marsy, des *Chevaux du Soleil pansés par les tritons*. Le roi, qui fait son

Enfant de bronze représentant le Génie de la Puissance royale, assis sur un Aigle, qui pousse en l'air un gros jet d'eau, statue dans les jardins de Versailles par Pierre le Gros de Chartres, gravure de Le Pautre.

métier avec toutes ses contraintes, a besoin de repos physique, comme il a besoin des délassements du plaisir auxquels il donne les dimensions de la fête[33]. Comme le char d'Apollon est une préfigure du « lever du roi », la grotte de Thétis annonce le « coucher du roi » en une parfaite symétrie. Mais le repos du roi n'est pas une simple concession aux nécessités physiques. Le double corps du roi est présent dans tous les actes de son existence visible. Le coucher du soleil magnifie sa grandeur[34].

La grotte de Thétis est comme un résumé de ce premier Versailles. C'est le lieu par excellence de la fable, dont les sortilèges sont comme figés dans son architecture (sans modèle) et son décor, qui crée un espace irréel et fascinant, où s'associent les enchantements de l'eau, de la lumière et de la musique[35].

L'achèvement de la grotte de Thétis marque le moment où Versailles tend à devenir la création pure et quasi miraculeuse du roi. Dans la relation de la fête de 1664, il y avait un équilibre entre l'art et la nature. Dans la description de 1674, Félibien prend la grotte de Thétis comme l'exemple de l'acte créateur du roi :

> On peut dire de Versailles que c'est un lieu où l'Art travaille seul, et que la Nature semble avoir abandonné pour donner occasion au Roy d'y faire paroître par une espèce de création, si j'ose ainsi dire, plusieurs magnifiques ouvrages et une infinité de choses extraordinaires, mais qu'il n'y a point d'endroit dans toute cette royale maison, où l'Art ait réussi plus heureusement que dans la grotte de Thétis[36].

Versailles, lieu déshérité par la nature, fait paraître plus merveilleux le pouvoir de l'art, inspiré par la volonté du roi. Synthèse miraculeuse du premier Versailles, celui de la fête et de la fable, la grotte de Thétis annonce le deuxième Versailles : l'une des nymphes qui s'empressent autour d'Apollon tient une urne dont le décor montre *Le Passage du Rhin*, le 12 juin 1672…

Entre la fable du lever et celle du coucher du Soleil, une autre apparaît : celle de Latone, illustration du sort qui attend les ennemis du Soleil et référence à un passé encore proche, qui a profondément marqué l'enfance du roi : les troubles de la Fronde qui mirent en péril le pouvoir de la régente, Anne d'Autriche[37]. Mais aussi référence à un présent, lourd de menaces pour un peuple qui contrarie les desseins de la politique royale : les grenouilles, animal démocratique, représentent les Hollandais[38]. Sur le parcours glorieux du Soleil de l'aube au couchant, les rayons qui répandent la vie, peuvent aussi frapper à mort les sujets révoltés ou les adversaires prétentieux.

Mémoire de la fête, et lieu de la fable, qui est toujours « rapport » aux actions de Louis XIV, Versailles est aussi et déjà une demeure : une maison royale et un jardin, ou une architecture, qui travaille avec la pierre, la brique et le marbre, avec les arbres et les fleurs, avec les eaux, calmes ou mouvementées.

Au roi de toute chose on doit l'invention[39]

Louis XIV est l'inventeur de sa maison et de son jardin: Versailles est une manifestation évidente de la volonté royale, comme la législation, la marine, la guerre et les traités diplomatiques. Le jardin de Versailles[40], c'est d'abord une mise en perspective. La perspective, c'est une technique pour subordonner la nature à l'ordre et à la raison (de l'homme, du roi, de l'État)[41]. De cette volonté de domination, la démonstration la plus éclatante est la maîtrise des eaux[42]: la technique, qui, avec ses calculs, ses travaux et ses échecs, échappe au spectateur, est placée au service de la magie qui éblouit les yeux. Le programme de la fête de 1668 est explicite: le roi choisit des «divertissements dont les eaux récemment amenées à grands frais allaient être le principal intérêt[43]».

La fête passe; les eaux continuent de jaillir des fontaines et de s'étaler, comme le miroir narcissique de la puissance royale, dans les bassins et les canaux. Le Grand Canal, commencé dès 1668, achevé en 1674, dans son ordonnance aussi simple que gigantesque, est la calme démonstration de l'implacable volonté de domination de l'espace. Avec sa flottille dont les éléments viennent de France et d'Angleterre, de Hollande et de Venise, et ses équipages bigarrés, c'est une parabole de la politique maritime de Louis XIV et aussi une manifestation ludique de sa volonté d'enfermer le cosmos civilisé dans les limites de Versailles[44].

Le jardin du roi, c'est la domination du roi sur l'univers. La domination du roi sur le cycle naturel des saisons: la première Orangerie est un nouveau jardin des Hespérides, où l'oranger fleurissant en plein hiver fait douter les sens de la réalité géographique[45].

La domination du roi sur le règne animal: c'est la ménagerie[46]. Du pavillon central en octogone, qui marque bien la position centrale de l'homme dans la nature comme du roi dans le monde, le spectateur découvre «sept cours différentes remplies de toutes sortes d'oiseaux et d'animaux rares[47]». Tandis qu'un décor de termes inspirés des *Métamorphoses* d'Ovide rappelle la fable, les peintures de cet observatoire de la nature montrent les mêmes animaux qui s'ébattent dans leurs parcs «comme pour préparer à ce qu'on va voir, ou pour en faire souvenir après l'avoir vu[48]». Première application de cette recherche illusionniste d'un effet de miroir: Versailles est un reflet de Versailles, son décor est une image de sa réalité; l'art est au service du pouvoir, comme un multiplicateur de sa faculté créatrice et de son effet théâtral[49].

La domination du roi sur les mondes lointains, c'est le Trianon de porcelaine[50]. Par la rapidité vertigineuse de sa construction, il témoigne lui aussi de ce pouvoir miraculeux de la volonté royale; c'est l'œuvre d'un magicien: «Ce Palais fut regardé d'abord de tout le monde comme un enchantement, car, n'ayant été commencé qu'à la fin de l'hyver, il se trouva fait au printemps, comme s'il fut sorti de terre avec les fleurs des jardins qui l'accompagnent[51].» Le roi est une force cosmique, il fait surgir de terre un palais, comme la nature une fleur. Et le chroniqueur officiel ajoute: «L'on pourrait dire de Trianon que les grâces et les amours [...] ont été les seuls architectes de ce lieu[52].» Le roi opère la confusion miraculeuse des sortilèges de l'art et de la nature.

Les saisons maîtrisées, les animaux domestiqués, les mondes lointains transplantés par l'enchanteur royal: le premier Versailles est une annonce du XVIIIe siècle. C'est déjà un jardin encyclopédique. La volonté magique est aussi au service d'un enseignement: le jardin est une sorte de musée vivant qui propose une image résumée de l'univers. Que la pédagogie ne soit pas absente de cet enchantement par lequel le pouvoir se donne en spectacle, le Labyrinthe en apporte la preuve; ses trente-neuf fontaines illustrent, avec les animaux en plomb peints au naturel, autant de fables d'Ésope, explicitées par les rimes de Benserade; le visiteur, accueilli à l'entrée par Ésope et l'Amour, est invité à se perdre en s'instruisant[53].

«*Speculum morale*» et «*speculum naturale*», selon la terminologie scolastique, le jardin du premier Versailles serait-il un trait d'union entre l'encyclopédisme des sources médiévales et celui des Lumières, comme le pouvoir procède d'un envoûtement magique qui plonge dans des sources immémoriales et annonce une rationalité qui en est la pure contradiction?

Fête, fable, univers... Mais le premier Versailles, demeure du roi, contient une autre dimension. Bien que le roi n'y réside pas encore en permanence, Versailles est le lieu où le roi écrit lui-même l'histoire du roi. L'histoire que le roi écrit, c'est la proclamation de ses intentions politiques: l'obsession, c'est l'Espagne[54]. Le traité des Pyrénées, le mariage avec Marie-Thérèse, la situation familiale de la dynastie régnant à Madrid donnent au roi une immense espérance: mettre fin au conflit séculaire en absorbant tout ou partie de l'héritage espagnol. C'est la théorie des «droits de la reine[55]». La reine reste l'héritière en puissance de l'empire espagnol et peut transmettre ses droits à ses enfants. Or, au même moment, le plan de la reconstruction par Le Vau du château de Louis XIII révèle une innovation sans précédent dans les plans des demeures royales: la parfaite symétrie de l'appartement du roi et de l'appartement de la reine, placés l'un et l'autre sur un pied d'égalité, tant en ce qui concerne la disposition que la surface des pièces qui les composent. Le château apparaît ainsi comme la demeure d'un double pouvoir, celui du roi de France, et celui de la reine, qui est, en puissance, reine d'Espagne. Par cet équilibre spatial, le roi affirme avec éclat (et au mépris de toutes les traditions d'une monarchie régie par le principe de la loi salique) une double souveraineté: la sienne propre, qui est actuelle et présente, et celle de la reine, qui est

virtuelle, en attente de la mort de son frère, le roi Charles II. Ainsi Louis XIV inscrit dans le programme architectural de sa demeure le programme diplomatique de son règne. Le commentaire que donne Félibien des quatre tableaux entourant le motif central du plafond du salon de Vénus est sans équivoque: «Ces exemples mémorables [...] ont été choisis comme plus conformes à ce qui s'est passé dans le mariage du Roy[56].»
La fable, à travers la glose officielle qui en est donnée «pour ceux qui ne savent pas[57]», commente la signification de l'édifice. Un jeu de miroirs entre l'organisation spatiale du bâtiment et le discours de la peinture décorative ferme le cycle dans une vision globale, conforme aux aspirations du roi qui l'avait conçue.

Fête, fable, univers, et déjà histoire. Le premier Versailles est un monument du pouvoir du roi. Il en proclame la gloire, en lui-même et par la littérature qui le célèbre, et il en fonde la réputation qui «fait souvent elle seule plus que les armées les plus puissantes[58]». Versailles est la demeure d'un Soleil qui se met à ressembler au roi[59].
Mais le roi peut-il se contenter d'être comparé à un héros de la fable ou de l'histoire, lui qui veut écrire sa propre histoire, et non celle d'Hercule ou d'Alexandre?
La propagande officielle, à partir des années soixante-dix, impose une autre vision: celle d'un Louis XIV qui ne peut être ramené qu'à lui-même, un Louis XIV en soi, sans référence aux héros du passé, historique ou mythique, sans «rapports». Louis XIV est simplement Louis le Grand, qui donne son nom à son siècle[60]. En 1674, J. Desmarets de Saint-Sorlin montre que le siècle de Louis XIV «d'Auguste a le siècle effacé[61]»; en 1677, Tallemant célèbre «le siècle de grandeur et de gloire» que le roi donne à la France[62]. Comme le dit encore le premier, «notre Grand Roi doit être mis au-dessus des plus grands héros de l'Antiquité[63]».
Si Louis est «Grand», c'est parce qu'il réunit en lui «les qualités des héros qui l'ont précédé[64]»; ou encore «il possède seul ce que les autres n'ont que tous ensemble [...] Louis ressemble à tous les grands, toutefois aucun de ces grands ne lui ressemble, parce qu'il est seul semblable à lui-même[65]».
La conséquence immédiate et logique de cette position éminente assignée au roi, c'est que seule l'histoire de Louis XIV est digne d'inspirer les poètes et les artistes. Charles Perrault pressentait cette vérité dès 1668, en s'adressant à Le Brun:

Alors sans remonter au siècle d'Alexandre
Pour donner à ta main l'essor qu'elle aime à prendre...
Les exploits de Louis, sans qu'en rien tu les changes
Et tels que je les vois par le sort arrêtés,
Fourniront plus encore d'étonnantes beautés[66].

Dans le livret de la fête de 1669, prophétiquement, Benserade annonçait que l'art « ne peut plus traiter ce sujet [celui de la gloire du roi] comme il faut[67] ». Et dans le poème où il proclame la primauté du siècle de Louis XIV, Desmarets de Saint-Sorlin lance le défi aux artistes :

> *Des grands faits de ton Prince illustre,*
> *Bannis les fausses déités,*
> *Qui ne font que ternir le lustre*
> *Des éclatantes vérités*[68].

Comme le roi contient et dépasse les héros de la fable et de l'histoire, son histoire dépasse toutes les histoires, et la réalité l'emporte sur toutes les fictions, comme l'affirme le *Mercure galant* en 1682 :

> Les peintures des romans, où les auteurs se sont donné l'essor selon toute l'étendue de l'imagination, et qui dans leurs descriptions de palais ont été au-delà du possible et du vraisemblable, ne nous ont jamais fait voir tant de belles choses ensemble que celles dont je viens de vous parler[69].

L'histoire du roi passe maintenant au premier plan, cette histoire qui est un savoir, source de pouvoir.

La grande fête de 1674, la dernière, célébrée en six journées entre le 4 juillet et le 31 août, après la deuxième (et définitive) conquête de la Franche-Comté, marque l'entrée de l'histoire, celle du roi, à Versailles[70]. Au milieu d'un festival d'art dramatique, l'actualité fait irruption, le 18 août : les drapeaux pris aux Impériaux par le Grand Condé à la bataille de Seneffe, près de Mons, le 11 août, viennent s'incliner aux pieds du roi ; puis, après la représentation de la tragédie de Racine, le roi et la Cour, installés entre le bassin d'Apollon et la tête du Grand Canal, voient arriver une extraordinaire machine : sur un rocher, se dresse un obélisque surmonté d'un soleil d'or ; sur le socle, un bas-relief représente le passage du Rhin par le roi et son armée ; de chaque côté du socle, Hercule et Pallas gardent des captifs enchaînés, tandis qu'au-dessus l'aigle de l'Empire et le lion de l'Espagne sont terrassés par la défaite[71]. Entrée glorieuse et brillante, entrée double : l'histoire au vrai, avec les drapeaux pris à l'ennemi, sur le champ de bataille, huit jours avant ; l'histoire au figuré, avec l'évocation d'une exploit « miraculeux », le passage du Rhin, et la représentation de la coalition vaincue.

Aux confins du Versailles de la fête et de la fable, et du Versailles de l'histoire du roi, une fête, parée de tous les prestiges d'une histoire présente et vécue, celle du roi. Et un texte officiel, la description de Félibien, parue au début de 1674, qui fixe l'image d'un seul Versailles :

> Comme cette maison est aujourd'hui les délices du plus grand Roi de la terre ; qu'elle est tous les jours visitée de tout ce qu'il y a de personne en France, et que les Étrangers et ceux qui ne peuvent avoir le plaisir de la voir sont bien aisés d'en ouïr raconter les merveilles [...] Il a été à propos [d'en faire] une [description] qui, bien que brève et sommaire, ne laissera pas de donner quelque idée de cet agréable séjour à ceux qui en sont éloignés[72].

Versailles, lieu d'une mémoire qui doit être transmise par ses témoins, devient le sujet d'un récit.

Au-delà des enchantements de la fête et des prestiges de la fable, Louis XIV a imposé l'image et la réalité d'un palais sans précédent, d'une demeure à la mesure de sa toute-puissance auréolée d'un mystère sacré. Désormais, la monarchie peut s'installer ; le mythe peut se diluer dans la rationalité d'une administration ; le pouvoir peut dresser la scène immuable de sa mémoire. Le roi n'a plus d'autre histoire à raconter que celle qu'il est en train d'écrire. Versailles se fige dans le temps immobile du roi et dans l'ordre indéfiniment recommencé de la liturgie qui succède à la fête ; dans la pesanteur écrasante d'une histoire au présent, qui succède aux charmes lointains de la fable.

Deux mesures à la destinée contradictoire marquent symboliquement l'apparition de ce deuxième Versailles. D'une part, l'échec de ce qu'il est convenu d'appeler la « grande commande » de 1674 : à la demande de Colbert, Le Brun conçut, pour le parterre d'eau, un gigantesque cycle mythologique et cosmique : au centre, le groupe colossal d'Hercule terrassant l'hydre ; autour, six groupes de quatre statues, symbolisant les Éléments, les Saisons, les Heures, les Parties du monde, les Tempéraments de l'homme et les Poèmes. La pièce centrale, le groupe d'Hercule, ne fut jamais réalisée, et les vingt-quatre statues qui devaient composer la cour cosmique du Roi Soleil furent dispersées à travers le parc et perdirent ainsi l'essentiel de leur signification[73].

D'autre part, Le Brun commence la décoration du grand escalier, dit escalier des Ambassadeurs, qui conduit aux appartements du roi[74]. Sur les quatre parois cintrées qui entourent la verrière zénithale en cristal, Le Brun célèbre la gloire du roi par une illustration des événements qui viennent de marquer les premières années du gouvernement personnel. Il y a les témoins de cette histoire : les quatre parties du monde, « comme si elles s'étaient rendues en ce lieu pour être spectatrices de cette force triomphale[75] » : le roi s'adresse à l'univers. Il y a les récitants : la Peinture, la Sculpture, la Poésie et l'Histoire, chargées de transmettre à la postérité la chronique royale, « lesquelles grandes actions resteront encore à la postérité par le labeur de la peinture et sculpture, poésie et histoire, représenté en quatre tableaux occupés à ces choses[76] ». Dans un effet d'emboîtement saisissant, les actions que les arts et la littérature ont pour mission de célébrer et d'éterniser sont représentées en une succession de scènes qui constituent les morceaux choisis de la geste royale : le roi réformant la justice (les ordonnances de 1667 et de 1670) ; le roi rétablissant le commerce ; le roi recevant les ambassadeurs ; le roi donnant des récompenses aux chefs des armées ; le roi donnant des ordres à trois généraux ; la conquête de la Franche-Comté ; le passage du Rhin... L'histoire au présent entre à Versailles. La demeure du roi est le miroir de l'histoire du roi. Mais de cette histoire, le roi est le seul personnage vivant, car il est le seul reconnaissable : sous le casque antique du cavalier qui approche en vainqueur de la rive du Rhin, c'est bien le visage de Louis XIV qui apparaît. C'est une fracture révélatrice que le peintre introduit dans son discours : les allégories traditionnelles semblent signifier que le roi est bien le seul auteur de l'histoire qu'il écrit, parce qu'il est le seul personnage réel. Les « miracles » célébrés par la littérature officielle sont bien le fait du roi. L'histoire ne dit pas autre chose avec Racine : « C'est un enchaînement continuel de faits merveilleux, que lui-même commence, que lui-même achève[77]. »

Le décor de la paroi du premier étage de l'escalier des Ambassadeurs confirme cette rhétorique solennelle, par un éblouissant jeu de miroirs. D'abord l'histoire immédiate : A. F. Van der Meulen peint à fresque quatre tapisseries feintes représentant les victoires personnelles de Louis XIV pendant la campagne de 1677[78]. Et puis les témoins admiratifs de l'histoire du roi : les quatre parties du monde, représentées non sous la forme de leurs allégories traditionnelles, mais sous celle d'une multitude de personnages évoquant, par leurs types et leurs costumes, les peuples de l'Europe, de l'Asie, de l'Afrique et de l'Amérique, qui, accoudés à un balcon d'architecture feinte, semblent regarder les cortèges qui montent et descendent l'escalier. « On peut dire que, lorsque ce Grand Roi descend cet escalier [...] cela fait un spectacle si grand et si superbe que l'on croirait que tous ces peuples se rendent en foule dans ce lieu pour honorer son passage et voir la plus belle cour du monde, de la manière que ces sujets sont si artistement mêlés ensemble, le naturel avec ce qui est feint[79]. » Reprenant le motif traditionnel, depuis la « *camera degli sposi* » de Mantegna à Mantoue, de la balustrade ouvrant sur un espace fictif, Le Brun et son équipe ne parviennent pas seulement à agrandir et à illuminer le volume de l'escalier[80] : ils imposent un nouveau système de « rapports », non plus celui de la fable aux actions du roi, mais celui de l'illusion et de la réalité, et font de l'escalier des Ambassadeurs une scène de théâtre où les acteurs se mêlent au public ; mais les acteurs sont les personnages réels, et le public est imaginaire. Versailles contemple et admire Versailles ; le roi contemple le monde qui admire le roi. Le regard du roi crée l'unité du spectacle et réconcilie le réel et l'imaginaire.

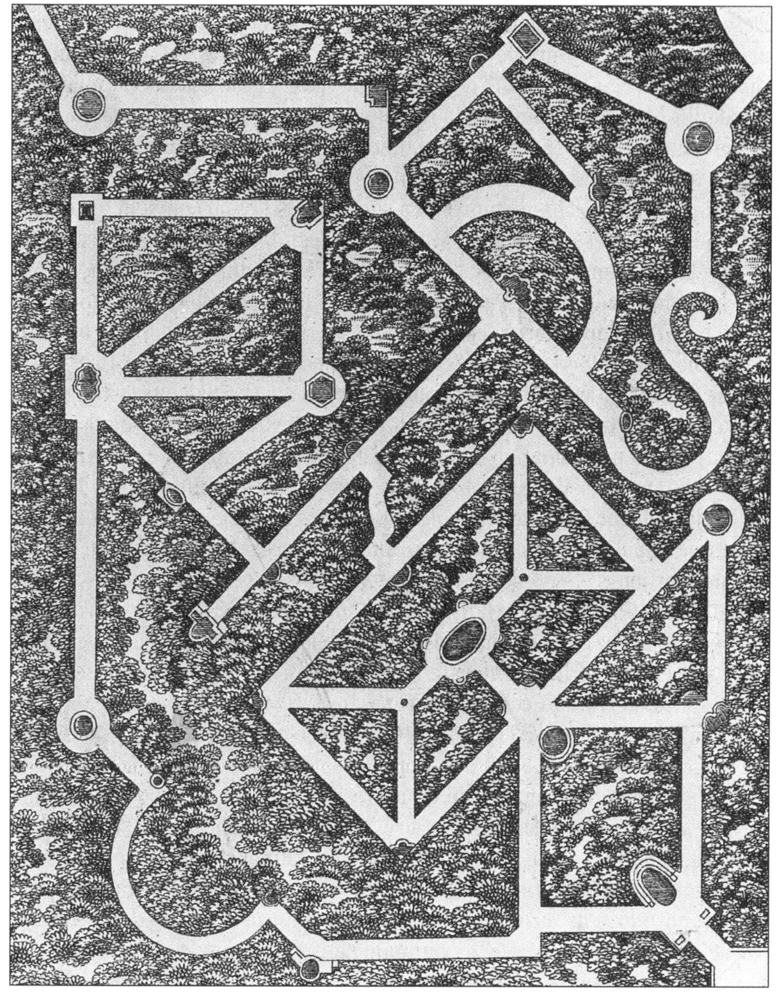

Le Labyrinthe de Versailles, dessiné par Le Nôtre.

L'escalier des Ambassadeurs, ou le monde témoin de la gloire du roi, conduit à la monarchie triomphante de la galerie des Glaces[81]. C'est au même moment, 1678, alors que l'escalier n'est pas encore achevé, que Jules Hardouin-Mansart commence la transformation en galerie de la terrasse de Le Vau, et que le roi et Colbert demandent à Le Brun d'étudier le décor de la voûte, qui, avec ses soixante-treize mètres de longueur et ses dix mètres de largeur, ouvrait un champ nouveau à son imagination. Il convient d'être précis, car l'histoire se mesure en jours : à Nimègue, la paix est signée avec la Hollande le 10 août 1678 ; avec l'Espagne le 17 septembre : la coalition est brisée et s'incline devant les armes du roi : l'empereur traite à son tour le 5 février 1679. Le projet architectural de la galerie des Glaces porte la mention de la main de Colbert : « arresté à Fontainebleau le 26 septembre 1678[82] ». Au même moment, Le Brun présente deux projets successifs pour la voûte, l'un sur le thème d'Apollon, l'autre sur celui d'Hercule. Le Brun veut donc confier aux mythes la proclamation de la gloire du roi, qui s'appelle désormais Louis le Grand. Un conseil restreint « trouva à propos et résolut que son histoire [celle du Roi] sur les conquestes devoit y estre représentée[83] ». Le Brun réagit avec une rapidité foudroyante : son biographe, Nivelon, raconte qu'il s'enferma deux jours et « produisit le premier dessin de ce grand ouvrage, qui est le tableau du milieu qui fait le nœud principal de tout ». Le projet est approuvé, « avec cette prudente restriction de la part de M. Colbert de n'y rien faire entrer qui ne fust conforme à la vérité, ni de trop onéreux aux puissances étrangères que cela pouvoit toucher[84] ». Moment décisif et solennel que celui de ce mois de septembre 1678 où Versailles s'identifie à Louis XIV. Le roi se substitue à Apollon et à Hercule, son histoire expulse la fable.

Le roi est désormais seul digne de représenter le roi. Et la poésie se retire devant un cours magistral d'histoire politique. L'admiration suscitée par l'œuvre, achevée en 1684, est à la mesure de l'admiration suscitée par celui qui règne en maître absolu. Il convient de partir du « nœud principal » pour comprendre le sens du parcours initiatique imposé par ce cycle grandiose, « cette sorte de royale beauté [...] unique dans le monde[85] ».

Le « nœud principal » est double : côte à côte, deux tableaux représentent *Louis XIV exerçant le gouvernement personnel* (l'acte fondateur du 10 mars 1661), et *L'Orgueil des puissances étrangères* (Hollande, Espagne, Empire). C'est un manifeste politique : le roi va donner à la France la prépondérance internationale que le destin lui a préparée, et que lui dispute vainement la jalousie impuissante de ses voisins. Les deux tableaux placés à chaque extrémité de la galerie explicitent cette pensée : du côté du salon de la Guerre, *La Hollande faisant alliance avec l'Espagne et l'Empire* (la provocation), et du côté du salon de la Paix, *La Hollande accepte une paix séparée* (la punition). Entre la double scène centrale, qui marque le point de départ de l'apologie de la politique royale, et les deux scènes de chaque extrémité, une série de grands médaillons décrivent la réplique du roi à la « provocation », aboutissant à la « punition » : le roi décide la guerre, le roi lève ses armées, le roi fait son plan de campagne, le roi vole de victoire en victoire (passage du Rhin, conquête de la Franche-Comté, prise des principales villes des Pays-Bas). Enfin une série de médaillons montrent les grandes réalisations du gouvernement personnel, qui ont transformé le royaume et permis l'affirmation de sa prépondérance (les finances, la législation, l'ordre public, l'économie, les beaux-arts, la diplomatie).

Le cycle de Le Brun constitue une parfaite démonstration de la passion du XVIIe siècle pour la rhétorique : il s'agit de rapprocher la peinture du langage et de lui permettre de surmonter ses limitations temporelles[86]. Le peintre doit « représenter en un seul tableau plusieurs actions dont il semble que chacune demande une toile séparée[87] ». Cette conception est annoncée dans le médaillon évoquant *La Protection accordée aux Arts* (ou la fondation des Académies) : au roi assis sur son trône, tendant une main ouverte, symbole des bienfaits de la protection octroyée, répond l'Éloquence, dont la main ouverte signifie l'allégeance des Arts au service du roi ; elle est assistée de Minerve (qui représente l'architecture), de la Peinture et de la Géométrie (qui représente les sciences) ; tandis que trois autres figures féminines sans attributs représentent le reste de la docte compagnie[88]. Par un jeu de miroirs (dont l'escalier des Ambassadeurs donnait un premier exemple), le décor de la voûte de la galerie des Glaces proclame son mode de fonctionnement.

Chaque médaillon est fondé sur le même système rhétorique[89]. Soit *Le Passage du Rhin* : le roi s'avance sur son char triomphal, dont les chevaux piétinent des personnages : ce sont les villes prises par ses armées ; le Rhin est un vieillard barbu qui renverse son urne de dépit ; dans le ciel, une Victoire brandit quatre couronnes : les quatre sièges victorieux qui ont permis l'arrivée des soldats du roi au bord du Rhin ; une autre Victoire brandit un étendard où s'inscrit le nom de « Tolhuis » : le lieu du passage ; un homme renversé entre des ballots de marchandises, des pièces de monnaie répandues, un matelot tombant près d'une ancre, montrent (démontrent) les conséquences, pour la Hollande, de la victoire du roi. Dans un espace abstrait, situé par un nom, le peintre réalise une unité temporelle factice : ce qui a précédé le haut fait ; le haut fait lui-même ; ce qui a suivi le haut fait. Si l'allégorie est pleinement intégrée à l'histoire immédiate et vécue, le tableau se lit comme un jeu de signes conventionnels, qui enlèvent à l'événement sa densité réelle pour le transformer en un mythe : celui de la force miraculeuse et de la puissance irrésistible du roi. Le cycle est refermé : des métaphores raisonnables s'emparent de l'exploit du roi et le transposent au royaume des idées éternelles. L'histoire du roi a congédié la fable pour devenir elle-même sa propre fable. Le cycle de Le Brun est un passionnant dialogue entre l'événement, création du roi, et la culture classique, qui le met en forme. Que Le Brun lui-même ait considéré cette tension entre l'Idée et le Réel comme la culmination de la pensée académique qu'il incarne si pleinement, la preuve en est apportée dans son portrait peint en 1686 par N. de Largillièrre[90] comme morceau de réception à l'Académie: Le Brun est représenté commentant le tableau de *La Conquête de la Franche-Comté* de la galerie des Glaces. Le discours appelle le discours, et l'Académie se rend hommage à elle-même.

La rhétorique est mise aux ordres du roi. Du roi seul. Sauf la brève apparition du duc d'Orléans, de Condé et de Turenne, le roi est le seul personnage à figurer sous ses propres traits. Il peut bien être habillé à l'antique: son visage est identifié et il porte sa perruque. La rhétorique est placée au service du roi, premier moteur et seul acteur de son histoire. Sans complexe, avec une souveraine et magistrale aisance, il installe, avec les faits divers de ses exploits, les fondations de sa propre mythologie. Il entre, par l'histoire, dans l'ordre de la fable. Chaque médaillon illustre ce grand passage, dont celui du Rhin n'est qu'un moment, glorieux entre tous. Soit le médaillon *Louis XIV décide de faire la guerre à la Hollande.* Le roi est assisté de Mars (la Valeur, qui conseille la guerre, car elle mène au triomphe), de Minerve (la Prudence, qui montre, sur une tapisserie, les malheurs de la guerre), et de la Justice (qui inspire la décision finale). C'est l'image du parfait souverain: le roi tient conseil avec lui-même; il évite la précipitation à laquelle le pousse sa valeur et consulte la Prudence, âme du conseil. Le tableau montre (démontre) que la résolution de déclarer la guerre à la Hollande a été mûrement réfléchie, après une délibération intime, qui repose sur la mise en images des conséquences de la décision: Mars montre la facilité et Minerve la difficulté du choix. Le roi pense en images à l'histoire dont les images vont être ensuite déroulées. C'est encore un jeu de miroirs: le cycle de la voûte est le miroir grossissant des conséquences de la décision du roi: toutes les scènes de la guerre de 1672-1678 sont un développement des scènes qui se passent dans l'esprit du roi: mais les scènes de signe négatif, celles des malheurs de la guerre sont représentées au second degré dans l'espace fictif d'une tapisserie qui crée un abîme d'illusion dans le champ du tableau: l'artifice s'emboîte dans l'artifice. Le cycle de la galerie est la mémoire de l'imaginaire royal. Le roi est maître du jeu et proclame au monde qu'il lui suffit désormais d'être lui-même. Avec les trésors de sa propre histoire, le roi peut battre la monnaie de sa gloire: il n'a plus besoin d'emprunter aux trésors des autres, fussent-ils Hercule ou Alexandre.

Mais le roi ne triomphe pas seul, ni pour lui seul. En son corps mystique, il porte la nation qui s'appelle la France. Il faut repartir du «nœud principal», des deux scènes juxtaposées : le gouvernement personnel et l'orgueil des puissances étrangères. Le roi ne s'oppose pas à d'autres rois : il ne se mesure pas aux pâles fantômes qui gouvernent les autres États. Il n'y a qu'un roi. Mais comme il y a d'autres nations, dont les vaines menaces ont mérité une juste punition, il y a aussi une nation, celle que le roi porte en lui, et qui se tient à ses côtés, dans la scène du gouvernement personnel, sous la forme d'une femme tenant un rameau d'olivier, la France, déjà présente à la voûte de l'antichambre de la galerie, le salon de la Guerre, tenant un bouclier à l'effigie du roi (encore un jeu de miroirs : la France, enfermée dans le corps du roi, porte l'image du roi), et encore présente à la voûte du salon de la Paix, présidant aux occupations de l'Europe pacifiée qui accepte sa prépondérance.

Mais cette France n'est pas seulement une allégorie, parmi d'autres. C'est la présence d'une langue, la langue française, la langue du roi[91]. La Renommée qui proclame la gloire du Roi, doit maintenant parler français : comme l'histoire du roi évince la fable qu'elle rend inutile, le français peut remplacer le latin. L'exaltation de la langue française accompagne celle des actions du Roi :

> Les merveilleux événements du règne de Votre Majesté ont porté la Nation française au comble de sa grandeur [...] Faut-il qu'elle aille chercher dans une langue étrangère des paroles pour expliquer son bonheur ? Craindrai-je de dire qu'il y a de l'insolence et de la fausse délicatesse à vouloir que nous empruntions toujours des anciens Romains les expressions qui doivent vous marquer notre juste reconnaissance, puisque l'ancienne Rome ne nous offre rien de si éclatant que vos actions incomparables[92] ?

Devenue universelle comme la gloire du roi, la langue française entre en majesté dans les commentaires du cycle de la galerie des Glaces : les inscriptions expliquant le sens des tableaux de Le Brun avaient d'abord été rédigées en latin : le roi ordonna en 1685 de les remplacer par des inscriptions en français. C'est peut-être la première fois dans l'histoire qu'un monument parle français[93].

La France, c'est la présence d'un style nouveau, inventé pour Versailles : le fameux « ordre français[94] ». Dans la tradition académique, l'ordre, système général des formes et proportions gouvernant la composition architecturale, est l'expression d'une nation qui prend conscience de son identité. On sait comment Colbert lança en 1671 un véritable concours pour la création d'un ordre français, le sixième ordre de l'histoire de l'architecture. Le Brun, qui aurait envoyé un projet en 1672, l'applique systématiquement à la galerie des Glaces, dans les chapiteaux, exécutés en alliage de plomb et d'étain, qui associent, sur leur corps, des palmes entourant une fleur de lis (la Monarchie) ;

au milieu du tailloir, une tête d'Apollon (le Roi) : et aux angles, des coqs (la France). L'Académie d'architecture, créée en 1671, devait « fixer pour jamais la belle architecture en France[95] ». La galerie des Glaces proclame, avec les chapiteaux de Le Brun, que « l'architecture rétablie par les Français[96] » serait en même temps une architecture nationale et française.

La France, c'est aussi la présence d'une technique, celle-là même qui a donné son nom à la Grande Galerie. On sait avec quelle constance Colbert, dans sa politique de promotion de l'industrie, s'est attaché à briser le quasi-monopole de Venise dans la fabrication des glaces[97]. Les dix-sept immenses glaces qui font face aux dix-sept fenêtres de la Grande Galerie ouvrant sur le parc prouvent l'excellence de la technique de la Manufacture royale. Le palais du roi dépassait le modèle donné par le palais de la grande puissance rivale, l'Espagne[98], dans le *salón de los espejos* de l'Alcazar de Madrid, achevé en 1651. Conformément à une tendance profonde de la sensibilité du XVIIe siècle, la technique était mise au service d'un monde de l'illusion et du reflet, d'un espace artificiellement dilaté à l'image de la grandeur du Prince[99]. Par la vertu fascinante de ses miroirs, la galerie des Glaces faisait entrer la nature à l'intérieur du palais ; art et nature dans un seul espace ambigu, à la fois réel et imaginaire.

La galerie, somptueuse mémoire du roi et de la France, pouvait alors, dans un ultime et apparent paradoxe, accueillir la fable et l'histoire de l'Antiquité à la seule place qui leur restait mesurée : celle d'un musée dédié à la beauté. C'est ainsi que huit statues antiques furent placées dans des niches, sur les quatre côtés de la galerie, dont la fameuse Vénus d'Arles[100]. Elles n'étaient pas chargées d'exprimer des « rapports » aux actions du roi : elles témoignaient simplement du goût du roi et de sa volonté d'intégrer les chefs-d'œuvre de l'Antiquité dans la culture dont Versailles porte le témoignage. Versailles parlait assez haut et fort de la gloire du roi et de la puissance de la France pour associer la sculpture romaine à son décor. « Elle est antique et d'une très grande beauté », dit simplement Félibien de la Diane qui faisait vis-à-vis à la Vénus d'Arles[101]. Cette beauté n'était ni une concurrence ni un modèle : elle rendait hommage au roi.

Synthèse de toutes les significations de Versailles, par ses proportions grandioses, par l'irréalité magique de son espace, par sa proclamation symphonique de la gloire du roi et de la prépondérance de la France, par son orgueilleuse confiance dans l'originalité et la créativité du génie français, assumant et dépassant l'héritage de l'Antiquité, par le luxe d'un décor qui fige dans l'éclat des couleurs et la préciosité des matériaux les prestiges éphémères de la fête, par le contenu d'une iconographie qui offre au monde le spectacle d'une nouvelle mythologie, la galerie des Glaces est le sanctuaire de l'État à l'intérieur de sa demeure.

Entrée d'Alexandre à Babylone, par Charles Le Brun.

Deuxième conquête de la Franche-Comté, par Charles Le Brun (détail).

Vingt ans après. Du 10 mars 1661 au 5 mai 1682, de la prise du pouvoir personnel à la décision de faire de Versailles la résidence permanente du roi, la demeure de la Cour et du gouvernement. Le 5 mai 1682, Versailles devient capitale. Le cycle est terminé. La fiction a précédé la réalité ; l'enchantement s'efface devant l'histoire pétrifiée. Le temps du roi se fige dans l'étendue.
Le Versailles qui surgit de la décision de 1682 et qui, dans l'histoire de l'architecture, est le Versailles de J. Hardouin-Mansart, est un lieu de controverses[102]. On s'est acharné à trouver un adjectif pour qualifier la demeure du roi et de l'État, et pour en déterminer les sources d'inspiration : on parle d'un Versailles français ou italien, d'un Versailles parisien ou palladien, d'un Versailles classique ou baroque. Ces controverses sont utiles. Mais que Versailles ait des sources, multiples et contradictoires, n'enlève rien à son originalité, qui est inscrite dans son destin, image et parabole de l'histoire du roi.
Il n'y a pas de rupture entre Versailles et la tradition académique telle qu'elle s'élabore depuis 1671. « Les choses ne sont excellentes que quand elles sont utiles [...] elles ne peuvent être utiles que par le rapport qu'elles ont entre elles[103]. » Tel est le cœur de la doctrine, dont Versailles est la plus éclatante expression. Versailles est l'œuvre du roi, dans la mesure où Versailles est le roi. Non pas seulement parce que Louis XIV se passionne pour l'architecture, cette « espèce d'encyclopédie de la plupart des arts[104] », entre dans le « détail de tout[105] » ; mais surtout parce qu'il fait de Versailles la projection directe de son pouvoir, l'inscription dans l'espace de son corps mystique, l'équivalent de sa toute-puissance, éternelle et illimitée, Louis XIV opère en Versailles la réduction de l'infini à la grandeur majestueuse, symétrique et immuable. En ce sens, Versailles, tel qu'il sort de l'interprétation que Mansart donne à la pensée profonde du roi, est sans précédent. En Versailles le roi « donnait à son règne une gloire qui sert à entretenir le respect de la majesté royale si nécessaire au reste du monde[106] ». Versailles est le roi, Louis le Grand, opérateur des miracles de son règne, et rien de plus. Versailles ne ressemble à rien, sinon aux imitations qu'il a suscitées.
Les récits de la voûte de la galerie des Glaces fixent le temps du roi. Versailles est l'espace qui enveloppe le temps du roi. Le génie du roi est de donner à voir cet espace, condensé de l'infini. Versailles ne pouvait être qu'à Versailles. En un sens profond, le véritable épilogue du voyage à Paris du Bernin en 1665, ce n'est pas la colonnade du Louvre, mais Versailles capitale. Louis XIV a compris ce que Colbert ne voulait pas savoir : que Paris ne pouvait pas être l'espace du roi. L'échec du Bernin aboutit à Versailles. Il fallait, pour enraciner le temps du roi dans la durée, un centre où tout aboutirait et d'où tout partirait, un point fixe autour duquel serait déployé un espace total.
Celui d'une ville nouvelle, dont l'ordonnance rigoureuse impose sur le sol même l'image majestueuse du pouvoir d'où procède toute vie organisée,

d'une ville disposée comme une salle de spectacle devant la scène où le roi offre la représentation de la royauté[107].

Celui d'une nature, symétrique de la ville, déployée aux regards depuis le même point central, dans son immensité réductrice de l'infini (plus de six mille six cents hectares, enfermés dans une enceinte de plus de quarante-trois kilomètres), et dans son caractère de nature « forcée », portant la marque indélébile de la domination de l'homme. L'ordre régnant le long des axes symétriques de ceux de la ville impose, avec la même force, la même image du pouvoir souverain : le roi, en sa demeure focale, est le maître des hommes et de la nature. Il serait peut-être ingénieux, mais sûrement dangereux, de rechercher dans les statues, les bosquets, les parterres et les pièces d'eau, les balises qui jalonnent le parcours immuable du soleil sur un axe est-ouest, ou les étapes de la lutte des forces de l'ombre et des forces de la lumière sur un axe nord-sud. Ce que le parc paraît suggérer, c'est l'archipel fragmenté d'un discours encyclopédique sur l'homme et la nature, dont les éléments sont empruntés au répertoire de la fable et de la philosophie de l'Antiquité ; discours auquel répond en écho celui qui est tenu par la nombreuse population des statues adossées aux façades du château et qui condense l'enseignement de la sagesse et de la poésie antiques, fondation immuable, dans son évocation du temps, des métamorphoses de la nature et des activités humaines, d'un ordre intellectuel soumis à l'ordre monarchique[108].

La demeure du souverain, point fixe où le roi tient en équilibre, sur la balance de son pouvoir, l'homme et la nature, se dresse sur des ruines. Non pas tant celles de l'Orangerie de Le Vau, ni celles du Trianon de porcelaine, mais surtout celles de la grotte de Thétis, détruite en 1684 pour permettre la construction de l'aile Nord : il n'est pas de preuve plus éclatante de la substitution de l'histoire à la fable et de l'État à la fête, que l'effacement d'un chef-d'œuvre tant célébré par les contemporains et essentiel pour l'interprétation du premier Versailles : la réalité pétrifiée du pouvoir sacrifie les enchantements poétiques du pouvoir.

La demeure du roi est maintenant prête pour le déploiement de la liturgie royale. La liturgie, dans son retour immuable jour après jour, succède à la fête, qui déchire la trame du temps de ses éclats éphémères. Cette liturgie s'appelle l'étiquette ; c'est un acte de gouvernement, celui par lequel le roi donne à voir son pouvoir, à des heures et sous des formes rigoureusement déterminées[109]. L'étiquette est l'image figée de la toute-puissance et démontre que la personne physique du roi contient la plénitude du pouvoir éternel et infini qu'il incarne.

Le lieu privilégié de l'étiquette est la chambre du roi, qui est la demeure du roi dans la demeure du pouvoir, l'endroit où son corps physique renaît à la vie chaque jour pour accomplir la mission du corps mystique.

La cérémonie la plus frappante de l'étiquette est celle du lever du roi dont Louis XIV est l'inventeur et dont les antécédents ne sont pas évidents[110]. Quoi qu'il en soit, Louis XIV crée un rite : celui par lequel, chaque matin, après le repos du corps physique, le corps mystique du roi revêt solennellement la plénitude de son pouvoir, comme le char d'Apollon s'élance, à chaque aurore, dans le ciel, pour illuminer le monde et gouverner le temps. Le lever du roi est le spectacle concret de l'*Oriens Augusti.* Et le geste par lequel le roi reçoit la perruque qui lui est présentée et la coiffe, complète sans doute le sens de ce rite, dans la mesure où la chevelure est un symbole de puissance dans les portraits d'apothéose de l'Antiquité[111].

Quelle que soit la fonction assignée à l'étiquette dans la domestication de la noblesse et la fixation de la hiérarchie des préséances parmi les familiers de la Cour répartis comme les *amici Augusti*, il faut souligner que l'étiquette ne signifie pas l'isolement du monarque. Versailles est, par la volonté de Louis XIV, un lieu ouvert, non seulement aux courtisans et aux conseillers du roi, mais au public. « Il y a des nations où la majesté des rois consiste à ne point se laisser voir[112]. » Tel n'est pas le génie de la France : le pouvoir y est accessible aux sujets[113]. La signification même de Versailles est de rendre le pouvoir visible à tous et de montrer que la demeure du Prince est bien celle de l'État qui se confond avec lui, et de la nation dont il exalte la suprématie.

Demeure du roi, centre de célébration de la liturgie royale[114], Versailles est aussi la demeure de la France. Versailles, c'est la France victorieuse grâce aux exploits de Louis XIV : sur les corps de garde de la grille qui sépare la place d'armes de l'avant-cour, deux groupes attirent l'attention : *La Victoire sur l'Espagne*, par Girardon, et *La Victoire sur l'Empire*, par Marsy[115]. Dans le parc, au bosquet de l'arc de triomphe, Tuby réalise en 1681-1682 le groupe imposant de *La France triomphante.*

Versailles, c'est aussi le pays de France, évoqué autour du parterre par les groupes des fleuves identifiés par des attributs qui représentent les richesses et les activités des terres qu'ils traversent et fertilisent.

Versailles, enfin, c'est le musée de la France. La collection des œuvres d'art a une valeur politique : elle est un manifeste de la richesse et du goût du souverain ; elle proclame la grandeur du Prince, comme les bâtiments et les Académies. Après François Ier, les rois de France avaient peu collectionné. Louis XIV hérite d'environ cent cinquante tableaux. L'inventaire de Bailly, achevé en 1710, comprend deux mille trois cent soixante-seize numéros[116]. Lorsque Louis XIV décide, en 1682, de faire de Versailles la demeure du pouvoir, il y amène l'essentiel de sa collection, ne laissant au Louvre que les dessins et environ quatre-vingt-dix tableaux ; et c'est autour de 1685 que se multiplient les acquisitions d'œuvres d'art. L'installation de cet impressionnant ensemble amène un remaniement des appartements royaux : en 1682, on aménage un «cabinet des curiosités», en 1685, deux «cabinets de tableaux» et la «petite galerie»: c'est un véritable «espace muséographique» qui apparaît ainsi à l'intérieur du château. Le roi s'offre à lui-même, et au public, un prodigieux panorama de la peinture française, italienne et, dans une moindre mesure, flamande du XVIe et du XVIIe siècle, qui ajoute un supplément de signification au message politique de l'escalier des Ambassadeurs et de la galerie des Glaces, en proclamant que «la Protection accordée aux Arts» est devenue une réalité: par un nouveau jeu de miroirs, les grands maîtres de la peinture européenne rendent hommage au roi en ratifiant, de leur présence, la vérité du médaillon de Le Brun. Et, surtout, ce trésor entre, comme les ordonnances et les provinces conquises, comme les manufactures et les colonies, comme Versailles, dans l'héritage imprescriptible du corps éternel du roi, la nation. Une plume officielle l'exprime en toute clarté: «Il n'appartenait qu'à un prince aussi magnifique que le Roy, et qui eut autant d'amour et de connaissance que Sa Majesté en a pour toutes les choses dignes de sa puissance, d'enrichir la France de semblables trésors[117].» La mémoire du roi est confiée à la gloire et à la culture: Versailles, à peine achevé, anticipe l'œuvre du temps qui en fera un musée de la France.

La littérature officielle avait proclamé le caractère miraculeux et cosmique de la demeure du roi. Elle pouvait maintenant en revendiquer la perfection unique[118], qui donnait à la France la prééminence dans le domaine des arts[119], et convoquer le monde à Versailles[120], pour y admirer la merveille de l'univers dont elle devait assurer l'éternité[121]. Le culte de Versailles commençait.
Dans l'*Histoire métallique* de 1702 figure une médaille de 1685 consacrée au thème de l'ouverture au public des appartements de Versailles[122]. Le texte inscrit à l'exergue, *«Hilaritati publicae aperta Regia»* («Le palais du roi ouvert pour le plaisir du public»), fixe la destinée que Louis XIV avait assignée au temple de sa mémoire.

1. Sur cette littérature officielle (qui, beaucoup plus qu'une basse flatterie, est l'exaltation d'un principe qui trouve son fondement et sa cohérence dans une conception mystique de la monarchie), voir le livre de Nicole Ferrier-Caverivière, *L'Image de Louis XIV dans la littérature française de 1660 à 1715*, Paris, P.U.F., 1981.

2. Charles Perrault, cité par Pierre de Nolhac, *La Création de Versailles*, Paris, 1901, et Jean-Marie Apostolidès, *Le Roi-machine. Spectacle et politique au temps de Louis XIV*, Paris, Éd. de Minuit, 1981, p. 136.

3. Ces vers sont empruntés au poème *Le Siècle de Louis le Grand*, lu par Charles Perrault à l'Académie française en 1687. *Cf.* le commentaire de N. Ferrier-Caverivière, *op. cit.*, pp. 366-368.

4. Racine, *Précis historique*, cité par N. Ferrier-Caverivière, *op. cit.*, p. 209.

5. La bibliographie sur les «origines» de Versailles est immense. La meilleure synthèse reste celle de Pierre Verlet, *Le Château de Versailles*, Paris, 1985. Voir en outre: Pierre de Nolhac, *op. cit.*, du même, *Histoire du château de Versailles*, Paris, 1911; François Gebelin, *Versailles*, Paris, 1967; Alfred Marie, *Naissance de Versailles*, Paris, 1968, 2 vol.

6. Sur l'État au temps de Louis XIV, voir les synthèses de Robert Mandrou, *Louis XIV en son temps*, Collection «Peuples et civilisations, t. X, Paris, 1973; Id., *L'Europe absolutiste. Raison et raison d'État, 1644-1775*, Paris, 1977; Denis Richet, *La France moderne. L'esprit des institutions*, Paris, Flammarion, 1973; J.-M. Apostolidès, *op. cit.*; Pierre Goubert, *Louis XIV et vingt millions de Français*, Paris, Fayard, 1977.

7. Alfred Marie, «Les fêtes des Plaisirs de l'île enchantée», *Bulletin de la Société de l'histoire de l'art français*, 1941-1944, pp. 118-125; J.-M. Apostolidès, *op. cit.*, p. 93.

8. A. Marie, «Les fêtes des Plaisirs de l'île enchantée», *op. cit.*, p. 119.

9. Relation d'A. Félibien, cité par A. Marie, *Naissance de Versailles, op. cit.*, t. I, p. 45.

10. Sur A. Félibien, consulter Jacques Thuillier, «Pour André Félibien», *XVIIe siècle*, 138, 1983, pp. 67-95.

11. Sur la construction du Versailles de Louis XIV, outre les ouvrages cités de P. de Nolhac et d'A. Marie, consulter les articles de ce dernier, «Le plan de Versailles conservé à la bibliothèque de l'Institut», *Bulletin de la Société de l'histoire de l'art français*, 1945-1946, pp. 8-15, et «Le premier château de Versailles construit par Le Vau en 1664-1665», *ibid.*, 1952, pp. 50-55; ceux de Fiske Kimball, «The genesis of the Château Neuf at Versailles, I, The initial project of Le Vau», et «II, The grand escalier», *Gazette des beaux-arts*, 1949, I, pp. 353-372 et 1952, pp. 115-122; de Guy Walton, «L'enveloppe de Versailles, réflexions, nouvelles et dessins inédits», *Bulletin de la Société de l'histoire de l'art français*, 1977, pp. 127-144; de Jean-Claude Le Guillou, «Remarques sur le corps central du château de Versailles», *Gazette des beaux-arts*, 1976, pp. 49-60; en dépit de son titre, celui sur lequel nous reviendrons de Kevin O. Johnson, «Il n'y a plus de Pyrénées: The iconography of the first Versailles of Louis XIV», *Gazette des beaux-arts*, 1981, I, pp. 29-40, constitue, à ma connaissance, la plus récente mise au point; voir aussi celle qu'apporte le catalogue de l'exposition Colbert, Paris, Hôtel de la Monnaie, *Colbert 1619-1683*, Paris, 1983, pp. 307-324.

12. Henri Bardon, «Ovide et le Grand Roi», dans *Les Études classiques*, XXV, 4, 1957, pp. 401-416.

13. On pense, notamment, à la décoration du palais Pitti, à Florence, par Pietro da Cortona, vers 1648.

14. Donald Posner, «Charles Le Brun's Triumphs of Alexander», *The Art Bulletin*, XL, 1959, pp. 237-248; et le catalogue de l'exposition Le Brun: Versailles, Château, *Charles Le Brun, 1619-1690, peintre et dessinateur*, Paris, 1963, page LV; voir aussi Jacques Vanuxem, «Situation de Le Brun», *Art de France*, IV, 1964, pp. 305-309.

15. Racine, dans la dédicace au roi de sa tragédie *Alexandre le Grand* en décembre 1665. Sur l'application du thème de l'*ut pictura poesis* aux rapports entre l'œuvre de Racine et celle de Le Brun, voir D. Posner, *ibid.*

16. A. Félibien, cité par P. Verlet, *op. cit.*, p. 94.

17. C. Goldstein, «Louis XIV and Jason», *The Art Bulletin*, XLIX, 1967, pp. 327-329.

18. Description officielle de Félibien, citée par A. Marie, *Naissance de Versailles, op. cit.*, t. II, p. 283.

19. Id., *ibid.*, p. 287.

20. *Ibid.*, «On ne pouvait trouver des exemples plus propres pour marquer la magnificence de la Bibliothèque royale qui passe aujourd'hui pour la première de l'Europe.»

21. *Ibid.*, p. 289. Sur le thème d'Alexandre et Porus, voir D. Posner, *op. cit.*, p. 243, et le catalogue de l'exposition Le Brun, *op. cit.*, p. 93.

22. Consulter Josèphe Jacquiot, *Médailles et jetons de Louis XIV*, Paris, 1968; N. Ferrier-Caverivière, «Louis XIV et ses symboles dans l'histoire métallique du règne de Louis le Grand», *XVIIe siècle*, 134, 1982, 1, pp. 19-30; et le catalogue de l'exposition sur ce thème: Paris, Hôtel de la Monnaie, *La Médaille au temps de Louis XIV*, Paris, 1970. Le jeton de Thomas Bernard, «pour les bâtiments du Roi», en 1682, évoque les palais comme des «chefs-d'œuvre parfaits d'éternelle mémoire».

23. A. Félibien, *Description sommaire du château de Versailles*, Paris, 1674; *cf.* aussi Combes, *Explication historique de ce qu'il y a de plus remarquable dans la maison royale de Versailles*, Paris, 1681.

24. D'une bibliographie abondante, il faut détacher trois titres: Louis Hautecœur, *Louis XIV, Roi Soleil*, Paris, 1952; Ernst Kantorowicz, «*Oriens Augusti*-Lever du roi», *Dumbarton Oaks Papers*, XVI, 1963, pp. 117-179; et Riccardo Pacciani, «Heliaca, Simbologia del Sole nella politica di Luigi XIV», *Psicon*, I, 1974, pp. 69-77. Louis XIV n'invente pas l'identification du pouvoir absolu au soleil. Il recueille une longue tradition, dont le cheminement est admirablement évoqué par Kantorowicz et qui a peut-être été vivifiée, en France, sous l'influence de G. Bruno et surtout de T. Campanella: voir l'article de R. Pacciani, *op. cit.*, et Frances A. Yates, «Considérations de Bruno et de Campanella sur la monarchie française», *L'Art et la pensée de Léonard de Vinci. Études d'art*, n°s 9 et 10, Paris-Alger, 1953-1954, pp. 411-422. Il faut relire la magnifique séquence de Louis XIV lui-même (*Mémoires*, éd. par Jean Longnon, Paris, 1927, p. 136) sur le soleil, qui, en communiquant la vie par une action incessante et invariable, «est assurément la plus vive et la plus belle image d'un grand monarque».

25. Voir le fameux passage de la *Description sommaire*: «Comme le Soleil est la devise du Roy et que les poètes confondent le Soleil et Apollon, il n'y a rien dans cette superbe maison qui n'ait rapport à cette divinité.»

26. Combes, *op. cit.*, reprend le texte de Félibien en 1681.

27. Édouard Guillou, *Versailles, le palais du Soleil*, Paris, 1963. L'auteur dévalorise sa démonstration par un excès d'esprit de synthèse. Voici deux synthèses rapides: Robert W. Hartle, «The allegory of Versailles: then and now», *Laurels*, LII, 1, 1981, pp. 9-18, et Daniel Rabreau, «Monumental art, or the Politics of Enchantment», dans le catalogue de l'exposition de La Nouvelle-Orléans, Louisiana State Museum, *The Sun-King: Louis XIV and the New World*, La Nouvelle-Orléans, 1984, pp. 127-135.

28. Pierre Francastel, *La Sculpture de Versailles*, Paris, 1930.

29. E. Kantorowicz, «*Oriens Augusti*-Lever du roi», *op. cit.*, p. 170.

30. K. O. Johnson, *op. cit.*, p. 33.

31. Voir l'étude fondamentale de Liliane Lange, «La grotte de Thétis et le premier Versailles de Louis XIV», *Art de France*, I, 1961, pp. 133-148. Et aussi les remarques de R. Pacciani, *op. cit.*

32. R. Pacciani insiste sur le symbolisme cosmique de l'intérieur de la grotte, d'après Félibien lui-même; la couleur bleu et or des chandeliers («dont la première représente tout ce qui est enfermé dans la sphère universelle du Monde, où nos yeux ne découvrent qu'une masse bleue, éclairée des rayons du Soleil qui sont figurez par ces filets d'or»), l'orgue hydraulique («image parfaite du concert de tous les éléments [...] cette harmonie de l'Univers»), les jeux d'eau reflétés par les miroirs («comme les atomes de lumière qu'on découvre dans les rayons du Soleil»: c'est une vision cartésienne de la matière).

33. Ch. Perrault, dans ses *Mémoires de ma vie*, est explicite: Apollon chez Thétis représente «le Roi [qui] vient se reposer à Versailles après avoir travaillé à faire du bien à tout le monde». *Cf.* L. Lange, *op. cit.*, p. 136. Il suffit de rappeler, sans les citer, les vers bien connus de La Fontaine dans *Les Amours de Psyché et de Cupidon*, cités par N. Ferrier-Caverivière, *op. cit.*, p. 79.

34. K. O. Johnson, *op. cit.*, p. 35, et p. 40, n. 13, citant P. Le Moyne, *De l'art des devises*, Paris, 1666.

35. La grotte de Thétis est une scène pour la fête : elle sert de décor, en 1666, à un ballet de Quinault et Lully, et, en 1674, au *Malade imaginaire* de Molière.

36. A. Félibien, *Description*..., cité par L. Lange, *op. cit.*, p. 134.

37. Nathan T. Hartle, « Myth and Politics : Versailles and the fountain of Latona », *in* John C. Rule, *Louis XIV and the craft of Kingship*, Ohio State University Press, 1969, pp. 286-301.

38. Sur ce thème, voir N. Ferrier-Caverivière, *op. cit.*, pp. 22, 125, 133 et 196.

39. Denis, *Poème au Roi sur les fontaines de Versailles*, cité par Louis Hautecœur, *Histoire de l'architecture classique en France. Le règne de Louis XIV*, Paris, 1948, 2 vol., t. I, p. 386.

40. D'une abondante bibliographie sur Le Nôtre, il faut rappeler : Jules Joseph Guiffrey, *André Le Nôtre*, Paris, 1913 ; Louis Corpechot, *Les Jardins de l'intelligence*, Paris, 1937 ; Ernest de Ganay, *André Le Nôtre*, Paris, 1962 ; Liliane Chatelet-Lange, « Le Nôtre et ses jardins », *Art de France*, IV, 1964, pp. 302-304 ; et surtout la remarquable synthèse de Gerald Weber, « Die Versailles-Konzepte von André Le Nôtre », *Münchner Jahrbuch der bildenden Kunst*, 3e série, t. XXX, 1969, pp. 207-218.

41. Le jardin est un état supérieur de la nature, et l'ordre géométrique, une conquête sur le chaos.

42. Louis-Alexandre Barret, *Les Grandes Eaux de Versailles*, Paris, 1907 ; Albert Mousset, *Les Francine, créateurs des eaux de Versailles, intendants des eaux et fontaines de France, de 1623 à 1784*, Paris, 1930.

43. A. Félibien, cité par J.-M. Apostolidès, *op. cit.*, p. 102.

44. P. Verlet, *op. cit.*, pp. 133 et 222.

45. *Cf.* le poème de La Fontaine, 1664, cité par Luc Benoist, *Versailles et la monarchie*, Paris, 1947, p. 25.

46. Gérard Mabille, « La ménagerie de Versailles », *Gazette des beaux-arts*, 1974, II, pp. 5-36.

47. Madeleine de Scudéry, *La Promenade à Versailles*, 1669, cité par G. Mabille, *op. cit.*, p. 16.

48. Id., *ibid.*

49. Fiske Kimball, « Le décor du château de la Ménagerie », *Gazette des beaux-arts*, 1936, II, pp. 245-256, et Gérard Mabille, « Les tableaux de la Ménagerie de Versailles », *Bulletin de la Société de l'histoire de l'art français*, 1974, pp. 89-101.

50. Pierre de Nolhac, « Le Trianon de porcelaine », *Revue de l'art ancien et moderne*, LII, 1927, pp. 129-140 ; Alfred Marie, « Trianon de porcelaine et Grand Trianon », *Bulletin de la Société de l'histoire de l'art français*, 1945-1946, pp. 88-92.

51. A. Félibien, cité par A. Marie, *Naissance de Versailles, op. cit.*, t. II, p. 198.

52. Id., *ibid.*

53. Jacques Wilhelm, « Le labyrinthe de Versailles », *Revue d'histoire de Versailles*, XXXVIII, 1, 1936, pp. 44-63 ; et Michel Conan, *Le Labyrinthe de Versailles, 1677, présenté par Charles Perrault*, Paris, 1982.

54. Je suis ici l'interprétation de K. O. Johnson, *op. cit.*

55. C'est pour les revendiquer que Louis XIV déclenche la « guerre de Dévolution », conclue par le traité d'Aix-la-Chapelle, en mai 1668.

56. A. Félibien, cité par A. Marie, *Naissance de Versailles, op. cit.*, t. II, p. 294.

57. Combes, *op. cit.*, « Avis au lecteur », p. 4.

58. Louis XIV, cité par Jean-Pierre Labatut, *Louis XIV, roi de gloire*, Paris, Imprimerie nationale, 1984, p. 183.

59. Au grand tournant des années soixante-dix, le thème solaire subit une inversion frappante : « ce bel astre est son véritable portrait », dit un texte de 1671, cité par N. Ferrier-Caverivière, *op. cit.*, p. 73 ; quelques années plus tard, en 1682, on n'hésite pas à déclarer que

Phébus «pour mieux soutenir la qualité qu'il a du plus beau des dieux, avait pris la taille et le visage de Louis le Grand», id., *ibid.*, p. 187. Le soleil est maintenant l'image du roi.

60. *Cf.* Les textes cités par N. Ferrier-Caverivière, *op. cit.*, pp. 106 et 186.

61. J. Desmarets de Saint-Sorlin, *Le Triomphe de Louis XIV et de son siècle*, 1674, IIe chant, p. 11.

62. Tallemant le Jeune, *Panégyrique du Roi sur la campagne de Flandre de l'année 1677, in Panégyriques et harangues à la louange du Roi*, Paris, 1680.

63. J. Desmarets de Saint-Sorlin, cité par N. Ferrier-Caverivière, *op. cit.*, p. 355.

64. Texte cité par N. Ferrier-Caverivière, *op. cit.*, p. 368 (discours de réception de l'abbé de Caumartin à l'Académie française, 1694).

65. Cl. Guyonnet de Vertron, *Parallèle de Louis le Grand avec les princes qui ont été surnommés grands*, 1686, cité par N. Ferrier-Caverivière, *op. cit.*, p. 370.

66. Ch. Perrault, *La Peinture*, Paris, 1678, cité par J. Vanuxem, *op. cit.*

67. Cité par J.-M. Apostolidès, *op. cit.*, p. 114.

68. Cité *in ibid.*, p. 117.

69. «Panégyrique du Roi», *Le Mercure Galant*, décembre 1682, cité par N. Ferrier-Caverivière, *op. cit.*, p. 185.

70. P. Verlet, *op. cit.*, pp. 137-139; J.-M. Apostolidès, *op. cit.*, p. 126.

71. A. Marie, *Naissance de Versailles, op. cit.*, t. II, pp. 336-342.

72. Voir ce texte dans Louis Marin, *Le Portrait du roi*, Paris, 1981, qui en donne, pp. 226-235, un commentaire passionnant.

73. P. Francastel, *op. cit.*, pp. 103-141. On retrouve un écho de cette conception cosmique dans la série des statues qui décorent la façade sur le parc de Versailles de Mansart: *cf.* François Souchal, «Les statues aux façades du château de Versailles», *Gazette des beaux-arts*, 1972, I, pp. 65-110.

74. A. Marie, *Naissance de Versailles, op. cit.*, t. II, pp. 263-277.

75. Claude Nivelon, *Vie de Charles Le Brun et description détaillée de ses ouvrages*, Bibl. nat., ms., vers 1700, cité par A. Marie, *Naissance de Versailles, op. cit.*, t. II, p. 270.

76. Id., *ibid.*, p. 269.

77. Racine, *Œuvres complètes*, Paris, Gallimard. Bibliothèque de la Pléiade, 1950, t. II, p. 350.

78. Les sièges de Valenciennes, Cambrai et Saint-Omer et la bataille de Cassel.

79. Cl. Nivelon, *in* A. Marie, *Naissance de Versailles, op. cit.*, t. II, p. 271. *Cf.* Le Rouge, *Les Curiositez de Paris, de Versailles, etc.*, Paris, 1716, à propos du Grand Escalier: «Le fameux Le Brun y a peint les Nations des quatre parties du Monde, qui admirent les beautez de Versailles et les exploits héroïques de Louis XIV» (p. 321).

80. Antoine Schnapper, «Colonna et la quadratura en France à l'époque de Louis XIV», *Bulletin de la Société de l'histoire de l'art français*, 1966, pp. 65-97.

81. Fiske Kimball, «Mansart and Le Brun in the genesis of the Grande Galerie at Versailles», *The Art Bulletin*, XXII, 1940, pp. 1-5; Alfred Marie, *Mansart à Versailles*, Paris, 1972, 2 vol.

82. Catalogue Colbert, *op. cit.*, p. 311.

83. Catalogue Le Brun, *op. cit.*, p. LXVI.

84. *Ibid.*

85. Mme de Sévigné, citée par Simone Hoog et Walter Witzthum, *Charles Le Brun à Versailles. La galerie des Glaces*, Paris, 1969.

86. Bernard Lamblin, *Peinture et temps*, Paris, 1983, pp. 301-306.

87. Du Bos, cité par B. Lamblin, *op. cit.*

88. Pierre Georgel et Anne-Marie Lecoq, *La Peinture dans la peinture*, Dijon, 1982, p. 35.

89. Je suis ici la remarquable démonstration de Johannes Langner, « Le Brun interprète de l'histoire de Louis XIV : à propos d'un tableau de la galerie des Glaces de Versailles », *Formes*, 1979-1982, pp. 21-26.

90. Musée du Louvre.

91. Ch. Perrault, *Parallèle des Anciens et des Modernes*, Paris, 1692 ; «il en est du langage comme de la monnaie ; il faut que tous les deux pour être de mise soient marqués au coin du Prince», cité par J.-M. Apostolidès, *op. cit.*, p. 31.

92. Charpentier, *De l'excellence de la langue française*, Paris, 1683, cité par N. Ferrier-Caverivière, *op. cit.*, p. 371, n. 71.

93. Le *Mercure* de janvier 1685 affirme que ce changement réjouit les « peuples qui, n'ayant pas la langue latine à commandement, demeurent d'accord qu'on leur a fait grand plaisir de leur faciliter l'intelligence de ces tableaux, et de pouvoir retenir par cœur les éloges de notre grand monarque » ; cité par N. Ferrier-Caverivière, *op. cit.*, p. 375, n. 88.

94. Pierre Moisy, « Notes sur la galerie des Glaces », *Revue de la Société d'études du XVIIe siècle*, LIII, 1961, pp. 42-50 ; Jean-Marie Perouse de Montclos, « Le sixième ordre d'architecture ou la pratique des ordres suivant les nations », *Journal of the Society of architectural historians*, XXXVI, 4, 1977, pp. 223-240.

95. Jean-Marie Perouse de Montclos, *L'Architecture à la française*, Paris, 1982, p. 244.

96. Id., *ibid.*, p. 241.

97. Catalogue Colbert, *op. cit.*, p. 168.

98. P. Moisy, « Notes sur la galerie des Glaces », *op. cit.*

99. Jurgis Baltrusaitis, *Le Miroir*, Paris, 1978, p. 23.

100. Simone Hoog, « Les sculptures du grand appartement du roi », *Revue du Louvre*, 1976, 3, pp. 147-156.

101. A. Félibien, cité dans A. Marie, *Mansart à Versailles, op. cit.*, t. II, p. 480.

102. Pour une mise au point, consulter Victor-Louis Tapié, *Baroque et classicisme*, Paris, Hachette, 1973 ; Bernard Teyssèdre, *L'Art au siècle de Louis XIV*, Paris, Hachette, 1967 ; Anthony Blunt, *Art et architecture en France, 1500-1700*, Paris, Julliard, 1983, et les articles de Pierre Francastel, « L'architecture de Versailles, fonction et décor, urbanisme et architecture », *in Mélanges Lavedan*, Paris, 1954, pp. 119-126, et « Versailles et l'architecture urbaine au XVIIe siècle », *Annales. Économies, Sociétés, Civilisations*, X, 4, 1955, pp. 465-474.

103. A. Félibien, cité par L. Hautecœur, *Histoire de l'architecture classique…, op. cit.*, t. II, p. 469.

104. Selon l'expression de Charles Perrault, *cf.* Catalogue Colbert, *op. cit.*, p. 369.

105. Jean Autin, *Louis XIV, architecte*, Paris, 1981, p. 76.

106. Bossuet, *Instructions pour le Dauphin*, cité par L. Hautecœur, *op. cit.*, p. 539. Bossuet rappelle aussi l'éminente vocation du palais, en citant la prière du sacre : « Puisse la dignité glorieuse et la majesté du palais faire éclater aux yeux de tous la grande splendeur de la puissance royale », cité dans la remarquable synthèse de Fernando Checa et José Miguel Moran, *El Barroco*, Madrid, 1982, p. 136.

107. Jacques Levron, *Versailles ville royale*, Paris, 1964. Le caractère théâtral de la façade orientale du château est souligné dès 1716 dans le guide de Le Rouge, *op. cit.*, p. 315 : « Le château a la représentation d'un magnifique théâtre, à cause de l'élévation en glacis du terrain et de la diminution de la largeur des cours… »

108. Le guide de visite du parc composé par Louis XIV lui-même (*cf.* Simone Hoog, *Louis XIV, la manière de montrer les jardins de Versailles*, Paris, 1982) est une sorte de « parcours initiatique » ; faut-il y voir une lointaine réminiscence du *Songe de Poliphile*, ce livre « que tout

le monde connoit aujourd'hui», selon l'expression d'A. Félibien et dont les illustrations, dans l'édition française de J. Martin, 1546, ont peut-être inspiré la colonnade de Mansart? Voir Anthony Blunt, «The *Hypnerotomachia Poliphili in* 17th Century France», *Journal of the Warburg and Courtauld Institute*, I, 1937, pp. 117-137.

109. Hugh M. Baillie, «Étiquette and the planning of State apartments in baroque palaces», *Archaeologia*, CI, 1967, pp. 169-199.

110. *Cf.* Ernst E. Kantorowicz, «*Oriens Augusti*-Lever du roi», *op. cit.* Sur le déroulement du rite, voir la mise au point de Daniel Meyer, *Quand les rois régnaient à Versailles. Monarques et courtisans*, Paris, 1982. Le cérémonial du sacre comprend un rite du «lever».

111. Henri P. L'Orange, *Apotheosis in ancient Portraiture*, Oslo, 1947, pp. 30-34.

112. Louis XIV, cité par H. M. Baillie, *op. cit.*, p. 183, n. 1. Le roi pense certainement à l'isolement du monarque espagnol.

113. Louis XIV parle de l'«accès libre et facile des sujets au prince»; *cf.* H. Labatut, *op. cit.*, p. 144.

114. Je laisse de côté le problème de la place faite à la liturgie divine. Voir Pierre Pradel, «Le symbolisme de la chapelle de Versailles», *Bulletin monumental*, XCVI, 1937, pp. 335-355, et Fiske Kimball, «The chapels of the château of Versailles», *Gazette des beaux-arts*, 1944, II, pp. 315-332. La chapelle exalte la sainteté de la maison de France (glorification de Saint Louis).

115. Voir l'invitation de Combes, *op. cit.*, *Explication historique*, p. 5: «Arrêtez-vous un moment à la première grille de l'avant-cour, pour y voir les deux groupes de pierre [...] représentant les victoires de la France.»

116. Sur les collections de Louis XIV, voir Adeline Hulftegger, «Notes sur la formation des collections de peintures de Louis XIV», *Bulletin de la Société de l'histoire de l'art français*, 1954, pp. 124-134; Claire Constans, «Les tableaux du Grand Appartement du roi, *Revue du Louvre*, 1976, 3, pp. 157-173; Antoine Schnapper, «Louis XIV collectionneur», *Clefs*, 1, 1978, pp. 68-77; et le catalogue de l'exposition de 1977, Paris, Orangerie des Tuileries, *Collections de Louis XIV. Dessins, albums, manuscrits*, Paris, 1977.

117. A. Félibien, cité par A. Marie, *Mansart à Versailles, op. cit.*, t. II, p. 414.

118. Le guide de Piganol de la Force, *Nouvelle Description des châteaux et parcs de Versailles et de Marly*, Paris, 1701, p. 12: «Il n'y a personne qui ne croye en voyant Versailles que ce Palais [...] a été conduit à ce point de perfection auquel on ne peut rien ajouter.»

119. Combes, *op. cit.*: «L'Italie doit céder présentement à la France le prix de la couronne qu'elle a remportée jusque aujourd'hui [...] Versailles seul suffit pour assurer à jamais à la France la gloire qu'elle a à présent de surpasser tous les autres royaumes dans la science des batimens.» Je rappelle que ce texte est de 1681.

120. Id., *Ibid.*: «C'est dans cette maison royale que vous êtes invitez de venir, Peuples de la Terre [...] vous y verrez l'Ancienne et la Nouvelle Rome [...] Versailles efface tous les Palais enchantez de l'Histoire et de la Fable.»

121. La Fontaine reconnaît, devant l'Académie française, en 1684, la fragilité du monument: «Il serait à craindre que le temps [...] ne diminuat au moins l'éclat de tant de merveilles.» Mais l'histoire, «*Monumentum aere perennius*», en assurera la pérennité: «Nos plumes savantes les garantiront de cette injure.» Voir Lorenz Seelig, «Zu Domenico Guidis Gruppe, "Die Geschichte zeichnet die Taten Ludwigs XIV auf"», *Jahrbuch der Hamburger Kunstsámmlungen*, XVII, 1972, pp. 81-104.

122. *Médailles sur les principaux événements du Règne de Louis le Grand*, Paris, 1702, p. 198.

N.B. Je n'ai pas pu consulter les ouvrages de Bernard Jeannel, *Le Nôtre*, Paris, 1985, et Jean-Pierre Néraudau, *L'Olympe du Roi-Soleil. Mythologie et idéologie royale au Grand Siècle*, Paris, 1986, ni les Actes du colloque *Versailles*, Versailles, 29 septembre-4 octobre 1985.

HÉLÈNE HIMELFARB

Versailles, fonctions et légendes

En cette semaine du 6 mai 1682 où carrosse après carrosse, chariot après chariot déversaient à Versailles courtisans, commis de ministères, officiers royaux et princiers, domestiques de tout rang, de l'écureuse de vaisselle au secrétaire de cardinal, gardes et policiers, aumôniers et jardiniers, bibliothécaires et palefreniers, valets de chiens et sculpteurs, et avec eux l'immense bric-à-brac des outils de leurs fonctions, des *toiles* à prendre le sanglier jusqu'à la cire d'abeille des sceaux de la Chancellerie, chacun croyait-il vivre cette *installation définitive* que nous avons érigée en symbole ? Arrivait-on persuadé d'occuper le *Palais du Soleil*[1], cadre allégorique enfin élaboré de cette *monarchie absolue* qui serait cherchée depuis François Ier, ou Louis XI, ou Philippe le Bel ?

De l'un comme de l'autre, il est permis de douter. Pas de rupture déchirante, lourde de sens et d'avenir, avec Paris : d'une part, l'annonce de l'installation, qui équivaut, certes, à un transfert de capitale mais n'en constitue pas un au sens propre, puisque la notion de capitale n'a pas d'existence juridique au XVIIe siècle, cette annonce a précédé de loin l'emménagement, et s'est elle-même émiettée en étapes et en signes ; l'intention royale est rendue publique dès 1677, manifeste et connue depuis 1675 ou 76, et a gouverné les chantiers versaillais depuis lors. D'autre part, il y a beau temps que le souverain a cessé d'être parisien, si tant est qu'il l'ait jamais été : son dernier séjour au Louvre est de 1666[2], et c'est dès 1661 qu'il a mis le Palais-Royal à la disposition de son frère, Monsieur[3] ; au temps même de la jeune Cour et de la réconciliation avec la Ville qu'avait été censée sceller l'entrée solennelle du 26 août 1660, Vincennes magnifiquement rénové par Le Vau[4], Saint-Germain où Le Nostre[5] allait intervenir à grande échelle[6] s'étaient interposés avec insistance entre Paris et le roi, et l'on sait la longueur de tels « Fontainebleaux » des débuts du règne[7]. Si le Louvre, puzzle hétéroclite et divagant, trop petit et trop vaste à la fois, sans cesse en travaux et sans cesse inachevé, proie des querelles de doctrine et de spéculation autour de son entrée orientale, et de surcroît mordu en 1662 par un grave incendie au flanc des appartements royaux[8], n'était réellement guère praticable, il y avait pourtant les Tuileries, mises *intra muros* par Louis XIII, et que Le Vau, Le Nostre, Vigarani et Le Brun dégageaient, achevaient, équipaient et décoraient avec un luxe tout moderne depuis 1659: on a montré récemment[9] leur importance méconnue dans les conceptions du décor, de la distribution, et de la conduite des agences et des ateliers qui vont prévaloir à Versailles. Mais sans aucune des raisons objectives qui entravent la pleine utilisation du Louvre, les Tuileries aussi ont vu leurs travaux suspendus, puis abandonnés en 1671, et les séjours royaux raréfiés, puis supprimés. Au profit de Versailles, déjà ? Oui, et non.

Oui, puisque aux simples améliorations du petit château de Louis XIII et aux considérables travaux de jardinage entrepris à Versailles dès la première moitié de la décennie 1660, a succédé à partir de 1668, sur une échelle autrement vaste, le grand projet de reconstruction commencé par l'*enveloppe* de Le Vau et qui déjà a engendré ses annexes et ses correctifs: Orangerie de brique, grotte de Thétis, premières Écuries hors du château, Ménagerie au bras sud du futur Canal, Trianon de Porcelaine au bras nord[10], prolifération dont on ne peut séparer les premiers aménagements de la ville à venir (1664): il va de soi que ces chantiers déjà absorbants, fiévreux et coûteux ont enlevé maîtres et compagnons à ceux du Louvre et des Tuileries. Mais non, en un autre sens.

Car le Versailles de 1668-1677, ce n'est nullement la demeure de la monarchie. Une création toute personnelle, à plaisir et pour le plaisir, dans un site ingrat, peu urbanisé et mal viabilisé, qui ne saurait être vraiment habitée qu'à la belle saison: témoin la terrasse à jet d'eau et caisses d'orangers sur laquelle donnent tant les grands appartements du Roi et de la Reine que leurs cabinets intérieurs[11], et qui ne permet aux courtisans de passer qu'à l'air libre des pièces de réception d'un époux à celles de l'autre; ou encore la conception en cryptoportique de la Galerie basse qui supporte la terrasse, avec sa pierre nue, son dallage et ses arcades ouvertes aux vents dominants de l'ouest, manifestement prévue en abri de jardin et non en circulation de palais[12]; à plus forte raison le premier Trianon s'affirme-t-il «maison de porcelaine à aller faire des collations» (Saint-Simon), avec ses revêtements intérieurs comme extérieurs de carreaux de Rouen et de Lisieux à décor bleu, blanc et or, ses chambres sans cheminée qui interdisent de songer à plus qu'une sieste aux heures chaudes, et ses pavillons dispersés dans un jardin conçu pour être vu fleuri, puisque ses arrangements de narcisses, jonquilles et jacinthes reproduisent la gamme colorée des céramiques murales[13]. Ce n'est donc pas pour Versailles, resté château de chasse, de fêtes et de vacances malgré l'amoureuse énormité des travaux qu'on lui consacre, que le Roi abandonne Paris dès 1668-1670. Mais, on l'a deviné, pour Saint-Germain. Saint-Simon l'a bien vu, qui situe au temps des séjours sans cesse «allongés» à Saint-Germain le moment fatidique où le Roi fixe «la Cour pour toujours à la campagne», et l'on sait les puissantes antithèses que lui inspire, en plein règne de Louis XV, l'indignation non pas contre l'abandon de Paris, mais contre celui de Saint-Germain, demeure des siècles façonnée par l'histoire depuis les Capétiens et souplement servie par la nature, symbole des permanences et des diversités monarchiques et de l'harmonie entre royauté et paysage, au profit de Versailles, création *ex nihilo* née du caprice individuel et de la violence faite au terrain[14]. Ce ne sont donc pas seulement ses origines de discret et spartiate pavillon de chasse et de retraite pour Louis XIII fuyant la cour de Saint-Germain qui font de Versailles le fils de celui-ci, mais aussi le rôle qu'eut Saint-Germain pour assurer la transition entre le séculaire nomadisme des rois avec Paris pour port d'attache, et la fixation du gouvernement dans une capitale administrative et suburbaine.

Au reste, les idées de Louis XIV étaient-elles bien claires au moment même où le transfert s'accomplissait? Il est frappant de constater qu'en 1680-1685 précisément, où le chantier versaillais tout entier nous paraît orienté, dans sa précipitation et son gigantisme, vers l'accueil du pouvoir et de tous ses rouages à demeure, Hardouin-Mansart régularise et modernise le Château-Vieux de Saint-Germain[15] qui vient pourtant de perdre son caractère de résidence (au profit de Versailles), et même celui de villégiature (au profit de Marly, dont le même Mansart mène les travaux tambour battant au même moment). Sans l'arrivée à Saint-Germain des Stuarts fuyant la *glorious Revolution* de décembre 1688, y eût-on revu la Cour? Eût on, qui sait? restauré le Château-Neuf des Valois et d'Henri IV qui, malgré sa relative jeunesse, se dégradait plus vite que son aîné[16]? Spéculations sans fruit; mais le fait même qu'on puisse s'y livrer suffit à montrer que 1682 ne fut pas, pour les contemporains, la date climatérique que nous croyons, et qu'en tout état de cause le divorce entre Paris et le Roi était depuis longtemps acquis.

Introduisons encore une nuance, que le bon sens suffirait à imposer et que l'histoire vérifie. On voit mal comment le nomadisme royal, dont chacun parle sans en mesurer toujours la profondeur ni le complexe enracinement, eût pu s'abolir en une décennie. Et en effet, si 1682 voit bien la prise de possession de Versailles comme «principal séjour» de la Cour et du gouvernement, ceux-ci n'en sont point pour autant devenus sédentaires. Jusqu'en 1693, Louis XIV traînera chaque printemps jusqu'au front les carrossées cahotantes de «dames» et de ministres, si nombreuses, si diverses et si chargées qu'elles ne se meuvent qu'à minuscules étapes (en 1684, huit couchées pour gagner Condé-sur-Escaut, et cinq pour en revenir), et qui laisseront, selon leurs tempéraments, des souvenirs hilares et éblouis à Madame Palatine, excédés à Mme de Maintenon, ou mitigés à la Grande Mademoiselle. Si ce n'est au front, ce sera pour inspecter les places conquises ou pour présider de grandes manœuvres[17], dont le caractère de « camp » n'exclut pourtant ni les civils des secrétariats d'État ou des chambres princières ni les femmes de la famille, qu'escortent nécessairement dame d'honneur, dame d'atour, dames du palais, filles d'honneur et femmes de chambre, moins encore les aumôniers de chaque maison, ou les gouverneurs et précepteurs des jeunes princes qu'on initie au métier des armes et à l'endurance au voyage. Tels sont les hasards et les lenteurs du cheminement que l'on ne peut tabler sur la seule réception des évêques ou des intendants : force est donc d'emporter tout le nécessaire, des tapisseries roulées pour reconstituer dans un logis de fortune la suite d'un appartement royal à la vaisselle plate qu'impose la dignité, des ballots de livres pour les jours de pluie ou d'attente aux lits démontables, des pierreries pour les fêtes offertes par les bonnes villes aux battoirs de paume, et jusqu'à ces clavecins « brisés » (pliants) pour le soir ou les bals improvisés, dont certains sont venus jusqu'à nous avec leurs charnières intactes, et même leur provision de plumes de corbeau prêtes à regarnir un sautereau défaillant[18].

Indépendamment même de ces grandes chevauchées militaires ou paramilitaires, qui jettent sur les chemins la Cour presque entière et qui restent loin encore de la rationalité des étapes napoléoniennes, avec les haltes toutes trouvées des préfectures et le semis européen des palais impériaux dans la France des cent trente départements[19], l'installation à Versailles n'arrête pas, il s'en faut, les déplacements de chasse et de vacances. Malgré l'immensité du parc de chasse progressivement créé à Versailles qui, rappelons-le, enclôt sous l'Ancien Régime dix communes actuelles[20] et s'enchaîne sans interruption avec celui de Marly, malgré sa gestion raisonnée, la pression cynégétique exercée par le souverain et les princes, pour lesquels il n'est pas de fermeture et qui chassent à tir, à courre, au vol ou aux toiles chaque jour ou presque, est si forte que Versailles ne saurait y suffire ; aussi bien l'habitude est-elle enracinée depuis des siècles de varier les plaisirs en variant les lieux. La mise en coupe réglée par la maison royale de nos départements des Yvelines, des Hauts-de-Seine, du Val-de-Marne et de l'Essonne que symbolisent à nos yeux les admirables *Cartes des Chasses* commencées sous Louis XV et achevées sous Napoléon, ou l'éradication des loups au sud-ouest de Paris, qui semble à peu près acquise à la mort de Monseigneur, fils de Louis XIV et louvetier acharné (1711), ne doivent pas faire oublier les saisons rituelles à Fontainebleau (septembre-novembre le plus souvent), voire à Chambord, auquel Louis XIV est fidèle jusqu'en 1686 (il y a une histoire louis-quatorzienne de Chambord, trop peu étudiée entre le temps fort des Valois et celui de Stanislas et de Saxe), et, pour Louis XV, à Choisy et

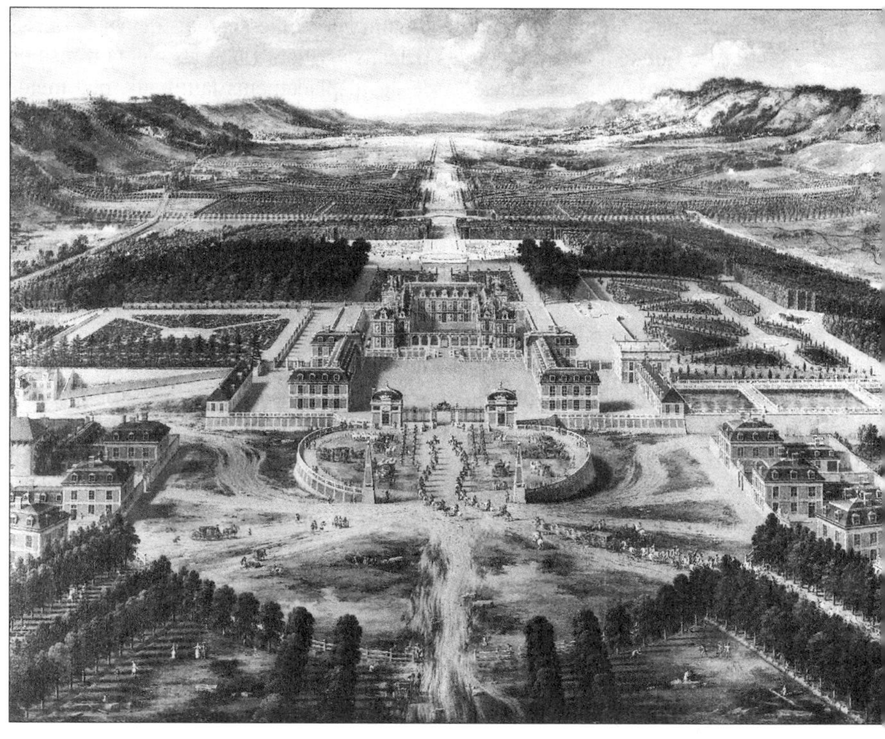

Vue du château et des jardins de Versailles prise de l'avenue de Paris,
par Pierre Patel, 1668.

Compiègne[21]. Ajoutons d'éventuels séjours de politesse, mais de chasse aussi, chez les Condé à Chantilly ou les Orléans à Villers-Cotterêts[22], et la transition sera toute trouvée vers la catégorie des déplacements familiaux, que même l'égocentrisme routinier de Louis XIV ne peut éviter tout à fait: il faut bien, en maugréant, venir voir avec une jalousie inquiète les travaux, où l'audace le dispute au faste, de son frère à Saint-Cloud[23] ou même au Palais-Royal, donner quelques jours à son fils à Meudon[24] ou à ses bâtards à Sceaux et à Rambouillet[25]; si ces brèves villégiatures, que le roi fait fort rares, ne lancent pas sur les routes la Cour et le gouvernement entiers, elles mettent néanmoins en mouvement les ministres qui viennent au Conseil matinal comme au travail «tête-à-tête» du soir, Mme de Maintenon et son petit «sanctuaire» de dames familières, les fils et filles de France, les bâtards et bâtardes, partant leurs conjoints et les «principaux» de leurs maisons et leurs amis intimes; enfin, puisque ces séjours éclairs, exceptionnels, supposent fêtes et divertissements offerts par son hôte au royal parent, celui-ci ne manque pas d'y retrouver ses musiciens et comédiens, ou ses veneurs; comme le prétexte est souvent décoratif et architectural, et qu'aussi bien les chantiers des autres maisons se poursuivent et veulent des ordres, Mansart, Le Nostre et les «gens des Bâtiments» manquent rarement à l'appel; enfin où que soit le Roi suivent sa Chapelle, et la «Faculté» (Premier Médecin, Premier Chirurgien, Premier Apothicaire) qui veille sur sa santé. Si une simple visite fraternelle ou paternelle de trois ou quatre jours déplace tant de personnes et de services, on imagine ce que supposent ces séjours plus longs et, eux, désirés et non subis, que Louis XIV multiplie autour de Versailles jusqu'à ses derniers jours, et pour nous si étranges.

Non point autour de Versailles à vrai dire, mais dans le périmètre de son «parc»: car Trianon et Marly, on l'a vu, y sont compris ou réunis. Le Trianon de Porcelaine, lié au temps où Versailles lui-même restait une villégiature, n'était pas véritablement logeable: simple but de promenade à l'extrémité des jardins, pavillon de goûter et de sieste, et aussi petite distillerie de parfums où le Roi se divertit avec Mme de Montespan[26]. (C'est là le seul travail manuel, et peu durable, que nous connaissions à Louis XIV, avec la taille de ses ifs, pour laquelle il aimait montrer cisailles en main ses *desiderata* aux jardiniers; le contraste est frappant avec son père, bricoleur passionné, comme avec ses successeurs: outre la forge, Louis XVI pratiqua l'art du tour et la menuiserie, et Louis XV, après avoir aimé imprimer, tourna l'ivoire, l'argent et le bois avec virtuosité toute sa vie, et surtout cuisina et distilla au plus haut niveau[27].) Mais avec l'installation de 1682, les pavillons de jardin ne suffisent plus à délasser «du beau et de la foule» (Saint-Simon). La création de Marly (1679)[28] vise des buts multiples: «ermitage» de repos au fond d'un vallon aux eaux abondantes et aux pentes boisées et giboyeuses, Marly est bien cela, puisque le site semble limiter son extension, et que le château même ne comporte que quatre appartements principaux rayonnant autour du grand salon à l'italienne ; fût-ce en y ajoutant quelques logements secondaires et bas de plafond à l'étage attique, seule la famille du souverain peut l'y accompagner : les services, et même la chapelle, sont rejetés au-dehors, sur les avenues d'accès. Mais, on le sait, Marly est aussi levier de gouvernement, ou au moins monnaie d'échange. La Cour tout entière vivant, pour la première fois de notre histoire, à l'année sous le toit du Roi, un Procédé de « distinction » risque de lui échapper en rançon de la surveillance sans précédent qu'il y a gagnée sur la grande noblesse : les célèbres « listes » de Marly, avec le rituel de la « demande », fourniront donc un de ces moyens de pression où se mesure la faveur et se resserre la dépendance, puisqu'elles dégagent un « élixir de Cour » (Saint-Simon) qui jouira dans la vallée si proche de Versailles d'une illusion d'intimité, voire d'amitié, fondée sur les mécanismes de la sélection et sur le relâchement, lui-même fort ritualisé, de l'étiquette. Car on est à Marly réputé « ami » du roi, on y mange aux tables qu'il préside ou fait présider par les princes de sa famille, on y vient par couples (les invitations sont au nom des dames, que leurs maris suivent), et l'on y escorte la promenade royale couvert, en signe d'oubli des préséances ; les divertissements du Salon ou des jardins y sont plus modernes et souples qu'à Versailles : le bal y est plus souvent « masqué » que « paré », coupé d'entrées féeriques ou burlesques, dites « mascarades », qui relèvent d'une esthétique juvénile et parisienne, plus proche du Théâtre-Italien ou des théâtres de la Foire que du Théâtre-Français ou de l'Académie royale de Musique ; les jeux de plein air (manèges, portiques, montagnes russes) sont nouveaux eux aussi[29] ; et la musique de chambre, souvent avancée, est reine au Salon. Le rôle spécifique de Marly dans le développement de la « fête », de l'opéra-ballet, de la cantate profane, de la sonate ou de la peinture de fêtes galantes reste à préciser. On connaît mieux, en revanche, le style qu'expérimente et diffuse Marly en décor intérieur et en sculpture de jardins, qui en fait une des matrices de la Rocaille française dès la dernière décennie du XVIIe siècle[30].

Mais on sent que, même indiquée, et en partie obtenue, par l'esthétique et le climat, l'intimité ne peut être à Marly que symbolique ; outre la famille royale, chaque liste admet une cinquantaine d'invités, qu'il faut loger : d'où l'étonnante trouvaille des douze pavillons cubiques[31], égrenés face à face au fil du vallon et de ses plans d'eau étagés, et reliés par des berceaux de treillage que garnissent chèvrefeuille et jasmin. Et l'on sait que, la famille s'étendant, et avec elle le nombre des élus que chaque prince souhaitait amener, il fallut sur la fin sacrifier le beau trompe-l'œil du bâtiment de la Perspective pour y ouvrir des logements[32], tandis qu'on multipliait les communs (1696-1704).

Il est donc naturel qu'une fois affirmées les fonctions de Marly (les premiers séjours y datent de 1686), le besoin se soit fait sentir d'une maison pour l'intimité vraie. Ce fut Trianon, le Trianon de Marbre, édifié en une campagne fulgurante de rapidité et d'audace inspirée (1687-1688) et qui, par une rencontre symbolique, se trouva logeable au moment où Versailles atteignait, avec l'achèvement de l'aile du Nord, son extension maximale (1689). Ici encore, innovations architecturales à foison: au plan éclaté en pavillons de loisir le long d'un hippodrome à l'antique dont la carrière serait remplacée par des parterres d'eau[33], et calé par le logis royal, axial et de plus grand module (Marly), Trianon substitue un plan coudé, où les ailes se décalent trois fois à angle droit, multipliant ainsi les expositions heureuses (trois façades s'éclairent au sud), et créant trois jardins distincts en sus de la cour[34]; aux deux niveaux, hiérarchisés ou non, de Marly, Trianon répond par un rez-de-chaussée unique, où presque toutes les fenêtres sont des portes, et qui assure un plain-pied constant avec les parterres et les bosquets; enfin au bâtiment médian et dominant de Marly, Trianon oppose le coup de génie de la transparence centrale, avec son surprenant «péristyle» (le terme, impropre, reste respecté parce que de Louis XIV lui-même; il s'agit en fait d'un portique dans sa présentation actuelle, et d'une loggia dans son état originel, où les arcades est étaient vitrées)[35]. On sait que Trianon, dans la conception duquel le Roi joua un rôle personnel et dont il suivit la construction avec une impatience passionnée[36], réussit à préserver ce caractère privé, et qu'y séjournait seule la famille royale étroite (les princes du Sang mêmes n'y avaient pas d'appartements, qui s'arrêtaient aux petits-fils de France), et que le «service» noble s'y bornait à l'indispensable.

Mais à Trianon comme à Marly, la recherche d'un entourage choisi ou d'un repli sur la famille ne suffit sans doute pas à justifier la fréquence des séjours; si Versailles explique négativement ses annexes, qui servent à le fuir, il les explique positivement aussi. Rappelons pour mémoire la constatation de bon sens de Pierre Goubert[37]: s'il faut quitter Versailles toutes les quelques semaines, c'est en partie pour laisser place aux équipes de nettoyage. La saleté de Versailles a certes été exagérée à plaisir par le XIXe et le XXe siècle, jusqu'au délire épique, et il est paradoxal de songer que les travaux du XIXe siècle justement, qui, pour transformer les appartements en salles de musée, y ont presque partout supprimé garde-robes, salles de bains, cabinets de chaise et pièces de service, aient autorisé la légende en persuadant le public que le château ne connaissait que les enfilades de parade et qu'on s'y soulageait derrière les portes ou dans les retours d'escaliers. Le moindre coup d'œil aux plans anciens suffit à montrer qu'ils ménagent systématiquement garde-robes et lieux d'aisances, et que si la salle de bains n'est guère encore une pièce distincte sous Louis XIV (mais les baignoires sont attestées dans les garde-robes), elle en devient une d'un raffinement extrême sous Louis XV, et même le noyau d'un ensemble comprenant bains proprement dits, «repos des bains» avec lit en alcôve, et «pièce des cuves» où est stockée et chauffée l'eau courante en entresol[38]. On sent de reste combien la certitude de l'immondice et de la touffeur versaillaises étaient nécessaires à la démonstration de la monstruosité radicale de la monarchie absolue, et à l'affirmation du progrès bourgeois. De nos jours, si ces arrière-pensées se sont effacées, d'autres préjugés les ont remplacées: en apprenant au public contemporain que les courtisans du XVIIe et du XVIIIe siècle se lavaient et éliminaient leurs excréments presque comme lui (quoique de façon sans doute moins maniaque), c'est son besoin d'exotisme baroque que l'on déçoit cruellement; pour qu'il apprécie la «splendeur» de la Cour, il faut, semble-t-il, que celle-ci ait grouillé de vermine et empesté la sueur et l'urine... Laissons là ces fantasmes[39].

Reste que la pression démographique est forte à Versailles: on évalue sa population à cinq mille habitants pour le château même[40], et il est probable que l'on peut doubler ce chiffre en y joignant ceux des vastes et nombreux «dehors» (Écuries, Chenil, Grand Commun, Chancellerie, Orangerie, Jeu de Paume, Potager, Ménagerie, Petite Venise, Trianon, Surintendance, ministères, hôtel du Grand-Maître, Garde-Meuble, etc.), qui dans la journée ne manquent guère d'avoir affaire dans le château ou ses jardins. Faut-il préciser que sur ces dix mille personnes peut-être (une petite ville de province...), les courtisans ne sont guère plus d'un millier? L'écrasante majorité, c'est, comme de raison, le personnel d'administration, de service, d'entretien et de sécurité. Mais plus encore que de ses hôtes à demeure, la saleté de Versailles vient de ses visiteurs. On oublie trop que les grands appartements, la chapelle, les galeries, les escaliers principaux, les vestibules, les cours et les jardins sont, comme il est de règle dans toute maison royale, ouverts à tout venant dans la journée; le souverain français est, par essence et devoir d'État, visible, souvent accessible puisqu'il est source de toute justice, et rend traditionnellement publics certains moments de sa vie quotidienne. Rien ne différencie à cet égard Versailles du Louvre des Valois ou des Bourbons. Mais il y a plus, et plus nouveau: en regroupant autour de lui et toute l'année tous les organes du gouvernement, Louis XIV fait de Versailles beaucoup plus qu'une résidence, si vaste et peuplée soit-elle (rappelons ici la comparaison favorite et si parlante de Pierre Lemoine, son Conservateur, pour qui le Versailles des courtisans, c'est une grande ville d'eaux vers 1900)[41]; il en fait aussi une énorme cité administrative, où afflue tout le jour, vers les services et bureaux qu'elle abrite, la foule des solliciteurs ou des simples sujets, qui ont mille démarches à effectuer auprès des administrations, et celle des fournisseurs, qui offrent leurs services et leurs produits à ces organes ramifiés et fortement consommateurs. Enfin, et c'est là une nouveauté, dès Louis XIV, Versailles attire les touristes, et de l'Europe entière. *Voyeux, curieux, voyageurs, étrangers, badauds, public:* leur abondance et leur obstination sont attestées par les sources les plus diverses: des vues gravées ou peintes, où voisinent enfants menés par leur gouverneur ou leur «mie», étrangers en manteau et bottes de voyage, peintres assis sur un perron et dessinant sur leurs genoux, petits groupes où se détache un cicérone qui lève sa canne pour désigner un objet ou un point de vue, jusqu'aux règlements sur l'admission du public, qui doit être «proprement vêtu» (Mme Campan) et, pour les hommes, porter l'épée (mais les Suisses louent des épées à la grille pour quelques sols), et surtout la foison de guides et de descriptions, de poche ou volumineux, illustrés ou non, que Versailles n'a cessé de susciter depuis sa création et qui déjà le présentent en musée, énumérant tableaux et sculptures, expliquant les allégories, exaltant les artistes au moins autant qu'ils n'énoncent la mécanique des journées royales. On connaît aussi l'existence de conférenciers quasi professionnels, qui louent leurs services aux voyageurs fortunés, et qui sont parfois les auteurs de ces guides imprimés[42].

Les mémorialistes ajoutent à ce tableau la respiration périodique de l'affluence: les «masques» venus par «troupes» de la Ville, traditionnellement admis aux bals des nuits de carnaval, et qui produisent d'effroyables «presses», voire des accidents ou des bagarres, sans pour autant perdre leur anonymat; l'invasion des gradins ménagés dans les embrasures de la Galerie ou de l'Appartement les jours de mariages royaux, par les dames accourues de Paris, qui ne laissent plus de place à celles de la Cour, et que l'on n'ose faire sortir; les dégradations infligées par la foule aux bosquets, périodiquement interdits, puis rouverts devant les protestations; le château envahi jusqu'aux toits aux entrées d'ambassades extraordinaires; les auberges pleines aux «bonnes fêtes» où le Roi communie et donc touche les malades (il en vient de toute l'Europe); l'interminable défilé du «peuple» dans la pièce de parade où l'on expose la dépouille mortelle d'un prince ou d'une princesse de France; enfin l'attraction hebdomadaire, au XVIIIe siècle, du «Grand Couvert» public des souverains ou des princes le dimanche, pour lequel il semble de bon ton à la Cour de railler la curiosité bourgeoise qu'il excite[43].

Ainsi, tradition et innovation se conjuguent pour livrer Versailles à une foule diverse, mais énorme, constante, obsédante. Les absences fréquentes du Roi et de sa famille, fût-ce pour des séjours voisins et à faible effectif comme ceux de Trianon et de Marly, ne vident certes jamais la fourmilière; mais elles l'aèrent, réduisent le flot des visiteurs, chassent le gros des courtisans vers leurs hôtels ou leurs châteaux, drainent une partie des domestiques, des militaires et des ecclésiastiques, et calment l'effervescence des bureaux. La place est libre alors pour les «frotteurs» ou les vidangeurs, et peut-être le retour annuel de Fontainebleau avait-il, à l'automne, quelque chose d'une moderne rentrée dans un lycée nettoyé à fond pendant les vacances, et allégé de ses odeurs humaines.

La place est libre aussi, et, surtout, pour les ouvriers : les familiers des archives des Bâtiments savent que dans les parties habitées, les travaux ne peuvent guère se dérouler qu'en l'absence des occupants, petits travaux d'entretien ou d'amélioration lors des Marlis ou des Trianons, grands remaniements lors des Fontainebleaux. Et que cette nécessité même enrichit les archives : car elle multiplie les échanges de propositions, de comptes rendus et d'ordres entre le Roi et son Premier Architecte, avec le système cher à Louis XIV des rapports de Mansart sur la moitié gauche de la page, auxquels le Roi répond point par point «à la marge» de droite.

Nous retrouvons ici les questions posées à l'orée de cette étude. Installation définitive, en mai 1682 ? Peut-être ; mais elle avait beau, nous l'avons vu, se préparer depuis cinq ou six ans au moins, c'est dans un effroyable chantier qu'on emménage ; si effroyable, que la Dauphine-Bavière, enceinte, ne peut tenir au vacarme et à la poussière qui règnent autour de son appartement de l'aile du Midi et doit envahir, pour y accoucher du Duc de Bourgogne le 6 août, le logis des Colbert à la Surintendance. Et disons-le avec force, ce chantier ne cessera plus un siècle durant, encore qu'il connaisse des accalmies ou des changements de dimensions. La Révolution nationalisera un Versailles radicalement inachevé, où de nouveaux chantiers, à très grande échelle, venaient d'être ouverts puis laissés en suspens. Après les tentatives avortées de Napoléon puis de Louis XVIII pour en régulariser les disparates et y ranimer la vie, les gigantesques travaux de Louis-Philippe imposeront à Versailles, avec une transformation fondamentale, un état qu'on pourra croire définitif – jusqu'à 1871, où le Parlement lui infligera de brutaux bouleversements et de nouveaux usages. Le Gouvernement provisoire reparti, non sans laisser des traces ineffaçables, commencera l'ère nouvelle des grands Conservateurs historiens et restaurateurs, et des architectes réparateurs : de Pierre de Nolhac à Pierre Lemoine, de Robert Danis à Jean Dumont, au rythme inégal des paix et des guerres, des sauvetages en urgence du gros œuvre aux remeublements sophistiqués sur lois-programmes, la restitution est tentée, sans cesse plus exigeante, mais nécessairement mitigée par l'apport irréversible des périodes ultérieures, du dernier état d'Ancien Régime, qui est aussi le mieux connu et celui pour lequel ont subsisté le plus d'éléments originaux, celui de la deuxième moitié du XVIIIe siècle et même, partout où cela se peut, de l'été[44] 1789. Chantier différent, certes, dans ses principes et sa nature, de ceux des trois siècles passés, mais non moins ample : on voudra bien songer qu'en 1981, on s'activait à la fois sur quatre-vingts points d'intervention, et que l'inauguration de la tranche de travaux qui s'achève en 1986 porte sur quatre-vingt-dix salles.

Nous reviendrons sur cette histoire chaotique, ce *perpetuum mobile*; mais si nous en avons d'emblée tiré le fil, c'est pour marquer vigoureusement qu'il est impossible de voir en Versailles le *château de Louis XIV*. C'est même à peine un paradoxe que de douter qu'il y ait jamais eu un Versailles de Louis XIV. D'abord parce qu'il y en eut plusieurs; ensuite parce que Louis XIV ne sut peut-être jamais lui-même à quel dessein il s'arrêtait. Le petit château de Louis XIII (qui lui-même, rappelons-le, est double : celui de 1624 subit en 1631-1634 un remaniement, un agrandissement et une redistribution qui équivalent à une reconstruction)[45], le Petit Château de 1634 donc, fut dans un premier temps conservé, mais ceinturé d'un balcon doré continu, orné de lucarnes, de plombs dorés et de bustes sur consoles, ennobli par un portique à arcades, annoncé par des rampes circulaires à obélisques et guérites, et desservi par des corps séparés pour la Bouche et l'Écurie, tout de brique, pierre et ardoise, tel que nous le montre la célèbre vue à vol d'oiseau peinte par Pierre Patel en 1668[46], et déjà doté, ou se dotant, d'une première Orangerie au midi, de la Grotte et de réservoirs au nord, de la Ménagerie au sud-ouest, bientôt du Trianon de Porcelaine au nord-ouest, tandis que se creuse le Canal[47] et que se différencient parterres et premiers bosquets, selon les deux axes cardinaux qui viendront jusqu'à nous. Puis vint le château, ou plutôt les ébauches de châteaux, de la décennie 1670, celle sans doute des contradictions les plus violentes et touffues, des changements radicaux de parti, des luttes d'influences, des raccords épineux, des tentatives et des abandons[48] : période si convulsive que quiconque en connaît un peu l'histoire tourmentée ne peut retenir un sourire quand commentateurs, auteurs de guides ou, hélas ! enseignants s'obstinent à y situer l'affirmation « sereine » d'un « classicisme français » coïncidant avec le « triomphe de l'absolutisme ». C'est le temps, certes, de l'*enveloppe* de Le Vau, qui vient masquer de trois côtés le Petit Château sur les jardins par ses façades de pierre à soubassement de grand appareil, étage noble ionique et attique corinthien, et se coiffe de plombs à faible pente, invisibles derrière les balustrades de couronnement. Mais une enveloppe beaucoup plus mouvementée qu'aujourd'hui, avec l'expressive interruption de sa terrasse médiane, les angles vifs de ses fenêtres rectangulaires sommées de reliefs rectangulaires aussi[49], et le décor scénographique qu'elle plaque au revers du Petit Château, devenu le fond de la terrasse. Et, surtout, c'est le temps des hésitations quasi haletantes sur le maintien ou la suppression du Petit Château ; celui de trois chapelles successives[50] ; celui où le fastueux appartement des Planètes voit sa fonction changer en cours de décor[51] ; celui de projets si multipliés pour le Parterre d'Eau que, le temps d'exécuter la commande de sculptures qui lui est destinée en 1674, le Parterre se sera transformé au point d'interdire le placement des statues.

Comment, dans ce remue-ménage constant, l'idée se fait-elle jour vers le milieu de la décennie de l'installation à demeure, et du tournant qu'elle suppose dans la conception du château, qui va ouvrir des chantiers d'une nature et d'une échelle tout autres en laissant inachevés ceux des années précédentes? C'est là une question d'importance, mais que nous ne percevons guère, sans certitude, qu'à des étapes repères: la charte de fondation de la ville de Versailles, avec son plan d'urbanisme et ses servitudes d'architecture, de dimensions et de matériaux, que constituent les déclarations de 1671-1672 et l'ordonnance de 1676[52]; les fêtes réparties sur un été entier de séjour en 1674; la luxueuse élaboration de Clagny[53] pour Mme de Montespan puis pour «Messieurs les Enfants du Roi» en 1674-1678; l'acquisition des terrains de Marly en 1676; l'annonce officielle de la fixation en 1677; et l'activité décuplée des travaux, ouvertement gouvernementaux et palatiaux cette fois, à partir de 1678.

Au Versailles contradictoire et, du côté de la ville, provisoire et en devenir des années soixante-dix, succède donc l'entreprise d'un nouveau Versailles louis-quatorzien, celui qui remplit la terrasse de Le Vau pour la Grande Galerie improprement dite des Glaces (1678-1684)[54]; qui renvoie la Chapelle et l'Opéra au nord; qui substitue à la petite Orangerie de brique les terrassements romains des deux rampes des Cent-Marches et de l'énorme Orangerie de pierre en cryptoportique de 1678-1685; qui réduit le château existant au rôle d'avant-corps central entre les deux immenses ailes du Midi (1678-1682) et du Nord (1685-1689); qui compose à la hâte, par des raccords improvisés, les ailes isolées des Ministres au bord de l'avant-cour (1682-1683); qui rejette les Écuries, devenues monumentales, au fond de la place d'Armes (1679-1682) et la Bouche, dilatée en «Grand Commun» quadrangulaire de trois étages (1682-1684) sur l'emplacement du vieux village qu'on détruit; qui recule aux extrémités de l'axe nord-sud les plus vastes miroirs, ceux de la pièce des Suisses et du futur Neptune; qui profite de la mort de la Reine et de la chute de Mme de Montespan pour donner au Roi et à Mme de Maintenon le tour complet de la cour de Marbre et des petites ailes décrochées qu'elle allonge vers l'est; qui édifie en hâte Marly (1679-1680) et va jeter bas le Trianon de Porcelaine pour faire place à celui de Marbre (1687-1688) après avoir bâti Saint-Cyr (1685-1686) pour les Dames de l'Institut de Saint-Louis que la nouvelle épouse du Roi lui fait protéger; qui couche au bord du nouveau Parterre d'Eau (1683) les grands bronzes nationaux des Fleuves et Rivières de France (1687-1690); qui multiplie les bosquets triomphalement architecturés (Renommée, 1676-1679; Arc de Triomphe, 1677-1683; Salle de

Bal, 1678-1682; Dômes, 1684-1686; Colonnade, 1685); qui fait amener à Versailles par l'extraordinaire machine de Marly (1675-1685) l'eau de la Seine, constelle la ville et la région d'aqueducs et de réservoirs, et, après avoir rêvé d'y conduire la Juine et la Loire, tente d'y mener l'Eure (1686-1688) et, plus modestement, s'assure de superbes primeurs toute l'année par la création d'un Potager à l'horticulture de pointe (1678-1683)... Qui ne croirait, devant cette avalanche de travaux parfois cyclopéens, à un Versailles définitif, qui a délibérément engendré sa ville, ses annexes logistiques, ses délassements gradués, ses cautions spirituelles?
Et, pourtant, nous sommes loin du compte. Ces chantiers colossaux vont d'incertitudes en suspensions, de retards en recommencements. Il faut en mai 1682 se résoudre à emménager dans un palais boiteux, où seule l'aile du Midi a pu être bâtie et rendue habitable: princes et courtisans s'y entassent, ce qui contraint à renvoyer le projet de salle d'opéra à plus tard et au nord[55]. L'annexion par le Roi de l'appartement intérieur de la Reine, morte en 1683, hypothèque tout l'avenir du logement des souveraines futures et rompt la division et l'égalité symboliques entre les côtés sud, féminin, et nord, masculin: la Succession d'Espagne a beau se profiler, les «droits de la Reine» ne pèsent guère[56]. La Chapelle, qu'il a fallu transférer en hâte au nord et coincer bizarrement entre le grand appartement et la grotte de Thétis, et qui n'eût dû y rester que quelques mois, y durera dans l'exiguïté et l'inconfort jusqu'en 1710, tandis que se multiplient et s'affrontent les projets contradictoires de chapelle définitive[57]. L'Opéra, prévu à l'extrémité de l'aile du Nord, ne peut être construit faute de crédits et son immense cage reste vide jusqu'aux travaux de Louis XV. Neptune attendra son décor, malgré maints essais de modèles, jusqu'à Louis XV aussi. Les Bains d'Apollon, libérés par la destruction de la Grotte, se promèneront dans la perplexité du bosquet des Dômes à celui du Marais, pour y être entièrement réaménagés sous Louis XVI. La grande commande sculptée de 1674 sera dispersée sans ordre évident au hasard des parterres et des rampes, et ses quatre *Enlèvements* demeureront inachevés. On ne compte plus les voyages hésitants de statues, de groupes et de vases qui jusqu'à la fin du règne divaguent entre Marly, Versailles et Trianon.
Mais la question majeure, que ni Louis XIV ni ses successeurs ne résoudront, c'est celle de l'aspect, du matériau, du style et de l'échelle du château du côté de l'entrée. C'est, nous le savons, par une série de hasards divers que la petite maison de Louis XIII a survécu, et non certes par une piété filiale fort étrangère à Louis XIV comme à la pensée architecturale de son temps: faute d'argent souvent pour la considérable reconstruction qu'eût entraînée sa suppression (car abattre le Petit Château, c'était aussi remplacer tous les bâtiments de brique et pierre qui s'en inspiraient et le prolongeaient, même les

ailes des Ministres); faute aussi de décision assurée entre les projets incessants de château définitif, que toutes les agences de Premiers Architectes ont produits de Mansart à Gabriel; faute enfin de courage chez le Roi pour quitter Versailles des mois, voire des semestres durant, pendant la phase intense des travaux. Toujours est-il que Louis XIV est mort avec le vrai chagrin de n'avoir pas «achevé» Versailles, non seulement en manquant à remplir des espaces qu'il avait lui-même créés (Opéra, salon d'Hercule, autels secondaires de la Chapelle, Neptune), mais surtout en s'installant dans un provisoire sans cesse aggravé par les raccords, épaississements, bâtiments en hors-d'œuvre ou transversaux, surélévations qui, dans les logis sur les cours, détruisirent peu à peu ordonnance, luminosité et circulation rationnelle. Si délicieux fussent-ils, les rhabillages illusionnistes de la cour de Marbre, avec ses plombs dorés, son faux attique et son faux avant-corps central, ses balustrades de couronnement, ses statues d'allégories politiques assises à la corniche et l'admirable balcon axial, n'étaient que des masques d'attente, tout comme les balcons doriques des décrochements de la Cour royale et, jadis, les péristyles à statues de la Vieille Aile et du Gouvernement[58].
Dans ce tourbillon de projets en cours d'étude, de querelles, de difficultés financières qui tournent au tragique lors des deux dernières guerres du règne, et d'ingéniosités parant au plus pressé, que devient, on le demande, l'illustre symbolique solaire?

Il est pour le moins singulier qu'il ait fallu attendre notre siècle et la thèse de Francastel (1930)[59] pour s'aviser clairement qu'elle disparaît de Versailles avec les années 1680 pour se voir substitucr tantôt l'allégorie ouvertement politique, superbement dite «allégorie réelle», et tantôt la juxtaposition hédoniste de sujets de la Fable sans programme systématique, dans le choix et le rapprochement desquels on soupçonne une influence croissante de l'opéra lullyste et postlullyste, forme dominante sans doute de la culture française à la charnière des deux siècles[60], et qu'encourage certainement l'exemple des créations jaillissantes de Marly.
C'est ainsi que dès la fin de la décennie soixante-dix, les immenses décors de Le Brun et Van der Meulen au Grand Degré du Roi, improprement dit des Ambassadeurs[61], avaient réduit le soleil à la portion congrue de quelques emblèmes pour déployer sans écran mythique les exploits du Roi, leur attrait sur les peuples étrangers et leur célébration par l'histoire. Plus frappant encore, on sait que le même Le Brun, après avoir présenté pour l'ensemble majeur de la Galerie et des deux salons qui la flanquent les projets sans surprise d'une *Histoire d'Hercule* et d'une *Histoire d'Apollon*, élimina ces divins intermédiaires au profit de celle du Roi, de son avènement personnel à la paix de Nimègue; et Mansart, pour créer ce nouvel ensemble, supprimait deux

pièces planétaires à chaque angle de la terrasse[62] : chez le Roi et chez la Reine, les astres cessèrent de graviter autour d'Apollon, et comme on voulut remployer les décors des cabinets détruits, on les rajouta au début de la suite normale des Planètes, qui devint incohérente[63]. Parallèlement, la commande de 1674 pour le Parterre d'Eau, qui eût dû y constituer une encyclopédie cosmologique avec ses six quatuors de *Saisons*, d'*Heures du jour*, de *Parties du monde*, d'*Éléments*, de *Tempéraments de l'homme* et de *Poèmes* complétés par deux quatuors d'*Enlèvements* mettant en jeu Olympiens et éléments, n'y trouva pas sa place, on l'a vu, et les fenêtres de la Galerie donnèrent en fait sur les couples des fleuves du royaume et de leur principal affluent, étalant aux pieds du Roi les plus belles productions de leurs vallées. *Latone*, exhaussée sur une pyramide de bassins concentriques et retournée vers l'ouest, perdit la majeure partie de sa signification, tout comme les groupes des *Bains d'Apollon*, en quittant la Grotte détruite, cessèrent de souligner l'identité du repos du dieu dans l'océan avec le délassement que le Roi trouvait à Versailles. Du côté de l'entrée, on a dit que la corniche de la cour de Marbre accueillit des statues politiques, et les guérites encadrant deux par deux la grille de l'avant-cour et celle de la cour Royale se coiffèrent de *Victoires* (*sur l'Espagne*, et *sur l'Empire*), d'une *Paix* et d'une *Abondance*[64]. Enfin, trait qu'on a moins remarqué, aucun des somptueux aménagements que connut l'appartement du Roi (1683-1684, et 1701) ne fit plus de place sensible au soleil, même dans des pièces aussi névralgiques que ses deux antichambres des Seigneurs et chambres successives, son cabinet du Conseil ou sa Petite Galerie.

Par-delà toutes les explications qu'on a pu suggérer à ce virage (absence d'esprit philosophique chez Hardouin-Mansart et son protecteur Louvois, qui succèdent alors en crédit sur le Roi à Le Brun et Colbert ; retour du Roi à une piété sérieuse, qui peut l'éloigner d'un paganisme trop appuyé ; triomphe des Modernes dans la Querelle, dont les rapports avec Versailles, attestés sur la question des inscriptions de la Galerie[65], n'ont pas été assez étudiés ; lent naufrage de la vieille pensée humaniste et analogique héritée de la Renaissance avec l'aube des Lumières à la fin du siècle), il est un rapprochement, une antithèse que l'on n'a pas jusqu'ici clairement soulignés, et qui pourraient se révéler riches de sens.

Au moment où le soleil et ses symboles s'éloignaient de Versailles, ils faisaient leur entrée à Marly : le château royal, cube entièrement dégagé et hissé sur son noble emmarchement, affirmait son plan centré, on l'a dit, avec son système d'appartements identiques rayonnant autour du salon octogone ; les frontons et balustrades de son couronnement dissimulaient un dôme hémisphérique qui couvrait le salon et ses mezzanines de musiciens, tandis qu'à l'intérieur les quatre cheminées allaient recevoir de grands tableaux des *Saisons :* les pavillons d'invités, cubiques aussi, mais couverts à faible pente et non en dôme, virent leur nombre fixé à douze comme autant de mois; Marly constituait donc une sorte de zodiaque, où le pavillon royal figurait le soleil. Peut-être même est-il licite de rapprocher ce programme symbolique de la transformation intérieure des deux derniers pavillons pour y loger en 1703 les grandioses globes de Coronelli, terrestre et céleste, que le cardinal d'Estrées avait offerts au Roi pour Versailles et qui n'y furent pas placés[66]; enfin Karl Möseneder vient de rappeler les liens que s'était plu à établir l'humanisme renaissant et baroque entre la forme du cirque antique oblong, reprise à Marly, et le culte solaire[67]. Observons pourtant que le décor des pavillons, qui du reste hésita, n'avait rien de spécialement cosmique, que les globes de Coronelli repartirent en 1712, que le salon s'ornait de *Renommées* et d'aigles aussi bien que de *Saisons*, et que rien ne prouve que la disposition des pavillons le long des trois bassins étagés ait sciemment calqué l'hippodrome romain, ni se soit référée aux symboles qu'y lisaient les érudits du XVIe siècle. Enfin la loyauté impose de rappeler que les jardins de Marly, sans cesse métamorphosés dans les trente-cinq dernières années du règne, ne semblent guère avoir jamais tenté de suivre une ordonnance cosmologique précise. Ainsi la présence solaire est certes moins manifeste à Marly qu'elle ne l'avait été à Versailles. Reste le transfert du thème, fût-ce au prix de son affaiblissement, du palais à son annexe de plaisance.

On a vu les liens fonctionnels qui unissent Marly au Trianon de Marbre; or, le décor élaboré pour celui-ci en 1687-1688 se révèle relativement cohérent: les sculptures des arcades, d'un extrême raffinement, font alterner, accostés de guirlandes de fleurs, les trophées de chasse, de musique et de vaisselle ciselée; sur la corniche s'asseyent des femmes accompagnées d'amours, jouent des paires d'enfants, et s'épanchent des corbeilles fleuries[68]. C'est donc bien la qualité de «palais de Flore» qu'énoncent les façades, et que confirment les descriptions publiées de Trianon comme les ballets qui y sont représentés ou qui le célèbrent[69]. Quant à la magnifique commande de tableaux passée dès 1688 pour en couvrir les murs, qu'a si bien étudiée Antoine Schnapper[70], elle puise à pleines mains dans celles des *Métamorphoses* d'Ovide qui expliquent l'origine des fleurs et des rivières, ou qui mettent en jeu des divinités de la nature, et les complète par des quatuors d'*Heures* et de *Saisons*, par des natures mortes de fleurs et d'orfèvrerie, et par les cycles complets des histoires d'Apollon, de Minerve et d'Hercule. Une double série enfin dépeint les jardins et les cours de Versailles, tantôt dans le registre d'un réalisme contemporain et scrupuleux, tantôt en animant les bosquets de scènes mythologiques qui les expliquent. Il serait abusif, on le voit, de placer toute l'iconographie de Trianon sous le signe du mythe solaire; mais on ne peut nier qu'y dominent les thèmes des cycles naturels et de la végétation. Il semble probable qu'ici encore les symboles qui abandonnaient Versailles se soient transportés, quitte à s'y diffracter.

Ces dispositions sont bien connues. Ce qu'on a, semble-t-il, oublié d'en déduire, c'est que tout se passe comme si la haute symbolique cosmologique, où l'on voudrait nous faire voir l'expression suprême de la civilisation monarchique, le lien ambitieusement renoué avec la cohérence des cathédrales ou de l'architecture pharaonique, ne convenait en réalité à une maison royale que lorsque celle-ci reste fort peu royale et, fantaisie d'été, de loisirs ou de retraite, ne sert qu'à la seule plaisance et accepte sa propre contingence. Thèmes unificateurs, voire directeurs ? Peut-être ; mais peut-être, surtout, fictions commodes et divertissantes, où peut à sa guise s'étaler l'obstination ingénieuse des « poètes » programmateurs, et qui, probablement, n'intéressent qu'eux, dont ils tiennent seuls les clés flatteuses. L'allégorie cosmique serait-elle une région insoupçonnée de l'immense continent de la « galanterie » ? Car lorsqu'on passe aux choses sérieuses et que la maison sert, non plus au délassement, mais à gouverner et à vivre, on n'a que faire d'une métaphore maniaquement filée, d'un apologue unique, fût-il philosophique et retourné de cent manières. Sur les points où convergent tous les regards et tous les parcours des foules à présent admises, c'est l'affirmation politique, univoque et directe, qui s'impose : la cour Royale, la cour de Marbre, le Grand Degré, la Galerie, le Parterre d'Eau ne laissent à cet égard flotter aucune ambiguïté. Quant aux appartements ou aux bosquets désormais voués aux réalités journalières (habitation, travail, repos, exercice), la commodité et la délectation, fondées sur l'état d'une culture et sur le goût de l'usager, y dictent seules leurs lois. L'histoire de Versailles, à dater de l'installation et jusqu'à sa transformation définitive en musée, sera celle de ses fonctions et de ses occupants, et fera bon marché de toute considération de poétique théorique. Cette mutation n'est pas, comme on l'a trop dit, le fruit de l'inconscience décadente qui caractériserait le règne de Louis XV, voire l'essor des Lumières et le déclin de la monarchie : elle est pleinement louis-quatorzienne, et peut-être inhérente aux fonctions royales mêmes, bien avant le XVIIe siècle finissant ; on pourrait ainsi se demander si l'ambition des décors de Fontainebleau sous François Ier n'est pas le signe paradoxal de sa qualité de maison de campagne, et en comparer la voluptueuse obscurité à la lisibilité choisie pour le Louvre par les derniers Valois et les premiers Bourbons. La dichotomie semble d'ailleurs perdurer au XVIIIe siècle : quand il s'agira de décorer le nouveau Trianon, le « Petit Château » bâti par Louis XV au nord-est de celui de Louis XIV, ce sont encore *Les Métamorphoses*, les origines des fleurs et la nature nourricière qu'on donnera pour thème aux peintres ; mais quand il faudra, peu après, prévoir le décor sculpté du Grand Degré que construit Gabriel à Versailles, ce sont les lions de la Force, les Victoires, les trophées d'armes, les cornes d'abondance et les symboles de la paix qui seront retenus[71].

Au reste, le passage célèbre des *Mémoires* de Louis XIV sur la convenance de la métaphore solaire ne concerne que l'adoption de sa devise en sa jeunesse, et non la conception de ses maisons, et nous savons que si le Roi approuva le texte de l'ouvrage, il en abandonna la rédaction à des porte-plume[72]; la seule œuvre entièrement personnelle qu'il nous ait laissée, et qui justement concerne Versailles, écrite, remaniée, remise à jour au long de sa maturité et de sa vieillesse, cette *Manière de montrer les jardins de Versailles*[73] qui lui permit, de 1689 à sa mort, d'en contrôler la visite par ses hôtes de marque et qui inspire encore aujourd'hui le circuit conseillé les jours de grandes eaux, cet opuscule précieux et précis ne mentionne pas une fois le mythe solaire, ni ne laisse soupçonner qu'il puisse jouer quelque rôle dans le parcours réfléchi des jardins. On rappellera aussi que les volumes par dizaines qui nous sont parvenus de mémoires, journaux et lettres de courtisans ou de membres de la famille royale qui habitaient Versailles et en connaissaient tous les aîtres n'en font jamais état; et que les guides et descriptions en parlent de moins en moins, jusqu'à l'oublier, au fil des décennies. Osera-t-on enfin souligner que le terme de *Roi-soleil* est aussi apocryphe que la formule «l'État, c'est moi», et que tout lecteur sensible aux réalités de l'histoire, à plus forte raison tout historien, devrait le laisser mourir de sa belle mort sous la plume routinière des journalistes et des chroniqueurs mondains?

Quant aux raisons qu'ont pu avoir le XIXe et le XXe siècle de se fasciner sur la symbolique apollinienne, nous les connaissons mal encore. Le mythe encombrant du «classicisme», à coup sûr, scolairement associé à l'imitation de l'«Antiquité»; l'exaltation, naïve et perverse, de la «clarté française» opposée tant au «trouble» romantique qu'aux «brumes germaniques» ou qu'aux «brouillards symbolistes»; la recherche subconsciente de références nobles pour le centralisme administratif qui triomphait au siècle dernier; la confiance automatique et exclusive si longtemps accordée en France aux sources littéraires aux dépens des documents d'archives ou d'histoire immédiate; le retard, certainement, des études scientifiques sur Versailles qui, malgré des travaux pionniers et des publications documentaires à partir du début du XXe siècle, n'ont réellement commencé que de nos jours: mais il s'agit là d'un effet plus que d'une cause sans doute, et qu'il faudrait rattacher à ce trouble de la perception qui semble s'emparer des meilleurs esprits au XIXe siècle dès qu'il s'agit des lieux de la monarchie, les livrant sans défense à toute la dialectique contradictoire des fantasmes para-historiques, et en particulier à la confusion chronologique.
Les inénarrables brochettes de grands hommes et d'épisodes fourrées à Versailles par le film de Sacha Guitry[74], qui reprennent elles-mêmes la vitrine versaillaise du Musée Grévin, ont sans doute ancré nos contemporains dans la

conviction que Louis XIV s'y promenait entouré de Corneille-Racine-Molière-Boileau-La-Fontaine-Bossuet-Fénelon-Mme de Sévigné-Puget-Lully : c'est le mythe apologétique ; mais aussi que Mme de Montespan y célébrait ses messes noires et que le Roi, héroïque et hautain, y mangeait pantagruéliquement dans la vaisselle d'or au son des violons en envoyant les protestants aux galères et en fermant ses grilles au peuple affamé du grand hiver : c'est le mythe terrible. Mais ce n'est guère là que le billon tardif de ce roman de Dumas où l'on voit Corneille, Descartes et Milton applaudir ensemble le premier prêche du jeune Bossuet à l'hôtel de Rambouillet[75], ou de la bévue émerveillée de Balzac qui fait offrir à Mme Camusot par le cousin Pons, connaisseur de haut vol, un éventail peint par Watteau pour Mme de Pompadour[76] ; comme, dans le registre sombre, le grand Hugo, si amoureux pourtant d'un Paris dont il savait et ranimait si bien l'histoire, signale place Vendôme une cheminée de marbre où Campistron jetait au feu les supplices des galériens huguenots[77] : ce qui vaut bien le balcon d'Anne d'Autriche au Louvre, si longtemps désigné à la vindicte publique comme celui d'où Charles IX arquebusait les victimes de la Saint-Barthélemy. Pierre de Nolhac a eu la malice de révéler que lors de ses visites à Versailles, le bon Duc d'Aumale se faisait ouvrir, au fond du cabinet du Conseil, ce qu'il appelait le « confessional », où, expliquait-il, son aïeul Louis XIV s'agenouillait aux pieds du père de la Chaize, mais dans un cabinet vitré, derrière lequel il postait un garde chargé de veiller à ce que le jésuite ne profitât pas de la confession auriculaire pour poignarder son royal pénitent. Superbe exemple, chez l'auguste visiteur qui, pour être prince de France et homme de goût, n'en exprimait pas moins son temps, d'amalgame entre l'antijésuitisme affolé du siècle de Michelet et le voltairianisme héréditaire des Orléans, le tout à partir d'un quiproquo toponymique, et peut-être freudien : la pièce en question était… le cabinet de chaise (percée) de Louis XIV, et l'on s'en souvenait vaguement dans la maison d'Orléans[78]. Il y a moins de deux ans qu'il me fallait encore décevoir un respectable père jésuite justement, sans doute élevé à l'ancienne, qui voulait voir à Versailles l'âtre où Louis XIV aurait brûlé de ses mains les pièces qui « prouvaient la culpabilité de Racine dans l'affaire des Poisons », et chaque jour des visiteurs plus ingénus demandent les « passages secrets » et les « oubliettes », tandis que les Américains ne sont pas rares qui interrogent, plus sommairement encore : « *Where did they kill people ?* »

Voilà qui paraît nous éloigner du soleil et de son empire prétendu. Mais on a voulu, de glissement en glissement, montrer les pentes de l'imaginaire historique confronté à la royauté « absolue », et c'est sans doute une autre naïveté qui nous laisse étonnés devant la pauvreté de ces menus délires répétitifs, en saisissant contraste avec la richesse foisonnante de la réalité que nous livre le travail positif sur archives qui est enfin devenu la règle pour Versailles et les maisons royales.

À leur lumière, le diptyque commode d'un Versailles louis-quatorzien sale et grandiose, gouverné par d'amples desseins autoritaires qui prévaudraient sur toute revendication individuelle, et d'un Versailles de Louis XV qui, abjurant la pompe pour l'intimité, multiplierait les «petits appartements» là où le «Grand Roi» n'aurait voulu et connu que solennelles enfilades, ce diptyque s'effondre. Sous Louis XIV comme sous Louis XV ou Louis XVI, la maison royale se hiérarchise clairement.

Il y a les grands appartements de réception, ouverts, on l'a dit, tout le jour à tout venant, et dont les vastes volumes, le mobilier peu abondant et repoussé contre les murs, les portes alignées, le décor mythologique ou politique sont si bien dictés par leur usage que les rois se les transmettront sans changement de fond, se contentant de les rafraîchir, de les retendre, d'y exposer par roulement les grands tableaux vénitiens, bolonais ou français, les portraits d'apparat et les sculptures antiques qui en font une préfiguration du Louvre[79], et d'y renouveler très lentement meubles et luminaire. Malgré la gravité et la charge symbolique de ces pièces, les souverains ne font guère qu'y passer, sur le chemin quotidien de la Chapelle, ou lorsqu'ils honorent un moment de leur présence les réceptions vespérales de l'*Appartement*, et il faut des circonstances tout exceptionnelles (bals de mariage, ambassades extraordinaires) pour qu'ils y stationnent plusieurs heures. Le trait vaut pour la Galerie même. L'imaginaire bourgeois des États modernes a bien pu, alternativement, en faire le cadre de hautes solennités où tantôt bascule l'équilibre européen (proclamation du IIe Reich en 1871, signature du traité de Versailles en 1919), tantôt s'exalte la conviction française de mériter l'amour des plus grands (bénédiction pontificale de Pie VII en 1805, ovations à Nicolas II et à la tsarine en 1896); ou bien la remplir de l'aberrant tumulte de banquets mégalomanes (visite des souverains britanniques, 1938; sommet des pays industrialisés, 1982): il n'en demeure pas moins que la Galerie n'était sous l'Ancien Régime qu'un passage public, une salle des pas perdus, et que sa configuration même en rendait incommode, voire dangereuse, l'utilisation pour des fêtes, dont la liste s'y borne à quelques mariages royaux (Duc de Bourgogne, 1697; Dauphin, 1745 et 1747) et à quelques ambassades solennelles ou exotiques (doge de Gênes, 1685; Siamois, 1686; Persans, 1715; Turcs, 1742). Les bals parés, on le sait, se déroulaient au salon de Mars ou à celui d'Hercule[80], les soupers publics dans celles des antichambres qu'on réservait au Grand Couvert[81], et il fallut attendre l'inauguration de l'Opéra de Gabriel en 1770 pour qu'avec son plancher mobile, Versailles pût enfin disposer d'une salle expressément conçue pour les bals et festins royaux[82], et y déployer le faste des noces du Dauphin avec l'archiduchesse Marie-Antoinette.

Il y a les appartements des souverains et des princes, où l'intimité va croissant et la taille des pièces décroissant à mesure que l'on progresse du vestibule aux cabinets intérieurs, où la succession des pièces principales est à peu près fixe (vestibule, gardes si le rang y ouvre droit, première antichambre – celle du commun –, antichambre des Seigneurs, chambre, grand cabinet, cabinet intérieur) mais dont la distribution, l'éclairage, les dimensions, le décor varient à l'infini, et que doublent toujours, à l'arrière, un dédale de garde-robes, bains, bibliothèques, oratoires, laboratoires, boudoirs, escaliers privés, corridors et pièces de service, dont naguère on soupçonnait si peu l'existence qu'on allait jusqu'à la nier, nous l'avons dit. Louis XIV ni Marie-Thérèse ne font exception à la règle, et nous connaissons fort bien aujourd'hui tous ces « cabinets du Roi », tournant et se retournant sur les grandes cours et les cours intérieures, desservis par de « petits degrés » et protégés par une « petite salle des Gardes », où Louis le Grand avait multiplié les pièces exiguës et précieuses, plus exiguës souvent que celles qu'aménagera son successeur, de plan volontiers carré ou ovale, où il abritait son clavecin, ses chiennes, ses perruques, son billard, mais principalement ses collections de monnaies antiques, de gemmes montées, de manuscrits enluminés, de petits bronzes, de coquillages exotiques, et surtout de tableaux, où *La Joconde* côtoyait la *Grande Sainte Famille* de Raphaël ou la *Vierge au lapin* du Titien[83].

Lieux par excellence de la vie privée, ces appartements sont aussi ceux du travail, et donc du gouvernement comme des audiences. Bien loin d'en constituer le cœur sacré, la chambre, où se déroulent, certes, le repas de midi (Petit Couvert) et la « mécanique » du lever et du coucher (dont on a, par incompréhension et désir de dépaysement, beaucoup exagéré la complication), y a donc une importance secondaire comparée au Grand Cabinet qui, chez le Roi, est celui du Conseil quotidien, des audiences, des présentations, des chapitres d'ordres de chevalerie, des contrats de mariages, et de toutes les « déclarations » de nouvelles, de projets ou de nominations. La lecture traditionnelle qu'on fait depuis le siècle dernier de la chambre du Roi est donc pure fantaisie : non seulement cette pièce n'a jamais été la plus importante d'un appartement royal, mais surtout, les diverses chambres de Louis XIV à Versailles ont été, son règne presque entier, placées latéralement, d'abord décalées au nord du vivant de la Reine puis, après sa mort, au sud, couvrant à partir de 1684 la moitié du salon de l'Œil-de-bœuf actuel. C'est seulement en 1701 et quasi par hasard qu'à soixante-trois ans, le Roi s'installe au centre du château, pour permettre la création d'une antichambre des Seigneurs plus vaste (l'Œil-de-bœuf) et disposer lui-même d'une chambre plus spacieuse ; jusqu'alors, ce point central avait été occupé, comme il convenait, par un solennel grand cabinet, ouvrant par trois doubles portes sur le centre de la Galerie : ainsi s'explique son énorme hauteur de plafond, devenue quelque peu absurde pour une chambre désormais close. Oublions donc toutes les extases ou les indignations sur ce château et ces cours prétendument organisés autour d'un lit; oublions-les d'autant mieux que ces bâtiments Louis-XIII devaient de toute manière disparaître et que, dans les multiples projets de reconstruction, ce sont de nouveau un salon axial, ou un escalier d'honneur, souvent sous dôme, qui sont proposés à cet emplacement, et non une chambre. Au reste, Louis XV et Louis XVI renoueront en quelque sorte avec l'usage du cabinet central en reportant leur chambre au nord, comme avait 1683, et en n'utilisant plus la dernière chambre de Louis XIV que pour la partie cérémonielle et publique du lever et du coucher, et pour des audiences[84]. Quant au préjugé qui laisse le monopole des pièces intimes et raffinées au XVIIIe siècle, il s'explique aisément à Versailles: chez le Roi, la Reine, le Dauphin et la Dauphine, seuls appartements où Louis-Philippe n'avait pas entièrement sacrifié les petits volumes de retraite, de service et de commodité à ses grandes salles de musée, il va de soi que les cabinets intérieurs n'ont pu venir à nous que dans leur dernier état monarchique, celui de la fin du XVIIIe siècle (et même celui de Louis XVIII pour certains)[85]. Or, à la différence des grands appartements dont le système ne changea plus après l'achèvement du salon d'Hercule (1736), les cabinets intérieurs, privés, étaient voués au changement constant, selon les modes, les goûts, l'âge et les besoins de leurs occupants; leur décor n'ayant rien de politique, ni leur forme et leur distribution de symbolique, rien ne s'opposait à cette extrême souplesse. Louis XV s'arrangea vaille que vaille de l'appartement de son arrière-grand-père jusque vers 1735[86]: on conçoit que des ensembles vieux alors de trente-cinq à cinquante ans aient semblé périmés et inadaptés. En 1738, la campagne de rénovation et de redistribution battait son plein chez le Roi, et en 1755 il ne restait plus rien[87] des aménagements de son prédécesseur au-delà de la grande chambre; chemin faisant, le Grand Degré de Louis XIV, qui menaçait ruine et, en ce temps où palpitaient les premiers souffles du futur néo-classicisme, paraissait du dernier mauvais goût, avait volé en éclats, avec d'autant moins de scrupules que, comme toujours, on caressait le «grand dessein» de reconstruction où un escalier d'honneur plus moderne n'eût pas été oublié. Les mouvements étaient les mêmes chez la Reine; déjà, aux temps lointains (1696-1712) de la Duchesse de Bourgogne, mère de Louis XV, les cabinets de feu Marie-Thérèse avaient été remaniés et augmentés pour la jeune princesse et son mari. La reine Marie Leszczynska les avait à son tour bouleversés à maintes reprises, avec un goût souvent exquis, pour les adapter à sa vie studieuse et pieuse. On imagine assez que Marie-Antoinette, en s'y installant comme dauphine puis comme reine, avait d'autres désirs, et l'on sait la frénésie de changements qui la posséda toujours en matière de décor et de meubles: elle fit presque tout disparaître des princesses précédentes[88]. Pendant ce temps, de l'autre côté de la cour, son mari devenu le roi Louis XVI entamait la réfection de son propre appartement; moins bouillonnant, il s'en faut, que son épouse, il y procéda avec une sage lenteur, mais si le 6 octobre 1789 ne l'avait arraché à Versailles, on peut parier qu'il ne serait rien resté à la longue des décors de Louis XV que nous admirons tant: leur rocaille, même assagie depuis 1755, n'eût pu se maintenir dans les dix dernières années du siècle, au goût si sévèrement «grec». Gageons qu'alors nous aurions déduit du double exemple fourni par les appartements du Roi et de la Reine que le règne de Louis XV avait ignoré l'intimité et qu'il avait appartenu à celui de Louis XVI de la découvrir... C'est en tout cas la conclusion qu'on a longtemps tirée, à la légère, de la disparition des cabinets intérieurs de Louis XIV, qui furent comme n'ayant pas été.

On sent bien que de tels paralogismes, alors que dès le second Empire les publications de Soulié, sommaires et sujettes à l'erreur mais estimables en leur temps[89], et, à partir de 1889, les rigoureuses recherches de Nolhac[90] avaient établi l'histoire générale de ces pièces, n'ont été possibles que parce qu'ils complétaient à souhait l'espèce de portrait-robot qui s'était élaboré de Louis XIV et de ses deux successeurs, à grand renfort de contrastes.

Car si j'ai insisté sur l'image para-historique de l'ère louis-quatorzienne que révèlent les lieux communs sur Versailles, il va de soi que l'imaginaire s'en est donné à cœur joie avec Louis XV et Louis XVI aussi, et en a donc distordu d'autant sa lecture du château.

Simplifions à outrance: s'il fallait rappeler que le Versailles de Louis XIV a connu le désordre, et l'intimité, il faut aussi rappeler que celui de Louis XV et de Louis XVI a connu d'autres travaux que ceux de boudoirs de favorites ou de chaumières de luxe.

Que Louis XV se soit réservé davantage de moments de solitude ou d'amitié que son aïeul, certes: celui-ci avait ignoré à un degré inquiétant le besoin de repli sur soi, et sa recherche constante de compagnie, même réduite, sa méfiance des tête-à-tête et des entretiens à l'improviste, la façon dont toute sa vie il se passa de cabinet de travail remontent peut-être à de très anciennes anxiétés qu'on serait tenté de lire sur certains de ses portraits d'enfant. Qu'il ait conçu un peu différemment de lui l'antique fonction des «maîtresses déclarées», véritable institution culturelle de la cour de France depuis Agnès Sorel au moins, certes encore. Qu'il ait traité son métier de roi plutôt en profession, exercée avec sérieux, autorité et régularité, qu'en sacerdoce et ait trouvé naturel de mener une vie personnelle hors de ses lourdes heures de travail, et de la partager entre la chasse, l'amour, le dessin d'architecture, le tournage d'objets décoratifs, la grande cuisine et les expériences botaniques et agronomiques à Trianon, c'est l'évidence. Cet usage différent de l'emploi du temps royal ne pouvait que susciter des aménagements différents à Versailles: non content de remanier tout son appartement de l'étage noble pour s'y créer, au lieu du fabuleux musée particulier de Louis XIV, de petits ensembles organisés autour de ses bains, de ses salles à manger privées et de son cabinet de travail[91], le roi colonise en outre les entresols et l'attique et y multiplie, sur cinq niveaux parfois, ateliers, bibliothèques, volières, cuisines, laboratoires, salles à manger, cabinets de dessin et logements pour la favorite en exercice – ou pour le professeur de cuisine[92]. Cet univers, que le romantisme avait voulu ignorer, ou n'évoquer que sous les sombres couleurs de pièges où gémissaient les victimes du Parc-aux-Cerfs, et le post-romantisme «artiste» sous les couleurs roses de boudoirs pour modèles de Boucher[93], méritait bien le titre de *Versailles inconnu* sous lequel Henri Racinais en publiait en 1950 la première topographie et le premier historique un peu rigoureux[94]; aujourd'hui encore, près de trente ans après sa première restauration d'ensemble et sa présentation au public (1957), malgré les études multipliées, les corrections chronologiques et topographiques, les partis plus exigeants en restitution du décor et de l'ameublement, ces étages superposés, où l'on touche du doigt l'étonnante diversité d'aspirations et de styles de vie des Lumières, restent trop méconnus des historiens, et continuent de surprendre les visiteurs en les forçant à réviser bien des stéréotypes.

Mais ce n'est pas assez de corriger ici les vieilles images de frivolité scandaleuse en rappelant que la vie privée du Roi sut, au XVIIIe siècle, trouver ses qualités propres de sérieux ou d'humanité. Il faut aussi, et l'on s'en doute encore moins, souligner que le Versailles de Louis XV n'est pas moins royal ni moins étatique que celui de Louis XIV.

L'œuvre du règne n'y consiste pas seulement à créer, si séduisants soient-ils, des «petits appartements», à y faire entrer des meubles incomparables, ou à y déplacer et remanier sans cesse les logis de la famille royale, si ramifiée et mobile en cette période. Le travail palatial, si souvent laissé en suspens par Louis XIV, est repris par son successeur, et sur bien des points mené à terme, enfin. C'est Louis XV qui termine l'aménagement de la Chapelle et le décor de son Salon haut; Louis XV qui donne au grand appartement le plus vaste et le plus fastueux de ses salons, celui d'Hercule; Louis XV qui réalise l'énorme décor sculpté du bassin de Neptune[95]; Louis XV qui, sans aimer guère pourtant, à titre personnel, la musique ni le théâtre à grand spectacle, reprend à chaque paix les travaux de l'Opéra, et le conduit jusqu'à la superbe inauguration de 1770. C'est Louis XV aussi qui met enfin à leur aise des organismes aussi essentiels que les Secrétariats d'État à la Guerre, à la Marine et aux Affaires étrangères en les tirant du château et des ailes insuffisantes des Ministres pour les doter de bâtiments rationnels et prestigieux[96]; qui crée enfin à Paris un Garde-meuble digne de la monarchie (notre Mobilier national) et l'ouvre au public en musée des Arts appliqués et précieux (Louis XVI lui bâtira une antenne versaillaise)[97]; parallèlement, il affecte un ample terrain au service si important des Menus Plaisirs qui, régnant sur les fêtes, la vie théâtrale et le décor de toutes les cérémonies, y installe ateliers, magasins et salles de répétitions[98]. Ces initiatives-là, on le voit, ne peuvent plus se réduire à l'accomplissement de l'œuvre de Louis XIV. C'est évidemment la rationalité technicienne et administrative des Lumières qui s'y exprime, leur goût aussi pour les inventaires encyclopédiques, et pour les sciences historiques : car de même que le Garde-meuble parisien expose meubles et joyaux historiques, les hôtels versaillais de la Guerre et des Affaires étrangères sont conçus en dépôt d'archives systématiques et ignifugés par une architecture à squelette métallique, et non en simples bureaux ; et l'ouverture du Garde-meuble accompagne les grands travaux entamés pour faire du Louvre un « Muséum des Arts » déployant aux yeux de l'Europe les collections de peinture et de sculpture de la monarchie.

Ces rapprochements nous aident à comprendre d'autres traits du Versailles de Louis XV, qu'on pourrait croire sans lien entre eux.

D'une part, on l'indiquait, Louis XV change l'usage de Trianon et, à la maison de repos en famille qu'avait voulue son arrière-grand-père, et qu'il laisse volontiers à la disposition de sa femme, il adjoint, sans cesse étendue vers l'est et le nord, une sorte de station d'agronomie expérimentale où sont sélectionnés par croisement animaux de basse-cour, vaches laitières et moutons à laine, étudiées les épizooties et les maladies des céréales, tentées des améliorations ou des acclimatations (fraise des quatre-saisons, ananas, caféier) ; il la complète par un jardin botanique classé selon les principes de Linné (avec lequel il correspond en personne et échange des spécimens), confié aux deux Richard et surveillé par Jussieu et Duhamel du Monceau. C'est pour mieux vivre au rythme de ses serres et de ses plants, la plus vive peut-être de ses passions, qu'il bâtit d'abord, à quelques centaines de mètres du Trianon de Marbre, le pavillon de la Nouvelle Ménagerie, pour s'y réchauffer ou y manger un morceau pendant ses inlassables visites et y travailler à son herbier ; puis, au bout de son parterre classifié, le petit château cubique appelé à tant de célébrité sous le nom de Petit Trianon : lui-même se contente d'y loger à l'attique, et le bel étage est, fait révélateur, consacré à la bibliothèque botanique et à l'herbier[99]. Plaisance, certes, mais aussi « utilité publique », ou plutôt cette conviction si enracinée dans les Lumières que plaisir et bonheur privés se trouvent dans la recherche de cette utilité publique. On sait qu'avec l'inconscience de son âge – dix-neuf ans – Marie-Antoinette, en prenant possession de Trianon, supprimera sans pitié l'élevage et les plantations du feu roi, dont les végétaux, au prix de bien des pertes, seront transportés au Jardin des Plantes de Paris et y formeront une des bases du futur Muséum d'Histoire naturelle.

D'autre part, à peine Louis XV avait-il, comme en se prenant par la main, achevé l'Opéra vainement projeté par Louis XIV et maintes fois ébauché sous son propre règne, qu'il entreprenait de réaliser le «grand dessein» de son aïeul et de ses propres architectes[100]. En 1771 commençait la reconstruction des bâtiments sur les trois cours; il s'agissait d'unifier enfin le château en le mettant tout entier à l'échelle de l'enveloppe et des grandes ailes, en le faisant de pierre et non plus de brique, et en le conformant à l'austérité géométrique et volontiers abstraite qui régnait alors sur l'architecture occidentale. C'était sacrifier non seulement les ailes des Ministres, celle du Gouvernement et la Vieille Aile, mais aussi l'appartement entier du Roi malgré toutes ses créations récentes. On sait le sort de ce chantier grandiose et, disons-le, courageux: entamé par le corps dont l'état semblait le plus menaçant, celui du Gouvernement, le travail de Gabriel s'arrêta avec lui, brisé par la mort du Roi (1774) et le changement d'équipe qui s'ensuivit. Remis au concours par le nouveau Directeur des Bâtiments, Angiviller, le grand dessein resta au stade d'échantillon et de disparate supplémentaire, car l'indécision entre les projets et le coût de la guerre d'Amérique empêcheront Louis XVI de le reprendre. Il est aussi vain aujourd'hui de stigmatiser la «froideur» prétendue de l'aile Gabriel, comme l'a fait toute une critique issue de l'éclectisme romantique, que de vilipender Angiviller pour n'avoir pas laissé l'architecte terminer son œuvre: Gabriel avait du génie, mais soixante-seize ans, et sa version du néo-classicisme paraissait timide et mitigée à la nouvelle génération. Retenons ici l'ambition et l'esprit de sérieux déployés par un Louis XV sexagénaire pour qui les bras de Mme du Barry ne bornaient pas l'univers, et cet effort tardif de la monarchie pour se donner, avec le Versailles de pierre, Compiègne qui s'achevait et le Louvre qu'on reprenait, les maisons graves et logiques que réclamaient les encyclopédistes.

On sait que néo-classicisme et sensibilité préromantique sont les deux faces inséparables de ces Lumières ultimes. L'inflexion donnée à Versailles par le jeune couple qui y règne de 1774 à 1789 le montre à merveille. Au Roi, les aménagements vertueux et éclairés: bibliothèques[101], collections de maquettes navales et de machines électriques ou à vapeur[102], images des grands hommes[103], hommages à l'Orient philosophique et à l'activité économique[104], ateliers de travaux manuels[105]. À la Reine les intérieurs sans cesse recomposés pour prendre la tête du goût «grec» et «tapissier» à la fois[106], les théâtres où voisinent opéras-comiques, parades, comédies larmoyantes, proverbes et tragédies lyriques de Gluck[107], et le hameau d'Île-de-France reconstitué pour y retrouver, non comme on l'a dit le faux-semblant d'une chaumière enrubannée, mais la vie des châteaux avec leur village réel au pied de la maison seigneuriale, ses travaux, ses notables et ses divertissements (l'exploitation fonctionne, avec ferme, laiterie, pêcherie, moulin, colombier, se gouverne par son bailli et son garde, s'amuse à sa grange-salle de bal et à son jeu de boules, et faillit avoir son église)[108]. Au Roi comme à la

Reine, enfin, le passage décidé au jardin paysager, romanesque, voire romantique : la replantation complète des jardins de Versailles dès 1775 métamorphose à jamais, et radicalement, leur apparence en y changeant du tout au tout l'essence des arbres, leur conduite et leur rapport aux sculptures[109] ; des bosquets louis-quatorziens sont refaits dans le goût nouveau (Bains d'Apollon, Labyrinthe devenu bosquet de la Reine), et Trianon se dote de pelouses ondulantes à fabriques, grotte et rivière[110] qui, à la façon des grandes demeures anglaises, conduiront sans heurt ni clôture à l'exploitation modèle du Hameau.
Les commandes des frères et sœurs du Roi confirment cette double tendance : Madame Élisabeth fait de sa maison au quartier de Montreuil un asile de bienfaisance philanthropique et d'amitié féminine ; le Comte de Provence fait ériger par Chalgrin pour sa maîtresse Mme de Balbi, au pied de Satory, une petite maison que meuble Jacob, avec un parc où la caverne à cascatelles abrite des concerts de musiciens invisibles ; sa femme se compose à Montreuil, dans le style si pur de Chalgrin toujours, son propre Trianon avec petit château, hameau, théâtre, pavillon de musique et parc à fabriques[111] ; enfin le Comte d'Artois, moins féru d'attendrissement, dote son appartement au château de voluptueux « boudoirs turcs » que leur raffinement met à la pointe de la mode, et dont la Reine, et même Madame Élisabeth, s'inspireront[112].

S'il est vrai que les souverains du XVIIIe siècle tendent à se replier sur la vie privée et que, par ailleurs, la monarchie tend sous leur règne à confondre ses propres progrès administratifs avec la réalité du royaume et donc à se replier sur ses bureaux et son organigramme technique, il est un domaine où les gouvernements des Lumières, on le sait, parviennent à concilier théorie et pratique : c'est celui de l'urbanisme et de la « police » des villes. On a dit cent fois combien les princes de l'« Europe française » ont multiplié les pseudo-Versailles[113], grands ou petits, plus souvent d'ailleurs pour leur plaisance suburbaine que pour leurs palais d'État, et avec de telles variations locales dans le style et les dimensions qu'il faut y voir des allusions ou des emprunts à Versailles, Trianon ou Marly plutôt que des imitations. On souligne moins, peut-être, l'effet déterminant de la ville de Versailles sur les capitales fondées ou rebâties au XVIIIe siècle, de Pétersbourg à Washington en passant par la Lisbonne de Pombal. C'est dire que la création urbaine dessinée, mais peu remplie encore, par Louis XIV était au siècle suivant sentie à travers le monde comme une vraie capitale, au plan expressif et rationnel, et au fonctionnement moderne.
Et, en effet, le plan de la ville, d'une grande nouveauté puisqu'il abandonne le vieux carré à découpage orthogonal que les bastides médiévales ou les cités idéales avaient hérité du camp romain et de l'Alexandrie hellénistique,

a bien été conçu sous Louis XIV, sous des inspirations et avec des intentions qui restent à étudier sur le fond[114]; mais le passage de Versailles à un état véritablement urbain ne se produit guère que sous Louis XV, où elle se dote d'un tissu bâti homogène et des infrastructures d'une ville «éclairée». C'est alors, presque toujours sous l'impulsion ou la protection royales, que le pavage des voies se généralise, que l'éclairage public s'uniformise, que la machine de Marly sert à mener l'eau potable en ville, que les transports publics ne se bornent plus à la liaison avec Paris mais rayonnent sur tout le royaume, que les régiments ou compagnies de gardes du Corps, Suisses, gendarmes et chevau-légers du Roi sont munis de casernes, que se créent une police de la ville distincte de celles du château, un service d'incendie et un réseau d'égouts, que le vieil étang de Clagny, asséché, fait place à un quartier neuf au nord, tandis qu'au sud le tracé du quartier Saint-Louis et du Parc-aux-Cerfs, peu bâti sous Louis XIV, s'urbanise autour d'une nouvelle paroisse (la cathédrale actuelle) et d'un marché (les carrés Saint-Louis). Ajoutons le collège subventionné par le Duc d'Orléans, l'hôpital rebâti par Louis XV puis par Louis XVI, la maison d'éducation féminine fondée par Marie Leszczynska, les folies et parcs que multiplient princes et grands (signe évident d'urbanisation), les Poids-le-Roi, Grenier à sel, étape aux vins et octroi sans quoi il n'est pas de ville au XVIIIe siècle[115], la constitution progressive de vingt-trois métiers à jurande et, comme il sied à une capitale administrative, le foisonnement des hôtelleries, des commerces de luxe et des librairies et la prospérité du bâtiment, mais la quasi-inexistence des industries polluantes ou encombrantes, enfin le classique transfert *extra-muros* des cimetières. Quant à ces attributs indispensables de la ville des Lumières que sont les loges maçonniques, et les salles de théâtre, ils sont attestés dès 1744, et 1751. On comprend que, bien tard du reste, à l'occasion de l'Assemblée des Notables où sans cela elle n'eût pu être représentée, Louis XVI ait entériné ce passage à l'âge adulte en conférant à Versailles le statut de municipalité[116].

On va donc un peu vite en besogne lorsqu'on associe tout uniment le conservatisme versaillais de l'époque contemporaine à la présence du château. Née du château, la ville lui dut aussi son autonomie, qu'elle mit à profit pour épouser en souplesse les phases de la Révolution; elle y gagna d'emporter sur ses rivales du nouveau département de Seine-et-Oise la qualité de chef-lieu, et, au XIXe siècle, son libéralisme puis son républicanisme, quoique toujours modérés, la mirent souvent en sourd conflit avec le château, dont les Conservateurs passaient, à tort ou à raison, pour des nostalgiques de l'Ancien Régime (la construction obstinée d'un beffroi néo-renaissance sur l'hôtel de ville néo-Louis XIII en 1897-1900, au mépris des servitudes d'urbanisme héritées de l'ère monarchique et toujours en vigueur, qui interdisent tout édifice plus élevé que le château, traduisit symboliquement cette rivalité, et il faudra attendre 1946 pour le voir supprimé). En réalité, le départ de la Cour et du gouvernement ayant tari l'activité de la ville, essentiellement tertiaire, et n'ayant pas été compensé par la création de la préfecture et de l'évêché, ni de l'illustre manufacture d'armes de Boutet, ni même du musée de Louis-Philippe, Versailles accueillit au XIXe siècle dans son tissu relâché, devenu trop ample et trop monumental pour son demi-sommeil, beaucoup de villégiatures élégantes, d'institutions religieuses, et de familles bien nées mais trop peu fortunées pour le faubourg Saint-Germain. De plus, le Musée et le Domaine national n'occupant plus, loin de là, tous les vastes bâtiments administratifs ou utilitaires qu'avait multipliés la monarchie, ceux-ci formèrent un immense parc d'immeubles officiels, imposants et décatis, auxquels il fallait trouver des usages : selon l'histoire qu'ils avaient traversée depuis la Révolution et l'Empire, les uns relevaient de l'État, les autres de la ville, d'autres du département, et leur attribution se fit au fil des besoins et des influences. On sait que l'armée en fut longtemps le principal bénéficiaire, et que l'image de Versailles reste marquée par son rôle de ville de garnison et de résidence chère aux familles d'officiers ; on sait aussi le clivage si longtemps sensible entre la ville sud (Vieux-Versailles et Saint-Louis), asile somnolent, volontiers légitimiste, des militaires, des ecclésiastiques et des aristocrates appauvris, et la ville nord (Notre-Dame et Clagny), centre vivant du commerce, des services et des lycées, opportuniste ou républicain. Ces dernières décennies, les ensembles du XVIIIe siècle de la ville sud, peu à peu vidés de leurs hobereaux, de leurs colonels et de leurs chanoines, étaient souvent devenus de semi-taudis où s'entassaient les travailleurs immigrés ; puis la spéculation a dirigé ses tentacules vers le quartier Saint-Louis, la « réhabilitation » y a suscité studios à poutres apparentes et crêperies, et les immigrés s'en retirent lentement...

On le voit : si la coloration particulière qui fut longtemps celle de Versailles – et qui n'est pas tout à fait effacée – provient bien de sa qualité de ville royale, c'est indirectement. Les Versaillais de l'époque révolutionnaire et impériale n'avaient rien de chouans, et c'est plutôt le départ des organismes royaux qui, en laissant tant de nobles coquilles vides disponibles à petit prix, y attira des catégories sociales crispées dans un conservatisme frileux.

Mais le terme de *Versaillais* a de tout autres résonances, on le sait bien. Le drame de 1871 reste ineffaçable, brûlant dans la mémoire collective, et les colonnes envoyées reprendre Paris, les procès expéditifs de la Grande Écurie où siège le conseil de guerre, les agonies de fédérés dans l'Orangerie, les fusillades de Satory, tout cela a formé un amalgame indissociable avec les entrevues entre Thiers, puis Jules Favre et Bismarck rue de Provence et boulevard du Roi, avec les préliminaires de paix si vite signés le 26 février, sans doute même avec la proclamation du Reich dans la Galerie (18 janvier) et, plus tard, avec la «République des ducs» et le séjour semi-clandestin du Comte de Chambord en quête de restauration chez un fidèle du quartier Saint-Louis (1873). Qui sait même si le choix de Trianon pour le procès de Bazaine la même année, ou, beaucoup plus tard, le détour juridique qui appela devant le tribunal de Versailles le procès Zola de juillet 1898, n'ont pas encore creusé la plaie et renforcé les équations établies entre Versailles et trahison nationale, Versailles et réaction féroce? Avec un siècle de recul, nous voyons bien à présent que la ville et le château de 1871 ne sont pas pour grand-chose dans les événements qu'ils abritèrent: c'étaient le Gouvernement provisoire, son armée, bientôt son Parlement et sa Justice qui agissaient, et non les Versaillais au sens propre. Les historiens récents de la ville se plaisent à souligner les secours que les communards trouvèrent auprès de certains habitants[117], de l'avocat Albert Joly qui les défend devant le conseil de guerre aux sœurs de la Sagesse qui soignent les prisonnières et au pasteur Passa qui soutient Rossel jusqu'au poteau d'exécution; soit. Mais la mémoire des vaincus a retenu, elle, certains jeux d'ombrelle dans les orbites des blessés et, sans vouloir savoir si les dames qui s'y livraient étaient des habitantes de Versailles ou d'élégantes Parisiennes réfugiées à Versailles, les a également flétries du nom de *Versaillaises.* Ainsi la ville payait-elle la rançon d'avoir été royale: si la monarchie n'y avait laissé tant de bâtiments tout propres à loger un gouvernement chassé de sa capitale, son nom ne se fût pas attaché à tant de souvenirs d'iniquité ou de défaite; inversement, la rancœur laissée par cette défaite et ces iniquités s'aggrava sans nul doute de ce que le Versailles des rois leur avait servi de théâtre.

Cette circulation dialectique de la mémoire aide à comprendre la charge passionnelle et contradictoire qui continue de s'attacher à Versailles, la prudence et les ruses qu'ont déployées tous les régimes dans leur usage du palais, l'impuissance de ses historiens à substituer son histoire réelle à son histoire imaginaire dans les représentations collectives.

L'étude donnée par Thomas Gaehtgens à ce volume fournit une esquisse, à propos de la galerie des Batailles, des difficultés qu'eut à résoudre Louis-Philippe pour éviter les écueils qui semaient la voie de son musée. À la galerie, qui, comme celle de Louis XIV ne prend son sens qu'en passant du salon de la Guerre à celui de la Paix, ne prend le sien qu'en marchant de la salle de 1792 à celle de 1830, revenait la tâche la plus impossible: celle de réconcilier les composantes de l'opinion française au lendemain d'une révolution, et de la rallier autour du monarque constitutionnel, descendant de Clovis et combattant de Jemmapes, fils de régicide mais émigré, et couronné par les barricades, mais aussi contre elles; T. Gaehtgens montre combien d'omissions suppose l'entreprise, à commencer par celle des batailles proprement dites, ou des souverains sacrés et charismatiques, ici réduits au rôle tout laïque de chefs d'état-major, ou d'officiers payant d'exemple. On dirait volontiers que le reste du Musée confie à ses milliers de toiles et de bustes la tâche moins ardue de concilier, et non plus de réconcilier; autrement dit, d'équilibrer par juxtaposition: on voit aisément à qui s'adressait l'extraordinaire composition des cinq salles des Croisades[118], avec la grosse malice des blasons de croisés peints à ses piliers et ses caissons, qui tablait sur la mythique prétention des vieilles familles à avoir eu «des ancêtres aux Croisades» pour obtenir des ralliements de légitimistes; à qui encore les ensembles infinis de toiles et de sculptures à sujet impérial, avec le statut privilégié des douze énormes salles en enfilade à l'aile du Midi, au rez-de-chaussée de la galerie des Batailles, toutes consacrées aux toiles monumentales de l'ère napoléonienne[119]. Comparée aux aménagements spectaculaires des Croisades et au déploiement colossal de l'Empire, la salle de 1792, seul ensemble cohérent à évoquer la Révolution[120] – avec quelles ambiguïtés! – faisait modeste figure. Il n'est pas indifférent sans doute que le personnage le plus souvent représenté par les tableaux du Musée soit Napoléon, suivi de près par Louis-Philippe lui-même, et laissant bien loin Louis XIV.

Mais les manœuvres du Roi-Citoyen ne se bornent pas au dosage des toiles ou des plâtres qu'il commandait ou exhumait. Les plus révélatrices portent sans doute sur son traitement du château lui-même. Chacun sait le soin qu'il mit à éviter tout soupçon de réinstallation. Le double exemple de Napoléon et de Louis XVIII qui l'un après l'autre entamèrent le processus puis renoncèrent avait porté ses fruits. Pourtant Louis-Philippe, passionné pour son œuvre, vint près de quatre cents fois à Versailles en surveiller le progrès de 1833 à 1847; mais dans la journée, il utilisait les cabinets intérieurs de Louis XV et Louis XVI, qu'il avait meublés pour le travail et non pour le séjour, tandis que la reine Marie-Amélie l'attendait dans ceux de Marie-Antoinette, et le soir, l'on repartait pour Paris, Saint-Cloud ou Trianon: les grands appartements et les pièces les plus monarchiques de celui du Roi (Œil-de-bœuf, Chambre, Conseil) étaient résolument attribués au Musée[121]; au contraire, le Trianon de Marbre, traité en villégiature de famille, retrouvait l'usage que lui avait donné Louis XIV, à l'opposé de toute fonction politique, et l'ample maisonnée du Roi n'avait presque eu qu'à s'y glisser[122] dans les meubles exquis que, pour le même usage privé, y avait placés Napoléon; plus privé encore, le Petit Trianon servait de maison de campagne au jeune ménage du Duc d'Orléans, comme il avait sous l'Empire servi à la jeune et brillante Pauline Borghese. Cet accord général sur le caractère de Trianon, qui apparemment ne tire pas à conséquence, c'est encore sur lui que plus d'un siècle après s'appuiera le président de Gaulle: souvent soupçonné pourtant par l'opinion de penchants monarchistes, il fit accepter sans trop de peine que la présidence de la République finançât largement

la restauration intégrale du Grand Trianon afin de pouvoir, d'une part, y recevoir les hôtes officiels du gouvernement français et, point plus délicat, en affecter une aile entière à des séjours privés du président lui-même[123].
À Versailles, au contraire, le détournement systématique des appartements en salles de peinture permit à la fois de se conformer aux impératifs muséologiques du siècle (circulation en enfilade et de plain-pied, accrochage de la cimaise à la corniche et cadre contre cadre, les petits formats à hauteur des yeux et les grands au haut du mur), et surtout de faire disparaître tout signe d'habitation : suppression, on l'a vu, des pièces de service ou d'intimité, mais aussi de toutes les variations de niveau internes, des vantaux de portes, des trumeaux de miroirs, des cheminées, des bibliothèques, des tentures et, dans les pièces boisées, de tous les grands lambris. Pour certains ensembles, de nouveaux panneaux décoratifs, historiés de vignettes peintes, d'emblèmes et de dates, ou simplement moulurés, vinrent encastrer les tableaux : ainsi se trouvaient créées comme de nouvelles parois, d'apparence indélébile. Enfin, nombre de salles furent obtenues en réunissant étage noble et attique par destruction du plafond, en aveuglant les fenêtres et en crevant le toit par une verrière qui assurait la froide lumière zénithale chère aux musées d'antan : c'est le cas à la galerie des Batailles, aux gigantesques salles de la Smalah et de Constantine, ou dans les anciens appartements de Saint-Simon et de Villars. On mesure la tâche herculéenne qu'eût supposée un retour de Versailles à l'état logeable : notre époque, qui s'y emploie méthodiquement pour le corps central depuis quelque trente-cinq ans, y est à peine parvenue, et désespère d'y arriver jamais pour les grandes ailes. Louis-Philippe, on le voit, avait pris ses précautions.
Le XIXe siècle, à travers ses changements de régime, est unanime dans la prudence. Ainsi le second Empire, en recevant avec faste la reine Victoria (1855), se garde bien de lui préparer une chambre au château : c'est au Grand Trianon qu'il entasse pour elle de nouveaux meubles dorés dans la chambre déjà écrasante créée par Louis-Philippe pour sa fille la reine des Belges, et au Petit Trianon que, pour l'Exposition universelle de 1867, l'impératrice Eugénie organise une exposition à la gloire de Marie-Antoinette, qui confine à l'hagiographie[124]. La IIIe République, plus circonspecte encore après sa phase versaillaise de 1871-1879, n'ose d'abord recevoir ses hôtes officiels à Versailles et se contente de les confier au Conservateur pour une visite de routine. C'est vers 1900 seulement qu'elle s'enhardit à de véritables réceptions, avec grandes eaux, concert et dîner de gala : mais celui-ci n'ose pas encore la galerie des Glaces, et cela non par scrupule historique sur l'usage réel des galeries, puisqu'il est servi dans celle des Batailles[125] ; on a vu que seule la Ve République ira jusqu'à loger ses visiteurs à Versailles, mais à Trianon seulement.

Mais ces ménagements soigneux de l'opinion, ou des adversaires politiques, ne sauraient épuiser la question. D'abord parce que la méfiance contre tout semblant monarchique n'exclut nullement le désir inverse : celui de mettre à profit le prestige des souvenirs monarchiques. Le choix de la Galerie pour la signature du traité de paix avec l'Allemagne en 1919 était, certes, avant tout une réponse à la proclamation de Guillaume Ier en 1871, qu'il fallait effacer ; mais il était aussi l'affirmation triomphale du plus grand faste dont pouvaient disposer les puissances alliées, témoin les dizaines de tapis de la Savonnerie que le Mobilier national avait envoyés, et l'élection d'un superbe bureau attribué à Cressent pour l'apposition des paraphes, et qui fut l'objet de photographies séparées[126]. L'empereur Guillaume et Bismarck n'avaient pas non plus choisi au hasard Versailles et sa Galerie un demi-siècle auparavant : par-delà le contentieux hérité des guerres de la Révolution et de l'Empire, il y avait la rancune édifiée en symbole autour des ravages du Palatinat. Et l'on sait qu'en 1940 Hitler viendra arpenter la Galerie dans un Versailles pourtant vidé par l'évacuation de ses œuvres d'art, dévêtu de ses boiseries et des ses bronzes, et même des baguettes ciselées et dorées qui maintiennent les glaces à leurs arcades : il ne s'agissait évidemment pas d'une visite d'art, et, tout au long de la guerre, le palais dénudé et sans chauffage recevra la visite rituelle des troupes d'occupation conduites par leurs officiers : le « diktat de Versailles » était vengé à son tour[127]. Hors même de ces moments où culminent les tensions collectives et où tout devient signe, nous savons assez qu'il n'est guère d'équipe au pouvoir à avoir négligé l'appui que peut lui fournir un usage avisé et spectaculaire de Versailles. Il y eut, aux temps difficiles de la guerre d'Indochine et de celle d'Algérie, la campagne nationale de sauvetage, dont l'urgence salutaire n'est pas en cause, ni la sincérité de ses promoteurs et de ses donateurs, mais qui comporta aussi, avec le film de Guitry, le spectacle Son et Lumière *À toutes les gloires de la France* de Maurois et Cocteau, les fêtes de nuit historico-lumineuses au bassin de Neptune, et l'inauguration de l'Opéra par la reine Elizabeth II, à qui l'on offrit un acte des *Indes Galantes*, dans la mise en scène très... voyante de Maurice Lehmann (1957), des aspects de compensation nationaliste, voire de battage chauvin qui apparaissent clairement aujourd'hui[128]. Il y eut, quand le général de Gaulle sentait se dérober la popularité, l'ouverture du Grand Trianon admirablement restauré (1966). Il y a eu, depuis, les inaugurations, toujours présidentielles et télévisuelles, des diverses tranches de travaux au terme des lois-programmes, avec la restitution de la chambre de la Reine (1975), des salles de l'Empire (1978), de la chambre du Roi et de la Galerie (1980), et bientôt des appartements des Dauphins et de Mesdames (1986). Et entre-temps il y avait eu la partie publique (entendons retransmise par toutes les télévisions occidentales) du Sommet de 1982.

Il vaut la peine d'analyser la conception, très étudiée, des divertissements qui furent alors offerts aux chefs des États «les plus industrialisés», et plus encore aux téléspectateurs de leurs pays[129], par le gouvernement français. Les services de la Présidence semblent avoir visé le tour de force qui leur permît, en une simple soirée, de concilier fidélité à la tradition du Versailles officiel, surprise par un refus affiché de l'académisme, accessibilité à des millions de spectateurs cosmopolites[130], et conformité à l'aristocratisme culturel attendu de la France. On donna bien une représentation à l'Opéra royal, mais ce furent *Les Arts florissants* de M.-A. Charpentier, mis à la mode depuis peu par le jeune ensemble qui porte leur nom, et dans la production insolente et absconse de Jorge Lavelli; la promenade dans les jardins où jaillissaient les eaux illuminées était de tradition aussi, mais elle fut renouvelée par la trouvaille des passages au loin, dans la pénombre et au petit trot, des cavaliers de la garde républicaine en uniforme du XVIIIe siècle; l'inévitable dîner de gala fut fractionné entre les salons des Planètes et la Galerie; enfin et surtout, il y eut le trait d'audace de la Chapelle: les chefs d'État assis à la tribune royale, et sur un tabouret de velours, seule au milieu du grand pavement de marbre polychrome, tout en bas, Esther Lamandié chantant des monodies judéo-provençales et judéo-espagnoles. Le petit monde des musiciens n'a pas oublié certaine torpeur du président Reagan, que les caméras s'empressèrent de capter; mais il y eut aussi des réactions fort éloignées de la torpeur, les unes d'admiration bouleversée, les autres profondément indignées: j'ai pour ma part entendu tonner un Versaillais contre «ce nasillement de muezzin *(sic)* dans la chapelle du Grand Roi»... On voit comment un tel programme pouvait paraître, selon les sensibilités et les appartenances, relever du snobisme provocateur, du conformisme bourgeois, ou d'un faste fidèle à l'héritage et renouvelé par la modernité.
Mais si pareille exploitation de l'image de Versailles est possible, avec toute la richesse que lui confèrent ses ambiguïtés mêmes, c'est d'abord, et le public l'oublie trop, que pour être Musée national, Versailles n'a pas cessé d'être palais national, et palais de gouvernement.

Au risque de surprendre, il faut souligner que ce fut sans doute l'initiative de la Convention en juin 1794 (au plus fort de la Terreur: on devrait y songer) portant Versailles sur la liste des maisons ci-devant royales «qui seront entretenues et conservées aux frais de la Nation» qui décida de l'avenir. Le flottement sur l'usage et la survie même du château, désormais dit Palais National, n'avait duré qu'à peine deux ans, ce qui est peu. Il était certes vidé de ses meubles, hélas! par les ventes de 1793-1794, mais on doit rappeler que tous les tableaux, sculptures et objets d'art furent réservés pour le Muséum de la République (le Louvre), les livres pour la Bibliothèque publique de Versailles et la Bibliothèque nationale, les collections numismatiques ou de petits antiques pour cette dernière, les spécimens minéralogiques et botaniques et les animaux de ménagerie pour le Muséum d'Histoire naturelle, et les maquettes pour le conservatoire des Arts et Métiers ; que les aliénations de meubles réformés (pour ne rien dire des fontes de vaisselle et des brûlements de brocarts ou de tapisseries à fils d'or) étaient courantes sous la monarchie ; et que ces ventes impressionnantes (plus de dix-sept mille numéros, et quatorze mois de vacations) portèrent en bonne part sur des meubles et ustensiles d'accompagnement ou de service, et non point toujours sur les chefs-d'œuvre des ébénistes, dont certaines pièces insignes (bureau à cylindre du roi, pendules de Morand et de Passemant) avaient été exclues de la vente.

Quoi qu'il en soit, en créant dans les grands appartements un Musée spécial de l'École française (ouvert un premier temps en 1794, il prit forme en 1797)[131] et à l'aile du Nord un musée d'Histoire naturelle, puis en les faisant voisiner avec l'École centrale de Seine-et-Oise (ailes des Ministres et pavillon de Provence) et la Bibliothèque publique (aile du Midi)[132], la période révolutionnaire, avec bien des hésitations et des contradictions, engageait le double processus d'une utilisation de Versailles en musée, et de sa mise au service des desseins de l'État. Le Consulat, qui vit l'installation de la Bibliothèque dans l'ex-hôtel des Affaires étrangères où elle est glorieusement restée, la remplaça à l'aile du Midi par une antenne des Invalides. Mais bientôt Napoléon, inscrivant tout naturellement Versailles parmi les Palais impériaux, restaurait et remeublait les Trianons pour sa mère, lui-même et sa sœur Pauline (1805), et reprenait les travaux au château[133], que quittèrent l'un après l'autre les organismes occupants. Avec le mariage autrichien et la naissance du roi de Rome, l'Empereur passa résolument à la phase de la réinstallation : les kilomètres de brocart, de velours, de damas ou de satin commandés en 1811-1812 à la soierie lyonnaise et destinés avec une précision chiffrée à toute la hiérarchie des appartements grands et petits des souverains, et des logements de « princes », « grands dignitaires », « ministres » et « grands officiers » montrent qu'il s'agissait bien d'une occupation gouvernementale, et que l'immense espace était déjà redivisé et réattribué à l'exemple de l'Ancien Régime[134].

Les dates disent assez pourquoi ces soieries ne furent point tendues à Versailles ; mais Louis XVIII reprit aussitôt les travaux, réattribua encore les appartements, « réserva » les étoffes, et commanda par dizaines tableaux et dessus de portes[135]. De délais de chantier en inspirations de prudence, le dessein s'effilocha aux alentours de 1820, non sans laisser des marques importantes et peu soupçonnées du public dans l'aspect du domaine[136]. Charles X, pour une fois circonspect, ne renchérit pas sur son frère et laissa les choses en suspens. On a vu quel changement de cap représenta l'œuvre de Louis-

Philippe, le soin qu'il mit à répudier toute imputation d'absolutisme à la versaillaise, et que Napoléon III l'imita à cet égard. On pouvait donc croire que depuis la solennelle inauguration de 1837, Versailles avait décidément achevé son histoire de palais et entamé celle de musée.

Il fallut les convulsions de 1871 pour qu'on se rappelât sa double qualité. Guillaume Ier, le Kronprinz, de Moltke et les princes allemands ne s'étaient pourtant pas installés au château, resté «ambulance» de blessés, et avaient occupé les bâtiments officiels et les belles propriétés en ville. Est-ce la cérémonie profanatrice du 18 janvier dans la Galerie qui suggérera au «Libérateur du territoire[137]» de répliquer par l'entrée chez Louis XIV de la future République des ducs? Car c'est Thiers qui, à l'Assemblée encore repliée à Bordeaux, propose Versailles d'où il revient de négocier avec l'ennemi, et l'ancien Opéra royal pour successeur au Grand Théâtre de Victor Louis[138]. Tandis que Paris passe du siège à la Commune, la ville déborde de Parisiens aisés, de tous les services officiels de Paris et de la Seine, des grands corps de l'État, ambassades et ministères, et de députés: on comprend que le château soit mis en coupe réglée par cette affluence énorme que la ville ne peut absorber, et les détails abondent sur cette colonisation en campement[139], depuis le *Journal officiel* cour du Maroc jusqu'à la Caisse des dépôts salle de Marengo, sans oublier le restaurant Chevet venu s'ouvrir à l'aile du Midi, à deux pas de l'Orangerie où l'on entasse les Communards capturés. Visiblement, la situation s'est créée dans un enchaînement affolé de circonstances et il n'y a peut-être pas lieu de lui chercher des raisons profondes.

Ce qui surprend davantage, c'est sa prolongation des années après la Semaine sanglante. Voilà de nouveau la France dotée d'une capitale bicéphale, dont les organes essentiels (Présidence, Chambres) sont à Versailles, mais dont les ministères, corps et ambassades regagnent peu à peu Paris, et la Présidence même en 1874. Les destructions considérables des incendies parisiens de mai 1871 n'expliquent pas tout (même si celui de l'Hôtel de Ville a conduit la préfecture de la Seine à occuper le Luxembourg en l'absence du Sénat), et l'on doit bien invoquer une méfiance envers Paris qui forme un singulier écho aux mobiles de Louis XIV jadis. La Constitution de 1875, qui fait de Versailles le berceau de la République avec le vote de l'amendement Wallon le 30 mai de cette année-là, ayant institué le bicamérisme, le Sénat garde l'Opéra royal qui, déjà malmené par Louis-Philippe, a pour l'installation de 1871 subi de nouveaux outrages[140], et tout naturellement, il étend ses services sur le revers de l'aile du Nord, interdisant au public de vastes sections du musée[141]; la Chambre des députés doit donc se loger de son côté: elle annexe le revers de l'aile du Midi, et s'y bâtit en huit mois une vaste salle[142], qui servira aussi à accueillir les sénateurs quand les deux assemblées réunies en «Congrès» devront élire tous les sept ans le président de la République.

Il est symptomatique que ce soit en 1879, quand la République devient républicaine, que le Parlement, en solennel Congrès, vote sous la pression de l'opinion son retour à Paris[143]. On sait l'événement politique et mondain que constitueront, au long de la IIIe et la IVe République, les élections présidentielles à Versailles[144]. On sait moins le legs indélébile pour le château de ces huit années étranges, un legs qui ne se borne pas à des altérations profondes de l'architecture et du décor, mais qui porte sur le statut même de vastes régions du château. Aujourd'hui encore, le Parlement garde la disposition du revers de l'aile du Midi, y loge fonctionnaires et services, et maintient la salle du Congrès en état de servir à toute révision de la Constitution. Et bien que le Musée, depuis la magnifique restauration de 1957, entretienne et présente l'Opéra, et que l'Opéra de Paris (qui s'en prévaut fort peu !) se soit vu attribuer la scène, une autorisation officielle doit être demandée pour chaque spectacle. Encore la situation actuelle est-elle sans comparaison avec celle des années 1879-1939 : Nolhac a raconté comment le silence du Sénat réussit à empêcher toute utilisation de l'Opéra, fût-ce pour un soir, et *a fortiori* toute entreprise de restauration ; au contraire, le plan de restitution de l'Architecte en chef André Japy obtint en 1952-1957 l'appui de Gaston Monnerville et de l'assemblée qu'il présidait. À l'aile du Midi, les rapports du Musée avec l'Assemblée nationale se sont améliorés aussi, et la Constitution de 1958 ayant changé les modalités de l'élection présidentielle, la salle de Marengo, jadis réservée à la prestation de serment du nouveau président, a pu être incluse dans la restauration des salles de l'Empire en 1979.

Mais on comprend mieux peut-être la présence récurrente et polymorphe de la puissance politique à Versailles. Siège oublié, mais toujours possible, du Parlement, site suprême du cérémonial républicain, mais aussi de la fête politique républicaine, depuis la liesse autour du président Carnot dans les jardins, le 5 mai 1889, quand s'ouvrit la commémoration du centenaire des États généraux[145], jusqu'au Sommet de 1982 où, notons-le, le discours présidentiel d'ouverture fut prononcé dans la salle du Congrès, Versailles, palais national, peut à tout moment se fermer au public pour abriter des négociations (ainsi les entretiens de Trianon entre les présidents de Gaulle et Johnson en 1969, ou les trois journées de la conférence de 1982), ou pour fêter des hôtes étrangers que l'on souhaite accueillir de façon flatteuse, voire pour les loger dans un cadre dont le charme et le luxe les disposent favorablement avant des conversations parisiennes. Au reste, ces visiteurs ne s'y trompent pas : il n'est guère de voyage en France de chef de gouvernement ou d'État, ni de délégation spécialisée, qui n'inclue dans son programme de séjour, si bref soit-il, un passage par Versailles, de la plus discrète promenade accompagnée par un Conservateur ou un simple conférencier jusqu'aux théories de voitures à cocardes environnées de gardes du corps. Par-delà le plaisir et l'intérêt souvent manifestés, à titre personnel ou professionnel, par ces visiteurs du monde entier, par-delà même le souci évident d'accomplir ce que leurs hôtes français attendent d'eux, il y a comme la reconnaissance implicite que Versailles n'est pas mort avec la monarchie, ne cesse de la célébrer tout en la répudiant et de la répudier en la célébrant, et garde indéfiniment, à l'échelle aujourd'hui de la planète, quelque chose à dire sur le pouvoir, son exercice et ses images.

1. Titre de dom Édouard Guillou, o.s.B, repris d'Ovide et de La Fontaine: *Versailles, le palais du Soleil*, Paris, Plon, 1960.

2. C'est l'année où meurt au Louvre Anne d'Autriche: le roi se réfugie à Versailles. Puis viennent les travaux de Perrault à la façade sur Seine de la cour Carrée, rendant inhabitables les appartements royaux (1668).

3. Légué à la Couronne par Richelieu, le Palais-Royal est affecté à Monsieur lors de son mariage, puis cédé en propre (1692).

4. De 1653 à 1660, Le Vau élève à Vincennes les pavillons du Roi et de la Reine-mère et les deux portiques récemment restitués.

5. L'auteur de cette contribution a tenu à respecter la graphie protocolaire en usage dans la conservation des musées-châteaux. Nous l'avons suivie. *(N.d.É.)*

6. Le Nostre crée la terrasse sur la Seine et le Grand Parterre en 1668-1673.

7. Ainsi celui de 1661 dure du printemps à l'automne.

8. Le feu détruit la Petite Galerie d'Henri IV, que Le Vau et Le Brun remplacent par la galerie d'Apollon en l'épaississant à l'ouest; l'appartement du Roi jouxte la Galerie à l'est.

9. Nicolas Sainte-Fare-Garnot, «Des Tuileries à Versailles (1666-1678): rupture ou continuité», colloque *Versailles*, Versailles, 1985.

10. Orangerie au flanc sud de la butte, 1662-1664 (remplacée par celle de Mansart, 1678-1685); Ménagerie, pavillon octogone d'où rayonnent les cours d'animaux, 1662-1664 (disparue au XIVe-XXe siècle); grotte de Thétis, 1664 (détruite en 1684); Trianon de Porcelaine, 1670 (détruit en 1687); Écuries, 1672 (déclassées par celles de Mansart place d'Armes en 1685 et affectées aux dauphines et reines; 5, rue Carnot).

11. La terrasse de Le Vau à l'étage royal sur jardins était plus courte que la galerie des Glaces qui la remplaça: les grands appartements du Roi (nord) et de la Reine (sud) s'y achevaient par deux corps cubiques en retour. Leurs appartements privés, sur la cour de Marbre, se joignaient au centre en donnant sur la terrasse.

12. La Galerie basse, longue comme la terrasse qu'elle soutenait, s'enfonce dans la butte en contrebas du Petit Château, et ouvrait par des arcades de ferronnerie sur le Parterre d'Eau. La loi-programme de 1980-1985 lui a rendu son dénivelé et ses voûtes.

13. Sur le Trianon de Porcelaine, Robert Danis, *La Première Maison royale de Trianon, 1670-1687*, Morancé, s.d. (vers 1926) et Alfred Marie, «Trianon de Porcelaine et Grand Trianon», *Bulletin de la Société d'histoire de l'art français*, 1945-1946. Il occupait à peu près la longueur du péristyle du Grand Trianon.

14. Saint-Simon, *Mémoires*, 1715 (rédigé en 1746), éd. Boislisle, XVIII, 126-131 et 156-168.

Sur ces pages célèbres mais d'interprétation délicate, Hélène Himelfarb, «Signes de la damnation : le réquisitoire de Saint-Simon contre Versailles», *in Parcours parisiens*, Paris, Publications de l'université de Paris III, 1986.

15. Le Château-Vieux de Saint-Germain, élaboré de Louis VI à François Ier, formait un pentagone oblong et irrégulier. Après les travaux de décor et de jardins de la jeune Cour, Mansart dota chaque angle d'un pavillon carré couvert en terrasse à balustrade, et rectifia les pans coupés. Napoléon III les supprima en créant le musée des Antiquités nationales.

16. Philibert Delorme commença sous Henri II un belvédère au bord de la terrasse, resté inachevé en 1563 ; Henri IV en fit le noyau d'un immense château de brique et pierre dû aux Metezeau et à Du Cerceau, avec rampes, parterres et grottes jusqu'à la Seine. Le Comte d'Artois le démolit en 1777.

17. Les dernières furent celles du «camp de Compiègne» pour parfaire l'éducation du Duc de Bourgogne (septembre 1698), dont le faste étonna.

18. Un clavecin brisé de voyage (XVIIIe siècle) au Musée instrumental du Conservatoire (collection de Chambure) garde ses plumes dans leur casier.

19. Ainsi l'Empereur dispose des palais de Laeken à Bruxelles, Pitti à Florence ou du Quirinal à Rome, comme du palais Rohan à Strasbourg ou de l'archevêché à Bordeaux, et les meuble de neuf.

20. Outre Versailles, Saint-Cyr-l'École, Fontenay-le-Fleury, Bois-d'Arcy, Noisy-le-Roi, Bailly, Rocquencourt, Le Chesnay, Guyancourt, Buc. Sur le mur et ses vestiges, Chantal Waltisperger, «La clôture du grand parc de Versailles», *Revue de l'art*, n° 65, 1984.

21. Louis XV acquit en 1739 Choisy, œuvre de Jacques IV Gabriel pour la Grande Mademoiselle, et le fit développer en cité royale par J.-Ange Gabriel. Louis XVI démeubla Choisy, peu à peu détruit au XIXe et XXe siècle.

22. Louis XIV s'arrête souvent à Chantilly chez le Grand Condé ou son fils sur la route du front. Le Duc de Bourbon y reçoit Louis XV au retour du sacre en 1722, en 1724 et 1725. À la fin du règne, Monsieur, donc le Roi, délaisse Villers-Cotterêts, mais son fils le Régent y fête Louis XV rentrant de Reims.

23. Monsieur acquit Saint-Cloud du financier Hervart dès 1655 ; il y employa Antoine Le Pautre, Mansart, Nocret, Rousseau et Mignard. Son descendant Égalité le vendit à la Couronne en 1785. Incendié par les Prussiens en 1871, le château fut rasé en 1891.

24. Monseigneur, dauphin, acquit Meudon de Mme de Louvois en 1695, ajouta au Château-Vieux des Guise et de Louvois un Château-Neuf par Mansart, et l'emplit de collections d'art. Napoléon supprima le Château-Vieux en 1804 ; le Neuf, incendié par les Prussiens, fut défiguré en observatoire dès 1878.

25. Fils aîné du Roi et de Mme de Montespan, le duc du Maine achète en 1699 Sceaux des Colbert, et son père y fait souvent étape sur la route de Fontainebleau ; il n'en reste que le pavillon de l'Aurore et l'Orangerie. Son cadet, le comte de Toulouse, acquiert d'Armenonville Rambouillet en 1706, et y reçoit le vieux roi ; lui-même et son fils, le duc de Penthièvre, transformèrent le domaine, que Louis XVI acheta en 1783.

26. Ce pavillon des Parfums au fond du Parterre, relié au château par un berceau de jasmin, fut remployé en 1687 pour le Trianon de Marbre : c'est le salon des Jardins, au bout de la galerie, qui court à la place du treillage.

27. Forge, menuiserie et cabinet du tour de Louis XVI subsistent à Versailles ; les ateliers de Louis XV ont disparu.

28. Le roi achète les terrains de Marly en 1676 ; château et pavillons s'élèvent à partir de 1679-1680 ; le premier séjour prolongé est de 1686.

29. Louis XIV crée pour les dames, dans les jardins de Marly, anneau tournant, escarpolette, trou-madame, ramasse et roulette.

30. Fiske Kimball, *Le Style Louis XV. Origine et évolution du rococo*, trad. franç. Jeanne Marie, Paris, Picard, 1949; François Souchal, *Les Frères Coustou*, Paris, De Boccard, 1980, chap. XVII-XVIII; Michèle Beaulieu, *Les Sculptures du parc de Marly au... Louvre et aux Tuileries*, Paris, Réunion des Musées nationaux, 1980, «Petits guides des grands musées».

31. Dans chacun, deux logements de trois ou quatre pièces sans cuisine: A. et J. Marie, *Marly*, Tel, 1947, fig. 41, 42, 46.

32. La Perspective était un bâtiment d'offices en quadrangle; le mur vers le château, aveugle, était peint en trompe-l'œil par Rousseau d'un portique sur esplanade antique (1684). On dut en 1706 y percer cinq travées de fenêtres pour des logements, et effacer la perspective (Marie, *op. cit.*, p. 49).

33. Rapprochement dû à Karl Möseneder, «Sur les origines de Marly», colloque *Versailles, op. cit.*

34. Les Parterres, entre embarcadère, péristyle et galerie; le jardin des Sources, entre galerie et Trianon-sous-Bois; et le jardin du Roi, clos et réservé à Louis XIV et Mme de Maintenon, entre cour et aile nord.

35. Daniel Meyer, «À propos du péristyle du Grand Trianon», *Revue de l'art*, n° 15, 1972.

36. Bertrand Jestaz, «Le Trianon de Marbre, ou Louis XIV architecte», *Gazette des beaux-arts*, n° 1210, 1969; A. et J. Marie, *Versailles au temps de Louis XIV*, Paris, Imprimerie nationale, 1976, pp. 20-26.

37. Pierre Goubert, *Louis XIV et vingt millions de Français*, Paris, Fayard, 1966, p. 132.

38. Le luxueux appartement des Bains, au rez-de-chaussée de l'enveloppe, relié par un escalier privé aux cabinets de Louis XIV, fut conçu pour le repos et la volupté plus que l'hygiène, et supprimé en 1684. Mais on connaît des commandes de linge de bain à la fin du règne, et des décors de bains pour la Duchesse de Bourgogne (Marie, *op. cit.*, pp. 121 et 271-272). Au XVIIIe siècle, les salles de bains, souvent garnies de placards à ligne, comportent deux baignoires (savonnage et rinçage), eau courante chaude et froide, descente d'eaux usées, et sol de marbre incliné vers une trémie pour évacuer les flaques; une feuille de plomb sous dallage renforce l'étanchéité; l'âtre fait souvent place au poêle de céramique. Le «cabinet de chaise» fait place aux «lieux à l'anglaise» avec cuvette de faïence, descente, et jet d'eau relié à une citerne. Versailles conserve plusieurs exemples de ces aménagements.

39. Sur l'avatar récent d'une vision baroquisante et onirique de Versailles, H. Himelfarb, «Versailles en notre temps», *in Destins et enjeux du XVIIe siècle*, Paris, P.U.F., 1985.

40. Chiffre admis par les Conservateurs sur la base du nombre de logements, numérotés depuis Louis XIV, et de leur composition.

41. Pierre Lemoine, «Les logements de Saint-Simon au château de Versailles», *Cahiers Saint-Simon*, n° 12, 1984.

42. Il n'existe pas de bibliographie des guides de Versailles; à défaut, se reporter au catalogue de la collection Grosseuvre (Ader et Meynial experts, 1934, 548 numéros). Les études de fond, historiques et idéologiques, s'ébauchent à peine; Gérard Sabatier («Versailles, ou le sens perdu. Manières de montrer la galerie des Glaces aux XVIIe et XVIIIe siècles», colloque *Versailles, op. cit.*) témoigne de la richesse d'idées à en tirer.

43. *Mémoires de Mme Campan*, Paris, Ramsay, 1979, pp. 19 et 58-59.

44. L'*été* dans l'ameublement d'une grande demeure, c'est la période de Pâques à la Toussaint où l'on remplace aux murs, sièges, lits, rideaux, portières, paravents et écrans le velours par des soies plus fraîches. Par cohérence, on rétablit partout à Versailles l'état d'été, dont les tissus sont mieux connus que ceux d'hiver.

45. Jean-Claude Le Guillou a renouvelé notre connaissance du Versailles de Louis XIII: «Les châteaux du roi Louis XIII à Versailles (1623-1634)», revue *Versailles* (Nyon), n°s 65 et 66, 1979.

46. Versailles, Musée national du Château, MV 765 (vue anticipant sur les travaux).

47. Les bustes subsistent (1665-1670); Louis XIII avait déjà un portique, que Le Vau rhabille, ou refait; rampes, Écurie et Bouche sont créées dès 1662-1663 (l'Écurie subsiste, rattachée au château en Vieille Aile; la Bouche a disparu sous l'aile Gabriel); Orangerie, Grotte, Ménagerie, Trianon, *cf.* ci-dessus, n. 9; le creusement du Canal débute en 1667.

48. Période si complexe que les historiens varient, et sont tous ardus. Progrès récents avec Guy Walton, «L'enveloppe de Versailles: réflexions nouvelles et dessins inédits», *Bulletin de la Société d'Histoire de l'art français*, 1977; J.-C. Le Guillou, «Remarques sur le corps central...», *Gazette des beaux-arts*, n° 1285, 1977, «Aperçu sur un projet insolite...», *ibid.*, n° 1333, 1980, et «Le Château Neuf ou enveloppe...», *ibid.*, n° 1379, 1983; et R. W. Berger, «The chronology of the *enveloppe...*», *Architectura* (Munich) n° 2, 1980. Les ouvrages classiques de Pierre Verlet (*Versailles*, Paris, Fayard, 1960, rééd. 1985) et de Marie (*Naissance de Versailles*, Paris, Fréal, 1968) sont déjà caducs à ce sujet.

49. Sur tout l'étage royal, Mansart substitua aux fenêtres rectangulaires de Le Vau des baies cintrées qui supprimèrent les reliefs. La critique du XVIIIe siècle lui reprochera avec raison la monotonie d'arcades sur deux niveaux, et leur peu d'échelle avec l'ordre ionique, conçu par Le Vau au module modéré de ses fenêtres.

50. De 1663 à 1682, la Chapelle passe du nord de la cour de Marbre (Cabinet doré actuel) à l'enveloppe sud (Gardes de la Reine et antichambre de la Dauphine, puis salles du Sacre et de la Régence actuelles).

51. Chez la Reine et le Roi, chaque salon de l'enveloppe célébrait un astre du système solaire et son dieu éponyme. Chez le Roi, l'enfilade destinée à l'habitation passa à la réception: *Mars*, prévu en gardes, devint salle de bal, *Apollon* prévu en chambre devint salle du Trône, son lit glissa à *Mercure*, mais sans servir, etc.

52. L'histoire la plus commode de la ville est celle d'Émile et Madeleine Houth, *Versailles aux trois visages*, Versailles, Lefebvre, 1980, ouvrage de consultation qui exploite les recherches spécialisées (Jean Lagny, Marcel Delafosse...).

53. Le château de Clagny, commencé par A. Le Pautre et repris par Mansart, bordait au nord l'avenue de Saint-Cloud; Marie Leszczynska le remplaça par un couvent d'augustines pour l'éducation des filles; c'est notre lycée Hoche.

54. Le terme de galerie des Glaces date du XIXe siècle. On dit sous l'Ancien Régime galerie de Versailles.

55. Les statues de l'enveloppe sud (Muses, Dieux de la table) indiquent encore l'intention de placer au midi la «salle des Ballets et Festins». Sur cette commande considérable de grandes figures de pierre, Fr. Souchal, «Les statues aux façades du château de Versailles», *Gazette des beaux-arts*, n° 1237, 1972.

56. Rapprochements entre l'appartement de la Reine et les prétentions successorales de Louis XIV en son nom par Kevin O. Johnson, «*Il n'y a plus de Pyrénées*: the iconography of the first Versailles of Louis XIV», *ibid.*, n° 1352, 1981.

57. Sur la Chapelle de 1682 (aujourd'hui salon d'Hercule et passage toscan) et celle d'à présent, élevée de 1699 à 1710, H. Himelfarb, «Lieux éminents du Grand Motet: décor symbolique et occupation de l'espace dans les deux dernières chapelles...», colloque *Le Grand Motet*, 1984, Presses de l'Université de Paris-Sorbonne, 1986.

58. Avant les travaux de Gabriel et de Dufour, les extrémités de ces deux ailes restées de brique, pierre et ardoise avaient été ornées par Mansart de colonnes corinthiennes, statues sur balustrade, plombs dorés et lanternon à horloge.

59. Pierre Francastel, *La Sculpture de Versailles. Essai sur les origines et la formation du goût français classique*, Paris, Morancé, 1930, chap. V.

60. H. Himelfarb, «Source méconnue ou analogie culturelle? Des livrets d'opéras lullystes au décor sculpté des jardins...», colloque *Versailles, op. cit.*

61. Comme pour la Galerie, le terme d'escalier des Ambassadeurs n'est pas d'Ancien Régime : on dit le Grand Degré. Conçu par Le Vau, il est bâti par D'Orbay à partir de 1671, décoré par Le Brun de 1674 à 1679. Louis XV le détruit en 1752.

62. *Cf.* ci-dessus, n. 11.

63. *Jupiter*, cabinet du Conseil, fut remployé aux Gardes de la Reine ; *Saturne*, inachevé, disparut ; *Vénus*, petite chambre sur terrasse, passa au débouché du Grand Degré. Les cabinets de la Reine disparurent.

64. La seconde grille, « des honneurs du Louvre », faisant place au XIXe siècle à la statue équestre du Roi, sa *Paix* et son *Abondance* furent reléguées aux rampes de l'avant-cour, et la marche des victoires vers la paix oubliée. Sur ces groupes importants, Thomas Hedin, *The Sculpture of Gaspard and Balthazar Marsy*, University of Missouri Press, 1983, pp. 215-216. Sur les statues de la cour de Marbre, Fr. Souchal, *op. cit.*

65. Sur cette querelle, Josèphe Jacquiot, « *Remarques critiques sur les inscriptions de la galerie de Versailles* par Boileau-Despréaux », colloque *Versailles, op. cit.*

66. Monique Pelletier, « Les globes de Marly : des globes pour Versailles », *ibid.*, a établi la destination des chefs-d'œuvre de Coronelli.

67. *Cf.* ci-dessus, n. 33.

68. Statues, paniers et vases du couronnement ont disparu, et l'on n'a pas osé les refaire ; ils donnaient à Trianon une silhouette plus animée qu'aujourd'hui.

69. *Zéphire et Flore* (les fils Lully, 1688), *Le Palais de Flore* (Delalande, 1689).

70. Antoine Schnapper, *Tableaux pour le Trianon de Marbre, 1688-1714*, Paris, La Haye, Mouton, 1967 ; sur les cent cinquante-neuf toiles, cent quatorze ont été replacées en 1966.

71. Christian Baulez, in *Les Gabriel*, Paris, Picard, 1982, pp. 179 et 189. L'escalier inachevé de Gabriel a été terminé sur ses plans par Jean Dumont en 1985, mais on s'est gardé d'exécuter les sculptures après deux siècles.

72. On s'accorde sur les noms de Pellisson et du président Le Picart de Périgny et les dates 1666-1678 (rééd. de l'éd. Longnon, Paris, Tallandier, 1983).

73. Édition exemplaire par Simone Hoog, Réunion des Musées nationaux, 1982.

74. Rarement projeté à présent, *Si Versailles m'était conté* a fait l'objet d'éditions illustrées en 1953-1954.

75. *Le Comte de Moret*, paru en 1865, et d'attribution problématique.

76. Le roman est de 1847 ; Mme de Pompadour naquit l'année où mourait Watteau.

77. *Les Misérables* (1862) ; Campistron fut bien secrétaire des Galères dont son protecteur Vendôme était général, mais l'hôtel de Vendôme fut justement détruit pour bâtir la place.

78. Pierre de Nolhac, *La Résurrection de Versailles. Souvenirs d'un Conservateur, 1887-1920*, Paris, Plon, 1937, pp. 80-81.

79. Sur ce rôle muséal de l'Appartement, Claire Constans et S. Hoog, « Les tableaux » et « Les sculptures du grand appartement du Roi », *Revue du Louvre*, 1976, n° 3. La plupart des antiques sont revenus (dépôts du Louvre), nombre de portraits royaux, et quelques tableaux de maîtres.

80. Le bal paré, ne faisant évoluer qu'un couple dans le rectangle formé par les assistants, ne pouvait s'arranger des galeries qui conviendront aux dizaines de couples de la valse romantique. Si un jour d'affluence (mariage royal) on le donnait dans la Galerie, des banquettes reformaient le rectangle de Mars ou d'Hercule.

81. Issue des antichambres du XVIIe siècle, la salle à manger ne se spécialise qu'au XVIIIe. À Versailles, le Grand Couvert de la famille royale a lieu dans la première antichambre du Roi, de la Reine ou de la Dauphine. Les tables, simples tréteaux, étaient ôtées ensuite.

82. Louis-Philippe supprima, hélas ! le mécanisme amenant parterre et corbeille au niveau de la scène, où l'on plaçait un décor praticable calquant celui de la salle, et créant un vaste ovale pour le bal ou le festin où plongeait la vue des loges.

83. Évocation dans Verlet, *op. cit.*, pp. 225-234 ; plans et dessins dans la série de Marie (*Mansart à Versailles*, Paris, Fréal, 1972 ; *Versailles au temps de Louis XIV, op. cit.*). Pour les dates hautes, Béatrix Saule a pu reconstituer sur inventaires l'éblouissant appartement du jeune Roi (« Trois aspects du premier ameublement... sous Louis XIV », colloque *Versailles, op. cit.*).

84. Historique lumineux des chambres du Roi par D. Meyer, « La restitution de la chambre de Louis XIV à Versailles », *Revue du Louvre*, 1980, n° 4, complété par Jean Coural pour la date du brocart d'été : « La Fabrique lyonnaise au XVIIIe siècle... », *Revue de l'art*, n° 62, 1983, n. 10-11.

85. Les minuscules arrière-cabinets du Dauphin et de la Dauphine furent refaits pour le Duc d'Angoulême, fils de Charles X, et sa femme Madame Royale, « l'orpheline du Temple », qui ne les occupèrent pas. Restaurés en 1986.

86. J.-Cl. Le Guillou montre qu'il faut faire remonter à 1735 le début du remaniement des cabinets du Roi, jusqu'ici placé en 1738 (« La création des cabinets et des petits appartements de Louis XV... », *Gazette des beaux-arts*, n° 1395, 1985).

87. Sauf des éléments Louis XIV gardés ou recopiés par Gabriel au cabinet du Conseil (1755) et les lambris du Billard de 1684 remontés à l'antichambre des Chiens (1738).

88. Il ne reste rien des cabinets de Marie-Thérèse ni de la Dauphine-Bavière ; de la Duchesse de Bourgogne, un charmant cabinet déjà Régence, récemment restauré ; de Marie Leszczynska, des éléments des Bains et du Repos.

89. Eudore Soulié, *Notice du Musée impérial de Versailles*, 1852-1861.

90. L'ensemble réuni par P. de Nolhac en *Histoire du château de Versailles* (Paris, Calmann-Lévy, 1911-1918) avait paru en volumes séparés à partir de 1889.

91. De ses trois salles de bains du bel étage, deux survivent ; ses deux salles à manger, conservées, eurent salles des buffets, des jeux, du café, de la suite ; son cabinet d'angle a arrière-cabinet pour le travail solitaire ou les entrevues secrètes, petit escalier, garde-robe et « chaise ».

92. Les appartements de Mme de Pompadour (attique nord, 1745-1750) et de Mme du Barry (combles de la cour de Marbre, 1769-1774) subsistent ; ceux de Mme de Mailly et de Mme de Châteauroux, et du cuisinier Lazur, ont été modifiés.

93. Comparer le climat créé par Dumas (*Joseph Balsamo*, 1846-1848 ; *La Comtesse de Charny*, 1852-1855), et par les Goncourt (*Les Maîtresses de Louis XV*, 1860 ; *La Femme au XVIIIe siècle*, 1862).

94. Henri Racinais, *Versailles inconnu. Les petits appartements des rois Louis XV et Louis XVI*, Versailles, Lefebvre, 1950.

95. La Chapelle reçoit ses autels latéraux à partir de 1737 ; les statues du Salon haut (*La Magnanimité, La Gloire*) sont placées dès 1730 ; le salon d'Hercule est inauguré en 1736, le bassin de Neptune en 1741.

96. Les hôtels de la Guerre, et des Affaires étrangères et de la Marine (3 et 5, rue de l'Indépendance-Américaine, aujourd'hui École supérieure du génie et Bibliothèque municipale) sont bâtis par Berthier en 1759 et 1762.

97. Dès 1765, décision d'installer le Garde-meuble dans le palais est de Gabriel place Louis-XV (la Marine l'y rejoint en 1789, et y est restée). Celui de Versailles, d'abord à l'hôtel de Conty, place d'Armes, reçut en 1783 un hôtel bâti par D'Arnaudin (9-11, rue des Réservoirs).

98. Installés en 1748 sur le triangle entre avenue de Paris et rue des États-Généraux, les « Menus » entreront dans l'histoire parce qu'une vaste salle de spectacle démontable, conçue par Pâris pour la terrasse du Midi, s'y trouvait libre en 1787 : Louis XVI y réunit l'Assemblée des Notables, puis les États généraux.

99. Dit aujourd'hui Pavillon français, il fut bâti en 1750 par Gabriel, qui élève le Petit Trianon à partir de 1762; le Roi l'inaugure en 1769. Marie-Antoinette, dédaignant l'attique, s'installera dans l'appartement de botanique à l'étage noble.

100. Bibliographie abondante sur l'Opéra royal depuis sa restauration; historique depuis 1722 par Thierry Boucher *in Les Gabriel, op. cit.*, pp. 194-213; dossier de restauration par André Japy, *Monuments historiques de la France*, n° spécial, 1957. – Sur la reconstruction de 1771, Chr. Baulez *in Les Gabriel, op. cit.*, pp. 182-193.

101. Louis XVI remplace à l'étage royal les Jeux de Louis XV par l'admirable Bibliothèque dorée, chant du cygne de Gabriel (1774), double la bibliothèque de l'attique et y joint deux «Suppléments»; tout cela subsiste. Travaux du règne et esprit du décor *in* H. Himelfarb, «Rhétorique et poétique visuelles: ornement, emblème et allégorie dans le décor Louis XVI à Versailles», *Cahiers Roucher-Chénier*, n° 4, 1984.

102. Le corridor aux robes de Mme du Barry devient galerie de maquettes scientifiques et navales, aujourd'hui réparties entre le Musée national des Techniques et celui de la Marine.

103. Louis XVI et Angiviller commandent en 1776 pour le Muséum vingt-sept statues de grands hommes de l'histoire de France en costume authentique; le Roi en dispose les réductions en biscuit de Sèvres dans son appartement, où elles sont revenues en 1984. Sur cette série, capitale pour les Lumières tardives, Fr. Souchal, «Situation de la sculpture en France en 1778», *Dix-huitième siècle*, n° 11, 1979.

104. Voir le pékin à philosophes chinois qu'il choisit pour sa Bibliothèque dorée, et l'encyclopédie méthodique que sculptent les Rousseau à sa garde-robe en 1789.

105. Voir ci-dessus, n. 27.

106. Sur les cabinets intérieurs (étage royal) et le Petit Appartement (rez-de-chaussée) de Marie-Antoinette, Marg. Jallut, *Gazette des beaux-arts*, LXIII, 1964; J.-Cl. Le Guillou, *ibid.*, n° 1348-1349, 1981, et Chr. Baulez, *Revue du Louvre*, 1978, n° 5-6.

107. Théâtres de société dans son appartement de Dauphine (1773-1774), la galerie (1775) et l'orangerie de Trianon (1776), le salon de la Paix (1779-1781); théâtre de Mique à Trianon (1778-1780); grand théâtre de Pâris et Heurtier à l'aile Gabriel (1785-1786); théâtres en bois de Pâris à l'Orangerie (1780-1786) et la terrasse du Midi (1787).

108. Mique édifie le Hameau de 1783 à 1787.

109. Pour l'effet, désastreux, de la replantation romantique sur les statues, S. Hoog, «Sur la restauration de quelques statues du parc de Versailles», *Monuments historiques*, n° 138, 1985.

110. Le jardin anglais du Petit Trianon, conçu dès 1774, fut aménagé par Mique (temple de l'Amour, 1778; Belvédère, 1781).

111. Madame Élisabeth reçut Montreuil en 1783 et y appela Huvé; mutilé, menacé, le domaine a été acheté par le département des Yvelines (1983). Chalgrin créa la maison et le jardin du Comte de Provence en 1786; seul le parc fut sauvé par affectation à l'École nationale d'horticulture (1914); meubles de Jacob au Musée. La Comtesse de Provence acquit son domaine à Montreuil en 1781; un collège de jésuites occupe le château, une propriété privée le pavillon de Musique.

112. La galerie des Batailles effaça l'appartement du Comte d'Artois, étudié par J.-J. Gautier (mémoire, École du Louvre, 1985-1986; colloque *Versailles, op. cit.*). Des boudoirs turcs (1774-1775 et 1781), objets à Versailles et boiseries au Metropolitan Museum et aux Arts décoratifs. Sur le goût «turc», Chr. Baulez, «François Rémond et le goût turc dans la famille royale sous Louis XVI» colloque *Versailles, ibid.*

113. Louis Réau, *L'Europe française au siècle des Lumières*, Paris, Albin Michel, 1938, 1. III, chap. III.

114. Les études de fond sur l'urbanisme versaillais commencent à peine: J. Castex, P. Céleste et P. Panerai, *Versailles, lecture d'une ville*, Paris, Éd. du Moniteur, 1980; B. Lepetit, «Une

Création urbaine, Versailles de 1661 à 1722», *Revue d'histoire moderne et contemporaine*, 1978, n° 4.

115. Dates et auteurs de ces équipements chez E. et M. Houth, *op. cit.*

116. L'histoire municipale de Versailles, très originale à ses débuts, est retracée par André Damien et Jean Lagny, *Versailles, deux siècles d'histoire municipale*, Versailles, L'Univers du livre, 1980. Indications sur le libéralisme de la société versaillaise au XIXe siècle, catalogue de l'exposition *L'Académie de Versailles a cent cinquante ans, Revue de l'histoire de Versailles*, 1984.

117. E. et M. Houth, *op. cit.*, pp. 598-601; A. Damien et J. Lagny, *op. cit.*, p. 115.

118. Elles prennent forme définitive en 1842; Cl. Constans, «Le style néo-gothique sous Louis-Philippe: deux commandes officielles», *L'Information d'histoire de l'art*, 1974, n° 2. Sur le Musée, bibliographie de la contribution de Th. Gaethgens, et Cl. Constans, «1837: l'inauguration par Louis-Philippe du musée dédié *À toutes les gloires de la France*», colloque *Versailles, op. cit.*

119. Lors de leur restauration dans l'état Louis-Philippe (1978), présentation par Cl. Constans (*Revue du Louvre*, 1978, n° 1; et *Château de Versailles, salles de l'Empire*, Réunion des Musées nationaux, 1979, «Petits guides des grands musées»). Autres ensembles voués à l'Empire: Charles-Otto Zieseniss, *Versailles, musée de l'Histoire de France, 1796-1815*, Éd. des Musées nationaux, 1970, «Guides du visiteur».

120. Une salle est dédiée aux États généraux (1835, aile Gabriel), mais ceux de 1789 y figurent en aboutissement des assemblées de barons et d'états depuis les Mérovingiens.

121. Toutefois la chambre de Louis XIV forme une évocation idéale de chambre royale (lit et sièges imaginés en pastiche, balustre composite, objets Louis XIV sans rapport avec la pièce, *regalia* sans lien avec Versailles, portraits de famille au lieu de tableaux de maîtres). Ébauche du *musée des Souverains* créé par le second Empire à la colonnade du Louvre, dans des boiseries royales aussi?

122. *Presque*, car Louis-Philippe ajoute à Trianon des meubles Empire triomphant chargés de pourpre et d'or, ce dont Napoléon s'était gardé, et crée de nouveaux ensembles (salon de Famille, chapelle, appartement de la reine des Belges) qui altèrent le rythme et l'esprit de la demeure.

123. Celle de Trianon-sous-Bois, dernier corps s'enfonçant au nord entre bosquets et Sources, toujours attribuée au président de la République et meublée par le Mobilier national. Aux chefs d'État en visite sont affectés les Offices et l'aile sud sur la cour, relevant aussi de la Présidence et du Mobilier.

124. L'exposition, qui révéla et fit entrer à Versailles quelques objets insignes, a laissé un stupéfiant catalogue (M. de Lescure, *Les Palais de Trianon. Histoire, description, catalogue des objets exposés*, Paris, Plon, 1867), témoignage éloquent sur le culte fétichiste de la Reine accommodé au bonapartisme libéral.

125. Sur cette période, les souvenirs de P. de Nolhac, *op. cit.*, chap. VIII-IX, offrent des détails uniques.

126. Exposition *Versailles, palais d'images, 1852-1982* (Direction du Patrimoine, 1982), n° 113, photo en couleurs par Georges Chevalier pour les Archives Albert-Kahn. Le bureau est resté à Versailles, où il ne semble pas avoir figuré au XVIIIe siècle.

127. Sur l'évacuation du Musée et l'Occupation, souvenirs du Conservateur, Pierre Ladoué, *Et Versailles fut sauvegardé*, Versailles, Lefebvre, 1960, et *passim*, de Lucie Mazauric, qui évacua le Louvre avec son mari André Chamson (*Le Louvre en voyage, 1939-1945*, rééd., Paris, Plon, 1978).

128. Témoin le fascicule officiel de la Documentation française, n° 90, juin 1954, *Pour sauver Versailles*, diffusé dans les écoles et lycées: les précisions sur la liste, le financement et l'état

des travaux y côtoient les lettres de donateurs émus, toutes choisies d'écoliers d'Outre-mer ou de combattants en Indochine.

129. Soirée du 6 juin 1982, diffusée en «Mondiovision» par satellite.

130. Donc, fête musicale et visuelle sans paroles, et séquences courtes: opéra en un acte, concert d'une demi-heure.

131. Un guide de ce musée important et méconnu parut en 1802: *Notice des tableaux, statues, vases, bustes composant le Musée spécial de l'École française, dont l'ouverture a lieu les quintidi et décadi*, Versailles, an X.

132. Il y eut aussi des écoles de botanique, de cavalerie, de musique et de dessin, gratuites et souvent confiées à d'anciens officiers royaux très qualifiés: Richard en botanique; Blèche, ex-musicien de la Chapelle, pour l'embryon du Conservatoire national de Région actuel.

133. Projet de conformer la cour à l'aile Gabriel, dégagement du passage des Princes, restauration des grilles de la Chapelle, du vestibule dorique du Midi, des marches de Latone, des bains d'Apollon et du Canal.

134. La quantité, la précision et la beauté des commandes pour Versailles ont été révélées par J. et Chantal Coural et Muriel Müntz de Raïssac, *Paris, Mobilier national, Soieries Empire*, Réunion des Musées nationaux, 1980.

135. Sur ces travaux peu connus, Guy Kuraszewski, «Travaux et commandes... de Louis XVIII pour Versailles», colloque *Versailles, op. cit.* Les crédits (six millions) sont prévus dès le 1er juillet 1814 après visite du Roi, et le chantier confié à l'architecte Dufour.

136. Réfection de la grille d'honneur et du pavé des cours; pavillon Dufour au bout de la Vieille Aile; tabernacle et luminaire de la Chapelle; arrière-cabinets des Angoulême; jardin du Roi à la place de l'Île royale; forte restauration des statues de l'attique, ferronneries, inscriptions de la Galerie, plafond de la chambre de la Reine, cabinet d'angle du Roi et salon de la Guerre.

137. Thiers reçoit ce titre à Versailles le 16 mars 1877. Le tableau d'Ulmann figurant la scène (1878) entra au musée dès 1884 (MV 4380).

138. Bordeaux, 10 mars 1871. Dès les rumeurs de choix versaillais, commentaires goguenards de Zola: «On est là loin du bruit, loin du tumulte, loin de la Révolution, loin de la démagogie» (*La Cloche*, 1er mars).

139. Tableau précis, et ahurissant, *in* Houth, *op. cit.*, pp. 594-596.

140. Louis-Philippe avait supprimé le plancher mobile, mis tout l'Opéra en rouge et or, changé sièges et luminaire, éventré la loge royale, perdu le décor de bal et festin et créé une salle d'ambassadeurs sous le foyer; l'Assemblée supprima la fosse d'orchestre, et le plafond de Durameau pour établir une verrière.

141. Ainsi la bibliothèque du Sénat occupe la salle de Constantine où Leconte de Lisle, bibliothécaire de la haute assemblée, vient de Paris, sans excès de zèle.

142. L'aménagement de l'Opéra (mars 1871) et la construction de la Chambre (mai-novembre 1875) sont dus à Edmond de Joly, qui avait déjà remanié le Grand Théâtre de Bordeaux pour l'Assemblée fugitive.

143. Vote du 19 juin 1879 et loi du 22 juillet; dernière séance versaillaise le 2 août.

144. Dans des registres fort éloignés, évocation par P. de Nolhac, *op. cit.*, chap. VII, ou tableau saisissant par Aragon dans *Les Beaux Quartiers*.

145. Un brillant tableau de Roll, d'immenses dimensions, fut aussitôt commandé pour Versailles (MV 5278) et jusqu'à 1948 remplaça *Le Sacre* de David, repris par le Louvre, dans la salle du Sacre où il côtoyait *La Distribution des Aigles*, et *La Bataille d'Aboukir* de Gros: c'est dire le prix qu'attachait à cette fête la République des républicains, pour effacer le souvenir de celle des ducs, et de 1871.

Le Code civil

Comme le droit vit sur la réputation d'avoir pour ressort la mémoire – rappelez-vous plutôt : la coutume, phénomène de mémorisation collective, le juge archaïque, vieillard qui se remémore des précédents, et jusqu'à l'apprenti juriste, qui gagne ses diplômes à la force des mémentos – on aimerait que la réciproque fût vraie, et qu'entre les composants d'une civilisation, le droit fût un de ceux qui s'impriment le plus durablement dans la mémoire des peuples. Rien n'est moins sûr, pourtant. Cherchez des souvenirs du droit sur les places publiques : le *Corpus juris civilis* n'a pas tenté les statuaires, et si la justice a des palais, c'est qu'elle est justice, non point lois.

L'explication pourrait être que, des commandements auxquels obéissance est due n'étant jamais populaires, les sujets à qui ils s'adressent se hâteront instinctivement de les oublier. Mais peut-on concevoir l'oubli s'il n'y a pas eu d'abord connaissance ? Dans l'ordre littéraire ou militaire, scientifique ou artistique, il existe des célébrités classées que le flux de l'école pousse de génération en génération, tandis que la célébrité du juriste est enfermée dans les professions juridiques, cercle étroit et qui n'a pas d'enfance. Attendons-nous à ce que les célébrations soient à la mesure des célébrités.

Le fait est que le Code civil mit beaucoup de sobriété et d'intimité dans la célébration de son premier centenaire. En cette année 1904, le souvenir officiel s'extériorisa dans une seule cérémonie de Sorbonne, juste assez publique pour être troublée par les cris dissonants d'une féministe ; et si un très beau *Livre du Centenaire* fut publié en deux volumes, ce n'était qu'un recueil d'études, laudatives ou critiques (quoique l'éloge prédominât), mais un recueil, fait par et pour des juristes. Le cent cinquantième anniversaire suggéra, il est vrai, philatélie aidant, un projet un peu plus peuple ; et après un lent cheminement, en 1973, fut émis (« émettre », c'est lancer au-dehors) un timbre-poste rappelant les travaux préparatoires, Bonaparte et Portalis, sur fond de Conseil d'État. Le timbre-poste se souvenait; mais se souvient-on longtemps d'un timbre-poste?

De ce qu'un événement n'est que faiblement commémoré, il ne s'ensuit pas, cependant, qu'il soit en oubli. Toute commémoration suppose des traits de mémoire collective, mais elle y superpose son action propre d'artefact: c'est une organisation, qui tantôt étend et tantôt filtre. Si le Code civil n'a pas été plus largement commémoré, il faut en rendre responsable, plutôt qu'une indifférence du grand public au droit, l'indifférence de la classe juridique au grand public, une certaine répugnance à voir dans les lois, au-delà d'un métier, une culture.

Bien plus qu'à notre époque le droit avait, à la fin du XVIIIe siècle, pénétré la culture. Rousseau avait exalté comme un sacerdoce la fonction du législateur. Diderot, Morelly, Mably s'exercèrent à la législation en chambre. Le goût de l'antique, la révolte contre l'arbitraire, l'aspiration au changement, tout concourait à enflammer, du moins dans les élites, une passion des lois[1], plus exactement, des lois nouvelles, la passion de légiférer. Elle avait atteint son paroxysme pendant la Révolution, mais demeurait encore vivace à la veille du Code civil, et par son attente optimiste, elle aidera à l'éclosion. Portalis – parmi les rédacteurs principaux, le penseur, sinon le philosophe[2] – avait, quant à lui, fortement pratiqué Montesquieu. Son fameux *Discours préliminaire au projet de l'an VIII*, sorte de premier exposé des motifs, était, fond et style, tout entier nourri de *L'Esprit des lois*.

Sans doute, dans ces travaux préparatoires[3], il y avait surtout des techniciens. Quelques-uns avaient été jacobins, Berlier, Treilhard, Réal, Cambacérès, et ils se souvenaient avec nostalgie de cette période d'intense vie législative, de ces dix ans qui avaient suffi pour renverser le cours du droit: était-il rien de plus stimulant que de faire des lois dans le tumulte des guerres? Mais, pour la plupart, ceux qui avaient été mis au travail étaient des hommes de l'Ancien Régime, ceux, notamment, qui formaient avec Portalis le noyau initial, le groupe des quatre sages: Tronchet l'un des avocats de Louis XVI, Bigot-Préameneu et Maleville. Le droit dont ils se souvenaient, c'était celui qu'ils avaient appris dans leur jeunesse, et ils ne devaient pas tellement aimer d'avoir à en apprendre un autre, déconcertant[4]. Les *Institutes* de Justinien, la coutume de Paris ou celle d'Orléans, les Ordonnances de Daguesseau, chacun avait tout cela dans sa mémoire, ou dans sa bibliothèque – avec les ouvrages des grands auteurs «modernes», Domat, Pothier, le bon Pothier surtout, qui avait répandu une onction janséniste et tant de clarté sur le droit des obligations[5]. Et, enfin, il y avait l'école du *jus naturae et gentium*, ce droit naturel hérité des Lumières, qui formait entre les monarchistes et les Conventionnels un langage commun.

Si c'est être un lieu de mémoire que de garder mémoire d'un passé, que de mémoriser, thésauriser des textes antérieurs, proches ou lointains, le Code civil est déjà en ce sens un lieu de mémoire. En lui les droits que lui-même abrogeait se sont déposés par strates que sait discerner l'œil de l'historien[6]. À travers lui s'est conservé le fil ténu, précieux, qui fait qu'il n'y a qu'un droit, sans doute, depuis qu'il y a une humanité. Tout cela devait être dit, et nous le redirons. Mais est-ce bien l'essentiel de ce qu'a représenté le Code civil pour les Français ? Plutôt que le rappel d'une histoire accomplie, nous croyons qu'il a été l'annonce d'une histoire à accomplir ; plutôt que l'enregistrement de documents oblitérés, la création d'une symbolique inoubliable. Se tourner vers l'avenir[7], c'est une autre manière d'être lieu de mémoire : non plus garder la mémoire, mais la fonder[8]. Telle a été la destinée du Code civil. Destinée singulière dans la codification. Parmi les cinq codes napoléoniens, il est le Code ancêtre, le Code par excellence, le Code. C'est par lui seul qu'est assurée la présence du droit dans la mémoire collective. Même le Code pénal, où il y a pourtant davantage de spectacle, n'a pas réussi à lui ravir ce privilège. D'autres codes, plus récents, pourront rallier à eux certaines catégories sociales : tel le Code rural, tel le Code du travail. Celui-ci surtout, parce qu'il a l'allure d'une conquête et que les salariés sont multitude. Le Code de la route aussi, par la hantise des chocs et entrechocs auxquels il préside. Comment se fait-il que le Code civil, malgré tout, demeure, dans la mémoire de la nation, la référence absolue ? C'est qu'il est coloré d'histoire et chargé de symboles.

1.

C'est par l'histoire que le Code civil est entré dans notre mémoire. Non pas par l'épaisseur historique, l'accumulation des ans. Il n'est pas devenu, à l'ancienneté, un monument historique (avec ce que l'écriteau aurait pu insinuer d'ironie). Il a été historique dès sa naissance, parce qu'il a été mis au monde par un personnage qui déjà était acclamé comme faisant partie de l'histoire, comme faisant de l'histoire.

Le Code civil est inséparable de la personne de Bonaparte. Il nous en est resté un amalgame scolaire. Que pèsent, après cela, les recherches érudites ? À toutes les époques, des historiens se sont levés pour dénier au Premier consul ses droits d'auteur, reportant les lauriers sur Portalis, ou sur les quatre sages, ou sur les bureaux des ministères. C'est qu'il est deux façons d'être l'auteur d'un code : le faire ou le faire faire. Pas plus que Théodose ou Justinien, Napoléon n'a fait son Code[9]. Mais cette codification qui, de Cambacérès en Cambacérès, de Cambacérès en Jacqueminot, n'en finissait plus d'avorter[10], il l'a contrainte à aboutir, et c'était le plus important. Pour légiférer, il n'est pas besoin de beaucoup d'intelligence: tout est donné par les précédents du passé et les demandes d'un présent où s'amorce le futur. Seulement, il faut y appliquer beaucoup de volonté. Comme il voyait juste, ce décret du 27 mars 1852 qui, pour « rendre hommage à la vérité historique et au sentiment national », avait restitué au Code civil la dénomination de Code Napoléon (en attendant Sedan): de tous les titres de gloire dont il couvre Bonaparte législateur, c'est sa *puissante volonté* qui vient en tête, une volonté qui se savait déjà impériale.

Puissante volonté, volonté de puissance: le Code civil s'est inséré dans le dessein politique d'un gouvernement autoritaire. Non pas que le droit civil qu'il apportait fût lui-même autoritaire. Autoritaire, il l'était beaucoup moins que ce qu'il est devenu cent cinquante ans plus tard: aucune administration n'y contrôlait la famille; l'ordre public n'y faisait figure que d'exception modeste à la liberté des contrats. L'autoritarisme était ailleurs: dans la décision de ployer le droit civil à l'unité pour faire servir cette unité à la reconstitution de l'État. Reconstituer l'État n'était pas, au lendemain du 18-Brumaire, une banalité paisible. Le Code civil a participé à l'action de l'an VIII.

Parce qu'il est né dans cette période, brève mais ardemment vécue, de mouvement, de vitesse, d'énergie - sincère ou théâtrale -, le Code civil a d'emblée frappé les imaginations. Mesurez, venue de la même source, la force qu'aujourd'hui encore garde l'institution des préfectures. D'autres pays, un siècle plus tard - l'Allemagne, la Suisse -, se donneront, eux aussi, des codes civils d'unification. Mais ce sera, pour eux, la réalisation toute simple d'un programme de gouvernement. Ces codes auront le prestige que leur mérite leur valeur technique. Mais il leur aura manqué la dramatisation.

Le drame, les militaires y sont à l'aise. Ce qu'il y a de singulier, dans notre Code civil, c'est d'avoir été mené à bien par un général qui s'était battu, victorieux de surcroît, et promis à se battre encore. Toujours le métier ressort. Négligeons les quelques spécialités militaires déposées çà et là, comme l'état civil aux armées ou le testament militaire. La véritable militarisation du Code civil se dévoila lorsque l'Empereur eut résolu de s'en faire un argument, un instrument de politique étrangère. Le Code civil des Français (c'était son titre d'origine) fut imposé aux peuples annexés par droit de conquête. Les peuples satellisés l'adoptèrent ou l'imitèrent comme prix d'une alliance qui était elle-même, pour eux, la condition de la paix. C'est ainsi qu'il franchit le Rhin[11], qu'il pénétra jusqu'à Rome. On le traduisit en latin pour le rendre accessible au grand public cosmopolite. Qui penserait qu'à Dresde, Kleist, à quelques mois d'écrire *Le Prince de Hombourg*, n'avait d'autre ambition que d'entreprendre l'édition allemande du Code Napoléon? Jamais, depuis le Coran, livre de lois n'avait manifesté semblable capacité d'inonder les plaines (encore le droit était-il, dans le Coran, éperonné par la religion).

Les Français suivaient avec enthousiasme cette chevauchée fantastique de leurs lois à travers l'Europe, et la vanité devait leur en rester longtemps. Ils ne pouvaient guère entendre les plaintes qui, de l'étranger, timidement, déjà pourtant s'élevaient. Des plaintes – ce furent bientôt des cris de guerre.
Napoléon n'aurait pas dû s'étonner de récolter la tempête. Lui-même avait conçu son Code comme une continuation de la guerre par d'autres moyens. À un moment où, à l'usage interne, il en aurait plutôt atténué la pointe révolutionnaire, il l'avait accentuée à l'extérieur, s'en servant comme d'un appel aux peuples contre les princes. Recevoir le Code civil, c'était abolir les droits féodaux, morceler les héritages, séculariser le mariage, légitimer le divorce. À Murat, qui aurait bien voulu ménager ses nouveaux sujets, il écrivait le 27 novembre 1808 : « Je préférerais que Naples fût à l'ancien roi de Sicile, plutôt que de laisser ainsi châtrer le Code Napoléon [...] ; le titre relatif au divorce en est la considération la plus importante, le fondement, la loi de l'État. » Et encore ceci, au ministre de la Police, le 15 septembre 1809 : « Vous voyez que [le Pape] voudrait nous faire réformer le Code Napoléon, nous ôter nos libertés ; on ne peut être plus insensé. »
Il se peut que, dans les toutes dernières années, s'embobinant dans le mariage autrichien et à force de créer de la noblesse finissant par y croire, Napoléon ait cherché à escamoter quelque peu le bonnet rouge dont il avait coiffé son Code. Cela est fort possible, mais il était trop tard. La haine du Code Napoléon avait mûri, et elle allait éclater.
Quels étaient les accusateurs ? Ils étaient à l'étranger : des Français, mais émigrés – tel Montlosier[12] ; des étrangers, mais du camp ennemi, des Prussiens surtout, tel Rehberg, le plus systématique dans son dépeçage des textes[13].
Et quelles accusations ? Elles ont l'air de prendre au mot l'Empereur : son Code est l'expression des idées philosophiques de la Révolution, une froide déduction de la Déclaration des droits de l'homme, un monument d'individualisme. L'imputation générale d'individualisme ne débouche qu'épisodiquement sur certains reproches concrets qu'assez logiquement on eût attendus : les excès de la liberté contractuelle, la mise à l'écart des corps intermédiaires, corporations et Églises. L'attaque se concentre sur le droit de la famille, par où un poison mortel a été introduit dans le corps français[14] : le Code civil a détruit la famille (pas seulement la famille des grandes familles, Rehberg insiste là-dessus, aussi celle des classes moyennes). Il l'a détruite en faisant du mariage un contrat, et un contrat fragile, dissoluble par consentement mutuel, alors que c'est un état durable, intéressant la société entière. Il l'a détruite en ruinant l'autorité paternelle par l'abaissement de l'âge de la majorité (de vingt-cinq à vingt et un ans), par l'étranglement de la liberté testamentaire des parents. À ce détour se découvre un Code Napoléon que nous avons peine à comprendre[15], parce qu'il nous échappe, anachroniquement,

qu'un vieillard ait jamais pu être jeune. Il faut, pourtant, resituer ce Code à l'âge des généraux imberbes. Nous concevrons alors qu'en bon recruteur il ait dû miser davantage sur les enfants que sur les pères. « L'enfant, disait l'article 374, ne peut quitter la maison paternelle sans la permission de son père, si ce n'est pour enrôlement volontaire, après l'âge de dix-huit ans révolus. » L'enrôlement volontaire qui forçait les portes des maisons, c'était la réponse de la jeunesse à l'appel du joueur de flûte.

La chute de Napoléon fut saluée par une révolte contre ses lois. Le Code civil en fut victime. Pas partout, cependant. Justement, pas en France. Louis XVIII, par la Charte, le reprit à son compte. Il n'y bâtissait pas un mémorial de réconciliation : il se bornait à décider, très empiriquement, que la mémoire juridique de la France ne serait pas interrompue. Mais il y eut désormais en France même, ultra-réactionnaire parmi les ultras, un parti anti-Code civil. À ce Code artificiel, arbitraire, produit de la Révolution, il opposait le vieux fonds coutumier, l'ordre éternel des familles.

Quant au divorce, l'amputation était inévitable : c'était une exigence de la religion d'État, et qui fut satisfaite dès 1816 par la loi de Bonald. Mais Villèle échoua à restaurer un peu de droit d'aînesse. Le Code civil resta ainsi identifié au principe du partage égal des successions. Pour son mal plutôt que pour son bien. Balzac, aristocrate dans l'âme, dénonça le principe, et le Code du même coup, comme une cause d'abâtardissement de la nation. Plus tard, Le Play, par des enquêtes qui se voulaient scientifiques, rouvrit le procès au nom des familles roturières, paysannes par prédilection, que la suppression de la liberté testamentaire du père mettait en péril de ruine économique et morale. Et par-derrière on voit monter un grief qui deviendra de plus en plus explicite au fur et à mesure qu'un secteur de l'opinion s'inquiétera davantage – après 1870 – de la dénatalité française : le risque d'éparpillement du patrimoine encourage mécaniquement à la restriction de la descendance, voire au « fils unique » ; le Code civil est néo-malthusien sans Malthus. En 1938 – l'approche d'un massacre pouvant faire courir sur les populations un frisson d'autodéfense –, un décret-loi qui se relie historiquement aux thèses de Le Play, viendra autoriser l'attribution préférentielle de l'exploitation agricole à un seul des héritiers[16], première entorse (mais qui se développera) à la loi du partage égal, première réaction législative contre l'individualisme présumé de 1804.

Nous n'aurions pas saisi l'entière vérité du Code Napoléon si nous n'avions commencé par reconnaître que, pendant longtemps, il a eu des ennemis du côté conservateur, traditionaliste, disons sommairement : des ennemis à droite. Or, agissante ou subie, l'inimitié est une forme vive de la mémoire. Qui s'avive lorsque celui qui est visé s'en fait une auréole. Cloué à Sainte-Hélène, Napoléon n'en rêvait pas moins à d'hypothétiques futurs, et avec la haine qu'il savait que les ultras et la Sainte Alliance vouaient à son Code, il s'employait, de nouveau ondoyant comme tous les machiavéliens, à constituer à son œuvre et de loin à son fils, à ces deux fils, une popularité dans l'autre camp. Il retrouvait pour en parler l'enthousiasme révolutionnaire, pas seulement à l'adresse des Français : « J'ai semé la liberté à pleines mains partout où j'ai implanté *mon* Code civil »… «Pourquoi *mon* Code Napoléon n'eût-il pas servi de base à un Code européen ? » Ainsi Napoléon au Rocher achevait de forger son propre mythe[17], où le Code civil brillait d'autant de feux que les batailles gagnées. «Il faisait des codes comme Justinien», Victor Hugo met la phrase dans le discours bonapartiste de Marius, un discours qui avait probablement été le sien, un moment, sous la monarchie de Juillet. Mais ces codes d'empereur étaient aussi des codes républicains, surtout le grand, celui des citoyens, des rapports égalitaires entre citoyens, le Code *civil*. Telle étant son ambiguïté, le Code civil pouvait rejoindre le drapeau tricolore et *La Marseillaise*: pour l'esprit démocratique et nationaliste (d'un nationalisme que n'effleuraient pas encore des soucis de natalité), il y avait là trois lieux de mémoire, non loin l'un de l'autre.

Tous trois situés à gauche, sommairement parlant, selon les clivages instables de l'instant – et destinés pareillement à être tournés par leur gauche. Comment le mouvement tournant s'est-il opéré ? En réalité, il y a eu deux mouvements, que l'on pourrait qualifier – au prix d'approximations grossières – l'un de socialiste, l'autre de libertaire.

Une législation qui admettait comme naturelle l'appropriation privative des moyens de production – et premièrement de la terre – ne pouvait que se trouver en opposition radicale avec les postulats d'un socialisme scientifique. Néanmoins, son historicisme garda Karl Marx d'imprimer à son constat d'opposition l'accent d'une condamnation vengeresse : le Code Napoléon, expression juridique de la bourgeoisie triomphante, a correspondu, par sa signification antiféodale, à une phase nécessaire et objectivement bénéfique dans l'évolution de la société française ; c'est seulement par la suite qu'il a pu devenir nocif, ses rigidités entravant l'ascension du prolétariat, la classe sociale désormais porteuse de progrès[18].

Mais, quoique d'un socialisme plus vague, il était une autre manière, finalement plus mordante, de donner mauvaise conscience au Code civil : c'était de le présenter comme le code des nantis. Passe encore que, n'ayant pas deviné les machines à vapeur[19], donc la grande industrie, il ait ignoré la classe ouvrière : après tout, sa quasi-abstention a laissé de l'espace pour le Code du travail. Cela concédé, toutefois, où sont ses démunis ? Chez lui, les femmes ont des dots, les orphelins des héritages ; quand il lui arrive de manifester quelque pitié – le débiteur malheureux, le propriétaire foncier contraint de vendre[20] –, ce ne sont pas les pauvres qui semblent l'émouvoir, mais plutôt les appauvris, les rafalés, les déclassés. Tant pis pour les non-possédants à titre héréditaire : le livre national est fermé devant eux.

Ils y pénétreront tout de même, répliquera-t-on, par les actes de l'état civil. Immanquablement, le Code Napoléon est mémorisé et remémoré au fil des ans par ces actes qui ponctuent l'existence de chacun et de ses proches. Si, pour le tout-venant des habitants, le fameux volume, dans son épaisseur, apparaît comme aussi inaccessible que l'université élitiste, l'état civil, lui, fait un peu figure de l'école communale, obligatoire, gratuite… et laïque. C'est de là, pourtant, qu'est venue la contestation libertaire : de quel droit supérieur cet enregistrement par l'État, ce contrôle implicite sur la plus intime vie privée, spécialement sur l'amour de l'homme et de la femme ? Cet anti-Code romantique, où le mariage en mairie était la cible principale, n'était pas purement intellectuel : le taux élevé de la filiation illégitime dans les quartiers ouvriers de Paris, sous le second Empire, atteste qu'une fraction avancée du prolétariat dédaignait la cérémonie civiliste. Et pourtant, magiquement, à la veille de 1914, le retour à la norme paraissait acquis. Jusqu'à ce que mai 68 explose. De ce tumulte dépaveur il nous est peut-être resté la cohabitation juvénile. Même si l'on s'en est exagéré l'extension relative et les chances d'expansion, le phénomène est historiquement des plus remarquables : c'est une nappe d'oubli collectif sur un message essentiel du Code civil.

Des coups venant de droite, autant venant de gauche, c'est ainsi que, bien souvent, on caractérise le juste milieu. Attention, toutefois, aux interprétations moralisantes. S'il y a équidistance des extrêmes, n'allons pas y voir le signe d'un Code civil « qui ne ferait pas de politique » : comment n'en ferait-il pas, alors qu'il tombe dans un pays qui, depuis 1789, ne fait que cela ? N'allons pas non plus le créditer d'une impartialité angélique, comme s'il était appelé à arbitrer entre les deux partis, en vertu d'une justice idéale devant laquelle chacun des deux n'aurait qu'à s'incliner : il a les pieds sur terre, sur les divisions et les partialités de la terre de France.

Le vrai est que le Code civil est coulé dans un type de législation que la sociologie juridique nous a appris à reconnaître : les « lois de compromis ». L'histoire en propose de nombreux exemples : dans la Rome républicaine, beaucoup des conflits récurrents entre la plèbe et le patriciat se terminèrent sur des marchandages de textes ; chez nous, au XVIe siècle, les édits de « pacification » (y compris l'édit de Nantes), qui mettaient un terme aux guerres de Religion, étaient par vocation naturelle des lois de transaction. Cette méthode législative continue d'être pratiquée : soit que le législateur réunisse dans une commission paritaire les intérêts opposés, espérant qu'ils seront forcés de s'accommoder sur un projet unanime, soit que, décidé à légiférer dans un sens, il juge expédient de céder quelques saillants à la thèse adverse, afin de faciliter l'accueil du tout.

Il ne déplaisait pas à Bonaparte, du moins au printemps du Consulat, de se présenter en homme de compromis. De fait, son Code civil a été une œuvre transactionnelle[21]. Dans deux plans, qu'il convient de distinguer; et, paradoxalement, le plan qui nous paraît aujourd'hui bien secondaire est celui pour lequel on se disputa le plus[22]. Il s'agissait de concilier le Nord et le Midi, plus exactement les pays de coutumes et les pays de droit écrit. Il se rencontrait, par hasard, que le petit comité des rédacteurs avait une composition paritaire: Portalis et Maleville plutôt romanistes, Tronchet et Bigot de Préameneu plutôt coutumiers. Les divergences n'étaient pas telles qu'il fallût faire deux codes pour une même nation. Elles étaient sensibles, néanmoins, en quelques endroits où semblait se refléter une conception de la famille. Quel serait le régime des biens applicable aux époux mariés sans contrat, communauté ou régime dotal (c'est-à-dire, au fond, séparation de biens)? C'était la question la plus tapageuse. Il y eut une cote plutôt mal taillée: la communauté fut instituée régime de droit commun; aux couples de droit écrit fut seulement accordée en consolation la liberté d'assumer leur tradition par contrat de mariage – ce qui, à long terme, ne fut pas assez pour en assurer la survie.
Le Premier consul, si romain qu'il fût, n'avait pas pesé sur la décision. L'autre plan de compromis, le plan politique, l'intéressait davantage. «La Révolution est finie», annonçait la proclamation du 24 frimaire an VIII. Elle avait eu lieu, cependant, et l'on ne pouvait l'effacer. À l'avant-89 de fournir la masse des règles, des idées de règles: qui eût été assez fou pour réinventer tout le droit civil en quelques mois? Mais à l'après-89 les conquêtes jugées essentielles, quoique fragiles encore: l'état civil, le divorce, la licéité du prêt à intérêt, et un absolutisme de la propriété individuelle qui fût à la fois anéantissement de la féodalité et consolidation des acquisitions de biens nationaux. On enquêtera qui a été le gagnant. La Révolution *(mens agitat molem)*, comme Napoléon l'affirmera plus tard, et avec lui pareillement ses amis et ses ennemis? Ou bien l'Ancien Régime, comme feindra de le croire Louis XVIII, en 1814[23] pour justifier un *statu quo* de principe? C'est le propre des lois et compromis que de laisser traîner derrière elles des sentiments contradictoires.
Il n'est pas inattendu que, pour chanter les louanges du Code Napoléon, les juristes du second Empire – du moins ceux qui en étaient solidaires, et tout de suite on songe à Troplong, premier président de la Cour de cassation, président du Sénat – aient repris le thème du compromis. Mais ils le renouvelèrent par une nuance: le mérite du compromis n'était point tant d'avoir scellé un consensus politique que d'avoir assuré la paix sociale. Ils étaient hantés par l'expérience des journées de Juin. Dans la polémique idéologique de notre temps[24], on évoque la grande peur bourgeoise, la peur dont la bourgeoisie du siècle dernier aurait été saisie devant les classes dangereuses qu'elle soup-

çonnait sous les classes malheureuses, et le Code civil a été décrit comme le rempart à l'abri duquel la paix bourgeoise avait pu être rétablie. Mais il faut éviter de confondre les rôles entre les divers tomes de la collection napoléonienne : pour la mission de compression-répression assignée à la loi, il semble que le Code pénal a dû être mieux armé et plus efficace que le trop civilisé Code civil. Aussi bien, lorsque Troplong et les autres se réjouissaient que l'ordre eût été sauvegardé en 1848 grâce au Code civil, ils pensaient à une action *longa manu*, articulée plutôt que directe : le régime successoral de partage égal, en divisant les fortunes, avait multiplié les petits propriétaires, et la présence de cette classe stabilisatrice avait empêché le pays de glisser à l'émeute et à l'anarchie. Le Code était ainsi associé à cet idéal de petite propriété (est-il besoin d'ajouter : rurale de préférence ?) que tous les Français recèlent en leur cœur. Chacun des propriétaires tiendra désormais le Code pour ses archives lointaines et collectives, arrière-mémoire de ses droits, et se référera à lui comme à son titre suprême de propriété.

Il y eut peut-être de bons juristes après la Commune pour enseigner que le Code civil, une deuxième fois, avait sauvé la société. Il est, cependant, plus intéressant d'observer avec quelle aisance, dans les décennies qui suivirent, la loi de Napoléon s'intégra à la mémoire républicaine. Ce qui a pu faciliter cette intégration, c'est que le Code civil avait partie liée avec la République par l'intermédiaire de l'école primaire (l'école ne date pas assurément des années 1880, mais sa gloire, si !). D'abord, ne méprisons pas ce peu de droit civil – de droit civil municipal, le droit de l'état civil précisément – que l'instruction civique a pu alors instiller dans les jeunes cerveaux. Mais ne nous arrêtons pas là : entre le livre de la loi et ces maisons où les enfants allaient apprendre à lire, écrire et compter, il y avait une complémentarité spirituelle[25] : le livre avait besoin de l'école pour fonctionner démocratiquement. À quoi bon apprendre ? L'instituteur répondait : « Pour que tu n'aies plus à apposer ta croix ou ton laborieux paraphe en aveugle sur le grimoire qu'un autre t'aura préparé, sur ce qui est ton bail ou ton engagement ; l'alphabet te rendra maître de ton droit. » Certes, déjà au XVIe siècle, les coutumes avaient été rédigées et le principe posé que « lettres passent témoins ». Mais, même s'il ne l'avait pas inventée, le Code civil, écrit lui-même, avait affermi et magnifié la civilisation de l'écrit juridique – des *écrits qui restent*.
Un siècle encore va s'écouler jusqu'à nous. Le Code civil l'a traversé en accroissant son capital d'histoire. En changeant aussi, par des changements qui ont été s'accélérant au fil des Républiques. Si bien que, du moins pour certains de ses titres – qui ne penserait, par exemple, au divorce, à la filiation, à l'adoption ? –, la mémoire que nous avons maintenant de lui est une sorte de mémoire cinétique, où nous voyons des mobiles défiler sur un écran, plu-

tôt que nous ne lisons des sentences qui seraient fixées dans le marbre. Aime-t-on mieux une comparaison plus tranquille ? On observera que le livre n'est plus dans son état de 1804 : il a été gonflé, déformé par l'insertion d'une foule de « cartons », comme eussent dit les imprimeurs de Voltaire. Si bien que le dos est un peu cassé. Heureusement que la reliure était solide.

Ce n'est pas que la France n'ait eu maintes fois envie de faire du neuf. À cet égard, l'essai le plus approfondi, nous l'avons dans les travaux de la commission de réforme instituée en 1945. Structure, numérotation, rédaction, elle avait, en la forme, tout repris à zéro. Il n'en sortit, cependant, en 1953, qu'un avant-projet très partiel qui n'eut pas de suite, du moins directe[26]. Il ne nous a pas laissé une contre-mémoire. L'euphorie de la Libération, d'où avait jailli l'initiative, était vite retombée. La victoire n'apparaissait plus assez nette pour porter en avant un nouveau Code Napoléon. Et puis, la Révolution n'avait pas eu lieu : on s'installait sur le rivage des Syrtes. Trente ans après, il est bien toujours question, et action, de réécriture, révision, modernisation, mais ce n'est pas la table rase. Celle-ci n'aurait de sens que s'il y avait une nouveauté énorme autour de laquelle reconstruire, que si, dans le pays, se dégageait sur un point décisif un mouvement décisoire, pour abolir la monnaie, par exemple, ou le droit subjectif, pour imposer la Bible comme norme directrice, ou la Science. Sinon, pour quoi se passionner ? qui voulez-vous haïr ? La société française ne semble pas prête à planter de nouveaux symboles, ni à abattre les anciens.

2.

Dans tout ensemble législatif, la plupart des dispositions peuvent être qualifiées d'« instrumentales » (selon une terminologie moderne), parce qu'elles se bornent à être les instruments de résultats précis qu'elles postulent sous forme de commandements. Mais il peut se rencontrer des dispositions d'une tout autre nature : on les dit « symboliques », parce qu'elles sont destinées à lancer l'imagination des sujets bien au-delà des résultats précis qu'elles prescrivent. Le Code civil est à la fois livre-symbole et livre de symboles. Ne laissons pas s'éteindre les symboles : ils nous éclaireront, sur nos routes de juristes, longtemps après que le *flash* des dispositions instrumentales se sera évanoui.

Ce livre, qui sera peut-être, un jour futurible, caché dans des mémoires d'ordinateurs, mais que, pour le présent, nous apercevons, sous couverture rouge ou bleue, dans les bibliothèques de ceux qui appliquent les lois, plus rarement de ceux à qui elles s'appliquent – ce livre est un symbole en soi, avant même qu'il n'ait été ouvert. Mais symbole de quoi ?

Symbole d'unité, nous y pensons d'entrée, et d'unité intellectuelle : tant est grande en nous la puissance de l'esprit classique. La vie, cependant, est foisonnante, et des lois qui, *ratione materiae*, appartiennent au droit civil ont été soustraites à la codification. Si encore, ce n'étaient que des lois qui s'espéraient temporaires (telles, à jet continu depuis 1914, les lois sur les « loyers »)... Mais des textes qui affichaient un air d'éternité n'en sont pas moins restés à l'état de textes autonomes : ainsi, la loi du 22 juin 1982, loi Quilliot, sur les locations à usage d'habitation, ou la loi du 5 juillet 1985 sur les accidents de la circulation – des « extravagantes », eussent dit étymologiquement les canonistes du Moyen Âges, l'étymologie ne s'interdisant pas ici de nous faire rire. Les lois civiles hors Code civil n'ont-elles pas à redouter d'être des lois hors mémoire ?

Ce n'est pas que, dans l'État moderne, codifier fasse peur. Au contraire, nous avons assisté à un pullulement de petits codes, spéciaux, parcellaires, vétilleux, d'assise constitutionnelle d'ailleurs variable. Il existe un Code de l'urbanisme, un Code des caisses d'épargne, et combien d'autres. Chaque administration compile les textes qu'il lui faut, et s'en construit une forteresse techno-bureaucratique. À ce jeu, le Code civil a dû abandonner de ses territoires (l'économie familiale, par exemple, ou l'immobilier, n'était-ce pas de sa mouvance ?). Il garde, toutefois, le prestige d'être le droit commun, détenant le lexique de mots souches et le stock de principes qui sont les sédiments de la mémoire juridique.

Du rassembleur de texte au rassembleur d'hommes, il n'y a qu'un pas. C'est le même esprit unificateur qui inspira les encyclopédistes et les jacobins. Dans l'hymne triomphal qu'entonnait la loi de promulgation de l'an XII, il est impossible de démêler de la joie intellectuelle l'ambition politique : «... les lois romaines, les ordonnances, les coutumes générales ou particulières, les statuts, les règlements cessent d'avoir force de loi générale ou particulière dans les matières qui sont l'objet desdites lois composant le présent Code. » Un seul droit pour une seule nation – mais qu'est-ce que cela peut signifier en 1986 ?

Ni la régionalisation, grande affaire du lustre écoulé, ni les revendications d'autonomie culturelle qui ont agité certaines provinces ne comportaient de chapitres de droit civil ; et, si l'on peut recenser aujourd'hui quelques touches de droit local par-ci, par-là – l'Alsace et Moselle, les régions de montagne –, elles sont trop menues, trop circonstancielles pour paraître démentir le dessein profond de l'an XII.

Il est vrai que des fêlures autrement sérieuses se sont révélées dans le symbole d'unité – non plus scissions géographiques, mais schismes de professions ou de classes. Après avoir obtenu en 1938 des règles propres de dévolution successorale, les agriculteurs se sont donné en 1980 une espèce

de sous-régime matrimonial, que les artisans et petits commerçants, à leur tour, ont décalquée en 1982. C'est une réaction très prononcée contre le principe d'isonomie, d'indifférenciation qui dominait en 1804, où en principe, du moins – à tout *civis* n'importe quel autre *civis* était identique. Peut-il y avoir un lieu de mémoire collective qui ne soit un lieu de communion ?
Mais, à l'arrière-fond, en fait non plus en droit, une question plus vaste se profile, que nous avons déjà croisée et qui ne doit pas être éludée : un code civil, le Code civil, est-il le code de toutes les classes sociales ? La théorie a été soutenue que le droit civil, en général, est l'affaire des seules classes moyennes, bourgeoises en un sens étendu, *bürgerliches Gesetzbuch.* Au sommet, les puissants l'esquivent ; en bas, les misérables le fuient. Les moyens – les médiocres – s'y attachent, il le faut bien, n'ayant pas les arguments qui leur donneraient licence de s'en passer, l'argent en surabondance ou le dénuement absolu. On remarquera, toutefois, que la théorie paraît se prêter à être réversible : ceux des extrêmes, ceux d'en bas surtout, ne se font-ils pas bourgeois dans la mesure même où ils en arrivent à user pour eux du droit civil ? De la marée montante de pourvois qui submerge les trois chambres *civiles* de la Cour de cassation, des sociologues, peut-être rapides, aimeront induire, mieux que la popularisation du Code civil, l'embourgeoisement des classes populaires par l'utilisation de ce Code.
Mais le Code civil n'aura jamais fini de nous unifier. Après les provinces, après les classes sociales, voici les ethnies. La question a surgi de l'immigration massive qu'a attirée chez nous l'industrialisation. Non pas l'immigration de souche européenne, où le cousinage des droits dédramatise l'assimilation juridique. Mais l'immigration du Maghreb, parce que, là, le droit que les immigrés apportent avec eux revêt le double exotisme d'être oriental et religieux. Sans doute, tant que le Maghrébin conserve sa nationalité étrangère, la situation est simple : pour les conflits de loi le droit international privé a des solutions. Mais, à supposer acquise, volontairement ou non, la nationalité française, il est vraisemblable que beaucoup de ces nouveaux Français intérioriseront comme norme de conduite, plutôt que le Code civil, la *charia*, le droit musulman qu'ils ont vécu ou que leurs parents leur ont fait revivre. À échelle réduite – celle de la communauté israélite de l'époque –, Napoléon avait rencontré un risque semblable : le travail unificateur de son Code était menacé si une religion, à laquelle le droit s'enlaçait, entretenait un modèle dissident de mœurs. Aussi avait-il réuni en 1807 un Grand Sanhédrin ; et, sur la base d'une distinction conjecturale entre les dispositions religieuses et les dispositions politiques de la loi divine, il avait obtenu de lui une décision accommodante : abandon de la polygamie, antériorité et supériorité du mariage et du divorce selon la loi de l'État par rapport au mariage et à la répudiation selon la loi mosaïque, licéité du prêt à intérêts entre toutes per-

sonnes, etc. Faudra-t-il qu'un gouvernement de l'an 2000 réunisse un collège de muftis et obtienne de lui un *fetoua* qui mette en repos la conscience des musulmans placés sous l'empire du Code civil ?

Ces habitants de l'espace français auront senti l'attraction du Code civil comme d'un symbole d'unité au sein de cet espace. Ils n'auraient pas cédé aussi aisément, eux, les déracinés, à un symbole qui se serait situé dans le temps. La symbolique du Code a, pourtant, une dimension temporelle. Seulement, que tout soit clair : ici, on ne parle plus, comme tout à l'heure, de se remémorer, de commémorer une tranche d'histoire, de participer en esprit au parcours historique accompli par le Code depuis 1804... C'est même diamétralement l'opposé : le Code est ici envisagé comme symbole non de mouvement, mais d'immobilité ; il forme un arrêt du temps, une espèce de stase magique. Il est des textes – disons, par exemple, en littérature, *Le Cid* ou les *Confessions* – qui ont eu cette destinée exceptionnelle. Soit par leur gravité originelle, soit par l'enchantement qui a suivi, ils ont été soustraits – ne fût-ce que pour quelques siècle – à la loi commune du vieillissement et de la mort. Cent lectures sinueuses ont pu en être données, cent commentaires tourmentés : ils se retrouvent en état de modernité perpétuelle, de rajeunissement indéfini.
Que le Code civil ait acquis ce statut solitaire de livre canonique, le législateur contemporain s'est chargé de le démontrer. Quand, peu après l'avènement de la Ve République, des plans furent ébauchés pour réformer le droit civil en commençant par le droit de la famille, on s'avisa qu'en beaucoup d'articles les solutions que l'on s'accordait à juger nécessaires seraient les antithèses des dispositions de 1804 : l'enfant naturel devait être traité à parité de droits avec l'enfant légitime ; le consentement mutuel au divorce devait être validé et favorisé ; etc. Ce qui provoquait à un débat de méthode (d'où l'éthique n'était pas absente : des égards que l'on doit à ses aïeux) : fallait-il ouvrir la tranchée en direction d'un nouveau Code ? ou bien enchâsser dans les structures anciennes leurs contraires ? En dépit des séductions de la première méthode, de la joie et de la gloire promises à ceux qui bâtissent du neuf, ce fut la seconde qui l'emporta, parce qu'il apparut que la référence au Code civil, au vrai Code civil – en contraste avec un futur « Nouveau Code civil » –, était en soi une valeur inestimable. C'est le même mécanisme psychologique qui explique le phénomène, extérieurement si étrange, des interpolations dans le droit de Justinien. Sous les noms de jurisconsultes célèbres ou d'empereurs pas trop détestés, Tribonien a caché des opinions ou des décisions nouvelles, différentes, voire inverses de celles auxquelles ils avaient pensé. Que l'on ne dise pas que Justinien avait fait commettre à son *quaestor sacri palatii* cette série de faux parce qu'il voulait capter à son pro-

fit l'autorité qui collait à de grands noms. Sa vision devait être moins calculatrice, plus métaphysique : sous son regard, le droit qu'il créait et celui qui avait été créé avant lui formaient un seul et même champ de droit, hors de l'écoulement du temps.

Symbole du temps arrêté, le Code civil a gagné ainsi, du consentement tacite de tous, une position sans pareille dans le système juridique de la France. Seul des cinq codes napoléoniens à avoir préservé l'architecture d'époque, il est, et de loin, le plus ancien de nos *corpora juris*. Ce qui semble lui conférer une *aura* d'éternité et marquer tout le reste, par contraste, droit privé ou droit public, du signe de l'éphémère. En moins de deux siècles, le pays a vu avec flegme déferler plus de dix constitutions politiques (sans compter les sénatus-consultes, actes additionnels et manifestes de gouvernements provisoires). Sa véritable constitution, c'est le Code civil – véritable non pas au sens formel, mais au sens matériel, pour emprunter aux publicistes une distinction usuelle.

Nul ne prétend que, dans la hiérarchie actuelle des normes écrites, le Code civil ait formellement nature constitutionnelle. Du moins *a priori* et en bloc, quand bien même cette nature pourrait indirectement bénéficier à certains de ses articles, en particulier parce qu'ils exprimeraient un des « principes fondamentaux reconnus par les lois de la République » que le Conseil constitutionnel a pris sous sa protection[27]. Mais, matériellement, sociologiquement, si l'on préfère, il a bien le sens d'une constitution, car en lui sont récapitulées les idées autour desquelles la société française s'est constituée au sortir de la Révolution et continue de se constituer de nos jours encore, développant ces idées, les transformant peut-être, sans avoir jamais dit les renier.

On objectera que cette constitutionnalité purement sociologique est sans conséquence tangible, puisqu'elle ne pourrait fonder de recours devant le Conseil constitutionnel. Il est vrai, mais, en demi-teinte, nos pouvoirs publics n'en ont pas moins été impressionnés par elle. La Constitution de 1958, on le sait, répartissant les matières de droit civil entre la loi et le règlement, a fait la part belle à celui-ci : relève de lui – *a contrario* de l'article 34 – tout le régime de la propriété, des droits réels et des obligations, dès que ne se trouve en cause aucun principe fondamental. À ce compte, dans le domaine ainsi délimité, il est bien peu d'articles du Code civil qui, pour être réformés, auraient nécessité l'intervention d'une loi. Or, depuis 1958, il y a eu de ces réformes, et chaque fois, c'est une loi qui est intervenue. Comme si nos gouvernants avaient senti que la majesté du livre résistait à ce qu'il fût traité en décret et remanié par décret. À défaut d'avoir été constitutionnalisé, le Code civil a été légalisé *de facto* comme un ensemble. Tant est grande sa force symbolique de contenant qu'il sublime tout ce qu'il enferme – inoubliable coffret, citadelle, autel des lois, *arca, arx, ara legum.*

Le contenant, cependant, a aussi un contenu. Tout n'y est pas symbole, mais des symboles s'y dressent. Des deux à trois mille articles que contient présentement le Code civil, l'immense majorité est faite de règles sagement pratiques (les seuls utiles, au gré de praticiens). Mais il en est d'autres, en petit nombre, qui sortent de la grisaille, dépassent les besoins pratiques, pénètrent dans l'imaginaire. D'où leur vient cet élan ?

La forme – *forma*, l'esthétique des lois – y est pour beaucoup, et quelquefois suffit à donner du relief aux dispositions les plus plates. Un exemple, l'article 2279 : « En fait de meubles, la possession vaut titre. » Dans sa portée primitive, ce n'est qu'une règle de preuve dans un type bien défini de procès en revendication. Mais le style pittoresque, lapidaire, mnémotechnique incite à rêver jusqu'à se former l'image aérienne d'un meuble libéré de toutes les lourdeurs du droit. Quoique les tribunaux ne se soient pas laissé entraîner aussi avant, le rôle supplémentaire qu'ils ont fait jouer à l'article 2279 dans la théorie du don manuel[28] atteste qu'eux-mêmes n'ont pas été insensibles à l'accent symbolique de l'adage.

La frappe, néanmoins, ne suffit pas le plus souvent à susciter l'effet de symbole : il y faut le métal. La plupart des articles symboliques, dans le Code civil, sont des textes de définition ou de principe auxquels la gravité de l'enjeu et une certaine solennité du ton paraissent conférer la violence d'affirmations dogmatiques. Ainsi, dans l'article 544, définissant le droit de propriété par référence à l'absolu et même à ce qui est « le plus absolu », dans l'article 1134, consacrant le principe de la liberté contractuelle par une métaphore qui érige les boutiquiers et leurs clients en lieutenants du législateur – des fenêtres s'ouvrent sur l'infini. En vain le législateur a-t-il ajouté des bémols : les conventions, pour passer en loi, doivent être *légalement* formées ; si la propriété est le droit le plus absolu, c'est *pourvu que*... ne... pas. La mémoire a retenu la poésie et a laissé s'enfuir la prose. Il y a dans ces textes, une transcendance qui soulève la positivité.

On ne peut se tenir d'esquisser un parallèle avec les confessions de foi des Églises (« symboles » aussi, à l'occasion). Et de même qu'une Église n'a jamais mieux confessé sa foi que lorsqu'elle en avait besoin pour terrasser l'adversaire – symbole de Nicée contre les ariens, confession d'Augsbourg contre les papes – jamais la symbolique du Code civil ne s'est mieux gravée dans les mémoires que là où elle se campait en antinomie au droit du passé. Quand, en 1804, l'article 686 déclarait que les servitudes ne devaient être imposées ni à la personne ni en faveur de la personne, mais seulement à un fonds et pour un fonds, cette insistance rythmée avait un but : décourager tout réveil féodal ; quand, en 1972, on inscrit à l'article 334 que l'enfant naturel *entre dans* la famille de son auteur, c'est pour exorciser d'une seule image les solutions négatives qui avaient cours sous le droit antérieur.

Mais, à propos de légitimité, où donc est, dans le Code civil, la symbolique du mariage? Les poètes iront à l'article 146, «il n'y a pas de mariage lorsqu'il n'y a point de consentement», où ils feront provision de poésie, d'autant plus obsédante que sous «consentement», c'est «amour» qu'il entendront. Les ethnologues préféreront aller à l'article 75, qui déroule le scénario de la célébration en la maison commune – n'est-il pas excitant qu'un film, fût-ce un court métrage, soit encastré dans la loi? Les politiques, cependant, feront réflexion que la symbolique la plus fascinante, parce que la plus mystérieuse, pourrait bien être ailleurs, n'étant nulle part, nulle part dans le Code, consistant simplement en ce que celui-ci a résolu de se taire – de se taire sur la religion. Ce non-dit ne pouvait pas, à l'origine, ne pas éclater sur la question cruciale du mariage, après des siècles et des siècles de droit canonique. Mais c'est un non-dit total: sauf un clin d'œil, l'article 909 (que le ministre du culte non plus que le médecin ne s'avisent d'extorquer des testaments à leurs moribonds), les confessions sont absentes du Code, alors qu'elles ne le sont point de la société[29]. Le droit s'est séparé de la religion, et ils demeurent séparés. Trop fréquemment on se figure que cette laïcisation s'est accomplie en 1905: c'est 1804 qui est la date décisive. Avec le Code civil, un symbole de plus est entré dans la mémoire nationale, traduit d'un silence.

Le Code civil lieu de mémoire? Il l'est parce qu'il fut événement et parce qu'il est livre; parce qu'il a été telle ou telle règle que les sujets ont intériorisée, parce qu'il en sera telle ou telle application matérielle qui retiendra, fût-ce pour un moment, l'attention des spectateurs. Dans toutes ses manifestations, il donne occasion, il donne lieu à des phénomènes de mémoire. Ils sont déjà passablement obscurs, ces phénomènes par lesquels une absence redevient présence, lorsqu'ils sont enfantés dans la conscience de l'individu; mais combien davantage lorsqu'à leurs secrets s'ajoute l'énigme durkheimienne de la conscience collective. Que l'on analyse la mémoire collective comme cette portion de la mémoire individuelle qui est socialisée, ou qu'on la fasse jaillir de la rencontre et compénétration des mémoires individuelles[30], il y a une donnée élémentaire qui a pour siège l'individu. Mais la mémoire individuelle, dès qu'elle se réfère aux lois, se heurte à des limites vite atteintes dans la technicité de son objet. Sur cette difficulté qui avait été provisoirement voilée, il est temps maintenant de revenir.

Un initié se souvient de l'article 654 quand il voit sur le mur du voisin des corbeaux de pierre, et de l'article 2277 si on lui réclame des intérêts échus depuis plus de cinq ans. Encore faut-il avoir été initié. Le nombre de ceux qui ont «fait du droit», même sans en faire profession, a beau avoir été multiplié (par vingt? par cinquante?) en un siècle, l'initiation au Code civil demeure une exception. Durant ces dernières années, maintes enquêtes par sondage ont été menées à des fins législatives, qui comportaient des questions destinées à tester la connaissance de la loi dans le grand public : sur les questions les moins « pièges » du droit civil, elles démontrent combien défaillante est l'information des enquêtés[31]. S'ils avaient su autrefois, ils ont oublié. S'ils n'avaient jamais su, comment pourraient-ils se souvenir ?

Quelques textes écoutés distraitement un samedi de mariage, l'expérience d'un procès – d'un procès en divorce peut-être (l'amertume tient la mémoire éveillée) –, des épaves rejetées par les chroniques judiciaires des médias, rien de cela ne peut remplacer ce coutumier de droit civil qui (au début du siècle encore, semble-t-il) se transmettait oralement dans les familles, reflet du Code au travers d'un brouillard. Les sociologues ont mis en lumière la dimension familiale de la mémoire, en pensant non point tant au groupe nucléaire qu'à la relation qui, d'ordinaire, s'établit « en glissement » entre trois générations[32]. Ce qui manque le plus au Code civil pour passer aisément dans la mémoire de l'individu, c'est le canal de la famille.

On conçoit que la mémoire collective, quel qu'en soit le processus, ne puisse se constituer qu'imparfaitement à partir de mémoires individuelles aussi imparfaites. Si les Français se souviennent collectivement du Code civil, ce n'est pas qu'ils soient capables de le connaître, donc de le reconnaître, article par article, arbre par arbre. Ils le découvrent comme la ligne mystérieuse d'une forêt à l'horizon – la forêt mythologique vers laquelle ils reportent leurs ignorances et leurs réminiscences du droit. Ils savent que là-bas sont les sources d'un droit qui les rassure parce qu'il s'inspire d'idées qui, par osmose, étaient devenues les leurs.

Ils croient en tout cela. Y croiront-ils moins si, maintenant, nous leur apprenons que cette forêt est aussi un bois sacré que son propre passé revisite ? Qu'elle abrite en ses replis beaucoup d'un droit plus ancien, très ancien, peut-être d'un droit de toujours, auquel l'*autre* droit n'avait pas touché ? Nous pensons bien que non, et le moment est venu, sans doute, de réconcilier entre elles les deux mémoires du Code civil que nous avions opposées, celle qu'il avait reçue en dépôt et celle qu'il a fondée[33]. Nous reprenons le fil abandonné tout à l'heure : une continuité subtile court sous la rupture ineffaçable.

1. « La passion des lois au siècle des Lumières », *in Essais sur les lois*, Paris, Répertoire du notariat Defrénois, 1979, p. 203.

2. Il n'aurait guère plu à Portalis (1746-1807), bien qu'il s'adonnât à la philosophie, d'être confondu avec les Philosophes, ni avec ceux qui, de son temps, pouvaient passer pour leurs successeurs, les Idéologues (Destutt de Tracy, Sieyès, Volney, etc.) Sur la méthode législative

leurs positions étaient incompatibles. Tandis que les Idéologues préconisaient de légiférer par déduction rationnelle à partir d'un absolu de justice, Portalis s'en tenait à la démarche empirique qu'avait recommandée Montesquieu.

3. *Cf.* P. Antoine Fenet, *Recueil complet des travaux préparatoires du Code civil*, Paris, 51, rue Saint-André-des-Arts, 1827, 15 vol. C'est un mémorial (procès-verbaux, exposés des motifs, etc.), mais la mémoire y a été parfois reconstruite.

4. Symptôme de ce phénomène récurrent, sous la Restauration encore, dans des espèces où un article du Code civil aurait suffi à motiver la décision, on voit les magistrats invoquer tout à la fois l'Ancien Droit et le droit nouveau ; *cf.* « En l'année 1817 », *in Mélanges offerts à Pierre Raynaud*, Paris, Dalloz-Sirey, 1985, p. 81 *sq.*, spéc. p. 86 *sq.*

5. *Cf.* André-Jean Arnaud, *Les Origines doctrinales du Code civil français*, Paris, Librairie générale de droit et de jurisprudence, 1969.

6. Au lendemain même de 1804 furent publiés des Codes annotés historiquement : avec chaque article étaient mis en concordance – partout où c'était possible, Révolution réservée – les textes des coutumes ou du *Corpus juris civilis* qui avaient pu l'inspirer. Par exemple, Henri Dard, *Code civil des Français avec des notes indicatives des lois romaines, coutumes, ordonnances, édits et déclarations qui ont rapport avec chaque article ou Conférence du Code civil avec les lois anciennes*, Paris, J. A. Commaille, 1805. Les éditeurs expliquaient (comme Louis XVIII devait le faire, voir *infra*, n. 23) que *la plupart* des dispositions du Code civil avaient été puisées dans l'Ancien Droit. C'était statistiquement exact, mais cette méthode de décorticage historique, si elle avait fait école, aurait conduit à paralyser le Code civil par une hypertrophie de la mémoire.

7. De cette ouverture à l'avenir, il faut citer en témoignage la phrase célèbre de Portalis : « On ne fait pas à proprement parler les codes, ils se font avec le temps. » On y lit parfois un blanc-seing octroyé à l'interprétation jurisprudentielle. Il nous semble que l'inspiration est plus profonde : un Code, un *Corpus* digne de ce nom porte en lui un devenir imprévisible que lui donneront non seulement les juges et les commentateurs, mais la nation tout entière – c'est une mémoire en développement. Portalis, contraint par les soubresauts du Directoire à se réfugier en Allemagne, y avait fréquenté le salon romantique de la comtesse de Reventlow, dans le Holstein. Contre le rationalisme des Lumières (que prolongeaient en France les Idéologues), l'influence historique de Herder y était grande. Portalis avait rapporté d'exil un peu du *Werden* qu'affectionnait Herder. *Cf.* « Le Code Napoléon en tant que phénomène sociologique », *Droit prospectif*, 1981 (3), p. 327 *sq.*, spéc. p. 335 *sq.*

8. L'œuvre devait être indépendante, trouver en elle-même sa propre force. *Prolem sine matre creatam...*, pour reprendre l'épigraphe de *L'Esprit des lois*. À cet égard, un incident des travaux préparatoires pourrait être révélateur. Le projet de l'an VIII s'ouvrait sur un acte de foi en l'école (la seconde école) du droit naturel : « Il existe un droit universel et immuable, source de toutes les lois positives, il n'est que la raison naturelle... ». Cet article premier fut retranché de la version définitive. Une affirmation philosophique, a-t-on expliqué, n'avait pas sa place dans la loi. Mais on peut apercevoir aussi, sous cette suppression, le désir subconscient de ne pas river le Code civil à un lieu commun d'époque, menacé de vieillir.

9. Les civilistes ont eu longtemps l'habitude de juger avec sévérité l'intervention personnelle de Bonaparte dans le détail des décisions. Pour ce qui est du droit de la famille, où la paix d'Amiens lui laissa le loisir d'être le plus actif, il aurait abusivement transporté dans le Code, à l'usage de tous les Français, son expérience de mari déçu (peut-être trompé) d'une femme frivole, de surcroît stérile. Aujourd'hui, toutefois, on pourrait remarquer que, par son insistance à faire admettre le divorce par consentement mutuel, par sa demande d'une adoption imitant le plus possible la nature, il se montrait en avance sur les juristes qui l'entouraient. Seule sa misogynie n'était pas prophétique.

10. Sur les projets de Code civil antérieurs au projet du groupe des Quatre, voir Georges Ripert et Jean Boulanger, *Traité de droit civil d'après le traité de Planiol*, Paris, Librairie

générale de droit et de jurisprudence, 1956, t. I, n° 93-95. Cambacérès avait rédigé sur commande deux projets pour la Convention, un troisième pour le Directoire. Les deux projets présentés à la Convention, l'un plus étoffé, l'autre plus lapidaire, étaient fortement empreints d'esprit révolutionnaire, et au XIXe siècle, spécialement sous le second Empire, ils fourniront aux républicains un lieu de contre-mémoire, fréquemment opposé au Code Napoléon (voir par exemple Émile Acollas, *Manuel de droit civil*, Paris, Thorin, t. I, 1869, p. XXVIII *sq.*). Le projet Jacqueminot, au contraire, n'avait été qu'un trompe-l'œil, peu après le 18-Brumaire.

11. Voir par exemple Elisabeth Fehrenbach, *Traditionale Gesellschaft und revolutionäres Recht*, Göttingen, Vandenhoeck et Ruprecht, 1974 ; Robert Chabanne. « L'Allemagne napoléonienne en face du problème de la codification », *Annales de la Faculté de droit de Lyon*, n° 1, 1974, p. 9 *sq.*, et « Napoléon, son Code et les Allemands », *Études Jacques Lambert*, Paris, Cujas, 1975, p. 397 *sq.*

12. François-Dominique de Reynaud, comte de Montlosier, *Observations sur le projet de Code civil présenté par la Commission*, Paris, Giguet et Cie, 1801 (mais, dans l'Avant-propos, l'auteur fait état de son exil à Londres).

13. August-Wilhelm Rehberg, *Ueber dem Code Napoleon und dessen Einführung in Deutschland*, Hanovre, Hahn frères, 1814.

14. On raconte que lord Castlereagh aurait dit, au Congrès de Vienne : « Inutile de détruire la France, le Code civil s'en chargera. »

15. Voir par exemple Xavier Martin, « Nature humaine et Code Napoléon », *Droits*, n° 2, 1985, p. 117 *sq.*, spéc. p. 128.

16. Décret-loi du 17 juin 1938. L'exploitation est intégralement attribuée à l'un des héritiers, à charge pour lui de désintéresser les autres héritiers en argent : il n'y a dérogation qu'à l'égalité *en nature*, mais celle-ci était un absolu en 1804. Du même frisson nataliste le Code de la famille de 1939, Code de droit social, à peu près hors droit civil.

17. Philippe Gonnard, *Les Origines de la légende napoléonienne*, Paris, Calmann-Lévy, 1906, spéc. p. 215 ; Jean Tulard, *Le Mythe de Napoléon*, Paris, A. Colin, 1971 ; Henri-François Imbert, « Évolution et fonction du mythe napoléonien sous la Restauration », *Rivista italiana di studi napoleonici*, XVIII, n° 1, 1981, p. 9 *sq.*, spéc. p. 17.

18. *Cf.* Konstantin Stoyanovitch, *La Pensée marxiste et le droit*, Paris, Presses universitaires de France, 1974.

19. Impardonnable – disait à peu près Jacques Bainville – de la part d'un général d'artillerie qui avait dû entendre parler de Fulton.

20. L'article 1268 réserve au débiteur *malheureux* et de bonne foi le bénéfice de la cession de biens, qui permet d'échapper à la contrainte par corps (laquelle sera du reste supprimée, hormis le droit pénal, par le second Empire) ; les articles 1674 et suivants ouvrent au propriétaire qui a été amené à vendre son immeuble à moins des cinq douzièmes de sa valeur le droit de faire annuler la vente pour cause de lésion.

21. Du tribun Albisson : «... Notre Code civil qui est lui-même la plus grande, la plus utile, la plus solennelle transaction dont aucune nation ait donné le spectacle à la terre », *in* P. Antoine Fenet, *Recueil complet des travaux préparatoires du Code civil, op. cit.*, t. XV, p. 120. Dans ses « Observations » sur le projet de Code (Fenet, *ibid.*, t. II, p. 529), le tribunal d'appel de Montpellier s'était livré à une analyse critique de la notion de transaction législative. Pour lui, la transaction ne devait pas s'apprécier sur l'ensemble du Code civil, mais institution par institution. Les concessions que le Midi serait amené à consentir, notamment en acceptant la communauté pour régime légal ou la cessation de la puissance paternelle à vingt et un ans (alors qu'en droit écrit elle continuait sur les enfants majeurs), n'étaient pas réellement équilibrées par l'abondance des solutions romaines dans la matière des contrats, d'autant que ces solutions étaient déjà, sous l'Ancien Régime, reçues par toute la France. Aujourd'hui, le caractère de compromis politique est largement reconnu au Code de 1804 comme un mérite :

«un traité de paix civile» a-t-on dit (Philippe Rémy, «Le rôle de l'exégèse dans l'enseignement du droit au XIXe siècle», *Annales d'histoire des Facultés de droit et de la science juridique*, 1985 (2), p. 91 *sq.*, spéc. p. 101).
Pour une théorie générale des lois de compromis, *cf.* Richard T. La Pière, *A Theory of Social Control*, New York-Londres, Mac Graw-Hill, 1954, p. 320 *sq.*; Georges Ripert, *Les Forces créatrices du droit*, Paris, Librairie générale de droit et de jurisprudence, 1955, n° 52-53.

22. *Cf.* Jacqueline Brisset, *L'Adoption de la communauté comme régime légal dans le Code civil*, Paris, Presses universitaires de France, 1967; Nicole Arnaud-Duc, *Droit, mentalités et changement social en Provence occidentale*, s. 1., Édisud, 1985, p. 11 *sq.*

23. Proclamation du 15 février 1814: «... le nouveau Code, qui ne renferme, en grande partie, que les anciennes ordonnances et coutumes du royaume, restera en vigueur, si l'on en excepte les dispositions contraires aux dogmes religieux»...

24. *Cf.* André-Jean Arnaud, *Essai d'analyse structurale du Code civil français. La règle du jeu dans la paix bourgeoise*, Paris, Librairie générale de droit et de jurisprudence, 1973.

25. *Cf. supra* Jacques et Mona Ozouf, «Le tour de la France par deux enfants», *Les Lieux de mémoire, La République*, à propos de Portalis, dont le nom est aperçu au passage, le livre du maître conseille à l'instituteur de faire l'éloge des codes, bienfait de la Révolution.

26. Les causes de ce demi-échec (demi-réussite si l'on veut) sont très lucidement exposées dans le rapport présenté au garde des Sceaux par le président de la commission, Léon Julliot de La Morandière; voir *Avant-projet de Code civil*, Paris, Sirey, 1954, p. 7 *sq.*, spéc. pp. 18-19.

27. Par exemple, Conseil constitutionnel, 22 octobre 1982. Selon cette décision, dans l'article 1382 du Code civil, qui définit la responsabilité pour faute, un principe fondamental est virtuellement enclos, auquel une loi ne saurait porter atteinte: le principe de non-discrimination entre les victimes de dommage.

28. Le don manuel est une donation qui s'exécute, sans acte notarié, par remise d'un objet mobilier (argent, bijou, meuble, meublant, etc.) de la main à la main. Celui qui est en possession de l'objet et se prétend donataire peut se retrancher, jusqu'à preuve du contraire, derrière l'article 2279, quoique le texte n'ait pas été écrit pour cette hypothèse-là.

29. *Cf.* l'ouvrage collectif, *Cristianesimo, secolarizzazione e diritto moderno*, Milano, Giuffré, 1981, spéc. «La sécularisation du droit civil par le Code civil des Français», p. 1007 *sq.*

30. *Cf.* Maurice Halbwachs, *Les Cadres sociaux de la mémoire*, et *La Mémoire collective*, Paris, Presses universitaires de France, 1925 et 1950; Roger Bastide, «Mémoire collective et sociologie du bricolage», *L'Année sociologique*, 1970, p. 64 *sq.*; Gérard Namer, «Sociologie de la connaissance et sociologie de la mémoire», *L'Année sociologique*, 1983, p. 343 *sq.*

31. Par exemple, «Attitudes des Français à l'égard des successions», *Sondages, Revue française de l'opinion publique*, 1970, n° 4, spéc. p. 3 *sq.*; Marie-Pierre Champenois et Madeleine Faucheux, *Le mariage et l'argent*, Paris, Presses universitaires de France, 1981, spéc. p. 19 *sq.*

32. *Cf.* M. Halbwachs, *La Mémoire collective*, *op. cit.*, spéc. p. 46 *sq.*; G. Namer, *loc. cit.*, spéc. p. 348.

33. On serait bien tenté de transposer ici l'image superbe qu'a tirée de Virgile un historien, expert d'ailleurs à démonter l'inexorable généalogie des lois (autre chose que leur archéologie), Pierre Legendre, *Leçons IV. L'inestimable objet de la transmission*, Paris, Fayard, 1985, spéc. p. 148 *sq.* Énée abandonne Troie: il tient par la main son fils Ascagne et porte sur ses épaules Anchise, son vieux père, qui n'a pas lâché leurs dieux pénates. Trois générations d'hommes – ou de lois. Faisons, comme Ronsard, de l'*Énéide* une *Franciade*. Énée, nul doute, c'est le robuste guerrier de 1804: il sauve des flammes l'Ancien Droit et ses dieux en les emportant vers l'avenir. Mais le petit Ascagne? C'est le droit nouveau, au visage encore indécis, que le Code civil a engendré. On ne sait s'il deviendra grand.

HERVÉ LE BRAS

La statistique générale de la France

Il ne tiendra qu'aux constituants de fonder pour l'avenir, un établissement public où viendront se confondre les résultats de la balance de l'agriculture, du commerce et de la population; où la situation du royaume, sa richesse en hommes, en productions, en industries, en capitaux accumulés, viendront se peindre comme dans un tableau raccourci.

Lavoisier, 1791[1]

Depuis le fameux «cabinet complet de Politiques et de Finances» que proposait Sully, en passant par le «Bureau de renseignement» de Gournay, pour atteindre le «Bureau de statistique» de l'an IX, les tentatives d'organisation officielle de la statistique se sont multipliées sans succès jusqu'au début du XIXe siècle. Des administrations éphémères ont vu le jour, puis ont été emportées; des enquêtes générales et des dénombrements ont été lancés sans suite. Le matériel récolté a même parfois été rapidement égaré, comme la belle enquête d'Orry en 1745, exhumée des archives du ministère des Affaires étrangères deux siècles plus tard.

Et puis, soudain, en 1833, Thiers contacte tous ses collègues. Il est encore ministre de l'Intérieur, c'est-à-dire aussi de l'Économie et du Commerce. Il plaide la cause d'une statistique d'État, en agitant devant leurs yeux les publications du Board of Trade, le rival anglais; il obtient gain de cause. La Chambre rogne les crédits que son successeur Duchâtel demande à cet effet, mais en accorde suffisamment pour que la Statistique générale de la France soit mise en place, cette S.G.F. qui va développer, organiser et centraliser les observations démographiques, économiques et sociales pendant cent dix ans avant de s'effacer en 1945 derrière l'I.N.S.E.E.

Ce succès paraît étrange après tant d'échecs. Comme fondateur, on eût mieux vu Louis XIV, la Convention, un empereur ou une IIIe République, mais ce furent Thiers et le roi bourgeois.
Certes, le moment était venu de tirer un trait sur les aventures statistiques grandioses auxquelles avaient rêvé la monarchie déclinante, la Révolution, le Consulat et l'Empire, mais, aussi, une nouvelle conception de la statistique était apparue durant cette période troublée : tandis que les chiffres étaient auparavant récoltés pour satisfaire les besoins immédiats des administrations, voilà qu'on les demandait maintenant pour apprécier l'action de l'État et l'orienter. Alors qu'ils servaient à tailler et corvéer le peuple, voici qu'ils devaient, désormais, permettre d'en améliorer la condition.
Ce renversement se produisait à la faveur de la constitution de l'idée nationale. Les nations avaient à se définir, à écrire l'histoire de leur peuple et de ses progrès. Elles recherchaient un peintre. La statistique officielle a dressé, avec ses tableaux, le portrait de ces jeunes nations et continue aujourd'hui encore à les dépeindre : population totale, revenu national, espérance de vie, taux de croissance, d'inflation, de mortalité infantile décrivent les traits d'une nation, comme la couleur des yeux, celle des cheveux, la forme du visage ou la taille et le poids, ceux d'un individu.
Ce qui existait avant comme multiplicité de statistiques particulières prenait maintenant un sens dans une composition d'ensemble. Au lieu des collections de chiffres dépareillés et circonstanciels, apparaissait une statistique générale. Le terme est loin d'être fortuit. La statistique devenait tout simplement pensable, non plus comme simple outil pour lever l'impôt ou les troupes, mais comme représentation générale du peuple et de la nation.
Ce faisant, on passait des choses aux hommes : la grande affaire au XIXe siècle n'est plus l'inventaire de la richesse, encore moins celui de l'industrie, mais l'observation des hommes : sont-ils riches ou miséreux, jeunes ou vieux, mariés, veufs ou célibataires, propriétaires, métayers, catholiques ? Les débuts de la mathématique sociale, les sommes encyclopédiques rassemblées par les préfets de l'an IX, les enquêtes des philanthropes et des hygiénistes sociaux, tout concourt à établir l'universalité et l'objectivité de cette statistique, « science des faits naturels, sociaux et politiques, exprimés par des termes numériques », écrivait Moreau de Jonnès, le premier chef de la S.G.F. et son organisateur.
Paradoxalement, cette science qui était apparue avec les nations ne se développa pas à la mesure de leur expansion. Très tôt, elle n'offrit plus le portrait désiré : déception face à ses premiers résultats ? Montée d'une conception biologique de la nation ? Manque d'imagination scientifique ? Quoi qu'il en soit, la S.G.F. entra dans une période de langueur. À part quelques innovations techniques ou typologiques, la production devint répétitive puis perdit

sa qualité : après la Première Guerre mondiale, on se traîne de recensements moins complets en enquêtes industrielles inachevées.

La Seconde Guerre mondiale aurait pu porter un coup fatal à l'institution. Ce fut le contraire, pour les mêmes raisons qui présidèrent à la naissance de la S.G.F. : l'image des nations changea, en effet. Après avoir été des communautés d'hommes et de peuples, elles apparurent comme de gigantesques appareils économiques. On en revint donc à la comptabilité des marchandises. À nouveau la fonction nationale de la statistique était exaltée, mais il s'agissait dorénavant de peindre les choses et non plus les hommes. La comptabilité nationale et les observatoires de conjoncture prenaient ainsi la place que les recensements et le mouvement de la population avaient occupée dans l'imaginaire national lors de la première fondation de la statistique en 1835.

La statistique ne se présente donc pas aujourd'hui sous forme homogène. Trois niveaux y coexistent et se mêlent à leurs points de contact : celui des nécessités de l'administration, le plus ancien, toujours aussi impérieux ; celui de la S.G.F. où l'on retrouve l'idéal d'une connaissance large des hommes et de leurs conditions et, coiffant l'ensemble, celui de la statistique économique, désormais le plus visible.

Impossible de comprendre la statistique actuelle ni de repérer ses déterminations sans dégager chacun de ces trois niveaux des deux autres et, particulièrement, celui de la S.G.F., noyau central historiquement et structurellement, mais dissimulé.

Secrets d'État

Comme celle des causes premières, la recherche des plus anciennes statistiques paraît sans fin : à peine signale-t-on leur trace aux Indes, quatre siècles avant Jésus-Christ dans le manuscrit de l'Atharastra, qu'on en trouve la recommandation dans le rituel de Tchéou six siècles plus tôt en Chine, pour tomber ensuite sur des tablettes babyloniennes du règne de Sargon, qui, deux mille huit cents ans avant notre ère, comptent déjà les soldats tués, comme sur nos monuments aux morts[2]. Mais cette recherche n'a guère de sens car les statistiques ne sont pas la statistique. En ces temps lointains, les princes et leurs ministres lèvent l'impôt et la troupe comme ils peuvent. La capitation offre le système le plus simple : tant d'hommes ici, tant de taxes et tant de recrues (pour une même raison de simplicité, les prêts et emprunts viagers se sont développés très tôt : quand le débiteur était décédé, il ne réclamait plus son versement annuel. La dette s'éteignait avec lui[3]).

L'homme sert ainsi de rouage intermédiaire pour accéder aux choses, pour prélever les richesses, les redistribuer ou s'en emparer. Dans ces opérations administratives, on ne rencontre guère de souci démographique ou économique. Décrivant, en 1576, les « utilités infinies » d'un recensement, Jean Bodin exprime ce pragmatisme : « Premièrement, quant aux personnes, on savait et le nombre, et l'âge et la qualité ; et combien on en pouvait tirer, fut pour aller en guerre, ou pour demeurer, soit pour envoyer aux colonies, fut pour employer aux labeurs et corvées des réparations et fortifications publiques, fut pour savoir les provisions et les vivres qui étaient nécessaires aux habitants de chaque ville[4]. »

Colbert, Vauban, les intendants que le duc de Bourgogne lance dans une grande enquête entre 1697 et 1700 recherchent aussi la « charge que chacun peut porter ».

Technique d'État, mais aussi privilège de l'État, les statistiques s'entourent alors de secret. Saugrain, qui publie en 1709 les premiers chiffres sur les provinces du royaume, reçoit une permission royale. En Suède, Wargentin attendra 1756 pour avoir le même privilège. Considérées comme de simples moyens de la collecte, les premières statistiques font partie des archives personnelles des ministres qui les emportent avec eux à leur départ. Certaines d'entre elles, notamment le fonds Vauban, ne sont d'ailleurs toujours pas accessibles ! Plus souvent encore, les documents de base sont détruits. Ainsi procédait-on par exemple dans de nombreuses villes comme Hambourg, où les pièces des recensements étaient brûlées pour que les résultats ne demeurent connus que par le Conseil[5].

La grande enquête qu'Orry[6] lance en France en 1745 montre bien ce mélange d'administration, d'espionnage et même d'intoxication que recouvraient les opérations statistiques anciennes : les intendants devaient répondre à huit questions sur la « situation des peuples de leur département » :

> 1° Par rapport à l'idée succincte de leur commerce et industrie.
> 2° De leurs richesses et facultés.
> 3° De leur pauvreté et indigence et d'où elles proviennent.
> 4° Leur nombre général et en particulier des garçons de l'âge de quinze à quarante-cinq ans sujets à la milice et capables de porter les armes.
> 5° Les ressources que l'on pourrait trouver dans chaque ville provinciale et dans les paroisses de la campagne pour l'augmentation des revenus du Roy.
> 6° Vous m'informerez exactement et le plus secrètement que faire se pourra de l'argenterie consistant en vaisselle d'argent et autres ouvrages d'orfèvrerie à l'exception de ce qui appartient à l'Église et aux ecclésiastiques.
> 8° Vous ferez semer les bruits, dans les villes franches de votre département d'une augmentation d'un tiers sur les droits des entrées.

> Vous y ferez aussi semer les bruits, ainsi que dans le plat pays de la levée d'une future milice de deux hommes dans chaque paroisse ; le fort portant le faible, vous recueillerez avec soin ce qu'en diront les habitants et vous en ferez mention dans l'État que le Roy vous demande.

Mélange de chiffres et d'appréciations ; enquête de statistique et de police ; sondage d'opinion dans le style des renseignements généraux où le peuple est une sorte d'ennemi contre lequel on joue. Tous les défauts de la statistique ancienne sont ici réunis, mais aussi ses qualités car Orry obtint des réponses précises de tous les intendants, les fit harmoniser par un académicien et les transmit à la Cour, le tout en moins de neuf mois. Puis, il quitta son ministère, y laissa la liasse des résultats dans un recoin, où de Dainville la retrouva... en 1954. Ses successeurs qui avaient des idées différentes sur les impôts et sur leur collecte oublièrent l'enquête pour se lancer dans l'autres opérations.

Secrètes, évoluant au gré des circonstances politiques, les statistiques anciennes ne peuvent être comparées à la statistique qui apparaît au XIXe siècle. Elles constituent une fausse généalogie : il n'y a pas plus de statistique dans ces travaux que de théorème de Pythagore chez les Égyptiens ou les Chinois : ces peuples qui connaissaient plusieurs sortes de triangles rectangles n'avaient en effet pas imaginé la propriété générale qui les unissait.

L'objet, le secret et la versatilité des procédures d'État engendraient symétriquement une grande méfiance populaire. Tous les intendants de l'Ancien Régime signalent les mécontentements et les dangers de troubles qu'entraînent les évaluations statistiques par recensement. Les craintes se répercutent jusqu'au milieu du XIXe siècle : en 1841, encore, l'administration ayant abandonné la notion de population « de droit » (ou de « résidence habituelle ») pour celle de population « de fait » (présente le jour du recensement), des émeutes éclatèrent dans le Sud-Ouest, à Toulouse notamment. Les esprits étaient gagnés par « la conviction que le gouvernement voulait à tout prix, même de la légalité, faire rendre à l'impôt tout ce qu'il pouvait donner et que le nouveau système devait servir à ce but en réunissant la population flottante et agglomérée[7] ». Legoyt qui dirigea la S.G.F. sous le second Empire, s'étonnait de ce mouvement de foule : « Quoi de plus libéral que l'intention d'arriver à une plus égale répartition de l'impôt[8] ? » Mais le peuple avait de la mémoire. Il se souvenait d'Orry et de ses semblables, tandis que Legoyt nageait dans l'ivresse d'une nouvelle science et des pratiques que la Révolution avait instaurées, rompant radicalement avec l'Ancien Régime.

L'arithmétique politique

Pour parer à cette absence de données, mais aussi avec un certain mépris pour elles, on prit l'habitude dès le milieu du XVIIe siècle, d'estimer les quantités inconnues, au moyen d'un jeu de multiplicateurs, d'après les rares données disponibles. On déduisait ainsi la population totale ou le nombre d'hommes en âge de porter les armes à partir du nombre des naissances ou des mariages dans l'année (que l'on pouvait compter sur les registres paroissiaux). Ingénieuse au début, cette méthode s'avéra vite assez dangereuse dans son maniement.

À la suite de W. Petty[9], les arithméticiens politiques se risquèrent à des reconstitutions de plus en plus acrobatiques pour estimer ce qui leur manquait : la population de Londres ou de Paris à partir des décès et des naissances, la production agricole à partir de la production de quelques exploitations choisies, la population à partir des impôts et les impôts à partir de la population.

Virtuose entre tous, Lavoisier[10] détermina le revenu national en estimant les diverses consommations par tête, celle de viande en se fondant sur le nombre des charrues, celle du blé à partir d'une moyenne dans un foyer type comprenant l'homme, la femme et les trois jeunes enfants, celle de drap et de laine. Il multiplia les recoupements entre différentes façons de mener le calcul pour renforcer la certitude, s'inspirant des triangulations géodésiques que la mesure de l'aplatissement des pôles avait mis à la mode :

> Je comparerais volontiers mon travail à une carte géographique, dans laquelle tous les points sont liés entre eux par une suite de triangles. Le mérite de la carte dépend de l'exactitude qu'on a apportée dans la mesure de la base et dans la détermination des angles. Mais, comme les erreurs se multiplient à mesure qu'on s'éloigne du terme dont on est parti, il est prudent, il est nécessaire de vérifier de temps en temps les distances déterminées par le calcul, afin de rectifier et de connaître au moins jusqu'à quel point on s'écarte de la vérité.

Les données numériques n'avaient pas encore le degré de précision ni le respect qu'elles ont acquis ultérieurement : Halley[11] bricole sa table de mortalité ; Simpson aussi, en empruntant des petits morceaux ici et là, ce qui lui vaudra quelques querelles. Les chiffres observés côtoient des valeurs estimées ou hypothétiques. Raisonnement et données ne sont pas séparés comme de nos jours, mais interfèrent : tantôt le raisonnement se substitue aux données manquantes ou suspectes, et c'est le fait des arithméticiens, tantôt les observations remplacent la démonstration, Euler en donna maints exemples[12].

Saluée au début comme une grande découverte, l'arithmétique politique constitua progressivement un obstacle aux progrès de l'observation. La recherche d'un «multiplicateur universel», les prétentions scientifiques de calculateurs persuadés d'avoir découvert «l'ordre divin» de la société (titre du gros ouvrage de J. Süssmilch)[13] masquèrent souvent le progrès des idées et des sources. Avec une malignité fréquente chez les scientifiques de second ordre (Lyssenko traquant les biologistes mendéliens, ou Corrado Gini attaquant les sociologues au nom d'une théorie biologique des nations)[14], les derniers arithméticiens tentèrent même d'enrayer les projets fabuleux de la Révolution et de l'Empire. Duvillard, qui dirigea pendant quelques mois le Bureau de statistique créé par Lucien Bonaparte, en fournit un bon exemple. Il se délectait à repérer les erreurs (dont celles, fort nombreuses, d'addition) dans les mémoires que lui adressaient les préfets. Remarquant ainsi que de l'an XI à l'an XII, les mariages à Paris étaient passés de 4 922 à 8 534, il trouvait une explication simple : on avait compté les mariés au lieu des mariages, donc le double, la seconde année.

Le recensement de 1806 lui donna l'occasion d'exprimer ses réticences quant aux possibilités de mesurer la population : «La connaissance précise de la population dans toutes ses subdivisions [...] était au nombre de celles qu'on ne peut que très difficilement obtenir directement par l'observation», mieux valait «l'analyse mathématique [...] au moyen des états des naissances, des mariages, de la mortalité âge par âge dans les registres de l'état civil». Il admit tout juste que l'on avait déterminé «pour la première fois, tant bien que mal, la population par commune».

Trop méfiants envers les observations, les arithméticiens n'ont pas apporté la preuve de ce qu'ils avançaient. Leurs calculs sont demeurés sommaires. Ils ont négligé les idées originales, comme celle de Laplace organisant la première enquête par échantillon. À l'exception des grands mathématiciens, Laplace justement, ou Poisson, ils n'ont pas compris que la mathématique sociale de Condorcet s'adressait aux jugements («motif de croire») et non aux faits.

Lorsque Duvillard fut remplacé par un habile économiste, Coquebert de Montbret, à la tête du Bureau de statistique, disparut l'un des derniers représentants notables de cette ancienne école. On en retrouvera l'esprit durant tout le XIXe siècle chez les économistes, Say, Cournot, Walras, notamment, rétifs voire hostiles à l'utilisation des statistiques[15]. Mais, pour un bon demi-siècle, la statistique elle-même en fut purgée, ce qui permit à Moreau de Jonnès de repousser en deux phrases les «calculateurs» aventureux en leur reprochant un manque de logique (ce qui est le comble, mais est justement observé).

À l'opposé de Duvillard et de ses semblables, beaucoup d'esprits éclairés croyaient aux possibilités immenses de l'observation statistique sans en évaluer correctement la difficulté.

Déjà Fénelon, dans son examen de conscience sur les devoirs de la royauté, affirme[16] : « Que dirait-on d'un berger qui ne saurait pas le nombre de son troupeau ? Il est aussi facile à un roi de savoir le nombre de son peuple : il n'a qu'à le vouloir. » Lavoisier, dont on a cité plus haut les prouesses arithmétiques n'est pas moins audacieux quand il recommande de multiplier les mesures directes : « Ce qui présentait pour un particulier, des difficultés insurmontables deviendra facile pour l'Assemblée nationale, dès que cet objet lui paraîtra digne de son attention. » Voltaire partage ce sentiment de facilité dans le conte qu'il rédigea pour brocarder les recherches de Quesnay, *L'Homme aux quarante écus* :

> L'HOMME AUX QUARANTE ÉCUS. – Faites-moi je vous prie l'amitié de me dire combien il y a d'animaux à deux mains et à deux pieds en France.
> LE GÉOMÈTRE. – On prétend qu'il y en a environ vingt millions, et je veux bien adopter ce calcul très probable en attendant qu'on le vérifie, ce qui serait très aisé, et qu'on a pas encore fait parce qu'on ne s'avise jamais de tout.

Puisque cette matière existait indubitablement, on pouvait l'atteindre à portée de main et de sens commun. Il suffisait d'y penser : nous sommes dans un conte, vraiment. La Révolution allait écouter le chant de ces sirènes et bousculer les pratignes besogneuses et morcelées de l'Ancien Régime. Elle allait surtout bouleverser la conception de la statistique qui, d'instrument militaire et fiscal, devint une machine à explorer la Société.

Effervescence révolutionnaire

L'enthousiasme est en effet très grand dès 1789 et ne fait que se renforcer durant les décennies suivantes[17]. À partir de 1790, plusieurs comités se sont mis à la statistique dans l'intérêt du peuple et non plus du souverain.
Le comité de la division chargé de dessiner les nouvelles frontières départementales avait besoin de connaître les populations concernées ; le comité de l'agriculture et des beaux-arts devait se renseigner sur les productions et les terres ; le comité de la mendicité avait à déterminer le nombre et la dépense moyenne des mendiants, des enfants trouvés, des aliénés, des prisonniers. Enfin, connaître la population prenait une importance politique puisqu'il fallait régler la représentation des assemblées à partir de circonscriptions (cette simple exigence de la démocratie a entraîné l'inscription du recensement décennal dans la constitution des États-Unis).
Dès lors, une activité ouverte, officielle, mais brouillonne, s'empara des comités révolutionnaires. Désireux de tout savoir sur tout, ils multiplièrent

les demandes aux intendants, aux commissaires, aux maires, aux ministères : pour les deux premières années on eut ainsi à effectuer :
- La statistique des citoyens actifs (décret du 22 décembre 1789 pour préparer les élections).
- La même statistique à laquelle il fallait ajouter le montant des contributions versées (28 juin 1790).
- Dénombrement demandé par le comité de la division (juillet 1790 avec plusieurs rappels s'échelonnant jusqu'à avril 1791).
- Enquête du comité de mendicité demandée à chaque paroisse (9 juillet 1790 ; on voulait le nombre de feux, d'individus ne payant pas de contributions, de vieillards hors d'état de travailler, d'enfants pauvres, d'infirmes, etc.).
- Un recensement fiscal détaillé (23 novembre 1790).
- L'établissement des rôles pour la contribution mobilière (13 janvier 1791).
- Décret de police municipale obligeant à tenir un registre de population (19-22 juillet 1791)[18].

Fin 1791, 1792, 1793, 1794, le bombardement des autorités locales continua : habitants, engrais, nombre des charrues, moulins à vent et à eau, dessèchements, grains, farines, huiles, fourrages, toutes les industries. L'économie de guerre accéléra encore ce rythme insensé que presque aucune municipalité ne fut capable de suivre malgré les réquisitions.

Non seulement chaque questionnaire eût exigé de longues recherches, mais la plupart se recoupaient ; le nombre des hommes actifs, par exemple, était demandé par presque toutes les circulaires.

Voltaire et Lavoisier avaient eu mille fois tort de croire qu'on pouvait rassembler rapidement les observations et les faits. Peu importait. Au pire, les membres des comités revenaient aux règles de trois de l'arithmétique politique quand leurs demandes n'avaient pas été couronnées de succès.

Ainsi, pour estimer le nombre et le coût des pauvres, on avait abouti à « des termes vagues, opposés, incertains » : un cinquième de la population selon l'abbé de Montcé, syndic du Bureau de charité de la ville du Mans ; un sur soixante d'après les recherches effectuées entre Soissons et Compiègne par Montlinot ; un sur deux cents en adoptant les chiffres de Necker. On prit alors des renseignements en Angleterre, où après divers détours, on parvenait au vingtième de la population ; cela parut plausible et fut retenu[19].

L'incessante demande de renseignement peu payée de retour n'altéra pas la foi statistique car on était désormais persuadé de travailler pour le bien public et non contre le peuple. La dernière phrase de la circulaire du 9 juillet 1790 émise par le comité de mendicité et mentionnée plus haut l'exprime bien : « L'économie des finances, la tranquillité publique et le bonheur général reposent sur la scrupuleuse exactitude des renseignements que fourniront les départements[20]. »

L'idéal d'une gestion d'initiés, autoritaire chez Vauban, cynique chez Orry, fut remplacé par celui d'une transparence sociale. Le programme révolutionnaire rejoignit les visions de Bentham : tout voir pour tout savoir et tout régler (Bentham fut d'ailleurs député).
Aussi, le tourbillon statistique de la Révolution, même s'il porta peu de fruits, n'engendra pas d'insatisfaction. Il fut suivi par des entreprises encore plus grandioses sous le Consulat et au début de l'Empire : du panoptique, on dériva vers l'encyclopédisme.

L'encyclopédisme : la statistique des préfets

Les deux passages de François de Neufchâteau au ministère de l'Intérieur sous le Directoire puis sous le Consulat infléchirent le cours de la statistique. Neufchâteau simplifia les questions qui étaient envoyées aux commissaires du Directoire, mais, en même temps, il insista, circulaire après circulaire, sur l'intérêt de disposer comme base d'une bonne description de leurs départements. Il leur indique le 27 fructidor an VI : « Vous pourrez préparer dans vos tournées une bonne description de vos départements respectifs. C'est un service essentiel à rendre à la République que d'en faire bien connaître toutes les sections sous les divers rapports qui sont l'objet des recherches de l'économie politique… » Il leur envoie en exemple le *Tableau géographique de la France* de du Couëdic publié en 1791. Il se fait plus pressant le 28 germinal an VII : « Chaque description doit donc offrir des renseignements certains sur les productions naturelles et industrielles du département [...] sur les manufactures, fabriques et autres établissements quelconques d'utilité publique, sur l'état actuel de l'industrie et des arts [...] sur les mœurs et usages des habitants du département, sur les restes des monuments des Romains [...] enfin sur tout ce qui se trouve d'utile, d'intéressant ou de remarquable dans le département sous quelque rapport que ce puisse être. »
Difficile de tracer un programme plus vaste. L'étonnant fut son large succès dont Neufchâteau poussa l'avantage en publiant immédiatement les premières réponses dans *La Feuille du cultivateur.* Lorsqu'il quitta le ministère, le mouvement qu'il avait lancé fut impossible à freiner, bien que l'envie en démangeât Duvillard.
À la fin du printemps 1800, Lucien Bonaparte aménagea un Bureau de « statistique de la République » que l'on a toujours considéré comme l'ancêtre de la S.G.F. Il y mit à la tête Duquesnoy[21], lors de la création officielle en fructidor de l'an IX.
Marcel Reinhard, qui a décrit cette période avec beaucoup de verve, parle des curiosités très diverses de Duquesnoy, homme de loi, député de la

Constituante, grand voyageur: «Il concevait les recherches statistiques à la façon des hommes de l'Ancien Régime, il continuait Necker, Moheau et François de Neufchâteau.» Il assimile d'ailleurs Duquesnoy à ce dernier: «Esprit peu scientifique, d'une puissance de travail égale à sa facilité, François de Neufchâteau embrassait tout et croyait tout étreindre. La curiosité de Duquesnoy fut aussi universelle.»

Duquesnoy s'occupa de plus en plus des monographies départementales dont il surveilla l'impression. Ses voyages l'avaient mis en contact avec l'école allemande de statistique, en fait des géographes qui créèrent au XVIIIe siècle la tradition de la *Staatenkunde* ou description des États. Il traduisit et préfaça l'ouvrage de Hoekh sur la *Statistique des États allemands* et, en 1801, le recommanda vivement aux préfets comme modèle à leurs travaux.

Tradition très ancienne, sans doute justifiée par le nombre et la variété des États allemands, la *staatenkunde* se développa à la fin du XVIIe siècle sous l'impulsion de Conring[22] à Helmstedt. Des règles de description précises furent posées qui s'inspiraient en fait de la classification aristotélicienne ou scolastique des causes: le territoire et la population étaient rangés dans les causes matérielles; la constitution et l'administration dans les causes formelles, les objectifs politiques dans les causes finales, l'armée, la finance et la marine dans les causes efficientes.

On a là l'une des premières tentatives de classification de la matière statistique dont l'aboutissement sera cent cinquante ans plus tard le programme tracé en 1835 par Moreau de Jonnès. La classification de Conring fut améliorée durant le XVIIIe siècle à la suite de nombreuses controverses: devait-on inclure les fait historiques ou seulement les faits présent? Devait-on se limiter à publier des tableaux *(Tabellenstatistik)* ou, comme le préconisait l'école de Göttingen[23], parler du caractère national, du penchant des peuples pour la liberté ou la servitude?

Tout cela fournissait un arrière-fond, un prototype pour les mémoires départementaux. À part Duvillard à qui cette statistique des préfets déplaisait, les successeurs de Lucien Bonaparte et de Duquesnoy jugèrent plus sage de suivre le mouvement. Chaptal eut bien quelques velléités d'organiser la statistique des préfets sur un plan d'ensemble et chercha à harmoniser les rapports réguliers qu'ils lui adressaient avec la base statistique des départements, mais, retombant dans l'erreur de la Révolution, il vit trop grand pour ses questionnaires. Pressé par Napoléon, il désirait d'autre part comparer l'état de la France avant et après la Révolution, que ses adversaires accusaient d'avoir ruiné et dépeuplé le pays. Il pensait que la statistique des préfets l'aiderait dans cette recherche et envoya maintes instructions pour les y diriger.

Ainsi, le premier grand mouvement statistique que la France ait connu est né presque spontanément et s'est développé sous la pression d'intérêts divers.

Aucune circulaire officielle n'a créé et défini précisément cette statistique des préfets. B. Gilles constatant, après O. Festy[24], l'absence d'initiatives ministérielles pense qu'«il est probable qu'on en est venu là progressivement, à mesure que les autres espoirs s'évanouissaient. Cette description paraissait logique pour servir de base à des statistiques périodiques ultérieures[25]».
Il est aussi vraisemblable que le renforcement de l'administration préfectorale a permis de résorber à l'échelle départementale le désordre que la Révolution y avait introduit dans la statistique. On passa d'une époque où ni Paris ni la province ne parvenaient à rassembler des statistiques compatibles, à une époque où le désordre ne subsistait plus que dans la capitale. L'harmonisation des mémoires envoyés par les préfets s'avéra en effet impossible et l'on se décida à les publier tels quels dans une belle collection in-octavo[26]; d'abord trente-quatre départements dont la Batavie, l'Ourthe, la Sambre-et-Meuse et les Deux-Nèthes, formèrent la «statistique des préfets» (de l'an IX à l'an XI). Elle fut imprimée à Paris chez les sourds-muets. Une deuxième collection fut confiée à l'Imprimerie nationale. Elle comprend douze volumes sous la rubrique «Statistique générale de la France». De tels volumes n'étaient pas destinés au public; aussi A. de Ferrière, le nouveau chef du Bureau de la statistique, par ailleurs dramaturge et auteur d'un *Arlequin décorateur*, se fit quelque argent de poche en publiant des résumés dans *L'Analyse de la statistique générale*, puis carrément l'intégralité dans les *Annales de statistique française et étrangère*. Duvillard tira parti de ce détournement pour provoquer une crise et liquider à la fois de Ferrière et la statistique des préfets. Il mit en évidence de grossières erreurs dans le volume consacré au Var. On arrêta la collection; de Ferrière démissionna.
Les analystes postérieurs ont toujours donné raison aux critiques techniques de Duvillard dont ils ont fait une sorte de Robespierre malheureux de la statistique. C'est exagéré. Cet ancien officier du roi, rogue et népotique, fut un assez plat mathématicien. Son mémoire sur la vaccination est inférieur à ceux que Daniel Bernouilli et d'Alembert[27] avaient publiés cinquante ans auparavant. De même sa table de mortalité n'est pas mieux faite que celles de Deparcieux[28] (le modèle du géomètre de l'«homme aux quarante écus») ou de Wargentin[29], datant respectivement de 1746 et 1751.
En revanche, la statistique des préfets mérite plus de louanges. Elle a offert une répétition générale (de Ferrière n'aurait pas désavoué le terme) de la statistique nationale. Elle a permis de discerner ce qu'il fallait faire et ce qu'il fallait éviter.
Ainsi, certains préfets, comme Auvray[30] dans la Sarthe, cédèrent trop à leurs penchants pour les belles-lettres. Auvray détailla les campagnes présumées de César autour du Mans, donna la liste des monnaies et médailles romaines découvertes, et le lieu de leur trouvaille, s'attarda sur les patois, le climat, les

mœurs, les hommes célèbres, les vestiges et curiosités. Il semblait avoir une telle aversion pour les chiffres que s'il était amené à en citer, par exemple le nombre des condamnations, il utilisait leur écriture en toutes lettres.
D'autres, au contraire constituèrent de vastes encyclopédies qui font penser aux cartes à l'échelle 1 des géographes de Borges. Ainsi, dans la Dordogne, où la statistique parut sous forme d'annuaire en l'an XII[31], Delfau, le secrétaire général, conçut un véritable almanach : éphémérides, description du système solaire, calendrier du jardinier où l'on apprend par exemple que, du 1er au 8 germinal, « on sème toutes sortes de graines potagères, et à fleurs ; on œilletonne les artichauts pour faire de nouvelles plantations... », puis topographie, météorologie, histoire naturelle avec la liste des métaux, des minéraux, des plantes, des animaux du département ; ensuite, population, administration, secours publics (avec une description très complète des modes culturaux et une statistique annuelle des loups tués par type – loup adulte, louve, louveteaux – cent trente-huit au total en l'an IX), usines, commerce, travaux publics, instruction publique, beaux-arts.
Une telle liste s'inscrit à mi-chemin de la *Staatenkunde* et du plan de Moreau de Jonnès. En l'élaguant de ses éléments pittoresques, en accroissant la précision de certains points, l'ouvrage de Delfau aurait été résolument moderne. Chacun des mémoires a sa personnalité ; le pays et l'auteur y sont perçus dans leur originalité. On comprend qu'une synthèse ait été impossible. Ce qui avait été réalisé à l'échelle du département était-il hors d'atteinte à l'échelle de la France ? La clôture de la série des mémoires puis les événements politiques différèrent la réponse d'un quart de siècle.

Eaux dormantes

Duvillard ne jouit pas longtemps de son succès sur Ferrière. Son autoritarisme et ses manies mathématiques déplurent aux préfets et au gouvernement. On lui préféra vite Coquebert de Montbret. Plus intéressé à l'économie qu'à la population, penchant plus pour les choses que pour les hommes en matière de statistique, Coquebert développa les enquêtes industrielles et commerciales. Quand un ministère des Manufactures fut créé en 1811, il en prit le secrétariat général et créa un Bureau de statistique. À la même époque, celui du ministère de l'Intérieur cessa d'exister, supprimé d'un trait de plume par Champigny, le successeur de Chaptal.
En fait, pour les besoins de l'empereur, la statistique avait rendu son jus. Oui, la France était plus riche qu'en 1789. Non, elle ne se dépeuplait pas. Le reste s'apparentait à de l'entomologie. En politique, de surcroît, Napoléon avait depuis longtemps dépassé le stade de l'arithmétique.

Privée de ressort officiel, la statistique des préfets s'assoupit. Le retour des Bourbons n'arrangea pas les choses. Toute cette machinerie leur parut une mise en scène des vertus de l'Empire et de la Révolution à laquelle ils ne tenaient pas vraiment.

Duvillard s'aigrit dans son coin après une tentative de retour durant les Cent-Jours. Coquebert de Montbret, toujours actif, encouragea les travaux privés et servit de trait d'union entre la statistique impériale et la S.G.F. où il conseilla Moreau de Jonnès en 1835.

Certains notables de l'Empire qui avaient pris goût aux chiffres poursuivirent la tâche. Dupin, à qui l'on devait les deux mémoires sur les Deux-Sèvres, composa le premier atlas de sciences sociales, les *Forces productives* [...] *de la France*[32].

Mais le plus décidé fut Chabrol, le préfet de la Seine, qui publia de 1821 à 1829 quatre vigoureux volumes de *Recherches statistiques sur la ville de Paris et le département de la Seine*[33], à la fois dernier maillon des mémoires préfectoraux et amorce des travaux de la S.G.F. Les défauts et les qualités de la statistique des préfets y sont en effet poussés à leur paroxysme : pour les qualités, vingt tableaux précis sur le mouvement de la population, doublés de tableaux présentant les variations d'une période à la suivante car « les questions relatives à la population étant les plus importantes, on ne pouvait point se borner à donner le tableau des résultats ; il était nécessaire de faire remarquer les variations successives des éléments principaux ». La classification adoptée dans chaque volume était tout à fait cohérente : 1) Topographie ; 2) Population ; 3) Institutions ; 4) Agriculture ; 5) Industries, manufactures, commerce ; 6) Finances.

Mais il y avait, à côté, les défauts : reprise sans aucune discussion de tous les chiffres anciens dans un mémoire annexe sur *La Population de la ville de Paris depuis la fin du XVIIe siècle* ; deux mémoires successifs consacrés aux *Résultats moyens déduits d'un grand nombre d'observations* composés par le mathématicien Fourier dont Chabrol soulageait ainsi la misère. Le souci en était louable : « On s'est proposé de traiter plusieurs questions fondamentales de la statistique et d'introduire dans cette science, les règles usuelles que l'on peut déduire de l'analyse mathématique », mais la composition passablement obscure, et les résultats sans grande portée pratique. Quant au chapitre topographie, il contenait une sous-section sur la « flore du département qui énumérait avec le pourcentage des genres et familles, les espèces des bois, des prés, des prairies et eaux, des terrains cultivés et incultes de la Seine ». Un petit traité d'écologie végétale en quelque sorte.

Enfin, chaque volume se terminait par un mémoire d'utilité immédiate : sur l'alignement des rues en 1823 ; sur la distribution de l'eau en ville en 1826, et sur les entreprises de construction en 1829.

C'était ainsi un cocktail de toutes les tendances qui ont été passées en revue jusqu'ici : le souci de l'administration directe, l'encyclopédisme, les mathématiques sociales et, déjà, le soupçon d'une tendance qui prit de l'extension sous la restauration, la statistique morale.

La statistique morale

L'absence d'une statistique nationale durant cette période a fait sous-estimer les efforts de diverses administrations qui se dotèrent d'un bureau de statistique et commencèrent la publication de résultats : statistiques du recrutement, comptes de la justice à partir de 1825 et, à partir de 1829, statistiques de l'instruction. La statistique morale leur doit beaucoup, mais son succès tient plus encore au fait qu'elle illustre à merveille la méthode expérimentale et justifie simplement l'activité statistique.

En effet, à partir d'un problème social aigu – la misère pour Villeneuve-Bargemont, la prostitution pour Parent-Duchâtelet[34], la mortalité et les prisons pour Villermé[35], l'hygiène publique pour Benoiston de Château-neuf[36], la criminalité pour Guerry qui le premier emploie le terme de statistique morale – ces philanthropes recueillent les observations statistiques qui montrent dans quelle direction les efforts doivent s'exercer, et quelles sont les racines du mal.

Ce mouvement suscita des oppositions du côté de la faculté de médecine et créa pour s'exprimer les *Annales d'hygiène publique*, référence inévitable pour l'étude sociale de la première moitié du XIXe siècle.

Les bons sentiments l'emportent cependant sur la statistique : Bargemont fait encore de l'arithmétique politique, Gaillard n'a aucune idée de la représentativité des chiffres utilisés. Villermé, Guerry et surtout Quetelet ont plus d'aisance. Maigres au niveau des connaissances générales, leurs résultats justifient l'avis des rapporteurs de l'Académie des sciences, Lacroix, Sylvestre et Girard, chargés d'examiner l'ouvrage de Guerry[37] : « Lors même que les conséquences qu'il a tirées des faits dont son travail présente la discussion ne sembleraient pas toutes également fondées, il n'en aurait pas moins le mérite d'avoir étendu le domaine de la statistique morale en l'enrichissant de classifications nouvelles. » Autrement dit, peu de résultats, mais un nouveau moyen d'alerter l'opinion, un moyen aussi de faire valoir les statistiques. Moreau de Jonnès s'en souviendra quelques années plus tard pour présenter avantageusement sa matière : « Il y a vingt ans, la mortalité des enfants trouvés était dans quelques hospices de 25 p. 100. La statistique dénonça ce méfait, et cette mortalité est aujourd'hui réduite de plus de moitié. Sans elle, on eût continué d'ignorer que depuis cent ans, peut-être, il y avait des hôpi-

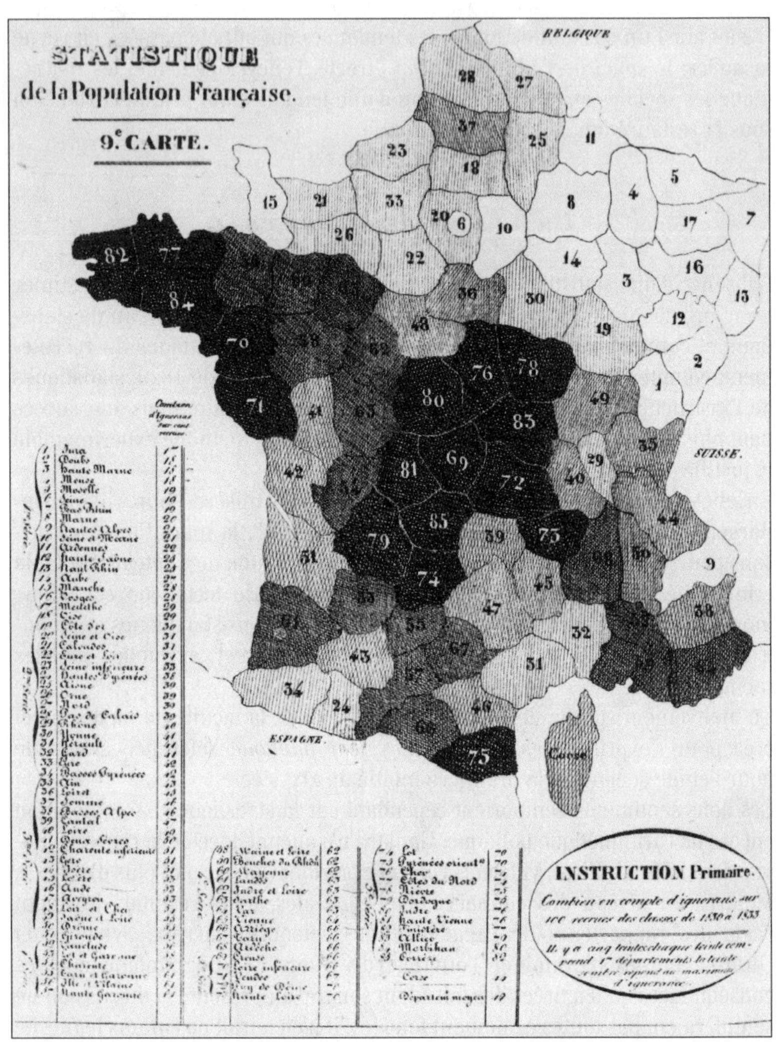

ESSAI DE STATISTIQUE SUR L'INSTRUCTION DE LA POPULATION FRANÇAISE,
PAR ADOLPHE D'ANGEVILLE, 1836.

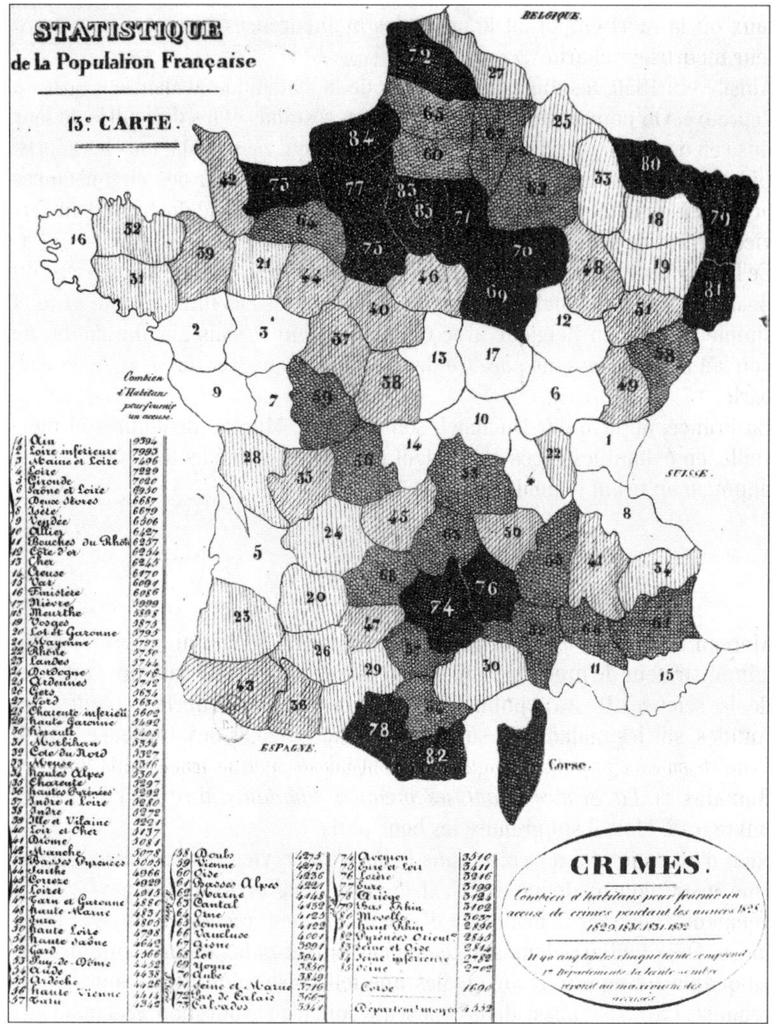

Essai de statistique sur la criminalité de la population française, par Adolphe d'Angeville, 1836.

taux où la mort emportait le quart des malheureuses créatures confiées à leur meurtrière charité[38].»

Ainsi, vers 1830, les différentes formes de la statistique avaient été mises à l'épreuve. On pouvait juger sur pièces leurs résultats et les difficultés de leur mise en œuvre. Il manquait cependant un élan qui rassemblât tous les efforts. L'idée nationale en a fourni le moule commun. Au-delà des circonstances propres à chaque pays, tous les grands États d'Europe se dotèrent d'un service central de statistique entre 1830 et 1850[39].

Ce fut parfois l'extension d'un bureau qui existait déjà comme à l'intérieur du Board of Trade en Angleterre. Ce fut dans d'autres cas une création pure et simple comme en Belgique avec Quetelet et Smits. Mais aucune nation ne pouvait s'en priver sans paraître demeurer ou régresser au stade de la barbarie.

En France, appuyé par Duchatel, son ministre, Moreau de Jonnès fit merveille, en évitant les excès qui avaient marqué les précédentes tentatives, ou plutôt en en tirant le meilleur parti.

La S.G.F.

Moreau de Jonnès, esprit original et expérimenté, n'était ni un savant ni un administrateur de premier plan. Il avait tâté de l'armée, de l'administration et de la science. Il avait publié diverses observations sur les ophidés des Antilles, sur les maladies et sur les populations de ces îles. Curieusement, il s'intéressa aux populations qui n'avaient laissé aucune trace statistique, les Romains et *La France avant ses premiers habitants*, titre de l'un de ses ouvrages[40]. Mais il sut prendre les bons paris.

Rien d'exceptionnel non plus dans l'idée d'un service central de statistique. Une institution analogue avait existé entre 1800 et 1811. Les pays voisins venaient d'en créer et beaucoup d'auteurs l'avaient recommandé avec insistance. Déjà Leibniz, dans ses *Questiones calculi polici* donnait une liste de cinquante-six questions auxquelles une telle institution devait fournir une réponse. Lavoisier, aussi, dans l'opuscule dont il a été question, réclamait aux représentants de la nation française «de fonder pour l'avenir un établissement public où viendront se confondre les résultats de la balance de l'agriculture, du commerce, et de la population; où la situation du royaume, sa richesse en hommes, en production, en industrie, en capitaux accumulés viendront se peindre comme dans un tableau raccourci».

L'époque, enfin, ne prédisposait pas aux fondations héroïques. Justement, peut-être, quel meilleur symbole pour cette Nation qui s'enrichit bourgeoisement que ces grands tableaux de chiffres réguliers, cette image abstraite et magnifiée de la comptabilité des négociants et des industriels. Pour cette France qui efface lentement les séparations d'Ancien Régime, quel hymne d'unité plus glorieux que ces séries numériques où les quatre-vingt-six départements de l'époque sont rangés à la queue leu leu pour leur nuptialité, leur mortalité, leur proportion d'enfants naturels.

Sous la Révolution, seul le peuple, par l'intermédiaire de ses représentants et de leurs comités, exerçait un pouvoir statistique. On ne pouvait laisser cette arme dangereuse de l'Ancien Régime aux mains de technocrates peu sûrs. Sous la monarchie absolue ou sous l'Empire, le souverain pouvait prendre ombrage d'une statistique générale. Image lui-même de l'État, il n'aurait pu en supporter une représentation rivale qui, échappant à son arbitre, illustrait les conséquences de ses décisions.

Sous la monarchie de Juillet, ni Thiers ni Louis-Philippe ne vont prendre ombrage de la statistique. Leur État libéral ne peut être tenu responsable de mauvais indices.

Mais cette bonne raison de créer la S.G.F. que l'on découvre après coup a bénéficié aussi d'un terrain favorable. L'administration des préfets était désormais assez installée pour fournir un relais sûr. Les techniques et l'habitude du calcul avaient accompli de grands progrès. Surtout, si l'on excepte les incidents de 1841, l'image publique de la statistique s'était profondément modifiée. Grâce aux efforts de la statistique morale, de la mathématique sociale et des monographies départementales, on commençait à ranger la statistique parmi les instruments du progrès plus que parmi les outils de l'oppression et de la répression.

Un maladroit aurait pu gâcher ces bonnes raisons et ce terrain favorable. Moreau de Jonnès fut tout le contraire. Dans la ligne des recherches de Chabrol, il en rectifia les excès et sut écarter les quatre passions de la statistique, non sans les avoir utilisées.

Dans ces *Éléments de statistique*, il nous livre sa tactique mieux que dans les introductions brèves et impersonnelles des volumes de la première série S.G.F.

Aux arithméticiens politiques, d'abord, il refuse les subtilités mathématiques : « Un livre de chiffres ne trouve que peu de personnes qui le comprennent, quelque lucide qu'il puisse être. Il n'en trouve point s'il est confus, obscur, désordonné et s'il faut longtemps y chercher le terme numérique qu'on lui demande. Les ouvrages de statistique sont destinés aux hommes d'État, aux hommes d'affaires dont la vie est trop occupée pour leur permettre d'éclairer eux-mêmes des calculs informes. Il faut donc, pour qu'elle remplisse son objet, qu'une statistique soit, dans toutes ses parties, facile à concevoir. » On ne peut donc faire une bonne statistique qu'en adoptant une méthode « régulière, rationnelle, choisie, qui est tour à tour synthétique et analytique, qui coordonne, groupe et divise alternativement les faits numériques et les expose lumineusement dans l'ordre naturel de la plus grande liaison existant entre les idées, les personnes et les choses. Cette participation importante de la logique nous explique comment on peut être calculateur habile et n'être que statisticien très médiocre». Plus encore, Moreau de Jonnès s'en prend à la méthode inductive qui «égarait dans le vaste champ des conjectures [...] et ce ne sont plus que quelques esprits rétifs qui s'obstinent à s'en servir». *Exit* l'arithmétique politique, les mathématiques, les probabilités. Paradoxalement, l'ennemi des chiffres devient le mathématicien.

À la statistique morale, ensuite, après s'en être servi pour illustrer les bienfaits de sa science, Moreau de Jonnès décoche quelques bonnes flèches: «Des statistiques sans chiffres, ou dont les chiffres n'énumèrent point des faits naturels, sociaux ou politiques ne méritent pas le titre qu'elles empruntent. Il en est pareillement des statistiques morales et intellectuelles, car c'est une vaine tentative que de vouloir soumettre au calcul, l'esprit ou les passions et de supputer comme des unités définies et comparables, les mouvements de l'âme, et les phénomènes de l'intelligence humaine.» Ce genre de remarques ne dut guère plaire aux statisticiens moraux et aux hygiénistes sociaux. En 1845, Villermé émit, en riposte, des doutes sur l'utilité d'une statistique générale, car on confiait des «publications aussi importantes à un ministère qui n'est pas initié aux matières sur lesquelles elles portent[41]».

À l'encyclopédisme, particulièrement celui de la statistique des préfets, enfin, le chef de la S.G.F. reprochait cette fois sans périphrases, de n'avoir suivi aucune méthode ni division du travail: «La statistique a failli dans son exécution tant qu'elle a tenté d'y réussir d'un seul jet. À un siècle de distance, les intendants de Louis XIV et les préfets de Napoléon échouèrent dans la même entreprise, et ne parvinrent à faire que des statistiques partielles, disparates, sans aucune corrélation entre elles, et conséquemment incapables de donner des résultats généraux embrassant toute la France, ce qui était pourtant le but proposé.»

Pour y parvenir, Moreau de Jonnès n'utilisa heureusement pas la méthode fumeuse «régulière, rationnelle et choisie» qu'on a citée plus haut, mais il eut recours à un excellent stratagème: au lieu de partir des départements en leur demandant de remplir les tableaux des différents sujets, il partit des différents sujets, et un à un les remplit de leurs observations départementales.

Ce plan simple fut poursuivi avec rigueur, ténacité même, de 1835, date de parution d'un volume «spécimen» jusqu'en 1852, date de sortie du dernier volume.

Dès 1835, un plan en quatorze items fut proposé. Il passa à seize items en 1837 et y demeura à quelques modifications de détail près dans l'introduction du volume publié en 1847. Le plan de 1835 comprend les rubriques suivantes, pour lesquelles des volumes sont annoncés:

1. Territoire.
2. Population.
3. Agriculture.
4. Mines.
5. Industrie.
6. Commerce.
7. Navigation.
8. Colonies.
9. Administration intérieure.
10. Finances.
11. Forces militaires.
12. Marine.
13. Justice.
14. Instruction publique.

Adjonction d'une rubrique «Cultes»; séparation du commerce intérieur et extérieur; mines et industrie redécoupées en «Manufactures» et «Arts et métiers», voilà toutes les modifications en dix-sept ans.

Et, pourtant, ce programme est aussi un énorme coup de bluff. Seulement six des rubriques annoncées donnèrent lieu à publication dans un ordre disparate.

Un premier volume republiait d'anciennes données; un deuxième, sous le titre *Territoire et population*, est le point de départ sérieux de toutes les études sur la population française. Le troisième volume traite le commerce extérieur. Du quatrième au septième, on publie les résultats d'une immense enquête sur l'agriculture. Le huitième est consacré aux établissements de bienfaisance, le neuvième à ceux de répression. Du dixième au treizième et dernier, ce fut la grande enquête industrielle, source inestimable pour l'histoire de l'industrie et de la classe ouvrière[42].

Six rubriques sur seize, ce n'est pas mieux que quarante-six départements sur quatre-vingt-six de la statistique des préfets. Et, cependant, le bilan semble beaucoup plus positif. D'abord, parce que plusieurs sujets furent couverts par les ministères qu'ils concernaient – c'est le cas pour la justice, les finances, l'instruction publique, les forces militaires. Mais, surtout, parce que l'œuvre fut poursuivie à partir de 1852 par A. Legoyt qui avait remplacé Moreau de Jonnès et publia une deuxième série de la S.G.F., en vingt volumes[43]. Les titres ne correspondaient plus ni au programme initial ni au contenu. Dans la plupart des volumes, on retrouve en fait des fragments des différents chapitres envisagés par Moreau de Jonnès. Les mouvements de la population, par exemple, contiennent, à côté des données purement démographiques, des statistiques sur les délivrances de passeport, sur les enfants naturels, sur l'instruction (signature des conjoints lors du mariage). Les recensements de la population sont encore plus éclectiques : le tome XXI, dernier de la deuxième série, consacré au recensement de 1872, est un véritable feu d'artifice. Âges, états matrimoniaux, métiers ou conditions donnés avec un grand détail pour l'industrie comme pour l'agriculture, puis recensement des bestiaux, ânes, mulets, basse-cour et ruches comprises, cultes, infirmes. Presque toutes les rubriques annoncées en 1835 sont remplies dans le désordre.

Les critiques qui furent faites aux demandes innombrables et brouillonnes des comités révolutionnaires pourraient être reprises, mais une institution qui, en trente-huit ans, avait parfaitement résisté à quatre régimes successifs et qui, imperturbablement, continuait à faire un recensement tous les cinq ans, à publier régulièrement les tableaux détaillés d'état civil, à lancer de grandes enquêtes doit être considérée comme un énorme succès, et bientôt une tradition.

Succès technique, pour l'équilibre entre recensement (la base) et état civil (le mouvement) que les prédécesseurs avaient vainement cherché. Succès social et idéologique : qu'importait que les tableaux ne saisissent qu'une infime part de la vie française, ils étaient devenus un monument à la Nation, dosant habilement l'unité dans une partie consacrée au pays entier, et la diversité, consignée dans la succession d'observations départementales recueillies pour chaque item, synthèse entre l'autorité centrale et la liberté individuelle.

Créée en partie par les nécessités de la démocratie naissante, la statistique lui renvoyait une image sage, si sage même que la IIIe République s'y est mal reconnue.

Un déclin précoce

À première vue, la S.G.F. poursuit son essor après 1870. Les publications des recensements et du mouvement de la population s'étoffent. À partir de 1898, le bureau publie régulièrement un annuaire. Les catégories et les classifications s'affinent, les observations sont plus précises : on vérifie les professions, on traque par des enquêtes complémentaires les faux centenaires. Sous l'impulsion de Lucien March, la statistique des industries et des métiers est entièrement remodelée en 1896 ; à l'occasion du recensement de 1906, paraît la première étude moderne de la fécondité[44].

Mais, si les spécialistes éprouvent un sentiment de progrès, le public, les milieux d'affaires, l'administration se lassent progressivement. Les hommes qui succèdent à Moreau de Jonnès et à Legoyt sont éminents, mais manquent un peu de dynamisme. Toussaint Loua, puis Lucien March sont des techniciens prudents, non des entrepreneurs. Loin de lancer une nouvelle série S.G.F., ils cèdent lentement du terrain sur la plupart des domaines dans lesquels la S.G.F. s'était engagée : les enquêtes agricoles et industrielles se raréfient ; les statistiques de bienfaisance ou de criminalité disparaissent, reprises par les ministères concernés.

La désaffection du public est aussi une déception. Certes la S.G.F. a dressé un beau portrait de la France mais, désormais, les résultats n'apportent plus guère de surprises et sont peu utilisables par les hommes d'affaires ou de gouvernement comme l'avait souhaité Moreau de Jonnès.

Même quand elle le nie, la statistique est plus naturellement tournée vers la conservation d'informations déjà passées, que vers l'analyse de la situation présente. Les premières dénominations du Bureau de la S.G.F. après 1835 le rappellent : « Service des archives commerciales et de la statistique générale », puis « Archives des documents français et statistique générale du royaume » en 1837. La création des Archives de France quelques années plus tard confirme ces préoccupations historiques à une époque où précisément on inventait les formes modernes de l'histoire.

Le désintérêt dépassa les frontières nationales. Après l'« ère de l'enthousiasme[45] », les congrès internationaux de statistique se raréfient et disparaissent. Partout, le progrès des techniques (Farr en Angleterre, Böck à Berlin) accentue l'isolement des bureaux et favorise une certaine sclérose.

La statistique, en digne science de la nature, semble désormais suivre un cours immuable, insensible aux événements de son temps : la S.G.F. ne prend pas part au grand débat sur l'enseignement qui précède les lois Ferry. C'est le recteur Maggiolo[46] qui organisera de son propre chef une remarquable enquête sur l'histoire de l'alphabétisation en France. Au moment des lois de séparation, la S.G.F. n'est pas plus présente bien que Moreau ait retenu la rubrique « Cultes » au nombre de ses seize têtes de chapitre. Même absence lors des débats sur les colonies, lors de l'affaire Dreyfus. Les bons statisticiens de l'époque officient ailleurs, la tribu des Bertillon à la Préfecture parisienne, Arsène Dumont dans l'enseignement.

Vieillissement normal d'une institution qui a réalisé « un programme du XVIIIe siècle assumé par des hommes qui se considèrent comme les successeurs des gens du XVIIIe siècle », comme l'écrivit Louis Chevallier[47] à propos des fondateurs de la S.G.F. ? La décadence tient plutôt à des raisons extérieurs, car le programme ambitieux que Moreau de Jonnès avait envisagé aurait pu s'étendre sur plusieurs siècles. Mais le portrait de la Nation que traçait la S.G.F. a progressivement perdu sa réalité. Une fois créées, les nations se sont inventé une origine biologique que le darwinisme a exaspéré à la fin du siècle : « Les nations sont aussi réelles que les races, ce sont des êtres biologiques », écrit en 1896 Vacher de Lapouge dans les *Sélections sociales*[48].

On peut même estimer que la S.G.F. l'a échappé belle, car le ver de la biologie se trouvait dès le départ dans le fruit statistique. Dès sa *Physique sociale*[49], Quetelet ne recherche pas, comme la critique de Durkheim[50] l'a fait croire, l'« homme moyen », prototype du beau et du bien, mais des « hommes moyens » caractéristiques de chaque nation. Il critique « le peu de soin qu'on a pris d'étudier les nuances par lesquelles passent les qualités physiques et morales de l'homme chez les différents peuples », et recommande « dans nos faits nationaux de ne point présenter des figures grecques ou italiennes », c'est-à-dire la beauté en général, mais ses expressions nationales spécifiques. Allant plus loin, il s'intéresse à la relation entre caractères physiques et mentaux, suit les travaux de Lavater, de Gall et de Broussais. Dans le même temps, l'avocat Guerry, inventeur de la « statistique morale », aide Esquirol à Charenton et à la Salpêtrière à mesurer le cerveau et le cervelet des fous qui sont décédés. Moreau de Jonnès lui-même consacre le chapitre V de ses *Éléments de statistique* à « la population divisée suivant les races ». Il mêle une inspiration gobinienne à d'étonnantes précisions statistiques sur la composition raciale de chaque nation, pour conclure : « Le genre humain n'a point d'autre espèce qui leur [les races européennes] soit supérieure par la beauté, la force et l'intelligence. Ce sont les qualités physiques et morales qui font régner l'Europe sur le reste du monde. »
Sur ce terrain déjà biologique, la S.G.F. n'est pas à son aise : sous l'égide de Galton, puis de Pearson et de Fisher, les biomètres anglais du laboratoire de South Kensington inventent une autre statistique, expérimentale, mathématique, toute tournée vers l'étude de l'hérédité ; tests de Student, corrélations, régressions, nos techniques actuelles sont apparues dans ce contexte. La statistique exhaustive des recensements et de l'état civil, que pratique la S.G.F., est un instrument trop massif et trop général pour être utilisé dans ce débat biologique[51]. Elle subsiste, réduite à ses fonctions immédiates de soutien logistique aux administrations. La guerre de 1914 ne la réveille guère, ni la crise de 1929. Ce sont cependant les conséquences politiques et économiques de la crise qui vont faire naître une autre statistique beaucoup plus préoccupée par l'économie.

Mirage et réalité du modèle allemand

Malgré son écho assourdi en France, la crise de 1929 accentua le déclin de la S.G.F. Une enquête industrielle échoua piteusement ; les effectifs se réduisirent encore : cent vingt-six personnes employées à Paris et onze à Strasbourg, à la veille du conflit (parmi eux, onze statisticiens seulement). À part les efforts de Dessirier puis d'Alfred Sauvy pour monter un observatoire de la conjoncture, l'institution manifeste une « sublime inertie » selon le mot de F. Fourquet[52].

L'avenir se prépare ailleurs, dans des cercles où l'on suivait avec intérêt l'évolution économique internationale : la réaction dirigiste des États-Unis, puis de l'Allemagne, à la crise de 1929 attirait en effet l'attention d'une élite technocratique, creuset d'où sortirent la synarchie vichyssoise, puis la première vague des brillants économistes et planificateurs de l'après-guerre.
En Amérique, la crise avait pris une dimension inouïe – treize millions de chômeurs (six cent mille seulement en France) ; chute de 55 % du revenu national entre 1929 et 1933. L'administration de Roosevelt reprit les choses en main par un encadrement serré des branches industrielles (les « codes industriels », véritables cartels légaux fixant les salaires, les prix, les quotas et même les technologies) et par une intervention massive de l'État, dont les dépenses en dollars passèrent de 2,6 milliards en 1926 à 20 milliards en 1941. En Allemagne, la politique de Schacht fut encore plus brutale : le rationnement général de la production et de la consommation permit un contrôle parfait des prix et des revenus, donc de l'épargne, simple différence entre le revenu et ce que les tickets de rationnement permettaient d'acquérir[53].
Ces expériences étrangères donnèrent à réfléchir aux Français (plus que la *Théorie générale* de Keynes, traduite seulement en 1939). Parmi les groupes de pensée qui se constituèrent, le groupe « X-crise », fondé par des polytechniciens, joua le plus grand rôle : les conférences mensuelles entre 1931 et 1939 étaient prononcées par des personnalités très variées – Paul Valéry, Jacques Rueff, Paul Reynaud, Marc Bloch –, mais, si l'on fait abstraction du spectacle cultivé, beaucoup de conférences allaient dans une même direction : « Sur les problèmes théoriques de l'économie dirigée » par J. Ullmo, le 12 février 1937, ou bien, « La consommation dirigée en Allemagne » par H. Laufenburger. Le public assidu comprenait quelques hommes politiques de gauche, comme Jules Moch ou Louis Vallon, mais surtout le dessus et le fond de la future synarchie vichyssoise – Barnaud, Pucheu, Belin, par exemple. La référence au saint-simonisme était de bon ton : ces gens-là prônaient une économie politique efficace et humaine ; ils voulaient surtout une économie qui ne soit plus politique. Certains élaboraient déjà des projets qui devinrent réels sous Vichy : J. Coutrot avec son Comité national de l'organisation française, ou Monestier avec ses « technicats », modèles des futurs « comités d'organisation[54] ».
Avec la défaite de 1940, plusieurs de ces hommes crurent trouver la chance de réaliser leurs idées technocratiques négligées sous la IIIe République pour des raisons politiques. Les institutions qu'ils créèrent gérèrent surtout le rationnement général imposé par les Allemands sur le modèle allemand ; mais ces nouvelles structures, à peine changées, survécurent à la Libération (avec le rationnement). Elles sont à l'origine de notre système statistique actuel.

En effet, dès 1940, il fallut, pour organiser le rationnement, déterminer exactement les structures de la production et de la consommation. On créa un Office central de répartition des produits industriels (O.C.R.P.I.). Les industries furent regroupées au sein de «comités d'organisation», ancêtres de nos branches et syndicats; à la place du petit ministère du Commerce, on installa un ministère de la Production industrielle, futur ministère de l'Industrie dont les directions actuelles apparurent alors et prirent une grande extension (sous la direction de Laffont et de Bichelonne). Tous ceux qui ont étudié cette période partagent la remarque de R. Paxton: «En bien ou en mal, Vichy a laissé des traces indélébiles dans le pays. Avec le recul du temps on s'aperçoit qu'il y a continuité, beaucoup plus que rupture, entre Vichy et les gouvernements qui suivirent[55].»

À cette réorganisation ou, plutôt, à cette création de la statistique industrielle s'ajouta un phénomène imprévu, presque aberrant, qui remodela l'ensemble du système statistique: l'aventure Carmille.

Tous en fiches

Depuis longtemps, le contrôleur général de l'armée française, R. Carmille, caressait l'idée d'un fichier général de la population. La défaite de 1940 lui permet de passer à l'action. Avec d'anciens militaires démobilisés, il créa d'abord un Service de démographie en 1940, le gonfla, et le transforma en Service national de statistique en 1941 par absorption de la vieille S.G.F. qui n'opposa guère de résistance (assez indépendants, Sauvy et A. Vincent, au sein du service de conjoncture, préparèrent tranquillement l'explosion de la statistique économique de l'après-guerre).

R. Carmille se lança dès lors dans de gigantesques opérations de fichage des individus (on lui doit le numéro à treize chiffres de l'actuelle Sécurité sociale) et des entreprises (le fichier entreprise de l'I.N.S.E.E. vit alors le jour). De la centaine de personnes que comprenait la S.G.F. en 1939, les effectifs enflèrent jusqu'à plus de six mille personnes à la veille de la Libération.

L'ensemble de cette affaire demeure énigmatique: le personnage n'était guère ouvert aux idées statistiques nouvelles (il ne croyait pas aux sondages, par exemple). Sa philosophie ne laissait pas d'être inquiétante: «L'individualisme du XIXe siècle est en voie de disparition, et la notion de liberté humaine subit un changement profond», écrit-il en 1942. Membre du réseau Marco Polo, arrêté en 1944, déporté et mort à Dachau, on a vu parfois en lui un héros de la Résistance: il aurait mis au point son gigantesque fichier pour permettre, le moment venu, une mobilisation générale contre l'occupant[56]. Il est difficile de croire que l'activité de plus de six mille personnes employées aux S.N.S., anciens militaires pour la plupart, ait échappé aux Allemands. On peut se demander comment et pour qui Carmille put constituer un tel empire: imaginons que le fichier général soit tombé aux mains des Allemands, et ne l'avaient-ils pas eux-mêmes imaginé?

La disparition de Carmille et la victoire alliée ne mirent pas fin au S.N.S. Ses effectifs diminuèrent un peu, mais ils étaient encore de plusieurs milliers en 1946, lorsque l'I.N.S.E.E. fut créé.

On pourrait croire que, désormais, la boucle était bouclée. La statistique des hommes passait la main à celle des choses; réduite à une petite section de démographie, l'ancienne S.G.F. se fondait dans un grand service national d'information économique.

L'histoire est en fait très différente. Dans le gigantesque moule légué par Vichy et le S.N.S. de Carmille, s'est d'abord installée une sorte de S.G.F. monstrueusement dilatée. On poursuit la statistique des hommes, et on continue à se méfier de celle des choses, particulièrement de la jeune comptabilité nationale. À l'extérieur du système statistique, ou à ses marges, se forment alors plusieurs noyaux dynamiques qui investiront l'I.N.S.E.E. seulement après 1960, lorsque C. Gruson en prendra les commandes.

Naissance de la statistique économique

Dans l'immédiat après-guerre, on assiste à un véritable bouillonnement d'idées économiques. L'État, les particuliers, la Nation sont pensés sur le modèle de l'entreprise, avec sa comptabilité (ses budgets) et sa productivité. Dans le portrait que lui dressaient périodiquement les recensements, la France ne se voyait plus guère d'avenir. Elle devient une grande entreprise orientée vers la meilleure compétitivité et la plus grande expansion économique. Cette conversion s'observe partout: l'exode rural prend soudain une force inouïe, la croissance s'emballe. Usines, constructions neuves, la France n'est plus reconnaissable.

De petits groupes de recherche, de réflexion, d'information et de décision coordonnent cette nouvelle économie.

Au Plan, d'abord, autour de J. Monnet, seul pôle peu marqué par Vichy, en raison, semble-t-il, de sa conception plus politique que technique; au B.S.E.F., qui deviendra bientôt le S.E.E.F., puis la Direction de la prévision, admirablement installé au centre du système de l'État, à l'I.S.E.A. plus abstrait où la fraction moderniste des économistes universitaires côtoie l'administration, à l'I.N.E.D. créé par Sauvy. Le chassé-croisé des hommes est incessant ainsi que leurs rencontres: Sauvy passe du S.N.S. à l'I.N.E.D.; Perroux de la fondation Carrel à l'I.S.E.A. P. Uri, P. Mendès France, S. Nora, J. Bénard, H. Aujac, toute une génération se lance dans une aventure dont sortira progressivement une deuxième fondation de la statistique.

Il est encore trop tôt pour en faire le bilan et en donner une vue d'ensemble, et nous pouvons seulement terminer par quelques questions : par un retour de balancier séculaire, la statistique est repassée des hommes aux choses. Les « planistes » et, surtout, les premiers comptables de la nation se sont reconnus dans les arithméticiens politiques. Lorsque F. Fourquet décrit l'idée de Vincent, «... calculer les prix de revient de la Nation conçue comme une seule entreprise ; c'est-à-dire, en définitive, calculer sa puissance productive par rapport à ses partenaires et à ses rivales », on croit retrouver W. Petty comparant Paris à Londres, ou la richesse de la Hollande à celle de l'Angleterre. Un tel mouvement est-il dû, comme l'a suggéré T. Markovitch[57], à des différences de régimes politiques : les régimes libéraux répugnant à un trop grand développement de la statistique, tandis que les régimes autoritaires l'encourageraient ? Ou bien faut-il s'orienter vers une explication en termes de structure sociale comme le fait M. Volle[58] ? Dans chaque cas, exemples et contre-exemples s'équilibrent : l'appareil statistique a été remodelé sous l'occupation par un régime autoritaire où l'influence patronale dominait, mais la S.G.F. est apparue durant une période libérale avant la grande industrie. Instrument de certaines classes sociales, outil de l'administration, la statistique l'est plus ou moins, mais elle serait demeurée à l'état de recettes si elle n'avait pas rempli cette fonction plus générale de peintre des nations, si elle n'avait pas aidé à constituer l'imaginaire national, au milieu du XIXe siècle en regroupant les hommes du même pays, et au milieu du XXe siècle en montrant la circulation de la richesse nationale.

1. Lavoisier, Delagrange *et al.*, *Collection de divers ouvrages d'arithmétique politique*, Paris, imp. de Corancez et Roederer, an IV.

2. J. et M. Dupâquier, *Histoire de la démographie*, Paris, Perrin, 1985. Dans cet ouvrage très bien documenté, on trouvera de nombreuses indications sur la préhistoire de la statistique.

3. F. Hendricks, *Contributions to the History of Insurance, and the Theory of Life Contengencies*, Londres, Layton, 1851.

4. J. Bodin, *Les Six Livres de la République*, Paris, J. du Puys, 1576.

5. R. Mols, *Introduction à la démographie historique des villes*, t. III, Liège, 1958.

6. F. de Dainville, « Un dénombrement inédit au XVIIe siècle. L'enquête du contrôleur général Orry, 1745 », *Population*, 1952, pp. 49-68.

7. A. Legoyt, *La France statistique*, Paris, Curmer, 1843.

8. Id., *ibid.*

9. W. Petty, *Essais d'arithmétique politique*, Paris, Giard, 1906. Cette traduction regroupe

les écrits de Petty en ce domaine, ainsi que les «observations» de Graunt, qui furent à tort attribuées à Petty.

10. Lavoisier, *op. cit.*

11. E. Halley, «An estimate of thc degrees of the Mortality drawn from curious tables of the Births and Funerals at the city of Breslaw», *Philosophical Transactions of the Royal Society*, 1693. H. Westergaard, «Die Lehre von der Mortalität», 1901.

12. I. Lakatos, *Proofs and Refutations*, Cambridge, Cambridge University Press, 1977.

13. J. P. Süssmilch, *Die Göttliche Ordnung in den Veränderungen des menschilchen Geschlechts*, Berlin, 1741 (trad. franç. partielle par J. Hecht), Paris, I.N.E.D. et P.U.F., 1979.

14. D. Lecourt, *L'Affaire Lyssenko*, Paris, P.U.F., 1976, et H. Le Bras, «Histoire secrète de la fécondité», *Le Débat*, n° 8, 1981.

15. C. Ménard, «Trois formes de résistance aux statistiques: Say, Cournot, Walras» *in Pour une histoire de la statistique*, Paris, I.N.S.E.E., 1976.

16. «Examen de conscience sur les devoirs de la royauté», inédit, cité par J. et M. Dupâquier, *op. cit.*

17. Deux excellents articles de M. Reinhard font le tour de cette période: «Étude de la population pendant la Révolution et l'Empire», *Bulletin d'histoire économique et sociale de la Révolution*, 1959-1960, pp. 21-88, et «La statistique de la population sous le Consulat et l'Empire: le Bureau de statistique», *Population*, 1950, pp. 103-119. Le travail de P. G. Marietti (*La Statistique générale de la France*, Rufisque, P.U.F., 1949) est plus succinct. «Il a écrit en statisticien plutôt qu'en historien ou démographe», remarque M. Reinhard en le citant.

18. B. Gilles, *Les Sources statistiques de l'histoire de France*, Paris, Minard, et Genève, Droz, 1964. Ouvrage essentiel pour tout ce qui concerne la statistique en France avant 1870.

19. *Procès-verbaux et rapports du comité de mendicité de la Constituante, 1790-1791*, publiés et annotés par C. Bloch et A. Tuetey, Paris, Imprimerie nationale, 1911.

20. J.-N. Biraben, «Inventaire des listes nominatives de recensement en France», *Population*, 1963, pp. 305-328.

21. La date exacte de création du Bureau, son officialisation, le rôle de Duquesnoy qui paraît plus avoir été celui d'un conseiller sont discutés par M. Reinhard, *op. cit.*

22. Les exposés de Conring nc furcnt publiés qu'en 1730 par Goebel, en latin (vol. IV: *Hermanii Conringi examen Rerumpublicarum potiorum totius orbis...*).

23. La position de l'école de Göttingen est développée par son chef de file, Schlözer dans sa *Theorie des Statistik*, Göttingen, 1804.

24. «Les essais de statistique économique pendant le Directoire et le Consulat», *Annales historiques de la Révolution française*, 1953.

25. B. Gilles, *op. cit.*

26. On les trouve à la Bibliothèque nationale en L^{31} 9 et 10.

27. D'Alembert, *Essai sur l'inoculation*, 1760.

28. A. Deparcieux, *Essai sur la probabilité de la durée de la vie humaine*, Paris, 1746.

29. Wargentin, à partir de listes de population et de décès, établit la première table de mortalité concernant une population importante (celle de la Suède) en 1751.

30. L. M. Auvray, *Statistique du département de la Sarthe*, Paris, Imprimerie des sourds-muets, an X.

31. G. Delfau, *Annuaire statistique de la Dordogne*, Périgueux, Librairie Dupont, an XII.

32. Charles Dupin, *Forces productives et industrielles de la France*, Paris, 1826.

33. *Recherches statistiques sur la ville de Paris et le département de la Seine*, recueil dressé d'après les ordres du comte de Chabrol, Paris, Imprimerie royale, 1821, 1823, 1826, 1829.

34. O. Parent-Duchâtelet, *La Prostitution à Paris*, Paris, rééd. partielle par Alain Corbin, Éd. du Seuil, 1980.

35. Louis-René Villermé, «Note sur la mortalité parmi les forçats du bagne de Rochefort», *Annales d'hygiène publique*, 1831.

36. Benoiston de Châteauneuf, «De la durée de vie chez le riche et chez le pauvre», *Annales d'hygiène publique*, 1830.

37. Le rapport de l'Académie, en date du 8 avril 1833, est publié par A.M. Guerry en tête de son ouvrage, *Essai sur la statistique morale de la France*, Paris, Crochard, 1833.

38. A. Moreau de Jonnès, *Éléments de statistique*, Paris, Guillaumin, 1847. Une seconde édition parut en 1854.

39. A. Moreau de Jonnès, *op. cit.*

40. Notices des travaux scientifiques d'A. Moreau de Jonnès, Paris, Imprimerie de Bourgogne et Martinet, 1842.

41. L. R. Villermé, «Sur l'institution, par le gouvernement belge, d'une commission centrale de statistique et observations sur les statistiques officielles publiées en France par les divers ministères», *Journal des Économistes*, 1845.

42. C'est l'avis de Michelle Perrot: *Enquêtes sur la condition ouvrière. Étude. Bibliographie*, Paris, Hachette, 1972.

43. R. Lemée, en préface aux microfilms de la S.G.F. réalisés par la S.I.M., discute et compare les différentes classifications.

44. *Statistique des familles*, Paris, Berger-Levrault, 1912.

45. C'est le titre de chapitre choisi par Westergaard pour décrire la période 1830-1870: H. Westergaard, *Contributions to the History of Statistics*, Londres, P. S. King, 1932. Cet ouvrage qui renouvelle le *Geschichte der Statistik* de V. John (1884) est la source de référence pour l'histoire des services officiels de statistique. Il manque parfois de précision pour la France.

46. Les résultats de l'enquête Maggiolo se trouvent dans l'*Annuaire de l'Éducation nationale* de 1880.

47. L. Chevallier, «La statistique et la description sociale de Paris», *Population*, 1956.

48. G. Vacher de Lapouge, *Les Sélections sociales*, Paris, Fontemoing, 1896.

49. A. Quetelet, *Sur l'homme et le développement de ses facultés. Un essai de physique sociale*, Paris, 1835.

50. Dans *Le Suicide*, 1. III, lorsque É. Durkheim critique cette conception.

51. Il exista quelques relations entre les biomètres, l'eugénique, d'une part, et la S.G.F., de l'autre. L. March, qui dirigea la S.G.F. avant 1914, traduisit notamment le livre manifeste de K. Pearson, *La Grammaire de la science*, Paris, Bibliothèque scientifique internationale, 1912.

52. F. Fourquet, *Les Comptes de la puissance*, Paris, Éd. Encre, 1980.

53. C. Gruson, *Origines et espoirs de la planification française*, Paris, Dunod, 1968.

54. *X-crise*, ouvrage publié pour le cinquantenaire de la fondation du groupe, Paris, Economica, 1982.

55. R. Paxton, *La France de Vichy, 1940-1944*, Paris, Éd. du Seuil, 1973.

56. M. Volle, «Naissance de la statistique industrielle 1930-1950», *in Pour une histoire de la statistique, op. cit.*

57. T. Markovitch, «Statistiques industrielles et systèmes politiques», *in Pour une histoire de la statistique, ibid.*

58. M. Volle, *Le Métier de statisticien*, Paris, Hachette, 1980.

PIERRE NORA

Les Mémoires d'État

De Commynes à de Gaulle

« Une certaine idée de la France.» Les *Mémoires* du général de Gaulle sont venus, de nos jours, redonner son éclat et son antique dignité à un genre qui remonte à Commynes, et où s'inscrivent tout naturellement les *Économies royales* de Sully, le *Testament* de Richelieu, les *Mémoires* de Louis XIV, mais aussi le *Mémorial de Sainte-Hélène* ou, de Guizot, les *Mémoires pour servir à l'histoire de mon temps.* Derrière les cadences ternaires et la noblesse académique du ton, la référence implicite s'impose à toute une lignée de prédécesseurs, Tacite pour le pessimisme du trait, César pour l'usage de la troisième personne, Retz pour la vision machiavélienne et la maxime d'État, Saint-Simon pour l'art du portrait, Napoléon pour l'exil de Colombey, Chateaubriand pour l'ombrage et le drapé ; bref, tout un répertoire de culture, toute une tradition dont de Gaulle paraît, pour le meilleur et parfois le pire, le condensé récapitulatif et le référentiel allusif, celle des Mémoires d'État.

Tradition trop profondément liée à une représentation collective de la Nation pour ne pas s'être aujourd'hui effacée avec elle. De Mémoires, sans doute l'époque n'a jamais été aussi consommatrice, mais ce ne sont plus les mêmes. L'école des *Annales* d'un côté et la psychanalyse de l'autre ont renouvelé le paysage biographique. Une conception de l'histoire élargie aux phénomènes de fond a privilégié, au détriment des officiels, les anonymes et les inconnus, plus représentatifs d'une mentalité moyenne ; la psychologie des profondeurs a comme frappé de banalité l'exposé fonctionnel d'une biographie politique et même le simple récit du réel. La routine démocratique se contente donc de faire à chaque personnalité politique l'obligation quasi éditoriale de fin de carrière de rédiger sa part de vérité. Tandis que l'entretien médiatique ou l'enquête orale, en sollicitant à tout instant le souvenir, en traquant la biographie par bribes, ont fini par atomiser dans la quotidienneté l'auguste et presque solennelle unité d'un genre. Genre, pourtant, auquel on ne doit pas seulement quelques-uns des chefs-d'œuvre de la littérature, mais une certaine idée, précisément, de la mémoire, du pouvoir et de l'histoire. Or – ô stupeur! –, alors que ces dernières années ont connu tant d'intérêt pour l'autobiographie, les récits de vie, les journaux intimes[1], on chercherait en vain une curiosité comparable pour l'analyse des Mémoires. Une quantité de travaux spécialisés sur les œuvres principales, sans doute. Des tentatives partielles pour dégager, à certaines époques stratégiques, des valeurs communes[2]; des notations pénétrantes pour séparer l'autobiographie des Mémoires[3]. Mais en fait d'analyse générale pour caractériser le genre, d'esquisse de classement et de typologie, d'amorce de chronologie d'ensemble, rien, ou presque, depuis l'énumération monumentale, inachevée, non traduite, approximative et en fait peu utilisable de Georg Misch[4]. Ce genre éclaté, multiforme et omniprésent paraît écartelé entre le regard de l'historien[5], qui demande aux Mémoires présumés suspects ce qu'ils recèlent de vérités vraies, et celui du littéraire[6], plus attentif à l'évolution esthétique qu'aux conditions historiques de la production. Cette lacune autorise peut-être un regard d'enfilade, à partir d'un point de vue très particulier: les rapports des Mémoires au Pouvoir, dont ils sont le commentaire et le compte rendu, ainsi qu'à l'État; son existence, en France, précoce, et les multiples formes qu'il a successivement connues expliquant seules l'abondance et les rebondissements de la production mémorialiste.

Aussi bien ne s'agit-il ici, précisons-le, ni d'ébaucher un historique du genre, si survolant soit-il; ni de reprendre à neuf le vieux scénario des complexes rapports de l'histoire et des Mémoires; ni d'examiner systématiquement la richesse des échanges, constants du XVIIe siècle à nos jours, entre les Mémoires et la littérature; ni de disséquer les articulations fines entre les Mémoires et l'autobiographie, tous sujets qui mériteraient d'être analysés de près. Mais en rapprochant avec brutalité des textes qui, par définition, se rapprochent mal, et dans le droit fil d'une topographie générale de la mémoire nationale, de baliser les contours d'un massif éminent, ponctuellement visité, mais, en définitive, peu exploré.

1. La mémoire des Mémoires

Pour saisir le poids de la tradition des Mémoires sur la nôtre, il faut se situer au nœud même de sa formation, dans les dix années capitales de la fin de la Restauration et les premières années de la monarchie de Juillet. Jusque-là, l'époque classique avait connu, en éditions généralement mal contrôlées, et le plus souvent à Cologne, Amsterdam ou Londres, des publications en ordre dispersé. Certaines époques, comme le début du règne personnel de Louis XIV, avaient vu sortir en tir concentré les Mémoires de la Fronde. Sully et Richelieu, constamment réédités au XVIIe siècle, ne l'avaient été qu'une fois chacun au XVIIIe où l'on prisait davantage, sauf la Régence qui fit un triomphe à une mauvaise édition de Retz, les souvenirs de Versailles. Saint-Simon, faut-il le rappeler, était inconnu du public. Parmi les plus régulièrement réédités, Monluc et Pierre de L'Estoile, Bassompierre, La Rochefoucauld, Mlle de Montpensier, et dominant tous les autres avec sept éditions au XVIe siècle, sept autres au XVIIe et trois au XVIIIe siècle, Commynes, bréviaire des hommes d'État et modèle du genre[7].

Or, brusquement, à partir de 1820 et jusque vers 1840, on assiste à un déluge systématique de publications monumentales, dont le principe de la collection représente l'épine dorsale. La première et la plus importante, celle de Petitot, *Collection complète des Mémoires relatifs à l'histoire de France*, démarre en 1819. À quarante-sept ans, Claude-Bernard Petitot[8], auteur dramatique raté sous la Révolution et qui doit à Fontanes sa carrière dans l'Instruction publique où il finit directeur, est un philologue et lettré honorablement connu. Traducteur d'Alfieri et de Cervantès, éditeur de la *Grammaire* de Port-Royal, de Racine, La Harpe et Molière, il a édité en trente-trois volumes un *Répertoire du théâtre français*. Initialement, son entreprise n'avait pour ambition que de reprendre, en quarante-deux volumes, une collection analogue commencée en 1785 par Jean-Antoine Roucher, elle-même inspirée des collections Didot, «pour servir à l'histoire de France», mais que la Révolution était venue interrompre et disperser au soixante-cinquième volume. Même format in-octavo, même formule par livraison, même masse de textes, de Villehardouin à Brantôme, même répartition par règnes, de Philippe Auguste au commencement du XVIIe siècle. Mais l'esprit et la manière étaient déjà fort différents : un énorme travail d'établissement des textes, un appareil de notes et d'éclaircissements, des présentations abondantes et très détaillées qui constituent parfois de véritables traités, chargées d'un souci philologique et critique naissant (les notices sur la Fronde ou Port-Royal font plus de deux cent cinquante pages, celles sur le duc de Guise et La Rochefoucauld près de soixante-dix), enfin un lancement à cinq cents exemplaires très étudié par J.-L. Foucault[9]. Presque aussitôt, la pression des souscripteurs détermine le maître d'œuvre à planifier, avec son frère Alexandre, une seconde série, plus ambitieuse, en soixante-dix-huit volumes «depuis l'avènement d'Henri IV jusqu'à la paix de Paris conclue en 1763». Après la mort de Cl.-B. Petitot, en 1825, elle sera achevée en 1829 par son collaborateur Jean-Louis Monmerqué[10]. La première série aura, en fait, dix volumes de plus que prévu, et, dès 1823, une deuxième édition de l'ensemble, à nouveau de cinq cents exemplaires, s'était révélée indispensable.

L'élan est donné. Les nouveaux imprimeurs-libraires de la Restauration ont compris qu'il y avait là un marché en pleine expansion, un public nouveau, moitié aristocratique et moitié bourgeois, pour reconstituer ses bibliothèques et consommer de la mémoire[11]. Dès l'année suivante, les frères Baudouin, anciens imprimeurs de la Constituante, chargent un avocat libéral, Berville[12], de réunir avec son ami Barrière[13] les Mémoires des révolutionnaires que «la génération nouvelle, dit le prospectus de lancement, se trouve empressée de connaître». Programmée en douze volumes, la collection en comptera cinquante-trois en 1827. En 1823, Guizot, sollicité par J.-L. Brière, lance, parallèlement à vingt-cinq volumes de Mémoires sur la Révolution d'Angleterre, une *Collection de Mémoires relatifs à l'histoire de France depuis la fondation de la monarchie française jusqu'à Philippe Auguste*: en douze ans, trente volumes. La période centrale se trouve ainsi complétée aux deux bouts. Le panorama historique tout entier est couvert et c'est l'effet panoramique qui joue. Toutes les introductions le répètent à l'envi: «Les Mémoires, qui, isolément, sont sans valeur et sans autorité pour l'histoire, offrent, ainsi réunis, le tableau complet d'une époque[14].»

Le mouvement ne s'arrête pas là. Alexandre Buchon[15], collègue d'Augustin Thierry au *Censeur européen*, auteur d'un projet de réformes des archives dont il fut le directeur éphémère sous le ministère Martignac, et futur directeur du *Panthéon littéraire*, publie en deux ans chez Verdière, de 1826 à 1828, quarante-six volumes de *Chroniques nationales en langue vulgaire* du XIIIe au XVIe siècle. Voici encore, de 1824 à 1826, quatorze volumes de Mémoires sur l'art dramatique. Et les lendemains de la révolution de Juillet ne font qu'accélérer le phénomène. Deux attachés à la Bibliothèque royale, L. Cimber et F. Danjou, s'adressent à Beauvais, rue Saint-Thomas-du-Louvre, pour publier, de 1834 à 1839, vingt-quatre volumes d'*Archives curieuses de l'histoire de France, depuis Louis XI jusqu'à Louis XVIII*, expressément destinés à compléter les collections Guizot, Petitot et Buchon. Et c'est surtout, de 1836 à 1839, la *Nouvelle Collection de Mémoires relatifs à l'histoire de France* depuis le XIIIe siècle jusqu'à la fin de l'Ancien Régime, de Michaud et Poujoulat. Pierre Larousse, hostile à l'esprit catholique et ultra des responsables, la présente comme une simple contrefaçon de la collection Petitot. Il est vrai que l'académicien Jean-François Michaud[16], le célèbre auteur de l'*Histoire des Croisades* et frère de Gabriel Michaud, qui avait usé sa vie dans la vaste entreprise de la *Biographie universelle*, semble n'avoir fait que prêter son nom. Il n'en demeure pas moins qu'animés par le jeune Jean-Joseph Poujoulat[17], dont l'œuvre future, incroyablement abondante, témoigne de la capacité de travail, lui-même épaulé par Jacques-Joseph et Aimé Champollion-Figeac, le frère et le neveu de l'égyptologue[18], avec leurs notices réduites, leurs textes mieux contrôlés, leur grand format sur deux colonnes, les trente-deux volumes maniables du «Michaud-Poujoulat» devaient devenir, à côté du «Petitot-Monmerqué», un classique et demeurer tous deux, jusqu'à nos jours, irremplacés ; ils ont constitué le corpus : cent auteurs de base. Encore sont-ils loin d'avoir saturé la demande. En 1836, Buchon lance en dix-sept volumes un choix, de Joinville au XVIIIe siècle, et, en 1846, Firmin Didot pourra encore demander à Barrière, aidé par Lescure, trente-sept volumes de Mémoires du XVIIIe siècle. L'inventaire n'a rien d'exhaustif, chaque entreprise publiant les trop gros volumes à part pour ne pas compromettre l'équilibre de leurs ensembles. Mais, à s'en tenir à l'essentiel, c'est, au total, comme l'établit la somme des principales collections, plus de cinq cents volumes qui, en quelques années, ont déferlé sur le marché de la mémoire.

Il ne faudrait pas croire, malgré l'effort critique des éditeurs, à des publications scientifiques, réservées à des spécialistes. Au contraire, et c'est Guizot lui-même qui le proclame dans le prospectus de sa collection : « Les monuments originaux de notre ancienne histoire ont été jusqu'ici le patrimoine exclusif des savants ; le public n'en a point approché, il n'a pu connaître la France et sa vie[19]... » L'intérêt majeur de ces collections, comme de tous les Mémoires qui paraissent dans leur sillage, est d'opérer – par rapport aux compilations bénédictines des siècles classiques, celles de Duchesne ou de Dom Bouquet en particulier –, une vaste démocratisation de la mémoire ; de mettre à la disposition de tous, partisans de l'ancienne France ou de la nouvelle, un énorme capital collectif et un stock géant de profondeur de vie nationale vécue. Le passé commun, comme si vous y étiez, dans la saveur de sa langue et son incontestable cachet de vérité. Ils ont *vu*, et avec eux vous vaincrez à Rocroi, vous pénétrerez dans la chambre du roi, vous prendrez la Bastille. Thème incessamment ressassé, orchestré par tous les battages d'éditeurs. Sans doute y a-t-il, dans le groupe central de ces collections, une profonde dénivellation. Petitot-Monmerqué et Michaud-Poujoulat condensent un canon classique et nouent en gerbe un corpus connu qu'ils ne modifient pas décisivement. Guizot donne une profondeur de champ, traduit et révèle des auteurs nouveaux, comme Guibert de Nogent ; il contribue puissamment à fonder une historiographie sur les sources narratives. Berville et Barrière représentent sinon un coup d'État, du moins un coup d'audace : c'est l'introduction d'une histoire toute contemporaine, l'intrusion d'une mémoire encore toute fraîche et controversée dans la mémoire historique. Imagine-t-on, trente ans après la Seconde Guerre mondiale, les Mémoires de Pucheu ou Déat réunis à ceux de Tillon ? C'est pourtant ce procès par-delà la tombe et le temps que semblait poursuivre cette quarantaine de témoins privilégiés du drame révolutionnaire où l'on voyait, par exemple, le général Turreau, envoyé par la Convention exterminer les Vendéens, côtoyer la marquise de La Rochejaquelein, veuve d'un de leurs plus illustres chefs, où Cléry, le valet de chambre de Louis XVI, voisinait avec Carnot le régicide. Les éditeurs voyaient dans cette réunion «le plus sûr moyen d'éclairer l'âge actuel sur la cause, la marche et les effets des grands changements dont il recueille aujourd'hui les avantages». Mémoires classiques, Mémoires militants, Mémoires historiographiques, c'est tout un; ils répondent à un engouement identique et à une intention semblable. «Ou nous nous trompons fort, ou la mode y sera bientôt, commente *Le Globe* en accueillant favorablement Petitot, et les gens du monde finiront par s'amuser avec l'érudition» (1825, t. I, p. 340). Chacun de ces entrepreneurs de Mémoires a été profondément engagé dans la politique. Petitot était un monarchiste catholique modéré, Michaud un ultra impénitent, Guizot un libéral doctrinaire, Berville un libéral patriote, mais tous obéissaient au même but: fonder sur les témoignages du passé la légitimité nationale du présent. Tous partageaient la conviction d'un héritage global d'histoire et de civilisation qui appelait ce «sentiment de justice et de sympathie» que Guizot souhaitait ramener sur lui. L'immense intérêt de ces réunions de Mémoires à vocation publique était, précisément, de récupérer le capital latent de la communauté nationale et d'articuler la mémoire vivante d'une France morte à la mémoire saignante et glorieuse de la France contemporaine.

Les années 1820 ont été ce creuset. Ce moment de politique vide est un moment de mémoire plein, favorisé par toutes les conditions politiques et sociales, le renouveau d'activités parlementaires, la renaissance des salons, la lutte contre la censure. Tout se conjuguait pour faire de la Restauration une fête et un drame de la mémoire. La triste cour de Louis XVIII comme celle, caricaturale, de Charles X avaient rendu plaisantes à lire les descriptions de l'ancienne Cour, l'humiliation nationale de 1815 avait valorisé les récits des gloires anciennes et récentes de la France. Dans la retombée de la paix, commence la guerre civile des Mémoires. L'Empire avait jeté une chape de plomb sur les souvenirs de la Révolution et puni du pilon les rares tentatives pour la lever[20]. La chute de Napoléon entraîne instantanément, avec l'envol de sa propre saga[21], dont la compilation de Salgues en neuf volumes marque le début et le *Mémorial*, en 1823, l'apogée, la publication en rafales des Mémoires révolutionnaires[22]. Pas les montagnards, qui devront attendre la fin du siècle et la levée du grand opprobre qui pèse sur les buveurs de sang, mais les constituants et les Girondins, ce qui explique assez le titre de Lamartine, *Histoire des Girondins*, qui est en fait une histoire de la Révolution[23]. Une courbe des publications le montre clairement: plus de la moitié des Mémoires des anciens Girondins ont paru avant 1830[24]. Ceux de Charles Bailleul, décrété d'accusation pour avoir protesté contre la journée du 2 juin 1793, ramené à Paris les fers aux pieds et témoin, à la Conciergerie, des derniers jours des Girondins, avaient donné le coup d'envoi en 1818. Suivent, dans Berville et Barrière, ceux de Bailly, de Buzot, de Petion, de

Meillan, de Carnot, de Thibaudeau, de Durand-Maillane, de Lanjuinais, de Levasseur, de Ferroux, de Fouché : vrais ou faux, interrompus le plus souvent par le couperet, portés parfois chez l'éditeur, comme ceux de Barbaroux, par le propre fils des victimes, de quelle émotion n'étaient-ils pas chargés ? Plusieurs devaient être republiés séparément, comme ceux de J.-B. Louvet, *Récit de mes périls*, d'Honoré Riouffe, *Mémoires d'un détenu*, de Mme Roland, *Appel à l'impartiale postérité*. Naissent alors les grands enjeux de mémoire sur lesquels la nation va vivre pendant tout le XIXe siècle, et, à bien des égards, jusqu'à nous.

Peu importe alors, du point de vue qui nous occupe ici, celui d'une cristallisation de mémoire nationale, à la fois œcuménique et déchirée, d'un revécu de mémoire devenu la forme de l'histoire vécue, l'authenticité des textes, l'établissement des éditions, et même le niveau des productions. C'est le mélange des genres qui est au contraire significatif du nouveau rapport au passé qui s'établit alors et dont les Mémoires sont la pierre angulaire et la figure emblématique. Ils sont présents à tous les niveaux, du plus populaire au plus savant ; et l'important est qu'ils s'interpénètrent mutuellement. C'est l'industrie de l'apocryphe qui fabrique alors joyeusement et indifféremment de la grande ou de la petite histoire, les *Mémoires* de Richelieu et de Louis XVIII à côté de ceux de Vidocq. Secrets d'impératrice et Mémoires de femmes de chambre commandés à tour de bras par des éditeurs peu regardants et ficelés sous vingt-cinq noms d'emprunt par les Villemarest, Ida de Saint-Elme, Roquefort, Beauchamp et autres « teinturiers » qui, sur la base de liasses plus ou moins suspectes et souvent sans base aucune, troussaient en un tournemain *Mémoires* de Bourrienne et *Mémoires* de Constant. Pour la seule année 1829, Lamothe-Langon[25], qui adopte alors précisément le genre des faux Mémoires après avoir épuisé le roman sentimental, le roman noir, et le roman de mœurs, ne livre pas moins de vingt volumes : les *Mémoires historiques et anecdotiques du duc de Richelieu*, les *Mémoires d'une femme de qualité*, les *Mémoires de Madame la comtesse du Barry* et les *Souvenirs d'un pair de France*. C'est la vogue du roman historique, « expression de la France et de la littérature du XIXe siècle », comme dit Balzac en cette même année 1829, vrai moulin à Mémoires et puissant instrument de démocratisation de l'imaginaire historique[26]. De 1815 à 1832, les spécialistes[27] en ont repéré près de six cents, avec des poussées très marquées en 1822, 1828-1829, 1832, « dates auxquelles on peut associer l'effet "scottien" pour la première, l'offensive politique des libéraux pour la seconde, le contrecoup de Juillet pour la troisième » : une courbe exactement parallèle à celle des Mémoires. Et que sont d'autre les grands ouvrages historiques qui marquent l'époque, les quinze volumes de l'*Histoire du Consulat et de l'Empire*, de Thiers, les dix volumes de l'*Histoire des ducs de Bourgogne*, de Barante, les trente et un volumes de l'*Histoire des Français*, de Sismondi qu'une mosaïque habilement ficelée d'extraits de chroniqueurs et de mémorialistes ? Michelet pourra se vanter d'être à la fois le premier à s'être plongé dans les archives et le dernier à travers qui l'on entend la voix des acteurs. Son histoire, surtout celle de la Révolution[28], est encore dominée par l'enchantement de la mémoire. Après lui, le charme est rompu. Toute la nouveauté de l'écriture historique savante repose alors sur l'exploitation des Mémoires. « L'histoire de France la plus complète, la plus fidèle et la plus pittoresque qu'on pût faire aujourd'hui, proclamait Augustin Thierry en 1824[29], serait celle où, tour à tour et dans un ordre strictement chronologique, chacun des anciens chroniqueurs viendrait raconter lui-même, dans le style et avec les couleurs de son époque, les événements dont il aurait été le témoin, qu'il aurait le mieux observés et décrits. Cette longue suite de dépositions naïves, que n'interrompraient aucune réflexion philosophique, aucune addition moderne, qui se succéderaient sans effort et s'enchaîneraient presque à l'insu du lecteur, serait en quelque sorte la représentation immédiate de ce passé qui nous a produits, nous, nos habitudes, nos mœurs et notre civilisation. » En ces quelques lignes, tout est dit.

Avec ce déferlement éditorial de Mémoires frais ou rafraîchis, on tient sans doute le dernier moment où les Mémoires *sont* la mémoire. Dès les publications de la Société d'histoire de France, puis du comité des Travaux historiques, dont la création plonge cependant dans cet univers mental[30], on passe à l'histoire savante. Quels que soient l'intérêt et la piété qui entoureront ensuite la découverte et la publication de Mémoires de famille ou d'État, ils porteront la marque de fidélités particulières et n'entreront plus dans le cadre d'une représentation spontanément nationale. Il n'y a pas de comparaison possible entre la publication en 1829-1830 des *Mémoires* de Saint-Simon par son petit cousin, le général marquis Rouvray de Saint-Simon, et la publication monumentale de Boislisle de 1879 à 1928. Pas même davantage entre celles des Montagnards, dans le cadre de la Société d'histoire de la Révolution, et celles des Girondins, dont les fils et les veuves portaient à l'éditeur les manuscrits inachevés et presque sanglants. Différence d'édition, différence de public, mais différence à coup sûr plus fondamentale. On saisit, en ces années 1830-1848, l'articulation fine, toute en nuances et pourtant bien nette, entre le jaillissement ultime d'une mémoire collective de l'histoire brûlante, constitutive et reconstitutive de l'identité nationale, et une mémoire historique savante de la collectivité nationale.

Ce moment de mémoire, ce grand moment des Mémoires, constitue un clivage, une ligne de partage des eaux et le renversement d'une longue tradition. C'est en effet un *topos* permanent depuis la Renaissance que la France n'a pas d'histoire, ni d'historiens dignes de ce nom, mais qu'elle a des

Mémoires et que ces Mémoires sont notre tradition de l'histoire nationale. Le thème court tout au long de l'âge classique, on en ferait facilement une anthologie. «La France jusqu'ici a eu beaucoup de journaux et Mémoires, et pas une histoire françoise», dit le père Le Moyne dans son traité *De l'histoire* en 1670. Du *Methodus* de Bodin et du *Dessein de l'histoire parfaite* de La Popelinière au XVIe siècle jusqu'à Fénelon et Saint-Évremond: «Il faut avouer que nos historiens n'ont eu qu'un mérite bien médiocre[31]», jusqu'à Voltaire: «Je n'ai d'autres Mémoires pour l'histoire générale qu'environ deux cents volumes de Mémoires imprimés que tout le monde connaît[32]», les innombrables traités de l'histoire n'arrêtent pas de le déplorer: «La cour en conseillers foisonne...» raille Lenglet-Dufresnoy dans sa *Méthode pour étudier l'histoire* (1713)[33]. Les historiens de la monarchie semblent eux-mêmes en avoir intériorisé l'évidence. Même Mézeray, à en croire son historien Evans, aurait eu conscience de sa propre infériorité par rapport au sujet[34]; ou le père Daniel, dans la préface à son *Histoire de France* et plus encore dans son *Abrégé* de 1723. Et Boulainvilliers allait au fond des choses quand, «après tant de Mémoires pour une histoire parfaite», il souhaitait enfin «des histoires pour une mémoire parfaite». Ce n'est pas là, semble-t-il, simple protestation de convenance, mais une idée enracinée, à laquelle Chateaubriand, dans un chapitre célèbre de *Génie du christianisme*, a donné sa formulation définitive que l'on répétera partout mot pour mot: «Pourquoi les Français n'ont-ils que des Mémoires au lieu d'histoire et pourquoi ces Mémoires sont-ils pour la plupart excellents?» (IIIe partie, 1. III, chap. IV.) «Le Français, dit-il, a été de tous les temps, même lorsqu'il était barbare, vain, léger et sociable; il réfléchit peu sur l'ensemble des objets, mais il observe curieusement les détails et son coup d'œil est prompt, sûr et délié: il faut toujours qu'il soit en scène et il ne peut consentir, même comme historien, à disparaître tout à fait.» Bref, «les Mémoires lui laissent la liberté de se livrer à son génie.» Le grand mot est lâché; l'explication par le caractère national sera pour longtemps officialisée. Et c'est par elle encore que Cl.-B. Petitot justifiera son entreprise dès son *Discours préliminaire*: «On se plaint de la sécheresse de l'histoire de France et c'est ce qui donne tant d'attraits aux Mémoires où se trouvent les détails qu'on regrette.» Entre l'histoire noble, rhétorique et cicéronienne, le discours orné, l'histoire philosophique et les compilations obscures de l'histoire antiquaire, celle des bénédictins de Saint-Maur ou les mémoires de l'Académie des inscriptions et belles-lettres, l'histoire vraie, la seule histoire, ce sont les Mémoires.

L'arrivée brutale des publications de Mémoires et l'entrée massive des Mémoires dans l'écriture historique marquent un moment charnière où mémoire et histoire se rejoignent et se confondent. L'adéquation ne durera pas, et avec l'avènement de la génération dite «positiviste», au lendemain de la guerre de 1870, le retournement s'accélère au profit de l'histoire dont les Mémoires ne deviendront vite qu'une des sources possibles, d'abord principale et finalement secondaire. Du jour où l'histoire se transformait en bilan critique et tribunal suprême, c'en était fini du privilège des Mémoires ; pesait sur eux le doute général de la critique. Aux historiens le rassemblement des sources et le jugement sans appel, aux acteurs de l'histoire et aux serviteurs de l'État la production du témoignage et le compte rendu circonstancié de leurs charges. Mais cette distribution définitive ne saurait faire oublier l'importance de ce deuxième quart du XIXe siècle, où le retournement s'opère sur l'axe des Mémoires. Certitude qu'il faut fonder l'histoire nouvelle sur les Mémoires, qu'on pourrait tous connaître et publier ; ultime affirmation de cet ancien motif conducteur – « La France a des Mémoires, elle n'a pas d'histoire » – qui a pris la force d'un stéréotype profondément révélateur.

En effet, dans cette première phase de développement d'une histoire critique, l'accumulation primaire du capital archivistique s'est principalement faite à partir des sources narratives. Pour dire d'un mot, on a pris les Mémoires pour des archives, dans une grande confusion entre manuscrits et archives, sans conscience exacte de la spécificité des archives qu'on envoyait dans les bibliothèques comme s'il s'agissait de manuscrits, n'importe quel manuscrit de Mémoires passant pour des archives et n'importe quel cartulaire pour des Mémoires[35]. Guizot pensait, ainsi, non seulement nécessaire, mais possible « une publication générale de tous les manuscrits importants et encore inédits sur l'histoire de notre patrie ». Avec une naïveté qui nous laisse aujourd'hui pantois, il croyait, comme l'indique son rapport officiel du 31 décembre 1833[36], que « les manuscrits et monuments originaux qui ont été jusqu'à présent mis au jour ne surpassent guère en nombre ni en importance ceux qui sont restés inédits ». En quelques années et avec une bonne organisation gouvernementale et des crédits, on aurait publié le tout de la mémoire nationale. Cette utopie de l'exhaustivité fait rêver. Il la partageait pourtant avec toute sa génération ; elle anime toute son œuvre à l'Instruction publique, et c'est ce qui fait du passage où il l'expose dans ses *Mémoires*, au livre III, un morceau à part, un livre dans le livre, un lieu de mémoire où se concentre un moment de la mémoire nationale.

Mais en même temps, que la collecte archivistique de l'histoire critique se soit dans un premier temps d'abord tournée vers les Mémoires, même si le fait tient à la force des choses, n'est pas sans signification pour le rapport des Mémoires individuels à la mémoire collective, pour l'inscription de l'histoire biographique dans l'histoire nationale, et donc pour les Mémoires d'État. Leur importance ne tient peut-être, en France, pas tant à la dramatisation politique à laquelle on l'a souvent attribuée, qu'à un style très particulier de rapport de l'individu à l'histoire. Rapport de filiation et d'identification, bloc de croyances cristallisées où entrent, dans la même constellation longuement solidifiée, l'épopée, la nation, l'élection et la prose. On les retrouve, mêlées à la prééminence des Mémoires, dans une page éloquente de l'*Introduction à l'histoire universelle* de Michelet : « La France agit et raisonne, décrète et combat ; elle remue le monde ; elle fait l'histoire et la raconte. L'histoire est le compte rendu de l'action. Nulle part ailleurs vous ne trouverez de Mémoires, d'histoire individuelle, ni en Angleterre, ni en Allemagne, ni en Italie [...] Le présent est tout pour la France. Elle le saisit avec une singulière vivacité. Dès qu'un homme a fait, vu quelque chose, vite il l'écrit. Souvent il exagère. Il faut voir dans les vieilles chroniques tout ce que font *nos gens* [...] La France est le pays de la prose [...] Le génie de notre nation n'apparaît nulle part mieux que dans son caractère éminemment prosaïque. » Ensemble puissamment constitutif de la conscience même de la tradition de Mémoires et qui en délimite le champ, comme il apparaît nettement dans le seul ouvrage d'ensemble sur *Les Mémoires et l'histoire en France*, où Jules Caboche, en 1863, à l'extrême fin de la période que nous considérons et à la veille des grands manifestes positivistes qui vont formuler la distinction définitive, s'efforce à dégager la signification historique de « six siècles de Mémoires continus ». Caboche écarte soigneusement les autobiographies pures, les Mémoires d'âme, les récits d'enfance et les souvenirs particuliers (Port-Royal, Marmontel, Lamartine, etc.) pour ne retenir que « les sévères tableaux de l'histoire », « les hardis combats de l'honneur et de l'ambition », les lieux où se disputent « le pouvoir, le crédit, la faveur », là « où il y a un roi qu'on sert, un pays dont on étend la gloire ». Seuls sont Mémoires les Mémoires d'État, contrepartie intime et humaine à la permanence et à la force impersonnelle des institutions étatiques dont la monarchie et la bureaucratie sont l'expression la plus forte. Il prend pour acquis l'adaptation spontanée du genre à « notre génie et notre caractère national, chevaleresque et primesautier, bavard et concret, impétueux et léger, sincère et vaniteux qui donnent aux Français le privilège de ces histoires particulières et intimes, humaines et presque domestiques ». C'est à travers elles que peut s'opérer une identification profonde à notre histoire, « nous sommes tous Bayard, nous sommes tous Pharamond, nous sommes tous des Joinville », qui s'écriait à la bataille de Mansourah : « Par la coiffe de Dieu, encore en parlerons-nous ès chambre des dames ! »

Cette inscription de l'individu dans l'*épos* national, on la trouve plus nettement encore exprimée à l'origine même du genre et de la tradition, en ce XIIe siècle où Guibert de Nogent, qu'on donne généralement pour le premier des mémorialistes français, se trouve à la fois l'auteur des *Gesta Dei per Francos*, qui racontent la première croisade, et de sa propre biographie, *De vita sua*, dans un souci identique et dédoublé d'une histoire particulière irréductiblement liée à l'histoire générale de la collectivité nationale. Au XVIe siècle, Jacques Auguste de Thou renouvellera ce geste inaugural. Guibert de Nogent, dans son introduction, confesse qu'il avait d'abord voulu écrire son histoire des croisades comme une épopée en vers, mais qu'à la réflexion la prose lui avait paru mieux convenir à la gravité du sujet[37]. Aveu fondateur. Il n'y aurait pas de Mémoires sans la conviction sous-jacente, ici clairement indiquée, mais partout implicite, de l'éminente dignité de la France et du destin exceptionnel auquel elle est vouée. Tous les Mémoires sont la réunion d'un *De vita sua* à des *Gesta Dei per Francos.* L'affirmation de l'individualisme, la naissance de l'autobiographie moderne, le caractère irremplaçable du témoignage existentiel ne feront que renforcer ce sentiment: les Mémoires, c'est l'histoire incarnée, la France multiple et multiforme. Et jamais ce sentiment n'est plus fort qu'aux lendemains des troubles de son histoire et des ébranlements de son pouvoir, la Ligue, les guerres de religion, la Fronde, grandes productrices de Mémoires; jamais plus intense qu'après la plus grave crise de son histoire, la grande césure de la Révolution et de l'Empire, en cette période récapitulative de tout l'héritage perdu de l'Ancien Régime, qui trouve, dans le Chateaubriand des *Mémoires d'outre-tombe* – «j'ai vu mourir et commencer un monde» –, son orchestration majeure.

Dix ans à peine séparent les *Mémoires d'outre-tombe* (1848-1850) des *Mémoires* de Guizot *pour servir à l'Histoire de mon temps,* dont le premier tome date de 1858. Dix ans, et pourtant deux âges des Mémoires. D'un côté, la publication posthume et théâtralement orchestrée; de l'autre, l'originalité, revendiquée dès la première phrase, d'«agir autrement que n'ont fait plusieurs de nos contemporains: je publie mes Mémoires pendant que je suis encore là pour en répondre». D'un côté, la conviction intime d'être en sa personne même le monde perdu de l'aristocratie et l'incarnation de la nouvelle méritocratie, qui lui fait longuement décliner sa généalogie, comme dans tous les Mémoires aristocratiques, mais pour terminer «ces puériles récitations» par cette phrase lapidaire: «je préfère mon nom à mon titre.» De l'autre, l'impasse complète sur l'enfance et sur la descendance, mais un démarrage brutal sur son entrée dans la vie publique: «Je n'avais servi ni la Révolution ni l'Empire.» D'un côté, l'obsession d'égaler son moi intime et privé à la référence historique majeure de sa génération, Napoléon, au point de déplacer d'un an sa date de naissance pour faire de lui, l'empereur des mots, le contemporain exact de l'empereur des armes. De l'autre, l'ambition dignement restreinte de n'écrire que pour justifier son action et sa cause: «Mon histoire propre et intime, ce que j'ai pensé, senti et voulu dans mon concours aux affaires de mon pays, ce qu'ont pensé, senti et voulu avec moi les amis politiques auxquels j'ai été associé, la vie de nos âmes dans nos actions, je puis dire cela librement, et c'est là surtout ce que j'ai à cœur de

dire.» On pourrait facilement poursuivre le jeu des oppositions, entre l'inventeur de la littérature moderne au service du monstre sacré qu'est en train de devenir avec lui la figure du «grand écrivain» et l'avocat, humble et hautain, d'une cause qui le dépasse, auquel Renan reconnaissait «un ton général de réserve et de discrétion» qui était pour lui «le vrai style des grandes affaires[38]»: «Je ne me soustrais pas au fardeau de mes œuvres.»
Chateaubriand, Guizot: le partage est fait. À la mi-temps du siècle, l'un inaugure la production désormais massive et régulière des Mémoires au service démocratique de l'État. L'autre est à lui seul une mémoire des Mémoires. Il met un point d'orgue à un âge d'eux désormais révolu et clôt en apothéose, au demeurant passablement chaotique, l'essentiel de ses traditions.

2. *Les traditions d'une tradition*

Dans la formation d'une tradition moderne des Mémoires, on mettra d'abord l'accent sur le rôle cristallisateur et fécondant des Mémoires d'épée, de ces grands féodaux des guerres et des Cours que la monarchie a tour à tour utilisés et combattus pour finir par les rejeter et les réduire. La mémoire, il ne leur restait qu'elle quand il ne leur restait historiquement plus rien. Le passé du moins, on ne le leur prendrait pas! Ils le défendront donc eux-mêmes, dussent-ils, pour cet ultime combat, troquer l'épée contre la plume et «se salir les mains aux escriptures». Ils le défendront contre les historiens officiels. Le soin de leur honneur, la juste estimation de leurs services et de leurs sacrifices, ils ne les laisseront pas aux «escoliers», aux plumes serviles des historiens à gage[39]. Contre les artisans et les courtisans de la gloire des rois, les Mémoires des grands deviennent le dernier retranchement, la citadelle du passé. C'est en sept mois que Blaise de Monluc, destitué de sa charge et le visage troué d'une arquebuse à la bataille de Rabastens, dicte la première mouture de ce qui deviendra ses *Commentaires*, catalogue amer et vengeur de ses cinq batailles rangées, de ses dix-sept assauts de forteresse, de ses onze sièges et de ses razzias de reître calomnié au service de la cause royale et catholique. C'est du fond de la Bastille que le maréchal de Bassompierre, pris de fureur à la lecture de la chronique de Simon Dupleix, historiographe de Louis XIII, décide d'écrire sa propre version des faits. Tous ces Mémoires sont des réquisitoires contre l'ingratitude du sort et de la Cour, dont la propagande royale s'arroge la version officielle. Retz n'arrête pas de se déchaîner contre «la vanité ridicule de ces auteurs impertinents», «nés dans la basse-cour et n'ayant jamais passé l'antichambre», contre «l'insolence de ces gens de néant», «âmes serviles et vénales qui se piquent de ne rien ignorer de ce qui s'est passé dans le cabinet[40]».

Marc Fumaroli, à qui l'on doit cette idée séminale[41], a montré de façon définitive dans quel climat théorique est né, de 1555 à 1570, cette topique des Mémoires d'épée, qui apparaît toute constituée avec les *Mémoires* de Martin Du Bellay, au moment où Bodin, dans le *Methodus ad facilem historiarum cognitionem* se fait l'avocat de l'«*historia nuda, simplex, recta et omnibus detractis ornamentis*»; où les historiens de l'«histoire parfaite» fondent sur la critique philologique et la jurisprudence la méthodologie de l'école gallicane; où Montaigne, en une page importante des *Essais*, affirme que «les seules bonnes histoires sont celles qui ont été écrites par ceux mêmes qui commandaient aux affaires ou qui étaient participants à les conduire ou au moins qui ont eu la fortune d'en conduire d'autres de même sorte» (1. II, chap. X). Il a mis aussi en lumière dans quel climat de règlement de comptes et de justice exacte, de comptabilité scrupuleuse et de polémiques ardentes s'est développé le genre, aux XVIe et XVIIe siècles. Et comment, sur ce modèle et de proche en proche, d'autres alluvions se sont déposées à tous les points de friction du pouvoir monarchique en plein affermissement et d'une société en pleine division: «Monarchie contre Parlements, catholiques contre protestants, factions littéraires rivales, ordres religieux rivaux, gallicans contre ultramontains, sur chacune de ces lignes de faille surgit une famille de mémorialistes discordants[42].» C'est là, en ces réquisitoires véhéments, en ces plaidoyers protestataires, que se scelle et se vérifie le lien originairement attesté par tous les dictionnaires - de Furetière à Larousse et Littré - entre *le* mémoire, au sens administratif, judiciaire, financier et plus tard scientifique du terme, et *les* Mémoires, «écrits par ceux qui ont eu part aux affaires ou qui en ont été les témoins oculaires ou qui contiennent leurs vies et leurs principales actions» (Furetière)[43]: un homme dont l'engagement personnel est la garantie de la vérité, de *sa* vérité. «Je mets mon nom à la tête de cet ouvrage, pour m'obliger davantage à ne diminuer et à ne grossir en rien la vérité» (cardinal de Retz).

Il y a là, à n'en pas douter, le germe le plus vivant des Mémoires. On le retrouve en plein XVIIIe siècle, chez un homme aussi poli, courtisan et jouisseur que Choiseul, quand l'exilé de Chanteloup, lui aussi grand seigneur du passé et conscient de ne pas «offrir un travail, ni des *Mémoires* en règle, mais des idées passées, telles que la mémoire les lui présentera», écrit à Voltaire (20 décembre 1759): «Je vais me consoler [...] de l'ambition, de l'animosité, de la cruauté, de la fausseté des princes; le cul de ma maîtresse me fait oublier tous ces objets et augmente mon mépris pour les grandes actions des personnages qui ont de pareils défauts.» Les Mémoires les meilleurs sont des polémiques existentielles et il est hautement significatif que les illustrations les plus éclatantes du genre, Retz, Saint-Simon, Chateaubriand, viennent de nobles et de nobles blessés au plus profond de leur orgueil de caste, l'un par l'échec de la Fronde, l'autre par l'abaissement où l'a réduit l'absolutisme monarchique, le troisième par l'exil de la tourmente révolutionnaire. Tous les Mémoires sont, au plus profond, des « Mémoires de guerre », jusqu'à ceux du Grand Connétable qui citait en exergue du *Fil de l'épée* la phrase de Shakespeare : « Être grand, c'est soutenir une grande querelle[44]. » Les Mémoires sont l'aspect symbolique d'une lutte pour le pouvoir, pour le monopole du passé et la reconquête devant la postérité de ce qui a été perdu dans la réalité. « Il n'y a pas de bataille perdue qui ne se regagne sur le papier », dit joliment Albert Sorel[45]. Dans la disgrâce politique, la défaite historique, le naufrage vital, au bord de la tombe, devant Dieu ou devant l'Histoire, le mémorialiste hors pouvoir se fait juge du pouvoir, décideur dernier de qui a fait quoi. Tous les Mémoires sont d'abord des anti-histoire.

L'intérêt stratégique de ce modèle d'épée, chronologiquement bordé par les *Mémoires* de Commynes, les premiers à être baptisés de ce nom par son éditeur posthume, en 1550, ceux de Retz d'autre part, c'est, en une période politiquement déterminante, d'avoir été amené à remanier de façon décisive tout l'héritage médiéval pour en enrichir les données et en redistribuer les lignes de force. Les Mémoires d'épée nouent, en effet, plusieurs courants venus du Moyen Âge, proches mais cependant différents. Il y avait la tradition noble qui faisait des *memoria*, avant d'être une histoire, des Tombeaux, analogues aux épitaphes et aux effigies, et destinés à perpétuer le souvenir des *virtutes*, des actions des grands hommes, titres des grandes familles à la Renommée et chargés de les rappeler à leurs descendants[46]. Il y avait par ailleurs, fort rares, des récits de vie. Récits à caractère religieux, comme celui de Guibert de Nogent ; soit à caractère personnel, comme ceux qu'Abélard, Bernard de Clairvaux ou Pierre le Vénérable ont livrés à travers leurs lettres ; soit à caractère militaire, comme celui dont Joinville, selon ses historiens[47], se serait servi quand la reine Jeanne de Navarre lui avait demandé d'écrire la vie de Saint Louis, après sa canonisation. Il y avait, enfin et surtout, la chronique[48], dont on voit le genre s'individualiser par rapport à l'histoire au XIIIe et au XIVe siècle et dont l'un des signes d'autonomie est précisément l'engagement personnel de l'auteur, garanti par une formule cérémonielle du type de celle qui clôt le prologue de la vie de Saint Louis : « Au nom de Dieu le tout puissant, je, sire de Joyngville, seneschal de Champaigne, faiz écrire la vie de nostre saint roi Louis, ce que je vis et ouï par l'espace de six ans que je fus en sa compaignie ou pelerinage d'outre-mer, et puis que nous revenimes » ; formule de plus en plus juridique que reprendront les historiographes officiels, « commis, ordonné et député de par le roi souverain seigneur » comme dit le premier d'entre eux, Jean Chartier, dont Bernard Guenée a montré toute l'importance de la nomination en 1437, par Charles VII à peine rentré dans Paris.

Toutes ces traditions confluent dans le grand élan des Mémoires d'épée qui, des guerres de religion aux lendemains de la Fronde, a véritablement fondé le genre. Mais en transformant le tombeau de la Gloire publique en testament de l'honneur privé, en identifiant violemment l'histoire vraie à celle qu'ils ont faite, vue de leurs yeux et entendue de leurs oreilles, en ne laissant à personne d'autre qu'eux, ou commandés et surveillés par eux, le soin d'établir le bilan et de dresser l'inventaire, les grands de l'aristocratie féodale ont profondément transformé le sens de l'héritage. Et cette véhémente appropriation, cette puissante privatisation n'ont pas seulement contribué à la fixation d'une tradition, elles ont largement favorisé son évolution dans le sens d'une intériorisation. Il ne s'agit plus tant de la gloire que de l'honneur, de l'immortalité de la mémoire que du salut de l'âme, plus tant de la vie publique que de la vie privée, plus tant de la Renommée abstraite que de sa famille et de ses enfants, plus tant du fracas du monde que de l'éducation morale et chrétienne. L'esprit chevaleresque de la féodalité déclinante a déplacé le sacré de la mémoire officielle de la communauté à la mémoire privée de son lignage et de sa famille. Aucun écrit, si ce n'est le testament qu'il est bien souvent sous forme développée, n'entretiendra avec la mort une si intime connivence[49]. Ce qui décide l'entreprise, génétiquement habitée par le scrupule à parler de soi, est le plus souvent une crise grave, les relevailles d'une maladie, le deuil d'un être cher, un dernier devoir de la retraite. C'est ce pathétique qui fait oublier la mise en scène rétrospective et tous les mensonges infligés au nom d'une vérité qui n'a plus rien à cacher. La voie est ouverte qui, d'un côté, va permettre le rapprochement des Mémoires des livres de raison, de l'autre, va en faire une ascèse, un exercice spirituel, voire une confession. Un récit du monde traversé par la vanité du monde. Les deux courants se rejoignent, par exemple, dans ce début typique des Mémoires de Robert Arnauld d'Andilly, auquel on doit la traduction des *Confessions* de saint Augustin, où chaque mot paraît obéir à un rituel codé[50]: «Une aussi longue vie que la mienne, et dont j'ai passé la plus grande partie à la Cour, autant connu de grands et aussi libre avec eux qu'on peut l'être, m'a si fortement persuadé du néant des choses du monde que rien n'était plus éloigné de ma pensée que de laisser quelques mémoires touchant mes proches et ce qui me regarde en particulier. Mais ne pouvant résister aux instances si pressantes que me fait mon fils de Pomponne d'en écrire quelque chose qui puisse servir à mes enfants pour les exciter à la Vertu par des exemples domestiques et leur inspirer le mépris des faux biens dont la plupart des hommes sont si idolâtres qu'ils ne craignent pas de les rechercher aux dépens de leur honneur et de leur salut, je me suis enfin résolu à lui donner cette satisfaction et je ne rapporterai rien que je n'aie vu de mes propres yeux ou qui ne m'ait été dit par des personnes dignes de foi.»

Ce conventionnel funèbre, et qui, dans les Mémoires de Port-Royal, finit par devenir pénitentiel et expiatoire, ne saurait étouffer complètement ce que le passéisme même de cette matrice aristocratique a légué au genre de fraîcheur vitale et de merveilleux existentiel. Tous les Mémoires d'épée sont des récits d'âge d'or. L'amertume de leur motivation, le *memento mori* de leur inspiration, la mélancolie de leur rédaction n'aboutissent qu'à faire davantage éclater, surtout au XVIe siècle et au premier XVIIe siècle, l'extraordinaire gaieté du souvenir[51]. Les *Mémoires* de Castelnau, Beauvais-Nangis, Tavannes, Mergey[52], sans même aller jusqu'au début de ceux de La Rochefoucauld, débordent de cette «âpre saveur de la vie» dont parlait Huizinga. Soleil des guerres d'Italie, joyeux massacres des guerres de religion, équipées funambulesques de la Fronde pleines de toutes les aventures de la politique et du cœur, souvenirs dorés d'une époque folle, haute en couleur, d'une noblesse violente et remuante, qui auront tant de succès quand, après 1660, la lourde étiquette de cour les aura fait grandir et qu'il faudra les excentricités de la Régence et les imaginations romantiques pour ressusciter. Cette verdeur des souvenirs n'éclate jamais plus que chez les femmes, qui commencent en guerrières, comme Mlle de Montpensier et finissent en dames de cour, comme Mme de Motteville[53], ou, mieux encore, chez celles qui en furent toujours éloignées, comme cette amazone provinciale de la Fronde que fut Mme de La Guette[54], obstinément fidèle au roi comme la Pucelle à Charles VII, quand elle traversait la France déguisée en moine pour récupérer son mari passé à Condé et sauvait l'armée de Turenne, postée sur un four à chaux, et qui, de Hollande où elle finit par se réfugier auprès d'un des survivants de ses dix enfants, veut être de «ces peu de femmes qui s'avisent de mettre au jour ce qui leur est arrivé» et «ressusciter les enchantements de [sa] belle jeunesse». À ces grands et à ces moins grands reviennent le non-conformisme et la liberté de ton d'un art qui se veut sans art. «Mémoires, de toutes les façons d'écrire la plus simple et la plus libre...», dit encore Mme de Caylus[55]. Un débridé du style et un naturel de l'amble qui a beaucoup fait pour une définition négative du genre qui ménageait tous les possibles rebondissements...

Cette tradition née de l'aristocratisme féodal, polémique et guerrier ne doit en effet pas diminuer le poids qu'ont représenté, dans la sédimentation du genre, les Mémoires de cour. Concevrait-on aujourd'hui des Mémoires sans portraits, sans anecdotes, sans descriptions, sans leur lot de confidences et de rumeurs attestées ou dénoncées, sans explications psychologiques et historiques, sans souci de mise en scène, et même sans «caractères» et sans «maximes»? Si ce genre sans lois a ses passages obligés, ses conventions, ses habitudes, et, pour commencer, celle du bien dire, on le doit à la longue prégnance de ce que Norbert Élias a appelé la société de cour[56].

Du point de vue chronologique, il y a continuité; du point de vue de la dynamique de la mémoire, le renversement est complet avec la tradition des Mémoires d'épée. Non plus des Mémoires *contre* le pouvoir et l'État, mais des Mémoires *du* pouvoir et *de* l'État. Non plus des Mémoires réquisitoires, mais des Mémoires spectacles et commentaires. Non plus des célébrations du passé, mais, même écrits au passé ou dans le dénigrement, des célébrations du présent. Le phénomène de cour et la pratique des Mémoires sont consubstantiels; la Cour appelle la mémoire, mais pas la même: une mémoire essentiellement enregistreuse et descriptive. Monde *centralisé*, hiérarchisé, habité d'une lumière focale mais constamment changeante, animé de tressaillements permanents sur lequel ne cesse de peser, d'un poids toujours infinitésimal, la pression des clans, des alliances, des cabales[57], et donc des trahisons, des intrigues, des complots; où le moindre geste est affecté d'une signification indécidable, sur lequel plane à tout instant la surimportance de l'inimportant. Un monde *fixe* qui a donc entraîné, sinon l'apparition, du moins la promotion et la généralisation de tous les procédés liés au fixisme: le tableau, la scène, la sentence. Un monde du *code* et des lois non écrites mais partagées par tous, qui implique donc le jeu permanent des apprentissages et du déchiffrement, de l'interprétation et de la transgression. Un monde du *théâtre* et du *paraître*, qui suppose donc les coulisses, l'écart, le quant-à-soi, la surenchère, la stratégie, et qui en appelle du comportement visible aux mobiles cachés, dans une interrogation permanente sur la nature de l'être. Un monde *clos*, nettement cerné de frontières extérieures – on en est ou on en n'est pas –, mais quadrillé de frontières intérieures mobiles, variables au gré de la faveur et de l'humeur et qui, donc, selon les rangs et selon les jours, fait et défait des micromilieux. Un monde du grand monde où les valeurs de la civilité, du commerce des autres, de la conversation, de l'« esprit » sont supérieures à toutes les autres, mais appellent, par opposition, la retraite et la solitude, le sentiment chrétien de la vanité du monde. Un monde, enfin et, peut-être, surtout, où la société politique croise et recoupe la société mondaine soumise au même régime, en sorte que les *Mémoires* du maréchal de Villars, militaire et diplomate, et ceux de Mme de La Fayette, écrivain et dame de cour, ne sont que les deux faces d'un même système et expriment tous deux avec force le même principe, qui est sans doute parmi les plus constitutifs de la tradition mémorialiste: un rapport de marginalité au centre du pouvoir et de centralité au milieu du pouvoir. Tout, dans le phénomène de cour, commande les Mémoires, mais dans un tout autre rapport des Mémoires à la mémoire. Il faut lire, par exemple, les *Mémoires* du duc de Luynes, sous Louis XV, pour mesurer le degré zéro de cette mémoire réduite à l'enregistrement pur des annales de la Cour. Mais à l'autre bout de la chaîne, même chez Saint-Simon, qui pousse la logique du système jusqu'à son retournement complet et chez qui l'on trouve tous les jeux de miroir possibles de la mémoire, tous les éclairages en vrille, en oblique et en perforations[58], demeurent au tréfonds des traces de cette mémoire de l'à-plat. Ne serait-ce que dans l'utilisation déterminante du *Journal* de Dangeau et dans l'adoption formelle du cadre chronologique, comme une solution de fortune.

Un tel univers inscrit naturellement l'écriture des Mémoires sous le signe du secret. Toutes les dimensions des Mémoires de cour sont finalement réductibles à cette catégorie fondamentale. Si l'on prend les titres exacts des deux cent cinquante-neuf Mémoires recensés par Bourgeois et André dans *Les Sources de l'histoire de France* pour le XVIIe siècle, la presque totalité promet des «détails curieux», des «particularités» ou des révélations sur les règnes de Louis XIII, de Louis XIV ou leurs principaux personnages. C'est la nature même du pouvoir qui, ici encore, commande l'économie générale du secret. Pas de Mémoires sans foyer central du pouvoir, détenteur et dispensateur de tous les autres pouvoirs. Pas de Mémoires, donc, sans secrets d'État qui désignent en priorité à les écrire, les grands à nouveau, mais pas les mêmes ni pour les mêmes raisons que les grands féodaux. C'est l'existence supérieure du secret d'État qui, de proche en proche, régit la disposition des autres formes du secret. Car le secret, dans les Mémoires classiques, est loin de se réduire à sa dimension politique. Il en investit d'abord et par opposition l'envers, déguisé comme l'abbé de Choisy lui-même se déguisait en femme[59], travesti en secrets du cœur et en secrets d'alcôve. Il revêt une signification psychologique, morale, historique. Écrire ses Mémoires, c'est expliquer les grands effets par les petites causes ou au contraire les petits effets par de grandes causes; expliquer les hommes et comprendre l'homme, dévoiler le «vrai cours des choses». D'où le prodigieux enrichissement du répertoire que constitue le canon des Mémoires classiques, depuis le traitement de la scène à l'art du portrait, puisque le portrait relève éminemment de la psychologie du secret. De Retz à Saint-Simon, on le voit se développer et se raffiner[60]. Retz a tendance à opposer les portraits, comme celui de Richelieu et de Mazarin, ou à les juxtaposer, comme dans la présentation des dix-sept futurs conjurés qu'il n'hésite pas à faire en force et en pied: «Je sais que vous aimez les portraits [...] voici la galerie où les figures vous paraîtront dans leur étendue et où je vous présenterai les tableaux des personnages que vous verrez plus avant dans l'action[61].» Saint-Simon, au contraire, chez qui l'on en a compté pas moins de deux mille cent, mais qui a tiré toutes les leçons de la théorie des portraits depuis le *Recueil de Mademoiselle*[62] en 1659, les éparpille, les distille et les approfondit au rythme de l'action, jusqu'à en faire un instrument d'une précision insurpassée. Mais le secret, le vrai, le grand, l'essentiel, c'est celui qui frappe la rédaction des Mémoires eux-mêmes et qui en est devenu la condition de possibilité. C'est encore chez Saint-Simon qu'il apparaît le plus clairement. Le passage mérite citation[63]:

> Cette lecture de l'histoire et surtout des mémoires particuliers à la nôtre des derniers temps depuis François Ier que je faisais de moi-même, me fit aussi l'envie d'écrire de ceux que je verrais, dans le désir et dans l'espérance d'être de quelque chose et de savoir le mieux que je pourrais les affaires de mon temps. Les inconvénients ne laissèrent pas de se présenter à mon esprit; mais la résolution bien ferme d'en garder le secret à moi tout seul me parut remédier à tout. Je les commençais donc en juillet 1694, étant mestre de camp d'un régiment de cavalerie de mon nom, dans le camp de Ginsheim, sur le Vieux-Rhin, en l'armée commandée par le maréchal duc de Lorges.

Passage étonnant à bien des égards. D'abord par sa simplicité, quand on songe à la complexité arborescente que cinquante ans d'élaboration continue ont fini par donner à son projet. Passage révélateur aussi du mécanisme de la mémoire classique: Saint-Simon aurait donc commencé ses *Mémoires* à dix-neuf ans! Précocité sans doute unique et qui signale bien, jusque chez celui des mémorialistes dont le génie maniaque et démiurgique a porté la «Cour» à l'intensité d'une entéléchie hallucinatoire, l'adéquation naturelle du phénomène et de son expression. Mais passage plus étonnant encore par le jumelage, à ses yeux congénital, du projet dans son immensité et du secret dans sa radicalité.

L'essentiel des Mémoires de cour est cependant ailleurs: dans le lien, définitivement établi, et prometteur d'échanges qui ne cesseront plus, entre les Mémoires et la littérature. Dans la formation même de l'esthétique classique, entre 1660 et 1680, c'est la grille des Mémoires, avec tout ce que ce terme impliquait de références à la simple vérité et au naturel, qui a fourni au roman ses solutions et le point de départ de son émancipation et de sa définition moderne. On sait le rôle qu'elle a joué dans *La Princesse de Clèves* et la lettre fameuse de Mme de La Fayette à Lescheraine[64] où l'auteur future des *Mémoires de la cour de France* disait de son roman qu'«il était une parfaite imitation du monde de la cour et de la manière dont on y vit. Il n'y a rien de romanesque et de grimpé; aussi n'est-ce pas un roman, c'est proprement des mémoires». Le roman, tel que nous l'entendons depuis, s'est constitué à partir de la même «cellule mère» que les Mémoires authentiques[65]. La ligne de partage qui séparait soigneusement Mémoires et romans, les premiers centrés sur le récit autobiographique et historique, les seconds sur le récit d'imagination baroque, héroïque ou pastoral, s'estompe, pour passer, désormais, non plus entre deux genres, mais entre deux genres de genre: les romans et Mémoires plus orientés vers l'analyse, la pénétration psychologique fine, le récit personnel, la vie psychique et les émotions individuelles; les romans et Mémoires par ailleurs consacrés à la description réaliste et sociologique, où la part la plus grande est faite au récit pittoresque, et au reportage documentaire. Des Mémoires, le roman a emprunté la formule au point de vider le mot de ses références précises et d'en subvertir le sens, ne servant plus, depuis Courtilz de Sandras qui s'est ingénié à brouiller toutes les pistes[66], qu'à étayer les impostures et à mêler le faux au vrai : de 1700 à 1750, on a chiffré à plus de deux mille les romans rédigés en forme de Mémoires[67]. Sur ces évolutions, les excellents travaux des historiens de la littérature Georges May, René Démoris, Jean Rousset, Marie-Thérèse Hipp ont apporté d'abondantes lumières et nous y renvoyons[68], pour ne retenir que ce qui importe directement à notre propos : le fait massif et simple, mais cependant troublant, que les trois plus grands mémorialistes aux XVIIe, XVIIIe et XIXe siècles ont été aussi parmi les plus grands littérateurs français, tous trois obsédés d'une grandeur politique dont ils n'ont jamais connu que la menue monnaie et dans la carrière de qui la rédaction des *Mémoires* a été à la fois périphérique et absolument centrale. Ce qui fait, en effet, des *Mémoires* de Retz, de Saint-Simon et de Chateaubriand des Mémoires d'État, au sens plein du mot, ne sont pas les responsabilités publiques qu'ils ont à l'occasion assumées, en en exagérant plus ou moins l'importance, mais leur rapport personnel au pouvoir, à la politique, à l'État, fait d'identification absolue et de distance radicale, d'aptitude imaginaire et d'incapacité presque volontaire. Trois ratés supérieurs de la politique habités d'un *ego* qui les égale aux plus grands forcenés du pouvoir, Retz à Richelieu, Saint-Simon à Louis XIV et Chateaubriand à Napoléon, mais sauvés de l'échec, à la différence de leurs *alter ego* dont les Mémoires ne sont pas essentiels à la gloire, par le chef-d'œuvre littéraire de leurs Mémoires. C'est l'écrasante supériorité de leur réussite littéraire qui, paradoxalement, les intègre de plain-pied au système des Mémoires d'État, dont ils sont même les garants et les piliers, puisque, sans eux, il n'existerait sans doute pas.

C'est sous l'influence de trois grands faits que le terme de « Mémoires » a pris son acception contemporaine : l'approfondissement de l'analyse du moi, l'effacement d'un type de pouvoir de droit divin et l'accélération brutale de l'histoire. Trois faits intimement liés entre eux à la fin du XVIIIe siècle, et qui ont fixé définitivement le genre, dans sa tradition démocratique.

Pour qu'il y ait Mémoires, au sens moderne, extensif et limitatif du mot, il faut en effet d'abord qu'il y ait fracture du cadre social traditionnel et avènement de l'individu ; non point au sens psychologique, mais au sens social, au sens tocquevillien de l'égalité des conditions. Les Mémoires feront à la psychologie sa place, mais limitée et seulement déterminée par les nécessités de la définition sociale. Elle n'est qu'un élément de l'indispensable identité du mémorialiste, un éclairage du cursus et de la carrière ; mais, sitôt que cette identité psychologique devient l'objet même des Mémoires, on glisse vers l'autobiographie, que Georges Gusdorf, en de fortes pages, a bien montrée comme l'aboutissement d'un vaste processus de démocratisation[69]. Pour que la distance de soi à soi paraisse mériter l'analyse, pour que la face purement privée de l'existence prenne un véritable intérêt, pour que la remémoration puisse être poursuivie pour elle-même, il faut qu'intervienne la mobilité sociale. Sinon, les *Souvenirs d'enfance et de jeunesse*, ceux de Renan et de tant d'autres après lui, ne sont guère concevables. Les recherches de Jacques Voisine l'ont montré avec précision[70] : c'est en 1856 que le *Dictionnaire de l'Académie* adopte le terme « autobiographie » dans son sens actuel, comme un néologisme, et Littré, en 1863, consacrant avec retard et réticence le développement d'un genre auquel les *Confessions* de Rousseau ont donné une orientation décisive et parfaitement consciente[71]. Dans le préambule du manuscrit dit « de Neuchâtel[72] », Rousseau annonce clairement que l'histoire de sa vie ne sera pas un roman, ni un portrait : ce sera la vie, non d'un grand personnage « par le rang et par la naissance », mais d'un homme du peuple qui a « la célébrité des malheurs ». Ce sera une histoire intérieure, dans laquelle « la chaîne des idées et des sentiments » se substituera à la chronologie des « événements extérieurs », qui ne l'intéresse que dans la mesure où et la manière dont il en a été affecté. Il veut « rendre [son] âme transparente aux yeux du lecteur », dans une véhémente prédication sécularisée. « Et qu'on n'objecte pas que n'étant qu'un homme du peuple, je n'ai rien à dire qui mérite l'attention des lecteurs [...] Dans quelque obscurité que j'aye pu vivre, si j'ai pensé plus et mieux que les Rois, l'histoire de mon âme est plus intéressante que celle des leurs. » Une histoire, donc, de l'individu.

Telle est pourtant, encore, dans la première moitié du XIXe siècle, l'incertitude de l'autobiographie que la *Vita* d'Alfieri en 1810 et *Dichtung und Warheit*, de Goethe, qui a joué un rôle également déterminant dans la formation moderne du genre, sont encore traduits sous le titre de *Mémoires*. À cette appellation, inversement, Lamartine préfère celle de *Confidences*, tandis que George Sand, pourtant disciple de Rousseau et éditeur des *Confessions*, revient à *Histoire de ma vie*. N'importe ici la chronologie exacte, mais le sens du mouvement : la fixation de l'autobiographie dans le sens d'une histoire intérieure[73], psychologique et littéraire, va renvoyer définitivement les Mémoires au récit linéaire d'une histoire extérieure. Dignité, mais infirmité des Mémoires, tous chargés d'une solennité historique et d'une illustration sociale qui en font la fadeur. Ils ne miroitent pas des complexités et des chatoiements de la psychologie des profondeurs. Ils ne frémissent pas non plus du pathétique des humbles, qui n'ont droit, certes, qu'à des « récits de vie », comme Agricol Perdiguier, mais représentent une contre-mémoire de la base qui nous paraît beaucoup plus intéressante aujourd'hui[74]. Ni *L'Âge d'homme*, de Michel Leiris, ni Martin Nadaud, maçon de la Creuse : les Mémoires sont devenus, à l'âge démocratique, comme le stade élémentaire de l'autobiographie. Mais l'autobiographie les a fait apparaître du même coup comme fondés sur des présupposés élémentaires et même triviaux, ce à quoi ils sont loin de se réduire. Des notables, peut-être, mais dont la carrière embrasse une longue période et se charge, à travers soi, d'une histoire extérieure à soi. Car l'extérieur n'a plus cessé de l'emporter, dans une précipitation historique qui n'a pas cessé, à son tour, de multiplier les théâtres du mémorable. Mémoires témoignages : l'âge démocratique a fait des Mémoires un journalisme de l'intérieur du pouvoir. Là est peut-être l'essentiel. L'effondrement d'un pouvoir monarchique de droit divin, d'un monopole étatique de la mémoire contre lequel ou à l'intérieur duquel avaient proliféré les Mémoires, dominés par les Mémoires d'État, a effacé définitivement la frontière qui rejetait en dehors de leur mouvance les Mémoires de type journalistique. Ces mémoires journaux avaient toujours existé, depuis le Bourgeois de Paris au XVe siècle, Pierre de L'Estoile, au XVIe, ou, point si différents, Tallemant des Réaux ou Sébastien Mercier. La chronique, récemment retrouvée, que Pierre-Ignace Chavatte[75], ouvrier sayetteur, à Lille, a tenue pendant toute la seconde moitié du XVIIe siècle relève de la même fureur de curiosité et de la même ténacité notatrice. La rumeur, l'anecdote, le fait divers, le temps qui passe, le prix de la vie, l'aventure du quotidien, les travaux et les jours. Ce type de « chronique mémoriale », comme l'appelle Chavatte, a longtemps représenté l'envers des Mémoires d'État. Il naît de milieux sociaux qui lui sont étrangers, urbains, bourgeois, populaires ; il suppose une tout autre forme de mémoire, la saisie de l'instantané ; il ne recueille du pouvoir que les échos lointains, répercutés dans un esprit craintif, passif ou critique. Le mélange de gentillesse et de rosserie, la passion pour le détail vrai en font tout le prix. Ce sont des Mémoires d'opinion. Le XVIIIe siècle les avait donc vus se multiplier, avec le développement de Paris et la naissance d'une fronde intellectuelle. Cet « esprit public[76] » s'exprime à plein dans les Mémoires de Buvat, copiste à la Bibliothèque du Roi, sous la plume d'avocats comme Mathieu Marais et surtout l'excellent Barbier, qui n'a pas son pareil pour gloser sur les querelles du Parlement et de la Couronne, ou encore dans les trente-six volumes des *Mémoires secrets de la république des Lettres* dont les cinq premiers sont de Bachaumont. Le formidable coup d'accélérateur de la Révolution, l'effondrement du pouvoir monarchique de droit divin, l'élargissement brutal de l'espace public, la précipitation du rythme des événements ont fait soudain changer d'échelle ce mode mineur pour lui donner une dimension centrale. Que l'on compare, par exemple, les *Souvenirs* de Mme de Caylus et ceux de la comtesse de Boigne[77], dans l'ordre mondain, ou, dans l'ordre intellectuel et littéraire, les *Mémoires* de Bachaumont et ceux de Rémusat[78], on saisira aisément, à un siècle de distance, comment la composante journalistique s'est intégrée pour toujours à la tradition majeure des Mémoires.

L'avènement de la démocratie impliquait donc, dans son principe même, une redistribution définitive du genre, la généralisation et la diversification à l'infini de l'acte autobiographique, en même temps qu'une redéfinition des Mémoires par la politique. Le mot est devenu très directement connoté avec l'État : sa vie, ses institutions, ses partis, sa diplomatie, ses vedettes ou ses simples acteurs, dans une hiérarchie d'intérêt qui épouse assez étroitement la hiérarchie des responsabilités. Mais en devenant quasi fonctionnel, l'exercice a perdu en qualité ce qu'il a gagné en quantité. La division politique de l'État entasse tous les jours, entre le murmure de l'actualité médiatique et le travail critique des universitaires, une couche toujours plus épaisse de témoignages individuels à la barre de l'histoire. Les contemporains se sont d'ailleurs très vite aperçus de l'abaissement et de la contagion du phénomène. « Le temps où nous vivons a dû nécessairement fournir de nombreux matériaux aux mémoires », constate Chateaubriand dans la préface aux *Études historiques* (1831). « Il n'y a personne qui ne soit devenu, au moins pour vingt-quatre heures, un personnage historique et qui ne se croie obligé de rendre compte au monde de l'influence qu'il a exercée sur l'univers. » Même son de cloche chez les historiens de la littérature : « Les Mémoires du XIXe siècle, écrit Frédéric Godefroy[79], à peu d'exceptions près, ne font ressortir que d'orgueilleuses personnalités, tant ils prennent soin d'absorber les événements dans leur propre existence, ou de s'abandonner, pour rappeler un rôle, à des généralités historiques que tout le monde connaît. » Une entreprise comme celle de Petitot est aujourd'hui impensable. Le temps où elle a commencé à cesser d'être possible est celui où, précisément, il l'a réalisée. La notion même de « Mémoires de l'histoire de France » s'est dissoute, émiettée jusqu'à épuisement dans le jour le jour de la politique. Et c'est cet épuisement qui permet aujourd'hui d'apercevoir la spécificité du phénomène et l'originalité d'une tradition. Les Mémoires des hommes d'État sont enlisés désormais dans la prose du pouvoir. Il a sans doute fallu de Gaulle, et son exceptionnel destin, pour que s'éclaire, en ce dernier éclat, la poésie rétrospective de la mémoire d'État.

3. *Mémoires d'État, mémoire de l'État*

C'est rétrospectivement, en effet, qu'apparaît singulière, et historiquement révélatrice, la magie qu'irradie un petit nombre : ceux qui, de Sully à de Gaulle, de Richelieu à Napoléon, ont été ou ont su se faire véritablement l'expression du Pouvoir, l'incarnation d'un moment de l'État, l'Histoire en marche, et dont les Mémoires, qui ont tant fait pour la leur propre, restent comme des fragments de la nôtre. Ils sont à part, ils sont centraux. Car des trois traditions formatrices de Mémoires que l'on a repérées, et qui sont responsables de leur prolifération nationale, chacune, on l'a vu, est bien l'expression d'une figure de l'État, mais aucune n'en est l'épicentre : la première, celle des Mémoires d'épée, s'enracine dans une réaction contre l'État ; la deuxième, celle des Mémoires de cour, s'est déployée dans une dépendance marginale au foyer de l'État ; et la troisième, la tradition démocratique, est liée à la dispersion du pouvoir d'État et à sa détention passagère. Mémoires d'État, tous les Mémoires le sont et cependant aucun : des récits du pouvoir, mais indirects. Qu'en est-il, quand c'est le Pouvoir qui parle ?

Leur puissance d'identification incarnatrice, ces Mémoires-là la tirent tout entière d'un décalage décisif avec les Mémoires ordinaires. Décalage impliqué par leur ambition même, et leur situation historique – grands écrivains, ministres qui ont assumé le pouvoir par la confiance des rois ou détenteurs du pouvoir suprême par droit divin, révolutionnaire ou électif –, mais qui n'abolit les contradictions propres à ce genre personnel que pour leur en substituer une série d'autres. Tous les Mémoires connaissent, en effet, un mélange d'effacement et de suraffirmation de l'individuel, un jeu impondérable de l'absence à soi et de la surdétermination de la présence de soi. Tous sont habités par une subtile dialectique de la légitimité et de l'illégitimité – « dois-je prendre la parole, puis-je ne pas la prendre ? » –, et tous ne résolvent ce dilemme que par un arsenal de motifs codés et une gamme de prétextes dont seule une comparaison systématique des préambules permettrait d'épuiser le répertoire. Tous, enfin, relèvent d'un type traditionnel qui dicte un style du souvenir et laisse à l'auteur le choix de ce qu'il veut rappeler ou taire : livre de raison ou livre de retraite, Mémoires document ou Mémoires témoignage, Mémoires justification ou Mémoires confession, Mémoires testament ou Mémoire accomplissement, même si la plupart mélangent plusieurs de ces types particuliers. Les Mémoires d'en haut transcendent toutes ces catégories régionales et bénéficient au départ d'une forte légitimité de principe. La *captatio benevolentiae* n'est pas nécessaire. En revanche, la version externe des faits n'étant ignorée de personne, et constituant un passage obligé, c'est la version interne qu'on attend de l'auteur, qui sait de son côté qu'elle sera obligatoirement contrôlée. Le mémorialiste d'en haut sait aussi qu'il ne peut jouer sur la distance entre ce qu'il a fait et l'homme qu'il est devenu : ses Mémoires appartiennent à l'acte, dont elles sont la version *ne varietur*. À la limite, les grands mémorialistes d'État ne sont plus que leurs Mémoires. Certains, comme Sully, ont même eu la chance que la destruction d'une partie des archives administratives ait longtemps réduit les historiens, jusqu'à une période récente, au simple enregistrement de leur version des faits[80]. Y aurait-il eu autrement un mythe de Sully, vivant et célébré jusqu'au régime de Vichy[81] ? Mais la remarque vaut pratiquement pour tous ; que seraient Commynes et Retz sans leurs Mémoires, et même Napoléon ou Chateaubriand ? De certains personnages d'État, même secondaires, comme Vincent Auriol, la découverte posthume du journal[82] a complètement transformé la figure historique.

L'adéquation absolue de l'auteur à son sujet, du moi à l'histoire, et du témoin à l'acteur donnent au « je » des Mémoires de l'État un statut puissamment ambigu et problématique. La première personne doit y devenir une quasi troisième personne. Ce n'est plus le « je » scrutateur de l'autobiographe à la recherche de lui-même et de son propre passé, de sa propre et artificielle cohérence, mais le « je » impersonnel et ultra-personnel, charnel et désincarné du personnage historique, le héros d'une autobiographie en nom collectif. Malraux a un bon passage sur de Gaulle et sa relation avec le personnage symbolique dont il écrit les Mémoires, « où Charles ne paraît jamais[83] ». Ce personnage sans prénom des *Mémoires* serait né, de l'aveu même du Général, des acclamations qui saluèrent son retour et lui semblèrent ne pas s'adresser à lui. « Des statues futures possèdent ceux qui sont dignes des statues. » Louis XIV et Napoléon ont fait mieux encore : ils n'ont qu'un prénom. L'homme privé, chez le premier, coïncide exactement avec l'homme public et les célèbres familiarités de l'Empereur appartiennent à son image d'aventurier couronné. Les puissantes incarnations s'achètent aux prix des grandes désindividualisations, les identifications majeures se payent de l'abandon de la personne au profit du personnage. D'où ce composé détonant, dans les grands Mémoires d'État, de proximité identificatoire à autrui et de distance à soi-même. Pas de dialogue avec le lecteur, comme chez Rousseau, pas de regard divin, comme dans saint Augustin : un moi égal à lui-même et à ce que les autres attendent de lui. À cette alchimie, la simple détention du pouvoir ne suffit nullement : ni Poincaré ni Auriol, dans leur *Journal*, n'y sont parvenus. En revanche, avec *Fils du peuple*, l'autobiographie sur mesure que Fréville a taillée à Maurice Thorez[84], des Mémoires de contre-État se haussent aux mécanismes des Mémoires d'État, au prix de contre-vérités qui ont fini par rendre le livre impossible à rééditer.

Les grands Mémoires de l'État n'échappent donc aux contradictions internes du genre que pour les retrouver au niveau supérieur, à un degré d'intensité qui en bouleverse les données et en métamorphose les enjeux. À ce titre, ils constituent bien le sommet du genre, son point d'aboutissement souverain, son parfait accomplissement et sa légitimité suprême. Mais, en même temps, ils en sont le retournement complet et composent une série d'exceptions, aux éléments, en apparence, entre eux incomparables. Chacun plonge dans un univers historique particulier, émane de personnalités par définition exceptionnelles. Chacun est à soi seul son propre genre, puisque tous n'appartiennent qu'au seul dont le secret n'appartient à personne : faire son salut historique. Condamnés donc à l'originalité absolue, que va jusqu'à souligner la disparité même des titres : *Économies, Testament, Instructions, Mémorial, d'outre-tombe*, comme si le mot même de « Mémoires », dont l'adoption ou le refus est toujours signalétique, banalisait le propos pour le réduire à un modèle usé, ou volontairement référentiel, et que la première des tâches consistait à y sacrifier en le fuyant ; ou plutôt comme si la soumission implicite à un modèle impliquait de s'en démarquer.

D'où l'importance des procédures et des procédés par lesquels ces Mémoires assurent leur différence radicale. La gamme est d'une infinie variété. Chez les grands littéraires, c'est, évidemment, un jeu de miroirs subtil et complexe avec leur propre mémoire ; tel que l'ont analysé, notamment pour Retz et Saint-Simon, les historiens de la littérature[85]. Mais pour les politiques, le décalage passe, selon les époques et les types d'hommes d'État, tantôt par l'originalité de la technique, tantôt par la légitimation de l'inscription individuelle dans l'histoire, tantôt par le caractère exceptionnel du statut même des Mémoires. Expliquons-nous sur pièces.

Techniques narratives. Il n'était pas rare, surtout à la fin du XVIe siècle et dans la première moitié du XVIIe, que de grands seigneurs, pour toute sorte de raisons qui tiennent à l'orgueil de caste, au manque d'habitude, à la modestie de façade, à la fausse imitation des historiens, à la facilité de faire son panégyrique par d'autres, commandent leurs Mémoires et abandonnent la plume à des subalternes jusqu'à n'y avoir personnellement aucune part. Tel est le cas, par exemple, du duc de Rohan, des maréchaux d'Estrées et du Plessis, de Gramont, de Gaston d'Orléans. Certains ont brouillé les pistes au point de rendre les attributions acrobatiques et la lecture, incertaine : ces Mémoires qui ne veulent pas s'avouer tels dissocient à ce point le narrateur du personnage qu'on ne sait plus qui parle. L'usage d'une rédaction par secours interposé était si bien établi qu'en 1675 encore, lorsque Mme de Sévigné souhaite que Retz entreprenne ses Mémoires, elle l'incite à « écrire » ou à « faire écrire » son histoire, les deux expressions étant visiblement équivalentes à ses yeux. Simone Bertière parle ainsi de « Mémoires sans première personne[86] ». Quelle différence, pourtant, entre ces autobiographies indirectes et la stupéfiante mise en scène à laquelle a eu recours Sully ! Assis en majesté dans la grande salle de son château[87], le seigneur de Sully, muet, écoute et approuve le récit de sa carrière politique qu'ont rédigé pour lui ses quatre secrétaires, devant qui il consent à « se ramentevoir ». Comme dit Sainte-Beuve, « il se fait renvoyer ses souvenirs sous forme obséquieuse, et pour ainsi dire, à quatre encensoirs ; il assiste sous le dais et prête l'oreille avec complaisance à ses propres échos[88] ». Sully les connaît fort bien : « Nous ramentevrons donc à vostre grandeur que Monsieur vostre père avait quatre fils... » Cette fiction narrative permet toutes les digressions, les détails, les silences, les tours de passe-passe et les règlements de comptes; elle permet au ministre disgracié, lettres et documents à l'appui, de polir et repolir ses haines et ses mépris, et de monologuer pendant trente ans sa propre gloire entremêlée à celle d'Henri IV et de la France. Ce qui ne l'empêche pas, dans son « Avis au lecteur », comme le note malicieusement Fumaroli, d'énumérer les « treize règles » d'impartialité de l'historien qu'il est persuadé d'avoir respectées[89]...

Mais il est d'autres stratagèmes narratifs, et plus féconds, comme le rôle médiateur que Retz fait jouer à sa « confidente », qu'il s'agisse de Mme de Sévigné, de Mme de Caumartin, de Mme de La Fayette ou de Mme de Grignan[90]. Tous les mémorialistes avant lui avaient également affirmé n'écrire qu'à l'intention de leur famille ou de leurs amis, ou sur une incitation qui ne pouvait se refuser. Ainsi Commynes n'avait-il entrepris ses Mémoires, dit-il, que sur la demande de l'archevêque de Vienne, Angelo Cato, même s'il les avait poursuivis bien après la mort du commanditaire et si son texte prouve que, par-dessus son destinataire initial, il s'adressait plus souvent aux princes[91]. La sollicitation de principe fait partie de la convention. « Madame, commence Paul de Gondi, quelque répugnance que je puisse avoir à vous donner l'histoire de ma vie, qui a été agitée de tant d'aventures différentes, néanmoins, comme vous me l'avez commandé, je vous obéis, aux dépens même de ma réputation. Le caprice de la fortune m'a fait l'honneur de beaucoup de fautes; et je doute qu'il soit judicieux de lever le voile qui en cache une partie. Je vas cependant vous instruire nuement et sans détour des plus petites particularités, depuis le moment où j'ai commencé à connaître mon état; et je ne vous celerai aucune des démarches que j'ai faites en tous les temps de ma vie. » À partir de cette adresse inaugurale, déjà moins banale qu'une simple invocation protocolaire, quelles ressources le point fixe de ce regard féminin, imaginaire ou bien réel, impératif et séducteur, n'a-t-il pas fournies à cette vie divisée entre la vocation de l'homme d'épée, de l'homme d'État et de l'homme d'Église[92] ? Destinataire unique, représentante de tous les publics, pierre de touche intérieure, miroir intime, tremplin où l'auteur vient périodiquement ressourcer son éloquence, sa liberté de paroles, sa jouissance à se dire, la « confidente », dont Retz a su faire l'instrument même du complet renouvellement du genre, joue dans la construction des *Mémoires* un rôle aussi fondamental que le Narrateur dans l'architecture de la *Recherche du temps perdu*. C'est le même type de retournement dans l'exploitation d'un procédé ordinaire qui donne au *Testament politique*[93] de Richelieu – quelle que soit la part qu'y a prise le père Joseph – sa force incarnatrice de la puissance d'État, beaucoup plus qu'à ses Mémoires proprement dits, vaste récit chronologique fait de pièces rapportées et de morceaux de circonstances, comme *L'Histoire de la mère et du fils* (1600-1623) et la

Succincte Narration des grandes actions du Roi (1624-1639). Testament : le mot appartient à un genre qui n'est pas exactement celui des mémoires, bien que proche, et très répandu aux XVIe et XVIIe siècles. L'époque même de la rédaction du *Testament* de Richelieu (sans doute 1637) en a fourni deux exemples notables : les *Instructions* à ses enfants du chancelier Hurault de Cheverny publiées par son fils en 1636 et qui ont servi de modèle au *Testament* de Fortin de La Hoguette, *ou conseils fidelles d'un bon père à ses enfants* (1649), qui a connu seize éditions au XVIIe siècle[94]. Message social de comportement à la Cour et dans le monde, message strictement familial et destiné à un usage privé, message moral et chrétien d'une préparation à la mort : le *Testament* de Richelieu s'inspire d'un genre devenu l'expression même de la vie privée pour le porter d'un coup aux dimensions du Prince, de la Monarchie et de l'État ; il le dépouille de sa signification intime et de son expérience toute particulière pour le charger de la gravité du public et l'armer de ces *Maximes* qui en font la valeur et qu'il avait, semble-t-il, auparavant déjà et indépendamment ramassées.

Distance absolue des Mémoires d'État : elle n'éclate jamais plus, pour leur donner leur originalité radicale, que chez les deux superpuissants de l'histoire de France, Louis XIV et Napoléon, entre lesquels le rapprochement s'impose, précisément parce que les moyens de l'identification s'opposent. Au départ, un fait frappant : de Napoléon, écrivain-né, émule de César, et vacant par force, on aurait pu attendre des Mémoires ; il ne les a pas écrits personnellement, il les a parlés involontairement, à moitié consciemment, par interlocuteur interposé. Louis XIV, qui aurait pu s'en dispenser par principe – le soleil éclaire-t-il ses propres rayons ? –, en eut l'idée dès son avènement au pouvoir personnel en 1661 et s'y applique dès 1666, persuadé que les rois « doivent, pour ainsi dire, un compte public de toutes leurs actions à tout l'univers et à tous les siècles[95] ». Et quelle que soit la part de Colbert, du président de Périgny, le précepteur du Dauphin, de Pélisson, de son secrétaire Rose dans la rédaction des deux morceaux continus qui nous restent, les années 1661-1662 et les années 1666-1668, les manuscrits montrent le scrupule avec lequel le monarque a vérifié chaque mot ; il assume le tout. Ce contraste n'est pourtant pas celui qui frappe le plus, ni qui donne à ces deux textes étranges leur pleine exemplarité. Cette exemplarité, ils la tiennent de l'adéquation parfaitement exacte de la méthode, dans un cas immédiate, dans l'autre cas médiate, avec l'image d'État qu'ils ont voulu laisser. Les Mémoires de Louis XIV sont un bilan à chaud. Ils sont nés de l'ordre d'établir des mémoriaux des conseils, d'abord donné à Colbert, qui entreprit bientôt un « journal fait chacune semaine de ce qui s'est passé pour servir à l'histoire du Roy » ; quand il abandonne sa collaboration, en 1665, c'est Louis XIV lui-même qui prend des notes à la main, sur des feuillets ; quand il commence à dicter, le 14 février 1666, il traite du mois de janvier et du début février. Cette astreinte, qu'il n'interrompra qu'en 1672, au début de la guerre de Hollande, pour ne la reprendre que sporadiquement, est l'illustration même de l'idée que Louis XIV se faisait du «métier» de roi, «grand, noble et délicieux quand on se sent digne de s'acquitter de toutes les choses auxquelles il engage». La consignation instantanée par le Prince des hauts faits du Prince traduit la professionnalisation de l'exercice monarchique. Elle est l'image même de l'absolutisme et le Dauphin, à l'instruction duquel ces Mémoires étaient initialement destinés, représente la figure unique et concrète des sujets, auxquels «au fond, dit-il au détour d'une phrase inattendue, on a toujours pour but de plaire». D'où le portrait légèrement pédagogique du Prince accompli, que les *Mémoires* ont pour but ultime de dépeindre: ordre, bon sens et grandeur d'âme. L'image que Napoléon a laissé donner de lui-même à travers Las Cases[96] est, au contraire, complètement involontaire et d'après coup. Il s'est répandu en confidences devant un inconnu, dont il ne pouvait trop savoir ce qu'il en ferait, un homme qui n'était pas même de ses familiers, un noble rentré d'émigration que rien ne désignait pour le suivre au bout du monde, mais qui, par hasard et par chance, a eu l'habilité de saisir et de respecter l'important dans ses rabâchages d'exilé que les autres compagnons, Montholon ou Gourgaud, croyaient bon de résumer en trois lignes. Tout l'effet repose sur une série de contrastes: entre la misère de Sainte-Hélène, les mauvais traitements infligés par Hudson Lowe et l'ancienne puissance de l'Empereur dans tous les domaines civils et militaires; entre le souvenir du despote et l'humble humanité du proscrit; entre le bilan catastrophique du tyran et le défenseur libéral de l'héritage révolutionnaire. Et cet effet fut foudroyant. Par des voies radicalement différentes et pour des motifs exactement inverses, le *Mémorial de Sainte-Hélène* et les *Mémoires* de Louis XIV aboutissent au même résultat: ils ne restituent pas une action, mais ils composent un personnage. Ils ne contribuent qu'accessoirement à l'histoire, ils fondent le mythe.

Articuler enfin directement l'individu sur l'histoire: c'est le nerf le plus puissant qui fait les grands Mémoires d'État et jamais il n'apparaît mieux que dans ceux de l'âge démocratique. Jusque-là, le service du roi et la grandeur de la monarchie étaient une cause suffisante à l'action politique. Joinville se dissimule derrière Saint Louis, Commynes derrière Louis XI et ainsi de suite. Quand s'efface la monarchie légitimatrice, l'ambition politique ne peut se justifier que par la grandeur de la cause historique, qui fait à un simple particulier la noble obligation d'assumer malgré lui le pouvoir. Les plus grands des Mémoires d'État ne naissent ainsi, servis par le mérite et par la chance, que d'une «fatale» nécessité. Nécessité: c'est le mot, René Rémond l'a noté en lisant avec attention les huit volumes des *Mémoires pour servir à l'histoire de mon temps*[97], qui revient le plus souvent sous la plume de Guizot, comme la «nature des choses» sous la plume de De Gaulle. Et il est de fait qu'en dépit de la différence des siècles et des hommes, on relèverait, chez ces deux plus grands mémorialistes de l'État démocratique, un rapport à l'histoire qui, pour être, ici encore, totalement opposé, n'en aboutit pas moins, ici aussi, à des résultats totalement semblables: l'identification de l'action individuelle à un moment de l'État, appelé de toute éternité. Guizot est un historien dans l'action qui sait, pour en avoir beaucoup publié lui-même, de quoi sont pétris les meilleurs Mémoires et qui, à soixante-dix ans, jette sur son œuvre passée un regard d'historien. Si, comme les autres – Émile Ollivier, Clemenceau ou Poincaré –, il plaide une cause, celle de la monarchie de Juillet, c'est au nom d'une interprétation plus ample de l'histoire de France tout entière, et d'une interprétation cruciale, puisqu'elle ne vise à rien moins qu'à asseoir la forme politique de la France moderne et à stopper la dérive révolutionnaire. Il a donc l'action naturellement et puissamment idéologique, répugne à expliquer la politique par «ces comédies machiavéliques», même s'«il y en a beaucoup» (t. II, p. 324), et se refuse toujours à expliquer les grands événements par de petites causes. L'action est beaucoup moins intéressante, sous sa plume, que les raisons majeures qui la motivent. Et c'est sans doute pourquoi les trois premiers volumes, qui portent sur la période antérieure à son grand ministère, mais relatent la Restauration, la révolution de 1830 et son action à l'Instruction publique, pleins d'analyses de fond, sont pour nous plus riches que les cinq suivants, remplis des affaires courantes qui sollicitaient davantage les contemporains, comme la crise de 1840, les affaires d'Orient ou les mariages espagnols. C'est dans le non-dramatique et le réflexif que l'histoire apparaît chez Guizot, par une déduction qui cherche à en saisir le sens. Chez de Gaulle, au contraire, elle n'est jamais plus présente que dans le tragique et le mystique. De Gaulle s'est comme «incorporé» la France, mot qui revient également souvent sous sa plume, ce qui lui donne sur elle des droits qui se passent de titres: «Un appel venu du fond de l'histoire, ensuite l'instinct du pays m'ont amené à prendre en compte le trésor en déshérence, à assumer la souveraineté française, c'est moi qui détiens la légitimité» (t. II, p. 321). Phrase extraordinaire, qui fait toucher du doigt l'essence de la mémoire d'État. Dans les deux cas, cependant, et indépendamment de la rigueur altière de ces deux pessimistes à principes et à convictions, un bloc d'histoire tout constitué, fait d'analyse chez l'un, de sentiment charnel chez l'autre, bref une mémoire historique doublée d'une psychologie et d'une morale au demeurant point fondamentalement différentes, leur fournit des hommes et des situations, une grille interprétative qui s'applique instantanément et qui, la distance de la rédaction aidant – ainsi que, remarquons-le en passant, la formule identique de documents à l'appui –, leur permet d'intégrer sur-le-champ l'événement. L'histoire, chez tous deux, «étant ce qu'elle est» et les hommes «ce qu'ils sont», le nouveau n'est jamais tout à fait nouveau, il ressemble à de l'ancien qui en fait de la mémoire; à son tour devenue, puisque c'est la leur, une mémoire d'État.

On ne saurait cependant réduire la puissance d'identification de ces textes majeurs à un simple ensemble de moyens, de faits particuliers, de médiations obligatoires. Elle tient à des raisons plus essentielles: le mélange intime de leur nécessité et de leur contingence, qui fait de ce *corpus*, accidentellement constitué, un dispositif de mémoire fortement intégré.
Impossible, en effet, de ne pas y songer: il aurait pu ne pas être. Cette impressionnante galerie, rassemblée côte à côte sous des reliures semblables qui en accusent davantage encore aujourd'hui l'homogénéité, est le fruit du hasard, de trouvailles inespérées et du travail de l'érudition. Image inséparable des plus hautes expressions que nous avons de l'exercice du pouvoir et du déroulement même de l'histoire nationale: c'est pourtant une mémoire construite, arrachée à l'ombre à laquelle elle était promise, quand ce n'est pas au feu et aux souris. Jusqu'au XIXe siècle, aucun de ces textes n'était fait pour être publié. Sully n'a laissé à personne le soin de les imprimer et les *Économies royales* ont vu le jour dans son propre château. Mais les plus canoniques de ces Mémoires sont les enfants de l'improbable. Ce qu'on appelle les *Mémoires* de Louis XIV est, en fait, un ensemble très disparate, échappé au feu où les jetait consciencieusement le roi vieillissant, un soir de 1714, pieusement recueilli par le maréchal de Noailles et déposé par lui trente-cinq ans plus tard à la Bibliothèque du Roi. Il a fallu l'acharnement de Grouvelle en 1806, de Charles Dreyss en 1860, de Jean Longnon en 1927 pour pratiquer sur ces palimpsestes rescapés une reconstitution digne d'un temple grec. Et le *Mémorial*? Ce cheval de bataille de la légende, sur lequel Napoléon revint «hanter les intelligences, dit le jeune Quinet, comme un spectre que la mort a entièrement changé[98]», les Anglais auraient pu tout aussi bien ne pas rendre à Las Cases les notes qu'ils lui avaient confisquées à son départ de Sainte-Hélène... Et Retz, et Richelieu? Les érudits discutent encore aujourd'hui si Paul de Gondi prévoyait ou non une éventuelle publication de ses *Mémoires*, mais tous admettent que le problème n'aurait pu se poser que si l'auteur les avaient terminés. En tout état de cause, ils sont inachevés. Une bonne partie du début a été, de surcroît, déchirée ou perdue. Le *Testament politique* était exclusivement destiné à Louis XIII; il a été publié quarante-six ans après la mort de Richelieu, en 1688, à Amsterdam, par un éditeur protestant entre les mains de qui nul ne sait comment il avait pu parvenir. Encore, cette publication le détournait-il de son sens: il s'agissait d'en faire un instrument de propagande contre Louis XIV en opposant à la récente révocation de l'édit de Nantes l'exemple d'une politique plus tolérante.

L'authenticité même du texte a été longtemps niée, en particulier par Voltaire, ce qui n'empêchait pas de le republier au long du XVIIIe siècle comme une curiosité, dans des recueils apocryphes de testaments politiques, à côté de ceux de Colbert ou Mazarin. Et que dire de Saint-Simon ? La clandestinité semble ne l'avoir jamais abandonné. La préservation de l'océan des manuscrits tient à la ruine du petit duc, dont les créanciers obtinrent à sa mort, en mars 1755, les scellés sur ses biens[99]. Mais à partir de cet acte salvateur, que de rebondissements ! Copies circulant sous le manteau, procès en chaîne, extraits pirates à fins diffamatoires, publications interdites, sanction des Affaires étrangères où avaient été déposés les cent soixante-treize portefeuilles saisis et dont les Mémoires que nous connaissions, jusqu'à l'édition en cours de la Pléiade par les soins d'Yves Coirault, n'en représentent que onze, rien ne manque à cette aventure policière. Guizot est le premier à rompre avec la tradition en signant avec Michel Lévy un contrat de publication annuelle de ses huit volumes et à se faire une fierté de la communication publique de « cette œuvre-là que j'avais très avant dans l'âme[100] ». Mais, de nos jours encore, l'aile d'une étrange Providence semble couvrir la publication des *Mémoires* du Général, dont la chronologie paraît miraculeusement minutée : *L'Appel*, au moment de l'élection caricaturale et fantomatique de René Coty, *L'Unité*, dans la désagrégation ultime de la IVe République, *Le Salut* au lendemain du retour au pouvoir, le premier volume des *Mémoires d'espoir* trois mois avant sa mort, le second, inachevé et qui s'annonçait moins bon, donnant à ce destin si accompli la touche d'inaccomplissement qui lui manquait... Destin bizarre de tous ces textes, entrés dans le patrimoine par une succession d'aléas, surgis dans la mémoire vivante par des éditions imparfaites et puissamment efficaces, peaufinés ensuite par la mémoire savante et critique pour disparaître souvent de la circulation et reparaître enfin, pour la plupart peu lus, dans le Panthéon lointain où ils se figent, présents et absents, devant le tribunal indifférent de la postérité, leur seul et incertain destinataire.

N'empêche que ces Mémoires d'État composent un ensemble qu'il est impossible, rétrospectivement, de ne pas déchiffrer comme un système. Car ce corpus, en définitive, relève bien de trois catégories distinctes et complémentaires. La première comprend les ministres, disgraciés ou non, Sully, Richelieu, Guizot, dont chacun représente, à sa façon, une image forte de la consolidation nationale : Sully, le pilier du ruralisme, la figure anticipatrice des ministres idéaux de l'Ancien Régime, Colbert ou Turgot ; Richelieu, le symbole foudroyant de la raison d'État ; Guizot, le pédagogue de la France bourgeoise. C'est l'axe central de la construction politique de l'État, dans la permanence, la rigueur et le dévouement qu'il exige. Peu importe que ces ouvrages soient très peu lus, et même sortis du commerce. Sully, dont l'action a été indûment réduite au «pastourage et labourage[101]», a vu son image ranimée à chaque poussée du ruralisme français, par les physiocrates, la Restauration, les lois Méline, Vichy; la littérature sur Richelieu[102], historique ou romanesque, a largement popularisé l'auteur des *Maximes*; Guizot, longtemps pris dans le discrédit qui a frappé toute la pensée politique de la monarchie parlementaire, fait aujourd'hui l'objet d'un renouveau d'intérêt[103]. Si intéressants ou instructifs que puissent être les Mémoires de tous les autres grands ministres, aucun ne s'identifie à une cause qui va si loin et touche plus profondément l'idée que les Français se sont faite ou ont voulu se faire de la stabilité essentielle et de la solidité supérieure de l'État. Cette série constitue la poutre maîtresse de l'édifice national. Et il y a, en flanc-garde et au-dessus, en position symétrique, d'un côté les littérateurs de l'État – Retz, Saint-Simon, Chateaubriand – et de l'autre les grands politiques – Louis XIV, Napoléon et de Gaulle. Les serviteurs, les chantres et les incarnateurs suprêmes. Et c'est le rapport de réciprocité de ces trois groupes de textes, artificiel et nécessaire, qui fait toute l'originalité du système français de la mémoire d'État, et donne sa spécificité à la géographie de cet archipel. Cette mémoire de l'État, les serviteurs la servent, mais les incarnateurs ne l'incarneraient pas si les chantres ne la chantaient pas. Car ce sont bien, en définitive, les grands écrivains recalés de l'action politique, fascinateurs et fascinés, les joueurs, les voyeurs, les frôleurs du pouvoir d'État qui sont les répondants ultimes d'un système à la française, qui repose tout entier sur le prestige de l'écriture et la musique des mots. Ne parlons pas de De Gaulle, son obsession de la littérature n'est que trop évidente. Mais peut-on oublier que, sans Balzac et Stendhal et Hugo, il n'y aurait sans doute pas la figure romantique du prisonnier de Sainte-Hélène? Peut-on ne pas remarquer que l'année 1668, où Louis XIV entame sérieusement la rédaction de ses *Mémoires*, Racine fait jouer *Les Plaideurs*, Molière *Amphytrion* et *L'Avare*, Boileau compose l'*Épître au Roi* et La Fontaine publie les six premiers livres de ses *Fables*? Entre la basse continue de la littérature et les orchestrations majeures de la figure de l'État – que l'on songe seulement au couple de Gaulle-Malraux[104] –, le lien est plus qu'étroit.

Cette construction ne serait, cependant, qu'une vue de l'esprit si l'on n'y soulignait l'essentiel. À savoir qu'à travers Louis XIV, Napoléon et de Gaulle ce sont les trois moments clés de l'unité nationale qui se sont trouvés personnifiés dans leurs Mémoires: l'avènement de la monarchie absolue, la stabilisation de l'héritage révolutionnaire et l'enracinement en profondeur de l'État démocratique et républicain. Le fait est là, patent, massif, sans équivalent dans d'autres pays et dans d'autres histoires, et c'est lui qui commande l'économie générale de la mémoire d'État et sa hiérarchie implicite. Les trois hommes qui ont le plus intensément coagulé la légitimité nationale et représenté, dans notre histoire et notre mythologie, les images fortes de l'État, aux lendemains des grandes crises où il faillit sombrer, la Fronde, la Révolution, la défaite de 1940, se trouvent tous les trois, dans des conditions bien différentes et pour des motifs apparemment sans rapport, avoir, chacun à leur façon, déposé dans des Mémoires leur propre image et le compte rendu de leur action. Là est la clé de voûte du système, sa garantie suprême et son ultime vérité. Si mémoire d'État il y a en France, et qu'elle y prend une vibration d'une pareille intensité, ce n'est pas simplement parce que de grands hommes d'État ont périodiquement ranimé la flamme d'un pouvoir fort, c'est parce que les trois tournants décisifs où se sont soudées la tradition historique et sa continuité se sont cristallisés dans ces textes fondateurs : coïncidence forte, qui donne au système sa prégnance et sa logique interne.

Et peu importe, en fait, que les *Mémoires* de Louis XIV ne soient pas indispensables à son image et que ce ne soit pas Napoléon qui ait tenu lui-même la plume. Peu importe la circulation effective de ces textes et la pratique réelle qu'on en a. Ce n'en sont pas moins les épiphanies de la Nation. La mémoire d'État, en France, n'est pas d'ordre institutionnel et cumulatif, mais d'ordre personnel et quasi parousique. Les plus grands des Mémoires d'État, d'où serait censée descendre la vérité des vérités, on ne les lit pas pour la savoir, mais pour vérifier l'identification de la personne au personnage et du personnage à l'État, en ses moments les plus cruciaux. Ce qui reste des *Mémoires* de Louis XIV n'est pas le récit des mariages espagnols, c'est la « note royale » qu'y entendait Sainte-Beuve[105], où la superbe du Roi-Soleil ne brille que davantage de son aveu de la « violence extrême » qu'il s'impose « pour faire connaître l'amitié et la tendresse qu'il a pour ses peuples ». Ce qu'on retient du *Mémorial* sont les fulgurations familières du héros cloué sur son rocher. Et ce qui est passé des *Mémoires de guerre* dans la conscience publique tient tout entier dans la première phrase[106], cette « certaine idée de la France » où chacun peut projeter la sienne, et dont la suite n'est que la défense et l'illustration. Le reste ne concerne vraiment que les historiens. Les plus pleins de la mémoire d'État sont les Mémoires vides du simple récit de son action. On n'y apprend pas de secrets, on s'y frotte à un style, on se ressource à une image, on se conforme à un rite, on contemple le mystère de l'incarnation. C'est à partir de lui qu'un ordonnancement général s'opère, et qu'un modèle se crée, accidentel et pourtant nécessaire. Si ces trois textes n'existaient pas, on serait tenté de dire qu'il aurait fallu les inventer. C'est d'ailleurs ce qui pratiquement s'est fait pour les deux premiers, le troisième ne tirant précisément son prestige que de la réactualisation des deux autres. Ils fondent, à eux trois, notre surmoi d'État. Et c'est lui qui donne rétrospectivement et de proche en proche leur saveur et leur intérêt aux amertumes de Monluc, au bavardage intelligent de la comtesse de Boigne, aux péripéties

de la carrière d'Edgar Faure. N'était l'irradiation que les grandes figures ont su faire régner autour de leur action, il n'y aurait pas de tradition de Mémoires, et le sujet serait, pour un historien, sans fondement.
Antiquité de la tradition de l'État, lien vital entre la tradition littéraire et la tradition politique, essence intensément personnelle du pouvoir dans la tradition historique: c'est au carrefour de ces trois spécificités nationales qu'une production de Mémoires, infinie dans sa permanence et dans sa variété, trouve son principe d'ordre. Les Mémoires existent au moins depuis le XVIe siècle, mais comme une collection d'exceptions. Le siècle dernier les a massivement découverts et publiés. Une relecture s'impose aujourd'hui, pour y déchiffrer ce qu'ils veulent dire, et qui n'y est pas. Le XIXe siècle y avait trouvé les secrets d'État de notre histoire, on peut y voir l'histoire secrète de notre mémoire de l'État. Car s'il est vrai que le rêve est la voie d'accès privilégiée à l'inconscient, alors il faut tenir les Mémoires, non comme un genre anecdotique et marginal, mais comme la voie royale de notre identité nationale, pour ne pas dire la voie sacrée.

1. *Cf.* en particulier les travaux de Philippe Lejeune, *L'Autobiographie en France*, Paris, Armand Colin, coll. «U 2», 1971, *Le Pacte autobiographique*, Paris, Éd. du Seuil, 1975, et *Je est un autre*, Paris, Éd. du Seuil, 1980, auxquels on ajoutera Georges May, *L'Autobiographie*, Paris, P.U.F., 1979 et Daniel Madalenat, *La Biographie*, Paris, P.U.F., 1984.
Pour le journal intime: Béatrice Didier, *Le Journal intime*, Paris, P.U.F., 1976 Pour l'histoire orale: Philippe Joutard, *Ces voix qui nous viennent du passé*, Paris, Hachette, 1983.
Pour l'autoportrait: Michel Beaujour, *Miroirs d'encre*, Paris, Éd. du Seuil, 1980. Pour la méthode biographique en sciences sociales: Jean Poirier, Simone Clapier-Valladon et Paul Raybaut, *Les Récits de vie, théorie et pratique*, Paris, P.U.F., 1983.
Pour une bibliographie des récits de vie, «Life-writing in France: A French Bibliography», *Biography*, V, n° 4, automne 1982, à compléter par Philippe Lejeune, *Bibliographie des études en langue française sur la littérature personnelle et les récits de vie, I: 1982-1983, Cahiers de sémiotique textuelle*, Université de Paris X-Nanterre, n° 3, 1984.
Il est significatif de relever que le *Dictionnaire des littératures de langue française*, édité chez Bordas, consacre un article général à l'autobiographie (D. Couty), mais pas aux Mémoires.

2. Notamment *Les Valeurs chez les mémorialistes français du XVIIe siècle avant la Fronde*, Colloque de Strasbourg et Metz, 18-20 mai 1978, sous le patronage de la Société d'étude du XVIIe siècle, Paris, Klincksieck, 1979: fondamental.

3. On s'intéressera particulièrement aux travaux de Georges Gusdorf, *La Découverte de soi*, Paris, P.U.F., 1948, *Mémoire et personne*, Paris, P.U.F., 1950, et, surtout, «Conditions et limites de l'autobiographie», *in Formen der Selbstdurstellung, Festgabe für Fritz Neubert*, Berlin, Duncker und Humblot, 1956.

4. Georg Misch, *Geschichte der Autobiographie*, Francfort-sur-le-Main, Schulte und Bulmke, 1949-1962, 6 vol., les deux premiers volumes étant originellement parus à Leipzig et Berlin, chez Teubner, 1907 et 1931. Les deux premiers volumes ont été traduits en anglais, *A History of Autobiography in Antiquity*, Londres, Routledge and Kegan Paul, 1950.

5. Pour un inventaire, se reporter aux manuels de Henri Hauser, *Les Sources de l'histoire de France, XVIe siècle*, Paris, Picard, 1908, et d'Émile Bourgeois et Louis André, *Les Sources de l'histoire de France, XVIIe siècle*, II, *Mémoires et lettres*, Paris, Picard, 1913.
On y ajoutera les articles «Mémoires» dans les différents volumes du *Dictionnaire des lettres françaises*, de Robert Barroux, Paris, Fayard, 1950-1951, 4 vol.

6. Ce sont, en fait, les historiens de la littérature classique qui ont le plus apporté à l'étude des Mémoires; indépendamment des travaux spécialisés, *cf.* en particulier les travaux de Marc Fumaroli (voir ci-dessous, n. 41) et de René Démoris (voir ci-dessous, n. 68).

7. On trouvera un très utile «Tableau des dates de publications des principaux Mémoires depuis le milieu du XVe siècle jusqu'au milieu du XVIIIe» dans l'appendice III de l'excellente thèse d'André Bertière, *Le Cardinal de Retz mémorialiste*, Paris, Klincksieck, 1977, pp. 606-615.

8. Claude-Bernard Petitot est né à Dijon le 30 mars 1772. Arrivé à Paris en 1790, réformé, il se lance sans succès dans la tragédie: *Hécube* (reçue au Théâtre-Français), puis *La Conjuration de Pison, Geta, Laurent le Magnifique, Rosemonde.*
Nommé chef de bureau à l'Instruction publique du département de la Seine, il favorise la reprise des études grecques et rétablit le concours général. Il se marie à Dijon en 1805. Fontanes, grand maître de l'Université, le nomme inspecteur des études en 1808. Démissionnaire en 1815, il demeure secrétaire général de la commission de l'Instruction publique et revient en 1821 conseiller de l'Université. En 1824, il est nommé directeur de l'Instruction publique et meurt le 6 avril 1825.
En 1803, Petitot avait publié une nouvelle édition de la *Grammaire générale* de Port-Royal, précédée d'un *Essai sur l'origine et la formation de la langue française.* Son *Répertoire du théâtre français* (1803-1804) en vingt-trois volumes avait été réédité en trente-trois volumes de 1807 à 1819.

9. Deux documents jettent une vive lumière sur l'aventure éditoriale de ces collections et la guerre des éditeurs à laquelle elle a donné lieu. Il s'agit d'un *Précis des contestations relatives à la collection des Mémoires sur l'histoire de France*, publié par J.-L. Foucault le 6 novembre 1827, 41 p. [B.N., Fp 2445] et de la plaidoirie de Me Gaudry, avocat de Brière, auquel Foucault avait intenté un procès pour avoir refusé de payer 831 francs correspondant au dépôt de trente-trois exemplaires des neuf volumes supplémentaires aux quarante-deux prévus initialement pour la première série [B.N.-Versailles, Courrier des tribunaux, *J.O.*, A 797].
La seconde série, de soixante-dix-neuf volumes, dont un de «Tables», coûtait 480 francs, les deux séries de cent trente et un volumes 750 francs, en souscription.

10. Louis Jean Nicolas (dit Jean-Louis) Monmerqué (1780-1860), magistrat, juge auditeur, puis conseiller à la cour d'appel de Paris de 1811 à 1852; président de la cour d'assises de la Seine en 1822, il a dirigé les débats du procès des quatre sergents de La Rochelle qu'il passe pour avoir conduit de façon libérale. Membre de l'Académie des inscriptions en 1833, il figure la même année parmi les membres fondateurs de la Société de l'histoire de France. Auteur de notices historiques sur Brantôme (1823), Mme de Maintenon (1828), Jean Ier, roi de France et de Navarre (1844), éditeur des *Lettres* de Mme De Sévigné, dix volumes (1818-1819), des *Mémoires* de Coulanges, des *Lettres* de Louis XIV (1822) et, avec Francisque Michel, des *Historiettes* de Tallemant des Réaux, six volumes (1833-1835).

11. Sur le profond renouvellement du monde éditorial à la fin de la Restauration et au début de la monarchie de Juillet, se reporter aux nombreux articles qui en traitent, à la fin du deuxième volume et au début du troisième de l'*Histoire de l'édition française*, sous la direction d'Henri-Jean Martin et Roger Chartier, t. II, *Le Livre triomphant (1660-1830)* et t. III, *Le Temps des éditeurs*, Paris, Promodis, 1984 et 1985.

12. Albin de Berville, dit Saint-Albin Berville (1788-1868), magistrat et homme de lettres. Libéral sous la Restauration, il a été chargé de la défense de Paul-Louis Courier en 1821, de celle de Béranger en 1822 et ses plaidoyers ont été imprimés à la suite des *Œuvres complètes* du chansonnier. Après la révolution de Juillet, il est nommé avocat général de la cour royale de Paris. Député de Pontoise de 1838 à 1848, il siège au centre. Membre de l'Assemblée constituante, il se situe alors à droite. Secrétaire perpétuel de la Société philotechnique à laquelle il appartient depuis 1825. Journaliste à la *Revue encyclopédique* et au *Constitutionnel.*

Son *Éloge de Delille* a été couronné par l'académie d'Amiens en 1817, son *Éloge de Rollin* a obtenu le prix d'éloquence de l'Académie française en 1818. Beaucoup de ses plaidoyers ont été insérés dans la collection du *Barreau français* de Panckoucke et les *Annales du barreau* de Warée. Outre des *Fragments oratoires et littéraires* en 1845, ses *Œuvres diverses*, poésies et littérature ont été réunies en 1868 et ses *Œuvres oratoires* en 1869.

13. Jean-François Barrière (1786-1868), destiné au barreau, est devenu chef de division à la préfecture de la Seine, spécialement chargé de l'organisation des hôpitaux. Publiciste, collaborateur de la *Gazette de France* et du *Journal des débats*, il a publié, outre les deux grandes collections indiquées, les *Mémoires* de Mme Campan et ceux de Loménie de Brienne, ainsi que deux recueils de fragments inédits du XVIIe siècle, *La Cour et la ville sous Louis XIV, Louis XV et Louis XVI*, 1829, et *Tableaux de genre et d'histoire*, 1848.

14. *Prospectus* de la collection Berville et Barrière des *Mémoires relatifs à la Révolution française*, 8 p., B.N., La [33] 1.

15. Jean-Alexandre Buchon (1791-1846), publiciste, historien et voyageur, a notamment fait connaître dans sa collection de chroniques une partie importante des écrits de G. Chastellain, de J. Molinet et, sur les conseils de Dacier, de Froissart.
Sur son projet général de réforme des archives, *cf.* Pierre Petresson de Saint-Aubin, « Un projet de réforme des archives départementales en 1829 », *Gazette des archives*, n° 68, 1er trimestre 1970, pp. 46-48 et « Projet d'A. Buchon pour l'organisation des archives départementales », *Bulletin de l'École des chartes*, n° 129, 1971, pp. 120-129.
Chargé d'une mission en Grèce après 1830, il a fait paraître *La Grèce continentale et la Morée* en 1843, suivi de *Nouvelles Recherches sur la principauté française de Morée*, 1843-1844, 2 vol., ainsi que divers récits de ses voyages en Italie, à Malte, en Suisse.
Il est également l'auteur d'une *Histoire populaire des Français*, 1832, et des trois premiers tomes d'une *Histoire universelle des religions*, 1844. Collaborateur de la *Biographie universelle* et de la *Revue indépendante*. *Cf.* Jean Longnon, *Alexandre Buchon, voyage dans l'Eubée, les îles Ioniennes et les Cyclades en 1841, avec une notice biographique et bibliographique*, Paris, Émile-Paul, 1911, préface de Maurice Barrès.

16. Jean-François Michaud (1767-1839), historien et publiciste, est né à Albens (Savoie). Commis de librairie à Lyon à dix-neuf ans, il est remarqué par la comtesse Fanny de Beauharnais qui l'emmène à Paris en 1790. Collaborateur de journaux royalistes, il doit se réfugier dans l'Ain. Arrêté au 13 vendémiaire pour avoir soutenu les sections royalistes contre la Convention, il est condamné à mort, s'enfuit en Suisse d'où il ne revient qu'après le 18 brumaire.
En 1806, il se lance avec son frère Louis-Gabriel dans une *Biographie moderne* ou *Dictionnaire des hommes qui se sont fait un nom en Europe depuis 1789*, première version de la monumentale *Biographie universelle* qu'il abandonnera à son frère, pour se consacrer à l'*Histoire des Croisades*, cinq volumes de textes et quatre volumes de bibliographie (1811-1822). Membre de l'Académie française depuis 1813, député sous la Restauration, il est le principal rédacteur de *La Quotidienne*, puis du *Moniteur* après 1830.
Détail piquant : c'est la notice qui lui est consacrée dans la *Biographie universelle* qui souligne sa participation purement nominale à la célèbre collection de Mémoires « dans laquelle nous savons par son propre aveu que sa part de travail fut à peu près nulle » – il se soignait d'ailleurs à l'époque en Italie – et qui porte sur lui ce jugement final : « Il avait quelque chose de fin, de parfaitement académique, mais aussi quelque chose de pâle et d'indécis : l'énergie vraie et simple, cette énergie manquait à sa conversation et à ses écrits. »

17. Jean-Joseph François Poujoulat, né en 1808, dans les Bouches-du-Rhône, monte à Paris en 1826 après des études à Aix. Remarqué par François Michaud pour zèle royaliste et catholique et associé par lui à la Bibliothèque des Croisades, il l'accompagne en Orient en 1830 et publie avec lui la *Correspondance d'Orient*, sept volumes (1832-1835), puis, après sa mort, une nouvelle édition de l'*Histoire des Croisades* (1840-1846).
Député de 1848 à 1851, à l'Assemblée constituante et législative, dans le groupe clérical et

légitimiste, il se retire de la politique après le 2 décembre pour se consacrer au journalisme *(Le Musée des familles, La Quotidienne,* la *Revue des Deux Mondes)* et à son œuvre littéraire. Celle-ci comprend plus de vingt-cinq titres, partagés entre trois centres d'intérêts : l'Orient (*La Bédouine*, 1835, couronné par l'Académie française ; *Histoire de Jérusalem*, 1840-1842 ; *Voyages en Algérie*, 1846) ; le catholicisme (*Histoire de saint Augustin*, 1844 ; *Lettres sur Bossuet*, 1854 ; *Le Cardinal Maury*, 1855 ; *Vie de Mgr Sibour*, 1857 ; *Associations et congrégations religieuses*, 1860, etc.) ; la politique, enfin (*Histoire de la Révolution française*, 1847 ; *La Droite et sa mission*, 1848 ; *La France et la Russie à Constantinople, 1853 ; Le Pape et la liberté*, 1860).

18. Sur Jacques-Joseph Champollion-Figeac (1778-1867), frère aîné et collaborateur de Jean-François, *cf.* la thèse complémentaire de Charles-Olivier Carbonell, *L'Autre Champollion, Jacques-Joseph Champollion-Figeac*, Toulouse, Presses de l'Institut d'études politiques et l'Asiathèque, 1985. Homme lige de Dacier, secrétaire perpétuel de l'Académie des inscriptions et belles-lettres, il a été professeur à l'École des chartes et conservateur à la Bibliothèque royale ; érudit au demeurant peu sûr, Jacques-Joseph Champollion-Figeac a été mêlé à la plupart des chantiers documentaires ouverts par Guizot. Il avait fait admettre son fils Aimé comme auditeur libre à l'École des chartes en 1830 et, l'année suivante, comme « employé aux manuscrits » de la Bibliothèque royale. Celui-ci devait d'ailleurs écrire un ouvrage sur *Les Deux Champollion*, 1880. Dans la collection de Michaud et Poujoulat, on trouve Jacques-Joseph et Aimé nominalement associés à la publication des *Mémoires* de François de Lorraine, du prince de Condé et d'Antoine Puget (t. VI), du *Journal* de Pierre de L'Estoile (t. XIII), de Retz (t. XXIII), des *Mémoires* de Brienne, Montrésor, Fontrailles, La Châtre, Turenne (t. XXV), d'Omer Talon et de l'abbé de Choisy (t. XXVIII).

19. Prospectus de la collection Guizot de *Mémoires relatifs à l'histoire de France depuis la fondation de la monarchie française*, Bibl. nat., L[45] q.

20. C'est ce qui était arrivé en 1810 à Paganel pour son *Essai historique et critique sur la Révolution française.*

21. *Cf.* Jean Tulard, *Bibliographie critique des Mémoires sur le Consulat et l'Empire*, Centre de recherches d'histoire et de philologie de la IVe section de l'École pratique des hautes études, volume XIII, Genève, Librairie Droz, 1971.

22. *Cf.* Edmond Biré, *La Légende des Girondins*, Genève, Société générale de librairie catholique, 1881.

23. Sur la genèse de l'*Histoire des Girondins*, rééditée chez Plon en 1984 avec une introduction et des notes de Jean-Pierre Jacques, cf. la thèse (inédite) d'Antoine Court, *Lamartine historien*, Université de Clermont-Ferrand II, 1985, et l'article de Fabienne Reboul, « Histoire ou feuilleton ? La Révolution française vue par Lamartine », *Romantisme*, 1986.

24. Le point a été bien mis en lumière par la thèse (inédite) de Sergio Luzzato, *La Rivoluzione nella memoria, studio sulla memorialistica dei convenzionali*, École normale supérieure, Université de Pise, 1985, dont je remercie l'auteur de m'avoir aimablement communiqué les résultats.

25. *Cf.* Richard Switzer, *Étienne-Léon de Lamothe-Langon et le roman populaire français de 1800 à 1830*, Toulouse, Privat, 1962.

26. *Cf.* Louis Maigron, *Le Roman historique à l'époque romantique*, Paris, Hachette, 1898, ainsi que Georges Lukacs, *Le Roman historique*, Paris, Payot, 1965. La citation de Balzac est extraite de *Du roman historique et de Fragoletta*, 1829.

27. *Cf.* L'intéressant article de Claude Duchet, « L'Illusion historique, renseignement des préfaces (1815-1832) », *Revue d'histoire littéraire de la France*, 1975, t. 75, pp. 245-267.

28. Il suffit pour s'en convaincre de consulter le dossier des sources de Michelet établi par Gérard Walter à la fin de son édition de l'*Histoire de la Révolution* dans la Bibliothèque de la Pléiade, Paris, Gallimard, 1939.

29. Prospectus d'une *Histoire de France* en trente volumes, jamais aboutie, qu'Augustin Thierry évoque dans la préface (1834) de *Dix ans d'études historiques.* Le texte, reproduit à l'époque dans le *Journal des savants*, année 1824, p. 698, est cité par Louis Halphen, *in L'Histoire en France depuis cent ans*, Paris, Armand Colin, 1914, p. 52.

30. Voir ici même, la contribution de Laurent Theis, «Guizot et les institutions de mémoire». On se reportera aussi à l'ample et important colloque international, *Le Temps où l'histoire se fit science, 1830-1848*, organisé à l'Institut de France par Robert-Henri Bautier à l'occasion du renouveau des sciences historiques par le comité français des Sciences historiques, 17-20 décembre 1985. Ses travaux paraîtront dans la revue internationale éditée à Milan, *Storia della storiografia.*

31. Saint-Évremond, *Œuvres*, Londres, 7 vol., t. III, p. 137.

32. Voltaire, lettre à l'abbé Dubos, 30 octobre 1738, in *Correspondance*, Paris, Gallimard, Bibliothèque de la Pléiade, t. I, p. 1279.

33. Lenglet-Dufresnoy, *Méthode pour étudier l'histoire*, 1713, 2 vol., t. II, p. 5. Sur les théoriciens de l'histoire à l'époque classique – le père Rapin, Sorel, La Mothe Levayer –, *cf.* René Démoris, *Le Roman à la première personne*, Paris, Armand Colin, 1975, chap. I, pp. 78-89.

34. *Cf.* W. H. Evans, *L'Historien Mezeray et la conception de l'histoire en France au XVIIe siècle*, Paris, 1930.

35. Confusion soulignée par Jean Le Pottier, *Histoire et érudition, l'histoire et l'érudition médiévale dans l'historiographie française du XIXe siècle*, thèse (inédite) de l'École des chartes, 1979.

36. *Cf.* Xavier Charmes, *Le Comité des Travaux historiques et scientifiques, histoire et documents*, Paris, 1886, t. II, pp. 3 et 39, cité par Louis Halphen, *L'Histoire en France depuis cent ans, op. cit.*, en particulier le chapitre IV, «La chasse aux documents».

37. Le *De vita sua* a été publié pour la première fois en français par Guizot en 1825 dans sa collection de *Mémoires relatifs à l'histoire de France*, t. IX et X. Georges Bourgin a donné en 1907 une édition critique du texte latin. L'édition critique en anglais comporte une intéressante introduction de John F. Benton, *Self and Society in Medieval France, the Memoirs of Abbot Guibert of Nogent*, New York, Harper and Row, 1970. Je remercie Bernard Guenée de me l'avoir fait connaître.
À la fin de son introduction de l'histoire des croisades, Guibert de Nogent écrit en effet: «J'ai pensé que s'il était un homme à qui Dieu daignât accorder la faveur d'écrire convenablement sur un tel sujet, cet homme devait chercher à prendre un ton plus grave que n'ont fait tous les historiens des guerres de Judée [...] J'ai donné à mon ouvrage un titre sans prétention, mais qui doit servir à honorer notre nation: *Gesta Dei per Francos.*»

38. Le compte rendu de Renan des *Mémoires* de Guizot a paru dans la *Revue des deux mondes*, 1er juillet 1859.

39. *Cf.* Orest Ranum, *Artisans of Glory, Writers and Historical Thought in Seventeenth Century France*, University of North Carolina Press, 1980, ainsi que deux articles importants de François Fossier, «La charge d'historiographe du XVIe au XIXe siècle», *Revue historique*, CCLVIII, 1976, et «À propos du titre d'historiographe sous l'Ancien Régime», *Revue d'histoire moderne et contemporaine*, t. XXXII, juillet-septembre 1985.

40. Cardinal de Retz, *Œuvres*, Paris, Gallimard, Bibliothèque de la Pléiade, 1984, p. 635.

41. Marc Fumaroli a magistralement développé cette idée en deux articles essentiels, «Les Mémoires du XVIIe siècle au carrefour des genres en prose», dans le numéro de la revue *XVIIe siècle* consacré aux Mémoires, 1971, et «Mémoires et histoire: le dilemme de l'historiographie humaniste au XVIe siècle», dans le colloque de Strasbourg et Metz, *Les Valeurs chez les mémorialistes français du XVIIe siècle avant la Fronde, op. cit.*

42. Id., «Les Mémoires du XVIIe siècle...», *ibid.*, p. 23.

43. C'est pourquoi on s'est astreint, dans cette étude, conformément à la grammaire mais contrairement à l'usage naturel, à considérer «les Mémoires» comme un masculin pluriel.

44. Exergue d'autant plus révélateur que, sa mémoire pour une fois le trompant, de Gaulle, comme le signale son biographe américain Bernard Ledwidge, fait une citation fausse de Hamlet qui en détourne le sens. *Cf.* Bernard Ledwidge, *De Gaulle*, Paris, Flammarion, 1984, p. 52.

45. Albert Sorel, «Histoire et Mémoires», *Minerva*, 15 janvier 1903.

46. *Cf.* Philippe Ariès, «Pourquoi écrit-on des Mémoires?» dans *Les Valeurs…, op. cit.* *Cf.* également Maria Rosa Lida de Malkiel, *L'Idée de gloire dans la tradition occidentale*, trad. franç., Paris, Klincksieck, 1968.

47. «Le corps de l'ouvrage n'avait pas l'intention d'être hagiographique, mais autobiographique» dit Alain Archambault, un des récents commentateurs canadien de Joinville, qui date ces Mémoires d'une trentaine d'années avant la *Vie de Saint Louis*, soit 1272. *Cf.* «Les silences de Joinville», dans *Papers on Language and Literature*, vol. VII, 1971. Je remercie Jacques Le Golf de cette indication. C'était déjà le sentiment de Gaston Paris dans «Jean, sire de Joinville», *Histoire littéraire de la France*, t. XXXII, 1898, pp. 291-459. Il est confirmé par Jacques Monfrin, qui achève une édition de Joinville. *Cf.* également la mise au point de Danielle Régnier-Bohler, in *Histoire de la vie privée*, t. II, sous la direction de Georges Duby, Paris, Éd. du Seuil, 1985, p. 376 *sq.*

48. *Cf. La chronique et l'histoire au Moyen Âge*, colloque des 24 et 25 mai 1982, édité par Daniel Poirion, Paris, Presses de l'Université de Paris-Sorbonne, 1984, où trois articles concernent directement notre propos: Bernard Guenée, «Histoire et chronique: nouvelles réflexions sur les genres historiques au Moyen Âge», Christiane Marchello-Nizia, «L'historien et son prologue: formes littéraires et stratégies discursives», Olivier Soutet et Claude Thomasset, «Des marques de la subjectivité dans les *Mémoires* de Commynes».
Pour les rapports des chansons de geste et de l'histoire, Jean Frappier, *Histoire, mythes et symboles*, Genève, Droz, 1976.

49. Marc Fumaroli l'a bien mise en lumière dans son introduction aux *Mémoires* d'Henri de Campion, Paris, Mercure de France, coll. «Le temps retrouvé», 1967.

50. Robert Arnauld d'Andilly, collection Petitot, 2e série, vol. XXXIII.

51. On en trouvera de nombreux exemples dans Jean-Marie Constant, *La Vie quotidienne de la noblesse française aux XVIe-XVIIe siècles*, Paris, Hachette, 1985, fondé en partie sur une lecture attentive des Mémoires.

52. Les *Mémoires* de Michel de Castelnau, Jean de Mergey, Guillaume de Saulx-Tavannes, dans la collection Petitot, 1re série, vol. XXXIII, XXXIV et XXXV, ceux de Beauvais-Nangis, Société de l'histoire de France, 1862.

53. *Mémoires* de Mlle de Montpensier et de Mme de Motteville, collection Petitot, 2e série, vol. XXXVII à XLIII.

54. *Mémoires* de Mme de La Guette (1613-1676), édités par Micheline Cuénin, Paris, Mercure de France, coll. «Le temps retrouvé», 1982.

55. *Souvenirs* de Mme de Caylus, édités par Bernard Noël, Paris, Mercure de France, coll. «Le temps retrouvé», 1965.

56. Norbert Élias, *La Société de cour*, Paris, Flammarion, 1974. Ne dispense nullement de revenir à l'ouvrage classique de Maurice Magendie, *La Politesse mondaine et les théories de l'honnêteté, en France, au XVIIe siècle, de 1600 à 1660*, Paris, 1898.

57. *Cf.* «Système de la Cour de Versailles» d'Emmanuel Le Roy Ladurie, dans le numéro 65 de *L'Arc* qui lui est consacré.

58. *Cf.* l'introduction d'Yves Coirault à son édition de Saint-Simon dans la Bibliothèque de la Pléiade, Paris, Gallimard. Et plus bas, note 85.

59. *Cf.*, réunis sous la même couverture, les *Mémoires pour servir à l'histoire de Louis XIV* et les *Mémoires de l'abbé de Choisy déguisé en femme*, édités par Georges Mongrédien, Paris, Mercure de France, coll. «Le temps retrouvé», 1966.

60. *Cf.* Dirck Van der Cruysse, *Le Portrait dans les* Mémoires *de Saint-Simon*, Paris, Nizet, 1971.

61. Cardinal de Retz, *op. cit.*, p. 286.

62. Le portrait, détaché du roman et imité de la peinture, dont il emprunte le vocabulaire (le pinceau, le trait, la manière, etc.), est né comme un jeu dans la petite société du Luxembourg, autour de Mlle de Scudéry et de Mlle de Montpensier. Rassemblés d'abord par Segrais à une trentaine d'exemplaires, cette *Galerie des portraits de Mlle de Montpensier* finit par faire deux volumes de près de mille pages en 1663, collationnés par Édouard de Barthélemy.

63. Saint-Simon, *Mémoires, op. cit.*, t. I, p. 20.

64. Mme de La Fayette, *Correspondance*, d'après les travaux d'André Beaunier, Paris, 1942, t. II, p. 63. Lettre au chevalier de Lescheraine, 13 avril 1678. Mme de La Fayette ne s'avoue pas l'auteur du roman, elle raconte «ce qu'on en dit».

65. L'expression est de Marie-Thérèse Hipp dans sa thèse, *Mythes et réalités, enquête sur le roman et les Mémoires (1660-1700)*, Paris, Klincksieck, 1976, p. 531. L'auteur consacre la moitié de son introduction à une mise au point historique sur le genre des Mémoires.

66. Inventeur de la formule des Mémoires apocryphes, Courtilz de Sandras (1644-1712) est l'auteur d'une œuvre énorme qui mêle à un cadre historique, dont les événements et les personnages sont connus, le piment d'invérifiables anecdotes de guerre, d'amour et de diplomatie secrète. Ses *Mémoires de d'Artagnan*, plus ou moins recopiés par Alexandre Dumas, ne sont que les plus célèbres. Cf. J. Lombard, «Le personnage de Mémoires apocryphes chez Courtilz de Sandras», *Revue d'histoire littéraire de la France*, août 1977, numéro spécial consacré au roman au XVIIe siècle, ainsi que, du même, *Courtilz de Sandras ou l'aventure littéraire sous le règne de Louis XIV*, thèse de lettres, Université de Paris IV, 1978.

67. *Cf.* Philip Stewart, *Imitation and Illusion in the French Memoir-Novel, 1700-1750, The Art of Make Believe*, New Haven, Yale University Press, 1969.

68. *Cf.* Georges May, «L'histoire a-t-elle engendré le roman ?» *Revue d'histoire littéraire de la France*, avril-juin 1955 ; René Démoris, *Le Roman à la première personne*, Paris, Armand Colin, 1975, qui consacre un important chapitre initial, «Les Mémoires, l'histoire, la nouvelle», à la naissance des Mémoires historiques, aux rapports des historiens aux Mémoires et aux Mémoires face à l'esthétique classique. Du même, l'article classique, «Les Mémoires de Pontis, Port-Royal et le roman», *XVIIe siècle*, n° 79, 1968. De Jean Rousset, *Narcisse romancier*, Paris, José Corti, 1950, ainsi que «Les difficultés de l'autoportrait», *Revue d'histoire littéraire de la France*, n° 3-4, mai-août 1969.

69. *Cf.* Georges Gusdorf, «Conditions et limites de l'autobiographie», *op. cit.*

70. *Cf.* Jacques Voisine, «Naissance et évolution du terme littéraire *autobiographie*», *in La Littérature comparée en Europe occidentale*, conférence de Budapest, 26-29 octobre 1962. Budapest, Akademiai Kiade [B.N., 8° Z.38120 (1962)].

71. *Cf.* Yves Coirault, «Autobiographie et Mémoires (XVIIe-XVIIIe siècle) ou existence et naissance de l'autobiographie» *Revue d'histoire littéraire de la France*, n° 6, 1975, ainsi que Jacques Voisine, «De la confession religieuse à l'autobiographie et au journal intime entre 1760 et 1820», *Neohelicon*, n° 3-4, 1974 [B.N., 8° Z.43.411].

72. Il s'agit de fragments autobiographiques et d'ébauches des *Confessions*, conservés à la bibliothèque de Neuchâtel et publiés dans les *Œuvres complètes*, Paris, Gallimard, Bibliothèque de la Pléiade, t. I, p. 1148 *sq.*

73. On trouvera sur ce point des notations éparses dans Georges Gusdorf, *Les Sciences humaines et la pensée occidentale*. Par exemple, au volume IX, *L'Homme romantique*, Paris, Payot, 1984, il relève cette citation de Charles Nodier, dans la «Préface nouvelle» à *Thérèse Aubert* (dont la première édition date de 1819): «Les jeunes âmes qui s'affectionnent à l'infortune se trompent quand elles ne l'aiment que pour son étrangeté. Elle est encore plus monotone que le reste. Je comprends à merveille qu'il y a, comme on dit aujourd'hui, beaucoup d'*individualisme* et par conséquent un immense ennui au fond de tout cela.»

74. *Cf.* Agricol Perdiguier, *Mémoires d'un compagnon*, introduction de Philippe Joutard, Paris, U.G.E., 1964.
Nombreuses sont les biographies d'humbles et d'anonymes publiées ces dernières années. Parmi les plus remarquées, cf. Maurice Agulhon, éd., *Martin Nadaud, Mémoires de Léonard, ancien garçon maçon*, Paris, Hachette, 1976; Jean-Marie Goulemot, éd., *Jamerai Duval (Valentin): Mémoires, enfance et éducation d'un paysan au XVIIIe siècle*, Paris, Le Sycomore, 1981; Daniel Roche, éd., *Jacques-Louis Menestra, compagnon vitrier au XVIIIe siècle*, Paris, Montalba, 1982; Emmanuel Le Roy Ladurie et Orest Ranum, éd., *Pierre Prion, scribe*, Paris, Gallimard-Julliard, coll. «Archives», 1985.
Philippe Lejeune a entrepris une vaste enquête sur les autobiographies populaires qui porte un coup à l'assimilation de l'autobiographie à un genre bourgeois. Il en a livré les premiers résultats: «Autobiographie et histoire sociale au XIXe siècle», *in Individualisme et autobiographie en Occident*, colloque du Centre culturel international de Cerisy-la-Salle, sous la direction de Claudette Delhez-Sarlet et Maurizio Catani, Institut Solvay, Bruxelles, Éd. de l'Université de Bruxelles, 1983.
On trouvera également dans ce recueil deux articles qui intéressent directement notre sujet: Friedhelm Kemp, «Se voir dans l'histoire: les écrits autobiographiques de Goethe», et Claudette Delhez-Sarlet, «Chateaubriand: scissions et rassemblement du moi dans l'histoire».

75. *Cf.* Alain Lottin, *Chavatte, ouvrier lillois*, Paris, Flammarion, 1979.

76. *Cf.* l'ouvrage très utile de Charles Aubertin, *L'Esprit public au XVIIIe siècle, étude sur les Mémoires et les correspondances politiques des contemporains*, Paris, 1873.

77. *Cf.* Les excellents souvenirs de la comtesse de Boigne, édités par Jean-Claude Perchet, 2 vol., Paris, Mercure de France, coll. «Le temps retrouvé», 1971.

78. *Cf.* Charles de Rémusat, *Mémoires de ma vie*, présentés et annotés par Charles Pouthas, Paris, Plon, 1958-1960, 3 vol.

79. Fréderic Godefroy, *Histoire de la littérature française au XIXe siècle*, Paris, 1879, t. I, p. 642.

80. *Cf.* Sully, *Mémoires des sages et royales oeconomies d'Estat*, collection Michaud et Poujoulat, 2e série, t. II et III et l'édition des *Oeconomies royales* par David Buixseret et Bernard Barbiche, dont seul a paru le t. I (1572-1594), Paris, Société de l'histoire de France, 1970.
Sur Sully, *cf.* Bernard Barbiche, *Sully*, Paris, Albin Michel, 1978.

81. *Cf.* Christian Faure, «Pétainisme et r retour aux sources: autour du tricentenaire de Vichy», *Cahiers d'histoire*, t. XXVIII, n° 4, 1983.

82. Du premier au dernier jour de son septennat (1947-1954), Vincent Auriol avait accumulé, dans l'idée d'écrire ses Mémoires, des milliers de pages manuscrites doublées de l'enregistrement de ses entretiens au magnétophone dissimulé dans son bureau. Cette masse considérable a fait l'objet, à titre posthume, de deux publications différentes que Jacques Ozouf a dirigées avec moi: une édition abrégée en un volume, Vincent Auriol, *Mon septennat (1947-1954)*, Paris, Gallimard, 1970, et une édition intégrale et critique en sept volumes, Vincent Auriol, *Journal du septennat* préface de René Rémond, Paris, Armand Colin, 1970-1978 (1947 par Pierre Nora, 1948 par Jean-Pierre Azema, 1949 par Pierre Kerleroux, 1950 par Anne-Marie Bellec, 1951 par Laurent Theis, 1952 par Dominique Boché, 1953-1954 par Jacques Ozouf).

83. *Cf.* André Malraux, *Antimémoires*, dans *Le Miroir des limbes*, Paris, Gallimard, Bibliothèque de la Pléiade, p. 114 *sq.* Tout le passage, consacré aux Mémoires des grands hommes, mérite d'être lu.

84. Sur *Fils du peuple*, de Maurice Thorez, cf. Philippe Robrieux, *Maurice Thorez, vie secrète et vie publique*, Paris, Fayard, 1975, en particulier chap.I.

85. Pour Retz, cf. André Bertière, *Le Cardinal de Retz..., op. cit.*, en particulier pp. 300-306 (le passé revu à la lumière du présent), 418-426 (la temporalité dans les *Mémoires*), 429-469 (la conduite du récit).
Pour Saint-Simon, *cf.* Yves Coirault, *L'Optique de Saint-Simon*, Paris, Armand Colin, 1965, en particulier IIe partie, B, « La vision retrouvée dans le souvenir ».

86. *Cf.* Simone Bertière, « Le recul de quelques mémorialistes devant l'usage de la première personne : réalité de la rédaction et artifices de l'expression », *in Les Valeurs chez les mémorialistes français du XVIIe siècle avant la Fronde, op. cit.*

87. Hélène Himelfarb s'est appliquée à montrer l'importance du cadre de la rédaction des Mémoires au moins pour le XVIIe siècle classique : « Palais et châteaux chez les mémorialistes du règne de Louis XIV », *XVIIe siècle*, nos 118-119, janvier-juin 1978.

88. Sainte-Beuve a consacré trois articles aux *Mémoires* de Sully, *Causeries du lundi*, Paris, Garnier, t. VIII.

89. Marc Fumaroli, « Le dilemme de l'historiographie humaniste... », *in Les Valeurs..., op. cit.*, p. 29.

90. *Cf.* André Bertière, *Le Cardinal de Retz..., op. cit.*, Ire partie, chap. III, « L'identité de la destinataire ».

91. Commynes, *Mémoires sur Louis XI*, éd. Jean Dufournet, Paris, Gallimard, coll. « Folio », 1979, et en général les travaux de Jean Dufournet, *La Destruction des mythes dans les* Mémoires *de Philippe de Commynes*, Genève, Droz, 1966 ; *Vie de Philippe de Commynes*, Paris, Sédès, 1969 ; et *Études sur Philippe de Commynes*, Paris, Champion, 1975.

92. André Bertière, *Le Cardinal de Retz..., op. cit.*, et Marc Fumaroli, « Apprends, ma confidente, apprends à me connaître », *Versants*, I, 1981, repris dans *Commentaire*, n° 15, automne 1981.

93. *Cf.* cardinal de Richelieu, *Testament politique*, éd. critique de Louis André, préface de Léon Noël, Paris, Robert Laffont, 1947.

94. *Cf.* Marc Fumaroli, « Le dilemme de l'historiographie humaniste... », *in Les Valeurs..., op. cit.*, p. 33.

95. Louis XIV, *Mémoires*, éd. Jean Longnon, Paris, Tallandier, 1978, et Charles Dreyss, *Mémoires de Louis XIV pour l'instruction du Dauphin, avec une étude sur leur composition*, Paris, 1860, 2 vol.

96. Las Cases, *Mémorial de Sainte-Hélène*, 1re éd. intégrale et critique par Marcel Dunan, Paris, Flammarion, 1954, 2 vol. ; introduction d'André Fugier, Paris, Garnier, 1961, 2 vol., ainsi que l'édition du Seuil, coll. « L'intégrale », introduction de Jean Tulard, présentation et notes de Joël Schmidt, 1968. Sur l'accueil réservé au *Mémorial*, voir plus bas, vol. III, l'article de Jean Tulard, « Le retour des cendres ».

97. *Cf.* René Rémond, « Le philosophe de l'histoire chez Guizot », in *Actes du Colloque François Guizot, Paris, 22-25 octobre 1974*, Paris, Société de l'histoire du protestantisme français, 1976.

98. Cité par Jean Tulard dans son introduction, « Un chef-d'œuvre de propagande » à l'édition du *Mémorial, op. cit.*

99. Clair résumé de l'histoire des manuscrits par François-Régis Bastide, *Saint-Simon*, Paris, Éd. du Seuil, coll. « Écrivains de toujours », 1953, p. 175.

100. *Cf.* Michel Richard, « Guizot mémorialiste », *in Actes du colloque François Guizot, op. cit.*

101. *Cf.* Bernard Barbiche, *Sully, op. cit.*, en particulier pp. 197-201.

102. En dernier lieu, Michel Carmona, *Richelieu*, Paris, Fayard, 1983 et, du même, *La France de Richelieu*, Paris, Fayard, 1984.

103. Comme en témoigne le titre même de l'ouvrage de Pierre Rosanvallon, *Le Moment Guizot*, Paris, Gallimard, 1985.

104. Le titre même des *Antimémoires* est profondément révélateur de la part de l'écrivain qui, dès *Les Conquérants* (1928), mettait dans la bouche de son héros Garine : « Quels livres valent la peine d'être écrits, hormis les Mémoires ? » Il prouve à quel point Malraux était conscient, dans son registre, comme de Gaulle dans le sien, de l'épaisseur d'une tradition et de la nécessité, non de la récapituler comme le Général, mais de la subvertir pour la renouveler.
Pour le jeu du vrai, du faux et de ce que Malraux appelle le « vécu », on se reportera, en particulier, à l'éclairante comparaison à laquelle se livre Jean Lacouture entre la version littéraire et les versions officielles de la fameuse conversation avec Mao Tsé-toung et, en général, « La mémoire », excellent chapitre final de sa biographie, *Malraux, une vie dans le siècle*, Paris Éd. du Seuil, 1973.

105. Sainte-Beuve, *Causeries du lundi, op. cit.*, t. V, p. 313.

106. A-t-on assez remarqué que cette célèbre première phrase « Je me suis toujours fait une certaine idée de la France » est la même, du point de vue du rythme, que la première phrase de la *Recherche du temps perdu* : « Longtemps, je me suis couché de bonne heure » ?

LA NATION

2. Le matériel

Le patrimoine

Patrimoine : en un sens le mot aurait pu couvrir ce livre tout entier. Mais le patrimoine n'est pas seulement le dépôt général de l'histoire, il est aussi une idée immergée dans l'histoire. Un projet daté qui a sa propre histoire. Il fallait donc la retracer avant d'en éclairer les principaux moments. Tel est en effet le parti pris : croiser les hommes clefs et les institutions, concentrer le projecteur sur les charnières de la constitution méditée du patrimoine, pour dégager des noyaux de significations en chaîne. Guizot, Mérimée, Arcisse de Caumont, Viollet-le-Duc, des hommes-mémoire, au principe d'une ou plusieurs institutions majeures : les Archives et la Bibliothèque nationale, l'École des chartes, le Comité des travaux historiques, la Société de l'histoire de France ; l'Inspection des monuments historiques ; les sociétés savantes, à commencer par la plus illustre, la Société des antiquaires de Normandie ; les Musées nationaux. Toutes institutions dont cette entreprise, dans son esprit, n'exigeait pas de retracer l'évolution entière, mais d'éclairer l'apparition et d'indiquer la trace. On aurait pu multiplier ces foyers de constellation. Ceux-là sont essentiels.

Cette focalisation a fait ressortir la centralité, dans la mémoire nationale, d'une période bien précise : la Restauration. Moment capital de l'adéquation de la nation à son histoire, que soulignent, par ailleurs, plusieurs autres contributions ; prise de conscience décisive du passé comme passé, et de la nation comme nation.

Vide historique, donc, mais plein de mémoire, entre les régimes suivants qui en ont développé les effets pratiques dans tous les domaines et la Révolution qui, sur deux points d'importance, avait anticipé le mouvement : la création des musées en province à partir des collections privées et l'éphémère création d'Alexandre Lenoir, si efficace pour la découverte du Moyen Âge, l'étrange musée des Monuments français.

Pierre Nora 1986

ANDRÉ CHASTEL

La notion de patrimoine

Le mot est ancien, la notion semble immémoriale. Le terme romain de *patrimonium* concerne une légitimité familiale qu'entretient l'héritage ; il explicite une relation particulière entre le groupe juridiquement défini et certains biens matériels tout à fait concrets : un espace, un trésor, ou moins encore. Par extension, on a dit : le *Patrimonium Sancti Petri* ou le patrimoine de l'Institut de France, en songeant à des biens-fonds assurant des ressources durables autant qu'une certaine dignité. Les difficultés commencent avec ce qu'il faut bien appeler la nouvelle dimension du terme. Au sens où on l'entend aujourd'hui dans l'usage courant – sans parler des discours officiels –, il s'agit d'une notion globale, vague et envahissante à la fois, dont l'apparition date de deux siècles à peine ; sa genèse, son développement confus et son alourdissement final vont faire l'objet de quelques réflexions dans cette étude[1].

Nous ne l'ignorons pas, il est question tous les jours dans les discussions de notre époque du « patrimoine culturel » qui embrasserait légendes, mémoires, la langue même ; du patrimoine « écologique » qui concerne les particularités attachantes, sensibles, vitales, de la nature ; les dernières années ont même vu apparaître la métaphore saisissante du patrimoine « génétique »... En s'élargissant, la notion prend une valeur affective plus marquée pour désigner certaines conditions fondamentales de l'existence nationale, voire de l'existence humaine. Cette évolution ne fait peut-être que traduire le trouble de la conscience collective face à des menaces, plus ou moins précises et plus ou moins obscures, pour son intégrité. Ce qui nous retiendra ici, ce sera le domaine de l'espace, les produits de l'art, les éléments construits, urbains ou ruraux, qui ont justifié – sans que nul s'en étonne – la création ministérielle récente et tout de même assez paradoxale d'une « direction du Patrimoine ».

L'Église et la monarchie créatrices de souvenirs

La singularité du monde contemporain est peut-être de réactualiser sans trop le savoir et par à-coups des attitudes qui ne se dessinent bien qu'en parcourant ce que les historiens nomment maintenant la «longue durée». Il y a une source non juridique mais symbolique de l'idée de patrimoine, liée à la perpétuité d'objets sacrés essentiels à la communauté: le *Palladium* de Troie, la Vierge noire de Chartres et les innombrables «trésors» qui ont joué un si grand rôle pour l'Église. Le réseau concret des sanctuaires, des reliques et des images a été constamment ressenti comme le fonds patrimonial de la chrétienté; leur double caractère dévotionnel et artistique leur assure un statut d'objets merveilleux, qui s'inscrit en profondeur dans la sensibilité[2]. À quel moment passe-t-on des *miracula*, qui expriment la vénération du sacré, aux *mirabilia* qui ne relèvent plus que de l'admiration esthétique ou intellectuelle? C'est ce qu'il est à peu près impossible d'établir, les deux termes, contrairement à ce qu'on croit souvent, nous apparaissant – comme il est, au fond, normal – constamment associés[3]. Par un mouvement caractéristique de notre temps, la désacralisation générale des formes sociales entraîne – sauf dans quelques foyers réservés – celle de l'appareil religieux, et ce mouvement tend justement à verser l'ensemble de celui-ci dans le fonds du patrimoine dit «culturel». En le motivant plus ou moins clairement à l'aide d'autres termes, nous maintenons un attachement instinctif à des formes et des objets dont nous ne ressentons plus directement la «vertu», pour reprendre le nom que dans certains coins de Provence on donnait naguère encore aux reliques. On a remarqué justement, par exemple, que dans la redécouverte du «gothique» a compté l'appréciation d'un métier élevé, conduisant sans ironie à la formulation d'un «patrimoine technologique[4]». Une certaine vision du Moyen Âge, justifiée par les prodigieuses créations de l'art qui existent dans ce pays, est toujours pour nous associée à l'idée du patrimoine national. Cette intuition fut si puissamment formulée par Michelet qu'elle a convaincu une bonne partie du public averti ou vaguement cultivé du XIXe et probablement du XXe siècle. Comment oublier son étonnante déclaration: «Le Moyen Âge nous a laissé de lui un si poignant souvenir que toutes les joies, toutes les grandeurs des âges modernes ne suffiront pas à nous consoler[5]»?

Par comparaison avec cette forte imprégnation religieuse, que le calendrier, la toponymie, l'histoire entretiennent doucement dans la conscience ou une demi-conscience collective, les spectaculaires manifestations et les «créations» de l'Ancien Régime monarchique comptent peut-être moins. Certes, elles sont impressionnantes: la France des châteaux, grands et petits, est en principe la France de tous: Versailles répond à Saint-Denis, Chambord au

Mont-Saint-Michel, etc. Mais l'attachement d'aujourd'hui n'est pas celui d'hier, l'«héritage» a été long à définir. Mis à part des lieux exceptionnels comme justement la basilique de Saint-Denis avec les *regalia* de la Couronne et Versailles, création unique des Bourbons, l'analyse historique oblige à admettre que les nombreuses «maisons» de la monarchie, les collections imposantes, les nobles demeures n'étaient pas, en fait, l'objet des soins jaloux que l'on imagine pour leur préservation. Ils n'étaient nullement traités comme les biens d'un patrimoine national. Ce qui importait pour la monarchie était d'abord sa généalogie «mythique». Un exemple: le 26 août 1660, pour l'entrée solennelle du roi à Paris, les maisons du pont Notre-Dame furent décorées de médaillons des rois. Au début, l'ancêtre légendaire, Pharamond, accompagné de la devise qui grandissait et éternisait d'un coup la maison de France: *«Imperium sine fine dedit*[6]*».* (Le monarchiste Chateaubriand ne retrouvera pas par hasard le nom «fondateur» de Pharamond dans l'épopée des *Martyrs.*) Ces grands souvenirs n'étaient pas liés à des «reliques»; la liturgie du sacre et des funérailles, les fêtes éphémères comptaient plus que les objets sacrés et les séjours mémorables.

C'est donc l'un des points où il n'est pas sans importance de rectifier les perspectives. Les pièces somptueuses du trésor de Saint-Denis et dans l'ensemble ce qu'on nomme les *regalia* «matérialisaient la pérennité de la monarchie mais ils n'en étaient pas moins une réserve de métal et de pierres précieuses susceptible d'être mise en gage, dépecée, vendue, fondue[7]». Ce qui arriva plus d'une fois. Quant aux demeures de la Couronne, qui avaient été l'objet des soins passionnés de certains rois et avaient tant contribué à leur prestige, elles étaient si loin d'être considérées comme inaliénables et immuables que Chambord fut cédé, Fontainebleau transformé, Versailles altéré au XVIIIe siècle et qu'en 1787 un édit de Louis XVI proposait la mise en vente de quatre châteaux devenus impossibles à entretenir: La Muette près de Saint-Germain-en-Laye (disparu quelques années plus tard), le château du bois de Boulogne dit château de Madrid (alors en ruine, démoli en 1792), Vincennes (qui restera prison d'État), Blois (qui deviendra caserne). Il ne s'agissait pas là de «lieux culturels» indispensables à la Couronne, moins encore à la nation; ils subissaient les changements du goût et ne méritaient pas des sacrifices que la crise financière rendait exorbitants[8].

Il n'en va évidemment pas de même pour la bibliothèque royale (qui n'a cessé de se développer depuis Saint Louis), ni pour les archives, qu'abritait un édifice accolé à la Sainte-Chapelle: le Trésor des Chartes. Ce fonds documentaire était trop étroitement lié à l'histoire même du pays et de ses institutions, pour ne pas mériter un statut spécial. Dans l'ordre de l'histoire politique, l'idée d'un patrimoine trouve là sa forme la plus éloquente pour la mentalité française. Il faut lier enfin à l'essor de l'érudition, plus tardif en

France qu'en Italie ou en Angleterre, les manifestations intéressantes sous l'Ancien Régime d'un état d'esprit nouveau, favorisé par la presse et entretenu par de grands fonctionnaires comme Marigny et d'Angiviller. D'abord, on rendait méthodiquement accessibles au public les «curiosités» du garde-meuble royal et les pièces des collections disposées dans des salles formant ce qu'on nommait déjà le *museum*. À la veille de la Révolution - on y reviendra plus loin -, le problème était bien posé. Surtout l'idée, timidement exprimée au début du siècle par R. de Gaignières (1703), qu'on ne devrait pas démolir sans une permission expresse des édifices méritant le nom de «monuments» était de plus en plus souvent reprise et énergiquement exposée dans la seconde moitié du XVIIIe siècle. Avec les Lumières et l'idée d'un progrès constant des sociétés se forme une attention concrète à la vie historique, dont les repères sont précisément les édifices, les œuvres d'art, qu'on ne peut plus laisser dépendre du caprice des possédants.

Que deviendrait l'histoire des arts si les «édifices dépositaires du génie de chaque siècle, au lieu d'acquérir en vieillissant cette vénération publique qui doit les rendre sacrés, se trouvaient condamnés, comme les productions éphémères de la mode, à ne paraître un jour que pour faire place à ceux du lendemain», lisait-on en février 1787 dans le *Journal de Paris*. Cette lettre de Quatremère de Quincy intervenait dans une campagne de presse visant à préserver la fontaine des Innocents de la destruction générale du vieux cimetière parisien[9]. Bien entendu, le terme de patrimoine n'intervient pas dans ces polémiques. Ni même, semble-t-il, l'idée que de tels «vestiges» peuvent intéresser l'ensemble de la nation. On parle du «génie de chaque siècle». Et le plus souvent, on reste dans le cadre de l'histoire monarchique et de l'histoire religieuse. Le cas de Roger de Gaignières, ce savant extraordinaire, qui eut l'idée d'un véritable inventaire archéologique, artistique et sociologique du pays, est d'autant plus saisissant que son exemple ne fut pas compris; son énorme documentation fut dispersée[10]. Un érudit comme Bernard de Montfaucon dut peut-être une sensibilité historique plus avertie à une certaine familiarité avec les confrères italiens, plus évolués à cet égard; mais il a finalement concentré son savoir sur les *Monuments de la monarchie française* (cinq tomes, 1724-1733), où il accrédita obstinément l'interprétation fautive - et déjà controversée - des statues-colonnes comme portraits royaux. Le second ouvrage, non réalisé, devait être consacré aux *Églises de France*[11]. En fait, dans la pensée de nombreux érudits, comme l'abbé Lebeuf[12], la notion d'antiquités avait évolué, et on commençait à aborder leur étude dans une perspective neuve qui était, en un sens, celle de la «culture»; mais le même auteur qui admirait tant dans la fontaine des Innocents «le bel ouvrage dont Athènes et Rome se seraient glorifiées», était d'accord pour jeter bas les «honteux vestiges des Goths». Dans la perspective des Lumières, le fonds à retenir, le patrimoine des esprits avertis, est extraordinairement sélectif : il se limite à ce qui intéresse et fortifie les dogmes « néo-classiques ». Il faudra la secousse générale des années 1789-1795 pour que se forment dans la précipitation d'autres notions et que les destructions folles, rageuses et passionnelles d'objets symboliques fassent naître par contrecoup des attachements nouveaux.

L'éveil : « conserver honorablement les chefs-d'œuvre des arts »

L'instruction de l'an II sur « la manière d'inventorier et de conserver [...] adressée aux administrateurs de la République » au sujet des édifices et œuvres d'art adopta un langage extrêmement fort : « Vous n'êtes que des dépositaires d'un bien dont la grande famille a le droit de vous demander compte[13]. » À un moment où l'État, après la sécularisation des biens du clergé (dès novembre 1789) et les confiscations des biens d'émigrés, devait prendre en charge une part énorme de la fortune des deux grands « ordres traditionnels », l'Église et la noblesse, de nouveaux réflexes s'imposaient aux gestionnaires. Il fallait définir un domaine intangible et explicite. Le malheur est que ces fermes propositions intervenaient comme les correctifs d'incroyables désordres. Une étude déjà ancienne a minutieusement classé les mesures prises au cours des premières années de la Révolution et les procès-verbaux des comités successifs ; sous la pression des faits qui emportaient les institutions, les personnes et les biens, il a fallu définir des mesures conservatoires de plus en plus précises mais de moins en moins pratiquées[14]. La notion du patrimoine s'est formée en France dans les circonstances les plus dramatiques et onéreuses qui soient.

Les dégradations, les profanations, l'abattage des statues, les écroulements provoqués sous l'impulsion de petits groupes de sans-culottes formeraient l'objet d'une longue et pitoyable narration. Le bronze des cloches, le plomb des couvertures, le cuivre des grilles sont partout ramassés. « Grands saints dans le creuset / Tombez, c'est le décret », lisait-on dans le prospectus de Couthon : *Litanie des Saints convertis en monnaie*, distribué dans le Puy-de-Dôme en 1793. Les clochers abattus et les cloîtres effondrés fourmillaient de pierres pour les entreprises. Les exemples en sont innombrables : Troyes, Agen, Cambrai, Le Mans... Mais bientôt il y en eut trop. À Clermont-Ferrand, à Chartres, les cathédrales furent probablement sauvées parce que leur écroulement aurait créé un encombrement prolongé au centre de la ville[15].

Les monuments et les œuvres d'art ont toujours, dans les temps troublés, le sort des symboles qu'ils véhiculent. C'est donc dans des conditions difficiles que s'est obscurément déclaré çà et là puis vivement manifesté un attachement soudain aux ouvrages anciens. Tantôt, le ressort en était la résistance à la déchristianisation et à la déféodalisation, qui amenait des sauvetages populaires, comme cela arriva en maint endroit de l'Ouest, par exemple; mais ces réactions pouvaient être dénoncées comme une séquelle du «fanatisme». Tantôt des intellectuels, des érudits se préoccupaient de préserver, dans l'esprit des législateurs de la Convention, des ouvrages que l'évincement du clergé ou le départ massif des nobles propriétaires exposaient à la destruction des «vandales». Le sens du patrimoine, c'est-à-dire des biens fondamentaux, inaliénables, s'étend pour la première fois en France aux œuvres d'art, tantôt en fonction des valeurs traditionnelles qui s'y attachent et qui les expliquent, tantôt au nom de ce sentiment nouveau d'un bien commun, d'une richesse morale de la nation tout entière.

Les assemblées successives formèrent des commissions qui tâtonnèrent quelque peu; mais elles parlèrent beaucoup. À la commission des Monuments créée dès octobre 1790 se juxtaposa en août 1793 une commission des Arts, qui absorba finalement la précédente en prenant le titre de commission temporaire des Arts (décret du 18 décembre 1793). Cet enchevêtrement des commissions n'alla pas sans conflits et exclusives. Mais c'est à la faveur de ces discussions que furent énoncés avec force les mots clés de patrimoine, de vandalisme. Il y a des édifices à préserver; il y a des vestiges à recueillir. Il faut une politique des musées. Ainsi, Jean-Baptiste Mathieu, président de la commission des Arts:

> Les richesses immenses en ce genre [les arts du dessin] éparses chez les émigrés, après un tirage convenable, tel qu'il est prescrit par les décrets, se réuniront dans des musées nationaux et offriront l'ensemble le plus intéressant, et pour les élèves qui voudront se former dans les arts et pour le peuple français, devenu seul propriétaire de ces ouvrages de génie, comme il en a toujours été le meilleur juge [...] Le palais national, le palais ci-devant Bourbon, la maison de l'émigré du Châtelet, les dépôts de la ci-devant académie de peinture ont été inventoriés en ce qui regarde la peinture, la sculpture, la gravure et l'architecture [...] Les monuments et les antiquités, restes intéressants, épargnés et consacrés par le temps, que le temps semble nous donner encore, parce qu'il ne les détruit pas, que l'histoire consulte, que les arts étudient, que le philosophe observe, que nos yeux aiment à fixer avec ce genre d'intérêt qu'inspirent même la vieillesse des choses et tout ce qui donne une sorte d'existence au passé, ont été les nombreux objets des inventaires et des recherches de la commission des arts[16].

Ce texte remarquable n'expose pas seulement le principal souci des responsables : inventorier, c'est-à-dire identifier, reconnaître et inscrire au crédit de la nation des ouvrages qui n'avaient fait l'objet d'aucun recensement. Pourquoi cette tâche ? On n'avait jamais encore, semble-t-il, énoncé aussi éloquemment le pouvoir de ces objets « que l'histoire consulte, que les arts étudient, que le philosophe observe, que nos yeux aiment à fixer »... en raison de cette qualité même « qui donne une sorte d'existence au passé ». Cette fois le barrage des préjugés est franchi : on ne définit pas seulement un domaine original, on identifie un pouvoir de culture ; la notion moderne de patrimoine commence à paraître à travers le souci moral et pédagogique.

Les « trophées de la superstition » et les tourments de l'abbé Grégoire

Malheureusement les révolutionnaires avaient eux-mêmes déclenché partout les atteintes que la loi s'ingéniait à enrayer. Camille Desmoulins n'avait-il pas présenté « comme une riche proie offerte aux vainqueurs les quarante mille palais, hôtels et châteaux de France » ?
L'exemple le plus typique est sans doute l'affaire des emblèmes monarchiques. Les mouvements populaires, comme on le vit pour la Bastille, tendaient à la démolition immédiate des édifices, des portes, des monuments où s'inscrivaient les noms et la gloire des rois, c'est-à-dire les témoignages de l'oppression. Très vite, il y eut une inquiétude à l'égard de ce qu'on appela les excès. Au châtelet de la Tournelle, à l'entrée sud de Paris, comment desceller les reliefs pris dans l'ouvrage sans détruire celui-ci ? Les propositions de Maison-Rouge ne purent empêcher la destruction[17]. La flèche de la Sainte-Chapelle fut détruite dans le but d'anéantir la couronne qui la surmontait. La destruction de la galerie des Rois de Notre-Dame illustre de façon extraordinaire la passion de détruire les têtes couronnées jusque dans les images de pierre inaccessibles dans les hauteurs d'une façade vénérable entre toutes qui se trouvait ainsi défigurée[18].
Dès l'été 1792, dans l'excitation provoquée par les événements du 10 août, la Législative avait voté un décret dont l'article premier énonçait :

> Toutes les statues, bas-reliefs, inscriptions et autres monuments en bronze et en toute autre matière élevés sur les places publiques, temples, jardins, parcs et dépendances, maisons nationales, même dans celles qui étaient réservées à la jouissance du roi, seront enlevés à la diligence des représentants des communes, qui veilleront à leur conservation provisoire.

L'article suivant impose leur conversion en bouches à feu, à moins qu'une demande ne soit faite par la commission des Monuments au Corps législatif pour obtenir exceptionnellement la «conservation des objets qui peuvent intéresser les arts[19]».
Ce qui est «artistique» doit être préservé, parce que digne d'entrer dans le fonds national. Mais comment faire le tri après coup? Le décret était si contradictoire que, sur les instances du Comité, un nouveau décret recommanda, le 16 septembre 1792, de procéder à l'inverse:

> Considérant qu'en livrant à la destruction les monuments propres à rappeler les souvenirs du despotisme, il importe de préserver et de conserver honorablement les chefs-d'œuvre des arts, si dignes d'occuper les loisirs et embellir le territoire d'un peuple libre…

Le tri sera donc fait d'abord et les déplacements ensuite, en veillant à empêcher des désastres causés «par les citoyens peu instruits ou par des hommes mal intentionnés». Ces termes sont significatifs de l'idée nouvelle qui se forme.
Quelques années plus tard le conventionnel Grégoire rapporta ses tourments et ses efforts durant ces années difficiles:

> On se rappelle que des furieux avaient proposé d'incendier les bibliothèques publiques. De toutes parts, on faisait main basse sur les livres, les tableaux, les monuments qui portaient l'empreinte de la religion, de la féodalité, de la royauté; elle est incalculable, la perte d'objets religieux, scientifiques et littéraires. Quand la première fois je proposai d'arrêter ces dévastations, on me gratifia de l'épithète de *fanatique*; on assura que sous prétexte de conserver les arts, je voulais sauver les *trophées de la superstition.* Cependant tels furent les excès auxquels on se porta qu'enfin il fut possible de faire entendre utilement ma voix et l'on consentit au Comité d'Instruction Publique à ce que je présentasse à la Convention un rapport contre le *vandalisme.* Je créai le mot pour tuer la chose[20].

L'abbé Grégoire, que David a mis en position centrale dans le *Serment du Jeu de paume*, était le plus ardent adversaire de la monarchie; le 21 septembre 1792, il en proposa l'abolition à la Législative. Sa haine de l'Ancien Régime n'avait d'égales que sa fidélité à l'Église, fût-elle constitutionnelle, et une honnêteté intellectuelle qui l'amena à dénoncer avec la dernière énergie et non sans risques les excès, les absurdités des comportements révolutionnaires.
Il se fit charger par le Comité d'instruction publique, dont il faisait partie depuis juin 1793, de préparer un rapport «pour dévoiler les manœuvres contre-révo-

lutionnaires par lesquelles les ennemis de la République tentaient de déshonorer la nation, de ramener le peuple à l'ignorance, en détruisant les monuments des arts». Mais les conclusions de cette mission ne purent être exposées qu'après Thermidor; le 12 fructidor an II (24 août 1794), le *Rapport sur les destructions opérées par le vandalisme et sur les moyens de le réprimer* fut lu au Comité, taxé d'excessif par certains et finalement présenté à la Convention le 31 août. Le 19 nivôse an II (8 janvier 1794), Grégoire avait pour la première fois lancé le terme de «vandalisme» et dénoncé comme «contre-révolutionnaires» les atteintes désordonnées aux œuvres d'art de tout genre; mais c'est le rapport – bien tardif – de l'été 1794 qui a définitivement acclimaté la notion de *vandalisme* comme atteinte criminelle au *patrimoine*. Là, quelque chose a été durablement changé, au moins dans l'appréciation et dans le vocabulaire.

Ces points de vue, déjà difficiles à formuler au sein des commissions, ne modifiaient sans doute guère les agissements populaires dans l'ensemble du pays, où l'«iconoclasme» qui continuait à s'exercer était de plus en plus souvent relayé par le savoir-faire des démolisseurs et des spéculateurs. «Tout cela dans son ensemble ne peut être considéré comme un chef-d'œuvre de l'art dont on doit ordonner la conservation», écrit tout simplement l'ingénieur en chef du département de l'Eure[21] à propos du château des archevêques à Gaillon. Seule la conversion de l'édifice en prison le fit épargner. La liste des édifices menacés de démolition pure et simple, dans un moment de fièvre patriotique ou pour faire place nette, est extraordinaire. À Blois, à Reims, à Fontainebleau..., la vente des biens nationaux, l'autorisation de lotir les grands domaines ecclésiastiques, monarchiques ou aristocratiques promulguée le 4 avril 1793 achevaient de donner une garantie morale à la dilapidation pure et simple. La réutilisation plus ou moins honorable qui transformait églises, couvents ou châteaux en dépôts, en services apparaissait comme une humiliation sociale nécessaire. Le luxe insolent des églises méritait d'être puni; si on enlève les somptueuses grilles du chœur de l'abbaye de Pontigny, c'est qu'«un sanctuaire peut exister sans grilles, mais la république attaquée ne peut se passer de piques[22]».

La notion d'un patrimoine supérieur aux vicissitudes de l'histoire et digne d'y échapper ne pouvait donc être formulée qu'à travers un argument comme la valeur «générale» des œuvres menacées ou l'affirmation de leur intérêt pour l'éducation et pour l'histoire. Une exigence intellectuelle qui était celle de la culture mûrissait ainsi dans les esprits, tandis que les dilapidations et les trafics («la bande noire») succédaient aux mouvements passionnels. L'argumentation a été périodiquement reprise au cours du XIXe siècle et du XXe siècle. On peut se demander si elle a bien convaincu les Français. En tout cas, des initiatives fortes amenèrent dès la fin de la Convention une première dépolitisation du problème.

Les palais du patrimoine

Palais royaux, couvents, églises, châteaux connaissaient donc une utilisation nouvelle. Il fallait y entreposer d'innombrables vestiges, objets mobiliers, statues qui se trouvaient déplacés, mutilés ou condamnés. Deux nouvelles démarches apparurent sous l'effet de ces circonstances: l'inventaire et le musée. Les listes comportant une identification sommaire donnent une idée de l'extraordinaire hôtel des ventes que devint la France pendant ces années cruciales. Mais l'ampleur même des dispersions met en valeur par contraste l'aventure du «musée des Monuments français». Pendant un quart de siècle, de 1793 à 1818, un conservatoire original des vestiges lapidaires se trouva aménagé dans le couvent et le parc des Grands-Augustins. Tout a été dit sur les invraisemblables libertés prises avec l'histoire et l'archéologie par son directeur, Alexandre Lenoir. Mais ce musée de visionnaire eut un rôle capital - on le sait - par l'excitation du sentiment «romantique», conduisant à une définition à la fois théâtrale et poétique du patrimoine médiéval. Grâce au caractère impulsif et généreux, quelque peu mythomane, de son inventeur, le musée des Monuments français attira, enchanta, frappa les esprits. On ne peut guère exagérer le succès de ces «tombeaux» historiques réalisés en dépit des polémiques pour qu'on aille de surprise en surprise en parcourant cet étrange parc d'attractions[23]. La muséographie romantique d'Alexandre Lenoir a échauffé les sentiments de la génération qui venait de retrouver, avec le *Génie du christianisme* (1802), l'idée d'un passé merveilleux, chevaleresque, français.

Cette réalisation jouait donc un rôle exactement inverse du «Grand Louvre» napoléonien. Les discussions qui accompagnèrent le développement du musée des Monuments français introduisaient un élément de réflexion qui n'allait pas peu contribuer à mûrir les problèmes. On avait trop vu les inconvénients des dépôts improvisés pour ne pas finir par préconiser la conservation *in situ*. Là encore, les Conventionnels, saisis du problème, avaient fini par formuler des recommandations peu suivies d'effet. Le grand adversaire de Lenoir, Quatremère de Quincy, n'avait aucune peine à démontrer l'erreur des déplacements et des remontages arbitraires. Le malheur voulait que ces observations vinssent d'un bel esprit «néo-classique», pour qui le Moyen Âge, tout simplement, n'existait pas et qui préférait voir s'écrouler les bâtiments gothiques[24].

Les douze éditions du catalogue de Lenoir (1793-1816) montrent bien les tâtonnements et peu à peu les procès du savoir[25]. Augustin Thierry a senti naître sa vocation à la lecture du *Génie*, Michelet a découvert la sienne dans le jardin mélancolique des Petits-Augustins. Pour mesurer la portée du changement, il suffit de comparer l'entreprise de Séroux d'Agincourt (parue en

1823), axée sur l'Italie et la survivance de la beauté antique, typique de l'érudition antérieure, avec les deux grands livres d'Alexandre de Laborde *Les Monuments de la France, classés chronologiquement et considérés sous le rapport des faits historiques et de l'étude des arts*, qui ajoute au fonds antique (1816) la considération attentive du Moyen Âge (1836)[26].

Les institutions prenaient en considération le problème. L'Institut de France, organisé par un décret du 3 brumaire an IV (24 octobre 1795), prenait la relève de l'Académie des inscriptions; il comptait quelques spécialistes des antiquités nationales soucieux de s'exprimer: Aubin-Louis Millin élu en 1804, Petit-Radel en 1806, Amaury-Duval en 1811. Mesurant l'immense retard des connaissances, on voulut y remédier en concevant ce qui aurait pu être un «Inventaire général». La circulaire bien connue de Montalivet, du 10 mai 1810, demandait aux préfets de recueillir toutes informations sur les châteaux, les abbayes, les tombeaux... Peu à peu, le Moyen Âge devient essentiel au patrimoine national. On voudrait en reconnaître enfin les éléments divers dans le concret de la géographie, former une sorte de bilan.

Les enquêtes préfectorales n'étaient peut-être pas la solution. En fait, le sentiment n'était pas unanime, l'érudition était dispersée et encore trop passionnelle, l'idée même d'inventaire incertaine; les résultats restèrent faibles. Après les secousses des années 1814-1815, l'affaire aurait pu et dû être reprise avec force: cette fois l'Académie des inscriptions reconstituée intervenait. Le questionnaire de 1810 devant être repris, elle serait heureuse de recueillir les informations préfectorales; elle propose des instructions plus nettes: une circulaire du 8 avril 1819 établie par Decazes en tient compte. Une sorte de routine s'établit; les archives de l'Académie des inscriptions possèdent pour les années 1819-1826 les réponses déposées par le ministère de l'Intérieur; les pièces ne sont plus classées par département mais par année pour la période 1839-1862[27].

On s'interrogea sérieusement sur les «origines» de la nation française. Comme toujours, les vestiges archéologiques les plus anciens prenaient de ce point de vue une importance majeure, mais entre les Celtes, les Romains et les Francs, on ne décidait pas sans embarras. Le mémoire de Lavallée pour l'académie celtique (1807) est particulièrement révélateur: il faut à la France l'équivalent de ce qu'est à Florence l'académie étrusque, à Stockholm la société scandinave, à Londres celle des antiquaires, qui publie depuis 1770 l'*Archeologia Britannica*. Le besoin de profondeur historique peut conduire aux mirages. En désignant des repères monumentaux, des sites, des objets, qui composent peu à peu une chaîne révélatrice, sentie comme fondamentale, on confère peu à peu une certaine positivité à l'érudition tâtonnante. L'éditeur du premier traité d'Antiquités nationales n'hésite pas à déclarer:

> Chaque jour nous révèle quelque nouvel attrait, quelque nouveau motif de prédilection dans ces édifices élevés pour nous par la main de nos pères, en rapport avec notre ciel et nos paysages autant qu'avec nos croyances, nos habitudes et les dispositions les plus intimes de nos âmes [1830][28].

Le sens du patrimoine national fut donc moins éveillé par la fidélité à l'œuvre des siècles que par une méditation, une rêverie funèbre sur la caducité. L'état misérable des sanctuaires, des demeures anciennes fut dès lors décrit et dénoncé avec assez de force par la nouvelle génération pour qu'une sorte de remords surgisse. Quand Victor Hugo écrit son fameux article de 1832, la violence encore juvénile du ton n'est qu'en apparence excessive. Elle dénonce clairement l'espèce de loi morale qui commence à se formuler :

> Quels que soient les droits de la propriété, la destruction d'un édifice historique et monumental ne doit pas être permise à ces ignobles spéculateurs que leur intérêt aveugle sur leur honneur [...] Il y a deux choses dans un édifice : son usage et sa beauté. Son usage appartient au propriétaire, sa beauté à tout le monde ; c'est donc dépasser son droit que de le détruire[29].

La gestation du sentiment patrimonial, comme celle du sentiment national, a été longue et dramatique, dans la mesure même où il concernait fatalement des ouvrages marqués par des institutions religieuses, monarchiques et aristocratiques. On peut établir une sorte de symétrie entre les réactions passionnelles, populaires et savantes, entre la volonté du savoir et celle de la destruction. Mais le sens du patrimoine, c'est-à-dire d'un héritage artistique et monumental où l'on peut se reconnaître, était toujours loin de se définir dans la société française.

Déploiement et avenir des musées

L'apparition du musée comme institution durable ne contredit qu'en apparence cette vérité. L'implantation générale de ces nouveaux conservatoires d'objets intéressants et d'œuvres d'art va occuper tout le XIXe siècle et caractériser dorénavant la culture nationale. Mais il faut observer de près la naissance et la croissance soudaine du phénomène.

L'idée d'un rassemblement cohérent et accessible ne s'est formée qu'au XVIIIe siècle, qui mérite là aussi d'être appelé « l'âge des Lumières[30] ». La Convention qui a créé le musée du Louvre n'a fait que précipiter une évolution générale.

Rien de plus connu. Mais il faut rappeler aussi que le premier établissement à afficher le nom de *Museum*, celui d'Elias Ashmole à Oxford, dont le règlement, *Instituta*, est présenté en 1714, se donnait avant tout une vocation pédagogique. On réunit les chefs-d'œuvre, surtout ceux de l'art antique, pour former ou réformer le goût des contemporains. C'est dans cet esprit d'éducation supérieure que les institutions vont se multiplier en Grande-Bretagne et dans toute l'Europe. La monarchie dut finalement répondre à la demande des pamphlétaires comme Lafont de Saint-Yenne réclamant que les chefs-d'œuvre «voient la lumière» (1749). Surtout Diderot dans l'article «Louvre» de l'*Encyclopédie* dressa tout un plan de l'établissement scientifique, regroupant tout à la fois: Bibliothèque royale, Cabinet d'histoire naturelle, collections royales et sociétés savantes, bref un «Museum central des arts et des sciences». Marigny puis d'Angiviller s'attachèrent au problème, dont on n'arrivait pas à donner une interprétation administrative. La Grande Galerie du Louvre aménagée pour les collections allait naître en 1788 quand la Révolution interrompit cette entreprise laborieuse pour y substituer tout autre chose[31].

L'idée de *museum*, sanctuaire de l'esprit humain et lieu d'initiation pour la foule, hantait les esprits, occupait les discours et allait conduire à des réalisations hâtives mais fructueuses. Le «Museum central» des Encyclopédistes éclata en cinq ou six établissements, dont le musée des Augustins pour les «monuments lapidaires», le jardin des Plantes... Le Louvre devenait le Museum national de l'art. On y disposa pour commencer, dès septembre 1792, les objets recueillis dans les maisons royales. Après des mois occupés par cette accumulation, les réparations, les discussions dues aux revendications des artistes considérant que ce «musée» leur était avant tout destiné (ils obtinrent qu'il leur fût réservé sept jours sur dix), le nouveau Louvre national fut ouvert le 10 août 1794, jour anniversaire de la chute de la monarchie. Mais il y avait trop de travaux d'aménagement à réaliser et sans doute aussi trop de confusion; la Grande Galerie fut fermée de 1796 à 1799 et le Louvre rénové rouvert durablement le 14 juillet 1800, c'est-à-dire dans un monde tout nouveau. On était entré en effet dans l'ère expansionniste de la République conquérante. Loin d'être conçu comme le reliquaire de l'art français et des collections accumulées par la monarchie, parallèle, en somme, au musée des Monuments français de Lenoir, la Galerie du Louvre devenait le gigantesque conservatoire de l'art universel[32]. L'arrivée des immenses caravanes apportant ces «trésors» était célébrée par des fêtes dont l'époque s'enivrait: une gravure célèbre montre l'*Entrée triomphale des monuments des sciences et des arts en France*, au Champ-de-Mars, le 10 thermidor de l'an VI (1798)[33].

L'histoire de cette création, dont l'animateur fut l'étonnant Vivant Denon, a souvent été rapportée[34]. Le «Musée Napoléon» (1803-1814) rassembla méthodiquement à Paris, métropole de la liberté, les ouvrages insignes de toutes les écoles, de tous les pays: tous les Van Eyck, tous les Raphaël, tous les Rubens. En alignant les tableaux les plus célèbres, on réalisait une sorte de récapitulation du «patrimoine universel» en offrant à une génération éblouie un spectacle qui a dû être pour beaucoup dans le renouvellement de la peinture française. Le «musée imaginaire» a existé concrètement pendant l'Empire. C'est là un phénomène remarquable mais très différent de la prise de conscience que nous tentons de cerner ici. Quand les collections du Louvre napoléonien furent restituées en 1815 aux pays spoliés (à quelques intéressantes exceptions près), la notion du musée «idéal» resta présente comme une aspiration impérative à côté de la vocation pédagogique. Et elle s'est imposée à toutes les installations des grands pays au XIXe et au XXe siècle. Le mouvement avait gagné la province, où les «dépôts» des biens confisqués servirent de point de départ à des musées: c'est ainsi qu'à l'ancien couvent de la Couture au Mans dès 1799, à celui des Augustins de Toulouse dès 1793, dans dix autres villes, s'entassèrent des œuvres que les vicissitudes sociales et économiques du temps avaient déplacées ou condamnées. Ces fondations durent toujours, avec, en général, une présentation moins chaotique. Dans le même esprit on transforma dès la monarchie de Juillet puis sous le second Empire, hôtels, couvents, sanctuaires en présentoirs plus ou moins organisés de collections: l'hôtel Cujas à Bourges, Unterlinden à Colmar, sans oublier l'étonnant bric-à-brac romantique installé par Alexandre Du Sommerard à l'hôtel de Cluny (inauguré en 1844).

Tous ces établissements recueillent des fragments mal identifiés, des vestiges d'édifices dont on commence à regretter la disparition, des tableaux de toute origine. On regroupe dans ces reposoirs d'un nouveau genre, qui sont tous des édifices «désaffectés», ce qu'on arrache à la destruction. On tient de plus en plus au décor suggestif. La dispersion du musée d'Alexandre Lenoir, accomplie après 1816, privait les amateurs du passé de leur principal lieu d'initiation. Dans le parc des Grands-Augustins la présentation graduée des «monuments» trop arbitrairement agencée avait l'intérêt de mimer le développement historique. Le tombeau d'Héloïse et Abélard, celui de Diane de Poitiers devenaient des symboles efficaces des âges correspondants de l'histoire et de l'art. Certes, on eut raison de renvoyer à Saint-Denis les monuments hâtivement démontés (la Restauration ne pouvait moins faire). Mais l'idée des jardins où des fragments épars s'offrent au recueillement a continué à plaire aux «curieux» et aux notables qui sentaient plus ou moins confusément l'exigence d'en tirer parti. L'archéologie locale est née sur ces bases dans presque toutes les provinces.

L'idée des «arrangements» suggestifs hérités de Lenoir eut une postérité qui n'est pas près de finir. Des parcs semés de fragments lapidaires, des ruines aménagées apparurent un peu partout. La tentation de l'artificiel était trop forte.

Avec des épaves du musée Lenoir et de nouveaux vestiges médiévaux apportés par les destructions haussmanniennes, Duban conçut la cour de l'École des beaux-arts qui représenta pour de nombreuses générations le modèle du traitement académique de ce genre d'objets[35]. La signification historique d'ouvrages comme la façade d'Anet, le portique de Gaillon était éliminée au bénéfice d'une présentation décorative, d'une «synthèse» qui ne prétendait même plus éveiller la sensibilité à l'originalité des œuvres. Ce sont des exemples d'art décoratif bons à dessiner et à utiliser dans les concours.
L'aboutissement de cette pensée didactique et utilitaire a été le choix du moulage et de la copie systématique pour constituer le «musée de Sculpture comparée» puis le nouveau «musée des Monuments français» établi à partir de 1882 au Trocadéro, après un rapport de Viollet-le-Duc. À l'inverse de ce qu'avait réalisé Lenoir, qui regroupait les œuvres, originales bien sûr, arrachées au vandalisme, on donne une idée des ressources du patrimoine artistique à travers des plâtres et des relevés[36]. L'intention pédagogique plutôt que scientifique est évidente. L'idée des copies conformes, faciles à disposer dans un ordre démonstratif, était d'ailleurs une idée maîtresse du siècle dernier; l'estampe, devenue pourtant si importante dans le commerce culturel, ne suffisait évidemment pas pour certains types d'ouvrages; la photographie n'apparaissait pas encore comme l'instrument extraordinaire d'exploration et de connaissance qu'elle est devenue. On s'attacha donc à constituer, avec le moulage et le relevé, des *duplicata* faciles à commenter. Thiers conçut au début de la IIIe République un «musée des Copies» destiné à recomposer à grands frais le musée «idéal[37]». Le moins qu'on puisse dire est que le succès de ces initiatives est resté très limité. Et il est singulier – mais, hélas, révélateur d'un certain niveau général d'inculture – que le grand musée de l'architecture française, que la France se devait à elle-même, facile à concevoir à partir des maquettes, souvent extraordinaires, de nos dépôts, n'a jamais été sérieusement envisagé par tant d'autorités successives[38].

Naissance des « monuments historiques »

L'expression «monument historique» apparaît, semble-t-il, pour la première fois dans le prospectus d'Aubin-Louis Millin dans son recueil d'antiquités nationales (1790): «C'est aux monuments historiques que nous nous attachons principalement.» Monuments signifie ici édifices mais aussi tombeaux, statues, vitraux, tout ce qui peut fixer, illustrer, préciser l'histoire nationale[39]. Le terme fut retenu: il adaptait à notre pays une notion formée depuis un bon quart de siècle chez les archéologues britanniques, mais il ne conduisait pas à la vue large des époques de la civilisation, répandue en Italie depuis plus d'un siècle; on n'en forma guère l'idée en France qu'avec Michelet, traducteur de Vico. C'est donc avec un retard notable que les données pourtant omniprésentes de l'architecture et des arts furent prises en considération comme des faits de civilisation. On fut rapidement conduit à concevoir un appareil administratif et une institution d'État.

Il fallut un demi-siècle pour traduire sous forme officielle l'intuition qu'il existe un patrimoine monumental essentiel à la conscience nationale. L'érudition provinciale s'était mise en mouvement avec au moins deux centres remarquables, la Normandie d'Arcisse de Caumont, le Languedoc de Du Mège, dont la passion énergique a souvent été commentée[40]. Les enquêtes préfectorales, conduites sous l'Empire, continuées pendant la Restauration, conduisaient à un entassement de données dont l'Académie des inscriptions, un instant considérée comme le foyer normal de cette activité, n'avait pas le moyen de tirer parti.

Le 21 octobre 1830, un rapport de Guizot préconise la création d'un poste d'« inspecteur général des Monuments historiques ». Il incarnera la préoccupation nouvelle de manifester « l'admirable enchaînement de nos antiquités nationales ». Connaître pour préserver est la formule. Le rapport ajoute assez naïvement que cet inspecteur doit préparer « dans sa première et générale tournée un catalogue exact et complet des édifices ou monuments isolés qui méritent une attention sérieuse de la part du gouvernement »; il ajoute que les éléments de ce catalogue seront au ministère de l'Intérieur, « où ils seront classés et consultés au besoin ». Ce qui semble bien être la valeur initiale du terme de « classement ».

L'appareil administratif suivit. Le Comité historique des Arts et des Monuments de 1834 eut pour mission d'élaborer les instructions pour les responsables du ministère. À la fin de 1837, il laissa la place à la commission des Monuments historiques, chargée de dresser la liste des édifices méritant une protection et une intervention. Les travaux de cette commission fameuse sont maintenant bien connus. Ils rencontraient d'emblée tous les types de problèmes qui se sont posés par la suite[41].

Sur le plan « scientifique », l'histoire de ce comité de Guizot fut celle d'une lente et décourageante découverte de l'immensité du patrimoine français. L'historien, qui n'était pas archéologue, pouvait concevoir une magnifique opération de recensement indispensable à une saine politique de préservation; mais il n'avait pas pris la vraie mesure du problème, il ignorait la profondeur et la complexité des situations concrètes, il n'avait pas saisi le patrimoine dans l'espace. Les missions des inspecteurs s'achèvent toujours sur un sentiment d'impuissance : les provinces sont inépuisables et personne n'est préparé au travail qui s'impose : « Chacun des inspecteurs devrait pouvoir lever les plans en architecte, dessiner les fragments en peintre, lire des anciennes chartes en archiviste, courir à cheval ou à pied en chasseur et de plus, pour obtenir de l'unité, tous devraient avoir les mêmes principes en archéologie, le même système en histoire de l'art» (Grille de Beugelin, 1er décembre 1835)[42].

Bientôt on en arrive à demander seulement «une reconnaissance superficielle mais générale» (de Gasparin, 1838); on aménage des questionnaires simplifiés, on fournit des définitions sommaires, on décide de s'en tenir à une carte renseignée. Pendant une vingtaine d'années, l'entreprise de l'inventaire général découvre l'une après l'autre les difficultés concrètes qui mettent peu à peu l'affaire au point mort. Mais le problème restait posé: l'énergie exceptionnelle de Ph. de Chennevières intervenant au moment où le désastre de 1870 et le néo-jacobinisme de la Commune réveillaient les esprits, l'idée d'une «statistique générale», largement conçue sur le plan national, reparut. Cette fois, il s'agissait de conduire un type d'entreprise où la science allemande avait montré qu'elle excellait. L'«inventorisation» avait trouvé son paradis dans le second Reich unifié. Elle ne l'eut pas en France.

Le développement de la culture ne suivait que de façon irrégulière et imparfaite les recommandations et les demandes de l'administration. La France s'installait pour plus d'un siècle dans une situation fausse en ce qui concerne ce patrimoine que les archéologues commençaient à explorer, que la masse ignorait, dont la bourgeoisie ne voyait guère que l'aspect économique, que les «modernistes» bousculaient sans scrupules. L'écart entre les propos officiels et le comportement des individus ou des collectivités n'a jamais été si grand, si dangereux, que dans un pays où la réalité familière, l'expérience quotidienne, l'attachement aux objets, aux structures… sont régulièrement oblitérés par l'éloquence politique. L'école, nouvelle autorité sociale, ne fera, selon l'orientation qu'elle reçoit, qu'accentuer l'indifférence à la culture «provinciale», exaltant la nation mais négligeant ses symboles immédiats et visibles. Cette situation mériterait une enquête détaillée; faute de pouvoir la produire, on peut considérer l'expérience particulièrement révélatrice de Mérimée[43].

Mérimée répondit à l'initiative de Guizot et de Vitet avec une conscience professionnelle qui a parfois étonné. Il parcourait les provinces avant l'âge du chemin de fer, avec une curiosité et une obstination doublement révélatrices. Les édifices qui sont devenus célèbres, ou simplement familiers, étaient presque inaccessibles. Les monuments, rarement visités, se dégradaient dans l'oubli. Mais ce qui est, après tout, remarquable, c'est qu'il ait fallu un sceptique, un «libertin», un parfait agnostique pour redécouvrir l'art roman, l'art gothique et la peinture médiévale. Il ne s'agit plus d'attaches religieuses ou de fidélité obscure à l'Ancien Régime, qui de toute façon n'aurait attiré l'attention que sur des édifices particulièrement distingués par la tradition. Non; il s'agit de la découverte du pays à travers son paysage historique. Ce qui suppose sans doute le besoin d'explorer un passé englouti dans la monotonie rurale et compromis par l'ignorance ou la présomption. À cet égard, cette expérience manifeste une intuition forte – et, il faut bien l'admettre, moderne – du patrimoine.

Les notes de voyage et les rapports de l'inspecteur général de 1832 restent incontestablement d'excellents indicateurs. Si l'on recueille les informations simples sur l'état d'esprit des populations et des autorités locales : desservants des églises, militaires affectataires, etc., on ne peut que conclure avec Prosper Mérimée à une situation navrante d'ignorance et de désinvolture. Les édifices anciens sont des structures à traiter au plus commode ou à éliminer sans hésiter. Le souci de connaître et d'interpréter existe chez quelques notables, quelques érudits, quelques correspondants des ministères. On nous cite leurs noms. Mais ils sont sans cesse dépassés par les mauvaises façons des propriétaires ou des usagers, que l'archéologie et la protection n'intéressent pratiquement jamais. La masse n'est guère motivée, les notables sont indifférents ou hargneux. Si cette analyse que nous livrent Mérimée et les intellectuels du siècle dernier est exacte, on peut dire que, pour des raisons complexes qu'on voudrait mieux démêler, le sens du patrimoine collectif, apparu sous la Révolution, défendu par les romantiques, célébré dans les discours officiels est, en fait, au plus bas.

Le drame, c'est qu'il faut sauver tous ces éléments épars, tous ces ensembles mineurs ; sauver veut dire intervenir doublement, en protégeant et en consolidant. Une minorité a pris conscience de l'ampleur de la tâche. La majorité de la population n'a pas acquis une conviction et n'a jamais possédé une culture correspondante. Les manifestations d'attachement aux sanctuaires, aux reliques, aux statues miraculeuses, aux souvenirs locaux ne s'étendent pas aux édifices, aux ouvrages pris en eux-mêmes. Inversement, la haine des édifices-symboles, si violente sous la Convention, est toujours prête à reparaître. On le verra à Paris avec la Commune, qui n'abandonna pas la ville sans incendier la Cour des comptes et les Tuileries. Mais le souvenir du drame a trouvé son lieu-mémorial au Père-Lachaise. La Restauration avait élevé la Chapelle expiatoire. Il fut question à l'avènement de la IIIe République de raser ce symbole devenu encombrant.

Les questions de conservation prenant une importance envahissante, elles finirent par accaparer le service, et il dut se structurer. En 1873 eut lieu à Vienne, à l'occasion de l'Exposition universelle, une sorte de rétrospective du service des Monuments historiques français : c'est un catalogue précis des grandes restaurations ; l'exposé, visiblement dominé par la pensée de Viollet-le-Duc, ne parle plus d'autre chose[44]. Par une évolution inévitable, l'idée d'un grand inventaire s'évanouissait ; la statistique monumentale se confond pour finir avec la liste de classement des Monuments historiques, ou de ce qu'on nommera l'«inventaire supplémentaire», liste ouverte au fur et à mesure des demandes. On avait fini par accepter le caractère quasi aléatoire, occasionnel, d'un travail qui comporte plutôt une suite de réponses à des appels ou à des recommandations politiques que la réalisation d'un programme. En fait l'écrasante personnalité de Viollet-le-Duc impose à ces travaux une ligne directrice et une certaine étroitesse issues de la vieille conviction que la seule véritable architecture nationale est celle du XIIIe siècle[45]. Pour l'administration responsable, pendant un bon siècle, le patrimoine monumental a été conçu et géré en fonction de ce dogme et l'architecture religieuse moderne en a souvent été tout au long du même siècle l'application[46]. La conviction – héritée du romantisme – que l'art médiéval représente le patrimoine par excellence, qu'il incarne «la France profonde», a justifié d'importantes interventions et a entraîné l'archéologie vers des recherches neuves. Inversement, elle rendait difficile d'admettre que les ouvrages des XVIIe et XVIIIe siècles méritent autant d'attention. En dehors des demeures royales comme Fontainebleau, qu'on remet en service, d'innombrables édifices de la Renaissance ou du XVIIe siècle sont négligés. Surtout, on ne les aborde pas de plein droit, comme le prouvent encore, à la fin du XIXe siècle, d'étranges discussions savantes, souvent très violentes, pour savoir ce qui est ou non conforme au «génie français» dans l'architecture d'autrefois. Les recueils, si méritoires, de la Société française d'archéologie, révèlent combien a duré cette hésitation, qui laissait aux historiens britanniques l'initiative de traiter l'art français de ces périodes[47].

En second lieu, les devoirs de la restauration entraînèrent une sorte de malentendu. On travailla à partir de l'idée viollet-le-ducienne de *prototype.* La restauration doit assurer le prestige du patrimoine : elle s'applique nécessairement aux ouvrages remarquables, aux grands modèles. Ceux-ci seront mis en valeur autant qu'il est possible : la remise en état implique restructuration et compléments. L'analogie avec la restauration des peintures est intéressante à observer. Le XIXe siècle a été l'âge des interventions autoritaires et, il faut le répéter, abusives : «un habile restaurateur ne doit pas se borner à repeindre des fragments endommagés ; il lui faut peindre un peu partout en sorte que le tableau semble peint nouvellement», lit-on dans le traité de Goupil et Desloges en 1867. C'est la même doctrine, la même ambition, la même erreur, dont il a été si long de se défaire, pour la présentation des tableaux, qui sont arrangés et passés au «jus» de vernis jaune, que pour le traitement des édifices, remontés et complétés sans scrupules. L'intervention peut être du beau travail et donner une satisfaction à son auteur ; mais elle atteint le vif de l'œuvre, elle éveille un doute insupportable sur son authenticité, elle rompt la chaîne. Si on la juge intolérable, c'est qu'elle compromet la perception de «l'œuvre dans le temps», qui est la clé de tout le processus.

Cette politique générale s'accorde d'ailleurs avec la vaste entreprise de modernisation urbaine, dont l'exemple est donné à Paris. Une publication comme les *Annales archéologiques* de Didron l'Aîné permet de retrouver les appréhensions que suscite cette double adaptation des édifices. Des critiques parfois très vives se formulent contre la définition abstraite du patrimoine, qui ne procède pas d'une exploration du quartier ou du site, mais de la sélection des modèles valables. Les éléments jugés négligeables sont éliminés, pour valoriser ceux qui s'accordent avec les tracés nouveaux. La protestation de Guilhermy en 1861 donne assez bien la mesure et les limites de la « politique patrimoniale » haussmannienne :

> Au lieu de s'ingénier à abattre [les édifices anciens] par les procédés les plus expéditifs, on aurait chargé des hommes de goût de chercher des combinaisons qui permettent de les maintenir. L'expérience, faite une première fois pour la tour Saint-Jacques et renouvelée avec non moins de succès pour l'hôtel de Cluny, aurait également réussi pour les nombreux monuments du Quartier Latin, dont il ne reste plus que quelques pierres sans nom disposées dans les jardins qui entourent les ruines des Thermes de Julien. Les salles en ogive de Saint-Jean-de-Latran auraient formé une élégante galerie sur un côté de la rue des Écoles, en face du Collège de France. Le donjon de la Commanderie, moins riche d'ornementation que la tour Saint-Jacques, mais plus intéressant par l'époque de sa construction et par sa destination, élèverait sa plate-forme crénelée au-dessus des maisons reconstruites de la rue Saint-Jacques. Un peu plus loin, tout auprès de la dernière des tours de Philippe Auguste, à l'entrée de la place de la Sorbonne, un bâtiment du XIIIe siècle, du style le plus élégant, qui avait fait partie du Collège des Bénédictins de Cluny, pouvait ouvrir ses salles, décorées de colonnes et de voûtes, pour une école ou tout autre établissement d'utilité publique. Quant à la Chapelle du Collège de Beauvais, ce serait un oratoire de secours très utile pour le quartier. Peu s'en est fallu que la tour Saint-Jacques ne disparût. Aujourd'hui, c'est le monument préféré de la population parisienne[48].

Ainsi un nouveau conflit doctrinal allait naître et se développer en France autour des « monuments historiques ». Les réactions au « vandalisme » avaient donné au pays une certaine avance en suscitant une conscience assez vive de ces problèmes, mais on entrait maintenant dans un conflit « idéologique » durable. Il est finalement dommage que l'activité d'un grand service soit restée indéfiniment placée sous le patronage d'une part d'un écrivain de talent fasciné par la richesse patrimoniale du pays, mais parfaitement incapable d'en organiser l'exploration méthodique, et d'autre part d'un génie doctrinaire qui pouvait concevoir la «restitution» intégrale des édifices et était malheureusement particulièrement apte à la réaliser. Deux grandes inspirations associées à deux faiblesses internes lourdes de conséquences : dans l'exploration des œuvres du passé, une démarche passionnée, allant de découvertes en négligences, au fur et à mesure que se révélait le caractère inépuisable du «patrimoine», et dans l'intervention des architectes, un souci légitime de remise en état associé à l'idée funeste de conformité au modèle (idéal). Pendant un siècle le fonds médiéval subit un remodelage insistant et général. L'exemple venait de haut et trouvait sa justification dans la politique des «grands monuments». Observations, critiques, objurgations des archéologues, qui se faisaient une autre idée de l'héritage historique, n'y purent pratiquement rien. Les détails sont simplifiés pour valoriser l'essentiel d'une structure qu'on assainit en quelque sorte. Paul Léon a consacré un chapitre sévère à ces opérations qui ont pu affecter des détails comme les balustrades de Notre-Dame de Paris ou d'Amiens, les mobiliers, les verrières, les chapelles, parfois les constructions tout entières, comme à Clermont-Ferrand, à Moulins[49]. La mainmise des architectes diocésains, portés par l'autorité de la commission, explique seule des manipulations qu'aucune instance scientifique ne pouvait approuver. L'argument de l'utilité était parfois mis en avant, plus souvent celui de la compétence, qui atteint à l'arrogance dans les propos bien connus d'Abadie : «La science de l'archéologie semble n'avoir d'autre mission que de blâmer, d'accuser d'ignorance, de barbarie, de vandalisme [...] L'archéologue ne fait rien, ne produit rien. Il se contente de mettre son veto sur toute idée génératrice[50].» Dans ces discussions sur la méthode, sur les limites de la restauration, où les architectes, maîtres de l'édifice, ont toujours eu le dernier mot, au nom de leurs responsabilités techniques bien évidentes, on se demande souvent à qui appartient le parc immobilier français. Abadie, restaurateur brutal d'Angoulême et de Saint-Front de Périgueux, fut aussi l'architecte du monument de la réparation nationale après 1871 : le Sacré-Cœur de Montmartre ; et ces deux titres assurent encore son prestige.

Le paradis des antiquaires

La pratique administrative créait donc des mécanismes d'aménagement, dont on avait critiqué d'avance l'orientation. Montalembert, par exemple : «Il ne faut pas faire le vide autour de nos cathédrales, de manière à noyer les magnifiques dimensions qu'elles ont reçues de leurs auteurs. Elles n'ont pas été faites pour le désert comme les pyramides d'Égypte, mais pour planer sur les habitations serrées et les rues étroites de nos anciennes villes[51].»

Avertissement parfaitement inopérant devant les impératifs haussmanniens, qui sont ceux des ingénieurs, des préfets, des municipalités. La vision historique en est transformée. Dans toute l'Europe, l'exemple français est suivi, parfois contesté. En Autriche, pays plus attentif que la France d'alors à l'interprétation complète du patrimoine et à l'imprudence des solutions modernes, qui ne sont pas toujours nécessaires, on aborde de manière plus fine le problème des relations de la ville et des ouvrages anciens[52]. En Europe centrale, la réflexion serre de plus près la valeur et le rôle des «monuments». L'archéologue allemand G. Dehio avait présenté le *Denkmalkultus*, le culte des grands monuments, comme la clé religieuse en quelque sorte de l'affirmation nationale. Cela n'était pas vrai seulement de l'Allemagne wilhelmienne. Mais le patrimoine est-il mieux reconnu dans la ruine pathétique ou pittoresque qui donne le choc de l'usure ou dans le monument triomphalement restauré? Au cours du XIXe siècle, les deux attitudes ont coexisté, l'une nourrie d'un sentiment de nostalgie poétique, l'autre répondant à l'exaltation du présent. Dans ses *Sept Lampes de l'architecture* (1850), Ruskin avait dénoncé au nom de «la lampe de mémoire» la pratique française qui revient, selon lui, à «laisser les édifices à l'abandon pour les restaurer ensuite». Allant jusqu'au bout du paradoxe non interventionniste, il faut recommander la ruine comme plus suggestive, au moins en ce sens qu'elle possède l'authenticité du trépas.

On peut se demander enfin si, au moins en France, l'action officielle, si scrupuleuse qu'elle ait été, n'a pas eu indirectement une conséquence malheureuse. L'intervention de l'État semble avoir habitué collectivités et particuliers à considérer que les autorités doivent assumer la responsabilité du patrimoine dans sa définition et dans sa mise en valeur. Les listes de protection semblaient instituer dans le parc immobilier français une catégorie supérieure, à laquelle il convenait de se référer d'abord: c'est celle qui commande en quelque sorte l'histoire monumentale. Le recours à l'administration – si caractéristique de la pratique française – a facilement pour corollaire l'indifférence du public et l'inertie des responsables mineurs.

Les secousses politiques et sociales de la Séparation au début du XXe siècle ne pouvaient que réveiller de vieilles passions. La médiocrité des polémiques ne révélait que trop bien l'incapacité du clergé, des fidèles, comme celle des partisans de la laïcité, à concevoir les sanctuaires et les biens d'Église comme un héritage commun. Le point de vue le plus élevé et finalement le plus neuf fut sans doute alors celui de Barrès. Son petit ouvrage, *La Grande Pitié des églises de France* (1912), reprend le discours de Michelet sur la nation paysanne et silencieuse, la protestation de Montalembert contre la médiocrité triomphante, le plaidoyer romantique pour les «humbles églises, sans style peut-être, mais pleines de charme et d'émouvants souvenirs qui forment la physionomie architecturale, la figure physique et morale de la terre de France[55]». En fait, il leur arrivait toujours de perdre leurs statues ou leur cloître, dans l'indifférence des municipalités, comme d'ailleurs les châteaux les plus sensationnels, la Bâtie d'Urfé ou Biron, perdaient leur décor ou leurs tombeaux.

La France n'est jamais simple, et la difficulté la plus irritante concerne la province. L'archéologie régionale avait pris l'initiative au début du siècle et la perdit vers 1900. La «Réunion des Sociétés des beaux-arts des départements» allait cesser d'exister[54]. «La province est morte», écrivait déjà en 1847 Ph. de Chennevières, au début de ses *Recherches*. Si chaque région n'a plus les moyens ni la volonté d'explorer son propre fonds, le patrimoine subit l'éloignement de l'inutile et du désuet: vivra-t-on éternellement au milieu de souvenirs d'intérêt purement touristique? La France est l'un des pays où les grands travaux d'aménagement ont été associés, pendant un bon siècle, à l'idéologie du progrès et au mépris du patrimoine. Il y aura toujours assez de sites, de châteaux, de ruines, de remparts inutiles. N'intéressant plus, ou presque plus, la vie quotidienne, les éléments anciens sont abandonnés aux intellectuels, aux artistes, aux savants, qui s'acharnent à en faire l'histoire, à en reconstituer les formes. Le villageois, qui devrait tout savoir sur son terroir, s'étonne qu'un archéologue interroge ces vestiges. Nul n'est malheureux quand on déménage l'étage du merveilleux cloître de Saint-Guilhem-le-Désert, la moitié de celui de Saint-Michel-de-Cuxa; on apprend un jour avec surprise qu'ils sont devenus l'ornement du musée des *Cloisters* à New York. La France passait à juste titre, autant que l'Italie, pour le paradis des antiquaires.

Les secteurs sauvegardés et l'Inventaire général

Pour des raisons multiples, qui tiennent à la nouvelle phase de la civilisation dénommée maintenant «postindustrielle», à l'occupation complète de l'espace, à l'inquiétude des générations, le fonds patrimonial est devenu sur le tard une préoccupation sérieuse, parfois obsédante. Une fois de plus, s'est vérifié le fait que seuls des désastres, des crises, des malheurs éveillent l'attention, comme si l'on abordait toujours trop tard des situations auxquelles on s'est mal préparé. Peut-être le prix des objets de ce type ne se révèle-t-il finalement que dans le manque.

Malmené par l'expansion industrielle et les implantations désordonnées pendant la paix, l'environnement a connu par deux fois, en raison du destin tragique de l'Occident au XXe siècle, des bouleversements et des ravages

énormes. Mais la secousse affective des guerres rend vie aux symboles, et il y eut indéniablement une émotion populaire au sujet des cathédrales d'Arras, de Noyon, et surtout de la cathédrale de Reims au moment des bombardements de 1916 et tout au long de sa lente « reconstruction ». Un savant comme Émile Mâle conduisit même une polémique anti-allemande, en étendant au domaine de l'érudition la douleur et l'indignation d'un témoin blessé. En 1940 et en 1944, combien de villes se sont découvertes elles-mêmes dans la ruine ? La grande incertitude des esprits au moment des reconstructions est caractéristique d'une société brusquement mise en présence d'un problème que, faute d'une culture appropriée, elle sait mal maîtriser. L'ampleur des travaux à accomplir n'a eu d'égal que le manque de cohérence, le caractère improvisé, parfois audacieux, souvent médiocre, des résultats.
On est bien là au cœur du problème. Les vertus de l'assiette urbaine, les traits de sa physionomie ancienne, la chaîne des vieilles maisons prennent soudain une importance si obsédante qu'on n'a de cesse que le « milieu » urbain soit rendu, identique, à la population : c'est le phénomène dit de Varsovie (1945) ; il s'est souvent manifesté ailleurs. À l'inverse, au Havre (1944), on reconstruisit une autre ville sur un autre dessin, dans un autre esprit ; mais la vieille église Notre-Dame, vestige de la fondation historique, fut conservée comme symbole. Dans un cas, on rapporte le tout, dans un autre un élément, à la piété patrimoniale. Presque partout on passa au compromis. Pour un exemple comme celui d'Orléans, où l'on a su tenir un parti, ceux de Lisieux ou de Beauvais, de Tours, de Toulon, de Saint-Malo laissent perplexe. Le malheur obligeait à découvrir le lien intime de la ville et du site, du contour urbain avec les points forts des monuments, ce qui revenait à chercher une articulation valable avec le passé[55].
La situation s'est aggravée et comme généralisée quand, vers la fin des années cinquante, l'expansion économique et la modernisation accélérée ont entraîné partout des constructions et des remodelages sans précédent. Ce choc fut si violemment perturbateur qu'il rendit évidente l'absence de prévision de la part des autorités ; les plans d'extension n'étaient pas réalisés, ou pas approuvés, ou, s'ils existaient, n'étaient pas suivis. D'où enfin, en pleine tension, l'importante innovation législative du 4 août 1962 qui, pour la première fois, préconisa à l'échelle de la ville un certain traitement de zones bâties définies comme patrimoniales. Quelques beaux résultats, Sarlat, Uzès, ont démontré le bienfait d'une mesure qui ouvrait la possibilité d'un traitement intelligent du fonds architectural. On adoptait enfin les dispositions, courantes en Allemagne, en Autriche, visant à différencier les rues, à écarter la circulation du centre, à réhabiliter les ensembles. Mais il est difficile d'oublier sur quelle invraisemblable conclusion, révélatrice d'un embarras profond, a débouché la première expérience, celle du quartier de la Balance à

Avignon. Avec sa physionomie mi-partie : un côté conforme (et profondément remanié), un côté nouveau (et sans style), c'est là le témoin durable du malaise[56].

Pour qui douterait encore du sérieux de ces questions et des dimensions nouvelles du patrimoine, il suffit de rappeler que la proportion des constructions neuves et quelconques occupe dorénavant dans le parc bâti français une place plus grande que les constructions anciennes. En moins d'un demi-siècle, la masse de la bâtisse française a doublé ; le fonds de pierre et de brique est cerné, souvent noyé, toujours « déclassé » par le béton. Les abords de toutes les villes ont changé. La même évolution atteignant les villages et transformant les campagnes, on découvrit enfin sous le nom d'« écologie » la réalité du milieu naturel, il devint enfin évident qu'on était en présence d'un phénomène global et que, dans ce contexte, le fonds patrimonial, comme quelques-uns l'avaient pressenti, prenait un relief et une signification plus marqués[57].

La redécouverte des « vides humains » formés au cours des siècles, des rues, anciens sentiers, vestiges des vieux cheminements[58] intervient ici. Et aussi bien la redécouverte, plus difficile et laborieuse qu'on ne croit, de l'architecture rurale[59]. La notion flottante et trop commode de « forme traditionnelle » intervient ici comme alibi de modes plus contestables et d'engouements dangereux. L'appareil de pierre laissé nu, les linteaux de bois soudain mis en évidence, les irrégularités du plan, etc., sont devenus par réaction contre l'uniformité de la construction moderne des facteurs « pseudo-anciens », des trompe-l'œil historiques ; ces vicissitudes illustrent le rôle douteux d'une culture approximative.

Le fonds patrimonial, défini par un paysage historique semé de ruines et de silhouettes médiévales, était pour le romantisme un accès irremplaçable à la conscience nationale. Un siècle, un siècle et demi plus tard, il s'agit plutôt de saisir au plus modeste niveau l'évolution de nos sociétés à travers les réalités matérielles, les *realia*. La première définition appelait un approfondissement historique à travers une sélection d'édifices remarquables qui n'a cessé de s'étendre, la nouvelle demande une attention ethnologique qui ne peut rien laisser hors de prise parmi les choses et les usages. Là, une nation s'interrogeait elle-même après une longue et dramatique convulsion ; ici, une société s'étonne de sa propre complexité, qu'elle était en train d'oublier. L'enquête des « Arts et Traditions populaires », ouverte sur le quotidien, les procédures, la vie simple, a été à ce point de vue irremplaçable. Ces travaux, aboutissant à des musées régionaux, à des publications spéciales, à des collections d'un nouveau genre, ont peu à peu coloré ou recoloré et enrichi la conscience du fonds commun[60]. L'objet visuel désaffecté prend une valeur de signe attachant, d'indicateur de l'existence laborieuse, de révélateur humain ; la ferme,

l'atelier, la boutique d'autrefois deviennent maintenant ce qu'avaient été pour les générations antérieures l'église, le site, le château. Tout l'équipement ancien des demeures passe ainsi, pour le bonheur des antiquaires, dans le secteur de la curiosité. Dans quelle mesure entre-t-il ainsi dans le patrimoine ? Par la typicité, qui s'oppose à l'unicité de l'œuvre d'art, répondent les spécialistes. Définition qui demande une nouvelle approche, encore imparfaitement établie. L'objet et l'habitat forment un tout lié du point de vue ethnologique. Sortis de l'usage et de la fonction, ils se dissocient. Reconnaître et préserver n'ont plus le même sens ni les mêmes conséquences qu'autrefois.
Les sociétés de protection attirèrent entre les deux guerres, puis après 1950, l'attention d'un certain public intellectuel aux vicissitudes du patrimoine. Elles n'ont touché que des secteurs limités ; elles ont probablement souffert de leur diversité, n'ayant jamais pu se fédérer comme il eût été nécessaire d'un point de vue de pure stratégie politique. Leur rôle est d'intervenir auprès des administrations et des autorités, dans les cas où elles estiment que le patrimoine vole inconsidérément en éclats. La chronique de ces débats agités éclairerait aussi bien, hélas, la médiocrité culturelle des « autorités » que le manque de documentation, qui ne permet pas de présenter les dossiers de façon incontestable. Quelques opérations, comme la réhabilitation de l'îlot 3 du centre de Paris, devant la place Maubert, qui eut valeur de test, étant depuis longtemps promis à la destruction comme insalubre, montreront à l'historien les dates autour desquelles le sort a tourné.
L'un des conflits les plus révélateurs restera sans doute l'étrange et malheureuse bataille de dix ans autour des halles centrales de Paris. Le départ du marché, annoncé depuis longtemps, a révélé un état d'imprévision stupéfiant : à la poussée des novateurs indifférents à la structure de la ville répondait l'attachement – plus ou moins bien renseigné – de quelques-uns à la physionomie du quartier. Les projets, entièrement définis par le vieux problème de la circulation souterraine et en surface, reposaient sur des analyses imparfaites du tissu urbain. La destruction des six pavillons de Baltard pendant l'été 1970[61] fut une opération du XIXe siècle ; elle était voulue par une autorité qui y voyait la condition pour élever un « monument » du XXe siècle au plateau Beaubourg. Cette décision était conforme à la tradition haussmannienne, qui n'a pratiquement jamais cessé de régner dans les bureaux de la capitale. Un autre point de vue s'impose maintenant et quinze ans après l'opération pompidolienne, on y discerne clairement trois erreurs en une. Dès 1930 on rasait la zone vétuste qui séparait la rue Beaubourg de la rue Saint-Martin : ce vide béant, scandaleux, préparait le terrain, si l'on peut dire. Nul ne pouvait penser alors à l'Hôtel de Ville qu'un jour on voudrait « sauver » le Marais. En deuxième lieu, il est révélateur que, malgré les avertissements éclairés qu'elles ont reçus à temps, les autorités de l'État, de la Ville et de la

R.A.T.P. se soient trouvées d'accord pour détruire – par pure commodité – les témoins essentiels, universellement connus, de l'« architecture industrielle », dont on allait faire dans les années suivantes, l'amour du XIXe siècle aidant, un grand et tardif cheval de bataille. Enfin, l'idée d'un monument, selon la formule chère aux hommes d'État d'hier, inséré de force à l'endroit le moins favorable. Les Parisiens de 1986 s'accordent à dire que cette destruction autoritaire ne serait déjà plus possible aujourd'hui. En quinze ans, en somme, la notion de patrimoine a absorbé le passé récent, l'architecture de la fonte et les aménagements utilitaires : gares, marchés, dont on a une nouvelle perception. Les mêmes Parisiens savent que la plus grande partie des vieux quartiers vétustes, négligés et mal habités étaient vers les années cinquante ou soixante pratiquement tombés hors du patrimoine respectable. Les amateurs et les historiens de l'architecture s'en lamentaient assez. Aujourd'hui, ces quartiers figurent au premier plan du dossier, en particulier le Marais. La définition du quartier du Marais comme « secteur du Marais » fut obtenue et la réhabilitation réussie grâce aux efforts et à l'intelligence de groupes prévoyants[62]. Un ensemble a été retenu et traité. Tout le monde s'accorde à y voir un joyau du « parc urbanistique » français, avec un traitement qui rend sensible la face visible et attrayante du patrimoine. Du même coup, il apparaît que cette notion ne peut plus être passive ; elle doit être active : préserver veut dire aménager, repeupler, animer... L'expérience des « secteurs sauvegardés » provinciaux trouvait ainsi un gage et une confirmation remarquables, malgré les difficultés qu'entraîne le changement partiel de population d'un quartier. Par une sorte de balancement propre à la mentalité française, une forme de remords se portant sur l'architecture industrielle ancienne, à peine avait-on commis l'erreur d'abattre les pavillons de Baltard pour faciliter la fouille ouverte du R.E.R., des listes de classement importantes et la création d'un musée du XIXe siècle dans le cadre de l'ancienne gare d'Orsay de Lalou furent obtenues sans trop de peine. Tout s'est passé comme si, après le « sacrifice » du plus bel exemple de la modernité du XIXe siècle, les autres entraient sans grande difficulté dans le domaine patrimonial. On eut même, comme à l'époque romantique pour l'art gothique, des plaidoyers passionnés en faveur de toutes les productions du siècle passé, comme si elles ne relevaient plus de la critique historique. Passant de l'exécration assez générale encore vers 1950 – où des officiels parlaient volontiers d'éliminer le Grand-Palais, par exemple[63] – à une exaltation qui peut étonner un peu par sa ferveur, on a retrouvé un nouveau domaine à inclure au vieux fonds français. Le mouvement a logiquement été couronné par une importante remise en honneur de Viollet-le-Duc. Il fallait cette consécration d'un grand moment de l'histoire du patrimoine pour qu'on en aperçoive la force et la limite, et, en somme, pour qu'on saisisse à quel point son exemple est finalement lié à une époque dépassée[64].

Dimensions nouvelles

Depuis 1960 se sont fait jour des préoccupations plus attentives concernant les partis anciens, les itinéraires éprouvés, les plans – dont, malgré la démonstration de C. Sitte, on avait oublié la valeur. La situation a évolué ainsi d'une façon assez décisive pour faire apparaître un nouveau facteur de l'aménagement et de la gestion. Un facteur d'équilibre, une sorte de thermostat culturel, tendant à ralentir, à canaliser, et, en tout cas, à équilibrer l'impératif général de la modernisation, en exprimant une volonté plus complexe des populations. Le même phénomène s'est d'ailleurs manifesté dans tous les pays de l'Occident et du Nouveau Monde. Il coïncide naturellement avec la fin des illusions sur les chances indéfinies de l'ère technologique. Dans le nouvel âge, baptisé postindustriel, une croissance conçue comme expansion, production, consommation indéfinies est accusée de détruire les bases même, d'épuiser les ressources, de compromettre l'assiette naturelle des sociétés qui en bénéficient. Cette exigence sourde d'une démarche plus sensible et plus prudente se réfère plus ou moins consciemment à un ordre de réalités acquises, à des formes héritées. Nous pensons qu'elle explique assez bien l'ampleur prise par la notion de patrimoine dans les pays comme le nôtre, où elle reste d'appréhension facile, et par celle d'écologie qui s'y superpose ou s'y substitue dans d'autres contrées.

On passe ainsi à un plan en quelque sorte technique, scientifique. L'énormité du développement a pris de court toute la société, faute d'une information assez complète ; il faut maintenant chercher à constituer un réseau de référence topographique et historique valable dans un pays où les points sensibles sont soudain apparus un peu partout. À quoi a voulu répondre l'Inventaire général créé en mars 1964 par André Malraux. Par la masse documentaire qu'il réunit, l'exploitation informatique qu'il élabore, les expositions régionales qu'il présente, ce service illustre la nouvelle stratégie qui convient à une société au patrimoine complexe et encore imparfaitement exploré[65].

La dénomination de « patrimoine » étant appliquée à des catégories d'objets si diverses, la difficulté de définir à leur égard un comportement sensé devient manifeste. La destruction et la ruine de l'inutile est une loi de la nature. La culture intervient pour annuler ou retarder cette loi, au nom d'impératifs plus élevés. Mais alors, que deviendra, par exemple, l'immense « parc » des chapelles et églises, peu à peu privées du support naturel qu'est la présence de fidèles. Essentiel au paysage, il ne devrait pas disparaître. Une solution de rechange doit être trouvée. Une enquête récemment publiée en Grande-Bretagne expose avec clarté les destructions inévitables, les réemplois possibles, tout en soulignant l'ampleur effrayante de l'héritage[66]. Nous n'en prenons connaissance que pour en être embarrassés. Par l'attachement patrimonial, nous nous créons à nous-mêmes de grandes difficultés. Peut-être est-ce le moment de rappeler que dans toute société le patrimoine se reconnaît au fait que sa perte constitue un sacrifice et que sa conservation suppose des sacrifices ? C'est la loi de toute sacralité.

La péripétie à laquelle nous sommes en train d'assister ne coïncide pas par hasard avec le déploiement inouï des ressources fournies à l'imagination et au savoir par la civilisation moderne. Non seulement il y a une accumulation fascinante de documents figurés, mais des branches nouvelles du savoir naissent à partir de la géoscopie (photographie aérienne), de la géologie elle-même, de la recherche cartographique, de l'analyse du parcellaire pour l'espace habité, de l'interprétation des matériaux et des formes pour les objets « faits de la main de l'homme ». Là aussi, il y a un accès nouveau et inéluctable au patrimoine, avec les chances d'un approfondissement qui est une nouvelle preuve de son importance.

Une discipline comme la photographie aérienne, qui va évidemment de pair avec l'expérience du ciel maintenant familière à tous, a découvert le sol français comme un thesaurus : « La sauvegarde du patrimoine archéologique et historique commun, dont la substance même s'évanouit journellement du fait des labours mécaniques en profondeur, des remembrements, du développement des faubourgs urbains, des grands travaux publics [...] suppose un inventaire appuyé sur une cartographie exacte[67]. » Révéler un patrimoine englouti n'est pas seulement une tâche attachante pour les jeunes aviateurs et pour les fouilleurs, c'est parfois aussi un moyen d'aider à résoudre correctement des problèmes d'aménagement dans l'espace rural et même urbain.

Le détour par le savoir semble donc être devenu indispensable à toute opération positive. Le seul moyen de résister à l'annulation du fonds patrimonial par le déploiement de la civilisation industrielle est d'utiliser ses équipements extraordinaires dans chaque domaine où elle tend à ruiner l'« aménagement ». Ainsi peut s'expliquer le paradoxe qu'il y a à rassembler dans un ordinateur des informations de cet ordre[68]. L'appareil scientifique peut d'ailleurs susciter dans les esprits l'attention qui manquait, en favorisant la curiosité du détail et la découverte des ensembles. Jamais on n'a vu tant d'expositions dans les provinces, à Paris même, où les édifices, les bourgs, les sites sont associés ; leurs relations constituent pour une société donnée le fondement de sa mémoire, car ils livrent l'articulation même du cadre, à l'intersection de la nature qui modèle le sol et de la culture qui l'interprète. À l'attachement du vécu devrait s'ajouter l'autorité du connu. Tout se joue sur cette chance.

Trésors, héritage, patrimoine : fonds national et universalisme

« Il n'y a aucun doute que c'est Napoléon qui a créé l'individualisme », déclare André Malraux en nous rappelant que Stendhal respectait de son propre aveu un seul homme : Napoléon. En effet, « Napoléon a effacé la naissance. Ça représentait quelque chose d'extraordinairement profond : l'humanité vivait sur la possession assurée par la naissance : à la place, il mit la conquête assurée par l'égalité civile[69] ». Admettons cette grande simplification pour comprendre comment l'apparition soudaine de ce sentiment d'un fonds « national » – que nous essayons de cerner – a pu être contemporaine de la « libération » individualiste. Trésors, héritage, patrimoine ne coïncident plus. Si l'on englobe si volontiers les legs de l'histoire et les dons du sol, littérature et paysages, espace et traditions, dans une même enveloppe rassurante, où l'on respire la chaleur possible de la « longue durée », c'est que nous comptons de plus en plus – et par force – sur les « biens communs ».

La collectivité nationale s'exprime ainsi à elle-même la qualité de son héritage en invoquant, en dilatant la notion du patrimoine. De même qu'il existe une lente dévolution des richesses privées : terres, collections, vers les propriétés publiques : parcs, musées..., de même et par la même évolution le patrimoine familial et personnel apparaît comme moins digne d'attention que l'ensemble « national ». En ce sens, la prise de conscience formée en 1789-1795 arrive maintenant à sa conclusion. L'individu, « libéré » des privilèges et des charges de la naissance, n'a pas réussi, ne pouvait réussir à se suffire à lui-même. Un des traits de l'époque est sans doute la réduction de la « privatisation », le domaine « privé » étant à la fois la possibilité de la solitude et de la possession tranquille. En tout cas, la lente et régulière dévolution au domaine public des collections privées[70], l'ouverture progressive des demeures anciennes à la foule des visiteurs – dont l'expérience britannique du « National Trust » donne un exemple – constituent des phénomènes typiques. Il s'agit là d'une évolution du domaine et des biens aristocratiques, dont les vicissitudes ne sont pas terminées. La notion de patrimoine a signifié longtemps privatisation. Pour certaines catégories sociales, petite bourgeoisie, artisanat, paysannerie, elle n'avait pratiquement qu'une signification étroite et précaire. La prise en compte de la culture sous une forme officielle et dirigée par l'État au cours du siècle dernier, combinée avec la dégénérescence régionale propre à la communauté française, n'a fait qu'accentuer dans les milieux les plus populaires le sentiment d'être en dehors du circuit des biens attachants, reconnus, dignes d'être conservés. Comme si ceux-ci appartenaient au monde anonyme et distingué des « Beaux-Arts » ou aux heureux de ce monde.

On peut se demander si l'extension de la notion de patrimoine n'est pas en train d'aboutir à la découverte soudaine de ces valeurs parmi ceux qui pouvaient s'en croire privés. Quelles sont aujourd'hui les réactions des provinciaux, des ruraux, des artisans devant les «écomusées» qu'on leur édifie? Devant les circuits touristiques qui amènent les étrangers et les touristes devant leurs églises et leurs châteaux, qu'ils regardaient de loin? Devant les expositions des syndicats d'initiative ou de l'Inventaire général? Les outils du grand-père, naguère hors d'usage au grenier et recueillis par le conservateur des A.T.P. – ou l'antiquaire de passage –, la grange ou la chapelle photographiées par les agents de l'Inventaire général sont-ils encore les outils du grand-père, la demeure ou la bâtisse d'antan? Quelle métamorphose cachée ont-ils subie, quand on les considère en famille, après leur promotion? Élément du patrimoine, l'objet change de nature et de fonction. Il sert à autre chose.

À quoi, sinon à illustrer le Patrimoine? Immense domaine où les inévitables cupidités du commerce viennent maintenant recouper l'attention des esprits sensibles, l'attachement des indigènes. La revalorisation de ces objets et de ces biens, autrefois condamnés à l'usure et à la disparition, peut-elle être acceptée de tous? Devant ces nouvelles nécropoles d'objets hors d'usage, de mannequins et de souvenirs, il faut beaucoup de culture et de conviction pour éprouver autre chose qu'un sentiment amusé, parfois attendri, de pittoresque et d'éloignement. Le patrimoine sera cerné, nous dit-on, à partir de pièces bien documentées et dûment clarifiées. Mais est-ce assez? La mémoire profonde est moins liée à la possession qu'à la jouissance. Tout est là.

L'histoire paraît cyclique. En tout cas, au niveau planétaire. Les grands sanctuaires étaient pour la chrétienté la preuve tangible et nécessaire de son existence; les pèlerinages y amenaient les fidèles de tous pays. Il existait ainsi pour la conscience occidentale un ensemble privilégié, son patrimoine religieux. On peut penser que les hauts lieux touristiques ont pris le relais dans la civilisation de masse du XXe siècle: au *Denkmalkultus* succède l'attraction touristique nationale et internationale, qui peut devenir elle aussi, malheureusement, destructrice de son objet.

La notion des «chefs-d'œuvre de l'art universel», patronnée par l'Unesco et mise en œuvre par l'I.C.O.M.O.S., marque un retour au tableau prestigieux des «merveilles du monde», inventé par l'universalisme antique. En 1972 a été adoptée par l'Unesco une «Convention pour la protection du patrimoine mondial culturel et naturel». Cet accord visait à définir une politique d'intervention, qui s'est marquée de façon spectaculaire à Philae en Égypte et à Venise (1973), à Borobudur et à Moenjodaro (1974), etc. La notion de patrimoine culturel universel prenant corps, on entreprit un catalogue des édifices retenus en priorité. Cette liste des nouvelles «merveilles du monde» fut publiée au terme d'une réunion du « Comité du patrimoine mondial » tenue à Louksor en octobre 1979[71]. L'exercice continue, sous le contrôle d'experts. Cette initiative, qui va créer un nouveau plan de référence, appelle plusieurs observations. La notion de bien culturel ne se confond pas ou ne devrait pas se confondre avec celle de bien patrimonial : les objets de collection, les témoins ethnologiques… sont ou peuvent être des biens culturels dignes d'attention ; ils ne sont pas, semble-t-il, pour autant, sinon par métaphore, des éléments d'un patrimoine. De nombreux pays du tiers monde ont été amenés à désigner des monuments, des ensembles, des sites qui pouvaient, en raison de leur intérêt local, leur constituer un « patrimoine ». Mais l'appareil des traditions et des coutumes, véritable charpente de ces sociétés, n'impliquait pas dans ces pays un ordre de symboles monumentaux comparable à celui des contrées occidentales : il a fallu en improviser un. C'est une question de dignité. L'artifice saute aux yeux.

On voit sans peine en quoi cet alignement des patrimoines est assez trompeur, si l'on considère le pays qui passe – à juste titre – pour le plus fidèle du monde à sa propre identité, le Japon. Certains comportements à l'égard du patrimoine ne peuvent que déconcerter les Occidentaux. Endommagés ou non, les grands sanctuaires sont périodiquement reconstruits intégralement, en matériaux identiques mais neufs ; parfois, comme c'est le cas à Isé, une aire destinée au nouvel édifice est dûment préparée pendant la durée d'existence du dernier réalisé[72]. Cette pratique suppose une fidélité aux partis, aux techniques, aux procédés de construction, au décor, aux usages, qui démontre justement pour le Nippon son souci de la dignité de l'édifice. À ce sentiment d'une continuité idéale s'oppose l'attitude occidentale, hantée par le déclin, l'irremplaçable et la double mort des objets qui se ruinent et des sentiments qui changent. La notion moderne du patrimoine, formée à travers tant de couches idéologiques et affectives, semble connaître un dernier développement qui va peut-être devenir l'un des traits importants de notre mentalité. Si l'extrême « formalisme » de la civilisation nippone en fait une « contrée pleine de signifiants riches et dont le charme est de n'avoir aucun signifié » (Roland Barthes), il faudrait sans doute dire qu'à l'opposé la France, à l'extrême Occident, apparaît comme un domaine tellement chargé de signifiés qu'on en oublie les signifiants, qu'on en néglige l'originalité et les vicissitudes.

C'est plutôt par une description respectueuse et fidèle des comportements qu'on arrive à saisir et à préserver l'important et l'original dans chaque société. En situant ainsi le problème, on n'ignore pas les dévastations et les urgences. Les recommandations de l'Unesco ont d'ailleurs été formulées dans un style qui frappe par son pessimisme. Le préambule de la Convention est solennel et explicite : « Le patrimoine culturel et le patrimoine naturel sont de plus en plus menacés de destruction, non seulement par les causes traditionnelles de dégradation, mais encore par l'évolution de la vie sociale et économique qui les aggrave par des phénomènes d'altération ou de destruction encore plus redoutables.» Même si l'on peut se demander en quoi les causes «traditionnelles» diffèrent des nouvelles dans les atteintes à des «biens» mal définis du patrimoine, la déclaration est importante. Elle marque enfin une attention sérieuse aux inconvénients concrets du «progrès universel». La civilisation commerçante et industrielle mondiale, en dérangeant et décomposant partout les assemblages anciens, fait découvrir leurs vertus, qu'on range aussitôt, à tort ou à raison, dans l'ordre du patrimoine. Après tout, nous vivons dans le temps. Tout ce qui est humain est fait de durée. «L'usage est un genre de vandalisme lent, insensible, inaperçu, qui ruine et détériore presque autant qu'une brutale dévastation», écrivait Vitet dans une étude sur l'art médiéval anglais (1867). «Presque autant»? Peut-être pas. Mais la cause permanente et efficace de la dégradation, c'est bien l'usage, c'est-à-dire le passage de la vie, l'usure du temps, le risque même de l'existence. L'attention au fonds patrimonial du pays est invinciblement associée au sentiment poignant du vieillissement, de la fatigue. Les choses qui nous entourent et auxquelles nous nous attachons l'expriment pour nous par leurs vicissitudes, leurs malheurs, leur perpétuité plus ou moins artificielle et fardée. En fait, aucun élément patrimonial n'a de sens en dehors de l'attachement des sociétés intéressées, un attachement ou, pourquoi ne pas prononcer le mot? un amour, qui se manifeste de façon instinctive dans la conscience des terroirs, et de façon éclairée dans les démarches du savoir. Le «désenchantement» du modernisme est fatalement alimenté par les nostalgies et les fidélités propres à un vieux pays. Mais si nous avons eu raison d'étendre aux particularités de l'espace et de l'architecture la notion de patrimoine national, c'est finalement pour y trouver un stock d'expériences à consulter et nous trouver moins démunis devant l'avenir, où rien ne sera plus jamais simple.

1. Cette étude tire parti d'un certain nombre d'articles antérieurs: «Le problème de l'inventaire monumental», *Bulletin de la Société de l'histoire de l'art français* (désormais cité: *B.S.H.A.F.*), 1964, pp. 137 *sq.*; «Les nouvelles dimensions du patrimoine», *Cahiers de l'Académie d'architecture*, 1980, pp. 6-12; «Patrimoine», *Encyclopaedia universalis*, Supplément, Paris, 1980, vol. I, pp. 41-49; «La notion de patrimoine» (en collaboration avec Jean-Pierre Babelon), *Revue de l'Art* (désormais citée: *R.A.*), n° 49, 1980, pp. 5-32.

2. Sur les reliques: Marie-Madeleine Gauthier, *Les Routes de la foi*, Fribourg, 1983.

3. Précieuses indications de Meyer Schapiro, « On the Æsthetic Attitude in Medieval Art » (1947), *Selected Papers*, vol. I, *Romanesque Art*, Londres, 1977, pp. 1-27.

4. Louis Grodecki, dans le catalogue de l'exposition *Le « Gothique » retrouvé avant Viollet-le-Duc*, Paris, Hôtel de Sully, 1979-1980.

5. Jules Michelet, *Histoire de France*, vol. VII, Paris, 1895, p. 193.

6. Victor L. Tapié, *Baroque et classicisme*, dernière éd., Paris, 1980, pp. 204 *sq.*

7. Jean-Pierre Babelon, *R.A.*, n° 49, p. 9.

8. F. Vauthier, « Quatre châteaux royaux à vendre en 1787 », *B.S.H.A.F.*, 1913, pp. 164-173.

9. Texte complet dans *R.A.*, n° 49, p. 15.

10. Sur ce savant toujours inexplicablement mal étudié : G. Duplessis, « Roger de Gaignières et ses collections iconographiques », *Gazette des beaux-arts*, 1870, t. I, pp. 468-488 ; Alain Erlande-Brandenburg, « Une initiative mal récompensée : Roger de Gaignières (1642-1715) », *R.A.*, n° 49, pp. 33-34.

11. Sur Bernard de Montfaucon : André Rostand, « La documentation iconographique des *Monumens de la Monarchie françoise* », *B.S.H.A.F.*, 1932-1933, pp. 104-149. Alain Erlande-Brandenburg, « L'érudition livresque : Bernard de Montfaucon », *R.A.*, n° 49, pp. 34-35. Jacques Vanuxem, « The Theories of Mabillon and Montfaucon on French Sculpture of the twelfth Century », *J.W.C.I.*, XX (1957), pp. 45-58.

12. Sur l'abbé Lebeuf : Jacques Vanuxem, *L'abbé Lebeuf et l'étude méthodique des monuments du Moyen Âge*, Auxerre, « Cahiers d'archéologie et d'histoire », 1963.

13. Frédéric Rücker, *Les Origines de la conservation des Monuments historiques en France (1790-1830)*, Paris, 1913, p. 95. Sur la Révolution, outre cet ouvrage, voir Louis Hautecœur, *Histoire de l'architecture classique en France*, vol. V, Paris, 1953, pp. 103 *sq.* et pp. 109 *sq.* sur « la politique confuse des assemblées » ; voir aussi G. Brière, « Les monuments de France pendant la Révolution, de 1789 à 1795 », *B.S.H.A.F.*, 1952-1954, pp. 58-63.

14. Fr. Rücker, *op. cit.*, p. 23. Louis Réau, *Les Monuments détruits de l'art français*, t. II, 2e partie : « Tableau d'ensemble des saccages divers ».

15. Paul Léon, *La Vie des monuments français*, 2e éd., Paris, 1951, pp. 255 *sq.*

16. Cité par Fr. Rücker, *op. cit.*, p. 93.

17. André Chastel, « Le problème de l'inventaire monumental », *op. cit.*, p. 137.

18. Alain Erlande-Brandenburg, Michel Fleury, François Giscard d'Estaing, *Les Rois retrouvés*, Paris, 1977.

19. Fr. Rücker, *op. cit.*, p. 23.

20. Sur l'abbé Grégoire : James Guillaume, « Grégoire et le vandalisme », *Révolution française*, 1901, pp. 155-180 et 242-269 ; Pierre Marot, « L'abbé Grégoire et le vandalisme révolutionnaire », *R.A.*, n° 49, pp. 36-39. Voir aussi *Mémoires de Grégoire, ancien évêque de Blois, précédés d'une notice historique sur l'auteur par M. Carnot*, Paris, 1837. Eugène Despois : *Le Vandalisme révolutionnaire*, Paris, 1868, est plutôt une apologie rétrospective de l'action révolutionnaire dans ce domaine.

21. Cité par L. Hautecœur, *op. cit.*, p. 103.

22. A. Vialay, *La Vente des biens nationaux pendant la Révolution*, Paris, 1908.

23. Sur cette énorme affaire, voir en dernier lieu Alain Erlande-Brandenburg, chap. V (avec bibliographie) dans *Le « Gothique » retrouvé…*, *op. cit.*, et la publication de Louis Courajod, *Alexandre Lenoir, son journal et le musée des Monuments français*, Paris, 1878-1887, 3 vol.

24. *Considérations morales sur la destination des ouvrages de l'art* (1816). Voir A. Erlande-Brandenburg, *Le « Gothique » retrouvé…*, *op. cit.*, p. 78.

25. Jacques Vanuxem, *La Sculpture religieuse au musée des Monuments français, Positions des thèses des élèves de l'École du Louvre (1911-1944)*, Paris, 1956, pp. 200-203.

26. Ferdinand Boyer, «Les collections et les ventes de Jean-Joseph de Laborde», *B.S.H.A.F.*, 1961, pp. 137-152. Sur Séroux d'Agincourt: Henri Loyrette, «Séroux d'Agincourt et les origines de l'histoire de l'art», *R.A.*, n° 48, 1980, pp. 40-56.

27. Pierre Marot, «L'essor de l'étude des antiquités nationales à l'Institut, du Directoire à la monarchie de Juillet», *Académie des inscriptions et belles-lettres*, lecture faite dans la séance publique annuelle du 22 novembre 1963.

28. Ce sont les termes du prospectus de L. Prévost pour la publication d'Arcisse de Caumont, *Histoire de l'art dans l'Ouest de la France depuis les temps les plus reculés jusqu'au XVIIe siècle*, vol. VII, Paris, Caen, Rouen, 1830.

29. Victor Hugo, «Halte aux démolitions!», *Littérature philosophie mêlées*, Paris, 1884.

30. Germain Bazin, *Le Temps des musées*, Bruxelles, s.d., chap. VIII et IX.

31. Louis Hautecœur, *Histoire du Louvre des origines à nos jours: 1200-1928*, Paris, 1928, chap. VII: «Le Louvre musée».

32. Cecil Gould, *Trophy of Conquest. The Musée Napoléon and the Creation of the Louvre*, Londres, 1965.

33. *Les Fêtes de la Révolution*, Clermont-Ferrand, Musée Bargoin, 1974, n° 63.

34. Jean Chatelain, *Dominique Vivant Denon et le Louvre de Napoléon*, Paris, 1973.

35. Voir Catherine Marmoz, «Duban et l'arc de Gaillon à l'École des beaux-arts», *B.S.H.A.F.*, 1977, pp. 217-223; Philippe Canac, C. Marmoz et Bruno Foucart, «L'École nationale des beaux-arts», *Les Monuments historiques*, n° 102, 1979, pp. 17-37.

36. Sur le musée des Monuments français du palais de Chaillot: Philippe Chapu, «Le musée national des Monuments français», *R.A.*, n° 49, pp. 40-41.

37. Albert Boime, «Le musée des Copies», *Gazette des beaux-arts*, 1964, pp. 237-247; éditorial «Copies, répliques, faux», *R.A.*, n° 21, 1973, pp. 23-29: «Les modèles élusifs et le "musée des copies"».

38. Éditorial «Les musées d'architecture», *R.A.*, n° 52, 1981, pp. 5-8.

39. Voir Fr. Rücker, *op. cit.*, p. 180, n. 1; Jean-Pierre Bady, *Les Monuments historiques en France*, Paris, P.U.F., coll. «Que sais-je?», 1985.

40. Voir Marcel Durliat, «Alexandre Dumège et les mythes archéologiques à Toulouse dans le premier tiers du XIXe siècle», *R.A.*, n° 23, 1974, pp. 30-41, et *Le «Gothique» retrouvé, op. cit.*, chap. VI.

41. Françoise Bercé, *Les Premiers Travaux de la commission des Monuments historiques (1837-1848)*, Paris, 1979.

42. Voir P. Léon, *op. cit.*, p. 121.

43. Outre l'article d'André Fermigier ici même, voir le catalogue de l'exposition à l'hôtel de Sully, 1963, et les précieuses *Notes de voyage* présentées par Pierre-Marie Auzas, Paris, 1971.

44. A. Du Sommerard, *Les Monuments historiques de la France à l'Exposition historique de Vienne*, Paris, 1876.

45. Viollet-le-Duc dans *Annales archéologiques*, t. IV (1846), p. 333.

46. Pierre Lavedan, «Églises néo-gothiques», *Archives de l'art français*, t. XXVI (1978), pp. 351 *sq.*

47. Par exemple les traités de William Henry Ward: *French Chateaux and Gardens in the XVIth Century*, Londres, 1909, et Sir Reginald Blomfield: *A History of French Architecture from the Death of Mazarin to the Death of Louis XV (1661-1774)*, Londres, 1921.

48. F. de Guilhermy, «Trente ans d'archéologie», *Annales archéologiques*, t. XXI (1861), p. 254.

49. P. Léon, *op. cit.*

50. Voir le catalogue de l'exposition *Paul Abadie*, Angoulême, 1984.

51. Montalembert, discours du 11 juillet 1845 à la Chambre des pairs, *in* P. Léon, *op. cit.*, p. 349.

52. C. Sitte, *Der Städtebau nach seinen künstlerischen Gründsätzen*, Vienne, 1889, trad. franç.: *L'Urbanisme et ses fondements artistiques*, Paris, 1979, et surtout A. Riegl. Sur tous ces points, voir André Chastel, «Patrimoine», *Encyclopaedia universalis, op. cit.*

53. Maurice Barrès, *La Grande Pitié des églises de France*, Paris, 1912; *Tableaux des églises rurales qui s'écroulent*, Paris, 1913. Il y aurait beaucoup à dire sur l'impuissance de l'archéologie «sentimentale». Voir P. Léon, *op. cit.*, pp. 141 *sq.*

54. Voir l'éditorial «L'érudition locale en France», *R.A.*, n° 4, 1969.

55. Voir *The Future of the Past. Attitudes to Conservation, 1174-1974*, éd. par J. Fawcett, Londres, 1976.

56. Les manifestations qui se sont multipliées sur ces expériences n'ont pas notablement fait progresser la mentalité commune. Voir catalogue de l'exposition *Construire en quartiers anciens*, Paris, Grand-Palais, 1980; *Centres et quartiers anciens, Les Monuments historiques de la France*, 1976, n° 6.

57. Henri de Varine, *La France et les Français devant leur patrimoine monumental*, Rapport de la Fondation pour le développement culturel, février 1975.

58. Voir Françoise Choay, «Haussmann et le système des espaces verts parisiens», *R.A.*, n° 29, 1975, pp. 83 *sq.*

59. Parmi les innombrables analyses «au niveau du sol» des terroirs français, on peut citer avec la grande enquête sur *L'Aubrac, étude ethnographique, linguistique, agronomique et économique d'un établissement humain*, C.N.R.S., 1970-1976, 6 vol., des ouvrages plus modestes comme celui de Paul Dufournet, *Pour une archéologie du pays*, Paris, 1978 (sur un coin du Mâconnais), et les travaux du Dr Cayla. La diversité, l'ancienneté, l'originalité des habitats ruraux sont replacées dans leur longue évolution par les hauteurs de l'*Histoire de la France rurale*, Paris, 1975, 4 vol. Une collection en cours, «L'Architecture rurale française» (Paris, 1977 *sq.*), aborde cette production province par province.

60. Sur cette création de Georges-Henri Rivière et ses multiples prolongements, nombreuses études parues dans les revues: *Museum* (Unesco) et *Arts et traditions populaires* (1957-1970) devenue *Ethnologie française* (1971 *sq.*).

61. A Chastel, «La fin des Halles ou le miracle inutile», *Le Monde*, 11 et 23 décembre 1970.

62. *Monuments historiques de la France*, numéro hors série, 1977: «Les restaurations françaises et la charte de Venise».

63. Éditorial de la *Revue de l'art*, n° 15 (1972). J.-L. Bady, *Les Monuments historiques*, Paris, coll. «Que sais-je?», 1984.

64. *Viollet-le-Duc* sous la direction de Bruno Foucart, Paris, Grand-Palais, 1980. Ce qui est peut-être plus manifeste dans les actes du colloque sur les restaurations françaises (numéro hors série des *Monuments historiques de la France*, 1977) que dans ceux du colloque Viollet-le-Duc.

65. Sur l'Inventaire général, *R.A.*, n° 65, 1984.

66. M. Binney et P. Burman, *Change and Decay. The Future of our Churches*, Londres, 1977.

67. Raymond Chevallier, *L'Avion à la découverte du passé*, Paris, 1964. Voir aussi Pierre Gascar, Alain Perceval, Raymond Chevallier, François Cali, *La France. Cent cinquante photographies aériennes*, Paris, 1971.

68. À ce sujet, voir l'organisation de l'informatique à l'Inventaire général, *R.A.*, n° 65, 1984.

69. Roger Stéphane, *André Malraux, entretiens et précisions*, Paris, 1984, p. 144.

70. L'institution de la «dation» appliquée aux «œuvres d'art» – mais non aux édifices: voir l'éditorial «La fiscalité des successions au secours du patrimoine artistique et historique national», *R.A.*, n° 23, 1974, et le catalogue de l'exposition *Défense du patrimoine national, 1972-1977*, Paris, Musée du Louvre, 1978.

71. « Patrimoine culturel de l'humanité », *Bulletin de l'Unesco*, n° 15, avril 1980. Voir aussi l'article de G. Fradier dans *Monumentum*, numéro spécial, 1984 : « The World Heritage Convention ».

72. Voir Shikinen-Sengu of Jingu, *Renewal of the Grand Shrines of Ise at fixed Intervals of Twenty Years*, The Grand Shrine Office, 1973. Je dois cette référence à l'obligeance de mon collègue et ami Bernard Frank.

ÉDOUARD POMMIER

Naissance des musées de province

Les dates précises ont parfois l'inconvénient de constituer des certitudes sommaires et rigides. Il est rigoureusement exact d'affirmer que les «musées de province» ont été créés par l'arrêté consulaire du 14 fructidor an IX (1er septembre 1801): les consuls, sur proposition de Chaptal, ministre de l'Intérieur, décident que quinze villes recevront des collections de tableaux, pris dans les musées du Louvre et de Versailles, «après qu'il aura été disposé aux frais de la commune une galerie convenable pour les recevoir[1]». Cet acte de naissance est irréfutable, tout comme le décret de la Convention nationale du 17 juin 1793 fixant l'ouverture du Muséum national, au Louvre, le 10 août suivant.

Mais s'en tenir à ce texte fondateur serait offrir une vision réductrice de l'Histoire, en laissant penser que le musée en province est sorti, brusquement, d'une simple décision administrative, et que la date du 1er septembre 1801 constitue un commencement absolu.

Il pourrait sembler tout aussi artificiel de disjoindre le cas de la province de celui de la capitale[2] ou, autrement dit, le phénomène local du phénomène national. Mais il peut être important d'essayer de mesurer la participation de la province à la formation du musée conçue comme une réponse à une revendication culturelle, exprimée, avec plus ou moins de force, par la société. C'est pourquoi il serait vain de chercher à situer, dans l'espace et dans le temps, l'apparition du premier musée. Aboutissement d'une longue évolution, caractérisée par des composantes dont l'origine est très diverse, mais qui convergent à l'horizon du XVIIIe siècle, le musée, défini comme un lieu où des objets sont exposés au regard du public, implique une réflexion sur le statut des œuvres d'art et des objets[3] (reconnus capables de raconter une histoire et de constituer une mémoire, donc de revendiquer une pérennité équivalente à celle de l'écrit; et aussi de servir de référence à la création artistique, à une époque où l'art est objet d'enseignement à partir de modèles), et sur celui des collections et leur ouverture au public.

En demandant l'exposition permanente de la collection royale, La Font de Saint-Yenne concrétise la revendication sociale du musée[4].

En province, le problème est posé, en des termes d'une modernité étonnante, dès 1662, par un historien de Chalon-sur-Saône. Décrivant quelques sculptures de l'époque gallo-romaine, trouvées dans le sol de la ville, il les incorpore dans un « pays de mémoire », en en donnant une gravure et en indiquant leur localisation actuelle, et conclut sur cette réflexion : « J'ai esté toujours touché d'un sensible déplaisir que des amateurs de ces curiositez [...] les cachent avec tant de soin, qu'au lieu d'en faire libre communication, ils font connoistre qu'ils ne les ont recherchez que pour les ensevelir dans le tombeau de l'oubly et les faire passer des sépulcres d'où on les a retirés dans d'autres sépulcres plus obscurs[5]. » Autrement dit, l'appropriation privée des œuvres de l'Antiquité les enferme dans des « tombeaux » encore plus hermétiques que ceux de la terre et s'oppose à leur « libre communication ».

On devine, à travers la France du XVIIIe siècle, une certaine perméabilité des collections privées, dans la mesure où la constitution d'un réseau d'académies, le développement des voyages et de la correspondance, la diffusion des journaux ont permis la création d'une sociabilité culturelle dans le milieu des notables[6].

Il est significatif de relever un début d'organisation de la publicité des collections privées. Les éléments en seraient à chercher dans les guides de voyage[7] et les almanachs municipaux, qui permettraient de dresser une carte des collections privées de France[8], dont les propriétaires acceptent une certaine forme de « libre communication », pour reprendre les termes du père Berthaut, au profit tout au moins d'un certain milieu, celui de la république des Lettres.

Une étape est franchie lorsque des propriétaires tirent toutes les conséquences de la vocation de leurs collections à une fonction publique, en en disposant au profit de la collectivité. Il ne semble pas que le cas ait été fréquent ; du moins faut-il rappeler quelques exemples notoires.

Le plus fameux est celui du legs Boisot, dont on dit souvent qu'il est à l'origine du « premier » musée de France, à Besançon[9]. C'est une passionnante aventure qui commence avec l'ascension sociale de la famille Perrenot de Granvelle : Nicolas, juriste et conseiller de Charles Quint, puis son fils Antoine, homme d'Église, cardinal, conseiller de Philippe II. Nicolas, qui rencontre les artistes gravitant autour de l'empereur, et Antoine, passionné d'art, constituent une importante collection, qui est dispersée après la mort du cardinal en 1580 et dont les débris sont recueillis à Besançon, en 1588, par la famille. Elle fait l'objet d'un inventaire en 1607, avec cent trente sculptures et

deux cent soixante-dix peintures. On connaît mal son histoire au cours du XVIIe siècle, où elle semble avoir subi de nombreuses pertes[10], jusqu'au moment où un bénédictin de Saint-Vincent, Jean-Baptiste Boisot, érudit passionné d'histoire locale, s'y intéresse et réunit à ses frais les œuvres qu'il peut retrouver. À sa mort, en 1694, il lègue la collection à son couvent, mais à condition que la municipalité en assure, dans les bâtiments de l'abbaye, la maintenance et l'accès libre et gratuit au public. Par délibération du 4 juillet 1696, le magistrat fixe l'ouverture de la collection au 7 juillet suivant et fait publier une affiche, pour annoncer que «les scavans et tous ceux qui en seront curieux» seront admis le mercredi et le samedi, de 8 à 10 heures et de 14 à 16 heures[11].
C'est un texte d'une grande portée symbolique. Pour la première fois, une municipalité prend en charge l'entretien d'une collection de livres et de tableaux et garantit son libre accès selon un horaire fixe. On peut parler d'un véritable service public. Nous ne savons malheureusement rien du fonctionnement de cette institution, jusqu'à la Révolution.
Il faut citer deux autres cas, où une collection est prise en charge par une société savante. Celui de La Rochelle, où Clément Lafaille, «contrôleur ordinaire des guerres» (1718-1782) lègue, en 1770, à l'académie, une magnifique et déjà célèbre collection d'histoire naturelle, «à la charge et condition que ledit cabinet sera ouvert au public une ou deux fois par semaine, et journellement aux amateurs et aux étrangers». Entrée en possession de la collection à la mort de son bienfaiteur, l'académie acheta une maison contiguë à l'hôtel de ville pour y installer le «Museum Lafaille[12]». Et celui de Nîmes, dont l'académie royale eut pour protecteur un des grands érudits de l'Europe des Lumières, J.-Fr. Séguier. À sa mort, il lègue à l'académie son hôtel et ses collections d'histoire naturelle et d'antiquités, à condition qu'elles soient ouvertes au public le mardi, le jeudi et le samedi. En 1785, les académiciens de Nîmes décident de faire poser sur l'hôtel Séguier une plaque portant la mention: «Maison de Séguier et Musée de Nîmes[13]». L'initiative est intéressante, puisqu'elle a pour conséquence d'officialiser le terme de «musée», dans son acception actuelle: un bâtiment et une collection de caractère public.

Quelle que soit leur signification prémonitoire pour la constitution du musée, les exemples allégués jusqu'ici ne représentent que la réponse du hasard à une revendication sociale.
Mais la préfiguration du musée avant la Révolution trouve aussi son origine dans une motivation de nature bien différente: celle de conserver et de présenter des objets pour leur valeur de témoignage sur l'histoire d'une collectivité, qui est généralement une ville. Cette démarche est l'aboutissement d'un long processus: à l'objet, préservé comme symbole réel de la foi (le

patrimoine des églises), ou comme gage de la fidélité au pouvoir (les monuments au souverain : inscriptions, portes, statues, etc.), ou comme image de la culture dominante (les héros de la mythologie, les allégories de la connaissance de l'homme et du monde) vient s'ajouter l'objet comme illustration de l'histoire[14].

Il est encore difficile d'établir une carte et une chronologie de ce phénomène. Son apparition devrait être recherchée dans les villes où une très longue tradition municipale et la présence de vestiges des civilisations antiques (qui exercent une fascination liée au prestige culturel, moral et esthétique du monde gréco-romain) ont favorisé le développement d'une forte conscience historique.

Ce serait le cas de Lectoure, où les vingt autels du culte de Mithra, découverts en 1540, restent installés dans la halle municipale de 1595 à 1841 et prennent aussitôt le caractère d'une collection publique : chaque année, au moment de leur entrée en fonction, les magistrats vont en constater l'existence et en dressent procès-verbal sur le registre municipal[15].

Mais ce serait surtout le cas d'Arles, où l'abondance des souvenirs de l'époque romaine amène une certaine sensibilisation des autorités au problème de leur sauvegarde. Pendant longtemps, l'anarchie semble régner : aucune mesure n'est prise pour empêcher de détruire statues, sarcophages et chapiteaux ou de les réutiliser d'une manière qui les défigure définitivement. Cependant, autour de 1700, le pouvoir municipal et le pouvoir religieux commencent à manifester leurs préoccupations pour la conservation du patrimoine local[16]. En 1693, les consuls prennent une ordonnance pour que « les monuments antiques trouvés à Arles soient transportés à l'Hôtel de Ville, ou autre lieu que les consuls trouvent de plus convenable ». C'est déjà l'idée d'une appropriation publique et d'une présentation des objets de l'Antiquité. Quelques années après, en 1702, l'archevêque Forbin interdit le pillage du cimetière de Saint-Honorat et décide, en 1711, de créer un dépôt d'antiques à l'archevêché. Mais il faut attendre la fin du XVIIIe siècle pour que les velléités se transforment en mesure effective, sous l'influence d'un religieux de Saint-Honorat, le père Dumont, qui, revenu à Arles en 1783, après vingt ans de séjour à Rome, obtient qu'une convention soit conclue, le 7 décembre 1784, entre les consuls et le prieur des minimes de Saint-Honorat, en vertu de laquelle les vestiges gallo-romains devaient être systématiquement rassemblés dans la cour du couvent, les consuls étant, dit le texte, « désireux de réunir dans un seul et même endroit les divers monuments d'antiquité qui se trouvent épars dans la ville ou son terroir, et les mettre par là à même d'être visités plus aisément par les curieux[17] ». L'opération commença aussitôt et ce « musée de site », qui était ouvert au public, subsista jusqu'à la Révolution. À l'entrée, une inscription annonçait « Museum Arelatense[18] ».

Ainsi, une collection, constituée par la volonté du pouvoir local, prend possession d'un monument, lui-même chargé d'histoire et rendu accessible à tous.
À côté d'une mesure comme celle d'Arles, qui concerne une ville, c'est-à-dire un territoire et sa population, et est donc un acte politique, il faudrait retenir des initiatives qui concernent un espace et un groupe plus restreints : l'espace culturel des académies, ouvert à un milieu social qui se confond avec les privilégiés ayant accès aux collections privées. Le meilleur exemple serait celui de Dijon, où l'Académie des sciences, arts et belles-lettres commence à fonctionner en 1741 et décide, en 1777, de constituer une collection avec les bustes des grands hommes qui ont illustré la province dans la religion, la politique, les arts et lettres ; Bossuet, Vauban, Rameau, Buffon, qui sont aussi des gloires nationales, mais en outre le président Jeannin, qui sut éviter une Saint-Barthélemy à Dijon ; en 1779, l'académie achète un portrait (aujourd'hui perdu) de Philippe le Bon[19].

Siècle d'une histoire qui ne se contente plus de la souveraineté traditionnelle de l'écrit, le XVIIIe siècle est aussi celui d'une pédagogie qui se passionne pour le concret, et d'un progrès dont la maîtrise est liée au développement conjugué des arts et des techniques. C'est bien dans ce domaine de l'enseignement que l'action concertée du pouvoir politique (intendants, parlements, États provinciaux) et du pouvoir culturel (académies) donne à la province un rôle prioritaire, qui devait rapidement se révéler décisif pour la formation de l'idée de musée[20].
C'est dans les années 1740 que se rejoignent le discours et les initiatives. Portés par une véritable mystique du progrès et de l'utilité sociale, les milieux académiques sont amenés à s'intéresser activement à l'enseignement du dessin, considéré comme une formation de base, indispensable non seulement à ceux qui ont l'ambition de s'adonner à une carrière artistique, mais aussi à ceux qui exercent leurs activités dans l'artisanat et la manufacture[21]. L'éducation de la main et du regard apparaît ainsi comme un facteur essentiel du développement des arts et de la perfection des produits fabriqués. Deux textes résument et diffusent cette doctrine qui est directement issue de l'idéologie des Lumières : le *Projet pour l'établissement d'écoles gratuites de dessin*, publié par A. Ferrand de Monthelon en 1746, et le discours de J.-B. Descamps, *Sur l'utilité des établissement des écoles gratuites de dessin en faveur des métiers*, publié en 1767. Peintres l'un et l'autre, Ferrand de Monthelon et Descamps posent le problème en termes différents. Le premier s'adresse surtout aux artisans et aux ouvriers, et c'est en pensant à eux qu'il écrit : « Le dessin forme le goût pour tous les ouvrages ; il produit la fécondité de l'imagination et donne la facilité de l'exécution ; il élève l'ouvrier au-des-

sus de son état.» Le second s'intéresse aussi aux «arts mécaniques» et se préoccupe de donner, par le dessin, le «goût du beau» aux charpentiers et aux serruriers, aux ciseleurs et aux brodeurs, à tous ceux qui sont appelés à maintenir la supériorité des produits français; mais il est persuadé que cette formation de base est également indispensable à l'éveil des talents artistiques et qu'«il serait peut-être utile d'obliger la jeunesse de passer par ces écoles», dont il suggère la création et qui, par leur enseignement du dessin, des mathématiques et de la géométrie, prolongeront l'œuvre des académies créées par Colbert et auxquelles «on doit tous les progrès dans les arts et la perfection dans toutes les manufactures». Le mémoire de Descamps, couronné par l'Académie française en 1767, est tout entier imprégné de l'idée de la solidarité des arts et des métiers.

Descamps pouvait déjà s'appuyer sur les résultats d'une initiative décisive[22]. Né en 1715 à Dunkerque, il s'initie à la peinture dans sa ville natale, à Ypres et à Anvers, puis vient tenter sa chance en 1737 à Paris. Évoluant dans le milieu de Lancret et Largillierre, il eût fait sans doute une carrière obscure s'il n'avait accepté, en 1740, une proposition de Carle Van Loo pour se rendre à Londres auprès de son frère Jean-Baptiste. Venu à Rouen pour s'embarquer, il y fut retenu par un conseiller au parlement, philosophe et amateur éclairé. Fortement appuyé par son nouveau protecteur, par l'intendant du roi et par le corps de ville, Descamps ouvre en 1741 la première «École gratuite de dessin» de France et la dirige jusqu'à sa mort, en 1791.

Il est certain que ni Descamps ni les autorités normandes n'avaient l'intention de créer une «préfiguration» du musée; mais, pourtant, cette date de 1741 est capitale dans la longue histoire de la formation de l'idée muséographique. Et l'école de Descamps devait devenir si rapidement exemplaire qu'il convient de s'attarder sur son organisation[23].

Il s'agit d'abord d'une institution fortement insérée dans la société locale. Elle bénéficie du soutien moral et financier de tous les pouvoirs, politiques et culturels (intendance, parlement, municipalité; puis à partir de 1746, l'Académie des sciences, arts et belles-lettres de Rouen) et d'un réseau de notables qui l'aident de ses souscriptions. Elle est reconnue par le pouvoir central, grâce aux lettres patentes de 1749 qui l'érigent en «Académie de dessin et de peinture», tandis que son directeur reçoit une pension du gouvernement.

Instrument d'intégration sociale, destiné à la formation des artistes (et nombreux sont les anciens élèves de Descamps qui ont atteint une certaine notoriété) et des artisans (Descamps s'intéressait particulièrement aux manufactures de faïence), l'École implique la constitution d'une collection, par la vertu d'un programme d'enseignement fondé sur le dessin d'après les modèles, gravures ou moulages (à défaut d'œuvres originales). Cette collection comprenait, à Rouen, des plâtres, des estampes, un *Écorché* de Houdon,

des dessins, et quelques tableaux appartenant au directeur : on peut y voir l'ébauche d'un musée « au second degré ».
L'École appelle enfin la communication avec le public. Conformément au schéma courant, l'enseignement, fondé sur l'émulation, est scandé par la distribution, chaque année, de prix, octroyés à la suite d'un concours sur un thème imposé. Dotés par les autorités et par des particuliers, les prix sont donnés dans le cadre d'une exposition des travaux des concurrents, manifestation qui crée une relation essentielle entre l'École et l'opinion.
Sans doute Descamps n'a-t-il rien inventé. Mais il a su admirablement bien adapter à la société provinciale le modèle des grandes institutions académiques parisiennes : et, en ce sens, il a bien été un initiateur remarquable. Mais il a eu aussi un autre mérite, celui de réussir : après des débuts modestes, son école accueille chaque année plus de trois cents élèves, dont beaucoup ont poursuivi leur carrière dans la capitale. L'École de Rouen devient une institution de référence. Grâce à la bonne circulation des informations culturelles dans la France du XVIIIe siècle, l'initiative de Descamps ne reste pas isolée. Elle se fait exemple. Non seulement Descamps est consulté par des villes comme Lyon, Marseille, Dijon ou Orléans, Anvers ou Édimbourg, mais en 1746, il est sollicité par la ville de Reims qui lui demande de venir créer une école gratuite de dessin. Rouen devenait le point de départ d'un mouvement qui allait s'étendre rapidement à toute la France ; par une exception digne d'être soulignée, la diffusion d'un modèle culturel se faisait à partir d'une ville de province : Paris n'ouvre son école gratuite de dessin qu'en 1765[24]. Dans les grands débats artistiques du siècle, qui aboutissent au musée, la province prend une option décisive.
C'est en avril 1746, en effet, que la municipalité de Reims édite et envoie dans tout le royaume un « avis au public », par lequel elle annonce son intention de créer une école de dessin, en vue de répondre aux besoins de la « Manufacture[25] ». Descamps ayant refusé une invitation qui témoignait de sa notoriété nationale, la ville de Reims consulte les autorités parisiennes ; c'est finalement Dezallier d'Argenville qui recommande, le 9 mars 1748, Antoine Ferrand de Monthelon dont l'opuscule sur les écoles de dessin, publié deux ans plus tôt, avait été remarqué, faisant l'objet de comptes rendus élogieux dans le *Mercure de France* et le *Journal de Trévoux*. Ferrand de Monthelon propose dès le 10 mars un programme à la ville de Reims, qui signe un contrat avec lui le 9 avril 1748. L'école s'ouvre dans les salles de l'hôtel de ville au mois de novembre suivant, avec des cours de dessin de figures, paysages, ornements, fleurs, des cinq ordres d'architectures, et de fortifications. Le fonctionnement est pris en charge par la municipalité, aidée par les donations de quelques particuliers ; la gratuité, assurée à dix-huit élèves dès le début, devient générale en 1777. Le concours annuel donne lieu, à partir de 1771, à une exposition des travaux des professeurs et des élèves.

En engageant Ferrand de Monthelon, la ville de Reims ne s'était pas seulement assuré les services d'un spécialiste reconnu : elle avait acquis une collection. Dans sa lettre du 10 mars 1748, Ferrand de Monthelon écrivait : « J'offre de plus de donner dès aujourd'hui gratuitement au Corps de Ville environ 8 000 dessins à la main, concernant tout ce qui doit être enseigné à la d. École. J'offre en outre une quantité de modèles de plâtre[26]. » La ville accepta cette proposition ; elle paya le transport à Reims de la collection qui, d'après un inventaire terminé en 1770, comprenait alors 3 289 dessins, 2 371 estampes, 171 plâtres et 156 tableaux, et fut complétée par des donations, entre autres, de Gabriel, de Mouchy et de Caylus. On ne sait malheureusement pas comment Ferrand de Monthelon avait rassemblé une si importante collection qui comprenait une magnifique série de dessins de l'école allemande du XVIe siècle, passés, après les vicissitudes de la Révolution, dans le fonds du musée Saint-Denis. Fils d'un peintre, Jacques Ferrand, qui avait séjourné à la cour de Savoie à Turin de 1696 à 1698, puis voyagé en Italie avant de revenir à Paris, Antoine Ferrand, reçu à l'académie de Saint-Luc en 1728, semble avoir fait une carrière de portraitiste et de courtier en œuvres d'art. Une tradition locale veut qu'il ait acheté les dessins de sa collection lors de ses voyages à l'étranger ; mais rien ne prouve qu'il ait séjourné en Allemagne.

Quoi qu'il en soit, les initiatives prises à Rouen et à Reims, en 1741 et en 1748, illustrent le degré d'autonomie de la vie culturelle de la province et la capacité des milieux éclairés des villes du royaume à créer des institutions originales, qui, aussi bien par leurs activités, qui se développent selon l'enchaînement logique « enseignement-collections-expositions », que par le personnel qu'elles forment, apparaissent comme une préfiguration du musée, avant de devenir, sous la Révolution, l'élément fédérateur de toutes les tendances qui concouraient à l'invention de cette nouvelle institution[27].

Avec quelques variantes, le réseau des écoles gratuites de dessin s'étend sur la carte de France pendant les quarante années qui précèdent la Révolution[28]. Mais deux capitales provinciales sont particulièrement exemplaires de ce mouvement décisif et en développent toutes les virtualités : Toulouse et Dijon.

Toulouse fait figure de grande métropole provinciale, fière de son histoire et de sa culture. Le symbole de cette longue et glorieuse tradition est le Capitole : dès le début du XVIIe siècle, la municipalité s'attache, avec persévérance et cohérence, à préserver la mémoire de la ville et à la concrétiser dans une collection. Le premier élément de cette collection est constitué par les portraits des capitouls. Les magistrats municipaux jouissaient en effet du « droit à l'image ». Dès 1624 est passé un premier contrat entre le Capitole et un personnage appelé le «garde», qui est chargé de conserver la collection, de la restaurer et, surtout, de l'exposer. C'est une mission de conservateur d'une collection, qui est déjà un musée et dont l'accès est public et gratuit[29].

Galerie de portraits, la collection municipale de Toulouse devait connaître un singulier enrichissement en même temps qu'un élargissement de sa fonction civique, avec la décision, prise par les capitouls, en 1674, de constituer une galerie d'histoire de la ville, dont l'ordonnance est confiée à Jean-Pierre Rivalz[30]. Commande est passée à trois peintres parisiens et à Antoine, le plus illustre représentant de la dynastie toulousaine des Rivalz, d'une série de tableaux illustrant l'histoire, mythique ou réelle, de la ville de Toulouse, depuis l'époque des Celtes jusqu'aux guerres de Religion. Achevée en 1727, la galerie historique constitue un véritable musée mémorial. En 1770, ce musée fait l'objet d'un catalogue, écrit par son «garde», Pierre Rivalz; chaque œuvre est présentée, avec son auteur et ses dimensions. Pierre Rivalz souligne, dans sa préface, la fonction de son ouvrage: «Les plus précieux monuments de peinture et de sculpture ne trouvent souvent que des spectateurs insensibles, soit faute de connaissances acquises, soit à cause de cette monotonie de sentiments inséparable d'une longue habitude[31].» C'est une façon moderne de dire qu'il faut renouveler l'intérêt de ceux qui savent, et donner des clefs d'information à ceux qui ne savent pas. Et c'est le premier exemple, en province, du catalogue imprimé d'une collection publique.

À côté du Capitole, il y a à Toulouse un deuxième centre où se développe spontanément l'idée de musée: c'est l'Académie[32]. Il faut se souvenir ici de la part prise par le milieu toulousain à la formation de la doctrine, avec H. Pader et Dupuy du Grez; et rappeler la puissance et la vitalité d'un foyer artistique qui a non seulement suscité une vigoureuse école dite «provinciale», mais aussi donné à la peinture française du XVIIIe siècle plusieurs de ses grands noms. Il était normal que l'enseignement devînt une préoccupation dans un milieu aussi ouvert aux beaux-arts. Il semble que Dupuy du Grez, le premier, ait joué un rôle de mécène, autour de 1700. Mais c'est Antoine Rivalz qui, à partir de 1726, ouvre la première véritable école, dans son atelier, et reçoit une subvention du Capitole dont il est le peintre officiel. Après quelques années de flottement, à sa mort, en 1735, son successeur G. Cammas, peintre et architecte, reprend l'école sur les mêmes bases de 1738 à 1746. En 1746, enfin, le Capitole met fin à cette situation ambiguë d'un enseignement mi-privé, mi-public, en créant une «Société des beaux-arts», dirigée par des magistrats, des notables et des artistes, qui absorbe l'école de Cammas. Grâce aux relations de certains membres de la Société avec le gouvernement, l'Académie royale de peinture et de sculpture approuve, le 7 janvier 1751, les statuts de l'école qui reçoit, par un privilège resté unique, le droit de s'appeler «Académie royale de peinture, sculpture et architecture».

L'académie de Toulouse tire sa force de son organisation : elle repose en effet sur l'étroite association de quatre groupes, le Capitole, les grands corps provinciaux (États du Languedoc, parlement, archevêché, gouverneur), les amateurs éclairés et les professeurs ; parmi ces derniers, il faut retenir la dynastie des Lucas et J.-G. Roques. La carrière de ce dernier est exemplaire : né en 1756, il se forme à l'académie de Toulouse, part à Rome grâce aux subsides que lui versent ses amis, revient en France en 1780 pour diriger l'école des beaux-arts de Montpellier ; en 1783, il se fixe définitivement à Toulouse[33].
Profondément intégrée dans le milieu administratif et culturel, donnant un enseignement très complet, l'académie de Toulouse développe systématiquement la pratique de l'affiliation des membres agréés : son titre d'Académie royale lui permet de se constituer un vaste réseau de correspondants, à Paris (et on n'y trouve pas seulement des artistes d'origine languedocienne, comme Natoire, Lagrenée, Vien, mais aussi J.-B. Restout, Pajou, Houdon) et à l'étranger (Venise, Barcelone, Madrid). Conformément à la règle, cette pratique permet à l'académie d'enrichir une collection dont les statuts de 1751 prévoyaient la constitution et l'inventaire. Plusieurs de ces morceaux de réception, aujourd'hui au musée des Augustins, attestent la qualité des œuvres conservées par l'académie dans le local que la ville met à sa disposition dans une annexe du Capitole.
La collection s'enrichit également par un « envoi » du gouvernement qui semble bien avoir été le seul dont ait bénéficié une école de province : en 1768, Louis XV donne à l'académie de Toulouse quatre tableaux de la collection royale. Ce geste peut-il être considéré comme le premier exemple des « envois de l'État » ?
Fortement structurée, dotée d'une collection de qualité, l'académie de Toulouse monte une politique spectaculaire d'expositions[34], conformément aux statuts de 1751 : « Voulant exciter l'émulation des artistes et satisfaire la curiosité des étrangers en leur faisant connaître ce que le goût et l'amour des Beaux-Arts ont conservé parmi nous d'ouvrage digne d'être présenté au public, a déterminé de faire une exposition chaque année. » Le programme était ambitieux : il ne s'agissait pas seulement de montrer les travaux des élèves, mais de faire connaître au public les richesses des collections toulousaines. Il fut tenu : de 1751 à 1791, l'académie de Toulouse organisa trente-neuf expositions, d'un mois chacune, toutes accompagnées d'un livret. Au total, environ six mille sept cents œuvres ont été présentées, grâce au concours de quatre cent soixante-douze prêteurs.
Certes, on retrouve, dans ces catalogues, les morceaux de concours des élèves, les chefs-d'œuvre de la collection académique, les envois du roi ; mais, surtout, des œuvres appartenant à des particuliers, dont l'académie sollicite avec insistance la générosité dans la préface de chaque livret, dès 1753[35]. Le

livret de 1759 souligne la nécessité de cette coopération des propriétaires privés : « Les trésors que renferme cette ville ne sont pas épuisés ; si quelques particuliers avares de leur richesse ont refusé jusqu'ici d'en faire part au public, nous espérons qu'ils se laisseront fléchir à l'avenir[36]. » Le prêt à l'exposition de l'académie est conçu comme une action civique : le livret de 1774 donne aux prêteurs le titre de « patriote » : « Quelle gloire pour ceux qui [...] remplissent en prêtant leurs trésors les devoirs de patriote et ceux de véritable amateur[37]. » Ce texte est d'une grande portée : il exprime, sans utiliser le terme, la revendication du musée, sous la forme d'un appel à la mobilisation, en faveur du public, des collections privées.

Chaque année, pendant quarante ans, l'académie de Toulouse, par une initiative unique en France, présente une sorte de « musée temporaire », où des œuvres contemporaines voisinent avec les témoins de l'histoire de la peinture occidentale depuis la fin du XVe siècle. Sans doute a-t-elle réussi à créer une émulation qui tendait, comme le dit le livret de 1767, « à la gloire et à l'utilité de la Patrie[38] ».

Toulouse offre l'image la plus brillante et la plus complète de la vie d'un foyer artistique provincial dans la France de la seconde moitié du XVIIIe siècle. Elle montre que l'intérêt pour l'illustration de la mémoire locale et les exigences d'un enseignement inséparable de la connaissance de l'œuvre des maîtres conduisaient au musée. Avant d'être la création d'un décret consulaire, le musée était déjà préfiguré dans les activités et les intuitions d'un milieu éclairé de notables et d'artistes provinciaux.

Le parcours des événements à Dijon est peut-être plus linéaire et plus serré : mais il arrive à un terme logique.

Au commencement, il y a le milieu très cultivé des parlementaires, d'où est issue en 1740 l'Académie des sciences, arts et belles-lettres qui se rendit célèbre, dix ans plus tard, par le prix qu'elle donna à J.-J. Rousseau[39]. Dans ces années-là, on commence à se poser, comme un peu partout en France, le problème de l'enseignement du dessin ; mais tout reste sur un plan privé, avec des résultats modestes, jusqu'à l'arrivée à Dijon d'une personnalité exceptionnelle qui va cristalliser ces velléités.

François Devosge[40], issu d'une lignée d'artisans de Gray, s'était formé à la sculpture à Paris, dans l'atelier de G. Coustou ; à la suite d'un accident de la vue, il se consacre à la peinture. Dans les années soixante, il s'installe à Dijon. Pédagogue remarquable, doué d'une curiosité aussi diverse que ses talents, Fr. Devosge entre en contact avec le milieu académique et parlementaire et soumet bientôt un projet d'école gratuite de dessin à une institution prestigieuse et encore puissante dans la province : les États de Bourgogne, qui approuvent son programme le 24 décembre 1766.

L'établissement dont Devosge est le directeur et l'unique professeur, connaît un grand succès[41] : il accueille cent cinquante élèves par an, et Devosge ne manque pas de faire remarquer que le fils de l'intendant du roi siège sur les mêmes bancs que les fils d'artisans. Comme partout en France, l'école constitue sa collection ; Devosge achète en 1786 une partie de la collection de Mengs, et il l'enrichit de ses propres dessins[42], car il joue à Dijon le rôle d'un Le Brun provincial, s'occupant des fêtes aussi bien que du décor du palais des États. Dès 1768, l'école donne chaque année à ses élèves des prix qui, à partir de 1770, sont pris en charge par les États.
Ce développement tout à fait classique devait être bouleversé par l'équipée de l'un des plus brillants disciples de Devosge, Bénigne Gagneraux[43]. Fils d'un modeste artisan de Dijon, entré à l'âge de dix ans à l'école, il y remporte le premier prix de peinture en 1773. Alors, il décide de réaliser, coûte que coûte, le rêve qui hante tous les jeunes artistes doués et convaincus de leur vocation : la découverte de Rome[44]. Gagneraux part en 1774, par ses propres moyens, qui sont réduits ; au bout de deux mois, à bout de ressources et sans espoir, il se résigne à revenir à Dijon.
L'incident décide Devosge à prendre une décision qu'aucun de ses collègues des autres écoles n'avait encore envisagée : celle de créer un prix de Rome. De toute son énergie et de toute sa force de conviction, il présente un projet aux États de Bourgogne qui acceptent, le 22 janvier 1775, de créer deux prix de Rome, un pour la peinture et l'autre pour la sculpture, donnés tous les quatre ans. En fait, le prix fut octroyé en 1776, 1780, 1784 et 1787 : cette année-là, les États avaient décidé de lui donner un rythme triennal.
Cette mesure est d'une immense portée. Sur le plan des principes, elle témoigne de la faculté d'émancipation culturelle de la province à la fin du XVIIIe siècle : jusqu'ici, un jeune artiste qui se sent appelé à une haute destinée doit passer par Paris, où il peut concourir pour le seul prix de Rome, celui de l'Académie royale. L'approbation donnée par les États de Bourgogne à la proposition de Devosge supprime l'étape de la capitale et semble signifier que, dorénavant, il peut y avoir très officiellement une communication directe entre une école de province et Rome. Le destin d'au moins deux des prix de Dijon, Gagneraux, vainqueur en 1776, et Prud'hon, vainqueur en 1784, devait justifier l'intuition audacieuse de Devosge.
Mais la décision du 22 janvier 1775 devait avoir des conséquences, à la fois imprévisibles et logiques, pour le développement de l'école de Dijon. En effet, conformément au modèle académique, Devosge impose aux « Romains » de Dijon l'obligation des envois : il leur demande de faire des copies des œuvres de référence (d'après Raphaël, par exemple, ou répliques, en marbre, des œuvres majeures de la sculpture antique). Les envois enrichissent une collection jusqu'ici relativement modeste.

Pour les présenter dignement, les États de Bourgogne décident d'installer l'école de dessin dans une aile orientale du palais des États, construite de 1781 à 1786 par Ch.-A. Le Jolivet[45]. La mesure est d'un symbolisme éclatant: elle marque la volonté d'affirmer clairement le lien entre le pouvoir politique (celui des États) et l'école qui devient, avec sa collection, une expression de la politique culturelle de l'assemblée provinciale.
En 1787, le cycle est achevé, et les États décident de créer, dans deux salles des bâtiments qui viennent d'être achevés, un musée, qui ouvre à la fin de cette même année[46]. Mais immédiatement, et par un nouveau rebondissement, ce musée affirme son originalité et son ambition: il n'est pas seulement le musée de l'école, il est aussi celui de la province de Bourgogne.
Les envois de Rome ont un caractère pédagogique, mais ils sont faits aussi pour être vus par un public[47]: à la fois, copies et œuvres achevées, ils sont installés peu à peu dans une salle, dite salle des Statues, dont les plans sont dus à l'architecte J. Bellu et le décor à l'ébéniste J. Marlet: c'est avant tout une galerie de sculptures, celles de P.-C. Renaud, prix de 1776, de P.-A. Bertrand (1780) et de R.-P. Petitot (1784): l'*Apollon* du Belvédère, le *Gladiateur combattant* et *Alexandre le Grand mourant* sont présentés au public dijonnais en de bonnes copies[48].
En 1784, les États demandent à Prud'hon d'envoyer une œuvre pour orner le plafond de la salle des Statues[49]. Cette fois, il s'agissait de trouver un thème à la gloire de la province de Bourgogne. Prud'hon choisit, avec l'accord des États, une allégorie de Pietro da Cortona à la gloire des Barberini, se bornant à changer les armoiries de la famille romaine pour celles des Condé, qui avaient la charge héréditaire du gouvernement de la province.
Cette option, prise à l'incitation des États, doublait le programme du musée: il ne serait pas seulement un lieu d'enseignement, mais aussi un lieu habité par l'histoire de la Bourgogne. Dès 1786, les États font le plan d'une commande de tableaux et de sculptures pour illustrer la vie glorieuse du Grand Condé. Gagneraux, qui est resté à Rome après la fin de sa pension, reçoit commande de deux tableaux illustrant des épisodes célèbres des campagnes du Grand Condé, pendant la guerre de Hollande: la *Bataille de Senef* et le *Passage du Rhin*. La première de ces œuvres arrive à la fin de 1788 et est installée dans une salle contiguë de la salle des Statues, le salon Condé, où le *Passage du Rhin* la rejoint en 1791, au moment où s'effondrent les institutions de l'Ancien Régime. Les événements ne permirent pas aux États de conclure les pourparlers qu'ils avaient engagés, pour d'autres commandes, avec Prud'hon et Naigeon[50].
Un mémoire anonyme de 1791, présentant les richesses culturelles du nouveau département de la Côte-d'Or, pouvait affirmer avec fierté: «Nous possédons une école de peinture et de sculpture dirigée par l'un des plus grands

maîtres dont la France s'honore [...] Un musée considérable accompagne ce bel établissement[51].»
Ainsi, à Dijon, viennent confluer deux courants porteurs de l'idée de musée: l'Enseignement et la Mémoire; et l'institution s'établit dans la demeure du Pouvoir.
En fait, les événements de Dijon constituent, dans leur perfection, un cas unique et exemplaire: les virtualités et les aspirations qu'ils expriment existaient un peu partout. Mais à Dijon seulement s'est produite la rencontre d'un homme lucide, volontaire et persévérant, et d'un milieu profondément sensibilisé à l'histoire de sa province et hautement conscient de ses responsabilités culturelles.
À la veille de la Révolution, la salle des Statues et le salon Condé du palais des États de Bourgogne à Dijon offrent au dernier surintendant des bâtiments du roi, d'Angiviller, le modèle réduit du grand Muséum royal dont il prépare l'installation au Louvre.

En 1790, un érudit et notable provincial, F. M. Puthod de Maison-Rouge créait une revue éphémère, sans doute la première de sa spécialité: *Les Monumens ou le pèlerinage historique*. Dans le prospectus de lancement, il exprimait l'espoir que les biens confisqués à l'Église, par la loi du 2 novembre 1789, permettraient de créer des musées: «Ô quelle collection précieuse ne feroit-on pas dans nos principales villes comme Paris, Nantes, Lyon, Bordeaux! Ô quels superbes muséums on y pourroit élever des dépouilles de nos églises et monastères supprimés[52]!» Et, dans le même temps, il saluait la décision prise par l'Assemblée nationale constituante, le 13 octobre 1790, de créer une commission «pour aviser aux moyens de connoître, vérifier et conserver tous les monuments du Royaume relatifs aux sciences et aux arts[53]».
En ces deux phrases, Puthod de Maison-Rouge définissait très clairement les responsabilités du nouveau régime, qui s'appelait déjà la Révolution, et les espérances qu'il pouvait susciter. Les initiatives de la province au long du XVIIIe siècle avaient dégagé, en faveur de la constitution du musée, deux raisons: d'une part, l'idée du progrès des arts (et pas seulement des beaux-arts) qui ne peut s'accomplir que par référence à des modèles qu'il faut rassembler et montrer; d'autre part, l'idée d'une mémoire historique, municipale ou provinciale, assumée grâce à la médiation d'œuvres d'art; les exemples de Toulouse et de Dijon montrent que ces deux raisons sont confluentes, et non contradictoires. Et aussi une revendication: le désir de voir les œuvres «cachées», c'est-à-dire les collections privées.
Les députés aux États généraux n'avaient certes pas été élus sur un programme culturel[54]. Mais au moment même où ils fondent cette nouvelle entité au pouvoir magique, la Nation, ils lui donnent un immense patrimoine, par

les mesures successives de confiscation des biens du clergé (le 2 novembre 1789), des émigrés (le 9 novembre 1791), de la Couronne (le 10 août 1792) et des académies (le 8 août 1793). Quel serait donc le destin de ces « biens nationaux » ? Et pour le déterminer, ne fallait-il pas d'abord se faire une idée précise de la nature, de l'importance et de la composition de cet héritage ? C'est pourquoi les décisions prises par l'Assemblée nationale constituante, le 13 octobre 1790, sont d'une importance capitale dans l'histoire culturelle de la France. La première concerne la création d'une commission chargée de statuer sur le sort d'une catégorie déterminée des « biens nationaux » : les « monuments des sciences et des arts » provenant des églises et des abbayes et mis à la disposition de la Nation par la loi du 2 novembre 1789 ; c'était reconnaître qu'il y avait dans le patrimoine de l'Église de France, devenu « national », des biens qui méritaient une réflexion spéciale : l'héritage artistique, littéraire, scientifique et historique, qui venait de passer brusquement des sanctuaires de la foi et des bibliothèques monastiques aux mains de la puissance publique, et qui ne pouvait pas être traité en vertu de critères purement économiques, comme les propriétés immobilières. L'Assemblée nationale créait, du même coup, sans le vouloir, la notion d'un patrimoine historique et artistique et mettait en œuvre une politique qui devait donner naissance à deux institutions essentielles de notre civilisation : le Musée et le Monument historique[55].

Personne ne pouvait avoir une idée, même sommaire, de ce que représentait ce patrimoine. Les livres des érudits (en particulier des bénédictins de Saint-Maur), les guides de France, les premiers tomes des « voyages pittoresques » ne pouvaient livrer qu'une vue très fragmentaire des trésors de l'art en France : les instruments d'une culture en histoire de l'art restaient très insuffisants pour le passé national. Aussi l'Assemblée nationale décide-t-elle, le 13 octobre 1790, de faire entreprendre, à travers toute la France, un inventaire des « monuments des sciences et des arts ». L'inventaire serait l'instrument de la connaissance, qui, à son tour, permettrait la décision. Cette démarche, empreinte de rationalité, était aussi d'une audace confinant à l'inconscience : qui serait capable, dans le cadre des départements et des districts, de faire ces inventaires ? Donnerait-on des modèles ? Que ferait-on de ces inventaires ?

Sans doute la France de 1790 ne pouvait-elle, ni administrativement, ni scientifiquement, réaliser de manière satisfaisante un programme aussi ambitieux. Il n'en est pas moins significatif de voir l'Assemblée et ses comités multiplier les circulaires pour la mise en œuvre de cette gigantesque opération : après une circulaire générale du 15 décembre 1790 sur l'inventaire des objets saisis dans les églises, d'autres instructions seront envoyées par catégories : châsses et reliquaires ; livres et manuscrits ; tableaux. Quelques mois plus tard, le 4 septembre 1792, le ministère de l'Intérieur demande avec insistance aux administrations départementales l'envoi des inventaires dont, le 16 septembre suivant, il envisage l'impression[56]. Les instructions répétées jusqu'en 1794 montrent à l'évidence que le pouvoir central avait assigné à ses administrés une tâche impossible ; mais elles n'en restent pas moins porteuses d'une haute ambition, celle de donner à la Nation le tableau de ses richesses historiques et artistiques et d'en faire l'instrument, à la fois d'une politique de conservation et de répartition du patrimoine et d'un progrès des connaissances scientifiques : l'instruction du 13 novembre 1792 affirme que les décisions sur le sort du patrimoine seront prises par le pouvoir central après étude des inventaires et ajoute que l'impression de l'inventaire général « facilitera judicieusement les progrès de toutes les sciences. Aucun peuple n'avait pu atteindre jusqu'à ce jour à ce point de perfection[57] ».

La Nation était devenue, en chaque point de son territoire, propriétaire de son histoire. En constituant partout des collections publiques porteuses de mémoire et d'enseignement, la Révolution apporterait-elle, avec des moyens nouveaux, une réponse décisive aux problèmes que les académies provinciales avaient posés avec des ressources comparativement dérisoires ? La mobilisation et l'inventaire du patrimoine de l'Église, des émigrés, de la Couronne et des académies déboucheraient-ils, comme l'avait souhaité Puthod de Maison-Rouge, sur la création d'un réseau de musées dans les principales villes de France ?

À cette question simple, il n'y avait sans doute pas de réponse évidente, puisqu'il fallut attendre l'arrêté de l'an IX, donc le régime consulaire, pour clarifier la situation. Il était d'abord indispensable de lever un préalable : celui de la sauvegarde du patrimoine, avant de pouvoir s'occuper de sa répartition.

Il ne peut pas être dans notre propos d'étudier maintenant le problème de la sauvegarde du patrimoine, c'est un problème « national », et non un problème de rapports entre Paris et la province. Il faut se borner ici à rappeler l'essentiel, pour l'intelligence de la situation.

Le patrimoine de la Nation se trouve exposé, dès 1790 et surtout à partir de 1792, à deux grandes tentations : l'une d'ordre idéologique, celle de la destruction ; l'autre d'ordre économique, celle de la vente.

La tentation de la destruction pèse sur le sort de l'héritage national de 1790 à 1794. Elle est de plus en plus aiguë, et pose une question dont nous avons peine à mesurer l'actualité brûlante pour les révolutionnaires : le patrimoine des « monuments des sciences et des arts », compte tenu de sa signification symbolique encore très forte, devrait-il suivre le destin des institutions de l'Ancien Régime, dont il était une représentation concrète, et de son système de valeurs ? Cette voie menait à l'iconoclasme, toléré ou encouragé[58]. Ou bien serait-il considéré comme un élément intangible de la culture nationale et, donc, dépolitisé et désacralisé ? Cette voie menait à la sauvegarde, dont le musée constitue une forme éminente. Le débat est très profond, il se situe au cœur de l'idéologie révolutionnaire et peut être rattaché à la manière dont la liberté était vécue par les acteurs de la Révolution : une liberté tour à tour, et en même temps, destructrice, tutélaire et conquérante[59].

Que ce débat ait été essentiel à la conscience révolutionnaire, on en trouve la preuve dans la date à laquelle les termes en sont posés : les semaines de l'été et de l'automne de 1792, celles de la grande rupture, de la brusque accélération et de l'irréversibilité de la Révolution, ces semaines fiévreuses et hallucinantes, où le gouvernement et l'Assemblée doivent tout improviser en même temps, pour créer un régime nouveau, rétablir l'ordre intérieur, défendre les frontières menacées. C'est dans cette période de tensions et d'angoisses que l'Assemblée législative trouve le temps de consacrer deux débats au sort du patrimoine ; ce n'est pas un paradoxe, mais la preuve que cette notion a un caractère sacré et fondateur. Deux débats aboutissant à deux décisions contradictoires : celui du 11 août 1792, sanctionné par le décret du 14 août, et celui du 22 août, sanctionné par le décret du 16 septembre. Le premier texte explicite la thèse d'un patrimoine représentant les valeurs honnies et menaçantes de l'Ancien Régime, et donc condamné à la destruction, ou, tout au moins, à la mutilation : « L'Assemblée nationale, considérant que les principes sacrés de la liberté et de l'égalité ne permettent point de laisser plus longtemps sous les yeux du peuple français les monuments élevés à l'orgueil, au préjugé et à la tyrannie[60] » : le peuple français ne peut plus voir les symboles du régime qu'il vient de renverser ; il les détruit, pour assurer le règne de la liberté contre ses ennemis. Et même lorsqu'il n'est pas porteur des symboles du mal, l'art de l'Ancien Régime a été « avili » par « de longs siècles d'esclavage et de honte » : « Il n'est rien pour la Liberté[61]. »

Le deuxième texte est fondé sur l'idée, très clairement exprimée lors du débat du 22 août, que « les arts appartiennent à la philosophie[62] », c'est-à-dire à la culture, et qu'ils sont « dignes d'occuper les loisirs d'un peuple libre[63] ». La culture, celle de l'Ancien Régime, forme un « vaste et superbe héritage » que la France « régénérée » « ne saurait répudier sans honte[64] ». C'est une tout autre attitude, fondée sur la conciliation de deux notions : la France est un « vieux peuple[65] », comme dit Boissy d'Anglas, mais c'est aussi « vraiment un nouveau monde », comme dit l'abbé Grégoire[66]. Il y a, ensemble, coupure et continuité : ce n'est pas un hasard si les débats d'août 1792 sont suivis de la première grande décision de la Convention, le 22 septembre, après la proclamation de la République : l'établissement du calendrier révolutionnaire, par lequel la Révolution se proclame commencement absolu : le commencement du temps permet la continuité de l'histoire. La liberté tutélaire trouve sa charte dans les trois discours de G. Romme, le 24 octobre 1793 (« nous devons tout conserver[67] »), de Mathieu, le 28 frimaire an II [18 décembre 1793] (« il est digne de la sagesse [...] de la Convention, de son goût pour les arts, de vivifier toutes ces richesses, de les centupler par cette utile et savante distribution[68] », c'est-à-dire en les répartissant dans les musées sur tout le territoire de la République), et de Grégoire, le 14 fructidor an II [31 août 1794] (« les hommes libres aiment et conservent les monuments des arts »), sanctionné, le même jour, par un décret plaçant le patrimoine national sous la sauvegarde de chaque citoyen[69].

Certes, pendant deux ans, d'août 1792 à août 1794, les deux conceptions de la liberté, qui sont concomitantes et non successives, s'affrontent confusément, et le patrimoine subit des pertes immenses et irréparables. Mais peu à peu l'idée de la valeur culturelle du patrimoine tend à l'emporter sur la hantise du symbole. Le 22 août 1792, un député à l'Assemblée législative demande qu'on sauve la porte Saint-Denis : « Elle mérite toute la haine des hommes libres, mais cette porte est un chef-d'œuvre[70]. » Un an plus tard, deux envoyés de la commission des Monuments félicitent les administrateurs du département de l'Aube d'avoir sauvé une œuvre de Girardon à l'hôtel de ville de Troyes : « Le médaillon de Louis XIV, que vous avez prudemment arraché aux regards des républicains vos compatriotes qui, par leur haine pour le despotisme, n'en eussent pas longtemps soutenu la vue. Ces ornements, fruits du ciseau de Girardon, demandent à être conservés pour l'art, par reconnaissance pour leur auteur et pour l'intérêt des élèves[71]. » La Révolution pouvait, comme le montre ce texte, ou fonder le musée, répondant ainsi à l'attente diffuse de la société des Lumières, ou en supprimer l'objet et la raison d'être. L'alternative est très concrète : Louis XIV ou Girardon.

Mais les révolutionnaires étaient exposés à une autre tentation, moins dramatique, mais tout aussi négative : celle de la vente. Il faut rappeler que la saisie des biens de l'Église avait été faite sans doute au nom d'une certaine idéologie, mais surtout sous la contrainte de la crise financière. L'intention était de « réaliser » le patrimoine de l'Église. Et la décision du 13 octobre 1790 de faire l'inventaire des « monuments des sciences et des arts » n'impliquait pas la volonté de conserver tous ces monuments, mais surtout celle de les connaître et de les évaluer, avant de décider de leur sort. Si la confiscation, l'année suivante, des biens des émigrés avait le caractère d'une sanction, ses conséquences économiques n'était pas pour autant à négliger. Incertitude et confusion continuèrent de régner sur ce point jusqu'à l'automne de 1792 : un débat décisif s'engage le 10 octobre à propos du sort d'une collection de Dijon, celle de Jehannin de Chamblanc[72] : le conventionnel Guyton de Morveau, qui l'avait bien connu avant 1789, s'inquiète des risques du démembrement, par des mises aux enchères successives, d'un ensemble prestigieux d'œuvres d'art, de livres, d'instruments scientifiques et d'objets d'histoire naturelle ; grâce à son intervention, la Convention vote, hâtivement, un décret ordonnant de surseoir à la vente des « bibliothèques, autres objets scienti-

fiques et monuments d'art trouvés dans les maisons des émigrés». Puis, le 18 octobre 1792, elle confirme sa position, en chargeant la commission des Monuments de se concerter avec le Comité des finances (ce qui montre bien la contradiction des intérêts en jeu) pour élaborer un texte relatif à la «distraction des monuments d'art et sciences du nombre des effets mobiliers qui doivent être vendus[73]». C'était affirmer un principe de la plus haute importance, en reconnaissant que les «monuments des arts et des sciences» pouvaient avoir pour la Nation une valeur culturelle sans commune mesure avec le profit matériel immédiat que leur vente pouvait procurer.
Quelques jours après, Roland, ministre de l'Intérieur, reprenait ce principe dans une circulaire adressée à toutes les administrations territoriales, le 3 novembre 1792. C'est un véritable morceau d'anthologie où sont repris les thèmes fondateurs de l'idée de Musée :

> Si son but [celui de l'Assemblée] n'eût été simplement que de retirer un produit matériel de ces objets, elle eût abandonné ce soin aux administrateurs des biens nationaux ; mais elle a senti que ce serait appauvrir, avilir la République que de la dépouiller des objets précieux dont les artistes en tout genre ont enrichi la France. Et ces objets précieux, vous le savez, étoient pour ainsi dire réservés aux fortunés possesseurs de ces maisons ci-devant royales et religieuses et à ces vils opulens qui ont déserté leur Patrie. C'est donc dans cet esprit qu'il faut combiner cette opération délicate [les inventaires] [...] tout ce qui peut, par sa réunion et sa conservation, entretenir parmi nous l'amour des arts et des talens et devenir, dans des temps plus paisibles, un motif d'émulation pour les citoyens qui s'adonneroient à leur culture, un appât pour la curiosité et l'admiration des étrangers, et un monument glorieux qui puisse attester à la postérité que le Peuple français a respecté, même au milieu des agitations d'une Révolution sans exemple, tout ce qui doit perpétuer l'honneur des arts et des lettres et la gloire d'une nation sensible et éclairée[74].

Dans ce texte, porté par un souffle lyrique, Roland oppose la vocation nationale du patrimoine à l'égoïsme de ses anciens propriétaires. Il conclut que seuls les inventaires permettront de statuer en connaissance de cause sur le sort des «monuments des sciences et des arts», qui seront divisés en trois parts : la meilleure sera réservée au Muséum national (le Louvre) ; une autre sera répartie dans des «espèces de sections» du Muséum dans les départements ; le reste pourra être vendu.
Après avoir, dans son grand discours du 18 décembre 1793, déployé la vision du musée comme un lieu de mémoire, d'enseignement et de méditation, et

montré que son efficacité reposait sur une articulation rationnelle de la «grande collection centrale» avec les collections réparties sur l'ensemble du territoire national, Mathieu écrivait le 23 pluviôse an II (11 février 1794) au Conservatoire du Muséum national :

> En considérant tout ce que la Nature et l'Art ont fait et peuvent faire en France, la République entière sera un immense et superbe muséum[75].

Le programme tracé par Mathieu fut exécuté avec des lenteurs, des difficultés et des insuffisances que le président du Comité d'instruction publique de la Convention nationale ne pouvait pas prévoir au début de 1794.

Le débat autour de la répartition des musées en France, tel qu'il se développe à partir de 1791, est sans doute l'un des plus méconnus et aussi l'un des plus importants de ceux qui concernent l'organisation du pouvoir culturel dans la France révolutionnaire et l'équilibre entre Paris et les villes de la province.

Il n'est actuellement possible que d'en donner une première approche, provisoire et révisable. Les éléments du problème peuvent être résumés en quelques principes : l'immensité, défiant toute connaissance complète et tout contrôle strict, des collections saisies ; la volonté, exprimée dès 1791 et confirmée à la fin de 1792, de faire à Paris un grand musée national (et, à partir de 1794, universel) ; l'impossibilité de tout rassembler à Paris, mais la tentation de faire venir le meilleur (selon quels critères ?) ; le désir de procéder avec rationalité et méthode.

Dans l'esprit des milieux dirigeants (Assemblées, comités et ministères), il ne peut y avoir aucun doute : tous les biens saisis ayant été déclarés «propriétés nationales», toute décision concernant leur affectation relève de la compétence du pouvoir central : la création du musée est une prérogative régalienne. En principe, les administrations des villes, des districts et des départements ne peuvent émettre que des vœux. En fait, entre les hésitations du pouvoir central et les initiatives des pouvoirs locaux, les solutions se dégagent de manière empirique.

Les prérogatives de l'Assemblée nationale sont affirmées avec force dans une circulaire du 14 mars 1791, adressée par les comités réunis d'administration ecclésiastique et d'aliénation des biens nationaux à tous les districts de France. Après avoir rappelé l'urgence des inventaires, l'instruction porte formellement :

> Aucune disposition particulière des livres, médailles, tableaux et monumens de sculpture des établissemens publics ne doit être faite par les Départemens, districts ou municipalités ; l'Assemblée seule doit prononcer à cet égard, et c'est par ce motif qu'on a demandé les états [c'est-à-dire les inventaires] dans chaque département[76].

La première prise de position officielle du pouvoir central à l'égard de la destination finale des œuvres saisie est précoce, puisqu'on peut, dans l'état actuel de nos connaissances, la faire remonter au rapport présenté le 2 décembre 1790 devant la commission des Monuments par L.-G. de Bréquigny[77]. Ce texte est très important: il pose en principe que, les «monuments des sciences et des arts» étant la propriété de la Nation, «il faut mettre, autant qu'il sera possible, tous les citoyens à portée d'en jouir»: c'est le principe de l'égalité («géographique») des citoyens à l'accès au patrimoine national. Pour le mettre en œuvre, le rapport recommande de créer un «dépôt» dans chacun des quatre-vingt-trois départements, «en ayant soin que chaque dépôt soit aussi complet qu'il se pourra». On affiche donc d'emblée la volonté de créer un musée par département (sans déterminer le statut administratif de la nouvelle institution). Il est précisé que ces musées doivent être fondés de préférence dans des villes «considérables», c'est-à-dire celles qui ont des établissements d'enseignement, «car on sent combien l'instruction publique peut tirer de secours de ces musées». C'est la vocation pédagogique du musée qui se trouve ainsi mise en valeur (il est difficile de dire si Bréquigny pense seulement à l'enseignement artistique – le musée comme lieu de modèles – ou a une vision plus globale de l'enseignement, qui inclurait aussi l'histoire – le musée comme lieu de mémoire).

Il faudrait faire en sorte qu'il y ait un «partage» à peu près égal entre les musées, et que les «monuments des sciences et des arts» restent dans le département où ils ont été saisis.

Enfin le rapport de Bréquigny aborde le problème du local où serait installé le musée: fondant par une anticipation étonnante le principe de la réutilisation des monuments qui ne sont pas encore, au sens actuel du terme, des «monuments historiques», il indique qu'il faudrait choisir de préférence une église désaffectée: «On choisirait pour servir de musée quelques églises du nombre de celles qui seraient supprimées et qui sans cela demeureraient d'une inutilité absolue. En la consacrant à cet usage, l'avantage serait double. L'édifice serait construit, et la disposition serait telle qu'il y aurait peu de changements à y faire pour le rendre propre au nouveau service auquel il serait employé.» Explicitant son propos, Bréquigny esquisse un programme muséographique de répartition des collections (peintures, sculptures, livres et manuscrits, antiquités, objets d'histoire naturelle, etc.) dans les différentes parties de l'église. Quant au «garde» (le conservateur), il serait logé dans le clocher…

Bréquigny est allé du premier coup à l'essentiel, et, porté par sa conception encyclopédique du musée, il déploie la vision grandiose d'un réseau national de quatre-vingt-trois musées départementaux, conformément aux principes fondamentaux du nouveau régime politique. Si le plan de Bréquigny avait été appliqué, il est probable que le patrimoine français aurait souffert moins de pertes.

En fait, le problème fondamental était celui de la connaissance du patri-

moine : en insistant sur les inventaires, le pouvoir central avait à la fois une intuition tout à fait juste et une ambition impossible. L'année 1791 fut celle des « instructions » qui devaient aider les administrations locales à réaliser les inventaires. La lettre du 14 mars 1791, citée ci-dessus, indique clairement la raison de la priorité donnée à ce travail gigantesque : « On les attend [les inventaires] pour déterminer les mesures à prendre sur la disposition des objets à conserver, et sur les établissements littéraires [ce flottement terminologique est constant : la symbiose du musée et de la bibliothèque est une tradition tenace] qui pourroient être formés ou conservés, soit dans les départements, soit dans les districts, soit dans les municipalités. »
Que le projet de créer un musée par département reste à l'ordre du jour en 1791, on en trouve la preuve dans une lettre adressée le 12 août 1791 par Lemonnier, ancien élève de Descamps à l'académie de Rouen, et alors membre de la commission des Monuments, à l'abbé Le Blond, bibliothécaire du collège Mazarin : Lemonnier, qui s'occupait avec beaucoup de zèle et de compétence du sauvetage et de l'inventaire des « monuments des sciences et des arts » saisis dans le département de la Seine-Inférieure, informe son correspondant de tout ce qu'il a fait à Rouen, « pour y voir commencer cette superbe idée de faire dans l'Empire autant de dépôts publics pour les Sciences et les Arts qu'il y a de départements[78] ».
Provincial lui-même et pur produit de l'enseignement provincial, Lemonnier savait bien pourquoi il militait pour « cette superbe idée » : les musées étaient l'élément central de la formation et de la culture artistique ; comme il le dit dans cette même lettre, il faut sauver tous les tableaux, car « on peut [...] les faire servir à l'histoire de l'art ». C'est peut-être bien la première fois que nous voyons la notion de musée associée à celle d'histoire de l'art : Lemonnier a ici une intuition capitale, celle que la vocation du musée dépasse même les nécessités de l'enseignement, pour devenir celle d'un témoin de l'évolution historique de l'Art.
Les événements de 1792 ne font guère avancer la « superbe idée ». Une certaine crainte semble se faire jour, celle que les inventaires, une fois en possession du pouvoir central, ne lui permettent d'envisager une répartition autoritaire qui ferait venir de province les œuvres jugées les plus intéressantes au Muséum national à Paris. On en trouve l'écho dans une autre lettre de Lemonnier, qui est une source précieuse, à la fois par sa situation à la commission des Monuments et par son intérêt pour le futur musée de Rouen : il écrit le 4 mai 1792 qu'il faut inviter à Paris l'érudit chargé des inventaires des bibliothèques des abbayes normandes « affin qu'il transmette ici [c'est-à-dire à Rouen] qu'on n'en veut point aux richesses qui sont répandues dans les départemens et qu'on ne proposera jamais que des échanges pour des doubles. C'est ce que je répette sans cesse au département de cette ville[79] ».

Lemonnier écartait donc l'idée d'une «hiérarchie» entre Paris et la province. Mais au même moment, le directoire de ce département, aux œuvres d'art duquel il s'intéressait si fort, écrivait le 21 mai 1792 au ministre de l'Intérieur qu'il avait fait une «répartition» de sept cent vingt-huit tableaux saisis et inventoriés dans les églises et couvents de la Seine-Inférieure: quarante et un tableaux, faits «pour honorer l'école française», seront recueillis au musée de Rouen; quatre-vingt-dix-sept, d'un mérite inférieur, seront destinés aux églises des villes et des principaux bourgs; quatre cent quatre-vingt-dix, jugés médiocres, seront vendus ou attribués aux paroisses de campagne[80]...
La rumeur sur la «répartition» est confirmée officiellement par le décret du 16 septembre 1792, qui annonce, en effet, cette répartition entre le Musée national et ceux qui pourront être créés dans les départements. Mais rien n'est précisé, ni sur les modalités, ni sur le sens du grand brassage d'œuvres d'art qui est alors envisagé par l'Assemblée législative. La circulaire Roland du 3 novembre 1792 confirme cette intention[81]: le «rapprochement» des inventaires permettra de déterminer les «monuments des arts» qu'il serait «convenable de classer dans le Museum» à Paris, et ceux «dont on pourrait former dans les départements des espèces de sections de ces deux grands monuments» (le musée du Louvre et la Bibliothèque nationale). Le ton quelque peu condescendant employé par le ministre de l'Intérieur pouvait inquiéter: dans son esprit, les musées des départements ne seraient que des «dépendances» du Musée national. On pouvait interpréter le texte de Roland comme l'annonce d'une domination arbitraire du Louvre: c'est la lecture que fait, par exemple, la commune de Rennes, lorsqu'elle proteste, le 21 décembre 1792, contre la circulaire Roland: «Ces dispositions contrarieraient le vœu public en enrichissant Paris des dépouilles de chaque commune et en assemblant dans un centre unique les matériaux destinés à servir de base à l'éducation de toutes les localités[82].» Réaction intéressante, qui montre que les pouvoirs locaux pouvaient avoir sur la répartition du patrimoine national des vues qui n'étaient pas forcément celles du pouvoir central.
Certes, une autre lecture de la circulaire Roland était possible que celle faite par les élus de Rennes. Quelques jours après, le 13 novembre 1792, la commission des Monuments envoyait une grande instruction «pour hâter les établissements de bibliothèques et de museums[83]». Le principe est à nouveau affirmé que la décision reviendra au pouvoir central, c'est-à-dire à la Convention, après étude des inventaires. La doctrine reste celle d'une «distribution aussi honorable pour la République que profitable pour chacune des villes où ces précieux dépôts attireront le concours des étrangers». L'idéal est de parvenir «autant qu'il sera possible à une répartition égale», au besoin en transférant des œuvres d'un département à l'autre. Les œuvres qui ne seront pas retenues pour les musées seront vendues.

Le texte pouvait paraître plus rassurant que celui de la circulaire Roland, car, tout en affirmant la responsabilité politique de la Convention dans les décisions à prendre, il fixait le principe d'une distribution équitable et paraissait vouloir ménager les intérêts moraux et matériels des collectivités locales. Mais l'instruction du 13 novembre 1792 ne vaudrait que par l'application qu'on en ferait et qui restait tout à fait indéterminée. En dépit de l'intervention d'un membre de la commission des Monuments qui déclare, le 20 novembre 1792, qu'il y a urgence à « fixer la destination et l'usage[84] » des biens saisis, plusieurs mois s'écoulent sans que la Convention se saisisse à nouveau du problème des musées de province. L'année 1793 est avant tout celle de l'ouverture du musée du Louvre. Ce n'est que le 10 septembre 1793, que la commission des Monuments aborde à nouveau l'organisation nationale des musées ; deux questions sont débattues : comment « faire refluer dans les départements la surabondance des richesses nationales concernant les Arts, qui se trouvent à Paris » ; et comment fixer les « compensations à établir pour procurer à cette ville [Paris] les chefs-d'œuvre de la première classe qui se trouveraient dans les départements[85] ».
Ce qui est donc envisagé à cette date, c'est une redistribution du patrimoine national. Le pouvoir, conscient de l'énormité des collections qui se trouvent rassemblées dans la capitale, craint de ne pas pouvoir les présenter toutes à Paris : c'est pourquoi, un an avant l'arrivée des premières œuvres d'art saisies en Belgique, le gouvernement pense, sans le nommer, à un système d'« envois de l'État en province ». Il serait donc faux de lier l'adoption de ce système aux problèmes créés par les confiscations d'œuvres d'art en Belgique, aux Pays-Bas, en Allemagne et surtout en Italie, à la suite des conquêtes des armées révolutionnaires à partir de 1794 ; certes, cette nouvelle forme d'enrichissement rend le problème plus aigu, mais elle ne le crée pas.
Si cette idée peut être considérée comme équitable pour la province, l'autre qui apparaît dans le texte ne prend en compte que les intérêts de la seule capitale : la commission introduit la notion d'une hiérarchie des œuvres d'art, celles de la « première classe » devant être réservées à Paris : autrement dit, elle recommande que le pouvoir central use de son droit éminent sur les biens nationaux pour faire entrer au musée du Louvre les œuvres qui seraient jugées, en raison de leur qualité, indispensables à sa collection. C'était donc admettre que Paris avait des droits supérieurs à ceux des villes de province et que son musée serait le musée des chefs-d'œuvre. La menace de la circulaire Roland était maintenant tout à fait explicite.
À l'issue de cette importante séance, la commission demande à trois de ses membres de faire un rapport sur le problème des musées des départements. Nous savons seulement que le rapport fut effectivement lu le 24 septembre 1793 par A.-F. Sergent ; le texte n'en a malheureusement pas été retrouvé[86].

Entre-temps, le 17 septembre 1793, le ministre de l'Intérieur avait précisé, confirmant la position de la commission, que les «monuments des sciences et des arts» seraient répartis en quatre classes par ordre de mérite décroissant: ceux destinés au «Museum central»; ceux réservés aux musées des départements; ceux à vendre sur catalogue; ceux, enfin, à «abandonner aux hasards d'un encan pur et simple[87]». Le problème demeurait entier, de la mise en œuvre de directives conçues en dehors de toute connaissance concrète du patrimoine français.

Quelques semaines plus tard, le 24 octobre 1793, un décret fixe le principe, très raisonnable, de la conservation des œuvres d'art dans le «museum le plus voisin» de leur lieu de saisie[88]. Cette sage disposition est confirmée par les décrets du 28 frimaire an II (18 décembre 1793) et 8 pluviôse an II (27 janvier 1794):

> Le Comité d'Instruction Publique présentera incessamment à la Convention Nationale les moyens d'assurer, dans toute l'étendue de la République, la conservation des monuments, objets d'art et de sciences et bibliothèques, sans autre déplacement que celui que peut nécessiter la conservation même de ces objets[89].

Ce texte est essentiel parce que, sans remettre en cause, formellement, le droit de la capitale aux chefs-d'œuvre, il écarte toute velléité d'une redistribution générale des «monuments des sciences et des arts». Le territoire français serait donc couvert d'un réseau de musées mettant les richesses artistiques devenues propriété de la Nation à la disposition de tous les citoyens, dans le cadre de la vie politique et administrative, le département. C'est ce que commente le président du Comité d'instruction publique. Mathieu, dans le grand discours qu'il prononce le 28 frimaire an II (18 décembre 1793), annonçant que les mesures prises permettront «l'établissement d'un grand nombre de cabinets et de musées dans toute la République, sans préjudice d'une grance collection nationale[90]».

On semblait donc être parvenu, après trois ans d'hésitation, à un point d'équilibre dans le débat entre Paris et la province. Mais on restait sur le terrain des principes, et les dispositions concrètes n'étaient pas encore arrêtées. La tentation reste forte de privilégier la capitale: la commission temporaire des Arts, qui a succédé à la commission des Monuments, se demande encore, le 30 mars 1794, s'il ne faudrait pas concentrer à Paris les œuvres de «première classe[91]»...

Il est intéressant de noter, quelques semaines après, une prise de position venue d'une institution directement concernée par ce débat: le conservatoire du Muséum national. Dans un rapport, rédigé par Varon, qu'il adresse, le 7 prairial an II (26 mai 1794), au Comité d'instruction publique, le conseil de direction montre une extrême réticence à l'égard du projet de créer un réseau de musées départementaux. Après avoir fait mine de se déclarer incompétent sur cette question (« encore moins prétend-il examiner la question de savoir s'il convient de donner d'autres musées à la France et de quelle manière se peuvent répartir les richesses qu'elle possède dans les Arts »), Varon prend finalement parti en faveur d'un grand et unique Musée national : « Quant à présent, il est indispensable de tout confondre dans un même rassemblement [...] On ne peut se dissimuler que tous les arts ne doivent être concentrés dans un seul théâtre, afin que leur unité concoure à faire triompher l'unité de principe politique que nous avons fondé[92]. » Varon recourt ici à un argument politique auquel la Convention devait être sensible : la nécessité de maintenir une correspondance entre l'organisation politique et l'organisation culturelle : le pouvoir politique, comme le pouvoir culturel, n'a qu'un seul siège, la capitale de la France. À peine ouvert, le musée du Louvre tentait de faire de son antériorité un privilège.

Il ne semble pas que le pouvoir central ait poussé plus loin ses réflexions sur la répartition du patrimoine national, jusqu'à la fin de la Convention. On en reste donc à cette décision théorique, mais essentielle, de créer un musée par département, étant entendu que le Muséum national garde un droit éminent sur les chefs-d'œuvre de l'art disséminés à travers le territoire national. Le débat Paris-province aboutit à ce compromis provisoire.

Mais une mesure très importante de la Convention, qui ne concernait en rien les « monuments des sciences et des arts », devait indirectement renforcer le mouvement en faveur de la création de musées de province : ce sont les lois des 6 ventôse an III (24 février 1795) et 3 brumaire an IV (25 octobre 1795), portant création des « écoles centrales » (une par département). Conformément à la pédagogie des Lumières, l'enseignement fait une large place au dessin qui figure obligatoirement, avec les sciences naturelles et les langues anciennes, au programme de la première section (douze-quatorze ans). Mettre en œuvre ce système, c'était rétablir, sur d'autres bases, la tradition des écoles gratuites de dessin qui, pour la plupart, comme les autres institutions de l'Ancien Régime, avaient sombré dans la tourmente révolutionnaire, et donner une nouvelle raison d'être à l'organisation de collections publiques : c'était, dans chaque département, cristalliser le « désir du musée » autour d'une institution, d'un personnel, d'un local. Dès les débuts du Directoire, le problème est explicitement posé dans un rapport que le directeur général de l'Instruction publique adresse le 9 pluviôse an IV (29 janvier 1796) à la commission temporaire des Arts : « L'organisation des musées et bibliothèques près les Écoles centrales exige le mode le plus prompt et le plus sûr[93]. »

En face des débats des commissions parisiennes, des hésitations du pouvoir central, des principes des circulaires ministérielles, qui ne mènent à aucune conclusion définitive, il faut placer les initiatives de la province. Certes, l'Assemblée nationale s'était réservé le monopole de la décision. Mais comment empêcher les départements, les districts et les villes de prendre des mesures aboutissant à la création de musées de fait, pour sauver un patrimoine qu'on avait placé sous leur responsabilité ? Sans dresser un catalogue complet de ces initiatives, il importe de baliser de quelques exemples significatifs la chronique de ces années incertaines.
La province s'est familiarisée très rapidement avec les thèmes et le vocabulaire des discussions parisiennes : le discours sur les « monuments des sciences et des arts », tel qu'il prend forme de 1792 à 1794, dans les réunions de la commission des Monuments et du Comité d'instruction publique et dans quelques ouvrages de circonstance, se répand très vite, par un phénomène de capillarité, dans la société française. On voit se former, à travers le pays, un langage commun en matière de patrimoine.
À cet égard, la motion votée dès le 21 octobre 1792 par le directoire du département du Loir-et-Cher pour la création d'un musée à Blois est un modèle du genre[94]. La séance est consacrée au sort des œuvres d'art saisies au château de Menars : elles posent un problème de conscience : ces œuvres « respirent la mollesse et la volupté, représentant des personnes devenues l'opprobre de leur siècle par leurs vices et le changement heureux que la Révolution a produit dans l'esprit national » ; mais en même temps, il faut reconnaître qu'« il y règne néanmoins un goût excellent, une beauté de formes admirée des connaisseurs et qui peuvent servir de modèles aux artistes ». C'est un écho du débat du 21 août 1792 à l'Assemblée législative, et une anticipation presque littérale du débat du 21 floréal an II (10 mai 1794) à la Convention sur l'art de l'Ancien Régime[95]. Et la conclusion est la même : « Considérant que les monumens du génie sont précieux pour les arts [...] Il est de l'honneur d'un peuple libre d'offrir au génie tous les moyens de se développer dans tous les points de la République. »
Naturellement, la terminologie officielle est véhiculée, un peu plus tard, par les représentants en mission : on le voit en lisant l'affiche qu'ils font apposer à Auch, le 13 décembre 1793, pour annoncer la création d'un « museum provisoire », placé sous la responsabilité du département du Gers : « Considérant qu'un peuple libre doit sans cesse encourager les beaux-arts, qui sont sa gloire et dont l'influence peut servir à propager l'esprit républicain, en retraçant l'action des héros et les images des grands hommes[96]. » On retrouve le thème, essentiel pour la formation de la notion de patrimoine, du lien entre la culture et la liberté, et celui de musée mémorial de l'histoire.
Parfois, on va jusqu'à reprendre textuellement les termes d'une circulaire ministérielle : en 1795, dans son rapport d'activité, le directoire du département

de la Seine-Inférieure se félicite de la protection qu'il a assurée aux «monuments des sciences et des arts», en attendant que puisse être ouvert à Rouen le musée «destiné à attester à la postérité que le peuple français, au sein des ravages de sa Révolution, avait su respecter tout ce qui doit perpétuer l'honneur des arts et des lettres et la gloire d'une nation sensible et éclairée[97]». On reconnaît la conclusion de la circulaire Roland du 3 novembre 1792.
Ce langage commun de la classe dirigeante révolutionnaire, la province l'utilise à plusieurs reprises pour affirmer son droit au maintien sur place du patrimoine local et parfois, même, à une meilleure répartition du patrimoine national. Le droit au musée tend à apparaître comme une revendication que la province adresse à Paris, au nom des principes fondateurs de la Révolution, et qu'elle exprime par l'intermédiaire de ses administrateurs élus, et de sociétés populaires ou érudites.
L'une des premières manifestations de cette défiance à l'égard du pouvoir central pourrait être l'arrêté pris le 16 mai 1793 par le directoire du département de la Meurthe, qui décide de hâter les inventaires des œuvres saisies en vue de l'établissement d'un musée: il interprète, à tort d'ailleurs, le décret du 16 septembre 1792, comme une mesure de concentration à Paris du patrimoine français, mesure qui «priveroit par son exécution les citoyens du département de l'avantage de conserver dans leur sein les chartes, livres imprimés, monuments de l'Antiquité et du Moyen Âge, statues, tableaux, dessins et autres objets relatifs aux Beaux-Arts, aux Arts mécaniques et à l'histoire naturelle; considérant enfin qu'une telle privation éloigneroit du département la source du bonheur à laquelle tout citoyen français a le droit de puiser[98]».
À Dijon, au début de 1794, le bruit se répand que le gouvernement a l'intention de faire venir à Paris les chefs-d'œuvre des arts saisis en Côte-d'Or: un membre du directoire du département fait, le 12 ventôse an II (2 mars 1794), un rapport pour dénoncer cette menace de «dénudation» de la province; certes, Paris a le droit de posséder le «musée par excellence»; mais la capitale détient assez de richesses pour ne pas puiser dans les collections de la province: «L'égalité de droits, cette fraternité si précieuse qui lie entre eux tous les départements ne le veulent pas ainsi[99].» Cette protestation, proférée au nom de l'égalité et de la fraternité, est reprise quelques jours après par les sociétés populaires, à Châtillon-sur-Seine, à Mirebeau, à Laignes, à Saint-Seine-l'Abbaye[100], c'est-à-dire dans une toute petite ville et dans des villages: les motions sont adressées directement au comité d'Instruction publique de la Convention, pour demander que les «monuments des sciences et des arts» saisis en Côte-d'Or soient conservés au musée de Dijon. Il y a là une manœuvre évidente, qui prouve que le directoire du département tient en main l'opinion publique et se trouve en mesure de la manipuler à sa guise,

en appelant le monde rural à la défense d'un patrimoine dont il n'avait sans doute aucune notion précise.
À Rennes, ce sont les membres de la Société populaire de la Montagne qui rédigent une pétition pour demander la création d'un musée ; la motion, qui n'est nullement agressive à l'égard du pouvoir central et qui est accompagnée de six pages de signatures, est adressée, le 24 pluviôse an III (12 février 1795), à la Convention par le directoire du département[101].
Sous le Directoire, la méfiance de la province ne désarme pas. On le constate en lisant le mémoire adressé, le 9 messidor an V (27 juin 1797), au département de la Seine-Inférieure par la « Société pour le progrès des sciences, des lettres et des arts » de Rouen[102]. Cette fois, c'est une société savante qui prend position. Le texte est d'abord une protestation virulente contre l'intention, prêtée au gouvernement, de faire transporter à Paris les chefs-d'œuvre de peinture qui se trouvent à Rouen : « Une portion de la République ne peut être privée arbitrairement de ses possessions légitimement acquises. » Puis vient la revendication : on sait que les victoires des armées de la République font affluer à Paris les trésors artistiques de l'Italie ; le moment est donc venu d'une redistribution de ce patrimoine au profit de la province : « Ne concentrez donc pas les modèles de l'art : distribuez-les au contraire [...] Ne serait-il pas beaucoup plus convenable, beaucoup plus juste et beaucoup plus avantageux de partager le superflu qui pourroit s'y [à Paris] trouver, entre tous les départements ! » D'ailleurs les conquêtes artistiques de la Révolution ont été réalisées grâce aux sacrifices des soldats de toute la France : il est donc équitable que l'ensemble du pays en profite.
Le texte de Rouen montre l'exemple d'une position offensive de la province, et d'un débat tendu avec Paris sur les perspectives ouvertes par les saisies effectuées dans les pays conquis ou vaincus.
Au même moment, le problème est posé à Grenoble, dans des termes différents. Cette fois il s'agit d'un document qui n'émane pas d'un groupe organisé, club politique ou société savante, mais qui prend la forme d'une pétition signée par cent sept habitants de la ville, sans doute sensibilisés par L.-J. Jay, professeur de dessin à l'École centrale[103]. Les rédacteurs de ce texte, daté du 6 prairial an V (18 juin 1797), rappellent que Paris est désormais le « sanctuaire des plus grands chefs-d'œuvre », puisque la France, en libérant la Flandre et l'Italie, « a reçu, en échange, l'affranchissement du tribut qu'elle leur payait » ; le moment est donc venu pour Grenoble de créer son musée : le talent de ses habitants, comme « la beauté et le pittoresque des sites qui l'entourent », l'y invitent. Placé à côté de la collection d'histoire naturelle, de la bibliothèque et d'une salle de concerts et de danse, installé dans un bâtiment offrant une belle vue sur la campagne environnante, le musée attirera de nombreux étrangers. Quelques mois plus tard, le directoire du département,

par un arrêté du 28 pluviôse an VI (26 février 1798), crée le musée pour donner suite à la pétition des habitants et le place sous l'autorité d'un conservateur et d'un conseil d'administration, en lui assignant une mission d'abord pédagogique, mais aussi «politique», «par l'élévation que jetteront dans l'esprit public les actions immortelles des grands hommes de l'Antiquité présentées à la vénération et à l'admiration publique[104]». Informé de cette mesure, le ministre de l'Intérieur prend l'initiative à son compte et annonce au département, le 27 frimaire an VII (17 décembre 1798), qu'il lui a paru «utile d'établir un musée provisoire dans la commune de Grenoble, en attendant que le Corps législatif statue définitivement sur la formation de cet établissement dans les départements[105]». L'esprit de la circulaire du 14 mars 1791 reste bien vivant: seul le pouvoir central a compétence pour décider du sort des biens nationaux.

À Lyon, le débat reste marqué par les souvenirs de la dramatique révolte de 1793 et de la répression qui en suivit l'écrasement. Au lendemain du siège, les représentants de la Convention sont chargés d'envoyer au musée du Louvre toutes les œuvres qui leur paraissent intéressantes. La décision du département, en 1795, de créer le musée, reste sans effet pratique. Un mémoire anonyme adressé, le 20 septembre 1798, au ministre de l'Intérieur pose le problème très brutalement: «Vous seul, citoyen ministre, ferez cesser cette espèce de brigandage, ou plutôt cette manie funeste aux sciences et aux arts de vouloir tout accumuler à Paris. De quel droit dépouiller les départements pour assouvir la soif inextinguible des Parisiens[106]?» C'est sur un ton beaucoup plus mesuré qu'un notable lyonnais, député aux Cinq-Cents, E. Mayeuvre de Champvieux, intervient auprès du ministre de l'Intérieur, le 3 mars 1799, pour expliquer toutes les raisons de fonder un musée à Lyon (le génie créateur des habitants, les exigences de l'industrie, la situation géographique) et demander au gouvernement, non seulement de rendre les œuvres confisquées en 1793, mais aussi d'«y envoyer quelques tableaux des trois écoles, et surtout des grands coloristes [...] ce après que le choix de ce qui doit rester au Museum de Paris sera deffinitivement fixé[107]». Il s'agissait naturellement de favoriser la formation des dessinateurs pour les manufactures de soie et de leur procurer des modèles. La demande d'E. Mayeuvre de Champvieux est acceptée, et la liste du premier envoi est prête le 13 juillet 1799[108].

Ces quelques exemples montrent que les milieux provinciaux ont affirmé avec force leur droit à conserver leur patrimoine et parfois, aussi, à profiter d'une plus juste répartition des richesses nationales. Le musée est devenu le thème d'une revendication politique. L'égalité entre les citoyens, c'est aussi l'égalité entre Paris et la province, pour l'accès aux biens culturels. La province prend la parole pour défendre son héritage; mais il est parfois si pauvre qu'elle fait appel au gouvernement pour l'enrichir. L'égalité, c'est aussi un meilleur partage des richesses artistiques nationales. Le 17 frimaire an III (7 décembre 1794), le Comité d'instruction publique de la Convention reçoit une lettre de la Société populaire du Puy : après avoir rappelé que le règne de la liberté se fonde sur le développement de l'instruction, le texte souligne que « tous ces objets précieux et utiles [les « monuments des sciences et des arts »], qu'on tenoit loin du peuple, lui appartiennent » ; encore faut-il qu'aucune partie du territoire national n'en soit privée : « Ces collections relatives aux sciences et aux arts, trop amoncelées dans certains départements, doivent être réparties également sur le sol français. » Il faut donc qu'une distribution intelligente corrige les conséquences du règne du « despotisme », qui n'a laissé que « cinq ou six tableaux qui soient vraiment dignes d'attirer l'attention des connaisseurs ; quant aux antiques, nous n'avons rien qui puisse mériter les regards du citoyen jaloux de lever le voile de l'Antiquité et de lire dans les monumens anciens[109] ». Si, dans certains cas, la redistribution du patrimoine national est redoutée et dénoncée avec véhémence par les milieux provinciaux, dans d'autres elle est réclamée au nom de l'égalité des citoyens devant l'appropriation des « biens nationaux ».

Les autorités locales savent parfois utiliser avec habileté le jeu des amitiés politiques pour obtenir du pouvoir central des envois d'œuvres d'art, en dehors de toute décision globale sur ce problème. Deux cas sont exemplaires : ceux d'Angers et du Mans.

À Angers[110], le directoire du département est poussé par le désir de doter d'une collection l'École centrale : il écrit le 29 mars 1796 au ministre de l'Intérieur, pour demander quelques tableaux « propres à échauffer l'imagination et à former le goût des jeunes artistes ». Le ministre refuse le 6 novembre suivant, précisant qu'il faut attendre une décision d'ensemble sur les musées de province qui seront « nécessairement en petit nombre ». C'est à ce moment qu'un député du Maine-et-Loire offre ses services au département, en faisant remarquer qu'il est essentiel d'obtenir des tableaux et de présenter une collection : ensuite, le gouvernement sera bien forcé de reconnaître et d'aider le musée. Pour réussir la manœuvre, on compte sur l'appui de l'un des cinq directeurs, L.-M. La Révellière-Lepaux, qui a vécu à Angers avant la Révolution. Alors le département envoie en mission à Paris, au début de 1798, un professeur de l'École centrale, dont les démarches aboutissent à la décision prise, le 26 février 1798, par le ministre de l'Intérieur de prêter à Angers quelques tableaux du musée du Louvre ; il est précisé, dans la lettre aux administrateurs du musée, qu'il s'agit d'un dépôt, et que c'est une faveur « politique » faite à un département qui a particulièrement souffert des guerres de Vendée, « en attendant que par une mesure générale, on puisse partager entre tous les musées de la République le superflu des richesses du musée central[111] ». Sollicité une deuxième fois, en décembre 1798, le ministre hésite à demander au Louvre de faire de nouveaux sacrifices (même provisoires) «en faveur d'un musée de second ordre».

Le même jeu des influences politiques est utilisé au Mans[112], par une personnalité politique locale, F.-Y. Besnard qui, administrateur du département de la Sarthe, demande un envoi d'œuvres d'art au Comité d'instruction publique, dès le 12 juin 1794, «étant juste que tous les Français aient à leur portée quelques-uns de ces morceaux qui, seuls, peuvent donner le goût du beau[113]». Devenu président du directoire de la Sarthe, il se rend à Paris en novembre 1798 et fait intervenir lui aussi La Révellière-Lepeaux, dont il est ami personnel. Le ministre de l'Intérieur s'incline et ordonne, le 25 novembre 1798, aux administrateurs du Louvre de mettre à la disposition de Besnard «quelques-uns des tableaux qui, sans être dignes de figurer au Musée [du Louvre] [...] deviendront cependant bien précieux pour les habitants de ce pays[114]». Là encore, il ne s'agit que d'un dépôt provisoire, en attendant un règlement définitif.

Les événements d'Angers et du Mans sont significatifs: ils montrent la mise en œuvre, en dehors de toute controverse et de toute revendication idéologique, d'une politique pragmatique d'envois de l'État en province (il semble bien que la décision prise en faveur d'Angers, le 26 février 1798, soit, chronologiquement, la première de toutes), précédant l'élaboration d'une doctrine sur la répartition du patrimoine national. Pourquoi cette antériorité? Sans doute, et simplement, parce que les autorités locales, décidées à agir, avaient trouvé un avocat efficace au sommet de la hiérarchie politique, en la personne de l'un des cinq directeurs. Quoi qu'il en soit, ces mesures, étendues en 1799 à Grenoble et à Lyon, constituaient une ébauche de la politique consulaire définie en 1801.

Si de bonnes relations avec le gouvernement pouvaient ainsi contribuer à enrichir ces premiers musées de province qui, en attendant les décisions du pouvoir central annoncées depuis 1792 et toujours retardées, n'ont qu'une existence de fait, le problème fondamental restait l'inventaire et la sauvegarde des biens nationaux, qui reposaient, essentiellement, sur la compétence, la clairvoyance et le dévouement des milieux provinciaux. Préserver et exposer des collections saisies constituait la première étape d'une évolution qui pouvait aboutir à la reconnaissance officielle du musée. Quelques exemples montrent le rôle capital joué dans cette partie difficile par les héritiers des écoles de dessin de l'Ancien Régime.

La démonstration la plus éclatante peut en être trouvée à Toulouse. C'est l'Académie royale elle-même qui, le 30 décembre 1792, envoie un mémoire au département de la Haute-Garonne pour demander la création d'un musée[115]. Après la disparition de l'Académie, un des anciens professeurs, J.-P. Lucas, refait la même démarche le 9 novembre 1793, en s'appuyant sur l'exemple donné par la Convention avec l'ouverture du musée du Louvre. Le département prend, le 19 décembre suivant, la décision de créer le «Museum du Midi de la République» qui deviendra «le précieux dépôt de toutes les productions du génie». Il charge Lucas, avec le titre de «démonstrateur», et F. Derome, lui aussi membre de l'ancienne Académie, avec le titre de conservateur, de prendre les opérations en main. En 1794, s'adjoint à eux Jean Briant, ancien élève de l'académie de Bordeaux, qui rentre de Rome[116]. Doué d'une forte personnalité, il prend rapidement la tête de l'équipe et impose le choix, devenu définitif en février 1795, de l'ancien couvent des Augustins pour y installer le musée, dont il assure l'ouverture le 27 août 1795, après une véritable campagne publicitaire (affiche tirée à cinq cents exemplaires, article dans le journal local); un catalogue sommaire, rédigé par Lucas, est publié au début de 1796, avec trois cent soixante-trois numéros pour les peintures[117]. Personnalité difficile, aux idées arrêtées, Briant impose un accrochage qui refuse le classement par écoles et exige de la commune de Toulouse que tous les tableaux historiques de la collection du Capitole soient envoyés au musée. Pour faire triompher son point de vue, Briant s'adresse au pouvoir central, écrivant au Comité d'instruction publique, et se rendant finalement à Paris où il obtient, le 24 juin 1797, sa nomination officielle comme conservateur. C'est alors qu'il propose un échange avec les collections du Louvre et de Versailles: Toulouse pourrait envoyer des œuvres représentatives de la peinture toulousaine des XVIIe et XVIIIe siècles et recevoir, en compensation, des tableaux qui pourraient combler certaines lacunes des collections locales[118].

Le cas de Toulouse montre le rôle décisif joué, sur le plan administratif et sur le plan scientifique, par le milieu artistique, qui reste fidèle aux traditions de l'Académie et voit dans la création du musée l'aboutissement de quarante ans d'histoire; et, aussi, les limites de mesures qui restent «provisoires», tant que Paris ne leur a pas apporté la sanction de ses décisions.

La même continuité, à travers les hommes formés sous l'Ancien Régime, s'observe à Dijon. L'opinion éclairée avait conscience de la richesse culturelle d'une ville qui possédait depuis 1787 un véritable musée. Et lorsque le département de la Côte-d'Or prend en main l'établissement des inventaires, c'est naturellement à F. Devosge, qu'il le confie, par une décision du 4 novembre 1792[119]. Deux ans plus tard, le 30 décembre 1794, le département, après avoir protesté, quelques mois plus tôt, contre la prétendue menace d'un transfert de chefs-d'œuvre de la collection à Paris, crée une «commission temporaire des arts» et décide d'établir un musée, «en attendant que la Convention nationale ait adopté des mesures générales pour atteindre ce but salutaire dans toutes les parties de la République[120]». Le musée sera finalement ouvert le 7 août

1799 sous la direction de F. Devosge. De l'école au musée, la filiation est directe.
À Rouen, dès le début de la Révolution, le travail d'inventaire et de sauvegarde des collections est confié à deux anciens élèves de l'académie de Descamps, Lemonnier et Lecarpentier[121]. Une première liste de tableaux est prête en mai 1792. À la fin de l'année, dans un bilan d'activité, le département peut se glorifier d'avoir sauvé plus de cent cinquante «tableaux d'élite», dont beaucoup, œuvres des peintres normands, sont «autant de monuments des grands talents que la ville de Rouen a produits en ce genre[122]»; ils sont placés dans l'église de l'ancienne abbaye de Saint-Ouen. En février 1793, le département décide de faire un musée, pour «exposer au regard des citoyens des œuvres d'art qui pourront également servir à diriger le goût et élever le génie des artistes[123]». De Paris, où il est devenu membre de la commission des Monuments, Lemonnier presse ses compatriotes, dans une lettre du 13 décembre 1793, de sauver les œuvres saisies, en vue de la création d'un musée qui pourrait profiter d'envois de l'État, «l'intention du Comité d'instruction publique de la Convention étant de former autant de musées et de bibliothèques publiques que de départements, dans lesquels il répartira avec le plus d'égalité possible la surabondance que Paris renferme[124]». Mais tout reste à l'état de projet, et les œuvres continuent de s'entasser, dans de mauvaises conditions à Saint-Ouen. En 1797, la Société d'émulation s'inquiète d'un prétendu projet de concentration des chefs-d'œuvre à Paris; le département semble avoir transmis cette protestation au gouvernement, car le ministre de l'Intérieur lui répond, le 5 septembre 1797: «En vous rendant à son vœu [celui de la Société d'émulation] pour la réunion dans un local commode et l'exposition publique de tous les objets d'art qui se trouvent dans l'étendue de votre département, vous ne ferez que remplir celui du gouvernement[125].» Le ministre conseille donc d'ouvrir un musée, qui, certains jours, serait réservé aux artistes. En fait, il faudra attendre l'Empire.
À Lille, c'est Louis Watteau, ancien directeur de l'Académie des arts, qui prend l'initiative des mesures de sauvegarde[126]. Dès février 1792, il demande au directoire du département du Nord de créer un musée: on lui répond prudemment que la décision de fonder des musées est de la compétence de l'Assemblée législative. Watteau termine l'inventaire en 1795 et, avec l'accord tacite des autorités, retire des dépôts les œuvres qui lui paraissent le plus intéressantes pour les installer dans le local de l'ancienne académie. L'œuvre courageuse du principal responsable de la vie artistique d'avant la Révolution aboutit à l'ouverture d'un musée de fait.
À Nancy, un rapport de décembre 1793 recommande d'installer le musée dans l'ancienne église de la Visitation; mais il faut attendre le 26 octobre 1799 pour que soit publié le règlement du musée, qui sera ouvert l'année suivante[127]. À

Reims, le rôle essentiel dans le sauvetage des œuvres saisies est joué par un ancien chanoine de la cathédrale, Nicolas Bergeat[128] : en octobre 1793, il se fait donner, par le département, mission de présenter au public «tous les ouvrages et morceaux d'art qui peuvent servir aux artistes et satisfaire le goût des visiteurs et leur curiosité». En 1795, il fait imprimer une affiche où il s'intitule «conservateur du Museum» qui est installé à l'hôtel de ville.
Ce sont quelques exemples d'une prise de conscience, dans les villes de province, de l'intérêt et de la nécessité de cette institution nouvelle, le musée : intérêt pour l'éducation artistique, pour l'histoire locale, pour le plaisir des étrangers de passage ; nécessité pour assurer la sécurité, puis la présentation des œuvres d'art saisies. On peut estimer qu'il y a dans la France de 1800 une quinzaine d'institutions qui ressemblent à des «musées de fait», dont le statut est mal défini, dont l'existence est juridiquement précaire (car, la plupart du temps, ils ont été créés par une autorité qui n'avait pas compétence pour prendre la décision), et dont les collections restent, en principe, des «biens nationaux».

Cette confusion de la carte muséographique de la France à la fin de la Révolution est le résultat des hésitations du pouvoir central et des initiatives prises par les milieux provinciaux. Le gouvernement ne semble pas avoir de politique bien claire, ni vouloir tirer toutes leurs conséquences des principes établis par la Convention ; il en reste à des mesures opportunistes, répondant aux pressions de l'opinion à Grenoble, aux démarches de notables à Lyon, aux sollicitations d'amis politiques bien introduits à Angers et au Mans. Et, pourtant, l'arrivée à Paris des «monuments des sciences et des arts» saisis en Italie comme les réclamations de certaines villes récemment annexées à la République, Gand, Anvers, Genève ne font que rendre le problème plus urgent. Par son indécision, le pouvoir bloque le mouvement en faveur des musées, car il continue de considérer que la création de ceux-ci relève de sa seule compétence : le ministre de l'Intérieur répond à Gand, le 7 juillet 1797 : «l'établissement d'un musée est une mesure législative[129]» (finalement une loi autorisant l'ouverture d'un musée à Gand fut promulguée le 10 septembre 1798).
Pourtant les instances responsables du patrimoine pressent le gouvernement de prendre position. Le Conseil de conservation, qui a succédé à la commission temporaire des Arts, lui envoie, le 4 fructidor an VI (21 août 1798) – les chefs-d'œuvre d'Italie sont arrivés en procession solennelle à Paris le 27 juillet précédent –, un rapport détaillé qui, après coup, pourrait passer pour l'exposé des motifs de l'arrêté de l'an IX[130].
Il rappelle le principe de la Convention : constituer une grande collection nationale à Paris et créer des musées dans les départements. Il veut indiquer au gouvernement les moyens d'«utiliser ces trésors précieux [...] en lui fai-

sant sentir la nécessité de les répartir avec équité entre les membres de la même famille». Certes Paris, «commune centrale des arts», a une prééminence absolue et doit garder ou acquérir tout ce qu'il y a de plus précieux. Mais les départements ont «un droit incontestable à la jouissance des objets [...] qui n'en méritent pas moins l'estime des connaisseurs et n'en sont pas moins capables d'exciter l'émulation de la jeunesse»; d'ailleurs, le gouvernement leur a promis qu'«ils auraient part à la distribution des objets de sciences et d'art [...] le moment est venu d'acquitter cette promesse».

Mais de cette répartition, en apparence généreuse, le Conseil de conservation avait une conception tout à fait particulière: elle ne pouvait intervenir que sur les œuvres laissées de côté par le musée du Louvre, le musée des Monuments français et le musée de Versailles: «Que nos départements puissent jouir de bonnes copies de nos statues antiques, des tableaux qui se trouvent en grand nombre de Guerchin, de Rubens, de Vandick, de Crayer, de Jordans, etc., de quelques tableaux des meilleurs maîtres de l'École française tels que le Poussin, Le Sueur, Le Brun, Vernet, etc., enfin de belles copies de l'École italienne.» Il faut que les musées, dont la vocation est de «rappeler aux artistes des départements les grands principes, le beau style», présentent des antiques et des tableaux des trois écoles; mais, pour offrir cette vision encyclopédique de l'art occidental, ils devront se contenter, souvent, de copies.

L'essentiel est de prendre rapidement une décision, car les œuvres s'entassent à Paris dans de mauvaises conditions. En conclusion, le Conseil de conservation demande que soit établie d'urgence la liste des tableaux que «Paris peut céder aux départements»; les administrateurs bénéficiaires seront priés de les placer dans leur musée, «en se chargeant de rembourser les frais qu'aura occasionnés la restauration des tableaux».

Ce programme relativement précis ne sera mis en œuvre que trois ans plus tard, par l'arrêté du 14 fructidor an IX. Dans l'intervalle, le gouvernement continue de réagir au coup par coup malgré les remontrances de la conservation du Louvre, l'«Administration du Musée Central des Arts», qui, à des envois décidés pour des motifs purement politiques, voudrait substituer un programme méthodique, dont le point de départ serait un accord sur le choix des musées à créer (ou à reconnaître) en province. C'est ainsi que les administrateurs du Louvre, saisis d'une demande d'envoi de tableaux à Genève, protestent le 27 vendémiaire an VII (18 octobre 1798): «Ne serait-il pas nécessaire que le gouvernement, avant de donner des ordres de délivrer telle quantité de tableaux à tel département (ce qui a eu lieu pour le département de Maine-et-Loire) fixât invariablement, après avoir examiné les convenances, les communes où seraient placés les musées, afin que les richesses nationales en ce genre ne soient point disséminées au hasard[151].» La réaction

est la même le 1er floréal an VIII (21 avril 1800), à la suite d'une intervention du gouvernement pour un envoi de tableaux au musée du département de la Dyle: «Ne serait-il pas réellement utile d'établir avant tout un règlement général pour parvenir à une bonne répartition des objets d'art entre les musées dont le gouvernement aura fixé le nombre[132] ?»
Entre-temps, un député, Heurtaut-Lamerville, avait proposé, le 6 frimaire an VII (26 novembre 1798), au conseil des Cinq-Cents, de créer cinq écoles des beaux-arts, avec chacune un musée; reconnaissant que cette mesure pouvait paraître restrictive, le rapporteur soulignait qu'il souhaitait «conserver dans toute sa splendeur» le musée du Louvre[133].
La seule réaction du gouvernement paraît avoir été une lettre du ministre de l'Intérieur à l'administration du Louvre, datée du 15 nivôse an VII (4 janvier 1799), dans laquelle il marque sa volonté d'accorder ses faveurs, en donnant des tableaux «aux départements qui se seraient le plus distingués dans les circonstances présentes par leur patriotisme, leur vigilance et par un amour prononcé pour la justice et leurs devoirs», et demande la liste des œuvres d'art qui ne seront pas jugées indispensables au musée du Louvre et au musée de Versailles[134]. La création d'un musée devient la récompense du patriotisme.

Il est actuellement impossible de reconstituer une véritable histoire de la formation des musées en province. Les données rassemblées jusqu'ici permettent du moins d'avancer un certain nombre d'hypothèses vraisemblables.
La première constatation, pour la période précédant la Révolution, est l'importance des écoles gratuites de dessin et des milieux qui gravitent autour d'elles. La place que tiennent, dans l'activité de ces établissements, les expositions et les collections montre que le musée devait être l'aboutissement logique d'une institution qui apparaît bien comme une «invention» de la province. On peut donc affirmer que les milieux provinciaux ont joué un rôle dans la genèse du projet muséographique.
Il faut souligner le paradoxe révolutionnaire: la saisie des «biens nationaux» et l'iconoclasme qui s'abat sur les symboles de l'Ancien Régime s'accompagnent d'une prise de conscience tout à fait nouvelle: la France est dépositaire d'un immense héritage artistique qui s'appellera un jour le patrimoine et qu'il faut conserver pour la connaissance de l'histoire et le progrès des arts. Cette prise de conscience, dont les débats des assemblées révolutionnaires donnent toute la mesure, est un phénomène général au tournant décisif des années 1792-1794.
Enfin, la province affirme très vite son droit sur cet héritage, qui est devenu le bien commun de la Nation. Villes et départements veulent conserver les chefs-d'œuvre qui se trouvent sur leur territoire, s'opposent vigoureusement

aux menaces, réelles ou supposées, d'une mainmise de Paris sur cet héritage, et demandent leur part dans la répartition des richesses détenues par la capitale.
À travers les préfigurations de l'Ancien Régime et les contradictions mêmes de la période révolutionnaire, le musée est, en province, l'expression d'une revendication de la société à laquelle le Consulat sut apporter, par l'arrêté de l'an IX, une première réponse.

1. Voir le texte dans L. Clément de Ris, *Les Musées de province*, Paris, 1859, t. Ier, pp. 4-5.

2. La plus récente mise au point sur la façon dont le problème se pose dans la capitale est celle de Andrew L. McLellan, « Politics and Æsthetics of Display : Museums in Paris, 1750-1800 », *Art History*, VII, 4, 1984, pp. 438-464.

3. Ces problèmes feront l'objet d'une étude ultérieure.

4. La Font de Saint-Yenne, *Réflexions sur quelques causes de l'état présent de la peinture en France*, Paris, 1740.

5. L. Berthault, *L'Illustre Orbandale*, Lyon, 1662, t. I, pp. 64-65. Sur cet ouvrage, paru sans nom d'auteur, voir J. Roy-Chevrier, « L'Illustre Orbandale et l'histoire de Chalon », *Mémoires de la Société d'histoire et d'archéologie de Chalon-sur-Saône*, 2e série, t. XII, 1924, pp. 1-52.

6. D. Roche, *Le Siècle des Lumières en province. Académies et académiciens provinciaux, 1680-1789*, Paris, 1978, 2 vol.

7. Je ne connais pas d'étude récente sur les guides de voyage au XVIIIe siècle. Pour l'époque antérieure, on peut consulter Ch. Mazouer, « Les guides pour le voyage de France au XVIIe siècle », in *La Découverte de la France au XVIIe siècle*, Colloque international du C.N.R.S., organisé par le Centre méridional de rencontres sur le XVIIe siècle, Marseille, 1979, pp. 599-611.

8. Pour cette carte à la veille de la Révolution, on peut consulter la remarquable publication de J.B.P. Le Brun, *Almanach historique et raisonné des architectes, peintres, sculpteurs, graveurs et cizeleurs*, Paris, 1776 ; nouvelle édition en 1777 ; les renseignements concernant la province se trouvent pp. 229 à 273, dans l'annuaire de 1776 ; et pp. 197 à 247, dans celui de 1777.

9. Voir le catalogue de l'exposition *Besançon, le plus ancien musée de France*, Paris, Musée des Arts décoratifs, 1957.

10. Les vicissitudes sont exposées dans l'ouvrage d'A. Castan, *Histoire et description des musées de Besançon*, Paris, 1888.

11. Besançon, Archives municipales, BB 111, ff^os^ 54 v°-55 r°.

12. R. Duguy, *Bicentenaire du muséum d'Histoire naturelle de La Rochelle, 1782-1792*, supplément des *Annales de la Société des sciences naturelles de la Charente-Maritime*, La Rochelle, 1982.

13. Voir le catalogue de l'exposition *L'Académie de Nîmes (1682-1982)*, Nîmes, Musée des Beaux-Arts, 1982, documents, n° 60 à 65.

14. Pour en arriver là, il fallait renoncer au dogme traditionnel de la supériorité de l'écrit sur l'objet. Sur ce thème, essentiel pour la genèse du musée, voir E. R. Curtius, *Europäissche Literatur und lateinisches Mittel-alter*, Berne, Munich, 1961, t. III, p. 469, et Robert J.

Clements, *Picta poesis. Literary and Humanistic Theory in Renaissance Emblem Books*, Rome, 1960, pp. 128-133.

15. R. Mesuret et H. Polge, «De 1540 à 1960, le musée de Lectoure et sa nouvelle présentation», *Musée et collections publiques*, janvier-mars 1960, pp. 27-29.

16. F. Benoit, «Les origines et l'histoire du musée lapidaire de la ville d'Arles», *Mémoires de l'Institut historique de Provence*, t. XIII, 1936, p. 212.

17. Id., «Le père Dumont, antiquaire arlésien et les antiquités d'Arles au XVIIIe siècle», *ibid.*, t. XI, 1934.

18. Un dessin d'Advinent, pour la *Description des anciens monumens d'Arles*, Arles, 1789, gravé par J.-B. Guibert, montre l'aspect de ce musée juste avant la Révolution. Comme me le fait aimablement remarquer mon ami Kr. Pomian, les villes d'Italie ont, en ce domaine, une large avance sur la France: la «conscience muséographique» y apparaît dès le XVIe siècle.

19. A. Cornereau, «Les œuvres d'art appartenant à l'académie de Dijon», *Mémoires de l'Académie des sciences, arts et belles-lettres de Dijon*, 4e série, t. XI, 1907-1910, pp. 169-240. Au même moment, d'Angiviller lance la commande des grands hommes de l'histoire de France.

20. La province n'est pas absente dans la formation de la pensée académique au XVIIe siècle: qu'il s'agisse de Toulouse, avec l'œuvre d'Hilaire Pader, entre 1649 et 1658; de Bordeaux, avec Le Blond de Latour, en 1669; de Caen, avec Jacques Restout, en 1681; de Bourges, avec Nicolas Catherinot, en 1687; de Toulouse, encore, avec Dupuy du Grez, en 1699. Voir A. Fontaine, *Les Doctrines d'art en France. Peintres, amateurs, critiques, de Poussin à Diderot*, Paris, 1909.

21. A. Birembaut, «Les écoles gratuites de dessin», in *Enseignement et diffusion des sciences en France au XVIIIe siècle*, Paris, 1964, pp. 441-470.

22. A. Rostand, «J.-B. Descamps (1715-1791)», *Bulletin de la Société des antiquaires de Normandie*, t. XLIII, 1936, pp. 271-290. Sur l'artiste, voir l'excellente mise au point de N. Volle dans le catalogue de l'exposition *Diderot et l'art de Boucher à David. Les Salons, 1759-1781*, Paris, Hôtel de la Monnaie, 1984-1985, pp. 170-172.

23. H. Langlois, «Remarques sur l'ancien état des arts dans Rouen et sur l'École de dessin de cette ville», *Revue normande*, I, 4, 1831, pp. 503-526; J. Girardin, «Notice historique sur l'Académie de peinture et de dessin de la ville de Rouen», *in Précis analytique des travaux de l'Académie royale des sciences, belles-lettres et arts de Rouen*, 1841, pp. 258-269.

24. Sous la direction du peintre J.-J. Bachelier, directeur artistique de la manufacture de Sèvres; voir A. Birembaut, *op. cit.*, pp. 444 *sq.*

25. M.-C. Massé, *Une école de dessin du XVIIIe siècle en Champagne*, mémoire pour le diplôme de l'École du Louvre, Paris, 1978. Je remercie vivement Mme M.-C. Massé de m'avoir autorisé à consulter ce mémoire inédit. Voir aussi Ch. Henry, «L'école de dessin de Reims et le comte de Caylus (1752)», *Nouvelles Archives de l'art français*, 2e série, III, 1882, pp. 238-244.

26. M.-C. Massé, *op. cit.*, p. 16.

27. Le contraste est saisissant avec la situation sous le règne de Louis XIV: les lettres patentes de novembre 1676 avaient diffusé un règlement pour l'établissement, dans les principales villes du royaume, d'écoles académiques de peinture et de sculpture, «sous la conduite et l'administration» de l'Académie royale. Elles ne suscitèrent aucune initiative.

28. Les principales étapes de cette diffusion sont constituées par la création des écoles de Marseille (1752), Lille (1755), Lyon (1756), Saint-Omer (1767), Bordeaux (1768), Poitiers (1771), Troyes (1773), Besançon (1774), Montpellier (1779), Tours (1779), Cambrai (1780), Saint-Quentin (1782), Valenciennes (1782), Orléans (1786), Mâcon (1786).

29. R. Mesuret, «Les galeries du Capitole de Toulouse de 1565 à 1793», *Revue du Louvre*, 1961, pp. 269-278.

30. E. Roschach, «La galerie de peinture de l'hôtel de ville de Toulouse», *Mémoires de l'Académie des sciences, inscriptions et belles-lettres de Toulouse*, 9e série, t. I, 1889, pp. 16-38.

31. P. Rivalz, *Analyse des différents ouvrages de peinture, sculpture et architecture qui sont dans l'hôtel de ville de Toulouse*, Toulouse, 1770. Voir aussi le catalogue de l'exposition *Les Cabinets des académies et les musées municipaux d'Art et d'Histoire de 1564 à 1914*, Toulouse, Musée P. Dupuy, 1968 (par R. Mesuret).

32. Catalogue de l'exposition *Bicentenaire de l'Académie des arts et de l'École des beaux-arts, 1750-1950*, Toulouse, Palais des Arts, 1950 (par R. Mesuret). Voir aussi E. Saint-Raymond, «L'Académie royale de peinture, sculpture et architecture de Toulouse», *Mémoires de l'Académie des sciences, inscriptions et belles-lettres de Toulouse*, 11e série, t. I, 1913, pp. 271-324.

33. Catalogue de l'exposition *Ingres et ses maîtres, de Roques à David*, Toulouse, Musée des Augustins, et Montauban, Musée Ingres, 1955.

34. R. Mesuret, *Les Expositions de l'Académie royale de Toulouse de 1751 à 1791*, Toulouse, 1972.

35. M.-L. Desazars de Montgaillard, «L'art à Toulouse. Les salons de peinture au XVIIIe siècle», *Mémoires de la Société archéologique du midi de la France*, t. XVI, 1913, pp. 103-165.

36. Id., *ibid.*, p. 121.

37. *Ibid.*, p. 137.

38. *Ibid.*, p. 129.

39. Catalogue de l'exposition *Dijon, capitale provinciale au XVIIe siècle*, Dijon, Musée des Beaux-Arts, 1959. Sur le milieu dijonnais, consulter P. Gras (sous la direction de), *Histoire de Dijon*, Toulouse, Privat, 1981, pp. 142-194, avec bibliographie.

40. M. Imperiali, «François Devosge, créateur de l'école de dessin et du musée de Dijon, 1732-1811», *in La Révolution en Côte-d'Or*, nouvelle série, n° 3, Dijon, 1927.

41. Catalogue de l'exposition *Une école provinciale de dessin au XVIIIe siècle. L'Académie de peinture et sculpture de Dijon*, Dijon, Musée des Beaux-Arts, 1961.

42. P. Quarré, «Remarques sur les dessins de François Devosge», *Annales de Bourgogne*, t. XIII, 2, 1941, pp. 114-124.

43. Catalogue de l'exposition *Bénigne Gagneraux (1756-1795)*, Rome, Galerie Borghese, Dijon, Musée des Beaux-Arts, 1983, et *Bénigne Gagneraux, 1756-1795, un peintre bourguignon dans la Rome néo-classique*, Dijon, Musée des Beaux-Arts, 1983.

44. P. Quarré, «Les artistes bourguignons à Rome au XVIIIe siècle», *in Société française de littérature comparée. Actes du IIIe Congrès national*, Dijon, 1959, pp. 19-26.

45. Catalogue de l'exposition *Palais des Ducs et palais des États de Bourgogne*, Dijon, Musée des Beaux-Arts, 1956; Y. Beauvalot, *Dijon, palais des États*, Lyon, 1972; A. Cornereau, «Le palais des États de Bourgogne à Dijon», *Mémoires de la Société bourguignonne de géographie et d'histoire*, t. VI, 1890, pp. 227-366.

46. P. Quarré, *Le Musée de Dijon. Sa formation, son développement*, Dijon, 1950.

47. «Les ouvrages que chaque élève pensionné à Rome [...] est tenu d'envoyer [...] nécessitoient un dépôt où ces ouvrages pussent être exposés aux yeux de la Nation, afin d'inspirer le goût de l'étude et l'émulation», Dijon, Archives de la Côte-d'Or, C 3014, f° 134.

48. H. Chabeuf, «La salle des Statues au musée de Dijon», *Mémoires de la Société bourguignonne de géographie et d'histoire*, t. XXVI, 1910, pp. 507-516.

49. Catalogue de l'exposition *P.-P. Prud'hon, 1758-1823. Les premières étapes de sa carrière*, Dijon, Musée des Beaux-Arts, 1959.

50. P. Quarré, «Le salon Condé et la salle des Statues au musée de Dijon», *Bulletin des musées de France*, t. XII, 3, 1947, pp. 26-31, et *Bulletin de la Société des amis du musée de Dijon*, 1946-1948, nos 50-52.

51. Dijon, Archives de la Côte-d'Or, L. 25, f° 91 v°.

52. F. M. Puthod de Maison-Rouge, *Les Monuments ou le pèlerinage historique*, Paris, 1790, Prospectus, pp. 2 et 3.

53. L. Tuetey, *Procès-verbaux de la commission des Monuments*, Paris, 1902-1903.

54. Voir la remarquable mise au point d'E. Castelnuovo, «Arti e rivoluzione. Ideologie e politiche artistiche nella Francia rivoluzionaria», *Ricerche di Storia dell'Arte*, n°s 13-14, 1981, pp. 5-20.

55. F. Rucker, *Les Origines de la conservation des monuments historiques en France (1790-1830)*, Paris, 1913; A Chastel, «Le problème de l'inventaire monumental», *Bulletin de la Société de l'histoire de l'art français*, 1964, pp. 137-145.

56. F. Rucker, *op. cit.*

57. L. Tuetey, *op. cit.*, t. I, pp. 306-309.

58. Stanley D. Idzerda, «Iconoclasm during the French Revolution», *The American Historical Review*, t. LX, 1954, pp. 13-26.

59. Je me permets de renvoyer à ma communication «Idéologie et musée à l'époque révolutionnaire», *Actes du colloque Images de la Révolution*, Paris, 25-27 octobre 1985.

60. M.-J. Guillaume, *Procès-verbaux du Comité d'instruction publique de l'Assemblée législative*, Paris, 1889, p. 381.

61. Y. Cantarel-Besson, *La Naissance du musée du Louvre. La politique muséologique sous la Révolution d'après les archives des musées nationaux*, Paris, 1981, t. II, p. 228 (rapport Varon, 7 prairial an II [26 mai 1794]).

62. *Le Moniteur*, t. XIII, n° 237, p. 503.

63. M.-J. Guillaume, *op. cit.*, p. 382.

64. Boissy d'Anglas, *Quelques idées sur les arts, sur la nécessité de les encourager et sur divers établissements nécessaires à l'enseignement public*, Paris, 25 pluviôse an II (13 février 1794), pp. 125-126.

65. Id., *ibid.*, pp. 123-124.

66. J. Guillaume, «Grégoire et le vandalisme», in *La Révolution française*, 1901, p. 249.

67. M.-J. Guillaume, *Procès-verbaux du Comité d'instruction publique de la Convention nationale*, t. III, Paris, 1897, pp. 171-180.

68. Id., *ibid.*, p. 180.

69. *Le Moniteur*, t. XXII, n° 41, p. 380.

70. *Ibid.*, t. XIII, n° 237, p. 503.

71. L. Tuetey, *op. cit.*, t. II, pp. 170-171.

72. Catalogue de l'exposition *Un cabinet d'amateur dijonnais au XVIIIe siècle. La collection Jehannin de Chamblanc*, Dijon, Musée des Beaux-Arts, 1958.

73. M.-J. Guillaume, *op. cit.*, t. I, Paris, 1891, pp. 7-8.

74. Archives nationales, F[17].1035, dossier 6.

75. Y. Cantarel-Besson, *op. cit.*, t. II, p. 220.

76. Archives nationales, F[17].1035, dossier 5.

77. L. Tuetey, *op. cit.*, t. I, pp. 265-267.

78. Archives nationales, F[17].1036 B, liasse V, n° 9.

79. *Ibid.*

80. Id., F[17].1058, n° 1.

81. *Cf.* note 74.

82. C. Houlbert, *Le Musée d'Histoire naturelle de la ville de Rennes*, Rennes, 1933, p. 12.

83. L. Tuetey, *op. cit.*, t. I, p. 307.

84. Id., *ibid.*, p. 147.

85. *Ibid.*, t. II, p. 7.

86. *Ibid.*, p. 17.

87. *Ibid.*, p. 13.

88. F. Rucker, *op. cit.*, p. 27.

89. M.-J. Guillaume, *op. cit.*, t. III, p. 170.

90. Id., *ibid.*, p. 180.

91. L. Tuetey, *Procès-verbaux de la commission temporaire des Arts*, Paris, 1912-1917, t. II, p. 123.

92. Y. Cantarel-Besson, *op. cit.*, t. II, p. 227.

93. Archives nationales, F[17].1051, dossier 5.

94. Id., F[17].1001, plaquette 2, n° 81.

95. *Le Moniteur*, t. XX, n° 232, p. 434.

96. O. Brel-Bordaz, «Le musée d'Art et d'Archéologie d'Auch: aperçu historique de la Révolution à 1920», *Bulletin de la Société archéologique, historique, littéraire et scientifique du Gers*, 1977, pp. 1-19.

97. Rouen, Archives de la Seine-Maritime, L 1183.

98. Nancy, Archives de la Meurthe-et-Moselle, L 1694.

99. Archives nationales, F[17].1080/2.

100. Id., F[17].1009 C et 1080/2.

101. Id., F[17].1080/2.

102. Rouen, Archives de la Seine-Maritime, L 1183.

103. Catalogue de l'exposition *Louis-Joseph Jay et la fondation du musée de Grenoble, 1795-1815*, Grenoble, Musée de Peinture, 1983, t. I, pp. 12-15.

104. Grenoble, Archives de l'Isère, L 91.

105. *Ibid.*, L 535.

106. L. Trénard, *Lyon de l'*Encyclopédie *au préromantisme*, Lyon, 1958, p. 444.

107. Archives nationales, F[17].1061/5.

108. Archives des Musées nationaux, P 10.

109. Archives nationales, F[17].1286/87.

110. L. Tavernier, *Musée d'Angers. Notes pour servir à l'histoire de cet établissement*, Angers, 1855; B. Bois, *La Vie scolaire et les créations intellectuelles en Anjou pendant la Révolution (1789-1799)*, Paris, 1929, pp. 408-413.

111. Archives des Musées nationaux, P 11.

112. Abbé Ch. Girault, «Les origines du musée du Mans», *Province du Maine*, 2e série, t. VIII, 1928, pp. 41-77; E. Foucart-Walter, «Le Mans, musée de Tessé. Peintures françaises du XVIIe siècle», *Inventaire des collections publiques françaises*, n° 26, Paris, 1982, pp. 11-25.

113. Ch. Girault, *op. cit.*, p. 62.

114. Archives des Musées nationaux, P 11.

115. Catalogue de l'exposition *Les Origines des Musées de Toulouse (1789-1814)*, Toulouse, Archives départementales, 1956; E. Roschach, «Le musée de Toulouse», *La Minerve de Toulouse*, février 1870, pp. 69-155.

116. R. Mesuret, «Un conservateur du XVIIIe siècle: Jean Briant», *La Revue historique de Bordeaux et du département de la Gironde*, t. VI, n° 2, 1957.

117. *Catalogue des tableaux et autres monuments des arts, formant le Museum provisoire établi à Toulouse*, Toulouse, an III.

118. H. Baderou, «Un échange d'œuvres d'art entre les musées de Paris et de province sous la Révolution», *Bulletin de la Société de l'histoire de l'art français*, 1935, pp. 168-202.

119. P. Quarré, *Le Musée de Dijon…, op. cit.*, p. 7.

120. Dijon, Archives de la Côte-d'Or, Q 678.

121. Ch. de Beaurepaire, «Notes historiques sur le musée de Peinture de la ville de Rouen», *in Précis analytique des travaux de l'académie des sciences, belles-lettres et arts de Rouen*, 1852-1853, p. 388.

122. Rouen, Archives de la Seine-Maritime, L 1183.

123. Ch. de Beaurepaire, *op. cit.*, p. 399.

124. Rouen, Archives de la Seine-Maritime, L 1183.

125. *Ibid.*

126. M. Vandalle, *Les Origines du Musée de Lille*, Lille, 1943; Id., «Le salon des Arts et le musée de Lille de 1790 à 1803», *Revue du Nord*, t. XXXI, n° 124, 1949, pp. 207-218.

127. Nancy, Archives de la Meurthe-et-Moselle, L 1694.

128. H. Jadart, «Nicolas Bergeat, dernier vidame du chapitre, premier conservateur du musée de Reims (1735-1815)», *in Réunion des Sociétés des beaux-arts des départements*, 1889, pp. 749-792; F. Pomarède, «L'histoire du musée de Reims», *Mémoires de l'Académie nationale de Reims*, 1979.

129. F. Boyer, «Le Directoire et les musées des départements réunis de la Belgique», *Revue d'histoire diplomatique*, n° 1, 1971, p. 7.

130. Archives nationales, F[17].1041.

131. Archives des Musées nationaux, AA3, f° 170.

132. *Ibid.*, AA3, f° 301.

133. F. Boyer, «Le Directoire et la création des musées des départements», *Bulletin de la Société de l'histoire de l'art français*, 1972, pp. 325-330.

134. Archives des Musées nationaux, P 10.

DOMINIQUE POULOT

Alexandre Lenoir et les musées des monuments français

La désaffection dont pâtit l'actuel musée des Monuments français du palais de Chaillot, « atteint de cette terrible maladie que les vieilles gens appellent la vieillerie[1] », contraste singulièrement avec les flots d'éloquence républicaine qui entourèrent sa création, en 1879. D'abord « musée de Sculpture comparée », son nouveau baptême, en 1937, s'avéra impuissant à y ressusciter les charmes tant vantés du premier musée de l'Art monumental français, ouvert en 1795 par Alexandre Lenoir aux Petits-Augustins. Il est vrai que les maigres débris de ce dernier, tant *in situ*, à l'École des beaux-arts, qu'au Père-Lachaise, ne pouvaient guère contribuer à cet improbable *revival*. Reste que le défaut, aujourd'hui déploré, d'un musée de « belles pierres » entretient la nostalgie du succès rencontré, à l'époque, par les trois musées de « monuments » qu'a connus l'histoire de France : les Augustins, Cluny et le Trocadéro. Si tout enjeu patriotique, voire esthétique, paraît avoir déserté aujourd'hui leurs successeurs, l'usure propre aux institutions n'est pas seule en cause : l'évolution récente du « culte moderne des monuments » en est largement responsable. On sait que sous ce titre le célèbre historien d'art Aloïs Riegl développait en 1903 une histoire de la « généralisation croissante du concept de monument » articulée en trois stades successifs. Ceux-ci correspondent à « trois classes de monuments [...] selon l'extension qu'elles attribuent respectivement à la valeur de remémoration » : les monuments intentionnels, expressément destinés par leurs créateurs à « commémorer un moment précis ou un événement complexe du passé », les monuments historiques « qui renvoient encore à un moment particulier mais dont le choix est déterminé par nos préférences subjectives », enfin les monuments anciens, soit « toutes les créations de l'homme, pourvu qu'elles témoignent à l'évidence avoir subi l'épreuve du temps[2] ». Ce processus s'accompagne d'une mutation des principes de restauration, à laquelle Riegl consacre un court développement, mais aussi de l'apparition des musées, phénomène qu'il ne cite pas.

Dans ces nouveaux établissements, contemporains en France de la Révolution, voués à illustrer la valeur historique, en l'occurrence l'intérêt patriotique et national, la volonté de commémoration se confond encore avec l'histoire[3]. Le député Armand-Guy Kersaint affirme en 1791, avec le siècle, que «les monuments sont les témoins irréprochables de l'histoire» et les classe en «commémoratifs simples» et «publics mixtes[4]». C'est assez dire que dans tout monument, même utilisé à écrire l'histoire, domine la fonction de remémoration. De cette confusion témoigne le musée des Petits-Augustins, qui sert à la fois de premier refuge aux monuments historiques de la France et de lieu de mémoire au Directoire.
Sous la IIIe République Cluny et Trocadéro, seuls musées administrés par le service des Monuments historiques[5], répondent pareillement aux besoins d'un mémorial et d'un asile du patrimoine. Contrairement aux autres musées d'histoire, Versailles ou Saint-Germain, qui sont des créations originales du XIXe siècle, ces deux institutions héritent du modèle muséologique imaginé par Lenoir. À la fois «leçon-promenade» d'histoire nationale, et annexes de l'atelier, d'ambition résolument didactique, ils tranchent sur le Louvre, siège de l'Universel, dévolu aux amateurs, dilettantes et oisifs[6]. L'image – largement mythique – des Petits-Augustins a défini par avance, semble-t-il, les ambitions de tout musée du monumental jusqu'au seuil du XXe siècle. La rémanence de la tradition orale tient sans aucun doute à la littérature, surtout édifiante, qui entoure le nom d'Alexandre Lenoir; tandis que les seuls érudits peuvent citer aujourd'hui, de mémoire, quelques conservateurs du siècle dernier, celui-là, prononcé dans la plupart des milieux cultivés, suffit à évoquer les poncifs du sauveur de nos monuments et de l'amoureux du Moyen Âge[7].

Une fortune critique exemplaire

À l'exception des autobiographies insérées dans les éditions successives des *Descriptions du musée des monuments français*, la première notice sur Alexandre Lenoir, rédigée par M. Allou, est publiée dans les *Mémoires de la Société Royale des Antiquaires de France* en 1842. Ce travail s'inspire largement de l'image que Lenoir souhaitait donner de lui-même; l'auteur reconnaît avoir utilisé «un manuscrit où la plupart des faits importants de la vie de M. Lenoir sont racontés par lui-même et écrits de sa propre main». Au reste l'introduction donne le ton d'ensemble, celui d'un panégyrique: «En vain le bien qui avait été fait a-t-il disparu; en vain une insouciance cruelle, un aveugle esprit de parti ont-ils voulu effacer jusqu'à la dernière trace du musée des monuments français, le nom de Lenoir vivra toujours, honoré comme celui d'un citoyen zélé, d'un artiste dévoué à la gloire de sa patrie, qui n'a vécu que pour la faire connaître et admirer[8] ». Ses titres à la postérité, au nombre de trois, sont ensuite précisés : celui d'« un simple artiste » qui a « sauvé, par sa persévérance, une partie de ce que la vieille France possédait de plus curieux », celui d'« un habile enchanteur qui avait si bien disposé toutes ces merveilles et y avait joint, pour que rien ne manquât, le charme d'une promenade attrayante, un joli jardin », celui enfin d'un homme de science dont « les ouvrages ne seront point oubliés ». Un siècle et demi plus tard, ces assurances généreusement prodiguées sont devenues fragiles.

Les convictions de Lenoir quant à l'origine de l'art « gothique » ou la nature des « hiéroglyphes » des portails romans, comme ses multiples lectures iconologiques, appartiennent aux rêveries ésotériques du XVIIIe siècle ; elles constituent la partie morte de ses écrits. La renommée scientifique des livres et articles du conservateur a très vite disparu : ses nombreux ouvrages érudits, ses longues dissertations tant sur la signification des animaux des tombeaux aux XIIe et XIIIe siècles que sur le culte solaire célébré par l'Église ou la fête du dragon de Metz ont sombré dans l'oubli. Certes, ceux-ci étaient, à l'époque, copiés ou développés par les membres des sociétés savantes et des académies provinciales : un Dr Rigollot déchiffre en 1804, grâce à Lenoir, les secrets de la cathédrale d'Amiens de manière à confondre la religion catholique[9]... Très vite cependant les premiers « médiévistes » du début du XIXe siècle comprennent que leur science nouvelle est étrangère au chevalier Lenoir. Celui-ci ignore ou méconnaît les travaux fondateurs de l'archéologie nationale et ses publications n'intéressent aucunement les jeunes chercheurs[10]. L'insuffisance de ses connaissances et son esprit de système le conduisent même, ultérieurement, à combattre la découverte de l'écriture égyptienne par Champollion, au nom de la théorie dépassée des symboles sacrés. Bref, le legs direct des Petits-Augustins à nos connaissances historiques paraît à peu près nul – si ce n'est qu'il a perpétué les erreurs anciennes et grossi l'héritage des fausses attributions et des anecdotes douteuses, pour le plus grand bénéfice de la génération romantique[11].

L'œuvre proprement muséologique est, elle aussi, passée à l'arrière-plan du personnage – à tort cette fois. À peu près les seuls des historiens contemporains de la Révolution, François Furet et Denis Richet insistent sur le génie de Lenoir, quant à l'invention non seulement du « premier musée européen de sculpture du Moyen Âge et de la Renaissance », mais aussi des « principes de classement chronologique qui fondent la muséographie moderne[12] ». La célébrité persistante de l'établissement tient en vérité à des considérations extra-muséologiques, et d'abord à l'« historiographie combattante » du vandalisme révolutionnaire.

En effet, au long du siècle, l'image de Lenoir dépend essentiellement des jugements contradictoires portés sur la mise au musée comme sauvegarde ou non des monuments. Georges Lefebvre, dans son cours sur *La France sous le Directoire*, résume la vulgate républicaine qui tient que «Grégoire n'avait pas protesté en vain contre le vandalisme. Les assemblées avaient fait de leur mieux pour préserver ce qui restait: la Convention avait créé le musée des monuments français[13]». Cette école accorde généralement à l'activité de Lenoir un caractère «souvent héroïque[14]». La tradition adverse, si elle vitupère ses erreurs et ses constructions hasardeuses, lui reconnaît une louable détermination. Louis Dimier, après un réquisitoire contre l'«antiquaire ridicule et [le] critique encombrant», concède que «Lenoir, par son action de directeur de musée, n'en apas moins sauvé d'une destruction presque certaine de nombreux monuments inestimables pour l'histoire et pour l'éducation du goût[15]». Aucune indulgence n'est à attendre, en revanche, d'un Pierre d'Espezel qui, en 1932, condamne absolument les musées républicains: «Les stalles et les ciboires sont faits pour les églises, les meubles pour les maisons, les tombeaux pour les cimetières. Le seul gouvernement qui ait eu le sens des musées est celui de la Restauration: il disloqua l'absurde Musée des Monuments Français et en rendit les membres épars à leur destination légitime[16].» À la même époque, Jacques Vanuxem, dans sa thèse, entend prouver que «le dépôt de Lenoir, devenu musée, a été jusqu'au bout un lieu de dispersion désordonnée de sculpture religieuse» et qu'«il est bien difficile de pardonner une telle carence[17]». Cette historiographie du musée de Lenoir reflète le débat toujours virulent sur les destructions révolutionnaires, leur ampleur et leurs responsables: elle est, en ce sens, plus ou moins ouvertement politique. Héritiers et adversaires de la République disposent en effet avec les Petits-Augustins d'un cas exemplaire, prétexte à plaidoyers et démonstrations. Pourtant le musée relève aussi de l'historiographie artistique, de ce que Paul Léon nommait «la querelle des classiques et des gothiques[18]».

Le rôle de «relais culturel» joué par le musée de Lenoir auprès du public a été mis en valeur par H. Jacoubet: «Lenoir n'est ni ne veut se contenter d'être un technicien qui reconstituerait matériellement les monuments en ruine. Il ressuscite leur légende dans le style à la mode et y intéresse aussi les plus profanes[19].» Marcel Aubert remarque simultanément qu'il est un élément du progrès du néo-gothique dans les collections, la littérature, le théâtre et l'histoire[20]. Louis Réau voit dans l'établissement le lieu d'éclosion de la nouvelle peinture du premier Empire, caractérisée par l'évocation de l'histoire nationale: «Le musée des Monuments Français n'a pas exercé, toutes proportions gardées, une influence moins salutaire sur l'école davidienne [que le Louvre]. C'est dans les salles et le jardin Élysée du musée des Monuments

Alexandre Lenoir protégeant le tombeau de Louis XII et Anne de Bretagne contre la fureur des sans-culottes, par P.J. La Fontaine.

Français qu'a pris naissance cette peinture du genre *troubadour* qui allait se développer avec le romantisme et nous débarrasser des Grecs et des Romains[21].» La fortune critique de l'établissement est désormais établie, malgré les retouches apportées par René Lanson, et reprises plus récemment par Pierre Barrière: «Les œuvres de Lenoir et de Chateaubriand à qui on attribue trop souvent la gloire d'avoir découvert le Moyen Âge résultent elles-mêmes du travail de deux générations.» En cela Lenoir n'est qu'un «intermédiaire entre les générations de 1775 et les suivantes de Thierry, Michelet, du Romantisme[22]». La réputation d'homme d'une mode, de découvreur d'un art, demeure néanmoins attachée à la personnalité de Lenoir, au point de devenir *exemplum* de sociologues. Pour Roger Bastide, «il y a des inventeurs de goût qui savent choisir parmi les hypothèses proposées par les créateurs et qui, à cause de leur prestige et grâce au mécanisme de la barrière et du niveau, finissent par répandre leur type de jouissance esthétique dans les plus larges milieux. Certains de ces inventeurs sont bien connus, comme Alexandre Lenoir, fondateur du Musée des monuments historiques *(sic)*[23]».
Aujourd'hui la quasi-totalité des histoires de la Révolution et de l'Empire consacrent un développement au musée des Monuments français, afin de souligner son influence sur l'art troubadour – qui connaît un récent regain de faveur[24] ou son rôle au sein du «courant spiritualiste[25]». Surtout, au-delà des redécouvertes du goût kitsch et de la curiosité érudite, la postérité de l'établissement paraît liée à la constitution de l'archéologie nationale, c'est-à-dire à l'histoire du patrimoine. C'est le sens du jugement porté naguère par Ferdinand Brunot: «Le musée des monuments français, ébauche de notre actuel musée, éveillait de grandes tristesses et des regrets légitimes, je le veux bien. Il n'est pas impossible pourtant que la réunion hétéroclite de tant de débris magnifiques ait favorisé les synthèses des historiens de l'art et fait naître des idées fécondes sur l'unité qui se dégageait de tant de fragments rapprochés. Une grande leçon en sortait, révélatrice de ce qui, dans les manifestations si diverses, compose le goût et l'esprit français[26].»
Dès 1886 un article du premier historien de Lenoir, Louis Courajod, mettait en évidence «l'influence du musée sur le développement des études historiques[27]». Il y a un demi-siècle, le grand *Manuel d'archéologie* dirigé par Joseph Déchelette faisait enfin litière de l'opposition classique entre la sauvegarde sur place et l'abri du musée. Les musées de monuments, y lit-on, «ont été et demeurent l'un des éléments indispensables de l'archéologie en général et de l'archéologie nationale en particulier[28]». Désormais toute histoire de la recherche archéologique se doit de faire référence à l'activité de Lenoir; on voit en conséquence son nom s'effacer peu à peu des histoires de l'art pour s'inscrire dans celles des sciences auxiliaires de l'histoire. À l'index de *L'Histoire et ses méthodes*, parue dans la décennie 1960, Alexandre Lenoir

est qualifié d'«archéologue français[29]». De même pour le *Dictionnaire des noms propres* de Paul Robert. Seul le Bénézit le gratifie encore de la double qualité de «peintre et archéologue[30]». Les derniers développements de l'histoire présente tendent à le reconnaître pour l'inventeur des monuments historiques. La récente exposition *Hier pour demain* affirme que «le même désir de conservation, d'inventaire et d'étude des monuments perdus, ou en passe de l'être, s'exprime dans l'entreprise de Lenoir, au musée, et dans celle de l'Académie celtique[31]». Pierre de Lagarde dans *La Mémoire des pierres* intitule son premier chapitre de manière très expressive: «Alexandre Lenoir ou l'idée de monument historique[32]».

Reste qu'aucune de ces études n'a vraiment pris en compte jusqu'ici le rôle de lieu de mémoire «philosophique» et national joué, en son temps, par une institution éminemment politique. Seul le rappel des circonstances précises de la fondation du musée, la lecture de ses catalogues et des programmes de Lenoir, l'examen enfin du spectacle des monuments peuvent éclairer tous les aspects de sa fonction dans la société française du Directoire et du Consulat.

L'élaboration du spectacle

Point n'est besoin de rappeler longuement ici la genèse de l'établissement. Tout commence avec la décision de la Constituante, le 2 novembre 1789, de «mettre les biens du clergé à la disposition de la nation[33]». L'année suivante la commission des Monuments décidait que les anciens couvents des capucins de la rue Saint-Honoré, des jésuites de la rue Saint-Antoine, et des cordeliers, serviraient de dépôts aux livres et manuscrits, l'hôtel de Nesle et le couvent des Petits-Augustins aux statues, marbres et matières métalliques provenant des fondations religieuses. À l'instigation du peintre Doyen, expert de la commission, son élève Alexandre Lenoir est nommé gardien de ce dernier dépôt le 6 juin 1791. Sa tâche consistait à livrer les tableaux «féodaux» aux feux de joie des sections sans-culottes et le mobilier liturgique en bronze à la Monnaie pour y être fondu; à mettre aux enchères les objets dédaignés par la commission des savants et à conserver les autres, destinés au futur Muséum de la République. À l'évidence, Lenoir, qui avait plus que tout autre assuré la sauvegarde d'œuvres d'art parisiennes, à l'encontre parfois des instructions iconoclastes, espérait entrer dans l'équipe de conservation de ce musée. Ce projet fut déçu, aussi bien pour la première commission du Muséum formée par Roland, ministre de l'Intérieur, que pour le conservatoire qui lui succède en 1794 après les attaques menées par David. Tenu à l'écart de l'élaboration du Louvre, Lenoir s'emploie alors à remonter les tombeaux disjoints et à sceller sculptures et statues dans la muraille, si bien que dès juillet 1793, à la grande surprise de la commission des Monuments, l'église et le cloître avaient plus l'aspect d'un musée que de l'entrepôt qu'ils étaient censés demeurer. Grâce à l'appui, sans doute décisif, de Barrière, Lenoir obtint d'ouvrir son dépôt au public en août et septembre 1793, à l'occasion de la venue des fédérés des départements à Paris. Enfin, le 21 octobre 1795, le Comité d'instruction publique accepte officiellement le programme d'un « musée historique et chronologique où l'on retrouvera les âges de la sculpture française dans les salles particulières, en donnant à chacune le caractère, la physionomie exacte du siècle qu'elle représente[34] ».

On sait que l'établissement dura un peu plus de vingt ans, en s'adaptant aux régimes politiques successifs. À la veille de sa dispersion, en 1814, les cours renferment des éléments de la façade orientale du château d'Écouen, et les portiques du château de Gaillon. On accède ensuite, par une galerie du cloître, à la « salle d'introduction » où sont rassemblées des œuvres de toute époque, depuis les temps gallo-romains jusqu'au siècle classique. Le cœur du musée est une succession de salles, consacrées chacune à un siècle, du XIIIe au XVIIe. La lumière du jour, presque complètement absente du XIIIe, entre peu à peu dans les pièces suivantes, pour inonder de clarté le XVIIe des vertus triomphantes. Lenoir avait en effet composé ce parcours comme il réglait certains rites de la maçonnerie « égyptienne », inspiré en tout par l'extravagante histoire des religions de Dupuis, l'*Origine de tous les cultes.* Enfin les jardins de l'ancien couvent, transformés depuis 1799 en Élysée, sont un aimable panthéon de fabriques dont le « Tombeau d'Héloïse et d'Abailard » est la plus illustre. À la sortie on peut acheter le catalogue descriptif du musée qui, en sus de notices sur les statues et morceaux exposés, fournit toute sorte de renseignements, d'anecdotes, de compilations, dignes d'un *Quid* artistique : sur la peinture sur verre, le port de la barbe, les costumes des différents siècles... En 1815 sort la douzième édition ; il compte également une traduction anglaise.

Ce musée, s'il n'a subi aucune modification d'ensemble, a connu depuis sa fondation plusieurs projets d'aménagement ou de complément. En 1800 Lenoir envisage d'y ouvrir « un cours théorique et une école pratique de l'art du dessin », car, au milieu d'une telle collection, « les exemples que l'on a sous les yeux forment le goût et constituent l'étude raisonnée ». L'institution, imaginée sans doute sur le modèle des classes de dessin des écoles centrales auxquelles devaient s'adjoindre les musées des départements, ne vit jamais le jour. Dix ans plus tard le conservateur se propose de construire une nouvelle salle, baptisée tantôt « Salle des faits héroïques de Napoléon le Grand », tantôt « Dix-neuvième siècle, voyage en Égypte de l'Empereur et roi Napoléon Ier », qui regrouperait tous les modèles en plâtre des statues et bas-reliefs des gloires contemporaines commandés par l'État.

Poursuivi par l'animosité des tenants du goût classique, qui ne lui pardonnaient pas ce musée de «magots», des catholiques qui exigeaient la fin du scandale des tombeaux mis au musée et des sépultures indécentes de l'Élysée, des royalistes enfin qui n'oubliaient pas certaines phrases des premiers catalogues, Lenoir est contraint en 1816 de fermer son musée, non sans avoir proposé d'installer une «chapelle expiatoire» dans l'enceinte des Petits-Augustins, à la mémoire des morts troublés dans leur repos par les déménagements révolutionnaires.

Le panthéon et le cimetière familial

Le choix des œuvres exposées aux Petits-Augustins, ainsi que leur commentaire dans les *Descriptions* du musée, invitent les visiteurs au recueillement funèbre propre à tous les «champs de repos» conçus à l'époque[35]. En effet, pour mener à bien son projet d'une galerie des gloires nationales, Lenoir tente de réunir les bustes dispersés d'hommes célèbres, ou, à défaut, les commande à des sculpteurs de sa connaissance. Il puise largement dans les monuments funéraires de Saint-Denis et des églises de Paris qui finissent par peupler à eux seuls toutes les salles. Quant aux nouveaux monuments dédiés aux célébrités anciennes ou contemporaines, loin de les présenter comme de simples œuvres d'art, ou des jalons nécessaires à la chronologie, Lenoir insiste sur leur fonction commémorative. Le musée est avant tout, de ce point de vue, un panthéon, et d'abord un panthéon des «réprouvés» de l'Ancien Régime, chargé de réhabiliter les vrais talents que les «fanatiques» ou les despotes avaient méprisés. Ainsi Lenoir fait-il terminer le tombeau de Crébillon, «qui était resté imparfait et sans place. Il était destiné à être placé dans l'église Saint-Gervais, où il fut enterré; mais le curé se refusa à son érection, disant qu'un monument profane ne devait point décorer son église» (n° 341, p. 333). La notice sur l'urne de Molière est prétexte au rappel de cette anecdote: «L'archevêque de Paris refusant de lui accorder la sépulture, la veuve de ce grand homme s'écria les yeux baignés de larmes: *On refuse un tombeau à celui à qui la Grèce aurait dressé des autels*» (n° 508, p. 363).
Cet intérêt polémique de certains monuments n'altère en rien, cependant, la rhétorique du respect qui prévaut pour la plupart. À plus forte raison lorsque ceux-ci ont un caractère quasi officiel: «Le sénat Français a rendu plusieurs décrets en faveur des sépultures particulières et les monuments que j'ai élevés sur mes dessins, et qui contiennent les corps de Descartes, de Molière, de La Fontaine, de Mabillon, de Monfaucon et de Turenne, sont une suite de sa reconnaissance en faveur des talens» *(ibid.)*. La majorité relève, toutefois, de la seule initiative du conservateur, ainsi les bustes de Goujon et de

Montaigne pour le XVIe siècle, Fabri de Peiresc pour le XVIIe, ceux de Rousseau, Winckelmann, Chamfort et Gluck pour le XVIIe (p. 305). À propos de l'un d'eux, Peiresc par Francin fils, Lenoir note simplement: «J'ai dû l'exécution de ce marbre à la mémoire de ce grand homme» (n° 273). Celui de Winckelmann fait l'objet d'un commentaire plus étendu: «Le respect que cet homme sublime m'a inspiré, la reconnaissance que lui doivent les artistes, tout m'a engagé à lui ériger un monument» (n° 401).

Le choix des personnages révèle les préoccupations «philosophiques» et les préférences artistiques du maître d'œuvre: Raynal et Bailly figurent en bonne place (nos 416-418), tout comme, dans le jardin Élysée, Jacques Rohault, «disciple de Descartes [...], le partisan le plus zélé du système de son ami, fondé sur les phénomènes de la nature et non sur des spéculations» (n° 314). Pour la série des hommes illustres du XVIIe siècle, Lenoir fait exécuter quatre statues tout à fait caractéristiques de son goût et des dispositions esthétiques de l'époque: «Le Peintre des philosophes» (Poussin), «le Raphaël français» (Lesueur), Jacques Sarrazin, enfin «le Michel-Ange français» (Puget) (nos 236 à 239). À cette liste s'ajoute leur prédécesseur évoqué dans la salle du XVIe siècle, Jean Goujon, «le Phidias français» (n° 107).

Le musée des Petits-Augustins s'affirme ainsi comme un centre actif de commandes d'œuvres, d'autant plus apprécié que les mécènes, en ces années révolutionnaires, sont rares, aussi bien que les grandes entreprises ornementales. L'intérêt des artistes pour cette exposition permanente et très fréquentée est tel que certains offrent eux-mêmes leurs sculptures: Pajou rachète son buste de Vaucanson au marbrier Teuret pour l'exposer sous le n° 505. «Le citoyen Foucou, artiste estimé, voulant laisser dans ce Musée un monument authentique de ses talens, a composé un bas-relief [...] Je ne m'étendrai pas sur le mérite distingué de cet ouvrage [...], laissant ce soin à la postérité» (n° 384). Lenoir pouvait aussi céder à l'amitié et recueillir dans son établissement des monuments de la piété familiale. Le musée reçoit ainsi de la veuve de l'architecte De Wailly son buste «fait par Pajou son ami» (n° 504), et du citoyen Dulongbois, en février 1802, «un bas-relief représentant de grandeur naturelle Madame Élisa Joly, actrice célèbre, son épouse, qu'il a fait inhumer dans sa terre[36]». Le cénotaphe à Marie-Joseph Peyre, «élevé aux frais» de Lenoir «sur les dessins de son fils» conjugue la reconnaissance filiale et l'admiration du disciple: «Peyre fils voulant honorer la mémoire d'un bon père et d'un artiste distingué par ses talens [...] lui a consacré ce monument de sa tendresse et de la reconnaissance qu'il devait à son maître» (n° 494).

Cet hommage, à la fois amical et respectueux, de l'«homme sensible» à ses pairs trouve son expression achevée dans le monument à Drouais, copie commandée par Lenoir à Michallon de l'original, à Sainte-Marie in via Lata:

«N'ayant pu suivre mon ami jusques au tombeau, s'exclame-t-il, j'ai cru devoir, pour ses contemporains et pour le soulagement de mon âme, lui ériger, au milieu des monuments de notre histoire, le même monument qui lui fut consacré par ses dignes émules» (n° 355). Le caractère proprement funèbre de la construction l'emporte sur toute autre considération, et Lenoir conclut fort logiquement par un véritable appel au culte du défunt: «Ô Drouais! fils tendre, ami fidèle, reçois l'encens de celui qui t'élève aujourd'hui ce monument au milieu des beaux-arts. Mère sensible, et vous, parents chéris, consolez-vous! ceux qu'il aima viendront ici honorer sa mémoire, et déposer des fleurs au pied de son image; et déjà l'immortalité a consacré son nom dans les siècles à venir.»

Les Petits-Augustins tendent à devenir le panthéon du premier néo-classicisme ainsi que le doublet prestigieux du cimetière familial des artistes. Les notices accentuent encore cet aspect, qui joignent à la description des tombeaux un très long récit de la vie et des œuvres du personnage. Les pages sur Peyre sont de la plume de son fils; Lenoir est l'auteur de celles sur Drouais, en forme de «roman d'apprentissage» d'un créateur (pp. 335 à 341). Dans son guide de 1810, Lenoir justifie «le nom d'Élysée» en évoquant la «magie attachée à ce mot qui est du domaine de la langue des arts, et dont on se sert tous les jours pour signifier l'idée qu'on a du bonheur: il est surtout consacré pour caractériser celui qu'on suppose être le partage des hommes vertueux, après qu'ils ont cessé de vivre dans ce monde visible» (p. 285). La description qu'il donne ensuite suggère «un paysage auguste» orné des «monuments qu'une main timide ose consacrer à des hommes célèbres». Le conservateur entend par ce spectacle «faire passer dans l'âme de [ses] lecteurs et de ceux qui visiteront cet Élysée, le saint respect dont, en le formant, [il a] été pénétré pour les lumières, les talens et la vertu» (p. 293). Ce jardin est le lieu de l'immortalité poétique: «Qu'on suppose ces restes inanimés recevant une nouvelle vie pour se voir, s'entendre et jouir d'une félicité commune et inaltérable.» Loin d'être un appendice étranger au projet spécifique du musée, l'Élysée dévoile de manière exemplaire le lien étroit qu'entretient l'établissement avec le culte des morts. Le détail de l'aménagement envisagé est du reste révélateur: «En avant de la portion circulaire du bâtiment, dans la cour d'entrée, une colonne corinthienne surmontée d'une renommée portera cette inscription: "À la mémoire des artistes célèbres en France." Leurs bustes garniront les 19 niches qui composent la décoration entière de la cour» (p. 215).

Tous les personnages mis en scène dans le musée sont à la fois des figures historiques, qui entrent comme telles dans la chronologie des époques, et des héros de la nation, étrangers à l'écoulement du temps. D'une part, illustrations datées et révolues, ils témoignent des étapes de l'évolution historique; d'autre part, *membra disjecta* du grand homme universel, ils manifestent la permanence de la vertu française. Lenoir ramasse l'idée en une phrase lorsqu'il évoque, avec le vocabulaire du temps, ces «personnages qui ont illustré leur siècle par leurs talens et honoré la nation française par la moralité[37]».

Le regard des visiteurs

Le décompte des monuments cités dans un large *corpus* de récits de visites permet de classer les noms par notoriété décroissante avec, en tête, François Ier, Diane de Poitiers et Richelieu, et, hors concours, Héloïse et Abélard[38]. Viennent ensuite Mazarin, Henri II et Catherine de Médicis, Le Brun, Corneille, Henri IV et, pour le Moyen Âge, Duguesclin, Clovis et Clotilde. Un dernier groupe se détache encore, qui comprend Saint Louis, Philippe le Bel, Louis XII et Anne de Bretagne, dont le monument est surtout prisé par les amateurs car «quoiqu'[il] se ressente encore du gothique, on doit le remarquer comme remplissant l'intervalle entre les premiers progrès et la perfection de l'art». Les autres personnages particulièrement remarqués sont Jean Cousin, le chancelier de L'Hôpital, Coligny (sur lequel s'apitoient mécréants et protestants, y voyant prétexte à un tableau de la Saint-Barthélemy), Le Tellier, Colbert et enfin Pibrac, dont les quatrains moraux appartiennent à la culture traditionnelle[39]. Le XVIIIe siècle est illustré par les Maupertuis, Montesquieu, Dubois, Voltaire et Piron.

Monarques et hommes d'État sont le plus souvent cités dans les souvenirs de visites, surtout lorsqu'ils ont l'avantage de se prêter à l'anecdote historique ou sentimentale; ainsi François Ier (son mécénat envers les artistes, Diane et les passions qu'elle inspira), ou Richelieu pour son tombeau sauvé par Lenoir de l'assaut des baïonnettes. S'inspirant largement des notices du catalogue, on rappelle devant le tombeau de Philippe d'Orléans ses chansons; devant Charles d'Anjou les Vêpres siciliennes; Valentine de Milan a l'intérêt de sa devise «Plus ne m'est rien; rien ne m'est plus», Frédégonde sa cruauté, Charles VI sa folie et la conduite d'Isabelle de Bavière, le roi Jean sa captivité anglaise; parmi les moindres personnages, Marie d'Écosse a pour atout le poème à sa chère France, de Sanède sa mortelle douleur à l'annonce de l'assassinat d'Henri IV...

Le musée a ainsi créé, en partie, ses propres célébrités, dotées, soit au hasard de la collection, soit par volonté propre de Lenoir, d'une représentation monumentale supérieure à leur importance historique. Les guides accentuent cet effet en reproduisant plus largement la vie, voire l'épitaphe pittoresque du personnage ainsi promu[40]. Néanmoins le goût commun de l'époque et les références générales de la culture des visiteurs déterminent, dans l'ensemble, les attitudes devant les monuments; l'extraordinaire succès de la fabrique d'Héloïse et d'Abélard, pour s'en tenir à l'exemple le plus évident, est nourri de réminiscences littéraires. Un John Carr devant «leur monument précieux» sent «se raviver les impressions que le beau récit des malheurs de ces amants par Pope avait souvent excitées[41]».

Afin d'évoquer au mieux tous ces personnages à partir de leur seul tombeau, le musée a recours à une multitude de textes: inscriptions disséminées dans les salles, bouts-rimés, bons mots et autres phrases «historiques» rapportés dans le catalogue. Le souvenir ou le culte du grand homme s'entretient du rappel de ses hauts faits, et particulièrement de la répétition de ses formules, au cours de la visite ou à son terme. S'il faut en croire Arago, «il était rare que la lecture attentive de quelques chapitres de notre histoire ne terminât la journée des visiteurs[42]». De fait les divers récits d'une promenade aux Petits-Augustins sont émaillés de citations et de notices recopiées, au milieu des considérations plus personnelles et des banalités d'usage. Celui de W. D. Fellowes, en 1815, s'ouvre sur le rapport de la violation des sépultures de Saint-Denis, dû à Burke, et le procès-verbal d'exhumation d'Henri IV publié dans le livret de Lenoir. Suit la description des monuments de trois grands ministres, Richelieu, Mazarin et Sully, et le relevé des vers de Marie d'Écosse quittant la France, gravés dans la salle d'introduction. Il reproduit ensuite l'épitaphe d'Agnès Sorel, cite longuement, à propos de Charles VII, *La Pucelle d'Orléans* de Voltaire et transcrit le commentaire du conservateur sur le buste de Jeanne d'Arc. Entré dans l'Élysée, il emprunte à Kotzebue le portrait d'Héloïse avant de copier l'ensemble des inscriptions de son «tombeau». Sur les huit pages qu'il consacre au musée, une est réservée à Henri IV, une et demie à Jeanne d'Arc, trois à Héloïse, toujours sous forme de copies d'inscriptions ou de morceaux de littérature[43].

Outre le recension des textes piquants, le musée de Lenoir fournit bien d'autres prétextes à bavardages et commentaires: les traits des visages célèbres censés fournir, après un savant décryptage, la clef d'une personnalité, y sont livrés en pâture aux émules de Lavater. Les visiteurs s'essaient à traquer la vérité des physionomies, leur caractère expressif ou, au contraire, banal[44]. Charles d'Anjou déçoit le «physiognomoniste» Niemeyer qui ne peut déceler «l'homme impitoyable qui fait décapiter sur le marché de Naples le jeune Conradin âgé de seize ans[45]». Cette attention extrême au détail humain dégénère chez certains en un fétichisme des reliques: à la suite, notamment, de la dispersion des restes royaux de Saint-Denis, un obscur trafic commença, vite transformé en un fructueux commerce dont certains guides donnent même les adresses.

Musée de «l'homme sensible», les Petits-Augustins ressortissent à une mode plus générale; ainsi le goût des épitaphes relève de la vogue du *keepsake* funéraire à laquelle sacrifiait même Chateaubriand[46]. La crainte d'une dissolution du souvenir se rattache au souci de la permanence, voire au désir d'immortalité qui animent les tribuns, un Robespierre notamment, et dont Michelet a dressé le meilleur constat[47]. Bref les monuments érigés par Lenoir, comme ceux confiés à son établissement par des artistes inquiets des jugements de la postérité manifestent «la conception humaniste de l'immortalité glorieuse qui s'épanouit» avec l'essor de l'âge démocratique et bourgeois du XIXe siècle[48].

Un musée révolutionnaire

Cet hommage aux célébrités inaugure une tentative de mémoire républicaine, non seulement par le choix de tel ou tel mais surtout par le panorama *mêlé* des gloires françaises qu'il propose. La nouveauté radicale des Petits-Augustins réside dans la juxtaposition des monuments royaux de Saint-Denis, des tombes des grands serviteurs venues des églises parisiennes et des fabriques élevées par Lenoir aux artistes ou aux autres personnalités «pittoresques». Elle coïncide avec l'élaboration d'une «nouvelle histoire» nationale, autour de la commission des savants, et «des Bréquigny, des Barthélemy», dont le journal de Puthod, *Les Monuments ou le pèlerinage historique* se veut le porte-parole: «Tout présage à l'Histoire les plus beaux jours. C'est à qui entrera dans la carrière et s'y ceindra le front d'une couronne.» Puthod est d'ailleurs l'auteur d'un projet de muséum de monuments, installé dans les salles de Sainte-Geneviève, qui réaliserait la fusion de la mémoire aristocratique dans la communauté républicaine. «La Révolution, écrit-il, ayant heureusement fait disparaître cette différence accablante entre une classe à parchemin et une classe sans parchemin, c'est de la vérité de l'histoire qu'il faut s'occuper désormais, et non de la vanité des familles. Des Hommes égaux en droits n'ont plus besoin d'aïeux.» La mise au musée aidera, pense-t-il, la noblesse à renoncer à ses monuments car «l'orgueil de voir un patrimoine de famille devenir un patrimoine national [fera] ce que n'a pu faire le patriotisme[49]».

De telles propositions éclairent la pratique de Lenoir, comme l'indignation des tenants de la mémoire traditionnelle devant son établissement. Le sculpteur Deseine, qui avait pourtant contribué à enrichir la collection de ses œuvres, résume leurs arguments dans son *Opinion sur les musées* (an XI): «Sauver de la fureur du vandalisme les monuments des arts était assurément une chose louable; mais pour qu'une telle entreprise devînt utile à la chose publique [...] il falloit conserver ces mêmes monumens comme des objets sacrés qui, appartenant tout entiers à l'histoire, à la morale et à la politique des différents âges d'un Empire, devoient être environnés d'un profond respect [...] Il falloit conserver ces mêmes monuments tels qu'ils étoient avant la Révolution, et non les démocratiser, si je puis m'exprimer ainsi, en leur donnant successivement le caractère des différentes factions qui dominoient l'opinion publique.» Ailleurs le même auteur dénonce la nouveauté, et donc le scandale, d'un lieu de mémoire démocratique, opposé à tous les anciens lieux de mémoire officielle, monarchique ou aristocratique, images de l'État ou d'une Maison: «Nous n'arrêterons point notre attention sur une foule de monumens érigés aux Petits-Augustins, et qui, étant l'effet d'une volonté particulière, ne peuvent entrer dans le système des progrès de l'art, ni servir à l'histoire des antiquités de la France [...] On ne peut se permettre d'élever des monumens à sa fantaisie, à qui que ce soit [...] *Un particulier qui croit honorer la mémoire de quelqu'un en lui élevant un monument ressemble parfaitement à un roturier dont la folie seroit de vouloir donner à ses égaux la noblesse qu'il n'a pas*» [je souligne][50].

Les Petits-Augustins apparaissent ainsi comme le lieu de la perte du souvenir qui consacre, en ce sens, la rupture de la continuité dynastique et la faillite des mémoires familiales, au seul profit de la chronologie nationale. Les monuments ont été conservés, non leur fonction de repères; la mémoire, qui est savoir des lieux et de leurs relations, s'évanouit. Ces «restes», privés des liens du sens, ne sont plus que des signes mutilés que l'institution organise différemment dans un discours étranger, celui de l'histoire ou de l'art. Richard Boyle Bernard regrette, en terminant sa description des Petits-Augustins, «cette violation des tombes dont les emblèmes mortuaires inspiraient autrefois une salutaire terreur» et exprime sa tristesse devant l'abandon des «anciens lieux consacrés[51]». *Le Journal des débats* du 16 ventôse an X (7 mars 1802) sous le titre «Une promenade au Muséum des Monuments Français» sacrifie au leitmotiv du temps: «Quelles réflexions s'emparent de nous en voyant l'instabilité à laquelle l'homme est sujet au-delà même du tombeau! Tel se croyait sûr de dormir en paix où dormaient ses ayeux, d'y attendre le jour du jugement, qui est arraché d'auprès de ses pères. La beauté de ce tombeau, qui pendant la vie d'un Grand avait flatté sa vanité, est funeste à ses cendres. On enlève les colonnes, les statues, les reliefs dont il s'était entouré, on les transporte avec soin, peu importe ce que deviennent les restes, ils sont négligés et dispersés, on ne voit que sa tombe: c'est le nom du sculpteur et non le sien que l'on considère...»

D'autres tiennent sur le musée le discours inverse, lui faisant gloire d'avoir substitué des repères historiques ou stylistiques au souvenir de tel ou tel défunt. Le voyageur Schultes loue les musées de garantir ainsi la conservation du travail artistique: «L'architecte, le sculpteur ont tout intérêt à ce que leur client attende d'eux, de leurs mains, la perpétuation de son existence. C'est pourquoi je ne souhaite pas que des monuments bien conçus, bien exé-

cutés, soient éparpillés par l'effet du hasard; je veux qu'ils soient exposés en un lieu épargné des atteintes du temps[52].»
Cette dissociation du souvenir - les cendres - et du mémorable - le monument - trouve des partisans inattendus, tel le lieutenant Hall, qui, au nom de la piété chrétienne, juge salutaire la séparation des monuments en deux classes: ceux qui perpétuent le souvenir d'êtres chers, et ceux qui exaltent la grandeur du défunt pour la postérité. Il y voit un retour à la distinction des Anciens entre les statues des empereurs ou des héros et les cimetières réservés au vulgaire[53]. Dans cette perspective, le tri entre monuments réservés au Panthéon et monuments attribués aux églises apparaît avantageux à la religion et à la philosophie à la fois. De ce fait, le musée est reconnu nécessaire à la société nouvelle car il satisfait un authentique besoin de lieu de mémoire. Les plus réticents concèdent au moins qu'il fut un pis-aller nécessité par la flambée iconoclaste: «Certes, on peut dire que ces monuments, séparés des cendres qu'ils ont jadis recouvertes, ne peuvent plus inspirer le respect que l'on aurait eu autrefois pour eux: on peut même avouer que l'on a moins de plaisir à les contempler; mais il ne faut pas oublier qu'il n'y avait pas d'autres moyens de les sauver[54].» Quelques-uns, enchantés de leurs visites, vont jusqu'à se féliciter des menaces de destructions qui permirent ce spectacle. À l'issue de sa description des Petits-Augustins, le prince de Clary conclut: «On dit que, entassés comme ils sont, ces tombeaux ne font pas la moitié de l'effet qu'ils feraient à leurs anciennes places dans les églises; d'accord, mais qui les verrait s'ils étaient disséminés par toute la France? telle qu'elle est, c'est une collection du plus vif intérêt, unique au monde et qu'on pouvait seulement créer dans les circonstances du bouleversement révolutionnaire[55].» Enfin, certains ont pris conscience que la mise au musée, outre sa commodité, confère un intérêt supplémentaire aux objets réunis. J. F. C. Blanvillain note en 1807: «Malgré le déplacement, l'homme instruit aime à jouir de ces monumens, que peut-être il n'aurait eu ni le temps ni les moyens de voir autrement. Leur réunion même y ajoute une sorte d'intérêt, en offrant une comparaison[56].»
L'ensemble des débats et polémiques autour de la mémoire et des souvenirs au musée s'attache à la valeur, conservée ou non, du *monument*. Lenoir résume excellement les enjeux de la dispute, et sa position personnelle, dans un entretien rapporté par Schultes: «Lorsque nous en vînmes à parler de l'impression différente que cause un monument à sa première place ou dans un musée, M. Lenoir ne me donna pas tort d'affirmer qu'un monument éveille un intérêt accru à l'endroit auquel il a été destiné en premier lieu, en particulier s'il se trouve vraiment au-dessus des cendres du mort; il considère cependant que lorsque le destin intervient si brutalement, et que tout est arraché de son lieu, une collection historique peut offrir tout autant d'intérêt, en même temps qu'une meilleure protection contre la destruction et le temps» (p. 111).

Un lieu de mémoire nationale

Avec tous ses contemporains, Lenoir souscrit à la définition – étymologique – du monument comme architecture destinée à fonder et conserver l'empreinte mnémonique. Elle est d'abord référence obligée à l'Antique: «Après une bataille on négligeait rarement d'élever un monument à la mémoire des citoyens que la guerre avait moissonnés, et ce souvenir bien juste était l'aiguillon de la gloire; leurs noms étaient inscrits sur des tables de marbre, des pyramides ou des colonnes; et c'est ainsi que ce peuple reconnaissant faisait passer à la postérité la plus reculée les traits éclatants de leurs victoires, et les noms précieux de ceux dont le sang avait coulé pour la chose publique» (n° X). Lorsque toute trace s'est effacée, quand la mémoire des hommes a manqué, l'œuvre d'art qu'est le monument demeure, seule à rappeler une vie éteinte: «Je cite à ce sujet l'exemple de Jean Gougeon et de Germain Pilon, les plus habiles sculpteurs Français, vivant dans les siècles derniers. Ces artistes pourraient être réclamés par toutes les nations, car on ne sait ni où ils sont nés, ni où ils sont morts; et sans les registres mortuaires des paroisses, on ne pourrait savoir la date de leurs décès. Heureusement [...] il s'est trouvé une manière, pour ainsi dire immortelle, de transmettre à la postérité [...] des faits historiques, des allégories, etc., qui nous sont parvenus aussi frais que sortant des mains des artistes, sans que le tems ait pu les atteindre» (p. 379). Cet éloge du monument conduit tout naturellement Lenoir à prendre pour modèle de son établissement la plus célèbre collection de tombeaux de son temps: non pas le Panthéon, tout neuf, encore désert, mais Westminster, image parfaite de la mémoire d'un pays.

L'opinion des visiteurs étrangers – et spécialement anglais bien sûr – confirme tout à fait cette identification des Petits-Augustins et d'un Westminster français. Jamais le Panthéon n'est qualifié de la sorte, alors que les Constituants avaient pourtant décrété que «la nouvelle église de Sainte-Geneviève serait désormais le Westminster des Français; que cet édifice serait consacré aux cendres de nos grands hommes». Mais le Panthéon ne contient pas de monuments et tous les visiteurs en sortent désappointés. Les voyageurs trouvent en revanche aux Petits-Augustins ceux tirés de Saint-Denis ainsi que ceux des ministres, des grands capitaines et des artistes venus des églises parisiennes. Ann Plumptre va jusqu'à penser que le caractère purement muséologique des Petits-Augustins invite davantage à la réflexion et à la mélancolie que l'église de Westminster, où la chaîne des associations d'idées est moins savamment calculée et plus souvent rompue[57]... L'ensemble des visiteurs conclut en tout cas sans discussion à la supériorité du musée des Monuments français sur l'ancien Saint-Denis, de la série chronologique sur le caveau dynastique: «C'est tout de même un autre spectacle ici qu'à St-Denis; là-bas l'imagination ne croit apercevoir que des ombres royales et princières, en partie depuis longtemps oubliées, flottant autour de leurs caveaux vides. Ici on se trouve en même temps devant les monuments de leurs serviteurs, nobles et roturiers, de leurs courtisan(e)s, de leurs contemporains immortels. Tout le grand livre des Annales de la France est ici ouvert à tous les regards, certes non en lettres, mais en airain et en marbre» (A. H. Niemeyer).

Cet idéal d'un musée-Panthéon, à la fois émouvant et didactique, «habité» et officiel, religieux et national, persiste jusqu'à la IIIe République – et particulièrement l'image mythique de Westminster. À preuve la destinée des restes de Molière et de La Fontaine. Exhumés le 6 juillet 1792 du cimetière Saint-Joseph, ils sont livrés à Lenoir par l'administration municipale du IIIe arrondissement le 18 floréal an VII (7 mai 1799) et déposés dans les cercueils du musée le 17 thermidor an VII et le 17 vendémiaire an VIII, non sans que le conservateur ait «pendant quelque temps considéré avec attendrissement les augustes débris des deux illustres philosophes dont la France ait eu à s'honorer[58]». Une fois le musée dispersé, ils sont conduits au cimetière du Père-Lachaise, le 6 mars 1817, après avoir été présentés à l'église Saint-Germain-des-Prés. En 1875 l'état de dégradation des tombeaux est signalé par l'Académie française; une campagne de presse s'ensuit et le ministre de Cumont écrit à Philippe de Chennevières qu'il convient d'«élever à Molière et à La Fontaine des monuments dignes à la fois de ces grands poètes et de la France qui les compte parmi ses plus illustres enfants». Le 1er mars 1875, de Chennevières déplore auprès du ministre l'absence de lieu de mémoire en des termes pour ainsi dire identiques à ceux du début du siècle: «Il est fâcheux que la France ne possède pas un Campo-Santo comme en consacraient à leurs morts fameux les plus petits États de l'ancienne Italie; l'Angleterre a son Westminster, Florence son Santa-Croce; mais la loi ne nous permet plus à nous de confier aux églises les restes de nos grands hommes, et c'est dans un cimetière qu'il faut chercher leur place.» Dans l'édition de ses *Souvenirs*, l'auteur a ajouté en note: «Je n'eusse jamais, pas plus alors qu'aujourd'hui, proposé pour cette destination, la basilique de Sainte-Geneviève. L'épreuve a été faite en 1791 et en 1830, et il faut avouer qu'elle n'a point réussi. Proud'hon est d'accord là-dessus avec Michelet, [...] et tous les républicains de bon sens[59].»

La question sera pourtant résolue en ce sens, au nom de la fidélité républicaine. On peut douter toutefois de la disparition du modèle de Westminster, comme le prouvent assez la nostalgie manifestée à l'égard des Petits-Augustins et les divers témoignages, au seuil du XXe siècle encore. En 1908 un universitaire de Harvard, Barrett Wendell, brosse ce parallèle des lieux de mémoire nationaux européens: «Vous évoquez à propos [du Panthéon] la profonde gravité de Westminster Abbey, l'immense recueillement de Santa

ÉTUDE DE LA SALLE DU XIIIe SIÈCLE
PAR VAUZELLE POUR LE MUSÉE DES MONUMENTS FRANÇAIS, PARIS, 1816.

Croce, où reposent les grands hommes [...] Très différents malgré leur similitude apparente, tous ces édifices sont cependant animés d'une vie persistante. Ici, dans le Panthéon de Paris, vous cherchez vainement ces impressions. Les Français l'ont enrichi de merveilles d'art, témoignant de plus d'intelligence peut-être que ne le font celles qui se trouvent réunies dans tous ces autres édifices. Mais, d'une certaine manière indéfinissable, ce temple apparaît étrangement, épouvantablement privé de vie [...] Vous êtes dans un sanctuaire d'où l'âme s'est enfuie. Vous êtes au centre du vide[60].» Le ton est tout à fait semblable à celui d'un quelconque visiteur anglais sous la Révolution, preuve encore une fois de l'impossibilité d'un lieu de mémoire français efficace. Les Petits-Augustins ont pu jouer ce rôle, grâce à l'éclectisme de leurs célébrités, bref à la mobilisation de toute l'histoire de France, ce qui est impossible dans un Panthéon des Grands Hommes de la patrie républicaine.

Naissance du « monument historique »

Autrement dit, Lenoir a signé l'apparition, encore timide, de la valeur historique au sein d'une catégorie artistique – le monumental – jusqu'alors exclusivement dévolue à l'hommage et au souvenir. L'intérêt qu'il portait aux tombes n'était pas seulement d'un esprit «religieux» ou d'un homme sensible, non plus d'un amateur de la statuaire gothique, mais d'un historien soucieux de composer «une véritable histoire monumentale de la monarchie française». D'où cette profession de foi selon laquelle «les monuments réunis ainsi ne doivent être regardés que comme un rassemblement de mannequins, vêtus selon les époques auxquelles ils appartiennent, et suivant les places qu'occupaient ceux qu'ils représentent». Cette attitude est l'unique réponse à un iconoclasme révolutionnaire sensible à la seule «valeur de remémoration intentionnelle». Le ressort des condamnations et récupérations des monuments d'Ancien Régime par la Révolution, bref tout le mécanisme, comme réduit à l'épure, du «vandalisme», tient dans cette alternative. Ou bien les «valeurs de contemporanéité», liées à la signification originelle du monument, demeurent, et le condamnent alors «inexorablement à la ruine et à la destruction [...] dès lors que disparaissent ceux à qui il était destiné et qui n'avaient cessé de veiller à sa conservation»; ou bien l'affirmation de sa valeur historique, liée à l'intérêt patriotique et national, le protège, quand «le peuple tout entier considère les œuvres de ses prétendus ancêtres comme partie de sa propre activité créatrice[61]».

Le musée des Monuments français ainsi que celui de Cluny ont joué un rôle essentiel dans le passage progressif d'une valeur à l'autre. Le considérable

succès «posthume» des Petits-Augustins auprès de la génération de 1830-1840 qui visita, enfant, l'établissement témoigne à l'évidence, outre du talent du maître d'œuvre, d'un accord profond avec une mutation de la sensibilité. À l'occasion d'une évocation des squares archéologiques de province, en 1872, le conservateur du musée de Pau se remémore sa fréquentation du musée de Lenoir dans un témoignage exemplaire: Les monuments «disposés chronologiquement sous les cloîtres et dans les salles formaient un abrégé sculptural de l'histoire de France.
«[...] Enfants, nous avions fait connaissance intime avec tous ces personnages de marbre: rois, guerriers, prélats, écrivains, poètes, artistes. À peine savions-nous lire et nous connaissions non seulement leurs traits, mais leur histoire. Nous la déchiffrions avec avidité dans ces notes intéressantes et anecdotiques que M. Lenoir avait jointes à l'énumération de son savant catalogue.
«Je n'ai jamais compris l'histoire enseignée d'une manière plus saisissante. Comme [...] c'était une bonne préparation à la lecture des Augustin Thierry, des de Barante et de cette pléiade d'historiens qui peu après devaient apporter la lumière sur les parties restées obscures de notre histoire nationale[62]». Michelet ne dit pas autre chose, qui affirme y avoir reçu «la vive impression de l'histoire»: «Je me rappelle encore l'émotion, toujours la même et toujours vive, qui me faisait battre le cœur quand, tout petit, j'entrais sous ces voûtes sombres et contemplais ces visages pâles, quand j'allais et cherchais, ardent, curieux, craintif, de salle en salle et d'âge en âge.» Siège de l'Académie celtique puis de la Société des antiquaires de France, le musée se trouve au centre d'un réseau de sociabilité savante qui perpétua son souvenir. J.-P. Brès, présentant en 1821 les *Souvenirs du Musée des Monuments Français*, écrivait: «La plupart des nations éclairées pourraient présenter leur histoire dans celle de leurs monuments [...] la France est peut-être la contrée où les arts du dessin ont offert les phases les plus variées, les caractères les plus contrastés.» C'est déjà, quasiment mot pour mot, le «Rapport au Roi» de Guizot (1830) instituant l'Inspection générale des monuments historiques.

Cluny ou la vertu des reliques

La grande école historique française du premier XIXe siècle apparaît ainsi liée aux musées; sous Juillet quelques-uns de ses représentants encouragent d'ailleurs la fondation de Cluny à partir des collections Du Sommerard et d'un projet du fils d'Alexandre Lenoir, largement inspiré du modèle paternel. «Jovial, truculent, faiseur de calembours», Alexandre Du Sommerard «avait adhéré en 1821, comme Quatremère de Quincy, à la Société royale des Bonnes-Lettres qui donnait à l'histoire un rôle essentiel dans la formation du sentiment national». Fréquentant beaucoup la société, surtout celle des artistes et gens de lettres, il était l'antiquaire le plus connu du public: «Alors que dans les guides du voyageur à Paris de l'année 1830 les collections Du Sommerard sont citées, on laisse ignorer les autres cabinets consacrés aux antiquités nationales[63].» Afin de «faire revivre le passé *more majorum*, selon l'expression latine dont il fit sa devise», il organisa sa collection à l'hôtel de Cluny en forme d'évocations suggestives et pittoresques. Lui-même se dépeignait sous les traits d'«un vieux maniaque des âges plus vieux encore, blotti sous des ruines enfumées, semi-romaines, semi-gothiques» qui veut «faire apprécier tout ce que nos arts anciens comportaient de science et de poésie» par une «exhibition» de caractère étrange et d'«aspect insolite», un «spectacle gratis[64]». Jules Janin a laissé une description enthousiaste qui permet de comprendre le succès rencontré par cette mise en scène:

> Vous entriez d'abord dans la chapelle (1490), qui était admirablement conservée, et là soudain, au milieu de ces dais, de ces guirlandes, de ces grappes, de ces pampres, de ces blasons aux armes de Charles VIII et de Louis XII, vous vous trouviez en plein moyen-âge. [...] l'illusion est telle que vous respiriez le vieil encens de cet oratoire, encens perdu qui est revenu à la suite de tout cet art chrétien. [...]
> De la chapelle, vous passiez dans la chambre de François Ier ou plutôt de la Reine Blanche et, cette fois, vous aviez sous les yeux l'ensemble complet de toute la magnificence royale ou populaire des siècles passés. La porte de cette chambre de François Ier avait été la porte même du château d'Anet, elle se souvenait de Diane de Poitiers et de Henri II. L'échiquier était le propre échiquier du roi Saint Louis.

D'un ton plus compassé, la *Notice sur M. Dusommerard*, parue en 1845, dépasse la simple description d'un antre de collectionneur pour tenter de définir sa méthode muséographique. Grâce à la réunion de «débris épars» Cluny, y lit-on, «déroule sous nos yeux douze siècles avec leurs vieilles mœurs, leurs usages, leurs meubles, leurs costumes, leurs armes, toutes leurs reliques enfin». Son fondateur «a jeté la lumière au milieu de ce chaos de vestiges séculaires» grâce à un classement «selon leur époque et selon leur valeur»; ce faisant, «il n'a point écrit, point reproduit l'histoire, il l'a recomposée avec ses propres dépouilles[65]».
Un expert ès collections a reconnu, au-delà d'évidentes similitudes, la différence de visée entre ce programme et l'entreprise de Lenoir. Celui-ci représentait chaque siècle par un ensemble hétéroclite de *spécimens*, selon les procédés de la métonymie, cette «stratégie rhétorique où la partie vaut pour le tout, sans référence à une totalité organique[66]». Au contraire, Du Sommerard

rassemble des *reliques* qui s'intègrent dans un ensemble historique, une pièce spécifique, en vue d'une résurrection du passé. Le contraste tient d'abord, selon nous, aux particularités de chaque collection : monuments et fragments d'architecture dans un cas, objets précieux ou utilitaires et mobilier dans l'autre. Il s'explique surtout, d'après S. Bann, par la coupure entre deux «épistémés», et la structure de l'histoire romantique, attachée à une reconstitution mythique du «vécu» d'une époque. La dissemblance entre les vues des salles des siècles aux Petits-Augustins et celles de la «Chambre de François Ier» à Cluny, pour être éloquente, ne doit pas masquer leur commune ambition de figurer l'histoire comme elle s'est «réellement» incarnée. La virtuosité de la première tentative avait d'ailleurs laissé de tels souvenirs que la transformation de la collection Du Sommerard en musée public s'opéra sous les auspices de Lenoir. En 1833 paraît en effet une plaquette de douze pages signée «Albert Lenoir, architecte, élève du peintre Debret et disciple de David» qui se propose de convertir l'ensemble des Thermes et de Cluny en un vaste «musée national». Un tel programme pouvait au reste se recommander d'une longue tradition de plans similaires, demeurés à l'état de vœux pieux. Selon ce fascicule, après une entrée réservée aux «pièces druidiques» et à celles de la conquête des Gaules, la grande salle des Thermes devrait rappeler l'époque romaine. Une aile dévolue aux premiers temps de la monarchie, «sombre comme les époques historiques qu'elle représente» abriterait les sculptures romanes et gothiques. Un cloître d'aspect oriental évoquerait les croisades et le rez-de-chaussée de l'hôtel de Cluny serait consacré aux XIVe et XVe siècles ; enfin, dans les trois dernières pièces, et en point d'orgue de la visite, une collection de portraits historiques et une bibliothèque rendraient «hommage au génie des écrivains». Cette disposition est la version, à peine amendée, d'un essai d'agrandissement des Petits-Augustins naguère présenté par Lenoir père[67].

Après bien des vicissitudes administratives et financières, l'idée de créer un tel musée est enfin amenée devant la Chambre, le 17 juin 1843, par Arago. Dans son discours, celui-ci évoque la disparition d'«un semblable établissement», qui avait connu «un succès populaire, c'est-à-dire le plus honorable de tous ; [...] à part un petit nombre d'exceptions, insiste-t-il, les grandes salles du Louvre ne sont guère parcourues que par des désœuvrés ; le Musée des monuments français était au contraire visité par une foule studieuse et recueillie». Les intentions démocratique et didactique à la fois du nouvel établissement sont réaffirmées à la Chambre des pairs, le 4 juillet, par le baron de Barante : «L'hôtel de Cluny remplacera [...] ce musée des Petits-Augustins qu'on a eu tort de détruire [...] Déjà la Société des Antiquaires de France a demandé à [y] tenir ses séances comme elle les tenait au Musée des Petits-Augustins. Évidemment l'hôtel de Cluny sera un lieu de recherche et d'études [...]. Le musée du Louvre sera pour l'artiste, l'hôtel de Cluny pour l'ouvrier.»

Une quarantaine d'années plus tard, dans la *Revue des arts décoratifs*, le directeur d'alors, Alfred Darcel, souligne «le sérieux enseignement» qu'offre Cluny et son intérêt pour les «industries d'art»: «Car il ne faut point oublier que le musée a été créé jadis par le goût individuel d'un amateur, qui ne pouvait avoir les mêmes préoccupations d'application utile qui nous tiennent aujourd'hui[68].» Dès 1847, avec le premier catalogue de l'établissement, le fils du fondateur, Edmond du Sommerard, avait du reste adopté une double classification, fondée sur les différents types de productions exposées et, à l'intérieur de chaque division, sur l'ordre chronologique. Le musée s'éloignait ainsi de la renommée première de la collection Du Sommerard, comme du modèle idéalisé des Petits-Augustins. On rapporte que le public éprouva d'ailleurs une certaine déception à l'ouverture de l'établissement[69].
Par la suite, gérée par la commission supérieure des Monuments historiques, l'institution reçoit les restes de maintes destructions ou restaurations d'architecture et de sculpture, ainsi que des moulages de morceaux célèbres. Très vite elle prend la forme d'un dépôt lapidaire juxtaposé à un fonds d'objets «évocateurs» de noms illustres et de la vie quotidienne du temps passé. Au début de ce siècle, Edmond Haraucourt, membre de la commission des Monuments historiques, qui préside aux destinées de l'établissement, publie *L'Histoire de France expliquée au musée de Cluny*, sous forme d'un *guide annoté par salles et par séries*, divisé en deux parties, «Les siècles et les âmes» et «Les meubles et les mœurs[70].» À cette date, les amateurs de monuments peuvent confronter cette mise en scène, qui évoque les mânes réunis de Lenoir et de Du Sommerard, à l'image, au Trocadéro, du dessein scientifique contemporain, sous les espèces du musée de Sculpture comparée.

Le Trocadéro ou la leçon des moulages

L'idée de ce dernier établissement remonte en vérité à une pétition des ouvriers mouleurs de Paris présentée le 24 avril 1848. «Le musée national, y lit-on, possède une galerie d'Antiques extrêmement riche en originaux et en moulages; mais l'antiquité n'a pas produit seule des chefs-d'œuvre. La France, plus qu'aucun autre pays, est couverte de monuments de sculpture de la plus grande beauté, justement admirés de tous. Ces monuments, par leur position, par leur éloignement des grands centres d'études, ne peuvent être dessinés facilement.» Le remède proposé est de «former une collection de sculptures nationales disposée pour l'étude et pour les recherches[71]». Cette démarche n'ayant pas porté ses fruits, c'est un rapport de Viollet-le-Duc à Jules Ferry, alors ministre de l'Instruction publique, et à Antonin Proust, en 1879, qui se trouve à l'origine véritable de l'établissement.

Dans son éloge prononcé le 8 novembre de la même année, Jules Ferry rappelait que l'architecte avait voulu «de tant de grandes choses semées sur notre sol, entre le Xe et le XVIe siècle de notre histoire, constituer un Musée nouveau [...]. Car cette grande âme d'artiste et de savant, ajoutait-il, était pardessus tout une grande âme française. M. Viollet-le-Duc avait le culte et la passion de la France, de cette France qu'on ne sait aimer comme elle doit l'être que lorsqu'on la connaît tout entière et qu'on l'admire non seulement dans les grandes choses qu'elle a faites depuis cent ans, mais dans les œuvres impérissables semées par son génie dans le cours des siècles passés[72]». La vocation didactique se conjugue tout naturellement à l'enjeu politique. Ce musée républicain entendait en effet, par une comparaison systématique entre la sculpture antique et celle du Moyen Âge «démontrer que l'une n'est pas inférieure à l'autre», pour la plus grande gloire du peuple français.
La réussite fut complète puisque dès 1907 le conservateur en titre, Camille Enlart, constate que «la révélation des beautés de la statuaire gothique dépassa l'attente même des organisateurs, surtout auprès des artistes [...]. La démonstration fut si rapide et si éloquente qu'il était superflu de la poursuivre; la cause était gagnée[73]». À compter de 1933 les moulages d'art antique sont donc exclus de la collection, désormais consacrée à l'art monumental français avec des empreintes de sculptures, des copies de peintures murales et des maquettes d'architecture. Son intérêt pédagogique et scientifique l'emporte définitivement sur la quête du plaisir esthétique, d'autant que nous sommes très sensibles aujourd'hui à l'absence de toute œuvre originale. La valeur accordée aux monuments exposés, qui était encore quelque peu liée aux Augustins comme, dans une moindre mesure, à Cluny, à leur fonction commémorative originelle, est ici seulement historique.

Les trois musées de monuments examinés successivement ici semblent avoir joué un rôle décisif dans la «démocratisation» de la mémoire nationale. Le premier d'entre eux reprenait d'une certaine manière la tradition du monument intentionnel, à travers les «fabriques» dédiées par Lenoir aux grands hommes. Les deux autres ont favorisé l'émergence du «monument historique» comme témoignage d'une histoire unanime ou réconciliée. Avec le XXe siècle s'impose aujourd'hui, selon A. Riegl, la «valeur d'ancienneté», qui privilégie les «traces d'ancienneté», bref «le passé en soi», tandis que «la valeur historique isole un moment du développement historique», pour considérer sa «singularité objective» (p. 50). Cette sensibilité au «monument ancien» élit le site et l'état originels, de préférence à la mise au musée; elle coïncide singulièrement avec la désuétude partout proclamée, voire la disparition pure et simple, des musées de monuments[74].

1. Frédéric Édelmann, « Vauban et les fantômes du palais de Chaillot », *Le Monde*, 19 janvier 1984, p. 15 et *ibid.*, 9 juillet 1979.

2. Aloïs Riegl, *Le Culte moderne des monuments. Son essence et sa genèse*, trad. franç. de *Der moderne Denkmalkultus*, 1903, Paris, Éd. du Seuil, 1984, p. 47. Voir aussi le commentaire d'André Chastel, « Le patrimoine », *Encyclopedia Universalis, Supplément I*, Paris, 1980, p. 43 et, du même auteur, « Le problème de l'inventaire monumental », *Bulletin de la Société de l'histoire de l'art français, année 1964*, F. de Nobele, 1965, pp. 137-145.

3. Elle domine surtout la fête révolutionnaire : Mona Ozouf, *La Fête révolutionnaire*, Paris, Gallimard, 1976, p. 199.

4. *Discours sur les monuments publics*, Paris, 1792, p. VI.

5. Paul Dupré et Gustave Ollendorff, *Traité de l'administration des Beaux-Arts. Historique-législation-jurisprudence*, Paris, Paul Dupont éditeur, 1885, t. II, p. 487.

6. *Cf.* les études sur l'oisiveté réunies par Adeline Daumard : *Oisiveté et loisirs dans les sociétés occidentales au XIXe siècle*, Colloque pluridisciplinaire, Amiens, 19-20 novembre 1982, Centre de recherche d'histoire sociale de l'Université de Picardie, Abbeville, 1983.

7. On peut citer, bien qu'il ne réponde qu'imparfaitement à son titre, l'article de Bruno Foucart, « La fortune critique d'Alexandre Lenoir et du premier musée des Monuments français », *Information d'histoire de l'art*, 5, 1969, pp. 223-232.

8. *Mémoires...*, 1842, t. XVI, pp. 4-5.

9. *Lettre à M. Rivoire sur sa description de la cathédrale d'Amiens*, Amiens, 1806, p. 24.

10. *Cf.* la lettre de Gerville à Le Prévost du 18 décembre 1818 citée par Jean Mallion, *Victor Hugo et l'art architectural*, Paris, P.U.F., 1962, p. 30, n. 103.

11. Pour la postérité littéraire et ésotérique des écrits de Lenoir, *cf.* l'étude de Brian Juden, *Traditions orphiques et tendances mystiques dans le romantisme français (1800-1855)*, Paris, Klincksieck, 1971, pp. 561-563 et 663 et l'anthologie de B. Feldman et R. D. Richardson, *The Rise of Modern Mythology 1680-1860*, Londres, 1972 (Dupuis, pp. 276-278).

12. François Furet et Denis Richet, *La Révolution française*, Paris, Fayard, rééd. 1973, p. 473.

13. Georges Lefebvre, *La France sous le Directoire, 1795-1799*, Paris, Éditions Sociales, 1977, pp. 577-578.

14. Albert Grenier, *Archéologie gallo-romaine*, Paris, Picard, 1931, p. 61.

15. Louis Dimier, *Les Impostures de Lenoir, examen de plusieurs opinions reçues sur la foi de cet auteur, concernant plusieurs points de l'histoire des arts*, Paris, P. Sacquet, 1903.

16. *Cahiers de la République des lettres, des sciences et des arts*, 13, Paris, 1931, p. 7.

17. « La sculpture religieuse au musée des monuments français », thèse soutenue en 1937, dans : *Positions de thèses des élèves de l'École du Louvre de 1911 à 1944*, Paris, École du Louvre, 1956, p. 203.

18. Dans *La Revue de Paris*, 1er et 15 juillet 1913.

19. Henri Jacoubet, *Le Genre troubadour et les origines françaises du romantisme*, Paris, Les Belles Lettres, 1928, p. 48.

20. Marcel Aubert, *Le Romantisme et l'Art*, Paris, 1928, chap. II, p. 23.

21. Louis Réau, *Histoire de l'Art*, dirigée par André Michel, t. VIII-1, pp. 38 et 84-85.

22. René Lanson, *Le Goût du Moyen Âge en France au XVIIIe siècle*, Paris et Bruxelles, G. Van Oest, 1926 et Pierre Barrière, *La Vie intellectuelle en France des origines à l'époque contemporaine*, Paris, Albin Michel, 1961, p. 394. Brève mention de Lenoir dans la somme de Paul Frankl, *The Gothic Literary Sources and Interpretations through eight Centuries*, Princeton, Princeton University Press, 1960, chap. IV, p. 564.

23. Roger Bastide, *Art et société*, Paris, Payot, 1977, p. 97.

24. Marie-Claude Chaudonneret, *La Peinture troubadour. Deux artistes lyonnais : P. Revoil (1776-1842)-F. Richard (1777-1852)*, Paris, Éd. Arthena, 1980 et la thèse de François Pupil : *Le Style troubadour*, Nancy, Presses universitaires de Nancy, 1985 (chapitre V de la version dactylographiée, « Le temps des musées », pp. 523-548). Article pionnier de Francis Haskell, « The Manufacture of Past in Nineteenth-Century Painting », *Past and Present*, n° 53, 1971, pp. 110-120 (sur Lenoir, pp. 114-116).

25. Louis Bergeron, *L'Épisode napoléonien*, Paris, Éd. du Seuil, 1972, p. 222.

26. Ferdinand Brunot, *Histoire de la langue française des origines à 1900*, Paris, 1943, t. X, 2, p. 93.

27. Louis Courajod, « L'influence du musée des monuments français sur le développement de l'art et des études historiques », *Revue historique*, 30, 1886-I, pp. 107-118.

28. J. Déchelette, *Manuel d'archéologie préhistorique, celtique et gallo-romaine*, t. V : *Archéologie gallo-romaine* par Albert Grenier, *Archéologie gallo-romaine*, *op. cit.*, Ire partie, pp. 62-63.

29. Sous la direction de Charles Samaran, Paris, Gallimard, Encyclopédie de la Pléiade, 1961.

30. *Le Petit Robert 2*, 5e éd., Paris, 1981, p. 1067 ; E. Bénézit, 1952, t. V, p. 512.

31. *Hier pour demain : Arts, Traditions et Patrimoine*, Grand-Palais, 13 juin-1er septembre 1980, p. 65.

32. Pierre de Lagarde, *La Mémoire des pierres*, Paris, Albin Michel, 1979, pp. 13-20. Voir aussi les deux articles érudits de Françoise Arquié-Bruley : « Un précurseur, le comte de Saint-Morys, collectionneur d'Antiquités nationales, 1772-1817 », *Gazette des beaux-arts*, VI/XCVI et XCVII, 1980-1981, pp. 109-118 et 61-77, et « *Les Monuments français inédits (1806-1839)* de N. X. Willemin et la découverte des "Antiquités nationales" », *RACAR*, X, 2, 1983, pp. 139-156.

33. Michel Vovelle, *La Chute de la monarchie*, Paris, Éd. du Seuil, 1972, p. 150.

34. Les sources et ouvrages essentiels à l'étude du musée des Monuments français sont les suivants :
- Archives du musée des Monuments français, Archives nationales, série F. 21. Un choix en a été publié en ouverture de l'*Inventaire général des richesses d'art de la France*, 3 vol., Paris, 1883-1897.
- Papiers Lenoir à la bibliothèque de l'E.N.S.B.A., manuscrits.
- Dossiers Lenoir aux archives du musée du Louvre (Z 62 Lenoir).
- Trois volumes reliés contenant environ deux cent cinquante dessins sur le musée et les œuvres au cabinet des dessins du musée du Louvre (RF 5279, 5280 et 5281).
- *Journal* de Lenoir, publié dans le premier volume de Louis Courajod, *Alexandre Lenoir et le Musée des Monuments Français*, Paris, 1878-1887, 3 vol. (avec bibliographie complète de Lenoir).
- Alexandre Lenoir, *Description historique et chronologique des monuments de sculpture réunis au musée des monuments français*, Paris, in-8° (éditions de 1794 à 1815).
- Le catalogue est développé dans un ouvrage en huit tomes : *Musée des monuments français ou description historique et chronologique des statues en marbre et en bronze, bas-reliefs et tombeaux des hommes et femmes célèbres, pour servir à l'histoire de France*, Paris, 1800-1806.
- L. de Lanzac de Laborie, *Paris sous Napoléon. Spectacles et musées*, Paris, Plon, 1913, pp. 330-364.
- Bibliographie raisonnée des études parues ultérieurement *in* D. Poulot, *Pour une histoire des musées au début du XIXe siècle*, mémoire dactylographié, E.H.E.S.S., 1979.

35. Sur ce point, outre les études générales de Philippe Ariès, *Essais sur l'histoire de la mort en Occident du Moyen Âge à nos jours*, Paris, Éd. du Seuil, 1975 et de Michel Vovelle, *La Mort et l'Occident de 1300 à nos jours*, Paris, Gallimard, 1983, pp. 489-506, voir les documents réunis par Pascal Hintermeyer, *Politiques de la mort*, Paris, Payot, 1981 et surtout Lionello Sozzi : « I Sepolcri e le discussioni francesi sulle tombe negli anni del direttorio e del consolato », *Giornale storico della litteratura italiana*, 1967, pp. 567-588.

36. *Inventaire général, op. cit.*, t. I, pièce CCXLV.

37. *Ibid.*, pièce CLXI. Sur Drouais, *cf.* le catalogue d'exposition *Jean-Germain Drouais 1763-1788*, Musée des Beaux-Arts de Rennes, 7 juin-9 septembre 1985.

38. Calculs réalisés dans le cadre d'une thèse sur les musées révolutionnaires.

39. *Cf.* la «Bibliothèque bleue» partiellement rééditée sous la direction de Daniel Roche aux éditions Montalba.

40. Ainsi les développements consacrés à Chevert et Brizard.

41. John Carr, *The Stranger in France*, Londres, 1803.

42. *Rapport fait au nom de la Commission... pour l'achat de l'hôtel de Cluny*, par M. Arago, député (17 juin 1843), Paris, réimprimé *in* Albert Lenoir, *Le musée des Thermes et de l'hôtel de Cluny. Documents sur la création du musée d'antiquités nationales* [...], Paris, 1882, pp. 68-75.

43. *Paris During the Interesting Month of July 1815, a Series of Letters Adressed to a Friend in London, by W. D. Fellowes, Esq.*, Londres, 1815.

44. Martine Dumont, «Le succès mondain d'une fausse science: la physiognomonie de Johan Kaspar Lavater», *Actes de la recherche en sciences sociales*, 54, 1984, pp. 2-30.

45. August-Hermann Niemeyer, *Beobachtungen...*, 1824, t. II, p. 89 (Bibliothèque nationale G. 27.190); citation traduite par Marcel Tambarin.

46. Claude Mouchard, «Deux secondes vies», *Le Temps de la réflexion*, III, Paris, Gallimard, 1982, p. 170.

47. *La Révolution française*, préface de 1868, citée et commentée par Claude Lefort, «Mort de l'immortalité?», *ibid.*, p. 185.

48. *Cf.* cette analyse de Cl. Lefort, *op. cit.*, pp. 193-195.

49. *Prospectus*, pp. 15-16. À noter en revanche «la faible place tenue dans l'enquête de statistique départementale par la recherche des origines nationales» (Marie-Noëlle Bourguet, *Déchiffrer la France*, thèse de troisième cycle, dactylographiée, 2 vol., bibliothèque de la Sorbonne, s.d., p. 554).

50. J'ai proposé un commentaire de cette polémique dans «Le reste dans les musées: "signes d'une écriture perdue", ou "caractères employés à écrire l'histoire"?», *Traverses*, 12, 1978, pp. 100-116. Sur la destinée ultérieure des monuments, *cf.* Geneviève Bresc-Bautier, «Tombeaux factices de l'abbatiale de Saint-Denis ou l'art d'accommoder les restes», *Bulletin de la Société nationale des antiquaires de France*, 1980-1981, pp. 114-127. L'article de Francis Haskell, «Il dibattito sul museo nel XVIII secolo», dans *Gli Offizi. Quattro secoli di una galleria*, Actes du Colloque réunis par Paola Barrocchi et Giovanna Ragionieri, Florence, Olschki, 1983, pp. 151-160, n'ajoute rien.

51. *A Tour through some Parts of France, Switzerland, Savoy, Germany and Belgium, During the Summer and Autumn of 1814 by the Hon. Richard Boyle Bernard, M.P.*, Londres, 1815, p. 65.

52. I. A. Schultes, *Briefe über Frankreich auf einer Fusneise im Jahre 1811*, Leipzig, 1815, t. II, p. 395. Citation traduite par Marcel Tambarin.

53. Francis Hall, *Travels in France in 1818*, Londres, 1819, pp. 72 et 97.

54. John Dean-Paul, *Journal d'un voyage à Paris au mois d'août 1802*, trad. Paul Lacombe, Paris, 1913 (titre original: *The Journal of a Party of Pleasure to Paris*, Londres, 1802).

55. *Trois mois à Paris lors du mariage de l'Empereur Napoléon Ier et de l'archiduchesse Marie-Louise*, Paris, 1914.

56. *Le Pariseum, ou Tableau actuel de Paris*, Paris, 1807, p. 122.

57. *A Narrative of a Three Years Residence in France*, Londres, 1810, 3 vol., t. I, p. 31.

58. *Inventaire général...*, t. II, pièce CCLXXXVII.

59. Philippe de Chennevières, *Souvenirs d'un directeur des Beaux-Arts (1820-1899)*, Paris, rééd. Arthena, 1979, pp. 68-71.

60. *La France d'Aujourd'hui*, Paris, 1909, pp. 273-276, de la «petite collection Nelson».

61. A. Riegl, *op. cit.*, pp. 43, 47-48, 51.

62. Ch. C. Le Cœur, *Considérations sur les musées de province*, Paris, Vignancourt, 1872. Voir aussi Ernest Vinet: «Lenoir n'a pas seulement créé, au milieu des tempêtes, un musée plein de poésie, refuge du vieil art français; il nous a donné Augustin Thierry: c'est en visitant les salles gothiques de ce musée pittoresque, si digne d'être regretté, que l'éloquent, que le pénétrant et patient interprète des anciens chroniqueurs conçut l'idée de débrouiller le chaos des origines de notre histoire» (*Journal des débats*, 23 avril 1867, «Les archives pendant la Révolution»).

63. Pierre Marot, «Les origines d'un musée d'"antiquités nationales". De la protection du "Palais des Thermes" à l'institution du "Musée de Cluny"», *Mémoires de la Société nationale des antiquaires de France*, 9e série, t. IV, 1969, pp. 259-327. Sauf mention particulière, toutes les citations suivantes sont tirées de cette étude.

64. A. Du Sommerard, *Les Arts au Moyen Âge*, Paris, 1838, t. I, pp. 402-403, cité *in ibid.*, p. 292.

65. *Notice sur M. Dusommerard, avec explication et détails de son musée*, Paris, 1845, extrait de *La Renommée, revue politique, parlementaire, littéraire*, etc. Le texte de J. Janin y est reproduit pp. 8-12.

66. Stephan Bann, «Historical Text and Historical Object: the Poetics of the musée de Cluny», *History and Theory*, 1978, pp. 251-266, repris in *The Clothing of Clio*, Londres, 1984.

67. «Observations sur le musée des monuments français», à la suite de l'«Ordre à suivre dans le placement des monuments» (à Mousseaux), imprimées dans l'*Inventaire Général, op. cit.*, t. I, pièce CLXXXII.

68. *Revue des arts décoratifs*, t. VII, 1886, pp. 97-111: «Les arts décoratifs au musée de Cluny».

69. Alain Erlande-Brandenburg, «Le musée des Monuments français et les origines du musée de Cluny», *in* B. Deneke et R. Kahsnitz, éd., *Das kunst und kulturgeschichtliche Museum im 19. Jahrhundert*, Munich, Prestel-Verlag, 1977, pp. 49-58. Voir aussi *Le «Gothique» retrouvé*, Paris, catalogue d'exposition, C.N.M.H.S., 1979, pp. 75-78. Charles Morice, présentant le musée de Cluny, avait déjà signalé qu'«Alexandre Lenoir, son fils Albert Lenoir et Du Sommerard sont les vrais fondateurs de ce précieux musée» (*Pourquoi et comment visiter les musées*, Paris, Armand Colin, s.d., p. 31).

70. Paris, Larousse, 1922, p. 6.

71. Reproduite par Louis Courajod, «Le moulage – principales applications – collections de modèles reproduits par le plâtre. Conférence à la 9e exposition de l'Union Centrale des Arts Décoratifs», *Revue des arts décoratifs*, t. VIII, 1887, p. 254.

72. Cité *in* Paul Deschamps, «Le musée de sculpture comparée», *Congrès archéologique de France*, XCVIIe session, Paris, 1934, Paris, Picard, 1935, t. I, pp. 388-389.

73. Camille Enlart, «Deux musées historiques de l'art français: Petits-Augustins et Trocadéro», *Bulletin de la Société historique du VIe arrondissement*, 1907, p. 76.

74. *Cf. Lotus international*, 35-1982, «Il museo dell'architettura» et mon essai «Le monument entre territoire et musée», dans *Claquemurer, pour ainsi dire, tout l'univers. La mise en exposition*, Paris, Éditions du Centre Georges-Pompidou, 1986, pp. 43-69.

FRANÇOISE BERCÉ

Arcisse de Caumont et les sociétés savantes

Le temps paraît loin où Richard Cobb, infatigable découvreur de la France profonde et amateur de nos vieilleries de famille, décrivait plaisamment le local de la Société havraise d'études diverses, devant laquelle il devait faire une communication : « La réunion se tenait dans une pièce de la Chambre de Commerce dont la porte était marquée de l'inscription en lettre blanches : "Société havraise d'études diverses" [...] La salle offrait l'aspect cérémonieux, lourd et renfermé des fastes officiels de la IIIe République. Un fauteuil à haut dossier était réservé au président, un vaste encrier et un cheval cabré en bronze marquaient sa place sur la table[1]... » Cette description évoque assez bien l'image caricaturale des sociétés savantes traditionnelles et désuètes de l'immédiat après-guerre : sociétés refuge, brevet de bonne compagnie provinciale...

Aujourd'hui, c'est un public rajeuni d'instituteurs, d'écologistes, d'étudiants qui, avec moins de pesanteur et sans cérémonie, tente de recueillir les moindres vestiges du passé de nos provinces.

À l'échelle des régions, des villes, des quartiers même, prolifèrent des « sociétés d'amis », des associations pour la protection et la restauration des sites, des groupes archéologiques qui se livrent à des explorations dominicales et ouvrent, les beaux jours venus, leurs chantiers de fouilles. En 1975, le comité des Travaux historiques recensait six cent soixante-dix sociétés en activité. Encore ce chiffre ne prétendait-il pas à l'exhaustivité, tant les changements de dénomination, les nouvelles créations, les disparitions aussi rendaient difficile la tâche du recenseur : ce mouvement même témoignait de l'extraordinaire vitalité des sociétés animées du besoin de réinventer un passé plus ou moins proche et menacé. Cette tendance était née au lendemain de la guerre de 1914 : cent quatre-vingts sociétés d'amis ont été créées depuis cette date et on comptait, plus récemment, une trentaine de groupes archéologiques à l'échelle de très petites villes ou de quelque faculté des lettres ou département

d'histoire. Mais le mouvement des dernières années est plus profond : les transformations de la vie agraire, les changements techniques, la désertion des campagnes ont balayé en peu de temps les exploitations misérables dont les provinces du Centre et de l'Ouest étaient les conservatoires. Des gestes, des habitudes immémoriales ont été déracinés, l'espace d'une génération.
Le mouvement de prospérité qui emporte le pays pendant les « trente glorieuses » d'après-guerre et fait couvrir les horizons de béton et de bitume a eu pour contrepartie nécessaire et douloureuse la nostalgie des patrimoines emportés dans cette tornade. Les réactions face au progrès et à tous ses effets plus ou moins désirables ont donné une ardeur nouvelle aux travaux savants, aux curiosités militantes pour le folklore, l'écologie ou les langues régionales. Des comités se sont voués à la réhabilitation des quartiers anciens. Des groupes artistiques se sont employés à remettre en usage, parfois même à créer de toutes pièces, des fêtes locales, des défilés de carnaval, des feux de la Saint-Jean – tandis qu'en 1963 était reprise l'idée d'un Inventaire général des richesses de la France. La société urbanisée, industrialisée, consommatrice provoquait en réaction, en compensation, une recherche des racines et la réinvention d'un passé provincial.
C'est ainsi qu'ont été redécouverts les livres de raison, les études ethnographiques, archéologiques et géographiques oubliées dans les vieilles collections reliées des académies de province : trésor de mémoire accumulé par les sociétés savantes tout au long du XIXe siècle, et qui témoigne, à cette époque, du désir d'une « décentralisation intellectuelle », du besoin de se libérer de la suprématie et des modes parisiennes, que formulait déjà, en 1820, Augustin Thierry : « Le vœu de la France doit sortir non du centre du pays, mais de tous ses points divers ; il doit s'énoncer dans un langage approprié aux intérêts, au caractère, à l'existence antérieure de chaque partie de la population, dans un langage de franchise et même de fierté »... Ce retour de la province à son identité devant se faire « non pas en invoquant, d'une manière vague, les lumières du siècle, mais en attestant ce qui fut, de temps immémorial, enraciné à la terre de France [...] en tirant de la poussière des bibliothèques les vieux titres de nos institutions locales, en représentant ces titres aux yeux des Français qui ne les connaissent plus, et qu'une longue habitude de nullité individuelle endort dans l'attente des lois de Paris[2] ».
C'est à cet appel à un retour aux sources du passé, à une reconquête par la province de son histoire dans sa terre, sa culture, ses coutumes, que semble répondre le dynamisme des sociétés savantes, au cours du XIXe siècle. Que cette tentative ait été à l'origine, peut-être, le fait d'une noblesse déracinée par la Révolution et l'Empire qui, au moment de la Restauration, tente de reprendre possession, comme symboliquement, de ses territoires et de ses privilèges locaux, à travers la connaissance de la géographie, de l'art ou de

l'archéologie n'empêche pas que cette approche d'une «histoire totale» a pu connaître, tout au long de l'époque romantique, un grand succès parmi les couches les plus diverses de la population provinciale, avant de s'éteindre, à la fin du second Empire, récupérée par les entreprises d'État et le centralisme parisien.

De ce mouvement, si vivant et fécond au XIXe siècle, la Société des antiquaires de Normandie, autour de la forte personnalité d'Arcisse de Caumont, paraît aujourd'hui une image emblématique.

Cet exemple, plus éclatant que tout autre, servira ici de modèle pour illustrer les courants d'investigation savante et de sociabilité élitiste qui ont marqué cette époque. Les débats, les espoirs et les inquiétudes du temps s'y reflètent, les luttes politiques, les tendances sociales, les influences locales, les querelles de provinces et de clochers, et, surtout, la rivalité toujours renaissante de la province et de Paris et les contrastes brûlants du jacobinisme et de la décentralisation.

Le foyer normand

Lorsque, en octobre 1830, Guizot, ministre de l'Intérieur, avisait les préfets de la création d'un poste d'inspecteur général des Monuments historiques, il préconisait en même temps la formation en province de sociétés locales. Ces réunions lui paraissaient le moyen le plus efficace pour assurer la conservation des monuments et il citait à titre d'exemple la Société des antiquaires de Normandie, dont il donnait les statuts en modèle. Il proposa même aux préfets de leur en faire tenir une copie, promesse tenue en décembre suivant. Cette distinction doit à l'évidence être analysée.

Née en 1824, elle n'était assurément pas la première société provinciale en date. Les académies créées sous l'Ancien Régime avaient été supprimées sous la Révolution, mais plus de dix d'entre elles avaient déjà été rétablies sous l'Empire et la Restauration. Caen en possédait une, relativement active.

La réorganisation de l'Institut de France en 1818 avait entraîné, conformément à la tradition[3], l'apparition d'une douzaine de sociétés d'agriculture, sciences et arts, respectant ainsi les différentes classes de l'Institut. La mode était passée des compagnies savantes à compétence universelle et l'on s'orientait plutôt vers une pluridisciplinarité revendiquée par les qualificatifs de philomathiques ou polymathiques[4].

En 1814, la célèbre Académie celtique[5], qui avait été fondée en l'an XIII par Jacques Cambry – auteur du *Voyage dans le Finistère* –, le diplomate Mangourit et l'érudit Éloi Johanneau, et dont les préoccupations archéologiques prenaient désormais le pas sur l'étude ethnographique, avait abandonné son nom pour devenir la Société des antiquaires de France. Ce terme devait connaître une grande fortune au XIXe siècle : attesté chez Corneille, il revenait après un passage outre-Manche, où avait été fondée un siècle auparavant la *London Antiquaries Society*. Ainsi les Antiquaires de Normandie, sans innover, se plaçaient sous un parrainage flatteur.

Leur société n'était pas non plus la première née en cette province, puisqu'en 1818 avait été établie la commission des Antiquités de la Seine-Inférieure qui comptait des correspondants dans chacune des petites villes du département. On notera cependant que, comme toute commission, celle-ci avait été créée à l'initiative du pouvoir et que son activité restait liée à l'autorité départementale.

Sociétés et commissions se multiplièrent sous la monarchie de Juillet et le second Empire sur ces deux modèles normands. Cette province commençait à jouer un rôle essentiel dans l'érudition française. Elle devait être au cours du siècle une véritable pépinière d'historiens. Ce rôle primordial s'explique sans doute[6] par la prospérité de la province, qui payait le quart de la taille du royaume sous l'Ancien Régime, ainsi que par son alphabétisation déjà ancienne. Assez proche de Paris pour bénéficier du mouvement de la capitale, elle avait conscience de son individualité et de ses liens historiques avec l'Angleterre. La présence d'une aristocratie puissante de propriétaires terriens ainsi que l'élan d'une bourgeoisie commerçante et riche expliquent le dynamisme de sa vie associative.

Ainsi la Société des antiquaires de Normandie n'était véritablement novatrice ni par son vocable, ni dans sa discipline, ni dans son domaine géographique : le dynamisme et la notoriété de ses fondateurs, leur importance dans l'historiographie archéologique expliquent, selon nous, l'hommage de Guizot.

Comme devait l'écrire cent ans plus tard l'historien de la Société des antiquaires normands[7], ses fondateurs n'étaient pas des romantiques rêveurs. Du Hérissier de Gerville, Auguste Leprévost, comme Caumont, avaient étudié la botanique et la géologie avant l'archéologie. Ils apportèrent à l'étude des monuments le sens de l'observation, de la comparaison, du classement. Par leur formation et leur destinée personnelle, ils étaient très représentatifs des couches sociales de la Restauration.

Le premier directeur de la Société fut l'abbé De La Rue qui avait déjà soixante-treize ans lors de la fondation de l'institution. Ancien professeur d'histoire au collège des Arts et au collège des Arts et au collège des Rois à Caen, il avait été précepteur dans la famille de Mathan qui continua à le protéger en Angleterre pendant l'émigration. Il avait profité de son séjour londonien pour poursuivre ses recherches sur les sources de la littérature anglo-normande du Moyen Âge. De 1794 à 1796, il fit à la Société des antiquaires de Londres de nombreuses communications sur ce sujet. Fontanes

lui confia sous la Restauration une chaire à l'académie de Caen dont il devint le doyen en 1821. Il était depuis 1818 correspondant de l'Institut. L'abbé De La Rue avait été instruit dans la tradition bénédictine et devait être le formateur d'Arcisse de Caumont.
Gerville se forma lui aussi en Angleterre, plutôt dans le domaine de la botanique et de la géologie que dans celui de l'archéologie. Ses explorations dans le Cotentin devaient servir de modèle d'organisation à la *Statistique monumentale du Calvados* de Caumont. Son élève de prédilection, Léopold Delisle – qui devait, grâce à l'influence de Benjamin Guérard, devenir un jour l'administrateur en chef de la Bibliothèque impériale –, a vanté son éclectisme, mis au service de ce que nous appellerions aujourd'hui une histoire totale. Il étudiait également les configurations du sol, les différences de terrain, les plantes et les animaux fossiles et vivants, les traditions, les patois, les usages agricoles et industriels, les généalogies familiales, les monuments civils et militaires de la région. «Il interrogeait l'habitant du château, le prêtre et le paysan et surtout les anciens des paroisses.»
L'abbé De La Rue comme Gerville constituaient les intermédiaires qui permettaient d'atténuer les clivages de générations. Auguste Leprévost appartient à l'époque suivante. Il s'intéressait aux sources médiévales et à la toponymie. On lui doit un *Dictionnaire des anciens noms du département de l'Eure* et un dictionnaire de patois normand. Il avait lu les archéologues anglais, en particulier Anderson et Bentham qui avait publié, en 1798, un ouvrage sur l'architecture médiévale en Angleterre. Leprévost était un brillant épigraphiste, souvent consulté par Mérimée. Nommé à la commission des Monuments historiques en 1837, il y faisait entendre la voix de la province et de ses intérêts. En 1834, il fut élu député de Bernay et quitta la vie politique après 1848.
Le comte Arcisse de Caumont était le benjamin du quatuor[8]. Né à Bayeux le 28 août 1802, il appartenait à une famille de noblesse récente avec de bonnes alliances. Sa femme devait lui apporter assez de fortune pour lui permettre de voyager, de publier et de mener la vie de son choix. Caumont avait étudié le droit à la faculté de Caen, où il avait aussi pu suivre les cours d'histoire de l'abbé De La Rue pendant l'année 1822: «Il dictait un précis sur le prix du blé et des denrées en Normandie, depuis le XIIe siècle jusqu'au XVIe. Il montrait un grand nombre de chartes des différents âges et donnait aussi des leçons de paléographie», rapporte-t-il dans ses *Souvenirs*. Mais Caumont s'intéressait également aux sciences naturelles: il fréquentait des chimistes, des zoologues, des agronomes chez l'académicien Magneville, et avait en 1820 participé à la fondation de la Société linnéenne du Calvados, dont il devint le secrétaire. Quatre ans plus tard, il fonda, avec ses amis, la Société des antiquaires de Normandie, dont le siège fut fixé à Caen.

Les statuts de la Société des antiquaires de Normandie, jugés exemplaires par Guizot, affirmaient l'égalité rigoureuse de tous les membres dont le nombre n'était pas limité. On distinguait cependant les membres résidents au nombre de quatre-vingt-deux, des membres correspondants qui étaient vingt-quatre : les premiers habitaient un des cinq départements de Seine-Inférieure, Eure, Orne, Manche et Calvados, les seconds se recrutaient dans la masse de ceux qui étaient originaires d'une autre région. Ainsi, comme dans la plupart des sociétés provinciales, l'appartenance à une province était-elle tenue pour une vertu. La Société était dirigée par six « officiers » dont seuls le secrétaire adjoint et le trésorier étaient rééligibles, ce qui excluait l'idée de toute mainmise d'une seule personne sur l'institution. Les réunions étaient mensuelles et la présence sanctionnée par des jetons. Lors de la séance publique annuelle, il était procédé à la distribution de prix.
Chaque nouveau récipiendaire devait, dans le mois de son admission, offrir un objet en hommage à la Société. Un article précisait que chaque membre était invité dans son arrondissement à rechercher les monuments et les décorations architectoniques encore existants, ou que des fouilles auraient mis à découvert, à en faire l'historique, à les dater, à préciser leur état de conservation ou de dégradation, et les moyens possibles de les conserver, enfin à les dessiner.
Le contenu du premier volume publié est assez révélateur des liens entre les études ou enquêtes passées et les recherches menées par les acteurs de la nouvelle génération : on y trouve en effet des études sur les anciens châteaux de la Manche, résultat d'une enquête lancée en 1817 puis 1819 par Montalivet au nom de l'Académie des inscriptions et belles-lettres. Gerville, devenu correspondant de l'Académie en 1818, trouvait ici l'occasion de publier un travail resté inédit. Caumont y publiait un essai de cent quarante-deux pages sur « L'architecture religieuse du Moyen Âge, particulièrement en Normandie ».

Le phénomène Caumont

De la collégialité normande surgissait donc, en 1830, la figure exceptionnelle d'Arcisse de Caumont. Si toute sa vie et le sens même de son action sont profondément enracinés dans sa « patrie » provinciale, sa carrière et la formation de ses idées doivent beaucoup à ses voyages en Europe et plus encore aux rencontres de tous ordres faites dans la capitale entre 1827 et 1830.
Grâce à la Société linnéenne du Calvados, Caumont avait connu le baron de Ladoucette, président des Antiquaires de France. Devenu membre correspondant de cette société, il put assister, lors de ses séjours à Paris, aux

séances qui se tenaient au musée des Grands-Augustins : on y trouve les noms familiers de l'archéologie du début du siècle, le sculpteur Émeric David, le peintre Jorand, Salverte, Gilbert, Bodin, et Du Sommerard, grâce à qui Caumont put voir les collections du musée de Cluny bien avant son ouverture. Il assiste aussi aux conférences de Champollion sur les monuments égyptiens. Par ses relations parisiennes, il est introduit à la Bibliothèque royale, et peut y emprunter des livres ; il participe aux réunions de l'Académie des inscriptions et belles-lettres, et connaît ainsi Dacier, Rémusat, le comte de Laborde, qui lui prête l'ouvrage, alors introuvable en France, de l'Anglais King sur *L'Architecture militaire au Moyen Âge.* Ses rapports avec les naturalistes ne sont pas moins fructueux : il fréquente les soirées du baron Cuvier, les réceptions dominicales d'Alexandre Brongniart, alors directeur de la manufacture de Sèvres, qui lui fait connaître des « géologues piémontais très distingués », et surtout le grand géologue allemand Alexandre de Humboldt. Il pratique le salon du baron de Férussac, qui avait entrepris, avec son *Bulletin des sciences,* une « œuvre véritablement encyclopédique », dont Caumont devient le collaborateur : il profite de ces rencontres savantes et mondaines, au 3, rue de l'Abbaye, pour recruter des correspondants à la Société linnéenne de Caen ; il y noue des relations avec le géologue Ami Boué et son « compatriote » Élie de Beaumont qui lui prodigue conseils et encouragements pour la publication de sa carte géologique du Calvados.
Si l'intérêt de Caumont, tout au long de sa carrière, va surtout à l'archéologie et à l'architecture médiévale, cette fréquentation des naturalistes et sa première formation aux sciences de la nature eurent sur ses idées une influence décisive : le patronage de Linné, sous lequel il mit la première société qu'il contribua à fonder n'est pas sans rapport avec les méthodes que plus tard il tenta d'appliquer à l'art monumental. La grande œuvre de Linné avait été l'établissement d'une classification typologique des êtres vivants : c'est essentiellement à une taxinomie que s'attachera Caumont dans son domaine de prédilection. Déjà, lors de ses visites au musée du Louvre, il avait déploré l'absence d'une bonne classification et de catalogues propres à guider le visiteur dans les collections d'art antique. Dans son premier essai sur *L'Architecture religieuse au Moyen Âge*, publié en 1824, il avait tenté une classification qui manifestait sa connaissance des monuments, son sens de l'observation fine et de la comparaison. Sans doute à cet égard avait-il pu trouver, dans les premières théories transformistes, défendues au début du XIXe siècle par Lamarck et Étienne Geoffroy Saint-Hilaire, une inspiration : l'idée de l'« unité de composition » qu'on commence à reconnaître dans l'ordre de la nature et celle d'une complexité progressive acquise par les êtres vivants au cours de leur histoire ont certainement influencé Caumont dans son approche de l'architecture médiévale. Son *Cours d'antiquités monumentales*

en six volumes publiés de 1831 à 1843 est « consacré à la classification chronologique des monuments religieux, au moyen de l'analyse de leurs diverses parties et de l'étude comparative de leurs formes et de leurs moulures aux différents siècles du Moyen Âge[9] ». Caumont y mettait en évidence, ainsi que l'aurait fait un anatomiste de telle partie osseuse d'un vertébré ou de tel organe d'une plante, l'évolution au cours des âges des fenêtres et des rosaces, des parapets, des contreforts des travées et des voûtes, rangés chronologiquement du moins orné au plus orné, du plus simple au plus complexe. Les planches de l'« atlas » qui accompagnait le *Cours* appuyaient cette démonstration.

Cette classification chronologique, pour paraître rationnelle, et juste « dans ses grandes lignes » est cependant, pour les archéologues d'aujourd'hui, assez discutable. Caumont se bornait à relever des « détails », des éléments de décor, et ses « intuitions » n'avaient pas toujours de fondement objectif. Sans nier sa grande connaissance de l'art médiéval ni son mérite qui a été surtout, en ce domaine, de « condenser ce qui était épars, de faire état des découvertes de ses devanciers et d'en présenter un raccourci d'ensemble[10] » , on a pu regretter les effets de ces « datations intuitives » et de ces théories évolutives de l'art médiéval qui, à la suite de Caumont, ont régné en ce domaine jusqu'au début du XXe siècle. *L'Abécédaire ou rudiment d'archéologie*, qui est une reprise de son *Cours d'archéologie médiévale*, restera « le seul guide des archéologues français jusqu'en 1902 » et, comme l'écrit Jean Hubert, la plupart des manuels destinés aux séminaires publiés vers le milieu du XIXe siècle « ne font que compiler les écrits de Caumont en aggravant ses erreurs[11] ».

C'est dire pourtant l'immense influence de l'œuvre et des idées de Caumont tout au long du XIXe siècle, et l'extraordinaire rayonnement de sa personnalité. Il est avant tout un militant, il a contribué à répandre la connaissance de l'architecture médiévale, et, au-delà d'elle, à favoriser celle du passé provincial. Caumont excellait dans l'art de la vulgarisation et, en ce domaine, faire œuvre de vulgarisateur est déjà un acte de militant : « Je travaille ici, écrivait-il au début de son *Abécédaire*, pour ceux qui ne savent rien, pour ceux qui n'ont pas encore épelé dans les grands livres. » Cette attitude se manifeste aussi par l'intense activité déployée par Caumont pour favoriser la connaissance de la province où il était né : dès 1825, il avait dressé une « carte archéologique du département du Calvados » et il a publié, tout au long de sa vie, des itinéraires de promenades, tel ce petit guide illustré de figures et de cartes, publié en 1864 et gracieusement intitulé : *Allons à Falaise par Notre-Dame de Laize, Bretteville-sur-Laize, Outrelaize et la vallée de Laize, itinéraire à vol d'oiseau.* De ces promenades géologiques ou archéologiques, de ces « excursions » curieuses ou savantes, nous possédons les comptes rendus soigneusement recueillis par la Société des antiquaires de Normandie. Dans le «rapport verbal» d'une excursion faite dans l'Orléanais en 1857, Caumont note que «le sol romain d'Orléans n'a pas été suffisamment exploré» et recommande aux archéologues qui se livreront à ce travail d'«aller de porte en porte demander aux propriétaires la permission de pénétrer chez eux [...] en se faisant si nécessaire accompagner d'un commissaire de police» pour les rassurer... Il visite les ruines de la prison, puis les cryptes de Saint-Avit et de Saint-Aignan, et donne son opinion éclairée sur leur datation : la première, traditionnellement datée du VIe siècle, lui paraît plutôt du IXe ou du Xe siècle ; quant à celle de Saint-Aignan, il la croit plus récente, et se fonde pour prouver ses dires sur la comparaison des chapiteaux, qu'il fait dessiner, et sur les légendes que rapportent des traditions locales. L'excursion s'achève avec la visite du musée d'Antiquités d'Orléans. On voit ainsi à l'œuvre, chez cet infatigable voyageur, cette curiosité toujours en éveil, cet enthousiasme pour la recherche et la découverte qu'on retrouve dans ses *Mémoires* et dans les discours recueillis dans le *Bulletin monumental.* Son activité multiforme, son goût des échanges, de la foule et des fêtes, ses talents d'orateur et son autorité ont joué un rôle essentiel dans le rayonnement des institutions qu'il avait contribué à créer, et dans la multiplication des sociétés savantes de province qui se fondèrent, sur leur modèle, au cours du XIXe siècles.

Les Assises scientifiques et l'Institut des provinces

La publicité donnée par Guizot à la Société des antiquaires de Normandie, le cours professé par Caumont à Caen, la parution du premier volume de son cours sur les antiquités monumentales, les déplacements provinciaux qui avaient précédé sa parution ont joué un rôle d'entraînement déterminant dans la fondation en 1831 des Antiquaires de la Morinie, en 1834 des Antiquaires de l'Ouest, en 1836 des Antiquaires de Picardie. La Société archéologique du midi de la France qui naît en 1831 se reconnaissait une filiation avec la société normande, cependant qu'à Narbonne, à Carcassonne se créaient des sociétés analogues par une saine émulation.

L'idée d'organiser des réunions fondées sur des bases nationales et non pas seulement régionales, où chacun pût apporter l'expérience de sa discipline, vint à Arcisse de Caumont à la fois de ses propres expériences provinciales et de ses rencontres avec Alexandre de Humboldt qui patronnait en Allemagne des congrès scientifiques suivis par une très nombreuse assistance. En 1828, le congrès de Berlin avait réuni quatre cent cinquante-huit personnes, en 1832, celui de Vienne plus de onze cents personnes. Dans la logique de Caumont, ces rencontres, en France, prirent la forme de conventions provinciales.

Les premières Assises scientifiques se tinrent à Caen en juillet 1833, les deuxièmes à Poitiers en 1834. Deux cents personnes y assistèrent. De ces fastes poitevins nous possédons deux récits, celui d'Arcisse de Caumont lui-même et des notes de Grille de Beuzelin, secrétaire de la commission des Monuments historique quelques années plus tard. Caumont tenait ces événements pour l'un de ses plus agréables souvenirs. Tout ce que le Poitou, la Saintonge, l'Angoumois renfermaient d'hommes studieux se rendit à l'appel de La Fontenelle de Vaudoré, qui en assurait l'organisation matérielle. On lut des vers à la gloire des provinces de l'Ouest, on versa des larmes. Sa journée de président terminée, Caumont donnait audience jusqu'à onze heures du soir. Regardé comme « une sorte d'oracle dont on tenait à recevoir un avis, on sollicitait deux mots de son écriture comme une relique ». Les communications portaient sur l'agriculture, l'industrie, les arts et les lettres. On y discutait longuement de l'histoire de l'arc brisé, appelé alors ogive. Dans la section d'économie sociale la discussion portait en particulier sur la question de savoir si les maires des villes devaient taxer la viande de boucherie, et si les troupes devaient être employées aux travaux publics.

Les assises durèrent neuf jours. Grille de Beuzelin, plus critique, dénonçait le rôle joué par les « saint-simoniens pour empêcher Guizot d'être élu président honoraire ». « Ces réunions, devait écrire Grille, sont bonnes pour l'archéologie, la géologie, la médecine, l'agriculture et les sciences naturelles et toujours ridicules pour les sciences morales et politiques, la littérature et les arts[12]. » Parmi les propositions pratiques, il était proposé de demander à chaque département d'envoyer un jeune homme étudier à l'École des chartes pour qu'il ait des archives classées, traduites, cataloguées dans tous les points de la France. L'organisme permanent capable de mettre en œuvre et d'animer ces réunions fut créé en 1839 sous le nom d'Institut des provinces. C'était en quelque sorte une pairie d'hommes de lettres et de savants des provinces. Ces réunions prirent souvent, dans les années qui suivirent, l'allure de « splendides fêtes[13] ». Trente ans après le congrès qui se tint à Lyon puis à Vienne en septembre 1841, Arcisse de Caumont en rapporte un souvenir ébloui :

> Le 7 septembre 1841, le Congrès partait de Lyon pour Vienne sur deux bateaux à vapeur, pavoisés d'écussons et de pavillons aux armes de toutes les nations européennes ; ils avaient à peine levé l'ancre, au bruit du canon, qu'une musique militaire et des chœurs, qui devaient chanter durant la traversée des hymnes composés pour la fête, faisaient retentir les coteaux voisins. La population des villages devant lesquels la vapeur nous emportait accourait sur les bords du fleuve pour saluer notre passage [...], à chaque détour du fleuve, une foule nouvelle, de nouvelles acclamations, de nouveaux paysages : ces

> acclamations, je ne crains pas de le dire [...], étaient une preuve éclatante des bons sentiments qui animaient alors nos provinces et des sympathies qu'elles voulaient exprimer au Congrès, qui tentait d'élargir le cercle étroit de la centralisation littéraire et scientifique.

Assises scientifiques et Institut des provinces ne doivent pas être confondus avec deux créations de Caumont qui ont aujourd'hui plus de cent cinquante ans d'existence, la Société française d'archéologie, d'abord appelée Société pour la conservation des monuments, et les congrès archéologiques de France. Au dire de Caumont, dès 1829, «plusieurs sociétés savantes et divers archéologues de l'ouest et du nord de la France se réunirent pour réclamer contre des décisions municipales qui devaient entraîner la démolition d'un certain nombre de monuments précieux». En 1832, le baptistère Saint-Jean de Poitiers était menacé par une modification de voirie, une campagne de presse et des interventions permirent de le sauver. Cette association de fortune née essentiellement dans l'Ouest s'organisa définitivement en 1834 sous le nom de Société française pour la conservation des monuments. Y adhérèrent la plupart des membres des sociétés d'antiquaires nouvellement constituées elle eut pour publication annuelle le *Bulletin monumental* où l'on rendait compte des premiers congrès archéologiques, comme celui de Douai en 1835, avant que ceux-ci ne fissent l'objet d'un volume séparé.
Arcisse de Caumont était devenu le maître d'œuvre d'une société nationale dont l'ambition était de faire connaître les monuments de la France, et surtout d'empêcher qu'ils fussent détruits ou dénaturés par des restaurations malencontreuses.
La nouvelle société n'avait pas le caractère collégial de la Société des antiquaires de Normandie. Son directeur avait le titre d'inspecteur général. Il s'appuyait sur un conseil général de vingt personnes qui déléguait ses fonctions à un conseil restreint de dix personnes. L'ensemble du territoire était réparti entre vingt inspecteurs divisionnaires et quatre-vingt-six inspecteurs départementaux. Parmi les divisionnaires, on note les noms de Du Mège à Toulouse, Chaudruc de Crazannes dans le Lot, La Fontenelle de Vaudoré à Poitiers, Leglay à Cambrai, Jouannet à Bordeaux, Leprévost à Bernay, La Saussaye à Blois: tous ces personnages animaient des sociétés locales importantes et se voyaient choisis comme correspondants des diverses institutions nationales.
La tenue annuelle de congrès dans une ville provinciale entraînait une mobilisation des esprits parfois sans lendemain. On songe un peu au modèle des missions religieuses. La première réunion à Douai ne compta guère qu'une cinquantaine de personnes, ensuite les villes de Vire, Caen, Alençon, Le Mans, Tours reçurent les membres de la nouvelle société. Chaque inspecteur divisionnaire rendait compte de son action au cours de l'année écoulée. Une

sorte d'inventaire sommaire des monuments de la ville et du département était alors dressé. Par là, on voulait attirer l'attention des responsables locaux, par voie de presse, sur les dangers encourus par certains édifices et illustrer leur intérêt. Des sommes étaient votées pour les monuments en péril.

Si la nécessité et l'efficacité d'une institution se mesurent à la pérennité, il convient alors de saluer le maintien contre vents et marées des congrès archéologiques et du *Bulletin monumental.* Ils sont encore bien vivants et les congrès attirent chaque année près de trois cents personnes à la découverte des monuments d'un ou deux de nos départements.

Caumont est moins célèbre pour sa fondation de l'« Association normande[14] ». Pourtant l'entreprise fut conduite avec autant de rigueur et de dynamisme que celle de la sauvegarde monumentale. Partant de l'idée, déjà défendue par les physiocrates, que l'agriculture savante avait besoin d'informations sur les progrès économiques et techniques, son projet était de former une association de petits et grands propriétaires fonciers et de publier à leur intention une revue d'information. L'organe de l'Association fut l'*Annuaire des cinq départements de l'ancienne Normandie.* Chaque année, il était rendu compte dans une ville normande différente des progrès et expérimentations dans le domaine de l'agronomie, de l'élevage et des cultures... Fondée en 1831, elle avait publié en 1885 cinquante volumes d'*Annuaires.*

À bien des égards, l'Association normande était une société d'agriculture, et sa création suivit de peu l'ordonnance du 29 avril 1831 qui favorisait la formation de sociétés libres dans ce champ de curiosités. Mais la revue accueillit des articles de tout ordre.

Les réunions annuelles qui attiraient près de trois mille personnes ont joué un rôle essentiel dans la convivialité normande. Par l'Association furent en effet mises en rapport des personnalités de milieux très divers.

Le ministère de l'Agriculture subventionna l'entreprise. Au bout de quelques années, l'équilibre financier de celle-ci dépendait entièrement de subventions ministérielles, Caumont jouant alors le rôle d'intermédiaire entre le gouvernement et la société.

L'État et la récupération des initiatives privées

En 1834, pendant le mois de juillet, alors que venait d'être créée la Société pour la conservation des monuments historiques, Guizot instituait le comité des Travaux historiques, avec pour mission la publication des documents inédits pour servir à l'histoire de France. En 1837, ce comité était réorganisé par Salvandy en cinq sections, celle du comité des Arts et Monuments comprenait entre autres Mérimée, Montalembert, Hugo. Il devait faire l'inventaire et la statistique des monuments de la France[15].

Guizot considérait que c'était à l'État de jouer le rôle de protecteur et de fédérateur des sociétés savantes. Il s'en est clairement expliqué dans ses *Mémoires*: «Des esprits généreux entre autres un savant archéologue français et l'un des plus actifs correspondants de l'Académie des inscriptions et belles-lettres, M. de Caumont, se sont efforcés soit par des congrès scientifiques, soit par une réunion fictive des sociétés locales sous le nom d'Institut des provinces, d'imprimer à toutes les associations le mouvement et la publicité fécondante qui leur manquent. Je ne saurais bien mesurer quel a été, ni bien prévoir quel pourra être le succès de ces efforts, mais quoi qu'il en soit je pensais en 1834 qu'il appartenait au pouvoir central de mettre la main à cette œuvre[16]...» En tant que ministre de l'Instruction publique en 1834, il ne dirigeait en fait que l'université. Mais il ambitionna d'avoir la tutelle de tous les grands établissements d'enseignement et de ceux qui se consacraient au progrès des sciences et des lettres: l'Institut, les sociétés savantes, les bibliothèques. Dans son projet de publications, les sociétés seraient l'équivalent laïc des congrégations religieuses disparues, qui avaient écrit au siècle précédent les grandes histoires provinciales. Le comité des Travaux historiques, en échange de la collaboration des sociétés, leur offrait des subventions substantielles et assurait matériellement les échanges de publications entre les sociétés en prenant à sa charge les frais de messagerie. En outre, Guizot offrait de publier annuellement les mémoires les plus importants dans une revue nationale. Il avait assisté entre 1820 et 1824 au lancement de l'enquête sur les édifices par l'Académie des inscriptions, et à l'arrêt de l'entreprise faute de moyens. Il était décidé à mettre un budget convenable à la disposition des sociétés qui voudraient collaborer. Il obtint cinquante mille francs pour son entreprise, Salvandy porta cette somme, quelques années plus tard, à cent vingt mille francs.

En 1837 était créée, au sein du ministère de l'Intérieur, la commission des Monuments historiques pour assurer la sauvegarde proprement dite des édifices par des subventions et en diriger la restauration. La commission envoya aux préfets une circulaire leur demandant de signaler les édifices les plus dignes d'intérêt dans leur département. Pour établir cette liste, les préfets s'adressèrent le plus souvent aux érudits locaux ou à des sociétés savantes. Un réseau de correspondants fut officiellement constitué, chargé de signaler les édifices en péril. Dans douze départements, des sociétés savantes jouèrent ce rôle. Là où n'existait pas de société savante, certains préfets créèrent des commissions, à l'existence plus ou moins éphémère.

En juin 1838, Caumont adressait au ministre de l'Intérieur une demande de subvention, accompagnée d'une présentation de sa société: «Organisée dans trente départements, comptant trois cent vingt membres, il est tel département où la plus petite église de campagne n'est point réparée sans qu'un commissaire de notre société l'ait visitée et qu'il ait donné son avis sur le travail à faire.» Il confirmait l'appui du clergé grâce à des conférences faites depuis plusieurs années dans les séminaires par les membres de la société. Les sociétaires effectuaient tous ces déplacements à leurs frais. «Ce zèle désintéressé, joint aux lumières incontestables des hommes que la Société a spécialement chargés d'inspecter les édifices, donne quelque droit à la compagnie d'espérer que vous ne la traiterez pas moins favorablement que celles qui ont obtenu des allocations de quinze cents à deux mille francs.»

En marge de cette demande, Mérimée, qui avait en 1834 placé sa première inspection sous la bénédiction d'Arcisse de Caumont, note: «C'est une question que la commission devra examiner de savoir s'il convient d'encourager une société qui a exactement les mêmes buts que la commission. En accordant à la société une subvention même faible, ne résigne-t-elle pas une partie de ses attributions?» Cette subvention de l'État se montait à trois cents francs. On ne contredira pas Caumont, lorsqu'il protesta que pour une telle fondation, reconnue par Montalembert comme unique en France, il s'agissait d'une véritable dérision.

L'argument invoqué par l'administration pour ce demi-refus n'est pas sans intérêt. Puisque sa responsabilité était engagée, elle exigeait pour l'octroi d'une allocation un dossier justificatif très précis, cas par cas, et non pas une délégation de crédits globale, dont la société aurait été maîtresse. Il était clair que le ministre de l'Intérieur ne voulait pas privilégier une société particulière comme l'avait fait le ministère de l'Agriculture avec l'Association normande. Caumont dut renoncer au rôle médiateur dont il avait sans doute rêvé[17].

Ainsi, comité des Travaux historiques et commission supérieure des Monuments historiques couvraient-ils, en 1840, les mêmes domaines que la Société française d'archéologie et l'Institut des provinces.

En fait, le nombre de savants d'une ville ou d'un département ne pouvait être multiplié à l'infini. On ne s'étonnera donc pas de voir les mêmes savants cumuler les fonctions et les titres, représentants des ministères de l'Instruction publique et de l'Intérieur, correspondants de la Société française d'archéologie, de l'Académie des inscriptions et belles-lettres, des Antiquaires de France, etc.

Sous le second Empire, les ministres de l'Instruction publique, Fortoul, puis Rouland, menèrent une politique plus favorable à la modestie de l'érudition qu'à l'ambition d'une science proclamée. Leur attitude à l'égard des société savantes était prudente, car la vie associative était soupçonnée *a priori* de nourrir une opposition légitimiste. Pour encourager et coordonner les travaux des sociétés savantes le pouvoir avait le choix entre plusieurs solutions:

leur rattachement à l'Institut de France ou à l'Institut des provinces de Caumont, création dynamique et florissante: ils préférèrent en définitive s'appuyer sur le comité des Travaux historiques pour des raisons politiques. Celui-ci prit le nom en 1858 de comité des Travaux historiques et des sociétés savantes. Son rôle, d'abord circonscrit à la publication des sources, fut étendu à tous les domaines de l'histoire et des arts. Il avait désormais pour mission d'examiner les travaux envoyés par les sociétés et de publier les plus remarquables d'entre eux. Les recteurs devaient, dans chaque académie, pousser les jeunes professeurs à participer à la vie savante de la province. C'était une forme de mainmise par le ministère de l'Instruction publique sur ces institutions.

En novembre 1861, le ministre réunissait en congrès à Paris les représentants de toutes les sociétés savantes à la Sorbonne. Ces réunions concurrençaient à l'évidence les initiatives de Caumont, qui y avait tenu lui aussi en 1856, et pour la première fois, ses Assises scientifiques.

Chennevières devait quelques années plus tard évoquer, dans ses *Souvenirs*[18], cette première séance de novembre 1861: «J'avais l'honneur d'être assis auprès de M. de Caumont, je me souviens encore que j'en sortis le cœur un peu gros: le nom du créateur de ces réunions n'y avait pas été prononcé et j'en éprouvais comme un sentiment d'injustice. Si l'État, convaincu de son droit d'utilité publique, expropriait M. de Caumont, il avait le droit en un mot d'être juste, la justice étant la base absolue des choses de l'État.» Scrupule significatif: le marquis Philippe de Chennevières-Pointel (1820-1899), lui aussi normand, né à Falaise, et d'origine noble, restait proche de l'esprit d'Arcisse de Caumont, dont il admirait l'œuvre; la découverte des collections provinciales avait été, dit-il, «l'éblouissement de sa jeunesse». C'est à lui que revint l'initiative du premier Inventaire des richesses de la France, lorsqu'il devint, en 1874, directeur des Beaux-Arts.

Un dynamisme provincial

«La féconde et généreuse armée des sociétés savantes» – selon l'expression de Chennevières – avait conquis surtout le nord de la Loire, avec une implantation plus dense en Picardie, en Normandie, dans la Sarthe, puis en Lorraine et en Champagne. D'importants foyers existaient aussi autour de Bourges, à Bordeaux, Toulouse, Montpellier et Aix. On devine une sorte de désert culturel dans le Massif central, les Pyrénées, une partie du Languedoc et de la Bretagne. Cette distribution correspond assez bien à l'extension de la Société française d'archéologie, très bien implantée dans l'ouest de la France, avec des correspondants méridionaux isolés à Toulouse et Marseille.

La prolifération des sociétés savantes provinciales, tout au long du XIXe siècle, autant que l'enracinement et la durée de ces entreprises, témoigne de leur succès. Charles-Olivier Carbonell dénombre, entre 1830 et 1849, la naissance de vingt-trois sociétés savantes spécialisées dans l'histoire et l'archéologie, et de dix-sept sociétés à curiosités multiples[19]. Entre 1850 et 1870, ces chiffres s'élèveront respectivement à vingt-cinq et vingt-huit. Le nombre moyen de leurs membres varie de cinquante à cent cinquante : on saisit dès lors l'importance d'organismes fédératifs qui pouvaient, comme l'Institut des provinces, réunir huit cents à mille deux cents personnes dans une ville, ou même de la Société française d'archéologie qui, avec six à huit cents adhérents à la fin de l'Empire, pouvait assembler deux ou trois cents personnes dans un congrès archéologique.

Les sociétés qui naissent sous la monarchie de Juillet se distinguent des anciennes académies provinciales, dont la renaissance avait eu lieu sous le premier Empire et la Restauration, par la jeunesse relative de leurs membres : les Antiquaires de Normandie, la Société archéologique de Montpellier s'enorgueillissent au cours des premières années de compter dans leurs rangs de vrais collégiens. Pourtant, les sociétés semblent vieillir avec le siècle et, à la fin du second Empire, la proportion des jeunes gens paraît décroître : le dépeuplement de la province et l'attrait qu'exercent sur la jeunesse les carrières parisiennes pourraient expliquer cette tendance.

Les sociétés savantes de province recrutent leurs membres, d'une façon générale, au sein des professions libérales et de la bourgeoisie intellectuelle et aisée, avec une forte présence des représentants de la magistrature[20] : à Poitiers, à Caen, à Amiens, ou à Lille, les magistrats sont nombreux. À Montpellier, la Société archéologique compte un grand nombre de professeurs de médecine, de physique, de chimie et de sciences. De nombreux propriétaires terriens appartenant à l'aristocratie sont correspondants agricoles. À Amiens, on relève, sur quarante-trois titulaires, dix-neuf propriétaires. Parmi ceux-ci, onze vivent à Paris.

La Société des antiquaires de Normandie paraît ouverte aux différentes couches sociales, conseillers généraux, maires, curés, simples professeurs, agents de voirie, bibliothécaires et archivistes. Cependant, parmi les sociétés d'antiquaires en général, et dans les compagnies qui sont dans l'obédience de Caumont (la Société française d'archéologie et l'Institut des provinces), la présence de nombreux patronymes nobiliaires s'explique par la forte implantation des nobles en province, et par les avantages que leur donnaient leur éducation, leur fortune et leurs loisirs. Beaucoup d'entre eux étaient collectionneurs, et certains, tel Tamizey de Laroque en Agenais, possédaient une bibliothèque personnelle importante, ou des archives familiales, comme le duc Louis de La Trémoille ou le marquis de Chantérac. La monarchie de

Juillet et le second Empire donnèrent à certains d'entre ces nobles des loisirs forcés dont ils surent faire le meilleur usage : ainsi, le comte de Rougé, qui prit rang parmi les égyptologues les plus distingués. Les inspecteurs divisionnaires de la Société française d'archéologie appartiennent souvent à une aristocratie légitimiste : ainsi La Sicotière dans l'Orne, Jules de Laurière, le baron de Rivières, le marquis de Rochambeau, Anatole de Roumejoux, le comte de Marsy, Eugène de Beaurepaire.

La part des ecclésiastiques dans ces sociétés est assez importante : leur insertion dans les diocèses et leur permanence en faisaient des correspondants précieux : certains ont laissé un nom dans l'érudition, comme le chanoine Porée, l'abbé Cochet ou l'abbé Audierne.

La composition professionnelle des sociétés savantes varie bien sûr avec l'objet de leurs travaux. Ainsi, la Société polymathique du Morbihan, fondée en 1826, réunissait des Vannetais qui s'intéressaient à la botanique : trois médecins, un étudiant en médecine, un pharmacien, un professeur de mathématiques, un ingénieur des Ponts, un géomètre, mais aussi un maître imprimeur, un procureur, un fonctionnaire des Postes. Le plus âgé avait soixante-seize ans, le plus jeune vingt ans. Cet amalgame peut prêter à sourire ; mais il y a aujourd'hui un tel cloisonnement des connaissances qu'on peut aussi être sensible à cette diversité des méthodes et des approches, à cette union des « curiosités » qui, pour paraître quelquefois naïve, se révèle souvent fructueuse dans ses résultats.

La composition des sociétés savantes, constituées à l'instigation du comité des Travaux historiques, de la commission des Monuments historiques et des préfets, paraît nettement plus gouvernementale. L'évolution de ce recrutement s'accentue sous le second Empire avec l'influence accrue des représentants de l'enseignement au sein des comités et en province.

Cette emprise de l'État se reconnaît, par exemple, dans l'histoire de la Société française de géographie, qui paraît illustrer les avatars d'une compagnie sans chef de file[21]. Fondée en 1821, elle est la plus ancienne du monde, puisqu'elle précède même celles de Berlin et de Londres. Son public est amateur, diplomate, militaire, commerçant, avant d'être professeur et chercheur spécialisé. La première direction est collégiale : Barbié du Bocage, Jomard, Langlès, Malte-Brun, Walckenaer, auxquels s'adjoignent bientôt J.-B. Fourier, J.-A. Letronne, Rossel. La moyenne d'âge est de quarante-sept ans et demi, dix-neuf membres sont étrangers, les provinciaux sont presque absents. Soixante-treize pour cent de ses membres sont des fonctionnaires ou assimilés... La Révolution de 1830 ébranle la jeune Société. Ce n'est qu'à la fin du second Empire et au début de la IIIe République que la Société de géographie, en particulier grâce à Chasseloup-Laubat, et Charles Maunoir, prendra son véritable essor. Les séances les plus fructueuses se tiennent plutôt au restaurant *La Petite Vache*, rue Mazarine, qu'au siège de la Société. Sa prospérité, sous la IIIe République, correspond en même temps à la volonté d'assurer la revanche sur un pays dont l'école géographique était particulièrement brillante. Mais il n'est pas inutile de rappeler que Barbié du Bocage, cherchant à expliquer en 1849 les difficultés de la compagnie, dénonçait la responsabilité de l'administration. On mesure à cette conception des rapports d'une association avec l'État, l'indépendance de la Société française d'archéologie, implantée solidement en province, et l'originalité des créations de Caumont.

La Société d'émulation d'Abbeville, fondée en 1797, est un autre exemple du dynamisme de l'initiative locale, et de la fécondité du pluralisme au sein des sociétés provinciales[22]. On y débat, autant que de sciences naturelles, d'histoire et d'archéologie, des grands problèmes sociaux du temps : la misère et le choléra, l'éducation du pauvre, la place de la femme dans l'État social. Cette « société historique, scientifique et littéraire » devait conquérir la célébrité au milieu du siècle, grâce à la brillante personnalité de son président Jacques Boucher de Perthes (1788-1868), et devenir le lieu où, à l'écart des savoirs officiels et des institutions académiques parisiennes, allait se fonder la préhistoire[23].

La recherche d'ossements fossiles et de silex taillés était devenue, depuis le XVIIIe siècle, un passe-temps à la mode parmi les amateurs éclairés de province. La collecte de ces « curiosités » naturelles rejoignait les préoccupations des savants français, anglais et allemands et, après la découverte par Lartet, en 1836, du singe fossile, après celles d'ossements humains dans le lœss et dans les cavernes, se posait, autour de 1840, la brûlante question de l'homme fossile.

Au sein de la Société d'émulation d'Abbeville, un jeune naturaliste, le docteur Casimir Picard, publia quelques articles sur les industries primitives et la taille du silex. À sa mort, en 1841, Boucher de Perthes reprit ses travaux. Ce descendant de petite noblesse champenoise, fonctionnaire des douanes, incarne bien le « polymathisme » des sociétés savantes du temps : auteur de romans et de tragédies en vers, d'un volumineux recueil de « chants celtiques » et d'un traité sur le libre-échange, il s'intitule volontiers lui-même un « bohème de la science ». « Héritier » autant que fondateur, il avait reçu, outre les leçons de Casimir Picard, celles de son père qui, avant lui directeur des douanes d'Abbeville, avait été un des membres fondateurs de la Société d'émulation : Jules-Armand Boucher était un naturaliste distingué, il possédait un cabinet d'histoire naturelle, était correspondant de l'Institut, et l'auteur d'une *Flore d'Abbeville* qui faisait autorité. Comme Arcisse de Caumont, Jacques Boucher de Perthes avait eu pour maîtres Gerville et l'abbé De La Rue. Il put ainsi appliquer la méthode stratigraphique, utilisée en archéologie, à la fouille en préhistoire, et les méthodes classificatrices des sciences naturelles à la typologie des industries primitives. Il suggéra même de soumettre les matières non identifiées à l'analyse chimique, à l'exemple de Brongniart et Caumont, qui s'étaient adressés à Vauquelin pour l'analyse chimique des haches de bronze.

Le grand combat de Boucher de Perthes fut pour la reconnaissance d'un «homme antédiluvien» contemporain des grands animaux disparus: il en avait affirmé l'existence dès 1846, date de la parution de ses *Antiquités celtiques et antédiluviennes*, et croyait en avoir trouvé la preuve, en 1853, dans l'association, dans les dépôts de graviers et de sables de Saint-Acheul, d'ossements caractéristiques des faunes quaternaires et de silex taillés. L'Académie des sciences, vouée au cuviérisme officiel, rejetait absolument ses thèses, et la Société d'émulation d'Abbeville lui fournit une tribune pour se faire connaître et entendre, exposer ses idées, publier ses textes. La reconnaissance fut tardive, et elle vint d'abord des naturalistes anglais: le grand géologue Charles Lyell reconnut, en 1859, «l'ancienneté géologique des bancs, leur état vierge, la présence de l'éléphant fossile et celle de silex taillés[24]». Falconer, Evans, Prestwitch firent le voyage d'Abbeville, et confirmèrent la thèse de Boucher de Perthes.

À partir de 1863, après ces multiples témoignages et la découverte de la fameuse «mâchoire de Moulin-Quignon», le monde scientifique parisien se déclara convaincu, et admit l'existence de l'homme fossile: la préhistoire devint science officielle, avec sa première revue, le *Bulletin des travaux et découvertes concernant l'anthropologie, les temps antéhistoriques, l'époque quaternaire*, fondée en 1864 par Gabriel de Mortillet. En 1867 s'ouvrit le Congrès d'archéologie et d'anthropologie préhistorique, à l'occasion de l'Exposition universelle de Paris. Dès 1862, Boucher de Perthes, qui devait mourir en 1868, avait légué une partie de ses collections au musée de Saint-Germain-en-Laye. Il lui appartient d'avoir fondé une science, contre les convictions fossilisées des académismes parisiens. Les noms d'«Acheuléen» et d'«Abbevillien» qui désignent, pour tous les préhistoriens du monde, certaines industries caractéristiques du paléolithique inférieur, portent jusqu'à nos jours la mémoire de ces humbles localités provinciales où, grâce au dynamisme d'une société savante, s'est enracinée la préhistoire française.

Monuments, musées, mémoires

L'œuvre accomplie par les sociétés savantes peut s'ordonner sur trois axes: la sauvegarde des monuments, la constitution de collections, les publications. Avec le temps, on constate que la part respective de ces trois activités se modifie sensiblement; c'est la troisième d'entre elles qui sera la plus durable.

L'un des objectifs d'Arcisse de Caumont, lors de la création de la Société française d'archéologie, était de lutter contre le vandalisme destructeur et restaurateur. Les inspecteurs divisionnaires de la Société devaient lors de leur rapport annuel envisager l'état des monuments de leur circonscription et la qualité des restaurations effectuées. Le Comité des arts, lors de sa création, eut les mêmes objectifs. Entre 1830 et 1848, de nombreuses sociétés savantes remplirent donc un rôle de surveillance à l'égard des monuments. Des édifices comme la Basse-Œuvre de Beauvais, le cloître de Cadouin, le clocher de Caussade en Gironde, les arènes de Bordeaux, Saint-Nicolas de Rethel, etc., firent l'objet de nombreuses interventions au comité. A. de Caumont acheta les restes de l'abbaye de Savigny en Normandie pour les sauver. La commission du Nord surveilla les travaux du palais de justice de Lille pour enregistrer les renseignements archéologiques éventuels. De même la commission des Antiquités du Pas-de-Calais jouait un rôle actif, indemnisant les municipalités trop pauvres pour leur permettre de constituer un dossier de protection avec plans et pièces d'archives. La commission instituée en Gironde «pour la conservation et la recherche des Monuments historiques» remarquait que les allocations ministérielles lui avaient permis d'avoir une action plus efficace. Elle comptait cinquante-neuf collaborateurs dans le département. Les monuments avaient été répartis en trois catégories, ceux qui méritaient un secours de l'État, ceux qui nécessitaient des mesures de mise hors d'eau, ceux dont seul le souvenir méritait d'être conservé. Les monuments du département qui furent portés sur la première liste de protection des Monuments historiques, celle de 1840, avaient tous fait l'objet de notices, relevés et croquis par des membres de la Société. Tous les secours et l'emploi des subventions transitèrent par elle pendant les premières années. Il est vrai que le préfet et les sous-préfets exerçaient eux-mêmes une tutelle attentive sur la commission.

Cependant, la sauvegarde des édifices exigeait des moyens qui dépassaient ceux des sociétés savantes. La moindre intervention supposait la collaboration d'un architecte et l'engagement de frais. En 1839, le préfet du Nord, Cotencin, et l'académie de la Moselle constataient que l'on ne pouvait compter sur le bénévolat pour de pareilles interventions. La restauration fut confiée par l'administration à des architectes dont la capacité avait été reconnue sur le terrain; le Comité des travaux historiques comme les sociétés savantes cessèrent rapidement d'avoir la surveillance de travaux.

La sauvegarde d'œuvres en déshérence ne semble pas avoir été le seul mobile pour la constitution de collections archéologiques par les sociétés. Les collections académiques et aristocratiques d'Ancien Régime avaient donné à la possession de cabinets de curiosités une connotation flatteuse. Jean Vergnet-Ruiz et Jacques Thuillier[25] ont récemment rappelé que ce ne sont pas les confiscations révolutionnaires qui ont permis la construction de musées provinciaux mais plutôt les collections des antiquaires du XIXe siècle et les dépôts de l'État à partir de l'Empire. L'arrêté de septembre 1800 qui créait une quinzaine de musées en province y laissait peu de place à l'archéologie et à l'histoire régionale et locale. Or, la Restauration et la monarchie de Juillet furent des périodes fastes pour les collectionneurs. Abbayes et châteaux vendus à l'encan ou démolis, hôtels particuliers squattérisés avaient mis sur le marché quantité de fragments lapidaires, de statues, vitraux, objets d'art religieux... Dans les années suivantes, les grands ouvrages d'urbanisme et les travaux des chemins de fer entraînèrent la découverte de monnaies, de mosaïques, d'objets de fouilles... On voit ainsi en 1832 quelques habitants de Langres signaler parmi les principaux objets d'Antiquité de la ville des matériaux engagés dans les anciens murs d'enceinte. Une commission fut créée pour classer et conserver ces éléments dégagés qui devinrent le noyau d'un musée important, non sans de nombreux conflits avec les représentants de la municipalité qui s'opposaient à ceux qui étaient significativement appelés «Messieurs des Pierres»...

Le principe de la conservation des objets et des trouvailles faites localement dans un musée régional rencontra très vite d'ardents défenseurs. Le transfert à Paris au musée d'Alexandre Lenoir et plus tard au musée de Cluny des pièces les plus prestigieuses de la province avait été durement ressenti et rencontrait à la commission des Monuments historiques l'hostilité d'hommes comme le baron Taylor et Auguste Leprévost. Là où existait une institution d'accueil, ce type de spoliation ne pouvait avoir lieu.

Les statuts de la Société des antiquaires de Normandie détaillent les conditions de constitution du cabinet de médailles et autres objets d'Antiquité, sa gestion et son accroissement: dans les quinze jours de son admission, le nouveau sociétaire devait faire l'hommage d'un objet relatif aux antiquités. La Société devait déposer dans un établissement public les objets qu'elle recueillait ou dont on l'avait faite dépositaire. Certains sociétaires se contentaient de remettre un moulage, d'autres donnaient toute leur collection.

Les cabinets des sociétés se résumèrent parfois à quelques vitrines dans la salle de délibération. Quelquefois, au contraire, la société se constitua autour du musée. Ainsi pour les Antiquaires de Picardie. S'adressant au préfet de la Somme, les fondateurs affirmaient que l'association étant destinée à être appréciée plus tard par ses résultats matériels, ils voulaient qu'on juge de leurs travaux, moins par le nombre de leurs mémoires et de leurs dissertations que par le choix des objets qui formeraient leur cabinet d'archéologie. Le musée fut construit grâce à des billets de loterie émis pendant une partie du second Empire.

Les collections furent souvent installées dans une chapelle désaffectée qu'elles sauvaient de la ruine : ainsi à Narbonne où les collections de la commission furent installées dans l'église de Lamourguié, ou à Autun dont le Musée lapidaire fut installé dans une petite chapelle romane.

Parfois aussi les sociétés savantes eurent leur siège et leurs collections dans un vieil hôtel dont le nom était lié à l'histoire de la province. Le Musée lorrain constitué en 1848 par la Société d'archéologie lorraine occupa l'ancien palais des ducs, la Société des antiquaires du Centre occupa l'hôtel Cujas à Bourges, la Société Schongauer le Musée Unterlinden de Colmar. On pourrait multiplier les exemples qui sont essentiels, car ils fixent la mémoire collective provinciale sur des figures célèbres avec plus ou moins de pertinence historique : hôtel du chancelier Rolin à Autun pour la Société éduenne, hôtel de Lunaret pour la Société archéologique, couvent des Augustins à Toulouse pour le musée des Antiques de la Société archéologique du midi de la France.

À la création de musées archéologiques provinciaux sous la direction de sociétés savantes concourt le souci pédagogique qui n'est jamais absent des préoccupations des hommes de ce siècle.

Visitant les collections du Louvre vers 1830, Arcisse de Caumont s'étonnait du peu de peine pris par les conservateurs pour présenter les pièces exposées et revendiquait pour les visiteurs le droit de comprendre l'organisation des salles et l'intérêt des œuvres choisies.

Certaines sociétés eurent le souci de constituer des musées didactiques à partir de copies d'œuvres célèbres, s'efforçant de faire des résumés du musée du Louvre. Cette tendance fut cependant éphémère, et le souci fut constamment affirmé de rendre compte de la spécificité de la province. C'est ainsi que les musées provinciaux ne continrent pas seulement des collections archéologiques. Les arts secondaires y occupèrent souvent une place importante : vitraux, tombeaux, miniatures, émaux, médailles, alimentant nombre de communications des séances de ces sociétés à l'occasion de leur entrée dans le musée. Celui-ci devait faire également une place aux hommes éminents de la ville et aux artistes de la province, surtout sous l'influence de Philippe de Chennevières, directeur des Beaux-Arts de 1875 à 1880, un des animateurs de la Société de l'art français.

La tenue de congrès scientifiques dans les villes de province fut l'occasion d'exposer des œuvres d'art, et Chennevières nous a raconté son émerveillement en 1861, à Marseille, devant l'abondance des biens alors sortis de réserves familiales ou institutionnelles : « L'antique noblesse de la province, la riche finance de Marseille, les confréries religieuses, les musées, les amateurs, les hôtels de ville s'étaient piqués d'honneurs. Jamais, jamais plus la Provence ne reverra une aussi magnifique image d'elle-même que celle qui fut là deux mois dans l'immense galerie du boulevard de la Madeleine. » Un congrès tenu à Falaise révélait une Louise de La Vallière peinte par Mignard, tandis qu'à Chartres on découvrait des portraits des Montmorency et des Aligre ou encore à Évreux vingt-quatre miniatures de Samuel Bernard appartenant aux Clermont-Tonnerre. Ces expositions entraînaient souvent une donation ultérieure au musée ou même la création d'un musée tout neuf tel celui d'Albi, constitué après l'exposition organisée dans la ville pour le congrès archéologique de 1863.

Les musées d'accueil s'étaient, d'ailleurs, multipliés : en 1803, les distributions consulaires étaient partagées entre vingt musées de province alors qu'en 1865 le comte de Nieuwerkerque, surintendant de la Maison de l'empereur, devait répartir ses dons d'œuvres d'art entre quelque cent dix musées. Chennevières aimait se faire le chantre de la géographie de l'art : « Ce qu'un voyageur demande d'abord à un musée de province, c'est le génie de sa province. » À Limoges devait s'ouvrir le musée des Émaux, à Dieppe celui des Ivoires, à Beauvais celui de la Tapisserie, à Nevers et à Rouen un musée des Faïences, directions qui ont été en grande partie observées au cours de notre siècle.

Si un des motifs de méfiance durable de la province envers Paris avait été le transfert de collections prestigieuses dans la capitale, la défense du pluralisme provincial s'inquiétait aussi d'une politique muséale « rapace, égoïste, envieuse de toute belle œuvre attachée à une église ou à un vieil hôtel ». L'opposition au principe d'un musée des Monuments français parisiens entraînait également la critique d'un musée toulousain qui, sous l'impulsion de Du Mège, avait opéré à son profit la même centralisation régionale. Le musée n'était nécessaire que lorsqu'il permettait de sauver une œuvre abandonnée. Plus souvent, la conservation de l'œuvre *in situ* demeurait la solution la plus respectueuse du passé.

L'essentiel de l'œuvre accomplie par les sociétés réside à l'évidence dans leurs entreprises d'édition. En cela elles justifiaient leur dénomination puisque c'étaient les publications scientifiques, fondées sur le recours aux sources originales, qui conféraient à une compagnie le caractère de société savante. Ces publications ont fait l'objet de nombreuses études, en particulier lors de la célébration du centenaire des congrès nationaux des Sociétés savantes, en 1975, sans oublier les recensions de la monumentale bibliographie des travaux historiques et archéologiques de Gandilhon et Samaran.

Le travail des sociétés dans la première moitié du siècle, si imparfait qu'il puisse aujourd'hui paraître, s'inscrivait contre la tendance académique antérieure. Leprévost cherchant à en définir les caractères en 1825 pouvait écrire : « Quelque objet qu'on traitât, il fallait pour captiver des oreilles indifférentes soigner plutôt la forme que le fond et se garder de toute recherche poussée un peu loin comme d'un dangereux écueil. »

À l'imitation de la Société des antiquaires de Normandie, la plupart des sociétés publièrent des volumes de bulletins et de mémoires. Les premiers rendaient compte des communications, des conférences, de la vie de la société, les seconds étaient consacrés à la publication d'une œuvre, texte ancien, cartulaire, chronique, répertoire ou statistique.
En effet, à l'instar de leur modèle, les sociétés qui se fondèrent entre 1825 et 1850 eurent des préoccupations à la fois archéologiques et historiques. Les tâches de sauvegarde des édifices ayant été rapidement remplies par l'État, les sociétés se vouèrent à l'établissement de monographies monumentales et d'inventaires. Dès 1835, la Société française d'archéologie avait proposé un cadre pour la confection d'une statistique monumentale et historique de la France au Moyen Âge. L'idée fut reprise par le comité des Travaux historiques qui lança auprès de tous les maires de France un questionnaire très détaillé tiré à trente-sept mille exemplaires. Celui-ci avait été adapté aux particularités locales par le soin des sociétés savantes.
D'autre part, un des premiers objectifs que s'était fixés la Société des antiquaires de Normandie était de rassembler et de publier des «faits propres à éclaircir et à compléter l'histoire du pays». Dès 1846, Léchaudé d'Anisy et Léopold Delisle éditaient les *Rôles de l'Échiquier de Normandie*. Un parcours rapide des sociétés filleules permet de comprendre l'ampleur de l'œuvre réalisée sur le plan de la statistique monumentale et sur celui de l'édition des textes. Aux trente-quatre volumes de *mémoires* et quarante-trois *bulletins* des Antiquaires normands[26], répondent les trente-quatre volumes de *bulletins* et les soixante-six volumes de *mémoires* des Antiquaires picards qui publiaient en outre les six volumes de la *Picardie historique et monumentale*, ainsi qu'une monographie de la cathédrale d'Amiens en deux volumes. L'académie de Reims, créée en 1841, a publié cent quarante-cinq volumes de *mémoires* où figurent les œuvres de Dom Marlot, Flodoard, Richer, un répertoire archéologique de l'arrondissement de Reims, etc. La Société des antiquaires de Morinie à Saint-Omer publiait quinze volumes de *bulletins*, trente-cinq volumes de *Mémoires* et huit volumes de documents inédits dont l'*Histoire des abbayes de Saint-Bertin*, le *Cartulaire de Saint-Bertin et de Thérouanne*, l'*Histoire du bailliage de la ville*, le *Cartulaire de la chartreuse de Val-Saint-Aldegonde*... La Société archéologique du midi de la France, fondée en 1831, devait jouer un rôle essentiel dans tous les départements du Sud. Outre la direction des fouilles et la gestion de trois musées, elle devait continuer l'*Histoire du Languedoc* de Dom Devic et Vaissète, publier les travaux du préhistorien Cartailhac et ceux de Malafosse et de Jules de Lahondès, historiens des monuments de Toulouse. La Société archéologique de Montpellier, créée en 1833, s'était constituée autour des archives communales. L'étude de la collection des titres commença dès la première année: «Les salles des archives auparavant

si solitaires et poudreuses étaient devenues un lieu de rendez-vous animé où chacun fouillait à pleines mains dans les bulles, les lettres patentes et les manuscrits... » Les Grandes Archives, c'est-à-dire le chartrier comprenant la grande charte des coutumes de Pierre II d'Aragon de 1304, les archives du greffe de la Maison consulaire et l'Armoire dorée firent donc l'objet d'éditions dans les dix-huit volumes des *Mémoires de la Société*, ainsi que *Le Petit Thalamus*, de Montpellier, les *Coutumes de Perpignan*, les *Cartulaires d'Aniane et de Gellone*... De même, la Société archéologique de Béziers publiait, outre une quarantaine de volumes, d'importantes études sur la ville d'Ensérune.
La Société archéologique du département d'Ille-et-Vilaine, fondée en 1844, publie cinquante-quatre volumes de bulletins, mémoires et documents dont le *Répertoire archéologique du département*, le *Cartulaire de l'abbaye de Saint-Georges*, la *Vie de Marbode*, les *Grands Seigneurs de Bretagne*, les *Monuments mégalithiques du département*. À Sens, la Société archéologique, fondée en 1844, réunit un grand nombre de savants, membres de l'Institut, et publiait trente-huit volumes de bulletins et de nombreux volumes de documents dont la *Chronique et le cartulaire de Saint-Pierre-le-Vif*, le *Cartulaire du chapitre de Sens*, etc.
Le choix et la publication de textes anciens ont pu être interprétés en fonction de la conjoncture politique. C'est ainsi que Ch.-O. Carbonell a souligné que les histoires de la noblesse sont surtout le fait des nobles, qui publient également la plupart des grands armoriaux. De même, la publication par Augustin Thierry des *Monuments de l'histoire du tiers état* sous la monarchie de Juillet joue un rôle considérable. Le bourgeois orléaniste se trouve ici une filiation historique et l'édition des textes de chartes et franchises et des coutumes urbaines contribue à fonder la légitimité populaire.
Dans sa thèse sur *L'Histoire et l'érudition au XXe siècle* (1979) Jean Le Pottier a bien montré comment sous le second Empire les progrès dans l'organisation des études secondaires et supérieures, l'expérience et les travaux des aînés, les classements entrepris dans les archives et les bibliothèques allaient pousser la nouvelle jeunesse, souvent catholique et conservatrice, par opposition à la génération libérale et républicaine qui avait eu vingt ans sous la monarchie de Juillet, à abandonner l'éclectisme pour une érudition exigeante au service des faits. Sous l'influence des chartistes en poste en province, les sociétés savantes furent encouragées à publier des monographies monumentales et des textes. Le Play, autre Normand, développait les mérites de la méthode monographique et d'une étude minutieuse des familles, loin des généralisations hâtives. Vers 1860-1870 se fondèrent des sociétés vouées aux seules publications de sources. Ainsi les *Archives historiques* de la Gironde, de l'Aunis et de la Saintonge, du Poitou, du Limousin.
Le Comité des travaux historiques réorganisé en 1858 lança trois grandes entreprises : le *Dictionnaire géographique de la France*, le *Répertoire archéo-*

logique, la *Description scientifique*... Les instructions relatives à ces publications furent rédigées par Léopold Delisle. Les volumes furent plus souvent, cependant, le fait de tel ou tel érudit que le fruit d'une œuvre collective.
Les détracteurs du régime voyaient dans cet encouragement une volonté de cantonner les recherches dans une érudition locale sans danger. On peut aussi considérer que les mémoires locaux permettaient d'éclairer d'un jour nouveau l'histoire provinciale et mettaient à la disposition des historiens une masse considérable de faits dont la somme était nécessaire aux synthèses ultérieures.
Le fait nouveau à la fin de l'Empire est que l'initiative en matière d'érudition est définitivement passée à Paris. C'est sous l'action d'élèves de l'École des chartes que se lancent les publications savantes, fussent-elles consacrées à l'histoire provinciale. C'est également à l'initiative du Comité des travaux historiques qu'étaient lancées les grandes collections de répertoires et de statistiques.
Au fil des années, cependant, le style des textes publiés changeait.
Les exigences de l'érudition, le vieillissement des cadres des grandes sociétés provinciales au profit de Paris, qui attirait de plus en plus la jeunesse studieuse, rendaient plus difficile la publication des textes importants sans l'aide de l'État. La revanche historiographique française après 1871 se fait surtout à travers les grandes revues nationales, qui constituaient une deuxième étape, plus spectaculaire dans le chantier des publications savantes.

Province et patrie

Dans la croisade qui s'armait au début du XIXe siècle pour ressusciter le passé national, le rôle des sociétés paraissait à tous essentiel.
Du camp parisien, le romantisme médiéval avait en quelque sorte relancé la balle de l'histoire dans le camp pluraliste provincial.
Caumont et ses contemporains, en dotant l'archéologie du vocabulaire descriptif et classificateur nécessaire, accomplissaient la même démarche fondatrice que Linné et ses disciples définissant une taxinomie des espèces naturelles. La mémoire nationale pouvait, dès lors, être enrichie de tous les monuments reconnus, nommés, inventoriés... C'est à la congrégation laïque des sociétés savantes qu'est due la plus grande part de cette renaissance.
Le mouvement coïncidait avec la permanence d'une France provinciale éclairée et nombreuse, situation qui sous le second Empire et surtout la IIIe République allait se modifier. Aussi bien, au fur et à mesure que l'initiative privée s'essoufflait, l'action de l'État devenait de plus en plus nécessaire, sans remplir toujours ses objectifs. On pourrait débattre sur ce qu'aurait pu être le rôle de sociétés savantes plus fortes, investies de responsabilités «réga-

liennes», mais nul ne pourrait garantir que de telles compagnies eussent pu avoir dans notre pays la vigueur anglo-saxonne.

La vitalité des sociétés fondées par Arcisse de Caumont n'est que plus éclatante. Sa science et son érudition, sa persévérance, son esprit d'organisation ont fait moins, peut-être, que les vingt mille exemplaires vendus du *Cours d'antiquités monumentales* ou que le *Bulletin monumental*, qui constitue le manuel indispensable de tout antiquaire.

L'action menée a eu, et ce n'est pas sa moindre originalité, un caractère consciemment européen. D'abord influencée par les connaissances anglaises et allemandes, l'initiative normande a essaimé à son tour dans les pays voisins. Le *Bulletin monumental* était lu en Belgique, en Allemagne et en Angleterre. Des érudits anglais participaient régulièrement aux congrès annuels. Cette ouverture fut compromise par la guerre et les tendances nationalistes malheureusement renforcées. Caumont pouvait évoquer en 1871, avec nostalgie, le temps des congrès et tout particulièrement celui de Vienne dont les participants étrangers avaient été acclamés. Il concluait tristement: «Aujourd'hui, les temps ont changé, l'égoïsme et la désunion se sont infiltrés partout.»

En 1872, après la défaite ressentie durement par le pays tout entier, il défendit une de ses idées maîtresses, la patrie provinciale, la France aux multiples visages: «Il faut que l'on puisse être écrivain, homme politique, savant, artiste, financier, ailleurs qu'à Paris.» Revenant à ses premières réalisations, il préconisait une France régionale dans un regroupement de six ou sept départements. Sans doute le ton de l'abbé Fayet, de l'Institut des provinces, et le sien propre se faisait-il souvent âpre envers la capitale tentaculaire, qu'ils tenaient pour responsable des récents actes de vandalisme[27].

Arcisse de Caumont avait rêvé une utopie politique. Pour épreuve et symbole de l'indépendance retrouvée dans le cœur des provinces, la Chambre des députés aurait dû siéger hors de Paris. La France aurait eu ainsi des centres multiples et limités. Dans leur dispersion se serait exprimée la riche variété de nos héritages sclérosés dans le carcan de Lutèce. La France se serait ressourcée dans chaque province.

Toutefois, il ne faudrait pas céder à la tentation de faire du succès de l'Institut des provinces et de la Société française d'archéologie le lieu de l'opposition aux régimes successifs. La chance des pouvoirs en place, qu'ils n'ont pas su saisir, était bien de voir réunir, comme au musée de Versailles, autour de l'amour de leur patrie petite ou grande, tous les érudits et antiquaires du pays.

On serait plutôt tenté de reconnaître dans ces théories un retour périodique dans l'histoire de France, l'alternative possible au traditionnel centralisme jacobin.

1. Richard Cobb, *Les Tours de France de Monsieur Cobb*, Paris, Éd. du Sorbier, 1984, p. 235.

2. Augustin Thierry, «Sur les libertés locales et municipales». À propos du *Recueil des discours et opinions de Mirabeau* publié par M. Barthe (*Le Censeur européen* du 2 février 1820), *in Dix Ans d'études historiques*, Paris, Furne, 1866, pp. 241-242.

3. Daniel Roche, *Le Siècle des Lumières en province: académies et académiciens provinciaux, 1680-1789*, Paris, Mouton, 1978, 2 vol.

4. E. Tassy et P. Léris, *Les Ressources du travail intellectuel en France*, Paris, 1921. (Donne de nombreux éléments statistiques.)

5. Sur l'Académie celtique, *cf.* Mona Ozouf, «L'invention de l'ethnographie française: le questionnaire de l'Académie celtique» *in L'École de la France, Essais sur la Révolution, l'utopie et l'enseignement*, Paris, Gallimard, 1984, pp. 350-379.

6. Jean Le Pottier, *Histoire et érudition. Recherches et documents sur l'histoire et le rôle de l'érudition médiévale dans l'historiographie du* XIX*e siècle*, thèse de l'École des chartes, dact., 1979, 2 vol.

7. R. N. Sauvage, «Centenaire de la Société des antiquaires de Normandie», 1924, t. XXXVI.

8. Sur Arcisse de Caumont, on a surtout utilisé Bernard Huchet, «Arcisse de Caumont», *Positions de thèse de l'École des chartes*, thèse dact. 1984.

9. Arcisse de Caumont, «Mes souvenirs», *in Bulletin monumental*, 4e série, t. VII, Paris-Caen, 1871, p. 70.

10. André Rostand, cité par J. Hubert, «Archéologie médiévale» *in L'Histoire et ses méthodes*, Paris, Gallimard, Bibl. de la Pléiade, 1953, p. 296.

11. Jean Hubert, *ibid.*, p. 299.

12. Archives du Patrimoine, notes manuscrites de Grille de Beuzelin.

13. Arcisse de Caumont, «Mes souvenirs», *loc. cit.*, t. VIII, Paris-Caen, 1872, pp. 239-240.

14. «Congrès provincial de l'Association normande à Eu», chronique dans le *Bulletin monumental*, 1872, pp. 599-604.

15. Xavier Charmes, *Le Comité des travaux historiques et scientifiques*, Paris, 1866, 3 vol. (Documents inédits pour servir à l'histoire de France.)

16. François Guizot, *Mémoires*, Paris, 1858-1866, t. III, p. 160.

17. Archives du Patrimoine, dossier de la Société pour la conservation des monuments.

18. Philippe de Chennevières, *Souvenirs d'un directeur des Beaux-Arts*, Paris, Arthena, 1979.

19. Charles-Olivier Carbonell, *Histoire et historiens. Une mutation idéologique des historiens français, 1865-1885*, Paris, 1976. Les données statistiques qui suivent sont empruntées à sa thèse.

20. Pour définir plus précisément la part des différentes couches sociales dans l'œuvre accomplie par les sociétés savantes, il manque un grand nombre de monographies approfondies, qui tiennent compte des origines sociales de leurs membres et de la qualité de leurs publications.

21. Alfred Fierro, *La Société de géographie*, Hautes études médiévales et modernes, V. 52. Centre de recherches d'histoire et de philologie de la IVe section de l'École pratique des hautes études, Genève-Paris, 1983.

22. *Cf. Mémoires de la Société d'émulation d'Abbeville*; le recueil des années 1849-1852 témoigne de cet intérêt pour les problèmes sociaux et les récents événements politiques.

23. Sur Boucher de Perthes et les origines de la préhistoire, *cf.* Léon Aufrère, *Essai sur les premières découvertes de Boucher de Perthes et les origines de l'archéologie primitive (1838-1844)*, Abbeville, 1936. *Figures de préhistoriens, I. Boucher de Perthes*, Abbeville, 1940. Annette Laming-Emperaire, *Origines de l'archéologie préhistorique en France*, Paris, Picard, 1964.

Claudine Cohen et Jean-Jacques Hublin, *Boucher de Perthes, fondateur de la préhistoire*, Paris, Belin, 1989.

24. Jacques Boucher de Perthes, *De l'homme antédiluvien et de ses œuvres*, Paris, 1864, p. 42.

25. *Cf.* Philippe de Chennevières, «Les musées de province», *Gazette des Beaux-Arts*, 1865, p. 118 *sq.* Pierre Marot, «Les musées des Sociétés savantes», *in Actes du 100e congrès des Sociétés savantes*, Paris, 1975. Dominique Poulot, «La visite au Louvre, un loisir édifiant au XIXe siècle», *Gazette des Beaux-Arts*, 1983, pp. 187-196. Jean Vergnet-Ruiz et Jacques Thuillier, «Les mille musées de France», *Arts de France*, n° 11, 1961, pp. 7-22.

26. Robert-Henri Bautier, «L'apport des Sociétés savantes à la publication des sources documentaires» *in Actes du 100e congrès des Sociétés savantes, op. cit.*, pp. 91-98. Les chiffres avancés pour le nombre de publications correspondent aux statistiques faites en 1934 dans le tome I du congrès archéologique tenu à Paris pour le centenaire de la Société française d'archéologie.

27. Arcisse de Caumont, «Chronique de l'Institut des provinces de France», *Bulletin monumental*, 1872, pp. 78-80.

LAURENT THEIS

Guizot et les institutions de mémoire

Un historien au pouvoir

François Guizot, lorsqu'il devient ministre de l'Instruction publique en octobre 1832, est un homme mûr, presque âgé. Politiquement en vue depuis plus de quinze ans, il a achevé l'essentiel de son œuvre intellectuelle et historique, commencée vingt ans plus tôt. Il ne la reprendra plus guère que pour la compléter, même après avoir été écarté des affaires. Seuls ses *Mémoires*, publiés autour de 1860, viendront, dans un autre genre, la couronner et lui donner, sans doute à dessein, toute sa portée.

Plus que le théoricien politique, c'est d'abord l'historien qui entre au gouvernement. À la chambre des députés, dans la presse, c'est cette qualité qui lui est reconnue, et que saluent même ses adversaires. Elle lui marque, au sein du personnel politique qu'il domine, pour la plupart, de haut, une place à part. Son activité d'historien est soigneusement distinguée de sa pratique politique. Celle-ci peut souffrir la critique, celle-là n'est à peu près jamais contestée, en tout cas pendant son passage à l'Instruction publique, qui s'achève en 1837[1]. Les contemporains ne semblent pas avoir aperçu à quel point l'une et l'autre chez lui font corps. Il est vrai qu'eux-mêmes sont à peu près tous dans ce cas, et que l'on remarque peu chez soi ce que l'on ne relève pas chez les autres.

Le ministère de l'Instruction publique était bien celui dans lequel la double identité de politique et d'historien de Guizot pouvait le mieux s'épanouir. Les Affaires étrangères, plus tard, ne lui procurèrent sans doute pas la même satisfaction. «Son ministère, écrit sa femme quelques jours après son entrée en fonction, lui est agréable. Il se retrouve avec plaisir au milieu des compagnons et des travaux de sa jeunesse. L'instruction publique le repose de la politique générale[2].»

D'autant mieux que Guizot modèle à sa mesure ce département. En 1832, il n'avait pour ainsi dire pas d'existence. Détaché en 1828 des Affaires ecclesiastiques pour devenir un ministère à part entière, il récupéra les cultes dès juillet 1830. En fait d'instruction publique, les attributions des cinq prédécesseurs de Guizot ne dépassaient pas celles de Grand Maître de l'Université, qui, en réalité, n'avait fait que changer de nom. Guizot demanda et obtint une extension considérable du domaine de compétences de son ministère. Outre les établissements scolaires et l'Université, lui sont rattachées des institutions aux statuts jusque-là divers, voire inexistants : Collège de France, Muséum, École des chartes, Langues orientales, bibliothèques et au premier chef la Bibliothèque royale, et, élément capital, l'Institut. Bref, un très large champ d'action, une vaste constellation d'institutions de mémoire jusque-là dispersées dont Guizot allait se trouver le centre, où il devait mettre en œuvre ses idées, et faire valoir son autorité. On le sait, il ne manquait ni des unes ni de l'autre.

Parmi les qualités que Guizot se reconnaît volontiers, la promptitude et la détermination à exécuter une décision dès lors qu'il en a établi la nécessité. De fait, en moins de deux ans, il suscite ou crée deux institutions capitales, à la fois par l'évolution qu'elles sanctionnent et par les développements qu'elles contiennent : la Société de l'histoire de France et, sous une autre dénomination, ce qui deviendra le Comité des travaux historiques et scientifiques. L'une et l'autre existent encore activement aujourd'hui. En eux se rencontrent et se complètent Guizot historien et Guizot homme d'État : la Société de l'histoire de France pour celui-là, le Comité pour celui-ci, à quoi s'ajoutent, dans le même esprit, d'autres actions de moindre ampleur, mais également significatives. Il s'agit, dans tous les cas, de retrouver, de conserver et de faire connaître les archives de la France.

De ce projet, ni Guizot professeur ni Guizot ministre n'est à coup sûr l'inventeur.

Le Cabinet des chartes

Sans remonter jusqu'au Moyen Âge, ou même au-delà car les archives, en Occident ou ailleurs, n'ont pas d'origine assignable, les archives en France revêtent un statut particulier, qui n'est pas encore public mais n'est plus tout à fait privé, lorsque la royauté commence de signifier l'État, quelque part entre Charles V et Louis XI. Sont alors collectés et tenus serrés les documents qui fondent et entretiennent une légitimité, et gardent trace des activités propres à la puissance publique. De tels documents, alors, prennent une valeur éminente, qu'illustre bien, par exemple, le nom de Trésor des chartes, tant ces parchemins, bientôt ces papiers, avec les emblèmes de cire qui les valident, sont riches de pouvoirs, de significations, de savoirs et de traditions.

Au Moyen Âge, déjà, ne vaut que ce qui est ancien. Plus qu'aucune autre, la mémoire du roi et de tout ce qui lui touche mérite d'échapper à l'érosion du temps. L'État naît aussi de jeux d'écritures.

Celles-ci, bientôt, prolifèrent, avec l'extension des compétences royales et, à partir du XVIe siècle, la propension à tout codifier, à fixer par écrit droits, coutumes, titres de propriété, jugements, décisions, instructions, enquêtes... Manuscrits et imprimés s'accumulent, souvent sans ordre ni classement, parfois inutilisables, pourtant indispensables. Sans mémoire consultable, l'État perd en efficace, en continuité, voire en légitimité. Fouquet, l'un des premiers, s'en inquiète. Il songe à faire inventorier et trier les pièces nécessaires à la bonne marche des affaires de l'État, qui sont aussi les siennes. Mais il faut attendre la seconde moitié du XVIIIe siècle pour qu'une tentative sérieuse et, par bien des aspects, féconde prenne corps.

Depuis 1759, Jacob-Nicolas Moreau est «avocat des Finances[3]». Ce juriste de quarante-cinq ans, médiocre polygraphe mais organisateur actif et capable, est chargé de la documentation du ministère des Finances, département le plus moderne du temps par sa structure et son fonctionnement. À lui de procurer au ministre les textes de toute nature, souvent fort anciens, qui fondent le droit du roi à percevoir des revenus de toute sorte notamment face aux revendications seigneuriales et à la résistance des parlements. Au contrôleur général Bertin, esprit ouvert qui se pique d'histoire, Moreau, bientôt promu «garde des archives et bibliothèque des finances», propose en 1762 de constituer un «dépôt de droit public et d'histoire». Lorsque Bertin, l'année suivante, devint secrétaire d'État, la bibliothèque des Finances, avec Moreau, rejoignit la bibliothèque du roi. C'est dans ce cadre que Moreau commença à exécuter son projet: prendre copie de toutes les chartes rédigées avant le XVe siècle, en les accompagnant chacune d'une notice les décrivant exactement, et en donnant la substance. Et d'abord faire l'inventaire des textes disponibles en dressant une liste des documents déjà imprimés. Il y faudra cent sept ans, et huit énormes volumes.

Le Dépôt des chartes, animé par Moreau, était pauvre en moyens matériels et humains. Moreau s'adjoignit la collaboration de Bréquigny, immense érudit, déjà responsable de l'édition des «Ordonnances des rois de France de la troisième race», et qui devait porter l'essentiel du travail d'inventaire et de publication imaginé par Moreau. Outre des savants comme Bréquigny, Foncemagne et Saint-Palaye, la science paléographique et la familiarité avec les textes médiévaux habitaient encore les bénédictins de Saint-Maur, héritiers des Mabillon et Montfaucon, qui avaient régénéré les études historiques en soumettant les sources à une critique rigoureuse, posant déjà les règles de l'érudition moderne. Ce sont les dépositaires de cet héritage, en fait six à huit religieux, dont le Dépôt des chartes sollicita la collaboration. Leur qualité ecclésiastique évitait d'avoir à les rémunérer. Cette rencontre entre les esprits les plus érudits de l'époque, les «*antiquarii*», et les archives d'État est grosse d'avenir. Les créations de Guizot s'inscrivent exactement, par leurs modalités formelles, dans le cadre tracé par Moreau, Bréquigny et les Mauristes, sous les auspices de Bertin, donc du roi.

En revanche, la destination du Dépôt des chartes, malgré l'ampleur du projet, relevait d'une conception instrumentale de l'information historique. Il s'agissait, non pas de donner accès aux monuments du passé, mais de procurer à l'administration un outil d'action efficace. Jamais il ne fut question d'ouvrir au public les trésors accumulés, bien au contraire. Juriste, Moreau jugeait que l'histoire est à la source du droit et que sa connaissance permet de fonder et de légitimer des droits, en l'occurrence ceux de la monarchie. L'arrêt royal du 3 mars 1781, qui réunit la bibliothèque des Finances et le Dépôt des chartes, et les rattache à la chancellerie de France, c'est-à-dire à la Justice, donne à cette institution nouvelle le titre significatif de «Bibliothèque et dépôt de législation, histoire et droit public». Dans les mêmes années, on le sait, et mus par une volonté analogue de recouvrement, bien des nobles embauchent des feudistes, sorte de Moreau au petit pied, pour mettre au clair leurs papiers et faire revivre la mémoire de leur famille, de son ancienneté et de ses droits de toute sorte, enracinés le plus souvent dans un Moyen Âge à redécouvrir. Cette exhumation des archives à l'appui du droit induit un intérêt pour une histoire non plus, comme dans la première moitié du siècle, philosophique ou purement narrative, destinée à la réflexion, à l'instruction, voire à l'édification, mais rendant compte de l'exercice des pouvoirs, des institutions qui les fondent, des rapports entre les groupes, mettant en jeu des biens matériels, dans un espace défini, qu'il s'agisse d'un champ, d'une seigneurie, de la France. On comprend, dès lors, que la recherche des origines propre à défendre les situations acquises requiert l'inventaire et l'exploitation de documents écrits qui conduisent, pour la plupart, au Moyen Âge, genèse et jeunesse de la société moderne.

Réunies, ordonnées, compulsées sous l'effet de la nécessité de gérer la nouveauté, les archives privées, à la fin de l'Ancien Régime, murmurent des souvenirs encore épars, qui portent la France haut en arrière d'elle-même.

Aux acteurs des mouvements de révolution, l'importance de ces documents comme support d'identité n'échappe pas, soit pour les détruire, spontanément ou délibérément, soit pour les retirer à ceux dont ils parlent et les transférer à la nation enfin maîtresse d'elle-même, la possession d'archives constituant une puissante présomption d'existence. Les archives domaniales, seigneuriales ou royales, devenant nationales, changent de destination. Jadis instruments de domination, les voilà pourvoyeuses d'identité collective: le passé n'est plus l'affaire de quelques-uns, il entre dans le patrimoine de tous.

C'est pourquoi ce sont les archives de l'Assemblée qui les premières accèdent au statut d'Archives nationales. C'est pourquoi aussi la loi du 7 messidor an II introduisit une distinction entre documents historiques et documents administratifs. Les premiers, qui seuls nous intéressent ici, font eux-mêmes l'objet d'un tri, selon qu'ils rappellent ou non la tyrannie. La mémoire nationale, pour donner la mesure de ses vertus, mérite d'être épurée. Mais en même temps leur accès est rendu public. Chacun peut les consulter. Dans le même mouvement qui rend la nation à son histoire, tout Français est en mesure de prendre connaissance des pièces qui la fondent. La citoyenneté se nourrit de ce savoir librement exercé. Enfin la loi du 5 brumaire an V organise le regroupement au chef-lieu de toutes les archives départementales. Interrompue d'un côté, puisque inventaires et publications sont remis à des temps plus propices, l'entreprise entamée par Moreau reçoit, par une organisation et surtout un esprit nouveaux, les moyens de se développer quand une volonté viendra répondre à un besoin.

D'une révolution à l'autre

Sous l'Empire et la Restauration, c'est l'Institut qui fut principalement dépositaire de l'héritage combiné de l'Ancien Régime et de la Révolution. Non pas à la faveur des institutions, car la Bibliothèque nationale, ou royale, et les Archives relèvent alors du ministère de l'Intérieur. Mais grâce aux personnes. D'anciens membres du Cabinet des chartes, collaborateurs de Moreau, sont appelés à siéger à l'Institut, lui transmettant la tradition érudite des antiquaires, et cette volonté de constituer de la mémoire collective par la recherche de documents. À l'Institut, l'un des hommes les plus en vue et les plus actifs est Daunou, par ailleurs garde des Archives nationales depuis 1808, qui fait le lien entre la philosophie du XVIIIe siècle dont les Idéologues recueillent les débris, et la science historique traditionnelle. C'est lui déjà qui, dans son important rapport à la Convention d'octobre 1795, dressait le plan de l'Institut, « temple national ». En 1818, il sera élu à la chaire d'histoire et de morale du Collège de France. Cette conjonction, incarnée par Daunou, entre esprit philosophique et esprit de recherche, sous les auspices du patriotisme révolutionnaire que symbolise l'ancien conventionnel, est au fondement, pour une bonne part, de la culture de Guizot, ami fidèle et quelque peu disciple de Royer-Collard, professeur d'histoire de la philosophie en Sorbonne en 1811, très proche de Daunou. Le rôle de l'Institut dans la production d'une mémoire nationale, dans l'inventaire de ses matériaux possibles, et surtout dans la synthèse des traditions de l'Ancien Régime et de l'esprit de la Révolution est capital dans les premières décennies du XIXe siècle. Nul ne lui fut plus attaché que Guizot, non seulement parce que, comme ministre, il en a la tutelle, mais parce qu'il est membre, actif, de l'Académie des sciences morales depuis 1832, qu'il vient de reconstituer et où Daunou siège à nouveau au premier rang, depuis 1833 de celle des inscriptions et belles-lettres, et, depuis 1836, de l'Académie française, très rare exemple d'un tel cumul. L'Institut, peu actif sous l'Empire où la dilatation de la France conquérante n'appelle guère de réflexion sur la nation et son histoire, y compris la plus récente, d'autant plus que les acteurs de la Révolution se taisent ou se trouvent à l'étranger, reprend vie sous la Restauration. Dans le souci de développer une histoire nationale et d'en réunir les matériaux, l'Académie des inscriptions et belles-lettres établit, à la fin de 1818, un rapport sur les «anciens édifices et antiquités monumentales» de la France, à l'initiative du comte de Laborde, personnalité capitale dans les efforts d'exhumation et de préservation du patrimoine. «Ce qui a toujours manqué à la France, lit-on dans le rapport, c'est d'attacher à cette sorte de richesses l'importance qu'elle mérite, de veiller à sa conservation, et de chercher, sous le rapport de l'instruction et de l'histoire nationale, à en tirer parti.» Le projet cher à Laborde de réaliser un inventaire des richesses archéologiques de la France n'aboutit pas. Guizot, plus tard, le retrouvera. Une autre initiative, procédant du même esprit, rencontra un sort meilleur. En 1820, le baron de Gérando, conseiller d'État et membre de l'Académie des inscriptions, suggère au comte Siméon, ministre de l'Intérieur, de créer une école où apprendre à des pensionnaires à déchiffrer les vieux manuscrits. Car cette science, dont les bénédictins et les collaborateurs du Cabinet des chartes étaient dépositaires, est en voie de se perdre. Siméon, inspiré par Gérando qui déjà, en 1806, avait fait une vaine tentative dans le même sens, écrit au roi: «Une branche de la littérature française, celle relative à l'histoire de la patrie, va être privée d'une classe de collaborateurs qui lui est indispensable.» Ainsi fut prise, le 22 février 1821, l'ordonnance créant l'École des chartes, afin de «ranimer un genre d'études indispensable à la gloire de la France». Après des débuts somnolents, l'École devait recevoir, grâce à Guizot, une vigueur nouvelle[4].

Le besoin d'histoire

Secouée et déchirée par des décennies de soubresauts internes, vaincue par une coalition au sein de laquelle la Prusse, puissance montante, incarne un esprit national allemand régénéré, notamment par les études philosophiques et historiques, la France doit trouver des raisons de croire en elle-même, que le présent ne suffit pas à lui offrir, et que la connaissance de son passé peut lui procurer. Constituer et vivifier la mémoire nationale est une nécessité politique et culturelle partout ressentie en France, de la fin de l'Empire à l'avènement de la République. Parmi les plus obscurs et les plus éloquents des nombreux protagonistes de cette obsession, le comte du Hamel, député ultraroyaliste de la Gironde, intervenant, dans la discussion budgétaire de 1827: «Je désirerais que nos jeunes gens fussent élevés d'une manière plus française qu'on ne le fait dans nos collèges [...] Rome, Sparte, les temps héroïques et fabuleux mis à contribution sont bien moins propres à élever les âmes, à former des cœurs français, que les exemples tirés des chartes et annales françaises[5].» De fait, l'histoire, en tant que matière propre enseignée par des professeurs spécialisés, n'avait été officiellement introduite dans les collèges qu'en 1818, et faisait une très large place à l'Antiquité classique. Or, la demande d'histoire, et d'abord d'histoire nationale, quelque idée que chacun se fasse de la nation, est pressante et considérable. Chateaubriand, dans l'étonnante et perspicace préface de ses *Études ou discours historiques*, parus en 1831, décrivant l'élan historiographique des décennies précédentes, constate: «Les temps où nous vivons sont si fort des temps historiques, qu'ils impriment leur sceau sur tous les genres de travail. On traduit les anciennes chroniques, on publie les vieux manuscrits [...] Tout prend aujourd'hui la forme de l'histoire, polémique, théâtre, roman, poésie.» Au sein de ce mouvement d'actualisation du passé, nombreux sont ceux qui, souvent pour justifier leurs propres entreprises, constatent l'absence d'une véritable histoire nationale. La nouvelle école historique, à l'œuvre à partir de 1810, dont Guizot, l'un des grands réformateurs de notre histoire générale, selon Chateaubriand, est bientôt l'un des représentants les plus en vue, tarde à produire ces livres dont l'urgence, pourtant, se fait si fort sentir. Augustin Thierry déplore le «défaut d'une histoire nationale[6]», qu'Henri Martin, dont le premier volume de l'*Histoire de France* paraît en 1833, relève encore: «La France n'a pas d'histoire nationale.»

C'est que la nation française, et les Français qui la composent, sont un sujet d'étude neuf, en voie de constitution. Il ne s'agit plus de traiter des rois et des règnes à la manière des historiographes de l'Ancien Régime, mais d'un être jusque-là négligé, la nation, qui advient en 1789, dont il faut retrouver les origines et retracer le développement. L'investissement de l'histoire par la politique est, pour l'essentiel, à la source du renouveau des études historiques, dont les matériaux, les méthodes et l'objet même se transforment[7]. Ce n'est pas seulement l'écho bouleversant du bardit des Francs qui décida de la vocation historienne d'Augustin Thierry. C'est aussi «le vif désir de contribuer au triomphe des idées constitutionnelles» qui, en 1817, le conduit à «chercher dans les livres d'histoire des preuves et des arguments à l'appui de mes croyances politiques[8]». Le premier, Sismondi, en 1821, écœuré par les «préjugés des compilateurs» et déclarant vouloir reprendre l'histoire à sa source, osa intituler son entreprise *Histoire des Français.* Encore cette histoire, pour louable et novatrice qu'en fût la conception, demeure-t-elle étroitement politique. La nouvelle école historique ne prend toute sa dimension que lorsque le concept de nation rencontre celui de civilisation. Dès 1812, inaugurant son cours d'histoire moderne à la Sorbonne, Guizot se l'assigne pour objet. C'est en France, juge-t-il, que le concept s'est le mieux incarné. «La civilisation, écrit-il dans l'*Histoire de la civilisation en France*, est le résumé de toutes les histoires; il les lui faut toutes pour matériaux.» Or, les matériaux manquent. D'où les entreprises d'édition de sources qui ne soient pas seulement des chartes, mais aussi des annales, des récits, des chroniques, qui permettent d'apprécier les aspects les plus variés de l'existence d'un peuple, qui ne disent pas seulement la politique et le droit, mais les réalités sociales, culturelles, morales qui composent l'identité et l'originalité d'une civilisation. Entre 1819 et 1826, Petitot fait paraître les cinquante-deux volumes de sa *Collection complète des mémoires relatifs à l'histoire de France depuis le règne de Philippe Auguste jusqu'au commencement du VII*[e] *siècle.* Buchon lui emboîte le pas: quarante-six tomes entre 1826 et 1828 pour la *Collection des chroniques nationales françaises, écrites en langue vulgaire du XIII*[e] *au XVI*[e] *siècle.* Ces entreprises s'articulent avec celle de Guizot lui-même, dont la *Collection des mémoires relatifs à l'histoire de France depuis la fondation de la monarchie française jusqu'au XIII*[e] *siècle* propose trente volumes de traduction entre 1823 et 1835. Les historiens ont là de quoi travailler, et le public curieux du passé ancien de la France peut trouver à se satisfaire. Car les nécessités scientifiques et les préoccupations idéologiques vont étroitement de pair: renouer la chaîne des temps pour comprendre cet événement autrement inexplicable, la Révolution, en l'intégrant dans une évolution continue, et en recherchant les précédents qui le rendent intelligible, en faisant apparaître, à travers ses avatars multiples et successifs, l'unité de l'histoire et du peuple français que la Révolution a semblé mettre en cause, que la Restauration menace à son tour par un mouvement symétriquement inverse. Faire de l'histoire, c'est apprivoiser le passé récent. Pour la génération de Guizot, comprendre la Révolution, c'est en tirer toutes les conséquences positives pour en conjurer le renouvellement. Et pour la comprendre, il faut remonter aux origines, afin de placer le présent sous la sauvegarde d'une mémoire nationale imprescriptible, pourvoyeuse d'identité, de certitudes et de raison. Avec des nuances diverses, Fauriel, Augustin Thierry, Mignet, Quinet et Michelet au moins jusqu'en 1840 partagent avec Guizot ces conceptions[9]. Pour eux, l'étude de l'histoire nationale, à laquelle ils se vouent en tout ou partie, est l'indispensable propédeutique à la construction du présent. Non pas pour tirer des leçons de l'histoire, mais pour savoir et comprendre ce qu'il en est de la nation, et de ses intérêts. Les événements inouïs qui se sont produits dans les dernières décennies éclairent d'un jour nouveau les révolutions plus anciennes, qu'il importe de bien connaître pour apprécier l'état de la France, comment elle est devenue ce qu'elle est. Aussi le Moyen Âge est-il, dans cette enquête, un champ d'études privilégié. Là s'est constituée, par rapports successifs, la matrice de la civilisation française, là se sont forgés les systèmes et les instruments du gouvernement, là aussi, en ce temps long, se sont formés et ont émergé la classe moyenne, la bourgeoisie, le peuple, ces forces qui aujourd'hui sont la substance de la nation. «La partie la plus nombreuse et la plus oubliée de la nation, selon Augustin Thierry, mérite de revivre dans l'histoire. Il ne faut pas s'imaginer que la classe moyenne ou la classe populaire soient nées d'hier pour le patriotisme et l'énergie[10].»

Recherche des fondements de l'unité nationale, légitimation historique du tiers état, exigences de l'histoire nouvelle: ces préoccupations sont bien celles de Guizot professeur puis homme d'État.

Le temps des professeurs

La principale caractéristique des sociétés modernes, selon Guizot et ses amis intellectuels, c'est le gouvernement des esprits, qui trouve son aboutissement et son incarnation dans le système représentatif[11]. Avant même d'arriver au pouvoir, les futurs hommes de Juillet ont exercé ce gouvernement des esprits, ce magistère, grâce à leurs fonctions universitaires. La génération nouvelle, celle qui n'a participé ni à l'aventure révolutionnaire ni à l'épopée impériale, qui n'est pas en charge de leurs échecs mais cherche à en pénétrer les ressorts, a trouvé dans l'enseignement supérieur l'instrument pour vérifier ses idées, parfaire ses connaissances et, déjà, éprouver son pouvoir. Face à une classe politique liée par des souvenirs et des expériences personnels, ces hommes à l'esprit libre, du moins de ce côté-là, sont disponibles pour les vraies questions que pose le monde présent. En les excluant de la vie politique et de la gestion des affaires, la Restauration leur ouvre un champ d'influence qui consacre leur réputation. Avec les cours de Guizot, Villemain et Cousin, à partir de 1820, note Augustin Thierry, «le professorat s'éleva au rang de puissance sociale[12]». La suspension de ces cours par le ministère Villèle en 1822, éclatant hommage du vice à la vertu, de la force à l'esprit, consacrera le prestige de ces professeurs. Le retour en chaire de Guizot en 1828 prend des allures de triomphe, au point qu'il doit lancer à ses auditeurs des appels au calme. Sous la Restauration, l'activité politique de Guizot passe, pour l'essentiel, par l'élaboration de son œuvre d'historien[13]. Pour la société moderne telle qu'il la comprend et la conçoit, la redécouverte ou la constitution d'une mémoire nationale est indispensable. Le présent est d'autant mieux assuré que la chaîne des temps est plus fermement nouée. Sur ce point les affirmations, dans toutes les parties de son œuvre, abondent. Il commente ainsi, dans ses *Mémoires*, la reprise de son cours en 1828: «J'avais à cœur, tout en servant la cause de notre société actuelle, de ramener parmi nous un sentiment de justice et de sympathie envers nos anciens souvenirs, nos anciennes mœurs, envers cette ancienne société française qui a laborieusement et glorieusement vécu pendant quinze siècles pour amasser cet héritage de civilisation que nous avons recueilli. C'est un désordre grave et un grand affaiblissement chez une nation que l'oubli et le dédain de son passé[14].» Et Guizot ajoute, fournissant la clé de son action au ministère, et soulignant avec raison la parfaite unité de sa vie: «La même idée qui m'avait conduit, la même espérance qui m'avait animé quand je retraçais, dans mes cours à la Sorbonne, le développement de notre civilisation française, me suivirent au ministère de l'Instruction publique et dans mes efforts pour ranimer et répandre le goût et l'étude de notre histoire nationale[15].» Il s'agissait bien de poursuivre, avec d'autres moyens et davantage d'ampleur, le gouvernement des esprits.

Le recours à l'histoire, l'enracinement de la mémoire nationale, étaient d'autant plus nécessaires au régime de Juillet que celui-ci était pauvre de légitimité. La Restauration avait prétendu renouer avec l'Ancien Régime, tout en faisant la part du changement. Elle était en position, avec de fortes apparences de raison, de revendiquer sa filiation directe avec la tradition monarchique française la plus ancienne et la plus glorieuse. La monarchie de Juillet, née d'un coup de force, pouvait apparaître comme un gouvernement de rencontre. La dénomination même qui lui est restée consacre son caractère circonstanciel. Ni hérédité, ni élection, ni sacre: le roi des Français n'accède au trône par aucune des voies connues et reconnues. Le principe de conservation, qui est au cœur même du système intellectuel et politique de Guizot, appelle la constitution rapide d'une tradition. Louis-Philippe, s'il ne procède d'aucun principe, incarne une réalité: la nation. Ce roi, national par excellence, enveloppé dans les trois couleurs, symbolise l'alliance enfin nouée de la royauté et de la Révolution, achevant, après bien des vicissitudes, un processus commencé quarante ans plus tôt. Aboutissement d'une évolution presque millénaire, le régime de Juillet, dans son souci de légitimité, fait appel à la mémoire nationale, dans laquelle rien ne peut lui être opposé, et qui vient faire contrepoids à sa fragilité. La classe moyenne, au lieu d'avoir honte d'elle-même, doit considérer avec orgueil ses origines, lorsque les premières communes, au XIIe siècle, passèrent alliance avec le roi.

C'est pourquoi le conservatisme même de Guizot lui inspire une entreprise intellectuelle à la fois ambitieuse et novatrice. Celle-ci s'inscrit dans deux institutions différentes, à vrai dire étroitement associées.

La société de l'histoire de France

«Quelques-uns de mes amis, raconte Guizot, vinrent me parler de leur projet de fonder, sous le nom de société de l'histoire de France, une société spécialement vouée à publier des documents originaux relatifs à notre histoire nationale[16].» Cette démarche, qui s'adresse autant au ministre qu'à l'historien, pourrait bien avoir été suscitée par Guizot lui-même. En tout cas, lors de la réunion fondatrice du 27 juin 1833, dans la salle du conservatoire de la Bibliothèque royale, il est naturellement désigné comme le patron de cette entreprise, et figure en tête sur la liste du premier comité de vingt personnes qui se cooptent ce jour-là. Parmi elles, beaucoup d'amis politiques de Guizot, comme Molé, Thiers ou Pasquier, alors président de la Chambre des pairs, d'historiens qui lui sont proches – Barante, Mignet, Beugnot –, d'amis personnels comme Fauriel et Vitet. Nous retrouverons certains de ces noms, auxquels s'ajoutent ceux de spécialistes et d'érudits tels que Champollion-Figeac, conservateur des manuscrits à la Bibliothèque royale[17], Letronne, directeur de cette même bibliothèque, Crapelet, membre de la Société royale des antiquaires ou Le Ver, représentant la très considérable Société des antiquaires de Normandie, fondée vingt ans plus tôt par Arcisse de Caumont et qu'il fallait se concilier[18]. Bref, se retrouvent des libéraux, plus particulièrement des doctrinaires, liés par les combats communs de la Restauration, des historiens et des érudits, tous représentants d'un milieu bien défini auquel Guizot appartient depuis ses débuts et dont il est le principal chef de file.
Le 23 janvier 1834, rue Taranne, la société se donnait ses statuts définitifs et commençait ses travaux. Un conseil d'administration de trente personnes, renouvelable annuellement par tiers, est composé par l'adjonction d'onze nouveaux collègues, parmi lesquels Jules Desnoyers, bibliothécaire du Muséum d'histoire naturelle[19], Hippolyte Royer-Collard, alors chef de la division des sciences et des lettres au ministère de l'Instruction publique, et Charles Lenormant, conservateur adjoint au département des médailles de la Bibliothèque royale. Guizot avait assez tôt remarqué et apprécié ce dernier, et le choisit en 1835 pour le suppléer à la Sorbonne[20]. Le marquis Fortia d'Urban est élu président honoraire de la société, au bénéfice de l'âge – il était né en 1754 – davantage sans doute qu'à celui du talent. Prosper de Barante, l'auteur à succès d'une *Histoire des ducs de Bourgogne*, ami politique et personnel de Guizot depuis plus de vingt ans, présida la Société jusqu'à sa mort en 1866. Guizot lui-même lui succéda. Un an après sa fondation, la Société comptait plus de cent membres, parmi lesquels Henri Beyle, consul de France à Civitavecchia.
L'objet de la société, tel qu'il ressort de son premier bulletin qui paraît dès 1834, est de «populariser l'étude et le goût de notre histoire nationale dans

une voie de saine critique, et surtout par la recherche et l'emploi des documents originaux». En effet, observent après d'autres les membres de la Société, les Français «attendent encore une véritable histoire de leur pays». Pour en permettre la réalisation, la Société décide – c'est sa raison d'être – de mettre sur pied une collection de documents originaux relatifs à l'histoire de France. L'intention pédagogique, voire idéologique, transparaît dans la formule retenue pour chacun des titres publiés. Les documents ne sont pas destinés aux savants, mais à ceux qui, sans faire profession d'histoire, s'intéressent au passé national et souhaitent accéder à ses monuments. C'est pourquoi la collection adoptera, pour ses ouvrages, un format «commode et portatif», souvent l'in-octavo, nouveauté par rapport aux traditionnels in-folio ou in-quarto des siècles précédents, ou des éditions érudites contemporaines, notamment allemandes, par exemple les *Monumenta Germaniae historica*, entreprise avec laquelle la Société de l'histoire de France présente plus d'un trait commun, notamment par ses origines. En effet, en 1818, Stein, qui s'était retiré de la vie politique active après le congrès de Vienne, demeurait animé par l'esprit national allemand et gardait intacte la fibre patriotique qu'il avait si brillamment mise au service de la Prusse durant la décennie précédente. S'y ajoutait chez lui un goût prononcé pour les études historiques. Poursuivant par d'autres moyens sa politique d'antan, il s'attacha à faire rassembler et éditer les sources de l'histoire allemande, et en particulier les documents médiévaux qui montraient à l'évidence que l'Allemagne existait depuis beaucoup plus longtemps que ne le laissait croire le morcellement politique contemporain. À cette fin, Stein réunit un groupe d'érudits auquel il obtint l'appui de princes laïcs et ecclésiastiques, afin de témoigner que ce projet, dépassant le cadre de la Prusse, était commun à la nation allemande. Le 20 janvier 1819 se constitua sur ces bases la «Société pour la recherche et la publication des documents de l'histoire germanique ancienne». La même année démarrait un périodique. Il fallut cinq ans pour élaborer le plan général de publication. La direction scientifique de l'entreprise fut confiée à Pertz, certainement le plus grand philologue médiéviste de son temps. Il devait exercer ses fonctions jusqu'en 1873, assurant aux *Monumenta* une exceptionnelle continuité d'inspiration et de réalisation. Naturellement les premiers volumes furent consacrés à des sources narratives médiévales. En 1835, trois étaient déjà parus, lorsque le bulletin de la Société de l'histoire de France commence à rendre compte des activités de son illustre aînée. Jules Desnoyers s'y montre très attentif, sans toutefois prendre la mesure exacte de l'institution, puisqu'il la compare au *Recueil des historiens de la France*[21], commencé par les bénédictins sous l'Ancien Régime et continué depuis sous les auspices de l'Institut. Pourtant, outre les intentions qui ont présidé au lancement de l'opération, son ampleur et surtout sa qualité scientifique n'ont rien à voir avec tout ce qui a existé en la matière jusqu'à présent. Dès 1831, Böhmer, naguère associé à Pertz, avait lancé de son côté la série des *Regesta*, catalogue d'actes impériaux et royaux, qui constituaient, avec les *Monumenta*, un irremplaçable instrument de référence. Car, à la différence de la Société de l'histoire de France, qui, nous le verrons, s'assoupira peu à peu, les *Monumenta* ne cessèrent pas de se développer dans de multiples directions, augmentant considérablement leur rythme de parutions, et s'attachant les plus grands spécialistes, comme Waitz, successeur de Pertz, ou Mommsen. Dès 1875, les *Monumenta* deviennent un organisme d'État, possédant sa direction générale à Berlin, et disposant de moyens considérables, sans jamais perdre leur caractère très scientifique.

En 1834, les objectifs des deux sociétés diffèrent déjà quelque peu. Ainsi, la publication des textes par la Société de l'histoire de France comportera, outre les introductions et notes nécessaires, une traduction originale. Cette collection s'inscrit, en quelque sorte, dans la suite de la série des «Mémoires» éditée par Guizot pendant la décennie précédente, avec une perspective élargie[22].

Les premiers volumes firent, on s'en doute, la part belle au Moyen Âge: Aimé du Mont-Cassin, Grégoire de Tours, Villehardouin figurent parmi les quatre premiers titres, où seules les lettres de Mazarin à la reine représentent l'époque moderne. De plus, la double vocation érudite et vulgarisatrice de la société se lit dans ce premier choix de publications: deux inédits, ou quasi tels, deux textes déjà maintes fois imprimés, l'*Histoire des Francs* et la *Conquête de Constantinople*. Durant ses vingt-cinq premières années, la Société fit paraître soixante-dix volumes, tout en publiant un bulletin puis, à partir de 1836, un annuaire substantiel. Le Moyen Âge garda longtemps la part la plus considérable. La publication monumentale, à partir de 1841, des cinq volumes des procès de Jeanne d'Arc, scrupuleusement édités par Jules Quicherat, combinait avantageusement les exigences scientifiques et les nécessités nationales. De même, Pertz avait retrouvé en 1833 puis fait paraître dans les *Monumenta* en 1839 l'unique manuscrit de l'*Histoire de France* de Richer de Reims. La Société jugea que le public français devait avoir accès chez lui à cette source presque unique sur la fin du Xe siècle où, peut-être, naissait la nation française. En 1845 parurent donc les deux volumes de cette histoire, à vrai dire assez facile à éditer à la suite de Pertz, mais à laquelle Guadet adjoignit une médiocre mais indispensable traduction. Durant la même période, Auguste Leprévost, tenant d'une érudition pure et dure, poursuivait la publication des cinq tomes de l'*Histoire ecclésiastique* d'Orderic Vital, de lecture fort ardue, et sans traduction cette fois, et Teulet celle des œuvres du carolingien Eginhard.

Le programme de parution de la Société, durant les deux premières décennies de son existence, doit sans doute beaucoup aux initiatives individuelles, aux curiosités et aux disponibilités des uns et des autres. Cependant, outre que la plupart des choix se révèlent, après coup, fort judicieux, on peut y relever, avec Philippe Contamine[23], une tendance à substituer des textes plus récents et plus aisés d'accès aux publications médiévales nécessairement plus érudites et confidentielles. Benjamin Guérard, pourtant un maître des études médiévales et qui, sous les auspices du Comité des travaux historiques, édite au même moment, de façon impeccable, de précieux et austères cartulaires, milite au sein de la Société en faveur de «documents moins graves et plus modernes», ainsi que, et c'était alors nouveau, d'inventaires, de registres et de pièces comptables. Appartiennent à cette double catégorie le *Journal de Barbier*, qui paraît en quatre volumes entre 1847 et 1856, ou les *Mémoires du comte de Coligny-Saligny* en 1841, et les différents comptes de l'argenterie royale édités par Douët d'Arcq, ou les *Registres de l'Hôtel de Ville de Paris pendant la Fronde.*

Dix ans après sa fondation, la Société regroupe près de quatre cents membres, qui font d'elle la société savante la plus importante du temps. Ses débuts, cependant, furent laborieux, eu égard à ses ambitions, et à l'ampleur de la tâche à accomplir, de l'aveu même de ses fondateurs, et notamment du plus illustre d'entre eux, Guizot. La Société recevait fort peu de subventions, et la vente de ses publications ne lui procurait guère de ressources. En effet, chaque volume, vendu neuf francs à l'extérieur de la Société, était cédé gratuitement à ses membres, qui absorbaient ainsi à peu près la moitié du tirage, lui-même compris entre trois cents et sept cent cinquante exemplaires. La vente des ouvrages représentait, dans les recettes de la Société, moins de la moitié des cotisations, fixées à trente francs annuels par sociétaire selon le règlement de 1834. Le développement des activités de la Société était donc étroitement borné par ce défaut de moyens.

Une affaire d'État

Guizot, dès le premier jour, en fut conscient. La Société de l'histoire de France, pour être la plus active et intellectuellement la plus riche, n'était qu'une société savante comme il en existait déjà beaucoup à Paris et en province. L'exhumation et la divulgation de la mémoire nationale étaient une entreprise trop considérable, dans ses enjeux et sa réalisation, pour être abandonnée aux initiatives privées, si dynamiques et qualifiées fussent-elles. Il ne pouvait s'agir, aux yeux de Guizot, que d'une affaire d'État, et le gouvernement de Juillet, on l'a vu, avait, outre la personnalité même de Guizot, de puissantes raisons de la faire sienne.

La création de la Société de l'histoire de France apparaît ainsi comme le premier volet d'un projet beaucoup plus vaste, dont l'exécution suit aussitôt, comme si l'ensemble avait été prémédité de longue date. Dès novembre 1833, Guizot demande à tous les préfets de faire rechercher dans les bibliothèques publiques et les archives départementales et communales « les manuscrits qui ont rapport à notre histoire nationale ». C'est que, dans les institutions et dépôts publics, l'ignorance et le désordre règnent quant aux richesses qui s'y trouvent. Enfin, soixante-dix ans après Moreau, mais dans un tout autre esprit, Guizot, le 31 décembre de la même année, adresse un rapport au roi sur le budget de son ministère pour 1835, où il développe les considérations selon lesquelles il appartient au gouvernement d'« accomplir le grand travail d'une publication générale de tous les matériaux importants et encore inédits sur l'histoire de notre patrie ». D'abord, le gouvernement dispose seul des moyens financiers propres à garantir le succès de l'entreprise. Ensuite, l'État est le dépositaire ou le propriétaire d'une très grande partie des documents à publier, qu'ils se trouvent à la Bibliothèque royale, aux Archives du royaume ou dans les ministères, notamment aux Affaires étrangères. Les documents des gouvernements antérieurs au règne de Louis XV pourraient ainsi être rendus publics sans inconvénient pour les personnes ni pour l'intérêt du pays. « La publication que j'ai l'honneur de proposer à Votre Majesté, conclut Guizot, sera un monument tout à fait digne d'elle et de la France », ce qui justifie amplement sa demande d'une allocation extraordinaire[24].

Guizot, aussi, est mû par un sentiment d'urgence, partagé par tous ceux qu'ont frappés les destructions de la Révolution. Les vestiges matériels de l'Ancien Régime, surtout les plus éloignés dans le temps, sont menacés de disparition physique, ou risquent de devenir inintelligibles. L'instinct de conservation national, autant que la curiosité intellectuelle et scientifique, commandent de les préserver. C'est pourquoi, révélant une tendance profonde du régime de Juillet – non pas restaurer, mais conserver pour progresser –, les conservateurs professionnels sont-ils à la tâche, et à l'honneur. Les comités créés par Guizot, tout comme le conseil d'administration de la Société de l'histoire de France, en sont pleins.

Le ministre de l'Instruction publique, en discussion budgétaire[25], demande aux députés, pour lancer l'opération, une allocation spéciale de cent vingt mille francs pour 1835, soit quarante fois plus que ne produiraient les cotisations de la Société de l'histoire de France à la même date. La résistance se rencontra, dans la majorité, pour des raisons d'économie, dans l'opposition de gauche, par la voix, notamment, de Garnier-Pagès, pour des motifs purement politiques : ne s'agissait-il pas, de l'aveu même du ministre, de détourner certains jeunes gens, en les employant à un travail érudit, de lectures ou de collaborations de presse jugées vénéneuses ou séditieuses ? Guizot développa alors son argumentation : « Notre histoire, avant 1789, est en quelque sorte pour nous de l'histoire ancienne [...] Il importe de se presser si l'on veut jouir de ces monuments. L'intelligence en sera perdue bientôt, de même que les monuments matériels disparaîtront.» Le projet fut soutenu avec vigueur par le vicomte de Sade, député de l'Aisne et auteur remarqué, en 1822, de *Réflexions sur les moyens propres à consolider l'ordre constitutionnel en France*: «On a beaucoup parlé, dans les dernières discussions, de grandeur nationale. Eh bien, rien ne contribue davantage à cette grandeur que les monuments qu'on élève, et parmi ces monuments les entreprises littéraires tiennent le premier rang.» Faisant allusion peut-être au Cabinet des chartes sous l'Ancien Régime, sans doute aux quelques initiatives prises par la Restauration, l'orateur poursuit: «Vous ne laisserez pas incomplète l'œuvre qu'a commencée un gouvernement qui n'était pas très national [...] J'ose espérer que vous ne lésinerez pas lorsqu'il s'agit de la conservation de nos titres de famille, de celle de nos chroniques, de nos origines[26].» Tel était bien l'état d'esprit, libéral et national, qui prévalut dans le débat. Guizot obtint donc satisfaction. «La Chambre, commente-t-il dans ses *Mémoires* avec un humour indécis, avait confiance en moi pour de telles questions, et se plaisait aux mesures d'un caractère libéral qui n'altéraient point la politique d'ordre et de résistance.» Loin de l'altérer, en effet, une décision de cette nature la renforçait, en conviant la nation à la découverte de son passé, source d'un consensus fortifié. Pédagogie du savoir et de la raison, l'histoire venait ainsi, une fois de plus, nourrir et redoubler l'action politique. Il entrait dans les attributions du ministre de l'Instruction publique, surtout lorsqu'il s'appelait Guizot, de créer de la mémoire nationale, non par des commémorations, mais par l'exercice de l'esprit scientifique. Par un arrêté du 18 juillet 1834, il s'en donne l'instrument en instituant «un comité chargé de diriger les recherches et la publication de documents inédits relatifs à l'histoire de France». Ainsi naquit ce qui est mieux connu sous le nom, aujourd'hui encore en usage, de «Comité des travaux historiques et scientifiques[27]». Les onze membres qui entourent le ministre, parmi lesquels les personnalités les plus en vue sont Villemain, vice-président, qui en 1822 partagea à la Sorbonne la disgrâce de Guizot et de Victor Cousin, et Daunou, garde général des Archives du royaume, dont on connaît les origines et la carrière intellectuelles, sont tous, à des titres et des degrés divers, des hommes de savoir et de compétence. L'Université, en tant qu'institution, est tenue à l'écart, tandis que, avec cinq représentants, l'Institut occupe une place considérable, que lui a acquise son opiniâtreté à maintenir la tradition érudite. Par elle est assuré le lien entre la nouvelle institution et l'ancien Cabinet des chartes, auquel Guizot se réfère explicitement dans son rapport au roi de novembre 1834 sur la création et les débuts du comité. Jules Desnoyers, dressant dans le *Bulletin de la Société de l'histoire de France* l'historique du projet gouvernemental, commente ainsi: «Ce vaste projet de publication de nos richesses historiques peut et doit donc devenir, par son but et par ses moyens d'exécution, une œuvre tout à fait nationale, et la Société de l'histoire de France doit travailler à y concourir de toute son activité et de tous ses efforts.» De fait, consacrant l'association étroite des deux instances dans une unité de conception, le secrétaire général de la Société et cinq membres de son conseil sont nommés au Comité: Guérard, Champollion-Figeac, Mignet, Fauriel et Vitet. Les trois derniers sont particulièrement proches de Guizot. Mignet, qui avait publié en 1824, avec un succès considérable, son *Histoire de la Révolution*, avait été nommé dès août 1830 à la fonction importante de directeur du Dépôt des archives diplomatiques, dont Guizot attendait beaucoup pour son projet. En 1834, il faisait paraître un *Établissement de la Réforme à Genève*, propre à intéresser Guizot à plus d'un titre. L'année suivante lui revint l'honneur d'inaugurer la série des documents inédits sur l'histoire de France avec les *Négociations relatives à la succession d'Espagne sous Louis XIV*. Les liens de Guizot avec Claude Fauriel, de quinze ans son aîné, étaient beaucoup plus étroits[28]. Très proche des Idéologues, Fauriel avait recueilli les débris de la philosophie du XVIIIe siècle en fréquentant les salons de Suard, de Cabanis, de Mme de Staël et de Mme de Condorcet, dont il devint l'amant. Guizot, qui gravitait à l'époque dans ce milieu, le rencontra en 1811. Ce fut le concept, alors neuf, de civilisation comme objet d'étude historique, qui sans doute les rapprocha dans une amitié longtemps étroite: au moment où Guizot entamait sa carrière universitaire sur le thème de la civilisation en Europe et en France, Fauriel s'engageait dans un projet d'histoire de la civilisation méridionale qui constitue le fond principal de son œuvre. Appliquant à des objets nouveaux l'érudition la plus rigoureuse, très versé en philologie, Fauriel fut salué par Augustin Thierry, en 1829, comme «le père de la réforme historique, le premier qui ait conçu et voulu ce qui s'exécute depuis quelques années[29]». Guizot, sans doute, lui fut intellectuellement plus redevable qu'il ne l'a laissé paraître. Conservateur adjoint des manuscrits à la Bibliothèque royale, Fauriel se proposa tout naturellement pour éditer et traduire l'histoire de la croisade des Albigeois, qui parut en effet sous les auspices du Comité en 1837. Enfin Ludovic Vitet, l'un des plus jeunes collaborateurs de Guizot, puisqu'il était né en 1802, avait participé, après une brève période d'enseignement, à l'aventure du journal *Le Globe* et à celle de la Société «Aide-toi, le ciel t'aidera», dont Guizot fut un des principaux animateurs. Aussi ce dernier se l'était-il véritablement attaché, et avait fait créer pour lui en 1830 le poste d'inspecteur général des Monuments historiques, qu'il conserva jusqu'en 1834 et où lui succéda Mérimée. Secrétaire général du ministère du Commerce, il fut député de la Seine-Inférieure de 1834 à 1848.

Les rapports entre la Société et le Comité ne passaient pas seulement par les hommes. Dès avant l'arrêté de juillet 1834, Guizot avait exposé au conseil de la Société ce qu'il attendait d'elle. Selon le procès-verbal de la séance du 2 juin,

«M. le ministre donne à connaître son intention de faire concourir tout particulièrement la Société de l'histoire de France à son vaste plan de publications des monuments originaux inédits de l'histoire de France [...] Il verrait avec plaisir que la Société pût lier et combiner le plan de ses publications avec celles qu'il se propose lui-même d'entreprendre au nom du gouvernement, de sorte que leur ensemble pût former un jour un seul et même grand monument historique[30]».
Dans le même esprit, Guizot s'emploie aussitôt à mobiliser les institutions propres à concourir à la réalisation de son projet. L'École des chartes est sollicitée de fournir son contingent de spécialistes. Un élève de l'École, Fallot, est d'ailleurs choisi pour secrétaire du Comité. Afin de procurer aux collaborateurs du Comité un outil de travail sûr, Guizot commanda à Natalis de Wailly, attaché aux Archives, un manuel de paléographie. Les *Éléments de paléographie*, publiés en 1838, demeurèrent longtemps un guide irremplaçable. C'est encore Guizot qui, le premier, confie la garde des archives départementales, qu'il entend faire prospecter, à des archivistes-paléographes, qui sont donc engagés dans l'entreprise d'inventaire et de publication. L'École des chartes reçut ainsi une impulsion nouvelle, et sa mission de recherche, d'étude et de conservation des monuments originaux de l'histoire nationale, telle que la définit une notice adressée par la Société de l'École des chartes au ministre de l'Instruction publique en 1839, s'en trouva précisément fixée[31]. Surtout, Guizot s'efforça de mobiliser les sociétés savantes, dont beaucoup, jusque-là, végétaient. Dès le 20 juillet, il sollicite leur concours, tout en leur proposant l'actif soutien de son ministère, notamment pour publier leurs propres travaux. Le ministre comptait aussi trouver dans les sociétés savantes des correspondants du Comité, hommes de terrain connaissant bien l'histoire et les ressources archivistiques locales. Ces correspondants, au nombre de quatre-vingt-neuf dès la fin de 1834, reçurent au mois de décembre une circulaire leur donnant des instructions précises sur la manière de procéder dans la recherche, l'inventaire et la description des documents. Au fond, Guizot cherchait dans les sociétés savantes les collaborateurs que Moreau, à une moindre échelle, avait trouvés jadis chez les bénédictins. De fait, l'une des tâches du Comité devint bientôt l'animation, voire la direction des sociétés savantes.

L'élan donné

L'initiative lancée par Guizot eut immédiatement un retentissement considérable. Elle venait, on l'a vu, à son heure exacte. Guizot lui-même mesure ce qu'il doit à la conjoncture intellectuelle: «Le sentiment public me vint en aide. Si l'enseignement supérieur de l'histoire avait fait des pertes considérables», et sans doute songe-t-il d'abord à lui-même devenu ministre, «le goût des recherches et des méditations historiques se répandait de plus en plus[32]». L'ambition de servir la mémoire nationale, avec, enfin, ce qu'il fallait pour cela de moyens, recueillit une adhésion à peu près unanime. Dans le même mouvement, révéler aux classes moyennes l'ancienneté de leurs origines, montrer comment leur évolution propre devenait peu à peu l'histoire même de la nation, scella pour un moment l'alliance des historiens, d'ailleurs pour la plupart formés à l'école de Guizot, avec la monarchie de Juillet. Comment ne pas souscrire à un régime dont le plus grand historien du temps était aussi l'homme d'État le plus en vue, qui transformait le château de Versailles en musée des gloires nationales, créait une inspection des Monuments historiques, restaurait l'Institut, fondait véritablement l'enseignement primaire, transformait l'enseignement supérieur, et prodiguait ses faveurs, et aussi ses crédits, aux institutions et aux personnes servant la science? De deux hommes qui devaient par la suite se séparer intellectuellement et politiquement de Guizot, l'un, Quinet, propose avec ardeur ses services, l'autre, Michelet, naguère suppléant de Guizot à la Sorbonne, et nommé grâce à lui en 1830 chef de la section d'histoire aux Archives du royaume, est chargé d'un rapport sur les bibliothèques et archives départementales du Sud-Ouest. En 1841, il éditait, dans la collection des documents inédits, le procès des templiers. Il n'est pas jusqu'à Eugène Sue, alors dans la période de ses romans maritimes, qui n'ait apporté sa contribution à l'édifice, avec la publication en trois volumes, en 1839, de la correspondance d'Henri de Sourdis, chef des armées navales de Louis XIII. Bien entendu, Augustin Thierry joue dans le dispositif un rôle capital, même s'il n'est pas membre du premier Comité. Guizot lui confie en effet l'éminente responsabilité de diriger la collection des chartes concédées aux villes et aux communes médiévales, ainsi que des «chartes et constitutions primitives des différentes corporations, maîtrises et sociétés particulières établies en France, de telle sorte que cette collection, écrit le ministre au roi dans un rapport du 27 novembre 1834, rapproche et mette dans tout leur jour les nombreuses et diverses origines de la bourgeoisie française, c'est-à-dire les premières institutions qui ont servi à affranchir et à élever la nation.»

Le projet global de Guizot, rechercher et publier tous les documents pouvant contribuer à la connaissance de l'histoire nationale, était, à vue humaine, démesuré. Naturellement, son inspirateur en était, le premier, conscient. Mais, note-t-il, «dans l'ordre intellectuel comme dans l'ordre politique, c'est par les grandes espérances et les grandes exigences qu'on provoque à d'énergiques efforts la sympathie et l'activité humaines[33]». En un sens, la réussite, dans les premières années, répondit à son dessein. Le Comité dut bientôt s'employer à canaliser le trop-plein de concours, souvent plus enthousiastes

qu'éclairés, qui s'offraient spontanément dans bien des villes du royaume. Un second Comité, créé le 10 janvier 1835, fut chargé «de concourir à la recherche et à la publication de documents inédits de la littérature, de la philosophie, des sciences et des arts considérés dans leurs rapports avec l'histoire générale de la France». «De telles recherches, précisait une circulaire ministérielle du 15 mai, sont le complément naturel des premières; elles importent essentiellement à la connaissance de notre histoire nationale.» De ce second Comité, Victor Cousin, qui n'était pas à un poste près, fut nommé vice-président. Il faisait ainsi le pendant de Villemain, et reconstituait avec Guizot présidant les deux Comités la fameuse triade universitaire des années 1820. Vitet et Lenormant faisaient également partie de ce Comité où ils voisinaient avec Mérimée et aussi Victor Hugo, qui s'employa activement à signaler et faire protéger des monuments médiévaux menacés par des édiles ou des particuliers incultes ou peu scrupuleux.
Le véritable activisme des débuts retomba quelque peu par la suite, comme il était prévisible. Dans un rapport à Guizot du 10 mars 1837 sur l'état d'avancement du recueil des monuments de l'histoire du tiers état, Augustin Thierry déplore que, «sur cent vingt correspondants nommés par vous pour la recherche et la conservation des monuments de notre histoire, quarante seulement ont répondu à l'appel que je leur ai fait en votre nom». Les Chambres, aussi, se font moins généreuses, et les crédits sont en baisse. Ainsi Champollion-Figeac, chargé par le Comité de diriger l'inventaire analytique des manuscrits de la Bibliothèque royale, est à l'origine assisté de douze employés. Aussi, au cours du premier semestre de 1835, quarante mille pièces purent-elles être répertoriées. Mais le rythme des dépouillements diminue bientôt, à cause de compressions de personnel, et aussi, sans doute, du manque de zèle et de qualification de l'équipe. En 1846, l'entreprise est arrêtée, après le catalogage de deux cent cinquante mille pièces.
Le double Comité installé par Guizot fut, par la suite, plusieurs fois réaménagé. À la fin de 1837, Salvandy, successeur de Guizot[34], réunifia le Comité pour le diviser en cinq sections, rattachées chacune, en principe, à l'une des classes de l'Institut. Salvandy fit aussi beaucoup pour la Bibliothèque royale[35] et pour l'École des chartes, d'autant mieux que, exécuteur testamentaire de Daunou, il était dépositaire de sa pensée et de celle de ses amis. Sous le second Empire, Rouland tenta, au contraire du projet même de Guizot, de lier les sociétés savantes à l'Université. C'est avec Jules Ferry que le Comité trouva, avec sa désignation actuelle de Comité des travaux historiques et scientifiques, son organisation à peu près définitive. Naturellement, la tâche que lui avait assignée Guizot ne fut et ne sera jamais achevée, encore que cinq cents titres environ existent aujourd'hui. Mais les études historiques en reçurent, et conservèrent au moins jusqu'au début de ce siècle, une formi-

dable impulsion. Les historiens de la République, érudits et patriotes, durent au ministre de Louis-Philippe une bonne part des matériaux sur lesquels travailler, et de solides institutions, comparables, sans les égaler, à ceux de leurs collègues et parfois concurrents germaniques. L'histoire de la nation française, dans ses versions multiples et successives, la constitution raisonnée d'une mémoire nationale trouvent leurs origines, en grande partie, dans les années 1834-1835, lorsque l'État fit du travail historique un acte politique.

Sans doute les conditions qui avaient permis aux conceptions et aux projets de Guizot de prendre corps épuisèrent-elles bientôt leurs effets. Dès après 1850, les terrains d'investigation, tout comme les enjeux intellectuels et idéologiques, se déplacent. Le suffrage universel l'emporte sur tous les autres modes de légitimation. À l'Empire ni à la République, le Moyen Âge n'a donc rien à offrir de particulier. C'est pourquoi cette période, jusque-là tant sollicitée, et qui avait fait l'objet, dans la première moitié du siècle, d'une véritable découverte, est un peu délaissée, au profit de la Révolution, avec Tocqueville, Quinet et Taine, et surtout, comme en Allemagne, de l'Antiquité: Duruy, Renan, Fustel de Coulanges, enfin Jullian, fournissent des textes classiques, renforcés des découvertes archéologiques où la France, notamment grâce à l'École d'Athènes qui doit beaucoup à Guizot, tient une place éminente, une lecture et une interprétation nouvelles. Ces hommes, surtout les deux derniers, sont à la fois des hommes de pensée et des érudits. De fait, en même temps que ses objets se transforment, le savoir et ses méthodes progressent considérablement. Le renforcement de l'École des chartes, la rénovation de l'Université, la création en 1867 puis le développement rapide de l'École des hautes études, produisent d'heureux résultats et de brillants et solides sujets, et aussi des publications propres. Les hauts fonctionnaires, les pairs de France, les personnalités parfois plus considérables qu'informées, qui constituaient une bonne part de la Société de l'histoire de France et du premier Comité des travaux historiques, ont laissé place, pour la publication et l'étude des documents, à de véritables scientifiques, plus attachés à développer, dans un esprit nouveau, leurs œuvres personnelles, et rigoureuses, qu'à s'enrôler dans l'entreprise d'exhumation voulue et lancée par Guizot, et qui perd de plus en plus de son souffle. Le manifeste que place Gabriel Monod en tête du premier numéro de la *Revue historique*, qu'il crée en 1876, donne la mesure, à vrai dire un peu exagérée pour les besoins de la cause, de cette évolution.

Le paradoxe veut que Guizot, qui avait tant fait pour permettre à la nation d'accéder à la connaissance et à la conscience d'elle-même, ait été promptement expulsé de l'histoire et de la mémoire nationales, où il amorce un bien tardif retour, et que, de son vivant même, il n'ait pas paru, aux yeux des plus sourcilleux, suffisamment français. Renan, rendant compte en 1859 du début de ses *Mémoires*, le note pour le déplorer: «Le penseur austère qui chercha à s'élever au-dessus des préjugés de son temps et de son pays encourut le plus grave des reproches, celui de n'être pas national.» Et Taxile Delord, dans *Le Siècle*, conclut un méchant article: «Il semble quelquefois lui-même un naturalisé au milieu de ses concitoyens[36].» C'est que le ministre des Affaires étrangères de la fin de la monarchie de Juillet avait pris le pas, dans l'histoire, sur le ministre de l'Instruction publique des débuts, celui dont Camille Jullian, plus équitable que la plupart de ses contemporains, écrit en 1897: «Pourtant, dût cette assertion paraître paradoxale en notre temps trop hostile à Guizot, c'est lui peut-être qui, sans y réussir toujours, a fait le plus heureux effort pour n'être jamais qu'historien[37].»

1. Guizot fut ministre de l'Instruction publique du 11 novembre 1832 au 22 février 1836, puis du 6 octobre 1836 au 15 avril 1837.

2. *Mémoires*, t. III, p. 52.

3. Sur Moreau, voir Dieter Gembicki, *Histoire et politique à la fin de l'Ancien Régime, Jacob-Nicolas Moreau (1717-1803)*, Paris, Nizet, 1979.

4. Sur l'École des chartes, voir Martial Delpit, «Notice historique sur l'École royale des chartes», *Bibliothèque de l'École des chartes*, t. I, 1839-1840, et *Centenaire de l'École des chartes*, Paris, 1921, 2 vol.

5. *Archives parlementaires*, t. LI, p. 677.

6. *Lettres sur l'histoire de France*, Paris, 2e éd., 1829, p. 3. Sur A. Thierry, voir notamment R. N. Smithson, *Augustin Thierry. Social and Political Consciousness in the Evolution of a Historical Method*, Genève, 1973.

7. Sur le renouveau des études historiques, voir Boris Réizov, *L'Historiographie romantique française*, Moscou, s.d., et P. Stadler, *Geschichtschreibung in historisches Denken in Frankreich, 1789-1871*, Zurich, 1958.

8. *Lettres sur l'histoire de France*, éd. citée, Avertissement.

9. *Cf.* Yvonne Kniebiehler, *Naissance des sciences humaines: Mignet et l'histoire philosophique au XIXe siècle*, Paris, Flammarion, 1973.

10. *Lettres sur l'histoire de France*, éd. citée, p. 7.

11. Sur ce point, voir Pierre Rosanvallon, *Le Moment Guizot*, Paris, Gallimard, 1985, en particulier les chapitres VI et VII.

12. *Considérations sur l'histoire de France*, Paris, 1840, p. 190.

13. *Cf.* Charles Pouthas, *Guizot pendant la Restauration*, Paris, 1923.

14. *Mémoires*, t. III, p. 337.

15. *Ibid.*, t. III, p. 171.

16. *Ibid.*, p. 177. Sur la S.H.F. et ses débuts, voir Ch. Jourdain, *La Société de l'histoire de France de 1833 à 1884*, Paris, 1884 et Charles-Olivier Carbonell, «La naissance de la Société de l'histoire de France», *Annuaire-Bulletin de la S.H.F.*, 1983-1984.

17. *Cf.* Charles-Olivier Carbonell, *L'Autre Champollion. Jacques-Joseph Champollion-Figeac*, Toulouse et Paris, 1984.

18. Caumont lui-même fut admis dans la Société le 5 mai 1834.

19. Sur Desnoyers, voir P. Marot, «Le premier secrétaire de la Société de l'histoire de France. Jules Desnoyers, 1800-1887», *Annuaire-Bulletin de la S.H.F.*, 1962-1963.

20. À la séance du 5 mai 1834, Lenormant présenta un modèle de sceau pour la Société, représentant un de ces flambeaux antiques, «qui sera comme le symbole d'un échange mutuel des connaissances mises en commun».

21. *Bulletin de la S.H.F.*, t. II, 1835, p. 154.

22. Robert de Lasteyrie, *Bibliographie générale des travaux historiques et archéologiques publiés par les sociétés savantes de la France*, t. III, Paris, 1901.

23. Ce développement doit beaucoup à la communication présentée par Philippe Contamine au colloque «Le temps où l'histoire se fit science», organisé à l'occasion du cent-cinquantenaire du renouveau des sciences historiques par le Comité français des sciences historiques, et tenu à Paris du 17 au 20 décembre 1985. Nous remercions Philippe Contamine de nous avoir transmis le texte de sa communication intitulée «La Société de l'histoire de France et son programme de travail, 1834-1851». Signalons également la très riche allocution d'ouverture prononcée par M. Robert-Henri Bautier, président du Comité français des sciences historiques et à ce titre cheville ouvrière du colloque, et l'exposé de M. Charles-Olivier Carbonell, «Guizot et le renouveau de l'histoire». La date à laquelle s'est tenu ce colloque international ne nous a pas permis d'en tirer dans cet article tout le parti souhaitable. Ses actes paraîtront dans la revue *Storia della storiografia.*

24. Le texte intégral de ce rapport se trouve, avec beaucoup d'autres documents précédés d'un substantiel exposé historique, dans Xavier Charmes, *Le Comité des travaux historiques et scientifiques*, Paris, 1886, 3 vol.

25. *Le Moniteur universel*, 11 mai 1834.

26. *Ibid.*

27. Outre Xavier Charmes, *cf.* Charles-Olivier Carbonell, «Guizot, homme d'État, et le mouvement historiographique français du XIXe siècle», *Actes du colloque Français Guizot*, Société de l'histoire du protestantisme français, Paris, 1976.

28. Sur l'intéressante personnalité de Fauriel, voir Jean-Baptiste Galley, *Claude Fauriel*, Saint-Étienne, 1909.

29. Cité par J.-B. Galley, *ibid.*

30. *Bulletin de la S.H.F.*, t. I, 1834, p. 51.

31. *Cf.* Martial Delpit, *op. cit.*

32. *Mémoires*, t. III, p. 176.

33. *Ibid.*, p. 178.

34. Sur Salvandy, voir Louis Trénard, *Salvandy en son temps, 1795-1856*, thèse, Lille, 1968.

35. *Cf.* Jean-François Foucaud, *La Bibliothèque royale sous la monarchie de Juillet*, Paris, Comité des travaux historiques et scientifiques, Bibliothèque nationale, Paris, 1978.

36. Cité par Michel Richard, «Guizot mémorialiste», *Actes du colloque François Guizot*, éd. citée, p. 294.

37. Camille Jullian, *Notes sur l'histoire en France au XIXe siècle*, Paris, 1897, p. 31.

ANDRÉ FERMIGIER

Mérimée et l'inspection des monuments historiques

Vous savez, cher ami, que je suis... dans une ville fort célèbre parce que saint Bernard y prêcha la seconde croisade – maintenant si arriérée que le cirage anglais y est inconnu...

Prosper Mérimée a été inspecteur général des Monuments historiques de 1834 à 1860. Le poste datant de 1830 et quels qu'aient pu être les mérites de son prédécesseur, Ludovic Vitet, autant dire qu'il a créé le service et ses rapports, ses *Notes de voyage*, ses interventions aux séances de la commission supérieure des Monuments historiques dont il fut secrétaire puis vice-président montrent avec quelle application il a rempli une charge d'autant plus lourde que tout était à inventer sur le plan technique et administratif dans la « guerre aux démolisseurs », que le personnel était insuffisant ou incompétent, que les crédits s'obtenaient difficilement et parcimonieusement, que les correspondants dont on pouvait disposer, « antiquaires » ou architectes, étaient plus riches de bonne volonté que de savoir et que les tournées d'inspection elles-mêmes pouvaient être fort éprouvantes : mauvaises routes, intempéries, barbarie de la table et du gîte.

Ajoutons à cela le poison particulièrement délétère que dut signifier la province pour le Parisien un peu roué, le « vaurien » grand amateur de salons et de jolies femmes, le super-dandy qu'était le comte Gazul, ainsi que l'appelait Stendhal : « La vie de province est horrible, disait-il, et les soirées sont horriblement longues[1]. » En mai 1834, au moment d'entreprendre sa première tournée d'inspection, Mérimée avait écrit à son ami anglais Sutton Sharpe à propos de sa nouvelle charge : « Elle convient fort à mes goûts, à ma paresse et à mes idées de voyage. » Si pour les « idées de voyage » il fut royalement servi, sa « paresse » ne trouva guère son compte dans les fonctions qu'en dehors d'une honnête ambition ses «goûts» ne le portaient que fort indirectement à revendiquer, sa carrière administrative, commencée en 1830, s'étant jusque-là limitée à un poste de chef de bureau au secrétariat général de la Marine et de chef de cabinet du ministre du Commerce.

On ne voit même rien dans la jeunesse de Mérimée qui ait pu le conduire à prendre en charge l'inventaire et la sauvegarde du patrimoine. Certes il est né dans une famille d'artistes et il a eu la chance de faire son éducation intellectuelle dans la petite société libérale, préromantique et préorléaniste, qui se réunissait chaque dimanche chez Étienne Delécluze[2] (l'oncle de Viollet-le-Duc) et dont Stendhal a pu écrire dans les *Souvenirs d'égotisme* qu'il n'avait «jamais rien rencontré, je ne dirai pas de supérieur, mais même de comparable[3]». Il ne semble pas pour autant que l'on ait beaucoup parlé d'archéologie chez «M. de l'Étang», ainsi que le baptisait l'auteur du *Rouge*, et si la culture de Mérimée était remarquable (le comte Gazul était aussi «Academus», toujours selon Stendhal), il s'agit d'une culture classique à peu près exclusivement orientée vers la connaissance de la littérature et, de façon accessoire, l'art de l'Antiquité gréco-latine.

Rien non plus à trouver du côté des sentiments. Mérimée était le moins sentimental des hommes. Peut-être tenait-il cela de sa mère qui, pour citer Stendhal encore une fois, «était susceptible d'attendrissement une fois par an[4]» et l'on a souvent rappelé ce jugement de Vitet transmis par Guizot: «Mérimée admire les beaux monuments mais il n'a jamais senti ses yeux se mouiller à l'aspect de leur ruine[5]». Lui-même l'a reconnu plus tard: «Lorsque je voyais ces monuments historiques, j'en étais le colonel. Je regrette de les avoir étudiés trop officiellement. Je regardais les caractères de l'architecture, les additions, les réparations anciennes et l'ensemble poétique m'échappait[6].»

Si l'ensemble poétique lui échappait, on peut imaginer que la signification religieuse lui était encore plus indifférente. L'homme qui a sauvé Saint-Savin, Cunault et Vézelay était un parfait incroyant qui ne voyait dans les prêtres que «pointus» ou «ratichons» et il est demeuré complètement étranger aux préoccupations de renaissance chrétienne et «gothique», de retour à la foi, à la culture de l'ancienne France qui sont si fréquentes chez les hommes de 1830, et pas seulement chez Montalembert. En janvier 1831, un collaborateur du *Globe* écrivait: «M. Mérimée est assurément l'artiste le moins chrétien d'aujourd'hui, celui dont le caractère individuel est le plus purgé de toutes réminiscences doctrinales et sentimentales du passé.» Étrange disposition chez un homme qui allait consacrer sa vie à la sauvegarde du passé et Delécluze, qui n'avait pas la religion en odeur de sainteté et demeurait, en fidèle disciple de David, un «classique» inconditionnel, s'en est plus tard étonné pour regretter que l'action de son protégé ait si souvent apporté de l'eau au moulin de l'«ultramontanisme»: «Il n'est pas aussi facile de se rendre compte des motifs qui ont fait prendre à M. Mérimée une part si active à la réhabilitation de l'art gothique. C'était sans doute un devoir pour lui de s'en occuper lorsqu'il reçut l'importante commission d'inspecteur des Monuments historiques de France... Le catholicisme à cette époque était devenu une affaire de mode scientifique[7] et ceux qui penchaient sérieusement vers l'ultramontanisme ne voyaient pas sans satisfaction les archéologues entraînés dans une voie qui aboutissait à la leur. Une curiosité de savant et la séduction exercée par le mérite réel de l'art gothique ont-elles déterminé M. Mérimée à poursuivre sérieusement ses études sur le Moyen Âge? Il faut le croire car, en conscience, on ne peut le taxer d'ultramontanisme et, cependant, ainsi que tous les archéologues de nos jours, il a travaillé en sa faveur[8].» La pieuse Restauration avait vu avec indifférence peu à peu disparaître les souvenirs de la France de Saint Louis. Ce qui en restait fut, en grande partie, sauvé par de parfaits mécréants.

Au nom de quoi? De l'histoire? Des «réminiscences» sinon «doctrinales» du moins «sentimentales» du passé? Des «lieux de mémoire»? Nous y viendrons, mais de telles préoccupations, peut-être parce qu'elles étaient trop évidentes pour être formulées, n'apparaissent guère, en première lecture, dans les rapports de Mérimée, ni dans sa *Correspondance*, ni même dans ses *Notes de voyage* où, quelles que soient son horreur du pathos et de la poétique des ruines, son ironique réserve à l'égard des émotions d'art et d'histoire mises au point par Chateaubriand, on aurait pu l'imaginer un peu plus expansif. À la différence de Viollet-le-Duc, Mérimée n'a élaboré aucune théorie, aucune analyse de la nature et de la légitimité des formes dans leur rapport avec les événements politiques, les faits d'économic ou dc société, et si l'on connaît ses idées en matière de hiérarchie des styles et de restauration, on ne voit pas qu'il ait cherché à faire le bilan du savoir acquis à travers son expérience d'homme de métier, de praticien des «antiquités nationales».

Et à l'égard de l'histoire, de l'émotion historique, quelle curieuse attitude! Certes Mérimée avait le goût de l'histoire, comme tous ses contemporains, goût auquel nous devons la *Chronique du règne de Charles IX* et une sorte de drame historique, d'ailleurs moins réussi et ficelé sans grande conviction, *La Jacquerie.* Mais il n'est pas de ceux qui éprouvent «l'intérêt des grands souvenirs, le vague désir de remonter les âges», tel Michelet qui, au musée des Monuments français d'Alexandre Lenoir, n'était pas bien sûr «qu'ils ne vécussent point tous ces dormeurs de marbre étendus sur leur tombe» et ne savait pas trop s'il ne verrait point «se lever la Diane d'Anet» et «se mettre sur leur séant Chilpéric et Frédégonde». De passage à Vézelay lors de sa première tournée d'inspection, Mérimée écrit à Joseph Lingay, le 9 août 1834: «Vous savez, cher ami, que je suis depuis un jour dans une ville fort célèbre parce que saint Bernard y prêcha la seconde croisade – maintenant si arriérée que le cirage anglais y est inconnu... » Du cirage anglais à Vézelay en 1834! « L'intérêt des grands souvenirs » n'intervient que lorsqu'il s'agit d'obtenir des crédits, ainsi dans cette lettre du 17 octobre 1854 adressée au ministre de l'Intérieur: « Je n'ai pas besoin de vous rappeler que le château de Chinon est un des monuments les plus remarquables de l'architecture militaire du Moyen Âge et que les souvenirs les plus glorieux de notre histoire y sont attachés. Les noms de Jeanne d'Arc et de Charles VII doivent protéger cette illustre ruine. »

Une illustre ruine. Toutes les ruines étaient pour Mérimée d'une certaine manière illustres, même si l'expérience lui a rapidement appris que toutes ne pouvaient être relevées: « Il y a bien longtemps, écrivait-il le 11 septembre 1852 au secrétaire de la Société des Antiquaires de l'Ouest, que nous avons désespéré de sauver *tous* les monuments menacés et notre ambition est de faire le meilleur choix possible parmi le petit nombre de ceux que nous pouvons secourir. » Le constat peut paraître assez sec. Mais si Mérimée n'a jamais senti ses yeux se mouiller de larmes à l'aspect d'une ruine, pour reprendre l'expression de Vitet, c'est moins sans doute par indifférence que parce qu'il refusait la complaisance sentimentale, la résignation funèbre, de la première génération des « voyageurs » et des « touristes », celle de Taylor et Nodier par exemple. Dans la préface du premier volume, paru en 1820, des *Voyages pittoresques et romantiques dans l'ancienne France*, Nodier écrivait: « Quant à nous, derniers voyageurs dans les ruines de l'ancienne France qui auront bientôt cessé d'exister, nous aimons à peindre exclusivement ces ruines dont l'histoire et les mystères seraient perdus pour la génération suivante[9]. »

À lire la correspondance de Mérimée, ses rapports, ceux de Viollet-le-Duc et de ses confrères, on mesure le chemin parcouru en quelques lustres. La chance du service des Monuments historiques est d'avoir été créé, dirigé par un homme, un ensemble d'hommes qui ne considéraient pas les monuments comme des ensembles pittoresques ou comme le prétexte à d'avantageuses rêveries, mais comme des organismes à étudier, à consolider, à sauver. Des praticiens en somme, non des poètes, et bientôt des savants. D'où, comme l'a bien remarqué Sainte-Beuve, la neutralité de ton des *Notes de voyage*: « Voici près de dix ans que [M. Mérimée] s'est fait antiquaire. J'oserai penser que ses fonctions n'ont été qu'un prétexte: la science elle-même l'attirait. De tous temps et presque dans le premier entrain de l'imagination, on a pu remarquer sa vocation d'étudier de près les choses, de les bien savoir, de les savoir avec précision seulement... Une fois entré dans l'érudition, il a dû redoubler ce soin rigoureux; célèbre dans le roman et dans le conte, il fallait avant tout qu'on ne pût l'accuser de confondre les genres. Ceux qui s'attendaient d'abord à trouver dans ses *Notes* archéologiques une seule trace d'impressions de voyage ont été bien surpris; c'est qu'ils le connaissaient peu[10]. »

Quels étaient le savoir, la compétence archéologique de Mérimée? Où et comment les a-t-il acquis ? Répondre à cette double question serait fort long et n'entre pas dans le propos de cette étude. Tout ce que l'on dira, c'est que, s'il a commis des erreurs (elles ont été relevées), celles-ci n'ont pas provoqué de catastrophe, contrairement à ce qui s'est produit avec certains professionnels de l'époque, ainsi l'incroyable Debret qui, chargé de restaurer la basilique de Saint-Denis, faillit la ruiner tout à fait. Quant à la manière dont Mérimée est devenu une autorité incontestée dans un domaine qui, au point de départ, lui était à peu près étranger, personne n'en sait rien et l'on ne peut que renvoyer à l'analyse de Sainte-Beuve : la « vocation d'étudier de près les choses, de les bien savoir, de les savoir avec précision seulement ». Quelle qu'ait pu être l'importance de ses lectures (celle d'Arcisse de Caumont en particulier), Mérimée fut avant tout un homme de terrain, servi par une intelligence critique et une faculté d'assimilation exceptionnelles. On ne sait d'ailleurs pas davantage où Viollet-le-Duc a acquis l'extraordinaire savoir d'architecte et d'archéologue qui était le sien lorsque Mérimée lui confia en 1840 l'entreprise jugée presque désespérée du sauvetage de Vézelay.

Vous avez devant vous un édifice en ruine ou qui menace ruine. Quel parti prendre ? Laisser faire, consolider, restaurer ? Ou même refaire, comme le suggérait la pratique imposée aux pensionnaires de la villa Médicis, qui était de *restituer* un monument antique tel qu'il fut au temps de sa plus complète splendeur, et l'on peut penser que cette pratique a contribué à créer le climat psychologique et doctrinal qui est à l'origine de la plupart des restaurations abusives du XIXe siècle.

Quoi qu'il en soit, laisser faire, consolider, restaurer, consentir au temps ou refuser son œuvre, représente autant de choix qui, dans les années où s'élabore le concept de monument historique, s'ils dérivent tous du traumatisme lié à l'effondrement de l'ancienne France, signifient une profonde divergence d'attitude à l'égard du passé. Ce passé, on peut, qu'on le chérisse ou qu'on l'oublie, l'accepter dans sa décrépitude. On peut aussi décider de le faire revivre, soit pour des raisons politiques et religieuses, et c'est l'espoir des « ultramontains », soit pour des raisons de patriotisme scientifique, et c'est le pari des « néo-gothiques » aux yeux desquels l'analyse des édifices du XIIIe siècle permettra seule, par-delà l'immense erreur de l'italianisme, de créer les conditions d'une architecture moderne et nationale. D'un côté : la résurrection intégrale. De l'autre : le linceul de pourpre où dorment les dieux morts. Aux extrémités de la chaîne : Chateaubriand et Viollet-le-Duc.

Chateaubriand, tel qu'on peut l'interpréter à partir du passage de *Génie du christianisme* qui évoque le musée d'Alexandre Lenoir[11] : à quoi bon ? Tout cela est mort, nous avons tué le Père, on ne remonte pas le cours du temps, que la poussière retourne à la poussière, etc.

Viollet-le-Duc: non, le passé n'est pas mort. Il est nous-même, notre vie, notre raison d'exister. Nous pouvons, nous devons le conserver, le «restituer», le faire même plus beau qu'il ne fut jamais. Le barbare, c'est celui qui ne se souvient pas et c'est en donnant la main à notre passé, au passé de la France médiévale que nous serons des hommes de notre pays et de notre temps. Transposé en termes de pratique, ce messianisme laïque aboutit à la fameuse définition du *Dictionnaire de l'architecture*: «Restaurer un édifice, ce n'est pas l'entretenir, le réparer ou le refaire, c'est le rétablir dans un état complet qui peut n'avoir jamais existé à un moment donné[12].» Comme un animal, une plante, tout édifice naît d'un principe unique, se développe en fonction d'une logique interne qui est la condition de sa vie et de sa survie. En matière d'architecture, seules comptent la loi, la vérité biologiques, pourrait-on dire, qu'il appartient au restaurateur de découvrir et d'appliquer dans leurs dernières conséquences: il s'agit en somme de faire dire à l'édifice ce qu'il avait à dire, même s'il ne l'a jamais dit.

On peut se demander quelle était l'attitude de Mérimée à l'égard de ce qui apparaît bien comme une sorte d'impérialisme technocratique. Impérialisme sans doute logique mais formulé de façon tellement abrupte et provocante qu'il est la pièce maîtresse du procès intenté depuis un siècle au restaurateur de Carcassonne et de Pierrefonds, la tendance actuelle étant plutôt au verdict de clémence et même à la réhabilitation. Si étroits qu'aient été ses rapports avec Viollet-le-Duc, Mérimée, à notre connaissance, ne s'est publiquement exprimé à son propos que dans les articles écrits en 1854-1855 et 1856 à l'occasion de la publication des deux premiers tomes du *Dictionnaire*[13].

Le ton de ces articles est fort chaleureux et, ce qui n'étonnera personne, Mérimée s'y montre particulièrement sensible à l'argument de l'origine laïque du grand art religieux du XIIIe siècle, argument dont ne manquèrent pas de faire usage les médiévistes «libéraux» soucieux de se démarquer des «personnes pieuses qui voudraient voir renaître la foi naïve de nos pères», des nostalgiques de l'Ancien Régime et de la France du trône et de l'autel. On pouvait lire également dans le premier article ces lignes relatives à la décadence du XVe siècle: «Les grandes écoles ont disparu. Il n'y a plus que des maîtres isolés rivalisant d'extravagance. Lassée déjà des tours de force de l'art gothique aux abois, la cour de France se trouva tout à coup en présence de l'art romain restauré sous le climat où il avait fleuri autrefois... Cet art nouveau est aussitôt adopté, d'abord avec une prudente intelligence. On lui emprunte ce qui peut se transplanter, ce qui convient au ciel et aux mœurs de notre pays; mais après quelques années, cette imitation prudente se suffit plus. On prétendait être plus Romain que les Italiens eux-mêmes, et dès lors il n'y a plus d'art national parmi nous.»

C'est exactement ce que pensait Viollet-le-Duc et il est souvent bien difficile de faire la part respective des deux hommes dans les plus importantes mesures qui furent prises en matière de sauvegarde et de restauration. Ainsi à propos de Vézelay. On sait que Viollet-le-Duc décida et obtint de reconstruire «les trois voûtes d'arêtes qui suivent immédiatement les arcs romans de l'édifice... non pas telles qu'elles sont aujourd'hui» mais ainsi qu'elles existaient «aux origines romanes de la basilique», comme il l'écrit au ministre responsable dans une lettre du 3 juin 1844. Cette lettre est souvent citée. On connaît moins la notice adressée par Mérimée à la commission supérieure des Monuments historiques, où l'on peut lire en particulier ceci: «Les voûtes des trois premières travées de la nef centrale avaient été réparées au XIVe siècle dans le style d'architecture de cette époque, et contrastaient complètement avec les voûtes romanes des autres travées de la nef et les voûtes gothiques du chœur... Fallait-il les rétablir dans un système qui rompait désagréablement l'uniformité imposante de la nef, ou bien leur rendre leur forme primitive? C'est ce dernier parti qui fut suivi[14].» Le parti de qui? Tout ce que l'on peut dire, c'est que les raisons de Viollet-le-Duc étaient sans doute plus techniques (les chapiteaux portant les arcs doubleaux et le départ des arcs eux-mêmes étaient encore en place), celles de Mérimée plus esthétiques.

Quoi qu'il en soit, l'attitude de Mérimée en matière de restauration était certainement moins radicale que celle de son plus illustre collaborateur. Sans aller jusqu'à dire, comme le fera Ruskin, que restaurer un édifice est le plus sûr moyen de le détruire complètement, à peine entré en fonction, le 2 juillet 1834, Mérimée écrit à Arcisse de Caumont: «Vous savez mieux que personne, Monsieur, à combien d'ennemis nos antiquités sont exposées. Les réparateurs sont peut-être aussi dangereux que les destructeurs.» Opinion malheureusement justifiée et qui est un peu celle de tout le monde à l'époque. De Victor Hugo en particulier, comme on peut le lire dans une lettre du 27 mai 1825, adressée à sa femme: «Soissons a une vallée délicieuse et deux églises admirables. L'une, la cathédrale, a été restaurée, c'est-à-dire dégradée indignement.» Malgré sa vigilance, Mérimée ne parvint d'ailleurs pas toujours à préserver de ces «indignes dégradations» des monuments qui étaient trop nombreux pour être tous surveillés et qui continuaient à être victimes de l'ignorance ou du zèle intempestif des maires, des curés et des conseils de fabrique. En 1845, dans un article consacré à Saint-Savin, il écrit: «Je n'hésite pas à le dire, ni les fureurs iconoclastes du protestantisme, ni le vandalisme stupide de la Révolution n'ont imprimé sur nos monuments des traces aussi déplorables que le mauvais goût du XVIIIe et du XIXe siècle. Les barbares laissaient au moins des ruines: les prétendus réparateurs n'ont laissé que leurs tristes ouvrages[15].» Et on peut lire encore dans son rapport de mars 1848 à la commission supérieure des Monuments historiques: «Il ne faut pas se lasser de le répéter, les réparations, si elles ne sont pas conduites avec intelligence, laissent sur nos édifices des traces plus ineffaçables que celles que le temps ou le vandalisme peuvent leur imprimer[16]. »

D'où les recommandations de modestie, de discrétion scientifique que Mérimée prodiguait aux architectes du service et aux antiquaires membres des sociétés d'archéologie. À l'un d'entre eux, il écrit le 18 janvier 1841 : « Vous me paraissez bien endurci dans votre amour pour les restaurations complètes. Ne me faites pas plus puriste que je ne suis. Lorsqu'il reste quelque chose de certain, rien de mieux que de réparer, voire même de refaire, mais lorsqu'il s'agit de supposer, de *suppléer*, de recréer, je crois que c'est non seulement du temps perdu mais qu'on risque de se fourvoyer et de fourvoyer les autres. Observez que l'archéologie est une science qui commence à peine[17]. » Et on peut lire dans le rapport de 1844 à la commission supérieure cette définition de la doctrine de Mérimée : « Par restauration, nous entendons la conservation de ce qui existe, la reproduction de ce qui a manifestement existé. » Ou encore (rapport de 1848) : « Consolider en conservant avec scrupule l'appareil et les dispositions primitives, reproduire avec prudence les parties détruites, lorsqu'il en existe des traces certaines, surtout ne rien donner à l'invention, telles sont les recommandations que la Commission n'a cessé d'adresser aux architectes chargés de réparer nos monuments. » Recommandations que ceux-ci s'empressèrent plus d'une fois de ne pas suivre : César Daly à Sainte-Cécile d'Albi, Viollet-le-Duc lui-même, Abadie dans les extravagantes entreprises d'Angoulême, de Périgueux et de Sainte-Croix de Bordeaux. Bien d'autres depuis.

On comprend par là que Mérimée ait manifesté autant d'irritation devant certaines fantaisies ornementales de l'époque héroïque des Monuments historiques que de réserves à l'égard des solutions apportées au problème de l'achèvement de certains édifices majeurs du Moyen Âge. Certes, il a approuvé et même demandé (rapport de 1838) « la construction du portail de Saint-Ouen de Rouen, magnifique église qui offre en quelque sorte le dernier mot de l'art gothique », peut-être parce qu'il s'agissait là d'une entreprise patriotique destinée à rivaliser avec celle de Sulpiz Boisserée à la cathédrale de Cologne[18], et lui-même ne s'est pas retenu d'inventer un décor néogothique pour le baptême du prince impérial à Notre-Dame. Mais on n'a pas l'impression qu'il ait jamais pensé que l'architecture du XIIIe siècle pouvait être le levain de l'architecture de la France contemporaine, comme le croyait Viollet-le-Duc, et les témoignages abondent qui disent son scepticisme devant le néo-gothique, aussi bien dans ses manifestations naïves que dans ses formes les plus savantes, sérieuses et élaborées. Prenant la parole le 31 juillet 1854 au cours de la réception que lui offrait la Société des antiquaires de Normandie, il déclare, après avoir rappelé les ravages de la mode néo-classique : « Prenons garde que le troupeau servile des imitateurs ne nous donne un pareil spectacle... Une église du XVIe siècle, qui n'a pas de clocher, est menacée, me dit-on, par la piété de ses paroissiens, d'une flèche gothique en ciment armé, et j'ai vu le projet d'une gare de chemin de fer, dont la façade, comme pour avertir les voyageurs de la possibilité d'un déraillement, doit leur présenter les moulages d'un jugement dernier emprunté à une de nos cathédrales gothiques.» Et de Londres, il écrit le 1er juin 1850 à l'une de ses amies: «J'ai passé hier une matinée à la nouvelle Chambre des Communes, qui est une affreuse monstruosité. Nous n'avons pas encore idée de ce qu'on peut faire avec un manque de goût complet et deux millions de livres sterling.» Le passé est d'abord une différence qu'il faut respecter en tant que telle et non dans son maquillage ou sa survie moderniste: ces reliques du temps ont aussi leur poussière, sur leurs restes sacrés ne portons pas les mains.

Précisément: où est le sacré? Et c'est tout le problème qui se pose ici du rôle qu'a joué Mérimée dans la constitution de la mémoire archéologique, et même de la mémoire artistique et de la mémoire tout court de la France du XIXe siècle. Restaurer, sauvegarder, c'est choisir. Nous l'avons dit: Mérimée, devant cette masse immense de ruines à demi consommées ou imminentes qui demandaient secours, grâce et crédits, savait bien qu'on ne pouvait pas tout préserver. «Nous sommes dans une époque *climatérique* pour les édifices du Moyen Âge, écrivait-il le 7 mars 1850. La plupart âgés de cinq à six cents ans, mal entretenus depuis un siècle ou, qui pis est, mal réparés, menacent ruine et je crains que la menace ne soit suivie d'une prompte exécution. Il y a 2 400 monuments historiques en France et vous vous représentez la situation de la commission en la comparant à un chirurgien qui n'a qu'une livre de charpie pour panser des centaines de blessés.»

D'où la procédure du classement. On classe selon l'urgence, «le mérite sous le rapport de l'art, la situation matérielle, les ressources des localités» (rapport de 1842). Et comme il vaut mieux concentrer les crédits et restaurer complètement que les disperser en réparations de fortune, on groupera les édifices en trois catégories: seule la première catégorie sera l'objet de secours immédiats, la seconde et la troisième devront attendre des jours meilleurs, ainsi que les fouilles, ce qui est souterrain étant toujours moins menacé (lettre à Requien du 3 juillet 1844). Que placera-t-on dans la première catégorie? En dehors des monstres sacrés, les monuments types, les édifices qui résument les caractères d'un style, d'une époque ou d'une province. Le choix de la commission, peut-on lire dans le rapport de 1846, «s'est porté sur des édifices qui sont pour ainsi dire des types et qu'on ne pourrait abandonner à la destruction sans encourir les reproches de la postérité... Il suffit de nommer les églises de Sainte-Croix à La Charité; de Saint-Philibert à Tournus; de Saint-Nazaire à Carcassonne; le temple d'Auguste ou de Livie; l'église Saint-Maurice à Vienne». Quant aux édifices qui n'ont pas la chance d'être des types, on se contentera d'en faire le relevé (ainsi pour les maisons anciennes d'Orléans), afin de « conserver le souvenir de quelques monuments remarquables dont il est impossible de prolonger indéfiniment la durée ».

C'est un peu court comme oraison funèbre, d'autant que, l'archéologie étant à l'époque « une science qui commence à peine », une telle typologie comportait nécessairement une grande part d'arbitraire et les procès-verbaux des séances de la commission supérieure montrent que ses membres n'étaient pas toujours d'accord sur les mérites respectifs des édifices dont on leur présentait le dossier. L'attitude de Mérimée lui-même est parfois assez déconcertante. Certes il a eu le mérite de s'intéresser aux petits édifices, aux modestes ensembles ruraux, ainsi aux fresques de Nohant dont George Sand lui avait signalé l'existence ou à l'église Saint-Restitut dans le Vaucluse, « un monument admirable où la pureté classique s'allie heureusement à la richesse d'ornementation qui brille dans la période byzantine » (lettre au ministre de l'Intérieur, Duchâtel, du 8 août 1839). Mais si, dans son cher département des Deux-Sèvres, il se déclare à Vitet le 23 juillet 1840 « enthousiasmé » par l'église Saint-Pierre d'Airvault et prêt à se mettre « à genoux devant la commission pour qu'elle la fasse complètement restaurer », il écrira quatre ans plus tard au même Vitet : « je serai assez d'avis de laisser Saint-Jouin mourir de sa belle mort[19]. » Or, il s'agit de deux églises distantes de quelques kilomètres entre lesquelles il est bien difficile d'établir une hiérarchie, les voûtes angevines de Saint-Jouin de Marnes ne le cédant nullement en beauté et hardiesse à celles de Saint-Pierre d'Airvault. Fort heureusement, tout le monde ne fut pas de l'avis de Mérimée et Saint-Jouin offre toujours sa merveille aux visiteurs du Poitou roman.

Il y a mieux et l'on est étonné par le nombre d'édifices que Mérimée paraît disposé à « laisser tomber » et qui comptent aujourd'hui parmi les plus beaux fleurons du patrimoine. Certes son patriotisme artistique est sans faille. On en trouvera la complète expression dans le discours, déjà cité, qu'il prononça en 1854 devant la Société des antiquaires de Normandie, où l'on peut lire en particulier : « Notre France, trop riche pour savoir tout ce qu'elle possède, a pu retrouver, grâce à vous, des trésors dont elle avait pour un temps oublié le prix. Au dédain irréfléchi a succédé l'attention et bientôt un sentiment d'admiration, tel qu'en excita jadis, en Italie, la vue de ces marbres antiques longtemps foulés aux pieds, jusqu'à ce qu'un Léon X ou un Jules II leur donne asile dans son palais. » Ou bien : « Il y eut longtemps en France des peuples différents par le langage comme par les mœurs, mais tous également doués pour les arts et les cultivant chacun selon sa tradition et son sentiment particulier. » Ou bien encore il compare la France du XIIIe siècle à l'Athènes de Périclès[20] et, dans le rapport de 1842, il se désole (déjà !) à la pensée de toutes les œuvres d'art que, faute de crédits, le gouvernement n'a pu acquérir : la collection de Vivant Denon a été dispersée, la Bible d'Alcuin, la table d'Abydos, les tableaux de la duchesse de Berry, les portraits historiques d'Alexandre Lenoir ont été vendus en Angleterre et en Allemagne, etc. « Lorsqu'un Français, ajoute-t-il, visite les musées de Londres, de Berlin ou de Munich dont l'existence ne remonte qu'à quelques années, il est frappé de leur richesse et, s'il vient à s'enquérir de l'origine des objets qu'il admire, il apprend souvent que c'est de France qu'ils viennent, mais qu'ils n'ont pu y trouver des acheteurs. »

Il n'en reste pas moins que ce patriotisme est singulièrement restrictif. Et voici comment, selon le rapport de 1848[21], a été établie la mémoire archéologique de la France, définies la nature et l'époque des monuments dont, selon l'expression officielle, « la conservation intéresse l'art ou l'histoire » :

> La Commission s'est occupée d'en dresser la liste par départements, suivant un ordre méthodique qui comprend quatre parties principales :
> 1° le groupe des pierres celtiques, dolmens, menhirs, tumulus, retranchements gaulois ou d'origine barbare,
> 2° les édifices, ou ruines d'édifices romains,
> 3° les constructions religieuses, civiles ou militaires du Moyen Âge depuis le VIe siècle jusqu'au XVe,
> 4° les objets d'art provenant du territoire français, et les localités où des fouilles peuvent être pratiquées dans l'intérêt des études archéologiques.

Donc, en dehors des objets d'art et des fouilles, l'Antiquité (Academus veille), la Gaule (nous sommes dans les beaux jours de la celtomanie) et le Moyen Âge. Certes, il fallut bien, après la Révolution de 1848, proposer le classement des anciennes résidences royales (Versailles, les Trianons, Fontainebleau, Saint-Cloud, etc.) et Mérimée a parfois de petites et même de grandes tendresses pour l'art de la Renaissance : à Bourges, l'hôtel Lallemant est « dans son genre un vrai chef-d'œuvre. Nulle part, je n'ai vu en France rien de plus gracieux ni de plus élégant, et si je puis m'exprimer ainsi de plus joli et de plus coquet. Arabesques charmantes, fantaisies délicieuses, statuettes merveilleusement sculptées, l'hôtel Lallemant réunit tout cela » (à Montalivet, 3 juin 1837).

Mais ensuite, quelle hécatombe ! Le château de Thouars est une « grande vilaine bâtisse du XVIIIe siècle » dont il n'y a aucun inconvénient à sacrifier la terrasse pour y faire passer la grande route (à Vatout, 19 juillet 1838). À Rennes, « le mauvais goût du XVIIIe siècle dépare presque tous les édifices publics (*Notes d'un voyage dans l'Ouest de la France*, p. 295). «Le mur de la façade» de l'église de Candes «porte les traces d'une réparation très maladroite et qui peut-être aurait eu lieu sous le règne de Louis XIV ; mais je ne hasarde cette conjecture qu'avec timidité, car, détestant l'architecture de cette époque, je suis peut-être trop porté à lui attribuer tous les traits de barbarie qui ont défiguré tant de beaux monuments du Moyen Âge» (*ibid.*, p. 419). Quant à la chapelle du château de Lunéville, une des belles œuvres pourtant de Boffrand, Mérimée, dans son rapport du 27 août 1861, juge le bâtiment «d'un style assez barbare, même pour l'époque de décadence où il a été construit» et il en refuse le classement[22].

On pourrait multiplier les citations et remarquer que les silences de Mérimée sont encore plus surprenants que ses refus. Dans son rapport de 1846, il note qu'au château de Blois, si indignement traité par l'armée, les réparations ont jusque-là concerné «la partie de l'édifice construite par François Ier» et il ajoute : «Ne comprendront-elles pas et la vaste salle des États et le corps de bâtiment élevé par Louis XII ?» Mais pas un mot à propos de l'aile de Gaston d'Orléans, le chef-d'œuvre absolu de Mansart et par son escalier «l'une des œuvres les plus somptueuses du XVIIe siècle» selon le brave *Guide Bleu*, chef-d'œuvre que d'ailleurs un des membres de la commission, Charles Lenormant, avait proposé d'«abandonner au génie militaire[23]».

Donc, rien à propos du plus beau de Blois. Rien non plus à propos du Bordeaux de Gabriel, de Nantes, des hôtels d'Aix, de la Lorraine, etc. En somme, avec les souvenirs des Celtes et des Romains, seuls les édifices du Moyen Âge sont des monuments historiques et méritent d'être conservés[24]. La mémoire de la France s'arrête aux derniers Valois.

Il serait infiniment long d'entreprendre l'analyse des raisons et des déraisons d'une telle attitude, d'autant plus qu'elle est celle de la plupart des contemporains de Mérimée et qu'elle renverrait à l'investigation de tout l'imaginaire romantique, comme aussi bien des curiosités, des passions, des convictions ou des peurs et des incertitudes politiques de la génération de 1830. Si l'architecture religieuse du Moyen Âge, celle de la France des Capétiens et des Valois, a occupé à ce point le terrain dans la définition de l'héritage, c'est qu'elle y apparaissait comme numériquement majoritaire et qu'elle avait été la principale victime des fureurs de la Révolution, des destructions ou des abandons de l'Empire et de la Restauration. Nous sommes les derniers voyageurs dans les ruines de l'ancienne France, avaient dit Taylor et Nodier, et la découverte du Moyen Âge s'est faite à la fois dans l'enthousiasme et le remords : qu'avons-nous fait ? Comment avons-nous pu ignorer et dilapider de tels trésors, renier tant de souvenirs, profaner tant de tombes ? Et c'est ce sentiment de culpabilité historique qui, en France, donne son tour particulier au débat sur les origines dont on trouve si souvent l'écho chez les historiens des premières décennies du siècle. Toute l'Europe romantique a vécu avec passion ce problème des origines, pratiqué cette anabase, ou cette anamnèse comme on voudra, qui signifiait la reconquête de la mémoire, de l'identité nationales. Il fut peut-être en France plus vif qu'ailleurs dans la mesure où, comme nous l'avons fait dire à Chateaubriand, on avait le sentiment d'avoir tué le Père. Pour effacer la déchirure, il semblait que l'on ne remonterait jamais assez le cours du temps à la rencontre des «dormeurs de marbre» de Michelet et nos monuments historiques furent d'abord des «antiquités nationales».

Dans le cas de Mérimée, son aversion pour le XVIIIe siècle et la France des Bourbons s'est nourrie des convictions libérales de sa jeunesse et des souvenirs de son éducation néo-classique: pour Delécluze et ses amis, David avait «régénéré» l'école française et le siècle de Louis XV était celui de la corruption des formes autant que des mœurs, le siècle de Louis XIV lui-même n'ayant pas tellement bonne presse dans la mesure où il était le symbole d'un absolutisme politique et culturel que Napoléon avait cherché à faire revivre et présenté comme un modèle. Même s'il refusait absolument d'y voir un exemple pour le temps présent, l'Antiquité est demeurée pour Mérimée la source de toute valeur et il n'était jamais si heureux que lorsqu'il croyait en retrouver la trace dans telle ou telle œuvre du Moyen Âge. Ainsi à Saint-Savin dans un article déjà cité où l'on peut lire ces lignes qui ne laissent pas d'être assez surprenantes: «Au milieu de mille défauts [ces peintures] ont quelque chose de cette noblesse si remarquable dans les œuvres d'art de l'antiquité... Les peintres de Saint-Savin ont reçu leur art des maîtres de la Grèce. L'héritage s'est transmis par une succession non interrompue; mais chaque siècle a diminué le dépôt précieux, et c'est à peine si l'on en peut deviner la richesse originelle lorsqu'on voit la misère des derniers légataires.» Le rameau d'or n'est jamais si vigoureux qu'«en sa belle jeunesse, en sa première fleur» et de tous les monuments que Mérimée a sauvés, les souvenirs de Rome étaient certainement les plus chers à son cœur.

Restait à justifier le sauvetage de l'ancienne France aux yeux de l'opinion, des gouvernements, des Chambres, de tous les ordonnateurs de crédits. Nous avons déjà évoqué l'argument doctrinal: l'art du Moyen Âge est le seul qui soit chez nous indigène, il correspond à nos besoins et à nos mœurs, il est né de notre climat et de notre sol, tout ce qui vient après lui n'est que copie servile ou bâtarde de modèles étrangers. Voilà pour la doctrine. Voici pour l'économie: «Que sont nos monuments historiques, sinon des églises, des hôtels de ville, des palais de justice? Supposons... que ces magnifiques modèles des arts d'une autre époque soient entièrement détruits, ne faudrait-il pas les remplacer par d'autres églises, d'autres hôtels de ville, d'autres palais de justice? Supposons enfin... que l'on ne refît que ce qui est strictement indispensable pour l'utilité matérielle, il ne sera douteux pour personne que la dépense de ces tristes constructions ne fût infiniment supérieure à celle que coûterait la restauration complète de nos admirables monuments. À ne considérer les choses qu'au point de vue pratique, leur conservation est donc nécessaire» (lettre au ministre du 19 juillet 1850).

Dernier argument: l'argument social. Restaurer les anciens monuments, c'est occuper les ouvriers et les artisans, combattre le chômage, derrière lequel se profile toujours plus ou moins l'émeute. Mieux encore, les monuments historiques se rencontrant dans toute la France et souvent dans de modestes agglomérations, leur entretien apportera du travail (et, par voie de conséquence, du cirage anglais!) dans les plus lointaines provinces, palliera les méfaits de l'urbanisation sauvage qui engendre la misère populaire[25] et transforme les «classes laborieuses» en «classes dangereuses»: «Répartis en petits groupes et disséminés sur toute l'étendue du territoire de la République, [les ouvriers] peuvent vivre à moins de frais et échappent aux funestes séductions qui souvent les attendent dans les grandes villes» (rapport de 1850).

Enfin (et c'est ce dont Mérimée, comme Viollet-le-Duc, était le plus fier), la restauration des anciens monuments ranimera les métiers d'art: «Tailleurs de pierre, maçons, sculpteurs, vitriers, charpentiers, menuisiers, couvreurs, peintres[26], serruriers, en un mot tous les auxiliaires de l'architecture sont appelés à la restauration des monuments historiques. Toute cette classe nombreuse d'ouvriers trouvera dans de tels travaux non seulement des moyens d'existence, mais des occasions de s'instruire et de se perfectionner[27].» Et on peut lire encore dans le *Discours* plusieurs fois cité aux Antiquaires de Normandie: «... sous l'influence de ces jeunes restaurateurs d'un art presque oublié, se groupait une foule d'ouvriers intelligents, avides d'apprendre ou jaloux de montrer qu'ils n'ont point dégénéré de l'habileté de leurs devanciers. Plus qu'une autre, la province de Normandie produit ces ouvriers d'élite, avec lesquels il n'y a rien d'impossible. De ses tailleurs de pierre, nos architectes ont fait souvent des *imagiers* que ne désavoueraient pas Jean de Chelles ou Erwin de Steinbach.»

Mérimée peut paraître ici un peu bien paternaliste ou naïvement passéiste. Il n'en dit pas moins une espérance souvent exprimée à l'époque romantique: celle de prendre appui sur le plus lointain et le plus vrai de l'héritage, de coïncider avec lui dans la pierre et dans le livre, dans le parchemin et dans la fresque, dans la statue et dans le marbre. Comme l'Italie de la Renaissance, d'autant plus acharnée à ressusciter Rome qu'elle était piétinée par les barbares, la France postbourbonienne des enfants du siècle voyait là un moyen parmi d'autres, de panser la déchirure de 1800 et, à travers l'appel à Erwin de Steinbach et aux «ouvrier d'élite», apparaît ce qui fut, de Ruskin et des préraphaélites à William Morris et Viollet-le-Duc, un des soucis majeurs du XIXe siècle dans sa croisade contre les méfaits de l'âge industriel : retrouver la ferveur, l'intégrité, le loyal labeur équitable à tous de l'atelier médiéval.

1. Prosper Mérimée, *Correspondance générale*, publiée par Maurice Parturier, Paris, Le Divan, et Toulouse, Privat, 1941-1964, t. I, p. 321.

2. Mérimée apparaît souvent dans le *Journal, 1824-1828* de Delécluze, publié par Robert Baschet, Paris, Grasset, 1948. « Il y a longtemps que je n'ai rencontré un homme avec lequel je m'entende aussi bien que Mérimée », écrit Delécluze (p. 240), qui voit en lui un « fashionable » (p. 299) et chez lequel Mérimée lit ses premières œuvres.

3. *Souvenirs d'égotisme, in* Stendhal, *Œuvres intimes*, Paris, Bibliothèque de la Pléiade, 1982, t. II, p. 521.

4. *Ibid.*, p. 506.

5. Cité par Pierre-Marie Auzas dans son introduction aux *Notes de voyage* de Mérimée, Paris, Hachette, 1971.

6. Cité dans l'introduction de M. Parturier aux *Lettres aux antiquaires de l'Ouest*, recueillies par Jean Mallion, Paris, Société française d'imprimerie et de librairie, 1937.

7. De mode scientifique et de mode tout court : « C'était une vraie course au clocher et à l'ogive », écrit Sainte-Beuve dans un article consacré à Viollet-le-Duc (*Nouveaux Lundis*, t. VII, Paris, Michel Lévy, 1867, pp. 151-198).

8. Étienne Delécluze, *Souvenirs de soixante années*, Paris, Michel Lévy, 1862.

9. *Voyages pittoresques et romantiques dans l'ancienne France par MM. Ch. Nodier, J. Taylor et Alph. de Cailleux*, Paris, Gide fils, 21 vol., 1820-1878. Les deux premiers volumes (1820-1825) étaient consacrés à la Normandie.

10. Sainte-Beuve, *Portraits contemporains*, Paris, Michel Lévy, 1846, t. III, pp. 470-492.

11. *Génie du christianisme*, Paris, Bibliothèque de la Pléiade, 1978, p. 936.

12. *Dictionnaire raisonné de l'architecture française du XIe au XVIe siècle*, Paris, B. Bance puis A. Morel, 1854-1868, t. VIII, p. 14.

13. *Le Moniteur universel*, 31 décembre 1854-3 janvier 1855 et 30 mai 1856.

14. Cette notice est reproduite dans le rapport sur les Monuments historiques de la section française à l'Exposition universelle de Londres (1874).

15. Article repris dans les *Études sur les arts du Moyen Âge*, Paris, Michel Lévy, 1875.

16. Ce rapport, un des plus importants de Mérimée, ne semble pas avoir été imprimé. Écrit de sa main, daté (au crayon) de 1848, il figure aux archives de la commission supérieure des Monuments historiques dans le dossier « Lettres et rapports de Mérimée et Vitet ».

17. Cité dans les *Lettres aux antiquaires de l'Ouest, op. cit.*, pp. 83-84.

18. « Lorsque l'Allemagne entreprend des travaux immenses pour terminer la cathédrale de Cologne, lorsque l'Angleterre prodigue des trésors pour restaurer ses vieilles églises, la France ne se montrera pas moins généreuse, sans doute, pour achever le monument que l'on cite toujours comme le modèle le plus parfait de l'architecture religieuse du Moyen Âge » (rapport de 1842, p. 76).

19. Lettre du 24 septembre 1844 dans les *Lettres de Mérimée à Ludovic Vitet*, publiées par M. Parturier, Paris, Plon, 1934. Mérimée reviendra à de meilleurs sentiments à l'égard de Saint-Jouin.

20. P.-M. Auzas dans son introduction aux *Notes de voyage* (*op. cit.*, p. 30) cite également l'article sur « Les monuments de la France » paru dans *Le Moniteur universel* du 1er janvier 1853, où Mérimée déclare que la France est « à l'Europe ce que Delphes était à la Grèce antique, un sanctuaire recevant les offrandes de tous les arts ».

21. Voir ci-dessus, la note 16.

22. Elle sera classée en 1900. Sur l'évolution des classements, voir le livre de Paul Léon, *La Vie des monuments français*, Paris, Picard, 1951, en particulier livre II, chap. V. L'extension chronologique du domaine protégé fut très lente. C'est seulement au lendemain de la dernière guerre que l'on a commencé à classer (parcimonieusement) certains édifices contemporains et il fallut attendre 1974 pour que parussent dignes de figurer dans le patrimoine quelques-unes des réalisations majeures du XIXe siècle.

23. Dans la séance du 27 avril 1843. Voir Françoise Bercé, *Les Premiers Travaux de la commission supérieure des Monuments historiques*, Paris, Picard, 1979, p. 254.

24. « Ce qu'il apprécie surtout, en bon antiquaire de l'époque, c'est la plus grande ancienneté des œuvres d'art. Ainsi la préhistoire... et l'Antiquité aussi, dont se délecte sa vaste érudition d'humaniste et d'historien » (P.-M. Auzas, *op. cit.*, p. 14). Cette manie de l'« ancienneté » est commune à toute la génération romantique : voir Balzac et Hugo.

25. L'argument de la lutte contre le chômage apparaît souvent dans la correspondance et dans les rapports de Mérimée, en particulier lors de la crise sociale qui suivit la révolution de Février. Le 25 mai 1848, il écrit au directeur des Affaires générales du ministère de l'Intérieur : « M. le ministre des Travaux publics vient d'annoncer la présentation prochaine de plusieurs projets destinés à donner du travail aux ouvriers. Ne pensez-vous pas, Monsieur, que ce serait le cas de rappeler ici à M. le ministre de l'Intérieur que les Monuments historiques, qui sont dans vos attributions, pourraient aussi fournir du travail aux ouvriers ? Les projets sont préparés depuis longtemps et n'attendent que les moyens d'exécution. »

26. Malgré son horreur du badigeon et des barbouillages dus à certains artistes locaux, Mérimée souhaitait que les parois intérieures des églises (et les sculptures) fussent en partie peintes. Voir son article, « De la peinture murale et de son emploi dans l'architecture moderne », paru dans la *Revue de l'architecture et des travaux publics*, 1851, pp. 258-274 et 329-337. La peinture murale selon lui mettait mieux en valeur l'édifice que les tableaux suspendus au mur et elle devait éviter l'illusionnisme spatial : « L'illusion de la profondeur dans la peinture détruit l'effet que produit le monument. » On ne pouvait aller plus loin dans le « primitivisme » et mieux préparer le terrain à Puvis de Chavannes.

27. À propos de l'hôtel de Cluny, Mérimée écrivait dans les *Mélanges historiques et littéraires*, Paris, Michel Lévy, 1855, p. 228 : « Parmi les nombreux visiteurs du musée, on remarque toujours de jeunes ouvriers, au regard intelligent, sachant manier la règle et le crayon, qui prennent des notes et les mesures de quelque vieux meuble. Ils ont raison. Il y a peu d'industries qui n'aient quelque chose à apprendre et à prendre au musée de Cluny. »

BRUNO FOUCART

Viollet-le-Duc et la restauration

Avec Viollet-le-Duc[1] l'histoire frôle le mythe et, mieux, l'épouse. Le personnage est arrivé à incarner à lui seul et la politique de restauration du XIXe siècle et son architecture historiciste. Un exemple suffira : lorsque Rouletabille arrive au château du Glandier pour dénouer le terrible mystère de la chambre jaune, il découvre une demeure normalement composite avec son donjon médiéval, ses ailes Louis XIV. Mais le plus visible est, hélas, un « corps de bâtiment moderne, style Viollet-le-Duc ». Le déluré reporter donne son avis : « Je n'avais encore rien vu d'aussi original, ni peut-être d'aussi laid, ni surtout d'aussi étrange en architecture que cet assemblage bizarre de styles disparates. C'était monstrueux et captivant[2]. »

Hors Guimard, Viollet-le-Duc est un des très rares architectes qui aient donné son nom à un style, en lieu et place du souverain ou du numéro du siècle. Cette gloire aura finalement été néfaste pour Viollet-le-Duc, tant il a dû assumer le contraire de ce qu'il aimait et défendait. Celui qui prônait une architecture rationnelle, prenant exemple sur le plus pur XIIIe siècle, dégagée de tous ornement et appendice inutiles, se sera vu affublé de tout ce qu'il détestait et de n'importe quelle extravagance néo-gothicisante. Il voulait « mettre d'accord la décoration de nos monuments avec les qualités solides et réelles de l'esprit français qui se dégoûte promptement de l'exagération et du manque de mesure[3] » ; il est contraint par la *vox populi* d'assumer toute l'architecture pittoresque et néo-médiévale qui des châteaux néo-XVe de Hodé au Paris médiéval inventé par Robida lors de l'Exposition de 1900 correspond à un éclectisme débridé et poétique.

Pierrefonds, tel qu'il le dresse dans les forêts du Valois, véritable épure de l'architecture défensive à la fin du XIVe siècle avec son double étage de créneaux et mâchicoulis constituant des chemins de ronde continus, prend les apparences d'un château de fées pour belles aux bois dormant. Ne voit-on pas Notre-Dame de Paris, telle que restaurée si raisonnablement par Lassus et Viollet-le-Duc, à travers Victor Hugo et son intuition, romanesque autant que romantique, d'une cathédrale toute bruissante comme dans Chateaubriand des murmures de la forêt ancestrale? Gravé par Méryon, le strige sculpté par Geoffroy-Dechaume, sur les dessins de Viollet-le-Duc qui le concevait en monstre viable, est devenu une figure fantastique. Les entreprises de Viollet-le-Duc, comme les romans scientifiques de Jules Verne, deviennent immanquablement des machines à rêver et à délirer. Viollet-le-Duc appartient à la catégorie des sorciers malgré eux auxquels échappe leur création.

Le restaurateur n'a pas été beaucoup plus heureux: tout lui revient. Il est, directement ou par de supposés élèves interposés, le responsable général du nouveau visage du patrimoine tel que le XIXe siècle l'a façonné et transformé. Dans *À la recherche du temps perdu*, Proust évoque les visites du dimanche pour petits commerçants dans «les édifices du vieux temps». Faut-il s'indigner si «c'est dans ceux dont toutes les pierres sont du nôtre, et dont les voûtes ont été, par des élèves de Viollet-le-Duc, peintes en bleu et semées d'étoiles d'or, qu'ils ont le plus la sensation du Moyen Âge[4]». Si le vulgaire se laisse volontiers prendre à ces reconstitutions, les gens avertis seront, eux, hypercritiques et se doivent de pratiquer le doute méthodique et absolu. Ils savent déceler, comme le narrateur de Proust, les procédés de ces «architectes élèves de Viollet-le-Duc, qui, croyant retrouver sous un jubé Renaissance et un autel du XVIIIe siècle les traces d'un chœur roman, remettent tout l'édifice dans l'état où il devait être au XIIe siècle[5]».

On arrive donc à cette situation étrange où le peuple ne croirait voir du vrai que là où les clercs dénoncent le faux. Avec Viollet-le-Duc, c'est bien le psychodrame des rapports de confiance ou de méfiance avec le passé qui se joue. Il y a quelques années, par exemple, les guides mentionnaient à peine ou pas du tout le nom de Viollet-le-Duc au cours des visites de Pierrefonds; aujourd'hui, comme au château de Roquetaillade, la présence de Viollet-le-Duc est un argument touristique et le problème serait plutôt de faire ou non la part exacte à ses collaborateurs, en l'espèce Duthoit. Dans le mépris ou la sympathie, Viollet-le-Duc appelle l'excès des grandes passions, des brutales simplifications. Hier calomnié, il serait aujourd'hui presque trop célébré.

N'est-ce pas là un des constituants du mythe? Il faut avec Viollet-le-Duc tenir compte de cette légende – surtout noire – qui apparente quelque peu sa fortune critique à celle de Napoléon. Comme celui-ci fut un moment l'ogre de la Révolution, Viollet-le-Duc aurait été le despote de la restauration, le grand exterminateur des pierres. À ce titre, il canalise les responsabilités: partout présent, cause de tout, les haines l'entourent plus que les adorations. Hors quelques sectateurs, comme son biographe Paul Gout, il n'a jamais eu ses grognards et ne trouve que depuis moins de vingt ans quelques convertis. Les foudres qu'il s'est attirées ont fait oublier les premières louanges. En 1895

André Hallays visitant Vézelay ne voit plus qu'un méfait: « Les Huguenots qui ont saccagé l'église [...], les Révolutionnaires qui ont mutilé le tympan du grand portail, tous ces dévastateurs sont moins coupables que Viollet-le-Duc. Et cet homme a fait école, et, du nord au midi de la France, une armée d'architectes est occupée à refaire les œuvres du passé[6]. »

Achille Carlier, cet architecte grand prix de Rome qui se voua, au sacrifice de sa carrière dans l'administration des Monuments historiques, à la dénonciation du vandalisme restaurateur, le traite simplement de criminel : « Viollet a fait disparaître l'âme du passé, crime historique le plus odieux qui puisse être [...] Viollet-le-Duc est un des plus grands criminels de l'Histoire. Il est l'un des plus funestes tant par l'importance des œuvres qu'il a ruinées lui-même à tout jamais que par l'influence qu'il a eue sur son époque et qui a permis à une nuée de disciples de ruiner de la même façon d'autres œuvres non moins considérables[7]. » Carlier, dans sa revue *Les Pierres de France*, parue de 1937 à 1950, dans son grand ouvrage sur *Les Anciens Monuments dans la civilisation moderne*, publié en 1945, a trop l'attitude du déçu pamphlétaire pour avoir jamais vraiment convaincu. Le procès fait à Viollet-le-Duc ne saurait quand même être celui de Nuremberg.

Mais dans l'outrance même des imprécations, Carlier exprime assez bien ce dégoût de Viollet-le-Duc qui fut à partir de la fin du XIXe siècle général et culminera dans la première moitié du XXe siècle, avant de connaître le grand reflux des années quatre-vingt. Les reproches de Carlier sont à la hauteur de la supériorité intellectuelle et de la capacité technique reconnues au premier des restaurateurs de son temps. Il était le plus doué, le plus intelligent, et donc le plus responsable. Son principal défaut serait l'esprit de système, la sécheresse : il remplaçait, reproduisait, substituait, copiait. « Toute sa vie il n'a fait que détruire les pierres anciennes qui pouvaient exprimer la sensibilité du passé pour leur substituer les formes mécaniques les plus sèches et les plus inertes[8]. » Vue par Carlier, Notre-Dame de Paris n'existe plus : « Lorsque vous regardez l'élévation latérale de Notre-Dame [...], ne pensez surtout ni au XIIe siècle ni au XIIIe siècle : pensez Viollet-le-Duc et seulement Viollet-le-Duc. Pensez XIXe siècle et seulement XIXe siècle. Le Moyen Âge n'y est pour rien[9]. »

Au remplacement systématique des parties malades qui effectivement peut aller, comme à Saint-Front de Périgueux sous Abadie, jusqu'à la reconstruction s'ajoute la grande contestation doctrinale, celle de l'unité de style. Carlier résume et simplifie ainsi la position de Viollet-le-Duc : « Il prétendait exclure des monuments tout ce qui n'appartenait pas à une époque déterminée (déterminée par lui), prétention qui ne devait aboutir qu'à condamner et à détruire effectivement dans les monuments du Moyen Âge la production des derniers siècles pour lui substituer des œuvres qui, sans aucun rapport essentiel avec l'époque prétendue, ne pouvaient être que de misérables pastiches modernes du style de cette époque[10].» L'exigence d'unité de style, même si elle est comme telle introuvable dans les écrits de Viollet-le-Duc, reste l'opprobre attaché à la mémoire du grand défigurateur et exterminateur.

S'il est devenu le symbole, la figure de proue du mouvement archéologique, sans doute le doit-il à ses capacités d'écrivain, à son talent de pédagogue, son génie de polémiste. Le *Dictionnaire raisonné de l'architecture française du XIe au XVIe siècle* (1854-1868), celui du *Mobilier français de l'époque carolingienne à la Renaissance* (1858-1875), les *Entretiens sur l'architecture* (1863-1872), les successives *Histoire d'une maison* (1873), *d'une forteresse* (1874), *de l'habitation humaine* (1875), *d'un hôtel de ville et d'une cathédrale* (1878), *d'un dessinateur* (1879) illustrent sa faculté de s'exprimer auprès de tous les publics, les grands et les petits, sur tous les tons. Il a parlé, sinon pensé, pour l'armée de ceux qui ont œuvré à la conservation des monuments français. Même les grands fondateurs et administrateurs que furent Mérimée et Vitet ont été éclipsés par celui qui formulait, plaidait, occupait, avec un talent que l'on dirait aujourd'hui médiatique, le devant de la scène.

Il est sans doute nécessaire de replacer Viollet-le-Duc dans la cohorte des maréchaux et de mieux situer son action administrative. À l'exposition universelle de Vienne en 1873, la France fit une très importante place à sa politique de restauration monumentale depuis la création en 1837 de la commission des Monuments historiques. Le commissaire général de cette section était Alexandre Du Sommerard, conservateur du musée de Cluny. Dans son rapport il rend hommage aux maîtres, aux devanciers «en tête desquels nous devons placer les hommes éminents dont le souvenir restera toujours attaché à l'histoire des arts français: Ludovic Vitet, Prosper Mérimée, Charles Lenormant...». Puis il salue «cette vaillante pléiade d'architectes attachés au service des monuments historiques, qui tous ont acquis dans l'art architectural une brillante notoriété et parmi lesquels figurent au premier rang des architectes comme Duban et Labrouste, comme MM. Viollet-le-Duc, Questel, Boeswillwald, Abadie, Darcy, Laisné, Millet, Revoil, Ruprich-Robert et tant d'autres[11]». Viollet-le-Duc vient en tête, après Duban, le restaurateur de la Sainte-Chapelle, du Louvre et du château de Blois, après Labrouste dont la présence à Vienne saluait la disparition et l'action comme membre de la commission. Mais il s'agit bien d'une constellation.

Dans cette considérable exposition, présentant les relevés et dessins qui font aujourd'hui la gloire des archives de la Direction du patrimoine, une contribution comme celle de Questel, restaurateur du pont du Gard, de l'amphithéâtre et du théâtre d'Arles, du temple d'Auguste-et-Livie à Vienne, de Saint-Martin-d'Ainay à Lyon pouvait apparaître presque aussi glorieuse que celle de Viollet-le-Duc qui montrait des relevés du cloître de Fontenay, du couvent des Jacobins et de Saint-Sernin de Toulouse, de la salle synodale de

Sens, du château de Montbard, du palais des Papes à Avignon, du château de Pierrefonds. «Inutile d'ajouter, spécifiait Du Sommerard, que ces dessins, qui ne sont qu'une bien faible portion de l'œuvre du maître, sont traités avec cette science de conception et cette habileté de main que M. Viollet-le-Duc possède à un si haut degré[12].» Cet hommage à l'excellence du dessinateur, comme le fait que dans son introduction Du Sommerard cite en partie l'article «Restauration» du *Dictionnaire raisonné*, situe bien la place de Viollet-le-Duc parmi ses pairs: ses talents de main et de plume, son activisme le désignent avant les autres, mais la troupe est serrée, de Boeswillwald avec la cathédrale de Laon, à Darcy et le château de Vitré ou Laisné et la cathédrale de Béziers.

Peut-être faudrait-il chercher la prééminente situation de Viollet-le-Duc moins dans le Service des monuments historiques que dans celui des édifices diocésains. Viollet-le-Duc ne fut jamais inspecteur général des Monuments historiques; il le fut des édifices diocésains de 1853 à sa démission en 1874. À la commission des Monuments historiques, il avait été nommé en 1846 «chef du bureau», fonction mystérieuse, et ne fut membre de cette auguste instance qu'en 1860. L'explication suggérée par Jean-Michel Leniaud, l'historien des «diocésains[13]», est celle d'un partage des responsabilités avec Mérimée. L'entretien des cathédrales, évêchés et grands séminaires était en effet confié à une administration spécifique, le Service des cultes, ayant son budget, ses propres fonctionnaires et architectes, dits diocésains. En 1848, Viollet-le-Duc devient membre de la commission des Arts et Édifices religieux créée à l'instar de celle des Monuments historiques; en 1853, il fait partie du Comité des inspecteurs généraux des Édifices diocésains avec l'ingénieur Léonce Raynaud et l'architecte Léon Vaudoyer, le futur architecte de la cathédrale de Marseille qui sera membre de l'Académie des beaux-arts en 1868.

Viollet-le-Duc aura ainsi à sa charge vingt-six diocèses. Il fut personnellement le responsable de cinq cathédrales, celles de Paris depuis 1845, d'Amiens depuis 1849, de Carcassonne en 1857, de Reims en 1860, de Clermont en 1864. Comme inspecteur général il surveille les travaux de ses disciples qu'il a fait nommer, tels Ruprich-Robert à Bayeux, Millet à Châlons-sur-Marne, Abadie à Angoulême, Boeswillwald à Soissons, de ses confrères Alphonse Durand à Mantes, Arveuf à Reims. Cette action de trente ans sur les cathédrales françaises au sein du service qui en était responsable est la vraie participation de Viollet-le-Duc à la maintenance du patrimoine. Après le coup de maître de Vézelay qui lui valut en 1840 la définitive confiance de Mérimée, c'est dans ce type de restaurations qu'il s'illustra, son autre champ d'action préféré étant la résurrection des grandes enceintes et ensembles fortifiés, d'Avignon à Carcassonne, de Pierrefonds à Narbonne.

Le théoricien de la restauration

Avant le texte fondateur de l'article «Restauration» du *Dictionnaire raisonné*, on trouvera dans les instructions et circulaires élaborées au Service des cultes et pour la commission des Arts et Édifices religieux par Mérimée et Viollet-le-Duc, celui-ci rédigeant pour celui-là, les principes d'action de Viollet-le-Duc en personne. L'*Instruction pour la conservation, l'entretien et la restauration des édifices diocésains et particulièrement des cathédrales*, datée du 26 février 1849, signée du ministre de l'Instruction publique et des Cultes Falloux et du directeur des Cultes Durieu, comporte soixante-dix-sept prescriptions. Elle est d'une certaine manière plus complète et détaillée que les textes élaborés par la commission des Monuments historiques. Si, dans sa sécheresse, elle n'a pas connu la fortune des admirables rapports de Louis Vitet et de Mérimée, si elle est à peine entrée dans l'historiographie du patrimoine, elle reste le déca- ou plutôt le septante-septlogue de ces dix années d'intenses réflexion et expérimentation sur le sort des monuments «remarquables par l'art et l'histoire» que représente la décennie 1837-1848. Elle porte surtout pour nous la marque Viollet-le-Duc, dans cette administration des cathédrales où il était le leader.

Cette *Instruction* est surtout un recueil de préceptes pratiques. La philosophie de la restauration est volontairement courte: «Les architectes attachés au Service des édifices diocésains, et particulièrement des cathédrales, ne doivent jamais perdre de vue que le but de leurs efforts est la *conservation* de ces édifices, et que le moyen d'atteindre ce but est l'attention portée à leur *entretien*. Quelque habile que soit la restauration d'un édifice, c'est toujours une nécessité fâcheuse, un entretien intelligent doit toujours le prévenir[14].» Dans le jeu de ces trois maîtres mots que sont conservation, entretien et restauration, cette dernière est présentée comme le pis-aller; à la chirurgie, Viollet-le-Duc préfère la médecine douce et préventive de l'entretien. Le Service des cultes a reçu dans son douaire les cathédrales et les gère comme une administration son patrimoine immobilier, tandis que la commission des monuments historiques intervient, au moins dans ses premiers temps, sur des édifices que distinguent leurs grands périls autant que leurs grands mérites. Vézelay menaçait de s'effondrer quand le jeune Viollet-le-Duc en 1840 reçoit la responsabilité de cet édifice, devant laquelle Labrouste soi-même recula. Plus que dans les mesures d'urgence ou désespérées, appelant des solutions drastiques et donc des débats exceptionnels, c'est dans la gestion au jour le jour que les architectes généralistes élaborent une pratique qui, à la longue, constitue une doctrine. Le pain quotidien ici s'appelle l'entretien.

L'*Instruction* de 1849 répartit ses préceptes et conseils en un certain nombre de chapitres qui ont pour titre: «Conduite des travaux», «Tenue des attache-

ments», «Échafauds», «Maçonnerie», «Écoulement des eaux pluviales», «Précautions à prendre contre l'incendie», «Charpente», «Couverture», «Plomberie», «Couvertures en plomb, d'ardoises, en tuiles, en dalles», «Serrurerie», «Observation générale sur l'emploi des matériaux», «Sculptures d'ornement», «Vitrerie-vitraux coloriés», «Peinture-badigeonnage-ragréage», «Menuiserie», «Mobilier». Cette simple énumération montre bien la technicité de recommandations s'adressant à des professionnels du bâtiment. Mais le principal souci est celui d'une restauration à l'identique selon les exigences de l'article 31: «Dans les travaux de réparation et d'entretien, on ne remplacera que les parties des anciennes constructions reconnues pour être dans un état à compromettre la solidité et la conservation du monument», ou encore de l'article 32: «Tous les matériaux enlevés seront toujours remplacés par des matériaux de même nature, de même forme, et mis en œuvre suivant les procédés primitivement employés[15].» C'est la règle d'une restauration homothétique.
Lorsque des déposes sont nécessaires et ont été autorisées, il est recommandé, article 6, «de dresser un état actuel des parties qu'il s'agit de remplacer avant de commencer l'exécution», de même, article 32, que «tout fragment à enlever, s'il présente un certain intérêt, soit pour la forme, la matière ou toute autre cause, sera étiqueté, classé et rangé en chantier ou en magasin[16]». La mémoire, que ce soit celle des relevés et dessins ou du musée de l'œuvre, est désormais requise comme l'accompagnatrice de toute restauration. Dans une *Instruction pour la rédaction des projets, l'exécution des travaux et la rédaction des mémoires concernant les édifices religieux*, datée du 25 juillet 1848, également préparée par Viollet-le-Duc et Mérimée pour le ministre de l'Instruction publique et des Cultes Vaulabelle sous le directorat de Durieu, il est spécifié que les projets adressés par les architectes à l'administration centrale «devront toujours se composer; A, d'un travail graphique; B, d'un mémoire explicatif; C, d'un devis à la fois descriptif et estimatif [...] On devra donc joindre aux projets de restauration au moins un plan général, et, s'il se peut, des coupes et élévations. Il serait même à propos de produire, autant que possible, des vues prises au daguerréotype des principaux aspects du bâtiment à réparer[17]». Quel que soit le jugement porté sur l'action restauratrice du XIXe siècle, sur l'irréversible de ses décisions, du moins permet-elle, grâce au constat graphique dont elle s'entoure, de remonter le cours du temps. L'histoire, contemporaine, a été prise en compte.
Enfin l'*Instruction* de 1849 spécifie nettement que la restauration passe par la compréhension intime de l'édifice, de son appartenance stylistique. «L'étude approfondie du style des différentes parties des monuments à réparer ou entretenir est indispensable, non seulement pour reproduire les formes extérieures, mais aussi pour connaître la construction de ces édifices, leurs points faibles et les moyens à employer pour améliorer leur situation[18].»

Même si Viollet-le-Duc préfère pour leur qualité constructive l'architecture des XIIIe-XIVe-XVe siècles, il suggère de prendre en compte les « dispositions vicieuses » des constructions romanes, les améliorations ne devant jamais être des négations structurelles. Le souci est toujours de respecter la nature des choses, ici des monuments, sans les contraindre à devenir autres qu'ils ne sont. Ainsi le système d'écoulement des eaux devra chaque fois être respecté, « car ce système est inhérent à ces édifices mêmes ». Si « l'usage, de nos jours, est de placer le long des murs de nos constructions des tuyaux verticaux en fonte pour conduire les eaux pluviales [...] ce système ne saurait s'appliquer à des édifices dans lesquels l'écoulement des eaux est soumis à un principe franchement accusé ; en outre, il présenterait plus de dangers que d'avantages[19] ». Si l'administration et le comité des inspecteurs généraux se réserve le droit aux grandes décisions modificatrices, la pratique quotidienne imposée aux architectes diocésains est celle de la prudence, de thérapeutiques relevant du dispensaire plus que de l'hôpital ; la bonne restauration est homéopathique.

L'article « Restauration », publié dans le tome VIII du *Dictionnaire raisonné*, paru en 1866, a sans doute pris une importance disproportionnée. Il faudrait le réinsérer dans la suite continue de propositions théoriques et préceptes pratiques où la doctrine de la restauration s'est constituée, sans esprit de système, au plus avec cet optimisme, cette énergie qui sont la marque du XIXe siècle conquérant. « Restaurer un édifice, ce n'est pas l'entretenir, le réparer ou le refaire, c'est le rétablir dans un état complet qui peut n'avoir jamais existé à un moment donné[20]. » Viollet-le-Duc avait-il conscience, en donnant cette superbe et impavide définition, de livrer à ses détracteurs un inépuisable argument ? Elle appartient à la catégorie de ces phrases assassines, dont quelques hommes politiques, et par exemple Émile Ollivier, furent victimes, et dont les Achille Carlier nourrirent leurs fureurs. Elle a pourtant la simplicité de l'évidence.

La restauration est le passage au-delà de l'entretien, dont les *Instructions* du Service des édifices diocésains ont montré qu'il était la principale des activités conservatoires. Une restauration est une décision grave, exceptionnelle, tant elle implique un effort financier particulier et de difficiles choix intellectuels. L'« état complet », invoqué par Viollet-le-Duc, serait l'aboutissement d'une analyse historique qui aurait su éclairer toutes les zones d'obscurité, et d'une volonté impliquant un accord des forces politiques, économiques et sociales. Il est trop clair que cet « état complet » peut n'avoir ou, plus exactement – car Viollet-le-Duc parle par antiphrase – n'a aucune chance d'avoir jamais existé ou d'exister jamais : un édifice, étant pris dans l'écoulement du temps, ne saurait être fixé dans un état premier et parfait ; une restauration a bien peu de chance, étant elle aussi engagée dans la durée, d'être parachevée. Quel est l'«état complet» de Versailles? Quand Pierrefonds sera-t-il jamais terminé? La définition de Viollet-le-Duc relève de la raison pure et, dans cette stratosphère, est inattaquable.

La pratique, elle, s'accommode de toutes les raisons. Le principe est simple: «Chaque édifice ou chaque partie d'un édifice doivent être restaurés dans le style qui leur appartient non seulement comme apparence, mais comme structure[21].» L'ennui est que les édifices d'une seule conception et venue sont l'exception, que la règle, macédonienne, est la succession et la conjonction des interventions. L'œuvre du temps fait partie de l'être architectural et le restaurateur-mainteneur doit agir en tenant compte du vieillissement, de toutes ces concrétions qui font la vraie figure d'un bâtiment. «De là des embarras considérables. S'il s'agit de restaurer et les parties primitives et les parties modifiées, faut-il ne pas tenir compte des dernières et rétablir l'unité de style dérangée, ou reproduire exactement le tout avec les modifications postérieures? C'est alors que l'adoption absolue d'un des deux partis peut offrir des dangers, et qu'il est nécessaire, au contraire, en n'admettant aucun des deux principes d'une manière absolue, d'agir en raison des circonstances particulières[22].» Ce passage de l'article «Restauration» est vraisemblablement au centre de toute la réflexion viollet-le-ducienne sur le problème. Fondamentalement, elle reste interrogative. L'unité de style et le parti d'une restauration systématique relèvent tous deux de l'hypothèse théorique, non de la décision effective. La philosophie de Viollet-le-Duc le rationaliste, et en cela il est aussi un homme du XIXe siècle, est, contre toute attente, l'éclectisme.

Les exemples donnés par Viollet-le-Duc de ces compromis incessants et inévitables sont volontairement contradictoires: «Les voûtes d'une nef du XIIe siècle, par suite d'un accident quelconque, ont été détruites en partie et refaites plus tard, non dans leur forme première, mais d'après le mode alors admis. Ces dernières voûtes, à leur tour, menacent ruine; il faut les reconstruire. Les rétablira-t-on dans leur forme postérieure, ou rétablira-t-on les voûtes primitives? Oui, parce qu'il n'y a nul avantage à faire autrement, et qu'il y en a un considérable à rendre à l'édifice son unité.» Viollet-le-Duc, même s'il ne donne pas les noms, pense bien sûr à Vézelay où, en 1844, avec l'accord de Mérimée et de la commission supérieure, il dépose dans la nef les trois travées à voûtes d'arêtes refaites au XIVe siècle pour rétablir face au chœur gothique la continuité de la nef romane, décision qui ne sera, fût-ce par ses détracteurs professionnels, jamais véritablement contestée. Le contraste entre la nef romane et le chœur gothique est trop beau, trop fort pour supporter d'être amoindri. Autre cas de figure, «ces voûtes d'un caractère étranger aux premières et que l'on doit reconstruire sont remarquablement belles. Elles ont été l'occasion d'ouvrir des verrières garnies de beaux vitraux [...] Détruira-t-on tout cela pour se donner la satisfaction de rétablir

Notre-Dame de Paris.
Photographie de la fin du XIXe-début du XXe siècle.

À gauche :
Notre-Dame de Paris.
Projet de Viollet-le-Duc, 1843.

la nef primitive dans sa pureté? Mettra-t-on ces verrières en magasin? [...] Non certes. On le voit donc, les principes absolus en ces matières peuvent conduire à l'absurde[23]». La nef de Notre-Dame ne sera pas rétablie dans son état du XIIe siècle.

Toute restauration doit être raisonnable; elle traduit le niveau des capacités scientifiques, techniques, de la sensibilité d'une époque et d'un architecte. Or les années 1850-1860 ont conscience de vivre dans ce domaine une aventure exceptionnelle et euphorisante. L'enthousiasme restaurateur de Viollet-le-Duc se vivifie d'un sentiment de modernité. «Le mot et la chose sont modernes», avait-il déclaré d'emblée dans sa définition de 1866. Le XIXe assiste avec la restauration à une véritable création intellectuelle. Si les siècles précédents ne savaient que reconstruire, si dans l'Antiquité et au Moyen Âge les mots ont manqué pour définir cette neuve ambition: «*Instaurare, refecere, renovare* ne veulent pas dire restaurer, mais rétablir, refaire à neuf», si l'Arc de Constantin avec ses reliefs provenant de l'Arc de Trajan est «un acte de vandalisme, une pillerie de barbares», si le Moyen Âge et les temps classiques substituaient, sauf exception, aux anciennes leurs propres formes, c'est que l'histoire n'était pas devenue cette science, cette passion où le XIXe siècle trouve en partie son être.

«Notre temps, et notre temps seulement, depuis le commencement des siècles historiques, a pris en face du passé une attitude inusitée. Il a voulu l'analyser, le comparer, le classer et former sa véritable histoire, en suivant pas à pas la marche, les progrès et les transformations de l'humanité[24].» Et Viollet-le-Duc d'invoquer Cuvier et les préhistoriens, l'apport des ethnologues, des archéologues, des philologues. Mais la restauration n'est pas seulement un des nouveaux champs de la science historique. Elle s'apparente à la médecine puisque l'analyse intellectuelle conduit à une intervention qui tentera – le restaurateur ne travaille-t-il pas sur un organisme et donc sur le vivant? – de stabiliser un état correctement diagnostiqué. «Notre temps ne se contente pas de jeter un regard scrutateur derrière lui: ce travail rétrospectif ne fait que développer les problèmes posés dans l'avenir et faciliter leur solution. C'est la synthèse qui suit l'analyse[25].» Le restaurateur est comme un historien qui oserait intervenir sur le présent (pensons à Guizot); il est dans la situation du savant qui, sorti du laboratoire (pensons à Pasteur), expérimente *in vitro*.

La restauration ainsi conçue est bien une des composantes de la vie quotidienne. Pour Viollet-le-Duc un édifice restauré, précisément en raison de l'investissement économique et intellectuel que cela suppose, appelle normalement une utilisation. «On ne peut négliger ce côté d'utilité pour se renfermer entièrement dans le rôle de restaurateur d'anciennes dispositions hors d'usage. Sorti des mains de l'architecte, l'édifice ne doit pas être moins commode qu'il ne l'était avant la restauration[26].» Par exemple, la transformation du réfectoire de Saint-Martin-des-Champs en bibliothèque, opération menée par Léon Vaudoyer, l'architecte du Conservatoire des arts et métiers, ne choque pas Viollet-le-Duc. Il est vrai que le Moyen Âge tant aimé est «si souple, si subtil, si étendu et libéral dans ses moyens d'exécution qu'il n'est pas de programme qu'il ne puisse remplir». La difficulté est ici levée par les vertus rationnelles de cette architecture qui semblait à Viollet-le-Duc la mieux accordée à l'ère moderne. Mais le principe est bien de rendre une vie publique ou privée à l'édifice obsolète et paralysé par les atteintes du temps. En affirmant comme principe, «condition dominante qu'il faut toujours avoir à l'esprit [...], de ne substituer à toute partie enlevée que des matériaux meilleurs et des moyens plus énergiques ou plus parfaits[27]», Viollet-le-Duc ne se démarque pas seulement de ses prédécesseurs qui utilisaient le ciment pierre, le mastic, les matériaux de «ragréage», il affirme sa foi dans la durée des organismes excellemment créés et correctement analysés, dans la capacité pour un monument bien restauré de vivre mieux. Le médecin Viollet-le-Duc, dans son mépris des béquilles, étais et matériels orthopédiques, dans son vitalisme, pense faire des miracles. Confronté à l'architecture du XIIIe siècle, le restaurateur se sent quelque peu démiurge. Si celui-ci a bien compris un édifice parfaitement compréhensible, car dès sa conception parfaitement pensé, le malade est presque guéri. C'est avec l'architecture du Moyen Âge et surtout celle de sa meilleure période que la restauration vérifie tout son pouvoir. Il y a entre le XIXe siècle et le XIIIe siècle un accord, une entente qui, avec Viollet-le-Duc, relèvent de l'amour. La théorie de la restauration, pour Viollet-le-Duc, pratique les voies du cœur autant que celles de la raison, l'esprit de finesse plus que celui de géométrie. La passion est salvatrice.

Le praticien de la restauration

Seules les restaurations elles-mêmes permettent de vérifier quel traité la doctrine a été contrainte de passer chaque fois avec la pratique, de déceler ces habitudes, ces tropismes qui devraient permettre de mieux cerner la sensibilité, les réflexes propres à Viollet-le-Duc. Les solutions en vérité diffèrent d'un édifice à l'autre, selon les contraintes du donné architectural, des possibilités techniques et économiques, des volontés politiques. Il n'y a pas de restauration parfaite, celle qui, dans l'esprit de l'architecte, traduirait exactement dans la pierre la restitution permise par le dessin. Le frontispice de Notre-Dame sommée de ses deux flèches imaginaires était un exercice théorique non une véritable proposition. Les différentes façades d'églises, relevées par Viollet-le-Duc dans tout l'appareil et l'apparat de leurs tours, celles de Saint-

Denis, de Saint-Sernin, savaient par avance qu'elles surpassaient les volontés et les budgets prévisibles. Elles dressaient le pavillon de la raison pure sans véritablement chercher l'incarnation. Dans ses divers chantiers Viollet-le-Duc, confronté à des situations différentes, a pu chaque fois mettre plus ou moins en avant certaines de ses qualités : la réflexion méthodologique, la science constructive, la passion analytique, l'enthousiasme créateur s'expriment au mieux dans tel ou tel chantier. C'est l'ensemble des entreprises de Viollet-le-Duc qui permet de dresser le portrait de la restauration idéale, celle dont le mythe ne cesse de perturber et de séduire.

Le discours sur la méthode a été écrit devant et pour Notre-Dame de Paris. Lorsque Viollet-le-Duc s'associe en 1842 à Lassus, son aîné et même son mentor dans le concours qui les oppose à Arveuf et à Danjoy pour assumer, après l'éviction de Godde, la restauration de Notre-Dame, l'équipe rédige un rapport, remis le 31 janvier 1843, qui fut sans doute déterminant pour le choix de deux architectes[28]. « Dans un semblable travail on ne saurait agir avec trop de prudence et de discrétion, et nous le disons les premiers, une restauration peut être plus désastreuse pour un monument que les ravages des siècles et les fureurs populaires ! Car le temps et les révolutions détruisent mais n'ajoutent rien[29]. » Et l'engagement solennel suit : « L'artiste doit s'effacer entièrement, oublier ses goûts, ses instincts, pour étudier son sujet, pour retrouver et suivre la pensée qui a présidé à l'exécution de l'œuvre qu'il veut restaurer ; car il ne s'agit pas dans ce cas de faire de l'art, mais seulement de se soumettre à l'art d'une époque qui n'est plus[30]. »

Ces admirables propos, qui seront souvent opposés par la suite aux abruptes déclarations de l'article « Restauration » du *Dictionnaire raisonné* en 1866, répondaient aux scrupules d'archéologues comme Didron, de tous ceux qui, tel Ruskin, en arriveront à penser que la restauration est une intervention si forte qu'il vaut mieux laisser le monument mourir de sa bonne mort, entouré des seuls sacrements de l'étude archéologique. Mais les rapporteurs n'ont pas l'âme mélancolique. Ce qui peut s'accepter pour « une ruine curieuse, sans destination, et sans utilité actuelle » ne saurait l'être pour un édifice toujours fréquenté, toujours utilisé, dont la durée bénéficie de l'éternité du culte qui y est célébré. « Dans ce cas l'artiste [...] doit faire tous ses efforts pour rendre à l'édifice, par des restaurations prudentes, la richesse et l'éclat dont il a été dépouillé. » Ces restaurations, placées sous le signe de la prudence, ont une belle audace. Il ne s'agit ni de revenir à un état primitif ni de « ramener le monument à sa première forme », mais de retrouver, dans le respect de « chaque partie ajoutée à quelque époque que ce soit », ce qui est son rythme vital, sa respiration.

Lassus et Viollet-le-Duc se livrent d'abord à une étude historique et archéologique. Ils lisent les historiens de Paris – Dubreul, Sauval, Lebœuf, Gillot –, font des recherches d'archives et confrontent les renseignements à une véritable auscultation de l'édifice. Le projet de restauration est ainsi précédé d'une monographie de l'édifice, digne d'être publiée dans ces congrès archéologiques que fondait Arcisse de Caumont. Les choix sont ainsi pris en toute conscience historique. C'est à travers eux qu'il faut qualifier l'entreprise.

Autant il n'était pas question de construire les deux flèches manquant à la façade – «on obtiendrait peut-être par cette adjonction un monument remarquable, mais ce monument ne serait plus Notre-Dame de Paris[31]» –, autant les architectes n'acceptaient pas le visage aveugle de la cathédrale qui avait perdu en 1793 les statues de ses rois de Juda pris pour ceux de France, et dont le portail central béait depuis qu'en 1771 Soufflot avait supprimé le trumeau et échancré le linteau. «On ne peut laisser incomplète une page aussi admirable, sans risquer de la rendre inintelligible[32].» Lassus et Viollet-le-Duc retrouvent l'esprit de l'église comme bible parlante. La question du choix des modèles d'après lesquels on referait les statues posait de complexes problèmes de conformité stylistique et de justesse historique mais l'essentiel était bien dans l'intuition que Notre-Dame de Paris ne pouvait rester muette. Ainsi furent rétablis «les vingt-huit rois dans leurs niches, le Christ bénissant et les douze apôtres dans les ébrasements de la porte centrale, les huit figures de la porte de la Vierge et les huit statues romanes de celle de Sainte-Anne[33]». De même que les façades latérales avec leurs contreforts et chapelles devaient retrouver «leur ancienne décoration de pignons, niches, statues et gargouilles[34]», être à nouveau couronnées «des pinacles et statues qui les terminaient, ainsi que l'indiquaient les textes et surtout la trace de cette décoration qui existe encore sur place», de même la façade principale devait recouvrer son sens. La comparaison entre l'état trouvé par les restaurateurs, que donnent ces incunables que sont les photographies, et celui qu'ils ont laissé éclaire le passage d'un édifice râpé, écrêté, amoindri à une église revivifiée, arborescente et parlante.

Le rétablissement de la flèche sur la croisée du transept, abattue en 1791 et dont témoignait encore la souche, s'inscrit dans la même volonté de redonner à l'édifice tous ses attributs. Le projet de 1843 proposait une restitution de la flèche d'après un dessin de Garneray. C'est après la mort en 1857 de Lassus, semble-t-il réticent sur l'exactitude de ce document, que Viollet-le-Duc de 1858 à 1861 monte la flèche en se démarquant nettement du croquis de Garneray. Il invente un étage ajouré supplémentaire, dessine la pyramide de la flèche sur le plan d'une «étoile composée de deux carrés se pénétrant[35]». Enfin, il pose sur les contreforts à l'intersection des combles de la croisée les sculptures des douze apôtres et les symboles des évangélistes de trois mètres de haut en cuivre repoussé qui accompagnent et portent l'envolée de la flèche. Ainsi évitait-il le reproche que lui-même portait sur les flèches de croisée, comme à Amiens, dont il jugeait que le plus souvent «elles paraissent frêles au-dessus de la jonction des combles; que leur assiette n'est point indiquée; qu'elles semblent un fuseau planté sur le transept. À Notre-Dame de Paris ce défaut fut habilement évité[36]». Le spécialiste des cathédrales gothiques est ici moins soucieux de l'unité du style que de cette unité organique qui est la vérité vivante d'un édifice.

Autant l'on est encore aujourd'hui sensible à la qualité de l'analyse historique et à la finesse des décisions, autant deux points irritent la conscience moderne, le parti fragmentaire d'élévations intérieures à quatre niveaux et l'aménagement du chœur. On avait au XIIIe siècle modifié les baies de la nef en les allongeant. Les combles pentus qui couvraient la galerie avaient été alors supprimés et remplacés par des terrasses. Fallait-il restituer cet état, d'autant que la trace des roses percées au sommet des arcades de la galerie avait été retrouvée? Assombrir de nouveau la cathédrale pour retrouver un état du XIIe siècle était impossible, et ce ne fut pas fait. Mais la mise en place, à titre de témoignage, dans la dernière travée de la nef, dans deux travées du transept et dans la première du chœur d'une élévation à quatre niveaux – grandes arcades, baies du triforium, rose et fenêtre –, est d'autant plus absurde que les roses autrefois aveugles, car donnant sur le comble, deviennent éclairantes. Cette figuration XIIe dans ce vaisseau où l'alliance des siècles s'était si naturellement faite apparaît comme une citation gratuite et professée à contresens puisque les roses cessent de jouer leur rôle. L'échantillonnage proposé rompt inutilement l'unité. Le restaurateur ici est trahi par l'ivresse archéologique et la passion du retour aux origines qui fait vaciller les plus fermes résolutions et introduit dans l'organisme une redoutable car inassimilable jouvence.

Pour l'aménagement du chœur, c'est la sensibilité plus que la raison qui l'emporte. Il ne pouvait être question de revenir à l'état médiéval dont Viollet-le-Duc donnera une restitution à l'article «chœur» du *Dictionnaire raisonné*. Il était en effet vain de prétendre retrouver l'état du chœur, réinventer le jubé, détruit au XVIIIe siècle. Le chœur de Notre-Dame était toujours celui mis en place en 1726 par Robert de Cotte à la suite du don fait en 1708 par le chanoine de La Porte. Il eût été alors possible de le restituer. Cela ne fut pas fait. Certes, Viollet-le-Duc garde le *Louis XIV* de Coysevox et le *Louis XIII* de Coustou qui prient devant la *Pietà* de Coustou. Mais les marbres qui revêtaient les colonnes du chœur ont été déposés. Les grilles n'ont pas été replacées; l'autel est resté exilé à Rueil. La solution choisie par Viollet-le-Duc est mixte: il garde les stalles «bien qu'elles ne soient nullement en harmonie avec l'édifice, tant de raisons plaident en faveur de leur conservation qu'il n'est pas permis de songer à les détruire[37]». Il conserve en partie le décor sculpté. Mais dans ce chœur refaçonné, le nouvel autel néo-XIIIe comme les survivants du décor XVIIIe flottent. Il eût fallu, au nom de l'unité de style, admettre que le chœur était devenu XVIIIe et le restaurer, le restituer. La sensibilité fut plus forte que la raison : la méfiance envers le XVIIe et le XVIIIe siècle, tant iconoclastes et briseurs de Moyen Âge, animait trop Viollet-le-Duc et sa génération pour que le goût ne l'emportât sur la considération des faits : « la lourde architecture qui nous cache les belles colonnes du chœur » devait expier pour l'initiative de 1695 qui « fit détruire les bas-reliefs du rond-point, l'ancien maître-autel, les stalles en boiseries du XIVe siècle, le dais de la châsse Saint-Marcel et l'autel des ardents[38] ». Dans leur rapport, Lassus et Viollet-le-Duc écrivent : « Si nous n'avons donné dans nos dessins le chœur de Louis XIV, c'est qu'il ne présentait aucun intérêt sous le rapport de l'art[39]. » La déclaration dans sa franchise nous rappelle, s'il était nécessaire, que toute restauration est fille de son temps, que les humeurs et les goûts l'emportent toujours.

Dans l'*Histoire d'un hôtel de ville et d'une cathédrale*, Viollet-le-Duc avait fort bien raconté la transformation, au XVIIIe siècle, du chœur de son imaginaire Clusy, à l'instar de celui de Notre-Dame. Une *Pietà* n'avait-elle pas été aussi placée sous la Gloire qui fermait l'abside. « Personne, dit-il, ne regretta ni le vieux jubé de pierre, si finement sculpté, ni l'ancienne clôture de liais avec ses imageries, ni l'autel de bronze du XIVe siècle. » Les dévotes de Clusy exaltaient leur foi « en regardant les beaux anges de plâtre qui portaient avec tant de grâce l'exposition du Saint Sacrement et le tabernacle suspendu au-dessus[40] ». Pendant la Révolution le bon maire Millot, lui qui sut si bien défendre en 1793 face au citoyen Rulle, jacobin, les statues du portail, ne se battit pas trop pour les anges du nouveau baldaquin. Le passé récent est celui que l'on voit le moins et Viollet-le-Duc n'était pas autrement fait que tout le monde.

Notre-Dame, restauration exemplaire de la méthode mise au point dans les décennies 1840, n'est sans doute pas la plus représentative expression du génie viollet-le-ducien. Celui-ci n'est jamais autant lui-même que lorsqu'il est en mesure, par l'exercice conjugué du regard et de la raison, de compléter un édifice tronqué, de faire en quelque sorte repousser les membres tronçonnés. C'est là où le restaurateur, tel un nouveau Cuvier, se sent capable de reconstituer un édifice à peu près disparu à partir d'un tas de pierres, comme d'autres à partir d'un os. Un véritable organisme se reconstruit, tant la logique du vivant, d'une architecture sont contraignantes, tant l'analyse raisonnée peut remonter et renouer la chaîne du temps et de la création.

La restauration du palais synodal de Sens est un des plus forts exemples d'optimisme restaurateur. Construit entre 1230-1240, ce corps de bâtiment, comprenant deux salles superposées, prisons et officialité au rez-de-chaussée, salle synodale à l'étage, inspira manifestement Viollet-le-Duc. « C'est avec une véritable passion que je me suis mis au travail », déclare-t-il dans son rapport d'avril 1851. C'était à la fois « un édifice civil et religieux de la plus belle époque de l'art en France [...] élevé d'un seul jet et présentant dans toutes ses parties une parfaite unité de style[41] ». Tout était pour plaire à

Viollet-le-Duc et il mit dans cette restauration une allégresse, une certitude impavide. La comparaison entre les relevés des façades existantes datés de février 1851, les photographies prises à l'époque, les projets de restauration et les façades restaurées est un des plus instructifs exemples de la méthode de Viollet-le-Duc. La simplicité même du parti constructif avec sa division en deux niveaux, l'unité du volume rendent, en effet, particulièrement démonstratives les décisions de Viollet-le-Duc. Il dresse d'abord le portrait réel de l'édifice, relevant avec une exactitude à la Dürer les rides, les crevasses, les gerçures de la peau ; puis il ravale, traite comme dans un « lifting » les façades, faisant tomber les excroissances et scories des siècles pour retrouver les dispositions premières, donnant ainsi un second portrait, idéal, moins vrai que vraisemblable. Ainsi les ouvertures du XVIIe siècle sont-elles supprimées ; ainsi les grandes baies de l'étage dont il restait des traces sur trois travées sont-elles rétablies sur les six travées. Des créneaux, encore visibles sur une tourelle d'angle, sont rétablis ou établis sur tout le pourtour, les tourelles d'angles complétées.

Mais c'est à l'intérieur surtout que s'exerce le mieux le génie de Viollet-le-Duc. Les espaces internes avaient été entresolés, pratique banale, et l'architecte s'empresse, pratique usuelle, de les rétablir. La chute en 1267-1268 de la tour sud de la façade occidentale de la cathédrale n'avait certes pas dû être sans conséquences mais avait-elle vraiment détruit les voûtes de la salle synodale, comme l'affirme Viollet-le-Duc ? Alors que l'existence d'une charpente était archéologiquement sûre, l'existence d'une voûte en pierre est un acte de foi raisonné. Un lambris, en effet, ne pouvait selon Viollet-le-Duc « motiver la présence des formerets intérieurs, des contreforts extérieurs et la forme des grandes fenêtres qui remplissent chaque travée[42] ». La chute de 1267 serait donc la responsable de la disparition d'un élément nécessaire à l'être même du palais synodal, tel qu'il aurait été construit en une décennie au XIIIe siècle. Dans son rapport, Viollet-le-Duc affirme avoir toutes les preuves : « Si les piles saillantes n'existent plus, on voit très bien encore qu'elles ont été coupées au ras du mur intérieur [...] dans l'angle nord-est, on voit encore le sommier de l'arc-ogive qui donne le profil de ces arcs et ne peut laisser aucun doute sur la présence des voûtes primitives[43]. » Mais la restauration même de Viollet-le-Duc a fait disparaître toutes ces traces et l'intérieur n'a pas fait l'objet de relevés aussi précis que l'extérieur. On en est réduit à la conviction de Viollet-le-Duc et à sa réaffirmation qu'il n'a « rien eu à inventer dans ce travail entièrement basé sur des preuves en place, qu'il suffirait d'étudier avec quelque attention pour les rendre évidentes pour tout le monde[44] ».

Comment ne pas penser en lisant le rapport de 1851 sur la salle synodale de Sens aux futures assertions de 1866, lorsque Viollet-le-Duc évoque « ce principe dominant dont il ne faut jamais et sous aucun prétexte s'écarter, qui est de tenir compte de toute trace indiquant une disposition[45]». «Décider, ajoute-t-il, d'un disposition *a priori* sans s'être entouré de tous les renseignements qui doivent la commander, c'est tomber dans l'hypothèse et rien n'est périlleux comme l'hypothèse dans les travaux de restauration.» Les voûtes de la salle synodale de Sens ne sont pourtant qu'une hypothèse; les traces ont été absorbées dans la restauration, restent la beauté de ce couvrement et l'assurance de Viollet-le-Duc dont les choix ont la clarté et la dureté du diamant. Dans une restauration de Viollet-le-Duc, le plus saisissant est peut-être l'esprit de logique, le passage à l'acte après l'analyse. Si la lecture du *Dictionnaire raisonné* s'apparente à celle d'un roman policier à la Conan Doyle fondé sur l'exercice de la déduction, Viollet-le-Duc, dans ses chantiers, affronte la vérification sur le vif. Certes, l'erreur est possible. Si l'interprétation est mauvaise, «vous êtes entraîné par une suite de déductions logiques dans une voie fausse dont il ne sera plus possible de sortir, et mieux vous raisonnez dans ce cas, plus vous vous éloignez de la vérité[45]». Le risque est réel et vraisemblablement Viollet-le-Duc n'a pu y échapper complètement. Mais, curieusement, ses détracteurs n'ont pas cherché à l'attaquer sur ce terrain, à montrer que la logique de ses restitutions était frappée d'aberration. Comme si, en recommandant et pratiquant l'appel à la photographie qui «présente cet avantage de dresser des procès-verbaux irrécusables» et permet les comparaisons des états avant et après, il avait découragé la contestation radicale. Avec Viollet-le-Duc la qualité des analyses, la maîtrise des chantiers sont telles que la polémique n'a plus de sens qu'à la hauteur des principes.

Carcassonne et Pierrefonds resteront de ce point de vue les restaurations idéales de Viollet-le-Duc. L'architecture militaire avait sa préférence, car elle est éminemment raisonnée. «Il n'est pas besoin de démontrer tout ce qu'il y a d'impérieux dans l'art de la fortification. Ici tout doit être sacrifié au besoin de la défense[46].» La bonne architecture militaire correspond exactement à l'état des techniques guerrières, dans le grand jeu de l'attaque et de la défense, sanctionné par la mort ou la perte de la liberté. Les dispositifs architecturaux peuvent se contenter de l'efficacité; la beauté est celle de l'utile. Viollet-le-Duc avait manifestement le sens et le goût de la tactique. Ses *Descriptions de Carcassonne* (1858), *de Pierrefonds* (1857), *de Coucy* (1857), *d'Arques* (1874), son *Histoire d'une forteresse* (1874) correspondent à une passion. L'écrivain excelle dans la narration d'un siège, dans le décorticage et l'explication d'un système défensif. Viollet-le-Duc avait les qualités et la vocation d'un ingénieur militaire et d'un officier du génie: en 1870-1871, sa contribution à la guerre franco-allemande sera du reste un «Mémoire sur la défense de Paris». Il comprend la chose militaire; un siège pour lui se traduit immédiatement dans les trois dimensions comme un plan-relief; les traces archéologiques lui parlent aussitôt.

Un exemple, parmi tant, celui de la porte Narbonnaise à Carcassonne, suffira à rendre compte de l'acuité de l'œil, de cette jubilation déductive qui transporte alors Viollet-le-Duc. Dans son rapport du 6 janvier 1849 il décrit les traces qui marquent la façade extérieure de la porte : « Se voient, sur les deux flancs de chacune des tours, trois entailles, proprement faites, les deux premières coupées carrément dans l'assise, l'autre en biseau dans le mur de face ; trois autres entailles profondes ; puis enfin, plus haut, et encore sur les flancs des deux tours, quatre entailles sur une même ligne de niveau, également espacées, et une autre plus petite au-dessus des deux premières entailles. Les entailles me paraissent avoir été destinées à poser au moment d'une attaque, un triple rang de mâchicoulis en bois avec des créneaux[47]. » Cette lecture phénoménologique, accompagnée d'un dessin hyperréaliste, est si minutieuse, si déterminée qu'elle entraîne le passage à l'acte. Carcassonne et Pierrefonds seront remontés grâce à la force contagieuse de la logique, capable de persuader administrations et souverains.

À Carcassonne, les travaux de restauration-restitution sont menés à partir de 1853 en accord avec l'administration militaire, dont dépend la place forte. Le Génie se laisse convaincre de l'intérêt de ces remparts, véritable conservatoire de l'architecture militaire depuis l'enceinte romaine du IIIe-IVe siècle jusqu'aux travaux du XIIIe siècle menés par les « ingénieurs » des rois de France. Il y participe financièrement. Le cas d'une telle alliance entre ministères et budgets différents, alors que l'utilité militaire de la place était pratiquement nulle, est si rare qu'il mérite d'être signalé. Dans les années 1850, la restauration a pour elle la modernité. À Pierrefonds, l'effet d'entraînement est comparable. Les ruines du château de Louis d'Orléans, construit à partir de 1390, démantelé en 1617, montraient aux yeux de Viollet-le-Duc « un art, un soin et une recherche dans les détails qui prouvent à quel degré de perfection étaient arrivés les constructeurs des places fortes seigneuriales à la fin du XIVe siècle[48] ». La proximité de Compiègne, l'intérêt de Napoléon III pour la poliorcétique (n'était-il pas l'historien de Jules César et de la guerre des Gaules ?) expliquent en partie comment fut prise la décision de passer d'une ruine pittoresque, que la Cour aimait à visiter, à une véritable résurrection.

En 1858, Viollet-le-Duc ne propose que « la restauration de la portion habitable du château, c'est-à-dire du donjon, en laissant toutes les autres parties dans l'état de ruine, sauf deux tours qu'il pourrait être utile de restaurer pour en faire des dépendances de l'habitation et surtout pour préserver ces constructions qui sont fort belles et souffrent de l'état d'abandon où on a dû les laisser [...] Cependant, ajoute Viollet-le-Duc, j'ai indiqué dans deux dessins [...] l'aspect complet du château restauré afin que Sa Majesté puisse prendre une idée de l'ensemble[49] ». Dès 1861, la simple consolidation de la « ruine pittoresque » est abandonnée pour la remise en état de ce qui est à la fois un ensemble défensif et une résidence de souverain, entreprise qui relève de la restauration autant que de la création pure. La défaite de 1870 allait empêcher l'achèvement de la demeure. Les travaux se poursuivront jusqu'en 1885, mais Pierrefonds reste comme une coque vide, attendant toujours la vérification de la vie.

En 1861, dans la seconde édition de sa *Description du château de Pierrefonds*, Viollet-le-Duc formulait ainsi le rêve de son entreprise: «L'Empereur a reconnu l'importance des ruines de Pierrefonds au point de vue de l'histoire et de l'art. Le donjon et presque toutes les défenses extérieures reprennent leur aspect primitif; ainsi, nous pourrons voir bientôt le plus beau spécimen de l'architecture féodale du XVe siècle en France renaître par la volonté auguste du souverain. Nous n'avons que trop de ruines dans notre pays et les ruines ne donnent guère l'idée de ce qu'étaient les habitations des grands seigneurs les plus éclairés du Moyen Âge, amis des arts et des lettres, possesseurs de richesses immenses. Le château de Pierrefonds, rétabli en totalité, fera connaître cet art à la fois civil et militaire qui, de Charles V à Louis XI, était supérieur à tout ce que l'on faisait alors en Europe. C'est dans l'art féodal du XVe siècle en France développé sous l'inspiration des Valois que l'on trouve en germe toutes les splendeurs de la Renaissance, bien plus que dans l'imitation des arts italiens[50].» Tout est dit dans ce texte, le mépris de la sensiblerie romantique, la conscience de faire œuvre patriotique en ressuscitant un art national. Dans l'article «Restauration» paru en 1866, Viollet-le-Duc renouvellera ses sarcasmes pour ces temps où «les intérieurs des édifices gothiques, n'inspiraient que de la tristesse (cela est aisé à croire dans l'état où on les avait mis) [...] on décrivait les *dentelles* de pierre, les *clochetons* dressés sur des contreforts, les *élégantes* colonnettes groupées pour soutenir des voûtes à d'*effrayantes* hauteurs[51]». En 1860, les savants ont pris la succession des poètes de 1825. La compréhension du Moyen Âge est désormais fille de l'analyse plus que du sentiment. Le goût de la ruine correspondait à une méconnaissance des faits et à une incapacité d'action; son acceptation relevait de l'empirisme alors que la restauration correspond aux audaces d'une médecine sachant déceler, comme Claude Bernard, le jeu des diverses fonctions et capable d'intervention. Viollet-le-Duc a l'assurance du scientifique sûr de sa démonstration; il est aussi porté par le devoir du citoyen. L'église gothique du XIIIe siècle, le château fort du XIVe-XVe siècle correspondent, selon lui, à de grands, aux plus beaux moments de l'art français. Jamais le souci de l'adaptation des formes au programme, de la lisibilité des volumes, de la convenance du décor n'aurait été suivi avec une plus forte exigence. Il a le sentiment que là sont les vraies naissances de l'art français. Restaurer Notre-Dame de Paris, redresser Pierrefonds correspondent à ce que pouvait être au XVIe siècle la redécouverte de l'antique. Viollet-le-Duc, tel un nouveau Vitruve, un second Serlio, apporte les éléments d'une renaissance de l'art français. Mais il fait plus. La correspondance avec les exigences modernes était si intime que la restauration de ces monuments, quelque abîmés qu'ils fussent, réveille à la vie de beaux endormis. Les qualités de ces édifices étaient telles que l'intervention du restaurateur fait exploser leurs forces latentes. La restauration est une réapparition de compagnons plus présents que jamais.

Le philosophe de la restauration

Louis Réau pourra bien préférer « des ruines authentiques se mirant dans l'eau stagnante d'un étang », trouver celles « du Château-Gaillard ou de Najac-en-Rouergue plus évocatrices que le Pierrefonds reconstitué de Napoléon III[52] ». Achille Carlier clamera en vain son « immense dégoût », préférant, du reste, « accablé par la présence obsédante au-dessus de la petite ville de ce que l'homme a pu faire de plus répugnant », ne jamais mettre les pieds à Pierrefonds. « La vue de ces insanités déchaînées ne peut être qu'une redoutable et malfaisante épreuve pour qui s'efforce de rechercher l'ambiance véritable du passé[53] » ! Aujourd'hui, la double lecture de Pierrefonds, exacte leçon de choses militaires et variation sur la transposition au XIXe siècle d'un palais médiéval, semble aller de soi. L'intervention de Viollet-le-Duc est devenue part constituante de la création de Louis d'Orléans.

Viollet-le-Duc, toutefois, ne fit jamais l'unanimité. La force de ses propositions soulevait déjà, sur le moment même, de puissantes réactions contraires ; un siècle après sa mort en 1879, la commission supérieure des Monuments historiques approuvait, le 22 janvier 1979, la dérestauration de Saint-Sernin de Toulouse. Ainsi, pour Viollet-le-Duc au moins, l'article 11 de la « Charte internationale sur la conservation et la restauration des monuments et des sites » édictée en 1964 à Venise par le IIe Congrès international des architectes et techniciens des monuments historiques ne s'appliquerait pas : si « les apports valables de toutes les époques à l'édification d'un monument doivent être respectés », la restauration toulousaine de Viollet-le-Duc ne semblait toujours pas aux yeux du XXe siècle finissant « un témoignage d'une haute valeur historique ». Le caractère passionnel continûment suscité par les interventions de Viollet-le-Duc tient à la netteté qui est sienne dans la formulation du problème et la décision prise. Une restauration de Viollet-le-Duc cristallise les passions, tant elle rend sensible les deux grandes attitudes possibles devant un monument : l'acceptation du vieillissement et de la mort, la mélancolie et l'émotion, la visite attendrie au cimetière ou le combat de retardement, les décisions chirurgicales, l'intégration, même brutale, dans la vie et la sensibilité contemporaines, pour mieux narguer la camarde et tromper le temps.

Le château de Pierrefonds avant et après la restauration.

À Évreux, en 1871, la restauration des arcs-boutants de la cathédrale avait suscité de furieuses oppositions. L'architecte Darcy, soutenu par son inspecteur général Viollet-le-Duc, propose de changer l'élévation vicieuse et tardive des arcs-boutants à deux niveaux qui s'adaptaient mal aux structures de la nef et ne jouaient plus leur rôle stabilisateur. Il les remplace par des arcs-boutants à une seule volée, traduisant au mieux les épures du *Dictionnaire raisonné.* Dans son rapport du 27 janvier 1873 au comité des inspecteurs généraux des édifices diocésains, Viollet-le-Duc défend le parti d'une reconstruction de la voûte et de son appareil sustentateur. « Certes, il est périlleux, lorsqu'on restaure un vieux monument, d'entrer dans la voie des modifications sous prétexte d'amélioration ; mais lorsqu'il s'agit d'une reconstruction, il serait puéril de reproduire une disposition éminemment vicieuse et pouvant conduire à des déceptions[54]. » Le mot de reconstruction s'est ainsi substitué à celui de restauration. Pour les archéologues d'Évreux, pour Anatole Leroy-Beaulieu dans un article vengeur donné à la *Revue des deux mondes* en 1874, l'architecte constructeur a volontairement étouffé le restaurateur.
« Nouveau Procuste, conclut Jean-Michel Leniaud, l'architecte amputait pour conserver et son amour de la structure l'emportait sur le scrupule archéologique[55]. » Quoi qu'il en soit, il sera toujours impossible de prouver que l'on aurait pu agir autrement. Certes, à Bayeux, la démonstration contraire a été donnée, puisque l'ingénieur Flachat en 1855 a réussi ce que Viollet-le-Duc et Ruprich-Robert jugeaient infaisable : reprendre en sous-œuvre sans la démonter la tour lanterne et son dôme du XVIIIe siècle qui menaçaient ruine. Inversement la tour nord et la façade de Saint-Denis n'ont pu être sauvées. Viollet-le-Duc en 1847 ne sut faire mieux que Debret et Duban ; la flèche avait déjà été déposée en 1846 ; il dut déraser la tour nord jusqu'à la plate-forme, dans l'attente d'une reconstruction qu'il souhaitait mais qui ne fut jamais entreprise. Le miracle de Vézelay, dont il arrive à reprendre la tour sud ruinée, ne se produira pas deux fois.
Les raisons conjuguées de la nécessité technique, du perfectionnement constructif, de la recherche de l'unité stylistique s'entrelacent inextricablement. À Saint-Front de Périgueux, Viollet-le-Duc soutient Abadie qui démonte une à une les coupoles de la cathédrale et bâtit une neuve église, semblable à celle laissée par les constructeurs médiévaux mais mieux appareillée. Il avait pourtant en 1842-1843 déclaré : « Ce dont il faut se garder surtout, c'est de restaurer en modifiant le caractère de cette église [...] dans ce cas je crois que l'abandon total est préférable à une restauration mal entendue[56]. » Après avoir restauré le bras sud en 1852, Abadie estime qu'il doit pour la suite reprendre en sous-œuvre les piliers ; l'opération semblant trop risquée, la démolition et la reconstruction à l'identique (mais un identique perfectionné) est décidée. Viollet-le-Duc en 1863 approuve : « Si l'on a reproché à

M. Abadie [...] d'avoir été au-delà de ce qui était rigoureusement nécessaire pour conserver l'édifice et lui rendre son aspect initial, je crois ces reproches sans fondements [...] les reprises très radicales qu'a dû faire un Abadie étaient justifiées par l'état déplorable des constructions[57].» Certes, Abadie avait plutôt un tempérament de chirurgien. «Vous n'êtes, disait-il à l'archéologue Jules de Verneilh, son contestataire, que le médecin qui adoucit la souffrance mais qui laisse mourir.» Avec cet esprit de simplification qui le caractérise, il traduit assez bien un des aspects de la complexe réflexion de Viollet-le-Duc, ce moment où le constructeur n'hésite pas, impavide, à remplacer le restaurateur défaillant.
Il est trop facile au XXe siècle, qui dispose des injections de ciment, des bétons armé et précontraint, soit d'outils thérapeutiques alors inconnus, de faire la leçon au XIXe siècle. Yves-Marie Froidevaux lui-même, qui fut sans doute le restaurateur des puristes années 1950 le plus opposé à l'esprit de Viollet-le-Duc (il garde à Saint-Lô les traces du bombardement de 1944 et ne remonte pas les tours abattues), a proclamé que ce type de reproche était vain[58]. Les édifices qui tiennent grâce à des poutres en béton dissimulées sous la charpente ou à des insufflations de matériaux étrangers ne sont pas beaucoup plus vifs que leurs confrères bourrés de pierres neuves du XIXe siècle. Ce qui est étrange dans le cas de Viollet-le-Duc est ce passage continu et incessant de l'admiration à l'exaspération. À Toulouse, en 1844, la Société archéologique du midi de la France vitupérait «les ignobles toitures saillantes» posées à des époques indéterminées, au XVIe-XVIIe siècle?, sur Saint-Sernin. En 1874, la Société française d'archéologie, en congrès à Toulouse, écoute l'abbé Carrière, président de la consœur du Midi, et se joint au «concert unanime de blâmes et de regrets» qui salue la réfection des toitures. Viollet-le-Duc avait voulu mettre en valeur la structure interne de l'édifice. En remplaçant les tuiles des chapelles de l'abside par des dalles, en faisant saillir à l'extérieur les élévations successives de la nef et des bas-côtés, il pensait même faire voir dans ce monument méridional «la plus complète et la plus vive empreinte de ces influences romano-grecques et des principes de la proportion qui avaient été appliqués à la structure romaine par les Grecs du Bas-Empire. En effet le système de proportion admis à Saint-Sernin procède du dedans au-dehors[59]». Las, cette bonne volonté sudiste chez celui auquel on reprocha tant de se comporter comme un nouveau Simon de Montfort lui a été portée à crime. En utilisant une pierre qu'il croyait plus durable, et qui se révèle au bout d'un siècle plus friable, il posait involontairement le problème, de toute façon inévitable, de sa propre restauration. Dans les années 1980 celle-ci semble encore insupportable, puisque l'on veut à Saint-Sernin, revenir à l'état antérieur à Viollet-le-Duc. Mais ce refus est d'arrière-garde. La pensée et l'action de Viollet-le-Duc appartiennent de droit et de cœur à la mémoire du patrimoine.

Dérestaurer Viollet-le-Duc dans cette fin du XXe siècle revient à vouloir effacer une certaine lecture de l'histoire propre au XIXe siècle, à nier son apport au grand œuvre du temps, dans ces concrétions successives qui font l'étrange et changeant visage d'un monument. L'article 9 de la charte de Venise (1964), en distinguant la restauration qui « s'arrête là où commence l'hypothèse » des « reconstitutions conjecturales », de tous les « travaux de complément reconnus indispensables pour raisons esthétiques ou techniques » qui devront, elles et eux, porter « la marque de notre temps », ne dit pas autre chose, en fait, que l'irritante déclaration de Viollet-le-Duc sur « l'état complet qui peut n'avoir jamais existé ». Toute restauration est aussi une composition architecturale contemporaine. La théorie et la pratique de la restauration s'appuient sur une philosophie, une perception des rapports entre le passé et le présent qui suscitent chaque fois des refus et des contestations d'ordre idéologique. Le XXe siècle, dans sa passion de l'abstraction, du purisme, dans sa croyance en la modernité et la rupture, déteste en fait dans Viollet-le-Duc une entente, une complicité avec l'histoire qui sont pour nous postmodernistes et redeviennent comme telles plus accessibles. Le XXIe siècle, de ce point de vue, se sentira sûrement plus proche du grand-père que du père, du XIXe que du XXe siècle.

Dans sa restauration-composition architecturale de la salle synodale de Sens, Viollet-le-Duc précisait que son travail n'était pas « purement archéologique » et se justifiait ainsi : « Cette salle restaurée offrirait un exemple admirable d'un vaisseau destiné à contenir un grand nombre de personnes ; elle remplit si complètement et si dignement son programme que, sous le rapport, elle peut offrir aux architectes de notre époque un spécimen destiné à agrandir leurs idées [...] nos architectes ont perdu la tradition de ces grandes et simples dispositions des édifices publics ; et cependant tous les jours nos mœurs civiles et nos usages exigent de grands centres de réunion, de larges espaces dans lesquels on puisse appeler la foule[60]. » Dès 1851, donc, Viollet-le-Duc pensait à ce thème des grands couverts dont il donnera, avec l'aide du métal, plusieurs fascinantes illustrations dans les *Entretiens sur l'architecture*. Parce que présent et passé mènent un dialogue contemporain, que Viollet-le-Duc est l'homme de l'alliance du XIXe siècle et du XIIIe siècle, ses restaurations, précisément mises en œuvre dans les monuments de cette époque, ont valeur d'actualité. Sa restauration est engagée.

Les principes que Viollet-le-Duc croit déceler dans l'architecture médiévale, et dans son meilleur moment qui serait le XIIIe siècle, sont en effet pour lui exemplaires car toujours actuels : « La soumission constante de la forme aux mœurs, aux idées du moment, l'harmonie entre les vêtements et le corps, le progrès incessant, le contraire de l'immobilité[61] », voilà autant de pratiques immédiatement applicables. Plus, le XIIIe siècle tel que le lit Viollet-le-Duc à travers Augustin Thierry, Guizot, Michelet est un temps de liberté, de démocratie. La cathédrale, sous la responsabilité de l'évêque, apparaît comme le manifeste du génie constructif et le lieu de réunion, la maison d'un peuple qui se libère des pouvoirs théocratique et féodal. Certes, «les rois, les seigneurs séculiers, comme les évêques et les abbés, ne comprenaient pas et ne pouvaient comprendre ce que nous appelons les droits politiques; on en a mésusé de notre temps, qu'en eût-on fait au XIIIe siècle! Mais ces pouvoirs séparés, rivaux même souvent, laissaient à la population intelligente et laborieuse sa liberté d'allure. Les arts appartenaient au peuple[62]». Dans le débat de 1846 avec l'Académie des beaux-arts «sur la question de savoir s'il est convenable, au XIXe siècle, de bâtir des églises gothiques», Viollet-le-Duc, l'areligieux, est sûr au moins d'une chose, que la référence médiévale a l'avantage de n'être pas «en désaccord avec notre climat, nos habitudes et notre caractère national[63]». La restauration d'un édifice du XIIIe siècle est bien un travail sur le vivant, sur son proche. Les initiatives prises sont fraternelles. Elles aident à faire mieux vivre un édifice toujours respirant.

Viollet-le-Duc avait le très fort sentiment de vivre dans un de ces étranges moments «où l'on a senti le besoin de faire une revue du passé». Certes, cela correspond presque toujours à «un signe de détresse, une ressource extrême qu'emploient les intelligences lorsqu'elles désespèrent du présent[64]», mais l'archéologue-explorateur, franchissant les rives du XIIIe siècle, découvrait les sources d'eaux vives auxquelles l'architecture du XIXe siècle pouvait puiser l'inspiration et le renouveau. La restauration, quand elle concerne un de ces témoins du génie médiéval, n'est plus ou pas seulement un simple exercice de préservation, le sauvetage d'un monument indispensable à l'histoire des formes et des arts; elle se confond avec l'expérimentation d'une véritable technique de survie, avec l'invention d'une manière d'être au monde contemporain. Pour Viollet-le-Duc la restauration, quand elle fait se retrouver ces deux amants démocrates si longtemps séparés que sont le XIXe siècle et la période gothique, ne peut être qu'un acte de création.

1. Sur Viollet-le-Duc, le dernier et plus accessible état des questions reste le catalogue de l'exposition *Viollet-le-Duc*, Paris, Galeries nationales du Grand-Palais, 1980. *Cf.* également *Actes du Colloque international Viollet-le-Duc* (Paris, 1980), Paris, Nouvelles Éditions latines, 1982. Un choix de textes préfacé par Bruno Foucart a paru sous le titre *L'Éclectisme raisonné*, Paris, Denoël, 1984.

2. Gaston Leroux, *Le Mystère de la chambre jaune*, Paris, Le Livre de poche, 1960, p. 72.

3. Eugène Viollet-le-Duc, *Entretiens sur l'architecture*, Paris, 1863-1872, *cf.* t. II, «Quinzième entretien», p. 213.

4. Marcel Proust, *À la recherche du temps perdu, Sodome et Gomorrhe*, Paris, Gallimard, Bibliothèque de la Pléiade, t. II, p. 882.

5. Id., *ibid., Du côté de chez Swann*, t. II, p. 165.

6. André Hallays, *En Bourgogne*, cité *in* Louis Réau, *Les Monuments détruits de l'art français*, 1959, t. II, p. 171.

7. Achille Carlier, *Les Anciens Monuments dans la civilisation moderne*, t. II, *Les Fautes de notre époque*, 1920-1928, publié en 1945, p. 476.

8. Id., *ibid.*, t. II, p. 470.

9. *Ibid.*, p. 530.

10. *Ibid.*, p. 474.

11. *Exposition universelle de Vienne en 1873. France, Commission supérieure. Rapports*, 1875, t. V, p. 242.

12. *Ibid.*, p. 262.

13. Jean-Michel Leniaud, «Viollet-le-Duc et le Service des édifices diocésains», *Actes du Colloque international Viollet-le-Duc, op. cit.*, pp. 153-164.

14. *Instruction pour la conservation, l'entretien et la restauration des édifices diocésains et particulièrement des cathédrales*, Paris, Imprimerie nationale, février 1849, 29 p. Archives nationales, F[19]4544, *cf.* p. 1. Les textes concernant le Service des monuments historiques ont été plusieurs fois rassemblés et publiés, et par exemple dans les *Rapports* de l'exposition universelle de Vienne, 1873, *op. cit.*, pp. 531-673.

15. *Instruction…, op. cit.*, p. 7.

16. *Ibid.*, pp. 3 et 7.

17. *Instruction pour la rédaction des projets, l'exécution des travaux et la rédaction des mémoires concernant les édifices religieux, préparée par la commission instituée, par arrêté du 7 mars 1848, près la Direction générale de l'administration des Cultes*, Imprimerie nationale, juillet 1848, 6 p. *Cf.* p. 1.

18. *Instruction…* de 1849, *op. cit.*, p. 9.

19. *Ibid.*, p. 15.

20. Eugène Viollet-le-Duc, *Dictionnaire raisonné de l'architecture française*, t. VIII, 1866, p. 14.

21. Id., *Ibid.*, p. 22.

22. *Ibid.*, p. 23.

23. *Ibid.*, p. 24.

24. *Ibid.*, pp. 14 et 15.

25. *Ibid.*, p. 116.

26. *Ibid.*, p. 31.

27. *Ibid.*, p. 26.

28. *Projet de restauration de Notre-Dame de Paris par MM. Lassus et Viollet-le-Duc. Rapport adressé à M. le Ministre de la Justice et des Cultes, annexé au projet de restauration, remis le 31 janvier 1843*, Paris, Imprimerie de Mme de Lacombe, 1843, 39 p.

29. *Ibid.*, p. 3.

30. *Ibid.*, p. 4.

31. *Ibid.*, p. 28.

32. *Ibid.*, p. 29.

33. *Ibid.*, p. 30.

34. *Ibid.*, p. 31.

35. E. Viollet-le-Duc, « La flèche de Notre-Dame de Paris », *Gazette des beaux-arts*, 1860, p. 38.

36. Id., *ibid.*, p. 37.

37. *Projet de restauration de Notre-Dame..., op. cit.*, p. 35.

38. *Ibid.*, p. 18.

39. *Ibid.*, p. 35.

40. E. Viollet-le-Duc, *Histoire d'un hôtel de ville et d'une cathédrale*, Paris, 1878, p. 252.

41. *Cf. Exposition universelle de Vienne..., op. cit.*, p. 403.

42. *Ibid.*, p. 411.

43. *Ibid.*, p. 412.

44. E. Viollet-le-Duc, *Dictionnaire raisonné...*, t. VIII, article « Restauration », *op. cit.*, p. 33.

45. Id., *ibid.*, p. 33.

46. *Ibid.*, t. I, article « Architecture militaire », p. 402.

47. *Exposition universelle de Vienne... op. cit.*, p. 456.

48. E. Viollet-le-Duc, *Description du château de Pierrefonds*, Paris, 1869, p. 13.

49. Lettre du 8 février 1858, *cf.* L. Grodecki, *Pierrefonds*, 1979, pp. 15-16.

50. E. Viollet-le-Duc, *Description du château de Pierrefonds, op. cit.*, pp. 31-32.

51. Id., *Dictionnaire raisonné...*, t. VIII, article « Restauration », *op. cit.*, p. 17.

52. L. Réau, *Les Monuments détruits de l'art français, op. cit.*, t. II, p. 170.

53. A. Carlier, *Les Anciens Monuments, op. cit.*, t. II, pp. 543-544.

54. Archives nationales, F[19]7702. Service des édifices diocésains. Séance du 27 janvier 1873.

55. J.-M. Leniaud, *op. cit.*, p. 163.

56. *Cf.* M. Durliat, « Abadie et la restauration monumentale au XIXe siècle », catalogue de l'exposition *Paul Abadie, architecte*, Angoulême, 1984, p. 17.

57. Id., *ibid.*, p. 18.

58. Yves-Marie Froidevaux, « Viollet-le-Duc restaurateur et son influence », *Actes du Colloque..., op. cit.*, p. 149.

59. M. Durliat, « Toulouse. La restauration de l'église Saint-Sernin ». Exposition *Viollet-le-Duc*, 1980, *op. cit.*, pp. 103-104.

60. *Exposition universelle de Vienne..., op. cit.*, p. 414.

61. Préface *Dictionnaire raisonné..., op. cit.*, t. I, 1854, p. XIII.

62. *Ibid.*, p. XVII.

63. *Annales archéologiques*, t. IV, 1846, p. 338, repris *in L'Éclectisme raisonné, op. cit.*, p. 192.

64. *Annales archéologiques*, t. I, 1844, p. 179.

Table des matières

LA NATION

L'État

Le patrimoine

Annette Becker : 202, 203 •
Bibliothèque nationale de France : 397, 405, 547, 609, 632-633,
1001, 1051, 1060, 1227, 1231, 1245, 1257 • Bulloz : 1271, 1287, 1519 •
Jean-Loup Charmet : 695 • Jacques Delaborde-Explorer : 959 • Fracato : 1028 •
Gallimard : 166, 167, 409, 457, 883, 893, 1038, 1039, 1065, 1265, 1368, 1369 •
Giraudon et Lauros-Giraudon : 967, 980, 984 •
Institut géographique national : 1018, 1019, 1024 • Anne-Marie Joly : 1624,
1625 • Librairie protestante : 1207 • Musée de la Marine : 975 •
Piquemal-Paris-Match : 547 • R.M.N. : 507, 985, 1533 • Roger-Viollet : 728, 958
• N.D. Roger-Viollet : 1637 • Georges Routhier • Studio Lourmel : 988 •
Collection Viollet : 512-513• Collection SEAC-MPCIH : 202.

Direction artistique
Bernard Père
avec Guénola de Metz
et Benoît de Roux

Documents de couverture et au dos
Eugène Delacroix, *La Liberté guidant le peuple* (détail),
musée du Louvre, Paris
© RMN/Hervé Lewandowski

Laboratoire artistique
et photographique
Dominique Jochaud
© Éditions Gallimard

Document Logo Quarto
Jacques Sassier

Achevé d'imprimer
par Maury-Eurolivres S.A.,
45300 Manchecourt
le 2 avril 1997.
Dépôt légal : avril 1997.
Numéro d'imprimeur : 57594.

ISBN 2-07-074902-9 / Imprimé en France.